황기: 익기고표, 이수소종의 효능이 있으므로 저절로 땀이 나는 증상, 유종을 치료하고, 밀자한 것은 보중익기의 효능이 있어서 비허로 인한 설사를 치료한다.

결명자: 청간명목, 이수통변의 효능이 있으므로 목적종통, 수명루다, 청맹, 작목, 두통두훈, 시물혼암, 간경화복수, 소변불리, 복통, 변비를 치료한다.

솔잎: 거풍조습, 살충지양, 활혈안신의 효능이 있으므로 풍습비통, 각기, 습창, 풍진소양, 신경쇠약, 만성신염, 고혈압을 치료한다.

대황: 공적체, 청습열, 사화, 양혈, 거어, 해독의 효능이 있으므로 열결흉비, 습열사리, 황달, 임병, 수종복만, 인후종통, 구설생창, 위열구토, 토혈을 치료한다.

석류: 지갈, 삽장, 지혈의 효능이 있으므로 진상조갈, 활사, 구리, 붕루, 대하를 치료한다.

백세시대 건강 지침서
천연약물도감 I
충남대학교 약학대학 명예교수 약학박사 배기환

하수오: 양혈자양, 윤장통변, 거풍, 해독의 효능이 있으므로 혈허두혼목현, 심계, 실면, 간신음허로 인한 요슬산연, 수발조백, 이명, 유정, 장조변비, 풍진소양을 치료한다.

팔각회향: 온양, 산한, 이기, 지통의 효능이 있으므로 중한구역, 한산복통, 신허요통, 각기를 치료한다.

오미자: 수렴고삽, 익기생진, 영심안신의 효능이 있으므로 구해허천, 몽유활정, 요빈유뇨, 구사부지, 자한도한, 진상구갈, 심계실면을 치료한다.

인삼: 대보원기, 고탈생진, 안신의 효능이 있으므로 노상허손, 건망증, 당뇨병, 기혈부족을 치료한다. 사포닌 성분은 항궤양 작용, 항암 작용 등이 있다.

골쇄보: 보신강골, 활혈지통의 효능이 있으므로 허리와 무릎이 시리고 아픈 증상, 타박상, 류머티즘, 두통, 치통, 인후종통에 사용한다.

오가피: 거풍습, 장근골, 활혈, 보간신, 거어의 효능이 있으므로 풍한습비, 요슬동통, 근골위연, 소아행지, 허약체질, 타박상, 골절, 수종, 각기, 음위를 치료한다.

오디: 자양양혈, 생진, 윤장의 효능이 있으므로 간신부족과 혈허정휴에 의한 두훈목현, 요산이명, 수발조백, 실면다몽, 진상구갈, 당뇨병, 장조변비를 치료한다.

(주)교학사

백세시대 건강 지침서

천연약물도감

충남대학교 약학대학 명예교수 약학박사 **배기환**

I

책을 펴내며

사람들은 누구나 건강하게 살아가기를 원한다. 그러나 나이가 들수록 고혈압, 당뇨, 심장병, 고지혈증 등 성인병과 요통, 관절염과 같은 퇴행성 만성 질환, 각종 암 등의 질병에 시달리게 된다. 흔히 건강을 잃으면 모든 것을 잃는다고 말한다. 건강한 몸을 유지하기 위해서는 적당히 운동하고 과음, 과식 및 지나친 욕심을 버리는 것이 중요하다. 자신의 건강을 스스로 지키고 성인병을 치료하기 위해서는 서양의학의 치료법과 함께 천연약물(민간약이나 한방)을 이용하는 것도 중요하다. 필자는 독자들이 천연약물에 쉽게 접근하고 이용할 수 있어 건강한 생활을 영위하기를 바라고 또한 새로운 의약품 창출에 도움을 주고자 「천연약물도감」을 출간하게 되었다.

필자는 민간요법이나 한방으로 만성병을 치료하는 천연약물에 관심을 가지고 국내의 산야는 물론 중국을 비롯하여 일본, 인도, 스리랑카, 인도네시아, 타이완, 말레이시아, 타이, 홍콩, 싱가포르, 방글라데시, 네팔, 파키스탄, 베트남, 캄보디아, 필리핀, 터키, 그리스, 독일, 벨기에, 오스트리아, 이탈리아, 네덜란드, 러시아, 폴란드, 체코, 슬로바키아, 영국, 프랑스, 스위스, 스웨덴, 핀란드, 노르웨이, 멕시코, 쿠바, 페루, 브라질, 아르헨티나, 파라과이, 칠레, 오스트레일리아, 뉴질랜드, 미국, 캐나다 등 여러 나라에서 천연약물의 분포, 재배, 유통 등의 현장을 조사하고 약초원들을 견학하면서 견문을 넓혔다. 그리고 국내외 약재 시장을 비롯하여 日本 富山大學 民族藥物資料館, 中國 上海中醫藥大 天然藥材博物館, 成都中醫藥大 資料館, 국내 식품의약품안전처 국가생약자원관리센터(옥천) 등에서 약재 사진을 촬영하고, 이들을 기초로 민간요법과 한방에 사용되는 천연약물, 천연약물로부터 개발된 의약품과 기능성 식품의 기원, 성분, 약리, 사용법 등을 정리하였다.

천연약물과 관련하여 가장 오래된 기록물은 기원전 3~4세기에 수메르 인들이 기록한 것으로 추정되는 점토판(Clay Tablet)이다. 그리고 고대 이집트의 유명한 의학 문서의 하나인 Ebers Papyrus는 탐험가 Georg Ebers가 1862년 이집트의 무덤에서 발견한 것으로, 현재 라이프치히 대학에 보존되어 있다. 상형문자로 된 이 기록물에는 처방 811종, 약품 700여 종이 수록되어 있으며, 그중 계피(桂皮), 석류피(石榴皮), 박하(薄荷), 노회(蘆薈), 아편(阿片) 등은 오늘날에도 사용하고 있다. 로마 시대의 약학자 Dioscorides가 지중해의 여러 나라를 돌아보고 저술한 「약물지 De Materia Medica(A.D. 77~78)」는 16세기까지 약물학의 성서였으며, 이 책은 약초의 기본서로, 오늘날까지 존속되고 있다.

동양의 천연약물은 중국이 중심이다. 중국 최초의 천연약물에 관한 저서로는 화타(華陀)가 저술했을 것으로 생각되는 「신농본초경(神農本草經)」으로, 365종의 천연약물(상약 120종, 중약 120종, 하약 125종)이 수록되어 있다. 도홍경(陶弘景)의 「신농본초경집주(神農本草經集注)」에는 730종, 송대의 「증류본초(證類本草)」에는 1558종, 명대 이시진(李時珍, 1518~1593)의 「명의별록(名醫別錄)」에는 1894종이 열거되어 있다. 약물 요법에 관한 저서로는 「상한론(傷寒論)」, 「금궤요략(金匱要略)」 등이, 물리 요법에 관한 저서로는 「황제내경(黃帝內經)」이 있다. 인도는 중국의 전통의약보다 더 오래된 아유르베다(Ayurveda) 요법이 있으며, 아유르베다 의약은 인도를 비롯한 스리랑카, 방글라데시 등에서 질병 치료에 이용되고 있다.

우리나라 천연약물의 역사도 유구하다. 삼국 시대의 「백제신집방(百濟新集方)」, 「신라법사방(新羅法師方)」 등을 비롯하여 고려 시대는 송나라의 「태평성혜방(太平聖惠方)」을 이용하였고, 조선 시대에는 「향약집성방(鄕藥集成方)」, 「동의보감(東醫寶鑑)」, 「제중신편(濟衆新編)」 등이 발간되어 국민 보건 향상에 이바지하였다.

천연약물은 동식물 등의 생물을 직접 이용하거나 생물의 세포 또는 조직 배양을 통하여 나온 산물 등 약효 성분을 이용하여 개발한 의약품이다. 천연약물은 복합적인 성분과 약효를 가졌으므로 만성 질환이나 퇴행성 질환에는 단일 성분의 의약품보다는 효과적일 수도 있다. 국내 최초의 천연약물 신약은 2001년에 출시된 관절염 치료제인 '조인스'로서 위령선(威靈仙), 괄루근(栝樓根)을 원료로 하였으며, 위염 치료제인 '스티렌'은 쑥(艾葉)을, 퇴행성척추염, 관절염, 디스크 등 골관절 치료제인 '신바로'는 자오가(刺五加), 방풍(防風), 두충(杜沖), 구척(狗脊), 흑두(黑豆), 우슬(牛膝)을 원료로 하였다. 이어서 치매, 천식, 위염, 위장 질환 치료제, 기억력 개선제, 혈액순환 개선제 등의 천연약물 신약이 임상시험을 거쳐서 출시될 예정이며, 이와 같이 식품의약품안전청에서 임상시험 계획을 승인받은 천연약물 신약은 앞으로 더욱 증가할 것으로 예상된다. 한편, 최근에는 건강기능식품이 건강 보조 또는 치료 개념으로 질병의 예방 또는 진행을 막아 줌으로써 건강을 증진시키는 데 기여하고 있다.

이 분야에 들어오기까지 한약방을 하시며 어릴 때부터 필자에게 한약을 가르쳐 주신 가친(裵必天, 故)께 감사드린다. 또 학문의 길로 인도해 주신 진갑덕(故) 박사(영남대학교 약학대학 명예교수), 천연약물 자원에 대해 지도해 주신 難波恒雄(故) 교수(日本 富山大學)께 감사드린다. 유학 시절 약초 공부를 함께 하였고 많은 사진을 제공해 주신 雅影御幸 박사(日本 北澤大學 藥學部 명예교수), 小松かつ子 박사(日本 富山大學 和漢藥研究所 교수), 식물 사진을 제공해 주신 이영로(故) 박사(전 이화여대 명예교수), 잘못된 것을 지적해 주시고 약재 사진을 아낌없이 제공해 주신 육창수 박사(경희대학교 약학대학 명예교수)께 감사드린다. '장군풀' 사진을 보내 주신 日本 富山大學 藥草園의 藤本廣春 씨, 본초에 관련된 가르침과 귀중한 사진을 보내 주신 주영승 박사(우석대학교 한의과대학 교수), 정교한 사진들을 보내 주신 황영목 변호사(전 대구고등법원장), 사진을 제공해 주신 이형규 박사(한국생명공학연구원), 이상우 박사(한국생명공학연구원), 박종철 박사(순천대학교 한약자원학과 교수), 권용수 박사(강원대학교 약학대학 교수), 김대근 박사(우석대학교 약학대학 교수), Phuong Tien Thuong 박사(하노이대학교 약학대학), 屠鵬飛 박사(中國 北京大學 교수), 극지연구소의 윤의중 박사, 희귀한 사진을 보내 주신 신전휘 박사(대구 백초당한약방), 버섯 사진을 공여해 주신 박완희 박사(서울산업대 명예교수), 图力古尔 박사(中國 吉林農業大學 교수), 그리고 버섯 사진을 감정해 주신 석순자 박사(전 농업진흥청)께 감사드린다. 또 어류 사진을 제공해 주신 최윤 박사(군산대학교), 야생동물 사진을 제공해 주신 한상훈 박사(국립생물자원관), 바다동물 사진을 제공해 주신 손민호 박사(해양생태기술연구소 대표), 광물을 동정해 주신 이현구 박사(충남대학교 명예교수), 식물들을 관찰할 수 있도록 도와주신 한택식물원 이택주 원장, 고운식물원 이주호 원장께 감사드린다. 해조류 도감과 문헌을 제공해 주신 부성민 박사(충남대학교 명예교수), 베트남과 캄보디아 식물 도감을 보내 주신 이중구 박사(충남대학교 농업생명과학대 교수), 한약재 도감과 문헌을 제공해 주신 최고야 박사(한국한의학연구원), 또 필자의 연구실에서 박사학위를 취득하고 천연약물 연구에 몰두하고 있는 31명의 제자들에게도 감사드린다.

끝으로 좋은 책 만들기에 전념하시고 어려운 여건임에도 불구하고 이 책이 나오도록 배려해 주신 양철우 회장님과 양진오 사장님께 깊이 감사드리며 처음부터 끝까지 정성을 아끼지 않으신 편집부 여러분에게도 감사드린다.

2019년 5월 저자

일러두기

- 이 책에는 우리나라를 중심으로 중국, 인도, 일본, 유럽, 북남미의 전통적인 천연약물 가운데 식물, 조류, 지의류, 선태식물, 버섯, 동물, 광물 중에서 총 3,100여 종을 선별하여 각 종의 해설과 사진 및 약재 사진을 실었다.

- 이 책의 순서는 약용 식물, 약용 조류·지의류·선태식물, 약용 버섯, 약용 동물, 약용 광물의 순으로 하였으며, 각 천연약물은 특성을 쉽게 이해할 수 있도록 과(科, family)별로 정리하였다.

- 천연약물의 해설은 형태, 분포·생육지(생태), 약용 부위·수치, 약물명, 본초서의 기재 사항, 성상, 기미·귀경, 약효, 성분, 약리, 사용법, 주의사항, 참고, 처방 등으로 나누어 정리하였다. 또 천연약물에서 유래한 의약품, 건강 기능 식품을 수재하여 약물에 대한 이해를 높였다.

- 약용 부위·수치는 약용으로 이용되는 부위와 이것을 손질하여 사용하는 방법을 간단히 기록하였다.

- 약물명은 중국에서 사용하는 표준명 외 이명을 기재하고, 유럽, 인도, 북남미, 오스트레일리아 등에서 사용하는 것은 라틴 생약명 또는 일반명을 적었다. 또 대한민국약전(KP)과 대한민국약전외한약(생약)규격집(KHP)에 수재된 것도 기재하여 독자의 편의를 제공하였다.

- 본초서에는 「신농본초경(神農本草經)」으로부터 「본초강목(本草綱目)」에 이르는 내용을 간단히 정리하여 약물의 역사를 이해하도록 하였다.

- 약효는 「중화본초(中華本草)」에 기록된 것을 중심으로 열거하고 최근에 발표된 연구 결과를 보충하였으며, 「동의보감(東醫寶鑑)」〈탕액편(湯液篇)〉에 등재되어 있는 한약재 약효를 중심으로 정리하고, 중국 본초서의 내용과 비교 설명하였다.

- 성분은 「중화본초(中華本草)」 및 최근에 연구 발표된 주성분을 위주로 정리하였고, 약리도 「중화본초(中華本草)」 및 최근에 발표된 연구 내용을 요약하여 정리하였다.

- 사용법은 「중화본초(中華本草)」 내용을 참고하여 정리하였으며, 1회 용량을 제시하였다.

- 각 천연약물에는 약물의 약효·증상을 한눈에 알아볼 수 있도록 기호로 표시하였으며, 약물 채취 시기, 약용 부위 및 유독성도 기호로 나타내고 해당 부분을 색으로 표시하였다.

- '질환별 약물명'은 각 질환에 약효가 있는 천연약물 가운데 대표적인 것을 골라 제시하였다.

- 부록에는 약용 식물의 채취와 보관 방법, 약 달이기와 복용법, 질환별 용어 해설, 식물 용어 도해, 천연약물명 찾아보기, 학명 찾아보기, 사진 자료, 참고 문헌 등을 실었다.

이 책을 보는 방법

❶ 분류 설명
❷ 과명
❸ 천연약물명
❹ 학명, 영명, 한자명, 별명
❺ 약물 채취 시기 표시

❻ 약효 표시
❼ 약용 부위·유독 표시
❽ 천연약물 해설
❾ 천연약물 및 약재 사진
❿ 부분 확대 사진

⑪ 사진 설명
⑫ 쪽번호
⑬ 분류별 색

약용 부위 및 분류 표시

지상부, 싹

잎

줄기, 잎줄기, 잎자루, 덩굴, 줄기껍질, 꼭지, 가시

원줄기, 나무껍질, 심재

뿌리, 뿌리줄기, 비늘줄기, 덩이줄기, 덩이뿌리, 뿌리껍질

꽃, 꽃줄기, 꽃가루, 꽃봉오리

열매, 열매껍질, 깍지, 꼬투리

종자, 포자

전초, 몸체, 식물체, 지의체, 엽상체

기름, 수액, 수지, 유액, 삼출물

자실체, 균핵, 균류

해조류

포유류

조류

파충류

양서류

환형동물

해면 · 강장동물

태형 · 극피동물

어류

연체동물

절지동물

광물

약효·증상표

관절·근육	각기, 경련, 골수염, 골절, 구련동통, 구련마목, 근골동통, 근맥구련, 무릎통증, 반신불수, 비증, 비통, 사지마비, 사지산통, 소아경련, 수근경직, 수족마목, 신권욕면, 신경통, 신허요통, 열비종통, 요산배통, 요슬산통, 요통, 요퇴통, 중풍반신불수, 지절구련, 지체마목, 통풍, 풍비, 풍비지절통, 풍습동통, 풍습비통, 풍습성관절염, 풍습열비, 풍한습비, 하지경련, 하지위연, 학슬풍
눈·코·귀·입·목	간열목적, 갑상샘암, 구강염, 구갈, 구창, 누루, 다루, 두훈목현, 목생운예, 목적예약, 목적종통, 목현, 번갈, 비강염, 비뉵, 비색, 서열번갈, 심번구갈, 설생창, 성홍열, 시물혼화, 시선염, 실음, 심열번갈, 아구창, 아통, 예장, 유아, 육혈, 음양인건, 이농종, 이하선염, 인종, 인통음아, 인후통, 제골경후, 청맹내장, 치뉵, 치은화농, 치통, 타액부족, 토혈육혈, 편도선염, 혈허면색위황, 후비, 후종
부인병	경폐, 경폐통경, 경행복통, 경행불창, 궁냉불잉, 난소암, 대하, 백대, 붕루, 산후혈훈, 유방암, 유소, 유옹, 유종, 유즙불통, 음양대하, 자궁암, 통경, 포의불하, 한습대하, 혈붕
비뇨기	고환편추, 기림, 내치변혈, 백탁, 부종, 사림, 산기통, 산하(고환통증), 석림, 소변임삽, 수종고창, 수종복만, 수종창만, 신염수종, 신장염, 신허양위, 양위, 열림, 요로감염, 요림, 요배산통, 유뇨, 유정, 음낭종통, 음낭습양, 이변불리, 임병, 임증, 임질, 임탁, 장풍, 치질, 치창, 치창출혈, 치혈, 탈항, 풍수, 한산동통, 혈림
생활습관	고지혈증, 고혈압, 내열소갈, 당뇨병, 동맥경화, 모세혈관파괴, 백혈병, 비만, 심장쇠약증, 암, 저혈압, 정맥류, 정맥염, 종양, 현문, 혈액순환장애, 혈전성맥관염
소화기	간경화복수, 간신부족, 간신휴손, 간암, 간장병, 간종대, 간질환, 감적, 결장염, 고창, 곽란, 구리, 구역, 궁냉복통, 담낭염, 담도감염, 담석증, 담음적취, 담음천만, 담즙분비장애, 반위불서, 변비, 변혈, 복사, 비위허약, 비장종대, 비허냉리, 비허복사, 사리, 산통, 서열곽란, 설사, 소복냉통, 소아감적, 수습고창, 습승구사, 식도암, 식적복창, 심복동통, 심위기통, 애기, 어혈복통, 열격, 오심, 완복창만, 위비, 위암, 위완통, 위하수, 이질, 장옹양, 장옹, 장풍출혈, 장풍하혈, 적리, 적백하리, 적체, 적취, 징가, 징적동통, 충적, 토사곽란, 토사전근, 토혈, 하리, 한기복통, 한습토사, 현벽, 혈리, 혈리복통, 황달, 흉격담체, 흉격만민, 흉격번열, 흉격창만, 흉륵동통, 흉만, 흉비심통, 흉완만민, 흉중담결, 흉협동통, 흉협창만
순환기	간양현훈, 간질, 경간혼미, 경궐, 경풍, 경풍추휵, 뇌출혈, 뇌졸중, 담궐, 두선(어지럼증), 두통두훈, 림프샘염, 빈혈, 서맥증, 소아경풍, 수종, 신혼, 신혼불허, 심계항진, 심부전, 심장비대증, 심장성부종, 심장질환, 열병, 경궐, 울혈, 이명현훈, 저혈압, 전간, 제풍두현, 졸도, 중풍, 중풍담궐, 중풍담미, 지냉, 피하출혈, 하지수종, 현기증, 협심증, 흉민기단
스트레스·불면	경계, 경계정충, 번조불안, 불면증, 불안증, 신경과민, 실면, 실면다옹, 심계, 심계정충, 심번실면, 심신쇠약, 야제, 야침불안, 우울증, 정신불안, 진정, 허번불면
외상·피부	개선, 개창, 광견교상, 괴혈병, 금창, 기부마목, 나력, 나병, 농창, 단독, 담마진, 독창, 두진불투, 두창, 두풍백설, 마진, 마진불투, 마풍, 백전, 사마귀, 소아풍진, 소양증, 수두, 수발조백, 습진소양, 신열반진, 어종동통, 열독창종, 염창, 영류담핵, 오공교상, 옹저, 옹절, 옹종, 음낭습진, 음저, 음증창양, 절종, 정창, 종괴, 종독, 좌상, 질타손상, 창개, 창독, 창양, 창절, 체선, 충독교상, 칠창, 타박상, 탈모, 파상풍, 패혈병, 풍습진, 풍습통양, 풍종소양, 풍진, 피선, 하지궤양, 혈열반진, 혈풍창
자양강장	권태무력, 기허로권, 노상, 노상동통, 도한, 병후체약, 신경쇠약, 신양부족, 신피다면, 신허, 심계기단, 열성상진, 자한, 중서, 체권무력, 체질허약, 체허자한, 하원허랭, 한출부지, 해역, 허로권태, 허손노상, 허손한열, 혈허, 혈허신통, 혈허신휴, 혈허위황, 혈허정휴, 혈허제증
해열·진통	간열두훈, 감기몸살, 감모발열, 감모풍열, 감모풍한, 고열번갈, 뇌염, 담결, 두통, 두풍, 말라리아, 발한, 번열, 심복한열, 열감기, 열병담다, 열병번갈, 열병상음, 열병신혼, 열병허번, 열사병, 외감표증, 외감풍한, 외감풍열, 음허노열, 일병신혼, 전정동통, 조열, 중서발사, 편두통, 풍한, 풍한표증, 한열왕래, 혈열
호흡기	감기, 객혈, 거담, 결핵, 고열감모, 구해실음, 기관지염, 나력결핵, 노상해천, 늑막동통, 담다, 담천, 백일해, 열감기, 열해, 유감, 음허구해, 음허폐로, 조해, 천만, 천해담수, 폐기종, 폐농양, 폐열해수, 폐옹, 풍열감모, 풍열해수, 해수, 해수기천, 해수천식, 해수토혈, 허로구해, 호흡곤란, 효천, 후두염, 흉복적수
기타	가슴앓이, 각종출혈, 간울협통유창, 건망증, 관심병, 기결동통, 뇌척수막염, 두혼건망, 두혼핍력, 딸꾹질, 매독, 멀미, 복어독, 서습흉민, 심격사열, 심번, 어중독, 어혈동통, 어혈종통, 열병번만, 우울증, 임파결핵, 전광, 전병(정신이상), 전질(정신병), 좌약, 주독, 카타르, 한증, 협륵창통, 협하창만

CONTENTS

차 례

I

질환별 약물명

*숫자는 기재된 권, 쪽수

간질환(肝疾患)

간염(肝炎)__개맨드라미(Ⅰ, p. 256), 계골초(Ⅰ, p. 523), 구름버섯(Ⅱ, p. 715), 금전초(Ⅰ, p. 914), 긴병꽃풀(Ⅱ, p. 119), 까마중(Ⅱ, p. 180), 꺽정이(Ⅱ, p. 839), 꽃상추(Ⅱ, p. 297), 나도수영(Ⅰ, p. 201), 노루귀(Ⅰ, p. 325), 닭의장풀(Ⅱ, p. 446), 담배풀(Ⅱ, p. 288), 닻꽃(Ⅱ, p. 950), 돌나물(Ⅱ, p. 440), 도깨비바늘(Ⅱ, p. 282), 도꼬마리(Ⅱ, p. 354), 돌토끼고사리(Ⅰ, p. 73), 땅꽈리(Ⅱ, p. 174), 마리아엉겅퀴(Ⅱ, p. 340), 마편초(Ⅱ, p. 107), 망초(Ⅱ, p. 308), 매듭풀(Ⅰ, p. 572), 먼나무(Ⅰ, p. 706), 모감주나무(Ⅰ, p. 697), 목별(Ⅰ, p. 790), 물매화풀(Ⅰ, p. 449), 밀몽화(Ⅰ, p. 940), 바다거북(Ⅱ, p. 850), 바위솔(Ⅰ, p. 436), 방가지똥(Ⅱ, p. 343), 뱀딸기(Ⅰ, p. 468), 봉선화(Ⅰ, p. 702), 빙초(Ⅰ, p. 226), 사마귀풀(Ⅱ, p. 446), 사철쑥(Ⅱ, p. 262), 서양민들레(Ⅱ, p. 349), 서양톱풀(Ⅱ, p. 255), 서양현호색(Ⅰ, p. 409), 석송(Ⅰ, p. 49), 선갈퀴(Ⅱ, p. 62), 소리쟁이(Ⅰ, p. 220), 속새(Ⅰ, p. 58), 속썩은풀(Ⅰ, p. 155), 손바닥난초(Ⅱ, p. 561), 솔나물(Ⅱ, p. 68), 솔체꽃(Ⅱ, p. 243), 송악(Ⅰ, p. 838), 쇠비름(Ⅰ, p. 228), 수수꽃다리(Ⅰ, p. 937), 수양버들(Ⅰ, p. 143), 수염가래꽃(Ⅱ, p. 250), 수영(Ⅰ, p. 219), 숫잔대(Ⅱ, p. 251), 시금치(Ⅰ, p. 248), 시호(Ⅰ, p. 861), 신나무(Ⅰ, p. 693), 실고사리(Ⅰ, p. 68), 쑥(Ⅱ, p. 268), 아마(Ⅰ, p. 625), 양태(Ⅱ, p. 839), 염주(Ⅱ, p. 454), 옥수수깜부기(Ⅱ, p. 736), 온욱금(Ⅱ, p. 532), 용설란(Ⅱ, p. 433), 운실(Ⅰ, p. 538), 유칼리나무(Ⅰ, p. 805), 자두나무(Ⅰ, p. 496), 젓가락풀(Ⅰ, p. 329), 제비꽃(Ⅰ, p. 774), 자스민(Ⅰ, p. 932), 조름나물(Ⅰ, p. 953), 주둥치(Ⅱ, p. 832), 지느러미엉겅퀴(Ⅱ, p. 288), 지별(Ⅱ, p. 779), 진득찰(Ⅱ, p. 338), 쪽(Ⅰ, p. 208), 창포(Ⅱ, p. 485), 천일홍(Ⅰ, p. 258), 청비름(Ⅰ, p. 255), 추풍목(Ⅰ, p. 628), 층층이꽃(Ⅱ, p. 114), 컴프리(Ⅱ, p. 98), 큰속새(Ⅰ, p. 57), 클로렐라(Ⅱ, p. 570), 티베트호황련(Ⅱ, p. 196), 파인애플(Ⅱ, p. 445), 팽나무버섯(Ⅱ, p. 628), 풍선덩굴(Ⅰ, p. 695), 하포산계화(Ⅰ, p. 682), 호랑가시나무(Ⅰ, p. 704)

감적(疳積)__가을강아지풀(Ⅱ, p. 478), 너구리(Ⅱ, p. 893), 녹반(Ⅱ, p. 920), 농어(Ⅱ, p. 829), 느릅나무(Ⅰ, p. 161), 대나무버섯(Ⅱ, p. 710), 드렁허리(Ⅱ, p. 828), 뚜껑덩굴(Ⅰ, p. 780), 망고(Ⅰ, p. 687), 번석류(Ⅰ, p. 809), 야자나무(Ⅰ, p. 543), 옥수수깜부기(Ⅱ, p. 736), 이질바퀴(Ⅱ, p. 778), 초석잠풀(Ⅱ, p. 159), 취어초(Ⅰ, p. 940), 티베트호황련(Ⅱ, p. 196), 하늘다람쥐(Ⅱ, p. 888)

담낭염(膽囊炎)__가마편(Ⅱ, p. 106), 가시나무(Ⅰ, p. 157), 겨자무(Ⅰ, p. 414), 광금전초(Ⅰ, p. 557), 더위지기(Ⅱ, p. 266), 두점쓴풀(Ⅰ, p. 950), 망초(Ⅱ, p. 308), 배풍등(Ⅱ, p. 179), 뽕나무버섯부치(Ⅱ, p. 627), 선갈퀴(Ⅱ, p. 62), 선쓴바

귀(Ⅱ, p. 319), 쓴쑥(Ⅱ, p. 260), 옥수수(Ⅱ, p. 484), 온욱금(Ⅱ, p. 532), 조개나물(Ⅱ, p. 112), 촛대선인장(Ⅰ, p. 259), 층층이꽃(Ⅱ, p. 114), 큰방울새란(Ⅱ, p. 565), 큰봉의꼬리(Ⅰ, p. 81), 톱상어(Ⅱ, p. 809)

황달(黃疸)__가래(Ⅱ, p. 362), 가물치(Ⅱ, p. 837), 개오동나무(Ⅱ, p. 209), 계뇨등(Ⅱ, p. 74), 고사리(Ⅰ, p. 73), 곰의말채(Ⅰ, p. 827), 괭이밥(Ⅰ, p. 612), 구슬붕이(Ⅰ, p. 948), 금붕어(Ⅱ, p. 817), 금어초(Ⅱ, p. 183), 금전초(Ⅰ, p. 914), 긴병꽃풀(Ⅱ, p. 119), 꽃상추(Ⅱ, p. 297), 꽈리(Ⅱ, p. 175), 다래나무(Ⅰ, p. 382), 다슬기(Ⅱ, p. 749), 더위지기(Ⅱ, p. 266), 도둑놈의지팡이(Ⅰ, p. 596), 돼지(Ⅱ, p. 903), 땅비싸리(Ⅰ, p. 570), 마디풀(Ⅰ, p. 211), 매발톱나무(Ⅰ, p. 336), 며느리배꼽(Ⅰ, p. 205), 물매화풀(Ⅰ, p. 449), 미나리아재비(Ⅰ, p. 330), 미역취(Ⅱ, p. 341), 바위손(Ⅰ, p. 52), 배풍등(Ⅱ, p. 179), 백리향(Ⅱ, p. 162), 백선(Ⅰ, p. 662), 뱀딸기(Ⅰ, p. 468), 붉나무(Ⅰ, p. 689), 비늘버섯(Ⅱ, p. 648), 사철쑥(Ⅱ, p. 262), 산호수(Ⅰ, p. 909), 삼백초(Ⅱ, p. 360), 솔이끼(Ⅱ, p. 596), 솔체꽃(Ⅱ, p. 243), 솜엉겅퀴(Ⅱ, p. 302), 수염가래꽃(Ⅱ, p. 250), 순채(Ⅱ, p. 354), 실고사리(Ⅰ, p. 68), 아욱메풀(Ⅱ, p. 85), 안개꽃나무(Ⅰ, p. 686), 애기땅빈대(Ⅰ, p. 642), 애기똥풀(Ⅰ, p. 400), 여우주머니(Ⅰ, p. 648), 옥수수(Ⅱ, p. 484), 온욱금(Ⅱ, p. 532), 용담(Ⅰ, p. 947), 원추리(Ⅱ, p. 388), 율무(Ⅱ, p. 455), 잉어(Ⅱ, p. 817), 자귀풀(Ⅰ, p. 527), 줄고사리(Ⅰ, p. 75), 지렁이(Ⅱ, p. 743), 지치(Ⅱ, p. 96), 진퍼리까치수염(Ⅰ, p. 916), 쪽(Ⅰ, p. 208), 참개구리(Ⅱ, p. 847), 참게(Ⅱ, p. 770), 큰잎용담(Ⅰ, p. 946), 타래붓꽃(Ⅱ, p. 440), 티베트호황련(Ⅱ, p. 196), 파인애플(Ⅱ, p. 445), 팥(Ⅰ, p. 586), 풍선덩굴(Ⅰ, p. 695), 하늘타리(Ⅰ, p. 792), 황벽나무(Ⅰ, p. 668), 회양목(Ⅰ, p. 715), 흑곰(Ⅱ, p. 894)

감염성질환(感染性疾患)

감기__가막사리(Ⅱ, p. 284), 각시취(Ⅱ, p. 331), 갈매나무(Ⅰ, p. 721), 개시호(Ⅰ, p. 863), 고란초(Ⅰ, p. 105), 고본(Ⅰ, p. 881), 고비(Ⅰ, p. 63), 구릿대(Ⅰ, p. 855), 구슬이끼(Ⅱ, p. 601), 국화(Ⅱ, p. 295), 금떡쑥(Ⅱ, p. 312), 기름나물(Ⅰ, p. 890), 까치수염(Ⅰ, p. 913), 꽃박하(Ⅱ, p. 140), 꿩고비(Ⅰ, p. 64), 꿩고사리(Ⅰ, p. 65), 남산등(Ⅱ, p. 56), 녕몽안(Ⅰ, p. 805), 녹박하(Ⅱ, p. 133), 다북떡쑥(Ⅱ, p. 257), 등대시호(Ⅰ, p. 862), 땅꽈리(Ⅱ, p. 174), 마련(Ⅰ, p. 680), 매미눈꽃동충하초(Ⅱ, p. 732), 먼나무(Ⅰ, p. 706), 미역취(Ⅱ, p. 341), 방울꽃(Ⅱ, p. 217), 배초향(Ⅱ, p. 110), 보리감부기(Ⅱ, p. 737), 붉은토끼풀(Ⅰ, p. 602), 사철잔고사리(Ⅰ, p. 71), 상산나무(Ⅰ, p. 667), 서양톱풀(Ⅱ, p. 255), 송과국(Ⅱ, p. 303), 수리취(Ⅱ, p. 345), 엽상화(Ⅰ, p. 829), 아니스(Ⅰ, p. 891), 애납향(Ⅱ, p.

24

285), 어수리(Ⅰ, p. 875), 왜우산풀(Ⅰ, p. 891), 인삼(Ⅰ, p. 840), 자라(Ⅱ, p. 851), 장뇌나륵(Ⅱ, p. 138), 족도리풀(Ⅰ, p. 373), 죽엽란(Ⅱ, p. 548), 중대가리국화(Ⅱ, p. 326), 지렁이(Ⅱ, p. 743), 진달래(Ⅰ, p. 904), 참반디(Ⅰ, p. 892), 참쑥(Ⅱ, p. 267), 천령초(Ⅱ, p. 141), 초마황(Ⅱ, p. 134), 취목단(Ⅱ, p. 102), 층꽃풀(Ⅱ, p. 101), 한속단(Ⅱ, p. 143), 항백지(Ⅰ, p. 854), 향모초(Ⅱ, p. 456), 호미란(Ⅱ, p. 434), 히어리(Ⅰ, p. 431), 흰우단버섯(Ⅱ, p. 615)

골결핵(骨結核)__느릅나무(Ⅰ, p. 161), 풍접초(Ⅰ, p. 429)

나력(瘰癧)__거지덩굴(Ⅰ, p. 727), 관중(Ⅰ, p. 92), 군평선이(Ⅱ, p. 833), 굴(Ⅱ, p. 759), 금감나무(Ⅰ, p. 665), 냉초(Ⅱ, p. 207), 달리아(Ⅱ, p. 302), 담배나무(Ⅱ, p. 172), 동자개(Ⅱ, p. 823), 새우난초(Ⅱ, p. 550), 용주과(Ⅰ, p. 770), 이두첨(Ⅱ, p. 502), 인도산닥나무(Ⅰ, p. 764), 인동덩굴(Ⅱ, p. 227), 참오동나무(Ⅱ, p. 192), 청나래고사리(Ⅱ, p. 102), 측백나무(Ⅰ, p. 125), 파대가리(Ⅱ, p. 514), 피조개(Ⅱ, p. 756), 흰대극(Ⅰ, p. 632)

나병(癩病)__대풍자나무(Ⅰ, p. 768), 치자나무(Ⅱ, p. 68), 해남대풍자(Ⅰ, p. 767)

대상포진(帶狀疱疹)__가락지나물(Ⅰ, p. 484), 구와취(Ⅱ, p. 332), 꿀벌(Ⅱ, p. 798), 다람쥐꼬리(Ⅰ, p. 49), 며느리밑씻개(Ⅰ, p. 206), 반디나물(Ⅰ, p. 868), 백화유마등(Ⅰ, p. 583), 석잠풀(Ⅱ, p. 159), 쇠채(Ⅱ, p. 333), 자운영(Ⅰ, p. 535), 잠풀(Ⅰ, p. 582), 차나무(Ⅰ, p. 390)

마진(麻疹)__개구리밥(Ⅱ, p. 504), 개보리뺑이(Ⅱ, p. 322), 고비(Ⅰ, p. 63), 고수(Ⅰ, p. 867), 긴잎꿩의다리(Ⅰ, p. 334), 남산제비꽃(Ⅰ, p. 773), 노랑어리연꽃(Ⅰ, p. 954), 매미눈꽃동충하초(Ⅱ, p. 732), 물상추(Ⅱ, p. 501), 사류(Ⅰ, p. 144), 산토끼꽃(Ⅱ, p. 243), 생이가래(Ⅰ, p. 113), 서양이질풀(Ⅰ, p. 616), 에치움(Ⅱ, p. 93), 올챙이고랭이(Ⅱ, p. 516), 위성류(Ⅰ, p. 780), 좀깨잎나무(Ⅰ, p. 182), 포창엽(Ⅰ, p. 911), 황매화(Ⅰ, p. 474)

말라리아(瘧疾)__개똥쑥(Ⅱ, p. 261), 구지뽕나무(Ⅰ, p. 170), 나도승마(Ⅰ, p. 448), 나무수국(Ⅰ, p. 447), 당교수(Ⅰ, p. 955), 미나리아재비(Ⅰ, p. 330), 삼(Ⅰ, p. 168), 선개불알풀(Ⅱ, p. 203), 실망초(Ⅱ, p. 307), 여송과나무(Ⅰ, p. 941), 인도멀구슬나무(Ⅰ, p. 679), 중국상산나무(Ⅰ, p. 446), 지불용(Ⅰ, p. 350), 초과(Ⅱ, p. 525), 초두구(Ⅱ, p. 520), 큰엉겅퀴(Ⅱ, p. 299), 키나나무(Ⅱ, p. 63)

무좀__가막사리(Ⅱ, p. 284), 계뇨등(Ⅱ, p. 74), 마늘(Ⅱ, p. 366), 몰약나무(Ⅰ, p. 653), 무궁화(Ⅰ, p. 745), 배초향(Ⅱ, p. 110), 범부채(Ⅱ, p. 437), 석송(Ⅱ, p. 49), 선이질풀(Ⅰ, p. 615), 아주까리(Ⅰ, p. 649), 애기풀(Ⅰ, p. 683), 약모밀(Ⅰ, p.

359), 잇꽃(Ⅱ, p. 290), 주차나무(Ⅰ, p. 807), 짚신나물(Ⅰ, p. 459), 토란(Ⅱ, p. 495), 티베트호황련(Ⅱ, p. 196), 홍두구(Ⅱ, p. 519)

백일해(百日咳)__고사리삼(Ⅰ, p. 60), 구골나무(Ⅰ, p. 937), 국화(Ⅱ, p. 295), 끈끈이주걱(Ⅰ, p. 397), 남천(Ⅰ, p. 343), 누린내풀(Ⅱ, p. 101), 로벨리아(Ⅱ, p. 251), 마늘(Ⅱ, p. 366), 목호접나무(Ⅱ, p. 211), 밤나무(Ⅰ, p. 152), 뻐꾸기(Ⅱ, p. 874), 뽕나무(Ⅰ, p. 178), 석잠풀(Ⅱ, p. 159), 애기꽈리(Ⅱ, p. 174), 죽황(Ⅱ, p. 736), 중국상산나무(Ⅰ, p. 446), 직립백부(Ⅱ, p. 420), 층꽃풀(Ⅱ, p. 101)

연주창(連珠瘡)·임파절결핵(淋巴節結核)__가막사리(Ⅱ, p. 284), 가막살나무(Ⅱ, p. 233), 가호자(Ⅰ, p. 958), 가회톱(Ⅰ, p. 726), 갈매나무(Ⅰ, p. 721), 감국(Ⅱ, p. 294), 개구리자리(Ⅰ, p. 330), 개나리(Ⅰ, p. 929), 거머리말(Ⅱ, p. 363), 검노린재나무(Ⅰ, p. 926), 광대나물(Ⅱ, p. 122), 구렁이(Ⅱ, p. 856), 깽깽이풀(Ⅰ, p. 341), 꼬리풀(Ⅱ, p. 204), 꽃상추(Ⅱ, p. 297), 꿀풀(Ⅱ, p. 146), 남가새(Ⅰ, p. 623), 낭독(Ⅰ, p. 640), 네가래(Ⅰ, p. 112), 달구지풀(Ⅱ, p. 601), 독각련(Ⅱ, p. 503), 돌나물(Ⅰ, p. 440), 매발톱나무(Ⅰ, p. 336), 모래지치(Ⅱ, p. 97), 목람(Ⅰ, p. 572), 물매화풀(Ⅰ, p. 449), 백미꽃(Ⅱ, p. 50), 백산차(Ⅰ, p. 900), 백정화(Ⅱ, p. 77), 보리사초(Ⅱ, p. 508), 분꽃(Ⅰ, p. 225), 생이가래(Ⅰ, p. 113), 쇠고비(Ⅰ, p. 91), 시클라멘(Ⅰ, p. 913), 애기털군부(Ⅱ, p. 746), 야청수(Ⅰ, p. 571), 약난초(Ⅱ, p. 553), 유칼리나무(Ⅰ, p. 805), 윤판나물(Ⅱ, p. 381), 인동덩굴(Ⅱ, p. 227), 전동싸리(Ⅰ, p. 581), 제비꿀(Ⅰ, p. 191), 조개풀(Ⅱ, p. 450), 조록나무(Ⅰ, p. 432), 족제비(Ⅱ, p. 896), 지칭개(Ⅱ, p. 315), 짚신나물(Ⅰ, p. 459), 청어(Ⅱ, p. 812), 타래난초(Ⅱ, p. 566), 털머위(Ⅱ, p. 310), 호제비꽃(Ⅰ, p. 777), 황련(Ⅰ, p. 321), 흰대극(Ⅰ, p. 632)

이질(痢疾)__가시나무(Ⅰ, p. 157), 개미탑(Ⅰ, p. 821), 국화쥐손이(Ⅰ, p. 614), 금방망이(Ⅱ, p. 336), 기생초(Ⅱ, p. 301), 납작돔(Ⅱ, p. 833), 대엽백부(Ⅱ, p. 421), 도둑놈의지팡이(Ⅰ, p. 596), 돌마타리(Ⅱ, p. 237), 딱지꽃(Ⅰ, p. 481), 매발톱나무(Ⅰ, p. 336), 명아주(Ⅰ, p. 243), 배롱나무(Ⅰ, p. 796), 백일홍(Ⅱ, p. 355), 백정화(Ⅱ, p. 77), 보리수나무(Ⅰ, p. 766), 봉의꼬리(Ⅰ, p. 82), 비늘고사리(Ⅰ, p. 94), 비름(Ⅰ, p. 253), 산딸나무(Ⅰ, p. 827), 석류나무(Ⅰ, p. 815), 석류풀(Ⅰ, p. 226), 수단화(Ⅱ, p. 61), 조밥나물(Ⅱ, p. 316), 지사목(Ⅰ, p. 959), 큰봉의꼬리(Ⅰ, p. 81), 토나무(Ⅱ, p. 62), 피막이풀(Ⅰ, p. 876), 필발(Ⅰ, p. 363)

임질(淋疾)__가래(Ⅱ, p. 362), 기린국화(Ⅱ, p. 324), 까치박달(Ⅰ, p. 150), 냉이(Ⅰ, p. 419), 댑싸리(Ⅰ, p. 245), 보리수나무(Ⅰ, p. 766), 보리장나무(Ⅰ, p. 765), 분꽃(Ⅰ, p. 225), 삼나무(Ⅰ, p. 122), 석위(Ⅰ, p. 111), 쇠무릎(Ⅰ, p. 249), 실고사

리(Ⅰ, p. 68), 아메리카피막이(Ⅰ, p. 875), 아욱(Ⅰ, p. 748), 여뀌(Ⅰ, p. 202), 여우구슬(Ⅰ, p. 648), 오동나무(Ⅱ, p. 193), 잠풀(Ⅰ, p. 582), 전동싸리(Ⅰ, p. 581), 접시꽃(Ⅰ, p. 740), 청미래덩굴(Ⅱ, p. 410), 패랭이꽃(Ⅰ, p. 233)

자궁염(子宮炎)__구절초(Ⅱ, p. 296), 말냉이(Ⅰ, p. 428), 며느리밑씻개(Ⅰ, p. 206), 몰약나무(Ⅰ, p. 653), 쇠뜨기(Ⅰ, p. 55), 쑥국화(Ⅱ, p. 348), 익모초(Ⅱ, p. 124), 황삼국(Ⅱ, p. 330)

폐결핵(肺結核)__개구리갓(Ⅰ, p. 331), 계림척(Ⅰ, p. 693), 굴엽파극(Ⅱ, p. 73), 금뉴구(Ⅱ, p. 343), 금소리쟁이(Ⅰ, p. 222), 긴갯금불초(Ⅱ, p. 352), 깔때기버섯(Ⅱ, p. 613), 나도물통이(Ⅰ, p. 185), 눈괴불주머니(Ⅰ, p. 404), 독수리(Ⅱ, p. 867), 뜸부기(Ⅱ, p. 580), 멸대(Ⅱ, p. 375), 물통이(Ⅰ, p. 188), 미역쇠(Ⅱ, p. 576), 사철쑥(Ⅱ, p. 262), 수달(Ⅱ, p. 895), 여우(Ⅱ, p. 893), 오색딱따구리(Ⅱ, p. 877), 족제비고사리(Ⅰ, p. 95), 종다리(Ⅱ, p. 878), 직립백부(Ⅱ, p. 420), 청설모(Ⅱ, p. 887), 청어(Ⅱ, p. 812), 팥배나무(Ⅰ, p. 516), 표범장지뱀(Ⅱ, p. 854), 해우(Ⅱ, p. 488), 홉(Ⅰ, p. 177), 흰우단버섯(Ⅱ, p. 615)

폐렴(肺炎)__갓(Ⅰ, p. 416), 개머루(Ⅰ, p. 726), 골무꽃(Ⅱ, p. 157), 긴잎꿩의다리(Ⅰ, p. 334), 나비나물(Ⅰ, p. 609), 남산제비꽃(Ⅰ, p. 773), 남오미자(Ⅰ, p. 265), 땅비싸리(Ⅰ, p. 570), 만주자작나무(Ⅰ, p. 150), 무화과나무(Ⅰ, p. 172), 서양조개나물(Ⅱ, p. 112), 선씀바귀(Ⅱ, p. 319), 소태나무(Ⅰ, p. 677), 쇠별꽃(Ⅰ, p. 240), 수레국화(Ⅱ, p. 291), 약모밀(Ⅰ, p. 359), 오미자(Ⅰ, p. 273), 우단담배풀(Ⅱ, p. 202), 조개나물(Ⅱ, p. 112), 좀꿩의다리(Ⅰ, p. 333), 죽절초(Ⅰ, p. 367), 카네이션(Ⅰ, p. 232), 한삼덩굴(Ⅰ, p. 176)

골(骨)·결합조직질환(結合組織疾患)

견비통(肩臂痛)__등골나물(Ⅱ, p. 308), 밀화두나무(Ⅰ, p. 599), 천선과나무(Ⅰ, p. 171)

골관절염(骨關節炎)__가시오갈피나무(Ⅰ, p. 832), 강활(Ⅰ, p. 883), 고본(Ⅰ, p. 881), 꽃게(Ⅱ, p. 771), 노간주나무(Ⅰ, p. 124), 녹나무(Ⅰ, p. 284), 누리장나무(Ⅱ, p. 104), 다래나무(Ⅰ, p. 382), 대나물(Ⅰ, p. 234), 댕댕이덩굴(Ⅰ, p. 346), 도꼬로마(Ⅱ, p. 432), 독활(Ⅰ, p. 835), 만병초(Ⅰ, p. 902), 모과나무(Ⅰ, p. 464), 방기(Ⅰ, p. 348), 방풍(Ⅰ, p. 893), 솔잎란(Ⅰ, p. 48), 오갈피나무(Ⅰ, p. 833), 오분자기(Ⅱ, p. 748), 이질풀(Ⅰ, p. 617), 죽백(Ⅰ, p. 127), 줄별벌레(Ⅱ, p. 745), 청시닥나무(Ⅰ, p. 692), 치자나무(Ⅱ, p. 68)

골수염(骨髓炎)__개쓴풀(Ⅰ, p. 951), 다정큼나무(Ⅰ, p. 501),

독미나리(Ⅰ, p. 865), 등대풀(Ⅰ, p. 633), 등잔화(Ⅱ, p. 307), 산부채(Ⅱ, p. 494), 쓴풀(Ⅰ, p. 951), 야고(Ⅱ, p. 217), 첨미우(Ⅱ, p. 487), 청사조(Ⅰ, p. 718), 피뿔고둥(Ⅱ, p. 751), 해바라기(Ⅱ, p. 313)

골절(骨絶)__각엽초병목(Ⅰ, p. 830), 개쓴풀(Ⅰ, p. 951), 갯기름나물(Ⅰ, p. 889), 검독수리(Ⅱ, p. 868), 고로쇠나무(Ⅰ, p. 694), 고무버섯(Ⅱ, p. 728), 넉줄고사리(Ⅰ, p. 75), 단풍박쥐나무(Ⅰ, p. 825), 대구(Ⅱ, p. 825), 덩굴별꽃(Ⅰ, p. 231), 도깨비부채(Ⅰ, p. 453), 둥근잎말발도리(Ⅰ, p. 446), 딱총나무(Ⅱ, p. 232), 뚱딴지(Ⅱ, p. 314), 마상(Ⅰ, p. 685), 메꽃(Ⅱ, p. 81), 문주란(Ⅱ, p. 422), 물수리(Ⅱ, p. 868), 바늘꽃(Ⅰ, p. 819), 반디지치(Ⅱ, p. 97), 방풍(Ⅰ, p. 893), 삼임구(Ⅰ, p. 627), 성성초(Ⅰ, p. 633), 쉬땅나무(Ⅰ, p. 515), 영향초(Ⅰ, p. 915), 오리방풀(Ⅱ, p. 144), 오이(Ⅰ, p. 785), 육영(Ⅱ, p. 230), 자귀나무(Ⅰ, p. 528), 절굿대(Ⅱ, p. 304), 조개나물(Ⅱ, p. 112), 줄사철나무(Ⅰ, p. 710), 지칭개(Ⅱ, p. 315), 참취(Ⅱ, p. 274), 참회나무(Ⅰ, p. 712), 천속단(Ⅱ, p. 242), 큰까치수염(Ⅰ, p. 914), 큰바늘꽃(Ⅰ, p. 819), 폭장죽(Ⅱ, p. 199), 후피수(Ⅰ, p. 687)

관절염(關節炎)__가래바람꽃(Ⅰ, p. 307), 개버무리(Ⅰ, p. 320), 검종덩굴(Ⅰ, p. 319), 괴불주머니(Ⅰ, p. 405), 귀룽나무(Ⅰ, p. 494), 꼬리조팝나무(Ⅰ, p. 521), 꽃방패버섯(Ⅱ, p. 695), 꽃송이버섯(Ⅱ, p. 719), 꿀벌(Ⅱ, p. 798), 꿩의다리아재비(Ⅰ, p. 339), 꿩의바람꽃(Ⅰ, p. 309), 나도하수오(Ⅰ, p. 209), 낙타봉(Ⅰ, p. 621), 노간주나무(Ⅰ, p. 124), 노루오줌(Ⅰ, p. 443), 다래나무(Ⅰ, p. 382), 댕댕이덩굴(Ⅰ, p. 346), 도깨비부채(Ⅰ, p. 453), 독활(Ⅰ, p. 835), 두견이(Ⅱ, p. 875), 등갈퀴나물(Ⅰ, p. 606), 등나무(Ⅰ, p. 610), 마가목(Ⅰ, p. 517), 만주잎갈나무(Ⅰ, p. 118), 말뚝버섯(Ⅱ, p. 669), 멀꿀(Ⅰ, p. 346), 미국터리풀(Ⅰ, p. 471), 미나리아재비(Ⅰ, p. 330), 박태기나무(Ⅰ, p. 548), 분방기(Ⅰ, p. 351), 사스래나무(Ⅰ, p. 149), 산물통이(Ⅰ, p. 187), 석송(Ⅰ, p. 49), 소나무(Ⅰ, p. 120), 솔잎란(Ⅰ, p. 48), 수박풀(Ⅰ, p. 747), 싸리버섯(Ⅱ, p. 663), 악마의발톱(Ⅱ, p. 221), 어등(Ⅰ, p. 553), 여뀌(Ⅰ, p. 202), 월계수(Ⅰ, p. 287), 유창목(Ⅰ, p. 621), 으아리(Ⅰ, p. 318), 조록나무(Ⅰ, p. 432), 조희풀(Ⅰ, p. 319), 졸각무당버섯(Ⅱ, p. 690), 천선과나무(Ⅰ, p. 171), 표주박이끼(Ⅱ, p. 598), 풍접초(Ⅰ, p. 429), 피나물(Ⅰ, p. 409), 해당화(Ⅰ, p. 509)

근골동통(筋骨疼痛)__가지고비고사리(Ⅰ, p. 80), 강황(Ⅱ, p. 530), 검은대나무(Ⅱ, p. 473), 곧은나무이끼(Ⅱ, p. 602), 굴털이(Ⅱ, p. 684), 그령(Ⅱ, p. 460), 꽃생강(Ⅱ, p. 533), 꿩의다리아재비(Ⅰ, p. 339), 노루(Ⅱ, p. 904), 노루귀(Ⅰ, p. 325), 노루오줌(Ⅰ, p. 443), 달맞이꽃(Ⅰ, p. 820), 돌콩(Ⅰ, p. 565), 무릇(Ⅱ, p. 408), 중국골쇄보(Ⅰ, p. 74), 병어(Ⅱ, p. 835), 비단그물버섯(Ⅱ, p. 682), 주름우단버섯(Ⅱ, p. 675), 쥐

꼬리망초(Ⅱ, p. 216), 쪽동백(Ⅰ, p. 924), 참방동사니(Ⅱ, p. 511), 천년건(Ⅱ, p. 496), 토복령(Ⅱ, p. 411), 풀가사리(Ⅱ, p. 584), 호랑이(Ⅱ, p. 898), 황새풀(Ⅱ, p. 513)

근무력증(筋無力症)__마전자나무(Ⅰ, p. 942), 밀화두나무(Ⅰ, p. 599), 사철나무(Ⅰ, p. 711), 사향노루(Ⅱ, p. 909), 오갈피나무(Ⅰ, p. 833), 철갑상어(Ⅱ, p. 811)

늑골통(肋骨痛)__강향나무(Ⅰ, p. 551), 매마등(Ⅰ, p. 135), 소귀나무(Ⅰ, p. 136), 시라(Ⅰ, p. 850), 자스민(Ⅰ, p. 932)

류머티스관절염__가문비나무(Ⅰ, p. 119), 갯메꽃(Ⅱ, p. 82), 두릅나무(Ⅰ, p. 836), 딱총나무(Ⅱ, p. 232), 떡갈고란초(Ⅰ, p. 106), 마삭줄(Ⅰ, p. 963), 배풍등(Ⅱ, p. 179), 백미꽃(Ⅱ, p. 50), 백화사(Ⅱ, p. 857), 벽오동(Ⅰ, p. 754), 복숭아나무(Ⅰ, p. 495), 봉선화(Ⅰ, p. 702), 분비나무(Ⅰ, p. 117), 비자나무(Ⅰ, p. 129), 사위질빵(Ⅰ, p. 316), 사향노루(Ⅱ, p. 909), 산해박(Ⅱ, p. 54), 새모래덩굴(Ⅰ, p. 347), 소나무(Ⅰ, p. 120), 수양버들(Ⅰ, p. 143), 율무(Ⅱ, p. 455), 으아리(Ⅰ, p. 318), 전나무(Ⅰ, p. 116), 족도리풀(Ⅰ, p. 373), 쥐방울(Ⅰ, p. 370), 참쇠무릎(Ⅰ, p. 250), 톱풀(Ⅱ, p. 254), 헛개나무(Ⅰ, p. 718), 호랑이(Ⅱ, p. 898), 홀아비꽃대(Ⅰ, p. 368), 화살나무(Ⅰ, p. 709)

수족경련(手足痙攣)·**수족마비**(手足麻痹)__계수나무(Ⅰ, p. 354), 골등골나물(Ⅱ, p. 309), 광대싸리(Ⅰ, p. 651), 굴털이(Ⅱ, p. 684), 꿩의바람꽃(Ⅰ, p. 309), 노란분말그물버섯(Ⅱ, p. 679), 노박덩굴(Ⅰ, p. 708), 느타리(Ⅱ, p. 608), 닭새우(Ⅱ, p. 768), 데이지(Ⅱ, p. 282), 도마뱀부치(Ⅱ, p. 853), 동백나무겨우살이(Ⅰ, p. 194), 동아전갈(Ⅱ, p. 775), 등골나물(Ⅱ, p. 308), 때죽나무(Ⅰ, p. 924), 민달팽이(Ⅱ, p. 755), 밀화두나무(Ⅰ, p. 599), 번목과(Ⅰ, p. 778), 벌완두(Ⅰ, p. 605), 범꼬리(Ⅰ, p. 198), 비늘석송(Ⅰ, p. 50), 산초나무(Ⅰ, p. 674), 새우(Ⅱ, p. 767), 새털젖버섯(Ⅱ, p. 685), 생강(Ⅱ, p. 536), 쇠기러기(Ⅱ, p. 865), 수세미오이(Ⅰ, p. 788), 쌍봉낙타(Ⅱ, p. 904), 엄나무(Ⅰ, p. 839), 운남예목(Ⅰ, p. 960), 진득찰(Ⅱ, p. 338), 질경이택사(Ⅱ, p. 356), 쪽동백(Ⅰ, p. 924), 천궁(Ⅰ, p. 878), 치자나무(Ⅱ, p. 68), 큰그물버섯(Ⅱ, p. 678), 큰비단그물버섯(Ⅱ, p. 681), 헛개나무(Ⅰ, p. 718), 현호색(Ⅰ, p. 406), 화살나무(Ⅰ, p. 709), 황기(Ⅰ, p. 533)

신경통(神經痛)·**근육통**(筋肉痛)__갈고리층층둥굴레(Ⅱ, p. 406), 강활(Ⅰ, p. 883), 개석송(Ⅰ, p. 48), 겨우살이(Ⅰ, p. 195), 겨자무(Ⅰ, p. 414), 고추(Ⅱ, p. 165), 골담초(Ⅰ, p. 542), 굴피나무(Ⅰ, p. 140), 남천(Ⅰ, p. 343), 노루귀(Ⅰ, p. 325), 노루발풀(Ⅱ, p. 898), 녹나무(Ⅰ, p. 284), 다람쥐꼬리(Ⅰ, p. 49), 댕댕이덩굴(Ⅰ, p. 346), 독활(Ⅰ, p. 835), 딱지꽃(Ⅰ, p. 481), 만년석송(Ⅰ, p. 50), 만병초(Ⅱ, p. 902), 모과나무(Ⅰ, p. 464), 밀화두나무(Ⅰ, p. 599), 뻐꾹채(Ⅱ, p. 328), 사위질빵(Ⅰ, p. 316), 석송(Ⅰ, p. 49), 아출(Ⅱ, p. 528), 애기

낙엽버섯(Ⅱ, p. 623), 애기똥풀(Ⅰ, p. 400), 어수리(Ⅰ, p. 875), 엉겅퀴(Ⅱ, p. 298), 왕지네(Ⅱ, p. 777), 으아리(Ⅰ, p. 318), 전호(Ⅰ, p. 860), 진교(Ⅰ, p. 300), 진득찰(Ⅱ, p. 338), 천산갑(Ⅱ, p. 886), 천속단(Ⅱ, p. 242), 청미래덩굴(Ⅱ, p. 410), 침향나무(Ⅰ, p. 758), 큰잎용담(Ⅰ, p. 946), 투구꽃(Ⅰ, p. 298), 파대가리(Ⅱ, p. 514), 푸조나무(Ⅰ, p. 158), 항백지(Ⅰ, p. 854), 향나무솔이끼(Ⅱ, p. 597), 향부자(Ⅱ, p. 512), 호랑이(Ⅱ, p. 898)

심복동통(心腹疼痛)__갓(Ⅰ, p. 416), 대낭독(Ⅰ, p. 639), 물개(Ⅱ, p. 900), 생강나무(Ⅰ, p. 290), 안식향나무(Ⅰ, p. 923), 유엽백전(Ⅱ, p. 54), 유향나무(Ⅰ, p. 651), 피뿌리풀(Ⅰ, p. 763), 향유고래(Ⅱ, p. 889), 홍모오가(Ⅰ, p. 831), 화살나무(Ⅰ, p. 709), 흑삼릉(Ⅱ, p. 505)

요슬산통(腰膝酸痛)__가지더부살이(Ⅱ, p. 220), 겨우살이(Ⅰ, p. 195), 구골나무(Ⅰ, p. 937), 노루(Ⅱ, p. 904), 누치(Ⅱ, p. 820), 대두어(Ⅱ, p. 815), 동백나무겨우살이(Ⅰ, p. 194), 두충나무(Ⅰ, p. 430), 마삭줄(Ⅰ, p. 963), 매화록(Ⅱ, p. 906), 면두설련화(Ⅱ, p. 331), 묏미나리(Ⅰ, p. 885), 뽕나무겨우살이(Ⅰ, p. 196), 새삼(Ⅱ, p. 84), 서양겨우살이(Ⅰ, p. 197), 선모(Ⅱ, p. 423), 쇠무릎(Ⅰ, p. 249), 시로미(Ⅰ, p. 714), 유럽겨우살이(Ⅰ, p. 194), 은상어(Ⅱ, p. 806), 이엽우피소(Ⅱ, p. 52), 큰잎선모(Ⅱ, p. 423), 페칸(Ⅰ, p. 137), 황복(Ⅱ, p. 841)

요퇴동통(腰腿疼痛)__가래(Ⅱ, p. 362), 가죽껍질무당버섯(Ⅱ, p. 686), 강향나무(Ⅰ, p. 551), 개량조개(Ⅱ, p. 762), 골담초(Ⅰ, p. 542), 곰취(Ⅱ, p. 324), 구기자나무(Ⅱ, p. 168), 구지뽕나무(Ⅰ, p. 170), 구척(Ⅰ, p. 70), 귀룽나무(Ⅰ, p. 494), 깔때기무당버섯(Ⅱ, p. 688), 꽃매미(Ⅱ, p. 785), 넉줄고사리(Ⅰ, p. 75), 당광나무(Ⅰ, p. 934), 당나귀(Ⅱ, p. 902), 독활(Ⅰ, p. 835), 두릅나무(Ⅰ, p. 836), 두충나무(Ⅰ, p. 430), 딱총나무(Ⅱ, p. 232), 마(Ⅱ, p. 428), 마가목(Ⅰ, p. 517), 마름(Ⅰ, p. 799), 무릇(Ⅱ, p. 408), 바다나물(Ⅰ, p. 887), 반다나물(Ⅰ, p. 868), 백화사(Ⅱ, p. 857), 번데기동충하초(Ⅱ, p. 729), 보골지(Ⅰ, p. 589), 분배서여(Ⅱ, p. 430), 산초나무(Ⅰ, p. 674), 살갈퀴(Ⅰ, p. 605), 새삼(Ⅱ, p. 84), 송이(Ⅱ, p. 616), 쇠무릎(Ⅰ, p. 249), 쑤기미(Ⅱ, p. 838), 아기사슴(Ⅱ, p. 908), 애기무당버섯(Ⅱ, p. 688), 앵초(Ⅱ, p. 918), 어수리(Ⅰ, p. 875), 여우콩(Ⅰ, p. 593), 여치(Ⅱ, p. 782), 연령초(Ⅱ, p. 414), 오갈피나무(Ⅰ, p. 833), 오리나무(Ⅰ, p. 147), 오약나무(Ⅰ, p. 291), 왜현호색(Ⅰ, p. 401), 으름덩굴(Ⅰ, p. 344), 조개껍질버섯(Ⅱ, p. 707), 진득찰(Ⅱ, p. 338), 천궁(Ⅰ, p. 878), 철봉추(Ⅱ, p. 302), 층층나무(Ⅰ, p. 826), 침향나무(Ⅰ, p. 758), 큰주머니광대버섯(Ⅱ, p. 638), 탈탑고둥(Ⅱ, p. 752), 파극천(Ⅱ, p. 72), 한치(Ⅱ, p. 763), 호도나무(Ⅰ, p. 139), 호로파(Ⅰ, p. 603), 흰주름버섯(Ⅱ, p. 652)

좌골신경통(坐骨神經痛)__강낭콩(Ⅰ, p. 587), 나륵(Ⅱ, p. 137), 남천(Ⅰ, p. 343), 땅꽈리(Ⅱ, p. 174), 마편초(Ⅱ, p. 107), 배풍등(Ⅱ, p. 179), 브룬펠시아(Ⅱ, p. 164), 생강(Ⅱ, p. 536), 서양박하(Ⅱ, p. 131), 솔잎란(Ⅰ, p. 48), 여로(Ⅱ, p. 417), 염색풀(Ⅰ, p. 562), 왕모람(Ⅰ, p. 175), 유칼리나무(Ⅰ, p. 805), 으아리(Ⅰ, p. 318), 이질풀(Ⅰ, p. 617), 쥐손이풀(Ⅰ, p. 616), 진득찰(Ⅱ, p. 338), 참나무겨우살이(Ⅰ, p. 195), 카네이션(Ⅰ, p. 232), 향봉화(Ⅱ, p. 129), 황금목(Ⅰ, p. 559)

타박상(打撲傷)__감태나무(Ⅰ, p. 289), 갓(Ⅰ, p. 416), 강황(Ⅱ, p. 530), 금어초(Ⅱ, p. 183), 기린갈(Ⅱ, p. 544), 까치박달(Ⅰ, p. 150), 꿩의다리아재비(Ⅰ, p. 339), 꿩의비름(Ⅰ, p. 439), 나도옥잠화(Ⅱ, p. 378), 노각나무(Ⅰ, p. 388), 노루오줌(Ⅰ, p. 443), 녹나무(Ⅰ, p. 284), 다람쥐꼬리(Ⅰ, p. 49), 도둑놈의갈고리(Ⅰ, p. 556), 동의나물(Ⅰ, p. 312), 뚱딴지(Ⅱ, p. 314), 무릇(Ⅱ, p. 408), 물레나물(Ⅰ, p. 394), 뱀톱(Ⅰ, p. 51), 벼룩나물(Ⅰ, p. 239), 별꽃(Ⅰ, p. 241), 사시나무(Ⅰ, p. 142), 사향노루(Ⅱ, p. 909), 생강나무(Ⅰ, p. 290), 소귀나무(Ⅰ, p. 136), 순비기나무(Ⅱ, p. 109), 옥녀꽃대(Ⅰ, p. 366), 이삭여뀌(Ⅰ, p. 202), 잇꽃(Ⅱ, p. 290), 자귀나무(Ⅰ, p. 528), 죽절초(Ⅰ, p. 367), 지별(Ⅱ, p. 779), 채송화(Ⅰ, p. 227), 피나물(Ⅰ, p. 409), 한속단(Ⅱ, p. 143)

통풍(痛風)__가는잎쐐기풀(Ⅰ, p. 190), 가연엽수(Ⅱ, p. 182), 가을사프란(Ⅱ, p. 378), 개다래나무(Ⅰ, p. 384), 갯는쟁이(Ⅰ, p. 242), 고추풀(Ⅱ, p. 187), 공작고사리(Ⅰ, p. 78), 꼬리풀(Ⅱ, p. 204), 꽈리(Ⅱ, p. 175), 노간주나무(Ⅰ, p. 124), 녹나무(Ⅰ, p. 284), 딱총나무(Ⅱ, p. 232), 만주자작나무(Ⅰ, p. 150), 모래지치(Ⅱ, p. 97), 물푸레나무(Ⅰ, p. 931), 미국터리풀(Ⅰ, p. 471), 미역고사리(Ⅰ, p. 110), 박(Ⅰ, p. 787), 백자작나무(Ⅰ, p. 148), 블루베리(Ⅰ, p. 906), 산물통이(Ⅰ, p. 187), 삼지구엽초(Ⅰ, p. 340), 서양앵초(Ⅰ, p. 918), 서양톱풀(Ⅱ, p. 255), 서향나무(Ⅰ, p. 762), 쓰레기풀(Ⅱ, p. 347), 아르니카(Ⅱ, p. 258), 약물통이(Ⅰ, p. 186), 양배추(Ⅰ, p. 418), 여우(Ⅱ, p. 893), 옥수수(Ⅱ, p. 484), 용설란(Ⅱ, p. 433), 우엉(Ⅱ, p. 259), 유창목(Ⅰ, p. 621), 으아리(Ⅰ, p. 318), 조희풀(Ⅰ, p. 319), 죽절초(Ⅰ, p. 367), 지느러미엉겅퀴(Ⅱ, p. 288), 참검정풍뎅이(Ⅱ, p. 796), 청미래덩굴(Ⅱ, p. 410), 풍선덩굴(Ⅰ, p. 695), 호자나무(Ⅱ, p. 65), 회화나무(Ⅰ, p. 597)

풍습골통(風濕骨痛)__가마편(Ⅱ, p. 106), 가응조(Ⅰ, p. 264), 계골초(Ⅰ, p. 523), 골담초(Ⅰ, p. 542), 나도은조롱(Ⅱ, p. 58), 낮잎시계꽃(Ⅰ, p. 771), 녕몽안(Ⅰ, p. 805), 다예목(Ⅰ, p. 848), 대엽천근발(Ⅰ, p. 561), 덩굴별꽃(Ⅰ, p. 231), 두릅나무(Ⅰ, p. 836), 마상(Ⅰ, p. 685), 백천층(Ⅰ, p. 808), 병아리풀(Ⅰ, p. 684), 봉선화(Ⅰ, p. 702), 상사나무(Ⅰ, p. 524), 수양버들(Ⅱ, p. 143), 자주솜대(Ⅱ, p. 409), 중국무우화(Ⅰ, p. 594), 참배암차즈기(Ⅱ, p. 148), 청시닥나무(Ⅰ, p. 692), 추

풍목(Ⅰ, p. 628), 큰도둑놈의갈고리(Ⅰ, p. 556), 토전칠(Ⅱ, p. 535), 해우(Ⅱ, p. 488)

풍습마목(風濕麻木)__노각나무(Ⅰ, p. 388), 소철(Ⅰ, p. 114), 자경(Ⅰ, p. 388), 중국굴피나무(Ⅰ, p. 140), 흰말채나무(Ⅰ, p. 826)

풍습마비(風濕麻痺)__금환사(Ⅱ, p. 858), 애기우산나물(Ⅱ, p. 344), 으아리(Ⅰ, p. 318)

풍습비통(風濕痺痛)__가응조(Ⅰ, p. 264), 갈퀴나물(Ⅰ, p. 604), 갯메꽃(Ⅱ, p. 82), 고양이(Ⅱ, p. 897), 광방기(Ⅰ, p. 371), 국화쥐손이(Ⅰ, p. 614), 그물버섯(Ⅱ, p. 677), 남오미자(Ⅰ, p. 265), 넉줄고사리(Ⅰ, p. 75), 노루삼(Ⅰ, p. 305), 누에나방(Ⅱ, p. 787), 닥나무(Ⅰ, p. 166), 대혈등(Ⅰ, p. 345), 댕댕이덩굴(Ⅰ, p. 346), 돌잔고사리(Ⅰ, p. 72), 만년석송(Ⅰ, p. 50), 말벌(Ⅱ, p. 800), 밀나물(Ⅱ, p. 412), 바다뱀(Ⅱ, p. 860), 백화사(Ⅱ, p. 857), 복주머니란(Ⅱ, p. 555), 붉은가시딸기(Ⅰ, p. 513), 붉은무당버섯(Ⅱ, p. 689), 사철나무(Ⅰ, p. 711), 살모사(Ⅱ, p. 858), 새모래덩굴(Ⅰ, p. 347), 안경사(Ⅱ, p. 859), 월계수(Ⅰ, p. 287), 잠풀(Ⅰ, p. 582), 조개버섯(Ⅱ, p. 698), 주아삼(Ⅰ, p. 844), 튤립나무(Ⅰ, p. 265), 풍향나무(Ⅰ, p. 433), 피나물(Ⅰ, p. 409), 함박이(Ⅰ, p. 350), 호랑가시나무(Ⅰ, p. 704), 홀아비꽃대(Ⅰ, p. 368), 홍후각(Ⅰ, p. 391), 활나물(Ⅰ, p. 549), 황매화(Ⅰ, p. 474), 흰구름송편버섯(Ⅱ, p. 704)

풍습성관절염(風濕性關節炎)__개버무리(Ⅰ, p. 320), 갯기름나물(Ⅰ, p. 889), 고려홍어(Ⅱ, p. 808), 구주갈퀴덩굴(Ⅰ, p. 608), 능구렁이(Ⅱ, p. 855), 두릅나무(Ⅰ, p. 836), 미꾸리낚시(Ⅰ, p. 206), 민둥인가목(Ⅰ, p. 502), 붓순나무(Ⅰ, p. 280), 오소리(Ⅱ, p. 895), 참홍어(Ⅱ, p. 808), 천우슬(Ⅰ, p. 257), 큰애기나리(Ⅱ, p. 382), 터리풀(Ⅰ, p. 470), 톱상어(Ⅱ, p. 809), 푼지나무(Ⅰ, p. 707), 흰뺨상어(Ⅱ, p. 807)

풍한습비(風寒濕痺)__가는줄돌쩌귀(Ⅰ, p. 305), 그물버섯(Ⅱ, p. 677), 노랑투구꽃(Ⅰ, p. 303), 늑대(Ⅱ, p. 892), 바람등칡(Ⅰ, p. 364), 부채마(Ⅱ, p. 431), 사시나무(Ⅰ, p. 142), 소나무잔나비버섯(Ⅱ, p. 702), 양면침(Ⅱ, p. 673), 오초사(Ⅱ, p. 856), 왜위모(Ⅱ, p. 711), 절구버섯(Ⅱ, p. 689), 중국굴피나무(Ⅰ, p. 140), 지주향(Ⅱ, p. 240), 중치모당귀(Ⅰ, p. 852), 표범(Ⅱ, p. 898), 홍모오가(Ⅰ, p. 831), 황금그물버섯(Ⅱ, p. 676), 히말라야원숭이(Ⅱ, p. 884)

흉협위한복통(胸脇胃寒腹痛)__꽃매미(Ⅱ, p. 785)

흉협통(胸脇痛)__갓(Ⅰ, p. 416), 강황(Ⅱ, p. 530), 궁궁이(Ⅰ, p. 858), 물쑥(Ⅱ, p. 270), 수세미오이(Ⅰ, p. 788), 온욱금(Ⅱ, p. 532), 자귀나무(Ⅰ, p. 528), 중국칠엽수(Ⅰ, p. 700), 황새(Ⅱ, p. 863)

구강(口腔) · 치주질환(齒周疾患)

괴혈병(壞血病)__개자리(Ⅰ, p. 579), 광귤나무(Ⅰ, p. 656), 금어초(Ⅱ, p. 183), 까치밥나무(Ⅰ, p. 451), 나륵(Ⅱ, p. 137), 레몬나무(Ⅰ, p. 657), 만주자작나무(Ⅰ, p. 150), 배롱나무(Ⅰ, p. 796), 번행초(Ⅰ, p. 227), 사철베고니아(Ⅰ, p. 796), 쇠비름(Ⅰ, p. 228), 수영(Ⅰ, p. 219), 시금치(Ⅰ, p. 248), 약용금잔화(Ⅱ, p. 287), 촛대선인장(Ⅰ, p. 259), 한련(Ⅰ, p. 620)

구강염(口腔炎)__곰궁둥이(Ⅱ, p. 212), 꿀풀(Ⅱ, p. 146), 덜꿩나무(Ⅱ, p. 233), 매운잎풀(Ⅱ, p. 343), 물양지꽃(Ⅰ, p. 481), 오배자진딧물(Ⅱ, p. 786), 세이지(Ⅱ, p. 151), 약촉규(Ⅰ, p. 739), 왜박주가리(Ⅱ, p. 60), 운남산죽자(Ⅰ, p. 392), 중대가리국화(Ⅱ, p. 326), 호주차나무(Ⅰ, p. 807)

구창(口瘡)__꿀벌(Ⅱ, p. 798), 나도잠자리난초(Ⅱ, p. 567), 늪개구리(Ⅱ, p. 846), 선좁쌀풀(Ⅱ, p. 186), 아선약나무(Ⅱ, p. 78), 아출(Ⅱ, p. 528), 애기고추나물(Ⅰ, p. 395), 왕쥐잡이뱀(Ⅱ, p. 855), 자주쓴풀(Ⅰ, p. 952), 황모초매(Ⅰ, p. 472)

구취(口臭)__고수(Ⅰ, p. 867), 목서(Ⅰ, p. 646), 박하(Ⅱ, p. 129), 배초향(Ⅱ, p. 110), 아니스(Ⅰ, p. 891), 차나무(Ⅰ, p. 390), 초두구(Ⅱ, p. 520), 튤립(Ⅱ, p. 415)

아구창(鵝口瘡)__금매화(Ⅰ, p. 335), 남이(Ⅰ, p. 800), 배롱나무(Ⅰ, p. 796), 보리(Ⅱ, p. 461), 봄맞이꽃(Ⅰ, p. 912), 승마(Ⅰ, p. 314), 양포도(Ⅰ, p. 811), 오배자진딧물(Ⅱ, p. 786), 이질풀(Ⅰ, p. 617), 제비쑥(Ⅱ, p. 266), 진주조개(Ⅱ, p. 757)

충치(蟲齒)__개구리자리(Ⅰ, p. 330), 운용버들(Ⅰ, p. 145), 이질풀(Ⅰ, p. 617), 일본목련(Ⅰ, p. 269), 족도리풀(Ⅱ, p. 373), 후박나무(Ⅰ, p. 270)

치주염(齒周炎)__금변상(Ⅰ, p. 626), 꿀벌(Ⅱ, p. 798), 말벌(Ⅱ, p. 800), 물닭개비(Ⅱ, p. 436), 박(Ⅰ, p. 787), 배풍등(Ⅱ, p. 179), 뱀딸기(Ⅰ, p. 468), 번석류(Ⅰ, p. 809), 벼룩이자리(Ⅰ, p. 230), 부채붓꽃(Ⅱ, p. 441), 산여뀌(Ⅰ, p. 204), 수수꽃다리(Ⅱ, p. 937), 식염(Ⅱ, p. 932), 아귀(Ⅱ, p. 843), 약석잠풀(Ⅱ, p. 160), 양귀비(Ⅰ, p. 412), 용뇌향나무(Ⅰ, p. 398), 자라(Ⅱ, p. 851), 장화용혈수(Ⅱ, p. 545), 정향나무(Ⅰ, p. 810), 조릿대(Ⅱ, p. 477), 줄별벌레(Ⅱ, p. 745), 캐나다양귀비(Ⅰ, p. 413), 큰두꺼비(Ⅱ, p. 844), 필발(Ⅰ, p. 363), 후박나무(Ⅰ, p. 270), 후추나무(Ⅰ, p. 365)

치통(齒痛)__갈매나무(Ⅰ, p. 721), 고량강(Ⅱ, p. 521), 골무꽃(Ⅱ, p. 157), 구(Ⅰ, p. 361), 남가새(Ⅰ, p. 623), 노루귀(Ⅱ, p. 325), 노박덩굴(Ⅰ, p. 708), 독말풀(Ⅱ, p. 167), 말똥비름(Ⅰ, p. 438), 말벌(Ⅱ, p. 800), 머귀나무(Ⅰ, p. 671), 목서(Ⅰ, p. 646), 미나리아재비(Ⅰ, p. 330), 배롱나무(Ⅰ, p. 796), 백리향(Ⅱ, p. 162), 백정화(Ⅱ, p. 77), 사리풀(Ⅱ, p. 167), 산해박(Ⅱ,

p. 54), 순비기나무(Ⅱ, p. 109), 승마(Ⅰ, p. 314), 식염(Ⅱ, p. 932), 아출(Ⅱ, p. 528), 어수리(Ⅰ, p. 875), 오수유나무(Ⅰ, p. 664), 인도보리수나무(Ⅰ, p. 174), 제비고깔(Ⅰ, p. 323), 족도리풀(Ⅱ, p. 373), 쪽동백(Ⅰ, p. 924), 참조팝나무(Ⅰ, p. 519), 콩짜개덩굴(Ⅰ, p. 107), 태산목(Ⅰ, p. 267), 필발(Ⅰ, p. 363)

편도선염(扁桃腺炎)__괴불나무(Ⅱ, p. 229), 구슬이끼(Ⅱ, p. 601), 금매화(Ⅰ, p. 335), 깽깽이풀(Ⅱ, p. 341), 꿀풀(Ⅱ, p. 146), 꿩의다리아재비(Ⅰ, p. 339), 나도하수오(Ⅱ, p. 209), 담배풀(Ⅱ, p. 288), 도둑놈의지팡이(Ⅰ, p. 596), 먼나무(Ⅰ, p. 706), 머위(Ⅱ, p. 326), 물닭개비(Ⅱ, p. 436), 바위손(Ⅱ, p. 52), 범부채(Ⅱ, p. 437), 소리쟁이(Ⅰ, p. 220), 소태나무(Ⅰ, p. 677), 쓴풀(Ⅰ, p. 951), 으아리(Ⅰ, p. 318), 은방울꽃(Ⅱ, p. 379), 작살나무(Ⅱ, p. 100), 참홑파래(Ⅱ, p. 571), 패(Ⅱ, p. 576), 해바라기(Ⅱ, p. 313), 황매통이(Ⅱ, p. 815), 홉(Ⅰ, p. 177)

기생충질환(寄生蟲疾患)

병원체(病原體)__대풍자나무(Ⅰ, p. 768), 키나나무(Ⅱ, p. 63)

살충제(殺蟲劑)__담배(Ⅱ, p. 173), 데리스(Ⅰ, p. 553), 제충국(Ⅱ, p. 293), 파리풀(Ⅱ, p. 222), 홍화제충국(Ⅱ, p. 293)

장내기생충(腸內寄生蟲)__개서실(Ⅱ, p. 590), 관중(Ⅰ, p. 92), 남과소벽(Ⅰ, p. 338), 남과자(중, p.), 담배풀(Ⅱ, p. 288), 대나무버섯(Ⅱ, p. 710), 비자나무(Ⅰ, p. 129), 짚신나물(Ⅰ, p. 459), 중국멀구슬나무(Ⅰ, p. 682), 인삼(Ⅰ, p. 840), 사군자나무(Ⅰ, p. 801), 소태나무(Ⅰ, p. 677), 석류나무(Ⅰ, p. 815), 참산호말(Ⅱ, p. 586), 해인초(Ⅱ, p. 590), 회호(Ⅱ, p. 265)

내분비질환(內分泌疾患)

갑상선기능항진증(甲狀腺機能亢進症)__광대싸리(Ⅰ, p. 651), 다시마(Ⅱ, p. 579), 댕댕이덩굴(Ⅱ, p. 346), 독수리(Ⅱ, p. 867), 모란갈파래(Ⅱ, p. 572), 미끈가지(Ⅱ, p. 575), 미역(Ⅱ, p. 578), 비단풀(Ⅱ, p. 588), 삼지구엽초(Ⅰ, p. 340), 속새(Ⅰ, p. 58), 쇠뜨기(Ⅰ, p. 55), 패(Ⅱ, p. 576)

구갈(口渴)__가리맛조개(Ⅱ, p. 763), 각시둥굴레(Ⅱ, p. 402), 갈고리층층둥굴레(Ⅱ, p. 406), 갈대(Ⅱ, p. 470), 개맥문동(Ⅱ, p. 397), 갯방풍(Ⅰ, p. 873), 대잎둥굴레(Ⅱ, p. 401), 덩굴닭의장풀(Ⅱ, p. 448), 둥굴레(Ⅱ, p. 405), 딸기(Ⅰ, p. 472), 만삼(Ⅱ, p. 249), 망고(Ⅰ, p. 687), 맥문동(Ⅱ, p. 396), 모밀잣밤나무(Ⅱ, p. 153), 미꾸라지(Ⅱ, p. 821), 석곡(Ⅱ, p. 556), 약등굴레(Ⅱ, p. 404), 어리연꽃(Ⅰ, p. 954), 용담(Ⅰ, p. 947), 은난초(Ⅱ, p. 551), 조릿대풀(Ⅱ, p. 465), 찰벼(Ⅱ, p. 468), 하늘타리(Ⅰ, p. 792), 황련목(Ⅰ, p. 688)

당뇨병(糖尿病)__가시연꽃(Ⅰ, p. 355), 갈대(Ⅱ, p. 470), 갈레가(Ⅰ, p. 561), 감차(Ⅰ, p. 448), 귀리(Ⅱ, p. 452), 까치(Ⅱ, p. 880), 달맞이꽃(Ⅰ, p. 820), 닭의장풀(Ⅱ, p. 446), 동죽(Ⅱ, p. 762), 두루미(Ⅱ, p. 872), 두릅나무(Ⅰ, p. 836), 두충나무(Ⅰ, p. 430), 뚱딴지(Ⅱ, p. 314), 맥문동(Ⅱ, p. 396), 메꽃(Ⅱ, p. 81), 멕시코마편초(Ⅱ, p. 105), 무화과나무(Ⅰ, p. 172), 백합(Ⅱ, p. 395), 불로초(Ⅱ, p. 700), 블루베리(Ⅰ, p. 906), 뽕나무(Ⅰ, p. 178), 산누에나방(Ⅱ, p. 789), 산돌배나무(Ⅰ, p. 500), 삼채(Ⅱ, p. 365), 시갱등(Ⅱ, p. 57), 여주(Ⅰ, p. 789), 오골계(Ⅱ, p. 870), 왕포아풀(Ⅱ, p. 474), 유칼리나무(Ⅰ, p. 805), 인삼(Ⅰ, p. 840), 재첩(Ⅱ, p. 760), 좁은잎돌꽃(Ⅰ, p. 437), 주목(Ⅰ, p. 129), 질경이택사(Ⅱ, p. 356), 천일홍(Ⅰ, p. 258), 큰애기버섯(Ⅱ, p. 623), 타래난초(Ⅱ, p. 566), 파래가리비(Ⅱ, p. 758), 하늘색깔때기버섯(Ⅱ, p. 614), 해당화(Ⅰ, p. 509), 헛개나무(Ⅰ, p. 718)

유즙분비(乳汁分泌)__감귤나무(Ⅰ, p. 660), 말뱅이나물(Ⅰ, p. 241), 박주가리(Ⅱ, p. 59), 벌사상자(Ⅰ, p. 866), 별꽃(Ⅰ, p. 241), 뻐꾹채(Ⅱ, p. 328), 신선초(Ⅰ, p. 857), 아욱(Ⅰ, p. 748), 잉어(Ⅱ, p. 817), 장구채(Ⅰ, p. 236), 천산갑(Ⅱ, p. 886), 통탈목(Ⅰ, p. 847), 하늘나리(Ⅱ, p. 392)

타액분비(唾液分泌)__곤약(Ⅱ, p. 488), 공작고사리(Ⅰ, p. 78), 대추나무(Ⅰ, p. 724), 둥굴레(Ⅱ, p. 405), 석곡(Ⅱ, p. 556), 쇠채(Ⅱ, p. 333), 자두나무(Ⅰ, p. 496), 지채(Ⅱ, p. 361), 하늘타리(Ⅰ, p. 792)

뇌질환(腦疾患)

간질병(癎疾病)__겨우살이(Ⅰ, p. 195), 고사리삼(Ⅰ, p. 60), 광귤나무(Ⅰ, p. 656), 넓은잎쥐오줌풀(Ⅱ, p. 239), 멧돼지(Ⅱ, p. 903), 뱀딸기(Ⅰ, p. 468), 별봄맞이꽃(Ⅰ, p. 912), 복수초(Ⅰ, p. 306), 사리풀(Ⅱ, p. 167), 사위질빵(Ⅰ, p. 316), 삿갓풀(Ⅱ, p. 401), 석창포(Ⅱ, p. 486), 아욱메풀(Ⅱ, p. 85), 운향풀(Ⅰ, p. 670), 은방울꽃(Ⅱ, p. 379), 현정석(Ⅱ, p. 946), 호박(Ⅰ, p. 785)

건망증(健忘症)__마테차(Ⅰ, p. 705), 석창포(Ⅱ, p. 486), 용안나무(Ⅰ, p. 696), 원지(Ⅰ, p. 684), 인삼(Ⅰ, p. 840), 창포(Ⅱ, p. 485), 파인애플(Ⅱ, p. 445)

뇌졸중(腦卒中)·**중풍**(中風)__감태나무(Ⅰ, p. 289), 개구리밥(Ⅱ, p. 504), 금낭화(Ⅰ, p. 408), 누에나방(Ⅱ, p. 787), 담쟁이덩굴(Ⅰ, p. 729), 댕댕이덩굴(Ⅰ, p. 346), 독각련(Ⅱ, p. 503), 동의나물(Ⅰ, p. 312), 딱지꽃(Ⅰ, p. 481), 마가목(Ⅰ, p. 517), 마전자나무(Ⅰ, p. 942), 민달팽이(Ⅱ, p. 755), 바위떡풀(Ⅰ, p. 454), 방풍(Ⅰ, p. 893), 사향노루(Ⅱ, p. 909), 소합향나무(Ⅰ, p. 434), 솔잎란(Ⅰ, p. 48), 솔체꽃(Ⅱ, p. 243), 솜대나무(Ⅱ, p. 472), 안경사(Ⅱ, p. 859), 여로(Ⅱ, p. 417), 여송과나무(Ⅰ, p. 941), 왕대(Ⅱ, p. 471), 으아리(Ⅰ, p. 318), 주엽나무(Ⅰ, p. 562), 어저귀(Ⅰ, p. 738), 정공등(Ⅱ, p. 85), 좀개구리밥(Ⅱ, p. 504), 차가버섯(Ⅱ, p. 706), 창포(Ⅱ, p. 485), 천남성(Ⅱ, p. 489), 층층나무(Ⅰ, p. 826), 형개(Ⅱ, p. 154), 황칠나무(Ⅰ, p. 837)

뇌출혈(腦出血)__알라파(Ⅱ, p. 88), 천마(Ⅱ, p. 558), 큰꽃선인장(Ⅰ, p. 260)

두통(頭痛)__강활(Ⅰ, p. 883), 개곽향(Ⅱ, p. 161), 개구릿대(Ⅰ, p. 850), 개박하(Ⅱ, p. 137), 고마리(Ⅱ, p. 207), 고정차나무(Ⅰ, p. 704), 구릿대(Ⅰ, p. 855), 국화(Ⅱ, p. 295), 꽃생강(Ⅱ, p. 533), 나륵(Ⅱ, p. 137), 남가새(Ⅰ, p. 623), 노루귀(Ⅰ, p. 325), 누리장나무(Ⅱ, p. 104), 당귀(Ⅰ, p. 858), 대자석(Ⅱ, p. 921), 라벤더(Ⅱ, p. 122), 말전복(Ⅱ, p. 747), 무(Ⅰ, p. 426), 밀맥아장시(Ⅰ, p. 846), 방풍(Ⅰ, p. 893), 별등골나물(Ⅱ, p. 309), 석남(Ⅰ, p. 479), 성나륵(Ⅱ, p. 139), 순비기나무(Ⅱ, p. 109), 쉬나무(Ⅰ, p. 663), 약석잠풀(Ⅱ, p. 160), 양귀비(Ⅰ, p. 412), 어수리(Ⅰ, p. 875), 여로(Ⅱ, p. 417), 여우콩(Ⅰ, p. 593), 영춘화(Ⅰ, p. 932), 왕머루(Ⅰ, p. 730), 왕지네(Ⅱ, p. 777), 일본조팝나무(Ⅰ, p. 519), 자단나무(Ⅰ, p. 590), 적수주(Ⅱ, p. 497), 좁은잎해란초(Ⅱ, p. 188), 중치모당귀(Ⅰ, p. 852), 지렁이(Ⅱ, p. 743), 칡(Ⅰ, p. 591), 털기름나물(Ⅰ, p. 877), 퉁퉁마디(Ⅰ, p. 246), 푸조나무(Ⅰ, p. 158), 한강활(Ⅰ, p. 886), 항백지(Ⅰ, p. 854), 홍가시나무(Ⅰ, p. 478), 회양목(Ⅰ, p. 715), 히어리(Ⅰ, p. 431)

치매(癡呆)__강황(Ⅱ, p. 530), 단삼(Ⅱ, p. 150), 당귀(Ⅰ, p. 858), 두릅나무(Ⅰ, p. 836), 맥문동(Ⅱ, p. 396), 모과나무(Ⅰ, p. 464), 무릇(Ⅱ, p. 408), 복령균(Ⅱ, p. 712), 생강(Ⅱ, p. 536), 석창포(Ⅱ, p. 486), 소합향나무(Ⅰ, p. 434), 육두구(Ⅰ, p. 277), 은행나무(Ⅰ, p. 115), 정향나무(Ⅰ, p. 810), 천궁(Ⅰ, p. 878), 측백나무(Ⅰ, p. 125), 필발(Ⅱ, p. 363), 현삼(Ⅱ, p. 199), 홍삼(Ⅰ, p. 840)

편두통(偏頭痛)__개구리갓(Ⅰ, p. 331), 개양귀비(Ⅰ, p. 412), 고로쇠나무(Ⅰ, p. 694), 금속란(Ⅱ, p. 368), 깊은산사슴지의(Ⅱ, p. 594), 다화야목단(Ⅰ, p. 813), 독각련(Ⅱ, p. 503), 말매미(Ⅱ, p. 784), 맥각균(Ⅱ, p. 732), 무(Ⅰ, p. 426), 무궁화(Ⅰ, p. 745), 백강잠균(Ⅱ, p. 735), 백포라벤더(Ⅱ, p. 123), 봄맞이꽃(Ⅰ, p. 912), 붉은누리장나무(Ⅱ, p. 102), 서양은방울꽃(Ⅱ, p. 379), 서양할미꽃(Ⅰ, p. 327), 선녀낙엽버섯(Ⅱ, p. 622), 순비기나무(Ⅱ, p. 109), 으아리(Ⅰ, p. 318), 중국황칠나무(Ⅰ, p. 836), 치아라벤더(Ⅱ, p. 123), 태산목(Ⅰ, p. 267)

비장질환(脾臟疾患)

비장염(脾臟炎)__선갈퀴(Ⅱ, p. 62), 에린지움(Ⅰ, p. 870), 쿠바자스민(Ⅰ, p. 955)

산부인과질환(産婦人科疾患)

난산(難産)__꽈리(Ⅱ, p. 175), 날치(Ⅱ, p. 824), 맥각균(Ⅱ, p. 732), 인삼(Ⅰ, p. 840), 용뇌향나무(Ⅰ, p. 398), 익모초(Ⅱ, p. 124), 진주조개(Ⅱ, p. 757), 참새귀리(Ⅱ, p. 454), 천우슬(Ⅰ, p. 257), 회화나무(Ⅰ, p. 597)

대하증(帶下症)__고비(Ⅰ, p. 63), 고사리삼(Ⅰ, p. 60), 공작고사리(Ⅰ, p. 78), 구절초(Ⅱ, p. 296), 노루발풀(Ⅰ, p. 898), 담쟁이덩굴(Ⅰ, p. 729), 댑싸리(Ⅰ, p. 245), 마타리(Ⅱ, p. 238), 맨드라미(Ⅰ, p. 255), 명아주(Ⅰ, p. 243), 왜광대수염(Ⅱ, p. 121), 발풀고사리(Ⅰ, p. 67), 배롱나무(Ⅰ, p. 796), 부처손(Ⅰ, p. 54), 분꽃(Ⅰ, p. 225), 삼백초(Ⅰ, p. 360), 서양고추나물(Ⅰ, p. 396), 소리쟁이(Ⅰ, p. 220), 쇠고비(Ⅰ, p. 91), 쇠비름(Ⅰ, p. 228), 약모밀(Ⅰ, p. 359), 어수리(Ⅰ, p. 875), 여우구슬(Ⅰ, p. 648), 연꽃(Ⅰ, p. 356), 옥잠화(Ⅱ, p. 391), 은행나무(Ⅰ, p. 115), 자라풀(Ⅱ, p. 359), 장미(Ⅰ, p. 504), 저령균(Ⅱ, p. 711), 홍초(Ⅱ, p. 538)

무월경(無月經)__계뇨등(Ⅱ, p. 74), 곤약(Ⅱ, p. 488), 번홍화(Ⅱ, p. 438), 알로에(Ⅱ, p. 371), 쥐오줌풀(Ⅱ, p. 240), 협죽도(Ⅰ, p. 960)

산후복통(産後腹痛)__가는잎쐐기풀(Ⅰ, p. 190), 강황(Ⅱ, p. 530), 기린갈(Ⅱ, p. 544), 넓적왼손집게(Ⅱ, p. 773), 마타리(Ⅱ, p. 238), 멍석딸기(Ⅰ, p. 513), 멸가치(Ⅱ, p. 255), 박골단(Ⅱ, p. 214), 번홍화(Ⅱ, p. 438), 봉선화(Ⅰ, p. 702), 부들(Ⅱ, p. 506), 소목(Ⅰ, p. 539), 쉽싸리(Ⅱ, p. 126), 아광나무(Ⅰ, p. 466), 왕모람(Ⅰ, p. 175), 유기노(Ⅱ, p. 260), 유채(Ⅰ, p. 415), 톱날꽃게(Ⅱ, p. 772), 투구게(Ⅱ, p. 773), 풀무치(Ⅱ, p. 780), 흰꽃광대나물(Ⅱ, p. 127)

산후출혈(産後出血)__가는잎쐐기풀(Ⅰ, p. 190), 가시나무(Ⅰ, p. 157), 담쟁이덩굴(Ⅰ, p. 729), 말오줌때(Ⅰ, p. 713), 맥각균(Ⅱ, p. 732), 문어(Ⅱ, p. 764), 물싸리풀(Ⅰ, p. 480), 번홍화(Ⅱ, p. 438), 봉선화(Ⅰ, p. 702), 산사나무(Ⅰ, p. 467), 수수(Ⅱ, p. 480), 쉽싸리(Ⅱ, p. 126), 아까시나무(Ⅰ, p. 594), 왜개연꽃(Ⅰ, p. 357), 익모초(Ⅱ, p. 124), 줄사철나무(Ⅰ, p. 710), 중국현호색(Ⅰ, p. 407). 화살나무(Ⅰ, p. 709)

생리통(生理痛)__골담초(Ⅰ, p. 542), 까마귀밥나무(Ⅰ, p. 450), 노랑물봉선(Ⅰ, p. 703), 능소화나무(Ⅱ, p. 208), 단삼(Ⅱ, p. 150), 둥근배암차즈기(Ⅱ, p. 149), 들현호색(Ⅰ, p.

406), 매발톱꽃(Ⅰ, p. 311), 부처꽃(Ⅰ, p. 798), 소목(Ⅰ, p. 539), 쇠무릎(Ⅰ, p. 249), 익모초(Ⅱ, p. 124), 창포(Ⅰ, p. 485), 천궁(Ⅰ, p. 878), 큰까치수염(Ⅰ, p. 914), 현호색(Ⅰ, p. 406)

월경불순(月經不順)__강황(Ⅱ, p. 530), 개맨드라미(Ⅰ, p. 256), 거머리(Ⅱ, p. 744), 구절초(Ⅱ, p. 296), 금관화(Ⅱ, p. 48), 까치수염(Ⅰ, p. 913), 꼭두서니(Ⅱ, p. 75), 단삼(Ⅱ, p. 150), 당귀(Ⅰ, p. 858), 말뱅이나물(Ⅰ, p. 241), 매발톱꽃(Ⅰ, p. 311), 모란(Ⅰ, p. 381), 박태기나무(Ⅰ, p. 548), 뱀딸기(Ⅰ, p. 468), 번홍화(Ⅱ, p. 438), 벌등골나물(Ⅱ, p. 309), 부싯깃고사리(Ⅰ, p. 79), 부처손(Ⅰ, p. 54), 양하(Ⅱ, p. 535), 옻나무(Ⅰ, p. 691), 왜개연꽃(Ⅰ, p. 357), 잇꽃(Ⅱ, p. 290), 작약(Ⅰ, p. 378), 장구채(Ⅰ, p. 236), 재등에(Ⅱ, p. 790), 지별(Ⅱ, p. 779), 청설모(Ⅱ, p. 887), 치마난초(Ⅱ, p. 555), 현호색(Ⅰ, p. 406), 홀아비꽃대(Ⅰ, p. 368), 흑삼릉(Ⅱ, p. 505)

유방염(乳房炎)__가지(Ⅱ, p. 180), 더덕(Ⅱ, p. 247), 무릇(Ⅱ, p. 408), 민들레(Ⅱ, p. 350), 뻐꾹채(Ⅱ, p. 328), 서양목형(Ⅱ, p. 108), 시클라멘(Ⅰ, p. 913), 오리나무(Ⅰ, p. 147), 온밤(Ⅰ, p. 468), 원추리(Ⅱ, p. 388), 유향나무(Ⅰ, p. 651), 절굿대(Ⅱ, p. 304), 제비꿀(Ⅰ, p. 191)

유선염(乳腺炎)__검노린재나무(Ⅰ, p. 926), 까치수염(Ⅰ, p. 913), 더덕(Ⅱ, p. 247), 도둑놈의갈고리(Ⅰ, p. 556), 말쥐치(Ⅱ, p. 842), 며느리배꼽(Ⅰ, p. 205), 방아풀(Ⅱ, p. 144), 버들엉겅퀴(Ⅱ, p. 299), 벋음씀바귀(Ⅱ, p. 319), 병두황금(Ⅱ, p. 157), 사스래나무(Ⅰ, p. 149), 은비늘치(Ⅱ, p. 840), 층층이꽃(Ⅱ, p. 114), 털머위(Ⅱ, p. 310), 하와이무궁화(Ⅰ, p. 744), 후피향나무(Ⅰ, p. 389)

유옹(乳癰)__검정개관중(Ⅰ, p. 97), 괴불나무(Ⅱ, p. 229), 낚시고사리(Ⅰ, p. 96), 누리장나무(Ⅱ, p. 104), 늪개구리(Ⅱ, p. 846), 댕댕이나무(Ⅱ, p. 226), 만수국(Ⅱ, p. 347), 말뱅이나물(Ⅰ, p. 241), 멱쇠채(Ⅱ, p. 333), 묏미나리(Ⅰ, p. 885), 발독산(Ⅰ, p. 749), 밭둑외풀(Ⅱ, p. 190), 배롱나무(Ⅰ, p. 796), 분꽃(Ⅰ, p. 225), 산떡쑥(Ⅱ, p. 257), 솜대(Ⅱ, p. 409), 십자고사리(Ⅰ, p. 96), 암자패모(Ⅱ, p. 386), 여우팥(Ⅰ, p. 558), 옥잠화(Ⅱ, p. 391), 윤노리나무(Ⅰ, p. 486), 참배암차즈기(Ⅱ, p. 148), 큰까치수염(Ⅰ, p. 914), 토패모(Ⅰ, p. 782)

유즙부족(乳汁不足)__갈치(Ⅱ, p. 834), 검정해삼(Ⅱ, p. 803), 고라니(Ⅱ, p. 905), 고추나물(Ⅰ, p. 394), 골잎원추리(Ⅱ, p. 389), 금사매(Ⅰ, p. 395), 남가새(Ⅰ, p. 623), 더덕(Ⅱ, p. 247), 등칡(Ⅰ, p. 372), 땅빈대(Ⅰ, p. 634), 레몬나무(Ⅰ, p. 657), 말냉이(Ⅰ, p. 428), 말뱅이나물(Ⅰ, p. 241), 매자기(Ⅱ, p. 515), 메기(Ⅱ, p. 822), 무화과나무(Ⅰ, p. 172), 민꽃게(Ⅱ, p. 770), 민물가재(Ⅱ, p. 769), 별꽃(Ⅰ, p. 241), 분홍바늘꽃(Ⅰ, p. 818), 붉은촉규(Ⅰ, p. 738), 붕어(Ⅱ, p. 816), 뻐꾹채

(Ⅱ, p. 328), 상추(Ⅱ, p. 322), 손바닥난초(Ⅱ, p. 561), 쇠비름(Ⅰ, p. 228), 쑥(Ⅱ, p. 769), 아관석(Ⅱ, p. 932), 아욱(Ⅰ, p. 748), 애기땅빈대(Ⅰ, p. 642), 야목단(Ⅰ, p. 813), 양송이(Ⅱ, p. 653), 영아자(Ⅱ, p. 253), 왕모람(Ⅰ, p. 175), 장구채(Ⅰ, p. 236), 질경이택사(Ⅱ, p. 356), 천산갑(Ⅱ, p. 886), 큰절굿대(Ⅱ, p. 303), 톱날꽃게(Ⅱ, p. 772), 투구게(Ⅱ, p. 773), 토인삼(Ⅰ, p. 229), 하늘타리(Ⅰ, p. 792)

임신구토(妊娠嘔吐)__남산등(Ⅱ, p. 56), 배초향(Ⅱ, p. 110), 산각(Ⅰ, p. 600), 서양박하(Ⅱ, p. 131), 서양산수유(Ⅰ, p. 828), 양춘사인(Ⅱ, p. 526), 호로차(Ⅰ, p. 598)

자궁내막염(子宮內膜炎)__말냉이(Ⅰ, p. 428), 모시물통이(Ⅰ, p. 188), 황삼국(Ⅱ, p. 330)

자궁냉증(子宮冷症)__구절초(Ⅱ, p. 296), 사상자(Ⅰ, p. 895), 쑥(Ⅱ, p. 268)

자궁출혈(子宮出血)__가래(Ⅱ, p. 362), 가시나무(Ⅰ, p. 157), 개부처손(Ⅰ, p. 53), 겨우살이(Ⅰ, p. 195), 고추나물(Ⅰ, p. 394), 국수나무(Ⅰ, p. 522), 긴병꽃풀(Ⅱ, p. 119), 꼭두서니(Ⅱ, p. 75), 꽃고비(Ⅱ, p. 80), 낙지다리(Ⅰ, p. 435), 낙지생근(Ⅰ, p. 435), 남생이(Ⅱ, p. 849), 말똥진흙버섯(Ⅱ, p. 720), 목질진흙버섯(Ⅱ, p. 720), 물싸리풀(Ⅰ, p. 480), 삼칠(Ⅰ, p. 845), 석위(Ⅰ, p. 111), 선옹초(Ⅰ, p. 229), 쑥(Ⅱ, p. 268), 오이풀(Ⅰ, p. 514), 원추리(Ⅱ, p. 388), 익모초(Ⅱ, p. 124), 작살나무(Ⅱ, p. 100), 재등에(Ⅱ, p. 790), 중대가리국화(Ⅱ, p. 326), 천속단(Ⅱ, p. 242), 측백나무(Ⅰ, p. 125), 호밀(Ⅱ, p. 475), 홍기(Ⅰ, p. 570)

자궁탈수(子宮脫垂)__모시물통이(Ⅰ, p. 188), 모엽석엽등(Ⅰ, p. 376), 백반(Ⅱ, p. 926), 산비장이(Ⅱ, p. 338), 오소리(Ⅱ, p. 895), 좀담배풀(Ⅱ, p. 289)

질염(膣炎)__구절초(Ⅱ, p. 296), 느러진장대(Ⅰ, p. 414), 부처꽃(Ⅰ, p. 798), 붕사(Ⅱ, p. 928), 수련(Ⅰ, p. 358), 양지꽃(Ⅰ, p. 483), 양파(Ⅱ, p. 364)

태동불안(胎動不安)__거북꼬리(Ⅰ, p. 183), 곰의말채(Ⅰ, p. 827), 당나귀(Ⅱ, p. 902), 모시풀(Ⅰ, p. 181), 뽕나무겨우살이(Ⅰ, p. 196), 서양겨우살이(Ⅰ, p. 197), 쑥(Ⅱ, p. 268), 양춘사인(Ⅱ, p. 526), 장구채(Ⅰ, p. 236), 천속단(Ⅱ, p. 242)

폐경(閉經)__검은날개홍낭자(Ⅱ, p. 785), 고비고사리(Ⅰ, p. 79), 근대(Ⅰ, p. 243), 꽃게(Ⅱ, p. 771), 목화(Ⅰ, p. 741), 민꽃게(Ⅱ, p. 770), 민물가재(Ⅱ, p. 769), 봉선화(Ⅰ, p. 702), 부처손(Ⅰ, p. 54), 분꽃나무(Ⅰ, p. 225), 석류(Ⅰ, p. 628), 소철(Ⅰ, p. 114), 옻나무(Ⅰ, p. 691), 유창목(Ⅰ, p. 621), 장수하늘소(Ⅱ, p. 795), 재등에(Ⅱ, p. 790), 전동싸리(Ⅰ, p. 581), 줄먹가뢰(Ⅱ, p. 793), 줄사철나무(Ⅰ, p. 710), 지별(Ⅱ, p. 779), 참검정풍뎅이(Ⅱ, p. 796), 천산갑(Ⅱ, p. 886), 협죽도(Ⅰ, p. 960), 호

자나무(Ⅱ, p. 65), 화살나무(Ⅰ, p. 709), 흑삼릉(Ⅱ, p. 505)

하혈(下血)__가시칠엽수(Ⅰ, p. 701), 가중나무(Ⅰ, p. 675), 거북꼬리(Ⅰ, p. 183), 꼭두서니(Ⅱ, p. 75), 꿀벌(Ⅱ, p. 798), 당나귀(Ⅱ, p. 902), 도둑놈의지팡이(Ⅰ, p. 596), 동백나무(Ⅰ, p. 385), 목화(Ⅰ, p. 741), 부들(Ⅱ, p. 506), 뽕나무겨우살이(Ⅰ, p. 196), 서양겨우살이(Ⅰ, p. 197), 소나무(Ⅰ, p. 120), 쑥(Ⅱ, p. 268), 유채(Ⅰ, p. 415), 왜개연꽃(Ⅱ, p. 357), 장수도마뱀(Ⅱ, p. 854), 조각나무(Ⅰ, p. 563), 지황(Ⅱ, p. 197), 참쑥(Ⅱ, p. 267), 칡(Ⅰ, p. 591), 항백지(Ⅰ, p. 854), 황련(Ⅰ, p. 321), 황해쑥(Ⅱ, p. 264)

소화기질환(消化器疾患)

건위제(健胃劑)__감초(Ⅰ, p. 568), 고추(Ⅱ, p. 165), 광귤나무(Ⅰ, p. 656), 굴(Ⅱ, p. 759), 목향(Ⅱ, p. 280), 산사나무(Ⅰ, p. 467), 산초나무(Ⅰ, p. 674), 삽주(Ⅱ, p. 277), 서양산사나무(Ⅰ, p. 466), 소태나무(Ⅰ, p. 677), 예덕나무(Ⅰ, p. 645), 용담(Ⅰ, p. 947), 육계나무(Ⅰ, p. 285), 생강(Ⅱ, p. 536), 콩두란고(Ⅱ, p. 57), 큰삽주(Ⅱ, p. 279), 홉(Ⅰ, p. 177), 후추나무(Ⅰ, p. 365)

구토(嘔吐)__갓(Ⅰ, p. 416), 강낭콩(Ⅰ, p. 587), 고량강(Ⅱ, p. 521), 끼무릇(Ⅱ, p. 499), 노박덩굴(Ⅰ, p. 708), 다래나무(Ⅰ, p. 382), 대왕야자(Ⅱ, p. 546), 띠(Ⅱ, p. 462), 로만카모밀레(Ⅱ, p. 292), 명당삼(Ⅱ, p. 865), 바디나물(Ⅰ, p. 887), 밤나무(Ⅰ, p. 152), 배초향(Ⅱ, p. 110), 백두구(Ⅱ, p. 524), 별등골나물(Ⅱ, p. 309), 비파나무(Ⅰ, p. 469), 산당화(Ⅰ, p. 463), 생달나무(Ⅰ, p. 283), 석곡(Ⅱ, p. 556), 쑥국화(Ⅱ, p. 348), 얼레지(Ⅱ, p. 382), 오수유나무(Ⅰ, p. 664), 유자나무(Ⅰ, p. 657), 청간죽(Ⅱ, p. 453), 코끼리(Ⅱ, p. 901), 탱자나무(Ⅰ, p. 669), 토후박나무(Ⅰ, p. 294), 헛개나무(Ⅰ, p. 718), 히어리(Ⅰ, p. 431)

구풍(驅風)__박하(Ⅱ, p. 129), 소두구(Ⅱ, p. 529), 시라(Ⅰ, p. 850), 양춘사인(Ⅱ, p. 526), 육두구(Ⅰ, p. 277), 탱자나무(Ⅰ, p. 669), 향부자(Ⅱ, p. 512), 회향(Ⅰ, p. 872)

담낭염(膽囊炎)__겨자무(Ⅰ, p. 414), 괭이밥(Ⅰ, p. 612), 꽃상추(Ⅱ, p. 297), 노랑용담(Ⅱ, p. 945), 노루귀(Ⅱ, p. 325), 두점쓴풀(Ⅰ, p. 950), 마리아엉겅퀴(Ⅱ, p. 340), 마편초(Ⅱ, p. 107), 매실나무(Ⅰ, p. 493), 미치광이풀(Ⅱ, p. 177), 배풍등(Ⅱ, p. 179), 비로용담(Ⅱ, p. 945), 뽕나무버섯부치(Ⅱ, p. 627), 사철쑥(Ⅱ, p. 262), 서양민들레(Ⅱ, p. 349), 소태나무(Ⅰ, p. 677), 용담(Ⅰ, p. 947), 우엉(Ⅱ, p. 259), 원지(Ⅰ, p. 684), 지사목(Ⅰ, p. 959), 큰엉겅퀴(Ⅱ, p. 299)

담석증(膽石症)__개똥장미(Ⅰ, p. 502), 마리아엉겅퀴(Ⅱ, p.

340), 배풍등(Ⅱ, p. 179), 선갈퀴(Ⅱ, p. 62), 쓴쑥(Ⅱ, p. 260)

변비(便秘)__겨자무(Ⅰ, p. 414), 결명차(Ⅰ, p. 547), 꽃센나(Ⅰ, p. 544), 나도밤나무(Ⅰ, p. 701), 나팔꽃(Ⅱ, p. 88), 다시마(Ⅱ, p. 579), 망초(Ⅱ, p. 922), 맥문동(Ⅱ, p. 396), 무화과나무(Ⅰ, p. 172), 박소(Ⅱ, p. 924), 복숭아나무(Ⅰ, p. 495), 부챗살(Ⅱ, p. 588), 빈랑나무(Ⅱ, p. 540), 뻐꾸기(Ⅱ, p. 874), 살구나무(Ⅰ, p. 489), 삼(Ⅰ, p. 168), 서양갈매나무(Ⅰ, p. 721), 소리쟁이(Ⅰ, p. 220), 쇄양(Ⅱ, p. 823), 신선초(Ⅰ, p. 857), 아마(Ⅰ, p. 625), 아욱(Ⅰ, p. 748), 아주까리(Ⅰ, p. 649), 알로에(Ⅱ, p. 371), 약질경이(Ⅱ, p. 225), 얄라파(Ⅱ, p. 88), 양제갑(Ⅰ, p. 538), 우뭇가사리(Ⅱ, p. 582), 육종용(Ⅱ, p. 218), 이스라지나무(Ⅰ, p. 492), 장엽대황(Ⅰ, p. 215), 지황(Ⅱ, p. 197), 질경이(Ⅱ, p. 223), 차즈기(Ⅱ, p. 142), 참당귀(Ⅰ, p. 856), 천문동(Ⅱ, p. 374), 측백나무(Ⅰ, p. 125), 카스카라나무(Ⅰ, p. 722), 파두나무(Ⅰ, p. 630), 하늘타리(Ⅰ, p. 792), 황금센나(Ⅰ, p. 544), 회화나무(Ⅰ, p. 597)

변혈(便血)__개잎갈나무(Ⅰ, p. 117), 깨풀(Ⅰ, p. 626), 당나귀(Ⅱ, p. 902), 가중나무(Ⅰ, p. 675), 각시원추리(Ⅱ, p. 387), 꾸지나무(Ⅰ, p. 167), 메귀리(Ⅱ, p. 452), 무궁화(Ⅰ, p. 745), 백악(Ⅱ, p. 926), 복룡간(Ⅱ, p. 927), 아기들덩굴초롱이끼(Ⅱ, p. 600), 아담나무(Ⅰ, p. 676), 애기풀(Ⅰ, p. 683), 약용금잔화(Ⅱ, p. 287), 온욱금(Ⅱ, p. 532), 왕바랭이(Ⅱ, p. 459), 원추리(Ⅱ, p. 388), 절국대(Ⅱ, p. 201), 종려나무(Ⅱ, p. 547), 주아삼(Ⅰ, p. 844)

복통(腹痛)__고량강(Ⅱ, p. 521), 큰두꺼비(Ⅱ, p. 844), 들현호색(Ⅰ, p. 406), 멀구슬나무(Ⅰ, p. 681), 문절망둑(Ⅱ, p. 836), 미치광이풀(Ⅱ, p. 177), 백리향(Ⅱ, p. 162), 병풀(Ⅰ, p. 864), 사시나무(Ⅰ, p. 142), 산초나무(Ⅰ, p. 674), 산호랑나비(Ⅱ, p. 790), 생강(Ⅱ, p. 536), 생달나무(Ⅰ, p. 283), 소라(Ⅱ, p. 748), 손바닥선인장(Ⅰ, p. 261), 애기똥풀(Ⅰ, p. 400), 양귀비(Ⅰ, p. 412), 여뀌(Ⅰ, p. 202), 여지나무(Ⅰ, p. 698), 오수유나무(Ⅰ, p. 664), 오약나무(Ⅰ, p. 291), 잇꽃(Ⅱ, p. 290), 정향나무(Ⅰ, p. 810), 천목향(Ⅱ, p. 352), 초과(Ⅱ, p. 525), 팔각회향나무(Ⅰ, p. 281), 향유(Ⅱ, p. 117), 화살나무(Ⅰ, p. 709)

설사(泄瀉)__가시나무(Ⅰ, p. 157), 가시연꽃(Ⅰ, p. 355), 가자나무(Ⅰ, p. 803), 광곽향(Ⅱ, p. 145), 근대(Ⅰ, p. 243), 금앵자나무(Ⅰ, p. 505), 긴잎꿩의다리(Ⅰ, p. 334), 깽깽이풀(Ⅰ, p. 341), 나도하수오(Ⅰ, p. 209), 노루귀(Ⅰ, p. 325), 눈불개(Ⅱ, p. 820), 마름(Ⅰ, p. 799), 만주잎갈나무(Ⅰ, p. 118), 만주자작나무(Ⅰ, p. 150), 맨드라미(Ⅰ, p. 255), 무궁화(Ⅰ, p. 745), 몰식자나무(Ⅰ, p. 156), 물오리나무(Ⅰ, p. 146), 범꼬리(Ⅰ, p. 198), 오배자진딧물(Ⅱ, p. 786), 사위질빵(Ⅰ, p. 316), 상수리나무(Ⅰ, p. 154), 생달나무(Ⅰ, p. 283), 석류나무(Ⅰ, p. 815), 석류풀(Ⅰ, p. 226), 양귀비(Ⅰ, p. 412), 오미자(Ⅰ, p.

273), 육계나무(Ⅰ, p. 285), 이질풀(Ⅰ, p. 617), 저령균(Ⅱ, p. 711), 좀꿩의다리(Ⅰ, p. 333), 쥐손이풀(Ⅰ, p. 616), 짚신나물(Ⅰ, p. 459), 청비름(Ⅰ, p. 255), 촛대승마(Ⅰ, p. 315), 한삼덩굴(Ⅰ, p. 176), 해아(Ⅱ, p. 842), 황련(Ⅰ, p. 321), 흰양귀비(Ⅰ, p. 411)

소화불량(消化不良)__감귤나무(Ⅰ, p. 660), 감초(Ⅰ, p. 568), 갓(Ⅰ, p. 416), 강준치(Ⅱ, p. 818), 개망초(Ⅱ, p. 306), 겨자무(Ⅰ, p. 414), 고량강(Ⅱ, p. 521), 고추(Ⅱ, p. 165), 곰보버섯(Ⅱ, p. 726), 광귤나무(Ⅰ, p. 656), 구절초(Ⅱ, p. 296), 구향충(Ⅱ, p. 787), 네날가지(Ⅱ, p. 828), 노루귀(Ⅰ, p. 325), 농어(Ⅱ, p. 829), 닭(Ⅱ, p. 869), 대추나무(Ⅰ, p. 724), 대추야자(Ⅱ, p. 545), 만삼(Ⅱ, p. 249), 무(Ⅰ, p. 426), 바랭이(Ⅱ, p. 458), 백두구(Ⅱ, p. 524), 벼(Ⅱ, p. 467), 병꽃나무(Ⅱ, p. 235), 보리(Ⅱ, p. 461), 빈랑나무(Ⅱ, p. 540), 삽주(Ⅱ, p. 277), 생강(Ⅱ, p. 536), 소두구(Ⅱ, p. 529), 소초구(Ⅱ, p. 518), 숭어(Ⅱ, p. 827), 쓴풀(Ⅱ, p. 951), 연어(Ⅱ, p. 813), 염산강(Ⅱ, p. 523), 오수유나무(Ⅰ, p. 664), 왜개연꽃(Ⅰ, p. 357), 웅어(Ⅱ, p. 811), 육계나무(Ⅰ, p. 285), 익지(Ⅱ, p. 522), 자주졸각버섯(Ⅱ, p. 631), 장엽대황(Ⅰ, p. 215), 전호(Ⅰ, p. 860), 죽순대나무(Ⅱ, p. 473), 중고기(Ⅱ, p. 819), 쥐꼬리망초(Ⅱ, p. 216), 천목향(Ⅱ, p. 352), 초두구(Ⅱ, p. 520), 커피나무(Ⅱ, p. 64), 큰삽주(Ⅱ, p. 279), 토목향(Ⅱ, p. 317), 홍두구(Ⅱ, p. 519), 화초나무(Ⅰ, p. 672), 황련(Ⅰ, p. 321), 황벽나무(Ⅰ, p. 668), 회향(Ⅰ, p. 872), 후박나무(Ⅰ, p. 270), 후추나무(Ⅰ, p. 365), 히드라스티스(Ⅰ, p. 325)

수렴(收斂)·지사(止瀉)__개병풍(Ⅰ, p. 454), 메추라기(Ⅱ, p. 870), 몰식자나무(Ⅰ, p. 156), 민어(Ⅱ, p. 831), 버들볏짚버섯(Ⅱ, p. 645), 복분자딸기(Ⅰ, p. 510), 산수유나무(Ⅰ, p. 828), 아선약나무(Ⅱ, p. 78), 오미자(Ⅰ, p. 273), 오배자진딧물(Ⅱ, p. 786), 용담(Ⅰ, p. 947), 우여량(Ⅱ, p. 937), 적석지(Ⅱ, p. 942), 쥐손이풀(Ⅰ, p. 616), 콘두란고(Ⅱ, p. 57)

식욕부진(食慾不振)__가라지(Ⅱ, p. 830), 개별꽃(Ⅰ, p. 237), 고수(Ⅰ, p. 867), 꾀꼬리(Ⅱ, p. 879), 나팔버섯(Ⅱ, p. 662), 돌나물(Ⅰ, p. 440), 마(Ⅱ, p. 428), 만삼(Ⅱ, p. 249), 먹물버섯(Ⅱ, p. 657), 메밀(Ⅱ, p. 199), 방아풀(Ⅱ, p. 144), 백두구(Ⅱ, p. 524), 벼(Ⅱ, p. 467), 붉은싸리버섯(Ⅱ, p. 664), 산계(Ⅱ, p. 871), 삽주(Ⅱ, p. 277), 석곡(Ⅱ, p. 556), 소두구(Ⅱ, p. 529), 소태나무(Ⅰ, p. 677), 쇠물닭(Ⅱ, p. 873), 쓴풀(Ⅱ, p. 951), 아출(Ⅱ, p. 528), 육계나무(Ⅰ, p. 285), 잎새버섯(Ⅱ, p. 719), 청둥오리(Ⅱ, p. 864), 캐러웨이(Ⅰ, p. 864), 커피나무(Ⅱ, p. 64), 콘두란고(Ⅱ, p. 57), 탱자나무(Ⅰ, p. 669), 튤립(Ⅱ, p. 415), 홉(Ⅰ, p. 177)

식중독(食中毒)__갈대(Ⅱ, p. 470), 감초(Ⅰ, p. 568), 곤달비(Ⅱ, p. 325), 말똥비름(Ⅰ, p. 438), 약난초(Ⅱ, p. 553)

심복냉통(心腹冷痛)__가는돌쩌귀(Ⅰ, p. 304), 고량강(Ⅱ, p. 521), 노랑투구꽃(Ⅰ, p. 303), 머귀나무(Ⅰ, p. 671), 사탕야자(Ⅱ, p. 543), 생강(Ⅱ, p. 536), 소자(Ⅰ, p. 699), 쑥(Ⅱ, p. 268), 영사(Ⅱ, p. 934), 이삭바꽃(Ⅰ, p. 301), 화초나무(Ⅰ, p. 672), 황해쑥(Ⅱ, p. 264)

십이지장궤양(十二指腸潰瘍)__가래나무(Ⅰ, p. 138), 느릅나무(Ⅰ, p. 161), 닭풀(Ⅰ, p. 742), 예덕나무(Ⅰ, p. 645), 피뿔고둥(Ⅱ, p. 751)

열독혈리(熱毒血痢)__도둑놈의지팡이(Ⅰ, p. 596), 수려화파화(Ⅱ, p. 115), 아담나무(Ⅰ, p. 676), 인동덩굴(Ⅱ, p. 227)

오심(惡心)__모과나무(Ⅰ, p. 464), 벌등골나물(Ⅱ, p. 309), 보리(Ⅱ, p. 461), 양춘사인(Ⅱ, p. 526), 유목(Ⅱ, p. 106), 쥐깨풀(Ⅱ, p. 135), 초과(Ⅱ, p. 525), 히어리(Ⅰ, p. 431)

완복동통(脘腹疼痛)__가래나무(Ⅰ, p. 138), 개솔새(Ⅱ, p. 456), 금과람(Ⅰ, p. 353), 도둑놈의갈고리(Ⅰ, p. 556), 밀맥아장시(Ⅰ, p. 846), 바람등칡(Ⅰ, p. 364), 사리풀(Ⅱ, p. 167), 산내(Ⅱ, p. 534), 삼엽오가(Ⅰ, p. 834), 소귀나무(Ⅰ, p. 136), 소두구(Ⅱ, p. 529), 월계수(Ⅰ, p. 287), 일문전(Ⅰ, p. 349), 중국멀구슬나무(Ⅰ, p. 682), 쥐방울(Ⅰ, p. 370), 초과(Ⅱ, p. 525), 풍향나무(Ⅰ, p. 433), 필징가(Ⅰ, p. 362), 향모초(Ⅱ, p. 456), 호도나무(Ⅰ, p. 139), 황피(Ⅰ, p. 661)

위경련(胃痙攣)__감나무(Ⅰ, p. 922), 고박하(Ⅱ, p. 113), 광서마도령(Ⅰ, p. 372), 방아풀(Ⅱ, p. 144), 사리풀(Ⅱ, p. 167), 서양앵초(Ⅰ, p. 918), 애기똥풀(Ⅰ, p. 400), 향흑종초(Ⅰ, p. 326)

위궤양(胃潰瘍)__개머루(Ⅰ, p. 726), 고양이덩굴(Ⅱ, p. 80), 꿀벌(Ⅱ, p. 798), 노루궁뎅이(Ⅱ, p. 693), 마름(Ⅰ, p. 799), 백산차(Ⅰ, p. 900), 붉은느릅나무(Ⅰ, p. 164), 산호침버섯(Ⅱ, p. 692), 서양조개나물(Ⅱ, p. 112), 양배추(Ⅰ, p. 418), 자주졸각버섯(Ⅱ, p. 631), 졸각버섯(Ⅱ, p. 632), 죽절초(Ⅰ, p. 367), 짚신나물(Ⅰ, p. 459), 초혈갈(Ⅰ, p. 212), 팽나무버섯(Ⅱ, p. 628), 흰인가목(Ⅰ, p. 504)

위산결핍증(胃酸缺乏症)__냉이(Ⅰ, p. 419), 대추야자(Ⅱ, p. 545), 서양톱풀(Ⅱ, p. 255), 쇠뜨기(Ⅰ, p. 55), 왜광대수염(Ⅱ, p. 121), 운향풀(Ⅰ, p. 670), 육계나무(Ⅰ, p. 285), 육두구(Ⅰ, p. 277), 콘두란고(Ⅱ, p. 57)

위염(胃炎)__가래나무(Ⅰ, p. 138), 고수(Ⅰ, p. 867), 굴(Ⅱ, p. 759), 까마귀머루(Ⅰ, p. 731), 노랑용담(Ⅰ, p. 945), 노루오줌(Ⅰ, p. 443), 느릅나무(Ⅰ, p. 161), 닭풀(Ⅰ, p. 742), 대청(Ⅰ, p. 423), 돌기해삼(Ⅱ, p. 802), 들쭉나무(Ⅰ, p. 907), 마름(Ⅰ, p. 799), 목면(Ⅰ, p. 751), 방아풀(Ⅱ, p. 144), 부처꽃(Ⅰ, p. 798), 셀러리(Ⅰ, p. 862), 예덕나무(Ⅰ, p. 645), 우엉(Ⅱ, p. 259), 자란(Ⅱ, p. 549), 전호(Ⅰ, p. 860), 중국칠엽수

(Ⅰ, p. 700), 차가버섯(Ⅱ, p. 706), 토목향(Ⅱ, p. 317), 화추수(Ⅰ, p. 518)

위완동통(胃脘疼痛)__고슴도치(Ⅱ, p. 883), 구리향나무(Ⅰ, p. 666), 나한송(Ⅰ, p. 127), 녹나무(Ⅰ, p. 284), 논고둥(Ⅱ, p. 749), 벽오동(Ⅰ, p. 754), 삼차고(Ⅰ, p. 665), 소화팔각풍(Ⅰ, p. 824), 쉬나무(Ⅰ, p. 663), 야선화(Ⅰ, p. 716), 유엽백전(Ⅱ, p. 54), 진두발(Ⅱ, p. 587), 초과(Ⅱ, p. 525), 초두구(Ⅱ, p. 520)

위장관출혈(胃腸管出血)__갯어리알버섯(Ⅱ, p. 672), 뚱딴지(Ⅱ, p. 314), 모래밭버섯(Ⅱ, p. 671)

위통(胃痛)__고랑따개비(Ⅱ, p. 766), 나한송(Ⅰ, p. 127), 날치(Ⅱ, p. 824), 둥근성게(Ⅱ, p. 805), 등잔화(Ⅱ, p. 307), 말굽잔나비버섯(Ⅱ, p. 702), 말똥성게(Ⅱ, p. 805), 말오줌때(Ⅰ, p. 713), 먼나무(Ⅰ, p. 706), 모서리불가사리(Ⅱ, p. 804), 목화(Ⅰ, p. 741), 무환자나무(Ⅰ, p. 700), 벽오동(Ⅰ, p. 754), 별불가사리(Ⅱ, p. 803), 보라성게(Ⅱ, p. 804), 비타민나무(Ⅰ, p. 767), 살치(Ⅱ, p. 818), 상동나무(Ⅰ, p. 723), 생열귀나무(Ⅰ, p. 503), 석장수(Ⅰ, p. 545), 손바닥선인장(Ⅰ, p. 261), 애기똥풀(Ⅰ, p. 400), 여지나무(Ⅰ, p. 698), 잉어(Ⅱ, p. 817), 재첩(Ⅱ, p. 760), 좀주름찻잔버섯(Ⅱ, p. 658), 주름찻잔버섯(Ⅱ, p. 658), 죽황(Ⅱ, p. 736), 천년건(Ⅱ, p. 496), 청사조(Ⅰ, p. 718), 피조개(Ⅱ, p. 756)

이담(利膽)__겨자무(Ⅰ, p. 414), 노랑용담(Ⅰ, p. 945), 두점쓴풀(Ⅰ, p. 950), 마리아엉겅퀴(Ⅱ, p. 340), 서양소태나무(Ⅰ, p. 678), 솜엉겅퀴(Ⅱ, p. 302), 쓴쑥(Ⅱ, p. 260), 옥수수(Ⅱ, p. 484), 온욱금(Ⅱ, p. 532), 치자나무(Ⅱ, p. 68)

장염(腸炎)__갈대(Ⅱ, p. 470), 개갓냉이(Ⅰ, p. 427), 국화쥐손이(Ⅰ, p. 614), 나도하수오(Ⅰ, p. 209), 노루귀(Ⅰ, p. 325), 다화야목단(Ⅰ, p. 813), 도다리(Ⅱ, p. 840), 만수국(Ⅱ, p. 347), 매발톱나무(Ⅰ, p. 336), 모감주나무(Ⅰ, p. 697), 목화(Ⅰ, p. 741), 무궁화(Ⅰ, p. 745), 무화과나무(Ⅰ, p. 172), 물닭개비(Ⅱ, p. 436), 민들레(Ⅱ, p. 350), 번행초(Ⅰ, p. 227), 벽오동(Ⅰ, p. 754), 병풀(Ⅰ, p. 864), 보리장나무(Ⅰ, p. 765), 봉의꼬리(Ⅰ, p. 82), 부용화(Ⅰ, p. 743), 부추(Ⅰ, p. 369), 사데풀(Ⅱ, p. 342), 선이질풀(Ⅰ, p. 615), 소사화(Ⅰ, p. 508), 애기우뭇가사리(Ⅱ, p. 583), 야광나무(Ⅰ, p. 475), 약촉규(Ⅰ, p. 739), 얼레지(Ⅱ, p. 382), 윤판나물(Ⅱ, p. 381), 은양지꽃(Ⅰ, p. 485), 제비꽃(Ⅰ, p. 774), 참취(Ⅱ, p. 274), 천목향(Ⅱ, p. 352), 컴프리(Ⅱ, p. 98), 털쥐손이(Ⅰ, p. 615), 풍상수(Ⅱ, p. 63), 황련(Ⅰ, p. 321)

장옹(腸癰)__검노린재나무(Ⅰ, p. 926), 구슬붕이(Ⅰ, p. 948), 꽃며느리밥풀(Ⅱ, p. 191), 대혈등(Ⅰ, p. 345), 댕댕이나무(Ⅱ, p. 226), 도깨비바늘(Ⅱ, p. 282), 돌마타리(Ⅱ, p. 237), 두잎

갈퀴(Ⅱ, p. 70), 반지련(Ⅱ, p. 156), 별꽃(Ⅰ, p. 241), 선씀바귀(Ⅱ, p. 319), 애기고추나물(Ⅰ, p. 395), 왕고들빼기(Ⅱ, p. 320), 율무(Ⅱ, p. 455), 참외(Ⅰ, p. 784)

장출혈(腸出血)__가회톱(Ⅰ, p. 726), 다릅나무(Ⅰ, p. 578), 무궁화(Ⅰ, p. 745), 바위손(Ⅰ, p. 52), 부용화(Ⅰ, p. 743), 삶(Ⅱ, p. 897), 수양버들(Ⅰ, p. 143), 윤판나물(Ⅱ, p. 381), 은조롱(Ⅱ, p. 55), 작살나무(Ⅱ, p. 100), 참느릅나무(Ⅰ, p. 162), 하자화(Ⅰ, p. 799)

정장(整腸)__당매자나무(Ⅰ, p. 337), 멀구슬나무(Ⅰ, p. 681), 벌등골나물(Ⅱ, p. 309), 서양샐비어(Ⅱ, p. 153), 약용대황(Ⅰ, p. 214), 이질풀(Ⅰ, p. 617), 장엽대황(Ⅰ, p. 215), 정향나무(Ⅰ, p. 810), 후박나무(Ⅰ, p. 270)

토제(吐劑)__멀구슬나무(Ⅰ, p. 681), 박새(Ⅱ, p. 418), 베르가못(Ⅱ, p. 134), 실론계피나무(Ⅰ, p. 287), 제비고깔(Ⅰ, p. 323), 토나무(Ⅱ, p. 62)

토혈(吐血)__가시연꽃(Ⅰ, p. 355), 갑오징어(Ⅱ, p. 764), 거북꼬리(Ⅰ, p. 183), 골무꽃(Ⅱ, p. 157), 곰비늘고사리(Ⅰ, p. 94), 긴병꽃풀(Ⅱ, p. 119), 꽃받이(Ⅱ, p. 92), 꽃고비(Ⅱ, p. 80), 꾸지나무(Ⅰ, p. 167), 구지뽕나무(Ⅰ, p. 170), 나한송(Ⅰ, p. 127), 닥풀(Ⅰ, p. 742), 두루미꽃(Ⅱ, p. 398), 마삭줄(Ⅰ, p. 963), 바위솔(Ⅰ, p. 436), 반지련(Ⅱ, p. 156), 반디지치(Ⅱ, p. 97), 병아리난초(Ⅱ, p. 548), 부용화(Ⅰ, p. 743), 부추(Ⅰ, p. 369), 비오리(Ⅱ, p. 866), 번홍화(Ⅱ, p. 438), 서양박하(Ⅱ, p. 131), 소철(Ⅰ, p. 114), 솜대나무(Ⅱ, p. 472), 왕대(Ⅱ, p. 471), 일엽초(Ⅰ, p. 109), 조뱅이(Ⅱ, p. 285), 종려나무(Ⅱ, p. 547), 진달래(Ⅰ, p. 904), 천문동(Ⅱ, p. 374), 청간죽(Ⅱ, p. 453), 티베트호황련(Ⅱ, p. 196), 향모(Ⅱ, p. 460), 화예석(Ⅱ, p. 947)

흉복창통(胸腹脹痛)__개솔새(Ⅱ, p. 456), 굴피나무(Ⅰ, p. 140), 단향나무(Ⅰ, p. 192), 둔엽황단(Ⅰ, p. 551), 물쑥(Ⅱ, p. 270), 산내(Ⅱ, p. 534), 아위(Ⅰ, p. 870), 토목향(Ⅱ, p. 317)

신경(神經) · 정신질환(精神疾患)

건망증(健忘症)__삼지구엽초(Ⅰ, p. 340), 석창포(Ⅱ, p. 486), 원지(Ⅰ, p. 684), 용안나무(Ⅰ, p. 696), 인삼(Ⅰ, p. 840), 자귀나무(Ⅰ, p. 528), 측백나무(Ⅰ, p. 125), 큰열매시계꽃(Ⅰ, p. 770)

경련(痙攣)__말매미(Ⅱ, p. 784), 모우(Ⅱ, p. 910), 물소(Ⅱ, p. 911), 사향노루(Ⅱ, p. 909), 소(Ⅱ, p. 910), 왕지네(Ⅱ, p. 777), 천마(Ⅱ, p. 558), 코뿔소(Ⅱ, p. 915)

구안와사(口眼喎斜)__누에나방(Ⅱ, p. 787), 담반(Ⅱ, p.

920), 독각련(Ⅱ, p. 503), 동아전갈(Ⅱ, p. 775), 백강잠균(Ⅱ, p. 735), 송악(Ⅰ, p. 838), 왕거미(Ⅱ, p. 776), 왕지네(Ⅱ, p. 777)

구토(嘔吐)__감토(Ⅱ, p. 918), 고량강(Ⅱ, p. 521), 광곽향(Ⅱ, p. 145), 까치콩(Ⅱ, p. 558), 끼무릇(Ⅱ, p. 499), 목향(Ⅱ, p. 280), 배초향(Ⅱ, p. 110), 산초나무(Ⅰ, p. 674), 생강(Ⅱ, p. 536), 육두구(Ⅰ, p. 277), 정향나무(Ⅰ, p. 810), 팔각회향나무(Ⅰ, p. 281)

멀미__가시칠엽수(Ⅰ, p. 701), 꽃무(Ⅰ, p. 421), 라벤더(Ⅱ, p. 122), 멕시코금잔화(Ⅱ, p. 346), 백리향(Ⅱ, p. 162), 약용금잔화(Ⅱ, p. 287), 쥐오줌풀(Ⅱ, p. 240)

번갈(煩渴)__갈대(Ⅱ, p. 470), 고죽(Ⅱ, p. 474), 동청(Ⅱ, p. 921), 산달래(Ⅱ, p. 366), 삽주(Ⅱ, p. 277), 상산나무(Ⅰ, p. 667), 석고(Ⅱ, p. 930), 석창포(Ⅱ, p. 486), 솜대나무(Ⅱ, p. 472), 수호초(Ⅰ, p. 715), 승마(Ⅰ, p. 314), 아욱(Ⅰ, p. 748), 영양(Ⅱ, p. 914), 왕대(Ⅱ, p. 471), 인동덩굴(Ⅱ, p. 227), 인삼(Ⅰ, p. 840), 조릿대(Ⅱ, p. 477), 줄(Ⅱ, p. 485), 지렁이(Ⅱ, p. 743), 지모(Ⅱ, p. 372), 천문동(Ⅱ, p. 374), 청피죽(Ⅱ, p. 452), 치자나무(Ⅱ, p. 68), 콩(Ⅰ, p. 564), 파초(Ⅱ, p. 539), 하늘타리(Ⅰ, p. 792), 해장죽(Ⅱ, p. 451)

불면증(不眠症)__고박하(Ⅱ, p. 113), 골풀(Ⅱ, p. 444), 광귤나무(Ⅰ, p. 656), 괭이싸리(Ⅰ, p. 576), 금영화(Ⅰ, p. 408), 날개하늘나리(Ⅰ, p. 393), 넓은잎쥐오줌풀(Ⅱ, p. 239), 단삼(Ⅱ, p. 150), 대사초(Ⅱ, p. 509), 대추나무(Ⅰ, p. 724), 두릅나무(Ⅰ, p. 836), 로만카모밀레(Ⅱ, p. 292), 마죽(Ⅱ, p. 457), 말나리(Ⅰ, p. 393), 목초박하(Ⅱ, p. 132), 묏대추나무(Ⅰ, p. 723), 무궁화(Ⅰ, p. 745), 백화유마등(Ⅰ, p. 583), 불로초(Ⅱ, p. 700), 붉은누리장나무(Ⅱ, p. 102), 붉은부리갈매기(Ⅱ, p. 873), 상추(Ⅱ, p. 322), 서양고추나물(Ⅰ, p. 396), 서양박하(Ⅱ, p. 131), 석창포(Ⅱ, p. 486), 솔장다리(Ⅱ, p. 247), 시계꽃(Ⅰ, p. 769), 시라(Ⅰ, p. 850), 양귀비(Ⅰ, p. 412), 애기풀(Ⅰ, p. 683), 연꽃(Ⅰ, p. 356), 용안나무(Ⅰ, p. 696), 원지(Ⅰ, p. 684), 인도인삼목(Ⅱ, p. 183), 자귀나무(Ⅰ, p. 528), 자석(Ⅱ, p. 940), 자스민(Ⅰ, p. 932), 조름나물(Ⅰ, p. 953), 좁쌀풀(Ⅰ, p. 917), 중국현삼(Ⅱ, p. 200), 쥐오줌풀(Ⅱ, p. 240), 측백나무(Ⅰ, p. 125), 치자나무(Ⅱ, p. 68), 하늘나리(Ⅱ, p. 392), 하수오(Ⅰ, p. 210), 해장죽(Ⅱ, p. 451), 향봉화(Ⅱ, p. 129), 홉(Ⅰ, p. 177)

신경과민(神經過敏)__개박하(Ⅱ, p. 137), 금박(Ⅱ, p. 919), 낭아초(Ⅰ, p. 571), 달팽이(Ⅱ, p. 754), 대추나무(Ⅰ, p. 724), 땃두릅나무(Ⅰ, p. 840), 멀구슬나무(Ⅰ, p. 681), 물가고사리이끼(Ⅱ, p. 603), 서리지의(Ⅱ, p. 594), 서양현호색(Ⅰ, p. 409), 석회구슬이끼(Ⅱ, p. 601), 성탄장미(Ⅰ, p. 324), 시라(Ⅰ, p. 850), 아위(Ⅰ, p. 870), 자주방망이버섯아재비(Ⅱ, p.

615), 쥐오줌풀(Ⅱ, p. 240)

신경쇠약(神經衰弱) · 우울증(憂鬱症)__가시오갈피나무(Ⅰ, p. 832), 강류(Ⅱ, p. 60), 개별꽃(Ⅰ, p. 237), 개제비란(Ⅱ, p. 552), 검은비늘버섯(Ⅱ, p. 646), 구절초(Ⅱ, p. 296), 꽃송이이끼(Ⅱ, p. 600), 낭아초(Ⅰ, p. 571), 만삼(Ⅱ, p. 249), 두릅나무(Ⅰ, p. 836), 등칡(Ⅰ, p. 372), 마테차(Ⅰ, p. 705), 만병초(Ⅰ, p. 902), 매실나무(Ⅰ, p. 493), 면양(Ⅱ, p. 913), 묏대추나무(Ⅰ, p. 723), 미역고사리(Ⅰ, p. 110), 바닐라(Ⅱ, p. 567), 번홍화(Ⅱ, p. 438), 부처손(Ⅰ, p. 54), 불로초(Ⅱ, p. 700), 붉은열매지의(Ⅱ, p. 593), 비로용담(Ⅰ, p. 945), 사상자(Ⅰ, p. 895), 사향노루(Ⅱ, p. 909), 삼지구엽초(Ⅰ, p. 340), 삼치(Ⅱ, p. 835), 서양샐비어(Ⅱ, p. 153), 서양고추나물(Ⅰ, p. 396), 서양앵초(Ⅰ, p. 918), 서양쥐오줌풀(Ⅱ, p. 241), 석창포(Ⅱ, p. 486), 성대(Ⅱ, p. 838), 소(Ⅱ, p. 910), 손바닥난초(Ⅱ, p. 561), 약지치(Ⅱ, p. 92), 영양(Ⅱ, p. 914), 오리나무더부살이(Ⅱ, p. 218), 오미자(Ⅰ, p. 273), 온욱금(Ⅱ, p. 532), 용안나무(Ⅰ, p. 696), 운향풀(Ⅰ, p. 670), 원지(Ⅰ, p. 684), 은조롱(Ⅱ, p. 55), 이란(Ⅰ, p. 264), 인삼(Ⅰ, p. 840), 자귀나무(Ⅰ, p. 528), 제비꿀(Ⅱ, p. 191), 조름나물(Ⅰ, p. 953), 쥐오줌풀(Ⅱ, p. 240), 창포(Ⅱ, p. 485), 천마(Ⅱ, p. 558), 커피나무(Ⅱ, p. 64), 코뿔소(Ⅱ, p. 915), 콜라나무(Ⅰ, p. 753), 큰꽃송이이끼(Ⅱ, p. 599), 물레나물(Ⅰ, p. 394), 털복주머니란(Ⅱ, p. 554), 향부자(Ⅱ, p. 512), 현삼(Ⅱ, p. 199), 황금흰목이(Ⅱ, p. 725), 후투티(Ⅱ, p. 877)

안면신경마비(顔面神經麻痺)__갯장어(Ⅱ, p. 824), 광대싸리(Ⅰ, p. 651), 마전자나무(Ⅰ, p. 942), 방기(Ⅰ, p. 348), 분방기(Ⅰ, p. 351)

신장(腎臟) · 비뇨기질환(泌尿器疾患)

고환염(睾丸炎)__개불알풀(Ⅱ, p. 204), 까마중(Ⅱ, p. 180), 동면(Ⅰ, p. 750), 말오줌때(Ⅰ, p. 713), 멀구슬나무(Ⅰ, p. 681), 벽오동(Ⅰ, p. 754), 분홍바늘꽃(Ⅰ, p. 818), 산유감(Ⅰ, p. 654), 삼나무(Ⅰ, p. 122), 시라(Ⅰ, p. 850), 양지꽃(Ⅰ, p. 483), 여지나무(Ⅰ, p. 698), 옥예(Ⅰ, p. 814), 좀목형(Ⅱ, p. 108), 큰개불알풀(Ⅱ, p. 206), 회양목(Ⅰ, p. 715), 회향(Ⅰ, p. 872)

발기부전(勃起不全) · 자양강장(滋養强壯)__가시연꽃(Ⅰ, p. 355), 가시오갈피나무(Ⅰ, p. 832), 갈고리층층둥굴레(Ⅱ, p. 406), 감초(Ⅰ, p. 568), 개(Ⅱ, p. 891), 고비(Ⅰ, p. 63), 고양이수염풀(Ⅱ, p. 140), 구기자나무(Ⅱ, p. 168), 구척(Ⅰ, p. 70), 구향충(Ⅱ, p. 787), 금앵자나무(Ⅰ, p. 505), 금채석곡(Ⅱ, p. 557), 긴호랑거미(Ⅱ, p. 776), 꾸지나무(Ⅰ, p. 167), 남생이(Ⅱ, p. 849), 은산돌꽃(Ⅰ, p. 438), 닭새우(Ⅱ, p. 768), 독활

(Ⅰ, p. 835), 돌기해삼(Ⅱ, p. 802), 동충하초(Ⅱ, p. 729), 두드럭갯민숭달팽이(Ⅱ, p. 755), 두충나무(Ⅰ, p. 430), 드렁허리(Ⅱ, p. 828), 땃두릅나무(Ⅰ, p. 840), 마(Ⅱ, p. 428), 마록(Ⅱ, p. 905), 마전자나무(Ⅰ, p. 942), 만삼(Ⅱ, p. 249), 매화록(Ⅱ, p. 906), 모서리불가사리(Ⅱ, p. 804), 문모초(Ⅱ, p. 205), 물개(Ⅱ, p. 900), 박주가리(Ⅱ, p. 59), 벌사상자(Ⅰ, p. 866), 별불가사리(Ⅱ, p. 803), 보골지(Ⅰ, p. 589), 복분자딸기(Ⅰ, p. 510), 부들(Ⅱ, p. 506), 분홍바늘꽃(Ⅰ, p. 818), 사람(Ⅱ, p. 885), 삼백초(Ⅰ, p. 360), 삼지구엽초(Ⅰ, p. 340), 새삼(Ⅱ, p. 84), 석곡(Ⅱ, p. 556), 선모(Ⅱ, p. 423), 속수(Ⅰ, p. 636), 솜대(Ⅱ, p. 409), 쇄양(Ⅰ, p. 823), 수세미오이(Ⅰ, p. 788), 순록(Ⅱ, p. 908), 실고기(Ⅱ, p. 827), 양기석(Ⅱ, p. 933), 양지꽃(Ⅰ, p. 483), 여송과나무(Ⅰ, p. 941), 연꽃(Ⅰ, p. 356), 염소(Ⅱ, p. 912), 오갈피나무(Ⅰ, p. 833), 오리나무더부살이(Ⅱ, p. 218), 왕사마귀(Ⅱ, p. 781), 왕새우(Ⅱ, p. 768), 왕잠자리(Ⅱ, p. 778), 왜개연꽃(Ⅰ, p. 357), 요힘바나무(Ⅱ, p. 74), 육종용(Ⅱ, p. 218), 으름덩굴(Ⅰ, p. 344), 은조롱(Ⅱ, p. 55), 이엽우피소(Ⅱ, p. 52), 인삼(Ⅰ, p. 840), 자라(Ⅱ, p. 851), 자리공(Ⅱ, p. 224), 저령균(Ⅱ, p. 711), 종유석(Ⅱ, p. 944), 죽절인삼(Ⅰ, p. 844), 지황(Ⅱ, p. 197), 짱뚱어(Ⅱ, p. 837), 찌르레기(Ⅱ, p. 879), 참새(Ⅱ, p. 882), 촉새(Ⅱ, p. 882), 하수오(Ⅰ, p. 210), 합개(Ⅱ, p. 852)

방광(膀胱) · 요도염(尿道炎)__네모콩(Ⅰ, p. 588), 등칡(Ⅰ, p. 372), 모감주나무(Ⅰ, p. 697), 몰약나무(Ⅰ, p. 653), 바오밥나무(Ⅰ, p. 751), 방기(Ⅰ, p. 348), 백리향(Ⅱ, p. 162), 붓순나무(Ⅰ, p. 280), 서양짚신나물(Ⅰ, p. 458), 서양측백나무(Ⅰ, p. 125), 소나무(Ⅰ, p. 120), 산들깨(Ⅱ, p. 136), 서양딱총나무(Ⅱ, p. 231), 속새(Ⅰ, p. 58), 속썩은풀(Ⅱ, p. 155), 실고사리(Ⅰ, p. 68), 안식향나무(Ⅰ, p. 923), 오노니스(Ⅰ, p. 584), 오리나무더부살이(Ⅱ, p. 218), 우바우르시(Ⅰ, p. 899), 우엉(Ⅱ, p. 259), 월귤(Ⅰ, p. 908), 유럽광대나물(Ⅱ, p. 153), 유럽꼭두서니(Ⅱ, p. 76), 유칼리나무(Ⅰ, p. 805), 정향나무(Ⅰ, p. 810), 주름잎(Ⅱ, p. 190), 지느러미엉겅퀴(Ⅱ, p. 288), 질경이(Ⅱ, p. 223), 크랜베리(Ⅱ, p. 906), 톱야자(Ⅱ, p. 546), 통탈목(Ⅰ, p. 847), 패랭이꽃(Ⅱ, p. 233), 홉(Ⅰ, p. 177)

방광결석(膀胱結石) · 신장결석(腎臟結石)__가시나무(Ⅰ, p. 157), 가지(Ⅱ, p. 180), 골잎원추리(Ⅱ, p. 389), 꼬리풀(Ⅱ, p. 204), 꽈리(Ⅱ, p. 175), 금전초(Ⅰ, p. 914), 긴병꽃풀(Ⅱ, p. 119), 나팔꽃(Ⅱ, p. 88), 노간주나무(Ⅰ, p. 124), 만주자작나무(Ⅰ, p. 150), 말굽잔나비버섯(Ⅱ, p. 702), 모감주나무(Ⅰ, p. 697), 백산차(Ⅱ, p. 900), 백자작나무(Ⅱ, p. 148), 부레옥잠(Ⅱ, p. 435), 뽀리뱅이(Ⅱ, p. 355), 석송(Ⅰ, p. 49), 석위(Ⅱ, p. 111), 선갈퀴(Ⅱ, p. 62), 실고사리(Ⅰ, p. 68), 여뀌(Ⅰ, p. 202), 여우구슬(Ⅰ, p. 648), 옥수수(Ⅱ, p. 484), 왜당귀(Ⅰ, p. 851), 우산잔디(Ⅱ, p. 457), 월귤(Ⅰ, p. 908), 지느러미엉겅퀴

(Ⅱ, p. 288), 포도(Ⅰ, p. 732), 홉(Ⅰ, p. 177)

빈뇨(頻尿)__ 금앵자나무(Ⅰ, p. 505), 노란송이풀(Ⅱ, p. 193), 둥굴레(Ⅱ, p. 405), 둥근마(Ⅱ, p. 429), 마(Ⅱ, p. 428), 멍덕딸기(Ⅰ, p. 512), 물방개(Ⅱ, p. 792), 바오밥나무(Ⅰ, p. 751), 배편황기(Ⅰ, p. 532), 벌사상자(Ⅰ, p. 866), 보골지(Ⅰ, p. 589), 복분자딸기(Ⅰ, p. 510), 산부추(Ⅱ, p. 368), 산수유나무(Ⅰ, p. 828), 수박(Ⅰ, p. 783), 약둥굴레(Ⅱ, p. 404), 어저귀(Ⅰ, p. 738), 여주(Ⅰ, p. 789), 여치(Ⅱ, p. 782), 왕사마귀(Ⅱ, p. 781), 익지(Ⅱ, p. 522), 인삼(Ⅰ, p. 840), 죽절인삼(Ⅰ, p. 844), 질경이택사(Ⅱ, p. 356), 추석(Ⅱ, p. 945), 키조개(Ⅱ, p. 758), 파래가리비(Ⅱ, p. 758)

석림(石淋)__ 가마편(Ⅱ, p. 106), 공작고사리(Ⅰ, p. 78), 까치(Ⅱ, p. 880), 까치박달(Ⅰ, p. 150), 나도생강(Ⅱ, p. 447), 네가래(Ⅰ, p. 112), 노랑가오리(Ⅱ, p. 810), 다래나무(Ⅰ, p. 382), 땅강아지(Ⅱ, p. 783), 별고사리(Ⅰ, p. 98), 별날개골풀(Ⅱ, p. 443), 보리장나무(Ⅰ, p. 765), 복주머니란(Ⅱ, p. 555), 부석(Ⅱ, p. 928), 뿌리뱅이(Ⅱ, p. 355), 선바위고사리(Ⅰ, p. 80), 쇠귀나물(Ⅱ, p. 359), 약모밀(Ⅰ, p. 359), 오대산쾽이눈(Ⅰ, p. 444), 연꽃(Ⅰ, p. 356), 올미(Ⅱ, p. 358), 자귀풀(Ⅰ, p. 527), 자주쾽이밥(Ⅰ, p. 612), 잔개자리(Ⅰ, p. 579), 장수도마뱀(Ⅱ, p. 854), 중국다래(Ⅰ, p. 383), 지채(Ⅱ, p. 361), 참느릅나무(Ⅰ, p. 162), 참새(Ⅱ, p. 882), 청미래덩굴(Ⅱ, p. 410), 추규(Ⅰ, p. 737), 토복령(Ⅱ, p. 411), 풍접초(Ⅰ, p. 429), 한치(Ⅱ, p. 763), 활석(Ⅱ, p. 947), 황마(Ⅰ, p. 733)

소변불리(小便不利)__ 개오동나무(Ⅱ, p. 209), 거북손(Ⅱ, p. 766), 까치발(Ⅱ, p. 284), 네가래(Ⅰ, p. 112), 논고둥(Ⅱ, p. 749), 누치(Ⅱ, p. 820), 땅강아지(Ⅱ, p. 783), 띠(Ⅱ, p. 462), 물대(Ⅱ, p. 451), 박쥐나물(Ⅱ, p. 286), 별날개골풀(Ⅱ, p. 443), 복령균(Ⅱ, p. 712), 분배서여(Ⅱ, p. 430), 세모고랭이(Ⅱ, p. 517), 소두구(Ⅱ, p. 529), 송이고랭이(Ⅱ, p. 517), 알방동사니(Ⅱ, p. 510), 억새(Ⅱ, p. 466), 옹굿나물(Ⅱ, p. 272), 운향풀(Ⅰ, p. 670), 원추리(Ⅱ, p. 388), 으름덩굴(Ⅰ, p. 344), 자리공(Ⅰ, p. 224), 저령균(Ⅱ, p. 711), 질경이택사(Ⅱ, p. 356), 찔레나무(Ⅰ, p. 506), 큰고랭이(Ⅱ, p. 516), 택사(Ⅱ, p. 356), 하늘지기(Ⅱ, p. 514), 한수석(Ⅱ, p. 945), 황강달이(Ⅱ, p. 831)

수종(水腫)·부종(浮腫)__ 가마우지(Ⅱ, p. 861), 가물치(Ⅱ, p. 837), 가시연꽃(Ⅰ, p. 355), 갈매나무(Ⅰ, p. 721), 감수(Ⅰ, p. 635), 강준치(Ⅱ, p. 818), 개구리밥(Ⅱ, p. 504), 개미취(Ⅱ, p. 275), 개오동나무(Ⅱ, p. 209), 거북손(Ⅱ, p. 766), 겨자무(Ⅰ, p. 414), 골풀(Ⅱ, p. 444), 귀뚜라미(Ⅱ, p. 783), 기둥청각(Ⅱ, p. 573), 꾸지나무(Ⅰ, p. 167), 나팔꽃(Ⅱ, p. 88), 노간주나무(Ⅰ, p. 124), 느릅나무(Ⅰ, p. 161), 다시마(Ⅱ, p. 579), 닥나무(Ⅰ, p. 166), 대황(Ⅰ, p. 215), 댑싸리(Ⅰ, p. 245), 댕댕

이덩굴(Ⅰ, p. 364), 동자개(Ⅱ, p. 823), 등칡(Ⅰ, p. 372), 디기탈리스(Ⅱ, p. 185), 띠(Ⅱ, p. 462), 메기(Ⅱ, p. 822), 모시대(Ⅱ, p. 244), 모자반(Ⅱ, p. 580), 목별(Ⅰ, p. 790), 미나리(Ⅰ, p. 884), 미역취(Ⅱ, p. 341), 밍크고래(Ⅱ, p. 890), 백련어(Ⅱ, p. 816), 백합(Ⅱ, p. 395), 복령균(Ⅱ, p. 712), 생이가래(Ⅰ, p. 113), 속수(Ⅰ, p. 636), 쇠뜨기(Ⅰ, p. 55), 쇠별꽃(Ⅰ, p. 240), 아구장나무(Ⅰ, p. 521), 아메리카피막이(Ⅰ, p. 875), 양파(Ⅱ, p. 364), 억새(Ⅱ, p. 466), 여뀌(Ⅱ, p. 202), 용설란(Ⅱ, p. 433), 율무(Ⅱ, p. 455), 으름덩굴(Ⅰ, p. 344), 익모초(Ⅱ, p. 124), 저령균(Ⅱ, p. 711), 제비(Ⅱ, p. 878), 질경이(Ⅱ, p. 223), 질경이택사(Ⅱ, p. 356), 집오리(Ⅱ, p. 864), 찔레나무(Ⅰ, p. 506), 청각(Ⅱ, p. 574), 청비름(Ⅰ, p. 255), 카카오나무(Ⅰ, p. 757), 토복령(Ⅱ, p. 411), 파(Ⅱ, p. 346), 팥꽃나무(Ⅰ, p. 760), 해총(Ⅱ, p. 416)

신우신염(腎盂腎炎)__ 우뭇가사리(Ⅱ, p. 582), 피나무(Ⅰ, p. 735)

신장염(腎臟炎)__ 가시나무(Ⅰ, p. 157), 개오동나무(Ⅱ, p. 209), 검은불로초(Ⅱ, p. 699), 구멍갈파래(Ⅱ, p. 573), 금모양제갑(Ⅰ, p. 536), 긴잎갈퀴(Ⅱ, p. 67), 까마중(Ⅱ, p. 180), 꼬리풀(Ⅱ, p. 204), 꽃상추(Ⅱ, p. 297), 꽃싸리(Ⅰ, p. 575), 꾸지나무(Ⅰ, p. 167), 남산제비꽃(Ⅱ, p. 773), 네가래(Ⅰ, p. 112), 논냉이(Ⅰ, p. 421), 대추야자(Ⅱ, p. 545), 도그반(Ⅰ, p. 957), 도꼬마리(Ⅱ, p. 354), 마테차(Ⅰ, p. 705), 만주자작나무(Ⅰ, p. 150), 말냉이(Ⅰ, p. 428), 백분등(Ⅰ, p. 728), 병아리꽃나무(Ⅰ, p. 501), 사스래나무(Ⅰ, p. 149), 석위(Ⅰ, p. 111), 석해초(Ⅰ, p. 624), 솜방망이(Ⅱ, p. 335), 쇠뜨기(Ⅰ, p. 55), 수조기(Ⅱ, p. 832), 실고사리(Ⅰ, p. 68), 얄라파(Ⅱ, p. 88), 여우구슬(Ⅰ, p. 648), 외풀(Ⅱ, p. 189), 우바우르시(Ⅰ, p. 899), 주목(Ⅰ, p. 129), 쥐꼬리망초(Ⅱ, p. 216), 찔레나무(Ⅰ, p. 506), 참취(Ⅱ, p. 274), 청대치(Ⅱ, p. 825), 청미래덩굴(Ⅱ, p. 410), 카카오나무(Ⅰ, p. 757), 패랭이꽃(Ⅰ, p. 233), 흑쐐기풀(Ⅰ, p. 184), 홍산화(Ⅱ, p. 230)

야뇨증(夜尿症)__ 감나무(Ⅰ, p. 922), 고욤나무(Ⅰ, p. 921), 날매퉁이(Ⅱ, p. 814), 삼지구엽초(Ⅰ, p. 340), 삽주(Ⅱ, p. 277), 서양고추나물(Ⅰ, p. 396), 연꽃(Ⅰ, p. 356), 전호(Ⅰ, p. 860)

요로결석(尿路結石)__ 개자리(Ⅰ, p. 579), 계단화(Ⅰ, p. 961), 광금전초(Ⅰ, p. 557), 금전초(Ⅰ, p. 914), 석위(Ⅰ, p. 111), 아라비아나무(Ⅰ, p. 524), 황화주(Ⅰ, p. 915)

유정(遺精)__ 가시연꽃(Ⅰ, p. 355), 거위(Ⅱ, p. 865), 고라니(Ⅱ, p. 905), 구지뽕나무(Ⅰ, p. 170), 구척(Ⅰ, p. 70), 남생이(Ⅱ, p. 849), 노린재동충하초(Ⅱ, p. 731), 동충하초(Ⅱ, p. 729), 두드럭갯민숭달팽이(Ⅱ, p. 755), 박주가리(Ⅱ, p. 59), 백초상(Ⅱ, p. 927), 비수리(Ⅰ, p. 574), 사람(Ⅱ, p. 885), 쇄

양(Ⅰ, p. 823), 앵도나무(Ⅰ, p. 497), 연꽃(Ⅰ, p. 356), 오골계(Ⅱ, p. 870), 왕사마귀(Ⅱ, p. 781), 왕잠자리(Ⅱ, p. 778), 유황(Ⅱ, p. 939), 쥐똥나무(Ⅱ, p. 935), 합개(Ⅱ, p. 852), 황오리(Ⅱ, p. 867), 흑개미(Ⅱ, p. 801)

음낭습양(陰囊濕痒)__떡쑥(Ⅱ, p. 311), 민대극(Ⅰ, p. 632), 벌사상자(Ⅰ, p. 866), 참회나무(Ⅰ, p. 712), 피스타치오(Ⅰ, p. 688), 회화나무(Ⅰ, p. 597)

전립선염(前立腺炎)·전립선비대증(前立腺肥大症)__서양쐐기풀(Ⅰ, p. 190), 서양터리풀(Ⅰ, p. 471), 색동호박(Ⅰ, p. 786), 수련(Ⅰ, p. 358), 엉겅퀴(Ⅱ, p. 298), 여우구슬(Ⅰ, p. 648), 택사(Ⅱ, p. 356), 터리풀(Ⅰ, p. 470), 톱야자(Ⅱ, p. 546)

혈뇨(血尿)__갈퀴덩굴(Ⅱ, p. 67), 개모시풀(Ⅰ, p. 182), 개소시랑개비(Ⅰ, p. 486), 괭이밥(Ⅰ, p. 612), 꼭두서니(Ⅱ, p. 75), 닭의장풀(Ⅱ, p. 446), 당나귀(Ⅱ, p. 902), 두루미꽃(Ⅱ, p. 398), 땅빈대(Ⅰ, p. 634), 물레나물(Ⅰ, p. 394), 방가지똥(Ⅱ, p. 343), 병풀(Ⅰ, p. 864), 산물통이(Ⅰ, p. 187), 셀러리(Ⅰ, p. 862), 숙녀외투(Ⅰ, p. 460), 다릅나무(Ⅰ, p. 578), 배암차즈기(Ⅱ, p. 152), 버들참빗(Ⅰ, p. 101), 별개오지(Ⅱ, p. 750), 알로에(Ⅱ, p. 371), 얇은명아주(Ⅰ, p. 245), 엉겅퀴(Ⅱ, p. 298), 왜광대수염(Ⅱ, p. 121), 작살나무(Ⅱ, p. 100), 잔디갈고리(Ⅰ, p. 555), 장열엽추해당(Ⅰ, p. 795), 접시꽃(Ⅰ, p. 740), 조뱅이(Ⅱ, p. 285), 주초(Ⅱ, p. 434), 페구아선약나무(Ⅰ, p. 525)

심장순환기계질환(心臟循環器系疾患)

고지혈증(高脂血症)__감초(Ⅰ, p. 568), 구두치(Ⅰ, p. 352), 멸대(Ⅱ, p. 375), 붕어마름(Ⅰ, p. 359), 스피룰리나(Ⅱ, p. 570), 약모밀(Ⅰ, p. 359), 양파(Ⅱ, p. 364), 표고(Ⅱ, p. 620), 한삼덩굴(Ⅰ, p. 176)

고혈압(高血壓)__감국(Ⅱ, p. 294), 개맨드라미(Ⅰ, p. 256), 개불(Ⅱ, p. 745), 개승마(Ⅰ, p. 312), 개정향풀(Ⅰ, p. 956), 겨우살이(Ⅰ, p. 195), 고사리삼(Ⅰ, p. 60), 고양이수염풀(Ⅱ, p. 140), 골등골나물(Ⅱ, p. 309), 나부목(Ⅰ, p. 962), 누리장나무(Ⅱ, p. 104), 다람쥐(Ⅱ, p. 888), 대추고둥(Ⅱ, p. 753), 돈나무(Ⅰ, p. 457), 돌외(Ⅰ, p. 786), 두충나무(Ⅰ, p. 430), 떡쑥(Ⅱ, p. 311), 띠(Ⅱ, p. 462), 메꽃(Ⅱ, p. 81), 메밀(Ⅰ, p. 199), 미국부용(Ⅰ, p. 744), 반디나물(Ⅰ, p. 868), 벽오동(Ⅰ, p. 754), 봉황나무(Ⅰ, p. 552), 불로초(Ⅱ, p. 700), 뽕나무겨우살이(Ⅰ, p. 196), 산국(Ⅱ, p. 294), 산사나무(Ⅰ, p. 467), 소철(Ⅰ, p. 114), 솔장다리(Ⅰ, p. 247), 쇠별꽃(Ⅱ, p. 240), 신선초(Ⅰ, p. 857), 쓴송이(Ⅱ, p. 617), 아로니아(Ⅰ, p. 461), 암미(Ⅰ, p. 849), 양골담초(Ⅰ, p. 550), 양파(Ⅱ, p. 364), 엉겅퀴(Ⅱ, p. 298), 연꽃(Ⅰ, p. 356), 오갈피나무(Ⅰ, p. 833), 옥수수(Ⅱ, p.

484), 올리브나무(Ⅰ, p. 935), 용선화(Ⅱ, p. 70), 인도사목(Ⅰ, p. 961), 일일화(Ⅰ, p. 958), 자금우(Ⅰ, p. 909), 잔대(Ⅱ, p. 245), 조구초(Ⅱ, p. 120), 조름나물(Ⅰ, p. 953), 좀싸리(Ⅰ, p. 577), 좁쌀풀(Ⅰ, p. 917), 진득찰(Ⅱ, p. 338), 첨엽국(Ⅱ, p. 344), 칡(Ⅰ, p. 591), 태산목(Ⅰ, p. 267), 퉁퉁마디(Ⅰ, p. 246), 패랭이꽃(Ⅰ, p. 233), 할미송이(Ⅱ, p. 617), 해바라기(Ⅱ, p. 313), 현삼(Ⅱ, p. 199), 호랑가시나무(Ⅰ, p. 704), 호박(Ⅰ, p. 785), 홍화월견초(Ⅰ, p. 821), 황용선화(Ⅱ, p. 71), 회화나무(Ⅰ, p. 597), 흰비단털버섯(Ⅱ, p. 639)

동맥경화증(動脈硬化症)__감나무(Ⅰ, p. 922), 겨우살이(Ⅰ, p. 195), 꼬리겨우살이(Ⅰ, p. 193), 돈나무(Ⅰ, p. 457), 범꼬리(Ⅰ, p. 198), 빈카(Ⅰ, p. 965), 서양현호색(Ⅰ, p. 409), 양파(Ⅱ, p. 364), 오갈피나무(Ⅰ, p. 833), 유창목(Ⅰ, p. 621)

동상(凍傷)__가지(Ⅱ, p. 180), 꼬리겨우살이(Ⅰ, p. 193), 단풍터리풀(Ⅰ, p. 470), 식나무(Ⅰ, p. 825), 지치(Ⅱ, p. 96), 청미래덩굴(Ⅱ, p. 410)

빈혈(貧血)__꽃상추(Ⅱ, p. 297), 맥문동(Ⅱ, p. 396), 보리사초(Ⅱ, p. 508), 브라질인삼(Ⅰ, p. 259), 사과나무(Ⅰ, p. 476), 소리쟁이(Ⅰ, p. 220), 아위(Ⅱ, p. 870), 용설란(Ⅱ, p. 433), 은조롱(Ⅱ, p. 55), 참외(Ⅰ, p. 784), 파슬리(Ⅰ, p. 887)

수족냉증(手足冷症)__범꼬리(Ⅰ, p. 198), 산초나무(Ⅰ, p. 674), 생강(Ⅱ, p. 536), 선모(Ⅱ, p. 423), 오약나무(Ⅰ, p. 291), 옻나무(Ⅰ, p. 691), 유향나무(Ⅰ, p. 651), 작약(Ⅰ, p. 378), 황기(Ⅰ, p. 533)

심계항진(心悸亢進)__구름송이풀(Ⅱ, p. 194), 꽃무(Ⅰ, p. 421), 넓은잎쥐오줌풀(Ⅱ, p. 239), 눈꽃동충하초(Ⅱ, p. 728), 동박새(Ⅱ, p. 881), 로만카모밀레(Ⅱ, p. 292), 모란(Ⅰ, p. 381), 별우럭(Ⅱ, p. 829), 복령균(Ⅱ, p. 712), 봉황나무(Ⅰ, p. 552), 부지깽이나물(Ⅰ, p. 422), 불로초(Ⅱ, p. 700), 삼과목(Ⅰ, p. 802), 서양현호색(Ⅰ, p. 409), 석회구슬이끼(Ⅱ, p. 601), 스트로판투스(Ⅰ, p. 963), 실쑥(Ⅱ, p. 310), 아기들솔이끼(Ⅱ, p. 596), 아위(Ⅱ, p. 870), 영사(Ⅱ, p. 934), 용골(Ⅱ, p. 935), 용치(Ⅱ, p. 936), 운모(Ⅱ, p. 937), 은박(Ⅱ, p. 940), 은방울꽃(Ⅱ, p. 379), 이엽우피소(Ⅱ, p. 52), 자석영(Ⅱ, p. 941), 조름나물(Ⅰ, p. 953), 준치(Ⅱ, p. 813), 진주조개(Ⅱ, p. 757), 콜라나무(Ⅰ, p. 753), 황련(Ⅱ, p. 321), 황새냉이(Ⅰ, p. 419), 히어리(Ⅰ, p. 431)

심번구갈(心煩口渴)__방해석(Ⅱ, p. 925), 벼(Ⅱ, p. 467), 보리감부기(Ⅱ, p. 737), 서리지의(Ⅱ, p. 594), 수세미오이(Ⅰ, p. 788), 옥(Ⅱ, p. 934), 차나무(Ⅰ, p. 390), 팥(Ⅰ, p. 586)

심장병(心臟病)__두꺼비(Ⅱ, p. 844), 두메닥나무(Ⅰ, p. 761), 디기탈리스(Ⅱ, p. 185), 복수초(Ⅱ, p. 306), 스트로판투스(Ⅰ, p. 963), 은방울꽃(Ⅱ, p. 379), 자단나무(Ⅰ, p. 590), 제비고

깔(Ⅰ, p. 323), 중의무릇(Ⅱ, p. 387), 카네이션(Ⅰ, p. 232), 해총(Ⅱ, p. 416), 협죽도(Ⅰ, p. 960)

저혈압(低血壓)__바꽃(Ⅰ, p. 296), 오갈피나무(Ⅰ, p. 833), 투구꽃(Ⅰ, p. 298), 흑곰(Ⅱ, p. 894)

정맥류(靜脈瘤)__가시칠엽수(Ⅰ, p. 701), 송악(Ⅰ, p. 838), 쇠뜨기(Ⅰ, p. 55), 약모밀(Ⅰ, p. 359), 연령초(Ⅱ, p. 414), 작약(Ⅰ, p. 378), 풍년화(Ⅰ, p. 432), 흰전동싸리(Ⅰ, p. 580)

정맥염(靜脈炎)__가시칠엽수(Ⅰ, p. 701), 광대나물(Ⅱ, p. 122), 딱총나무(Ⅱ, p. 232), 박새(Ⅱ, p. 418), 쑥국화(Ⅱ, p. 348), 페루지치(Ⅱ, p. 94), 풍년화(Ⅰ, p. 432)

지혈(止血)__가중나무(Ⅰ, p. 675), 가지(Ⅱ, p. 180), 갈대(Ⅱ, p. 470), 감나무(Ⅰ, p. 922), 감태나무(Ⅰ, p. 289), 강향나무(Ⅰ, p. 551), 고추나물(Ⅰ, p. 394), 구기자나무(Ⅱ, p. 168), 기린초(Ⅰ, p. 439), 꼭두서니(Ⅱ, p. 75), 꾸지나무(Ⅰ, p. 167), 남천(Ⅰ, p. 343), 넉줄고사리(Ⅰ, p. 75), 다람쥐꼬리(Ⅰ, p. 49), 닭의장풀(Ⅱ, p. 446), 동백나무(Ⅰ, p. 385), 두루미꽃(Ⅱ, p. 398), 딱지꽃(Ⅰ, p. 481), 띠(Ⅱ, p. 462), 만년청(Ⅱ, p. 407), 맨드라미(Ⅰ, p. 255), 물레나물(Ⅰ, p. 394), 물양지꽃(Ⅰ, p. 481), 민둥인가목(Ⅰ, p. 502), 버들이끼(Ⅱ, p. 602), 부들(Ⅱ, p. 506), 부처손(Ⅰ, p. 54), 사마귀풀(Ⅱ, p. 446), 산딸나무(Ⅰ, p. 827), 삼칠(Ⅰ, p. 845), 쇠고비(Ⅰ, p. 91), 애기풀(Ⅰ, p. 683), 얇은명아주(Ⅰ, p. 245), 오이풀(Ⅰ, p. 514), 왜개연꽃(Ⅰ, p. 357), 좀깨잎나무(Ⅰ, p. 182), 쥐똥나무(Ⅰ, p. 935), 짚신나물(Ⅰ, p. 459), 쪽(Ⅰ, p. 208), 측백나무(Ⅰ, p. 125), 타래붓꽃(Ⅱ, p. 440), 활량나물(Ⅰ, p. 573), 회화나무(Ⅰ, p. 597)

현기증(眩氣症)__가지더부살이(Ⅱ, p. 220), 개오지(Ⅱ, p. 750), 개정향풀(Ⅰ, p. 956), 구당귀(Ⅰ, p. 877), 구등(Ⅱ, p. 79), 구척(Ⅰ, p. 70), 국화(Ⅱ, p. 295), 깊은산사슴지의(Ⅱ, p. 594), 까마귀(Ⅱ, p. 880), 나비나물(Ⅰ, p. 609), 두꺼비(Ⅱ, p. 844), 라벤더(Ⅱ, p. 122), 말전복(Ⅱ, p. 747), 매부리바다거북(Ⅱ, p. 850), 밤버섯(Ⅱ, p. 629), 뱀무(Ⅰ, p. 473), 뽕나무버섯(Ⅱ, p. 627), 산사나무(Ⅰ, p. 467), 산수유나무(Ⅰ, p. 828), 순비기나무(Ⅱ, p. 109), 안식향나무(Ⅰ, p. 923), 알로에(Ⅱ, p. 371), 연령초(Ⅱ, p. 414), 왜방풍(Ⅱ, p. 849), 용뇌향나무(Ⅰ, p. 398), 작약(Ⅰ, p. 378), 진퍼리고사리(Ⅰ, p. 97), 질경이(Ⅱ, p. 223), 질경이택사(Ⅱ, p. 356), 차나무(Ⅰ, p. 390), 참깨(Ⅱ, p. 221), 천마(Ⅱ, p. 558), 천수국(Ⅱ, p. 346), 타래난초(Ⅱ, p. 566), 하수오(Ⅰ, p. 210), 홍합(Ⅱ, p. 756)

혈전증(血栓症)__거머리(Ⅱ, p. 744), 거미고사리(Ⅰ, p. 86), 모동청(Ⅰ, p. 706), 흰보라끈적버섯(Ⅱ, p. 641)

혈행개선(血行改善)__구척(Ⅰ, p. 70), 기름나물(Ⅰ, p. 890), 꿀풀(Ⅱ, p. 146), 남가새(Ⅰ, p. 623), 노루오줌(Ⅰ, p. 443), 녹

나무(Ⅰ, p. 284), 두꺼비(Ⅱ, p. 844), 둥굴레(Ⅱ, p. 405), 들현호색(Ⅰ, p. 406), 등칡(Ⅰ, p. 372), 디기탈리스(Ⅱ, p. 185), 떡갈고란초(Ⅰ, p. 106), 띠(Ⅱ, p. 462), 만년청(Ⅱ, p. 407), 매화록(Ⅱ, p. 906), 몰약나무(Ⅰ, p. 653), 밀몽화(Ⅰ, p. 940), 밀화두나무(Ⅰ, p. 599), 방가지똥(Ⅱ, p. 343), 백미꽃(Ⅱ, p. 50), 번홍화(Ⅱ, p. 438), 벌사상자(Ⅰ, p. 866), 복수초(Ⅰ, p. 306), 부들(Ⅱ, p. 506), 사향노루(Ⅱ, p. 909), 산사나무(Ⅰ, p. 467), 산해박(Ⅱ, p. 54), 서양산사나무(Ⅰ, p. 466), 수레국화(Ⅱ, p. 291), 쉽싸리(Ⅱ, p. 126), 아출(Ⅱ, p. 528), 앉은부채(Ⅱ, p. 502), 옻나무(Ⅰ, p. 691), 으름덩굴(Ⅰ, p. 344), 은방울꽃(Ⅱ, p. 379), 은행나무(Ⅰ, p. 115), 잇꽃(Ⅱ, p. 290), 카카오나무(Ⅰ, p. 757), 해당화(Ⅰ, p. 509), 해총(Ⅱ, p. 416), 헛개나무(Ⅰ, p. 718), 협죽도(Ⅰ, p. 960)

협심증(狹心症)__스트로판투스(Ⅰ, p. 963), 암미(Ⅰ, p. 849), 올리브나무(Ⅰ, p. 935), 잇꽃(Ⅱ, p. 290), 카네이션(Ⅰ, p. 232), 필발(Ⅰ, p. 363), 황화협죽도(Ⅰ, p. 964)

혈관 및 혈압에 작용하는 생약__구인(Ⅱ, p. 743), 귀전우(Ⅰ, p. 709), 당귀(Ⅰ, p. 858), 도인(Ⅰ, p. 495), 두충(Ⅰ, p. 430), 목단피(Ⅰ, p. 381), 봉출(Ⅱ, p. 528), 사프란(Ⅱ, p. 438), 상백피(Ⅰ, p. 178), 여로(Ⅱ, p. 417), 요힘바(Ⅱ, p. 74), 우슬(Ⅰ, p. 250), 유향(Ⅰ, p. 651), 음양곽(Ⅰ, p. 340), 인도사목(Ⅰ, p. 961), 작약(Ⅰ, p. 378), 천골(Ⅰ, p. 357), 천궁(Ⅰ, p. 878)

안과질환(眼科疾患)

녹내장(綠內障)__말전복(Ⅱ, p. 747), 면양(Ⅱ, p. 913), 반딧불이(Ⅱ, p. 794), 보춘화(Ⅱ, p. 554), 쇠큰수염박쥐(Ⅱ, p. 884), 영양(Ⅱ, p. 914), 하늘다람쥐(Ⅱ, p. 888)

다루(多淚)__살구나무(Ⅰ, p. 489), 삼지닥나무(Ⅰ, p. 762), 참빈추나무(Ⅰ, p. 488)

동공확대(瞳孔擴大)__코카나무(Ⅰ, p. 619)

망막증(網膜症)__메밀(Ⅰ, p. 199), 중대가리국화(Ⅱ, p. 326)

목적종통(目赤腫痛)·결막염(結膜炎)__가래나무(Ⅰ, p. 138), 강아지풀(Ⅱ, p. 479), 개맨드라미(Ⅰ, p. 256), 개상어(Ⅱ, p. 806), 고사리삼(Ⅰ, p. 60), 과꽃(Ⅱ, p. 287), 괴불주머니(Ⅰ, p. 405), 구등(Ⅱ, p. 79), 금매화(Ⅰ, p. 335), 깽깽이풀(Ⅰ, p. 341), 꾀꼬리버섯(Ⅱ, p. 665), 꿀풀(Ⅱ, p. 146), 남천(Ⅰ, p. 343), 노감석(Ⅱ, p. 919), 닭의장풀(Ⅱ, p. 446), 당매자나무(Ⅰ, p. 337), 말리화(Ⅰ, p. 933), 말전복(Ⅱ, p. 747), 매발톱나무(Ⅰ, p. 336), 모감주나무(Ⅰ, p. 697), 물푸레나무(Ⅰ, p. 931), 민들레(Ⅱ, p. 350), 밀몽화(Ⅰ, p. 940), 벼룩이자리(Ⅰ, p. 230), 뿌리뱅이(Ⅱ, p. 355), 삼지닥나무(Ⅰ, p. 762),

석결명(Ⅰ, p. 546), 석류풀(Ⅰ, p. 226), 수크령(Ⅱ, p. 469), 순비기나무(Ⅱ, p. 109), 신나무(Ⅰ, p. 693), 쓴풀(Ⅰ, p. 951), 안개꽃나무(Ⅰ, p. 686), 용담(Ⅰ, p. 947), 장딸기(Ⅰ, p. 511), 전동싸리(Ⅰ, p. 581), 천리광(Ⅱ, p. 337), 천일홍(Ⅰ, p. 258), 치자나무(Ⅱ, p. 68), 콩제비꽃(Ⅰ, p. 776), 패랭이꽃(Ⅰ, p. 233), 풀솜나물(Ⅱ, p. 312), 한련(Ⅰ, p. 620), 황련(Ⅰ, p. 321), 황벽나무(Ⅰ, p. 668)

백내장(白內障)__결명차(Ⅰ, p. 547), 목호접나무(Ⅱ, p. 211), 영산홍(Ⅰ, p. 903), 전동싸리(Ⅰ, p. 581)

시력감퇴(視力減退)__가물치(Ⅱ, p. 837), 개비름(Ⅰ, p. 253), 결명차(Ⅰ, p. 547), 곡정초(Ⅱ, p. 449), 국화(Ⅱ, p. 295), 금채석곡(Ⅱ, p. 557), 기와버섯(Ⅱ, p. 691), 말전복(Ⅱ, p. 747), 물싸리(Ⅰ, p. 484), 물이끼(Ⅱ, p. 595), 민챙이(Ⅱ, p. 754), 복분자딸기(Ⅰ, p. 510), 비수리(Ⅰ, p. 574), 뽕나무(Ⅰ, p. 178), 석매의(Ⅱ, p. 592), 속새(Ⅰ, p. 58), 쇠비름(Ⅰ, p. 228), 순비기나무(Ⅱ, p. 109), 오분자기(Ⅱ, p. 748), 왕쥐잡이뱀(Ⅱ, p. 855), 작약(Ⅰ, p. 378), 톱풀(Ⅱ, p. 254), 홍산호(Ⅱ, p. 742), 흑곰(Ⅱ, p. 894)

안염(眼炎)__개사철쑥(Ⅱ, p. 262), 갯대추나무(Ⅱ, p. 719), 괴불주머니(Ⅰ, p. 405), 땅빈대(Ⅰ, p. 634), 손바닥선인장(Ⅰ, p. 261), 수선화(Ⅱ, p. 426), 애기꾀꼬리버섯(Ⅱ, p. 665), 애기똥풀(Ⅰ, p. 400), 용설란(Ⅱ, p. 433), 질경이(Ⅱ, p. 223), 털부처꽃(Ⅰ, p. 798), 피뿔고둥(Ⅱ, p. 751), 하늘다람쥐(Ⅱ, p. 888), 한련초(Ⅱ, p. 305)

야맹증(夜盲症)__긴사상자(Ⅰ, p. 884), 까치버섯(Ⅱ, p. 696), 꾀꼬리버섯(Ⅱ, p. 665), 사마귀버섯(Ⅱ, p. 696), 삽주(Ⅱ, p. 277), 애기꾀꼬리버섯(Ⅱ, p. 665)

암(癌)

간암(肝癌)__구름버섯(Ⅱ, p. 715), 능이(Ⅱ, p. 697), 목질진흙버섯(Ⅱ, p. 720), 희수(Ⅰ, p. 824)

경임파결종(頸淋巴結腫)__고리매(Ⅱ, p. 577)

난소암(卵巢癌)__주목(Ⅰ, p. 129), 태평양주목(Ⅰ, p. 128)

대장암(大腸癌)__느릅나무(Ⅰ, p. 161), 아까시나무(Ⅰ, p. 594), 희수(Ⅰ, p. 824)

백혈병(白血病)__가막사리(Ⅱ, p. 284), 개비자나무(Ⅰ, p. 128), 구름버섯(Ⅱ, p. 715), 모자반(Ⅱ, p. 580), 미역쇠(Ⅱ, p. 576), 분꽃(Ⅰ, p. 225), 빈카(Ⅰ, p. 965), 희수(Ⅰ, p. 824)

상피암(上皮癌)__당근(Ⅰ, p. 868), 바위손(Ⅰ, p. 52), 피막이풀(Ⅰ, p. 876)

식도암(食道癌)__부처손(Ⅰ, p. 54), 잔나비걸상(Ⅱ, p. 699), 희수(Ⅰ, p. 824)

악성임파류(惡性淋巴瘤)__개비자나무(Ⅰ, p. 128)

위암(胃癌)__노루궁뎅이(Ⅱ, p. 693), 능이(Ⅱ, p. 697), 목질진흙버섯(Ⅱ, p. 720), 자주졸각버섯(Ⅱ, p. 631), 조릿대(Ⅱ, p. 477), 졸각버섯(Ⅱ, p. 632), 차가버섯(Ⅱ, p. 706), 치마버섯(Ⅱ, p. 609), 콘두란고(Ⅱ, p. 57), 파초일엽(Ⅰ, p. 84)

유방암__주목(Ⅰ, p. 129), 태평양주목(Ⅰ, p. 128)

융모상피암(絨毛上皮癌)__일일화(Ⅰ, p. 958)

자궁암(子宮癌)__대엽보혈초(Ⅰ, p. 919), 목이(Ⅱ, p. 722), 수련(Ⅰ, p. 358), 흰둘레줄버섯(Ⅱ, p. 716)

전립선암(前立腺癌)__마카(Ⅰ, p. 425)

이비인후질환(耳鼻咽喉疾患)

나력(瘰癧)__개구리발톱(Ⅰ, p. 331), 꼬시래기(Ⅱ, p. 591), 끈말(Ⅱ, p. 577), 다시마(Ⅱ, p. 579), 도박(Ⅱ, p. 585), 둥근성게(Ⅱ, p. 805), 미역(Ⅱ, p. 578), 바다고리풀(Ⅱ, p. 582), 뼈꾸기(Ⅱ, p. 874), 수리부엉이(Ⅱ, p. 875), 지충이(Ⅱ, p. 581), 참까막살(Ⅱ, p. 585), 청가뢰(Ⅱ, p. 793), 큰점박이가뢰(Ⅱ, p. 794), 톳(Ⅱ, p. 580)

비강염(鼻腔炎)__나도송이풀(Ⅱ, p. 195), 수세미오이(Ⅰ, p. 788), 시계꽃(Ⅰ, p. 769), 중대가리풀(Ⅱ, p. 292)

비강출혈(鼻腔出血)__개맨드라미(Ⅰ, p. 256), 개지치(Ⅱ, p. 95), 공심채(Ⅱ, p. 86), 꾸지나무(Ⅰ, p. 167), 나륵(Ⅱ, p. 137), 띠(Ⅱ, p. 462), 비파나무(Ⅰ, p. 469), 빈카(Ⅰ, p. 965), 애기도라지(Ⅱ, p. 254), 오리나무(Ⅰ, p. 147), 원추리(Ⅱ, p. 388), 조뱅이(Ⅱ, p. 285), 콩짜개덩굴(Ⅰ, p. 107), 혈견수(Ⅱ, p. 162)

비뉵(鼻衄)__군소(Ⅱ, p. 753), 도금양(Ⅱ, p. 809), 마란(Ⅱ, p. 273), 물쇠뜨기(Ⅰ, p. 56), 백약자(Ⅰ, p. 348), 새완두(Ⅰ, p. 607), 쇠뜨기(Ⅰ, p. 55), 수랑(Ⅱ, p. 752), 참쑥(Ⅱ, p. 267)

이명(耳鳴)__갯질경이(Ⅰ, p. 920), 구지뽕나무(Ⅰ, p. 170), 굴(Ⅱ, p. 759), 넉줄고사리(Ⅰ, p. 75), 당광나무(Ⅰ, p. 934), 대엽동청(Ⅰ, p. 705), 사마귀풀(Ⅱ, p. 446), 어저귀(Ⅰ, p. 738), 얼치기완두(Ⅰ, p. 608), 활나물(Ⅰ, p. 549)

인후염(咽喉炎)__가락지나물(Ⅰ, p. 484), 감람나무(Ⅰ, p. 652), 갓(Ⅰ, p. 416), 개차즈기(Ⅱ, p. 113), 갯질경이(Ⅰ, p. 920), 갯메꽃(Ⅱ, p. 82), 골무꽃(Ⅱ, p. 157), 구(Ⅰ, p. 361), 금과람(Ⅰ, p. 353), 금난초(Ⅱ, p. 552), 긴담배풀(Ⅱ, p. 289), 긴병꽃풀(Ⅱ, p. 119), 까치수염(Ⅰ, p. 913), 꿩의다리(Ⅰ,

332), 나한과(Ⅰ, p. 791), 냉이(Ⅰ, p. 419), 달맞이꽃(Ⅰ, p. 820), 닭의장풀(Ⅱ, p. 446), 도깨비바늘(Ⅱ, p. 282), 동백나무(Ⅰ, p. 385), 등골나물(Ⅱ, p. 308), 땅비싸리(Ⅰ, p. 570), 때죽나무(Ⅰ, p. 924), 마타리(Ⅱ, p. 238), 말불버섯(Ⅱ, p. 661), 말징버섯(Ⅱ, p. 655), 매미눈꽃동충하초(Ⅱ, p. 732), 머위(Ⅱ, p. 326), 모시대(Ⅱ, p. 244), 무환자나무(Ⅰ, p. 700), 미국능소화나무(Ⅱ, p. 207), 박태기나무(Ⅰ, p. 548), 배암차즈기(Ⅱ, p. 152), 백강잠균(Ⅱ, p. 735), 뱀딸기(Ⅰ, p. 468), 벌노랑이(Ⅰ, p. 578), 벼룩이자리(Ⅰ, p. 230), 봄맞이꽃(Ⅰ, p. 912), 사마귀풀(Ⅱ, p. 446), 상사화(Ⅱ, p. 425), 상산나무(Ⅰ, p. 667), 서향나무(Ⅰ, p. 762), 석류나무(Ⅰ, p. 815), 석잠풀(Ⅱ, p. 159), 승마(Ⅰ, p. 314), 여감자(Ⅰ, p. 647), 오이(Ⅰ, p. 785), 옥잠화(Ⅱ, p. 391), 일엽초(Ⅰ, p. 109), 자리공(Ⅰ, p. 224), 자색독마발(Ⅱ, p. 656), 자운영(Ⅰ, p. 535), 장구채(Ⅰ, p. 236), 재등에(Ⅱ, p. 790), 제비꽃(Ⅰ, p. 774), 조팝나무(Ⅰ, p. 520), 좀말불버섯(Ⅱ, p. 661), 주걱간버섯(Ⅱ, p. 714), 죽봉(Ⅱ, p. 800), 중국붓꽃(Ⅱ, p. 442), 쪽동백(Ⅰ, p. 924), 참지누아리(Ⅱ, p. 584), 참홑파래(Ⅱ, p. 571), 채송화(Ⅰ, p. 227), 천문동(Ⅱ, p. 374), 천수곡비름(Ⅰ, p. 252), 초롱꽃(Ⅱ, p. 247), 털머위(Ⅱ, p. 310), 톨루발삼나무(Ⅰ, p. 583), 팔각련(Ⅰ, p. 339), 포장화(Ⅱ, p. 211), 할미꽃(Ⅰ, p. 328))

중이염(中耳炎)__갈퀴덩굴(Ⅱ, p. 67), 개대황(Ⅰ, p. 221), 거지딸기(Ⅰ, p. 514), 금매화(Ⅰ, p. 335), 도꼬마리(Ⅱ, p. 354), 독가시치(Ⅱ, p. 834), 바위떡풀(Ⅰ, p. 454), 바위취(Ⅰ, p. 455), 불가사리(Ⅱ, p. 803), 어저귀(Ⅰ, p. 738), 장구채(Ⅰ, p. 236), 제라늄(Ⅰ, p. 617), 죽자초(Ⅰ, p. 410), 호양(Ⅰ, p. 141), 흰작은가시고둥(Ⅱ, p. 751)

청각장애(聽覺障碍)__까실쑥부쟁이(Ⅱ, p. 271), 덩굴백부(Ⅱ, p. 419), 땅꽈리(Ⅱ, p. 174), 백산차(Ⅰ, p. 900), 산사나무(Ⅰ, p. 467), 삿갓풀(Ⅱ, p. 401), 석류나무(Ⅰ, p. 815), 수수꽃다리(Ⅰ, p. 937), 여로(Ⅱ, p. 417), 토란(Ⅱ, p. 495)

축농증(蓄膿症)__꼬마이끼(Ⅱ, p. 598), 꿀벌(Ⅱ, p. 798), 느릅나무(Ⅰ, p. 161), 도꼬마리(Ⅱ, p. 354), 망춘옥란(Ⅰ, p. 266), 목련(Ⅰ, p. 268), 백목련(Ⅰ, p. 268), 애호리병벌(Ⅱ, p. 797), 은이끼(Ⅱ, p. 599), 족도리풀(Ⅱ, p. 373), 참외(Ⅰ, p. 784)

편도선염(扁桃腺炎)__금매화(Ⅰ, p. 335), 까실쑥부쟁이(Ⅱ, p. 271), 달맞이꽃(Ⅰ, p. 820), 도라지(Ⅱ, p. 252), 매발톱나무(Ⅰ, p. 336), 머위(Ⅱ, p. 326), 민들레(Ⅱ, p. 350), 박태기나무(Ⅰ, p. 548), 박하(Ⅱ, p. 129), 범부채(Ⅱ, p. 437), 별꽃아재비(Ⅱ, p. 311), 새모래덩굴(Ⅰ, p. 347), 속새(Ⅰ, p. 58), 쓴풀(Ⅰ, p. 951), 아주까리(Ⅰ, p. 649), 옥잠화(Ⅱ, p. 391), 우엉(Ⅱ, p. 259), 인동덩굴(Ⅱ, p. 227), 자리공(Ⅰ, p. 224), 잔대(Ⅱ, p. 245), 중대가리국화(Ⅱ, p. 326), 쪽(Ⅰ, p. 208), 할미

꽃(Ⅰ, p. 328), 호제비꽃(Ⅰ, p. 777)

후두염(喉頭炎)__고란초(Ⅰ, p. 105), 국화(Ⅱ, p. 295), 나도하수오(Ⅰ, p. 209), 나륵(Ⅱ, p. 137), 무환자나무(Ⅰ, p. 700), 미역고사리(Ⅰ, p. 110), 빈랑청(Ⅰ, p. 692), 소귀나무(Ⅰ, p. 136), 속새(Ⅰ, p. 58), 수수꽃다리(Ⅰ, p. 937), 아위(Ⅰ, p. 870), 큰속새(Ⅰ, p. 57)

후비(喉痺)__곡정초(Ⅱ, p. 449), 목호접나무(Ⅱ, p. 211), 문주란(Ⅱ, p. 422), 백마골(Ⅱ, p. 77), 붉나무(Ⅰ, p. 689), 산자고(Ⅱ, p. 415), 삿갓풀(Ⅱ, p. 401), 양하(Ⅱ, p. 535), 여로(Ⅱ, p. 417), 옥엽금화(Ⅱ, p. 73), 운남중루(Ⅱ, p. 400), 지도화(Ⅰ, p. 750)

피부질환(皮膚疾患)

개선(疥癬)__갈매나무(Ⅰ, p. 721), 개발나물(Ⅰ, p. 894), 갯활량나물(Ⅰ, p. 601), 굴피나무(Ⅰ, p. 140), 냄새명아주(Ⅰ, p. 244), 마영단(Ⅱ, p. 105), 마풍수(Ⅰ, p. 644), 명아주(Ⅰ, p. 243), 묘안초(Ⅱ, p. 637), 백당나무(Ⅱ, p. 234), 비목나무(Ⅰ, p. 288), 비술나무(Ⅰ, p. 163), 수국(Ⅱ, p. 447), 수염가래꽃(Ⅱ, p. 250), 쑥방망이(Ⅱ, p. 334), 양각요(Ⅰ, p. 962), 여로(Ⅱ, p. 417), 왕느릅나무(Ⅰ, p. 162), 용설란(Ⅱ, p. 433), 월계수(Ⅰ, p. 287), 유동(Ⅰ, p. 627), 유칼리나무(Ⅰ, p. 805), 자주괴불주머니(Ⅰ, p. 403), 토란(Ⅱ, p. 495), 호로차(Ⅰ, p. 598), 호만등(Ⅰ, p. 941)

개창(疥瘡)__개오동나무(Ⅱ, p. 209), 까마귀베개(Ⅰ, p. 720), 마취목(Ⅰ, p. 901), 산황나무(Ⅰ, p. 720), 상동나무(Ⅰ, p. 723), 송이풀(Ⅱ, p. 194), 쇠털이슬(Ⅰ, p. 816), 수까치깨(Ⅰ, p. 753), 으름난초(Ⅱ, p. 560), 파리풀(Ⅱ, p. 222)

건선(乾癬)·백선(白癬)__가중나무(Ⅰ, p. 675) 고추(Ⅱ, p. 165), 구릿대(Ⅰ, p. 855), 금낭화(Ⅰ, p. 408), 꼭두서니(Ⅱ, p. 75), 남가새(Ⅰ, p. 623), 누에나방(Ⅱ, p. 787), 느릅나무(Ⅰ, p. 161), 댑싸리(Ⅰ, p. 245), 도둑놈의지팡이(Ⅰ, p. 596), 동사리(Ⅱ, p. 836), 들메나무(Ⅰ, p. 930), 멀구슬나무(Ⅰ, p. 681), 모시대(Ⅱ, p. 244), 바위솔(Ⅰ, p. 436), 소시지나무(Ⅱ, p. 210), 안경만두게(Ⅱ, p. 774), 약모밀(Ⅰ, p. 359), 여뀌(Ⅰ, p. 202), 자란(Ⅱ, p. 549), 자리공(Ⅰ, p. 224), 짚신나물(Ⅰ, p. 459), 창포(Ⅱ, p. 485), 피라미(Ⅱ, p. 821)

기미(黑斑)·주근깨(雀斑)__강낭콩(Ⅰ, p. 587), 무환자나무(Ⅰ, p. 700), 아몬드(Ⅰ, p. 491), 율무(Ⅱ, p. 455), 장미(Ⅰ, p. 504), 해홍두(Ⅰ, p. 526)

기부마목(肌膚麻木)__마전자나무(Ⅰ, p. 942), 오초사(Ⅱ, p. 856), 털쥐손이(Ⅰ, p. 615)

농가진(膿痂疹)__ 더덕(Ⅱ, p. 247), 도라지(Ⅱ, p. 252), 산국(Ⅱ, p. 294), 수선화(Ⅱ, p. 426), 엉겅퀴(Ⅱ, p. 298), 여로(Ⅱ, p. 417), 오동나무(Ⅱ, p. 193), 유향나무(Ⅰ, p. 651), 청개구리(Ⅱ, p. 848), 청미래덩굴(Ⅱ, p. 410)

단독(丹毒)__ 가락지나물(Ⅰ, p. 484), 가막사리(Ⅱ, p. 284), 개구리밥(Ⅱ, p. 504), 개나리(Ⅰ, p. 929), 거북꼬리(Ⅰ, p. 183), 노랑어리연꽃(Ⅰ, p. 954), 녹두(Ⅰ, p. 585), 떡납줄갱이(Ⅱ, p. 819), 며느리배꼽(Ⅰ, p. 205), 물닭개비(Ⅱ, p. 436), 물옥잠(Ⅱ, p. 436), 바위떡풀(Ⅰ, p. 454), 바위취(Ⅰ, p. 455), 박주가리(Ⅱ, p. 59), 배풍등(Ⅱ, p. 179), 백량금(Ⅰ, p. 908), 석회(Ⅱ, p. 931), 애기자운(Ⅰ, p. 529), 오동나무(Ⅱ, p. 193), 유채(Ⅰ, p. 415), 이삭물수세미(Ⅰ, p. 822), 정향풀(Ⅰ, p. 956), 제비꽃(Ⅰ, p. 774), 좀개구리밥(Ⅱ, p. 504), 좀깨잎나무(Ⅰ, p. 182), 큰메꽃(Ⅱ, p. 82), 토끼(Ⅱ, p. 886)

담마진(蕁麻疹)__ 가는잎쐐기풀(Ⅰ, p. 190), 개차즈기(Ⅱ, p. 113), 까치밥나무(Ⅰ, p. 451), 물상추(Ⅱ, p. 501), 속썩은풀(Ⅱ, p. 155), 솔나물(Ⅱ, p. 68), 쐐기풀(Ⅰ, p. 191), 애기탑꽃(Ⅱ, p. 114), 위성류(Ⅰ, p. 780), 자우(Ⅱ, p. 494), 팽나무(Ⅰ, p. 160), 향나무(Ⅰ, p. 123), 호자나무(Ⅱ, p. 65)

독충(毒蟲)·독사교상(毒蛇咬傷)__ 국화방망이(Ⅱ, p. 336), 명아주(Ⅰ, p. 243), 모시대(Ⅱ, p. 244), 밴댕이(Ⅱ, p. 812), 뱀딸기(Ⅰ, p. 468), 붉나무(Ⅰ, p. 689), 서양소태나무(Ⅰ, p. 678), 선씀바귀(Ⅱ, p. 319), 속수(Ⅰ, p. 636), 솜나물(Ⅱ, p. 323), 시무나무(Ⅰ, p. 160), 애기똥풀(Ⅰ, p. 400), 큰쐐기풀(Ⅰ, p. 183), 호제비꽃(Ⅰ, p. 777)

동상(凍傷)__ 가지(Ⅱ, p. 180), 개지치(Ⅱ, p. 95), 갯어리알버섯(Ⅱ, p. 672), 꼬리겨우살이(Ⅰ, p. 193), 난티잎개암나무(Ⅰ, p. 151), 두메닥나무(Ⅰ, p. 761), 말징버섯(Ⅱ, p. 655), 모래밭버섯(Ⅱ, p. 671), 식나무(Ⅱ, p. 825), 지붕바위솔(Ⅰ, p. 442), 지치(Ⅱ, p. 96), 터리풀(Ⅱ, p. 470), 톨루발삼나무(Ⅰ, p. 583)

두창(頭瘡)__ 닭새우(Ⅱ, p. 768), 동자꽃(Ⅱ, p. 235), 바늘꽃(Ⅰ, p. 819), 서양매발톱꽃(Ⅰ, p. 311), 소라(Ⅱ, p. 748), 여송과나무(Ⅰ, p. 941), 완두(Ⅰ, p. 588), 용담(Ⅰ, p. 947), 우엉(Ⅱ, p. 259), 좀나도희초미(Ⅰ, p. 95), 지치(Ⅱ, p. 96), 찔레나무(Ⅰ, p. 506), 포도(Ⅰ, p. 732), 할미꽃(Ⅱ, p. 328), 현정석(Ⅱ, p. 946)

소양증(搔痒症)__ 개구리밥(Ⅱ, p. 504), 녹각산호(Ⅱ, p. 741), 능소화나무(Ⅱ, p. 208), 담배풀(Ⅱ, p. 288), 독당근(Ⅰ, p. 866), 메역순나무(Ⅰ, p. 713), 물참대(Ⅰ, p. 445), 미역고사리(Ⅰ, p. 110), 밀몽화(Ⅰ, p. 940), 붉은발말똥게(Ⅱ, p. 772), 소엽풀(Ⅱ, p. 187), 쌍잎콩나무(Ⅰ, p. 543), 왕쥐잡이뱀(Ⅱ, p. 855), 왜모시풀(Ⅰ, p. 180), 위성류(Ⅰ, p. 780), 유목(Ⅱ, p. 106), 좀목형(Ⅱ, p. 108), 지칭개(Ⅱ, p. 315), 차상자(Ⅰ, p. 696)

수발조백(鬚髮早白)__ 개소시랑개비(Ⅰ, p. 486), 당광나무(Ⅰ, p. 934), 복분자딸기(Ⅰ, p. 510), 뽕나무(Ⅰ, p. 178), 산딸기나무(Ⅰ, p. 508), 산토끼꽃(Ⅱ, p. 243), 모새나무(Ⅰ, p. 905), 지황(Ⅱ, p. 197), 하수오(Ⅰ, p. 210), 한련초(Ⅱ, p. 305)

습진(濕疹)__ 가중나무(Ⅰ, p. 675), 가회톱(Ⅰ, p. 726), 강향나무(Ⅰ, p. 551), 구지뽕나무(Ⅰ, p. 170), 긴병꽃풀(Ⅱ, p. 119), 까마중(Ⅱ, p. 180), 꽃구름버섯(Ⅱ, p. 694), 꿩의비름(Ⅰ, p. 439), 남가새(Ⅰ, p. 623), 달걀버섯(Ⅱ, p. 635), 도꼬로마(Ⅱ, p. 432), 두꺼비(Ⅱ, p. 844), 땀버섯(Ⅱ, p. 640), 마늘(Ⅱ, p. 366), 말뱅이나물(Ⅰ, p. 241), 맨드라미(Ⅰ, p. 255), 명아주(Ⅰ, p. 243), 바위솔(Ⅰ, p. 436), 바위취(Ⅰ, p. 455), 백선(Ⅰ, p. 662), 별꽃(Ⅰ, p. 241), 병풀(Ⅰ, p. 864), 비파나무(Ⅰ, p. 469), 사철쑥(Ⅱ, p. 262), 산국(Ⅱ, p. 294), 삼백초(Ⅰ, p. 360), 알로에(Ⅱ, p. 371), 어수리(Ⅰ, p. 875), 오수유나무(Ⅰ, p. 664), 오이풀(Ⅰ, p. 514), 자란(Ⅱ, p. 549), 자리공(Ⅰ, p. 224), 점박이광대버섯(Ⅱ, p. 634), 주엽나무(Ⅰ, p. 562), 중대가리국화(Ⅱ, p. 326), 지치(Ⅱ, p. 96), 패랭이꽃(Ⅰ, p. 233), 한삼덩굴(Ⅰ, p. 176), 형개(Ⅱ, p. 154)

악창(惡瘡)__ 갯대추나무(Ⅰ, p. 719), 구렁이(Ⅱ, p. 856), 금낭화(Ⅰ, p. 408), 말(Ⅱ, p. 901), 말매미(Ⅱ, p. 784), 맥반석(Ⅱ, p. 923), 멋장이쥐잡이뱀(Ⅱ, p. 856), 무릇(Ⅱ, p. 408), 문어(Ⅱ, p. 764), 물맴이(Ⅱ, p. 792), 물봉선(Ⅱ, p. 703), 밀타승(Ⅱ, p. 923), 바지락(Ⅱ, p. 761), 박새(Ⅱ, p. 418), 박하(Ⅱ, p. 129), 백강단(Ⅱ, p. 925), 백반(Ⅱ, p. 926), 벗풀(Ⅱ, p. 358), 붉은말뚝버섯(Ⅱ, p. 669), 비둘기(Ⅱ, p. 874), 쇠똥구리(Ⅱ, p. 795), 약난초(Ⅱ, p. 553), 양자악(Ⅱ, p. 860), 웅황(Ⅱ, p. 938), 자황(Ⅱ, p. 942), 장수도마뱀(Ⅱ, p. 854), 주걱간버섯(Ⅱ, p. 714), 지치(Ⅱ, p. 96), 콩(Ⅰ, p. 564), 큰점박이가뢰(Ⅱ, p. 794), 톱풀(Ⅱ, p. 254)

여드름(靑春痘)__ 서양남가새(Ⅰ, p. 622), 수영(Ⅰ, p. 219), 아마(Ⅰ, p. 625), 천수곡비름(Ⅰ, p. 252)

열독창상(熱毒創傷)__ 공작(Ⅱ, p. 872), 녹반(Ⅱ, p. 920), 두더지(Ⅱ, p. 883), 등황나무(Ⅰ, p. 392), 딱지꽃(Ⅰ, p. 481), 삿갓우산이끼(Ⅱ, p. 605), 상사나무(Ⅰ, p. 524), 쇠별꽃(Ⅰ, p. 240), 요사(Ⅱ, p. 935), 이질바퀴(Ⅱ, p. 778), 털우산이끼(Ⅱ, p. 604), 패랭이우산이끼(Ⅱ, p. 605)

옹종창독(擁腫瘡毒)__ 감자난초(Ⅱ, p. 563), 개황기(Ⅰ, p. 535), 녹두(Ⅰ, p. 585), 두메자운(Ⅰ, p. 584), 매화오리나무(Ⅰ, p. 896), 목별(Ⅰ, p. 790), 물질경이(Ⅱ, p. 360), 바나나(Ⅱ, p. 539), 완두(Ⅰ, p. 588), 우엉(Ⅱ, p. 259), 코스모스(Ⅱ, p. 301), 큰방울새란(Ⅱ, p. 565), 큰잎배롱나무(Ⅰ, p. 797), 호제비꽃(Ⅰ, p. 777)

외상출혈(外傷出血)__ 돌피(Ⅱ, p. 459), 목도리방귀버섯(Ⅱ, p. 667), 부채버섯(Ⅱ, p. 626), 산딸나무(Ⅰ, p. 827), 산청개

구리(Ⅱ, p. 848), 수반하(Ⅱ, p. 503), 수염이끼(Ⅰ, p. 69), 알버섯(Ⅱ, p. 671), 여우오줌(Ⅱ, p. 290), 주목이끼(Ⅱ, p. 603), 코끼리(Ⅱ, p. 901), 피막이풀(Ⅰ, p. 876)

음낭습진(陰囊濕疹)__갈퀴나물(Ⅰ, p. 604), 떡쑥(Ⅱ, p. 311), 산용담(Ⅰ, p. 943), 선씀바귀(Ⅱ, p. 319), 수국(Ⅰ, p. 447)

음부소양증(陰部搔痒症)__마영단(Ⅱ, p. 105), 명아주(Ⅰ, p. 243), 산초나무(Ⅰ, p. 674)

정창(疔瘡)__각시괴불나무(Ⅱ, p. 227), 거지덩굴(Ⅰ, p. 727), 댕댕이나무(Ⅱ, p. 226), 목별(Ⅰ, p. 790), 벌씀바귀(Ⅱ, p. 320), 붓꽃(Ⅱ, p. 441), 쇠채(Ⅱ, p. 333), 수세미오이(Ⅰ, p. 788), 아마풀(Ⅰ, p. 624), 알꽈리(Ⅱ, p. 182), 야고(Ⅱ, p. 217), 올방개(Ⅱ, p. 513), 주걱비비추(Ⅱ, p. 390)

종기(腫氣)__가시나무(Ⅰ, p. 157), 가회톱(Ⅰ, p. 726), 감국(Ⅱ, p. 294), 거지덩굴(Ⅰ, p. 727), 고사리삼(Ⅰ, p. 60), 곤약(Ⅱ, p. 488), 굴거리나무(Ⅰ, p. 631), 굴피나무(Ⅰ, p. 140), 금불초(Ⅱ, p. 318), 까마귀베개(Ⅰ, p. 720), 다정큼나무(Ⅰ, p. 501), 돈나무(Ⅰ, p. 457), 모시대(Ⅱ, p. 244), 문주란(Ⅱ, p. 422), 미나리아재비(Ⅰ, p. 330), 미역취(Ⅱ, p. 341), 박주가리(Ⅱ, p. 59), 뱀톱(Ⅰ, p. 51), 번행초(Ⅰ, p. 227), 부채마(Ⅱ, p. 431), 산겨릅나무(Ⅰ, p. 695), 산국(Ⅱ, p. 294), 삿갓풀(Ⅱ, p. 401), 생강나무(Ⅰ, p. 290), 수선화(Ⅱ, p. 426), 숫잔대(Ⅱ, p. 251), 시무나무(Ⅰ, p. 160), 애기부들(Ⅱ, p. 507), 여로(Ⅱ, p. 417), 오리나무(Ⅰ, p. 147), 옥잠화(Ⅱ, p. 391), 우산이끼(Ⅱ, p. 604), 절굿대(Ⅱ, p. 304), 조개풀(Ⅱ, p. 450), 좀가지풀(Ⅰ, p. 916), 지칭개(Ⅱ, p. 315), 참나리(Ⅱ, p. 394), 큰바늘꽃(Ⅰ, p. 819), 토란(Ⅱ, p. 495), 흑쐐기풀(Ⅰ, p. 184)

창양종통(瘡瘍腫痛)__갯강구(Ⅱ, p. 767), 노린재나무(Ⅰ, p. 925), 마디꽃(Ⅱ, p. 798), 사상자(Ⅰ, p. 895), 애잣버섯(Ⅱ, p. 706), 큰금계국(Ⅱ, p. 300), 황로(Ⅱ, p. 862)

타박상(打撲傷)__갓(Ⅰ, p. 416), 금불초(Ⅱ, p. 318), 금창초(Ⅱ, p. 111), 끈끈이귀개(Ⅰ, p. 397), 몰약나무(Ⅰ, p. 653), 병풀(Ⅰ, p. 864), 붉은목이(Ⅱ, p. 724), 식나무(Ⅰ, p. 825), 약모밀(Ⅰ, p. 359), 연잎낙엽버섯(Ⅱ, p. 621), 은변취(Ⅰ, p. 638), 자연동(Ⅱ, p. 941), 창포(Ⅱ, p. 485), 치마난초(Ⅱ, p. 555), 큰각시취(Ⅱ, p. 330), 향부자(Ⅱ, p. 512)

탈모증(脫毛症)__갈대(Ⅱ, p. 470), 개구리밥(Ⅱ, p. 504), 개미자리(Ⅰ, p. 237), 개사철쑥(Ⅱ, p. 262), 경분(Ⅱ, p. 918), 꾸지나무(Ⅰ, p. 167), 녹나무(Ⅰ, p. 284), 박새(Ⅱ, p. 418), 복수선화(Ⅱ, p. 391), 비술나무(Ⅰ, p. 163), 유황(Ⅱ, p. 939), 소리쟁이(Ⅰ, p. 220), 수양버들(Ⅰ, p. 143), 양버들(Ⅰ, p. 143), 좀은잎회향나무(Ⅰ, p. 282), 큰속새(Ⅰ, p. 57), 키나나무(Ⅱ, p. 63), 한련초(Ⅱ, p. 305), 해우(Ⅱ, p. 488), 호랑이나무(Ⅱ, p. 898), 흑곰(Ⅱ, p. 894)

탕화상(湯火傷)__개복치(Ⅱ, p. 842), 낙상홍(Ⅰ, p. 707), 동의나물(Ⅰ, p. 312), 바다거북(Ⅱ, p. 850), 월계화(Ⅰ, p. 503), 자양제갑(Ⅰ, p. 537), 점고사리(Ⅰ, p. 72), 족제비싸리(Ⅰ, p. 530), 칠성상어(Ⅱ, p. 809), 토란(Ⅱ, p. 495)

풍진습양(風疹濕痒)__꿩의비름(Ⅰ, p. 439), 들지치(Ⅱ, p. 95), 바위떡풀(Ⅰ, p. 454), 바위취(Ⅰ, p. 455), 백천층(Ⅰ, p. 808), 수양버들(Ⅰ, p. 143), 직간남안(Ⅱ, p. 806), 청향목(Ⅰ, p. 689)

피부궤양(皮膚潰瘍)__가지(Ⅱ, p. 180), 가회톱(Ⅰ, p. 726), 개구리밥(Ⅱ, p. 504), 개나리(Ⅰ, p. 929), 개맨드라미(Ⅰ, p. 256), 경분(Ⅱ, p. 918), 고본(Ⅰ, p. 881), 고수(Ⅰ, p. 867), 꼭두서니(Ⅱ, p. 75), 나도승마(Ⅰ, p. 448), 녹나무(Ⅰ, p. 284), 더덕(Ⅱ, p. 247), 딱총나무(Ⅱ, p. 232), 마디풀(Ⅰ, p. 211), 말굽버섯(Ⅱ, p. 705), 말벌(Ⅱ, p. 800), 머위(Ⅱ, p. 326), 무궁화(Ⅰ, p. 745), 바다동자개(Ⅱ, p. 822), 범부채(Ⅱ, p. 437), 부용(상, p.) 부용화(Ⅰ, p. 743), 부처꽃(Ⅰ, p. 798), 비파나무(Ⅰ, p. 469), 사상자(Ⅰ, p. 895), 산달래(Ⅱ, p. 366), 쇠비름(Ⅰ, p. 228), 아마(Ⅰ, p. 625), 애광대버섯(Ⅱ, p. 634), 여뀌(Ⅰ, p. 202), 용담(Ⅰ, p. 947), 짚신나물(Ⅰ, p. 459), 패랭이꽃(Ⅰ, p. 233), 한삼덩굴(Ⅰ, p. 176), 해마(Ⅱ, p. 826), 형개(Ⅱ, p. 154), 홀아비꽃대(Ⅰ, p. 368), 화초나무(Ⅰ, p. 672)

항문질환(肛門疾患)

대변출혈(大便出血)__갑오징어(Ⅱ, p. 764), 범꼬리(Ⅰ, p. 198), 부처꽃(Ⅰ, p. 798), 손바닥선인장(Ⅰ, p. 261), 쏘가리(Ⅱ, p. 830), 연꽃(Ⅰ, p. 356), 오이풀(Ⅰ, p. 514), 원추리(Ⅱ, p. 388), 접시꽃(Ⅰ, p. 740)

치루(痔漏)__고슴도치(Ⅱ, p. 883), 두더지(Ⅱ, p. 883), 맨드라미(Ⅰ, p. 255), 방가지똥(Ⅱ, p. 343), 벼룩나물(Ⅰ, p. 239), 불나방(Ⅱ, p. 789), 석연(Ⅱ, p. 931), 쇠똥구리(Ⅱ, p. 795), 쇠별꽃(Ⅰ, p. 240), 수세미오이(Ⅰ, p. 788), 승냥이(Ⅱ, p. 892), 양지꽃(Ⅰ, p. 483), 원앙(Ⅱ, p. 863), 유채(Ⅰ, p. 415), 유홍초(Ⅱ, p. 90), 지칭개(Ⅱ, p. 315)

치질(痔疾)__남생이(Ⅱ, p. 849), 돌고래(Ⅱ, p. 890), 동과(Ⅰ, p. 781), 마디풀(Ⅰ, p. 211), 마타리(Ⅱ, p. 238), 며느리밑씻개(Ⅰ, p. 206), 명아주(Ⅰ, p. 243), 무화과나무(Ⅰ, p. 172), 바위솔(Ⅰ, p. 436), 바위취(Ⅰ, p. 455), 벼룩나물(Ⅰ, p. 239), 부처꽃(Ⅰ, p. 798), 비자나무(Ⅰ, p. 129), 살모사(Ⅱ, p. 858), 상수리나무(Ⅰ, p. 154), 속새(Ⅰ, p. 58), 손바닥선인장(Ⅰ, p. 261), 쇠별꽃(Ⅰ, p. 240), 쇠비름(Ⅰ, p. 228), 식나무(Ⅰ, p. 825), 아선약나무(Ⅱ, p. 78), 약모밀(Ⅰ, p. 359), 여뀌(Ⅰ, p. 202), 예덕나무(Ⅰ, p. 645), 오동나무(Ⅱ, p. 193), 은양지꽃

(Ⅰ, p. 485), 중대가리국화(Ⅱ, p. 326), 지갑화(Ⅰ, p. 797), 털게(Ⅱ, p. 774), 한삼덩굴(Ⅰ, p. 176), 할미꽃(Ⅰ, p. 328), 회화나무(Ⅰ, p. 597)

치창(痔瘡)__검정꽃해변말미잘(Ⅱ, p. 741), 낭독(Ⅰ, p. 640), 논고둥(Ⅱ, p. 749), 논병아리(Ⅱ, p. 861), 달팽이(Ⅱ, p. 754), 마름(Ⅰ, p. 799), 목이(Ⅱ, p. 722), 무당개구리(Ⅱ, p. 846), 뱀톱(Ⅰ, p. 51), 별상어(Ⅱ, p. 807), 비늘이끼(Ⅰ, p. 53), 비석(비상)(Ⅱ, p. 929), 쇠비름(Ⅰ, p. 228), 신갈나무(Ⅰ, p. 157), 원추리(Ⅱ, p. 388), 제비꿀(Ⅰ, p. 191)

치창출혈(痔瘡出血)__갯어리알버섯(Ⅱ, p. 672), 굴참나무(Ⅰ, p. 158), 긴담배풀(Ⅱ, p. 289), 떡갈나무(Ⅰ, p. 155), 서양톱풀(Ⅱ, p. 255), 선비늘이끼(Ⅰ, p. 52), 순애초(Ⅰ, p. 749), 큰절굿대(Ⅱ, p. 303), 토끼풀(Ⅰ, p. 602)

탈항(脫肛)__고슴도치(Ⅱ, p. 883), 광귤나무(Ⅰ, p. 656), 논병아리(Ⅱ, p. 861), 달팽이(Ⅱ, p. 754), 검정꽃해변말미잘(Ⅱ, p. 741), 독말풀(Ⅱ, p. 167), 말똥진흙버섯(Ⅱ, p. 720), 말오줌때(Ⅰ, p. 713), 목질진흙버섯(Ⅱ, p. 720), 무궁화(Ⅰ, p. 745), 사위질빵(Ⅰ, p. 316), 상수리나무(Ⅰ, p. 154), 쇠백로(Ⅱ, p. 862), 양귀비(Ⅰ, p. 412), 옴개구리(Ⅱ, p. 847), 천선과나무(Ⅰ, p. 171)

호흡기질환(呼吸器疾患)

객혈(喀血)__관음초(Ⅱ, p. 216), 꼬리풀(Ⅱ, p. 204), 마람(Ⅱ, p. 214), 문모초(Ⅱ, p. 205), 미국가막사리(Ⅱ, p. 283), 벼(Ⅱ, p. 467), 산흰쑥(Ⅱ, p. 270), 엉겅퀴(Ⅱ, p. 298), 오이풀(Ⅰ, p. 514), 윤판나물아재비(Ⅱ, p. 381), 쥐꼬리풀(Ⅱ, p. 363), 컴프리(Ⅱ, p. 98), 큰물칭개나물(Ⅱ, p. 203), 풍년화(Ⅰ, p. 432), 흑난초(Ⅱ, p. 563)

감기__개나리(Ⅰ, p. 929), 개별꽃(Ⅰ, p. 237), 갯기름나물(Ⅰ, p. 889), 고본(Ⅰ, p. 881), 고사리삼(Ⅰ, p. 60), 국화(Ⅱ, p. 295), 꽈리(Ⅱ, p. 175), 대나물(Ⅰ, p. 234), 방풍(Ⅰ, p. 893), 벌등골나물(Ⅱ, p. 309), 승마(Ⅱ, p. 314), 시호(Ⅰ, p. 861), 육계나무(Ⅰ, p. 285), 인동덩굴(Ⅱ, p. 227), 족도리풀(Ⅰ, p. 373), 중대가리국화(Ⅱ, p. 326), 진두발(Ⅱ, p. 587), 차즈기(Ⅱ, p. 142), 칡(Ⅰ, p. 591), 콩(Ⅰ, p. 564), 큰삽주(Ⅱ, p. 279), 큰잎용담(Ⅰ, p. 946), 티베트마황(Ⅰ, p. 133), 파(Ⅱ, p. 364), 향유(Ⅱ, p. 117), 형개(Ⅱ, p. 154)

기관지염(氣管支炎)__가자나무(Ⅰ, p. 803), 간버섯(Ⅱ, p. 714), 감초(Ⅰ, p. 568), 개회나무(Ⅰ, p. 938), 갯메꽃(Ⅱ, p. 82), 겨우살이(Ⅰ, p. 195), 구상란풀(Ⅰ, p. 897), 군소(Ⅱ, p. 753), 금창초(Ⅱ, p. 111), 긴잎꿩의다리(Ⅰ, p. 334), 꽃개회나무(Ⅰ, p. 939), 꽃송이버섯(Ⅱ, p. 719), 꿩의다리(Ⅰ, p. 332),

끈끈이주걱(Ⅰ, p. 397), 남천(Ⅰ, p. 343), 다북떡쑥(Ⅱ, p. 257), 독말풀(Ⅱ, p. 167), 돌외(Ⅰ, p. 786), 마(Ⅱ, p. 428), 모시대(Ⅱ, p. 244), 목련(Ⅰ, p. 268), 목향(Ⅱ, p. 280), 바다나물(Ⅰ, p. 887), 박태기나무(Ⅰ, p. 548), 병풀(Ⅰ, p. 864), 보골지(Ⅰ, p. 589), 부채마(Ⅱ, p. 431), 산들깨(Ⅱ, p. 136), 산딸기나무(Ⅰ, p. 508), 삼지구엽초(Ⅰ, p. 340), 서양할미꽃(Ⅰ, p. 327), 선비늘이끼(Ⅰ, p. 52), 손바닥난초(Ⅱ, p. 561), 쇠큰수염박쥐(Ⅱ, p. 884), 수세미오이(Ⅰ, p. 788), 수정란풀(Ⅰ, p. 897), 오미자(Ⅰ, p. 273), 유창목(Ⅰ, p. 621), 은행나무(Ⅰ, p. 115), 잔대(Ⅱ, p. 245), 절패모(Ⅱ, p. 385), 젓가락풀(Ⅰ, p. 329), 젖버섯(Ⅱ, p. 685), 조개풀(Ⅱ, p. 450), 조회형산호(Ⅱ, p. 742), 중대가리풀(Ⅱ, p. 292), 지네발란(Ⅱ, p. 565), 질경이택사(Ⅱ, p. 356), 차나무(Ⅰ, p. 390), 철쭉나무(Ⅰ, p. 905), 초마황(Ⅰ, p. 134), 침향나무(Ⅰ, p. 758), 팥꽃나무(Ⅰ, p. 760), 한입버섯(Ⅱ, p. 704), 헐떡이풀(Ⅰ, p. 456), 후박나무(Ⅰ, p. 270)

기침(咳嗽)·가래(痰)__가래나무(Ⅰ, p. 138), 가물치(Ⅱ, p. 837), 가시복(Ⅱ, p. 841), 갈고리층층둥굴레(Ⅱ, p. 406), 갈래곰보(Ⅱ, p. 589), 감수(Ⅰ, p. 635), 갓(Ⅰ, p. 416), 개미취(Ⅱ, p. 275), 개우무(Ⅱ, p. 589), 갯메꽃(Ⅱ, p. 82), 갯방풍(Ⅰ, p. 873), 고추나무(Ⅰ, p. 714), 곤약(Ⅱ, p. 488), 곰보버섯(Ⅱ, p. 726), 관동화(Ⅱ, p. 351), 구름버섯(Ⅱ, p. 715), 굴뚝새(Ⅱ, p. 881), 금불초(Ⅱ, p. 318), 금창초(Ⅱ, p. 111), 기름나물(Ⅰ, p. 890), 기린채(Ⅱ, p. 587), 까마귀(Ⅱ, p. 880), 끼무릇(Ⅱ, p. 499), 남천(Ⅰ, p. 343), 노랑망태버섯(Ⅱ, p. 668), 노루귀(Ⅰ, p. 325), 노루발풀(Ⅰ, p. 898), 누리장나무(Ⅱ, p. 104), 눈꽃동충하초(Ⅱ, p. 728), 닭의장풀(Ⅱ, p. 446), 당나귀(Ⅱ, p. 902), 덩굴백부(Ⅱ, p. 419), 도라지(Ⅱ, p. 252), 도화뱅어(Ⅱ, p. 814), 독말풀(Ⅱ, p. 167), 동과(Ⅱ, p. 781), 동충하초(Ⅱ, p. 729), 두엄먹물버섯(Ⅱ, p. 651), 들깨(Ⅱ, p. 141), 뜸부기(Ⅱ, p. 580), 로벨리아(Ⅱ, p. 251), 마(Ⅱ, p. 428), 마가목(Ⅰ, p. 517), 마늘(Ⅱ, p. 366), 마타리(Ⅱ, p. 238), 말굽잔나비버섯(Ⅱ, p. 702), 말불버섯(Ⅱ, p. 661), 망태버섯(Ⅱ, p. 667), 매실나무(Ⅰ, p. 493), 먼지버섯(Ⅱ, p. 670), 멸대(Ⅱ, p. 375), 모과나무(Ⅰ, p. 464), 모시대(Ⅱ, p. 244), 미나리아재비(Ⅰ, p. 330), 방울비짜루(Ⅱ, p. 375), 백리향(Ⅱ, p. 162), 백합(Ⅱ, p. 395), 백합(Ⅱ, p. 760), 뱀장어(Ⅱ, p. 823), 번데기동충하초(Ⅱ, p. 729), 복숭아나무(Ⅰ, p. 495), 봉밀(Ⅱ, p. 798), 비꼬리이끼(Ⅱ, p. 597), 비파나무(Ⅰ, p. 469), 뽕나무(Ⅰ, p. 178), 살구나무(Ⅰ, p. 489), 석이(Ⅱ, p. 594), 세네가(Ⅰ, p. 683), 수달(Ⅱ, p. 895), 숫잔대(Ⅱ, p. 251), 시호(Ⅰ, p. 861), 신감채(Ⅱ, p. 885), 실송라(Ⅱ, p. 592), 아주까리(Ⅰ, p. 649), 앵초(Ⅰ, p. 918), 양귀비(Ⅰ, p. 412), 영산홍(Ⅰ, p. 903), 왜솜다리(Ⅱ, p. 323), 요과(Ⅰ, p. 686), 우엉(Ⅱ, p. 259), 원지(Ⅰ, p. 684), 유엽백전(Ⅱ, p. 54), 은시호(Ⅱ, p. 240), 재첩(Ⅱ, p. 760), 점박이물범(Ⅱ, p. 899), 졸방제비꽃(Ⅰ, p. 772), 주름안

장버섯(Ⅱ, p. 727), 주사(Ⅱ, p. 943), 주엽나무(Ⅰ, p. 562), 쥐방울(Ⅰ, p. 370), 지렁이(Ⅱ, p. 743), 지모(Ⅱ, p. 372), 집오리(Ⅱ, p. 864), 척돌태충(Ⅱ, p. 802), 천남성(Ⅱ, p. 489), 천문동(Ⅱ, p. 374), 청몽석(Ⅱ, p. 944), 초석잠풀(Ⅱ, p. 159), 취윤조(Ⅱ, p. 575), 측백나무(Ⅰ, p. 125), 층층나무(Ⅰ, p. 826), 콩짜개덩굴(Ⅰ, p. 107), 팥꽃나무(Ⅰ, p. 760), 하늘타리(Ⅰ, p. 792), 합개(Ⅱ, p. 852), 향유고래(Ⅱ, p. 889), 혹돌잎(Ⅱ, p. 586), 홀아비꽃대(Ⅰ, p. 368), 황반해파리(Ⅱ, p. 740), 흰목이(Ⅱ, p. 725), 히솝(Ⅱ, p. 121)

담옹천해(痰壅喘咳)__다닥냉이(Ⅰ, p. 424), 수반하(Ⅱ, p. 503), 지마채(Ⅰ, p. 422), 헐떡이풀(Ⅰ, p. 456)

열감기(熱感氣)__개구리밥(Ⅱ, p. 504), 광곽향(Ⅱ, p. 145), 꿩의다리(Ⅰ, p. 332), 꿩의비름(Ⅰ, p. 439), 노루오줌(Ⅰ, p. 443), 모란(Ⅰ, p. 381), 바다거북(Ⅱ, p. 850), 박하(Ⅱ, p. 129), 배초향(Ⅱ, p. 110), 백미꽃(Ⅱ, p. 50), 산국(Ⅱ, p. 294), 시호(Ⅰ, p. 861), 코뿔소(Ⅱ, p. 915), 키나나무(Ⅱ, p. 63), 현삼(Ⅱ, p. 199), 흑곰(Ⅱ, p. 894)

천식(喘息)__고산약불꽃(Ⅱ, p. 149), 나비풀(Ⅱ, p. 48), 두잎갈퀴(Ⅱ, p. 70), 뜰보리수(Ⅰ, p. 766), 로벨리아(Ⅱ, p. 251), 말라바낫(Ⅱ, p. 215), 물질경이(Ⅱ, p. 360), 벨라돈나(Ⅱ, p. 164), 브룬펠시아(Ⅱ, p. 164), 사리풀(Ⅱ, p. 167), 소두구(Ⅱ, p. 529), 쇠서나물(Ⅱ, p. 327), 앉은부채(Ⅱ, p. 502), 여름새우난초(Ⅱ, p. 551), 홍천충(Ⅰ, p. 804), 후추나륵(Ⅱ, p. 139)

폐기종(肺氣腫)__노랑느타리(Ⅱ, p. 608), 느티만가닥버섯(Ⅱ, p. 630), 등대풀(Ⅰ, p. 633), 애기나리(Ⅱ, p. 382), 윤판나물(Ⅱ, p. 381)

폐열해수(肺熱咳嗽)__가막사리(Ⅱ, p. 284), 갈매기난초(Ⅱ, p. 564), 고사리삼(Ⅰ, p. 60), 낭아초(Ⅱ, p. 571), 닭의난초(Ⅱ, p. 558), 백미꽃(Ⅱ, p. 50), 비늘이끼(Ⅱ, p. 53), 사철란(Ⅱ, p. 560), 솜아마존(Ⅱ, p. 51), 수세미오이(Ⅰ, p. 788), 싸리나무(Ⅰ, p. 574), 여뀌바늘(Ⅰ, p. 820), 하전국(Ⅱ, p. 256), 흑난초(Ⅱ, p. 550)

폐옹(肺癰)__꽃며느리밥풀(Ⅱ, p. 191), 단양쑥부쟁이(Ⅱ, p. 272), 더덕(Ⅱ, p. 247), 둥근털제비꽃(Ⅰ, p. 773), 묘미사(Ⅰ, p. 604), 비양초(Ⅰ, p. 634), 비타민나무(Ⅰ, p. 767), 솜양지꽃(Ⅰ, p. 482), 천심련(Ⅱ, p. 213), 호박(Ⅰ, p. 785)

해수객혈(咳嗽喀血)__검양옻나무(Ⅰ, p. 690), 나도국수나무(Ⅰ, p. 477), 단풍취(Ⅱ, p. 256), 된장풀(Ⅰ, p. 554), 배롱나무(Ⅰ, p. 796), 왕과(Ⅰ, p. 791), 이삭여뀌(Ⅰ, p. 202)

호흡기질환에 작용하는 생약__반하(Ⅱ, p. 499), 길경(Ⅱ, p. 252), 사삼(Ⅱ, p. 245), 만삼(Ⅱ, p. 249), 원지(Ⅰ, p. 684), 세네가(Ⅰ, p. 683), 천문동(Ⅱ, p. 374), 맥문동(Ⅱ, p. 396), 패모(Ⅱ, p. 385), 행인(Ⅰ, p. 489), 비파엽(Ⅰ, p. 469)

기타 질환(其他疾患)

각기병(脚氣病)__거머리말(Ⅱ, p. 363), 덩굴강낭콩(Ⅰ, p. 587), 민자주방망이버섯(Ⅱ, p. 614), 양버들(Ⅰ, p. 143), 잉어(Ⅱ, p. 817), 참김(Ⅱ, p. 581), 털여뀌(Ⅰ, p. 205), 파초(Ⅱ, p. 539)

경기(驚氣)__바다거북(Ⅱ, p. 850), 소(Ⅱ, p. 910), 흑곰(Ⅱ, p. 894)

대사기능(代謝機能)·강장(强壯)__가래나무(Ⅰ, p. 138), 갈고리층층둥굴레(Ⅱ, p. 406), 개연꽃(Ⅱ, p. 357), 구기자나무(Ⅱ, p. 168), 남오미자(Ⅱ, p. 265), 노각나무(Ⅰ, p. 388), 댑싸리(Ⅰ, p. 245), 덕다리버섯(Ⅱ, p. 703), 두충나무(Ⅰ, p. 430), 마(Ⅱ, p. 428), 마가목(Ⅰ, p. 517), 모과나무(Ⅰ, p. 464), 미역고사리(Ⅰ, p. 110), 바위손(Ⅰ, p. 52), 밤나무(Ⅰ, p. 152), 백자작나무(Ⅰ, p. 148), 범꼬리(Ⅰ, p. 198), 벚꽃버섯(Ⅱ, p. 611), 병아리꽃나무(Ⅰ, p. 501), 복분자딸기(Ⅰ, p. 510), 붉은산꽃버섯(Ⅱ, p. 610), 부처손(Ⅰ, p. 54), 브라질인삼(Ⅰ, p. 259), 산딸기나무(Ⅰ, p. 508), 산일엽초(Ⅰ, p. 108), 삼지구엽초(Ⅰ, p. 340), 삼칠(Ⅰ, p. 845), 오갈피나무(Ⅰ, p. 833), 월계수(Ⅰ, p. 287), 인삼(Ⅰ, p. 840), 잎새버섯(Ⅱ, p. 719), 잣나무(Ⅰ, p. 121), 잣버섯(Ⅱ, p. 708), 좁은잎돌꽃(Ⅰ, p. 437), 지황(Ⅰ, p. 197), 치마버섯(Ⅱ, p. 609), 큰갓버섯(Ⅱ, p. 662), 큰고니(Ⅱ, p. 866), 튤립나무(Ⅰ, p. 265), 팥배나무(Ⅰ, p. 516), 호도나무(Ⅰ, p. 139), 황기(Ⅰ, p. 533)

딸꾹질(嗝氣)__감나무(Ⅰ, p. 922), 산달래(Ⅱ, p. 366), 석련나무(Ⅱ, p. 539), 왕대(Ⅱ, p. 471), 여지나무(Ⅰ, p. 698), 작두콩(Ⅰ, p. 541), 정향나무(Ⅰ, p. 810), 침향나무(Ⅰ, p. 758), 포도(Ⅰ, p. 732), 향과수(Ⅱ, p. 66), 헛개나무(Ⅰ, p. 718)

약용 식물 Ⅰ

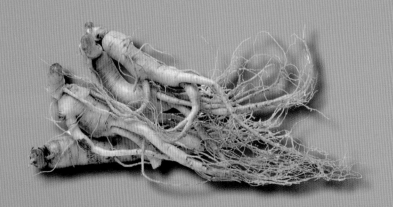

양치식물(羊齒植物, Pteridophyta)

이들 분류군은 고생대 말엽(특히 석탄기)에 많았으나 지금은 세계에 10,000여 종(솔잎란류 10종, 석송류 300종, 부처손류 700종, 물부추류 65종, 속새류 25종, 양치류 9300종)이 분포한다. 우리나라에는 250여 종이 있다. 이들은 관속 식물의 특징대로 뿌리, 줄기, 잎으로 식물체를 이루지만, 온대산 양치류 가운데에는 땅속줄기가 땅 속으로 기는 것도 있다. 꽃이 피지 않는 식물군이다.

[솔잎란과]

솔잎란

 풍습성관절염 토혈

타박상, 풍진

● 학명 : *Psilotum nudum* (L.) Griesb. [*Lycopodium nudum*] ● 영명 : Whisk plant
● 한자명 : 松葉蘭 ● 별명 : 송엽란, 솔잎난

| 1 | 2 | 3 | 4 | 5 | 6 | 7 | 8 | 9 | 10 | 11 | 12 |

여러해살이풀. 높이 20~50cm. 뿌리줄기가 짧고 갈색의 가짜뿌리가 있다. 줄기는 밑에서부터 갈라져서 전체가 비짜루 같다.

잎은 작은 돌기 같으며, 윗부분에 달린 포자엽은 2개로 갈라지며 1개씩의 포자낭이 잎겨드랑이에 달린다.

○ 석쇄파(石刷把)

○ 성숙한 포자낭

○ 솔잎란

○ 석쇄파(石刷把, 생것)

분포 · 생육지 우리나라 제주도 남쪽 해안. 중국, 일본. 바닷가에서 자란다.

약용 부위 · 수치 전초를 봄부터 가을에 걸쳐 채취하여 물에 잘 씻은 후 썰어서 말린다.

약물명 석쇄파(石刷把). 철쇄파(鐵刷把), 석기생(石寄生)이라고도 한다.

본초서 석쇄파(石刷把)는 「신농본초경(神農本草經)」에 "기(氣)가 위로 올라와서 숨이 차고 기침이 나오는 증상, 목이 답답하고 관절염이 있는 증상을 치료한다."고 수재되어 있다. 「명의별록(名醫別錄)」에는 "위장을 따뜻하게 하고, 간장과 폐장의 기능을 좋게 한다."고 하였으며, 「약성본초(藥性本草)」에는 "배가 늘 찬 증상을 치료한다."고 하였다.

약효 거풍제습(祛風除濕), 활혈지혈(活血止血)의 효능이 있으므로 풍습성관절염, 토혈, 풍진, 타박상을 치료한다.

성분 amentoflavone, apigenin−C−glycoside, apigenin−7−O−rhamno-glucoside, psilotic acid, psiloton, 3'−hydroxypsiloton 등이 함유되어 있다.

사용법 석쇄파 10g에 물 3컵(600mL)을 넣고 달여서 복용하거나 술에 담가서 20mL를 복용한다. 풍진과 타박상에는 생것을 짓찧어 붙이거나 달인 액을 바른다.

임상 보고 관절염이나 좌골신경통에 석쇄파 달인 액을 복용 후 나았으며, 습진에도 석쇄파 달인 액을 발라 효과가 있다는 보고가 있다.

[석송과]

개석송

풍습비통, 지체마목  월경부조

타박상

● 학명 : *Lycopodium annotinum* L. ● 영명 : Interrupted club−moss
● 한자명 : 單穗石松 ● 별명 : 삼잎석송, 참삼잎석송, 묏삼잎석송

| 1 | 2 | 3 | 4 | 5 | 6 | 7 | 8 | 9 | 10 | 11 | 12 |

○ 삼만석송(杉蔓石松)

여러해살이풀. 높이 20cm 정도. 줄기는 옆으로 길게 뻗고 잎이 드문드문 달린다. 곁가지는 비스듬히 자라다가 차상(叉狀)으로 갈라지고, 위쪽은 바로 서며 잎이 조밀하게 달린다. 잎에는 톱니가 없다. 포자낭수는 가지 끝에 1개씩 붙고 대가 없다.

분포 · 생육지 우리나라 중부 및 북부 지방. 중국, 일본, 캄차카 반도, 유럽, 히말라야. 산지의 숲에서 자란다.

약용 부위 · 수치 전초를 여름철에 채취하여 물에 씻은 후 말린다.

약물명 삼만석송(杉蔓石松)

약효 거풍제습(祛風除濕), 서근활혈(舒筋活血)의 효능이 있으므로 풍습비통(風濕痹痛), 지체마목(肢體麻木), 월경부조, 타박상을 치료한다.

성분 annotine, lycopodine, lycodine, lyconnotine, acrifoline, acetylacrifoline, lycodoline 등이 함유되어 있다.

약리 annotine 30mg/kg을 토끼의 정맥에 주사하면 혈압이 하강된다.

사용법 삼만석송 6g에 물 2컵(400mL)을 넣고 달여서 복용하거나 술에 담가 조금씩 복용한다.

○ 개석송

[석송과]

석송

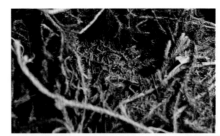
● 신근초(伸筋草)

| 풍습성관절염 | 피부마목, 타박상 |
| 해수 | 황달 |

●학명 : *Lycopodium clavatum* L. var. *nipponicum* Nakai ●영명 : Common club-moss, Running club-moss ●한자명 : 石松 ●별명 : 애기석송

| 1 | 2 | 3 | 4 | 5 | 6 | 7 | 8 | 9 | 10 | 11 | 12 |

여러해살이풀. 줄기는 가늘고, 잎은 바늘 모양, 길이 5mm이다. 포자엽은 끝에 길이 2mm 정도의 실 같은 것이 달리고, 포자낭수는 대가 있고 길이 3~5cm, 가지 끝에 2~6개씩 달린다. 포자낭군은 콩팥 모양이다.

분포 · 생육지 우리나라 한라산, 흑산도, 울릉도, 설악산, 백두산 및 북부 지방. 중국, 일본 등 북반구 온대 지역. 숲속에서 자란다.

약용 부위 · 수치 전초를 여름철에 뿌리째 뽑아 물에 씻어서 말리고, 포자는 7~8월에 성숙하므로 이 때 채취한다.

약물명 전초를 신근초(伸筋草)라고 하며, 관근등(寬筋藤), 태세갈(太歲葛), 과근초(過筋草)라고도 한다. 포자를 석송자(石松子)라 한다. 신근초와 석송자는 대한민국약전외한약(생약)규격집(KHP)에 수재되어 있다.

본초서 당대(唐代) 진장기(陳藏器)의 「본초습유(本草拾遺)」에는 "이 식물은 천태산(天台山)의 바위(石) 곁에서 자라고 모양이 소나무(松)처럼 보이므로 석송(石松)이라 한다."고 하였다.

성상 전초는 기는줄기, 땅위줄기, 잎으로 되어 있다. 기는줄기는 가늘고, 땅위줄기는 두 번 분지하며, 잎은 줄기에 조밀하게 붙고 나사형으로 배열한다. 냄새가 특이하며 맛은 담담하다.

기미 · 귀경 평(平), 고(苦) · 간(肝), 비(脾), 신(腎)

약효 거풍제습(祛風除濕), 서근활혈(舒筋活血), 지해(止咳), 해독(解毒)의 효능이 있으므로 풍습성관절염, 피부마목(皮膚麻木), 황달, 타박상, 해수(咳嗽)를 치료한다. 습진이나 무좀에 활석(滑石)과 혼합해서 달이거나 짓찧어 환부에 바르면 효과가 좋다. 석송자(石松子)는 환의(丸衣)로 사용하고, 피부병을 치료한다.

성분 신근초(伸筋草)에는 lycopodine, clavatine, clavolonine 등의 알칼로이드가 함유되어 있다.

약리 lycopodine은 쥐에 30mg/kg의 농도로 정맥주사하면 혈압을 급격히 떨어뜨리고, 포자를 쥐에게 하루에 1g씩 계속하여 2일 동안 투여하면 발정하며, 포자의 클로로포름추출물에는 여성 호르몬과 같은 작용이 있다.

사용법 신근초 5g에 물 2컵(400mL)을 넣고 달여서 복용하거나 술에 담가 수시로 복용한다. 석송자는 환약 겉에 붙이는 환의(丸衣)로 사용하고, 산포제로 피부병에 사용한다.

＊잎이 4줄로 누워서 붙고 길이 1~2cm의 긴 타원형의 포자낭군 이삭이 작은가지 끝에 1개씩 붙는 '산석송 *L. alpinum*'도 약효가 같다.

● 석송

[석송과]

다람쥐꼬리

| 관절염 | 타박상, 대상포진, 담마진 |

●학명 : *Lycopodium chinensis* Christ ●한자명 : 岩石松
●별명 : 북솔석송, 탐라쥐꼬리

| 1 | 2 | 3 | 4 | 5 | 6 | 7 | 8 | 9 | 10 | 11 | 12 |

여러해살이풀. 높이 5~15cm. 줄기는 철사 모양이고, 가지는 2개씩 갈라지며, 잎은 바늘 모양이다. 포자낭군은 윗부분의 잎겨드랑이에 1개씩 달리고, 줄기 끝에 생기는 부정아(不定芽)는 대가 없고 좌우에 날개가 있으며 끝이 오목하다.

분포 · 생육지 우리나라 한라산, 지리산 및 북부 지방. 중국, 일본. 깊은 산 숲속에서 자란다.

약용 부위 · 수치 전초를 여름철에 채취하여 물에 씻은 후 말린다.

약물명 암석송(岩石松). 소접근초(小接筋草), 용호자(龍胡子)라고도 한다.

약효 거풍제습(祛風除濕), 소종지통(消腫止痛), 청열해독(淸熱解毒)의 효능이 있으므로 관절염, 타박상, 대상포진, 담마진을 치료한다.

성분 주성분은 lycopodine이며, selagine, acrifoline, lycodoline, pseudoselagine, huperzine A 등이 함유되어 있다.

약리 huperzine A는 콜린에스테라제를 억제하는 작용이 있다.

사용법 암석송 6g에 물 2컵(400mL)을 넣고 달여서 복용하거나 술에 담가 조금씩 복용한다. 외용에는 달인 액으로 씻거나 짓찧어 바른다.

● 다람쥐꼬리

● 다람쥐꼬리(줄기 상부에 포자낭군이 있다.)

● 암석송(岩石松)

❍ 과강룡(過江龍)

[석송과]
비늘석송

 풍습비통, 수족마목　　♀ 월경부조
타박상

● 학명 : *Lycopodium complanatum* (L.) Holub.
● 한자명 : 扁枝石松　● 별명 : 솔석송, 편백석송, 틈벨구뱀톱, 넓은잎뱀톱

| 1 | 2 | 3 | 4 | 5 | 6 | 7 | 8 | 9 | 10 | 11 | 12 |

여러해살이풀. 줄기는 땅 위로 벋고 잎이 4줄로 달리므로 네모진다. 곁가지는 바로 서고 차상으로 몇 번 분지한다. 잎은 4개로 갈라지고, 밑부분은 넓게 가지에 들러붙으며 끝은 뾰족하다. 포자낭수는 긴 자루 끝에 2~5개씩 달리며 길이 2~3cm이다.

분포 · 생육지 우리나라 한라산, 설악산 및 북부 지방. 중국, 일본, 타이완, 히말라야. 높은 산속의 그늘진 곳에서 자란다.

약용 부위 · 수치 전초를 여름철에 채취하여 물에 씻어서 말리거나 그대로 사용한다.

약물명 과강룡(過江龍). 포지호(鋪地虎), 지오공(地蜈蚣)이라고도 한다.

약효 거풍제습(祛風除濕), 서근활혈(舒筋活血)의 효능이 있으므로 풍습비통(風濕痺痛), 수족마목(手足麻木), 타박상, 월경부조(月經不調)를 치료한다.

성분 N-methyllycodine, α-onocerin, serratenediol, lycoclavanol 등이 함유되어 있다.

사용법 과강룡 10g에 물 2컵(400mL)을 넣고 달여서 복용하거나 술에 담가 복용한다.

타박상에는 신선한 것을 찧어서 상처에 붙이거나 물에 달인 액을 바른다.

❍ 비늘석송

[석송과]
만년석송

 풍습비통, 요퇴통, 지체마목　타박상

● 학명 : *Lycopodium obscurum* L.　● 영명 : Flat branched tree club-moss
● 한자명 : 玉柏, 玉遂, 萬年松　● 별명 : 비늘석송

| 1 | 2 | 3 | 4 | 5 | 6 | 7 | 8 | 9 | 10 | 11 | 12 |

여러해살이풀. 비늘 같은 잎이 드문드문 나고 군데군데에서 곧게 서는 가지가 나오고 작은 가지가 많아서 마치 나무 모양이 되며 높이 15~30cm이다. 포자낭수는 작은가지 끝에 1개씩 나며 대가 없다. 포자엽은 콩팥 모양이고 끝이 뾰족하다.

분포 · 생육지 우리나라 북부 지방, 설악산, 지리산, 한라산. 중국, 일본, 러시아, 북아메리카. 높은 지대의 숲속에서 자란다.

약용 부위 · 수치 전초를 봄부터 가을에 채취하여 물에 씻은 후 그늘에서 말리거나 신선한 것 그대로 사용한다.

약물명 옥백(玉柏). 옥수(玉遂), 만년송(萬年松)이라고도 한다.

본초서 「명의별록(名醫別錄)」에 옥수(玉遂)라는 이름으로 처음 수재되어 "옥백(玉柏)은 바위 곁에서 자라고 소나무와 비슷한 모습으로 높이 5~6촌(寸)이며 줄기와 잎을 약으로 쓴다."고 기록되어 있다. 「본초강목(本草綱目)」에는 만년송(萬年松)이라는 이

름으로 등재되어 있다.

기미 · 귀경 온(溫), 산(酸), 미신(微辛) · 간(肝), 비(脾), 신(腎)

약효 거풍제습(祛風除濕), 서근통락(舒筋通絡), 활혈화어(活血化瘀)의 효능이 있으므로 풍습비통(風濕痺痛), 요퇴통(腰腿痛), 지체마목(肢體麻木), 타박상을 치료한다.

성분 obscurinine, lycopodine, lycodine, clavolinine, emodin, physcion 등이 함유되어 있다.

사용법 옥백 10g에 물 2컵(400mL)을 넣고 달여서 복용하거나 술에 담가 조금씩 복용한다. 외용에는 달인 액으로 씻거나 짓찧어 바른다. 관절통에는 옥백 30g, 사과락 15g에 물을 넣고 달여서 복용한다.

❍ 만년석송

❍ 옥백(玉柏)

[석송과]

좀다람쥐꼬리

풍습비통　담마진, 외상출혈

● 학명 : *Lycopodium selago* L.　● 영명 : Fir club-moss
● 한자명 : 石杉, 葉石松　● 별명 : 애기솔석송, 애기다람쥐꼬리, 좀솔석송

1	2	3	4	5	6	7	8	9	10	11	12

여러해살이풀. 약간 단단하고 윤기가 돈다. 줄기는 밑부분에서 모여난다. 잎은 줄기에 조밀하게 붙고 바늘 모양, 두껍고 단단하다. 포자낭은 윗부분의 잎겨드랑이에 1개씩 붙으며 신장형이고 줄기 위쪽에 눈이 생긴다.

분포 · 생육지 우리나라 전역. 중국, 일본, 캄차카 반도, 유럽, 러시아, 북아메리카. 숲

약용 부위 · 수치 전초를 봄부터 가을에 채취하여 물에 씻은 후 그늘에서 말리거나 신선한 것 그대로 사용한다.

약물명 소접근초(小接筋草). 용호자(龍胡子)라고도 한다.

약효 거풍제습(祛風除濕), 소종지통(消腫止痛), 지혈(止血)의 효능이 있으므로 풍습비통(風濕痹痛), 담마진(蕁麻疹), 외상출혈을 치료한다.

성분 lycopodine, acrifoline, lycodoline, pseudoselagine, selagine, lycodine 등이 함유되어 있다.

약리 중추 신경 억제 작용, 항콜린에스테라제 작용이 있다.

사용법 소접근초 6g에 물 2컵(400mL)을 넣고 달여서 복용하거나 술에 담가 조금씩 복용한다. 외용에는 달인 액으로 씻거나 짓찧어 바른다.

❂ 좀다람쥐꼬리

❂ 소접근초(小接筋草)

[석송과]

뱀톱

혈뇨, 치창하혈　종독, 탕화상
백대　수습고창

● 학명 : *Lycopodium serratum* Thunb.　● 한자명 : 千層塔
● 별명 : 배암톱, 틈벨구뱀톱, 넓은잎뱀톱

1	2	3	4	5	6	7	8	9	10	11	12

여러해살이풀. 높이 10~20cm. 줄기는 단순하거나 몇 개로 갈라지고, 밑부분은 종종 누우며, 끝부분에 부정아(不定芽)가 생긴다. 잎은 짙은 녹색이며 가장자리에 불규칙한 톱니가 있다. 포자낭군은 이삭을 형성하지 않고 보통 잎겨드랑이에 1개씩 달린다.

분포 · 생육지 우리나라 전역. 중국, 일본, 타이완, 히말라야. 산속 그늘진 곳에서 자란다.

약용 부위 · 수치 여름과 가을철에 뿌리가 달린 전초를 채취하여 물에 씻어서 말리거나 그대로 사용한다.

약물명 천층탑(千層塔). 사교자(蛇交子), 모청홍(毛靑紅)이라고도 한다.

기미 · 귀경 평(平), 고(苦), 신(辛), 감(甘) · 심(心), 간(肝), 위(胃), 대장(大腸)

약효 산어지혈(散瘀止血), 소종지통(消腫止痛), 제습(除濕), 청열해독(淸熱解毒)의 효능이 있으므로 타박상, 노상토혈(勞傷吐血), 혈뇨(血尿), 치창하혈(痔瘡下血), 수습고창(水濕臌脹), 백대(白帶), 종독(腫毒), 탕화상(湯火傷)을 치료한다.

성분 lycopodine, lycoserrine, serratine, serratinine, clavolonine 등이 함유되어 있다.

약리 중추 신경 억제 작용, 항콜린에스테라제 작용이 있다.

사용법 천층탑 10g에 물 2컵(400mL)을 넣고 달여서 복용하거나 고기와 함께 삶아 30mL씩 먹는다.

주의 임산부는 복용하지 않는 것이 좋다.

❂ 뱀톱

❂ 천층탑(千層塔)

[부처손과]

바위손

● 학명 : *Selaginella involvens* (Sw.) Spring.
● 한자명 : 石卷柏　● 별명 : 부처손, 두턴부처손

1	2	3	4	5	6	7	8	9	10	11	12

여러해살이풀. 비늘 같은 잎으로 덮인 땅속
줄기가 벋으면서 땅위로 줄기가 나와 곧게
자라며 높이 15~40cm, 위쪽에서 3~4회
깃 모양으로 갈라진다. 원줄기의 잎은 드문
드문 나지만 작은가지의 잎은 조밀하다. 포
자낭수는 작은가지 끝에 1개씩 달린다.

분포 · 생육지 우리나라 제주도, 남부 일대,
충북, 평북. 중국, 일본. 산속 음지에서 자
란다.

약용 부위 · 수치 가을에 뿌리째 채취하여 물
에 씻어서 말리거나 그대로 사용한다.

약물명 연주권백(兗州卷柏). 석권백(石卷柏),

금화초(金花草)라고도 한다.

기미 · 귀경 양(凉), 담(淡), 미고(微苦) · 폐
(肺), 간(肝), 비(脾)

약효 청열이습(淸熱利濕), 지해(止咳), 지혈,
해독의 효능이 있으므로 습열황달(濕熱黃
疸), 이질(痢疾), 수종(水腫), 복수(復水), 담
습해수(痰濕咳嗽), 변혈(便血), 치창(痔瘡)을
치료한다. 치질로 약간의 출혈이 나타날 때
복용하였더니 출혈이 멈추었으며, 비뇨기
수술 이후의 출혈에 복용하였더니 멈추었다
는 보고가 있다. 폐암, 인후암, 유방암 환자
가 연주권백(兗州卷柏)을 물에 달여서 복용
하여 수명이 연장되었다는 보고가 있다.

성분 전초에 trehalose가 함유되어 있다.

약리 열수추출물은 혈관 신생 과정인 혈관
내피세포의 증식, 혈관 형성, 침윤을 억제
하는 작용이 있다. 물에 달인 액은 이질균,
포도상구균에 항균 작용이 있다.

사용법 연주권백 10g에 물 3컵(600mL)을
넣고 달여서 복용한다. 외용에는 짓찧어 바
르거나 가루로 만들어 환부에 뿌린다.

❍ 바위손

❍ 연주권백(兗州卷柏)

[부처손과]

선비늘이끼

● 학명 : *Selaginella nipponica* Franch. et Sav. [*S. shensiensis*]　● 영명 : Flat branched
　tree club-moss　● 한자명 : 伏地卷柏　● 별명 : 선비눌이끼, 선구슬살이

1	2	3	4	5	6	7	8	9	10	11	12

여러해살이풀. 원줄기와 가지의 구별이 뚜
렷하지 않고, 곁가지는 1~2회 갈라진다.
영양엽은 복엽과 배엽으로 되며, 포자엽은
타원형으로 톱니가 있다. 포자낭수는 뚜렷
하지 않고 곧게 서는 가지에 포자낭이 달
린다.

분포 · 생육지 우리나라 남부 지방. 중국, 일
본, 타이완. 깊은 산의 음지에서 자란다.

약용 부위 · 수치 전초를 봄과 가을에 채취하
여 불에 볶아서 물을 약간 뿌려 햇볕에 말
린다.

약물명 소지백(小地柏). 지백(地柏)이라고
도 한다.

약효 지해평천(止咳平喘), 지혈, 청열해독
(淸熱解毒)의 효능이 있으므로 해수기천(咳
嗽氣喘), 토혈, 치혈(痔血)을 치료한다.

사용법 소지백 10g에 물 3컵(600mL)을 넣
고 달여서 복용한다. 또는 술에 담가 복용
하거나 환약이나 가루약으로 사용하고, 짓
찧어 바르거나 가루로 산포한다.

❍ 소지백(小地柏)

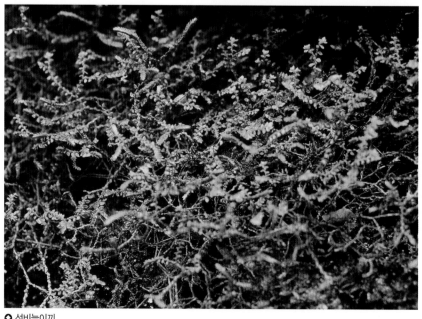
❍ 선비늘이끼

[부처손과]

비늘이끼

폐열해수 · 치창 · 창독, 봉자상

●학명 : *Selaginella remotifolia* Spring [*S. kraussiana*] ●한자명 : 疏葉卷柏

| 1 | 2 | 3 | 4 | 5 | 6 | 7 | 8 | 9 | 10 | 11 | 12 |

여러해살이풀. 줄기는 약간 길게 벋고 지름 0.5mm 정도. 가지 끝은 비스듬히 선다. 줄기는 1~3회 깃꼴로 갈라지고 등쪽의 잎은 2줄로 붙으며 끝이 뾰족하고, 기부가 비대칭이다. 포자낭수는 네모지고, 포자엽은 끝이 뾰족하고 가장자리에 작은 돌기가 있다.

❶ 비늘이끼

분포 · 생육지 우리나라 충청 이남. 중국, 일본, 동아시아. 바위나 오래된 나무에 붙어서 자란다.

약용 부위 · 수치 전초를 여름과 가을에 채취하여 물에 씻어서 말린다.

약물명 봉약(蜂藥). 취운초(翠雲草)라고도 한다.

기미 · 귀경 양(涼), 담(淡) · 폐(肺)

약효 거담지해(祛痰止咳), 해독소종(解毒消腫), 양혈지혈(涼血止血)의 효능이 있으므로 폐열해수(肺熱咳嗽), 치창(痔瘡), 창독(瘡毒), 봉자상(蜂刺傷)을 치료한다.

성분 selaginose, amentoflavone, hinoki-flavone, isocryptomerin 등이 함유되어 있다.

사용법 봉약 15g에 물 4컵(800mL)을 넣고 달여서 복용하고, 외용에는 가루로 만들어 상처에 뿌리거나 짓찧어 낸 즙액을 바른다.
＊원줄기와 가지가 뚜렷하지 않은 '선비늘이끼 *S. nipponica*'도 약효가 같다.

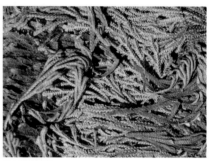

❶ 봉약(蜂藥)

[부처손과]

개부처손

어혈동통 · 요혈 · 자궁출혈 · 변혈

●학명 : *Selaginella stauntoniana* Spring. ●한자명 : 旱生卷柏
●별명 : 바위부처손

| 1 | 2 | 3 | 4 | 5 | 6 | 7 | 8 | 9 | 10 | 11 | 12 |

여러해살이풀. 원줄기는 단단하고 붉은빛이 돌며 옆으로 벋으면서 갈라지고 중간에서 뿌리가 내린다. 잎은 4줄로 배열되며 털 같은 톱니가 있다. 포자낭수는 작은가지 끝에 1~2개씩 달리며 대가 없고 길이 1cm, 지름 2mm 정도이며 네모진다.

분포 · 생육지 우리나라 제주도, 전남, 경북, 충북, 강원, 평북, 함북 등 전역. 중국, 일본, 타이완. 깊은 산의 음지에서 자란다.

약용 부위 · 수치 전초를 봄과 가을에 채취하여 불에 볶아서 물을 약간 뿌려 햇볕에 말린다.

약물명 간궐계(干蕨鷄). 금계미(金鷄尾)라고도 한다.

약효 산어지통(散瘀止痛), 양혈지혈(涼血止血)의 효능이 있으므로 어혈동통(瘀血疼痛), 변혈(便血), 요혈(尿血), 자궁출혈을 치료한다.

사용법 간궐계 10g에 물 3컵(600mL)을 넣고 달여서 복용한다.

❶ 개부처손

❶ 간궐계(干蕨鷄)

부처손

혈뇨, 탈항　　　타박상
징가, 혈변, 토혈　　육혈

● 학명 : *Selaginella tamariscina* (Beauv.) Spring [*Stachygynandrum tamariscinum*]
● 한자명 : 卷柏　● 별명 : 바위손

| 1 | 2 | 3 | 4 | 5 | 6 | 7 | 8 | 9 | 10 | 11 | 12 |

여러해살이풀. 높이 20cm 정도. 수많은 뿌리가 엉켜 줄기처럼 만들어진 끝에서 많은 가지가 사방으로 붙으며 깃 모양으로 갈라진다. 잎은 4줄로 빽빽이 나고 건조하면 공처럼 말리며 가장자리에 잔톱니가 있다. 포자낭수는 작은가지 끝에 1개씩 달리고, 길이 5~15mm로 네모진다.

분포 · 생육지 우리나라 제주도, 전남, 경북, 충북, 강원, 평북, 함북, 중국, 일본, 타이완. 깊은 산의 음지에서 자란다.

약용 부위 · 수치 전초를 봄과 가을에 채취하여 불에 볶아서 물을 약간 뿌려 햇볕에 말린다.

약물명 권백(卷柏). 만세(萬歲), 교시(交時), 장생불사초(長生不死草)라고도 한다. 대한민국약전외한약(생약)규격집(KHP)에 수재되어 있다.

본초서 「신농본초경(神農本草經)」에는 만세(萬歲), 「명의별록(名醫別錄)」에는 교시(交時), 「본초강목(本草綱目)」에는 장생불사초(長生不死草)라는 이름으로 수재되어 있다. 이것으로 보아 예로부터 이 약초는 질병을 치료하여 수명을 연장하는 데 요긴하게 사용된 것으로 보인다. 「동의보감(東醫寶鑑)」에는 "여자의 음부 속이 차거나 달아오르면

서 아픈 증상, 생리가 없으면서 임신이 잘 안 되고, 생리가 순조롭지 못한 것을 치료한다. 여러 가지 헛것에 들린 것을 없애고 마음을 진정시키며 헛것에 들려 우는 데 쓴다. 탈항증, 몸의 근육과 핏줄이 이완되고 팔다리의 피부와 근육이 위축되면서 약해져 마음대로 움직이지 못하는 것을 낫게 한다. 또 신장의 기운을 도와준다. 권백을 생으로 쓰면 피가 뭉친 것을 풀어 주고, 불에 볶아서 쓰면 지혈시킨다."고 하였다.

神農本草經: 主五臟邪氣, 女子陰中寒熱痛, 癥瘕, 血閉絕子, 久腹輕身, 和顏色.
名醫別錄: 止咳逆, 治脫肛, 散淋結, 頭中風眩, 痿癥, 強陰益精治經閉.
藥性論: 月經不通, 尸疰鬼疰, 腹痛.
東醫寶鑑: 主女子陰中寒熱痛 血閉絕子 治月經不通 去百邪鬼魅 鎭心 治邪啼泣 療脫肛痿躄 煖水藏 生用破血 灸用止血.

성상 전초는 전체가 말려서 주먹 모양이며, 뿌리는 여러 개가 엉켜서 줄기 모양을 이루고 그 끝에서 많은 가지가 사방으로 퍼진다. 뿌리 부분은 회갈색으로 약하고 부서지기 쉽다. 냄새는 없고 맛은 담담하다.

기미 · 귀경 평(平), 신(辛) · 심(心), 간(肝)

약효 생것을 사용하면 활혈통경(活血通經)

의 효능이 있으므로 경폐(脛閉), 징가(癥瘕), 타박상을 치료하고, 볶아서 사용하면 화어지혈(化瘀止血)의 효능이 있으므로 토혈(吐血), 혈변(血便), 혈뇨(血尿), 육혈(衄血), 탈항을 치료한다.

성분 apigenin, amentoflavone, hinoki-flavone, 2′,8″-biapigenin, sumaflavone, taiwaniaflavone, robustaflavone, isocrypto-merin 등이 함유되어 있다.

약리 암세포를 이식한 쥐에게 물로 달인 액을 투여하면 암 조직의 성장이 61.2% 억제된다. amentoflavone은 *Candida albicans*, *Saccharomyces cerevisiate*, *Trichosporon beigelli* 등 곰팡이에 항균 작용이 있다. amentoflavone과 sumaflavone은 fibroblast cell에 있어서 MMP-1의 생성을 억제한다. 메탄올추출은 뇌의 산화 스트레스 방어 작용을 통해 단기 기억을 조절하며, 뇌 조직 중 Ach 함량 조절 및 이들의 수송 역할을 하는 VAchT 단백질 발현을 조절한다.

사용법 권백(卷柏) 7g에 물 3컵(600mL)을 넣고 달여서 복용한다. 또는 술에 담가 복용하거나 환약이나 가루약으로 사용하고, 외용에는 짓찧어 바르거나 가루로 산포한다.

주의 임산부의 복용을 금한다.

❁ 권백(卷柏)

❁ 부처손

❁ 부처손(암벽에 난 모습)

[부처손과]

취운초

이질, 설사, 황달　　근골비통

수종

● 학명 : *Selaginella uncinata* (Desv.) Spring [*Lycopodium uncinata*]
● 한자명 : 翠雲草

| 1 | 2 | 3 | 4 | 5 | 6 | 7 | 8 | 9 | 10 | 11 | 12 |

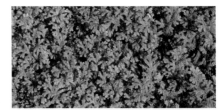

● 취운초 군락

여러해살이풀. 원줄기는 땅위를 기며, 길이 30~60cm. 옆 가지는 몇 차례 갈라진다. 잎은 2가지로 가지 양측 및 중간에 2줄로 배열한다. 잎의 가장자리는 밋밋하며 표면은 남색을 띤다.

분포 · 생육지 중국 남부 지방, 타이완. 깊은 산의 음지에서 자란다.

약용 부위 · 수치 지상부를 봄부터 가을에 채취하여 물에 씻은 후 햇볕에 말린다.

약물명 취운초(翠雲草). 취령초(翠翎草), 공작화(孔雀花)라고도 한다.

약효 청열이습(清熱利濕), 해독지혈(解毒止血)의 효능이 있으므로 황달, 이질, 설사, 수종, 근골비통(筋骨痺痛)을 치료한다.

사용법 취운초 10g에 물 3컵(600mL)을 넣고 달여서 복용한다.

● 취운초

[속새과]

쇠뜨기

비뉵, 목적예막　　외상출혈

토혈, 객혈, 변혈

● 학명 : *Equisetum arvense* L.　　● 영명 : Common horse tail, Field horse tail
● 한자명 : 問荊　　● 별명 : 뱀밥, 즌솔, 필두채

| 1 | 2 | 3 | 4 | 5 | 6 | 7 | 8 | 9 | 10 | 11 | 12 |

여러해살이풀. 땅속줄기를 길게 뻗으면서 번식하고, 땅위줄기는 곧게 선다. 생식줄기 끝에 뱀대가리 같은 포자낭수를 형성하고, 영양줄기는 생식줄기가 시든 뒤 뒤늦게 나오고, 마디에는 비늘 같은 잎이 돌려나며 가지는 없다.

분포 · 생육지 우리나라 전역. 중국, 일본 북반구. 햇볕이 잘 드는 들이나 산기슭에서 자란다.

약용 부위 · 수치 전초를 봄과 여름에 채취하여 흙을 털고 물에 씻은 후 썰어서 말린다.

약물명 문형(問荊). 접속초(接續草), 공모초

(公母草)라고도 한다.

기미 · 귀경 평(平), 감(甘), 고(苦) · 폐(肺), 위(胃), 간(肝)

약효 지혈, 이뇨, 명목(明目)의 효능이 있으므로 비뉵(鼻衄), 토혈, 객혈, 변혈, 외상출혈, 목적예막(目赤翳膜)을 치료한다. 만성기관지염에 복용하였더니 기침이 줄어들고 가래를 뱉는 횟수가 줄어들었으며, 고혈압 환자가 복용하였더니 혈압이 약간 내렸다는 보고가 있다.

성분 전초에는 equisetonin, qurcetrin, luteolin, isoquercetrin, palustrine, thymine, 3-methoxypyridine 등, 포자에는 articulatin, octacosane-dicarboxylic acid, gossypitrin 등이 함유되어 있다.

약리 에탄올추출물은 이뇨 작용이 있고, 열수추출물은 토끼, 개에게 정맥주사하면 혈압 강하 작용이 있으며, 또 개구리 심장의 수축력을 증가시킨다. luteolin은 동물 실험에서 간 보호 작용이 있다.

사용법 문형 5g(신선한 것은 15g)에 물 2컵(400mL)을 넣고 달여서 복용한다.

● 쇠뜨기

● 문형(問荊)

● 쇠뜨기(생식줄기)

[속새과]

개쇠뜨기

풍습통   목적예막, 누루

●학명 : *Equisetum palustre* L.   ●영명 : Marsh horse tail   ●한자명 : 犬問荊

| 1 | 2 | 3 | 4 | 5 | 6 | 7 | 8 | 9 | 10 | 11 | 12 |

여러해살이풀. 땅속줄기는 길게 벋으면서 번식하고 흑갈색, 땅위줄기는 곧게 선다. 생식줄기는 상반부에 가지가 돌려난다. 엽초는 치편과 더불어 길이 10~12mm이고 치편의 끝은 뾰족하고 갈색이지만 오래되면 흑색으로 변하고 가장자리에 하얀 막이 있다. 포자낭수는 길이 1~3.5cm이고 영양줄기 끝에 달린다.

분포 · 생육지 우리나라 전역, 중국, 일본, 러시아 북반구. 하천가의 습지에서 자란다.

약용 부위 · 수치 전초를 봄과 여름에 채취하여 흙을 털고 물에 씻은 후 썰어서 말린다.

약물명 골절초(骨節草), 절절채(節節菜), 세완초(洗碗草), 절절초(節節草)라고도 한다.

기미 · 귀경 평(平), 감(甘), 고(苦) · 폐(肺), 간(肝)

약효 소풍명목(疎風明目), 활혈지통(活血止痛)의 효능이 있으므로 목적예막(目赤翳膜), 누루(淚漏) 및 풍습통(風濕痛)을 치료한다.

성분 palustrine, palustridine, nicotine, kaempferol-3-diglucoside-7-glucoside, kaempferol-3-diglucoside, kaempferol-3,7-diglucoside, quercetin-3-rutinoside-7-glucoside, aconitic acid 등이 함유되어 있다.

약리 열수추출물을 토끼에게 정맥주사하면 혈압 강하 작용이 있으며, 쥐에게 투여하면 중추 신경 억제 작용이 나타난다.

사용법 골절초 5~10g에 물 2컵(400mL)을 넣고 달여서 복용한다.

✿ 개쇠뜨기

[속새과]

물쇠뜨기

비뉵, 목적예막   토혈, 변혈   외상출혈
객혈, 만성기관지염   고혈압

●학명 : *Equisetum pratense* Ehrh.   ●영명 : Meadow horse tail, shade horse tail
●한자명 : 草問荊   ●별명 : 선비눌이끼, 선구슬살이

| 1 | 2 | 3 | 4 | 5 | 6 | 7 | 8 | 9 | 10 | 11 | 12 |

여러해살이풀. 줄기는 곧게 선다. 생식줄기는 능선이 있고, 가지는 돌려난다. 생식줄기의 엽초는 치편과 함께 길이 6~10mm이고 가장자리에 하얀 막이 있다. 포자낭수는 자루와 함께 길이 5~7cm이고, 포자가 산포된 후 녹색의 가지가 나와 영양줄기처럼 된다.

분포 · 생육지 백두산을 비롯한 우리나라 북부. 중국, 일본, 러시아 북반구. 습기가 많은 곳에서 자란다.

약용 부위 · 수치 전초를 봄과 여름에 채취하여 흙을 털고 물에 씻은 후 썰어서 말린다.

약물명 초문형(草問荊), 마호수(馬胡須)라고도 한다.

약효 지혈, 이뇨, 명목(明目)의 효능이 있으므로 비뉵(鼻衄), 토혈, 객혈, 변혈, 외상출혈, 목적예막(目赤翳膜)을 치료한다. 만성기관지염에 복용하였더니 기침이 줄어들고 가래를 뱉는 횟수가 줄어들었으며, 고혈압 환자가 복용하였더니 혈압이 약간 내렸다는 보고가 있다.

성분 kaempferol-3-diglucoside, kaempferol-3,7-diglucoside, kaempferol-3-rutinoside, kaempferol-3-diglucoside-7-glucoside, quercetin, kaempferol 등이 함유되어 있다.

약리 열수추출물을 토끼에게 정맥주사하면 혈압 강하 작용이 있으며, 쥐에게 투여하면 중추 신경 억제 작용이 나타난다.

사용법 초문형 5~10g에 물 3컵(600mL)을 넣고 달여서 복용한다.

✿ 물쇠뜨기

[속새과]

능수쇠뜨기

○ 객혈   ○ 요혈, 임병
○ 통풍, 풍습동통

●학명 : *Equisetum sylvaticum* L.   ●영명 : Woodland horse tail
●한자명 : 林間荊   ●별명 : 솔쇠뜨기, 솔속새

| 1 | 2 | 3 | 4 | 5 | 6 | 7 | 8 | 9 | 10 | 11 | 12 |

여러해살이풀. 영양줄기에는 8~18개의 능선이 있고, 윗부분에 가지가 돌려난다. 엽초는 녹색이고 적갈색 치편과 함께 길이 6~10mm이다. 생식줄기는 처음에는 갈색이지만 점차 녹색의 가지가 돋아나며 영양줄기와 같아진다. 포자낭수는 길이 1~2cm이다.

분포 · 생육지 백두산을 비롯한 우리나라 북부. 중국, 일본, 러시아 등 북반구. 숲속에서 자란다.

약용 부위 · 수치 전초를 봄과 여름에 채취하여 흙을 털고 물에 씻은 후 썰어서 말린다.

약물명 임문형(林間荊)

약효 양혈지혈(凉血止血), 청열이뇨(淸熱利尿), 거풍지통(祛風止痛)의 효능이 있으므로 객혈, 요혈(尿血), 임병(淋病), 통풍(痛風), 풍습동통(風濕疼痛)을 치료한다.

성분 astragalin, populinin, kaempferol-3-*O*-diglucoside, kaempferol-3,7-*O*-diglucoside, kaempferol-3-*O*-rutinoside-7-*O*-rhamnoside, quercetin-3-*O*-diglucoside, herbcetrin, 4,5-didehydrojasmonic acid, abscisic acid 등이 함유되어 있다.

사용법 임문형 10g에 물 3컵(600mL)을 넣고 달여서 복용한다.

○ 임문형(林間荊)

 능수쇠뜨기

[속새과]

큰속새

○ 이질, 간장염   ○ 인후통
○ 탈모

●학명 : *Equisetum giganteum* L.   ●영명 : Giant horsetail
●한자명 : 伏地卷柏   ●별명 : 선비눌이끼, 선구슬살이

| 1 | 2 | 3 | 4 | 5 | 6 | 7 | 8 | 9 | 10 | 11 | 12 |

여러해살이풀. 높이 1~3m. 땅속줄기는 짧고 옆으로 벋으며 땅위 가까운 곳에서 여러 개로 갈라져 나오기 때문에 여러 줄기가 모여난 것 같다. 줄기는 곧게 서며 짙은 녹색, 퇴화된 비늘 같은 잎은 마디를 싸서 엽초가 된다.

분포 · 생육지 남아메리카 원산. 우리나라 전역 습지나 연못가에서 자라는 귀화 식물이다.

약용 부위 · 수치 지상부를 여름부터 가을에 걸쳐 채취하여 물에 씻은 후 썰어서 말린다.

약물명 Equiseti Herba

약효 이질, 사혈(瀉血), 탈모, 인후통, 간장염을 치료한다.

사용법 Equiseti Herba 40g에 물 5컵(1L)을 넣고 달여서 하루 2~3번 마신다. 탈모증에는 100g에 물 5컵(1L)을 넣고 달여서 달인 액으로 머리를 감거나 두피에 바른다.

○ 큰속새(줄기)

○ 큰속새(재배)

속새

 목적, 목생운예 😣 장풍하혈
치혈, 탈항

● 학명 : *Equisetum hyemale* L. ● 영명 : Horse tail, Scouring rush, Dutch rush
● 한자명 : 木賊 ● 별명 : 목적

| 1 | 2 | 3 | 4 | 5 | 6 | 7 | 8 | 9 | 10 | 11 | 12 |

여러해살이풀. 높이 30~60cm. 여러 줄기가 모여난다. 줄기는 곧게 서며 짙은 녹색, 가지가 없고 뚜렷한 마디와 마디 사이에는 10~18개의 능선이 있다. 퇴화된 비늘 같은 잎은 마디를 싸서 엽초가 되고 능선과 교대로 달리며 떨어진다.

분포·생육지 우리나라 제주도와 강원도 이북. 중국, 일본, 러시아, 북아메리카. 산골짜기 음습지에서 자란다.

약용 부위·수치 지상부를 여름부터 가을에 걸쳐 채취하여 물에 씻은 후 썰어 말린다. 대한민국약전외한약(생약)규격집(KHP)에 수재되어 있다.

약물명 목적(木賊). 목적초(木賊草), 절절초(節節草), 절골초(節骨草)라고도 한다.

본초서 목적(木賊)은 「가우본초(嘉祐本草)」에 처음 수재되어 "예막(醫膜)을 물리치며 적괴(積塊)를 녹이고 간담(肝膽)을 보익한다."고 하였다. 「본초강목(本草綱目)」에는 "기육을 풀어 주고(解肌) 눈물을 그치게 하며(止淚) 출혈을 멈추게 한다."고 하였고,

「동의보감(東醫寶鑑)」에 "간장과 담낭을 보하고 눈을 밝게 하며 예막(醫膜), 각막이 흐려지는 병)을 없앤다. 치질 때 피가 나오는 것을 낫게 하고 피가 섞인 대변을 낫게 한다. 몸 안에 있는 바람의 기운을 몰아내고 생리가 멎지 않는 것과 자궁에서 분비물이 나오는 것을 그치게 한다."고 하였다.

嘉祐本草: 主目疾 退醫膜 消積塊 益肝膽.
東醫寶鑑: 益肝膽 明目 退醫膜 療腸風下血 止血痢 去風 主月水不斷 崩中赤白.

성상 지상부로 긴 원통형이며 길이 30~60cm. 가지는 없고 마디 사이는 3~6cm으로 흑색이며 짧은 통 모양의 엽초가 마디를 둘러싸고 있다. 냄새가 없고 맛은 달며 쓰고 떫다.

기미·귀경 평(平), 감(甘), 미고(微苦)·폐(肺), 간(肝), 담(膽)

약효 소풍산열(疏風散熱), 명목퇴예(明目退翳), 지혈(止血)의 효능이 있으므로 풍열(風熱)로 오는 목적(目赤), 목생운예(目生雲翳), 장풍하혈(腸風下血), 치혈(痔血), 탈항

을 치료한다. 황달이나 결막염 환자가 복용하여 효과가 나타났고, 신우신염이나 요로결석, 소변을 볼 때 피가 섞여 나올 때 복용하여 효과를 보았다는 보고가 있다.

성분 palustrin, dimethylsulfone, thymine, vanillin, kaempferol, kaempferol glycoside 등이 함유되어 있다.

약리 에탄올추출물 10g/kg을 고양이의 복강에 주사하면 혈압이 내려간다. 열수추출물 12g/kg을 쥐에게 투여하면 혈중 콜레스테롤이 줄어든다. 70%메탄올추출물은 혈압에 관여하는 angiotensin converting enzyme의 활성을 저해한다. 85%메탄올추출물은 항산화 작용과 소염 작용이 있다.

사용법 목적 5g에 물 2컵(400mL)을 넣고 달여서 복용하거나 환약이나 가루약으로도 복용한다. 기혈(氣血)이 허약한 사람, 안질(眼疾)이 노기(怒氣)나 여름철 더위를 먹고 갑자기 얼굴이나 살갗이 붉어지는 사람은 복용을 피한다.

처방 목적산(木賊散): 목적(木賊)·목만(木饅)·지각(枳殼)·괴각(槐殼)·복령(茯苓)·형개(荊芥) 각 동량을 가루로 만들어 1회 8g 복용(『직지방(直指方)』). 외감풍열(外感風熱)로 목적장예(目赤障翳)에 사용한다.

* 짧은 가지 또는 긴 가지를 내는 '물속새 *E. limosum*'도 약효가 같다.

❍ 속새

❍ 목적(木賊)

❍ 속새 군락(물기가 많은 곳에서 자란다.)

[속새과]

개속새

 풍열감모, 해수　　목적종통

● 학명 : *Equisetum ramosissimum* Desf. [*Hippochaete ramosissimum*]　　● 영명 : Horse tail, scouring rush, Dutch rush　　● 한자명 : 節節草　　● 별명 : 선비놀이끼, 선구슬살이

| 1 | 2 | 3 | 4 | 5 | 6 | 7 | 8 | 9 | 10 | 11 | 12 |

여러해살이풀. 뿌리줄기는 길게 벋으며 흑색, 줄기는 곧게 자라며 중간 부위에 불규칙하게 2~3개의 가지가 나온다. 엽초는 10~24개의 능선이 있고 엉성하게 줄기를 감싸며 치편과 함께 길이 7~15mm이다. 포자낭수는 원줄기 끝에 달리며 길이 1~2cm이다.

분포 · 생육지 우리나라 전역. 중국, 일본, 타이완, 유럽, 아프리카. 양지나 하천가 모래밭에서 자란다.

약용 부위 · 수치 지상부를 여름부터 가을에 걸쳐 채취하여 물에 씻은 후 썰어서 말린다.

약물명 필통초(筆筒草). 통기초(通氣草), 토목적(土木賊), 미모초(眉毛草)라고도 한다.

성상 지상부로 긴 원통형이며, 길이 30~60cm. 가지는 없고, 마디 사이는 3~6cm, 흑색으로 짧은 통 모양의 엽초가 마디를 둘러싸고 있다. 냄새가 없고 맛은 달며 쓰고 떫다.

약효 청열(淸熱), 명목(明目), 지혈, 이뇨의 효능이 있으므로 풍열감모(風熱感冒), 해수, 목적종통(目赤腫痛)을 치료한다.

성분 nicotine, palustrine, kaempferol−3−sophoroside−7−glucoside, kaempferol−3−sophoroside 등이 함유되어 있다.

사용법 필통초 10g에 물 3컵(600mL)을 넣고 달여서 복용한다.

❍ 개속새

❍ 필통초(筆筒草)

[고사리삼과]

산꽃고사리삼

목적종통　　해수　　토혈

● 학명 : *Botrychium japonicum* Under. [*Scepteridium japonicum*]
● 별명 : 큰고사리삼

| 1 | 2 | 3 | 4 | 5 | 6 | 7 | 8 | 9 | 10 | 11 | 12 |

여러해살이풀. 높이 35~60cm. 잎과 잎자루에 털이 있다. 여름에는 말랐다가 가을에 싹이 나와 봄까지 자란다. 잎은 3회 깃꼴겹잎, 작은잎은 끝이 둔하다. 포자엽은 길이 6~9cm이며 바늘 모양으로 영양엽보다 길다. 포자낭수는 길이 10cm 정도이다.

분포 · 생육지 우리나라 남부 지방, 제주도. 중국, 일본, 타이완. 음지에서 자란다.

약용 부위 · 수치 전초를 여름에 뿌리째 뽑아서 물에 깨끗이 씻은 다음 햇볕에 말린다.

약물명 화동음지궐(華東陰地蕨)

약효 청간명목(淸肝明目), 화담소종(化痰消腫)의 효능이 있으므로 목적종통(目赤腫痛), 해수, 토혈을 치료한다.

사용법 화동음지궐 10g에 물 2컵(400mL)을 넣고 달여서 복용한다.

❍ 화동음지궐(華東陰地蕨)

❍ 산꽃고사리삼

[고사리삼과]

긴꽃고사리삼

독사교상

● 학명 : *Botrychium strictum* Underw.
● 한자명 : 勁直陰地蕨　● 별명 : 긴여름꽃고사리, 긴꽃고사리

| 1 | 2 | 3 | 4 | 5 | 6 | 7 | 8 | 9 | 10 | 11 | 12 |

○ 조지호(抓地虎)

여러해살이풀. 뿌리줄기는 짧고 바로 선다. 잎자루는 길이 15~20cm. 영양엽은 2~3회 깃꼴겹잎, 소우편에 자루가 없고, 포자엽은 영양엽의 하부에서 나오고 곧게 자라며, 포자낭수는 2회 깃꼴로 갈라진다.

분포 · 생육지 우리나라 중부 이북. 중국, 일본, 타이완, 인도. 산지 숲속에서 자란다.

약용 부위 · 수치 전초를 사시사철 채취하여 물에 깨끗이 씻어서 햇볕에 말린다.

약물명 조지호(抓地虎)

약효 청열해독(淸熱解毒)의 효능이 있으므로 독사교상을 치료한다.

사용법 조지호 7g에 물 2컵(400mL)을 넣고 달여서 복용한다.

○ 긴꽃고사리삼

[고사리삼과]

고사리삼

고열

창양종독

폐열해수, 해혈, 백일해

급성결막염

● 학명 : *Botrychium ternatum* (Thunb.) Sw.　● 영명 : Grape fern
● 한자명 : 陰地蕨　● 별명 : 꽃고사리

| 1 | 2 | 3 | 4 | 5 | 6 | 7 | 8 | 9 | 10 | 11 | 12 |

여러해살이풀. 굵은 뿌리는 사방으로 퍼지고, 1개의 잎이 나와 2개로 갈라져서 영양엽과 포자엽으로 된다. 영양엽은 잎자루가 길며 3개로 갈라지고 다시 2~3회 깊게 갈라진다. 포자엽은 영양엽보다 길고 윗부분이 잘게 갈라져서 각 가지에 좁쌀 같은 포자낭군이 달린다.

분포 · 생육지 우리나라 전역. 중국, 일본, 타이완, 인도. 숲속이나 산골짜기에서 잘 자란다.

약용 부위 · 수치 전초를 겨울 또는 봄에 뿌리째 뽑아서 깨끗이 씻어서 햇볕에 말린다.

약물명 음지궐(陰地蕨). 배사생(背蛇生), 산혈엽(散血葉)이라고도 한다.

기미 · 귀경 미한(微寒), 감(甘), 고(苦) · 폐(肺), 간(肝)

약효 청열해독(淸熱解毒), 평간식풍(平肝熄風), 지해, 지혈, 명목거예(明目去翳)의 효능이 있으므로 어린아이의 고열(高熱), 폐열해수(肺熱咳嗽), 해혈(咳血), 백일해, 창양종독(瘡瘍腫毒), 급성결막염을 치료한다.

성분 ternatin, luteolin 등이 함유되어 있다.

사용법 음지궐 5g(신선한 것은 10g)에 물 2컵(400mL)을 넣고 달여서 복용하고, 외용에는 짓찧어 바른다.

○ 음지궐(陰地蕨)

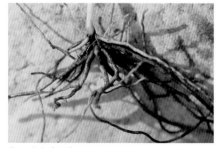

○ 고사리삼

○ 고사리삼(뿌리)

[고사리삼과]

늦고사리삼

● 폐옹　● 창독　● 결막염

● 학명 : *Botrychium virginiatum* (L.) Swartz　● 영명 : Giant horsetail
● 한자명 : 蕨萁　● 별명 : 여름꽃고사리

| 1 | 2 | 3 | 4 | 5 | 6 | 7 | 8 | 9 | 10 | 11 | 12 |

○ 춘불견(春不見)

여러해살이풀. 높이 30~60cm. 줄기 밑부분에는 길이 2~3cm의 비늘 조각이 있다. 영양엽은 자루가 없고 3~4회 깃꼴겹잎, 포자엽도 3~4회 깃꼴겹잎, 우편 자루는 길다.
분포·생육지 우리나라 전역. 중국, 일본, 타이완, 인도, 유럽. 산지 숲속에서 자란다.
약용 부위·수치 전초를 사시사철 채취하여 물에 깨끗이 씻어서 햇볕에 말린다.
약물명 춘불견(春不見). 궐기(蕨萁)라고도 한다.
약효 청열해독(淸熱解毒), 거풍정경(祛風定驚)의 효능이 있으므로 폐옹(肺癰), 창독(瘡毒), 결막염을 치료한다.
사용법 춘불견 7g에 물 2컵(400mL)을 넣고 달여서 복용한다.

○ 늦고사리삼

[고사리삼과]

좀나도고사리삼

● 옹창종독, 개창　● 어체복통

● 학명 : *Ophioglossum thermale* Kom.　● 영명 : Small grape fern
● 한자명 : 一支箭　● 별명 : 갯줄고사리

| 1 | 2 | 3 | 4 | 5 | 6 | 7 | 8 | 9 | 10 | 11 | 12 |

여러해살이풀. 뿌리줄기는 짧고 가늘다. 영양엽은 길이 2~5cm, 홑잎으로 타원형이며 끝이 뾰족하고 가장자리가 밋밋하다. 포자엽은 길이 6~9cm, 바늘 모양으로 영양엽보다 길다. 포자낭수는 길이 4cm 정도이다.
분포·생육지 우리나라 남부 지방. 중국, 일본, 타이완. 해안가의 습지나 약간 건조한 풀밭에서 자란다.
약용 부위·수치 전초를 여름에 뿌리째 뽑아서 물에 깨끗이 씻은 후 햇볕에 말린다.
약물명 일지전(一支箭). 청등(靑藤), 소청등(小靑藤)이라고도 한다.
기미·귀경 미한(微寒), 고(苦), 감(甘)·간(肝)
약효 해열해독(解熱解毒), 활혈거어(活血祛瘀)의 효능이 있으므로 옹창종독(癰瘡腫毒), 개창(疥瘡), 어체복통(瘀滯腹痛)을 치료한다.
사용법 일지전 10g에 물 2컵(400mL)을 넣고 달여서 복용하거나 가루로 만들어 1회 3g을 복용한다.
＊ 잎자루가 긴 '자루나도고사리삼 *O. petiolatum*'도 약효가 같다.

○ 좀나도고사리삼

나도고사리삼

 폐열해수, 폐옹, 폐로토혈

●학명 : *Ophioglossum vulgatum* L.　●영명 : Adder's tongue
●한자명 : 瓶爾小草　●별명 : 줄고사리

| 1 | 2 | 3 | 4 | 5 | 6 | 7 | 8 | 9 | 10 | 11 | 12 |

여러해살이풀. 뿌리줄기는 원주형으로 바로 선다. 영양엽은 길이 6~12cm로 잎자루가 없으며 심장형으로 밑부분이 갑자기 좁아져 포자엽의 잎자루를 감싼다. 포자낭수는 길이 3cm 정도, 포자는 6월에 성숙하며 망상맥이 발달하기 때문에 가장자리에 돌기가 있는 것처럼 보인다.

분포 · 생육지 우리나라 제주도. 중국, 일본, 타이완, 인도, 러시아, 유럽, 북아메리카. 산지의 숲 가장자리나 풀밭에서 자란다.

약용 부위 · 수치 전초를 여름에 뿌리째 뽑아 서 물에 깨끗이 씻은 후 햇볕에 말린다.

약물명 병이소초(瓶爾小草). 일지창(一枝槍)이라고도 한다.

기미 · 귀경 미한(微寒), 감(甘) · 폐(肺)

약효 청열양혈(淸熱凉血), 해독진통(解毒鎭痛)의 효능이 있으므로 폐열해수(肺熱咳嗽), 폐옹(肺癰), 폐로토혈(肺癆吐血)을 치료한다.

사용법 병이소초 10g에 물 3컵(600mL)을 넣고 달여서 복용하거나 가루로 만들어 1회 3g을 복용한다.

❍ 나도고사리삼

복건관음좌련

 붕루, 유옹　 풍습비통

심번실면　종독

●학명 : *Angiopteris fokiensis* Hieron.　●한자명 : 福建觀音座蓮, 福建蓮座蕨

| 1 | 2 | 3 | 4 | 5 | 6 | 7 | 8 | 9 | 10 | 11 | 12 |

❍ 복건관음좌련(포자낭군)

여러해살이풀. 높이 1.5~3m. 뿌리줄기는 바로 서며 덩이 같다. 잎자루는 굵고 육질이며 길이 50cm 정도. 잎몸은 모여나며 2회 깃꼴겹잎으로 가죽질이다. 포자낭군은 작은잎의 가장자리에 2줄로 밀착한다.

분포 · 생육지 우리나라 제주도. 중국, 타이완, 싱가포르, 인도차이나. 숲 가장자리에서 자란다.

약용 부위 · 수치 주먹 같은 뿌리줄기를 여름과 가을에 채취하여 수염뿌리를 제거하고 물에 씻어서 말려 사용한다.

약물명 마제궐(馬蹄蕨). 관음좌련(觀音座蓮), 관음련(觀音蓮)이라고도 한다.

약효 청열양혈(淸熱凉血), 거어지혈(祛瘀止血), 진통안신(鎭痛安神)의 효능이 있으므로 붕루(崩漏), 유옹(乳癰), 종독(腫毒), 풍습비통(風濕痺痛), 심번실면(心煩失眠)을 치료한다.

사용법 마제궐 10g에 물 3컵(600mL)을 넣고 달여서 복용한다.

❍ 복건관음좌련

[용비늘고사리과]

관음고사리

붕루, 유옹　풍습비통
심번실면　종독

●학명 : *Angiopteris lygodiifolia* Rosen.　●한자명 : 觀音座蓮　●별명 : 관음고사리

| 1 | 2 | 3 | 4 | 5 | 6 | 7 | 8 | 9 | 10 | 11 | 12 |

여러해살이풀. 높이 1~3m. 잎자루는 잎몸의 길이와 비슷하며, 기부는 팽대하고 매끈하다. 뿌리줄기는 굵고, 잎은 2회 깃꼴겹잎, 잎맥은 2개로 갈라져 끝에 가서 다시 갈라진다. 포자낭군은 작은잎의 가장자리에 2줄로 밀착한다.

분포 · 생육지 우리나라 제주도. 중국, 타이완, 싱가포르, 인도차이나. 숲 가장자리에서 자란다.

약용 부위 · 수치 주먹 같은 뿌리줄기를 여름과 가을에 채취하여 수염뿌리를 제거하고 물에 씻어서 말려 사용한다.

약물명 마제궐(馬蹄蕨). 관음좌련(觀音座蓮), 관음련(觀音蓮)이라고도 한다.

※ 약효와 사용법은 '복건관음좌련 *A. fokiensis*'과 같다.

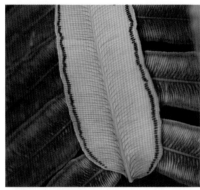
♦ 관음고사리(포자낭군)

♦ 관음고사리

[고비과]

고비

감기　토혈, 변혈
종독, 마진, 수두

●학명 : *Osmunda japonica* Thunb.　●영명 : Japanese royal fern
●한자명 : 紫箕貫衆　●별명 : 가는고비

| 1 | 2 | 3 | 4 | 5 | 6 | 7 | 8 | 9 | 10 | 11 | 12 |

여러해살이풀. 높이 60~100cm. 주먹 같은 뿌리줄기에 많은 잎이 모여나며, 잎은 2회 깃꼴겹잎. 영양엽은 2회 우편으로 갈라지고, 생식엽은 영양엽보다 일찍 나와서 일찍 스러지고, 작은우편은 매우 좁아져서 선형으로 되며 포자낭군이 밀착한다. 때로는 영양엽 일부가 포자엽으로 변할 때도 있다.

분포 · 생육지 우리나라 황해도 이남. 중국, 일본, 타이완, 필리핀, 인도차이나. 숲가장자리에서 흔하게 자란다.

약용 부위 · 수치 주먹 같은 뿌리줄기를 여름과 가을에 채취하여 수염뿌리를 제거하고 물에 씻어서 말려 사용한다.

약물명 자기관중(紫箕貫衆). 자기(紫箕), 자궐(紫蕨)이라고도 한다.

본초서 「본초강목(本草綱目)」에는 자궐(紫蕨), 미궐(米蕨)이라는 이름으로, 「동의보감(東醫寶鑑)」에는 미(薇)라는 이름으로 수재되어 "중초(中焦)의 기운을 다스리고 소변을 잘 나오게 하여 부종을 치료한다."고 하였다.

약효 청열해독(淸熱解毒), 거어지혈(祛瘀止血), 살충(殺蟲)의 효능이 있으므로 감기, 종독(腫毒), 마진(痲疹), 수두(水痘), 토혈(吐血), 변혈(便血), 기생충병을 치료한다.

성분 dryocrassin, (4*R*,5*S*)-osmundalactone,

(4*R*,5*S*)-5-hydroxy-2-hexen-4-olide, dihyddroisoosmundaline, cinnamtannin B-1 등이 함유되어 있다.

약리 열수추출물 10g/kg을 토끼에게 경구로 투여하면 혈액 응고가 저지된다. 물로 달인 액은 장내 기생충의 운동을 마비시킨다.

사용법 자기관중 10g에 물 3컵(600mL)을 넣고 달여서 복용한다.

♦ 자기관중(紫箕貫衆)

♦ 고비(뿌리줄기에서 나온 새싹)

♦ 고비

[고비과]

꿩고비

| 유행성감기 | 육혈 | 대하 |
| 소변불리 | 혈변 | |

● 학명 : *Osmunda cinnamomea* L. [*O. cinnamomoea* var. *fokiensis*]
● 영명 : Cinnamon fern   ● 한자명 : 桂皮紫萁

| 1 | 2 | 3 | 4 | 5 | 6 | 7 | 8 | 9 | 10 | 11 | 12 |

여러해살이풀. 높이 60~100cm. 굵은 뿌리줄기에서 잎이 모여나고, 잎은 1회 깃꼴 겹잎, 영양엽과 생식엽의 2가지가 있다. 포자낭군이 달린 우편의 솜털에는 흑색 털이 섞여 있어서 기본 종과 구별된다.

분포 · 생육지 우리나라 충북 이북, 중국, 일본, 인도차이나. 숲 가장자리에서 자란다.
약용 부위 · 수치 주먹 같은 뿌리줄기를 여름과 가을에 채취하여 수염뿌리를 제거하고, 물에 씻어서 말려 사용한다.
약물명 계피자기(桂皮紫萁). 우모광동(牛毛廣東)이라고도 한다.
약효 청열해독(淸熱解毒), 지혈, 살충의 효능이 있으므로 유행성감기, 육혈(衄血), 소변불리, 몸 안의 기생충, 혈변(血便), 대하(帶下)를 치료한다. 피가 섞여 나오는 이질에 복용하여 효과를 보았다는 보고가 있다.
성분 leucoanthocyanine, phenylalanine, glutamic acid 등이 함유되어 있다.
약리 물로 달인 액은 장내 기생충의 운동을 마비시킨다.
사용법 계피자기 10g에 물 3컵(600mL)을 넣고 달여서 복용한다.
＊ 우리나라 설악산 이북의 습한 산지에서 자라는 '음양고비 *O. clatoniana*'도 약효가 같다.

❍ 꿩고비

❍ 계피자기(桂皮紫萁)

❍ 꿩고비(어린 싹)

❍ 꿩고비(뿌리줄기)

[고비과]

서양고비

| 감기 | 류머티즘, 통풍 |

● 학명 : *Osmunda regalis* L.   ● 영명 : Royal fern   ● 별명 : 왕관고비

| 1 | 2 | 3 | 4 | 5 | 6 | 7 | 8 | 9 | 10 | 11 | 12 |

여러해살이풀. 높이 60~100cm. 뿌리줄기는 굵고 옆으로 벋으며 잔뿌리가 많이 달린다. 잎은 모여나며 2회 깃꼴겹잎, 영양엽은 2회 우편으로 갈라지고, 생식엽은 영양엽보다 일찍 나온다. 어린잎은 둥글게 말려 나오며 솜털로 덮여 있다.
분포 · 생육지 유럽, 중앙아시아, 히말라야, 남아메리카. 숲 가장자리에 흔하게 자란다.
약용 부위 · 수치 뿌리줄기를 여름과 가을에 채취하여 수염뿌리를 제거한 뒤 물에 씻어서 썰어서 사용한다.
약물명 Osmundae Rhizoma
약효 해열, 소염의 효능이 있으므로 감기, 류머티즘, 통풍을 치료한다.
사용법 Osmundae Rhizoma 10g에 물 3컵(600mL)을 넣고 달여서 복용한다.

❍ 서양고비(어린 싹)

❍ 서양고비

꿩고사리

 유행성감기

● 학명 : *Plagiogyria euphlebia* (Kunze) Mett. ● 영명 : Giant horsetail
● 한자명 : 華中瘤足蕨 ● 별명 : 버들잎쥐꼬리, 버들잎고사리

| 1 | 2 | 3 | 4 | 5 | 6 | 7 | 8 | 9 | 10 | 11 | 12 |

여러해살이풀. 뿌리줄기는 굵으며 잎이 모여난다. 영양엽은 1회 깃꼴로 비스듬히 나고 잎자루가 있으며, 하부의 우편에도 잎자루가 있다. 포자엽은 1회 깃꼴로 영양엽보다 길고 바로 선다. 포자낭군은 주맥과 가장자리 중간에 한 줄로 배열된다.

분포 · 생육지 우리나라 제주도와 남쪽의 섬. 중국, 일본, 타이완, 히말라야, 인도네시아. 산이나 들에서 자란다.

약용 부위 · 수치 뿌리줄기 또는 지상부를 여름과 가을에 채취하여 물에 씻은 후 썰어서 말린다.

약물명 화중류족궐(華中瘤足蕨)

약효 청열해독(淸熱解毒)의 효능이 있으므로 유행성감기를 치료한다.

사용법 화중류족궐 10g에 물 3컵(600mL)을 넣고 달여서 복용한다.

○ 꿩고사리

섬꿩고사리

 유행성감기   풍열두통

● 학명 : *Plagiogyria japonica* Nakai ● 영명 : Giant horsetail
● 한자명 : 華東瘤足蕨 ● 별명 : 암꿩고사리, 큰꿩고사리

| 1 | 2 | 3 | 4 | 5 | 6 | 7 | 8 | 9 | 10 | 11 | 12 |

여러해살이풀. 뿌리줄기는 굵고 짧다. 영양엽은 길이 40~80cm, 1회 깃꼴로 비스듬히 나고, 포자엽은 길이 1m 정도이다. '꿩고사리'에 비하여 우편의 길이가 짧고 잎자루가 없다.

분포 · 생육지 우리나라 제주도와 남쪽의 섬. 중국, 일본, 타이완, 히말라야, 인도네시아, 필리핀. 숲속에서 자란다.

약용 부위 · 수치 뿌리줄기 또는 지상부를 여름과 가을에 채취하여 물에 씻은 후 썰어서 말린다.

약물명 화중류족궐(華中瘤足蕨)

약효 청열해독(淸熱解毒), 소종(消腫)의 효능이 있으므로 유행성감기, 풍열두통(風熱頭痛)을 치료한다.

사용법 화중류족궐 10g에 물 3컵(600mL)을 넣고 달여서 복용한다.

○ 섬꿩고사리

큰발풀고사리

 오공교상, 외상출혈   비출혈

● 학명 : *Dicranopteris ampla* Ching et Chiu

| 1 | 2 | 3 | 4 | 5 | 6 | 7 | 8 | 9 | 10 | 11 | 12 |

여러해살이풀. 높이 1.5m 정도. 뿌리줄기는 옆으로 벋는다. 잎은 길이 80cm 정도, 끝이 2개로 갈라져서 각각 1쌍의 우편이 달리며 우편의 끝에서 또 1쌍의 우편이 달려 모두 6개의 우편으로 된다. 포자낭군은 주맥 양측에 불규칙하여 2~3줄로 배열한다.
분포 · 생육지 중국 윈난성(雲南省), 장가계(張家界). 산골짜기에서 자란다.
약용 부위 · 수치 지상부를 여름과 가을에 채취하여 물에 씻은 후 썰어서 말린다.
약물명 대망기(大芒其)
약효 해독, 지혈의 효능이 있으므로 오공교

상(蜈蚣咬傷), 비출혈(鼻出血), 외상출혈을 치료한다.
사용법 대망기 10g에 물 2컵(400mL)을 넣고 달여서 복용하고, 외용에는 짓찧어서 바른다.

○ 큰발풀고사리

철망기

 혈붕, 백대   해혈
외상출혈, 타박골절, 풍진소양

● 학명 : *Dicranopteris linearis* Underwood   ● 한자명 : 鐵芒其

| 1 | 2 | 3 | 4 | 5 | 6 | 7 | 8 | 9 | 10 | 11 | 12 |

덩굴성 여러해살이풀. 철사 같은 뿌리줄기는 옆으로 벋으며 암갈색, 높이 60~150cm, 잎은 끝이 2개로 갈라져서 각각 1쌍의 우편이 달린다. 포자낭군은 주맥과 가장자리 중간에 1줄로 배열한다.
분포 · 생육지 중국, 타이완, 히말라야, 인도네시아. 산이나 들에서 자란다.

약용 부위 · 수치 전초를 여름과 가을에 채취하여 물에 씻은 후 썰어서 말린다.
약물명 낭기초(狼其草). 천로기(穿路其)라고도 한다.
약효 지혈, 접골, 청열이습(淸熱利濕), 해독소종(解毒消腫)의 효능이 있으므로 혈붕(血崩), 해혈(咳血), 외상출혈, 타박골절, 백대

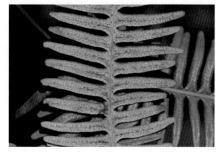

○ 철망기(포자낭군)

(白帶), 풍진소양(風疹瘙瘍), 독사교상을 치료한다.
사용법 낭기초 10g에 물 2컵(400mL)을 넣고 달여서 복용하고, 외용에는 짓찧어 바른다.

○ 철망기

발풀고사리

 백대   목적종통
열림삽통

- 학명 : *Dicranopteris pedatum* (Houtt.) Nakaike ● 영명 : Scrambling fern
- 한자명 : 芒萁草 ● 별명 : 발각고사리

| 1 | 2 | 3 | 4 | 5 | 6 | 7 | 8 | 9 | 10 | 11 | 12 |

여러해살이풀. 철사 같은 뿌리줄기는 옆으로 번고, 잎은 높이 1m 정도. 잎자루는 끝이 2개로 갈라져서 각각 1쌍의 우편이 달리며, 우편의 끝에서 또 1쌍의 우편이 달려 모두 6개의 우편으로 된다. 포자낭군은 주맥과 가장자리 중간에 한 줄로 배열된다.

분포 · 생육지 우리나라 제주도와 남쪽의 섬. 중국, 일본, 타이완, 히말라야, 인도네시아. 산이나 들에서 자란다.

약용 부위 · 수치 지상부를 여름과 가을에 채취하여 물에 씻은 후 썰어서 말린다.

약물명 망기골(芒萁骨). 초망(草芒), 산궐(山蕨)이라고도 한다.

약효 화어지혈(化瘀止血), 청열이뇨(淸熱利尿), 해독소종(解毒消腫)의 효능이 있으므로 백대(白帶), 열림삽통(熱淋澁痛), 목적종통(目赤腫痛)을 치료한다.

성분 protocathechuic acid, afzelin, quercitrin, *p*−β−rutinosyloxystyrene, β−sitosterol, daucosterol, stigmasterol 등이 함유되어 있다.

사용법 망기골 10g에 물 3컵(600mL)을 넣고 달여서 복용한다.

◐ 망기골(芒萁骨)

◐ 발풀고사리

풀고사리

 비뉵   골절

- 학명 : *Gleichenia japonica* Spreng. [*G. glauca*] ● 한자명 : 裏白

| 1 | 2 | 3 | 4 | 5 | 6 | 7 | 8 | 9 | 10 | 11 | 12 |

여러해살이풀. 뿌리줄기는 옆으로 길게 벋는다. 잎자루는 길이 50~100cm로 끝에 1쌍의 우편이 달린다. 잎몸은 길이 50~100cm, 너비 20~30cm, 우편은 2회 깃꼴로 갈라져 많은 우편이 달린다. 가장자리에 털이 있고, 표면은 광택이 나며 뒷면은 백색을 띠고 털이 없다.

분포 · 생육지 우리나라 제주도와 남쪽의 섬. 중국, 일본, 타이완, 히말라야, 인도네시아. 산이나 들에서 자란다.

약용 부위 · 수치 전초를 여름과 가을에 채취하여 물에 씻은 후 썰어서 말린다.

약물명 중화리백(中華里白)

약효 지혈(止血), 접골(接骨)의 효능이 있으므로 비뉵(鼻衄), 골절을 치료한다.

성분 protocathechuic acid, afzelin, quercitrin, *p*−β−rutinosyloxystyrene, β−sitosterol, daucosterol, stigmasterol 등이 함유되어 있다.

사용법 중화리백 10g에 물 2컵(400mL)을 넣고 달여서 복용한다.

＊잎의 뒷면이 녹색이며 열편의 끝이 뾰족한 '암풀고사리 *G. laevissima*'도 약효가 같다.

◐ 중화리백(中華里白)

◐ 풀고사리

[실고사리과]

실고사리

요로감염증, 요로결석 　수종

황달

● 학명 : *Lygodium japonicum* (Thunb.) Sw.　● 영명 : Japanese climbing fern
● 한자명 : 海金沙草　● 별명 : 해금사

1	2	3	4	5	6	7	8	9	10	11	12

덩굴성 여러해살이풀. 뿌리줄기는 길게 땅속으로 벋고 흑색이다. 잎은 잎자루가 원줄기처럼 되어 다른 물체를 감아 올라가면서 자라고, 잎줄기는 중간에 2개로 갈라지고 잎처럼 보이는 1쌍의 우편을 낸다. 잎 뒷면 가장자리에 포자낭군이 달린다.

분포 · 생육지 우리나라 제주도, 거제도 및 남부 지방. 중국, 일본, 타이완, 히말라야, 인도. 산기슭이나 숲속에서 자란다.

약용 부위 · 수치 전초는 8~9월에 채취하여 말려서 사용한다. 포자는 입추를 전후하여 채취하는데, 새벽에 이슬이 마르기 전에 줄기와 잎을 잘라서 헝겊으로 만든 바구니에 넣어 바람을 피해 햇볕에 말린 뒤 손으로 비벼 잎 뒤에 붙어 있는 포자를 떨어내고 체로 쳐서 잎과 줄기를 제거한다. 뿌리와 뿌리줄기는 8~9월에 채취한다.

약물명 전초를 해금사초(海金沙草), 포자를 해금사(海金沙)라 한다. 해금사(海金沙)라는 이름은 포자가 금색이고 바닷가 모래와 비슷하므로 붙여진 것이다.

성상 해금사(海金沙)는 포자로 황갈색의 가루이며 가볍고 알갱이가 작다. 불에 넣으면 터지는 소리가 나며, 재는 남지 않는다. 냄새는 없고 맛은 담담하다.

기미 · 귀경 한(寒), 감(甘), 담(淡) · 소장(小腸), 방광(膀胱)

약효 해금사초(海金沙草)는 청열해독(淸熱解毒), 이수통림(利水通淋), 활혈통락(活血通絡)의 효능이 있으므로 요로감염증, 신장염으로 인한 수종, 황달을 치료한다. 해금사(海金沙)는 이수통림(利水通淋), 청열해독(淸熱解毒)의 효능이 있으므로 요로결석, 요로감염증을 치료한다. 편도선염이 자주 생기는 사람, 피부가 벌겋게 되면서 화끈거리고 열이 나는 환자에게 투여하여 좋은 효과를 보았다는 보고가 있다.

성분 지상부에 *trans-p*-coumaric acid, caffeic acid, diacylglyceryltrimethylhomoserine 등이 함유되어 있다.

약리 *trans-p*-coumaric acid는 담즙 분비를 촉진한다.

사용법 해금사초 10g에 물 3컵(600mL)을 넣고 달여서 복용하고, 외용에는 짓찧어 바른다. 해금사는 4g에 물 2컵(400mL)을 넣고 달여서 복용하고, 뿌리는 신선한 것 20g에 물 3컵(600mL)을 넣고 달여서 복용한다.

제제 요로결석 및 요로감염 치료용 제제가 있다.

• 요감영충제(尿感寧冲劑): 해금사초(海金沙草) 100g, 연전초(連錢草) 100g, 봉미초(鳳尾草) 100g, 율초(葎草) 100g, 자화지정(紫花地釘) 100g을 물에 달인 액을 농축하여 만든다.

• 관통편(冠通片): 해금사초(海金沙草)추출물 600g, 갈근(葛根)추출물 250g, 진피(陳皮)추출물 400g, 야국(野菊)추출물 250g

처방 해금사탕(海金沙湯): 해금사(海金沙) · 육계(肉桂) · 감초(甘草) 각각 8g, 복령(茯苓) · 저령(豬苓) · 백출(白朮) · 작약(芍藥) 각 12g, 택사(澤瀉) 20g, 활석(滑石) 28g, 석위(石葦) 4g을 가루로 만들어 매회 12g에 등심초(燈心草) 30개를 넣어 물에 달여서 복용, 동량을 가루로 만들어 1회 8g 복용(『경험방(經驗方)』). 세균 감염에 의한 요로결석, 요혈에 사용한다.

○ 실고사리

○ 실고사리(포자낭군)

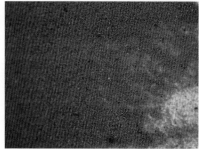
○ 해금사(海金沙)

○ 해금사초(海金沙草)

좁은잎실고사리

요로감염증, 비뇨기결석

●학명 : *Lygodium microstachyum* Desv. ●한자명 : 狹葉海金沙

| 1 | 2 | 3 | 4 | 5 | 6 | 7 | 8 | 9 | 10 | 11 | 12 |

덩굴성 여러해살이풀. 뿌리줄기는 길게 땅속으로 벋으며 흑색이다. 잎은 잎자루가 원줄기처럼 되어 다른 물체를 감아 올라가면서 자라며 가늘고 길다. 잎 뒷면 가장자리에는 포자낭군이 달린다.
분포 · 생육지 중국, 타이완, 히말라야, 인도. 산기슭이나 숲속에서 자란다.
약용 부위 · 수치 전초를 여름에 채취하여 말려 사용한다.
약물명 협엽해금사(狹葉海金沙)
약효 청열이습(淸熱利濕)의 효능이 있으므로 요로감염증, 비뇨기결석을 치료한다.
사용법 협엽해금사 10g에 물 3컵(600mL)을 넣고 달여서 복용한다.

❍ 좁은잎실고사리

수염이끼

외상출혈

●학명 : *Hymenophyllum barbatum* (v. d. Bosch.) Baker ●한자명 : 華東膜蕨

| 1 | 2 | 3 | 4 | 5 | 6 | 7 | 8 | 9 | 10 | 11 | 12 |

❍ 처녀이끼

상록 여러해살이풀. 뿌리줄기는 가늘고 길며, 흑갈색으로 거의 털이 없다. 잎자루는 길이 1cm 정도로 날개가 있다. 잎몸은 2~3회 깃꼴겹이고, 가장자리에는 불규칙한 잔톱니가 있다. 포자낭군은 열편 끝에 분포하며, 포막은 입술 모양으로 날카로운 톱니가 있다.
분포 · 생육지 우리나라의 남부 지방, 제주도, 중국, 일본, 타이완. 산비탈의 음습한 바위나 나무에 착생한다.
약용 부위 · 수치 전초를 봄부터 가을에 채취하여 물에 씻은 후 사용하거나 말린다.
약물명 화동막궐(華東膜蕨)
약효 지혈의 효능이 있으므로 외상출혈을 치료한다.
성분 apigenin이 함유되어 있다.
사용법 생것을 짓찧어 상처에 붙이거나, 말린 것을 가루로 만들어 상처에 뿌린다.
＊ 포막의 가장자리가 밋밋한 '처녀이끼 *H. wrightii*'도 약효가 같다.

❍ 수염이끼

구척

신허요통, 족슬연약   백대

소변과다, 유정

●학명 : *Cibotium barometz* (L.) J. Sm.   ●한자명 : 狗脊   ●별명 : 금모구척

| 1 | 2 | 3 | 4 | 5 | 6 | 7 | 8 | 9 | 10 | 11 | 12 |

여러해살이풀. 높이 2~3m. 뿌리줄기는 매우 굵고 옆으로 비스듬히 자라고 지름 4~8cm, 황금색 털이 빽빽하게 난다. 잎은 모여나고, 잎자루는 길이 1~1.2m, 자주색을 띠고, 잎몸은 길이 1~1.4m, 너비 0.8~1m, 3회 깃꼴겹잎이다. 포자낭군은 소우편의 가장자리에 있고 타원형이다.

분포 · 생육지 중국 화난성(華南省), 저장성(浙江省), 푸젠성(福建省), 장쑤성(江蘇省), 후난성(湖南省), 타이완. 산비탈이나 숲속에서 자란다.

약용 부위 · 수치 뿌리줄기를 봄부터 가을에 채취하여 물에 씻은 후 말린 다음 모래를 간 솥을 10분 정도 가열한 후 약재를 넣고 저어 가면서 볶는다. 겉껍질이 약간 검어지면 꺼내어 껍질을 제거하고 건조하여 사용한다. 구척편(狗脊片)에 막걸리를 가하여 저어 가면서 볶아서 사용하기도 하는데, 이 것을 주제구척(酒製狗脊)이라고 한다.

약물명 구척(狗脊), 금모구척(金毛狗脊), 백지(白枝), 구청(狗靑), 강척(强脊)이라고도 한다. 대한민국약전(KP)에 수재되어 있다.

본초서 구척(狗脊)은 「신농본초경(神農本草經)」의 중품(中品)에 수재되어 있으며, 중국 약전에 등재되어 있다. 당대(唐代) 소경(蘇敬)의 「신수본초(新修本草)」에는 "지상부는 관중(貫衆)과 비슷하지만 뿌리가 길고 많이 갈라진다. 약재의 모양이 개(狗)의 척추(脊椎)와 비슷하게 생겼으므로 구척(狗脊)이라

한다."고 하였다. 「본초강목(本草綱目)」에는 "구척(狗脊)에는 2가지가 있는데, 하나는 뿌리가 흑색이며 개(狗)의 척추와 비슷하게 생겼고, 다른 하나는 황모(黃毛)가 있으며 역시 개(狗)의 척추와 비슷하다."고 하였다. 「동의보감(東醫寶鑑)」에는 "풍독(風毒)에 의한 각기병, 바람이 차고 습한 기운으로 인해 뼈마디가 아프고 저린 것, 신장의 기운이 허약하여 허리와 무릎이 뻣뻣하면서 아픈 것을 낫게 한다. 노인에게 좋으며 소변을 참지 못하거나 조절하지 못하는 것을 낫게 한다."고 하였다.

神農本草經: 主腰背強, 關肌緩急, 周痺, 寒濕膝痛, 頗利老人.

藥性論: 治男女人毒風軟脚, 邪氣濕痺, 腎氣虛弱, 補益男子, 續筋骨.

本草綱目: 强肝腎, 健骨, 治風虛.

東醫寶鑑: 治風毒軟脚 風寒濕痺 腎氣虛弱 腰膝强痛 頗利老人 療失尿不節 二月八月採根暴乾.

성상 불규칙한 긴 덩어리 모양이며 길이 10~30cm, 지름 2~6cm. 표면은 짙은 갈색이며 황금색의 융모(絨毛)가 빽빽이 나고, 위쪽에는 적갈색의 목질 잎자루가 있으며 아래쪽에는 흑색의 가는 뿌리가 남아 있다. 질은 단단하고 잘 꺾이지 않는다. 냄새는 없고 맛은 덤덤하며 좀 떫다.

품질 비대하고 질이 견실하며 속이 비어 있지 않고 황금색 털이 많은 것이 좋다.

약효 강요슬(强腰膝), 거풍습(袪風濕), 이관절(利關節)의 효능이 있으므로 신허요통(腎虛腰痛), 족슬연약(足膝軟弱), 풍습비통(風濕痺痛), 소변과다, 유정(遺精), 백대(白帶)를 치료한다. 치아를 뽑은 후나 피부 상처에 고백반(枯白礬)과 짓찧어 붙이면 피가 멎고 상처를 아물게 하는 효과가 있고, 어깨가 무지근하고 허리가 아픈 사람이 복용하면 통증이 감소되었다는 보고가 있다. 신허(腎虛)로 인하여 열이 나고 소변 양이 감소하는 경우 복용을 금한다.

성분 onitin, onitin-4-*O*-β-D-allopyranoside, onitin-4-*O*-β-D-glucopyranoside, pterosin R 등이 함유되어 있다.

약리 물로 달인 액은 출혈을 멈추게 하고 항암 효능을 나타낸다.

사용법 구척 10g에 물 3컵(600mL)을 넣고 달여서 복용하고, 알약이나 가루약으로 만들어서 복용한다.

처방 구척음(狗脊飮): 구척(狗脊) · 우슬(牛膝) · 해풍등(海風藤) · 모과(木瓜) · 상지(桑枝) · 송절(松節) · 속단(續斷) · 두충(杜仲) · 진교(秦艽) · 계지(桂枝) · 숙지황(熟地黃) · 당귀(當歸) · 호골교(虎骨膠)(「경험방(經驗方)」). 허약한 사람들의 보약으로 사용한다.

• 녹용환(鹿茸丸): 구척(狗脊), 녹용(鹿茸), 애엽(艾葉), 초갈(醋葛) 각 등분(等分)(「제생방(濟生方)」). 허약한 사람들의 보약으로 사용한다.

* 중국에서 단아구척(單芽狗脊)은 '*Woodwaria unigemmata*' 및 '*Woodwaria japonica*'의 뿌리줄기이다.

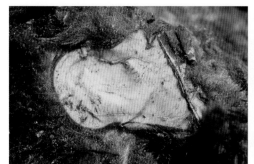

❍ 구척(狗脊)

❍ 구척(狗脊)으로 만든 자양강장제

❍ 구척(狗脊, 절편)

❍ 구척(뿌리줄기)

❍ 구척

[사라과]

사라

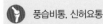 풍습비통, 신허요통

● 학명 : *Alsophila spinulosa* (Wall. ex Hook.) Tryon [*Cythea spinulosa*] ● 한자명 : 抄欏

| 1 | 2 | 3 | 4 | 5 | 6 | 7 | 8 | 9 | 10 | 11 | 12 |

여러해살이풀. 높이 3~5m. 껍질은 견실하고 잎자루가 떨어져 나간 흔적이 남아 있다. 잎은 끝에 여러 개가 있고, 잎자루는 길이 50~70cm이다. 잎몸은 길이 1.3~3m이며 깃꼴겹잎이다. 포자낭군은 원구형이다.

분포 · 생육지 중국 푸젠성(福建省), 광둥성(廣東省), 쓰촨성(四川省), 타이완, 말레이시아, 인도네시아, 오스트레일리아. 해발 100~1,000m의 숲이나 산골짜기에서 자란다.

약용 부위 · 수치 줄기를 봄과 여름에 채취하여 껍질을 벗기고 썰어서 햇볕에 말린다.

약물명 용골풍(龍骨風). 대관중(大貫中)이라고도 한다.

기미 · 귀경 평(平), 미고(微苦) · 신(腎), 위(胃), 폐(肺)

약효 거풍제습(祛風除濕), 활혈통락(活血通絡), 지해평천(止咳平喘), 청열해독(淸熱解毒)의 효능이 있으므로 풍습비통(風痺痛), 신허요통(腎虛腰痛)을 치료한다.

성분 hegoflavone A, 2,3-dihydro-6,6‴-biluteolin, cyclolaudenol, cycloartenol, cholest-5-enol 등이 함유되어 있다.

사용법 용골풍 15g에 물 3컵(600mL)을 넣고 달여서 복용한다.

● 사라(잎자루 기부에 적갈색 털이 많다.)

● 어린 싹   ● 사라

[잔고사리과]

사철잔고사리

 감기두통

● 학명 : *Dennstaedtia scabra* (Wall. ex Hook) Moore. ● 영명 : Scaborous cuplet fern
● 한자명 : 碗蕨

| 1 | 2 | 3 | 4 | 5 | 6 | 7 | 8 | 9 | 10 | 11 | 12 |

여러해살이풀. 뿌리줄기는 옆으로 길게 벋으며 잎이 1cm 간격으로 붙는다. 잎자루는 자갈색으로 광택이 나며 골이 있다. 잎몸은 너비 15cm 정도, 3~4회 깃꼴겹잎, 거센 털이 있다. 중축 표면에 골이 있고 털이 많다. 포자낭군은 잎 가장자리에 달리며, 술잔 모양이며 털은 없다.

분포 · 생육지 우리나라 제주도. 중국, 일본, 타이완, 인도네시아, 타이, 인도. 산지의 숲속에서 자란다.

약용 부위 · 수치 전초를 여름과 가을에 채취하여 말린다.

약물명 완궐(碗蕨)

약효 거풍(祛風), 청열해표(淸熱解表)의 효능이 있으므로 감기두통을 치료한다.

성분 pterosin A, F, K, V, onitisin, 4-hydroxypterosin A, ptaquiloside, dennstoside A가 함유되어 있다.

사용법 완궐 10g에 물 3컵(600mL)을 넣고 달여서 복용한다.

● 사철잔고사리

[잔고사리과]

점고사리

탕화상, 외상출혈

● 학명 : *Hypolepis punctata* (Thunb.) Mett. ex Kuhn. [*Polypodium punctatum*]
● 영명 : Downy ground fern　● 한자명 : 姬蕨　● 별명 : 산고사리

| 1 | 2 | 3 | 4 | 5 | 6 | 7 | 8 | 9 | 10 | 11 | 12 |

여러해살이풀. 뿌리줄기는 옆으로 길게 벋으며 흑색이고 털이 많다. 잎자루는 길이 35~50cm로 갈색이지만, 기부는 암갈색을 띠기도 한다. 잎몸은 3~4회 깃꼴겹잎, 백색의 털이 있다. 포자낭군은 열편의 가장자리에 달리고 점처럼 둥글며 포막이 없다.

분포 · 생육지 우리나라 남부 지방, 제주도. 중국, 일본, 타이완, 필리핀, 동남 아시아. 산과 들의 양지바른 곳에서 자란다.

약용 부위 · 수치 전초를 여름에 채취하여 바로 사용한다.

약물명 희궐(姬蕨). 암희궐(岩姬蕨), 냉수궐(冷水蕨)이라고도 한다.

약효 청열해독(淸熱解毒), 수렴지혈(收斂止血)의 효능이 있으므로 탕화상(湯火傷), 외상출혈을 치료한다.

성분 hypoloside A, B, C, hypacrone, ptaquiloside, pterosin A, D, H, I, K, Z, hypolepin A, B, C 등이 함유되어 있다.

사용법 희궐을 짓찧어 상처에 붙이거나 즙액을 바른다.

◐ 점고사리(포자낭군)

◑ 점고사리

[잔고사리과]

돌잔고사리

옹창절종　　풍습비통

● 학명 : *Microlepia marginata* (Panzer) C. Chr.
● 한자명 : 邊緣鱗盖蕨　● 별명 : 털돌잔고사리, 기슭고사리

| 1 | 2 | 3 | 4 | 5 | 6 | 7 | 8 | 9 | 10 | 11 | 12 |

여러해살이풀. 뿌리줄기는 굵고 옆으로 길게 벋으며 갈색 털이 있다. 잎자루는 길이 20cm 정도, 표면에 털이 있다. 잎몸은 1회 깃꼴겹잎으로 밑부분의 우편이 가장 크다. 포자낭군은 열편 가장자리에 달리며 둥근 심장형으로 겉에 털이 있다.

분포 · 생육지 우리나라 남부 지방, 제주도. 중국, 일본, 타이완, 인도네시아, 타이, 인도. 산지의 약간 건조한 곳에서 자란다.

약용 부위 · 수치 잎을 여름과 가을에 채취하여 생잎 그대로 사용한다.

약물명 변연인개궐(邊緣鱗盖蕨)

약효 청열해독(淸熱解毒), 거풍활락(祛風活絡)의 효능이 있으므로 옹창절종(癰瘡癤腫), 풍습비통(風濕痺痛)을 치료한다.

성분 microlepin, 17-*O*-acetylmicrolepin, 6-*O*-acetylmicrolepin, 4-*epi*-microlepin, fumotoshidin A, B, C 등이 함유되어 있다.

사용법 변연인개궐을 짓찧어 상처에 붙이거나 즙액을 바른다.

◐ 돌잔고사리(포자낭군)

◑ 돌잔고사리

[잔고사리과]

돌토끼고사리

🐛 간염　　🫁 유행성감기

● 학명 : *Microlepia strigosa* (Thunb.) Presl　● 한자명 : 粗毛鱗盖蕨　● 별명 : 민돌잔고사리

| 1 | 2 | 3 | 4 | 5 | 6 | 7 | 8 | 9 | 10 | 11 | 12 |

❶ 돌토끼고사리(포자낭군)　　❶ 돌토끼고사리(뿌리줄기)

여러해살이풀. 뿌리줄기는 옆으로 벋으며 땅위로 나오기도 한다. 잎자루는 표면에 골이 있으며 털이 많다. 잎몸은 2회 깃꼴겹잎으로 밑부분의 우편이 약간 짧고 표면에는 털이 거의 없으나 뒷면에는 털이 많다. 잎맥은 뒷면에 튀어나오고 끝은 톱니에 이른다. 포자낭군은 열편 가장자리에 닿는다.

분포 · 생육지 우리나라 남부 지방, 제주도. 중국, 일본, 타이완. 바닷가 산지에 자란다.

약용 부위 · 수치 여름에 전초를 채취하여 물에 씻은 후 썰어서 말린다.

약물명 조모인개궐(粗毛鱗盖蕨)

약효 청열이습(淸熱利濕)의 효능이 있으므로 간염 및 유행성감기를 치료한다.

성분 (3*R*)-pterosin D, (2*R*,3*R*)-pterosin L, (2*S*)-pterosin P, (2*S*,3*S*)-pterosin C 등이 함유되어 있다.

사용법 조모인개궐 10g에 물 3컵(600mL)을 넣고 달여서 복용한다.

❶ 돌토끼고사리

[잔고사리과]

고사리

🐛 감모발열　　🫁 황달, 이질, 장풍변혈
🫁 폐결핵해혈　　🧍 고혈압

● 학명 : *Pteridium aquilinum* (L.) Kuhn var. *latiusculum* (Desv.) Und.
● 영명 : Eastern bracken　● 한자명 : 蕨　● 별명 : 참고사리, 층층고사리, 북고사리

| 1 | 2 | 3 | 4 | 5 | 6 | 7 | 8 | 9 | 10 | 11 | 12 |

여러해살이풀. 높이 1~1.5m. 굵은 땅속 뿌리줄기가 옆으로 벋고, 잎은 3회 깃꼴겹잎이다. 포자엽의 최종 열편은 너비 3~6mm로 가장자리가 뒤로 말려 포막처럼 되어 포자낭군이 끼워져 있는 것같이 보이며, 포막은 투명하다.

분포 · 생육지 우리나라 전역. 중국, 일본, 타이완 북반구. 산과 들의 햇볕이 잘 드는 곳에서 자란다.

약용 부위 · 수치 잎과 뿌리줄기를 가을과 겨울에 채취하여 말린다.

약물명 잎을 궐(蕨)이라고 하며, 궐기(蕨其)라고도 한다. 뿌리줄기를 궐근(蕨根)이라고 한다.

본초서 「동의보감(東醫寶鑑)」에 궐채(蕨菜)라는 이름으로 수재되어 "갑자기 열이 나는 것을 내리고 소변을 잘 나오게 한다."고 하였다.

기미 · 귀경 한(寒), 감(甘) · 간(肝), 위(胃), 대장(大腸)

약효 궐(蕨)은 청열이습(淸熱利濕), 강기화담(降氣化痰), 지혈의 효능이 있으므로 감

모발열(感冒發熱), 황달, 이질, 대하, 폐결핵해혈(肺結核咳血), 장풍변혈(腸風便血), 풍습비통(風濕痺痛)을 치료한다. 궐기(蕨其)는 인후통, 고혈압, 황달을 치료한다.

성분 indanone계 화합물인 pterosin A, B, C, D, pteroside A, B, C, D, Z, palmitylpterosin A, B, C, isocrotonylpterosin B, benzoylpterosin B, acetylpterosin C가 함유되어 있고, 그 밖에 발암 물질인 pterolactam, ponasterone A, ponasteroside A(warabisterone), pterosterone, ptaquiloside 등이 함유되어 있다.

약리 소와 말에게 먹이면 유독하지만 돼지에게는 해가 없으며, 소에게 이것을 오래 먹이면 소장의 장애, 궤양, 혈뇨, 방광 종양을 일으키고, 쥐에게 먹이면 발암, 특히 소장부의 암을 유발한다. 발암성 물질은 ptaquiloside로 알려졌으며, 이 물질은 pterosin B와 glucose로 분해된다.

사용법 궐 또는 궐근 10g에 물 3컵(600 mL)을 넣고 달여서 복용한다.

❶ 고사리

❶ 궐(蕨)　　❶ 고사리(포자낭군)

[새깃고사리과]

이끼고사리

| 감모발열 | 해수 |
| 장염, 이질, 간염 | 피부습진 |

● 학명 : *Sphenomeris chinensis* (L.) Maxon ● 영명 : Chinese wedgelet fern
● 한자명 : 烏蕨, 野黃連 ● 별명 : 바위고사리

| 1 | 2 | 3 | 4 | 5 | 6 | 7 | 8 | 9 | 10 | 11 | 12 |

여러해살이풀. 뿌리줄기는 옆으로 짧게 벋으며 잎이 조밀하게 붙는다. 잎자루는 길이 5~20cm, 잎몸은 길이 15~50cm로 3~4회 깃꼴겹잎이다. 포자낭군은 잎맥 끝에 1개씩 달리며, 포막은 양쪽 일부와 밑부분이 붙고 가장자리는 밖을 향한다.

분포 · 생육지 우리나라 제주도, 남해 섬. 중국, 일본. 습기가 있는 곳에서 자란다.

약용 부위 · 수치 전초 또는 뿌리줄기를 여름에 채취하여 물에 씻은 뒤 썰어서 말린다.

약물명 대엽금화초(大葉金花草). 야황련(野黃連), 수황련(水黃連), 설선초(雪仙草)라고도 한다.

기미 · 귀경 한(寒), 고(苦) · 간(肝), 폐(肺), 대장(大腸)

약효 청열해독(清熱解毒), 이습지혈(利濕止血)의 효능이 있으므로 감모발열(感冒發熱), 해수(咳嗽), 인후통, 장염, 이질, 간염, 피부습진을 치료한다.

성분 vitexin, syringic acid, kaempferol, procaterchualdehyde, procatechuic acid 등이 함유되어 있다.

사용법 대엽금화초 15g에 물 3컵(600mL)을 넣고 달여서 복용하고, 피부습진에는 생것을 짓찧어 즙액을 바른다.

❍ 대엽금화초(大葉金花草)

❍ 이끼고사리

❍ 이끼고사리(포자낭군)

❍ 이끼고사리(잎 뒷면)

[넉줄고사리과]

중국골쇄보

| 근골동통 | 구리 |

● 학명 : *Davallia sinensis* (Christ) Ching [*D. solida* var. *sinensis*] ● 한자명 : 中國骨碎補

| 1 | 2 | 3 | 4 | 5 | 6 | 7 | 8 | 9 | 10 | 11 | 12 |

여러해살이풀. 높이 40cm 정도. 굵은 뿌리줄기는 길게 옆으로 벋으며, 잎은 따로따로 떨어져서 달린다. 잎자루는 단단하고, 잎몸은 길이 18~22cm, 3회 깃꼴로 갈라진다. 포자낭군은 최종 열편의 잎맥 끝에 1개씩 달린다.

분포 · 생육지 중국 광시성(廣西省), 윈난성(雲南省). 해발 500~1,400m의 골짜기 나무 위나 바위 곁에 붙어서 자란다.

약용 부위 · 수치 줄기를 겨울과 봄에 채취하여 물에 씻은 다음 그대로 물에 쪄서 햇볕에 말리고 잔털을 제거한다.

약물명 석암계(石岩雞). 골쇄보(骨碎補), 산지모(山知母)라고도 한다.

약효 장근골(壯筋骨), 강요슬(強腰膝), 지리(止痢)의 효능이 있으므로 근골동통(筋骨疼痛), 구리(久痢)를 치료한다.

사용법 석암계 10g에 물 3컵(600mL)을 넣고 달여서 복용한다.

❍ 중국골쇄보

[넉줄고사리과]

넉줄고사리

풍습비통, 요통 　타박상
구사 　신허아통

● 학명 : *Davallia mariesii* Moore. ● 영명 : Hare's foot fern
● 한자명 : 骨碎補 ● 별명 : 선비눌이끼, 선구슬살이

| 1 | 2 | 3 | 4 | 5 | 6 | 7 | 8 | 9 | 10 | 11 | 12 |

여러해살이풀. 굵은 뿌리줄기는 길게 옆으로 벋고, 잎은 따로따로 떨어져서 달리며 3회 깃꼴겹잎이다. 우편은 밑부분의 1쌍이 가장 크며, 맨 끝 조각은 끝이 둔하고 다시 2개로 갈라진다. 포자낭군은 최종 열편의 잎맥 끝에 1개씩 달린다.

분포 · 생육지 우리나라 중부 이남. 중국, 일본. 산속의 바위나 나무 줄기에 붙어서 자란다.

약용 부위 · 수치 줄기를 겨울과 봄에 채취하여 물에 씻은 다음 그대로 물에 쪄서 햇볕에 말리고 잔털을 제거한다.

약물명 해주골쇄보(海州骨碎補). 모강(毛姜), 석령지(石靈芝)라고도 한다.

기미 · 귀경 온(溫), 고(苦) · 신(腎)

약효 행혈활락(行血活絡), 거풍지통(祛風止痛), 보신견골(補腎堅骨)의 효능이 있으므로 풍습비통(風濕痺痛), 신허아통(腎虛牙痛), 요통(腰痛), 구사(久瀉) 및 타박상을 치료한다. 경상도 및 전라도 지방에서는 노인

들의 근육통이나 류머티즘에 효과가 있다는 보고가 있다.

성분 지상부는 davallic acid, davallialactone, dryocrassol, fern−9(11)−ene, hop−22(29)−ene, neohop−12−ene 등이 함유되어 있다.

사용법 해주골쇄보 10g에 물 3컵(600mL)을 넣고 달여서 복용하고, 술을 담가 마시거나 환약이나 가루약으로 복용한다. 외상 출혈에는 뿌리껍질에 붙어 있는 털을 상처에 스며들게 바르고 소독 거즈로 덮으며, 화상 치료에는 가루 내어 들기름과 섞어 상처에 바른다.

＊ 지방에 따라 전초 말린 것을 신성초(神聖草)라 하며 위장염 치료에 달여서 복용하기도 한다.

○ 넉줄고사리

○ 해주골쇄보(海州骨碎補)

○ 넉줄고사리(포자낭군)

[넉줄고사리과]

줄고사리

감모발열 　임탁 　폐열해수
황달 　체선

● 학명 : *Nephrolepis cordifolia* (L.) Presl ● 영명 : Tuberous sword fern
● 한자명 : 腎蕨

| 1 | 2 | 3 | 4 | 5 | 6 | 7 | 8 | 9 | 10 | 11 | 12 |

여러해살이풀. 뿌리줄기는 비스듬히 위를 향하며 기는줄기를 많이 내고 털로 덮인 덩이줄기가 달린다. 잎은 1회 깃꼴겹잎이고 길이 80cm 정도로 중축 표면에 골이 있다. 우편은 자루가 없고 얕은 톱니가 있다. 포자낭군은 열편 가장자리에 1열로 배열한다.

분포 · 생육지 우리나라에서는 관상용으로 온실에서 재배한다.

약용 부위 · 수치 뿌리 및 뿌리줄기를 여름에 채취하여 물에 씻은 다음 썰어서 말린다.

약물명 신궐(腎蕨). 원양치(圓羊齒)라고도 한다.

약효 청열이습(淸熱利濕), 통림지해(通淋止咳), 소종해독(消腫解毒)의 효능이 있으므로 감모발열(感冒發熱), 폐열해수(肺熱咳嗽), 황달, 임탁(淋濁), 체선(體癬)을 치료한다.

성분 fern−9(11)−ene, diploptene, daucosterol 등이 함유되어 있다.

사용법 신궐 10g에 물 3컵(600mL)을 넣고 달여서 복용하고, 체선에는 생것을 짓찧어 붙이거나 즙액을 바른다.

○ 신궐(腎蕨)

○ 줄고사리(포자낭군)

○ 줄고사리

물고사리

 복중비괴, 이질 　 창절, 외상출혈

● 학명 : *Ceratopteris thalictroides* (L.) Brongn.　● 영명 : Water fern
● 한자명 : 水蕨

| 1 | 2 | 3 | 4 | 5 | 6 | 7 | 8 | 9 | 10 | 11 | 12 |

한해살이풀. 뿌리줄기는 짧고 바로 서며 갈색의 비늘 조각이 드문드문 있다. 잎자루는 다육질, 영양엽은 2~3회 깃꼴겹잎이고, 포자엽은 3~4회 깃꼴겹잎으로 열편은 너비가 좁다. 포자낭군은 잎맥을 따라 붙고 잎 가장자리가 말려서 이것을 덮는다.

분포 · 생육지 우리나라 전남(구례, 광양, 순천). 중국, 일본, 타이완, 인도네시아, 필리핀. 논이나 작은 수로 주변에서 자란다.

약용 부위 · 수치 전초를 여름에 채취하여 물에 씻은 뒤 썰어서 말린다.

약물명 수궐(水蕨), 용수채(龍鬚菜), 수백(水柏), 수송초(水松草)라고도 한다.

약효 소적산어(消積散瘀), 해독지혈의 효능이 있으므로 복중비괴(腹中痞塊), 이질, 창절(瘡癤), 외상출혈을 치료한다.

사용법 수궐 15g에 물 3컵(600mL)을 넣고 달여서 복용하고, 외용에는 생것을 짓찧어 환부에 붙인다.

○ 물고사리

암공작고사리

소변불리, 혈림 　 해수

● 학명 : *Adiantum capillus-junonis* Rupr.
● 한자명 : 圓羽鐵線蕨　● 별명 : 바위공작고사리

| 1 | 2 | 3 | 4 | 5 | 6 | 7 | 8 | 9 | 10 | 11 | 12 |

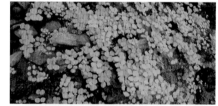

○ 암공작고사리 군락

여러해살이풀. 뿌리줄기는 짧고 가는 갈색 비늘 조각이 붙는다. 잎자루는 가늘고 단단하며, 잎몸은 1회 깃꼴로 갈라지고 중축의 끝부분이 자라서 무성아(無性牙)가 생긴다. 포자낭군은 우편 가장자리에 붙고 장타원형의 위포막에 덮인다.

분포 · 생육지 한반도 중부 이북. 중국, 일본, 타이완. 바위나 돌이 많은 곳에서 자란다.

약용 부위 · 수치 전초를 여름철에 채취하여 물에 씻어서 말린다.

약물명 시병철선궐(翅柄鐵線蕨), 저종초(豬鬃草), 우모침(牛毛針)이라고도 한다.

약효 청열해독(淸熱解毒), 이뇨, 지해의 효능이 있으므로 소변불리, 혈림(血淋), 해수를 치료한다.

사용법 시병철선궐 15g에 물 3컵(600mL)을 넣고 달여서 복용한다.

○ 암공작고사리

봉작고사리

감모발열	폐열해수	대하
습열설사	임탁	

● 학명 : *Adiantum capillus-veneris* L. ● 영명 : Southern maiden hair
● 한자명 : 鐵線蕨

1	2	3	4	5	6	7	8	9	10	11	12

여러해살이풀. 뿌리줄기는 짧게 기고 갈색 비늘 조각이 조밀하게 붙는다. 잎은 끝에서 모여난다. 잎자루는 길이 3~15cm, 흑갈색이며 광택이 있다. 잎몸은 2회 깃꼴로 갈라지고 우편에 자루가 있다. 포자낭군은 열편의 윗가장자리에 달린다.

분포·생육지 중국, 타이완. 우리나라에서는 온실에서 재배한다.

약용 부위·수치 전초를 여름철에 채취하여 물에 씻어서 말린다.

약물명 저종초(豬鬃草), 저모칠(豬毛七), 암종(岩棕)이라고도 한다.

약효 청열해독(淸熱解毒), 이수통림(利水通淋)의 효능이 있으므로 감모발열(感冒發熱), 폐열해수(肺熱咳嗽), 습열설사(濕熱泄瀉), 임탁(淋濁), 대하(帶下)를 치료한다.

성분 isoquercitrin, astragalin, rutin, kaempferol-3-glucuronide, kaempferol-3-sulfate, 7-fernene 등이 함유되어 있다.

사용법 저종초 15g에 물 3컵(600mL)을 넣고 달여서 복용하거나 술에 담가서 복용한다.

○ 봉작고사리(포자낭군)

○ 봉작고사리

마래철선궐

임증	수종	
유옹		

● 학명 : *Adiantum malesianum* Ghatak [*A. caudatum*]
● 한자명 : 馬來鐵線蕨, 假鞭葉鐵線蕨

1	2	3	4	5	6	7	8	9	10	11	12

여러해살이풀. 뿌리줄기는 짧고 서며 줄기가 많이 나온다. 잎은 모여나며 1회 깃꼴겹잎, 작은잎은 12~25쌍으로 어긋난다. 포자낭군은 작은잎의 위 가장자리에 달린다.

분포·생육지 중국, 타이완, 말레이시아. 습기 많은 바위틈에서 자란다.

약용 부위·수치 전초를 여름철에 채취하여 물에 씻어서 말린다.

약효 이수통림(利水通淋), 청열해독(淸熱解毒)의 효능이 있으므로 임증(淋症), 수종(水腫), 유옹(乳癰)을 치료한다.

사용법 암풍자 15g에 물 3컵(600mL)을 넣고 달여서 복용한다.

○ 마래철선궐

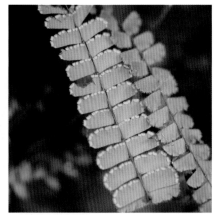

○ 마래철선궐(포자낭군)

섬공작고사리

폐열해수　감모발열　옹종정독

● 학명 : *Adiantum monochlamys* D. C. Eaton　● 한자명 : 石長生

1 2 3 4 5 6 7 8 9 10 11 12

여러해살이풀. 뿌리줄기는 짧게 기고 흑갈색 비늘 조각이 있다. 잎자루는 길이 10~20cm, 광택이 있는 자갈색이며 기부에만 비늘 조각이 있다. 잎몸은 3회 깃꼴겹잎으로 우편은 둥근 쐐기형이며, 중축은 가늘고 적갈색이다. 포자낭군은 우편의 끝 오목한 곳에 1~2개 달린다.

분포 · 생육지 우리나라 제주도, 울릉도, 중국, 타이완. 산지 경사진 암벽에 착생한다.

약용 부위 · 수치 전초를 여름철에 채취하여 썰어서 말린다.

약물명 석장생(石長生). 단초(丹草), 장생초(長生草)라고도 한다.

약효 청열화담(淸熱化痰), 해독(解毒)의 효능이 있으므로 폐열해수(肺熱咳嗽), 감모발열(感冒發熱), 옹종정독(癰腫疔毒)을 치료한다.

성분 adianene, adian-5-en-ozonide, 7-fernene, filicene, hydroxyadiantone, hyperin, astragalin, prunin 등이 함유되어 있다.

사용법 석장생 15g에 물 3컵(600mL)을 넣고 달여서 복용하거나 술을 담가서 복용한다.

❶ 섬공작고사리　　　　　　　❶ 포자낭군

❶ 석장생(石長生)

공작고사리

폐열해수　이질, 황달　소변임삽　창종

● 학명 : *Adiantum pedatum* L.　● 영명 : Norhern maiden hair
● 한자명 : 掌葉鐵線蕨

1 2 3 4 5 6 7 8 9 10 11 12

여러해살이풀. 높이 50~70cm. 뿌리줄기는 거의 곧게 서며, 잎몸은 2개씩 한쪽으로 갈라져 8~12개의 우편이 부채살 같다. 포자낭군은 열편의 위 가장자리에 달리고, 잎 가장자리가 뒤로 젖혀지며, 포막은 옆으로 긴 타원형이다.

분포 · 생육지 우리나라 제주도, 울릉도, 경북, 강원, 북부 지방. 일본, 중국 둥베이(東北) 지방, 러시아. 산속 그늘진 곳이나 바위 틈에서 자란다.

약용 부위 · 수치 전초를 여름철에 채취하여 썰어서 말린다.

약물명 철사칠(鐵絲七). 동사초(銅絲草), 철사초(鐵絲草)라고도 한다.

기미 · 귀경 미한(微寒), 고(苦) · 폐(肺), 간(肝), 방광(膀胱)

약효 청열해독(淸熱解毒), 이수통림(利水通淋)의 효능이 있으므로 폐열해수(肺熱咳嗽), 이질, 황달, 소변임삽(小便淋澁), 창종(瘡腫)을 치료한다.

성분 지상부에는 fernene, isofernene, 7-fernene, filicene, filicenal, adiantone, adipedatol, neohopene, neohopadiene, fernadiene 등이 함유되어 있다.

사용법 철사칠 10g에 물 3컵(600mL)을 넣고 달여서 복용한다. 피부병에 복용하고, 피부에 달인 액을 발라서 효과가 좋았다는 보고가 있다.

＊ 잎이 1회 우편으로 갈라지고 잎줄기 끝부분에 무성아(無性芽)가 생기는 '암공작고사리 *A. capillus-junosis*', 잎 끝에 무성아가 생기는 '봉작고사리 *A. capillus-veneris*'도 약효가 같다.

❶ 공작고사리

❶ 철사칠(鐵絲七)

❶ 공작고사리(포자낭군)

[공작고사리과]

부싯깃고사리

- 학명 : *Cheilanthes argentea* (Gmel.) Kunze
- 영명 : Silver cloak fern
- 한자명 : 銀粉背蕨
- 별명 : 참고비고사리

1	2	3	4	5	6	7	8	9	10	11	12

풍습성관절염 / 대변설사 / 월경부조, 경폐복통, 적백대하 / 타박상

여러해살이풀. 뿌리줄기는 바로 서거나 비스듬히 서며, 잎은 모여난다. 잎몸은 길이 3~10cm, 5각형으로 앞면은 녹색을 띠고, 뒷면은 분백색이며 간혹 녹색을 띠는 것도 있다. 포자낭군은 잎 가장자리에 붙고 서로 연결되어 막질의 포막으로 덮인다.

분포·생육지 우리나라 전역. 중국, 일본, 타이완, 러시아, 필리핀, 인도. 산속 양지바른 바위틈에서 자란다.

약용 부위·수치 전초를 여름과 가을철에 채취하여 물에 씻은 뒤 썰어서 말린다.

약물명 통경초(通經草). 금사초(金絲草), 철골초(鐵骨草), 지경초(止驚草)라고도 한다.

기미·귀경 평(平), 신(辛), 감(甘)·간(肝), 폐(肺)

약효 활혈조경(活血調經), 지해(止咳), 이습(利濕), 해독소종(解毒消腫)의 효능이 있으므로 월경부조(月經不調), 경폐복통(經閉腹痛), 적백대하(赤白帶下), 폐로해혈(肺勞咳血), 대변설사, 소변삽통(小便澁痛), 폐옹(肺癰), 유옹(乳癰), 풍습성관절염, 타박상을 치료한다.

성분 alepterolic acid, sucrose 등이 함유되어 있다.

사용법 통경초 10g에 물 3컵(600mL)을 넣고 달여서 복용하고, 외용에는 짓찧어서 환부에 붙인다.

❍ 부싯깃고사리

❍ 통경초(通經草)

[공작고사리과]

고비고사리

- 학명 : *Coniogramme intermedia* Hieron.
- 영명 : Giant horsetail
- 한자명 : 華鳳了蕨
- 별명 : 참고비고사리

1	2	3	4	5	6	7	8	9	10	11	12

풍습비통 / 타박상, 창종 / 대하 / 설사 / 소변임삽

여러해살이풀. 뿌리줄기는 굵고 옆으로 길게 벋는다. 잎은 드문드문 나오고 높이 1m 정도, 2회 깃꼴겹잎이다. 잎몸은 7~8쌍의 우편으로 갈라지며, 밑부분에 달린 1~3쌍의 우편은 다시 갈라진다. 잎맥은 2개씩 갈라져서 톱니까지 이르며, 포자낭군은 가장자리에서 5mm 정도 떨어진다.

분포·생육지 우리나라 제주도, 전남북, 경기, 강원, 평남, 평북, 함남. 중국, 일본, 러시아, 인도. 산속 그늘진 곳이나 바위틈에서 자란다.

약용 부위·수치 뿌리줄기를 가을철에 채취하여 물에 씻은 뒤 썰어서 말린다.

약물명 흑호칠(黑虎七). 죽절칠(竹節七), 과산룡(過山龍)이라고 한다.

기미·귀경 평(平), 감(甘), 담(淡)·방광(膀胱), 대장(大腸)

약효 청리습열(淸利濕熱), 거풍활혈(祛風活血)의 효능이 있으므로 소변임삽(小便淋澁), 설사, 대하, 풍습비통(風濕痺痛), 창종(瘡腫), 타박상을 치료한다. 허리가 아프고 근육통이 심한 환자가 복용하고 증상이 가벼워졌다는 보고가 있다.

사용법 흑호칠 10g에 물 3컵(600mL)을 넣고 달여서 복용하거나, 술에 담가 하루에 1~2차례 복용해도 좋다.

❍ 고비고사리

❍ 고비고사리(포자낭군)

[공작고사리과]

가지고비고사리

| 풍습근골통 | 목적종통 |
| 어혈복통 | 타박상 |

- 학명 : *Coniogramme japonica* (Thunb.) Diels
- 한자명 : 日本鳳了蕨 ● 별명 : 가지고사리, 가지고비

| 1 | 2 | 3 | 4 | 5 | 6 | 7 | 8 | 9 | 10 | 11 | 12 |

여러해살이풀. 높이 1m 정도. 뿌리줄기는 굵고 옆으로 길게 벋으며, 잎은 드문드문 나오고 2회 깃꼴겹잎, 잎몸은 7~8쌍의 우편으로 갈라지고, 잎맥은 톱니까지 닿지 못하며 여기저기에서 합쳐져서 그물맥을 형성한다. 포자낭군이 잎맥의 가장자리까지

❖ 가지고비고사리

가기도 한다.

분포 · 생육지 우리나라 중부 이남. 중국, 일본, 러시아, 인도. 산속 그늘진 곳이나 바위 틈에서 자란다.

약용 부위 · 수치 전초를 여름과 가을철에 채취하여 물에 씻은 뒤 썰어서 말린다.

약물명 산혈련(散血蓮), 활혈련(活血蓮), 양각초(羊角草)라고도 한다.

기미 · 귀경 양(凉), 신(辛), 고(苦) · 간(肝)

약효 거풍제습(祛風除濕), 산혈지통(散血止痛), 청열해독(清熱解毒)의 효능이 있으므로 풍습근골통(風濕筋骨痛), 어혈복통(瘀血腹痛), 타박상, 목적종통(目赤腫痛)을 치료한다.

성분 pterosin D, epipterosin L, daucosterol, octabenzone 등이 함유되어 있다.

사용법 산혈련 15g에 물 3컵(600mL)을 넣고 달여서 복용하거나 술에 담가 하루에 1~2차례 복용해도 좋다.

❖ 산혈련(散血蓮)

[공작고사리과]

선바위고사리

| 풍열감모, 해수 | 인후통 |
| 소변임통 | 습열황달 |

- 학명 : *Onychium japonicum* (Thunb.) Kunze ● 영명 : Carrot fern
- 한자명 : 日本金粉蕨 ● 별명 : 참고비고사리

| 1 | 2 | 3 | 4 | 5 | 6 | 7 | 8 | 9 | 10 | 11 | 12 |

여러해살이풀. 뿌리줄기는 길게 벋으며 막질의 비늘 조각이 있고, 잎은 드문드문 나온다. 잎자루는 길이 10~20cm이고, 잎몸은 3~4회 깃꼴겹잎으로 포자엽은 영양엽보다 크다. 포자낭군은 소우편의 끝부분을 제외하고 양쪽 가장자리 전체에 붙고 얇은 위포막(僞苞膜)으로 덮인다.

분포 · 생육지 우리나라 제주도, 전남, 전북,

경남, 경북. 중국, 일본, 필리핀. 산지의 숲 가장자리나 양지바른 길가의 돌담에서 자란다.

약용 부위 · 수치 전초를 가을철에 채취하여 물에 씻은 뒤 썰어서 말린다.

약물명 소야계미(小野鷄尾), 해풍사(海風絲), 초련(草連)이라고도 한다.

기미 · 귀경 한(寒), 고(苦) · 심(心), 간(肝), 폐(肺), 위(胃)

약효 청열해독(清熱解毒), 이습지혈(利濕止血)의 효능이 있으므로 풍열감모(風熱感冒), 해수(咳嗽), 인후통(咽喉痛), 소변임통(小便淋痛), 습열황달(濕熱黃疸)을 치료한다.

성분 kaempferitrin, pterisin, pteroside M, chicoric acid, onychiol C 등이 함유되어 있다.

사용법 소야계미 15g에 물 3컵(600mL)을 넣고 달여서 복용한다.

❖ 선바위고사리

❖ 소야계미(小野鷄尾)

❖ 선바위고사리(포자낭군)

[일엽아재비과]

일엽아재비

 풍습비통　　목예

● 학명 : *Vittaria flexuosa* Fee [*V. japonica, Haploptaris flexuosa*]
● 한자명 : 書帶蕨　● 별명 : 사자란

| 1 | 2 | 3 | 4 | 5 | 6 | 7 | 8 | 9 | 10 | 11 | 12 |

여러해살이풀. 뿌리줄기는 짧게 벋으며 잎이 모여나고 갈색의 비늘 조각이 빽빽이 난다. 잎은 뿌리줄기에서 많이 나오며, 잎몸은 홑잎이며 가늘고 길다. 포자낭군은 잎맥을 따라 선 모양으로 길며 포막은 없고 측사(側絲)가 있다.

분포 · 생육지 우리나라 제주도. 중국, 일본, 타이완. 숲속 나무에 착생한다.

약용 부위 · 수치 전초를 가을부터 겨울까지 채취하여 말린다.

약물명 서대궐(書帶蕨). 수련금(水蓮金)이라고도 한다.

약효 청열식풍(清熱熄風), 서근지통(舒筋止痛)의 효능이 있으므로 목예(目翳), 풍습비통(風濕痺痛)을 치료한다.

사용법 서대궐 10g에 물 3컵(600mL)을 넣고 달여서 복용한다.

❶ 일엽아재비

❶ 일엽아재비(잎)

[봉의꼬리과]

큰봉의꼬리

풍습비통　　수종
이질, 복사, 담낭염

● 학명 : *Pteris cretica* L.　● 영명 : Cretan brake　● 한자명 : 大葉鳳尾蕨

| 1 | 2 | 3 | 4 | 5 | 6 | 7 | 8 | 9 | 10 | 11 | 12 |

여러해살이풀. 뿌리줄기는 옆으로 짧고 굵게 자라고, 흑갈색의 비늘 조각이 다닥다닥 붙어 있다. 잎은 모여나며, 포자엽은 2회 우편으로 갈라지고, 영양엽은 포자엽 길이의 반 정도이며, 포자낭군은 뒤로 말린 우편이나 갈라진 조각의 가장자리와 연결된다.

분포 · 생육지 우리나라 전남, 경남 및 남쪽 섬. 중국, 일본, 타이완, 인도차이나, 말레이시아. 산기슭 양지바른 숲 언저리에서 자란다.

약용 부위 · 수치 전초를 여름부터 가을까지 채취하여 물에 씻은 후 말린다.

약물명 정변초(井邊草). 흑구기(黑枸杞)라고도 한다.

기미 · 귀경 양(凉), 신(辛), 미고(微苦) · 간(肝), 대장(大腸), 방광(膀胱)

약효 청열이습(清熱利濕), 활혈소종(活血消腫)의 효능이 있으므로 이질, 복사(腹瀉), 수종(水腫), 담낭염(膽囊炎), 간염, 풍습비통(風濕痺痛)을 치료한다.

사용법 정변초 10g에 물 3컵(600mL)을 넣고 달여서 복용한다.

＊ 본 종의 변종이며 잎에 무늬가 있는 '알록봉의꼬리 var. *albolineata*'도 약효가 같다.

❶ 큰봉의꼬리

❶ 정변초(井邊草)

❶ 큰봉의꼬리(잎)

반쪽고사리

풍습비통 / 이질, 설사 / 타박상, 창독, 치질

● 학명 : *Pteris dispar* Kuntze
● 한자명 : 天草鳳尾蕨 ● 별명 : 나래반쪽고사리, 날개반쪽고사리, 비늘봉의고사리

| 1 | 2 | 3 | 4 | 5 | 6 | 7 | 8 | 9 | 10 | 11 | 12 |

여러해살이풀. 뿌리줄기는 비스듬히 서고 갈색의 비늘 조각이 있다. 잎은 뿌리줄기에서 많이 나오며 2회 깃꼴겹잎, 우편은 4~5쌍, 소우편은 선형이고 한쪽만 갈라진다. 포자낭군은 뒤로 말린 작은 우편의 가장자리 안에 달린다.

분포 · 생육지 우리나라 제주도 및 남쪽 섬. 중국, 일본, 타이완. 산기슭 양지바른 숲 언저리에서 자란다.

약용 부위 · 수치 전초를 가을부터 겨울까지 채취하여 말린다.

약물명 자치봉미궐(刺齒鳳尾蕨). 반변쌍(半邊双)이라고도 한다.

기미 · 귀경 양(涼), 고(苦), 삽(澁) · 간(肝), 대장(大腸)

약효 청열해독(淸熱解毒), 양혈거어(涼血祛瘀)의 효능이 있으므로 이질, 설사, 풍습비통(風濕痺痛), 타박상, 치질, 창독(瘡毒)을 치료한다.

성분 isopteroside, ent–11α–hydroxy–15– oxo–kaur–16–en–19–carboxy acid, ent–11α–hydroxy–16S–kaurane–19–carboxy acid 등이 함유되어 있다.

사용법 자치봉미궐 10g에 물 3컵(600mL)을 넣고 달여서 복용하거나, 가루를 내거나 짓찧어 나온 즙을 복용한다. 외용할 때는 짓찧어 바르거나 달인 액으로 씻는다.

＊ 본 종과 모양이 비슷하나 잎의 길이가 2m에 달하는 '큰반쪽고사리 *P. inaequalis* var. *aequata*'도 약효가 같다.

◐ 반쪽고사리

◐ 반쪽고사리(잎)

◐ 반쪽고사리(포자낭군)

봉의꼬리

이질, 설사, 황달, 간염, 토혈 / 요혈 / 대하

● 학명 : *Pteris multifida* Poir. ● 영명 : Spider brake ● 한자명 : 鳳尾草

| 1 | 2 | 3 | 4 | 5 | 6 | 7 | 8 | 9 | 10 | 11 | 12 |

여러해살이풀. 뿌리줄기는 옆으로 짧고 굵게 자라며 흑갈색의 비늘 조각이 다닥다닥 붙어 있고, 잎은 모여난다. 포자엽은 2회 우편으로 갈라지고, 영양엽은 포자엽 길이의 반 정도이며, 포자낭군은 뒤로 말린 우편이나 갈라진 조각의 가장자리와 연결된다.

분포 · 생육지 우리나라 전남, 경남 및 남쪽 섬. 일본. 산기슭 양지바른 숲 언저리에서 자란다.

약용 부위 · 수치 전초를 여름부터 가을까지 채취하여 물에 씻은 후 말린다.

약물명 봉미초(鳳尾草). 산계미(山鷄尾), 석장생(石長生)이라고도 한다.

기미 · 귀경 한(寒), 담(淡), 미고(微苦) · 심(心), 간(肝), 대장(大腸)

약효 청열이습(淸熱利濕), 소종해독(消腫解毒), 양혈지혈(涼血止血)의 효능이 있으므로 이질, 설사, 대하, 황달(黃疸), 간염, 토혈(吐血), 요혈(尿血)을 치료한다.

성분 전초는 pterosin C–3–*O*–β–D–glucoside, 2β,15α–dihydroxyentkaur–16–en, creticoside A, B, luteolin–7–*O*–β–D–glucoside 등이 함유되어 있다.

약리 에탄올추출물을 종양을 일으킨 쥐에게 투여하면 종양의 자람이 억제된다. 열수추출물은 각 종 균에 항균 작용이 약하게 나타난다.

사용법 봉미초 10g에 물 3컵(600mL)을 넣고 달여서 복용하거나, 가루를 내거나 짓찧어 나온 즙을 복용한다. 외용할 때는 짓찧어 바르거나 달인 액으로 씻는다.

주의 임산부, 설사를 하는 사람은 사용하지 말아야 한다.

◐ 봉의꼬리   ◐ 포자낭군

◐ 봉미초

알록큰봉의꼬리

🖐	풍습비통	👄	이질, 복사, 간염
🫀	수중		

● 학명 : *Pteris nipponica* W. C. Shieh

1	2	3	4	5	6	7	8	9	10	11	12

여러해살이풀. 잎은 모여나며, 포자엽은 2회 우편으로 갈라지고, 우편은 3~7쌍, 잎자루는 잎몸과 거의 길이가 같다. 영양엽은 포자엽 길이의 절반 정도이다. 포자낭군은 가장자리와 연결된다.

분포 · 생육지 우리나라 제주도. 일본, 타이완. 산기슭 양지바른 숲 언저리에서 자란다.

약용 부위 · 수치 전초를 여름부터 가을까지 채취하여 물에 씻은 후 말린다.

약물명 정변초(井邊草). 흑구기(黑枸杞)라고도 한다.

약효 청열이습(淸熱利濕), 활혈소종(活血消腫)의 효능이 있으므로 이질, 복사(腹瀉), 수종(水腫), 담낭염(膽囊炎), 간염, 풍습비통(風濕痺痛)을 치료한다.

사용법 정변초 10g에 물 3컵(600mL)을 넣고 달여서 복용한다.

● 알록큰봉의꼬리

● 정변초(井邊草)

큰반쪽고사리

👄	이질, 설사, 황달	👁	목적종통
♀	대하		

● 학명 : *Pteris semipinnata* L.
● 한자명 : 半邊旗 ● 별명 : 큰나래고사리, 깃반쪽고사리, 시내봉의꼬리삼

1	2	3	4	5	6	7	8	9	10	11	12

여러해살이풀. 뿌리줄기는 비스듬하고, 잎자루는 적갈색으로 광택이 난다. 잎몸은 2회 깃꼴겹잎으로 우편의 앞쪽은 거의 없다. 포자낭군은 잎 가장자리를 따라 길게 붙고 위포막(僞苞膜)에 덮인다.

분포 · 생육지 우리나라 전남, 경남 및 남쪽 섬. 중국, 일본, 타이완. 산기슭 양지바른 숲에서 자란다.

약용 부위 · 수치 전초를 여름부터 가을까지 채취하여 물에 씻은 후 말린다.

약물명 반변기(半邊旗). 반변궐(半邊蕨)이라고도 한다.

약효 청열이습(淸熱利濕), 양혈지혈(凉血止血), 소종해독(消腫解毒)의 효능이 있으므로 이질, 설사, 대하, 황달, 목적종통(目赤腫痛)을 치료한다.

성분 3-hydroxy-6-hydroxymethyl-2,5,7-trimethyl-indan-1-one, *ent*-11α-hydroxy 15 oxo-kaur-16-en-19-carboxylic acid 등이 함유되어 있다.

약리 열수추출물을 종양을 일으킨 쥐에게 투여하면 종양의 자람이 억제된다.

사용법 반변기 10g에 물 3컵(600mL)을 넣고 달여서 복용한다.

● 큰반쪽고사리

오공초

근육통, 요통, 반신불수   감기

이질

● 학명 : *Pteris vittata* L.   ● 한자명 : 蜈蚣草

| 1 | 2 | 3 | 4 | 5 | 6 | 7 | 8 | 9 | 10 | 11 | 12 |

여러해살이풀. 높이 30~150cm. 뿌리줄기는 짧고 비스듬히 자란다. 잎은 모여나며 1회 깃꼴겹잎, 우편은 30~50쌍, 포자낭군은 우편의 가장자리에 조밀하게 분포한다.
분포 · 생육지 중국 간쑤성(甘肅省), 저장성(浙江省), 강시성(江西省). 해발 2,000~3,100m의 석회질 토양에서 자란다.
약용 부위 · 수치 전초를 여름부터 가을까지 채취하여 물에 씻은 후 말린다.
약물명 오공초(蜈蚣草), 백엽첨(百葉尖), 오공궐(蜈蚣蕨)이라고도 한다.
기미 · 귀경 양(凉), 담(淡), 고(苦) · 간(肝), 대장(大腸), 방광(膀胱)
약효 거풍제습(祛風除濕), 서근활락(舒筋活絡)의 효능이 있으므로 근육통, 요통, 반신불수, 감기, 이질을 치료한다.
사용법 오공초 10g에 물 3컵(600mL)을 넣고 달여서 복용한다.

◐ 오공초(포자낭군)

◐ 오공초

파초일엽

골절   양위증

타박상

● 학명 : *Asplenium antiquum* Makino   ● 영명 : Giant horsetail
● 한자명 : 山蘇花   ● 별명 : 섬섬일엽

| 1 | 2 | 3 | 4 | 5 | 6 | 7 | 8 | 9 | 10 | 11 | 12 |

여러해살이풀. 뿌리줄기는 덩이 모양이고, 잎은 홑잎이며 길이 70~120cm, 주맥은 뒤로 튀어나오며 밑부분은 자주색이 도는 갈색이다. 포자낭군은 긴 바늘 모양으로 측맥을 따라 평행하게 달린다.

분포 · 생육지 우리나라 제주도(섭섬). 중국, 일본, 타이완. 숲속 바위나 나무 위에 붙어서 자란다.
약용 부위 · 수치 전초 또는 뿌리줄기를 가을부터 겨울까지 채취하여 물에 씻어 말린다.

약물명 철마황(鐵螞蟥), 칠성검(七星劍), 산소화(山蘇花)라고도 한다.
약효 강근장골(强筋壯骨), 활혈거어(活血祛瘀)의 효능이 있으므로 양위증(陽痿症), 골절, 타박상을 치료한다.
사용법 철마황 5g에 물 2컵(400mL)을 넣고 달여서 복용한다. 민간에서는 위암 치료에 이용하기도 하며, 정력이 약한 사람은 뿌리줄기를 잘 씻어서 술에 담가서 복용한다.
* 우리나라 제주도, 울릉도, 변산반도에 자라며 잎맥이 잎 가장자리에서 서로 만나지 않는 '나도파초일엽(골고사리) *A. scolopendrium*'도 약효가 같다.

◐ 철마황(鐵螞蟥)

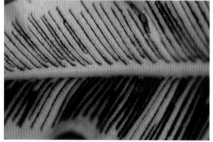

◐ 파초일엽(포자낭군)

◐ 파초일엽

[꼬리고사리과]

꼬리고사리

🔲 황달형간염 🫁 폐열해수
🔲 소변불리

○ 암춘초(岩春草)

○ 꼬리고사리(뿌리)

● 학명 : *Asplenium incisum* Thunb. ● 한자명 : 虎尾鐵角蕨

| 1 | 2 | 3 | 4 | 5 | 6 | 7 | 8 | 9 | 10 | 11 | 12 |

🌾 🍃 🌿 🎋 🌱 🌸 🍂 ❄️ 🌾 💧

여러해살이풀. 뿌리줄기는 짧고 비스듬히
서며 끝에서 잎이 모여난다. 잎자루는 길
이 1~3cm, 뒷면이 적갈색으로 윤채가 나
고 표면에 얕은 골이 있다. 잎은 1~2회 깃
꼴겹잎, 영양엽은 옆으로 퍼지고, 포자엽은
길이 30cm 이상 곧게 자란다. 포자낭군은
중륵 가까이에 2줄씩 달린다.
분포 · 생육지 우리나라 전역, 중국, 일본,
러시아 동부. 낮은 지대 숲속이나 바위에
착생한다.
약용 부위 · 수치 전초를 여름과 가을에 채취
하여 물에 씻어서 말린다.
약물명 암춘초(岩春草), 상한초(傷寒草),
지혈초(止血草)라고도 한다.
약효 청열해독(淸熱解毒), 평간진경(平肝鎭
驚), 지혈이뇨(止血利尿)의 효능이 있으므
로 황달형간염, 폐열해수(肺熱咳嗽), 소변
불리(小便不利)를 치료한다.
사용법 암춘초 15g에 물 3컵(600mL)을 넣
고 달여서 복용한다.

○ 꼬리고사리

[꼬리고사리과]

깃고사리

🔲 간염, 이질 🔲 외상출혈

● 학명 : *Asplenium normale* D. Don ● 한자명 : 倒卦鐵角蕨

| 1 | 2 | 3 | 4 | 5 | 6 | 7 | 8 | 9 | 10 | 11 | 12 |

🌾 🍃 🌿 🎋 🌱 🌸 🍂 ❄️ 🌾 💧

여러해살이풀. 뿌리줄기는 짧고, 잎은 모여
나고 1회 깃꼴겹잎, 우편의 기부가 약간 돌
출한다. 포자낭군은 각 열편에 1~3개가 붙
고, 포막은 선형으로 우편의 가장자리에 달
린다.
분포 · 생육지 우리나라 제주도. 중국, 일본.
양지바른 산지 바위 표면이나 돌담에서 자
란다.
약용 부위 · 수치 전초를 가을부터 겨울까지
채취하여 물에 씻어서 말린다.
약물명 도괘초(倒挂草)
약효 청열해독(淸熱解毒), 지혈의 효능이 있
으므로 간염, 이질, 외상출혈을 치료한다.
성분 kaempferol, quercetin, acacetin, api-
genin−7−*O*−dirhamnoside, genkwanin,
luteolin−7−*O*−dirhamnoside 등이 함유되
어 있다.
사용법 도괘초 10g에 물 3컵(600mL)을 넣
고 달여서 복용하고, 외용에는 짓찧어서 바
른다.

○ 깃고사리(포자낭군)

○ 깃고사리

[꼬리고사리과]

숫돌담고사리

| 해수담다 | 풍습비통 |
| 장염이질 | 요로감염 |

● 학명 : *Asplenium prolongatum* Hooker   ● 한자명 : 倒生連

| 1 | 2 | 3 | 4 | 5 | 6 | 7 | 8 | 9 | 10 | 11 | 12 |

여러해살이풀. 뿌리줄기는 짧고 비스듬히 선다. 잎자루는 어릴 때는 비늘 조각이 드문드문 있다. 잎몸은 2회 깃꼴겹잎이며, 중축이 자라서 무성아가 생겨 땅에 닿으면 새로운 개체가 된다. 포자낭군은 각 열편에 1개씩 달리고, 포막은 바늘 모양으로 길이 3~7mm이다.

분포·생육지 우리나라 제주도. 중국, 일본, 인도네시아, 인도. 낮은 지대 숲속이나 바위에 착생한다.

약용 부위·수치 전초를 여름과 가을에 채취하여 물에 씻은 후 말린다.

약물명 도생련(倒生連), 화로서(花老鼠), 미생근(尾生根), 금계미(金鷄尾)라고도 한다.

기미·귀경 양(涼), 신(辛), 미고(微苦)·간(肝), 폐(肺), 방광(膀胱)

성분 2-aminopimeric acid, 4-hydroxy-2-aminopimeric acid 등이 함유되어 있다.

약효 청열해독(清熱解毒), 화담지혈(化痰止血)의 효능이 있으므로 해수담다(咳嗽痰多),

풍습비통(風濕痺痛), 장염이질(腸炎痢疾), 요로감염(尿路感染)을 치료한다.

● 도생련(倒生連)

● 숫돌담고사리(포자낭군)

● 숫돌담고사리

사용법 도생련 15g에 물 3컵(600mL)을 넣고 달여서 복용한다.

[꼬리고사리과]

거미고사리

| 혈전폐색성맥관염 | 자궁출혈 |
| 신경성피부염, 하지궤양 | |

● 학명 : *Asplenium ruprechtii* Kurata [*Camptosorus sibiricus* Rupr.]
● 영명 : Siberian walking fern   ● 한자명 : 過山蕨

| 1 | 2 | 3 | 4 | 5 | 6 | 7 | 8 | 9 | 10 | 11 | 12 |

여러해살이풀. 땅속줄기는 짧고 가늘며 잎이 다닥다닥 붙는다. 잎은 타원형으로 잎끝이 길게 뾰족하고 가늘어져서 끝에서 새싹이 나온다. 포자낭군은 중륵 가까이에 붙고, 잎맥이 작은 것은 비스듬히 또는 직각으로 붙는다.

분포·생육지 우리나라 전역. 중국, 일본, 시베리아. 바위나 오래된 나무에 붙어서 자란다.

약용 부위·수치 전초를 여름과 가을에 채취하여 물에 씻어서 말린다.

약물명 마등초(馬蹬草), 환양초(還陽草)라고도 한다.

약효 활혈화어(活血化瘀), 지혈, 해독의 효능이 있으므로 혈전폐색성맥관염(血栓閉塞性脈管炎), 자궁출혈, 신경성피부염, 하지궤양(下肢潰瘍)을 치료한다.

성분 kaempferol, kaempferol-3-glucosyl-7-*O*-rhamnoside, kaempferol-3,7-*O*-diglucoside, caffeic acid 등이 함유되어 있다.

약리 열수추출물을 토끼의 귀에 정맥주사하면 혈관 확장 작용이 나타난다. kaempferol을 포함한 플라보노이드 성분을 토끼로부터 분리한 장관에 적하하면 평활근이 이완된다.

사용법 마등초 5g에 물 2컵(400mL)을 넣고 달여서 복용하거나 가루로 만들어 1회 1g씩 복용한다. 외용에는 가루 내어 상처에 뿌린다.

● 거미고사리

● 포자낭군

● 마등초(馬蹬草)

[꼬리고사리과]

차꼬리고사리

	외상출혈		식적복사, 이질		해수
	신염수종		월경부조, 백대		

- 학명 : *Asplenium trichomanes* L. - 영명 : Maiden hair spleenwort
- 한자명 : 鐵角蕨

1	2	3	4	5	6	7	8	9	10	11	12

여러해살이풀. 뿌리줄기는 짧고 마른 잎으로 덮이며, 잎은 모여 난다. 잎자루는 길이 2~5cm, 잎줄기와 더불어 흑갈색이다. 잎몸은 긴 타원형이며 1회 깃꼴로 갈라진다. 중축 표면 양쪽에 좁은 날개가 있다. 우편은 타원형이고 끝이 뭉툭하다. 포자낭군은 바늘 모양이고 우편에 5개 정도가 달리며 포막이 있다.

분포 · 생육지 우리나라 제주도, 팔공산, 서울 근교. 중국, 일본. 양지바른 산지의 바위 겉이나 돌담에서 자란다.

약용 부위 · 수치 전초를 가을부터 겨울까지 채취하여 말린다.

약물명 철각봉미초(鐵角鳳尾草). 석림주(石林柱)라고도 한다.

약효 청열이습(淸熱利濕), 해독소종(解毒消腫), 조경지혈(調經止血)의 효능이 있으므로 신염수종(腎炎水腫), 식적복사(食積複寫), 이질, 해수(咳嗽), 객혈(喀血), 월경부조(月經不調), 백대(白帶), 외상출혈을 치료한다.

성분 22(29)-hopene, kaempferol-3,7-dir-hamnoside, kaempferol-3-*O*-α-L-arab-ino-7-*O*-α-L-rhamnoside, rutin 등이 함유되어 있다.

사용법 철각봉미초 10g에 물 3컵(600mL)을 넣고 달여서 복용하고, 외용에는 짓찧어 바른다.

❂ 차꼬리고사리

❂ 포자낭군

❂ 철각봉미초(鐵角鳳尾草)

[꼬리고사리과]

애기꼬리고사리

	골절		도상, 창양궤란, 탕화상

- 학명 : *Asplenium tenuicaule* Hayata [*A. varians*] - 영명 : Giant horsetail
- 한자명 : 小葉鐵角蕨 - 별명 : 좀사철고사리, 바위꼬리고사리

1	2	3	4	5	6	7	8	9	10	11	12

여러해살이풀. 뿌리줄기는 짧고, 잎은 모여 나며 2회 깃꼴겹잎이다. 포자낭군은 각 열편에 1~3개가 붙고, 포막은 선형으로 황백색이며 길이 1~3mm이다.

분포 · 생육지 우리나라 중부 이남. 중국, 일본. 양지바른 산지의 바위 겉이나 돌담에서 자란다.

약용 부위 · 수치 전초를 가을부터 겨울까지 채취하여 말린다.

약물명 구도생(九倒生). 철랑계(鐵郎鷄)라고도 한다.

약효 활혈소종(活血消腫), 지혈생기(止血生肌)의 효능이 있으므로 골절, 도상(刀傷), 창양궤란(瘡瘍潰爛), 탕화상(燙火傷)을 치료한다.

사용법 구도생 10g에 물 3컵(600mL)을 넣고 달여서 복용하고, 외용에는 짓찧어서 바른다.

❂ 애기꼬리고사리(포자낭군)

❂ 애기꼬리고사리

[새깃아재비과]

소철고사리

감기

● 학명 : *Brainea insignis* (Hook.) J. Smith [*Boweringia insignis*]   ● 한자명 : 蘇鐵蕨

| 1 | 2 | 3 | 4 | 5 | 6 | 7 | 8 | 9 | 10 | 11 | 12 |

❶ 소철고사리(포자낭군)

여러해살이풀. 높이 1.2m 정도. 뿌리줄기는 굵고 비스듬히 서며 갈색 비늘 조각이 많다. 잎은 모여나며, 잎자루 주변에는 비늘 조각이 많다. 잎몸은 길이 40~80cm이며 1회 깃꼴겹잎, 포자낭군은 작은잎의 주맥을 따라 빽빽하게 붙는다.

분포 · 생육지 중국, 타이완. 숲속의 약간 건조한 곳에서 자란다.

약용 부위 · 수치 봄에 뿌리줄기를 캐서 물에 씻은 후 썰어서 말린다.

약물명 소철궐(蘇鐵蕨)

약효 청열해독(淸熱解毒), 활혈지혈(活血止血)의 효능이 있으므로 감기를 치료한다.

성분 dryocrassin이 함유되어 있다.

사용법 소철궐 10g에 물 3컵(600mL)을 넣고 달여서 복용한다.

❶ 소철고사리

[새깃아재비과]

새깃아재비

풍습비통

충적복통, 이질

외상출혈

풍열감모

● 학명 : *Woodwardia japonica* (L. f) Smith [*Blechnum japonicum* L. f.]
● 한자명 : 日本狗脊蕨   ● 별명 : 구척고사리, 갈비고사리

| 1 | 2 | 3 | 4 | 5 | 6 | 7 | 8 | 9 | 10 | 11 | 12 |

여러해살이풀. 뿌리줄기는 굵고 비스듬히 서며 갈색 비늘 조각이 많다. 잎자루는 기부에 갈색 비늘 조각이 많고 딱딱하다. 잎몸은 길이 40~80cm이고 1회 깃꼴겹잎, 포자낭군은 긴 타원형으로 몇 개 연속하여 주맥 양쪽에 접하여 나며, 포막은 갈색이다.

분포 · 생육지 우리나라 제주도, 중국, 일본, 인도네시아, 미얀마. 침엽수림의 약간 건조한 곳에서 자란다.

약용 부위 · 수치 봄에 뿌리줄기를 캐서 물에 씻은 후 썰어서 말린다.

약물명 단아구척(單芽狗脊). 구척관중(狗脊貫衆), 대엽관중(大葉貫衆), 모구두(毛狗頭)라고도 한다.

기미 · 귀경 양(凉), 고(苦) · 간(肝), 위(胃), 신(腎), 대장(大腸)

약효 청열해독(淸熱解毒), 살충, 지혈, 거풍습(祛風濕)의 효능이 있으므로 풍열감모(風熱感冒), 악창양종(惡瘡瘍腫), 충적복통(蟲積腹痛), 이질, 변혈, 외상출혈, 풍습비통(風濕痺痛)을 치료한다.

성분 dryocrassin이 함유되어 있다.

약리 열수추출물은 회충의 근육을 마비시키는 작용이 있다.

사용법 단아구척 10g에 물 3컵(600mL)을 넣고 달여서 복용하거나 환약 또는 가루약으로 하여 복용하고, 외용에는 짓찧어 낸 즙액을 근육통이 있는 곳에 바른다.

＊'개면마'와 유사하나 잎맥이 우축(羽軸)에 따라 1~2열의 그물눈을 만든다. 단아구척(單芽狗脊)의 기원 식물은 '새깃아재비' 및 '*W. unigemmata*'의 뿌리줄기인데, 전자는 우리나라(제주도), 중국, 일본 등지에 분포하나, 후자는 중국, 일본에 분포한다.

❶ 단아구척(單芽狗脊)

❶ 새깃아재비

❶ 새깃아재비(포자낭군)

가는쇠고사리

 관절염, 근육통 이질

- 학명 : *Arachniodes aristata* (Forst.) Tindale
- 영명 : Pricky shield fern
- 한자명 : 細葉複葉耳蕨
- 별명 : 좀가위고사리

1 2 3 4 5 6 7 8 9 10 11 12

여러해살이풀. 뿌리줄기는 길게 벋으며 잎은 드문드문 난다. 잎자루는 앞면에 홈이 있고 우편과 연결된다. 잎몸은 2~3회 깃꼴겹잎, 소우편은 대가 있고 끝에 까락 같은 톱니가 있다. 포자낭군은 잎몸 상반부 중륵 가까이에 나고, 포막은 둥근 콩팥 같다.

분포 · 생육지 우리나라 제주도 및 남쪽 섬. 중국, 일본, 히말라야. 바닷가 근처 숲속에서 자란다.

약용 부위 · 수치 전초를 여름에 채취하여 물에 씻어서 말린다.

약물명 망자복엽이궐(芒刺複葉耳蕨). 헌계미(獻鷄尾)라고도 한다.

약효 청열해독(淸熱解毒)의 효능이 있으므로 이질, 근육통, 관절염을 치료한다.

성분 isoaspidin BB, isoaspidin AB 등이 함유되어 있다.

사용법 망자복엽이궐 10g에 물 3컵(600mL)을 넣고 달여서 복용하거나 환약 또는 가루약으로 하여 복용한다. 근육통이나 관절염에는 신선한 뿌리줄기 80g에 단삼, 오가피를 각각 40g을 넣고 물로 달여서 소주잔으로 한 잔씩 복용하기도 한다.

❍ 가는쇠고사리

❍ 포자낭군

❍ 망자복엽이궐(芒刺複葉耳蕨)

쇠고사리

 관절통 폐로해수

- 학명 : *Arachniodes rhomboidea* (Wall. ex Presl) Ching [*A. amabilis*]
- 한자명 : 斜方複葉耳蕨
- 별명 : 개가새고사리, 큰가위고사리

1 2 3 4 5 6 7 8 9 10 11 12

❍ 쇠고사리(포자낭군)

여러해살이풀. 뿌리줄기는 짧게 옆으로 벋는다. 잎자루는 길이 40cm 정도, 비늘 조각이 많지 않다. 잎몸은 2회 깃꼴겹잎, 우편은 10쌍 이내이고, 소우편의 가장자리는 가시 같은 톱니가 있다. 포자낭군은 열편의 가장자리에 붙는다.

분포 · 생육지 우리나라 제주도 및 남쪽 섬. 중국, 일본, 스리랑카. 산지 숲속에서 자란다.

약용 부위 · 수치 전초를 여름에 채취하여 물에 씻어서 말린다.

약물명 대엽압각련(大葉鴨脚蓮). 선계미(線鷄尾)라고도 한다.

약효 거풍지통(祛風止痛), 익폐지해(益肺止咳)의 효능이 있으므로 관절통(關節痛), 폐로해수(肺癆咳嗽)를 치료한다.

사용법 대엽압각련 10g에 물 3컵(600mL)을 넣고 달여서 복용한다.

❍ 쇠고사리

[면마과]

참쇠고비

🔲 정창옹종, 나력 ♀ 붕루대하

🐛 수종

● 학명 : *Cyrtomium caryotideum* (Wall. ex Hook. et Grev.) Presl var. *koreanum* Nakai
● 한자명 : 大昏頭鷄 ● 별명 : 성쇠고비

| 1 | 2 | 3 | 4 | 5 | 6 | 7 | 8 | 9 | 10 | 11 | 12 |

여러해살이풀. 뿌리줄기는 짧고 비스듬히 서며 잎이 모여난다. 잎자루는 길이 20cm 정도이고 기부에 흑갈색의 비늘 조각이 빽빽이 난다. 잎은 1회 깃꼴겹잎, 우편의 수는 5개 이내이며 정우편이 확실하고, 가장

자리는 불규칙한 톱니가 있다. 포자낭군은 잎 뒷면에 흩어져 난다.

분포 · 생육지 우리나라 울릉도, 남부 지방 및 남쪽 섬. 중국, 일본, 인도차이나. 바위 틈이나 음습한 곳에서 잘 자란다.

약용 부위 · 수치 뿌리줄기를 봄부터 가을에 채취하여 물에 씻은 후 말리거나 신선한 것 그대로 사용한다.

약물명 대혼두계(大昏頭鷄), 혼두계(昏頭鷄) 라고도 한다.

약효 청열해독(淸熱解毒), 활혈거어(活血祛瘀), 이수소종(利水消腫)의 효능이 있으므로 정창옹종(疔瘡癰腫), 붕루대하(崩漏帶下), 나력(瘰癧), 수종(水腫), 마진(麻疹)을 치료한다.

사용법 대혼두계 10g에 물 3컵(600mL)을 넣고 달여서 복용한다.

주의 임산부는 복용에 주의하여야 한다.

🔾 참쇠고비

🔾 대혼두계(大昏頭鷄)

🔾 참쇠고비(포자낭군)

[면마과]

도깨비쇠고비

🫁 감기 ☎ 이질, 간염, 토혈

♀ 유옹 🔲 나력, 타박상

● 학명 : *Cyrtomium falcatum* J. Smith ● 영명 : Giant horsetail
● 한자명 : 全緣貫衆 ● 별명 : 도깨비고비

| 1 | 2 | 3 | 4 | 5 | 6 | 7 | 8 | 9 | 10 | 11 | 12 |

여러해살이풀. 뿌리줄기는 짧고 크며 잎이 모여난다. 잎은 1회 깃꼴겹잎, 우편이 가죽질이고 끝 부근의 가장자리에 톱니가 없다. 포자낭군은 원형으로, 포막은 둥글고 가장

자리는 물결 모양을 이루고 갈색을 띤다.

분포 · 생육지 우리나라 울릉도, 남부 지방 및 남쪽 섬. 중국, 일본, 인도차이나. 바위 틈이나 음습한 곳에서 잘 자란다.

약용 부위 · 수치 뿌리줄기를 봄부터 가을에 채취하여 물에 씻은 후 말리거나 신선한 것 그대로 사용한다.

약물명 소관중(小貫中), 계뇌각(鷄腦殼), 계공두(鷄公頭)라고도 한다.

기미 · 귀경 한(寒), 고(苦), 삽(澁) · 간(肝), 폐(肺), 대장(大腸)

약효 청열해독(淸熱解毒), 양혈거어(凉血祛瘀), 구충의 효능이 있으므로 감기, 열병반진(熱病斑疹), 나력(瘰癧), 이질, 간염, 토혈, 유옹(乳癰), 타박상을 치료한다.

성분 cyrtomin, cyrtopterin, astragalin, isoquercitrin 등이 함유되어 있다.

약리 물에 달인 액은 기생충을 몰아내고 지혈 작용이 나타나며 자궁 수축 작용도 있다.

사용법 소관중 10g에 물 3컵(600mL)을 넣고 달여서 복용한다.

주의 임산부는 복용에 주의하여야 한다.

🔾 도깨비쇠고비 🔾 뿌리줄기

🔾 소관중(小貫中)

[면마과]

쇠고비

 붕루, 백대 　 도상출혈

● 학명 : *Cyrtomium fortunei* J. Smith　● 영명 : Fortune's net-veined holly fern
● 한자명 : 貫衆

| 1 | 2 | 3 | 4 | 5 | 6 | 7 | 8 | 9 | 10 | 11 | 12 |

여러해살이풀. 높이 50~80cm. 뿌리줄기는 짧고 크며 잎이 모여난다. 잎자루는 길이 15~30cm이고, 기부의 비늘 조각은 흑갈색이다. 잎몸은 긴 타원형으로 길이 50~90cm이고 1회 깃꼴겹잎, 우편의 윗부분에는 뚜렷한 톱니가 있다. 포자낭군은 원형으로, 포막은 둥글고 가장자리는 물결 모양을 이루며 갈색을 띤다.

분포 · 생육지 우리나라 울릉도, 남부 지방 및 남쪽 섬. 중국, 일본, 인도차이나. 바위 틈이나 음습한 곳에서 잘 자란다.

약용 부위 · 수치 뿌리줄기와 잎을 여름에 채취하여 물에 씻은 후 말린다.

약물명 뿌리줄기를 소관중(小貫衆)이라고 하며, 관중(貫衆), 계뇌각(鷄腦殼), 계공도(鷄公頭)라고도 한다. 잎을 공계두엽(公鷄頭葉)이라고 한다.

약효 소관중(小貫衆)은 양혈지혈(凉血止血), 청열이습(淸熱利濕)의 효능이 있으므로 붕루(崩漏), 백대(白帶), 도상출혈(刀傷出血)을 치료한다. 공계두엽(公鷄頭葉)은 양혈지혈(凉血止血), 청열이습(淸熱利濕)의 효능이 있으므로 붕루(崩漏), 백대(白帶)을 치료한다.

성분 cyrtomin, isoquercetin, astragalin, cyrtominetin, cyrtoperin, dryocrassin 등이 함유되어 있다.

약리 물에 달인 액을 토끼에게 투여하면 면역력을 증강시키고 자궁을 수축시킨다.

사용법 소관중 또는 공계두엽 10g에 물 3컵(600mL)을 넣고 달여서 복용한다.

주의 임산부는 복용에 주의하여야 한다.

⬆ 소관중(小貫衆)

⬆ 공계두엽(公鷄頭葉)

⬆ 쇠고비(뿌리줄기)

⬆ 쇠고비(포자낭군)

⬆ 쇠고비

[면마과]

산족제비고사리

 유행성감기

● 학명 : *Dryopteris bissetiana* (Baker) C. Christ.　● 한자명 : 兩色鱗毛蕨

| 1 | 2 | 3 | 4 | 5 | 6 | 7 | 8 | 9 | 10 | 11 | 12 |

여러해살이풀. 뿌리줄기는 굵고, 잎은 모여난다. 잎자루는 흑갈색, 갈색의 비늘 조각이 빽빽이 난다. 잎몸은 2회 깃꼴겹잎이고, 우축에는 주머니 같은 비늘 조각이 빽빽이 난다. 소우편은 약간 뒤로 말리며 톱니가 없다. 포자낭군은 약간 크고, 포막도 지름 1~1.2mm로 큰 편에 속한다.

분포 · 생육지 우리나라 전역. 중국, 일본, 타이완. 산속 그늘진 곳에서 자란다.

약용 부위 · 수치 뿌리줄기를 여름에 채취하여 물에 씻은 후 썰어서 말린다.

약물명 양색인모궐(兩色鱗毛蕨)

약효 청열해독(淸熱解毒)의 효능이 있으므로 유행성감기를 치료한다.

사용법 양색인모궐 10g에 물 2컵(400mL)을 넣고 달여서 복용한다.

⬆ 산족제비고사리(포자낭군)

⬆ 산족제비고사리

[면마과]

관중

풍열감모, 해혈 | 온열반진, 외상출혈
토혈, 변혈 | 대하 | 이하선염

● 학명 : *Dryopteris crassirhizoma* Nakai
● 한자명 : 粗莖鱗毛蕨 ● 별명 : 희초미, 범고비, 호랑고비, 면마

| 1 | 2 | 3 | 4 | 5 | 6 | 7 | 8 | 9 | 10 | 11 | 12 |

여러해살이풀. 높이 50~90cm. 뿌리줄기는 굵고 단단하며 비스듬히 서고 수염뿌리가 많다. 잎은 모여나며 2회 깃꼴겹잎, 길이 1m 내외, 포자낭군은 위쪽 우편에 달리고 맥 가까이에 2줄로 붙으며, 포막은 둥근 심장형이다.

분포·생육지 우리나라 전역. 중국, 일본, 러시아. 산속 나무 그늘이나 그늘진 습한 곳에서 잘 자란다.

약용 부위·수치 뿌리줄기를 가을에 채취하여 수염뿌리를 제거하고 물에 깨끗이 씻은 뒤 썰어서 햇볕에 말린다. 청열해독(淸熱解毒)에는 생것을 사용하고, 지통염창(止痛斂瘡)에는 불에 살짝 그을려서 사용하고, 지혈에는 불에 볶아서 사용한다.

약물명 관중(貫衆). 관절(貫節), 관거(貫渠), 백두(白頭), 편부(扁符)라고도 한다. 대한민국약전외한약(생약)규격집(KHP)에 수재되어 있다.

본초서 관중(貫衆)은 「신농본초경(神農本草經)」의 중품(中品)에 수재되어 별명이 관절(貫節), 관거(貫渠), 백두(白頭)라고 기록되어 있다. 송대(宋代) 소송(蘇頌)의 「도경본초(圖經本草)」에는 별명으로 봉미초(鳳尾草)라 하였으며, 「명의별록(名醫別錄)」에는

"촌백(寸白, 촌충)을 구제하며 징가(癥瘕)를 없애고 두풍(頭風)을 치료한다."고 하였다. 「본초강목(本草綱目)」에는 "이 식물의 잎과 줄기가 봉의 꼬리와 같고 뿌리줄기 하나에 여러 잔뿌리가 모여 있다고 하여 관중(貫衆)이라고 한다."고 하였다. 「동의보감(東醫寶鑑)」에는 "여러 독을 풀어 주고 촌백충과 회충을 없애고 뱃속에 생긴 덩어리를 삭인다."고 하였다.

神農本草經: 主腹中邪熱氣, 諸毒, 殺三蟲.
名醫別錄: 去寸白, 破癥瘕, 除頭風, 止金瘡.
本草綱目: 治下血崩中, 帶下, 産後血氣脹痛, 斑疹毒, 漆毒.
東醫寶鑑: 主諸毒 殺三蟲 去寸白蟲 破癥瘕.

성상 뿌리줄기를 중심으로 많은 잎의 잔기가 붙어 있으며, 표면은 갈색의 비늘 조각이 많이 붙어 있다. 뿌리줄기는 길이 10~20cm, 지름 10~15cm, 잎의 잔기는 모가 여러 개이고 활 모양으로 구부러져 있으며 한쪽 끝은 가늘다. 신선품의 파절 면은 옥색이고 오래된 것은 갈색이다. 잎의 잔기를 횡단하여 보면 다각형이며 6~10개의 유관속이 존재한다. 특이한 냄새가 나고 맛은 처음에는 달며 나중에는 떫고 맵다.

기미·귀경 양(凉), 고(苦), 소독(小毒)·간

(肝), 위(胃)

약효 청열해독(淸熱解毒), 양혈지혈(凉血止血), 살충의 효능이 있으므로 풍열감모(風熱感冒), 온열반진(溫熱斑疹), 토혈, 해혈, 변혈, 외상출혈, 대하, 이하선염을 치료하고 장내 기생충을 구제한다. 감기 예방에 뽕잎과 1:5로 배합하여 복용하였더니 효과가 좋았고, 남성의 고환염 환자가 복용하여 효과를 보았다는 보고가 있다.

성분 관중(貫衆)은 촌충을 구제하는 물질들인 phloroglucinol계 성분이 함유되어 있으며 filmaron이 가장 강하다. 그리고 flavaspidic acid AB, flavaspidic acid PB는 충치균에 항균 작용이 강하다. 그외 wogonin, baicalin, baicalein 등의 flavonoid계 성분이 함유되어 있다.

약리 열수추출물은 촌충의 근육을 마비시키는 근육 독으로 신경계를 침범하는 작용이 있고, 유행성감기 바이러스에 항바이러스 작용이 있으며, 토끼의 적출 자궁에 흥분 작용이 있다. 에탄올추출물은 Syk kinase를 억제함으로써 항알레르기 작용을 나타낸다.

사용법 관중 10g에 물 3컵(600mL)을 넣고 달여서 복용하거나 환약 또는 가루약으로 하여 복용하고, 외용에는 가루 내어 상처에 뿌린다.

주의 다량 복용에 의한 중독 증상은 시력장애, 혈뇨, 혼수, 실명 등이고, 이때 염류성 하제를 투여하여야 한다. 비위(脾胃)가 허약한 사람이나 임신부, 신체가 허약한 사람에게는 투여하지 않는다.

처방 쾌반산(快斑散): 관중(貫衆), 작약(芍藥), 승마(升麻), 감초(甘草), 담죽엽(淡竹葉)(「증류준승(症治準繩)」). 부인대하증, 촌충 구제에 사용한다.

• 항독탕(抗毒湯): 관중(貫衆), 대청엽(大青葉), 판람근(板藍根)(「동의보감(東醫寶鑑)」). 유행성감기에 사용한다.

❶ 관중(포자낭군)

❶ 관중(貫衆, 절편)

❶ 관중(貫衆)

❶ 관중

❶ 관중(생태)

[면마과]

퍼진고사리

촌충병

● 학명 : *Dryopteris expansa* (Presl.) Frasser–Jenkins et Jermy
● 영명 : Spreading wood fern　● 한자명 : 闊葉鱗毛蕨　● 별명 : 진퍼리고사리, 지리개관중

| 1 | 2 | 3 | 4 | 5 | 6 | 7 | 8 | 9 | 10 | 11 | 12 |

❂ 대린모궐(大鱗毛蕨)

여러해살이풀. 뿌리줄기는 짧고 옆으로 벋거나 위를 향해 비스듬히 서며 기는줄기가 없다. 잎자루는 길이 30cm 정도, 중심부에 흑갈색 비늘 조각이 많다. 잎몸은 3회 깃꼴겹잎으로 열편의 끝이 침처럼 되거나 날카로운 톱니가 된다. 포자낭군은 열편의 중간쯤에 붙으며 작다.

분포 · 생육지 우리나라 전역. 중국, 일본, 러시아, 유럽. 산속 숲속에서 자란다.

약용 부위 · 수치 뿌리줄기를 여름에 채취하여 물에 씻은 후 썰어서 말린다.

약물명 대린모궐(大鱗毛蕨)

성분 filixic acid BBB, trisaspidin, tridesaspidin, triflavaspidic acid, albaspidin BB, BA, PA, desaspidin BB, trisdesaspidin BBB, flavaspidic acid 등이 함유되어 있다.

약효 구충의 효능이 있으므로 촌충병을 치료한다.

사용법 대린모궐 10g에 물 3컵(600mL)을 넣고 달여서 복용한다.

주의 약간 유독하므로 임산부는 복용을 금한다.

❂ 포자낭군　　❂ 퍼진고사리

[면마과]

큰지네고사리

목적종통, 구불수구　　창양궤란

● 학명 : *Dryopteris fuscipes* C. Christ.
● 한자명 : 黑足鱗毛蕨　● 별명 : 둥근지네고사리

| 1 | 2 | 3 | 4 | 5 | 6 | 7 | 8 | 9 | 10 | 11 | 12 |

여러해살이풀. 굵은 뿌리줄기에서 잎이 모여나고, 비늘 조각은 적갈색, 가장자리가 밋밋하고, 잎몸은 2회 깃꼴겹잎이다. 우편은 바늘 모양, 포자낭군은 맥 가까이 또는 중앙부에 1~3줄로 달리며, 포막은 둥근 신장형으로 가장자리가 밋밋하다.

분포 · 생육지 우리나라 제주도. 중국, 일본, 러시아. 산속 나무 그늘이나 그늘진 습한 곳에서 잘 자란다.

약용 부위 · 수치 뿌리줄기를 여름에 채취하여 물에 씻은 후 썰어서 말린다.

약물명 흑색인모궐(黑色鱗毛蕨)

기미 · 귀경 양(凉), 고(苦), 소독(小毒) · 간(肝), 위(胃)

약효 청열해독(淸熱解毒), 생기염창(生肌斂瘡)의 효능이 있으므로 목적종통(目赤腫痛), 창양궤란(瘡瘍潰爛), 구불수구(久不收口)를 치료한다.

사용법 흑색인모궐 7g에 물 2컵(400mL)을 넣고 달여서 복용하거나 환약 또는 가루약으로 하여 복용하고, 외용에는 가루 내어 상처에 뿌린다. 비늘 조각을 제거한 뿌리줄기에 설탕을 가하여 분말로 만들어 환부에 붙이기도 한다.

＊ 우리나라 남쪽 섬과 울릉도의 숲속에서 자라며 잎자루가 홍색을 띠는 '홍지네고사리 *D. erythrosora*'도 약효가 같다.

❂ 큰지네고사리

❂ 큰지네고사리(포자낭군)

[면마과]

비늘고사리

이질, 촌충   타박상

- 학명 : *Dryopteris lacera* (Thunb.) O. Kuntze
- 한자명 : 異形鱗毛蕨   별명 : 비눌고사리, 곰고사리

| 1 | 2 | 3 | 4 | 5 | 6 | 7 | 8 | 9 | 10 | 11 | 12 |

여러해살이풀. 상록성이지만 겨울에는 약간 시든다. 덩어리 같은 뿌리줄기에서 잎이 모여나며, 잎자루는 길이 10~20cm, 중축과 더불어 갈황색의 비늘 조각이 빽빽이 난다. 잎몸은 길이 40cm 내외, 표면은 황색을 띤 밝은 녹색이며 들어간 잎맥 때문에 주름이 지고, 뒷면은 흰색이 돈다. 포자낭군은 중륵 가까이에 나고 포막이 둥글다.

❍ 비늘고사리

❍ 포자낭군

분포·생육지 우리나라 황해 이남. 중국, 일본. 산속 약간 햇볕이 드는 곳에서 잘 자란다.

약용 부위·수치 뿌리줄기를 여름에 채취하여 수염뿌리를 제거하고 물에 씻은 후 썰어서 말린다.

약물명 웅궐근(熊蕨根). 반변초(半邊草), 모두황(毛頭黃)이라고도 한다.

약효 청열(淸熱), 활혈(活血), 살충(殺蟲)의 효능이 있으므로 이질, 타박상, 촌충을 구제한다.

성분 dryocrassin, filixic acid, flavasipidic acid 등이 함유되어 있다.

약리 dryocrassin, filixic acid, flavasipidic acid 등은 촌충을 비롯한 장내 기생충의 근육을 마비시킨다.

사용법 웅궐근 7g에 물 2컵(400mL)을 넣고 달여서 복용하거나 환약 또는 가루약으로 하여 복용하고, 외용에는 가루 내어 상처에 뿌린다. 비늘 조각을 제거한 뿌리줄기에 설탕을 가하여 분말로 만들어 환부에 붙이기도 한다.

❍ 잎자루 기부의 비늘 조각

[면마과]

곰비늘고사리

토혈, 장내 기생충   붕루

- 학명 : *Dryopteris uniformis* Makino   • 한자명 : 同型鱗毛蕨   • 별명 : 숫곰고사리

| 1 | 2 | 3 | 4 | 5 | 6 | 7 | 8 | 9 | 10 | 11 | 12 |

여러해살이풀. 상록성이지만 겨울에는 약간 시든다. 덩어리 같은 뿌리줄기에서 잎이 모여나며, 길이 60cm 내외, 잎자루는 잎몸보다 짧다. 잎몸은 2회 우편으로 갈라지고 앞면은 황색을 띤 밝은 녹색, 뒷면은 흰빛이 돌고, 포자낭군은 잎몸 상부의 주맥 가까이에 나며, 포막이 둥글다.

분포·생육지 우리나라 황해 이남. 중국, 일본. 산 가장자리에서 자란다.

약용 부위·수치 뿌리줄기를 여름에 채취하여 수염뿌리를 제거하고 물에 씻어 썰어서 말린다.

약물명 동형인모궐(同型鱗毛蕨)

약효 양혈지혈(涼血止血), 구충의 효능이 있으므로 토혈, 붕루(崩漏)를 치료하고 장내 기생충을 구제한다.

사용법 동형인모궐 10g에 물 3컵(600mL)을 넣고 달여서 복용하거나 환약 또는 가루약으로 하여 복용한다.

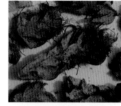
❍ 동형인모궐(同型鱗毛蕨)

❍ 곰비늘고사리(포자낭군)

❍ 곰비늘고사리

❶ 족제비고사리(포자낭군)

[면마과]

족제비고사리

🌀 내열복통　　🫁 폐결핵

● 학명 : *Dryopteris varia* (L.) O. Kuntze　● 한자명 : 變異鱗毛蕨　● 별명 : 쪽제비고사리

| 1 | 2 | 3 | 4 | 5 | 6 | 7 | 8 | 9 | 10 | 11 | 12 |

여러해살이풀. 땅속 뿌리줄기는 덩어리 같고, 잎은 뿌리줄기에서 모여난다. 잎자루에는 흑갈색의 비늘 조각이 실처럼 가늘어지며 조밀하다. 잎몸은 2회 깃꼴겹잎, 앞면은 황색을 띤 밝은 녹색, 뒷면은 흰빛이 돈다. 포자낭군은 소우편의 중간에 붙고 다른 종에 비하여 크다.

분포·생육지 우리나라 제주도. 중국, 일본. 바닷가 근처 그늘진 비탈에서 자란다.

약용 부위·수치 뿌리줄기를 여름에 채취하여 수염뿌리를 제거하고 물에 씻어 썰어서 말린다.

약물명 변이인모궐(變異鱗毛蕨)

약효 청열, 지통의 효능이 있으므로 내열복통(內熱腹痛), 폐결핵을 치료한다.

사용법 변이인모궐 10g에 물 3컵(600mL)을 넣고 달여서 복용하거나 환약 또는 가루약으로 하여 복용한다.

＊잎자루가 흑갈색이며 잎이 두껍고 포자낭군이 흑갈색인 '산족제비고사리 var. *setosa*'도 약효가 같다.

❶ 족제비고사리

[면마과]

좀나도희초미

🫁 유행성감기　　👁 축농증
🥣 두창

● 학명 : *Polystichum braunii* (Spenn.) Fee [*Aspidium braunii*]
● 한자명 : 布朗耳蕨　● 별명 : 개비눌고사리, 가는개관중

| 1 | 2 | 3 | 4 | 5 | 6 | 7 | 8 | 9 | 10 | 11 | 12 |

❶ 좀나도희초미(포자낭군)

여러해살이풀. 뿌리줄기는 짧고 갈색의 비늘 조각이 조밀하게 붙는다. 잎몸은 길이 60cm 정도로 중앙의 너비가 가장 넓고, 위와 아래로 갈수록 좁아진다. 소우편의 톱니끝이 침처럼 된다. 포자낭군은 소우편의 중륵 가까이에 붙는다.

분포·생육지 우리나라 전역. 중국, 일본, 유럽, 북아메리카. 산지의 습한 곳에서 자란다.

약용 부위·수치 뿌리줄기를 여름과 가을에 채취하여 잔뿌리를 제거하고 물에 씻은 후 썰어서 말린다.

약물명 포랑이궐(布朗耳蕨)

약효 청열해독(淸熱解毒), 지혈의 효능이 있으므로 유행성감기, 축농증, 두창(痘瘡)을 치료한다.

사용법 포랑이궐 10g에 물 3컵(600mL)을 넣고 달여서 복용한다.

❶ 좀나도희초미

[면마과]

낚시고사리

♀ 유웅   📁 절종   ☪ 장염

● 학명 : *Polystichum craspedosorum* (Maxim.) Diels   ● 한자명 : 鞭葉耳蕨

| 1 | 2 | 3 | 4 | 5 | 6 | 7 | 8 | 9 | 10 | 11 | 12 |

○ 낚시고사리(포자낭군)

여러해살이풀. 뿌리줄기는 짧고 갈색 비늘 조각이 있으며 가장자리에 드문드문 긴 털이 있다. 잎자루는 길이 10cm 정도이고 비늘 조각이 많다. 잎몸은 1회 깃꼴겹잎, 중축이 길게 자라서 끝에 무성아(無性芽)가 생긴다. 포자낭군은 우편의 가장자리에 1줄로 붙는다.

분포 · 생육지 우리나라 전역. 중국, 일본, 러시아. 산지의 습한 바위에 착생한다.

약용 부위 · 수치 전초를 여름에 채취하여 물에 씻은 후 말린다.

약물명 편엽이궐(鞭葉耳蕨)

약효 청열해독(淸熱解毒)의 효능이 있으므로 유웅(乳癰), 절종(癤腫), 장염을 치료한다.

사용법 편엽이궐 10g에 물 3컵(600mL)을 넣고 달여서 복용한다.

○ 낚시고사리

[면마과]

십자고사리

☪ 이질   👁 목적종통   ♀ 유웅
📁 창독   🫘 치질

● 학명 : *Polystichum tripteron* (G. Kuntze) Presl   ● 한자명 : 新裂耳蕨

| 1 | 2 | 3 | 4 | 5 | 6 | 7 | 8 | 9 | 10 | 11 | 12 |

여러해살이풀. 뿌리줄기는 짧고 곧으며, 잎은 모여나며 1회 깃꼴로 갈라지고, 밑의 1쌍의 우편이 현저하게 크며, 그것이 다시 갈라져 전체 모양이 십자형을 이룬다. 포자낭군은 주맥 양측에 1열로 나거나 흩어진다.

분포 · 생육지 우리나라 전역. 중국, 일본, 러시아 동부. 산지 숲속에서 흔하게 자란다.

약용 부위 · 수치 뿌리줄기를 봄부터 가을에 채취하여 흙을 털고 물에 씻은 후 썰어서 말린다.

약물명 신열이궐(新裂耳蕨)

약효 청열해독(淸熱解毒), 양혈산어(涼血散瘀)의 효능이 있으므로 이질, 목적종통(目赤腫痛), 유웅(乳癰), 치질, 창독(瘡毒)을 치료한다.

사용법 신열이궐 10g에 물 3컵(600mL)을 넣고 달여서 복용하거나 환약 또는 가루약으로 하여 복용하고, 외용에는 가루 내어 상처에 뿌린다.

＊우편 뒷면에는 거의 비늘 조각이 없고 잎자루와 중축에 털이 약간 있고 비늘 조각이 있는 '제주십자고사리 *P. hancockii*'도 약효가 같다.

○ 십자고사리

○ 십자고사리(포자낭군)

○ 신열이궐(新裂耳蕨)

○ 십자고사리(뿌리줄기)

[면마과]

검정개관중

| 이질 | 목적종통 | 유옹 |
| 창독 | 치질 |

● 학명 : *Polystichum tsus-simense* (Hook.) J. Smith [*Aspidium tsus-simense*]
● 한자명 : 對馬耳蕨

| 1 | 2 | 3 | 4 | 5 | 6 | 7 | 8 | 9 | 10 | 11 | 12 |

여러해살이풀. 뿌리줄기는 비스듬히 선다. 잎자루는 길이 30cm 정도이고 잎몸과 길이가 거의 비슷하다. 잎몸은 2회 깃꼴겹잎이고, 엽질은 단단한 종이와 같다. 우편의 기부는 귀처럼 튀어나오고, 소우편의 끝은 가시처럼 된다. 포자낭군은 잎몸의 아래 중앙부터 붙으며, 포막은 중심부가 짙은 갈색이다.

분포 · 생육지 우리나라 제주도. 중국, 일본, 타이완, 인도네시아. 산지 숲속에서 자란다.

약용 부위 · 수치 뿌리줄기 또는 잎을 여름부터 가을에 채취하여 흙을 털고 물에 씻은 후 썰어서 말린다.

약물명 대마이궐(對馬耳蕨), 모각계(毛脚鷄), 선계미(線鷄尾)라고도 한다.

약효 청열해독(淸熱解毒), 양혈산어(涼血散瘀)의 효능이 있으므로 이질, 목적종통(目赤腫痛), 유옹(乳癰), 치질, 창독을 치료한다.

사용법 대마이궐 10g에 물 3컵(600mL)을 넣고 달여서 복용하거나 환약 또는 가루약으로 하여 복용하고, 외용에는 생것을 짓찧어서 상처에 바른다.

＊ 제주도에 자생하는 '나도희초미 *P. poly-blepharum*', 울릉도와 광릉에 분포하며 겨울에 잎이 시들고 잎줄기의 비늘 조각이 긴 타원형인 '참나도히초미 *P. retroso-paleaceum* var. *coraiense*'도 약효가 같다.

❂ 검정개관중

❂ 검정개관중(포자낭군)

[처녀고사리과]

진퍼리고사리

| 현훈 | 심번실면 |
| 도한 |

● 학명 : *Stegnogramma pozoi* (Lag.) K. Iwatsuki ssp. *mollissima* (Fisch. ex Kunze) K. Iwatsuki [*Leptogramma mollissima*]　● 한자명 : 非洲茯蕨　● 별명 : 털개고사리

| 1 | 2 | 3 | 4 | 5 | 6 | 7 | 8 | 9 | 10 | 11 | 12 |

❂ 진퍼리고사리(포자낭군)

여러해살이풀. 뿌리줄기는 옆으로 길게 번는다. 잎자루는 길이 20~40cm, 갈색 털과 비늘 조각이 빽빽이 난다. 잎몸은 2회 깃꼴겹잎, 백색 털이 빽빽이 난다. 우편은 끝이 뾰족하고 자루가 없으며 깃꼴로 완전히 갈라진다. 포자낭군은 열편의 측맥을 따라 가장자리까지 길게 자라며, 포막은 없다.

분포 · 생육지 우리나라 남부 지방, 제주도, 울릉도. 중국, 일본, 타이완, 인도. 숲속이나 개울가에서 자란다.

약용 부위 · 수치 뿌리줄기를 여름에 채취하여 물에 씻은 뒤 썰어서 말린다.

약물명 관중엽계변궐(貫衆葉溪邊蕨). 유계등(乳鷄藤)이라고도 한다.

약효 평간잠양(平肝潛陽)의 효능이 있으므로 현훈(眩暈), 심번실면(心煩失眠), 도한(盜汗)을 치료한다.

사용법 관중엽계변궐 10g에 물 3컵(600mL)을 넣고 달여서 복용한다.

❂ 진퍼리고사리

[처녀고사리과]

별고사리

| 설사, 이질 | 인후통, 이하선염 |
| 외상출혈 | 열림 |

● 학명 : *Thelypteris acuminatus* (Houtt.) Morton [*Cyclosorus acuminatus, Polypodium acuminatum*] ● 한자명 : 小毛蕨 ● 별명 : 이삭고사리

| 1 | 2 | 3 | 4 | 5 | 6 | 7 | 8 | 9 | 10 | 11 | 12 |

여러해살이풀. 뿌리줄기는 옆으로 길게 뻗는다. 잎은 드문드문 나고, 잎자루는 길이 20~50cm, 짙은 녹색, 1회 우편으로 갈라지고 끝이 갑자기 좁아져 꼭지 같은 우편을 이룬다. 우편은 얕게 갈라지며, 포자낭군은 가장자리 가까이에 달리고, 포막은 둥근 콩팥 모양이며 털이 있다.

분포 · 생육지 우리나라 제주도, 전남(거문도, 진도), 부산, 거제도, 중국, 일본, 타이완, 필리핀, 인도차이나. 숲속에서 자란다.

약용 부위 · 수치 전초를 여름이나 가을에 채취하여 물에 씻은 뒤 말려서 사용한다.

약물명 점첨모궐(漸尖毛蕨). 금성초(金星草)라고도 한다.

약효 청열해독(淸熱解毒), 거풍제습(祛風除濕), 건비(健脾)의 효능이 있으므로 설사(泄瀉), 이질, 열림(熱痲), 인후통, 외상출혈, 대하, 이하선염, 광견교상(狂犬咬傷)을 치료한다.

사용법 점첨모궐 10g에 물 3컵(600mL)을 넣고 달여서 복용하고, 외용에는 짓찧어 바른다. 미친개에게 물렸을 때는 물에 달인 액을 하루 3번 복용한다.

＊ 본 종에 비하여 맨 위 우편이 분명하지 않고 털이 많은 '털별고사리 *C. parasticus*'도 약효가 같다.

● 별고사리

● 포자낭군

● 점첨모궐(漸尖毛蕨)

[처녀고사리과]

설설고사리

| 수종 | 창독궤란, 외상출혈 |
| 구불수구 | |

● 학명 : *Thelypteris decursive-pinnata* (van Hall) Ching [*Phegopteris decursive-pinnata*]
● 한자명 : 短柄卵果蕨 ● 별명 : 설설이고사리

| 1 | 2 | 3 | 4 | 5 | 6 | 7 | 8 | 9 | 10 | 11 | 12 |

● 설설고사리(포자낭군)

여러해살이풀. 땅속 뿌리줄기는 짧고 비스듬히 난다. 잎은 뿌리줄기에서 모여나며 길이 20~50cm이다. 잎몸은 1~2회 깃꼴겹잎, 우편은 어긋나며 아래 위 우편이 합쳐져 중축을 따라 날개처럼 된다. 포자낭군은 둥글고 열편의 가장자리와 중륵의 중간에 있고, 포막은 없으며, 포자낭군에 털이 많다.

분포 · 생육지 우리나라 전남, 경남, 경기도, 제주도, 중국, 일본, 인도, 인도네시아. 산가장자리나 산골짜기의 바위나 돌담에서 자란다.

약용 부위 · 수치 뿌리줄기를 봄부터 가을에 채취하여 흙을 털고 물에 씻은 후 썰어서 말린다.

약물명 소엽금계미파초(小葉金鷄尾巴草)

약효 이수소종(利水消腫), 해독염창(解毒斂瘡)의 효능이 있으므로 수종(水腫), 창독궤란(瘡毒潰爛), 구불수구(久不收口), 외상출혈을 치료한다.

사용법 소엽금계미파초 10g에 물 3컵(600mL)을 넣고 달여서 복용하거나 환약 또는 가루약으로 하여 복용한다.

● 설설고사리

[처녀고사리과]

사다리고사리

 이질, 토혈   소변불리

●학명 : *Thelypteris glanduligera* (Kunze) Ching [*Parathelypteris glanduligera, Aspidium glanduligerum*]   ●한자명 : 金星蕨   ●별명 : 참사다리고사리, 새닥달고사리

| 1 | 2 | 3 | 4 | 5 | 6 | 7 | 8 | 9 | 10 | 11 | 12 |

여러해살이풀. 뿌리줄기는 길게 벋으며, 잎은 드문드문 난다. 잎자루에는 담갈색 비늘 조각과 털이 약간 있다. 잎몸은 2회 깃꼴겹잎, 끝이 뾰족하다. 우편은 긴 타원형이고 끝이 뾰족해지며 털이 있고, 뒷면에 황색의 선점(腺点)이 있다. 포자낭군은 가장자리 가까이에 나고, 포막은 약간 작고 말발굽 모양에 가깝다.

분포 · 생육지 우리나라 제주도, 전남. 중국, 일본, 타이완, 인도차이나, 히말라야. 산지의 숲속이나 약간 건조한 곳에서 자란다.

약용 부위 · 수치 전초를 여름이나 가을에 채취하여 썰어서 말린다.

약물명 금성궐(金星蕨). 수궐채(水蕨菜)라고도 한다.

약효 청열해독(清熱解毒), 이소변(利小便), 지혈의 효능이 있으므로 이질, 소변불리, 토혈을 치료한다.

사용법 금성궐 7g에 물 2컵(400mL)을 넣고 달여서 복용하거나 환약 또는 가루약으로 하여 복용한다.

❶ 사다리고사리(포자낭군)

❶ 사다리고사리

[우드풀과]

참새발고사리

 외상출혈   회충병

●학명 : *Athyrium brevifrons* Kodama ex Nakai
●한자명 : 東北蹄盖蕨   ●별명 : 새발고사리, 겨고사리

| 1 | 2 | 3 | 4 | 5 | 6 | 7 | 8 | 9 | 10 | 11 | 12 |

❶ 참새발고사리(포자낭군)

여러해살이풀. 뿌리줄기는 비스듬하게 위로 선다. 잎자루는 자갈색을 띠며, 기부에는 비늘 조각이 많으나 위는 적다. 잎몸은 3회 깃꼴겹잎, 털이 없고, 기부의 우편은 좁아지며 중축에는 떨어지기 쉬운 비늘 조각이 드물게 붙는다. 포자낭군은 열편의 중륵과 가장자리 사이에 붙고 갈고리 모양이다.

분포 · 생육지 우리나라 전역. 중국, 일본, 중국, 우수리. 산지 습한 땅에서 잘 자란다.

약용 부위 · 수치 전초를 여름과 초가을에 채취하여 말려 두었다가 사용한다.

약물명 화동제개궐(華東蹄盖蕨)

약효 구충, 지혈의 효능이 있으므로 외상출혈, 회충병을 치료한다.

사용법 화동제개궐 15g에 물 3컵(600mL)을 넣고 달여서 복용하고, 외용에는 짓찧어 바른다.

❶ 참새발고사리

[우드풀과]

개고사리

창독 | 이질, 구충 구제
육혈

● 학명 : *Athyrium nipponicum* Hance
● 한자명 : 華東蹄盖蕨　　● 별명 : 광릉개고사리, 새고비, 털새고사리, 물개고사리

| 1 | 2 | 3 | 4 | 5 | 6 | 7 | 8 | 9 | 10 | 11 | 12 |

◑ 화동제개궐(華東蹄盖蕨)

여러해살이풀. 뿌리줄기는 옆으로 길게 벋으며, 잎자루에는 갈색 비늘 조각이 있고, 잎몸은 2회 깃꼴겹잎, 우편은 바늘 모양이며 끝이 뾰족하다. 포자낭군은 갈라진 조각의 주맥과 가장자리 중간에 한 줄로 붙어서 비스듬히 퍼지고, 포막은 가장자리가 밋밋하며 바늘 모양 또는 갈고리 모양이다.

분포 · 생육지 우리나라 전역. 중국, 일본, 우수리. 산지의 습한 땅에서 잘 자란다.

약용 부위 · 수치 전초를 여름철과 초가을에 채취하여 말려 두었다가 사용한다.

약물명 화동제개궐(華東蹄盖蕨)

약효 청열해독(淸熱解毒), 지혈, 구충의 효능이 있으므로 창독(瘡毒), 이질, 육혈(衄血)을 치료하고, 구충을 구제한다.

사용법 화동제개궐 10g에 물 3컵(600mL)을 넣고 달여서 복용하고, 외용에는 짓찧어 바른다.

◑ 땅속줄기와 뿌리　　◑ 개고사리

[우드풀과]

뱀고사리

외상출혈 | 구충 구제

● 학명 : *Athyrium yokoscense* (Fr. et Sav.) H. Christ
● 한자명 : 禾秆蹄盖蕨　　● 별명 : 새고비, 풀고비

| 1 | 2 | 3 | 4 | 5 | 6 | 7 | 8 | 9 | 10 | 11 | 12 |

여러해살이풀. 뿌리줄기는 덩어리처럼 굵고, 잎자루에는 갈색 비늘 조각이 있으며 3회 깃꼴겹잎이다. 우편은 바늘 모양, 끝이 뾰족하고, 포자낭군은 갈라진 조각 주맥과 가장자리 중간에 한 줄로 붙고, 포막은 긴 타원형 또는 갈고리 모양이다.

분포 · 생육지 우리나라 전역. 중국, 일본, 러시아. 양지바른 산기슭이나 산길 주변에서 자란다.

약용 부위 · 수치 뿌리줄기를 여름에 채취하여 잔뿌리를 제거하고 씻은 후 썰어서 말린다.

약물명 화간제개궐(秆杆蹄盖蕨)

약효 구충, 지혈의 효능이 있으므로 외상출혈을 치료하고, 구충을 구제한다.

사용법 화간제개궐 10g에 물 3컵(600mL)을 넣고 달여서 복용하고, 외용에는 짓찧어 바른다.

＊ 뱀이 잘 다니는 곳에서 자라는 고사리라 하여 '뱀고사리'라고 한다.

◑ 뱀고사리

[우드풀과]

진고사리

창양종독	유옹
목적종통	

●학명 : *Deparia japonica* (Thunb.) M. Kato [*Asplenium japonicum* Thunb.]
●한자명 : 小葉鳳尾巴草　●별명 : 참진고사리

| 1 | 2 | 3 | 4 | 5 | 6 | 7 | 8 | 9 | 10 | 11 | 12 |

여러해살이풀. 뿌리줄기는 길게 땅속으로 벋고 잎이 드문드문 달린다. 잎자루는 길이 10~30cm, 비늘 조각이 드물다. 잎몸은 2회 깃꼴겹잎, 초질로 부드러운 털이 있다. 우편은 깊이 갈라지고 중축에 붙는다. 포자낭군은 바늘 모양, 열편의 중륵과 가장자리 사이에 있다.

분포·생육지 우리나라 중부 이남. 중국, 일본. 산지 숲속의 습한 곳에서 자란다.

약용 부위·수치 전초를 여름에 채취하여 물에 씻은 후 썰어서 말린다.

약물명 소엽봉황미파초(小葉鳳凰尾巴草)

약효 청열(淸熱)의 효능이 있으므로 창양종독(瘡瘍腫毒), 유옹(乳癰), 목적종통(目赤腫痛)을 치료한다.

사용법 소엽봉황미파초 15g에 물 3컵(600mL)을 넣고 달여서 복용한다.

❍ 진고사리(포자낭군)

❍ 진고사리

[우드풀과]

버들참빗

해혈	요혈
유옹	타박상

●학명 : *Diplazium subsinuatum* Tagawa [*D. lanceum* Presl.]
●한자명 : 蓖梳劍　●별명 : 참빗고사리

| 1 | 2 | 3 | 4 | 5 | 6 | 7 | 8 | 9 | 10 | 11 | 12 |

여러해살이풀. 뿌리줄기는 가늘고 옆으로 길게 벋으며 잎자루 밑부분과 더불어 흑갈색 비늘 조각이 빽빽이 난다. 잎은 드문드문 나고 홑잎이며, 잎자루는 길이 5~20cm, 잎몸은 길이 10~30cm, 너비 1~3cm로 긴 타원형이다. 포자낭군은 바늘 모양으로 긴 것과 짧은 것이 주맥에서 조금 떨어져 붙으며 포막이 있다.

분포·생육지 우리나라 제주도. 중국, 일본, 필리핀, 인도차이나. 산지 숲속이나 경사지에서 자란다.

약용 부위·수치 전초를 여름과 가을에 채취하여 썰어서 말린다.

약물명 피소검(蓖梳劍)

약효 청열해독(淸熱解毒), 지혈통림(止血通淋)의 효능이 있으므로 해혈(咳血), 요혈(尿血), 유옹(乳癰), 나력(瘰癧), 타박상을 치료한다.

사용법 피소검 10g에 물 3컵(600mL)을 넣고 달여서 복용한다.

주의 임산부는 복용에 주의하여야 한다.

※ 잎이 버드나무 잎과 비슷하고 잎 뒷면의 포자낭군이 참빗처럼 생겼다 하여 '버들참빗'이라 한다. 속명인 *Diplazium*은 diplasios(겹친, 이중의)에서 유래한 것으로 잎 가장자리의 모양을 비유한 것이고, 종소명인 *subsinuatum*은 만곡되었다는 뜻이다.

❍ 피소검(蓖梳劍)

❍ 버들참빗(포자낭군)

❍ 버들참빗

청나래고사리

열병발반, 습열창독	회충복통
토혈, 변혈	대하

●학명 : *Matteuccia struthiopteris* (L.) Todaro ●영명 : Ostericin fern
●한자명 : 莢果蕨 ●별명 : 포기고사리, 청나래개면마

1	2	3	4	5	6	7	8	9	10	11	12

여러해살이풀. 잎은 2가지. 잎몸은 1회 우편으로 갈라지고 30~50쌍이다. 포자엽은 영양엽보다 작고, 우편은 가장자리가 뒤로 말려 포자낭군을 감싸며, 포자낭군은 주맥의 양쪽에 2~3줄로 달린다.

분포·생육지 우리나라 제주도와 금강산 이북. 중국, 일본, 유럽. 숲속에서 자란다.

약용 부위·수치 뿌리줄기를 여름과 가을에 채취하여 잔뿌리를 제거하고 물에 씻어 말린다.

약물명 협과궐관중(莢果蕨貫衆), 소엽관중(小葉貫衆), 황과향(黃瓜香)이라고도 한다.

약효 청열해독(淸熱解毒), 살충, 지혈의 효능이 있으므로 열병발반(熱病發斑), 시선염(腮腺炎), 습열창독(濕熱瘡毒), 회충복통, 변혈, 토혈, 여성의 대하를 치료한다.

성분 ecdysterone, pteosterone, ponasterone A, dryocrassin 등이 함유되어 있다.

약리 dryocrassin은 촌충을 비롯한 장내 기생충의 근육을 마비시킨다.

사용법 협과궐관중 10g에 물 3컵(600mL)을 넣고 달여서 복용하거나 환약 또는 가루약으로 하여 복용하고, 외용에는 가루 내어 상처에 뿌린다.

＊ 다른 고사리류보다 푸른색이 짙고 잎의 모양이 새가 날개처럼 펼쳐진 모양이라서 '청나래고사리'라고 한다.

❍ 청나래고사리

❍ 협과궐관중(莢果蕨貫衆)

소궐

골절	타박상	양위

●학명 : *Neottopteris nidus* (L.) J. Smith [*Asplenium nidus*] ●한자명 : 巢蕨

1	2	3	4	5	6	7	8	9	10	11	12

여러해살이풀. 높이 60~120cm. 뿌리줄기는 짧고 굵으며 바로 선다. 잎은 뿌리줄기 끝에 모여나지만 가운데는 비어 있고, 잎몸은 긴 타원형으로 표면의 주맥은 편평하나 아랫면은 볼록하다. 포자낭군은 좁은 선형으로 잎의 중반부부터 선단까지 주맥과 가장자리의 중간에 비스듬히 달린다.

분포·생육지 중국 광둥성(廣東省), 하이난성(海南省), 광시성(廣西省). 타이완. 숲속 나무줄기 또는 암석 위에서 자란다.

약용 부위·수치 전초 또는 뿌리줄기를 여름과 가을에 채취하여 잔뿌리를 제거하고 물에 씻어서 말린다.

약물명 철마황(鐵螞蟥), 산소화(山小花), 칠성검(七星劍)이라고도 한다.

약효 강근장골(强筋壯骨), 활혈거어(活血祛瘀)의 효능이 있으므로 골절, 양위(陽痿), 타박상을 치료한다.

사용법 철마황 10g에 물 3컵(600mL)을 넣고 달여서 복용한다.

❍ 소궐

[우드풀과]

개면마

| 감기 | 두통 | 대하 |
| 타박상 | 토혈, 구충 구제 |

●학명 : *Onoclea orientalis* Hooker [*Matteuccia orientalis*]
●한자명 : 東方萊果蕨　●별명 : 개관중

| 1 | 2 | 3 | 4 | 5 | 6 | 7 | 8 | 9 | 10 | 11 | 12 |

여러해살이풀. 뿌리줄기는 굵고 비스듬히 자라며 영양엽과 생식엽 2가지가 있는데 영양엽이 더 크다. 잎자루는 갈색 비늘 조각이 빽빽이 난다. 잎몸은 1회 깃꼴겹잎,

30~50쌍, 포자엽은 영양엽보다 작고, 소우편은 가장자리가 뒤로 말려 포자낭군을 감싸며, 포자낭군은 주맥의 양쪽에 2~3줄로 달린다.

❶ 개면마

분포 · 생육지 우리나라 전역. 중국, 일본, 유럽. 숲속에서 자란다.

약용 부위 · 수치 뿌리줄기를 여름과 가을에 채취하여 잔뿌리를 제거하고 물에 씻어서 말린다.

약물명 오모궐관중(烏毛蕨貫衆). 청궐예(青蕨倪), 철궐(鐵蕨)이라고도 한다.

약효 청열해독(清熱解毒), 활혈지혈(活血止血), 구충의 효능이 있으므로 감기, 두통, 시선염(腮腺炎), 타박상, 토혈, 대하를 치료하고, 구충을 구제한다.

성분 matteucin, methoxymatteucin, matteucinol, desmatteucinol 등이 함유되어 있다.

약리 선병독(腺病毒) Ad3에 치료 효과가 나타나고, 토끼의 혈액 응고를 촉진하는 작용이 있다.

사용법 오모궐관중 10g에 물 3컵(600mL)을 넣고 달여서 복용하거나 환약 또는 가루약으로 하여 복용하고, 외용에는 가루를 내어 상처에 뿌린다.

❶ 오모궐관중(烏毛蕨貫衆)

❶ 개면마(뿌리줄기)

[우드풀과]

야산고비

| 감기 | 소변불리 |

●학명 : *Onoclea sensibilis* L. var. *interrupta* Max.　●영명 : Sensitive fern
●한자명 : 球子蕨　●별명 : 야산고사리

| 1 | 2 | 3 | 4 | 5 | 6 | 7 | 8 | 9 | 10 | 11 | 12 |

여러해살이풀. 뿌리줄기는 옆으로 길게 벋으며, 잎은 생식엽과 영양엽의 2가지가 있다. 영양엽의 잎몸은 끝이 급히 좁아지고, 주맥은 밑부분에 뚜렷한 날개가 있으며 우편은 5~10쌍이다. 생식엽은 2회 깃꼴로 갈라지며, 작은우편은 둥글고 포자낭군을 둘러싸며, 성숙하면 녹색에서 갈색으로 변한다.

분포 · 생육지 우리나라 전역. 중국, 일본, 러시아. 햇볕이 잘 드는 곳에서 자란다.

약용 부위 · 수치 전초를 봄과 가을에 채취하여 물에 씻어서 말린다.

약물명 구자궐(球子蕨)

약효 청열해독(清熱解毒), 이뇨의 효능이 있으므로 감기, 소변불리를 치료한다.

사용법 구자궐 10g에 물 3컵(600mL)을 넣고 달여서 복용한다.

❶ 구자궐(球子蕨)

❶ 야산고비(포자엽)

❶ 야산고비

[우드풀과]

우드풀

 근육통, 류머티즘

- 학명 : *Woodsia polystichoides* Eaton
- 한자명 : 耳羽岩蕨 ● 별명 : 가물고사리, 왜우드풀

| 1 | 2 | 3 | 4 | 5 | 6 | 7 | 8 | 9 | 10 | 11 | 12 |

여러해살이풀. 뿌리줄기는 짧고 곧게 서며, 잎은 모여나고 전체에 털이 있다. 잎자루는 길이 5~10cm이고, 잎몸은 길이 10~20cm로 1회 깃꼴겹잎, 소우편은 윗부분이 귀처럼 튀어나온다. 포자낭군은 양쪽 가장자리에 1줄로 달리고, 포막은 연한 갈색이다.

분포 · 생육지 우리나라 전역. 중국, 일본. 산지의 양지바른 바위 겉에서 자란다.
약용 부위 · 수치 뿌리줄기를 여름과 가을에 채취하여 물에 씻어서 말린다.
약물명 오공기근(蜈蚣旗根)
약효 서근활락(舒根活絡)의 효능이 있으므로 근육통이나 류머티즘을 치료한다.

사용법 오공기근 10g에 물 3컵(600mL)을 넣고 달여서 복용하거나 환약 또는 가루약으로 하여 복용하고, 외용에는 짓찧어 낸 즙액을 근육통이 있는 곳에 바른다.
＊우리나라 중부 이북의 바위틈에서 자라고 우편에 자루가 있는 '좀가물고사리 *W. intermedia*', 경기도(관악산), 강원도 및 북부 지방의 바위 겉에서 자라며 우편이 깊이 갈라지는 '두메우드풀 *W. ilvenis*', 중부 이북의 높은 산지에서 자라고 우편은 깊이 갈라지며 작은 잎자루는 밑부분에 관절을 이루는 '산우드풀 *W. subcordata*'도 약효가 같다.

○ 오공기근(蜈蚣旗根)

○ 우드풀

○ 우드풀(포자낭군)

[고란초과]

손고비

 요로감염　 폐결핵
타박상

- 학명 : *Colysis elliptica* (Thunb.) Ching ● 한자명 : 線蕨 ● 별명 : 가지창고사리

| 1 | 2 | 3 | 4 | 5 | 6 | 7 | 8 | 9 | 10 | 11 | 12 |

여러해살이풀. 뿌리줄기는 길게 기며 잎이 드문드문 난다. 포자엽은 다소 길고 우편이 좁다. 잎자루는 뿌리줄기 끝부분과 더불어 약간의 비늘 조각이 있다. 잎은 1회 깃꼴로 중축 윗부분에 좁은 날개가 있고, 우편은 2~5쌍이다. 포자낭군은 바늘 모양이며 주맥과 가장자리 중간에 나며 포막이 없다.
분포 · 생육지 우리나라 제주도, 거문도. 중국, 일본, 타이완, 인도네시아. 산지 습한 바위나 지상에 모여 난다.
약용 부위 · 수치 전초를 봄부터 가을에 걸쳐서 채취하여 물에 깨끗이 씻어서 적당한 크기로 잘라서 말린다.
약물명 양칠련(羊七蓮)
약효 활혈산어(活血散瘀), 청열이뇨(淸熱利尿)의 효능이 있으므로 타박상, 요로감염(尿路感染), 폐결핵을 치료한다.
성분 colysanoxide가 함유되어 있다.
사용법 양칠련 10g에 물 3컵(600mL)을 넣고 달여서 복용하고, 외용에는 짓찧어 바른다. 요로감염증으로 소변을 잘 못 볼 때에는 선궐 15g, 근골초 12g, 해금사 6g을 물

에 달여서 반으로 나누어 아침저녁으로 복용한다.

○ 양칠련(羊七蓮)　　○ 손고비(포자낭군)

○ 손고비

밤잎고사리

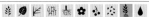

허로해수　　부녀혈붕, 백대

●학명 : *Colysis wrightii* (Hook) Ching　●한자명 : 萊氏線蕨　●별명 : 창고사리

| 1 | 2 | 3 | 4 | 5 | 6 | 7 | 8 | 9 | 10 | 11 | 12 |

여러해살이풀. 뿌리줄기는 옆으로 길게 벋고 비늘 조각이 있으며 잎이 드문드문 난다. 잎자루는 날개가 있으며, 영양엽은 길이 5~20cm, 포자엽은 길이 10~30cm이며 가장자리는 밋밋하거나 약간 주름지고 밑부분은 좁아져 잎자루에 이른다. 포자낭군은 바늘 모양이며 측맥과 평행하고 포막이 없다.

분포 · 생육지 우리나라 제주도. 중국, 일본, 타이완. 산지 숲속에서 자란다.

약용 부위 · 수치 전초를 봄부터 가을에 걸쳐서 채취하여 물에 깨끗이 씻어서 적당한 크기로 잘라서 말린다.

약물명 남천초(藍天草), 연천초(連天草), 소폐경초(小肺經草)라고도 한다.

약효 보폐진해(補肺鎭咳), 산어지혈(散瘀止血), 지대(止帶)의 효능이 있으므로 허로해수(虛勞咳嗽), 부녀혈붕(婦女血崩), 백대(白帶)를 치료한다.

사용법 남천초 10g에 물 3컵(600mL)을 넣고 달여서 복용한다.

♥ 밤잎고사리(포자낭군)

♥ 밤잎고사리

고란초

외감열병　　폐열해수
인후종통　　소아경풍

●학명 : *Crypsinus hastatus* (Thunb.) Copel. [*Polypodium hastatum* Thunb.]
●한자명 : 三葉茀蕨

| 1 | 2 | 3 | 4 | 5 | 6 | 7 | 8 | 9 | 10 | 11 | 12 |

여러해살이풀. 뿌리줄기는 옆으로 벋으며 다갈색인 비늘줄기가 모여 있다. 잎은 홑잎, 잘 자란 것은 2~3개로 갈라지고, 가장자리가 흑색이 돌며 물결 모양이다. 포자낭군은 둥글며 양쪽 측맥 사이의 중앙에 한 개씩 달리고, 주맥 양쪽에 1줄로 나열되며 포막이 없다.

분포 · 생육지 우리나라 중부 이남. 중국, 일본, 타이완, 필리핀, 네팔, 인도. 산지의 양지바른 곳이나 벼랑에서 자란다.

약용 부위 · 수치 뿌리가 달린 전초를 가을에 채취하여 말린다.

약물명 금계각(金鷄脚). 아장금성초(鵝掌金星草), 고란초(皐蘭草)라고도 한다.

약효 청열해독(淸熱解毒), 구풍진경(驅風鎭驚), 이수통림(利水通淋)의 효능이 있으므로 외감열병(外感熱病), 폐열해수, 인후종통, 소아경풍을 치료한다.

성분 잎에는 coumarin이 0.2% 함유되어 있다.

사용법 금계각 10g에 물 3컵(600mL)을 넣고 달여서 복용하고, 외용에는 짓찧어 바른다.
* 잎몸은 반드시 홑잎이며 양측이 거의 평행하고 포자의 표면이 평활한 '큰고란초 *C. engleri*', 여름철에 푸른색이 제대로 나타나고 우편이 층층으로 되는 '층층고란초 *C. veitchii*'도 약효가 같다.

♥ 금계각(金鷄脚)

♥ 고란초(포자낭군)

♥ 고란초

[고란초과]

떡갈고란초

| 류머티즘 | 두통 |
| 인후종통, 치통 | 타박상 |

●학명 : *Drynaria fortunei* J. Smith　●한자명 : 槲蕨

| 1 | 2 | 3 | 4 | 5 | 6 | 7 | 8 | 9 | 10 | 11 | 12 |

여러해살이풀. 높이 25~40cm. 뿌리줄기는 굵고 길게 옆으로 벋으며, 노란색의 송곳 같은 털이 있는 비늘 조각이 빽빽이 난다. 잎은 2종류로 영양엽은 잎자루가 없고 가장자리가 얕게 갈라져 마치 떡갈나무 잎 같으며, 포자엽은 깊게 갈라진다. 포자낭군은 원형으로 작은 맥의 교차점에서 생기고, 포막은 없다.

분포·생육지 중국 저장성(浙江省), 쓰촨성(四川省), 후베이성(湖北省). 바위 겉이나 고목 줄기에서 자란다.

약용 부위·수치 뿌리줄기를 여름과 가을에 채취하여 잎자루를 떼어 버리고 불에 그슬려 잔털을 제거한 뒤 초황(炒黃)하여 사용한다.

약물명 골쇄보(骨碎補). 후강(猴薑), 신강(申薑), 석모강(石毛薑)이라고도 한다. 대한민국약전(KP)에 수재되어 있다.

본초서 골쇄보(骨碎補)는 송대(宋代)의 「개보본초(開寶本草)」에 처음 수재되어 "어혈(瘀血)을 몰아내고 절상(折傷)을 치료한다."고 기록되어 있다. 당대(唐代) 진장기(陳藏器)의 「본초습유(本草拾遺)」에는 "본래의 이름은 후강(猴薑)이었지만 현종(玄宗)의 부러진 뼈를 치료한 약물이므로 골쇄보(骨碎補)로 하게 되었다."고 하였다. 따라서 「본초습유(本草拾遺)」의 후강(猴薑), 「일화제가본초(日華諸家本草)」의 석모강(石毛薑)이라는 별명은 모두 골쇄보(骨碎補)의 형태에서 비롯된 것이다. 「동의보감(東醫寶鑑)」에는

"피가 뭉친 것을 풀어 주고 피를 멎게 한다. 뼈가 부러진 것을 이어 주고 종기가 벌겋게 부어 올라 아프고 가려운 곳이 썩어 들어가는 것을 낫게 하며, 촌충과 회충을 구제한다."고 하였다.

雷公炮炙論 : 治耳鳴, 亦能止諸雜痛.
藥性論 : 主骨中毒氣, 風血疼痛, 五勞六極, 口手不收, 上熱下冷.
本草綱目 : 治耳鳴及腎虛久泄, 牙痛.
東醫寶鑑 : 主破血止血 補折傷 治惡瘡蝕爛 殺蟲.

성상 편평한 원주형이며 길이 10~20cm, 지름 1~1.5cm이며, 표면은 갈색~적갈색으로 잎자루가 떨어진 자국이 있다. 질은 연하여 꺾기 어렵고, 꺾은 면은 황갈색을 띤다. 냄새는 없고 맛은 덤덤하며 조금 쓰다. 갈색을 띠고 털이 없는 것이 좋다.

기미·귀경 온(溫), 고(苦)·간(肝), 신(腎)

약효 보신강골(補腎强骨), 활혈지통(活血止痛)의 효능이 있으므로 허리와 무릎이 시리고 아픈 증상, 타박상, 류머티즘, 두통, 치통, 인후종통에 사용한다.

성분 naringinin, hop-21-en, fern-9(11)-en, fern-7-en, campesterol, cycloardenyl acetate, cyclomargenyl acetate 등이 함유되어 있다.

약리 골성(骨性) 관절염을 일으킨 쥐에게 물에 달인 액 7.5g/kg을 1~3개월 투여하면 치료 효과가 나타난다. 열수추출액을 피하에 주사하면 혈중 콜레스테롤이 저하된다.

열수추출물을 토끼에게 정맥주사하면 심장 근육이 강하게 수축되는 것으로 보아 강심 작용이 있다고 판단된다. 열수추출물과 스트렙토마이신을 함께 동물에게 투여하면 스트렙토마이신에 의하여 야기되는 두통, 현기증, 귀울림 등의 부작용을 현저하게 줄인다.

사용법 골쇄보 5g에 물 2컵(400mL)을 넣고 달여서 복용하고, 술에 담가서 복용한다.

주의 음허내열(陰虛內熱)이나 어혈(瘀血)이 없을 때는 사용하지 않는다.

처방 골쇄보환(骨碎補丸) : 골쇄보(骨碎補), 형개(荊芥), 백부자(白附子), 우슬(牛膝), 육종용(肉蓰蓉), 위령선(尉靈仙), 축사(縮砂), 지룡(地龍), 몰약(沒藥), 자연동(自然銅), 초오(草烏), 반하(半夏)「화제국방(和劑局方)」). 절상(折傷)이나 타박상을 치료한다.

•안신환(安腎丸) : 골쇄보(骨碎補), 비해(萆薢), 우슬(牛膝), 도인(桃仁), 해동피(海桐皮), 당귀(當歸), 계심(桂心), 작약(芍藥), 부자(附子), 천궁(川芎), 지각(枳殼), 생강(生薑), 대추(大棗)「류증치재방(類症治裁方)」). 절상(折傷)이나 타박상을 치료한다.

＊'진령곡궐(秦岭斛蕨) *D. baronii*', '광엽곡궐(廣葉斛蕨) *D. propinqua*'의 뿌리줄기도 골쇄보(骨碎補)로 사용되었다. 한편, 산시성(陝西省)에서는 골쇄보(骨碎補)를 후강(猴薑)이라고 하고, 간쑤성(甘肅省)에서는 모아강(毛兒薑) 또는 낙타(駱駝)라고 한다. 광시성(廣西省)에서는 'Pseudodrynaria coronans'의 뿌리줄기를 골쇄보(骨碎補) 또는 광서골쇄보(廣西骨碎補)라고 하여 사용하고 있다.

❶ 골쇄보(骨碎補, 절편)

❶ 골쇄보(骨碎補)

❶ 떡갈고란초(뿌리줄기)

❶ 떡갈고란초(포자낭군)

❶ 떡갈고란초

[고란초과]

층층고란초

 풍습통, 각기

● 학명 : *Crypsinus veitchii* (Baker) Copel. [*Polypodium veitchii* Baker]
● 한자명 : 小蒹蕨 ● 별명 : 두메고란초

| 1 | 2 | 3 | 4 | 5 | 6 | 7 | 8 | 9 | 10 | 11 | 12 |

여러해살이풀. 뿌리줄기는 옆으로 길게 벋으며, 잎이 드문드문 달린다. 잎자루는 가늘고 광택이 나며 갈색이다. 잎은 홑잎이며 가장자리가 1~4쌍의 깃 모양으로 깊이 들어가며, 밑은 잎자루로 날개처럼 흐른다. 포자낭군은 둥글며 상반부 측맥 사이에 달리고, 포막은 없다.

분포 · 생육지 우리나라 제주도 한라산. 중국, 일본, 타이완. 산골짜기 바위 또는 절벽에 착생한다.

약용 부위 · 수치 뿌리줄기를 가을에 채취하여 물에 씻은 후 썰어서 말린다.

약물명 유씨가류궐(維氏假瘤蕨). 화랑계(花郞鷄)라고도 한다.

약효 이기제습(理氣除濕)의 효능이 있으므로 풍습통, 각기를 치료한다.

사용법 유씨가류궐 10g에 물 3컵(600mL)

을 넣고 달여서 복용하거나 술에 담가서 복용한다.

❍ 층층고란초(포자낭군)

❍ 층층고란초

[고란초과]

콩짜개덩굴

 폐열해수 인후종통, 비출혈
혈뇨 변혈 피부습양, 타박상

● 학명 : *Lemmaphyllum microphyllum* Presl. ● 영명 : Green penny fern
● 한자명 : 伏石葦 ● 별명 : 콩조각고사리

| 1 | 2 | 3 | 4 | 5 | 6 | 7 | 8 | 9 | 10 | 11 | 12 |

여러해살이풀. 뿌리줄기는 가늘고 길게 옆으로 벋으며, 비늘 조각은 드문드문 있고, 잎자루의 밑부분에는 마디가 있으며 비늘 조각이 조밀하다. 잎은 두 종류가 있는데,

영양엽은 원형으로 잎자루가 짧거나 없고, 생식엽은 주걱형으로 포자낭군이 신장형으로 매끈하고, 성숙하면 잎 전체에 넓게 퍼진다.

분포 · 생육지 우리나라 제주도 및 남쪽 해안. 중국, 일본, 인도. 오래된 나무나 습한 바위 곁에 붙어 자란다.

약용 부위 · 수치 전초를 수시로 채취하여 말린다.

약물명 지련전(地連錢). 경면초(鏡面草), 석차(石茶)라고도 한다.

기미 · 귀경 양(涼), 신(辛), 미고(微苦) · 폐(肺), 간(肝), 위(胃)

약효 청폐지해(淸肺止咳), 양혈지혈(涼血止血), 청열해독(淸熱解毒)의 효능이 있으므로 폐열해수(肺熱咳嗽), 인후종통, 변혈, 피부습양(皮膚濕痒), 비출혈(鼻出血), 혈뇨, 타박상, 치통을 치료한다.

성분 전초에 곤충 변태 호르몬인 pterosterone, ecdysone, ecdysterone, lemmasterone 등이 함유되어 있다.

사용법 지련전 10g에 물 3컵(600mL)을 넣고 달여서 복용한다.
* 잎이 긴 '긴콩짜개덩굴 var. *nobukoanum*'도 약효가 같다.

❍ 콩짜개덩굴

❍ 지련전(地連錢)

[고란초과]

큰일엽초

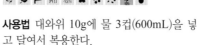
결막염　열림
혈붕, 월경부조　수종

●학명 : *Lepisorus macrosphaerus* (Bak.) Ching [*Polyporus macrosphaerus*]
●한자명 : 大瓦韋

| 1 | 2 | 3 | 4 | 5 | 6 | 7 | 8 | 9 | 10 | 11 | 12 |

여러해살이풀. 높이 65cm 정도. 뿌리줄기
는 가늘고 옆으로 기며, 비늘 조각은 2색성
으로 중심부는 불투명하다. 잎자루가 짧고,
잎몸은 바늘 모양으로 끝이 뾰족하며 밑부
분도 점차 좁아지고 잎맥이 뚜렷하다. 포자
낭군은 둥글며 뒷면 윗부분의 가장자리에
두 줄로 배열된다.

분포·생육지 중국 간쑤성(甘肅省), 저장성
(浙江省), 후난성(湖南省), 광시성(廣西省).
타이완. 물기가 많은 바위 곁이나 오래된
나무 곁에서 잘 자란다.

약용 부위·수치 전초를 가을에 채취하여 물
에 씻은 후 말린다.

약물명 대와위(大瓦韋). 금성봉미초(金星鳳
尾草), 관음기(觀音旗)라고도 한다.

약효 청열해독(清熱解毒), 이뇨거습(利尿祛
濕), 지혈(止血)의 효능이 있으므로 결막염,
열림(熱淋), 수종, 혈붕(血崩), 월경부조(月
經不調)를 치료한다.

사용법 대와위 10g에 물 3컵(600mL)을 넣
고 달여서 복용한다.

❍ 큰일엽초(포자낭군)

❍ 큰일엽초

[고란초과]

산일엽초

소변불리, 소변임통　인후종통
효천

●학명 : *Lepisorus ussuriensis* (Regel et Maack) Ching [*Pleopeltis ussuriensis*]
●한자명 : 烏蘇里瓦韋

| 1 | 2 | 3 | 4 | 5 | 6 | 7 | 8 | 9 | 10 | 11 | 12 |

여러해살이풀. 뿌리줄기는 지름 1~1.5mm,
비늘 조각은 갈색이다. 잎의 뒷면은 주맥이
뚜렷하나 측맥의 그물맥은 보이지 않는다.
포자낭군은 중축과 가장자리 중간에 붙으
며 뒷면 윗부분 주맥 양쪽에 두 줄로 배열
되고 황색을 띤다.

분포·생육지 우리나라 전역. 중국, 일본.
물기가 많은 바위 곁이나 오래된 나무 곁에
서 잘 자란다.

약용 부위·수치 전초를 가을에 채취하여 물
에 씻어 말린다.

약물명 오소리와위(烏蘇里瓦韋). 인두발(人
頭髮)이라고도 한다.

약효 청열해독(清熱解毒), 이뇨, 지해, 지혈
의 효능이 있으므로 소변불리, 소변임통(小
便淋痛), 인후종통, 효천(哮喘)을 치료한다.

사용법 오소리와위 10g에 물 3컵(600mL)
을 넣고 달여서 복용한다.

❍ 오소리와위(烏蘇里瓦韋)

❍ 산일엽초

[고란초과]

일엽초

인후종통　창양
소변혈림　해수객혈

●학명 : *Lepisorus thunbergianus* (Kaulf.) Ching　●한자명 : 瓦韋

| 1 | 2 | 3 | 4 | 5 | 6 | 7 | 8 | 9 | 10 | 11 | 12 |

여러해살이풀. 높이 20cm 정도. 뿌리줄기는 지름 2~3mm, 비늘 조각은 중심부는 짙은 색이고 가장자리는 옅다. 잎자루가 짧고, 잎몸은 바늘 모양으로 끝이 뾰족하며 밑부분도 점차 좁아진다. 앞면은 짙은 녹색이고 뒷면은 담녹색으로 잎맥이 뚜렷하며, 포자낭군은 둥글고, 뒷면 윗부분 주맥 양쪽에 두 줄로 배열된다.

분포·생육지 우리나라 제주도, 울릉도 및 남부 지방. 중국, 일본. 물기가 많은 바위 곁이나 오래된 나무 곁에서 잘 자란다.
약용 부위·수치 전초를 가을에 채취하여 물에 씻어 말린다.
약물명 와위(瓦韋). 사계미(射鷄尾)라고도 한다.
약효 청열해독(清熱解毒), 이뇨통림(利尿通淋), 지혈의 효능이 있으므로 인후종통, 창양(瘡瘍), 소변혈림(小便血淋), 해수객혈(咳嗽喀)을 치료한다.
성분 곤충 변태 호르몬인 ecdysterone이 함유되어 있다.
사용법 와위 10g에 물 3컵(600mL)을 넣고 달여서 복용한다.
* 뿌리줄기의 비늘 조각은 색이 한 가지이고 길이 1~2mm이다.

❍ 일엽초

❍ 와위(瓦韋)

[고란초과]

버들일엽

요로감염　인후통
위장염

●학명 : *Loxogramme salicifolia* (Makino) Makino
●한자명 : 柳葉劍蕨　●별명 : 버들잎고사리

| 1 | 2 | 3 | 4 | 5 | 6 | 7 | 8 | 9 | 10 | 11 | 12 |

❍ 버들일엽(포자낭군)

여러해살이풀. 뿌리줄기는 길며 지름 2mm 정도. 비늘 조각은 적갈색, 끝이 뾰족하고 많이 붙는다. 잎자루는 짧고 약간의 날개가 있다. 잎몸은 홑잎으로 바늘 모양, 길이 10~30cm, 너비 3cm, 가장자리는 밋밋하다. 포자낭군은 바늘 모양이며 주맥에서 가장자리로 비스듬히 붙고 포막은 없다.
분포·생육지 우리나라 제주도. 중국, 일본, 타이완. 숲속 땅위 및 바위나 나무에 착생한다.
약용 부위·수치 전초를 여름에 채취하여 물에 씻어 말린다.
약물명 유엽검궐(柳葉劍蕨). 폐로초(肺癆草)라고도 한다.
약효 청열해독(清熱解毒), 이뇨통림(利尿通淋)의 효능이 있으므로 요로감염, 인후통, 위장염을 치료한다.
사용법 유엽검궐 15g에 물 3컵(600mL)을 넣고 달여서 복용한다.

❍ 버들일엽

강남성궐

소변불리, 열림   이질, 황달

● 학명 : *Microsorium fortunei* (Moore) Ching [*Drynaria fortunei*]   ● 한자명 : 江南星蕨

| 1 | 2 | 3 | 4 | 5 | 6 | 7 | 8 | 9 | 10 | 11 | 12 |

여러해살이풀. 높이 50~70cm. 뿌리줄기는 옆으로 기고 담녹색, 잎자루가 짧고, 잎몸은 홑잎으로 긴 타원형, 가장자리는 밋밋하다. 포자낭군은 둥글고 주맥의 양쪽 가까이에 드문드문 붙는다.

분포 · 생육지 중국 시난성(西南省), 산시성(陝西省), 저장성(浙江省), 윈난성(雲南省), 타이완. 숲속 땅위, 바위나 나무에 착생한다.

약용 부위 · 수치 전초를 여름과 가을에 채취하여 물에 씻은 후 말린다.

약물명 대엽골패초(大葉骨牌草). 칠성초(七星草), 금계미(金鷄尾)라고도 한다.

약효 청열이습(淸熱利濕), 양혈해독(凉血解毒)의 효능이 있으므로 열림(熱淋), 소변불리(小便不利), 이질, 황달을 치료한다.

성분 fern-9(11)-ene, 24-methylenecycloartanyl acetate, 24-methylenecycloartanone, uracil, uridine 등이 함유되어 있다.

사용법 대엽골패초 15g에 물 3컵(600mL)을 넣고 달여서 복용한다.

❶ 강남성궐

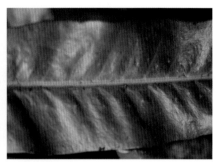
❶ 강남성궐(포자낭군)

미역고사리

습열임증   풍습열비
풍진소양, 창절옹종

● 학명 : *Polypodium vulgare* L.   ● 영명 : Common polypody
● 한자명 : 多足蕨   ● 별명 : 큰나도우드풀

| 1 | 2 | 3 | 4 | 5 | 6 | 7 | 8 | 9 | 10 | 11 | 12 |

여러해살이풀. 뿌리줄기는 옆으로 벋으며 잎이 드문드문 난다. 잎자루는 잎몸 길이의 절반 정도이고 비늘 조각이 빽빽이 나며, 잎몸은 1회 깃꼴겹잎, 우편은 10~15쌍이며 수평으로 퍼지고 잔톱니가 있으며 끝이 둔하다. 포자낭군은 둥글고 주맥에 가깝게 달리며 포막은 없다.

분포 · 생육지 우리나라 중부, 북부, 울릉도. 중국, 일본, 유럽. 바위 겉이나 나무줄기 등 습기가 많은 곳에서 자란다.

약용 부위 · 수치 뿌리줄기를 봄부터 가을에 채취하여 잔뿌리와 흙을 제거하고 씻은 후 썰어서 말린다.

약물명 다족궐(多足蕨). 수룡골(水龍骨)이라고도 한다.

약효 청열이습해독(淸熱利濕解毒)의 효능이 있으므로 습열임증(濕熱淋症), 풍습열비(風濕熱痺), 창절옹종(瘡癤癰腫), 풍진소양(風疹瘙痒), 타박상을 치료한다.

성분 osladin, glycyrrhizinic acid, filicin, ecdysone, ecdysterone, pollinasterol, 31-norcyclolaudenol, cycloartanone 등이 함유되어 있다.

사용법 다족궐 10g에 물 3컵(600mL)을 넣고 달여서 복용한다.

＊ 우리나라 제주도의 바위 겉에서 자라며 잎이 마르면 꼬이고 뒷면에 털이 있으며 뿌리줄기의 비늘 조각이 타원형인 '나사미역고사리 *P. fauriei*'도 약효가 같다.

❶ 미역고사리

❶ 미역고사리(포자낭군)

[고란초과]

석위

 혈뇨, 요로결석, 신염 자궁출혈

해수, 만성기관지염 세균성설사

● 학명 : *Pyrrosia lingua* (Thunb.) Farwell ● 영명 : Japanese felt fern
● 한자명 : 石葦

1 2 3 4 5 6 7 8 9 10 11 12

여러해살이풀. 뿌리줄기는 옆으로 길게 벋으며 비늘 조각이 많이 달리고, 잎은 드문드문 난다. 잎몸의 양 끝은 좁고 두껍고 주맥이 뚜렷하며, 잎자루는 길이 15~25cm, 홈이 파이고 딱딱하며 별 같은 털이 있다. 포자낭군은 뒷면 전체에 흩어져 있다.

분포 · 생육지 우리나라 제주도, 흑산도, 강진. 중국, 일본, 타이완, 인도차이나. 산속 양지바른 바위나 오래된 나무에 붙어서 자란다.

약용 부위 · 수치 전초를 가을에 채취하여 뿌리를 제거하고 물에 씻어서 말린다.

약물명 석위(石葦). 석피(石皮), 금성초(金星草), 석란(石蘭)이라고도 한다. 대한민국약전외한약(생약)규격집(KHP)에 수재되어 있다.

본초서 석위(石葦)는 「신농본초경(神農本草經)」의 중품(中品)에 수재되어 있으며, 양대(梁代)의 도홍경(陶弘景)은 "바위 겉에 붙어 자라며 가죽처럼 생겼으므로 석위(石葦)라고 한다."고 하였다. 「동의보감(東醫寶鑑)」에 "오림(五淋)으로 포낭에 열이 몰려 소변

이 잘 나오지 않는 것과 방광에 열이 나서 소변이 방울방울 떨어지거나 저절로 나오는 것을 낫게 하고 소변을 잘 보게 한다."고 하였다.

神農本草經: 主勞熱邪氣, 五癃閉不通, 利小便水道.

名醫別錄: 止煩下氣, 通膀胱滿, 補五勞, 安五臟, 去惡風, 益精氣.

本草綱目: 主崩漏, 金瘡, 淸肺氣.

東醫寶鑑: 治五淋 胞囊結核不通 膀胱熱滿 淋瀝遺尿 利小便水道.

성상 긴 타원형으로 잎몸은 두껍고 표면은 황록색 털이 없으나 하면은 갈색이 도는 별 모양 털이 조밀하게 나 있고 주맥이 두드러진다. 냄새가 조금 나고 맛은 담담하다.

기미 · 귀경 양(凉), 고(苦), 감(甘) · 폐(肺), 방광(膀胱).

약효 이수통림(利水通淋), 청폐화담(淸肺化痰), 양혈지혈(凉血止血)의 효능이 있으므로 임질(淋疾)로 인한 통증, 혈뇨(血尿), 요로결석(尿路結石), 신염(腎炎), 자궁출혈,

세균성설사, 폐열(肺熱)로 인한 해수(咳嗽), 만성기관지염을 치료한다. 만성기관지염, 기관지천식 환자가 석위를 복용하고 상태가 많이 호전되었다는 보고가 있다.

성분 전초는 flavonoid saponin, anthraquinone, tannin, fumaric acid, caffeic acid, isomangiferin 등이 함유되어 있다.

약리 메탄올추출물을 쥐에게 투여하면 진통 작용이 있고, 2% glucose에 의하여 감소된 선충의 수명을 농도 의존적으로 회복시킨다.

사용법 석위 10g에 물 3컵(600mL)을 넣고 달여서 복용한다.

처방 석위산(石葦散): 석위(石葦) · 차전자(車前子) · 목통(木通) · 동규자(冬葵子) · 적복령(赤茯苓) · 상백피(桑白皮) 각 4g, 활석(滑石) 8g, 당귀(當歸) · 구맥(瞿麥) · 감초(甘草) 각 2g, 1회 8g(「동의보감(東醫寶鑑)」). 소변이 시원하게 나오지 않고 탁하게 나오는 증상에 사용한다.

• 목통탕(木通湯): 목통(木通) · 석위(石葦) · 구맥(瞿麥) 각 80g(「향약집성방(鄕藥集成方)」). 습열(濕熱)로 소변이 잘 나오지 않는 증상에 사용한다.

※ 포자낭군이 주맥 양쪽에 1열로 배열하고 잎이 바늘 모양이며 너비 5mm 이하이고 우단 같은 털이 많은 '우단일엽 *P. linearifolia*', 뿌리줄기가 2mm 정도로 가늘고 잎자루가 잎몸보다 긴 '애기석위 *P. petiolosa*', 잎몸이 창살 모양으로 3~5개로 갈라진 '세뿔석위 *P. tricuspis*'도 약효가 같다.

❂ 석위

❂ 애기석위

❂ 석위(石葦)

❂ 세뿔석위

❂ 석위(포자낭군)

애강궐

류머티즘	두통
인후종통, 치통	타박상

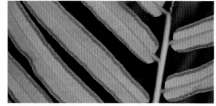

● 학명 : *Pseudodrynaria coronans* (Wall.) Ching [*Polypodium coronans*]
● 한자명 : 崖姜蕨

| 1 | 2 | 3 | 4 | 5 | 6 | 7 | 8 | 9 | 10 | 11 | 12 |

여러해살이풀. 높이 80~140cm. 뿌리줄기는 굵고 갈색 비늘 조각이 붙어 있다. 잎몸은 1회 깃꼴겹잎, 포자낭군은 둥글고 주맥에 가깝게 달리며 포막은 없다.

분포·생육지 중국, 타이완. 바위 겉이나 나무줄기 등 습기가 많은 곳에서 자란다.

약용 부위·수치 뿌리줄기를 봄부터 가을에 채취하여 잔뿌리와 흙을 제거하고 물에 씻은 후 썰어서 말린다.

약효 보신강골(補腎强骨), 활혈지통(活血止痛)의 효능이 있으므로 허리와 무릎이 시리고 아픈 증상, 타박상, 류머티즘, 두통, 치통, 인후종통에 사용한다.

사용법 골쇄보 5g에 물 2컵(400mL)을 넣고 달여서 복용하고, 술에 담가서 복용한다.

○ 애강궐(포자낭군)

○ 애강궐

네가래

황달, 토혈	소변불리, 혈뇨
수종	비출혈
	당뇨병

● 학명 : *Marsilea quadrifolia* L. ● 영명 : Water clover, Water shamrock
● 한자명 : 蘋, 田字草

| 1 | 2 | 3 | 4 | 5 | 6 | 7 | 8 | 9 | 10 | 11 | 12 |

여러해살이풀. 뿌리줄기는 진흙 속을 길게 벋으며 잎이 드문드문 돋는다. 잎자루는 물속에 들어 있으며 끝에 4개의 작은 잎은 물위에 뜬다. 잎자루 밑부분에서 나온 짧은 가지는 다시 2~3개로 갈라지며 끝에 1개씩 작은 주머니에 암수의 포자낭과가 달린다.

분포·생육지 우리나라 전역. 중국, 일본, 유럽. 논과 연못에서 자란다.

약용 부위·수치 전초를 봄부터 가을에 채취하여 말린다.

약물명 빈(蘋). 대평(大萍), 사엽채(四葉菜), 전자초(田字草)라고도 한다.

본초서 「본초강목(本草綱目)」에는 폐장, 간장, 신장에 주로 작용하고, 「의림찬요(醫林篡要)」에는 "갈증과 답답한 마음을 해소하고, 열을 내리며, 가래를 삭이는 효능이 있다."고 기록되어 있다.

기미·귀경 한(寒), 감(甘)·폐(肺), 간(肝), 신(腎)

약효 이수소종(利水消腫), 청열해독(淸熱解毒), 지혈(止血), 제번안신(除煩安神)의 효능이 있으므로 수종(水腫), 열림(熱淋), 소변불리(小便不利), 황달(黃疸), 지혈(止血), 당뇨병, 토혈(吐血), 비출혈(鼻出血), 혈뇨(血尿), 나력(癩癧) 등을 치료한다.

성분 22(29)-hopene, 17(21)-hopene, 9(11)-fernene, p-coumaric acid, vanillic acid, 3,5-resorcylic acid, p-hydroxy benzoic acid 등이 함유되어 있다.

사용법 빈 15g에 물 3컵(600mL)을 넣고 달여서 복용하거나 짓찧어 즙을 내어 마신다. 신장염, 간염 환자에게 투여하여 좋은 결과를 나타냈다는 보고가 있다.

○ 네가래

○ 빈(蘋)

[생이가래과]

생이가래

| 소변불리 | 습진, 화상, 마진불투 |
| 부종 | 풍열감모 |

● 학명 : *Salvinia natans* (L.) All. ● 영명 : Salvinia
● 한자명 : 槐葉蘋

| 1 | 2 | 3 | 4 | 5 | 6 | 7 | 8 | 9 | 10 | 11 | 12 |

물에서 자라는 여러해살이풀. 줄기는 가늘다. 잎은 3개씩 돌려나며 2개는 마주나고 물 위에 뜨며, 1개는 물에 잠긴다. 물 위에 떠 있는 잎은 잎자루가 짧고 중축 좌우에 깃처럼 배열된다.
분포·생육지 우리나라 제주도, 경남 사천, 창녕(소못), 광주 부근, 경기. 중국, 일본, 유럽. 논, 늪과 연못에서 잘 자란다.
약용 부위·수치 전초를 가을부터 겨울까지 채취하여 말린다.
약물명 오공평(蜈蚣萍). 변기평(邊箕萍), 오공조(蜈蚣藻), 수오공(水蜈蚣)이라고도 한다.

약효 청열해표(淸熱解表), 이수소종(利水消腫), 해독(解毒)의 효능이 있으므로 풍열감모(風熱感冒), 마진불투(麻疹不透), 부종, 소변불리(小便不利), 화상(火傷), 습진 등을 치료한다.
성분 생이가래 1g에는 지질 241mg이 함유되어 있다. 지질은 중성지질(neutral lipid) 38%, 당지질(glycolipid) 43.5%, 인지질(phospholipid) 18.4%로 구성되어 있다.
사용법 오공평 15g에 물 3컵(600mL)을 넣고 달여서 복용하고, 외용에는 짓찧어 즙을 내어 바른다. 감기에는 오공평 10g, 백모근 30g, 비파엽 3개를 물을 넣고 달여서 복용한다.

❍ 오공평(蜈蚣萍)

❍ 생이가래

❍ 생이가래(뿌리에 붙은 포자낭과)

[물개구리밥과]

물개구리밥

| 감모해수 | 풍습동통 |
| 담마진, 화상, 습진 | 소변불리 |

● 학명 : *Azolla imbricata* (Roxb.) Nakai [*A. pinnata, Salvinia imbricata*]
● 영명 : Pacific azolla ● 한자명 : 滿江紅

| 1 | 2 | 3 | 4 | 5 | 6 | 7 | 8 | 9 | 10 | 11 | 12 |

물에 떠다니는 여러해살이풀. 남조류의 한 종인 Anagaena와 공생한다. 원줄기는 깃꼴로 갈라지며 전체가 정삼각형 비슷하고 길이 1~1.5cm이다. 잎은 자루가 없고 2개로 갈라진다. 포자낭군은 곁가지 제1엽 밑에 난다.
분포·생육지 우리나라 남부 지방. 중국, 일본, 인도차이나, 네팔, 스리랑카. 논, 늪과 연못에서 잘 자란다.
약용 부위·수치 전초를 가을부터 겨울까지 채취하여 깨끗한 물에 헹구어 말린다.
약물명 만강홍(滿江紅). 수부표(水浮藻), 홍부평(紅浮萍), 초무근(草無根)이라고도 한다. 여름에는 녹색이나 겨울에는 홍색이 된다 하여 만강홍(滿江紅)이라 한다.
본초서「본초강목(本草綱目)」에 "주옹저(主癰疽), 입고용(入膏用)"으로 기록된 것으로 보아 명대(明代)부터 피부병에 사용되어 온 것을 알 수 있다.
기미·귀경 양(凉), 신(辛)·폐(肺), 방광(膀胱)

약효 해표투진(解表透疹), 거풍승습(祛風勝濕), 해독(解毒)의 효능이 있으므로 감모해수(感冒咳嗽), 마진불투(麻疹不透), 풍습동통(風濕疼痛), 소변불리(小便不利), 담마진(蕁麻疹), 피부소양(皮膚瘙痒), 단독(丹毒), 부종, 화상, 습진 등을 치료한다.
성분 luteolidin-5-glucoside, chlorogenic acid, aesculetin, caffeic acid-3,4-diglucoside 등이 함유되어 있다.
사용법 만강홍 10g에 물 3컵(600mL)을 넣고 달여서 복용하고, 외용에는 짓찧어 즙을 내어 바른다.
＊ 본 종에 비하여 크고 적녹색을 띠며 잎에 돌기가 적고 뿌리털이 없는 '큰물개구리밥 *A. japonica*'도 약효가 같다.

❍ 물개구리밥

❍ 만강홍(滿江紅)

❍ 물개구리밥(겨울에는 붉은색으로 변한다.)

나자식물(裸子植物, Gymnospermae)

배주(胚珠, embryo)가 대포자엽의 표면에 달리므로 종자가 나출되는 것이 특색이다. 목부(木部)에 도관이 없고, 배주는 주피로 싸여 있으며, 수정 과정에서 웅성 요소를 운반하는 데 물이 필요하다. 열매는 대개 솔방울과 비슷하게 생겼으며, 수정할 때 단 1개의 정자만이 참여하는 단수정이 이루어지므로 배유는 수정하지 않고 형성된다.

[소철과]

소철

 풍습마목, 근골동통, 요통   고혈압

노상토혈, 이질   해혈

- 학명 : *Cycas revoluta* Thunb. ● 영명 : Cycad
- 한자명 : 蘇鐵

| 1 | 2 | 3 | 4 | 5 | 6 | 7 | 8 | 9 | 10 | 11 | 12 |

상록 관목. 높이 3~5m. 줄기는 굵고 튼튼하며 원주형, 잎 흔적이 뚜렷이 남고, 많은 잎이 돌려난다. 잎은 1회 깃꼴겹잎, 꽃은 암수딴그루, 암꽃은 원줄기 끝에 둥글게 모여 달리고 수꽃은 원주형이다. 종자는 달걀 모양, 길이 2~4cm, 외종피는 각질(角質)이며 적갈색이다.

분포 · 생육지 열대 지방. 우리나라 제주도 및 남부 지방에서 재식한다.

약용 부위 · 수치 뿌리는 수시로 채취하여 물에 씻은 후 말리고, 종자는 가을에, 잎은 수시로, 꽃은 꽃이 필 때 채취하여 말린다.

약물명 뿌리를 소철근(蘇鐵根), 종자를 소철과(蘇鐵果), 잎을 소철엽(蘇鐵葉), 꽃을 소철화(蘇鐵花)라 한다.

기미 · 귀경 소철과(蘇鐵果): 평(平), 고(苦), 삽(澁), 유독(有毒) · 폐(肺), 간(肝), 대장(大腸). 소철엽(蘇鐵葉): 평(平), 감(甘), 담(淡), 소독(小毒) · 간(肝), 위(胃). 소철화(蘇鐵花): 평(平), 감(甘).

약효 소철근(蘇鐵根)은 거풍통락(祛風通絡), 활혈지혈(活血止血)의 효능이 있으므로 풍습마목(風濕麻木), 근골동통(筋骨疼痛), 노상토혈(勞傷吐血), 요통(腰痛)을 치료한다. 소철과(蘇鐵果)는 평간강압(平肝降壓), 진해거담(鎭咳祛痰), 수렴고삽(收斂固澁)의 효능이 있으므로 고혈압, 만성간염, 해수담다(咳嗽痰多), 이질, 유정(遺精)을 치료한다. 소철엽(蘇鐵葉)은 이기지통(理氣止痛), 소종해독(消腫解毒)의 효능이 있으므로 간위기체동통(肝胃氣滯疼痛), 경폐(經閉), 토혈(吐血), 변혈(便血), 이질, 종독(腫毒), 타박상을 치료한다. 소철화(蘇鐵花)는 이기거습(理氣祛濕), 활혈지혈(活血止血), 익신고정(益腎固

精)의 효능이 있으므로 위통, 만성간염, 풍습동통(風濕疼痛), 타박상, 토혈(吐血), 해혈(咳血)을 치료한다.

성분 종자와 잎에는 cycasin, neocycasin, zeathanthin, cryptoxanthin 등이 함유되어 있다.

약리 cycasin은 쥐의 간장, 신장 등에 종양을 유발하고, 소가 종자를 먹으면 마비 증상을 일으키고 근육 위축이 일어난다. cycasin은 장내 세균 또는 효소에 의하여 분해되어 비당 부인 cycasigenin(methyl azoxymethanol)이 분해되어 이 물질이 발암성을 나타낸다.

사용법 소철근, 소철과, 소철엽 각각 10g에 물 3컵(600mL)을 넣고 달여서 복용하거나 가루로 만들어 500mg씩 복용한다.

❂ 소철(종자)

❂ 소철과(蘇鐵果)

❂ 소철엽(蘇鐵葉)

❂ 소철(암꽃)

❂ 소철(암나무)

❂ 소철(수나무)

[은행나무과]

은행나무

| 효천담수 | 설사이질 | 백대 |
| 유정, 요빈 | 옹창 | |

● 학명 : *Ginkgo biloba* L. ● 영명 : Ginkgo, Ginkgomaiden hair tree
● 한자명 : 銀杏

| 1 | 2 | 3 | 4 | 5 | 6 | 7 | 8 | 9 | 10 | 11 | 12 |

낙엽 교목. 높이 30m 정도. 잎은 부채 모양, 꽃은 암수딴그루, 수꽃은 밑으로 늘어진 미상화서를 이루고, 암꽃은 하나의 가지에 1~6개가 잎겨드랑이에 달린다. 열매는 구형으로 황색, 종자는 2~3개의 능선이 있고 백색이다.

분포 · 생육지 중국 원산. 우리나라 전역에서 재식한다.

약용 부위 · 수치 종자를 가을에 채취하여 물에 담가서 육질의 외종피를 썩혀 제거하여 말리고, 잎은 10월에 채취하여 말린다. 뿌리와 뿌리껍질을 수시로 채취하여 물에 씻은 후 썰어서 말린다.

약물명 종자를 백과(白果), 잎을 백과엽(白果葉), 뿌리와 뿌리껍질을 백과근(白果根)이라고 한다. 은행엽(銀杏葉)은 대한민국약전(KP)에, 백과(白果)는 대한민국약전외한약(생약)규격집(KHP)에 수재되어 있다.

본초서 「동의보감(東醫寶鑑)」에 백과(白果)는 "폐와 위장의 탁한 기운을 맑게 하고 숨찬 것과 기침을 그치게 한다."고 하였다.
東醫寶鑑: 淸肺胃濁氣 定喘止咳

성상 백과(白果)는 달걀 모양으로 가운데에 능선이 있고, 중종피는 골질이며 단단하다. 표면은 황백색, 중종피를 제거하면 내종피에 싸인 종을 볼 수 있다. 냄새는 없고 맛은 달며 떫다. 백과엽(白果葉)은 가장자리와 윗부분이 물결 모양으로 구부러졌으며, 어떤 것은 윗부분이 오목하게 들어가 있고, 표면은 녹색, 아랫면은 회녹색이다. 냄새는 조금 있고, 맛은 약간 떫다.

기미 · 귀경 백과(白果): 평(平), 감(甘), 고(苦), 삽(澁), 소독(小毒) · 폐(肺), 신(腎). 백과엽(白果葉): 평(平), 미고(微苦), 감(甘), 삽(澁), 소독(小毒) · 심(心), 폐(肺), 비(脾)

약효 백과(白果)는 염폐정천(斂肺定喘), 지대축뇨(止帶縮尿)의 효능이 있으므로 효천담수(哮喘痰嗽), 백대(白帶), 유정(遺精), 요빈(尿頻), 옹창(癰瘡)을 치료한다. 백과엽(白果葉)은 활혈양심(活血養心), 염폐삽장(斂肺澁腸)의 효능이 있으므로 흉비심통(胸痺心痛), 천해담수(喘咳痰嗽), 설사이질(泄瀉痢疾), 백대(白帶)를 치료한다. 백과근(白果根)은 익기보허(益氣補虛)의 효능이 있으므로 유정(遺精), 유뇨(遺尿), 야뇨빈다(夜尿頻多), 백탁(白濁), 석림(石淋)을 치료한다.

성분 종자에는 청산배당체, gibberellin, cytokinin, 외종피는 유독 성분인 ginkgolic acid, hydroginkgolic acid, bilobol, ginnol 등이 함유되어 있다. 잎은 isorhamnetin, kaempferol, quercetin, rutin, ginkgolide A, B, C 등이 함유되어 있다.

약리 은행잎 에탄올추출물은 phosphodiesterase를 억제하고 사람의 혈관 상피 세포에서 세포 내 칼슘 농도의 증가를 억제한다. 잎에 들어 있는 flavonoid 성분들을 기니피그의 적출 심장에 주입하면 관상 혈관을 확장시키고 정맥의 혈관은 수축시킨다. 또한 모세 혈관의 과다 투과성을 줄이고 조직으로의 혈행(血行)을 원활하게 하여 세포 대사를 촉진한다. 적출 장관에는 진경 작용이 있다. ginkolide B는 혈소판 응집 인자의 작용을 억제한다. ginkgetin은 혈중 콜레스테롤 수치를 낮춘다. 은행잎추출물에는 항산화, 혈관벽의 이완, 말초 혈관 순환 촉진, 신경 전달 촉진 및 신경 보호 작용, 항염증 작용이 있다. 은행잎 에탄올추출물은 파골세포(osteroblase)의 분화를 촉진함으로써 항파골 작용을 나타낸다. 열매에는 bilobol, ginnol 등이 함유되므로 알레르기를 일으킨다.

사용법 백과, 백과엽은 각각 10g, 백과근은 15g에 물 3컵(600mL)을 넣고 달여서 복용한다.

처방 역황탕(易黃湯): 백과인(白果仁) · 황백(黃柏) · 감실(芡實) 각 12g, 산약 24g, 차전자(車前子) 16g「전청주녀과(傳靑主女科)」. 비허(脾虛)로 인한 대하점조(帶下粘稠), 적백대하(赤白帶下), 소변백탁(小便白濁)에 사용한다.

＊백과엽(白果葉)으로 만든 혈액순환 개선제가 시판되고 있다.

○ 백과엽(白果葉)

○ 은행나무(수꽃)

○ 은행나무

○ 백과(白果)

○ 백과근(白果根)

○ 백과엽(白果葉)으로 만든 혈행 개선제(한국산)

[소나무과]

전나무

 근육통, 류머티즘

●학명 : *Abies holophylla* Max. ●한자명 : 杉松 ●별명 : 젓나무, 저수리

| 1 | 2 | 3 | 4 | 5 | 6 | 7 | 8 | 9 | 10 | 11 | 12 |

상록 교목. 높이 40m 정도. 줄기껍질은 암갈색, 잎은 5개씩 모여나며 3개의 능선이 있고 길이 7~12cm이다. 꽃은 암수한그루, 5월에 피며, 수꽃이삭은 원통형, 황록색, 암꽃이삭은 타원형, 옅은 녹색, 구과는 원통형, 종자는 삼각상 달걀 모양이며 날개가 있다.

분포·생육지 우리나라 전역. 일본, 중국 둥베이(東北) 지방, 우수리, 러시아. 산지에서 자란다.

약용 부위·수치 잎은 봄부터 가을에 걸쳐서 채취하여 말리고, 줄기껍질은 수시로 채취하여 적당한 크기로 잘라서 말린다.

약물명 삼송(杉松)

약효 거풍습(祛風濕)의 효능이 있으므로 근육통 및 류머티즘을 치료한다.

성분 정유 성분으로 camphene, bornyl acetate, limonene, borneol, α-bisabolol이 있고, 플라보노이드 성분으로는 quercetin, dihydroquercetin, kaempferol-3-glucoside, abietin 등이 있고, 그밖에 *p*-hydroxybenzoic acid, vanillic acid, protocatechuic acid, *p*-coumaric acid, caffeic acid 등이 함유되어 있다.

약리 정유 성분 1.7mg/kg을 쥐에게 주사하면 진정 작용과 진통 및 해열 작용이 나타나고, 그밖에 기침과 가래를 멈추게 한다.

사용법 삼송 10g에 물 3컵(600mL)을 넣고 달여서 복용하고, 외용에는 열수추출물을 근육통이 있는 곳에 바른다.

◐ 전나무

◐ 전나무(잎과 가지)

[소나무과]

구상나무

 고혈압   자궁출혈

●학명 : *Abies koreana* Wilson ●한자명 : 朴松實

| 1 | 2 | 3 | 4 | 5 | 6 | 7 | 8 | 9 | 10 | 11 | 12 |

상록 교목. 높이 18m 정도. 잎은 바늘 모양으로 끝이 2갈래, 뒷면에 2줄의 백색 기공선이 있다. 구과는 원통형으로 자갈색 또는 녹색, 길이 4~6cm, 지름 3cm 정도, 종자는 달걀 모양이다.

분포·생육지 우리나라 제주도, 강원도, 지리산. 산지에서 자란다.

약용 부위·수치 종자를 가을에 채취하여 말린다.

약물명 박송실(朴松實)

약효 고혈압, 자궁출혈을 치료한다.

성분 잎에는 maltol, maltol-3-*O*-β-D-glucopyranoside (−)-epicatechin, naringenin-7-*O*-β-D-glucopyranoside, naringenin-7-*O*-rhamnopyranoside, kaempferol-3-*O*-β-glucopyranoside, isolariciresinol, secoisolariciresinol, rhododendrol, ferulic acid, 4-(4-hydroxyphenyl) butan-2-one 등이 함유되어 있다.

약리 maltol, 4-(4-hydroxyphenyl)butan-2-one, isolariciresinol은 LPS로 유도한 NO 생산을 저해한다.

사용법 박송실 10g에 물 3컵(600mL)을 넣고 달여서 복용한다.

◐ 구상나무(열매, 녹색)

◐ 구상나무

분비나무

 근육통, 류머티즘

●학명 : *Abies nephrolepis* Max. ●한자명 : 白檜

| 1 | 2 | 3 | 4 | 5 | 6 | 7 | 8 | 9 | 10 | 11 | 12 |

상록 교목. 높이 25m 정도. 줄기껍질은 갈라지지 않고 황갈색, 잎은 바늘 모양, 수꽃 꽃차례는 길이 1cm 정도, 암꽃 꽃차례는 길이 4.5cm 정도로 자주색이다. 포는 길이 3mm 정도로 끝이 약간 보일 정도이고, 구과는 장난형, 길이 4~6cm로 녹갈색이고, 실편은 길이 9mm 정도이다.

분포 · 생육지 우리나라 전역. 중국, 일본. 산지에서 자란다.

약용 부위 · 수치 잎은 봄부터 가을에 걸쳐서 채취하여 말리고, 줄기껍질은 수시로 채취하여 적당한 크기로 잘라서 말린다.

약물명 취냉송(臭冷松)

약효 거풍습(祛風濕)의 효능이 있으므로 근육통 및 류머티즘을 치료한다.

성분 정유 성분으로 camphene, bornyl acetate, limonene, borneol, α-bisabolol이 있고, 플라보노이드 성분으로는 kaempferol, quercetin, kaempferol-3-glucoside, isorhamnetin-3-glucoside, querce-tin-3-glucoside, abietin 등이 있고, 그밖에 *p*-hydroxybenzoic acid, vanillic acid, protocatechuic acid, *p*-coumaric acid, caffeic acid 등이 함유되어 있다.

약리 정유 성분 1.7mg/kg을 쥐에게 주사하면 진정 작용과 진통 작용, 해열 작용이 나타나고, 그밖에 기침과 가래를 멈추게 한다.

사용법 외용으로만 사용하며, 취냉송 달인 액을 근육통이 있는 곳에 바른다.

＊ 우리나라 한라산, 지리산, 덕유산 등에서 자라며 포편의 침상 돌기가 반전하는 '구상나무 *A. koreana*'도 약효가 같다.

✿ 분비나무

개잎갈나무

 풍습비통 이질, 장풍변혈

수종

●학명 : *Cedrus deodara* (Roxb) G. Don.
●한자명 : 香柏 ●별명 : 히말라야시다, 설송

| 1 | 2 | 3 | 4 | 5 | 6 | 7 | 8 | 9 | 10 | 11 | 12 |

상록 교목. 높이 30m 정도. 가지가 수평으로 퍼지며, 줄기껍질은 회갈색으로 얇은 조각으로 벗겨진다. 잎은 길이 3~4cm로 끝이 뾰족하고 횡단면은 삼각형이다. 꽃은 암수한그루, 10월에 피며, 수꽃이삭은 원통형, 길이 3~5cm, 암꽃이삭은 달걀 모양, 옅은 녹색이다. 구과는 원통형, 길이 7~12cm로 녹색~회갈색이다.

분포 · 생육지 히말라야 원산. 우리나라 전역에서 재식한다.

약용 부위 · 수치 잎을 여름에 채취하여 물에 씻은 후 말린다.

약물명 향백(香柏)

약효 청열이습(淸熱利濕), 산어지혈(散瘀止血)의 효능이 있으므로 이질, 장풍변혈(腸風便血), 수종(水腫), 풍습비통(風濕痺痛)을 치료한다.

성분 centdarol, pinitol, palmitic acid, stearic acid, dehydroabietic acid, 15-hydroxydehyydroabietic acid, 7α,18-di-hydroxydehyydroabietanol, naringenin, daucosterol, 7β,15-dihydroxydehydro-abietic acid, 7-caffeoyloxyhexadecane-1,16-diol, 7β-hydroxydehydroabietic acid, 15-methoxyabietic acid, 9-caffeoyloxyhexadecanol 등이 함유되어 있다.

사용법 향백 10g에 물 3컵(600mL)을 넣고 달여서 복용한다.

✿ 향백(香柏)

✿ 개잎갈나무(구과)

✿ 개잎갈나무

[소나무과]

만주잎갈나무

| 관절염 | 이질, 소화장애 |
| 탈항 | 피부외상 |

● 학명 : *Larix olgensis* Henry ● 영명 : Larch ● 한자명 : 黃花落葉松 ● 별명 : 좀이깔나무

| 1 | 2 | 3 | 4 | 5 | 6 | 7 | 8 | 9 | 10 | 11 | 12 |

낙엽 교목. 높이 30~40m. 줄기껍질은 회갈색, 잎은 바늘 모양이며 모여나고, 꽃은 4월에 피며, 수꽃은 다갈색으로 둥글고, 암꽃은 녹갈색, 둥글다. 열매는 9월에 익고, 구과는 달걀 모양, 길이 1.5~2cm, 지름 1.5cm, 실편은 20~25개이다.

분포 · 생육지 우리나라 백두산 및 북부 지방. 중국. 산속에서 자란다.

약용 부위 · 수치 봄에 수액을 채취하여 가만히 두면 끈끈한 수지(樹脂)를 얻게 된다. 줄기껍질은 수시로 채취하여 말린다.

약물명 황화낙엽송(黃花落葉松)

약효 수지(樹脂)는 피부 자극 작용이 있으며, 살갗이 아픈 증상 및 관절염을 치료한다. 줄기껍질은 이질, 탈항, 소화가 잘 안되어 배가 더부룩한 증상을 치료한다.

사용법 황화낙엽송 1~2g을 뜨거운 물에 녹여서 복용하고, 줄기껍질은 10g에 물 3컵(600mL)을 넣고 달여서 복용한다.

＊구과 길이가 3~4cm로 크고 실편이 25~40개인 '잎갈나무 var. *koreana*', 실편이 50~60개이고 실편의 끝이 뒤로 젖혀지는 '일본잎갈나무 *L. leptolepsis*'도 약효가 같다.

❍ 잎갈나무

❍ 만주잎갈나무(열매)

❍ 일본잎갈나무(열매)

❍ 만주잎갈나무

[소나무과]

독일가문비나무

| 거담, 천식 | 류머티즘, 통풍 |
| 이뇨 | |

● 학명 : *Picea abies* (L.) Carst. ● 영명 : Norway spurcl ● 별명 : 독일가문비

| 1 | 2 | 3 | 4 | 5 | 6 | 7 | 8 | 9 | 10 | 11 | 12 |

상록 교목. 높이 30m 정도. 줄기껍질이 회색 또는 회갈색으로 비늘처럼 벗겨진다. 잎은 바늘 모양이고 윤택이 난다. 꽃은 암수한그루, 6월에 피며, 구과는 타원상 구형, 10월에 익고, 종자는 달걀 모양이다.

분포 · 생육지 독일, 노르웨이, 스웨덴 원산. 전 세계에 퍼져서 자란다.

약용 부위 · 수치 잎과 줄기껍질을 봄과 여름에 채취하여 적당한 크기로 잘라서 말린다.

약물명 잎을 Piceae Folium, 줄기껍질을 Piceae Cortex라 한다.

약효 이뇨, 정혈(精血), 거담, 천식, 류머티즘, 통풍, 신경성질환, 궤양을 치료한다.

사용법 이뇨, 정혈, 거담, 천식에는 Piceae Folium 및 Piceae Cortex 30g에 물 5컵(1L)을 넣고 달여서 1일 2~3번 복용하고, 류머티즘, 통풍에는 50g에 물 5컵(1L)을 넣고 달여서 환부에 바르거나 찜질한다.

❍ 독일가문비나무(줄기)

❍ 독일가문비나무

가문비나무

 류머티즘, 근육통

● 학명 : *Picea jezoensis* Carr. ● 영명 : Spurcl ● 별명 : 가문비

1	2	3	4	5	6	7	8	9	10	11	12

상록 교목. 높이 40m 정도. 줄기껍질이 비늘처럼 벗겨진다. 잔가지는 털이 없고 황색이 돌며, 겨울눈은 원추형으로 수지로 덮여 있다. 잎은 길이 1~2cm로 바늘 모양, 횡단면은 렌즈형이다. 구과는 타원상 구형으로 길이 4~7.5cm, 실편은 도란형으로 윗가장자리에 불규칙한 톱니가 있다. 종자는 달걀 모양이다.

분포 · 생육지 우리나라 금강산, 함남북(백두산). 중국 둥베이(東北) 지방, 러시아. 높은 산에서 자란다.

약용 부위 · 수치 잎과 가지는 여름에, 줄기껍질은 봄에 채취하여 적당한 크기로 잘라서 말린다.

약물명 홍피운삼(紅皮雲杉). 홍피취(紅皮臭)라고도 한다.

약효 거풍제습(祛風除濕)의 효능이 있으므로 근육통이나 류머티즘을 치료한다.

사용법 홍피운삼 10g에 물 3컵(600mL)을 넣고 달여서 복용하고, 외용에는 달인 액을 수건에 적셔서 아픈 곳을 감싼다.

✪ 가문비나무(구과)

✪ 가문비나무(암꽃)

✪ 가문비나무

백송

 만성기관지염   류머티즘

부종   습진, 개선

● 학명 : *Pinus bungeana* Zucc. ● 영명 : Lace bark pine
● 한자명 : 白松 ● 별명 : 흰솔, 흰소나무

1	2	3	4	5	6	7	8	9	10	11	12

상록 교목. 높이 15m 정도. 줄기껍질은 회백색이며 큰 비늘처럼 벗겨져 떨어지면 흰색의 내피가 보인다. 잎은 3개씩 모여나며, 구과는 달걀 모양, 길이 9~12mm, 너비 7.5~9mm, 흑갈색이다. 꽃은 5월에 피는데, 수꽃은 새 가지 밑부분에, 암꽃은 새 가지 끝에 핀다.

분포 · 생육지 중국 원산. 우리나라 전역에서 정원수로 재식한다.

약용 부위 · 수치 구과를 가을에, 잎은 여름철에 채취하여 말린다.

약물명 구과를 백송탑(白松塔), 잎을 백송엽(白松葉)이라고 한다.

약효 백송탑(白松塔)은 기침과 가래, 염증을 제거하는 효능이 있으므로 만성기관지염을 치료한다. 백송엽(白松葉)은 거풍습(祛風濕), 살충 및 소양(搔痒)의 효능이 있으므로 류머티즘, 부종, 습진, 개선(疥癬)을 치료한다.

성분 구과에는 saponin, phenol류 등이 함유되고, 정유의 주성분은 limonene이다.

약리 정유는 폐렴균, 인플루엔자균, 연쇄균 등에 항균 작용이 있고, 쥐에게 매일 열수추출물을 투여하면 만성기관지염의 병변 조직을 회복시킨다.

사용법 백송탑 또는 백송엽 10g에 물 3컵(600mL)을 넣고 달여서 복용하고, 외용에는 달인 액을 상처에 바른다.

✪ 백송(줄기)

✪ 백송

소나무

| 만성신염 | 신경쇠약 | 풍습비통, 관절염, 풍한습비 | 설사하리 |
| 옹저악창, 창상출혈, 화상, 나력, 백독 | 유감 | 고혈압, 혈전폐색성맥관염 | 두통현훈 |

●학명 : *Pinus densiflora* S. et Z.　●영명 : Red pine　●한자명 : 赤松　●별명 : 솔, 적송

1 2 3 4 5 6 7 8 9 10 11 12

상록 교목. 높이 25m 정도. 줄기껍질은 윗부분은 적갈색, 아랫부분은 암적색이며, 겨울눈은 적갈색이다. 잎은 2개씩 모여 나며, 수꽃은 새 가지 밑부분에 달리고, 암꽃은 달걀 모양으로 새 가지 끝에 달린다. 구과는 달걀 모양이다.

분포 · 생육지 우리나라 전역. 중국, 일본, 우수리. 산이나 들에서 자란다.

약용 부위 · 수치 수지(樹脂)는 봄에 줄기에 상처를 내어 채취하고, 잎은 여름에 채취하며, 꽃가루는 4~5월 꽃이 필 때 채취하여 말린다.

약물명 수지(樹脂)를 송향(松香) 또는 송지(松脂), 잎을 송엽(松葉), 꽃가루를 송화(松花), 가지의 결절(結節)을 송절(松節)이라고 하며, 송절 썬 것을 송절편(松節片)이라고 한다. 소나무의 그을음과 아교 녹인 물을 섞어 굳힌 것을 송연묵(松煙墨)이라 하고, 수지가 지하에 매몰되어 화석처럼 생긴 것을 호박(琥珀, Succinum)이라 한다. 송화분(松花粉)과 호박(琥珀)은 대한민국약전외한약(생약)규격집(KHP)에 수재되어 있다.

본초서 「동의보감(東醫寶鑑)」에는 송지(松脂), 송실(松實), 송엽(松葉), 송절(松節), 송화(松花), 송근백피(松根白皮), 송연묵(松煙墨)등이 수재되어 있다.

東醫寶鑑: 松脂 安五臟 除熱 治風痺邪氣 主諸惡瘡 頭瘍 白禿疥瘙 去死肌 療耳聾 牙有蛀孔 貼諸瘡生肌止痛 殺蟲.
松實 主風痺 虛羸 少氣不足.
松節 主百節風 脚痺骨節痛 釀酒 療脚軟弱.
松花 名松黃 輕身療病 卽花上黃粉勝皮葉及子.
松根白皮 辟穀不飢 益氣 補五勞.
松煙墨 主産後血暈 崩中 卒下血 療金瘡 止血生氣.

성상 송화(松花)는 꽃가루로 황색이다. 질은 가볍고 손으로 비벼 보면 매끈하며 촉촉한 감이 있고, 물에 넣으면 뜬다. 특이한 냄새가 나고, 맛은 고소한 느낌이 있다.

기미 · 귀경 송향(松香): 온(溫), 감(甘), 고(苦) · 간(肝), 비(脾). 송엽(松葉): 온(溫), 고(苦) · 심(心), 비(脾). 송화(松花): 온(溫), 감(甘) · 간(肝), 위(胃). 송절(松節): 온(溫), 고(苦) · 간(肝), 신(腎)

약효 송향(松香)은 거풍조습(祛風燥濕), 배농발독(排膿拔毒), 생기지통(生肌止痛)의 효능이 있으므로 옹저악창(癰疽惡瘡), 나력(瘰癧), 백독(白禿), 백대(白帶), 혈전폐색성맥관염(血栓閉塞性脈管炎)을 치료한다. 송엽(松葉)은 거풍조습(祛風燥濕), 살충지양(殺蟲止痒), 활혈안신(活血安神)의 효능이 있으므로 풍습비통(風濕痺痛), 각기(脚氣), 습창(濕瘡), 풍진소양(風疹瘙痒), 신경쇠약, 만성신염, 고혈압, 유감(流感)을 치료한다. 송화(松花)는 거풍(祛風), 익기(益氣), 수렴(收斂), 지혈의 효능이 있으므로 두통현훈(頭痛眩暈), 설사하리(泄瀉下痢), 습진습창(濕疹濕瘡), 창상출혈(創傷出血)을 치료한다. 송절(松節)은 거풍조습(祛風燥濕), 서근통락(舒筋統絡), 활혈지통(活血止痛)의 효능이 있으므로 풍한습비(風寒濕痺), 역절통풍(歷節痛風), 각비위연(脚痺痿軟)을 치료한다. 송피(松皮)는 지혈, 거어혈(祛瘀血)의 효능이 있으므로 관절염, 타박상, 화상을 치료한다. 송연묵(松煙墨)은 지혈의 효능이 있으므로 산후혈훈(産後血暈), 하혈을 치료한다. 호박(琥珀)은 진경안신(鎭驚安神), 산어지혈(散瘀止血), 이수통림(利水通淋)의 효능이 있으므로 실면증(失眠症), 혈림혈뇨(血淋血尿), 소변불통(小便不通), 부녀경폐(婦女經閉)를 치료한다.

❶ 소나무

❶ 송향(松香)

❶ 송지(松脂)

❶ 송엽(松葉)

성분 송지(松脂)는 abietic acid, pimaric acid, palustric acid 등이 다량 함유되어 있고, 정유 성분으로 α-pinene, β-pinene, camphene, bornyl acetate 등이 함유되어 있다. 송절(松節)은 agathic acid-19-monomethyl ester, imbricatolic acid, massonivesinol, flavonoid 성분으로 quercetine, kaempferol 등, 정유로는 α-pinene, β-pinene, camphene, bornyl acetate 등이 함유되어 있다. 송화(松花)는 dehydrochoismic acid, malate synthase, acid phosphatase, isocytrate lyase, hydroxybenzoate glucosyl transferase 등이 함유되어 있다. 송절(松節)의 정유는 α-pinene, β-pinene, camphene 등, 그 밖에 ursolic acid, isopimaric acid 등이 함유되어 있다. 송피(松皮)는 (+)-catechin, taxiflorin, 축합타닌인 procy-anidin B-1 등이 함유되어 있다. 호박(琥珀)은 주로 resin, 정유 성분, diabietinolic acid, succinosilvinic acid, succinoresinol, succinoabietol, succinic acid, borneol, succinoabietinolic acid 및 Na, Sr, Si, Fe, W 등의 무기 원소가 함유되어 있다.

약리 송지(松脂)는 강한 인적(引赤) 작용이 있고, 이들 인적 작용은 α-pinene이 α-pinene peroxide로 산화됨으로써 일어난다. abietic acid는 경구 투여에 의하여 알레르기 작용이 있다. 송엽(松葉)의 정유 성분을 쥐에게 주사하면 진정 작용이 나타나고 수면을 유도하며, 해열 작용, 체온 저하 작용이 나타난다. 쥐의 복강에 정유 성분을 주사하면 진통 작용이 나타난다. 이외에 혈중 콜레스테롤 수치를 낮추어 주고, 항노화 작용이 나타난다. 송지를 물과 DMSO에 녹인 용액은 충치균인 *Streptococcus mutans*에서 분리한 glucosyltransferase의 활성을 억제함으로써 충치를 예방하는 데 도움이 된다. 목재의 톱밥(sawdust)의 핵산추출물은 표고버섯(*Lentinus edodes*) 균사체의 성장을 억제한다. 송화(松花)에 함유된 Se(selenium)은 암세포의 증식을 억제한다. 송피(松皮)는 항산화, 항염, 항비만 효능이 있다.

사용법 송지는 적당량을 환약으로 복용하거나 술에 담가 복용한다. 송엽과 송절, 송피는 10g에 물 3컵(600mL)을 넣고 달여서 복용하고, 송화는 6g에 물 2컵(400mL)을 넣고 달여서 복용한다. 호박은 1회 500mg을 복용한다.

＊ 뿌리에 기생하는 복령균(*Poria cocos* Wolf.)의 균핵을 복령(茯苓)이라고 하며 이수삼습(利水滲濕), 건비보중(健脾補中), 영심안신(寧心安神)의 효능이 있어 수종창만(水腫脹滿), 비허체권(脾虛體倦), 경계실면(驚悸失眠)을 치료한다.

● 송절(松節)

● 송화(松花)

● 송엽(松葉)으로 만든 건강 기능 식품

[소나무과]

잣나무

 대변허비　　　골절풍, 풍비
제풍두현

● 학명 : *Pinus koraiensis* S. et Z.　● 영명 : Korean pine
● 한자명 : 朝鮮五葉松

| 1 | 2 | 3 | 4 | 5 | 6 | 7 | 8 | 9 | 10 | 11 | 12 |

상록 교목. 높이 25m, 지름 1m 정도. 잎은 5개씩 모여나며 3개의 능선이 있고, 길이 7~12cm이다. 꽃은 암수한그루, 5월에 피며 수꽃은 5~6개가 새 가지 밑에 달린다. 구과는 긴 달걀 모양이다.

분포ㆍ생육지 우리나라 전역. 중국, 일본, 우수리, 러시아. 산속 계곡에서 자란다.

약용 부위ㆍ수치 가을에 성숙한 종자를 채취하여 말린 뒤 단단한 껍질을 벗기고 종자를 꺼내서 건조한 곳에 보관한다.

약물명 해송자(海松子). 송자(松子), 송자인(松子仁), 신라송자(新羅松子)라고도 한다. 대한민국약전외한약(생약)규격집(KHP)에 수재되어 있다.

본초서 해송자(海松子)는 「동의보감(東醫寶鑑)」에 수재되어 오장(五臟)을 튼튼하게 하고 허약한 체질을 개선한다고 하였다.

東醫寶鑑: 主骨節風 及風痺 頭眩 潤皮膚 肥五臟 補虛羸少氣

성상 해송자(海松子)는 타원상 구형으로 길이 1cm, 너비 0.5cm 정도, 표면은 회백색의 외피로 덮여 있고, 질은 기름기가 있고 연하다. 냄새는 방향성이고 맛은 고소하다.

기미ㆍ귀경 미온(微溫), 감(甘)ㆍ간(肝), 폐(肺), 대장(大腸)

약효 윤조(潤燥), 양혈(養血), 거풍(祛風)의 효능이 있으므로 (肺燥干咳), 대변허비(大便虛秘), 제풍두현(諸風頭眩), 골절풍(骨節風), 풍비(風痺)를 치료한다.

성분 해송자(海松子)는 지방유 74%가 함유되어 있고, 주성분은 ethyloleic acid, ethyllinoleic acid이다. 잎은 d-α-pipecoline과 pinidine 등의 알칼로이드와 afzelin, quercitrin 등의 플라보노이드가 함유되어 있다.

약리 해송자(海松子) 기름을 토끼에게 주사하면 동맥경화를 억제한다.

사용법 해송자 10g에 물 3컵(600mL)을 넣고 달여서 복용하거나 알약으로 만들어 복용한다.

● 구과　　　● 잣나무

● 해송자(海松子)

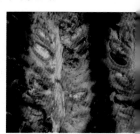
● 잣나무(구과 내부)

[소나무과]

곰솔나무

| 만성신염 | 신경쇠약 | 풍습비통, 관절염, 풍한습비 | 설사하리 |
| 옹저악창, 창상출혈, 화상, 나력, 백독 | 유감 | 고혈압, 혈전폐색성맥관염 | 두통현훈 |

●학명 : *Pinus thunbergii* Parl. ●별명 : 흑송, 숫솔, 해송, 완솔

| 1 | 2 | 3 | 4 | 5 | 6 | 7 | 8 | 9 | 10 | 11 | 12 |

상록 교목. 높이 20m 정도. 줄기껍질은 흑갈색, 겨울눈은 회백색. 잎은 2개씩 모여나며 길이 9~14cm이다. 구과는 길이 4.5~6cm, 실편은 55개 정도이다.

분포·생육지 우리나라 중부 이남. 일본. 바닷가에서 자란다.

＊기타 사항은 '소나무'와 같다.

❖ 곰솔나무(열매)

❖ 곰솔나무

[낙우송과]

삼나무

| 옹저창독 | 만성기관지염 |
| 유선염 | 소변불리, 유정 |

●학명 : *Cryptomeria japonica* (L. f.) D. Don ●영명 : Japanese ceder
●한자명 : 杉 ●별명 : 숙대나무

| 1 | 2 | 3 | 4 | 5 | 6 | 7 | 8 | 9 | 10 | 11 | 12 |

상록 교목. 높이 40m 정도. 줄기껍질은 적갈색으로 세로로 길게 갈라진다. 잎은 바늘 모양, 길이 12~25mm이다. 꽃은 암수한그루, 수꽃은 가지 끝에 짧은 수상화서로 달리고 타원형, 암꽃은 구형으로 끝에 1개씩 달린다. 구과는 둥글며 적갈색, 지름 1.5~3cm, 뒷면에 젖혀진 돌기가 있다. 종자는 각 실편에 3~6개씩 들어 있다.

분포·생육지 일본 원산. 우리나라 남부 지방에서 재식한다.

약용 부위·수치 잎은 수시로, 열매는 늦여름에 채취하여 사용한다.

약물명 잎을 삼엽(杉葉), 종자를 삼자(杉子)라 한다.

약효 삼엽(杉葉)은 청열해독(淸熱解毒)의 효능이 있으므로 옹저창독(癰疽瘡毒)을 치료한다. 만성기관지염에 잎을 물로 달인 액에 설탕을 타서 복용하여 좋은 효과를 보았다는 보고가 있다. 삼자(杉子)는 고환과 음낭이 붓고 소변이 잘 나오지 않는 증상, 정

액이 저절로 흘러 나오는 증상, 유선염(乳腺炎)을 치료한다.

성분 목부는 α-cadinol, β-eudesmol, hinokiflavone, isocryptomeriol, cryptomerion, cryptopimaric acid 등이 함유되어 있고, 잎은 정유 성분인 cryptomerin A, B, kayaflavone, sciadopitysin 등이 함유되어 있다.

사용법 삼목, 삼엽, 삼자 10g에 물 3컵(600mL)을 넣고 달여서 복용한다. 외용에는 신선한 가지를 짓찧어 소금 30g을 가하고 뜨거운 물을 부어 환부를 씻는다.

❖ 삼나무

❖ 삼나무(가지와 절편)

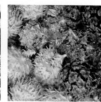
❖ 삼나무(열매)

❖ 삼나무(잎)

❖ 삼나무(줄기)

[측백나무과]

터키측백

열감기 류머티즘
인후염

●학명 : *Cupressus sempervirens* L. ●영명 : Turkish cypress
●한자명 : 柏木

| 1 | 2 | 3 | 4 | 5 | 6 | 7 | 8 | 9 | 10 | 11 | 12 |

● 터키측백(꽃과 어린 열매)

상록 교목. 높이 25~30m. 줄기껍질은 회갈색이며 세로로 갈라진다. 잎은 비늘 모양으로 서로 마주나며 흑녹색을 띤다. 구과는 전체적으로 달걀 모양이다.

분포 · 생육지 터키 원산. 유럽, 북아메리카. 산지에서 자라고, 세계 각처에서 재식한다.

약용 부위 · 수치 구과, 잎을 봄, 가을에 채취하여 말린다.

약효 혈액 순환을 촉진시키며, 방부(防腐)의 효능이 있으므로 열감기, 인후염, 류머티즘을 치료한다.

사용법 구과 또는 잎 2g을 뜨거운 물로 우려내어 복용한다.

＊유럽에서는 장례식 때 잎이 달린 가지를 묘지나 장례식장에 걸어 두기도 한다.

● 터키측백

[측백나무과]

향나무

류머티즘 담마진
감기몸살

●학명 : *Juniperus chinensis* L. ●영명 : Juniper ●한자명 : 檜 ●별명 : 노송나무

| 1 | 2 | 3 | 4 | 5 | 6 | 7 | 8 | 9 | 10 | 11 | 12 |

상록 교목. 높이 20m 정도. 줄기껍질은 적갈색이고 세로로 갈라진다. 잎은 바늘 모양으로 어긋나거나 돌려나며 4~6줄로 배열한다. 열매는 둥글며 지름 8~12mm, 갈색이다. 종자는 각 실편에 2개씩 들어 있다.

분포 · 생육지 우리나라 울릉도와 동해안. 중국, 일본, 몽골. 섬이나 바닷가에서 자란다.

약용 부위 · 수치 잎을 가을에 채취하여 적당한 크기로 잘라서 말린다.

약물명 회엽(檜葉)

약효 풍한(風寒)을 몰아내고, 혈액 순환을 좋게 하고 해독시키는 효능이 있으므로 감기몸살, 류머티즘에 의한 관절통, 담마진(蕁麻疹)을 치료한다.

성분 잎에는 cedrol, quercetin, isoquercetin, naringenin, taxifolin, aromandendrin, deoxypodophyllotoxin, catechin, epicatechin, myricitrin, amentoflavone, hinokiflavone, apigenin 등이 함유되어 있다.

약리 휘발 성분은 백선균, 홍색표피균에 항균작용이 있다. 말라리아 원충인 Plasmodium falciparum을 쥐의 혈액에 접종한 후 에틸아세테이트추출물을 투여한 결과 항말라리아 효능이 있었다.

사용법 회엽 10g에 물 3컵(600mL)을 넣고 달여서 복용하고, 외용에는 짓찧어 바른다.

＊원줄기가 옆으로 벋으며 자라는 '섬향나무 var. *procumbens*', 원줄기가 비스듬히 자라는 '눈향나무 var. *sargentii*', 비늘잎은 마주나고 다시 나온 가지에서는 3개의 잎이 돌려나며 열매는 그 해에 익는 '연필향나무 *J. virgiana*'도 약효가 같다.

● 향나무

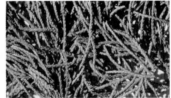

● 향나무(잎)

● 눈향나무

● 연필향나무

[측백나무과]

노간주나무

 풍습관절통, 통풍   요로감염, 신염

수종

● 학명 : *Juniperus rigida* S. et Z.   ● 영명 : Needle juniper
● 한자명 : 杜松   ● 별명 : 노가주나무, 노가지나무, 노간주향

| 1 | 2 | 3 | 4 | 5 | 6 | 7 | 8 | 9 | 10 | 11 | 12 |

상록 소교목. 높이 8m 정도. 줄기껍질은 세로로 얕게 갈라진다. 잎은 바늘 모양, 3개씩 돌려나며 3개의 능선이 있고, 길이 1.5~2cm이다. 꽃은 4월에 피고, 수꽃은 1~3개씩 피며 녹색, 암꽃은 1개씩 핀다. 구과는 10월에 흑자색으로 익는다.

분포·생육지 우리나라 전역. 중국, 일본. 양지바른 산기슭 모래땅이나 화강암 지대에서 자란다.

약용 부위·수치 열매를 10월경에 채취하여 말린다.

약물명 두송(杜松), 두송실(杜松實)이라고도 한다.

약효 거풍(祛風), 진통(鎭痛), 제습(除濕), 이뇨(利尿)의 효능이 있으므로 풍습관절통(風濕關節痛), 통풍(痛風), 신염(腎炎), 수종(水腫), 요로감염을 치료한다.

성분 두송(杜松)은 다량의 정유가 함유되어 있으며 pinene, myrcene, limonene, caryophyllene, humulene, cadinene, terpinene-4-ol 등이 함유되어 있다. 가지와 잎은 ferruginol, cryptpjaponol, sugiol,

xanthoperol, junipergiside, icariside E4, desoxypodophyllotoxin, savinin, thuja-standin, (−)-nortrachelogenin 등이 함유되어 있다.

약리 종자의 핵산추출물은 항균 작용이 있고 그 주성분은 abietic acid이다. 가지와 열매의 초임계추출물은 면역 활성을 증진시킨다. desoxypodophyllotoxin, savinin, thujastandin, (−)-nortrachelogenin은 암세포인 A549, SK-OV-3, SK-MEL-2 및 HCT-15 cell에 세포 독성이 있다.

사용법 두송 7g에 물 3컵(600mL)을 넣고 달여서 복용하고, 류머티즘성 관절염에는 열매를 짓찧어 바른다.

❍ 두송(杜松)

❍ 노간주나무

[측백나무과]

티베트향나무

풍습비통   폐렴

담낭염   창절

● 학명 : *Juniperus tibetica* Kom. [*Sabina tibetica*]   ● 한자명 : 西藏圓柏

| 1 | 2 | 3 | 4 | 5 | 6 | 7 | 8 | 9 | 10 | 11 | 12 |

❍ 서장원백(西藏圓柏)을 주원료로 하는 관절염 치료약

상록 교목. 높이 30m 정도. 줄기껍질은 황록색~회녹색, 세로로 얕게 갈라진다. 잎은 2가지로 비늘잎과 바늘잎이 있다. 비늘잎이 끝이 둔하고, 바늘잎은 뾰족하다. 구과는 10월에 암갈색 또는 흑자색으로 익는다.

분포·생육지 중국 간쑤성(甘肅省), 칭하이성(靑海省), 티베트. 해발 2,000~4,500m에서 자란다.

약용 부위·수치 잎과 가지를 가을에 채취하여 말린다.

약물명 서장원백(西藏圓柏)

약효 청열거습(淸熱祛濕), 해독소종(解毒蘇腫)의 효능이 있으므로 풍습비통(風濕痹痛), 폐렴, 담낭염, 창절(瘡節)을 치료한다.

사용법 서장원백 10g에 물 3컵(600mL)을 넣고 달여서 복용한다.

❍ 티베트향나무

[측백나무과]

서양측백나무

| 열감기, 두통 | 관절염 |
| 기관지염 | 방광염 |

● 학명 : *Thuja occidentalis* L. ● 영명 : American arbor-vitae
● 한자명 : 西洋側柏 ● 별명 : 서양측백

| 1 | 2 | 3 | 4 | 5 | 6 | 7 | 8 | 9 | 10 | 11 | 12 |

◐ 서양측백나무

상록 교목. 높이 20m 정도. 우리나라에서는 작은키로 자란다. 잎은 비늘 모양으로 서로 마주나며, 중앙부의 것은 달걀 모양, 옆의 것은 넓은 바늘 모양이다. 꽃은 4월에 피고, 수꽃은 가지 끝에 1개 달리며 둥글고 황갈색, 암꽃은 구형, 담자갈색이다. 구과는 달걀 모양이다.

분포 · 생육지 북아메리카. 산지에서 자라고, 세계 각처에서 재식한다.

약용 부위 · 수치 잎을 봄, 가을에 채취하여 말린다.

약물명 서양측백엽(西洋側柏葉). 서양에서는 White cedar 또는 American arbor-vitae라고 한다.

약효 이뇨(利尿), 거담(祛痰), 면역의 효능이 있으므로 열감기, 두통, 관절염, 기관지염, 방광염을 치료한다.

성분 정유(0.5~1%)는 *d*-isothujone, l-fenchone, α-thujone, camphor, bornyl acetate, terpin-4-ol, β-thujone, α-pinene, β-pinene, borneol 등으로 구성된다.

약리 쥐에게 에탄올추출물을 투여하면 거담 작용이 있고, 잎에 함유된 flavnonoid 성분을 기니피그에 주사하면 진해(鎭咳) 작용이 나타난다. 정유는 *Streptococcus pyogenes*에 항균 작용, *Candida albicans*에 항진균 작용이 있다. 정유는 DPPH 라디탈 소거 작용이 있다.

사용법 서양측백엽 2g을 뜨거운 물로 우려내어 복용한다.

* 정유는 소독제, 두발 화장품, 액체 비누, 살충제, 방취제 제품에 사용한다.

◐ 서양측백엽(西洋側柏葉)

◐ 서양측백나무(열매)

[측백나무과]

측백나무

| 경계정충, 실면건망 | 도한 | 모발탈락, 탕상, 악창, 창양궤란 |
| 구창, 이하선염 | 토혈, 장조변비 | 혈뇨 |

● 학명 : *Thuja orientalis* L. [*Biota orientalis* L.] ● 영명 : Oriental arbor-vitae
● 한자명 : 側柏 ● 별명 : 측백

| 1 | 2 | 3 | 4 | 5 | 6 | 7 | 8 | 9 | 10 | 11 | 12 |

상록 교목. 높이 25m 정도. 잎은 비늘 모양으로 마주나며, 중앙부의 것은 달걀 모양, 옆의 것은 넓은 바늘 모양이다. 꽃은 4월에 피고, 수꽃은 가지 끝에 1개 달리며 황갈색, 암꽃은 구형이고 4월에 피며 지름 약 2mm이다. 구과는 달걀 모양이다.

분포 · 생육지 우리나라 경북(대구, 울진), 충북(단양, 진천). 중국, 일본. 산지 벼랑 틈에서 자란다.

약용 부위 · 수치 잎을 봄, 가을에 채취하고, 뿌리줄기와 가지는 여름에 채취하며, 종자는 가을에 채취하여 말린다.

약물명 종자를 백자인(柏子仁), 잎을 측백엽(側柏葉), 뿌리껍질을 백근백피(柏根白皮), 가지를 백지절(柏枝節)이라고 한다. 백자인(柏子仁)과 측백엽(側柏葉)은 대한민국약전외한약(생약)규격집(KHP)에 수재되어 있다.

본초서 백자인(柏子仁)은 「신농본초경(神農本草經)」의 상품(上品)에 백실(柏實)이라는 이름으로 수재되어 "경계(驚悸)를 치료하고, 기(氣)를 도우며, 풍습(風濕)을 제거하고 오장(五臟)을 안정시키며, 오래 복용하면 사람을 아름답게 하며, 이목을 총명하게 하고, 늙지 않게 하며, 몸을 가볍게 하고 생명을 연장한다."고 기록되어 있다. 「동의보감(東醫寶鑑)」에는 백실(栢實)이라는 이름으로 수재되어 "놀라서 가슴이 두근거리거나 불안해하는 증상을 진정시키고 오장을 편안하게 하며 기운을 돕는다. 풍증을 낫게 하고 피부를 윤택하게 하며 팔다리를 잘 쓰지 못하며 저리고 아픈 증상과 몸과 마음이 허약하고 피로하여 숨도 겨우 쉬는 것을 낫게 한다. 음경을 일어서게 하며 수명이 연장된다."고 하였다. 측백엽(側柏葉)은 「명의별록(名醫別錄)」에 백엽(栢葉)이라는 이름으로 수재되어 있다. 「본초강목(本草綱目)」에는 "백(柏)에는 여러 가지가 있지만, 약으로는 잎이 편평하고 측생(側生)하는 것을 사용하므로 측백(側柏)이라 한다."고 하였고, 「동의보감(東醫寶鑑)」에는 "코피가 나거나 피를 토하는 것, 대변에 피가 섞여 나오는 것을 낫게 하며, 음기(陰氣)를 보하는 데 중요한 약이다."라고 하였다.

神農本草經: 主驚悸 安五臟益氣 除風濕痺.
名醫別錄: 益血 止汗.
本草綱目: 養心氣 潤腎燥 益智寧神.
東醫寶鑑: 主驚悸 安五臟益氣 治風潤皮膚 除風濕痺 虛損吸吸 興陽道 益壽.
名醫別錄: 主吐血衄血 利血 崩中赤白 輕身益氣 令人耐寒暑 去濕痺 生肌.
東醫寶鑑: 主吐血衄血 利血 補陰之要藥.

성상 백자인(柏子仁)은 원추형, 표면은 황갈색이고 막질인 내종피로 싸여 있다. 질은 연하고 기름기가 많다. 냄새는 방향성이고 맛은 담담하다. 측백엽(側柏葉)은 잎과 가지로, 잎은 비늘 모양이며 엇갈려 마주나고 황록색이며 가지는 납작하다. 냄새는 향기롭고 맛은 맵고 떫다.

기미 · 귀경 백자인(柏子仁): 평(平), 고(苦) · 심(心), 신(腎), 대장(大腸). 측백엽(側

柏葉): 미한(微寒), 고(苦), 삽(澁)·폐(肺), 간(肝), 대장(大腸)

약효 백자인(柏子仁)은 양심안신(養心安神), 염한(斂汗), 윤장통변(潤腸通便)의 효능이 있으므로 경계정충(驚悸怔忡), 실면건망(失眠健忘), 도한(盜汗), 장조변비(腸燥便秘)를 치료한다. 측백엽(側柏葉)은 양혈지혈(凉血止血), 지해거담(止咳祛痰), 거풍습(祛風濕), 산종독(散腫毒)의 효능이 있으므로 토혈(吐血), 혈뇨(血尿), 이하선염(耳下腺炎)을 치료한다. 백근백피(柏根白皮)는 양혈해독(凉血解毒), 염창(斂瘡), 생발(生髮)의 효능이 있으므로 탕상(燙傷), 구창(灸瘡), 창양궤란(瘡瘍궤란), 모발탈락(毛髮脫落)을 치료한다. 백지절(柏枝節)은 구풍제습(驅風除濕), 해독료창(解毒療瘡)의 효능이 있으므로 풍한습비(風寒濕痹), 역절풍(歷節風), 악창(惡瘡), 개선(疥癬)을 치료한다.

성분 측백엽(側柏葉)은 정유 성분으로 thujene, thujone, fecnchone, pinene, pinusolide, pinusolidic acid, isocupressic acid, *trans*-communic acid, 15-methoxypinusolidic acid, daniellic acid, cedrol, totarol, caryphyllene, flavonoid류로는 aromander-

in, quercetin, myricetin, hinokiflavone, amenthoflavone, lignan으로 (−)−savinin, (−)−hinokinin, dehydroheliobuphthalmin 등이 함유되어 있다. 열매에는 cupressoflavone, amentoflavone, robustaflavone, afzelin, (+)−catechin, quercitrin, hypolaetin 7−*O*−β−xylopyranoside, isoquercitrin, myricitrin 등이 함유되어 있다.

약리 쥐에게 에탄올추출물을 투여하면 거담 작용이 있고, 잎에 함유된 flavnonoid 성분들을 기니피그에 주사하면 진해(鎭咳) 작용이 나타난다. glutamate로 손상되는 쥐의 신경세포 배양액에 (−)−savinin, (−)−hinokinin, dehydroheliobuphthalmin을 주입하면 신경보호 작용이 나타난다. (+)−catechin, quercitrin, hypolaetin 7−*O*−β−xylopyranoside, isoquercitrin, myricitrin은 항산화 작용이 있다. 에탄올추출물은 아토피 동물 모델에서 항아토피 효과가 있으며, IgE 및 히스타민 유리 억제 효과가 있다.

사용법 측백엽, 백근백피, 백자인 10g에 물 3컵(600mL)을 넣고 달여서 복용하거나, 외용으로는 삶은 물로 씻거나 바른다.

처방 오인환(五仁丸): 도인(桃仁)·행인(杏

仁) 각 40g, 백자인(柏子仁) 20g, 욱이인(郁李仁) 8g, 송자인(松子仁) 5g (『세의득효방(世醫得效方)』). 기혈(氣血)의 허약증, 변비에 사용한다.

•금앵단(金櫻丹): 금앵자(金櫻子)·창출(蒼朮)·생지황(生地黃)·세신(細辛)·육종용(肉蓯蓉)·토사자(菟絲子)·우슬(牛膝)·검실(芡實)·연심(蓮心)·산약(山藥)·인삼(人蔘)·복령(茯苓)·정향(丁香)·목향(木香)·석창포(石菖蒲)·사향(麝香)·감초(甘草)·진피(陳皮)·백자인(柏子仁) 각 40g (『보양처방집(補陽處方集)』). 정혈 부족으로 몸이 여위고 오후마다 미열이 나며 식은땀이 나거나 건망증, 가슴이 울렁거리는 증상에 사용한다.

❶ 백자인(柏子仁)

❶ 백근백피(柏根白皮)

❶ 백지절(柏枝節)

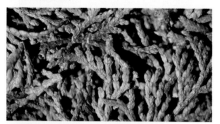
❶ 측백엽(側柏葉)

❶ 측백나무

❶ 열매

❶ 백자인(柏子仁)이 주약으로 배합된 심장 질환 치료제

[나한송과]

나한송

위완동통, 토혈　객혈

혈허면색위황

- 학명 : *Podocarpus macrophyllus* (Thunb.) D. Don.　● 영명 : Nagi
- 한자명 : 羅漢松　● 별명 : 토송

| 1 | 2 | 3 | 4 | 5 | 6 | 7 | 8 | 9 | 10 | 11 | 12 |

상록 교목. 높이 20m 정도. 잎은 어긋나고 넓은 선형이다. 꽃은 2가화로 4~5월에 피며, 수꽃은 잎겨드랑이에 2~3개씩 달리고, 암꽃은 지난해의 잎겨드랑이에 1개씩 달린다. 큰 과탁이 있고 가을에 붉은색으로 익으며, 종자는 달걀 모양이다.

분포·생육지 중국, 일본, 타이완 원산. 우리나라 전역에서 식재한다.

약용 부위·수치 종자는 가을에 채취하고, 잎은 여름에 채취하여 말린다.

약물명 종자를 나한송실(羅漢松實), 잎을 나한송엽(羅漢松葉)이라고 한다.

약효 나한송실(羅漢松實)은 행기지통(行氣止痛), 온중보혈(溫中補血)의 효능이 있으므로 위완동통(胃脘疼痛), 혈허면색위황(血虛面色萎黃)을 치료한다. 나한송엽(羅漢松葉)은 지혈의 효능이 있으므로 토혈(吐血)과 객혈(喀血)을 치료한다.

성분 종자에는 inumakilactone A, B, C, E inumakilactone A glucoside, negilactone C, F, 잎에는 ecdysterone, ponastrone A, makisterone A, B, C, D, podocarpus-flavone B, kayaflavone, hinokiflavone, sciadopitysin 등이 함유되어 있다.

사용법 나한송실 또는 나한송엽 10g에 물 3컵(600mL)을 넣고 달여서 복용한다.

✪ 나한송엽(羅漢松葉)

✪ 나한송(열매)

✪ 나한송

[나한송과]

죽백

골절　외상출혈

- 학명 : *Podocarpus nagi* (Thunb.) Zoll. et Mor. ex Zoll.
- 한자명 : 竹柏　● 별명 : 죽백나무

| 1 | 2 | 3 | 4 | 5 | 6 | 7 | 8 | 9 | 10 | 11 | 12 |

✪ 죽백(竹柏)

상록 교목. 높이 20m 정도. 줄기껍질은 윤택이 있다. 잎은 어긋나고 타원형, 길이 4~9cm, 너비 2~2.8cm, 주맥이 없고 평행맥이 많으며 잎의 하부가 좁아져 잎자루처럼 되고 가장자리는 밋밋하다. 꽃은 2가화로 4~5월에 피며, 수꽃은 잎겨드랑이에 2~3개씩 달리고 암꽃은 지난해의 잎겨드랑이에 1개씩 달린다. 종자는 가을에 구형으로 성숙한다.

분포·생육지 중국 원산. 우리나라 전역에서 드물게 식재한다.

약용 부위·수치 잎을 여름에 채취하여 물에 씻은 후 짓찧어 사용한다.

약물명 죽백(竹柏)

약효 지혈, 접골의 효능이 있으므로 외상출혈, 골절을 치료한다.

성분 ngilactone A, B, C, D, E, vomifoliol, 3-epingilactone, 3-hydroxy-2α-hydroxyngilactone 등이 함유되어 있다.

사용법 죽백 적당량을 짓찧어 상처에 붙이거나 즙액을 바른다.

✪ 죽백

[주목과]

개비자나무

식적복창, 충적 | 폐조해수
백혈병 | 악성임파류

● 학명 : *Cephalotaxus koreana* Nakai ● 영명 : Korean plum-yew
● 한자명 : 粗榧 ● 별명 : 눈개비자나무, 좀개비자나무

1 2 3 4 5 6 7 8 9 10 11 12

상록 관목. 높이 2~5m. 잎은 선형, 꽃은 암수딴그루, 3~4월에 핀다. 수꽃은 편구형이며 10여 개의 포로 싸인 것이 하나의 꽃대에 20~30개씩 달리고, 암꽃은 2개씩 한 군데에 달리며 10여 개의 뾰족한 녹색 포로 싸여 있다. 열매는 10월에 붉은색으로 익는다.

분포 · 생육지 우리나라 경기, 충북 이남. 골짜기나 숲속에서 자란다.

약용 부위 · 수치 종자를 여름이나 가을에 채취하여 말리고, 잎과 가지는 수시로 채취하여 적당한 크기로 잘라서 말린다.

약물명 종자를 조비(粗榧) 또는 목비(木榧)라고 하고, 잎과 가지를 조비지엽(粗榧枝葉)이라고 한다.

약효 조비(粗榧)는 구충소적(驅蟲消積), 윤폐지해(潤肺止咳)의 효능이 있으므로 식적복창(食積腹脹), 충적(蟲積), 폐조해수(肺燥咳嗽)를 치료한다. 조비지엽(粗榧枝葉)은 항암(抗癌)의 효능이 있으므로 백혈병, 악성임파류(惡性淋巴瘤)를 치료한다.

성분 조비지엽(粗榧枝葉)은 sciadopytisin, quercetin 3,7-O-β-D-diglucoside, quercetin 3-O-β-D-glucopyranoside, cephalotaxine, II-hydroxycephaltaxine,

drupacine, demethylcephalotaxinone, C-3-epiwilsonine, wilsonine, isoharringtonine, hainanolide, harringtonine 등이 함유되어 있다.

약리 열수추출물은 돼지의 회충에 살충 작용은 없지만 고양이의 촌충을 죽이고, 쥐의 자궁에 수축 작용이 있다. sciadopytisin과 3,7-O-β-D-diglucoside는 HIF-1의 활성을 억제한다. sciadopytisin은 LLC 암세포를 이식시킨 BDF1 쥐의 수명 시간을 연장시킨다.

사용법 조비 또는 조비지엽 10g에 물 3컵(600mL)을 넣고 달여서 복용한다. 백혈병에는 알칼로이드 분획물 50~100mg을 매일 주사한다. 중국의 임상 결과에 의하면 백혈병 환자 11명 가운데 3명은 치료되었고 나머지는 호전되거나 치료 효과가 나타나지 않는다고 한다.

＊ 높이 8~10m, 가지가 많이 갈라지지 않고 모여나며 구과는 흰 가루색을 띤 남녹색인 '큰개비자나무 *C. harringtonia*', 줄기가 땅 가까이로 붙는 '눈개비자나무 *C. harringtonia* var. *nana* Rehder'도 약효가 같다.

◐ 개비자나무(열매)

◐ 개비자나무(수꽃)

◐ 조비지엽(粗榧枝葉)

◐ 조비지엽(粗榧枝葉 자른 것)

◐ 개비자나무

[주목과]

태평양주목

난소암, 유방암

● 학명 : *Taxus brevifolia* Rao Kv. [*T. baccata* var. *brvifolia*, *T. baccata* var. *canadensis*]
● 영명 : Pacific yew ● 한자명 : 西洋紫杉 ● 별명 : 서양주목

1 2 3 4 5 6 7 8 9 10 11 12

상록 교목. 높이 10~15m. 줄기껍질은 적갈색으로 얕게 갈라지며, 어린가지는 녹색이다. 잎은 바늘 모양으로 가죽질이고 길이 2~2.5cm이다. 꽃은 암수한그루, 4월에 피며, 열매는 8~9월에 익고, 종자는 육질의 붉은색 껍질에 들어 있다.

분포 · 생육지 북아메리카 원산. 남아메리카, 영국, 오스트레일리아에서 자라고, 섭씨 5~8도의 높은 지대에서 자란다.

약용 부위 · 수치 줄기껍질을 봄이나 여름에 채취하여 썰어서 말린다.

약물명 서양자삼피(西洋紫杉皮)

약효 항암 작용이 있으므로 난소암, 유방암을 치료한다. 난소 상피 암과 수란관 암에 걸린 46명의 환자에게 에탄올추출액을 투여한 결과 10.9%가 암 조직이 사라졌고, 28.3%가 상당히 호전되었다는 보고가 있다.

성분 taxol, makisterone A, taxacin, taxinine, taxinine A, taxinine H, taxinine K, taxinine L, ponasterone A, ecdysterone, sciadopitysin 등의 알칼로이드와 항암 효과가 있는 taxol 등이 함유되어 있다.

약리 taxol은 방추사의 polymerization에 의한 microtubule의 형성을 촉진하는 반면에, 일단 형성된 microtubule이 tubulin으로 해체되는 과정을 억제하여 세포 분열을 막음으로써 항암 작용을 나타낸다. taxinine을 고혈당 쥐에게 피하 주사 또는 정맥주사를 하면 혈당 강하 작용이 있고, 또 개구리, 쥐, 토끼의 중추 신경을 마비시킨다. taxol은 자궁암, 유방암 등에 항암 작용이 있다.

사용법 서양자삼피 10g에 물 3컵(600mL)을 넣고 달여서 복용한다. 오심(惡心), 구토

등의 부작용이 있으면 사용을 중지한다. taxol의 경우 175mg/m²을 3시간 동안 3주마다 정맥주사한다.

＊ 100년 된 '서양주목 *T. brevifolia*'으로부터 줄기껍질 3kg을 얻을 수 있고, 이로부터 300mg의 taxol을 분리하였다. 요즘은 조직 배양에 의하여 비교적 다량으로 taxol을 추출할 수 있다.

◐ 태평양주목

[주목과]

주목

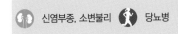
신염부종, 소변불리 / 당뇨병

● 학명 : *Taxus cuspidata* S. et Z. ● 영명 : Japanese yew
● 한자명 : 紫杉 ● 별명 : 화솔나무, 적목, 노가리나무

| 1 | 2 | 3 | 4 | 5 | 6 | 7 | 8 | 9 | 10 | 11 | 12 |

❶ 주목

❶ 자삼(紫杉)

❶ 주목(열매)

상록 교목, 높이 20m 정도. 줄기껍질은 적 갈색으로 얕게 갈라지며, 어린가지는 녹색, 2년된 가지는 갈색, 3년된 가지는 회갈색이 다. 잎은 바늘 모양, 길이 1.5~2cm, 너비 3mm 정도이다. 꽃은 암수한그루, 4월에 피 고, 수꽃은 6개의 비늘 조각으로 싸이며 수 술은 8~10개, 암꽃은 10개의 비늘 조각으 로 싸인다. 열매는 8~9월에 익고, 종자는 붉은색 껍질에 들어 있다.

분포·생육지 우리나라 전역. 중국, 일본, 우수 리, 러시아 동부. 높은 산(해발 1000~2,500m) 에서 자란다.

약용 부위·수치 가지와 잎을 봄이나 여름에 채취하여 썰어서 말린다.

약물명 자삼(紫杉)

약효 이수소종(利水消腫)의 효능이 있으므로 신염부종(腎炎浮腫), 소변불리(小便不利), 당 뇨병을 치료한다. 난소 상피암과 수란관 암 에 걸린 46명의 환자에게 에탄올추출액을 투여한 결과 10.9%가 암 조직이 사라졌고, 28.3%가 상당히 호전되었다는 보고가 있다.

사용법 자삼 10g에 물 3컵(600mL)을 넣고 달여서 복용한다. 오심, 구토 등의 부작용 이 있으면 사용을 중지한다. taxol의 경우 175mg/m²를 3시간 동안 3주마다 정맥주사 한다.

※ 기타 사항은 '태평양주목'과 같다.

[주목과]

비자나무

기생충병, 장조변비 / 폐조해수
치창, 치질 / 류머티즘 / 수종

● 학명 : *Torreya nucifera* Nakai ● 영명 : Japanese torreya
● 한자명 : 榧子木

| 1 | 2 | 3 | 4 | 5 | 6 | 7 | 8 | 9 | 10 | 11 | 12 |

상록 교목. 높이 25m 정도. 줄기껍질은 회 갈색, 잎은 넓은 바늘 모양이다. 꽃은 암수 딴그루, 4월에 피며, 수꽃은 잎겨드랑이에 모여 피고, 암꽃은 가지 끝에 핀다. 열매는 핵과 같으며 적갈색으로 성숙하고, 종자는 원추형이며 딱딱하다.

분포·생육지 우리나라 한라산, 전남의 백 양산. 중국, 일본. 산기슭이나 골짜기에서 자란다. 제주의 천제연 폭포 주변과 백양 산, 내장산에 비자림(榧子林)이 있다.

약용 부위·수치 종자를 가을에, 뿌리껍질은 수시로, 꽃은 꽃이 필 때 채취하여 말린다.

약물명 종자를 비자(榧子), 뿌리껍질을 비 근피(榧根皮), 꽃을 비화(榧花)라 한다. 비 자(榧子)는 대한민국약전외한약(생약)규격

집(KHP)에 수재되어 있다.

본초서 비자(榧子)는 「신농본초경(神農本草 經)」에 피자(彼子)라는 이름으로 수재되었 고, 「명의별록(名醫別錄)」에는 비실(榧實)이 라는 이름으로, 당대(唐代)의 「신수본초(新 修本草)」에는 피자(披子)라는 이름으로 실 렸다가 명대(明代)의 「본초강목(本草綱目)」 에 처음 비자(榧子)라는 이름으로 기록되었 다. 「동의보감(東醫寶鑑)」에 주오치(主五痔) 거삼충(去三蟲)이라는 기록으로 보아 옛날 에는 구충제로 사용된 것을 알 수 있다.

神農本草經: 彼子 腹中邪氣 去三蟲 蛇螫 蠱 毒 鬼疰 伏尸.

名醫別錄: 常食 治五痔 去三蟲.

本草綱目: 消穀行食 殺蟲化積 止嗽 助陽 止

濁. 東醫寶鑑: 主五痔 去三蟲 鬼疰消穀.

기미·귀경 비자(榧子): 평(平), 감(甘), 삽 (澁)·폐(肺), 위(胃), 대장(大腸)

약효 비자(榧子)는 살충(殺蟲), 소적(消積), 윤조(潤燥)의 효능이 있으므로 기생충병, 폐조해수(肺燥咳嗽), 장조변비(腸燥便秘), 치창(痔瘡)을 치료한다. 비근피(榧根皮)는 류머티즘에 의한 통증을 치료하고, 비화(榧 花)는 수종(水腫)과 치질을 치료한다.

성분 종자는 지방유가 함유되어 있으며 그 성분은 palmitic acid, stearic acid, oleic acid, linoleic acid의 glyceride 등이고, ste-roid 성분도 들어 있다.

약리 열수추출물은 돼지의 회충에 살충 작 용은 없지만 고양이의 촌충을 죽이고, 쥐의 자궁에 수축 작용이 있다.

사용법 비자, 비근피, 또는 비화 10g에 물 3 컵(600mL)을 넣고 달여서 복용하거나 환약 으로 만들어 복용한다.

처방 편비구요탕(萹榧驅蟯湯): 편축(萹蓄), 비자(榧子), 빈랑자(檳榔子) (「신방(新方)」). 장내 기생충을 제거하는 데 사용한다.

❶ 비자(榧子, 가종피에 싸인 종자)

❶ 비자(榧子)

❶ 비자(榧子, 절편)

❶ 비자나무

[마황과]
중동마황

오한발열, 두통신동　　무한, 도한　　소변불리
폐기불선, 해수기천　　풍진소양, 음저담핵

●학명 : *Ephedra cliata* Fisch. ex C. A. Meyer [*E. foliata*]　●한자명 : 中東麻黃

| 1 | 2 | 3 | 4 | 5 | 6 | 7 | 8 | 9 | 10 | 11 | 12 |

  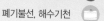

풀처럼 보이는 상록 관목. 높이 70~90cm. 줄기는 비스듬히 서거나 늘어지며, 가지는 가늘다. 비늘잎은 2~4개로 상부의 마디에서 나고 길이 1~3mm로 바늘 같다. 수꽃차례는 한 마디에 1~3개, 암꽃차례는 2~3개의 꽃이 핀다. 종자는 구형이며 2개이고 흑갈색이다.

분포·생육지 중동(이란, 파키스탄, 아프카니스탄). 해발 700~2300m의 모래가 많은 땅에서 자란다.

약용 부위·수치 지상부를 여름과 가을에 채취하여 말린다.

약물명 마황(麻黃). 중동마황(中東麻黃)이라고도 한다.

※ 약효와 사용법은 '초마황'과 같다.

❶ 중동마황(꽃)

❶ 중동마황

쌍수마황

오한발열, 두통신동	무한, 도한	소변불리
폐기불선, 해수기천	풍진소양, 음저담핵	

● 학명 : *Ephedra distachya* L. ● 한자명 : 双穗麻黄

1	2	3	4	5	6	7	8	9	10	11	12

풀처럼 보이는 상록 관목. 높이 25~50cm. 뿌리줄기는 땅속을 기고, 줄기는 바로 선다. 가지는 마디에 방사상으로 모여나고 비늘잎은 마주나며 길이 3~5mm이다. 암꽃의 포는 5~7쌍으로 붉은색이다.

분포·생육지 유럽, 중앙아시아. 세계 각지에서 재배한다.

약용 부위·수치 지상부를 여름과 가을에 채취하여 말린다.

약물명 마황(麻黄). 쌍수마황(双穗麻黄)이라고도 한다.

성분 ephedrine이 3% 함유되어 있다.

* 약효와 사용법은 '초마황'과 같다.

○ 쌍수마황(열매)

○ 쌍수마황

목적마황

오한발열, 두통신동	무한, 도한	소변불리
폐기불선, 해수기천	풍진소양, 음저담핵	

● 학명 : *Ephedra equisetina* Bunge ● 한자명 : 木賊麻黄

1	2	3	4	5	6	7	8	9	10	11	12

풀처럼 보이는 상록 관목. 높이 30~80cm. 비교적 많이 분지하며, 마디와 마디 사이는 2~3cm이고, 막질인 비늘잎은 길이 0.1~0.2cm이다. 열편은 2개로 상부는 회백색이며 기부는 갈색~흑갈색이고, 종자는 1개이다.

분포·생육지 중국 허베이성(河北省), 산시성(山西省), 내몽골, 티베트, 러시아, 카자흐스탄. 모래땅에서 자란다.

약용 부위·수치 지상부를 여름과 가을에 채취하여 말린다.

약물명 지상부를 마황(麻黄)이라고 하며, 목적마황(木賊麻黄) 또는 목마황(木麻黄)이라고도 한다.

* 약효와 사용법은 '초마황'과 같다.

○ 목적마황(꽃)

○ 목적마황

산령마황

| 오한발열, 두통신동 | 무한, 도한 | 소변불리 |
| 폐기불선, 해수기천 | 풍진소양, 음저담핵 |

●학명 : *Ephedra geraldiana* Bunge ●한자명 : 山嶺麻黃

1 2 3 4 5 6 7 8 9 10 11 12

풀처럼 보이는 상록 관목. 높이 20~40cm. 뿌리줄기는 땅속을 기고 줄기는 바로 선다. 비늘잎은 길이 3~4mm로 아랫부분이 합쳐져서 줄기의 마디를 감싼다. 꽃은 둥근 비늘 같은 꽃차례를 이루며, 수꽃차례는 넓은 달걀 모양, 3~5개가 줄기와 가지 끝에 달린다. 포편은 3~5쌍으로 각 포편 속에 1개의 수꽃이 있고, 종자는 2개이며 달걀 모양이다.

분포 · 생육지 중국 및 몽골 원산. 모래땅에서 자란다.

약용 부위 · 수치 지상부를 여름과 가을에 채취하여 말린다.

약물명 마황(麻黃). 산령마황(山嶺麻黃)이라고도 한다.

＊약효와 사용법은 '초마황'과 같다.

❶ 산령마황

중마황

| 오한발열, 두통신동 | 무한, 도한 | 소변불리 |
| 폐기불선, 해수기천 | 풍진소양, 음저담핵 |

●학명 : *Ephedra intermedia* Schrenk et C. A. Meyer. ●한자명 : 中麻黃

1 2 3 4 5 6 7 8 9 10 11 12

❶ 중마황

풀처럼 보이는 상록 관목. 높이 1m 정도. 뿌리줄기는 땅속을 기고 줄기는 바로 서며 많이 분지된다. 마디 사이는 2~6cm, 비늘잎은 막질이며 길이 2~3mm이다. 열편은 3개이고 끝은 뾰족하며, 종자는 3개이다.

분포 · 생육지 중국 지린성(吉林省) 서북부, 랴오닝성(遙寧省) 서부, 허베이성(河北省), 산시성(山西省), 칭하이성(靑海省). 모래땅에 자란다.

약용 부위 · 수치 지상부를 여름과 가을에 채취하여 말린다.

약물명 마황(麻黃). 중마황(中麻黃)이라고도 한다.

약효 마황(麻黃)은 발한해표(發汗解表), 선폐평천(宣肺平喘), 이수소종(利水消腫)의 효능이 있으므로 풍한표실증(風寒表實證), 오한발열(惡寒發熱), 무한(無汗), 두통신동(頭痛身疼), 사옹우폐(邪壅于肺), 폐기불선(肺氣不宣), 해수기천(咳嗽氣喘), 풍수종(風水腫), 소변불리(小便不利), 풍습비통(風濕痺痛), 풍진소양(風疹瘙痒), 음저담핵(陰疽痰核)을 치료한다.

사용법 마황 3g에 물 2컵(400mL)을 넣고 달여서 복용하거나 알약이나 가루약으로 만들어 복용한다. 외용에는 가루 내어 코나 상처에 뿌린다. 마황에서 분리한 ephedrine과 pseudoephedrine은 진해제로 널리 사용되고 있다.

[마황과]
왜마황

오한발열, 두통신동	무한, 도한	소변불리
폐기불선, 해수기천	풍진소양, 음저담핵	

● 학명 : *Ephedra minuta* Florin　　● 한자명 : 倭麻黃

1	2	3	4	5	6	7	8	9	10	11	12

풀처럼 보이는 상록 관목. 높이 10~20cm. 뿌리줄기는 땅속을 기고 줄기는 바로 선다. 가지는 마디에 방사상으로 모여나고, 비늘잎은 마주나며 길이 3~5mm이고, 포는 5~7쌍이다.

분포·생육지 중국 쓰촨성(四川省) 북부, 서북부, 칭하이성(靑海省) 남부. 세계 각지에서 재배한다.

약용 부위·수치 지상부를 여름과 가을에 채취하여 말린다.

약물명 마황(麻黃). 왜마황(倭麻黃)이라고도 한다.

약효 마황(麻黃)은 발한해표(發汗解表), 선폐평천(宣肺平喘), 이수소종(利水消腫)의 효능이 있으므로 풍한표실증(風寒表實證), 오한발열(惡寒發熱), 무한(無汗), 두통신동(頭痛身疼), 사옹우폐(邪壅于肺), 폐기불선(肺氣不宣), 해수기천(咳嗽氣喘), 풍수종(風水腫), 소변불리(小便不利), 풍습비통(風濕痺痛), 풍진소양(風疹瘙痒), 음저담핵(陰疽痰核)을 치료한다.

사용법 마황 3g에 물 2컵(400mL)을 넣고 달여서 복용하거나 알약이나 가루약으로 만들어 복용한다. 외용에는 가루 내어 코나 상처에 뿌린다. 마황에서 분리한 ephedrine과 pseudoephedrine은 진해제로 널리 사용되고 있다.

❂ 왜마황

[마황과]
티베트마황

오한발열, 두통신동	무한, 도한	소변불리
폐기불선, 해수기천	풍진소양, 음저담핵	

● 학명 : *Ephedra saxatilis* Royle ex Florin　　● 한자명 : 藏麻黃

1	2	3	4	5	6	7	8	9	10	11	12

풀처럼 보이는 상록 관목. 높이 40~60cm, 뿌리줄기는 땅속을 기고 줄기는 바로 선다. 가지는 마디에 방사상으로 모여나고 비늘잎은 마주나며 길이 3~5mm이고, 포는 5~7쌍이다.

분포·생육지 티베트 남부. 고산 지대에서 자란다.

약용 부위·수치 지상부를 여름과 가을에 채취하여 말린다.

약물명 마황(麻黃). 장마황(藏麻黃)이라고도 한다.

약효 마황(麻黃)은 발한해표(發汗解表), 선폐평천(宣肺平喘), 이수소종(利水消腫)의 효능이 있으므로 풍한표실증(風寒表實證), 오한발열(惡寒發熱), 무한(無汗), 두통신동(頭痛身疼), 사옹우폐(邪壅于肺), 폐기불선(肺氣不宣), 해수기천(咳嗽氣喘), 풍수종(風水腫), 소변불리(小便不利), 풍습비통(風濕痺痛), 풍진소양(風疹瘙痒), 음저담핵(陰疽痰核)을 치료한다.

사용법 마황 3g에 물 2컵(400mL)을 넣고 달여서 복용하거나 알약이나 가루약으로 만들어 복용한다. 외용에는 가루 내어 코나 상처에 뿌린다. 마황에서 분리한 ephedrine과 pseudoephedrine은 진해제로 널리 사용되고 있다.

❂ 목적마황

초마황

	오한발열, 두통신동		무한, 도한		소변불리
	폐기불선, 해수기천		풍진소양, 음저담핵		

● 학명 : *Ephedra sinica* Stapf ● 영명 : Ephedra
● 한자명 : 草麻黃

1	2	3	4	5	6	7	8	9	10	11	12

풀처럼 보이는 상록 관목. 높이 20~40cm. 뿌리줄기는 땅속을 기고 줄기는 바로 선다. 비늘잎은 길이 3~4mm로 아랫부분이 합쳐져서 줄기의 마디를 감싼다. 꽃은 둥근 비늘 같은 꽃차례를 이루며, 수꽃차례는 넓은 달걀 모양으로 3~5개가 줄기와 가지 끝에 달린다. 포편은 3~5쌍이며, 각 포편 속에 1개의 수꽃이 있고, 종자는 2개이며 달걀 모양이다.

분포 · 생육지 중국 간쑤성(甘肅省), 랴오닝성(遼寧省), 산시성(陝西省) 및 몽골 원산. 모래땅에서 자란다.

약용 부위 · 수치 지상부와 뿌리를 여름과 가을에 채취하여 말린다.

약물명 지상부를 마황(麻黃)이라고 하며, 마황초(麻黃草), 용사(龍沙), 비상(卑相)이라고도 한다. 뿌리를 마황근(麻黃根)이라고 한다. 마황은 대한민국약전(KP)에, 마황근은 대한민국약전외한약(생약)규격집(KHP)에 수재되어 있다.

본초서 마황(麻黃)은 「신농본초경(神農本草經)」의 중품(中品)에 수재되어 있고, 「명의별록(名醫別錄)」에는 "산시성(山西省)의 하동(河東)에서 자라며 입추(立秋)에 채집하여 건조시킨다."고 기록되어 있다. 양대(梁代) 도홍경(陶弘景)의 「본초경집주(本草經集注)」에는 "산둥성(山東省) 청주(淸州), 장쑤성(江蘇省) 팽성(膨城)에서 생산되는 것이 좋다."고 하였으며, 송대(宋代) 소경(蘇敬)의 「도경본초(圖經本草)」에는 "봄에 싹이 나서 5월이 되면 길이 1척(尺) 정도 되며 황색의 꽃이 피고 열매를 맺는다. 열매는 백합의 비늘줄기처럼 작으며 조협자(皁

莢子)와 비슷하다. 외피는 붉고 내측은 인(仁)이 있다. 종자는 검고 뿌리는 적자색이다."라고 기록되어 있다. 송대(宋代)의 「증류본초(症類本草)」에 나오는 그림도 오늘날의 마황(麻黃)의 형태와 일치한다. 「동의보감(東醫寶鑑)」에는 "마황(麻黃)은 중풍이나 상한(傷寒)으로 머리가 아픈 것과 온학(溫瘧)을 낫게 하며 발표시켜 땀을 내며 사열(邪熱)을 없앤다. 한열(寒熱)과 오장(五臟)의 사기(邪氣)도 없애고 땀구멍을 통하게 하며 온역(溫疫)을 치료한다."고 하였으며, "중국에 나는 것을 우리나라 여러 곳에 옮겨 심었는데 잘 번식되지 않고 다만 강원도와 경상도에만 있다."고 하였다.

神農本草經: 主中風, 傷寒頭痛, 溫瘧. 發表出汗, 去邪熱氣, 止咳逆上氣, 除寒熱, 破癥堅積聚.

藥性論: 止身上毒風頑痺, 皮肉不仁, 主壯熱, 解肌發汗, 溫瘧, 治溫疫.

本草蒙筌: 劫咳逆, 痿痺.

本草綱目: 散赤目腫痛, 水腫, 風腫, 産後血滯.

東醫寶鑑: 主中風傷寒頭痛 溫虐發表出汗 去邪熱氣 除寒熱 五藏邪氣 通腠理 治溫疫 禦山嵐瘴氣.

성상 마황(麻黃)은 가는 원주상으로 길이 5~25cm, 지름 1~2mm, 마디 사이의 길이 3~5cm이다. 표면은 황록색이며 많은 세로홈이 나란히 있다. 마디에는 보통 비늘 모양의 잎이 있다. 잎은 길이 2~4mm이고 엷은 황갈색이며 보통 마주나고 기부는 모여서 통상을 이룬다. 냄새는 거의 없으며 맛은 떫고 약간 쓰며 혀를 약간 마비시킨다. 마황근(麻黃根)은 원주형으로 약간 굽으

며 길이 10~25cm, 지름 0.5~1.5cm, 표면은 적갈색~황갈색을 띠며, 작은 뿌리가 달렸던 흔적이 있으며 냄새는 없고 맛은 약간 쓰다.

기미 · 귀경 마황(麻黃): 온(溫), 신(辛), 고(苦) · 폐(肺), 방광(膀胱). 마황근(麻黃根): 평(平), 감(甘), 미삽(微澁) · 폐(肺)

약효 마황(麻黃)은 발한해표(發汗解表), 선폐평천(宣肺平喘), 이수소종(利水消腫)의 효능이 있으므로 풍한표실증(風寒表實證), 오한발열(惡寒發熱), 무한(無汗), 두통신동(頭痛身疼), 사옹우폐(邪壅于肺), 폐기불선(肺氣不宣), 해수기천(咳嗽氣喘), 풍수종(風水腫), 소변불리(小便不利), 풍습비통(風濕痺痛), 풍진소양(風疹瘙痒), 음저담핵(陰疽痰核)을 치료한다. 마황근(麻黃根)은 지한(止汗)의 효능이 있으므로 허약한 사람들의 자한(自汗)이나 도한(盜汗)을 치료한다.

성분 마황(麻黃)은 알칼로이드 1%가 함유되어 있다. 주성분은 (−)-ephedrine이고 그 외에 (−)-norephedrine, (−)-methylephedrine, (+)-norpseudoephedrine, (+)-pseudoephedrine, (+)-pseudomethylephedrine, ephedroxane 등이다. 마황근(麻黃根)은 ephedradine A, B, C, D, E, feruloylhistamine, ephedrannin A, hahuannin A, B, C, D, maokonine 등이 함유되어 있다.

약리 *l*-ephedrine과 *d*-pseudoephedrine은 기관지 확장 작용과 항염증 작용이 있고, 또 교감 신경 흥분 작용이 있으며, d-pseudoephedrine은 이뇨 작용이 있고, 뿌리에 함유된 epedradine A, B, C, D, E는 혈압 강하 작용과 지한(止汗) 작용이 있다.

확인 시험 가루 0.5g에 MeOH 10mL를 넣어 2분간 흔들어 섞은 다음 여과하여 검액으로 한다. 이 액을 TLC용 실리카겔(형광제 첨가)에 점적한 다음 BuOH-H2O-HOAc(7:2:1)을 전개 용매로 하여 약 10cm 전개하고 박층판을 말린다. 여기에 2% ninhydrin-EtOH 용액을 고르게 뿌린 뒤 105℃에서 5분간 가열할 때 Rf 값 0.35 부근에 적

❶ 초마황(꽃)

❶ 초마황(열매)

❶ 마황, 행인, 감초로 만든 인후염 치료제

❶ 초마황(뿌리)

❶ 마황, 앵속각으로 만든 기침 가래약

자색의 반점이 나타난다.

사용법 마황 3g, 마황근 5g에 물 2컵 (400mL)을 넣고 달여서 복용하거나 알약이나 가루약으로 만들어 복용한다. 외용에는 가루 내어 코나 상처에 뿌린다. 마황에서 분리한 ephedrine과 pseudoephedrine은 진해제로 널리 사용되고 있다.

약전 수재 품목 염산에페드린 10배산, 염산에페드린, 염산에페드린산, 염산에페드린정, 염산에페드린 주사액

처방 마황탕(麻黃湯): 마황(麻黃) 12g, 계지(桂枝) 8g, 행인(杏仁) 10개, 감초(甘草) 2.4g, 생강(生薑) 3쪽 「상한론(傷寒論)」, 「동의보감(東醫寶鑑)」. 몸살이 나고 기침이 심하며 숨이 찬 증상에 사용한다.

• 마황부자세신탕(麻黃附子細辛湯): 마황(麻黃)·세신(細辛) 각 8g, 부자(附子) 4g

「상한론(傷寒論)」). 자리에 눕고 싶고 열이 나며 맥은 가라앉는 증상, 평소 양기가 허약한 사람이 풍한(風寒)으로 오한이 심하지만 열은 심하게 나지 않는 증상에 사용한다.

• 마행감석탕(麻杏甘石湯): 마황(麻黃) 16g, 감초(甘草) 8g, 행인(杏仁) 12g, 석고(石膏) 32g 「상한론(傷寒論)」. 사열(邪熱)이 폐에 침입하여 기침이 나고 숨이 가쁘며 목이 마르는 증상에 사용한다.

• 소청룡탕(小青龍湯): 마황(麻黃)·작약(芍藥)·오미자(五味子)·반하(半夏) 각 6g, 세신(細辛)·건강(乾薑)·계지(桂枝)·감초(甘草) 각 4g 「동의보감(東醫寶鑑)」. 상한표증(傷寒表症) 때 속에 수음(水飲)이 정체하여 오싹오싹 춥고 열이 나며 기침을 하고 숨이 차며 가래가 나오고 구역질이 나며 윗배가 그득한 증상에 사용한다.

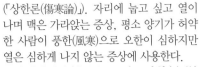

❶ 마황, 인삼, 길경, 원지 등이 배합된 기침 가래약

❶ 마황(麻黃)의 주성분 ephedrine이 함유된 양한방 감기약

❶ 마황(麻黃)이 함유된 종합감기약

❶ 마황(麻黃)

❶ 마황근(麻黃根)

[매마등과]

매마등

🦵 풍습비통, 요통, 늑골통   🫁 만성기관지염

● 학명 : *Gnetum montanum* Markgr. [*E. foliata*]   ● 한자명 : 買麻藤

| 1 | 2 | 3 | 4 | 5 | 6 | 7 | 8 | 9 | 10 | 11 | 12 |

상록 덩굴성나무, 길이 4~12m. 줄기는 둥글며 회갈색이다. 잎은 마주나고 긴 타원형으로 가장자리가 밋밋하다. 수꽃차례는 한 마디에 2~3개로 나오고, 암꽃차례는 2~3개로 수꽃차례보다 짧다. 종자는 타원상 구형이며, 가종피는 붉은색이다.

분포·생육지 중국 광둥성(廣東省), 윈난성(雲南省), 말레이시아, 싱가포르. 평지나 숲 속에서 자란다.

약용 부위·수치 가지와 잎을 여름과 가을에 채취하여 썰어서 말린다.

약물명 매마등(買麻藤). 함수등(含水藤), 마자등(馬子藤)이라고도 한다.

약효 거풍제습(祛風除濕), 산어지혈(散瘀止血), 화담지해(化痰止咳)의 효능이 있으므로 풍습비통(風濕痺痛), 요통(腰痛), 늑골통(肋骨痛), 만성기관지염을 치료한다.

성분 gnetifolin A~F, isorhapontigenin, reveratrol 등이 함유되어 있다.

약리 에탄올추출물을 쥐에게 정맥주사하면 기침을 억제하고 혈압을 낮추는 작용이 있다.

사용법 매마등 10g에 물 3컵(600mL)을 넣고 달여서 복용한다.

❶ 매마등(열매)

❶ 매마등

피자식물(被子植物, Angiospermae)

쌍자엽식물강(Dicotyledoneae)

관속이 골속(髓, pith)의 주위에 원통형으로 배열되고, 체관부와 목질부 사이에 있는 형성층의 활동에 의하여 새로운 조직이 형성된다. 잎은 망상맥이고, 꽃 부분은 4~5수(數)이고, 떡잎은 2개이다. 세계에 44목 258과 9500속 20만 종이 분포한다.

[소귀나무과]

서양소귀나무

 이질, 설사

● 학명 : *Myrica gale* L. ● 영명 : Sweet gale ● 별명 : 게일

| 1 | 2 | 3 | 4 | 5 | 6 | 7 | 8 | 9 | 10 | 11 | 12 |

❀ 서양소귀나무

낙엽 관목. 높이 1m 정도. 줄기껍질은 적갈색, 향기가 강하다. 잎은 어긋나고 긴 타원형이며 가장자리는 밋밋하거나 끝에 둔한 톱니가 있다. 꽃은 암수판그루, 4월에 피며, 열매는 장과로 지름 3mm 정도이다.

분포 · 생육지 유럽과 서아시아. 산기슭 양지 또는 산골짜기에서 자란다.

약용 부위 · 수치 잎을 여름에 채취하여 말린다.

약물명 Myricae Folium

약효 수렴(收斂)의 효능이 있으므로 이질, 설사를 치료한다.

사용법 Myricae Folium 3~4g을 뜨거운 물에 우려내어 복용한다.

❀ 서양소귀나무(꽃)

[소귀나무과]

소귀나무

 식욕부진, 완복동통, 설사, 애역, 구토 치통, 인후염, 번갈 치혈 늑골통, 골절 피부습진, 가려움증

● 학명 : *Myrica rubra* S. et Z. ● 영명 : red hirtle ● 한자명 : 楊梅 ● 별명 : 속나무

| 1 | 2 | 3 | 4 | 5 | 6 | 7 | 8 | 9 | 10 | 11 | 12 |

상록 소교목. 줄기껍질은 회갈색, 잎은 가죽질, 긴 타원형, 길이 7~15cm, 가장자리는 밋밋하거나 끝에 둔한 톱니가 있다. 꽃은 암수판그루, 4월에 피며 꽃덮개가 없고, 수꽃이삭은 길이 3~4cm, 암꽃이삭은 긴 타원형, 1개의 암술이 있다. 씨방은 1실, 암술대는 2개, 열매는 6~7월에 익으며, 핵과는 둥글고 지름 1~2cm, 익으면 적갈색이다.

분포 · 생육지 우리나라 남쪽 섬(제주도, 흑산도). 중국, 일본, 필리핀. 산기슭 양지 또는 산골짜기에서 자란다.

약용 부위 · 수치 줄기껍질을 사시사철, 잎과 열매는 여름에 채취하여 말린다.

약물명 줄기껍질을 양매피(楊梅皮), 잎을 양매엽(楊梅葉), 열매를 양매(楊梅)라 한다.

기미 · 귀경 양매피(楊梅皮): 온(溫), 고(苦), 신(辛), 미삽(微澁) · 간(肝), 위(胃). 양매엽(楊梅葉): 온(溫), 고(苦), 신(辛). 양매(楊梅): 온(溫), 산(酸), 감(甘) · 비(脾), 간(肝), 위(胃)

약효 양매피(楊梅皮)는 행기활혈(行氣活血), 지통(止痛), 지혈(止血), 해독소종(解毒消腫)

의 효능이 있으므로 완복동통(脘腹疼痛), 늑골통, 치통, 골절, 치혈(痔血)을 치료한다. 양매엽(楊梅葉)은 조습거풍(燥濕祛風), 지양(止痒)의 효능이 있으므로 피부습진과 가려움증을 치료한다. 양매(楊梅)는 생진제번(生津除煩), 화중소식(和中消食), 해주(解酒), 삽장(澁腸), 지혈의 효능이 있으므로 번갈(煩渴), 구토, 애역(呃逆), 식욕부진, 설사와 복통, 인후염을 치료한다.

성분 양매피(楊梅皮)는 myricetin, myricitrin, myricanol, myricanone, myricadiol

등, 양매(楊梅)는 anthocyanidin monoglucoside, 양매엽(楊梅葉)은 taraxerol, α-amyrin, β-amyrin, lupeol 등이 함유되어 있다.

약리 myricetin과 myricitrin은 멜라닌의 형성을 억제하는 효능이 있다.

사용법 양매피, 양매엽 및 양매 각각 10g에 물 3컵(600mL)을 넣고 달여서 복용하고 화상에는 짓찧어서 붙인다. 잎은 생것을 짓찧어 즙액 또는 물에 달인 액을 환부에 바른다.
※ 잎, 어린가지 등에 털이 많은 '털소귀나무 *M. esculenta*'도 약효가 같다.

❍ 양매(楊梅)

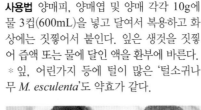
❍ 양매(楊梅, 신선품)

❍ 양매엽(楊梅葉)

❍ 양매피(楊梅皮)

❍ 양매피(楊梅皮, 절편)

❍ 소귀나무

[가래나무과]

페칸

| 요슬산연 | 허천구해 |
| 은통 | |

● 학명 : *Carya illinoensis* K. Koch. [*Juglans illinoensis* Wang] ● 영명 : Pecan

| 1 | 2 | 3 | 4 | 5 | 6 | 7 | 8 | 9 | 10 | 11 | 12 |

낙엽 교목. 높이 30m 정도. 줄기껍질은 회색이며 세로로 갈라진다. 잎은 어긋나며 홀수 깃꼴겹잎으로 작은잎은 7~11개이다. 꽃은 암수한그루, 5월에 피고 미상화서이다. 수꽃이삭은 긴 원주형으로 밑으로 처지며, 암꽃이삭은 달걀 모양, 핵과도 달걀 모양이다.

분포·생육지 북아메리카. 세계 각처에서 재식한다.

약용 부위·수치 열매를 가을에 채취하여 과피를 벗겨 속씨를 말린다.

약명 산핵도인(山核桃仁)

기미·귀경 평(平), 감(甘)·폐(肺), 신(腎)

약효 보익간신(補益肝腎), 납기평천(納氣平喘)의 효능이 있으므로 요슬산연(腰膝酸軟), 은통(隱痛), 허천구해(虛喘久咳)를 치료한다.

성분 열매에는 daucosterol, catechin, β-sitosterol, oleic acid, linoleic acid 등이 함유되어 있다.

약리 항산화 효능이 있고, LDL을 감소시킴으로써 혈중 콜레스테롤의 함량을 줄여 준다.

사용법 산핵도인 10g에 물 3컵(600mL)을 넣고 달여서 복용하거나 가루로 만들어 3~5g을 복용하며, 술에 담가서 매회 5mL를 복용한다.

❍ 페칸

❍ 페칸(열매)

❍ 산핵도인(山核桃仁)

❍ 페칸 종자로 만든 건강식품

가래나무

완복동통, 습열하리　우피선
목적종통, 영풍류루　대하황조

●학명 : *Juglans mandshurica* Max. ●영명 : Mandshurica walnut
●한자명 : 核桃楸, 楸子木 ●별명 : 산추자나무

1 2 3 4 5 6 7 8 9 10 11 12

낙엽 교목. 높이 20m 정도. 줄기껍질은 회색이며 세로로 갈라지고, 잎은 홀수 깃꼴겹잎, 작은잎은 7~17개이다. 꽃은 암수한그루, 4월에 피고 미상화서를 이룬다. 핵과는 달걀 모양, 8개의 능각 사이에 요철이 심하고 9월에 익는다.

분포 · 생육지 우리나라 중부 이북. 중국, 일본, 우수리, 아무르. 산기슭이나 골짜기에서 자란다.

약용 부위 · 수치 열매는 7~8월에 채취하고, 줄기껍질은 봄에 채취하여 말린다.

약물명 열매를 핵도추과(核桃楸果)라고 하며, 줄기껍질을 핵도추피(核桃楸皮) 또는 추목피(楸木皮)라 한다.

본초서 「동의보감(東醫寶鑑)」에는 추목피(楸木皮)라는 이름으로 수재되어 "촌백충과 회충, 피부충 구제에 사용한다. 추목피를 물에 달여 농축한 다음 고약을 만들어 종기가 벌겋게 부어오르고 곪는 부위, 저

창(疽瘡, 등에 난 종기), 피부의 헌데에 구멍이 뚫어져 고름이 흐르고 냄새가 나는 부위, 종기, 음부에 생긴 감닉창(疳䘌瘡, 비위가 허약하여 입, 잇몸, 항문이 허는 병)에 쓴다. 피고름을 없애고 새살이 돋아나게 하며, 근골을 튼튼하게 한다."고 하였다.

東醫寶鑑: 殺三蟲及皮膚蟲 煎膏付惡瘡 疽瘻癰腫 下部疳蟲 諸膿血 生肌膚 長筋肉

기미 · 귀경 핵도추과(核桃楸果): 평(平), 고(苦), 신(辛), 유독(有毒) · 위(胃). 핵도추피(核桃楸皮): 미한(微寒), 고(苦), 신(辛)

약효 핵도추과(核桃楸果)는 행기지통(行氣止痛), 살충지양(殺蟲止痒)의 효능이 있으므로 완복동통(脘腹疼痛), 우피선(牛皮癬)을 치료한다. 핵도추피(核桃楸皮)는 청열조습(淸熱燥濕), 사간명목(瀉肝明目)의 효능이 있으므로 습열하리(濕熱下痢), 대하황조(帶下黃稠), 목적종통(目赤腫痛), 영풍류루(迎風流淚)를 치료한다.

성분 줄기껍질은 1,2,6-trigalloylglucose, 1,2,3,6-tetragalloylglucose, 열매와 잎은 juglone, tannin이 함유되어 있다.

약리 핵도추피 열수추출물 10g/kg을 쥐에게 투여하면 간암과 피부암의 성장을 억제한다. 1,2,6-trigalloylglucose, 1,2,3,6-tetragalloylglucose는 백혈병 세포인 HL-60의 apoptosis를 촉진시키는 작용이 있다. 70% 메탄올추출물은 혈압에 관여하는 angiotensin converting enzyme의 활성을 저해한다.

사용법 미숙한 핵도추과 300g을 짓찧어 소주에 담가 매회 10~15mL를 복용한다. 핵도추피는 7g에 물 3컵(600mL)을 넣고 달여서 복용하고, 눈에는 달인 액으로 씻는다.

＊ 본 종에 비하여 열매에 능선이 없는 '왕가래나무(털가래나무) var. *sieboldiana*'도 약효가 같다.

❶ 가래나무

❶ 핵도추과(核桃楸果)

❶ 핵도추피(核桃楸皮)

❶ 가래나무(수꽃)

❶ 가래나무(줄기)

호도나무

	구해천촉, 구해		마풍결절, 완선, 나력, 개선		장조변비, 완복동통, 설사구리, 이질
	통경, 백대		요통각약, 신허요산		빈뇨, 유정, 양위	고혈압, 당뇨병

● 학명 : *Juglans regia* L. var. *orientalis* (Dode) Kitamura [*J. sinensis* Dode]
● 영명 : Walnut tree ● 한자명 : 胡桃 ● 별명 : 호두나무

1	2	3	4	5	6	7	8	9	10	11	12

낙엽 교목, 높이 20m 정도. 줄기껍질은 회백색, 피목이 산재하며, 잎은 홀수 깃꼴겹잎, 작은잎은 5∼7개이다. 꽃은 암수한그루, 4∼5월에 피고 수꽃이삭은 길이 15cm, 10∼30개의 꽃이 피며, 암꽃이삭은 1∼3개의 암꽃으로 구성된다. 핵과는 9월에 익으며 둥글고 털이 없다.

분포 · 생육지 중국 원산. 우리나라 중부 이남에서 식재한다.

약용 부위 · 수치 열매는 가을에 채취하고, 줄기껍질과 가지는 수시로 채취하여 물에 씻어 말린다.

약물명 속씨(種仁)를 호도인(胡桃仁), 열매껍질을 호도청피(胡桃靑皮), 잎을 호도엽(胡桃葉), 가지를 호도지(胡桃枝), 줄기껍질을 호도수피(胡桃樹皮), 호도인에서 압착 분리한 기름을 호도유(胡桃油)라 한다. 호도인(胡桃仁)은 대한민국약전외한약(생약) 규격집(KHP)에 수재되어 있다.

본초서 호도인(胡桃仁)은 「개보본초(開寶本草)」에 처음 수재되었다. 「동의보감(東醫寶鑑)」에는 "이 약을 복용하면 건강해지고 머리와 수염이 검어진다."고 하였으며, "외청피(外靑皮, 덜 익은 호도껍데기)는 수염과 머리카락에 물을 들이면 검어진다."고 하였다.
開寶本草: 食之令人肥健 潤肌黑髮.

東醫寶鑑: 胡桃仁 通經脈 潤血脈 黑鬚髮 令人肥健, 外靑皮 卽生實上靑皮也 染鬚髮令黑, 樹皮 止水痢 可染褐 又所樹取汁 沐頭至黑.

기미 · 귀경 호도인(胡桃仁): 온(溫), 감(甘), 삽(澁) · 신(腎), 간(肝), 폐(肺). 호도청피(胡桃靑皮): 평(平), 고(苦), 삽(澁) · 간(肝), 비(脾), 위(胃). 호도엽(胡桃葉): 평(平), 고(苦), 삽(澁). 호도지(胡桃枝): (平), 고(苦), 삽(澁)

성상 호도인(胡桃仁)은 반구상(半球狀)으로 된 2개의 떡잎이 중심부에서 좁게 합쳐져 있으며, 질은 연하며 부서지기 쉽고 황백색이다. 냄새는 방향성이 있으며 맛은 고소하다.

약효 호도인(胡桃仁)은 보신익정(補身益精), 온폐정천(溫肺定喘), 윤장통변(潤腸通便)의 효능이 있으므로 요통각약(腰痛脚弱), 빈뇨, 양위(陽痿), 유정(遺精), 구해천촉(久咳喘促), 장조변비(腸燥便秘)를 치료한다. 호도청피(胡桃靑皮)는 지통(止痛), 지해(止咳), 지사(止瀉), 해독의 효능이 있으므로 완복동통(脘腹疼痛), 통경(痛經), 구해(久咳), 설사구리(泄瀉久痢), 완선(頑癬)을 치료한다. 호도엽(胡桃葉)은 수렴지대(收斂止帶), 살충, 소종(消腫)의 효능이 있으므로 백대(白帶), 개선(疥癬), 하지상피증(下肢象皮證)을 치료한다. 호도지(胡桃枝)는 살충지양, 해독산결의 효능이 있으므로 개창(疥瘡), 나력(瘰癧), 종괴(腫塊)를 치료한다. 호도수피(胡桃樹皮)는 삽장지사(澁腸止瀉), 해독지양(解毒止痒)의 효능이 있으므로 설사, 이질, 마풍결절(麻風結節), 피부소양(皮膚瘙痒)을 치료한다. 호도유(胡桃油)는 온보신양(溫補腎陽), 윤장(潤腸), 구충(驅蟲), 지양(止痒), 염창(斂瘡)의 효능이 있으므로 신허요산(腎虛腰酸), 장조변비(腸燥便秘), 충적복통(蟲積腹痛), 개선(疥癬)을 치료한다.

성분 호도인(胡桃仁)은 citrulline, juglone, vitamin C 등이 함유되어 있고, 호도수피(胡桃樹皮)는 sitosterol, betulin, tannin 등이 함유되어 있으며, 호도엽(胡桃葉)은 ellagic acid, limonene, juglone, juglanine, hyperin 등이 함유되어 있다.

약리 호도유(胡桃油)가 함유된 지방식(脂肪食)을 개에게 먹인 결과 체중이 증가되고 혈청 albumin이 증가되었으나 혈중 콜레스테롤 수치는 약간 높아졌으며, 비뇨기계의 결석에 유효하였다.

사용법 호도지는 10g에 물 3컵(600mL)을 넣고 달여서 복용한다. 호도청피, 호도엽 및 호도지, 호도수피는 각각 10g에 물 3컵(600mL)을 넣고 달여서 복용하고, 외용에는 달인 액을 바르거나 짓찧어 바른다. 호도유는 10g을 복용하고, 외용에는 적당량을 바른다.

※ 호도지(胡桃枝)와 호도나무껍데기는 고혈압, 당뇨병 등의 건강 기능성 식품으로 발매되고 있다.

● 호도나무

● 호도나무(열매)

● 호도나무 수피 성분이 함유된 건강식품   ● 호도유(胡桃油)

● 호도수피(胡桃樹皮)

● 호도엽(胡桃葉)

● 호도인(胡桃仁)

● 호도지(胡桃枝)

● 호도청피(胡桃靑皮)

[가래나무과]

중국굴피나무

| 풍습마목, 한습골통, 슬관절통 | 풍한해수 |
| 습진, 창양종독, 개선 | 치통 |

- 학명 : *Pterocarya stenoptera* DC.
- 한자명 : 楓柳 • 별명 : 지나굴피나무, 감보풍, 당굴피나무, 풍양나무

| 1 | 2 | 3 | 4 | 5 | 6 | 7 | 8 | 9 | 10 | 11 | 12 |

활엽 교목. 높이 30m 정도. 잎은 홀수 깃꼴겹잎, 9~25개의 작은잎으로 구성되며 잎줄기에 날개가 있다. 꽃은 암수한그루, 4월에 피며 밑으로 처진다. 열매는 9월에 익고 길이 20~30cm의 과수가 달리며, 양쪽에 날개가 있고 길이 1.5~2cm이다.

분포·생육지 중국 원산. 우리나라 경기도 이남에서 재식한다.

약용 부위·수치 줄기껍질은 봄과 여름에, 열매는 여름과 가을에 채취하고, 잎은 여름에 채취하여 말린다.

약물명 줄기껍질을 풍류피(楓柳皮)라고 하며, 풍양피(楓楊皮)라고도 한다. 열매를 마류과(麻柳果)라고 하며, 일군압(一群鴨)이라고도 한다. 잎을 마류엽(麻柳葉)이라고 한다.

기미·귀경 풍류피(楓柳皮): 온(溫), 신(辛), 고(苦)·심(心), 간(肝), 대장(大腸). 풍류과(麻柳果): 온(溫), 고(苦)·폐(肺). 풍류엽(麻柳葉): 온(溫), 신(辛), 고(苦), 유독(有毒)·폐(肺), 간(肝)

약효 풍류피(楓柳皮)는 거풍지통(祛風止痛), 살충(殺蟲), 염창(斂瘡)의 효능이 있으므로 풍습마목(風濕麻木), 한습골통(寒濕骨痛)을 치료한다. 마류과(麻柳果)는 윤폐지해(潤肺止咳), 해독염창(解毒斂瘡)의 효능이 있으므로 풍한해수(風寒咳嗽), 창양종독(瘡瘍腫毒)을 치료한다. 마류엽(麻柳葉)은 거풍지통(祛風止痛), 살충, 해독염창(解毒斂瘡)의 효능이 있으므로 풍습비통(風濕痺痛), 치통, 슬관절통(膝關節痛), 개선(疥癬), 습진을 치료한다.

사용법 풍류피는 독성이 있으므로 물로 달인 액이나 에탄올추출물을 환부에 바르며 복용하지 않는다. 마류과 및 마류엽은 10g에 물 3컵(600mL)을 넣고 달여서 복용하고, 외용에는 짓찧어 바른다.

❍ 중국굴피나무

❍ 마류과(麻柳果)

❍ 풍류피(楓柳皮)

[가래나무과]

굴피나무

| 옹종, 습창, 개선, 양낭습진, 창옹종독, 완선 |
| 근골동통, 골옹류농 | 내상흉복창통 |

- 학명 : *Platycarya strobilacea* S. et Z.
- 한자명 : 化香樹 • 별명 : 꿀태나무, 꾸정나무, 산가죽나무

| 1 | 2 | 3 | 4 | 5 | 6 | 7 | 8 | 9 | 10 | 11 | 12 |

낙엽 교목. 높이 10m 정도. 줄기껍질은 회색이고 세로로 갈라진다. 잎은 홀수 깃꼴겹잎, 작은잎은 7~19개이다. 꽃은 5~6월에 피고 미상화서이며 길이 3~5cm, 흑갈색이다. 견과는 달걀 모양, 날개가 있으며 9월에 성숙한다.

분포·생육지 우리나라 중부 이남. 중국, 일본. 산속 양지바른 곳에서 자란다.

약용 부위·수치 잎은 여름에, 열매는 가을에 채취하여 말린다.

약물명 잎과 가지를 화향수엽(化香樹葉), 열매를 화향수과(化香樹果)라 한다.

약효 화향수엽(化香樹葉)은 해독요창(解毒療瘡), 살충지양(殺蟲止痒)의 효능이 있으므로 창옹종독(瘡癰腫毒), 골옹류농(骨癰流膿), 완선(頑癬), 양낭습진(陽囊濕疹)을 치료한다. 화향수과(化香樹果)는 활혈행기(活血行氣), 지통(止痛), 살충지양(殺蟲止痒)의 효능이 있으므로 내상흉복창통(內傷胸腹脹痛), 근골동통(筋骨疼痛), 옹종(癰腫), 습창(濕瘡), 개선(疥癬)을 치료한다.

성분 화향수엽(化香樹葉)에 ascorbic acid, juglone, 5-hydroxy-2-methoxy-1,4-naphthoquinone, methyl-p-coumarate, p-coumaric acid, 목재에는 ellagic acid, gallic acid 등이 함유되어 있다.

약리 화향수엽(化香樹葉)의 에탄올추출물은 물고기의 운동 신경을 마비시키고, 황색 포도상구균에 항균 작용이 있으며, 식물 성장을 억제하는 효과가 있다.

사용법 화향수엽은 외용에만 사용하며 짓찧어 상처에 바른다. 화향수과는 10g에 물 3컵(600mL)을 넣고 달여서 복용하고, 외용에는 짓찧어 바른다.

❍ 굴피나무

❍ 화향수엽(化香樹葉)

❍ 굴피나무(수꽃)

❍ 화향수과(化香樹果)

[버드나무과]

은백양

 만성기관지염, 해수, 기천

- ●학명 : *Populus alba* L.　●영명 : White poplar
- ●한자명 : 銀白楊　●별명 : 은버들, 은백양나무

| 1 | 2 | 3 | 4 | 5 | 6 | 7 | 8 | 9 | 10 | 11 | 12 |

낙엽 교목. 높이 20m 정도. 겨울눈은 원추형이고, 잎은 어긋나며 둥근 삼각형이다. 꽃은 암수딴그루, 4월에 피고 수꽃은 길이 5~10cm, 포는 둥글고 자줏빛이 돌며 깊은 톱니가 있고, 꽃덮개는 길이 약 3mm, 수술은 6~12개이다. 암꽃은 길이 4~10cm, 씨방은 길이 2.5mm, 암술머리는 2~3개이다.

분포 · 생육지 유럽 원산. 우리나라 전역에서 식재한다.

약용 부위 · 수치 잎을 여름에 채취하여 적당한 크기로 썰어서 말린다.

약물명 은백양엽(銀白楊葉)

약효 지해평천(止咳平喘), 화담청열(化痰淸熱)의 효능이 있으므로 해수(咳嗽), 기천(氣喘)을 치료한다. 만성기관지염에 잎을 물에 달여 복용하고 나았다는 보고가 있다.

성분 은백양엽(銀白楊葉)은 dihydrozeatin-*O*-β-D-glucopyranoside, dihydrozeatin-*O*-β-D-glucopyranosyl-*O*-β-D-ribofuranoside 등이 함유되어 있고, 뿌리는 methylaromadendrine 등이 함유되어 있다.

사용법 은백양엽 10g에 물 3컵(600mL)을 넣고 달여서 복용하거나 술에 담가 복용한다. 외용에는 짓찧어 붙이거나 즙액을 바른다.

❶ 은백양

❶ 은백양엽(銀白楊葉)

❶ 은백양(줄기)

[버드나무과]

호양

 인후염, 치통, 중이염　　위통

- ●학명 : *Populus euphratica* Oliv. [*P. diversifolia*]　●한자명 : 胡楊

| 1 | 2 | 3 | 4 | 5 | 6 | 7 | 8 | 9 | 10 | 11 | 12 |

낙엽 소교목. 높이 10~15m. 줄기껍질은 회갈색이며, 잎은 어긋나고 원형, 가장자리에 결각이 드문드문 있고, 잎 끝은 뾰족하고 밑은 평탄하다. 꽃은 암수딴그루로 5월에 핀다. 열매는 7~8월에 성숙하며 난원형이다.

분포 · 생육지 중국 내몽골, 간쑤성(甘肅省), 칭하이성(靑海省), 신장성(新疆省). 티베트. 해발 250~1,800m에서 자란다.

약용 부위 · 수치 나무에서 흘러나온 수지(樹脂)가 땅속에 스며들어 오랫동안 굳어진 것을 채취하여 씻어서 말린다.

약물명 호동루(胡桐淚). 호동률(胡桐律), 석률(石律)이라고도 한다. 대한민국약전외한약(생약)규격집(KHP)에 수재되어 있다.

본초서 호동루(胡桐淚)는 당대(唐代)의 「신수본초(新修本草)」에 처음 수재되어 "심한 독열로 명치 밑이 답답하고 그득한 감이 드는 것과 물을 마시기만 해도 토하는 것을 낮게 한다."고 하였다. 「동의보감(東醫寶鑑)」에는 "심한 독열로 명치 밑이 답답하고 그득한 감이 드는 것과 풍열로 오는 치통을 낮게 한다. 또 소와 말에게 갑자기 생긴 황달을 치료한다."고 하였다.

新修本草 : 主大毒熱 心腹煩滿 水和服之取吐.

東醫寶鑑 : 主大毒熱 心腹煩滿 止風熱牙疼 療牛馬急黃.

약효 청열해독(淸熱解毒), 화담연견(化痰軟堅)의 효능이 있으므로 인후염, 치통, 중이염, 위통을 치료한다.

사용법 호동루 10g에 물 3컵(600mL)을 넣고 달여서 복용하고, 외용에는 뜨거운 물로 우려내어 사용하거나 연고로 만들어 사용한다.

❶ 호양

❶ 호양(나무줄기에서 흘러나온 삼출물)　❶ 호동루(胡桐淚)

❶ 호동루(胡桐淚)　　❶ 호양(열매)

[버드나무과]

사시나무

풍비, 이질, 복창 | 각기, 골저 | 고혈압
만성기관지염 | 구문창, 우치동통

- 학명 : *Populus davidiana* Dode
- 한자명 : 山楊 ● 별명 : 파드득나무, 백양, 사실황철, 사실버들, 산사시나무

| 1 | 2 | 3 | 4 | 5 | 6 | 7 | 8 | 9 | 10 | 11 | 12 |

낙엽 교목. 높이 10m 정도. 줄기껍질은 회녹색, 겨울눈은 점성이 없다. 잎은 타원형, 잎자루가 길어서 바람에 잘 흔들린다. 꽃은 암수딴그루, 4월에 피며 수꽃은 길이 5~10cm, 원추형이고, 수술은 6~12개이다. 암꽃은 길이 4~10cm, 씨방은 길이 2.5mm 정도, 삭과는 방추형이다.

분포 · 생육지 우리나라 제주도, 전남을 제외한 전역. 중국, 일본, 사할린. 산기슭에서 자란다.

약용 부위 · 수치 줄기껍질은 봄에 벗겨서 쪄서 말리고, 가지와 잎은 수시로 채취하여 말린다.

약물명 줄기껍질을 백양수피(白楊樹皮), 백양피(白楊皮) 또는 산양피(山楊皮)라고 하며, 가지를 백양지(白楊枝), 잎을 백양엽(白楊葉)이라고 한다.

본초서 백양수피(白楊樹皮)는 당대(唐代)의 「신수본초(新修本草)」에 처음 수재되어 "독풍에 의해 다리가 부은 것을 가라앉히고 몸과 팔다리가 마비되고 감각이 둔해지는 증상을 낫게 한다. 독기가 떠돌다 피부에 가서 옆구리가 아픈 증상을 치료한다."고 하였다. 「동의보감(東醫寶鑑)」에는 "독풍, 다리가 부은 것을 가라앉히고 몸과 팔다리가 마비되고 감각이 둔해지는 증상을 낫게 한다. 다쳐서 피가 뭉치고 아픈 것과 부러져서 피를 흘리며 아픈 것을 낫게 한다. 달여서 고약을 만들어 쓰면 근골을 이어 준다."고 하였다.

新修本草: 主毒風脚氣腫 四肢緩弱不隨 毒氣遊易在皮膚中痰癖.

東醫寶鑑: 主毒風脚氣腫 去風痺 消撲損瘀血作痛 療折傷血瀝痛 煎膏可續筋骨.

약효 백양수피(白楊樹皮)는 거풍활혈(祛風活血), 청열이습(淸熱利濕), 구충(驅蟲)의 효능이 있으므로 풍비(風痺), 각기(脚氣), 박손어혈(撲損瘀血), 이질(痢疾), 폐열해수(肺熱咳嗽)를 치료한다. 백양지(白楊枝)는 행기소적(行氣消積), 해표염창(解表斂瘡)의 효능이 있으므로 복창(腹脹), 징괴(癥塊), 구문창(口吻瘡)을 치료한다. 백양엽(白楊葉)은 거풍지통(祛風止痛), 해독염창(解毒斂瘡)의 효능이 있으므로 우치동통(齲齒疼痛), 골저(骨疽)를 치료한다. 만성기관지염에 잎을 물에 달여 복용하고 나았다는 보고가 있다. 고혈압 환자가 줄기껍질을 물에 달여서 복용하였더니 혈압이 내려갔다는 보고가 있다.

성분 백양수피(白楊樹皮)에 sakuranetin, rhamnocitrin, 7-O-methylaromadendrin, scopoletin, naringenin, carthamidin, eriodictyol, kaempferol, romadendrin, coumaric acid, tremulacin, tremuldin, cinnamrutinose B, 2,6-dimethoxy-*p*-benzoquinone, salicin, 2'-O-acetylsalicin, grandidentatin, salireposide, populoside B, populoside C, neosakuranin, sakuranin, coumaroyl-O-β-D-glucoside, populoside A, populoside, sakurenetin-5,4'-di-O-β-D-glucoside, cinnamgentiobiose, and davidianoside 등이 함유되어 있다.

약리 kaempferol은 염증에 관여하는 COX-2의 활성을 저지하는 효과가 있다. sakuranetin, rhamnocitrin, 7-O-methylaromadendrin, scopoletin, naringenin은 DPPH, superoxide, ABTS⁺radical에 항산화 활성을 나타낸다.

사용법 백양수피, 백양지, 백양엽 각각 10g에 물 3컵(600mL)을 넣고 달여서 복용하거나 술에 담가 복용한다. 충치 치료에는 달인 액으로 양치질을 한다.

＊잎자루가 길어서 바람에 잘 흔들리므로 "사시나무 떨듯한다."는 말이 생겨났다.

❶ 사시나무

❶ 백양수피(白楊樹皮)

❶ 백양지(白楊枝)

❶ 백양엽(白楊葉)

❶ 사시나무(줄기)

[버드나무과]

양버들

| 감기 | 간염, 이질 |
| 풍습동통, 각기종 | 개선독창 |

● 학명 : *Populus nigra* L. var. *italica* (Moench.) Koehne. [*P. italica, P. pyramidalis*]
● 한자명 : 鑽天楊

| 1 | 2 | 3 | 4 | 5 | 6 | 7 | 8 | 9 | 10 | 11 | 12 |

❍ 양버들

교목. 높이 30m 정도. 줄기껍질은 암회갈색이며, 잎은 어긋나고 삼각상 원형, 길이와 너비가 6cm 정도로 거의 같고 가장자리에 톱니가 있다. 꽃은 암수딴그루, 5월에 핀다. 열매는 7~8월에 익으며 난원형으로 길이 6~7mm이다.

분포 · 생육지 유럽 원산. 우리나라 전역에 재식되고 있다.

약용 부위 · 수치 줄기껍질을 가을에 채취하여 썰어서 말린다.

약물명 찬천양(鑽天楊)

성분 찬천양(鑽天楊)에는 rhamnetin, rhamnocitrin이 함유되어 있다.

약효 양혈해독(凉血解毒), 거풍제습(去風除濕)의 효능이 있으므로 감기, 간염, 이질, 풍습동통(風濕疼痛), 각기종(脚氣腫), 개선독창(疥癬禿瘡)을 치료한다.

사용법 찬천양 15g에 물 3컵(600mL)을 넣고 달여서 복용하고, 외용에는 연고로 만들어 바른다.

❍ 찬천양(鑽天楊)

[버드나무과]

수양버들

| 풍습골통, 풍습비통 | 풍진습양, 종독, 정창, 화상 | 백대, 유옹, 유선염 | 치통, 갑상선종 |
| 만성기관지염 | 소변임탁, 요도염, 방광결석, 백탁 | 내장출혈, 황달 | 고혈압 |

● 학명 : *Salix babylonica* L. ● 영명 : Weeping willow
● 한자명 : 垂楊 ● 별명 : 참수양버들

| 1 | 2 | 3 | 4 | 5 | 6 | 7 | 8 | 9 | 10 | 11 | 12 |

낙엽 교목. 높이 17m 정도. 줄기껍질은 회녹색이며 세로로 갈라지고, 작은가지는 밑으로 길게 늘어진다. 잎은 바늘 모양, 측맥은 15~30쌍이다. 꽃은 암수딴그루, 미상화서로 잎이 나기 전에 핀다. 수꽃은 노랗고 수술은 2개, 암꽃은 원기둥 모양이며 씨방에는 털이 거의 없고, 암술머리는 2갈래, 열매는 삭과이다.

분포 · 생육지 중국 원산. 우리나라 전역에서 가로수 또는 정원수로 재식한다.

약용 부위 · 수치 가지, 잎, 줄기껍질을 여름철에 수시로 채취하여 말린다.

약물명 가지를 유지(柳枝), 줄기껍질을 유백피(柳白皮), 잎을 유엽(柳葉)이라고 한다.

본초서 유지(柳枝)는 당대(唐代)의 「신수본초(新修本草)」에 처음 수재되어 주로 "담열림(痰熱淋)을 치료한다."고 하였으며, 명대(明代)의 「본초강목습유(本草綱目拾遺)」에

는 "어린아이의 한열(寒熱)을 치료하며, 더운 물에 유지(柳枝)를 우려내어 목욕을 시킨다."고 하였다. 「동의보감(東醫寶鑑)」에는 작은 가지에 달린 잎과 꽃을 유화(柳花)라 하였으며, "풍수종, 황달, 얼굴이 뜨거워지는 증상과 검은 딱지가 않는 증상, 종기가 벌겋게 부어오르고 곪는 것을 낫게 한다. 쇠붙이에 의한 상처에 피가 계속 나는 것을 멎게 한다. 습기로 인해 팔다리를 잘 쓰지 못하며 저리고 아픈 증상을 낫게 한다."고 하였다. 유지(柳枝)는 "치통과 풍열로 붓고 가려울 때 욕탕 또는 고약을 만들어 쓴다. 치아에 관련된 병에 매우 효과가 있다."고 하였다. 유엽(柳葉)은 "피부 부스럼과 끓는 물 또는 불에 데어 독이 안으로 들어가서 열이 나고 답답해지는 것을 낫게 하고, 전시(傳尸, 전염되는 소모성 질환), 몸이 허약하여 뼈 속이 후끈후끈 달아오르는 증상

을 낮게 하며 몸이 붓는 것을 가라앉힌다."고 하였다.

東醫寶鑑: 柳花 主風水黃疸 面熱 黑痂疥惡瘡 金瘡止血 治風痺.

柳枝 主齒痛 風熱腫痒 可作浴湯膏藥 牙齒病 爲最要之藥.

柳葉 主丁瘡 湯火瘡毒入腹熱悶 治傳尸 骨蒸勞 下水氣.

기미 · 귀경 유지(柳枝): 한(寒), 고(苦) · 위(胃), 간(肝).

약효 유지(柳枝)는 거풍이습(祛風利濕), 해독소종(解毒消腫)의 효능이 있으므로 풍습비통(風濕痺痛), 소변임탁(小便淋濁), 풍진습양(風疹濕痒), 정창(疔瘡), 단독(丹毒)을 치료한다. 유백피(柳白皮)는 거풍이습(祛風利濕), 소종지통(消腫止痛)의 효능이 있으므로 풍습골통(風濕骨痛), 풍종소양(風腫消痒), 황달, 임탁(淋濁), 백대, 유옹(乳癰), 치통, 화상을

치료한다. 유엽(柳葉)은 청열해독(淸熱解毒), 이뇨(利尿), 평간(平肝), 지통(止痛), 투진(透疹)의 효능이 있으므로 만성기관지염, 요도염, 방광결석, 고혈압, 종독(腫毒), 백탁(白濁), 유선염(乳腺炎), 갑상선종, 내장출혈, 화상, 치통을 치료한다.

성분 유지(柳枝)와 유백피(柳白皮)에는 salicin, saligenin, naringenin-7-O-β-D-glucoside, naringenin-5-O-β-D-glucoside, quercetin, quercitrin 등이 함유되어 있다.

약리 salicin은 해열 작용이 있으며, saligenin은 국소 마취 작용이 있다.

사용법 유지, 유백피, 유엽 각각 10g에 물 3컵(600mL)을 넣고 달여서 복용한다.

＊ salicin은 해열 작용이 있으며, 이 물질의 화학 구조 변형에 의거 aspirin이 세상에 나오게 되었다.

○ 수양버들

○ 유백피(柳白皮)

○ 유지(柳枝)

○ 수양버들에서 유래한 아스피린

[버드나무과]

사류

마진, 피부소양, 반진불투 ｜ 만성풍습

● 학명 : *Salix cheilophyila* Schneid. ● 한자명 : 沙柳

| 1 | 2 | 3 | 4 | 5 | 6 | 7 | 8 | 9 | 10 | 11 | 12 |

관목. 어린가지는 털이 많다. 잎은 어긋나고 긴 타원형, 끝은 뾰족하고 가장자리에 톱니가 없다. 꽃은 암수딴그루, 미상화서로 잎이 나기 전에 핀다. 수꽃차례는 길이 1.5~2.3cm, 수술은 2개, 암꽃차례는 길이 1.3~2cm, 삭과는 길이 3mm 정도이다.

분포 · 생육지 중국, 티베트. 개울가에서 자란다.

약용 부위 · 수치 줄기껍질을 여름철에 채취하여 말린다.

약물명 사류(沙柳)

약효 거풍청열(祛風淸熱), 산어소종(散瘀消腫)의 효능이 있으므로 마진(麻疹), 반진불투(斑疹不透), 피부소양(皮膚瘙痒), 만성풍습(慢性風濕)을 치료한다.

사용법 사류 10g에 물 3컵(600mL)을 넣고 달여서 복용한다.

○ 사류

[버드나무과]

갯버들

 외감풍열　 식욕부진

●학명 : *Salix gracilistyla* Miq.　●한자명 : 水楊　●별명 : 솜털버들

| 1 | 2 | 3 | 4 | 5 | 6 | 7 | 8 | 9 | 10 | 11 | 12 |

낙엽 관목. 높이 2m 정도. 잎은 긴 타원형, 길이 7~12cm, 너비 1~3cm이다. 꽃은 4월에 잎보다 먼저 묵은 가지의 잎겨드랑이에서 피고, 수꽃이삭은 길이 3~3.5cm, 암꽃이삭은 길이 2~5cm이며, 열매는 긴 원통형이다.

분포·생육지 우리나라 전역. 중국, 일본. 냇가에서 흔하게 자란다.

약용 부위·수치 봄에 가지를 채취하여 썰어서 말린다.

약물명 세주류(細株柳)

약효 청열(淸熱), 건위(健胃)의 효능이 있으므로 외감풍열(外感風熱), 식욕부진을 치료한다.

사용법 세주류 10g에 물 3컵(600mL)을 넣고 달여서 복용한다.

◐ 세주류(細株柳)

◐ 갯버들(수꽃)

◐ 갯버들

[버드나무과]

운용버들

황달　급성방광염, 소변불통　관절염　충치

●학명 : *Salix matsudana* Koidz. for. *tortuosa* Rehder
●한자명 : 雲龍柳　●별명 : 용버들

| 1 | 2 | 3 | 4 | 5 | 6 | 7 | 8 | 9 | 10 | 11 | 12 |

낙엽 교목. 높이 10m 정도. 줄기껍질은 회갈색, 작은가지는 밑으로 처지고 꾸불꾸불하다. 잎은 바늘 모양, 길이 6~8cm, 너비 1~1.5cm, 양 끝은 뾰족하고 표면은 녹색이고 뒷면은 회녹색이다. 겨울눈은 긴 달걀 모양으로 털이 없으며 갈색이다. 수꽃에는 포엽이 2개이고 수술 2개, 꿀샘이 1개 있다.

분포·생육지 중국 원산. 우리나라 전역에서 식재한다.

약용 부위·수치 가지 및 줄기껍질을 수시로 채취하여 말린다.

약물명 한류(旱柳)

약효 청열제습(淸熱除濕), 거풍지통(祛風止痛)의 효능이 있으므로 황달, 급성방광염, 소변불통(小便不通), 관절염, 충치를 치료한다.

성분 salicin, saligenin 등이 함유되어 있다.

사용법 한류 10g에 물 3컵(600mL)을 넣고 달여서 복용한다.

◐ 한류(旱柳)

◐ 운용버들

소홍류

 풍화아통   요통

●학명 : *Salix microstachya* Turcz.   ●한자명 : 小紅柳

| 1 | 2 | 3 | 4 | 5 | 6 | 7 | 8 | 9 | 10 | 11 | 12 |

낙엽 관목. 높이 1~2m. 어린가지는 황갈색~자갈색이다. 잎은 긴 타원형, 길이 7~12cm, 너비 1~3cm, 표면은 털로 덮이지만 차츰 없어지고 뒷면은 백색이 돈다. 꽃은 5월에 잎보다 먼저 묵은 가지의 잎겨드랑이에서 피고, 암꽃이삭은 길이 1~2cm 이며, 열매는 긴 원통형이다.

분포 · 생육지 중국, 티베트. 냇가에서 자란다.

약용 부위 · 수치 뿌리껍질을 수시로 채취하여 썰어서 말린다.

약물명 소홍류근(小紅柳根)

약효 청열사화(淸熱瀉火), 순기(順氣)의 효능이 있으므로 풍화아통(風火牙痛), 요통(腰痛)을 치료한다.

사용법 소홍류근 10g에 물 3컵(600mL)을 넣고 달여서 복용한다.

○ 소홍류

물오리나무

 만성기관지염

●학명 : *Alnus hirsuta* (Spach) Pupr.   ●영명 : Mandschurican alder
●한자명 : 色赤楊   ●별명 : 산오리나무

| 1 | 2 | 3 | 4 | 5 | 6 | 7 | 8 | 9 | 10 | 11 | 12 |

낙엽 교목. 높이 20m 정도. 줄기껍질은 회흑색을 띠고 옆으로 긴 피목이 있다. 잎은 타원형, 5~8개로 얕게 갈라진다. 꽃은 암수한그루, 4~5월에 피며 수꽃이삭은 길이 7~9cm, 가지 끝이나 잎겨드랑이에 2~4개, 그 밑에 암꽃이 3~4개씩 달린다.

분포 · 생육지 우리나라 중부 이북, 중국, 일본, 우수리. 산골짜기나 습기가 많은 곳에서 자란다.

약용 부위 · 수치 줄기껍질을 봄에 채취하여 말린다.

약물명 색적양(色赤楊). 수동과(水冬瓜)라고도 한다.

약효 청열(淸熱), 지해(止咳), 화담(化痰), 평천(平喘)의 효능이 있으므로 만성기관지염을 치료한다.

성분 색적양(色赤楊)에는 taraxeryl acetate, taraxerol, β−sitosterol, betulin, betulinic acid, ferulic acid, acacetin, dihydroconiferyl ferulate, myricatomentogenin, gallic acid, rhoiptelol B, hirsutanone, hirsutanolol, rosmarinic acid, daucosterol, quercetin, isorhamnetin−3−*O*−β−D−xylopyranoside, avicularin, isoquercitrin, hyperin, hesperidin 등이 함유되어 있고, 가지와 잎에는 betulin, betulinic acid, hirsutanonol, hirsutenone, quercetin, avicularin, gallic acid, hyperin, daucosterol, lupenone, glutenol, taraxerol, betulinic acid 등이 함유되어 있다.

약리 quercetin은 암세포인 L1210, HL60, K562의 세포 증식을 억제한다. 쥐의 복강에 물로 달인 액을 주사하면 진해 작용이 나타나나, 경구 투여하면 약효가 없고, 에탄올추출물은 인플루엔자균, 폐렴쌍구균, 백색 포도구균에 항균 작용이 있다. betulin, betulinic acid, quercetin, avicularin, gallic acid는 DPPH 라디칼 소거능이 있다.

사용법 색적양 10g에 물 3컵(600mL)을 넣고 달여서 복용하거나 분말로 하여 복용한다.

＊ 잎이 둥글고 밑이 콩팥 모양이며 뒷면은 흰색으로 털이 거의 없는 '물갬나무 var. *sibirica*'도 약효가 같다.

○ 물오리나무(열매)

❍ 물오리나무

❍ 색적양(色赤楊)

❍ 물오리나무(새 잎)

[자작나무과]

오리나무

👁 비혈부지   🗂 외상출혈, 풍진

📞 토혈, 혈변, 장염

● 학명 : *Alnus japonica* (Thunb.) Steudel   ● 영명 : Japanese alder
● 한자명 : 赤楊   ● 별명 : 붉오리나무

| 1 | 2 | 3 | 4 | 5 | 6 | 7 | 8 | 9 | 10 | 11 | 12 |

낙엽 교목, 높이 20m 정도. 줄기껍질은 회갈색으로 얇게 갈라져 벗겨지고 피목이 뚜렷하다. 잎은 타원형, 잔톱니가 있다. 꽃은 3월에 피고, 수꽃은 길이 4~9cm, 과수는 2~6개씩 달린다.

분포 · 생육지 우리나라 전역. 중국, 일본, 타이완, 우수리. 산골짜기나 습기가 많은 곳에서 자란다.

약용 부위 · 수치 줄기껍질을 봄에 채취하여 적당한 크기로 썰어서 말린다.

약물명 적양(赤楊). 목과수(木瓜樹), 수동과(水冬果)라고도 한다.

약효 청열강화(淸熱降火), 지혈의 효능이 있으므로 비혈부지(鼻血不止), 외상출혈, 토혈(吐血), 혈변, 장염을 치료한다.

성분 적양(赤楊)은 salvigenin, kaempferide, isorhamnetin, acacetin, alnusone, alnusoxide, alnusonol, alnusdiol, pectolinarigenin, hannokinol, hirsutanonol, platyphylloside, daucosterol, lupenone, glutenol, taraxerol, betulinic acid 등이 함유되어 있다.

약리 hirsutanonol, platyphylloside는 간암세포인 SNU-354 및 직장암 세포인 SNU-C4의 증식을 억제한다.

사용법 적양 10g에 물 3컵(600mL)을 넣고 달여서 복용하고, 외용에는 짓찧어 환부에 바른다.

※ 오리목(五里木)이라고도 하며, 옛날에 길을 안내하는 이정표로 이 나무를 키운 것에 유래한다.

❍ 오리나무

❍ 적양(赤楊)

❍ 오리나무로 만든 건강식품

덤불오리나무

설사　　　　외상출혈

● 학명 : *Alnus mandshurica* (Call.) Hand.–Mazz. [*A. fruticosa* var. *mandshurica*]

| 1 | 2 | 3 | 4 | 5 | 6 | 7 | 8 | 9 | 10 | 11 | 12 |

낙엽 관목. 높이 5m 정도. 잎은 타원형, 잔톱니가 있다. 수꽃은 1~2개씩 달리고 길이 4~8cm로 밑으로 처지며, 암꽃이삭은 난원형으로 길이 1~1.5cm이다. 과수는 길이 1.5cm 정도로 타원상 난형이며, 날개는 열매 너비보다 좁다.

분포 · 생육지 우리나라 강원도 이북. 중국, 일본. 고산 지대에서 자란다.

약용 부위 · 수치 줄기껍질을 봄에 채취하여 적당한 크기로 썰어서 말린다.

약물명 동북기목(東北榿木)

약효 청열해독(淸熱解毒), 수렴고삽(收斂固澁)의 효능이 있으므로 설사, 외상출혈을 치료한다.

성분 줄기껍질은 amyrin, 1,7–diphenyl(heptan–3,5–diol) 등이 함유되어 있다.

사용법 동북기목 10g에 물 3컵(600mL)을 넣고 달여서 복용하고, 외용에는 짓찧어 환부에 바른다.

● 덤불오리나무

백자작나무

류머티즘, 통풍　　　구강염
황달　　　　　　　신장염, 방광염

● 학명 : *Betula alba* L.　● 영명 : White birch　● 별명 : 백단목, 서양자작나무

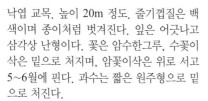

| 1 | 2 | 3 | 4 | 5 | 6 | 7 | 8 | 9 | 10 | 11 | 12 |

낙엽 교목. 높이 20m 정도. 줄기껍질은 백색이며 종이처럼 벗겨진다. 잎은 어긋나고 삼각상 난형이다. 꽃은 암수한그루, 수꽃이삭은 밑으로 처지며, 암꽃이삭은 위로 서고 5~6월에 핀다. 과수는 짧은 원주형으로 밑으로 처진다.

분포 · 생육지 남아메리카, 브라질, 아르헨티나. 비옥한 습윤지에서 자란다.

약용 부위 · 수치 줄기껍질 또는 잎을 여름에 채취하여 적당한 크기로 잘라서 말린다.

약물명 줄기껍질을 Betulae Cortex, 잎을 Betulae Folium이라고 한다.

약효 줄기껍질과 잎은 약효가 같다. 청열해독(淸熱解毒)의 효능이 있으므로 류머티즘, 통풍, 구강염, 황달, 신장염, 방광염을 치료한다.

사용법 Betulae Cortex 10g 또는 Betulae Folium 10g에 물 3컵(600mL)을 넣고 달여서 복용한다.

● 백자작나무(잎과 열매)

● 백자작나무(줄기)

● 백자작나무

[자작나무과]

사스래나무

| | 급성기관지염, 폐렴, 기침, 가래 | | 부스럼, 화상, 괴혈병 | | 하리, 황달 |
| | 신염, 요로감염증, 신장병 | | 치주염 | | 급성유선염 | | 통풍 |

● 학명 : *Betula ermanii* Chamisso ● 영명 : Erman's birch
● 한자명 : 岳樺 ● 별명 : 사스레나무

| 1 | 2 | 3 | 4 | 5 | 6 | 7 | 8 | 9 | 10 | 11 | 12 |

낙엽 교목. 높이 15m 정도. 줄기껍질은 종이처럼 벗겨지고 피목이 있다. 잎은 어긋난다. 꽃은 암수한그루, 수꽃이삭은 밑으로 처지며, 암꽃이삭은 위로 서고 5~6월에 핀다. 과수는 짧은 원주형으로 곧게 서며 소견과, 넓은 타원형으로 좁은 날개가 있다.
분포 · 생육지 우리나라 전역. 중국, 일본, 아무르, 러시아 동부. 깊은 산 양지바른 곳에서 자란다.
약용 부위 · 수치 줄기껍질을 봄에 채취하여 적당한 크기로 잘라서 말린다.
약물명 악화(岳樺)
약효 청열해독(淸熱解毒)의 효능이 있으므로 폐렴, 하리(下痢), 황달, 신염, 요로감염증, 급성기관지염, 급성편도선염, 치주염, 급성유선염, 부스럼, 화상을 치료한다. 화수액(樺水液)은 기침과 가래, 괴혈병, 신장병, 통풍을 치료한다.
성분 악화(岳樺)에 isorhamnetin, rhamnetin, kaempferol, rhamnocitrin, 4',7-dimethoxykaempferol, 3-methylbetuletoxl 등이 함유되어 있다.
약리 3-methylbetuletoxl은 EB 암세포에 성장 억제 효과가 있다.
사용법 악화 10g에 물 3컵(600mL)을 넣고 달여서 복용하고, 수액은 20mL씩 복용한다.

* 본 종에 비해 잎이 작고(길이 1~2.5cm) 표면에 거의 털이 없는 '좀고채목 var. *saitoana*'도 약효가 같다.

❍ 악화(岳樺)

❍ 사스래나무(수꽃)

❍ 사스래나무(열매)

❍ 사스래나무(줄기)

❍ 사스래나무

[자작나무과]

만주자작나무

👁 인후통, 치주염　　🫁 폐렴, 만성기관지염　　✉ 부스럼, 괴혈병
🐾 하리, 황달　　🧍 신염, 요로감염증　　♀ 급성유선염　　🦶 통풍

● 학명 : *Betula platyphylla* Sukatschev　● 영명 : Japanese white birch
● 한자명 : 滿洲樺木　● 별명 : 붓나무

| 1 | 2 | 3 | 4 | 5 | 6 | 7 | 8 | 9 | 10 | 11 | 12 |

낙엽 교목. 높이 20m 정도. 줄기껍질은 백색이며 수평으로 벗겨지고, 작은가지는 자갈색이다. 잎은 어긋나며, 꽃은 암수한그루, 4~5월에 피며 암·수꽃이삭은 긴 원주형으로 모두 밑으로 처진다. 과수는 원통형, 소견과는 좁은 타원형이고 날개가 있다.

분포·생육지 우리나라 백두산 및 북부 지방. 중국, 아무르, 러시아 동부. 깊은 산 양지바른 곳에서 자란다.

약용 부위·수치 줄기껍질은 봄에 채취하여 말리고, 수액은 5월경에 채취하여 그대로 사용한다.

약물명 줄기껍질을 화목피(華木皮) 또는 화피(華皮)라고 하며, 수액을 화수액(樺水液)이라고 한다. 화목피(華木皮)는 대한민국약전외한약(생약)규격집(KHP)에 수재되어 있다.

본초서 화목피(華木皮)는 송대(宋代)의 「개보본초(開寶本草)」에 처음 수재되었으며 "만성기관지염에 사용한다."고 하였다. 「동의보감(東醫寶鑑)」에는 "황달, 젖이 곪는

것, 폐풍창(肺風瘡)과 어린아이의 마마, 홍역을 낫게 한다."고 하였다.
東醫寶鑑: 主黃疸及乳癰肺風瘡 小兒瘡疹.

기미·귀경 화목피(華木皮): 평(平), 고(苦)·위(胃), 대장(大腸). 화수액(樺水液): 양(涼), 고(苦).

약효 화목피(華木皮)에는 청열이습(淸熱利濕), 거담지해(祛痰止咳), 해독의 효능이 있으므로 인후통, 폐렴, 하리(下痢), 황달, 신염, 요로감염증, 만성기관지염, 급성편도선염, 치주염, 급성유선염, 부스럼, 화상을 치료한다. 화수액(樺水液)은 기침과 가래, 괴혈병, 신장병, 통풍을 치료한다.

성분 화목피에는 betulin, betulinic acid, betulafolientriol, betulafoleintetraol, platyphylloside, aceroside VIII 등이 함유되어 있다.

약리 쥐에게 화목피의 메탄올추출물을 주사하면 기침이 멎고, 쥐의 복강에 주사하면 거담 작용이 있고, 달인 액은 폐렴쌍구균, 연쇄구균에 항균 작용이 있다.

사용법 화목피 10g에 물 3컵(600mL)을 넣

고 달여서 복용하고, 화수액은 20mL씩 복용한다.

＊ 본 종에 비하여 잎 뒷면의 맥에 갈색 털이 있고 잎자루가 잎몸 길이의 1/2이하인 '자작나무 var. *japonica*'도 약효가 같다.

❍ 만주자작나무

❍ 화목피(華木皮)

❍ 자작나무

[자작나무과]

까치박달

✉ 타박상, 옹종창독　　🧍 임증
🐾 비위허약, 식욕부진, 완복창통, 소화불량

● 학명 : *Carpinus cordata* Blume [*C. erosa* Blume]
● 한자명 : 水朴達　● 별명 : 물박달, 박달서어나무

| 1 | 2 | 3 | 4 | 5 | 6 | 7 | 8 | 9 | 10 | 11 | 12 |

낙엽 교목. 높이 15m 정도. 줄기껍질은 회색, 잎은 타원형으로 측맥은 15~24쌍이다. 꽃은 암수한그루, 수꽃은 5월에 가지 끝에 달리고 길이 2~6cm, 암꽃이삭은 가지 끝에서 밑으로 처지고 암꽃은 각 포에 2개씩 달린다. 과수는 길이 6~8cm, 잎 같은 포는 양쪽에 톱니가 있다.

분포·생육지 우리나라 전역. 중국, 일본, 우수리. 산골짜기나 숲속에서 자란다.

약용 부위·수치 줄기껍질은 봄에 채취하여 적당한 크기로 썰어서 말리고, 열매는 늦여름에 채취하여 말린다.

약물명 줄기껍질을 화아이력(樺鵝耳櫪)이라고 한다. 열매를 반립자(半拉子)라고 하며, 소과천금유(小果千金楡)라고도 한다.

약효 화아이력(樺鵝耳櫪)은 활혈소종(活血消腫), 이습통림(利濕通淋)의 효능이 있으므로 타박상, 옹종창독(癰腫瘡毒), 임증(淋症)을 치료한다. 반립자(半拉子)는 건위소식(健胃消食), 이습통림(利濕通淋)의 효능이 있으

므로 비위허약(脾胃虛弱), 식욕부진, 완복창통(脘腹脹痛), 소화불량을 치료한다.

사용법 화아이력 또는 반립자 10g에 물 3컵(600mL)을 넣고 달여서 복용하고, 외용에는 짓찧어 바른다.

❍ 화아이력(樺鵝耳櫪)

❍ 까치박달(줄기)

❍ 까치박달

[자작나무과]

서양개암나무

🌀 장염　　🔲 외상, 피부궤양

●학명 : *Corylus avellana* L.　●영명 : European filbert

1	2	3	4	5	6	7	8	9	10	11	12

🌿 🍃 🌾 🎋 🌼 🍇 ❄️ 🌾 💧

● 서양개암나무(수꽃)

낙엽 관목. 높이 5m 정도. 줄기껍질은 회갈색이다. 잎은 타원형으로 가장자리에 불규칙한 톱니가 있다. 꽃은 암수한그루, 3월에 피며 수꽃은 가지 끝에 2~3개씩 밑으로 처지고, 암꽃은 각 포에 2개씩 달린다. 총포는 종 같고 열매를 둘러싸며, 종자는 지름 2cm 정도이다.

분포·생육지 온대 북부, 서아시아, 북아프리카. 산에서 자란다.

약용 부위·수치 잎을 여름에 채취하여 말린다.

약물명 Coryli Folium

약효 소염의 효능이 있으므로 장염, 외상, 피부궤양을 치료한다.

사용법 Coryli Folium 10g에 물 3컵(600mL)을 넣고 달여서 복용하고, 외상과 피부궤양에는 가루로 만들어 뿌리거나 연고로 만들어 바른다.

● 서양개암나무

[자작나무과]

난티잎개암나무

🌀 병후체약　　🌀 비허설사, 식욕부진
🫁 해수　　🔲 외상출혈, 동상, 창옹

●학명 : *Corylus heterophylla* Fischer　●영명 : Heterophylla hazel
●한자명 : 大榛樹　●별명 : 난퇴잎개암나무, 깨금나무, 난퇴물개암나무

1	2	3	4	5	6	7	8	9	10	11	12

🌿 🍃 🌾 🎋 🌼 🍇 ❄️ 🌾 💧

낙엽 관목. 높이 3m 정도. 잎은 '난티나무'의 잎 같고 가장자리에 불규칙한 톱니가 있다. 꽃은 암수한그루, 3월에 피고 수꽃은 가지 끝에 2~3개씩 밑으로 처지며, 암꽃은 각 포에 2개씩 달린다. 견과는 둥글고 지름 15~20mm, 10월에 갈색으로 익으며 털이 없다.

분포·생육지 우리나라 전역. 중국, 일본, 아무르, 우수리. 산에서 자란다.

약용 부위·수치 성숙한 열매를 가을에 수시로 채취하여 말리는데, 열매가 잘 떨어지므로 익는 대로 따서 과각을 제거한다.

약물명 속씨를 진자(榛子), 수꽃을 진자화(榛子花)라 한다.

본초서 진자(榛子)는 「동의보감(東醫寶鑑)」에 수재되어 "식욕을 돋우며 비위를 튼튼하게 한다."고 하였다.

東醫寶鑑: 益氣力 寬腸胃 令人不飢開胃健行.

기미·귀경 榛子: 평(平), 감(甘)·비(脾), 위(胃)

약효 진자(榛子)는 건비화위(健脾和胃), 윤폐지해(潤肺止咳)의 효능이 있으므로 병후

체약(病後體弱), 비허설사(脾虛泄瀉), 식욕부진, 해수(咳嗽)를 치료한다. 진자화(榛子花)는 지혈, 소종(消腫), 염창(斂瘡)의 효능이 있으므로 외상출혈, 동상, 창옹(瘡癰)을 치료한다.

성분 속씨에는 탄수화물 16.5%, 단백질 17~18%, 지방 51~77%, 회분 3.5%가 함유되어 있다.

사용법 진자 또는 진자화 10g에 물 3컵(600mL)을 넣고 달여서 복용하거나 가루내어 복용한다.

＊ 본 종에 비하여 잎이 급히 뾰족한 '개암나무 var. *thunbergii*', 총포의 끝이 긴 '병개암나무 *C. hallaisanensis*', 잎에 결각이 없는 '참개암나무 *C. sieboldiana*', 잎에 결각이 있으며 열매가 2~4개씩 달리는 '물개암나무 *C. sieboldiana* var. *mandshurica*'도 약효가 같다.

● 난티잎개암나무

● 난티잎개암나무(암꽃)

● 진자(榛子)

● 난티잎개암나무(수꽃)

[참나무과]

밤나무

- 비허설사, 반위구토, 혈변, 이질, 구애　　각슬산연, 근골절상종통　　당뇨병
- 나력, 칠창　　기침, 가래, 해수담다, 폐결핵, 백일해　　인후종통

●학명 : *Castanea crenata* S. et Z.　●영명 : Chestnut　●한자명 : 栗木

| 1 | 2 | 3 | 4 | 5 | 6 | 7 | 8 | 9 | 10 | 11 | 12 |

낙엽 교목. 높이 15m 정도. 줄기껍질은 세로로 길이 깊이 갈라지고, 잎은 어긋나며 긴 타원형이다. 꽃은 암수한그루, 백색, 새 가지 밑부분의 잎겨드랑이에서 미상화서로 많이 달린다. 암꽃은 암꽃차례 밑부분에서 보통 3개씩 한군데에 모여 달린다. 열매는 9~10월에 익고, 견과는 3개씩 들어 있다.

분포 · 생육지 우리나라 전역. 중국, 일본. 산기슭이나 밭가에서 자란다.

약용 부위 · 수치 종피를 벗긴 속씨를 가을에, 꽃은 봄에, 깍정이와 잎은 여름에 채취하여 말린다.

약물명 속씨를 율자(栗子)라 하며, 건율(乾栗)이라고도 한다. 꽃을 율화(栗花), 깍정이를 율각(栗殼), 잎을 율엽(栗葉)이라 한다. 건율(乾栗)은 대한민국약전외한약(생약)규격집(KHP)에 수재되어 있다.

본초서 「동의보감(東醫寶鑑)」의 탕액편 과실부(果實部)에 율자(栗子), 건율(乾栗), 부(扶, 밤알의 겉껍질), 율각(栗殼), 율설(栗楔, 밤알의 가운데 것)이 수재되어 있다. 율자(栗子)는 대한민국약전외한약(생약)규격집(KHP)에 수재되어 있다.

기미 · 귀경 율자(栗子): 평(平), 감(甘), 미함(微鹹) · 비(脾), 신(腎)

약효 율자(栗子)는 익기건비(益氣健脾), 보신강근(補腎強筋), 활혈소종(活血消腫), 지혈의 효능이 있으므로 비허설사(脾虛泄瀉), 반위구토(反胃嘔吐), 각슬산연(脚膝酸軟), 근골절상종통(筋骨折傷腫痛), 나력(瘰癧), 혈변을 치료한다. 율화(栗花)는 설사와 이질 때로는 혈변을 치료하고, 율각(栗殼)은 구토, 갈증, 기침과 가래를 치료한다. 율각(栗殼)은 강역생진(降逆生津), 화담지해(化痰止咳), 청열산결(清熱散結), 지혈의 효능이 있으므로 반위(反胃), 구애(嘔噫), 당뇨병, 해수담다(咳嗽痰多), 나력(瘰癧), 변혈을 치료한다. 율엽(栗葉)은 청폐지해(清肺止咳), 해독소종(解毒消腫)의 효능이 있으므로 백일해(百日咳), 폐결핵, 인후종통(咽喉腫痛), 칠창(漆瘡)을 치료한다.

성분 율엽(栗葉)은 castamollisin, isoch-esnatin, isochestanin, castanin, cretanin, sanguiin, pedunculagin 등이 함유되어 있으며, 열매는 수종의 vitamin, 소화 효소의 하나인 lipase가 함유되어 있다.

사용법 율자, 율화, 율각 또는 율엽 10g에 물 3컵(600mL)을 넣고 달여서 복용한다.

* 우리나라 전역의 산에서 드물게 자라며 열매가 작고 밑면이 좁으며 내피가 잘 벗겨지고 속알이 약간 단단한 '약밤나무 *C. bungeana*'도 약효가 같다.

◑ 밤나무(개화기)

◑ 밤나무(결실기)

❶ 밤나무(열매)

❶ 율각(栗殼, 신선품)

❶ 율자(栗子)

❶ 율엽(栗葉)

❶ 부(扶, 밤알의 겉껍질)

❶ 밤나무(꽃)

❶ 율설(栗楔, 밤알의 가운데 것)

❶ 율화(栗花)

[참나무과]

모밀잣밤나무

설사, 이질　　진상구갈

상주

● 학명 : *Castanopsis cuspidata* (Thunb.) Schottsky

| 1 | 2 | 3 | 4 | 5 | 6 | 7 | 8 | 9 | 10 | 11 | 12 |

❶ 저자(櫧子)

낙엽 교목. 높이 15m 정도. 줄기껍질은 회흑색, 수직으로 갈라진다. 잎은 어긋나고 긴 타원형, 뒷면은 비늘털로 덮여서 연한 갈색이다. 꽃은 암수한그루, 미상화서이고 6월에 핀다. 열매는 견과로 달걀 모양의 총포에 싸여 있으며 9~10월에 익는다.

분포·생육지 우리나라 제주도, 경남, 전남북. 중국, 일본. 산기슭이나 밭가에서 자란다.

약용 부위·수치 열매를 여름과 가을에 채취하여 말린다.

약물명 저자(櫧子). 추율(椎栗)이라고도 한다.

약효 삽장지사(澁腸止瀉), 생진지갈(生津止渴)의 효능이 있으므로 설사, 이질, 진상구갈(津傷口渴), 상주(傷酒)를 치료한다.

사용법 저자 10g에 물 3컵(600mL)을 넣고 달여서 복용한다.

＊줄기껍질은 회흑색으로 매끄럽고 열매는 긴 달걀 모양인 '구실잣밤나무(구슬잣밤나무) *C. cuspidata* var. *thunbergii*'도 약효가 같다.

❶ 모밀잣밤나무

[참나무과]

구주부나무

감기, 폐결핵　　피부염, 기미

● 학명 : *Fagus sylvatica* L.　　● 영명 : Common beech, European beech

● 별명 : 유럽너도밤나무

| 1 | 2 | 3 | 4 | 5 | 6 | 7 | 8 | 9 | 10 | 11 | 12 |

낙엽 교목. 높이 15m 정도. 줄기껍질은 회흑색, 수직으로 갈라진다. 잎은 어긋나고 긴 타원형, 뒷면은 비늘털로 덮여서 연한 갈색이다. 꽃은 암수한그루, 미상화서이고 6월에 핀다. 열매는 견과로 달걀 모양의 총포에 싸여 있으며 9~10월에 익는다.

분포·생육지 유럽, 남아메리카, 남아프리카, 말레이시아, 멕시코. 산기슭이나 밭가에서 자란다.

약용 부위·수치 열매를 여름과 가을에 채취하여 말린다.

약물명 Fagi Fructus

약효 해열, 소염의 효능이 있으므로 감기, 폐결핵, 피부염, 기미를 치료한다.

사용법 Fagi Fructus 10g에 물 3컵(600mL)을 넣고 달여서 복용한다.

❶ 구주부나무

상수리나무

장풍하혈, 설사이질, 변혈, 적백하리
탈항, 치혈   붕중대하   나력, 악창

● 학명 : *Quercus acutissima* Carr.   ● 영명 : Oriental chestnut oak
● 한자명 : 橡樹   ● 별명 : 참나무, 도토리나무, 보춤나무

| 1 | 2 | 3 | 4 | 5 | 6 | 7 | 8 | 9 | 10 | 11 | 12 |

낙엽 교목. 높이 20m 정도. 줄기껍질은 회갈색, 잎은 어긋나고, 측맥은 12~16쌍이다. 꽃은 암수한그루, 5월에 피며 수꽃이삭은 잎겨드랑이에서 처지고, 암꽃이삭은 윗부분의 잎겨드랑이에서 나와 1~3개의 암꽃이 달린다. 수술은 8개, 암꽃은 총포로 싸이고 3개의 암술대가 있다. 견과는 둥글고 지름 2cm 정도이다.

분포 · 생육지 우리나라 전역. 중국, 일본. 산의 낮은 곳 양지에서 자란다.

약용 부위 · 수치 열매와 깍정이를 가을에 채취하여 말리고, 줄기껍질 또는 뿌리껍질은 수시로 채취하여 적당한 크기로 잘라서 말린다.

약물명 열매를 상실(橡實), 깍정이를 상실각(橡實殼) 또는 상각(橡殼), 줄기껍질 또는 뿌리껍질을 상목피(橡木皮)라 한다.

본초서 상실(橡實)은 「신수본초(新修本草)」에 처음 수재되어 "주로 설사를 그치게 하고 위장을 튼튼히 하여 건강한 사람으로 만든다."고 하였다. 「동의보감(東醫寶鑑)」에는 상실(橡實)은 "설사와 이질을 낮게 하고 위장과 대소장을 튼튼하게 하며 살이 찌고 건강해진다. 장을 수렴하여 설사를 그치게 한다. 배고픈 흉년에 먹는다."고 하였다. 또 상실각(橡實殼)은 "치질 때 피를 쏟는 것과 자궁에서 분비물이 나오는 것을 낮게 하고 찬 기운과 뜨거운 기운으로 인해 생기는 설사와 이질을 그치게 한다. 옷감에 물을 들일 수 있으며, 수염과 머리카락을 검게 물들일 수 있다."고 하였다.

東醫寶鑑: 橡實 主下痢 厚腸胃 肥健人 澁腸止瀉 充飢禦歉.

橡實殼 卽頭也 止腸風崩中 帶下 冷熱瀉痢 椺染皂 並染鬚髮令黑.

기미 · 귀경 상실(橡實): 미온(微溫), 고(苦), 삽(澁) · 비(脾), 대장(大腸), 신(腎). 상실각(橡實殼): 온(溫), 삽(澁). 상목피(橡木皮): 평(平), 고(苦), 삽(澁).

약효 상실(橡實)은 수렴고삽(收斂固澁), 지혈, 해독의 효능이 있으므로 설사이질, 변혈, 치혈, 탈항을 치료한다. 상실각(橡實殼)은 삽장지사(澁腸止瀉), 지대(止帶), 지혈, 염창(斂瘡)의 효능이 있으므로 적백하리(赤白下痢), 장풍하혈(腸風下血), 탈항, 여성의 붕중대하(崩中帶下)를 치료한다. 상목피(橡木皮)는 해독이습(解毒利濕), 삽장지사(澁腸止瀉)의 효능이 있으므로 설사, 이질(痢疾), 나력(瘰癧), 악창(惡瘡)을 치료한다. 만성적인 설사로 고생하던 사람이 줄기껍질을 달여서 복용하고 나았다는 보고가 있다.

성분 종자는 전분 50.4%, 지방유 5%가 함유되어 있으며, 깍정이는 tannin 19~29%, 잎은 tannin 5~10%가 함유되어 있다. 줄기껍질은 glucodistylin, gallic acid, (+)-catechin 등이 함유되어 있다.

약효 glucodistylin은 aldose reductase의 활성을 저해하여 sorbitol의 축적을 억제한다.

사용법 상실은 외용으로 사용하며 식초를 넣고 갈아서 상처에 붙이고, 상실각 및 상목피는 10g에 물 3컵(600mL)을 넣고 달여서 복용하고, 외용에는 짓찧어 바른다.

❶ 상목피(橡木皮)

❶ 상실(橡實)

❶ 상실각(橡實殼)

❶ 상수리나무(열매)

❶ 상수리나무

[참나무과]

미국참나무

	내출혈		혈뇨, 치질
	생리과다		설사

● 학명 : *Quercus alba* L.　● 영명 : White oak
● 한자명 : 美國赤皮　● 별명 : 미국가시

1	2	3	4	5	6	7	8	9	10	11	12

낙엽 교목. 높이 20~40m. 줄기껍질은 회백색이다. 잎은 어긋나며 타원형이나 가장자리에 큰 치아상의 톱니가 있다. 꽃은 암수한그루, 수꽃차례는 잎겨드랑이에서 밑으로 처지고, 암꽃차례는 위에서 나와 몇 개의 암꽃이 달린다. 견과는 원통형이다.

분포 · 생육지 북아메리카, 남아메리카. 산지에서 자라며, 세계 각처에서 재식한다.

약용 부위 · 수치 줄기나 굵은 가지의 껍질을 수시로 채취하여 썰어서 말린다.

약물명 Querci Cortex

약효 수렴지사(收斂止瀉), 지혈의 효능이 있으므로 내출혈, 치질, 혈뇨, 생리과다, 설사를 치료한다.

사용법 Querci Cortex를 가루로 만들어 2~3g을 복용한다.

✪ 미국참나무(잎)

✪ 미국참나무

[참나무과]

떡갈나무

	이질, 토혈, 변혈, 장풍하혈		창옹종통, 나력
	치혈, 소변임통		육혈

● 학명 : *Quercus dentata* Thunb.　● 영명 : Daimyo oak
● 한자명 : 槲樹　● 별명 : 선떡갈나무, 왕떡갈, 가랑잎나무

1	2	3	4	5	6	7	8	9	10	11	12

낙엽 교목. 높이 20m 정도. 잎 가장자리에 3~17쌍의 큰 치아상의 톱니가 있다. 꽃은 암수한그루, 수꽃차례는 잎겨드랑이에서 밑으로 처지고, 암꽃차례는 위에서 나와 몇 개의 암꽃이 달린다. 암꽃은 6개의 꽃덮개로 되고, 견과는 10월에 익는다.

분포 · 생육지 우리나라 전역. 중국, 일본, 우수리. 800m 이하의 양지바른 산기슭에서 자란다.

약용 부위 · 수치 줄기껍질은 수시로, 잎은 여름에, 속씨는 가을에 채취하여 말린다.

약물명 줄기껍질을 곡피(槲皮), 속씨를 곡실인(槲實仁), 잎을 곡약(槲若)이라고 한다.

본초서 곡피(槲皮)는 「신수본초(新修本草)」에 처음 수재되었고 「약성론(藥性論)」에 "주로 악창(惡瘡)을 치료한다."고 하였다. 「동의보감(東醫寶鑑)」에는 잎이 곡약(槲若)이라는 이름으로 수재되어 "피가 섞인 대변을 보는 것과 치질을 낫게 하고 갈증을 풀어 준다. 잎을 채취하여 구워 쓴다. 즉 잎이다."라고 하였다.

東醫寶鑑: 療血痢 主持 止渴 取葉炙用 藥卽葉也.

약효 곡피(槲皮)는 해독소종(解毒消腫), 삽장(澁腸), 지혈의 효능이 있으므로 창옹종통(瘡癰腫痛), 궤파불렴(潰破不斂), 나력(瘰癧), 이질(痢疾), 장풍하혈(腸風下血)을 치료한다. 곡엽(槲葉)은 지혈, 통림(通淋)의 효능이 있으므로 토혈(吐血), 육혈(衄血), 변혈, 치혈, 소변임통(小便淋痛)을 치료한다. 곡실인(槲實仁)은 삽장지사(澁腸止瀉)의 효능이 있으므로 복사(腹瀉), 이질(痢疾)을 치료한다.

성분 곡피(槲皮)는 gallic acid, catechin, gallocatechin, catechin (4α→8)−catechin 등이 함유되어 있다.

사용법 곡피는 물로 달여서 농축하여 고약으로 하거나 가루로 만들어 3g씩 복용하고, 곡엽은 10g에 물 3컵(600mL)을 넣고 달여서 복용하고, 곡실인은 쪄서 가루로 만들어 소량씩 복용한다.

＊ 우리나라 황해도에 분포하며 본 종에 비해 잎의 주맥 밑부분에만 털이 있고 포린(苞鱗)이 뒤로 젖혀지지 않는 '떡신갈나무 *Q. dentato-mongolica*'도 약효가 같다.

❶ 떡갈나무

❶ 곡실인(槲實仁)

❶ 곡엽(槲葉)

❶ 곡피(槲皮)

[참나무과]

몰식자나무

🕐 설사, 이질　　🌙 다한

● 학명 : *Quercus infectoria* Oliver　　● 한자명 : 沒食子樹

낙엽 관목. 높이 1.5~2m. 잎의 가장자리에 큰 치아상의 톱니가 있다. 꽃은 암수한그루, 수꽃차례는 잎겨드랑이에서 밑으로 처지고, 암꽃차례는 위에서 나와 몇 개의 암꽃이 달린다. 견과는 긴 원통형으로 가을에 익는다.

분포 · 생육지 이란, 그리스, 지중해 연안, 말레이시아. 산지에서 자란다.

약용 부위 · 수치 몰식자나무의 어린가지에 몰식자봉(沒食子蜂, *Cynips gallaetinctoria*)이 만든 유충의 벌레집을 수시로 채취하여 말린다.

약물명 몰식자(沒食子). Galla Halepensis라고도 한다.

본초서 「동의보감(東醫寶鑑)」에 "대변에 혈액이 섞여 나오는 증상과 설사, 여자의 음부에 생기는 헌데와 음낭에 땀이 나는 것, 어린아이의 감리(疳痢, 비위가 약해 일어나는 설사)를 낫게 한다. 수염과 머리카락을 검게 한다."고 하였다.

東醫寶鑑 : 主赤白痢腸滑 治陰瘡 陰汗 小兒疳痢 能黑鬚髮.

약효 수렴지사, 지혈, 지한(止汗)의 효능이 있으므로 설사, 이질, 다한을 치료한다.

성분 gallic acid, pyrogallol, penta-m-galloylglucose 등이 함유되어 있다.

사용법 몰식자를 가루로 만들어 2~3g을 복용한다. 염료, 피혁, 잉크의 천연 원료로 사용되기도 한다.

❶ 몰식자(沒食子)

❶ 몰식자나무

❶ 몰식자나무(잎과 열매)

신갈나무

| | 이질, 장염, 소화불량, 황달 | | 치창 |
| 기관지염 | | 옹창 |

● 학명 : *Quercus mongolica* Fisch.
● 한자명 : 櫟, 靑剛木   ● 별명 : 물갈나무, 돌참나무, 물가리나무, 재라리나무

| 1 | 2 | 3 | 4 | 5 | 6 | 7 | 8 | 9 | 10 | 11 | 12 |

낙엽 교목. 높이 20~30m. 줄기껍질은 암회색. 잎은 어긋나고, 꽃은 암수한그루, 4월에 핀다. 수꽃은 새 가지의 잎겨드랑이에서 밑으로 처지며, 암꽃은 윗부분에서 곧게 자란다. 견과는 9월에 익으며 길이 6~25mm, 타원상 구형이다.

분포 · 생육지 우리나라 전역, 중국, 아무르, 몽골. 산기슭의 양지바른 곳에서 자란다.

약용 부위 · 수치 줄기껍질은 봄에 채취하여 코르크층을 제거하고, 잎은 가을에 채취하여 말린다.

약물명 줄기껍질을 작수피(柞樹皮), 잎을 작수엽(柞樹葉)이라고 한다.

약효 작수피(柞樹皮)는 청열이습(淸熱利濕), 해독소종(解毒消腫)의 효능이 있으므로 이질, 장염, 소화불량, 기관지염, 황달, 치창(痔瘡)을 치료한다. 작수엽(柞樹葉)은 청열지리(淸熱止痢), 지해(止咳), 해독소종(解毒消腫)의 효능이 있으므로 이질, 장염, 소화불량, 옹창(癰瘡), 치창(痔瘡)을 치료한다. 설사가 자주 나오는 사람이 줄기껍질을 물에 달여서 복용하여 효과를 보았으며, 만성적인 소화불량에 잎을 물에 달여서 복용하고 나았다는 보고가 있다.

성분 작수엽(柞樹葉)에는 pentcosane, hexacosane, heptacosane, octacosane, nonacosane, lupeol 등이 함유되어 있다.

사용법 작수피 또는 작수엽 10g에 물 3컵(600mL)을 넣고 달여서 복용하고, 치질에는 짓찧어 바른다.

◐ 작수피(柞樹皮)

◐ 작수엽(柞樹葉)

◐ 신갈나무

가시나무

| | 설사 | | 가슴통증 |
| 신장염, 신장결석 | | |

● 학명 : *Quercus myrsinaefolia* Blume   ● 영명 : Oak
● 한자명 : 小葉靑岡   ● 별명 : 정가시나무, 참가시나무

| 1 | 2 | 3 | 4 | 5 | 6 | 7 | 8 | 9 | 10 | 11 | 12 |

상록 교목. 높이 15m 정도. 줄기껍질은 회흑색. 잎은 어긋나고 측맥은 11~15쌍이다. 꽃은 4~5월에 피고 수꽃이삭은 밑으로 처지며, 암꽃이삭은 새 가지에서 곧게 선다. 수꽃의 꽃덮개는 4~5개, 수술 4~5개, 암꽃은 총포로 싸여 있고, 견과는 달걀 모양이다.

분포 · 생육지 우리나라 제주도, 진도 및 남쪽 섬. 중국, 일본. 산골짜기에서 자란다.

약용 부위 · 수치 열매는 가을에, 잎은 수시로 채취하여 말린다.

약물명 속씨를 면자(麵子), 잎을 면자피엽(麵子皮葉)이라고 한다.

약효 면자(麵子)는 설사를 그치게 하고 혈액을 맑게 하는 효능이 있으므로 가슴이 조이고 아픈 증상, 설사를 치료한다. 면자피엽(麵子皮葉)은 임산부 출혈을 치료하고 어린잎은 하퇴부의 종양을 치료한다.

사용법 면자 또는 면자피엽 10g에 물 3컵(600mL)을 넣고 달여서 복용하고, 외용에

는 짓찧어 바른다.

※ 일본에서는 신장염이나 신장결석 치료용으로 제품이 개발되어 시판되고 있으며, 중국과 우리나라에서도 수입하여 사용하고 있다.

◐ 면자(麵子)

◐ 면자피엽(麵子皮葉)

◐ 가시나무

[참나무과]

굴참나무

| 해수 | 구사 |
| 치루출혈 | 두선 |

● 학명 : *Quercus variabilis* Blume
● 한자명 : 靑剛柳 ● 별명 : 물갈참나무, 구도토리나무, 부업나무

| 1 | 2 | 3 | 4 | 5 | 6 | 7 | 8 | 9 | 10 | 11 | 12 |

낙엽 교목. 높이 25m 정도. 줄기껍질은 회백색이며 코르크가 발달하여 깊이 갈라진다. 잎은 어긋나고 측맥은 9~16쌍. 꽃은 암수한그루, 5월에 핀다. 수꽃이삭은 밑으로 처지고, 암꽃이삭은 곧게 서며 보통 1개씩 달린다. 열매는 견과로 구형이고, 깍정이는 반구형으로 많은 비늘조각에 싸인다.

분포 · 생육지 우리나라 중부 이남. 중국, 일본. 산기슭 양지바른 곳에서 잘 자란다.

약용 부위 · 수치 열매를 늦여름에 채취하여 씻어 말린다.

약물명 청홍완(靑紅婉). 청풍전(靑楓轉), 율상자(栗橡子)라고도 한다.

약효 지해(止咳), 지사(止瀉), 지혈, 해독의 효능이 있으므로 해수(咳嗽), 구사(久瀉), 치루출혈, 두선(頭癬)을 치료한다.

성분 줄기껍질은 tannin이 10~15%, 깍정이는 4~5%가 함유되어 있다.

사용법 청홍완 10g에 물 3컵(600mL)을 넣고 달여서 복용하고, 외용에는 짓찧어 바른다.

※ '상수리나무 *Q. acutissima*'와 비슷하지만 잎이 넓고 뒷면에 털이 많으며 줄기의 코르크층이 발달해 있다.

❂ 굴참나무

❂ 청홍완(靑紅婉)

❂ 굴참나무(줄기)

[느릅나무과]

푸조나무

| 허리통증 | 두통 |

● 학명 : *Aphananthe aspera* (Thunb.) Planchon ● 영명 : Aphananthe oriental elm
● 한자명 : 糙葉樹 ● 별명 : 평나무, 곰병나무

| 1 | 2 | 3 | 4 | 5 | 6 | 7 | 8 | 9 | 10 | 11 | 12 |

낙엽 교목. 높이 20m 정도. 잎은 타원형, 꽃은 암수한그루로 5월에 핀다. 수꽃이삭은 취산화서로 잎겨드랑이에서 나오고, 꽃받침잎과 수술이 각각 5개, 암꽃은 새 가지의 윗부분 잎겨드랑이에서 1~2개씩 나온다. 핵과는 달걀 모양으로 10월에 흑색으로 익는다.

분포 · 생육지 우리나라 제주도, 전남, 경남, 울릉도. 중국, 일본. 산기슭이나 냇가에서 자란다.

약용 부위 · 수치 줄기껍질을 봄에 채취하여 적당한 크기로 잘라서 말린다.

약물명 조엽수피(糙葉樹皮)

약효 허리가 시리고 아픈 증상, 두통을 치료한다. 허리가 아픈 사람이 두충(杜仲)과 1:1로 배합하여 물에 달여서 복용하였더니 효과를 보았다는 보고가 있다.

사용법 조엽수피 10g에 물 3컵(600mL)을 넣고 달여서 복용하거나 환약으로 만들어 복용한다.

※ 팽나무속에 비하여 잎맥이 톱니 끝까지 이르고 열매는 먹을 수 있으며, 목재는 가구용, 도끼자루 등으로 이용한다.

❂ 푸조나무(줄기)

❂ 열매와 잎   ❂ 푸조나무

좀풍게나무

만성해수, 효천

● 학명 : *Celtis bungeana* Bl. ● 한자명 : 小葉朴

| 1 | 2 | 3 | 4 | 5 | 6 | 7 | 8 | 9 | 10 | 11 | 12 |

● 좀풍게나무(줄기껍질이 회흑색이다.)

낙엽 소교목. 줄기껍질은 회흑색. 잎은 어긋나고 긴 타원형, 길이 7~12cm, 너비 3.5~5.5cm, 윗부분에 톱니가 있으며, 측맥은 2쌍이다. 꽃은 5월에 잎겨드랑이에서 핀다. 열매는 핵과로 둥글고 흑자색으로 익는다.

분포·생육지 우리나라 중부 이북. 중국, 일본. 산기슭에서 자란다.

약용 부위·수치 가지를 여름에 채취하여 썰어서 말린다.

약물명 봉봉목(棒棒木)

약효 거담지해(祛痰止咳), 평천(平喘)의 효능이 있으므로 만성해수(慢性咳嗽), 효천(哮喘)을 치료한다.

사용법 봉봉목 30g에 물 4컵(800mL)을 넣고 달여서 복용한다.

● 좀풍게나무

폭나무

피부병, 상처   허리통증

● 학명 : *Celtis leveillei* Nakai [*C. biondii* Pampan] ● 한자명 : 紫彈樹 ● 별명 : 좀왕팽나무

| 1 | 2 | 3 | 4 | 5 | 6 | 7 | 8 | 9 | 10 | 11 | 12 |

낙엽 소교목. 줄기껍질은 회흑색. 잎은 어긋나고 타원형, 길이 3~7cm, 너비 2~3.5cm, 윗부분이 갑자기 좁아져서 꼬리처럼 길어지며 측맥은 2쌍이다. 꽃은 5월에 잎겨드랑이에서 피며, 열매는 핵과로 둥글고 10월에 갈색으로 익는다.

분포·생육지 우리나라 한반도 남부. 중국, 일본. 산기슭에서 자란다.

약용 부위·수치 잎을 봄과 여름에 채취하여 말려서 사용하고, 가지는 수시로 채취하여 적당한 크기로 잘라서 사용한다.

약물명 잎을 자탄수엽(紫彈樹葉), 가지를 자탄수지(紫彈樹枝)라고 한다.

약효 자탄수엽(紫彈樹葉)은 열을 내리고 해독시키는 효능이 있으므로 피부병이나 상처를 치료한다. 자탄수지(紫彈樹枝)는 경락(經絡)을 잘 통하게 하고 통증을 멎게 하는 효능이 있으므로 허리와 등이 시리고 아픈 증상을 치료한다.

사용법 자탄수엽은 외용으로만 사용하며 짓찧어 나오는 즙액을 환부에 바른다. 자탄수지는 10g에 물 3컵(600mL)을 넣고 달여서 복용한다.

● 폭나무(줄기)

● 폭나무

[느릅나무과]

팽나무

담마진, 옻닭에 의한 피부 알레르기

소화불량

●학명 : *Celtis sinensis* Pers. var. *japonica* (Planch.) Nakai　●영명 : Nittle tree
●한자명 : 朴樹　●별명 : 달주나무, 자주팽나무, 둥글팽나무, 평나무, 매태나무, 게팽나무

| 1 | 2 | 3 | 4 | 5 | 6 | 7 | 8 | 9 | 10 | 11 | 12 |

낙엽 교목. 높이 20m 정도. 줄기껍질은 회흑색. 잎은 어긋나고 측맥은 3~4쌍이다. 꽃은 잡성화로 5월에 핀다. 핵과는 둥글고 지름 7~8mm, 10월에 등황색으로 익는다.
분포 · 생육지 우리나라 전역. 중국, 일본, 타이완, 타이, 라오스. 산기슭이나 냇가에서 자란다.

약용 부위 · 수치 줄기껍질은 봄에, 잎은 여름에 채취하여 말려서 사용한다.
약물명 줄기껍질을 박수피(朴樹皮), 잎을 박수엽(朴樹葉)이라고 한다.
약효 박수피(朴樹皮)는 거풍투진(祛風透疹), 소식화체(消食化滯)의 효능이 있으므로 담마진(蕁麻疹)과 소화불량을 치료한다.

박수엽(朴樹葉)은 청열(清熱), 양혈(涼血), 해독의 효능이 있으므로 옻닭을 먹고 일으킨 피부 알레르기를 치료한다.
성분 박수피(朴樹皮)는 알칼로이드와 saponin이 다량 함유되어 있다.
사용법 박수피는 10g에 물 3컵(600mL)을 넣고 달여서 복용하고, 박수엽은 즙을 내어 바른다.
* 우리나라에 팽나무속(*Celtis*)은 8종(좀왕팽나무 · 좀풍게나무 · 검팽나무 · 장수팽나무 · 노랑팽나무 · 풍게나무 · 왕팽나무 · 팽나무) 2변종(둥근왕팽나무 · 산팽나무)이 자라고 있으며, '검팽나무 *C. choseniana*', '장수팽나무 *C. cordifolia*', '노랑팽나무 *C. edulis*', '둥근왕팽나무 *C. koraiensis* var. *arguta*'는 한국 특산 식물이다.

🔾 열매　　🔾 팽나무

🔾 팽나무(줄기)

🔾 박수피(朴樹皮)

🔾 박수피(朴樹皮, 절편)

🔾 박수엽(朴樹葉)

[느릅나무과]

시무나무

창옹종독, 창양종독, 독사교상　수종

●학명 : *Hemiptelea davidii* (Hance) Planchon　●영명 : Thorn hemiptela
●한자명 : 刺榆　●별명 : 스무나무

| 1 | 2 | 3 | 4 | 5 | 6 | 7 | 8 | 9 | 10 | 11 | 12 |

낙엽 교목. 높이 20m 정도. 줄기껍질은 불규칙하게 세로로 갈라지며 가시로 변한 가지가 있다. 잎은 어긋나고 측맥은 8~15쌍이다. 꽃은 암수한그루 또는 잡성화로 5월에 피며 잎겨드랑이에 담황색으로 1~4개씩 달린다. 시과는 한쪽에만 날개가 있고

10월에 익는다.
분포 · 생육지 우리나라 전역. 중국, 일본, 몽골. 산기슭이나 냇가에서 자란다.
약용 부위 · 수치 줄기껍질 및 잎을 봄부터 여름에 채취하여 적당한 크기로 잘라서 말린다.

약물명 줄기껍질을 자유피(刺榆皮), 잎을 자유엽(刺榆葉)이라고 한다.
약효 자유피(刺榆皮)는 해독소종(解毒消腫)의 효능이 있으므로 창옹종독(瘡癰腫毒), 뱀이나 해충에 물린 상처를 치료한다. 자유엽(刺榆葉)은 이수소종(利水消腫), 해독의 효능이 있으므로 수종(水腫), 창양종독(瘡瘍腫毒), 독사교상(毒蛇咬傷)을 치료한다.
사용법 자유피 또는 자유엽 5g에 물 2컵(400mL)을 넣고 달여서 복용하고, 헌데나 부스럼을 치료할 때는 식초와 혼합하여 찧어서 환부에 붙인다.
* 느릅나무속에 비하여 가지의 일부가 가시로 되어 있는 것이 다르다.

○ 자유피(刺楡皮)

○ 자유엽(刺楡葉)

○ 시무나무(줄기)

○ 시무나무(열매)

○ 시무나무

[느릅나무과]

느릅나무

소아감적　　골류, 골결핵

● 학명 : *Ulmus davidiana* Planchon var. *japonica* Nakai　　● 한자명 : 家楡

| 1 | 2 | 3 | 4 | 5 | 6 | 7 | 8 | 9 | 10 | 11 | 12 |

낙엽 교목. 높이 10~15m. 잎은 어긋나고 두꺼우며 달걀 모양, 좌우가 같지 않고 겹톱니가 있고 앞면은 까칠까칠하며, 잎자루에는 부드러운 털이 모여난다. 꽃은 모여나고 4~5월에 취산화서로 피며, 꽃덮개는 종 모양이다. 시과는 타원형이다.

분포 · 생육지 우리나라 지리산, 속리산, 경기(광릉 · 화산 · 관악산), 강원(금강산). 중국, 일본, 몽골. 산기슭 및 골짜기에 자란다.

약용 부위 · 수치 뿌리껍질 또는 줄기껍질을 봄이나 가을에 채취하여 썰어서 말린다.

약물명 익지유(翼枝楡)

약효 구충소적(驅蟲消績), 거담이뇨(祛痰利尿)의 효능이 있으므로 소아감적(小兒疳積) 및 골류(骨瘤), 골결핵(骨結核)을 치료한다.

성분 (+)-catechin, (−)-catechin apioside, catechin 7−*O*−β−apiofuranosdie, catechin 7−*O*−α−L−rhamnopyranosdie, catechin 3−*O*−α−L−rhamnopyranosdie, catechin 7−*O*−β−D−glucopyranosdie, (+)−5′−methoxyisolariciresinol−9−*O*−β−D−xylopyranoside, lyoniside, nudiposide, α−nygerose, butyl−α−D−furactofuranoside, procyanidin B₃, uldavioside A, fridelin, epifridelanol, oleanolic acid, maslinic acid, β−amyrin, α−amyrin, β−sitosterol 등이 함유되어 있다.

약리 maslinic acid는 HSC−T6 세포에서 세포 증식을 억제한다. nudiposide는 혈중 TNF−α, IL−10의 함량을 낮추고 ALT의 활성을 억제한다. 에탄올추출물은 자외선에 의하여 손상되는 피부 조직을 보호한다.

사용법 익지유 15g에 물 3컵(600mL)을 넣고 달여서 복용하거나 술에 담가 복용한다.
＊ 본 종을 이용한 성인병 개선을 위한 건강식품이 시판되고 있다. 열매에 털이 있는 '당느릅나무 *U. davidiana*'도 약효가 같다.

○ 느릅나무

○ 익지유(翼枝楡)

○ 느릅나무환

○ 익지유(翼枝楡)로 만든 건강식품

[느릅나무과]
왕느릅나무

🔸 충적복통, 구사구리　　🔹 창양, 개선

●학명 : *Ulmus macrocarpa* Hance　　●한자명 : 黃楡, 楡

1	2	3	4	5	6	7	8	9	10	11	12

낙엽 소교목. 높이 8m 정도. 줄기껍질은 회흑색이며, 잎은 어긋난다. 꽃은 5월에 5~6개가 모여 취산화서를 이루고 종 모양이다. 열매는 시과로 달걀 모양, 지름 10~15mm, 종자는 시과의 밑부분에 있다.
분포·생육지 우리나라 단양과 화천 이북. 중국, 일본. 산기슭에서 자란다.
약용 부위·수치 가을에 열매가 성숙하면 채취하여 말린 뒤 밀가루를 묻혀 초황(炒黃)하여 사용한다.
약물명 무이(蕪荑). 무고(無姑)라고도 한다.
본초서 무이(蕪荑)는 「신농본초경(神農本草經)」에 수재된 약물로 "오장 내 나쁜 기운을 없애고 피부와 골절의 나쁜 독을 제거하며 촌백충과 회충을 구제하고 소화를 촉진한다."고 하였다. 「동의보감(東醫寶鑑)」에는 "치질로 피가 나오는 것과 항문 주위에 구멍이 생긴 것을 낫게 하고 종기가 벌겋게 부어오르고 곪는 것과 옴, 버짐 등을 낫게 한다. 또 촌백충과 회충을 구제한다."고 하였다.
기미·귀경 온(溫), 고(苦), 신(辛)·비(脾), 위(胃)
약효 살충소적(殺蟲消積), 제습지리(除濕止痢)의 효능이 있으므로 충적복통(蟲積腹

痛), 구사구리(久瀉久痢), 창양(瘡瘍), 개선(疥癬)을 치료한다.
성분 구충의 효능 물질은 decanoic acid, dodecanoic acid이다. 뿌리는 catechin 7-*O*-β-D-apiofuranoside, catechin, taxifolin 8-*C*-glucopyranoside, fraxin 등이 함유되어 있다.
약리 본 약제를 개에 투여한 결과 회충을 구제하였고, 종자의 열수추출물은 백선균 및 피부진균에 항균 작용이 있다. catechin 7-*O*-β-D-apiofuranoside, catechin, taxifolin 8-*C*-glucopyranoside는 NO 생성을 감소시키고, iNOS, COX-2, mRNA 활성을 억제한다.
사용법 무이 5g에 물 2컵(400mL)을 넣고 달여서 복용한다.
처방 무이산(蕪荑散) : 무이(蕪荑) 40g, 빈랑자(檳榔子)·오수유(吳茱萸) 각 20g, 유황(硫黃) 8g(「동의보감(東醫寶鑑)」). 여러가지 버짐에 사용한다. 가루로 만들어 돼지기름이나 참기름에 개어 바른다.
• 무이산(蕪荑散) : 정력자(葶藶子)·고백반(枯白礬) 각 40g, 오수유(吳茱萸) 20g, 무이(蕪荑) 12g(「향약집성방(鄕藥集成

方)」). 어린아이의 몸에 헌데가 생긴 것이 오랫동안 낫지 않고 가려운 증상에 사용한다. 위의 약을 가루로 만들어 기름에 개어서 하루에 2번씩 바른다.
＊ 시과(翅果)가 타원형이고 길이 15mm 정도이며 종자는 열매의 중앙에 있는 '난티나무 *U. laciniata* (Trautv.) Mayer'도 약효가 같다.

○ 무이(蕪荑)

○ 수치한 무이(蕪荑, 중국산)

○ 왕느릅나무

[느릅나무과]
참느릅나무

🔸 요배산통, 열림, 소변불리, 요혈, 치혈　　♀ 유옹
🔹 창양종독, 수화탕상, 외상출혈　　🔸 이질, 위장출혈

●학명 : *Ulmus parvifolia* Jacq.
●한자명 : 榔楡　　●별명 : 둥근참느릅나무, 좀참느릅, 좁은잎느릅나무

1	2	3	4	5	6	7	8	9	10	11	12

낙엽 교목. 높이 10m 정도. 잎은 두껍고 달걀 모양, 길이 3~5cm, 털이 없으며 측맥은 10~20쌍이다. 꽃은 잡성으로 9월에 피며 황갈색, 수술은 4~5개이다. 꽃밥은 자황색이다. 열매는 시과이며 타원형이고 길이 8~11mm, 털이 없으며 10월에 익는다.
분포·생육지 우리나라 경기도 이남. 중국,

일본. 냇가에서 자란다.
약용 부위·수치 줄기껍질과 뿌리껍질은 사시사철, 잎은 여름과 가을에 채취하여 말린다.
약물명 줄기껍질 및 뿌리껍질를 낭유피(榔楡皮), 잎을 낭유엽(榔楡葉)이라고 한다.
약효 낭유피(榔楡皮)는 청열이수(淸熱利水), 해독소종(解毒消腫), 양혈지혈(涼血止血)의

효능이 있으므로 열림(熱淋), 소변불리(小便不利), 창양종독(瘡瘍腫毒), 유옹(乳癰), 수화탕상(水火湯傷), 이질(痢疾), 위장출혈, 요혈, 치혈, 요배산통(腰背酸痛), 외상출혈을 치료한다. 낭유엽(榔楡葉)은 통락지통(通絡止痛)의 효능이 있으므로 요배산통(腰背酸痛)을 치료한다.
성분 낭유피(榔楡皮)는 전분, 점액질, tannin, stigmasterol, phytosterol, 7-hydroxy-cadalenal, 3-methoxy-7-hydroxy-cadalenal, mansonone C, mansonone G 등이 함유되어 있다.
사용법 낭유피 또는 낭유엽 10g에 물 3컵(600mL)을 넣고 달여서 복용한다.

❶ 참느릅나무

❶ 낭유피(榔楡皮)

❶ 낭유엽(榔楡葉)

[느릅나무과]

비술나무

수종 | 소변불리, 임탁, 석림, 요탁, 기림 | 실면
대하 | 해천담다, 담다해수 | 옹저, 나력, 독창, 개선

● 학명 : *Ulmus pumila* L.
● 한자명 : 野楡　● 별명 : 개느릅, 비슬나무, 떡느릅나무

| 1 | 2 | 3 | 4 | 5 | 6 | 7 | 8 | 9 | 10 | 11 | 12 |

낙엽 교목. 높이 15m 정도. 잎은 어긋나고 긴 타원형, 길이 3~5cm, 끝은 둔하거나 뾰족하고 밑은 둥글며, 잎자루는 길이 3~7mm이다. 꽃은 양성, 3~4월에 잎겨드랑이에 취산화서로 피며, 시과는 너비가 길이보다 넓고 5월에 익는다.

분포 · 생육지 우리나라 지리산, 백양산. 중국, 몽골, 아무르, 아시아. 냇가에서 자란다.

약용 부위 · 수치 줄기껍질과 잎을 수시로 채취하여 말린다.

약물명 줄기껍질 또는 뿌리껍질을 유백피(楡白皮)라고 하며, 유피(楡皮), 유근백피(楡根白皮), 유수피(楡樹皮)라고도 한다. 잎을 유엽(楡葉), 가지를 유지(楡枝)라 한다. 유백피는 대한민국약전외한약(생약)규격집(KHP)에 수재되어 있다.

본초서 유백피(楡白皮)는 「신농본초경(神農本草經)」에 수재된 약물로 "주대소변불통(主大小便不通), 이수도(利水道), 제사기(除邪氣)의 효능이 있다."고 하였다. 「명의별록(名醫別錄)」이나 「본초강목(本草綱目)」 등에도 수재된 약물로 예로부터 요긴하게 사용되어 온 약물이다. 「동의보감(東醫寶鑑)」에는 유피(楡皮)라는 이름으로 수재되어 "대소변이 잘 나오지 않는 증상에 주로 쓴다. 소변을 잘 나오게 하고 위와 대소장의 나쁜 열을 없앤다. 부은 것을 가라앉히고 오림

(五淋)을 풀어 주며 불면증과 코 고는 것을 낫게 한다."고 하였다.

神農本草經: 主大小便不通, 利水道, 除邪氣.

名醫別錄: 主腸胃邪熱氣, 消腫, 療小兒頭瘡痂疕.

本草綱目: 利竅, 滲濕熱, 行津液, 消癰腫.

東醫寶鑑: 主大小便不通 利水道 除腸胃邪熱 消浮腫.

성상 유백피(楡白皮)는 줄기껍질로 관상으로 말려 있고 표면은 회갈색이며 코르크층이 붙어 있다. 횡단면은 거칠고 섬유질의 무늬가 뚜렷하며 질은 단단하고 물에 담그면 점액질이 나온다. 냄새가 특이하고 맛은 약간 달다.

기미 · 귀경 유백피(楡白皮): 미한(微寒), 감(甘) · 폐(肺), 비(脾), 방광(膀胱)

약효 유백피(楡白皮)는 이수통림(利水通淋), 거담(祛痰), 소종해독(消腫解毒)의 효능이 있으므로 수종(水腫), 소변불리(小便不利), 임탁(淋濁), 대하(帶下), 해천담다(咳喘痰多), 실면(失眠), 내외출혈(內外出血), 옹저(癰疽), 나력(瘰癧), 독창(禿瘡), 개선(疥癬)을 치료한다. 유엽(楡葉)은 청열이뇨(淸熱利尿), 안신(安神), 거담지해(祛痰止咳)의 효능이 있으므로 수종(水腫), 소변불리(小便不利), 석림(石淋), 요탁(尿濁),

실면(失眠), 서열곤민(暑熱困悶), 담다해수(痰多咳嗽)를 치료한다. 유지(楡枝)는 이뇨통림(利水通淋)의 효능이 있으므로 기림(氣淋)을 치료한다.

성분 유백피(楡白皮)에는 β-sitosterol, phytosterol, stigmaserol, tannin, 지방유가 함유되어 있다.

약리 열수추출물을 aspirin 및 indomethacin으로 위궤양을 일으킨 쥐에게 투여하면 위궤양 치료 효과가 나타난다.

사용법 유백피, 유엽, 또는 유지 10g에 물 3컵(600mL)을 넣고 달여서 복용하고, 외용에는 짓찧어 바른다.

처방 유백피산(楡白皮散): 유백피(楡白皮) · 왕불류행(王不留行) · 활석(滑石) 각 40g을 가루로 만들어 1회 8g을 복용 「향약집성방(鄕藥集成方)」). 임신부가 소변이 시원하지 않고 아랫배가 아프며 가슴이 답답하고 불안한 증상에 사용한다.

• 유백피탕(楡白皮湯): 유백피(楡白皮) 120g, 동규자(冬葵子) 180g, 활석(滑石) · 석위(石葦) · 구맥(瞿麥) · 건지황(乾地黃) 각 40g 「성제총록(聖濟總錄)」). 소변불리, 소변빈삭(小便頻數)에 사용한다.

※ 다른 종에 비하여 잎이 긴 타원형으로 작고 털이 없으며 가지가 가늘고 긴 것이 특징이다.

○ 비술나무

○ 유백피(榆白皮)

○ 유백피(榆白皮, 절편)

○ 비술나무(열매, 잎)

○ 유지(榆枝)

[느릅나무과]

붉은느릅나무

🫃 위궤양, 대장염

● 학명 : *Ulmus rubra* Muhl. [*U. fulva*] ● 영명 : Slippery elm, Red elm

| 1 | 2 | 3 | 4 | 5 | 6 | 7 | 8 | 9 | 10 | 11 | 12 |

낙엽 교목. 높이 15~20m, 지름 1m 정도.
잎은 어긋나고 긴 타원형, 끝은 뾰족하고
밑은 심장형, 가장자리에 톱니가 있으며 잎
자루는 짧다. 꽃은 양성, 잎겨드랑이에 취
산화서로 달린다. 시과는 털이 있으며 길이
와 너비가 비슷하고, 중앙에 종자가 들어
있다.

분포 · 생육지 북아메리카. 산지나 들에서
자라고, 유럽 등지에서 재식한다.

약용 부위 · 수치 줄기나 가지의 껍질을 수시
로 채취하여 말린다.

약물명 Ulmi Cortex. 일반적으로 Slippery
elm, 또는 Red elm이라고 한다.

약효 진통 소염의 효능이 있으므로 위궤양,
대장염을 치료한다.

사용법 Ulmi Cortex 4g을 뜨거운 물로 우
려내어 복용한다.

○ 붉은느릅나무

[뽕나무과]

견혈봉후

🕐 이질

● 학명 : *Antiaris toxicaria* (Pers.) Lesch. [*Ambora toxicaria*]　● 한자명 : 見血封喉
● 별명 : 유파스나무

| 1 | 2 | 3 | 4 | 5 | 6 | 7 | 8 | 9 | 10 | 11 | 12 |

상록 교목. 높이 30m 정도. 잎은 어긋나고 타원형, 끝은 뾰족하고 가장자리가 밋밋하다. 꽃은 양성으로 단생하며 암수한그루이다. 꽃잎은 4개, 수술 4개, 열매는 육질이고 구형이며 지름 2cm 정도이다.

분포 · 생육지 중국, 타이완. 산지나 들에서 자란다.

약용 부위 · 수치 줄기에 상처를 내어 나오는 유액은 수시로, 종자는 가을에 채취하여 사용한다.

약물명 견혈봉후(見血封喉). 독전목(毒箭木)이라고도 한다.

약효 유액은 마취의 효능이 있으므로 동물 사냥에 쓰이며, 종자는 이질을 치료한다.

성분 유액에는 α-antiarin, malayaside, α-antioside, β-antioside, convalloside, convallatoxin 등이 함유되어 있다. 종자에는 cymarin, cymarol, strophalloside, peripalloside, periplorhamnoside, α-antioside, antiarigenin 등이 함유되어 있다.

약리 유액의 에탄올추출물은 강심 작용이 있으며 혈압을 상승시킨다.

사용법 견혈봉후 유액은 동물 사냥을 위하여 화살촉에 발라 사용하며, 종자는 이질에 사용한 적이 있다.

＊ 독성이 강하므로 약용으로 잘 사용하지 않고 동물 포획에만 이용한다.

○ 견혈봉후

[뽕나무과]

목파라

🧴 과음 후 갈증　🕐 속쓰림
♀ 산후비허기약, 유소, 유즙불행　🔲 타박상, 창양절종, 습진

● 학명 : *Artocarpus heterophyllus* Lam.　● 한자명 : 木波羅

| 1 | 2 | 3 | 4 | 5 | 6 | 7 | 8 | 9 | 10 | 11 | 12 |

상록 교목. 높이 10~15m. 판상의 뿌리가 있으며, 잎은 홑잎이고 가죽질, 타원형이다. 꽃은 봄과 여름에 피며 암수딴그루이다. 열매는 여름과 가을에 익으며 타원상 구형으로 길이 40~60cm, 지름 25~50cm이고 큰 것은 무게가 20kg에 이른다.

분포 · 생육지 열대 아시아. 마을이나 숲속에서 자란다.

약용 부위 · 수치 열매를 여름과 가을에 채취하여 그대로 사용하고, 열매의 과육과 종피를 제거하고 속씨를 채취하며, 잎은 여름에 채취하여 생으로 사용하거나 말린다.

약물명 열매를 파라밀(波羅密)이라고 하며,

파나파(婆那婆), 목바라(木菠蘿), 천파라(天婆羅)라고도 한다. 속씨를 파라밀핵중인(波羅密核中仁)이라고 하며, 잎을 파라밀엽(波羅密葉)이라고 한다.

약효 파라밀(波羅密)은 생진제번(生津除煩), 해주성비(解酒醒脾)의 효능이 있으므로 과음 후 갈증, 속쓰림 등을 치료한다. 파라밀핵중인(波羅密核中仁)은 익기(益氣), 통유(通乳)의 효능이 있으므로 산후비허기약(産後脾虛氣弱), 유소(乳少), 유즙불행(乳汁不行)을 치료한다. 파라밀엽(波羅密葉)은 활혈소종(活血消腫), 해독염창(解毒斂瘡)의 효능이 있으므로 타박상, 창양절종(瘡瘍癤

腫), 습진을 치료한다.

성분 artocarpanone, artocarpin, cycloartocarpin, kazinol C, D, E, F, G, H, J, L, M, N, P 및 broussoflavanol 등이 함유되어 있다.

약리 열수추출물은 항균 작용이 있다.

사용법 파라밀은 50~100g을 생식한다. 파라밀핵중인은 60g에 물 4컵(800mL)을 넣고 달여서 복용하고, 파라밀엽은 타박상이나 습진에 외용으로만 사용하며 짓찧어 바른다.

＊ '빵나무 A. altilis', '면포수 A. incisus'도 약효가 같다.

❖ 목파라

❖ 파라밀핵중인(波羅密核中仁)

❖ 목파라(줄기)

❖ 목파라(열매)

❖ 빵나무

[뽕나무과]

닥나무

 풍습비통　 설사, 이질, 황달　 부종

옹절, 질타손상, 신경성피부염, 옴, 버짐

● 학명 : *Broussonetia kazinoki* Sieb.　● 영명 : Peper mulberry
● 한자명 : 楮　● 별명 : 딱나무

| 1 | 2 | 3 | 4 | 5 | 6 | 7 | 8 | 9 | 10 | 11 | 12 |

낙엽 관목. 높이 2~5m. 잎은 어긋나고 타원형, 3~5개로 갈라지며 가장자리에 톱니가 있다. 꽃은 암수한그루, 6월에 피고, 수꽃이삭은 잎겨드랑이에서 밑으로 처지며, 암꽃이삭은 구형이다. 수꽃은 4개로 갈라진 꽃덮개와 4개의 수술이 있고, 암꽃은 끝이 2~4개로 갈라진 꽃덮개와 대가 있는 씨방에 실 같은 암술대가 있다.

분포 · 생육지 우리나라 전역. 중국, 일본, 타이완. 양지바른 산기슭 및 밭둑에서 자란다.

약용 부위 · 수치 뿌리껍질과 줄기껍질을 수시로, 잎은 여름에 채취하여 말린다.

약물명 뿌리껍질 또는 줄기껍질을 구피마(构皮麻), 구득등(九得藤), 곡사등(谷沙藤), 잎을 소구수엽(小构樹葉)이라고 한다.

기미 · 귀경 구피마(构皮麻)：한(寒), 고(苦) · 심(心), 간(肝), 위(胃), 대장(大腸)

약효 구피마(构皮麻)는 거풍제습(祛風除濕), 산어소종(散瘀消腫)의 효능이 있으므로 풍습비통(風濕痺痛), 설사, 이질(痢疾), 황달, 부종, 옹절(癰癤), 질타손상(跌打損傷)을 치료한다. 소구수엽(小构樹葉)은 청열해독(淸熱解毒), 거풍지양(祛風止痒)의 효능이 있으므로 이질(痢疾), 신경성피부염, 옴과 버짐을 치료한다.

성분 구피마(构皮麻)에는 kazinol C, D, E, F, G, H, J, L, M, N, P 및 broussoflavanol 등이 함유되어 있다.

약리 열수추출물은 항균 작용이 있다.

사용법 구피마 또는 소구수엽 10g에 물 3컵(600mL)을 넣고 달여서 복용하고, 피부염(옴과 버짐)에는 짓찧어 바른다.

* 굵은 가지의 껍질과 줄기껍질은 한지를 만드는 데 이용되고, 어린잎은 먹을 수 있다.

❖ 구피마(构皮麻)

❂ 닥나무

❂ 소구수엽(小构樹葉)

❂ 닥나무(꽃)

❂ 닥나무(줄기)

[뽕나무과]

꾸지나무

신허요슬산연	부종, 소변불리, 수종창만 · 붕루 · 토혈, 변혈, 이질
금창출혈, 독창	만성기관지염 · 육혈

●학명 : *Broussonetia papyrifera* (L.) L'Heritier　　●한자명 : 楮樹, 構樹

| 1 | 2 | 3 | 4 | 5 | 6 | 7 | 8 | 9 | 10 | 11 | 12 |

 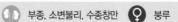

낙엽 교목. 높이 12m 정도. 줄기껍질은 회색 또는 엷은 회갈색, 잎은 어긋나고 끝이 꼬리처럼 길며 대개 결각이다. 꽃은 암수딴그루, 수꽃이삭은 원통형이고 밑으로 처지며, 암꽃차례는 구형이다. 열매는 둥글고 지름 2cm, 외과피는 붉은색, 9월에 익는다. 닥나무와 유사하나 암수딴그루이고 털이 많으며 잎자루와 수꽃이삭이 길다.

분포·생육지 우리나라 전역. 중국, 일본, 타이완. 양지바른 산기슭이나 밭둑에서 자란다.

약용 부위·수치 열매는 붉게 성숙하였을 때, 줄기껍질과 잎은 수시로 채취하여 말린다. 열매는 물에 담가 충실한 것을 고르고 술에 1시간쯤 담갔다가 건져서 물에 쪄서 말려 사용한다.

약물명 열매를 저실(楮實), 줄기껍질을 저수백피(楮樹白皮), 잎을 저엽(楮葉)이라고 한다. 저실(楮實)은 대한민국약전외한약(생약)규격집(KHP)에 수재되어 있다.

본초서 저실(楮實)은 「명의별록(名醫別錄)」에 "주양위(主陽痿), 수종(水腫), 익기(益氣), 충기부(充肌膚), 명목(明目), 구복불로(久腹不老), 경신(輕身)의 효능이 있다."고 하였다. 「동의보감(東醫寶鑑)」에는 "음경이

제대로 발기되지 않는 증상을 낫게 하고 근골을 튼튼하게 하며 기운을 돕는다. 몸과 마음이 허약하고 피로한 것을 도우며 허리와 무릎을 따뜻하게 한다. 또 얼굴빛을 윤택하게 하고 피부를 탄력 있게 하며 눈을 밝게 한다."고 하였다.

東醫寶鑑: 主陰痿 壯筋骨 助陽氣 補虛勞 煖腰膝 益顔色 充肌膚 明目.

성상 꾸지나무의 열매는 소핵과가 모인 취과이며 지름 2cm 정도이다. 소핵과를 저실(楮實)이라고 하며 구형이고 표면은 적갈색, 그물 같은 주름이 있거나 돌기 같은 것이 있다. 질은 단단하나 부서지기 쉽다. 냄새가 특이하고 맛은 달다.

기미·귀경 저실(楮實): 한(寒), 감(甘)·간(肝), 신(腎), 비(脾). 저수백피(楮樹白皮): 평(平), 감(甘). 저엽(楮葉): 양(凉), 감(甘)

약효 저실(楮實)은 자신익음(滋腎益陰), 청간명목(淸肝明目), 건비이수(健脾利水)의 효능이 있으므로 신허요슬산연(腎虛腰膝酸軟), 부종(浮腫)을 치료한다. 저수백피(楮樹白皮)는 이수(利水), 지혈의 효능이 있으므로 소변불리(小便不利), 수종창만(水腫脹滿), 변혈, 붕루(崩漏)를 치료한다. 저엽(楮葉)은 양혈지혈(凉血止血), 이뇨, 해독의 효

능이 있으므로 토혈(吐血), 육혈(衄血), 붕루(崩漏), 금창출혈(金瘡出血), 수종(水腫), 이질(痢疾), 독창(毒瘡)을 치료한다. 만성기관지염에 저수백피(楮樹白皮) 10g과 어성초(魚腥草) 5g을 배합하여 물에 달여서 복용하여 나았다는 보고가 있다.

성분 저수백피(楮樹白皮)에는 uralenol, quercetin, isolicoflavonol, papyriflavonol A, broussoflavonol F, 5,7,3',5'-tetrahydroxy-flavanone, 5,7,3',4'-tetrahydroxy-3-methoxyflavanone, luteolin, isoliquiritigenin, broussochalcone A, broussinol, demethylbroussin, broussonin D, broussonin E, broussonin F 등, 저엽(楮葉)에는 broussonetone A, B, C 등이 함유되어 있다.

약리 broussonetone A, B, C는 xanthine oxidase의 활성을 억제하므로 피부 미용제로 사용할 수 있다. quercetin, broussoflavonol F는 tyrosinase의 활성을 억제한다.

사용법 저실, 저수백피, 저엽 각각 10g에 물 3컵(600mL)을 넣고 달여서 복용한다.

＊ '닥나무'에 비하여 암수딴그루이고 전체에 털이 많으며 잎자루와 수꽃이삭이 길다. 줄기껍질은 한지를 만드는 데 이용되고, 어린 잎은 먹을 수 있다.

❍ 꾸지나무

❍ 꾸지나무 열매인 취합과를 건조한 저실(楮實)

❍ 저실(楮實)

❍ 저엽(楮葉)

[뽕나무과]

삼

장조변비, 회충증	당뇨병	말라리아	창선, 단독, 타박상, 편신소양	기천, 해천
풍수, 열림	풍비, 각기, 통풍, 풍병지체마목, 비증	월경부조, 난산, 포의불하, 혈붕, 대하	실면, 전광

● 학명 : *Cannabis sativa* L.   ● 영명 : Hemp
● 한자명 : 麻   ● 별명 : 대마, 대마초, 역삼

| 1 | 2 | 3 | 4 | 5 | 6 | 7 | 8 | 9 | 10 | 11 | 12 |

한해살이풀. 높이 2~3m. 줄기는 둔한 사각형, 녹색, 잎은 장상 복엽이다. 꽃은 암수딴그루, 7~8월에 피며 연한 녹색, 수꽃은 원추화서로 달리고 5개씩의 꽃받침잎과 수술이 있다. 꽃밥은 황색, 암꽃은 1개의 소포로 싸이며 2개의 암술대와 1개의 씨방이 있고 짧은 수상화서로 달린다. 수과는 약간 편평한 달걀 모양이며 딱딱하다.

분포·생육지 중앙 및 서아시아 원산. 우리나라 전역에서 섬유 자원으로 재배한다.

약용 부위·수치 종자를 채취하여 껍질은 버리고 속씨를 약한 불에 볶아서 사용한다. 뿌리는 가을에 채취하여 물에 씻어 썰어서 사용하고, 암꽃그루의 꽃과 줄기를 여름에, 잎은 수시로 채취하여 말린다.

약물명 속씨를 화마인(火麻仁)이라고 하며, 마자(麻子), 마자인(麻子仁), 마인(麻仁), 대마자(大麻子), 대마인(大麻仁)이라고도 한다. 뿌리를 마근(麻根), 덜 익은 수꽃을 마화(麻花), 잎을 마엽(麻葉), 암꽃그루의 꽃과 작은줄기를 마분(麻蕡)이라고 한다. 화마인(火麻仁)은 대한민국약전외한약(생약)규격집(KHP)에 수재되어 있다.

본초서 화마인(火麻仁)은 「신농본초경(神農本草經)」의 상품(上品)에 마분(麻蕡)이라는 이름으로 수재되어 있으며, "오로칠상(五勞七傷)을 치료하며 많이 복용하면 미쳐서 날뛴다."고 기록되어 있다. 중국에서는 마자(麻子), 마인(麻仁) 또는 화마인(火麻仁)이라고 한다. 삼은 암수딴그루이다. 예전

의 기록을 보면, 암꽃을 저마(苴麻), 수꽃을 시마(枲麻)라고 하였으며 삼베옷의 섬유 자원으로 이용하였다. 삼국 시대의 명의 화타(華陀)가 이 식물을 주약으로 한 마불산(麻沸散)을 마취약으로 사용하여 수술을 하였다는 전설이 있다. 대마(大麻)는 인도에서 9세기경부터 약용하였으며, 이후 페르시아 및 아라비아에 전해진 것으로 알려져 있다. 화마인(火麻仁)의 약효는 「동의보감(東醫寶鑑)」에 "마자(麻子)는 몸과 마음이 허약하고 피로할 때 몸의 기운을 보하며 오장을 튼튼하게 한다. 바람으로 인해 유발된 풍열로 대변이 잘 나오지 않은 것을 낫게 한다. 또 소변을 잘 나오게 하며 오줌 빛이 붉거나 요도에 열이 나고 막히며 아랫배가 몹시 아픈 것

을 낮게 한다."고 하였다.

神農本草經: 主補中益氣, 肥健不老.

名醫別錄: 主中風汗出, 逐水, 利小便, 破積血, 復血脈, 乳婦産後余疾, 長髮, 可爲沐藥.

藥性論: 治大腸風熱結澁及熱淋.

東醫寶鑑: 麻子 補虛勞 潤五臟疎風氣 治大腸風熱結澁 利小便療熱淋.

성상 화마인(火麻仁)은 공처럼 둥글며 지름 3mm 정도, 표면은 회갈색을 띠고 광택이 있는 단단한 열매껍질이 있으며, 열매껍질에는 능선이 있다. 부수면 안에 백색 종자가 1개 나오고, 특이한 냄새와 담백한 맛이 있다.

기미·귀경 화마인(火麻仁): 평(平), 감(甘)·비(脾), 위(胃), 대장(大腸)

약효 화마인(火麻仁)은 윤조활장(潤燥滑腸), 이수통림(利水通淋), 활혈(活血)의 효능이 있으므로 장조변비(腸燥便秘), 풍비(風痺), 당뇨병, 풍수(風水), 각기(脚氣), 열림(熱淋), 월경부조(月經不調), 창선(瘡癬),

단독(丹毒)을 치료한다. 마근(麻根)은 산어(散瘀), 지혈, 이뇨의 효능이 있으므로 타박상, 난산(難産), 포의불하(胞衣不下), 혈붕(血崩), 대하(帶下)를 치료한다. 마화(麻花)는 거풍(祛風), 활혈(活血), 생발(生髮)의 효능이 있으므로 풍병지체마목(風病肢體麻木), 편신소양(遍身瘙痒), 미발탈락(眉髮脫落), 부녀경폐(婦女經閉)를 치료한다. 마엽(麻葉)은 재학(裁瘧), 구회(驅蛔), 정천(定喘)의 효능이 있으므로 말라리아, 회충증, 기천(氣喘)을 치료한다. 마분(麻蕡)은 거풍진통(祛風鎭痛), 정양안신(定驚安神)의 효능이 있으므로 통풍(痛風), 비증(痺症), 전광(癲狂), 실면(失眠), 해천(咳喘)을 치료한다.

성분 잎과 꽃은 cannabinol, tetrahydrocannabinol (THC), cannabidiol (CBD), cannabichromene, cannabidolic acid, cannabichromic acid 등이 함유되어 있다.

약리 암꽃의 열매나 작은 잎은 중추 신경

을 마비시켜 환각 증상을 일으키고, 대량 섭취할 경우 의식이 소실되며 호흡 마비를 일으킨다. 대마의 약리 작용은 주로 tetrahydrocannabinol(THC)에 있다. cannabidiol(CBD)은 과량의 THC에 의한 불안감과 초조감을 완화시킨다. THC는 지용성이므로 흡수가 빠르고 일주일 안에 대소변으로 배출되며, 급성 독성이 낮아서 THC에 의하여 사망하지는 않는다. 소량의 THC는 행복감, 긴장완화, 운동 조화를 상실시킨다.

사용법 화마인, 마근, 마엽은 7g에 물 3컵(600mL)을 넣고 달여서 복용하고, 외용에는 짓찧어 붙이거나 기름을 짜서 바른다. 마화와 마분은 0.5g을 물 1컵(200mL)을 넣고 달여서 복용한다.

처방 마자인환(麻子仁丸): 대황(大黃) 160g, 지실(枳實)·후박(厚朴)·작약(芍藥) 각 80g, 행인(杏仁) 50g (『상한론(傷寒論)』, 『동의보감(東醫寶鑑)』). 위장(胃腸)에 열이 있어서 대변이 굳고 소변을 자주 보는 증상에 사용한다.

• 자감초탕(炙甘草湯): 감초 8g, 지황(地黃)·계지(桂枝)·마자인(麻子仁)·맥문동(麥門冬) 각 6g, 인삼·아교(阿膠) 각 4g, 생강 5쪽, 대추 3개 (『상한론(傷寒論)』, 『금궤요략(金匱要略)』). 기혈 부족으로 가슴이 두근거리고 부정맥이 나타나며 몸이 여위고 숨이 가쁜 증상에 사용한다.

※ 암꽃의 열매나 작은 잎은 중추 신경을 마비시켜 환각 증상을 일으키므로 주의하여야 하고, 함부로 재배하거나 지니지 못하게 법률로 제한하고 있다.

❍ 삼

❍ 변비 치료에 이용되는 화마인(火麻仁)

❍ 마근(麻根)

❍ 마분(麻蕡)

❍ 마엽(麻葉)

❍ 화마인(火麻仁, 수치하지 않은 것)

❍ 화마인(火麻仁, 수치한 것)

❍ 삼으로 만든 건강식품

구지뽕나무

신허이명　요슬냉통, 요퇴통　창절, 옹종, 습진, 타박상　말라리아
유정　대하, 부녀붕중혈결　황달　객혈　허손

● 학명 : *Cudrania tricuspidata* (Call.) Bureau　● 영명 : Silkworm thorn
● 한자명 : 柘樹　● 별명 : 꾸지뽕나무, 굿가시나무, 활뽕나무

1 2 3 4 5 6 7 8 9 10 11 12

낙엽 소교목. 높이 8m 정도. 잎겨드랑이에 가시가 있고, 잎은 어긋나며 3개로 갈라지거나 밋밋하다. 꽃은 암수딴그루, 5~6월에 피며, 수꽃이삭은 작은꽃이 많이 모여 달리고 황색, 지름 1cm 정도이다. 암꽃이삭은 지름 1~1.5cm, 구형, 취과는 9~10월에 붉은색으로 익는다.

분포 · 생육지 우리나라 황해도 이남. 중국, 일본. 산에서 자란다.

약용 부위 · 수치 목부(木部), 줄기껍질, 줄기와 잎은 수시로, 열매는 가을에 채취하여 말린다.

약물명 목부를 자목(柘木), 줄기껍질과 뿌리껍질을 자목백피(柘木白皮), 가지와 잎을 자수경엽(柘樹莖葉), 열매를 자수과실(柘樹果實)이라고 한다.

본초서 자목(柘木)은 「본초습유(本草拾遺)」에 처음 수재되어 주보허손(主補虛損)의 효능을 기록하고, 「동의보감(東醫寶鑑)」에는 "몸이 허할 때 바람이 침입하여 귀가 들리지 않는 것과 학질을 낫게 한다. 자목(柘木)

을 삶으면 물이 노랗게 되며 염색에 쓰기도 한다."고 하였다.

本草拾遺: 主補虛損.

東醫寶鑑: 主風虛 耳聾 瘧疾 煮汁槧染黃

약효 자목(柘木)은 허손(虛損), 부녀붕중혈결(婦女崩中血結), 말라리아를 치료한다. 자목백피(柘木白皮)는 보신고정(補腎固精), 이습해독(利濕解毒), 지혈(止血), 화어(化瘀)의 효능이 있으므로 신허이명(腎虛耳鳴), 요슬냉통(腰膝冷痛), 유정(遺精), 대하(帶下), 황달, 창절(瘡癤), 객혈을 치료한다. 자수경엽(柘樹莖葉)은 청열해독(清熱解毒), 서근활락(舒筋活絡)의 효능이 있으므로 옹종(癰腫), 습진, 타박상, 요퇴통(腰腿痛)을 치료한다. 자수과실(柘樹果實)은 청열양혈(清熱凉血), 서근활락(舒筋活絡)의 효능이 있으므로 타박상을 치료한다.

성분 자목백피(柘木白皮)는 flavonoid 성분인 morin, kaempferol-7-O-glucosides (populinin, stachydrine), cudranian 1,2,3, cudranianxanthone류의 cudraxanthone B,

L, isocudraxanthone K, cudraxanthone H, cudratricusxanthone A, macluraxanthone B, 2,3,6,8-tetrahydroxy-1-(3-methyl-but-2-enyl)-5-(2-methylbut-3-en-2-yl)-9*H*-xanthen-9-one 등이 함유되어 있다. 자수과실(柘樹果實)은 alpiniumisoflavone, 6,8-diprenylorobol, 6,8-diprenylgenistein, promiferin, 4′-methylalpiniumisoflavone, osajin 등이 함유되어 있다.

약리 자목백피(柘木白皮)의 메탄올추출물은 자궁암 세포(SK-OV3)와 폐암 세포(A549)의 성장을 억제하는 작용과 항산화 작용이 있다. cudratricusxanthone A는 *Vibrio cholerae* O1, *Escherichia coli* O157 등의 세균에 항균 작용이 있다. cudranian 1,2,3은 DPPH 라디칼 소거 작용 및 과산화 지질을 억제하는 작용이 있다. 6,8-diprenylorobol과 promiferin은 A2E photooxidation을 감소시킨다.

사용법 자목, 자목백피, 자수과실은 15g에 물 4컵(800mL)을, 자수경엽은 10g에 물 3컵(600mL)을 넣고 달여서 복용한다. 자수과실은 얇게 썰어서 햇볕에 말려 분말로 하여 복용한다.

❶ 구지뽕나무

❶ 자목(柘木)

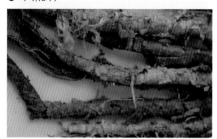
❶ 자목백피(柘木白皮)

❶ 열매

❶ 자수과실(柘樹果實)

❶ 자수과실(柘樹果實)

❶ 구지뽕나무로 만든 건강식품

[뽕나무과]

벵갈고무나무

설사, 이질　사마귀
치주염　관절염

● 학명 : *Ficus benghalensis* L.　● 영명 : Banyan tree

| 1 | 2 | 3 | 4 | 5 | 6 | 7 | 8 | 9 | 10 | 11 | 12 |

❍ 수관의 길이가 300m에 이르는 세계 최대의 벵갈고무나무

상록 교목. 높이 20m 정도. 줄기껍질은 회백색. 잎은 어긋나며 달걀 모양. 가지로부터 기근이 많이 나와 밑으로 처진다. 열매는 편구형으로 적갈색으로 익는다.

분포 · 생육지 인도, 파키스탄. 숲속 또는 들에서 자란다.

약용 부위 · 수치 열매, 줄기껍질, 수지, 기근을 수시로 채취하여 말린다.

약효 잎과 줄기껍질은 수렴(收斂)의 효능이 있으므로 설사, 이질, 출혈증을, 수지는 출혈증, 사마귀, 관절염을, 수지나 기근은 치주염을 치료한다.

사용법 잎, 줄기껍질, 기근은 각각 10g에 물 3컵(600mL)을 넣고 달여서 복용하고, 치주염에는 수지를 뜨거운 물에 녹여서 입안에 머금다가 뱉는다.

＊수지는 독성이 있으므로 복용을 금한다.

❍ 벵갈고무나무

[뽕나무과]

천선과나무

변비　치창종통, 탈항　두풍동통　타박상
노권　유즙불하, 월경불순　풍습비통,관절염,근골불리

● 학명 : *Ficus erecta* Thunb.　● 영명 : Erecta fig　● 한자명 : 天仙果　● 별명 : 천선과

| 1 | 2 | 3 | 4 | 5 | 6 | 7 | 8 | 9 | 10 | 11 | 12 |

낙엽 관목. 높이 2~4m. 잎은 어긋나고, 꽃은 암수딴그루. 5~6월에 새 가지의 잎겨드랑이에서 1개의 꽃대가 자라고, 꽃은 5~6개의 갈라진 조각과 3개 정도의 수술이 있다. 암꽃은 씨방과 암술대가 각각 1개이고 주머니 같은 꽃차례가 자라서 열매가 되며 흑자색으로 익는다.

분포 · 생육지 우리나라 남쪽 해안 및 제주도. 일본, 타이완. 바닷가 산기슭에 자란다.

약용 부위 · 수치 열매는 가을에, 뿌리, 줄기, 잎은 수시로 채취하여 말린다.

약물명 열매를 천선과(天仙果)라고 하며, 우내장(牛奶漿)이라고도 한다. 뿌리를 우내장근(牛奶漿根), 가지와 잎을 우내시(牛奶柴)라고 한다.

약효 천선과(天仙果)는 윤장통변(潤腸通便),

해독소종(解毒消腫)의 효능이 있으므로 변비, 치창종통(痔瘡腫痛)을 치료한다. 우내장근(牛奶漿根)은 익기건비(益氣健脾), 활혈통락(活血通絡), 거풍제습(祛風除濕)의 효능이 있으므로 노권(勞倦), 유즙불하(乳汁不下), 탈항, 월경불순, 두풍동통(頭風疼痛), 타박상, 관절염을 치료한다. 우내시(牛奶柴)는 보기건비(補氣健脾), 거풍습(祛風濕), 활혈통락(活血通絡)의 효능이 있으므로 기허핍력(氣虛乏力), 사지산련(四肢酸軟), 풍습비통(風濕痺痛), 근골불리(筋骨不利), 타박상, 유즙불통(乳汁不通)을 치료한다.

사용법 천선과, 우내장근, 우내시 각 10g에 물 3컵(600mL)을 넣고 달여서 복용한다.

＊잎이 좁고 때로 큰 톱니가 있는 '가는잎천선과(젖꼭지나무) var. *sieboldii*'도 약효가 같다. 외사(外邪)로 인한 풍열(風熱)에는 복용을 금하고, 오가피(五加皮)와는 상반 작용이 있다.

❍ 천선과나무

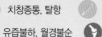
❍ 천선과(天仙果)

❍ 우내시(牛奶柴)

❍ 가는잎천선과

[뽕나무과]

무화과나무

| 근육통, 류머티즘 | 인후종통 | 옹종, 선질 |
| 장열변비, 소화불량, 설사, 이질 | 유즙희소, 대하 | 치창 |

●학명 : *Ficus carica* L.　●영명 : Common fig　●한자명 : 無花果, 密果　●별명 : 무화과

| 1 | 2 | 3 | 4 | 5 | 6 | 7 | 8 | 9 | 10 | 11 | 12 |

낙엽 관목. 높이 4m 정도. 줄기껍질은 회백색, 잎은 어긋나며 봄부터 여름에 걸쳐 잎겨드랑이에서 주머니 같은 꽃차례가 발달하며 그 속에 많은 꽃이 들어 있다. 암꽃은 갈라진 조각이 3개이고, 씨방과 암술대는 각각 1개이다. 열매는 달걀 모양이며 흑자색으로 익는다.

분포 · 생육지 아시아 서부, 지중해 원산. 우리나라 제주도, 경남, 전남에서 재식한다.

약용 부위 · 수치 열매는 가을에, 뿌리와 잎은 수시로 채취하여 말린다.

약물명 열매를 무화과(無花果), 잎을 무화과엽(無花果葉), 뿌리를 무화과근(無花果根)이라고 한다.

본초서 무화과(無花果)는 「동의보감(東醫寶鑑)」에 개위(開胃) 지사제라고 하여, "식욕을 돋우며 설사를 그치게 한다."고 하였다.

기미 · 귀경 무화과(無花果) : 양(凉), 감(甘) · 폐(肺), 위(胃), 대장(大腸)

약효 무화과(無花果)는 청열생진(淸熱生津), 건비개위(健脾開胃), 해독소종(解毒消腫)의 효능이 있으므로 인후종통(咽喉腫痛), 유즙희소(乳汁稀少), 장열변비, 식욕부진, 소화불량, 설사, 이질(痢疾), 옹종(癰腫), 선질(癬疾)을 치료한다. 무화과엽(無花果葉)은 청습열(淸濕熱), 해창독(解瘡毒), 소종지통(消腫止痛)의 효능이 있으므로 습열설사(濕熱泄瀉), 대하(帶下), 치창(痔瘡), 옹종동통(癰腫疼痛)을 치료한다. 무화과근(無花果根)은 관절과 근육을 튼튼히 하는 효능이 있으므로 근육통과 류머티즘을 치료한다. 치질 환자 77명 가운데 열매 10~20개를 물에 달여서 치질 주변에 담그고 발라서 41명이 효과를 보았다는 보고가 있다.

성분 열매에는 식물 성장 호르몬인 auxin, 뿌리에는 psoralen, bergaten, guaiazzulene, 잎에는 psoralen, bergapten, guaiacol, rutin, 그리고 furocoumarin과 triterpenoid 성분들이 함유되어 있다.

약리 무화과(無花果)를 물에 달인 액은 항종류(抗腫瘤) 작용, 면역 증강 작용, 진통 작용, 설사 작용 등이 있다. 무화과(無花果)의 열수추출물은 TGEV의 숙주 세포인 ST 세포의 농도에 따라 20~50%의 세포 독성을 나타내었다.

사용법 무화과, 무화과근, 무화과엽 각각 10g에 물 3컵(600mL)을 넣고 달여서 복용하고, 외용에는 달인 액으로 씻는다.

＊흔히 꽃이 피지 않고 열매가 맺는다고 하여 무화과(無花果)라고 하지만 잎겨드랑이에 주머니 같은 꽃차례에 작은 꽃이 많이 핀다.

❖ 무화과나무

❖ 무화과(無花果)

❖ 무화과엽(無花果葉)

❖ 무화과(無花果, 절편)

❖ 무화과나무 열매로 만든 건강식품

황모용

 기허증   풍습비통
음위

● 학명 : *Ficus fulva* Reinw. ex Bl. ● 한자명 : 黃毛榕

● 황모용(열매)

| 1 | 2 | 3 | 4 | 5 | 6 | 7 | 8 | 9 | 10 | 11 | 12 |

소교목. 높이 5~12m. 작은가지는 둥글며 속이 비어 있고 황갈색 털이 많다. 잎은 어긋나며, 꽃은 은두화서로 달린다. 수꽃은 수술이 1개이며, 꽃덮개는 3개, 암꽃은 꽃덮개가 5개이다. 수과는 달걀 모양, 적갈색으로 익는다.

분포 · 생육지 인도, 중국, 인도네시아, 타이. 숲속에서 자란다.

약용 부위 · 수치 뿌리껍질을 수시로 채취하여 물에 씻은 후 잘라서 말린다.

약물명 황모용(黃毛榕). 토상백피(土桑白皮)라고도 한다.

약효 익기건비(益氣健脾), 거풍제습(祛風除濕)의 효능이 있으므로 기허증(氣虛症), 풍습비통(風濕痺痛), 음위(陰痿)를 치료한다.

사용법 황모용 20g에 물 4컵(800mL)을 넣고 달여서 복용한다.

● 황모용

대엽용

 감모발열   결막염, 기관지염   폐열해수
소화불량, 이질   풍습비통   치창

● 학명 : *Ficus hispida* L. f. ● 한자명 : 大葉榕

| 1 | 2 | 3 | 4 | 5 | 6 | 7 | 8 | 9 | 10 | 11 | 12 |

상록 관목. 높이 3~5m 정도. 상처를 내면 유액이 흘러나온다. 어린가지는 털이 많으며 속이 비어 있다. 잎은 보통 마주나며 가지 끝에 4개의 잎이 모여난다. 꽃은 은두화서를 이루며 단생 또는 잎겨드랑이에 쌍으로 붙고 둥근 모양을 이룬다. 수꽃은 수술이 1개이며, 꽃덮개는 3개, 암꽃은 꽃덮개가 5개이다.

분포 · 생육지 인도, 중국, 인도네시아, 타이, 말레이, 베트남, 열대 아시아. 숲속에서 자란다.

약용 부위 · 수치 줄기껍질, 가지, 잎을 봄과 여름에 채취하여 적당한 크기로 잘라서 말린다. 종자는 가을에 채취하여 말린다.

약물명 줄기껍질, 가지, 잎을 우내수(牛奶樹)라고 하며, 유즙마목(乳汁麻木)이라고도 한다. 종자를 우내수자(牛奶樹子)라 한다.

약효 우내수(牛奶樹)는 소풍청열(疏風淸熱), 소적화담(消積化痰), 건비제습(健脾除濕)의 효능이 있으므로 감모발열, 결막염, 기관지염, 소화불량, 이질, 풍습비통(風濕痺痛)을 치료한다. 우내수자(牛奶樹子)는 청열해독(淸熱解毒)의 효능이 있으므로 폐열해수(肺熱咳嗽), 치창(痔瘡)을 치료한다.

성분 줄기껍질에는 10-ketotetracosyl arachidate, lupeyl acetate, 3,6,7-trimethoxy-phenanthroindolizidine 등이 함유되어 있다.

사용법 우내수 또는 유즙마목, 우내수자 15g에 물 3컵(600mL)을 넣고 달여서 복용한다.

* '금엽용(金葉榕) *Ficus pandurata*'은 잎을 금엽용 또는 과산향이라 하며 풍습비통, 황달, 유즙불통을 치료한다.

● 대엽용

● 금엽용

[뽕나무과]

타이완고무나무

유행성감기　마진불투　유옹
결막염, 편도선염, 만성기관지염, 목적　장염

● 학명 : *Ficus microcarpa* L. ● 한자명 : 榕樹

| 1 | 2 | 3 | 4 | 5 | 6 | 7 | 8 | 9 | 10 | 11 | 12 |

상록 교목. 높이 15~25m. 상처를 내면 유액이 흘러나온다. 줄기에서 기근이 많이 나와 아래로 늘어진다. 잎은 어긋나며, 꽃은 은두화서로 달린다. 수꽃은 수술이 1개이며, 꽃덮개는 3개, 암꽃은 꽃덮개가 5개이다. 수과는 작으며 달걀 모양이다.

분포 · 생육지 인도, 중국, 인도네시아, 타이. 숲속에서 자란다.

약용 부위 · 수치 기근과 잎을 봄과 여름에 채취하여 적당한 크기로 잘라서 말린다.

약물명 기근을 용수(榕須), 잎을 용수엽(榕樹葉)이라고 한다.

약효 용수(榕須)는 산풍열(散風熱), 거풍습(祛風濕), 활혈지통(活血止痛)의 효능이 있으므로 유행성감기, 마진불투(麻疹不透), 결막염, 편도선염을 치료한다. 용수엽(榕樹葉)은 청열발표(淸熱發表), 해독소종(解毒消腫), 거습지통(祛濕止痛)의 효능이 있으므로 만성기관지염, 목적(目赤), 장염, 유옹(乳癰)을 치료한다.

사용법 용수 또는 용수엽 10g에 물 3컵(600 mL)을 넣고 달여서 복용한다.

❶ 타이완고무나무(쿠바 아바나)

❶ 용수(榕須)

❶ 타이완고무나무, 기근(氣根)

[뽕나무과]

인도보리수나무

치통, 잇몸 질환

● 학명 : *Ficus religiosa* L.

| 1 | 2 | 3 | 4 | 5 | 6 | 7 | 8 | 9 | 10 | 11 | 12 |

상록 교목. 높이 10~30m. 전체에 털이 없으며 가지를 많이 친다. 잎은 어긋나며 타원형, 길이 10~18cm, 너비 6~13cm, 잎 끝이 점차 좁아져 꼬리처럼 된다. 꽃은 은두화서를 이루며 단생 또는 잎겨드랑이에 쌍으로 붙고 둥근 모양을 이룬다. 수꽃은 수술이 1개, 꽃덮개 3개, 암꽃은 꽃덮개가 5개이며 암술대가 측생한다.

분포 · 생육지 인도, 중국, 인도네시아, 타이, 말레이, 베트남, 열대 아시아. 숲속에서 자란다.

약용 부위 · 수치 봄과 여름에 줄기껍질을 채취하여 적당한 크기로 잘라서 말린다.

약물명 인도보리수피(印度菩提樹皮)

약효 지통(止痛), 고치(固齒)의 효능이 있으므로 치통과 잇몸 질환을 치료한다.

성분 수지(樹脂)에는 daucosterol, β-sitosterol 등이 함유되어 있다.

사용법 외용으로만 사용하며, 짓찧어 양치질하거나 상처에 바른다.

* 보리(菩提)는 범어(梵語)인 'bodhi'의 음역(音譯)이며, 석가모니가 이 나무 밑에서 득도(得道)한 것에서 비롯된다.

❶ 인도보리수나무(줄기)

❶ 열매　　❶ 인도보리수나무(네팔 룸바니)

[뽕나무과]

진주련

고환편추, 내치변혈 | 풍습관절염
유옹 | 개선

● 학명 : *Ficus sarmentosa* Buch.–Ham. ex J. E. Sm. var. *henryi* (King ex Oliv.) Corner
● 한자명 : 珍珠蓮

| 1 | 2 | 3 | 4 | 5 | 6 | 7 | 8 | 9 | 10 | 11 | 12 |

상록 반덩굴성 나무. 어린가지는 부드러운 털이 있으며 가지를 많이 친다. 잎은 어긋나며 타원형, 길이 10~12cm, 너비 3~3.5cm, 잎 끝이 점차 좁아져 꼬리처럼 된다. 꽃은 은두화서로 단생 또는 잎겨드랑이에 쌍으로 붙고 둥근 모양을 이룬다.

분포·생육지 인도, 중국, 인도네시아, 타이, 말레이시아, 베트남, 열대 아시아. 숲속에서 자란다.

약용 부위·수치 열매를 가을에, 가지를 봄과 여름에 채취하여 물에 씻은 후 잘라서 말린다.

약물명 열매를 석팽자(石彭子), 가지를 진주련(珍珠蓮)이라고 한다.

약효 석팽자(石彭子)는 소종지통(消腫止痛), 지혈의 효능이 있으므로 고환편추(睾丸偏墜), 내치변혈(內痔便血)을 치료한다. 진주련(珍珠蓮)은 거풍제습(祛風除濕), 소종지통(消腫止痛)의 효능이 있으므로 풍습관절염(風濕關節炎), 유옹(乳癰), 개선(疥癬)을 치료한다.

사용법 석팽자는 10g에 물 3컵(600mL)을 넣고 달여서 복용하고, 진주련은 30g에 물 4컵(800mL)을 넣고 달여서 복용하며, 개선에는 짓찧어 바른다.

○ 진주련

○ 석팽자(石彭子)

[뽕나무과]

왕모람

풍습비통, 좌골신경통 | 요림, 신허유정, 양위, 소변임탁
사리, 구리 | 인후종통 | 타박상 | 경폐

● 학명 : *Ficus thunbergii* Maxim. ● 영명 : Liana fig ● 별명 : 애기모람

| 1 | 2 | 3 | 4 | 5 | 6 | 7 | 8 | 9 | 10 | 11 | 12 |

덩굴성 나무. 줄기에서 돋은 뿌리로 나무줄기나 바위에 붙어서 자라며, 잎은 어긋난다. 꽃은 암수한그루, 잎겨드랑이에서 꽃대가 나오며, 꽃받침 안에 많은 작은 꽃이 들어 있다. 암꽃은 3~4개의 꽃덮개 조각과 1개의 암술대를 가진 씨방이 있다. 열매는 둥글고 흑자색으로 익는다.

분포·생육지 우리나라 제주도 및 남부 지방, 중국, 일본. 바닷가 산기슭에서 자란다.

약용 부위·수치 봄에 잎이 달린 줄기를 채취하고, 가을에 은화과를 따서 말린다.

약물명 줄기 및 잎을 벽여(薜荔), 열매를 목만두(木饅頭)라고 한다.

약효 벽여(薜荔)는 거풍제습(祛風除濕), 활혈통락(活血通絡), 해독소종(解毒消腫)의 효능이 있으므로 풍습비통(風濕痺痛), 좌골신경통, 사리(瀉痢), 요림(尿淋), 경폐(經閉), 산후어혈복통, 인후종통(咽喉腫痛), 타박상을 치료한다. 목만두(木饅頭)는 보신고정(補腎固精), 청열이습(淸熱利濕), 활혈통경(活血通經), 최유(催乳), 해독소종(解毒消腫)의 효능이 있으므로 신허유정(腎虛遺精), 양위(陽痿), 소변임탁(小便淋濁), 구리(久痢), 장치(腸痔), 심통(心痛)을 치료한다.

성분 열매는 rutin과 β–sitosterol, amyrin 등의 triterpene류가 함유되어 있다.

사용법 벽여 10g에 물 3컵(600mL)을 넣고 달여서 복용하고, 외용에는 짓찧어 바른다.
* 본 종에 비하여 잎이 크고 잎과 가지에 갈색 털이 없고 화낭(花囊)이 작은 '모람 *F. oxyphylla*'도 약효가 같다.

○ 목만두(木饅頭)

○ 왕모람

○ 벽여(薜荔)

○ 모람

[뽕나무과]

필관용

 습진, 칠과민   아구창

● 학명 : *Ficus virens* Ait.　● 한자명 : 筆管榕

| 1 | 2 | 3 | 4 | 5 | 6 | 7 | 8 | 9 | 10 | 11 | 12 |

❍ 필관용

상록 교목. 높이 7~15m. 잎은 어긋나며 타원형, 가죽질이고 가장자리가 밋밋하다. 꽃은 은두화서로 단생 또는 잎겨드랑이에 쌍으로 붙고 둥근 모양을 이룬다. 암술대가 성숙하여 수과로 된다.

분포 · 생육지 인도, 중국, 인도네시아, 타이, 말레이, 베트남. 숲속에서 자란다.

약용 부위 · 수치 잎을 여름에 채취하여 물에 씻은 후 잘라서 말린다.

약물명 작용엽(雀榕葉). 백미엽(白米葉)이라고도 한다.

약효 청열해독(淸熱解毒), 제습지양(除濕止痒)의 효능이 있으므로 칠과민(漆過敏), 습진, 아구창을 치료한다.

사용법 작용엽을 물에 달인 액으로 씻거나 짓찧어 바른다.

❍ 필관용(큰 줄기)

[뽕나무과]

한삼덩굴

폐열해수, 폐옹   수종   허열번갈
열림, 소변불리   피부소양   습열사리

● 학명 : *Humulus japonicus* S. et Z.　● 영명 : Japanese hop
● 한자명 : 葎草　● 별명 : 환삼덩굴

| 1 | 2 | 3 | 4 | 5 | 6 | 7 | 8 | 9 | 10 | 11 | 12 |

덩굴성 한해살이풀. 잎은 마주나고 긴 잎자루 끝에서 손바닥 모양으로 갈라진다. 꽃은 암수딴그루로 5~8월에 피고, 수꽃이삭은 원추화서로 잎겨드랑이에 피며, 수꽃은 꽃받침과 수술이 각각 5개, 암꽃이삭은 구과 모양으로 밑으로 처지고, 수과는 편구형이며 황갈색이다.

분포 · 생육지 우리나라 전역. 중국, 일본, 아무르. 들이나 낮은 산기슭에서 자란다.

약용 부위 · 수치 전초를 여름에 채취하여 썰어서 말린다. 대한민국약전외한약(생약)규격집(KHP)에 수재되어 있다.

약물명 율초(葎草). 늑초(勒草), 흑초(黑草)라고도 한다.

성상 지상부로 잎이 달린 덩굴성 줄기, 열매나 꽃이 달린 것도 있다. 전체에 거친 가시가 있다. 냄새가 특이하며 맛은 쓰다.

기미 · 귀경 한(寒), 감(甘), 고(苦) · 폐(肺), 신(腎)

약효 청열해독(淸熱解毒), 이뇨통림(利尿通淋)의 효능이 있으므로 폐열해수(肺熱咳嗽), 폐옹(肺癰), 허열번갈(虛熱煩渴), 열림(熱淋), 수종(水腫), 소변불리, 습열사리(濕熱瀉痢), 피부소양을 치료한다.

성분 율초(葎草)에는 luteolin glucoside, humulone, lupulone, vitexin, cosmosin, β-sitosterol, 7-keto-β-sitosterol, 6-β-hydroxy-4-stigmasten-3-one, 7α-hydroxy-β-sitosterol, 3-hydroxy-4,4-dimethyl-4-butyrolactone, daucosterol, (6S,9S)-roseoside, spinoside B 등이 함유되어 있다.

약리 지상부의 에탄올추출물은 포도상구균, 그람 양성균에 항균 작용이 있고, 혈중 지질을 감소시킨다. humulone의 항균력은 lupulone의 10분의 1이다.

사용법 율초 10g에 물 3컵(600mL)을 넣고 달여서 복용하고, 외용에는 짓찧어서 바른다.

❍ 한삼덩굴

❍ 율초(葎草)

❍ 한삼덩굴(열매)

[뽕나무과]

홉

	소화불량, 복창		부종, 방광염
	폐결핵, 해수		실면		마풍병

●학명 : *Humulus lupulus* L.　●영명 : Hop　●한자명 : 啤酒花, 忽布　●별명 : 호프

| 1 | 2 | 3 | 4 | 5 | 6 | 7 | 8 | 9 | 10 | 11 | 12 |

덩굴성 여러해살이풀. 오른쪽으로 감으면서 올라가고, 잎은 마주나며 3~5개로 갈라진다. 꽃은 암수딴그루, 수꽃은 원추화서로 길이 5~15cm, 꽃덮개는 5개, 수술 5개이다. 암꽃차례는 둥글고 포로 덮이며, 포는 끝이 뾰족하고 각 포액에 4개의 꽃이 들어 있다. 과수는 구과와 비슷하고, 포엽은 막질로 부풀어 없어지지 않는다.

분포·생육지 유럽 원산. 우리나라 강원도에서 주로 재배한다. 들이나 산기슭에서 자란다.

약용 부위·수치 여름과 가을에 꽃이 활짝 필 때 암꽃차례를 채취하여 말린다.

약물명 비주화(啤酒花), 홀포(忽布), 향사마(香蛇麻)라고도 한다. 대한민국약전외한약(생약)규격집(KHP)에 수재되어 있다.

기미·귀경 미량(微涼), 고(苦). 간(肝), 위(胃)

약효 비주화(啤酒花)는 건위소식(健胃消食), 이뇨안신(利尿安神), 항로소염(抗癆消炎)의 효능이 있으므로 소화불량, 복창(腹脹), 부종, 방광염, 폐결핵, 해수(咳嗽), 실면(失眠), 마풍병(麻風病)을 치료한다. 세균성 이질에 가루 내어 1회 400mg을 하루 두 번 일주일 정도 복용하여 효과를 보았다는 보고가 있다.

성상 비주화(啤酒花)는 구과로 찌그러진 방울 모양이며 막질의 포엽으로 둘러싸여 있다. 길이 2~4cm, 너비 2~3cm. 황록색~녹갈색이다. 냄새가 있고 맛은 쓰다.

성분 열매에는 알칼로이드인 humulone, lupulone 등과 flavonoid인 astragalin, isoquercetin, rutin, kaempferol, xanthohumul 등이 함유되어 있다.

약리 humulone, lupulone은 탄저균, 디프테리아균에 항균 작용이 있고, 중추 신경에 진정 작용이 있다. 열매의 열수추출물은 중추 신경에 소량에서는 진정 작용이 있고 대량에서는 최면 작용과 억제 작용이 나타난다. xanthohumul은 항산화 작용이 있다.

사용법 비주화 5g에 물 2컵(400mL)을 넣고 달여서 복용한다.

＊본 종은 채취할 때 피부염과 같은 알레르기를 일으키는 식물이기도 하다.

❶ 홉

❶ 비주화(啤酒花)

❶ 홉(열매)

[뽕나무과]

산뽕나무

	풍열감모, 폐열천해		진상구갈, 목적종통		수종각기, 풍습비통, 중풍반신불수		발열두통
	간신부족		당뇨병		수종		소변불리		실면다몽		기체풍양		혈허정휴

●학명 : *Morus bombycis* Koidz.　●한자명 : 山桑

| 1 | 2 | 3 | 4 | 5 | 6 | 7 | 8 | 9 | 10 | 11 | 12 |

낙엽 관목. 높이 7~8m. 줄기껍질은 회갈색, 잎은 어긋나며 타원형, 예리한 톱니가 있다. 잎맥에 잔털이 있고, 잎자루는 길이 1~2.5cm이다. 꽃은 암수딴그루 또는 잡가로 4~5월에 핀다. 암술대는 뽕나무와 다르게 열매가 익은 후 길게 남는다.

분포·생육지 우리나라 전역. 중국 둥베이(東北) 지방, 사할린. 산지에서 흔하게 자란다.

약용 부위·수치 뿌리는 수시로 캐어 껍질을 벗겨서 말리고, 잎은 가을에 서리가 내린 뒤 따서 말린다.

약물명 잎은 Mori bombycis Folium, 뿌리 껍질은 Mori bombycis Cortex이라고 한다.

성분 뿌리껍질에는 2,5-dihydroxy-4,3'-di(β-glucopyranosyloxy)-*trans*-stilbene, mulberrofuran I, betaine, 1-deoxynojirimycin, γ-aminobutyric acid, L-asparagine, L-arginine, L-lysine, choline 등이 함유되어 있다.

약리 70%메탄올추출물은 혈압에 관여하는 angiotensin converting enzyme의 활성을 저해한다. 2,5-dihydroxy-4,3'-di(β-glucopyranosyloxy)-*trans*-stilbene은 사염화탄소로 손상시킨 쥐의 간을 회복시키는 작용과 항산화 작용이 있다.

사용법 Mori bombycis Cortex 10g에 물 600mL를 넣고 달여서 복용한다.

＊약효는 '뽕나무'와 같다.

❶ 산뽕나무(열매)

❶ 산뽕나무

뽕나무

풍열감모, 폐열천해	진상구갈, 목적종통	수종각기, 풍습비통, 중풍반신불수	발열두통
간신부족	당뇨병	수종	소변불리	실면다몽	기체풍양	혈허정휴

●학명 : *Morus alba* L.　　●영명 : White mulberry　　●한자명 : 桑, 白桑　　●별명 : 오디나무, 새뽕나무

1	2	3	4	5	6	7	8	9	10	11	12

낙엽 교목. 높이 6~10m. 줄기껍질은 회백색, 잎은 어긋나며, 꽃은 암수딴그루, 6월에 핀다. 수꽃차례는 미상화서로 달리며, 암꽃차례는 길이 5~10mm, 암술머리는 2개, 씨방은 털이 없다. 열매는 집합과로 긴 구형이며 흑색으로 익는다.

분포 · 생육지 인도, 중국, 몽골. 우리나라 전역에서 식재하며, 산과 들에서 자란다.

약용 부위 · 수치 뿌리는 수시로 캐서 껍질을 벗겨서 말린다. 해수(咳嗽)에는 밀자(蜜炙)하거나 주침(酒浸)한 후 초(炒)하여서 사용한다. 잎은 가을에 서리가 내린 뒤 따서 말리며, 가지는 수시로 채취하여 썰어서 말리고, 열매는 초여름에 채취하여 말린다.

약물명 뿌리껍질을 상백피(桑白皮), 잎을 상엽(桑葉), 가지를 상지(桑枝), 열매를 상심자(桑椹子)라고 한다. 상백피(桑白皮)는 대한민국약전(KP)에, 상엽(桑葉), 상지(桑枝), 상심자(桑椹子)는 대한약전외한약(생약)규격집(KHP)에 수재되어 있다.

본초서 상백피(桑白皮)는 「신농본초경(神農本草經)」의 중품에 상근백피(桑根白皮)라는 이름으로 수재되어 있다. 「본초강목(本草綱目)」에는 "폐열(肺熱)을 사(瀉)하고 대소장을 도우며 기를 내리고 어혈을 푼다."고 하였다. 또 "뿌리껍질을 채취하여 조피(粗皮.

코르크층)를 벗겨서 말리면 백색이 되므로 상백피라고 한다."고 하였다. 상엽(桑葉)과 상심자(桑椹子)도 「신농본초경」에 수재되어 있다. 「동의보감(東醫寶鑑)」에 상백피는 "폐의 기능을 도와 숨이 차고 가슴이 답답한 것을 낫게 하고, 몸이 부은 것을 풀어 주며, 담을 삭이고 갈증을 푼다. 기침하면서 피를 뱉는 것을 낫게 하고, 대소장을 잘 통하게 하며, 뱃속의 벌레를 죽이고, 쇠붙이에 다친 부위를 아물게 한다."고 하였다. 또 상엽(桑葉)은 "대소장의 기능을 도우며, 상지(桑枝)는 각기병을, 상심자(桑椹子)는 당뇨병을 치료한다."고 하였다.

桑白皮

神農本草經: 主傷中, 五勞六極利水, 崩中, 脈絶, 補虛益氣.

本草綱目: 瀉肺, 降氣, 散血.

東醫寶鑑: 治肺氣喘滿 水氣浮腫 消痰止渴 去肺中水氣 利水道 治咳嗽唾血 利大小腸 殺腹藏蟲 又可縫金瘡.

桑葉

神農本草經: 除寒熱, 出汗.

本草綱目: 治勞熱咳嗽, 明目, 長髮.

東醫寶鑑: 除脚氣水種 利大小腸 下氣 除風痛.

桑枝

本草蒙筌: 利喘咳逆氣, 消焮腫毒癰.

本草備要: 利關節, 養津液, 行水祛風.

東醫寶鑑: 治一切風 療水氣脚氣 肺氣咳嗽上氣 消食利小便 治臂痛 療口乾.

桑椹子

新修本草: 單式, 主消渴.

本草綱目: 搗汁飮, 解酒中毒. 釀酒服, 利水氣, 消腫.

東醫寶鑑: 主消渴利三藏 久服不飢.

성상 상백피(桑白皮)는 관상, 반관상 또는 띠 모양을 이루며 두께 2~5mm로 가끔 가늘게 세로로 잘라져 있다. 표면은 황갈색을 띠며, 주피가 붙어 있는 것은 황갈색이고 떨어지기 쉬우며 가는 세로 주름이 있고 적갈색의 피목이 있다. 특이한 냄새가 있고 맛은 거의 없다. 상엽(桑葉)은 타원형으로 길이 10~15cm, 너비 5~10cm이며 잎 끝은 뾰족하고 잎자루가 붙은 기부는 심장형이다. 가장자리에는 거치가 있으며 불규칙하게 갈라진 것도 있다. 윗면은 황록색이며, 아랫면은 잎맥이 돌출하였고 그 위에 털이 있다. 냄새는 거의 없으며 맛은 약간 쓰고 떫다. 상지(桑枝)는 어린 가지로 긴 원기둥 모양이며 길이가 일정하지 않다. 표면은 회황색~황갈색, 껍질눈과 잎자루의 흔적이 있다. 절편의 횡단면을 보면 피층은 얇고 목부가 대부분이며 가운데에 수(髓)가 있다. 냄새는 없고 맛은 담담하다. 상심자(桑椹子)는 미성숙과로 수과가 밀집한 취과이며 원주형이고 길이 2cm, 지름 0.6cm 정도이다. 표면은 황자색을 띠며 짧은 열매 자루가 있다. 냄새는 약간 나고 맛은 시며 달다.

기미 · 귀경 상백피(桑白皮): 한(寒), (甘), 신(辛) · 폐(肺), 비(脾). 상엽(桑葉): 한(寒), (苦), 감(甘) · 폐(肺), 간(肝). 상지(桑枝): 평(平), (苦) · 간(肝). 상심자(桑椹子): 한(寒), (甘), 산(酸) · 간(肝), 신(腎)

약효 상백피(桑白皮)는 사폐평천(瀉肺平喘), 이수소종(利水消腫)의 효능이 있으므로 폐열천해(肺熱喘咳), 수음정폐(水飮停肺), 창만천급(脹滿喘急), 수종(水腫), 각기, 소변불리(小便不利)를 치료한다. 상엽(桑葉)은 소산풍열(疏散風熱), 청폐(淸肺), 명목(明目)의 효능이 있으므로 풍열감모(風熱感冒), 풍온초기(風溫初起), 발열두통(發熱頭痛), 한출오풍(汗出惡風), 해수흉통(咳嗽胸痛), 폐조간해무담(肺燥乾咳無痰), 인간구갈(咽干口渴), 풍열급간양상요(風熱及肝陽上擾), 목적종통(目赤腫痛)을 치료한다. 상지(桑枝)는 거풍습(祛風濕), 통경락(通經絡), 행수기(行水氣)의 효능이 있으므로 풍습비통(風濕痺痛), 중풍반신불수(中風半身不隨), 수종각기

❍ 뽕나무

(水腫脚氣), 기체풍양(肌體風痒)을 치료한다. 상심자(桑椹子)는 자양양혈(滋陽養血), 생진(生津), 윤장(潤腸)의 효능이 있으므로 간신부족(肝腎不足)과 혈허정휴(血虛精虧)에 의한 두훈목현(頭暈目眩), 요산이명(腰酸耳鳴), 수발조백(鬚髮早白), 실면다몽(失眠多夢), 진상구갈(津傷口渴), 당뇨병, 장조변비(腸燥便秘)를 치료한다.

성분 상백피(桑白皮)는 coumarone계 성분으로 umbelliferone, scopoletin 등과, flavonoid계 성분으로 morusin (mulberrochromene), mulberrin (kuwanon C), cyclomorusin (cyclomulberochromene), moracin P, moracin O, morusinol (oxydihydromorusin), kuwanon A~F, kuwanon G (albanin F, moracenin B), kuwanon H (albanin G, moracetin A), kuwanon I~L, V, sanggenone A~P, moracenin C~D, cudraflavone B 등, stilbene계 성분으로 kuwanon P, Y, Z, oxyresveratrol, piceatannol 등, benzofuran계 성분으로 mulberrofuran A, B, E, M~Q, albanol B, albafuran A~C, A~m. dimoracin, chalcomoracin 등이 함유되어 있다. 상엽(桑葉)은 flavonoid 성분으로 rutin, quercetin, isoquercetin, moracetin, kuwanon G, H, sanggenone C, D, mulberrofuran C, oxyresverol, 7,2′,4′-trihydroxy-flavanone, 2′,4′,2,4-tetrahydroxychalcone,

moracinoside M 등과, 곤충 변태 호르몬인 inokosterone, ecdysterone 등이 함유되어 있다. 상지(桑枝)는 β-sitosterol, 6-geranylapigenin, 6-geranylnorartocarpetin, ursolic acid, daucosterol, resveratrol, oxyresveratrol, quercetin, scopolin 등이 함유되어 있다.

약리 상백피(桑白皮): 열수추출물과 부탄올추출물은 설치류와 개에 항경련, 이뇨, 진해, 항부종, 진정, 혈압 강하 작용을 나타낸다. kuwanon G, H, sanggenone C, D, mulberrofuran C에는 혈압 강하 작용이 강하며, saggenone C와 D는 저혈압을 일으키기도 한다. oxyresverol은 nushroom tyrosinase의 활성을 억제한다. 열수추출물 및 에탄올추출물을 토끼에게 경구 투여하면 혈당이 처음에는 올라가지만 약 6시간 후부터는 현저하게 떨어진다. morin은 약물들에 의한 신장 독성을 방어하는 효과가 있다. oxyresverol, 7,2′,4′-trihydroxyflavanone, 2′,4′,2,4-tetrahydroxychalcone, moracinoside M은 melanin 합성에 관여하는 tyrosinase의 활성을 저해한다. moracin P, moracin O 및 mulberrofuran Q는 항산화 작용이 있다.

• 상엽(桑葉): 열수추출물은 alloxan으로 처리한 당뇨 쥐에 투여하면 혈당을 떨어지게 하고, 잎의 주사액은 용혈 반응이나 알레르기를 일으키지 않는다. 뿌리껍질은 토

끼에게 투여하면 이뇨 작용이 있고, 달인 액을 토끼에게 투여하면 혈압이 하강되고, 또 쥐에 진정 작용이 있다.

• 상지(桑枝): 메탄올추출물 및 quercetin, resveratrol, oxyresveratrol, 6-geranylapigenin은 항산화 작용을 나타낸다.

사용법 상백피, 상엽, 상지, 상심자 각각 10g에 물 3컵(600mL)을 넣고 달여서 복용한다.

주의 상백피(桑白皮)는 감한(甘寒)하므로 폐한해천(肺寒咳喘)에는 피한다.

처방 상백피탕(桑白皮湯): 상백피(桑白皮) 8g, 복령(茯苓)·인삼(人蔘)·맥문동(麥門冬)·갈근(葛根)·산약(山藥)·계피(桂皮) 각 4g 『동의보감(東醫寶鑑)』. 갈증이 심한 증상을 치료한다.

• 상백피산(桑白皮散): 황금(黃芩)·동규자(冬葵子)·견우자(牽牛子) 각 40g, 구맥(瞿麥)·진피(陳皮) 각 20g, 상백피(桑白皮) 12g 『향약집성방(鄕藥集成方)』. 갑자기 오줌이 방울방울 떨어지며 잘 나가지 않는 증상을 치료한다.

• 오호탕(五虎湯): 마황(麻黃) 12g, 석고(石膏) 20g, 행인(杏仁) 8g, 상백피(桑白皮) 6g, 감초(甘草) 4g, 세차(細茶) 1숟갈 『동의보감(東醫寶鑑)』. 기침과 가래가 심한 증상에 사용한다.

• 상국음(桑菊飮): 상엽(桑葉) 16g, 국화(菊花)·연교(連翹)·행인(杏仁)·길경(桔梗) 각 12g, 박하(薄荷) 6g, 노근(蘆根) 20g, 감초(甘草) 4g 『온병조변(溫病條辨)』. 감기, 인플루엔자, 기관지염, 폐렴, 백일해 등으로 표열(表熱)하는 증상에 사용한다.

❍ 상백피(桑白皮)

❍ 상심자(桑椹子)

❍ 상엽(桑葉)

❍ 상지(桑枝, 국내산)

❍ 뽕나무(열매)

❍ 상엽, 연교, 국화, 행인, 소엽으로 만든 감기 치료약

❍ 상엽차(桑葉茶)

❍ 뽕나무 열매로 만든 식초

[뽕나무과]

검은뽕나무

👁 인후염 　　　👥 음위

- 학명 : *Morus nigra* L. ● 영명 : Mulberry
- 한자명 : 黑桑

| 1 | 2 | 3 | 4 | 5 | 6 | 7 | 8 | 9 | 10 | 11 | 12 |

낙엽 교목. 높이 20m 정도. 잎은 어긋나며 타원형, 가죽질, 가장자리에 톱니가 있다. 수꽃은 미상화서, 암꽃은 원통형을 이룬다. 열매는 흑색으로 익는다.

분포·생육지 그리스를 비롯한 지중해 지역, 북아메리카, 유럽. 산과 들에서 자란다.

약용 부위·수치 잎을 여름에 채취하여 물에 씻은 후 잘라서 말린다.

약물명 Mori Nigrae Folium

약효 청열해독, 강장의 효능이 있으므로 인후염과 음위(陰痿)를 치료한다.

사용법 Mori Nigrae Folium 3g을 뜨거운 물로 우려내어 복용한다.

❂ 검은뽕나무(열매)

❂ 검은뽕나무

[쐐기풀과]

왜모시풀

🫁 풍열감모 　　　🦵 풍습비통, 골절

🗂 마진, 옹종, 독사교상, 피부소양, 개창, 타박상

- 학명 : *Boehmeria longispica* Steud. [*B. grandifolia*]
- 한자명 : 長葉苧麻 ● 별명 : 개모시

| 1 | 2 | 3 | 4 | 5 | 6 | 7 | 8 | 9 | 10 | 11 | 12 |

여러해살이풀. 높이 80~100cm. 윗부분에 짧은 털이 모여나며, 잎은 마주나고 달걀 모양, 위로 올라갈수록 가장자리의 톱니가 점차 커진다. 꽃은 담녹색, 암수한그루로 7~9월에 수상화서로 피고 밑부분에 수꽃이삭, 윗부분에 암꽃이삭이 달린다.

분포·생육지 우리나라 중부 이남. 중국, 일본. 산과 들에서 자란다.

약용 부위·수치 전초를 여름과 가을에 채취하여 물에 씻은 뒤 썰어서 말린다.

약물명 수화마(水禾麻), 대수마(大水麻), 야정마(野苧麻)라고도 한다.

약효 청열거풍(淸熱祛風), 해독살충, 화어소종(化瘀消腫)의 효능이 있으므로 풍열감모(風熱感冒), 마진(麻疹), 옹종(癰腫), 독사교상, 피부소양, 개창(疥瘡), 풍습비통(風濕痺痛), 타박상, 골절을 치료한다.

사용법 수화마 10g에 물 3컵(600mL)을 넣고 달여서 복용하고, 외용에는 짓찧어 낸 즙액을 바른다.

❂ 왜모시풀

❂ 수화마(水禾麻)

섬모시풀

👁 제골경후

● 학명 : *Boehmeria nipononivea* Koidzumi ● 별명 : 제주긴잎모시풀

| 1 | 2 | 3 | 4 | 5 | 6 | 7 | 8 | 9 | 10 | 11 | 12 |

🌿 🍃 🌾 🌿 🔥 ✿ ❀ ❄ 🌾 💧

❶ 복모저마(伏毛苧麻)

여러해살이풀. 높이 2m 정도. 한 포기에서 여러 개의 원줄기가 나오며 잎자루와 더불어 짧은 털이 빽빽이 난다. 잎은 어긋나고 달걀 모양, 끝이 꼬리 모양이다. 꽃은 1가화로 8~9월에 잎겨드랑이에 원추화서로 달리고 윗부분에 암꽃차례, 아랫부분에 수꽃차례가 있다.

분포 · 생육지 우리나라 홍도, 흑산도, 제주도. 중국, 일본. 산과 들에서 자란다.

약용 부위 · 수치 뿌리를 봄부터 가을까지 채취하여 물에 씻은 뒤 썰어서 말린다.

약물명 복모저마(伏毛苧麻)

약효 화어소종(化瘀消腫)의 효능이 있으므로 제골경후(諸骨鯁喉)를 치료한다.

사용법 복모저마 10g에 물 3컵(600mL)을 넣고 달여서 복용하고, 달인 액으로 목 안을 헹군다.

❶ 섬모시풀

모시풀

👁 육혈 🤰 토혈 🫁 객혈 📦 단독, 창종, 습진
♀ 붕루, 태동불안, 유옹 👫 요혈, 탈항불수

● 학명 : *Boehmeria nivea* (L.) Gaudich. ● 한자명 : 苧麻 ● 별명 : 모시, 남모시풀

| 1 | 2 | 3 | 4 | 5 | 6 | 7 | 8 | 9 | 10 | 11 | 12 |

🌿 🍃 🌾 🌿 🔥 ✿ ❀ ❄ 🌾 💧

여러해살이풀. 높이 1~2m. 줄기는 모여나고, 뿌리는 목질이다. 잎은 어긋나고, 꽃은 7~8월에 피며 원줄기 밑부분에 수꽃이삭, 윗부분에 암꽃이삭이 달린다. 열매는 길이 1mm 정도로 여러 개가 함께 붙어 있다.

분포 · 생육지 중국, 일본 및 아시아. 우리나라에서는 섬유 자원으로 재배하며, 야생으로 퍼져 나가고 있다.

약용 부위 · 수치 뿌리는 겨울부터 다음해 봄까지 채취하여 물에 씻은 후 말리고, 잎은 수시로 채취하여 말린다.

약물명 뿌리를 저마근(苧麻根)이라고 하며, 저근(苧根), 야저근(野苧根)이라고 한다. 잎을 저마엽(苧麻葉)이라고 한다. 저마근은 대한민국약전외한약(생약)규격집(KHP)에 수재되어 있다.

본초서 저마근(苧麻根)은 「명의별록(名醫別錄)」에 처음 수재되어 "소아 적단(赤丹)을 치료하고 그 지즙(漬汁)은 갈증을 없앤다."고 하였다. 「동의보감(東醫寶鑑)」에는 저근이라는 이름으로 등재되어 "소아 적단(赤丹), 독성이 있는 종기를 없애고 임신 기간 중 아랫배에 통증 없이 자궁출혈이 조금씩 있는 증상, 출산 전후에 열이 나고 답답

한 것을 치료한다. 오림과 유행성 열병으로 몹시 갈증이 나면서 미쳐 날뛰는 것을 낫게 하며, 독화살과 독충에 의한 상처에 붙이면 효과가 있다."고 하였다.

名醫別錄: 主小兒赤丹 其漬汁療渴

東醫寶鑑: 主小兒赤丹 毒腫 婦人漏胎下血 產前後心熱煩悶

성상 저마근(苧麻根)은 불규칙한 원기둥 모양이고 구부러져 있다. 표면은 회갈색이고 매우 거칠며 세로 주름과 잔뿌리의 흔적이 있다. 횡단면은 가루질이며 약간 엉성하다. 냄새는 거의 없고 맛은 담담하나 씹으면 끈적거리는 느낌이 있다.

기미 · 귀경 저마근(苧麻根): 한(寒), 감(甘) · 간(肝), 심(心). 저마엽(苧麻葉): 한(寒), 고(苦), 감(甘) · 간(肝), 심(心)

약효 저마근(苧麻根)은 양혈지혈(涼血止血), 청열안태(淸熱安胎), 이뇨, 해독의 효능이 있으므로 객혈, 토혈, 육혈(衄血), 변혈, 붕루(崩漏), 태동불안(胎動不安)을 치료한다. 저마엽(苧麻葉)은 양혈지혈(涼血止血), 산어소종(散瘀消腫), 해독의 효능이 있으므로 객혈, 토혈, 요혈, 월경과다, 탈항불수(脫肛不收), 단독, 창종(瘡腫), 유옹(乳

癰), 습진, 독사교상을 치료한다.

성분 저마엽(苧麻葉)은 rutin, kiwiionoside, uracil, 3-hydroxy-4-methoxy-benzoic acid, cholesterol, α-amyrin, nonacosanol, emodin, emodin-8-*O*-β-glucoside, physcion, polydatin, catechin, epicatechin gallate 등이 함유되어 있다.

약리 저마근(苧麻根)을 물로 달인 액은 지혈 작용이 있다.

사용법 저마근 또는 저마엽 각각 10g에 물 3컵(600mL)을 넣고 달여서 복용하고, 외용에는 짓찧어 바른다.

❶ 모시풀

❶ 저마근(苧麻根)

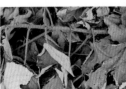
❶ 저마엽(苧麻葉)

개모시풀

	요혈		변혈
	종독창양		객혈

● 학명 : *Boehmeria platanifolia* Franch. et Sav. [*B. tricuspis*, *Boehmeria platanifolia* var. *tricuspis*] ● 한자명 : 木葉苧麻 ● 별명 : 좀모시풀

1	2	3	4	5	6	7	8	9	10	11	12

여러해살이풀. 높이 1m 정도. 줄기에 능선이 있고 털이 빽빽이 난다. 잎은 마주나고 타원형, 위로 올라갈수록 톱니가 커진다. 꽃은 암수한그루로 연한 녹색, 7~8월에 잎겨드랑이에서 수상화서로 피며 밑부분에 수꽃이삭, 윗부분에 암꽃이삭이 달린다.

분포 · 생육지 우리나라 중부 이남. 중국, 일본. 산기슭이나 골짜기에서 자란다.

약용 부위 · 수치 지상부를 여름과 가을에 채취하여 물에 씻은 뒤 썰어서 말린다.

약물명 적마(赤麻)

약효 수렴지혈(收斂止血), 청열해독(淸熱解毒)의 효능이 있으므로 객혈, 요혈, 변혈, 종독창양(腫毒瘡瘍)을 치료한다.

사용법 적마 10g에 물 3컵(600mL)을 넣고 달여서 복용하고, 외용에는 짓찧어 낸 즙액을 바른다.

● 적마(赤麻)

● 개모시풀

좀깨잎나무

	수종복창		마진, 타박상
	치창종통		

● 학명 : *Boehmeria spicata* Thunb.
● 한자명 : 小赤麻 ● 별명 : 새끼거북꼬리, 좀깨잎풀, 점거북꼬리

1	2	3	4	5	6	7	8	9	10	11	12

낙엽 활엽 반관목. 높이 1m 정도. 줄기는 가지가 많고 붉은빛이 돈다. 잎은 마주나고, 꽃은 7~8월에 잎겨드랑이에서 피며, 수꽃은 4개씩 꽃덮개와 수술이 있고, 암꽃은 여러 개가 모여서 한군데에 달린다. 열매는 도란형, 여러 개가 모여 달리므로 둥글게 보인다.

분포 · 생육지 우리나라 전역. 중국, 일본. 산골짜기에서 자란다.

약용 부위 · 수치 지상부(줄기, 잎)는 여름에, 뿌리는 가을에 채취하여 물에 씻어 썰어서 말린다.

약물명 지상부를 소적마(小赤麻), 뿌리를 소적마근(小赤麻根)이라고 한다.

약효 소적마(小赤麻)는 이수소종(利水消腫), 해독투진(解毒透疹)의 효능이 있으므로 수종복창(水腫腹脹), 마진(麻疹)을 치료한다. 소적마근(小赤麻根)은 활혈소종(活血消腫), 지통(止痛)의 효능이 있으므로 타박상, 치창종통(痔瘡腫痛)을 치료한다.

사용법 소적마 또는 소적마근 10g에 물 3컵(600mL)을 넣고 달여서 복용하고, 외용에는 짓찧어 바른다.

● 소적마근(小赤麻根)

● 소적마(小赤麻)   ● 좀깨잎나무

[쐐기풀과]

거북꼬리

 타박상, 절종　　♀ 태루하혈

치창종통

● 학명 : *Boehmeria tricuspis* (Hance) Makino
● 한자명 : 山麻　● 별명 : 큰거북꼬리

| 1 | 2 | 3 | 4 | 5 | 6 | 7 | 8 | 9 | 10 | 11 | 12 |

여러해살이풀. 높이 1m 정도. 줄기는 여러 개가 모여나고 네모지며 붉은빛이 돈다. 잎은 마주나고 끝부분이 3개로 갈라지며 3출맥이 뚜렷하다. 꽃은 암수한그루로 7~8월에 잎겨드랑이에 달린다. 수꽃은 4~5개의 수술이 있으며, 암꽃은 여러 개가 모여 달리고 통형의 꽃받침으로 싸여 있으며, 암술대는 1개이다. 열매는 달걀 모양이다.

분포·생육지 우리나라 전역. 일본, 중국 등 베이(東北) 지방. 산골짜기나 그늘진 곳에서 자란다.

약용 부위·수치 뿌리를 가을에 채취하여 말린다.

약물명 산마근(山麻根). 동북저마(東北苧麻)라고도 한다.

약효 활혈지혈(活血止血), 해독소종(解毒消腫)의 효능이 있으므로 타박상, 태루하혈(胎漏下血), 치창종통(痔瘡腫痛), 절종(癤腫)을 치료한다.

성분 emodin, physcion, daucosterol, behen-

ic acid, ursolic acid 등이 함유되어 있다.

사용법 산마근 10g에 물 3컵(600mL)을 넣고 달여서 복용하고, 외용에는 짓찧어 바른다.

＊ 잎 끝이 3개로 완전히 갈라지지 않고 꼬리처럼 뾰족하며 줄기 속이 비어 있는 '풀거북꼬리 var. *unicuspis*'도 약효가 같다.

○ 산마근(山麻根)

○ 거북꼬리

[쐐기풀과]

큰쐐기풀

 풍습비통　 당뇨병　복통

단독, 부스럼, 독사교상

● 학명 : *Girardinia cuspidata* Wedd.　● 한자명 : 蝎子草

| 1 | 2 | 3 | 4 | 5 | 6 | 7 | 8 | 9 | 10 | 11 | 12 |

여러해살이풀. 높이 50~80cm. 줄기와 잎에 쐐기털이 있다. 잎은 어긋나며 가장자리에 톱니가 있다. 꽃은 암수한그루로 녹색, 7~8월에 잎겨드랑이에서 수상화서로 피고, 윗부분에서 나온 꽃차례에는 암꽃, 밑부분에서 나온 꽃차례에는 수꽃이 달린다. 수꽃은 5개로 갈라지며, 수술이 4~5개, 암꽃은 꽃덮개 2개와 1개의 암술이 있다.

분포·생육지 우리나라 백두산, 북부 지방 및 중부 지방. 중국, 일본. 숲 가장자리에서 자란다.

약용 부위·수치 전초를 여름에 채취하여 말린다.

약물명 갈자초(蝎子草). 홍곽모초(紅藿毛草), 화마초(火麻草)라고도 한다.

약효 지통의 효능이 있으므로 풍습비통(風濕痺痛), 복통, 당뇨병, 단독, 부스럼, 독충이나 뱀에 물린 상처를 치료한다.

성분 emodin, physcion, daucosterol, behenic acid, ursolic acid 등이 함유되어 있다.

약리 물에 달인 액은 혈액 응고를 방지하

고, 진통 작용이 있다.

사용법 갈자초 10g에 물 3컵(600mL)을 넣고 달여서 복용하고, 외용에는 짓찧어 바른다.

＊ 쐐기풀속(*Urtica*)에 비하여 자모(刺毛)가 크고 잎에 3개의 맥이 뚜렷하며 턱잎이 없다.

○ 갈자초(蝎子草)

○ 큰쐐기풀

나미단

♀ 유옹	♨ 이질, 소화불량
▭ 종독	

● 학명 : *Gonostegia hirta* (Bl.) Miq. [*Urtica hirta, Memorialis hirta*] ● 한자명 : 糯米團

| 1 | 2 | 3 | 4 | 5 | 6 | 7 | 8 | 9 | 10 | 11 | 12 |

여러해살이풀. 줄기는 비스듬히 자라며 갈색이다. 잎은 마주나며 3개의 맥이 있고 가장자리는 밋밋하다. 꽃은 암수한그루로 7~9월에 잎겨드랑이에 모여 핀다. 수과는 달걀 모양이며 길이 1mm 정도로 흑색이다.

분포·생육지 중국, 티베트. 숲 가장자리에서 자란다.

약용 부위·수치 전초를 여름에 채취하여 물에 씻은 후 썰어서 말린다.

약물명 나미등(糯米藤), 나미채(糯米菜)라고도 한다.

약효 청열해독(淸熱解毒), 건비소적(健脾消積), 이습소종(利濕消腫)의 효능이 있으므로 유옹(乳癰), 종독(腫毒), 이질, 소화불량을 치료한다.

사용법 나미등 10g에 물 3컵(600mL)을 넣고 달여서 복용한다.

✪ 나미단

혹쐐기풀

🦵 풍습비통, 골절동통	👁 지체마목
▭ 타박상	♀ 월경부조 🫘 신염수종

● 학명 : *Laportea bulbifera* (S. et Z.) Weddell
● 한자명 : 珠芽艾麻, 野綠麻 ● 별명 : 알쐐기풀

| 1 | 2 | 3 | 4 | 5 | 6 | 7 | 8 | 9 | 10 | 11 | 12 |

✪ 야록마근(野綠麻根)

여러해살이풀. 높이 70cm 정도. 줄기는 곧게 서고 잎겨드랑이에 살눈이 있다. 잎은 어긋나고 가장자리에 톱니가 있다. 꽃은 암수한그루로 녹색, 7~8월에 각 잎겨드랑이에서 수상화서가 2개씩 나온다.

분포·생육지 우리나라 전역. 중국, 일본, 우수리. 산지 숲속에서 자란다.

약용 부위·수치 뿌리를 가을에 채취하여 물에 씻어서 말린다.

약물명 야록마근(野綠麻根). 목단삼칠(牧丹三七), 홍화마근(紅禾麻根)이라고도 한다.

약효 거풍제습(祛風除濕), 활혈지통(活血止痛)의 효능이 있으므로 풍습비통(風濕痺痛), 지체마목(肢體麻木), 타박상, 골절동통, 월경부조, 신염수종(腎炎水腫)을 치료한다.

사용법 야록마근 10g에 물 3컵(600mL)을 넣고 달이거나 술에 담가서 복용한다.

✪ 야록마근(野綠麻根)으로 만든 풍습비통 약

✪ 살눈   ✪ 혹쐐기풀

나도물통이

황달　폐결핵해혈
조열　치창

● 학명 : *Nanocnide japonica* Blume　● 한자명 : 花點草

| 1 | 2 | 3 | 4 | 5 | 6 | 7 | 8 | 9 | 10 | 11 | 12 |

여러해살이풀. 높이 10~15cm. 옆으로 벋는 가지가 있고, 잎은 어긋나고 넓은 달걀 모양, 끝이 둔하며 가장자리에 둔한 톱니가 있다. 꽃은 4~5월에 피고 연한 녹색, 수꽃 이삭은 잎겨드랑이에서 나와 길게 자라며, 암꽃이삭은 윗부분 잎겨드랑이에서 나오고, 열매는 타원형이다.

분포 · 생육지 우리나라 제주도, 내장산, 백양산, 함남, 함북. 중국, 일본, 유럽. 산과 들의 양지에서 자란다.

약용 부위 · 수치 전초를 가을부터 겨울까지 채취하여 말린다.

약물명 유유초(幼油草). 일본화점초(日本花點草)라고도 한다.

약효 청열해독(淸熱解毒), 지해, 지혈의 효능이 있으므로 황달, 폐결핵해혈, 조열(潮熱), 치창(痔瘡)을 치료한다.

사용법 유유초 10g에 물 3컵(600mL)을 넣고 달여서 복용하거나 술에 담가서 복용한다.

❂ 유유초(幼油草)

❂ 유유초(幼油草)

❂ 나도물통이

바위모시

감모발열　아통
마진불투

● 학명 : *Oreocnide fruticosa* (Thunb.) Miq. [*Villebrunea frutescens*]
● 한자명 : 紫麻　● 별명 : 비양나무, 비양목

| 1 | 2 | 3 | 4 | 5 | 6 | 7 | 8 | 9 | 10 | 11 | 12 |

낙엽 관목. 높이 2m 정도. 전체에 거친 털이 있다. 잎은 어긋나고 타원형, 끝이 꼬리처럼 뾰족하고 가장자리에 톱니가 있다. 꽃은 암수딴그루로 잎겨드랑이에 달린다. 수과는 육질의 꽃덮개에 싸인다.

분포 · 생육지 우리나라 제주도(비양도). 중국, 일본, 히말라야. 산지에서 자란다.

약용 부위 · 수치 전초를 여름에 채취하여 물에 씻어서 말린다.

약물명 자마(紫麻). 소엽마(小葉麻)라고도 한다.

약효 청열해독(淸熱解毒), 행기활혈(行氣活血), 투진(透疹)의 효능이 있으므로 감모발열(感冒發熱), 아통(牙痛), 마진불투(麻疹不透)를 치료한다.

사용법 자마 30g에 물 4컵(800mL)을 넣고 달여서 복용한다.

❂ 바위모시(암꽃)

❂ 바위모시(수꽃)

❂ 바위모시

[쐐기풀과]

서양물통이

방광염, 신우염

●학명 : *Parietaria judaica* L. [*P. diffusa*] ●영명 : Spreading pellitory

| 1 | 2 | 3 | 4 | 5 | 6 | 7 | 8 | 9 | 10 | 11 | 12 |

○ 서양물통이(꽃)

여러해살이풀. 높이 30~40cm. 전체에 털이 있고 줄기는 붉은색이 돈다. 잎은 어긋나고 타원형, 끝이 뾰족하고 가장자리에 톱니가 없다. 꽃은 연한 녹색으로 암수한그루, 잎겨드랑이에 달린다.

분포 · 생육지 유럽, 북아프리카, 브라질, 아르헨티나. 산이나 들에서 자란다.

약용 부위 · 수치 전초를 여름에 채취하여 물에 씻어서 말린다.

약물명 Parietariae Herba

약효 진정, 해열의 효능이 있으므로 방광염, 신우염을 치료한다.

사용법 Parietariae Herba 10g에 물 3컵(600mL)을 넣고 달여서 복용한다.

○ 서양물통이

[쐐기풀과]

약물통이

관절동통, 류머티즘, 통풍

신장염   수포진

●학명 : *Parietaria officinalis* L. ●영명 : Pellitory of the well

| 1 | 2 | 3 | 4 | 5 | 6 | 7 | 8 | 9 | 10 | 11 | 12 |

○ 약물통이(잎)

한해살이풀. 높이 30~40cm. 전체에 털이 없고 원줄기는 곧게 자라며 물기가 많다. 잎은 어긋나고 타원형, 끝이 뾰족하고 가장자리에 톱니가 있으며, 턱잎은 없다. 꽃은 연한 녹색, 암수한그루로 잎겨드랑이에 달린다.

분포 · 생육지 말레이시아, 브라질, 아르헨티나. 산속 습지에서 자란다.

약용 부위 · 수치 전초를 여름에 채취하여 물에 씻어서 말린다.

약물명 Parietariae Herba

약효 정혈(淨血)의 효능이 있으므로 관절동통, 신장염, 류머티즘, 통풍, 수포진을 치료한다.

사용법 Parietariae Herba 10g에 물 3컵(600mL)을 넣고 달여서 복용하고, 외용에는 짓찧어 바른다.

○ 약물통이

펠리온나무

황달 · 폐결핵해혈 · 조열 · 치창

● 학명 : *Pellionia scabra* Benth.　● 한자명 : 蔓赤車

| 1 | 2 | 3 | 4 | 5 | 6 | 7 | 8 | 9 | 10 | 11 | 12 |

❂ 펠리온나무(수꽃)

❂ 펠리온나무(암꽃)

여러해살이풀. 높이 10~15cm. 옆으로 벋는 가지가 있고, 잎은 어긋나며 넓은 달걀 모양, 끝이 둔하고 가장자리에 둔한 톱니가 있다. 꽃은 4~5월에 피고 연한 녹색, 수꽃 이삭은 잎겨드랑이에서 나와 길게 자라며, 암꽃이삭은 윗부분의 잎겨드랑이에서 나온다. 열매는 타원형이다.

분포 · 생육지 우리나라 제주도, 내장산, 백양산, 함남, 함북. 중국, 유럽. 산과 들의 양지에서 자란다.

약용 부위 · 수치 전초를 가을부터 겨울까지 채취하여 말린다.

약물명 만적차(蔓赤車), 모적차(毛赤車)라고도 한다.

약효 청열해독(淸熱解毒), 지해, 지혈의 효능이 있으므로 황달, 폐결핵해혈(肺結核咳血), 조열(潮熱), 치창(痔瘡)을 치료한다.

사용법 만적차 20g에 물 3컵(600mL)을 넣고 달여서 복용한다.

❂ 펠리온나무

산물통이

소변임통, 요혈 · 인후통

● 학명 : *Pilea japonica* (Maxim.) Handel–Mazzetti　● 한자명 : 山冷水花　● 별명 : 산물통

| 1 | 2 | 3 | 4 | 5 | 6 | 7 | 8 | 9 | 10 | 11 | 12 |

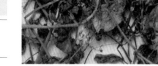
❂ 태수화(苔水花)

한해살이풀. 높이 10~30cm. 전체에 털이 없다. 잎은 마주나고 타원형, 잎의 윗부분에는 굵은 톱니가 있다. 꽃은 암수한그루로 녹색, 7~8월에 취산화서로 뭉쳐 달린다. 열매는 수과로 납작한 달걀형이다.

분포 · 생육지 우리나라 중부 이남. 중국, 일본, 타이완, 우수리. 산속 음지에서 자란다.

약용 부위 · 수치 전초를 여름과 가을에 채취하여 물에 씻어서 말린다.

약물명 태수화(苔水花), 일본냉수화(日本冷水花)라고도 한다.

약효 청열해독(淸熱解毒), 이수통림(利水通淋), 지혈의 효능이 있으므로 소변임통(小便淋痛), 요혈, 인후통을 치료한다.

사용법 태수화 10g에 물 3컵(600mL)을 넣고 달여서 복용한다.

❂ 산물통이

[쐐기풀과]

모시물통이

| 요로감염, 급성신염 | 타박상, 종독 |
| 자궁내막염, 자궁탈수, 적백대하 |

● 학명 : *Pilea mongolica* Wedd.
● 한자명 : 透莖冷水花 ● 별명 : 푸른물통이, 푸른물풍뎅이

| 1 | 2 | 3 | 4 | 5 | 6 | 7 | 8 | 9 | 10 | 11 | 12 |

한해살이풀. 높이 30~50cm. 전체에 털이 없고, 원줄기는 곧게 자라며 물기가 많다. 잎은 짙은 녹색, 타원형, 끝이 뾰족하고 가장자리에 톱니가 있다. 꽃은 연한 녹색, 암수한그루로 7~8월에 잎겨드랑이에 달린다. 수꽃은 꽃덮개가 2개, 수술이 2개이고, 암술머리는 붓털 모양이며, 헛수술은 3개이다. 열매는 납작한 달걀형이며 갈색 점이 있다.

분포 · 생육지 우리나라 전역, 중국, 일본, 몽골, 아무르, 우수리. 산속 습지에서 자란다.

약용 부위 · 수치 전초를 가을부터 겨울까지 채취하여 물에 씻어서 말린다.

약물명 투경냉수화(透莖冷水花), 미두(美豆), 직저마(直苧麻)라고도 한다.

약효 청열(清熱), 이뇨, 해독의 효능이 있으므로 요로감염, 급성신염, 자궁내막염, 자궁탈수(子宮脫垂), 적백대하(赤白帶下), 타박상, 종독을 치료한다.

사용법 투경냉수화 15g에 물 3컵(600mL)을 넣고 달여서 복용하고, 외용에는 짓찧어 바른다.

● 투경냉수화(透莖冷水花)

● 모시물통이

[쐐기풀과]

물통이

| 폐열해수, 폐결핵 | 신염수종 |
| 타박상, 창절종독 |

● 학명 : *Pilea peploides* Hooker et Arnott
● 한자명 : 石油菜 ● 별명 : 물풍뎅이, 물퉁이

| 1 | 2 | 3 | 4 | 5 | 6 | 7 | 8 | 9 | 10 | 11 | 12 |

한해살이풀. 높이 5~10cm. 잎은 마주나며 원형, 3맥이 있다. 꽃은 암수한그루로 녹색, 7~8월에 잎겨드랑이에 뭉쳐 달리며, 암꽃이 수꽃보다 많고 섞여 있다. 수꽃은 꽃덮개가 4개로 갈라지며 4개의 수술이 있고, 암꽃은 꽃덮개가 3개로 갈라진다. 열매는 납작한 달걀형이며 연한 갈색이다.

분포 · 생육지 우리나라 전역, 중국, 일본, 타이완, 인도, 하와이, 말레이시아. 산속 습지에서 자란다.

약용 부위 · 수치 전초를 가을부터 겨울까지 채취하여 물에 씻어서 말린다.

약물명 석유채(石油菜), 석양채(石凉菜), 좌진초(坐鎭草)라고도 한다.

기미 · 귀경 양(涼), 고(苦) · 폐(肺), 비(脾)

약효 청폐지해(清肺止咳), 이수소종(利水消腫), 해독지통(解毒止痛)의 효능이 있으므로 폐열해수(肺熱咳嗽), 폐결핵, 신염수종(腎炎水腫), 타박상, 창절종독(瘡癤腫毒)을 치료한다.

사용법 석유채 15g에 물 3컵(600mL)을 넣고 달여서 복용하거나 술에 담가서 복용한다.

＊ 우리나라 함북(청진)에서 자라며, 일본, 중국 둥베이(東北) 지방에 분포하는 '참물통이 *P. hamaoi*'도 약효가 같다.

● 물통이

● 석유채(石油菜)

[쐐기풀과]

석근초

 풍한습비, 근골동통

●학명 : *Pilea platanifolia* C. H. Wright ●한자명 : 石筋草

| 1 | 2 | 3 | 4 | 5 | 6 | 7 | 8 | 9 | 10 | 11 | 12 |

여러해살이풀. 높이 15~30cm. 전체에 털이 없다. 잎은 마주나고 타원형, 끝이 뾰족하며 가장자리에 톱니가 없다. 꽃은 암수딴그루로 5~8월에 취산화서로 뭉쳐 달린다. 열매는 달걀 모양이다.
분포·생육지 중국. 산속 음지에서 자란다.
약용 부위·수치 전초를 여름과 가을에 채취하여 물에 씻어서 말린다.
약물명 석근초(石筋草), 석임화(石稔花), 석근초(石芹草), 석두화(石頭花)라고도 한다.
약효 서근활락(舒筋活絡), 이뇨해독의 효능이 있으므로 풍한습비(風寒濕痹), 근골동통을 치료한다.
사용법 석근초 10g에 물 3컵(600mL)을 넣고 달여서 복용한다.

❍ 석근초

[쐐기풀과]

원과냉수화

 두통

●학명 : *Pilea rotundinucula* Hayata ●한자명 : 圓果冷水花

| 1 | 2 | 3 | 4 | 5 | 6 | 7 | 8 | 9 | 10 | 11 | 12 |

여러해살이풀. 높이 30~60cm. 잎은 마주나고 타원형, 3맥이 있고, 꽃은 암수한그루로 녹색, 7~8월에 잎겨드랑이에 꽃차례가 나와 뭉쳐서 핀다. 수꽃은 꽃덮개가 4개로 갈라지며 4개의 수술이 있고, 암꽃은 꽃덮개가 3개로 갈라진다. 열매는 구형이다.
분포·생육지 중국. 산속 습지에서 자란다.
약용 부위·수치 전초를 여름과 가을에 채취하여 물에 씻어서 말린다.
약물명 원과냉청초(圓果冷淸草)
약효 거풍청열(祛風淸熱)의 효능이 있으므로 두통을 치료한다.
사용법 원과냉청초 15g에 물 3컵(600mL)을 넣고 달여서 복용한다.

❍ 원과냉수화

[쐐기풀과]

가는잎쐐기풀

| 풍습비통, 풍습동통 | 고혈압 |
| 대변불통 | 담마진, 습진 |

● 학명 : *Urtica angustifolia* Fischer ● 별명 : 꼬리쐐기풀

| 1 | 2 | 3 | 4 | 5 | 6 | 7 | 8 | 9 | 10 | 11 | 12 |

여러해살이풀. 높이 1.5m 정도. 줄기는 곧게 서고 잎과 더불어 쏘는 털이 있으며 녹색이다. 잎은 마주나고 긴 타원형, 가장자리에 겹톱니가 있으며, 끝은 뾰족하고 밑은 약간 둥글다. 꽃은 암수한그루로 7~8월에 원줄기 윗부분 잎겨드랑이에 달린다. 수꽃은 밑에, 암꽃은 위에 피며, 꽃부분은 4수, 암꽃은 꽃덮개 2개가 꽃이 진 뒤 열매를 둘

● 가는잎쐐기풀

러싼다.

분포·생육지 유럽, 아시아. 산속이나 숲 가장자리에서 자란다. 현재는 세계 각처로 귀화되고 있다.

약용 부위·수치 지상부와 뿌리를 여름부터 가을까지 채취하여 말린다.

약물명 지상부를 담마(蕁麻), 뿌리를 담마근(蕁麻根)이라고 한다.

약효 담마(蕁麻)는 거풍통락(祛風通絡), 평간정경(平肝定驚), 소식통변(消食通便)의 효능이 있으므로 풍습비통(風濕痺痛), 고혈압, 대변불통, 담마진(蕁麻疹)을 치료한다. 담마근(蕁麻根)은 거풍, 활혈, 지통의 효능이 있으므로 풍습동통(風濕疼痛), 담마진, 습진, 고혈압을 치료한다.

사용법 담마 또는 담마근 10g에 물 3컵(600mL)을 넣고 달여서 복용하고, 외용에는 달인 액을 환부에 바른다.

주의 담마근(蕁麻根)은 유독하므로 약 용량에 주의하여야 한다.

● 담마근(蕁麻根)

● 담마(蕁麻)

[쐐기풀과]

서양쐐기풀

| 관절염 | 전립선비대증 |

● 학명 : *Urtica dioica* L. ● 영명 : Stinging nettle

| 1 | 2 | 3 | 4 | 5 | 6 | 7 | 8 | 9 | 10 | 11 | 12 |

여러해살이풀. 높이 1m 정도. 줄기는 곧게 서며 잎과 더불어 쏘는 털이 있다. 잎은 마주나고 긴 타원형, 가장자리에 겹톱니가 있다. 꽃은 암수한그루로 7~8월에 원줄기 윗부분 잎겨드랑이에 달리고, 암꽃은 꽃덮개 2개가 꽃이 진 뒤 열매를 둘러싼다.

분포·생육지 유럽, 아시아. 산속이나 숲 가장자리에서 자란다.

약용 부위·수치 지상부를 여름부터 가을까지 채취하여 말린다.

약물명 지상부를 Urticae Herba라 하고, 뿌리를 Urticae Radix라고 한다.

약효 Urticae Herba는 이뇨, 진통, 소염의 효능이 있으므로 관절염을 치료하고, Urticae Radix는 전립선비대증을 치료한다.

성분 지상부에는 미네랄(규산 5%), histamine, acetylcholine, serotonin, phenolic acid, scopoletin, β-sitosterol, 뿌리에는 다당류, lecthin(UDA), β-sitosterol, 7α-hydroxysitosterol, 7β-hydroxysitosterol 등이 함유되어 있다.

사용법 Urticae Herba는 5g, Urticae Radix는 2g을 뜨거운 물로 우려내어 복용한다.

● 서양쐐기풀

● Urticae Herba

● 서양쐐기풀로 만든 관절염 치료약

[쐐기풀과]

쐐기풀

| 풍습비통 | 산후풍 |
| 담마진 | 산통 |

● 학명 : *Urtica thunbergiana* S. et Z. ● 영명 : Nettle ● 한자명 : 蕁麻

| 1 | 2 | 3 | 4 | 5 | 6 | 7 | 8 | 9 | 10 | 11 | 12 |

여러해살이풀. 높이 40~80cm. 줄기는 모여나고 곧게 서며 잎과 더불어 쏘는 털이 있다. 잎은 마주나고 가장자리에 겹톱니가 있다. 꽃은 암수한그루로 7~8월에 원줄기 윗부분 잎겨드랑이에 달리고, 수꽃은 밑에, 암꽃은 위에 핀다. 꽃부분은 4수, 암꽃은

꽃덮개 2개가 꽃이 진 뒤 열매를 둘러싼다. 수과는 녹색으로 편평한 달걀 모양이다.

분포 · 생육지 제주를 제외한 우리나라 전역. 중국, 일본, 타이완. 산속이나 숲 가장자리에서 자란다.

약용 부위 · 수치 전초를 여름부터 가을까지 채취하여 말린다.

약물명 담마(蕁麻)

약효 거풍통락(祛風通絡), 평간정경(平肝定驚), 소적통변(消積通便), 해독의 효능이 있으므로 풍습비통(風濕痺痛), 산후풍(産後風), 산통(疝痛), 담마진을 치료한다.

성분 kaempferol, isorhamnetin, quercetin-3-glucosdie, caffeic acid, sinapic acid 등이 함유되어 있다.

사용법 담마 10g에 물 3컵(600mL)을 넣고 달이거나 술에 담가서 복용한다.

○ 쐐기풀

○ 담마(蕁麻)

[단향과]

제비꿀

| 풍열감모, 폐옹 | 임파결핵 | 황달 |
| 유정 | 유옹, 유선염 | 요통 | 중서 |

● 학명 : *Thesium chinense* Turcz.
● 한자명 : 百蕊草, 土夏枯草 ● 별명 : 제비꿀풀, 하고초

| 1 | 2 | 3 | 4 | 5 | 6 | 7 | 8 | 9 | 10 | 11 | 12 |

반기생성 여러해살이풀. 높이 10~25cm. 잎은 어긋나며 바늘 모양, 꽃은 양성으로 5~6월에 피고 담녹색, 꽃잎은 없고 꽃받침 밑부분이 통 같으며 윗부분은 4~5개로 갈라진다. 열매는 타원상 구형으로 끝에 꽃덮개 조각이 있고 1개의 종자가 들어 있다.

분포 · 생육지 우리나라 전역. 중국, 일본, 아무르, 우수리. 산기슭이나 양지바른 곳에서 자란다.

약용 부위 · 수치 전초를 여름에 채취하여 흙과 먼지를 깨끗이 털고 씻어서 말린다.

약물명 백예초(百蕊草). 백유초(百乳草), 지석류(地石榴), 토하고초(土夏枯草)라고도 한다.

성상 전초로 녹백색이며 전체에 털이 없다. 잎은 어긋나고 선형이며 가장자리는 밋밋하나 3개로 갈라지기도 한다. 꽃은 1개씩 달리며 꽃잎은 없고, 꽃받침은 통처럼 생겼다. 열매는 구형이고 그물맥이 있으며 끝에 꽃덮개 조각이 남아 있다. 냄새가 조금 나고 맛은 담담하다.

기미 · 귀경 한(寒), 신(辛), 고(苦) · 비(脾), 신(腎), 폐(肺)

약효 청열(淸熱), 이습(利濕), 해독의 효능이 있으므로 풍열감모(風熱感冒), 중서(中暑), 폐옹(肺癰), 임파결핵(淋巴結核), 유옹(乳癰), 황달, 요통, 유정(遺精)을 치료한다.

임상 보고 유선염 환자 44명에게 투여하여 31명의 환자가 완치되었고, 9명의 환자가 호전되었다는 보고가 있다.

성분 kaempferol, kaempferol-3-rutinoside, astragalin 등이 함유되어 있다.

사용법 백예초 10g에 물 3컵(600mL)을 넣고 달여서 복용하고, 외용에는 달인 액을 바른다.

주의 고혈압 환자는 복용을 금한다.

○ 제비꿀

○ 백예초(百蕊草)

○ 제비꿀(열매)

단향나무

 흉복창통, 곽란토사, 애역, 위완통, 구토

 종독　　　요통

● 학명 : *Santalum album* L.　　● 별명 : 백단향나무, 백단향

| 1 | 2 | 3 | 4 | 5 | 6 | 7 | 8 | 9 | 10 | 11 | 12 |

상록 교목. 높이 6~9m. 줄기껍질은 갈색으로 거칠고 가지를 많이 내며, 어린가지는 광택이 나며 매끄럽다. 잎은 마주나며 가장자리가 밋밋하다. 취산상 원추화서는 가지 끝에서 나고, 꽃덮개는 종 모양으로 끝에서 4개로 갈라지며 수술은 4개, 길이는 암술과 같다. 암술머리는 3개로 갈라지고, 핵과는 구형이며 흑색으로 익는다.

분포 · 생육지 중국, 베트남, 타이완, 인도, 열대 아시아. 산속에서 자란다.

약용 부위 · 수치 줄기의 심재(心材) 부분을 채취하여 썰어서 말린다. 줄기의 심재를 세절하여 증류기에 넣고 증류시켜 흘러나오는 액체를 모은다.

약물명 심재(心材) 부분을 단향(檀香)이라고 하며, 백단(白檀), 단향목(檀香木), 진단(眞檀)이라고도 한다. 정유(精油)를 단향유(檀香油)라고 한다. 단향(檀香)은 대한민국약전외한약(생약)규격집(KHP)에 수재되어 있다.

본초서 단향(檀香)은 「명의별록(名醫別錄)」에 처음 수재되었으며 "주로 가슴이 답답하고 헛배가 부른 증상에 좋고, 토사곽란이나 복통에 사용한다."고 기록되어 있다. 「본초습유(本草拾遺)」에도 "복통과 토사곽란에 사용한다."고 하였다. 「본초강목(本草綱目)」에 "먹은 음식을 토하거나 얼굴색이 검은 사람은 매일 밤 백단의 달인 액으로 씻으면 곧 붉어진다."고 하였다. 「동의보감(東醫寶鑑)」에는 "열 기운으로 몸이 부은 것을 가라앉히고 신장의 기운이 허약하여 배가 아픈 것을 낫게 한다. 명치 아래가 아픈 것과 구토와 설사가 계속되는 것, 중악(中惡), 헛것이 보이는 것을 낫게 하고 벌레를 죽인다."

고 하였다.

本草經集注 : 消熱腫.

眞珠囊本 : 引胃氣上升, 進食.

本草綱目 : 治噎膈吐食, 又面生黑子, 每夜以漿水洗拭令赤, 磨汁涂之.

東醫寶鑑 : 能調氣而淸香 引芳香之物 上行至極高之分 最宜橙橘之屬

佐以薑 棗 葛根 豆蔲縮砂 益智 通行陽明之經.

東醫寶鑑 : 消熱腫 治腎氣腹痛 又主心腹痛 霍亂中惡 鬼氣殺蟲.

성상 원주형~편평한 막대 모양이며 때로는 구부러진 것도 있다. 길이는 일정하지 않으며 지름 10~20cm이다. 표면은 엷은 황색~황갈색으로 세로무늬가 있고, 질은 치밀하면서 굳고 잘 꺾이지 않는다. 강한 방향이 있으며 맛은 맵다.

기미 · 귀경 온(溫), 신(辛) · 비(脾), 위(胃), 폐(肺)

약효 단향(檀香)은 행기(行氣), 산한(散寒), 지통(止痛)의 효능이 있으므로 흉복창통(胸腹脹痛), 곽란토사, 일격토식(噎膈吐食), 한산복통(寒疝腹痛), 종독을 치료한다. 단향유(檀香油)는 강역화위(降逆和胃), 행기지통(行氣止痛)의 효능이 있으므로 애역(呃逆), 구토, 위완통(胃脘痛), 요통을 치료한다.

성분 α-santalol, β-santalol, santene, α-santalene, β-santalene, epi-β-santalene, 4-hyddroxyproline, symhomospermine, dihydro-β-arofuran 등 향기 성분이 많이 함유되어 있다.

약리 α-santalol 및 β-santalol은 여러 병원성 균에 증식 억제 작용이 나타난다.

사용법 단향 2~3g에 물 2컵(400mL)을 넣고 달여서 복용한다. 단향유는 0.1mL를 복

용한다.

주의 음허화왕(陰虛火王)으로 인한 열증(熱症)에는 피한다.

처방 단삼음(丹蔘飮) : 단삼(丹蔘) 30g, 사인(砂仁) · 단향(檀香) 각 4.5g(「시방가괄(時方歌括)」). 기체혈어(氣滯血瘀)가 중초에 모여서 복통, 가슴이 답답하고 아픈 증상에 사용한다.

• 천왕보심단(天王補心丹) : 건지황(乾地黃) 160g, 황련(黃連) 80g, 석창포(石菖蒲) 40g, 인삼(人蔘) · 당귀(當歸) · 오미자(五味子) · 천문동(天門冬) · 맥문동(麥門冬) · 백자인(柏子仁) · 산조인(酸棗仁) · 현삼(玄蔘) · 복선(茯神) · 단삼(丹蔘) · 원지(遠志) · 길경(桔梗) 각 20g(「동의보감(東醫寶鑑)」). 심음(心飮)이 부족하여 가슴이 두근거리고 마음이 불안하며 잘 놀라고 잠을 잘 자지 못하며 건망증이 심한 증상에 사용한다.

• 관심소합환(冠心蘇合丸), 단향산(檀香散), 단향음(檀香飮), 조기산(調氣散)

* 단향(檀香)은 색깔에 따라 백단향(白檀香)과 황단향(黃檀香)의 2종류로 구분한다. 백단향은 색이 엷으며 질이 단단하고 기름 성분이 적고, 황단향은 색이 진하고 기름 성분이 많다. 단향은 향기가 강한 것이 약효가 좋다고 알려져 있다.

❶ 단향나무(꽃)

❶ 단향(檀香)으로 만든 흉복창통 치료약

❶ 단향(檀香)

❶ 단향유(檀香油)

❶ 단향나무(줄기)

❶ 단향나무

[단향과]

긴제비꿀

🫁 감기   ❤️ 중서, 경풍

●학명 : *Thesium refractum* Turcz. [*T. longifolium*]
●한자명 : 長葉百蕊草   ●별명 : 큰제비꿀풀, 긴잎하고초, 긴잎제비꿀

| 1 | 2 | 3 | 4 | 5 | 6 | 7 | 8 | 9 | 10 | 11 | 12 |

● 구선초(九仙草)

반기생성 여러해살이풀. 높이 10~25cm. 잎은 가늘고 길며, 위쪽에 붙은 잎은 2~3 갈래이다. 꽃은 양성으로 담녹색, 7~8월에 잎겨드랑이에 1개씩 달린다. 꽃잎은 없고 꽃받침은 밑부분이 통 같으며, 윗부분은 5 개로 갈라진다. 열매는 타원상 구형으로 세로맥이 있다.

분포·생육지 우리나라 전역. 중국, 일본, 아무르, 우수리. 산기슭이나 양지바른 곳에서 자란다.

약용 부위·수치 전초를 여름에 채취하여 흙과 먼지를 깨끗이 털고 씻어서 말린다.

약물명 구선초(九仙草), 구룡초(九龍草), 주선초(酒仙草)라고도 한다.

기미·귀경 양(凉), 신(辛), 고(苦)·폐(肺), 간(肝), 비(脾)

약효 해표청열(海表淸熱), 거풍지경(祛風止痙)의 효능이 있으므로 감기, 중서(中暑), 경풍(驚風)을 치료한다.

사용법 구선초 10g에 물 3컵(600mL)을 넣고 달여서 복용한다.

● 긴제비꿀

[겨우살이과]

꼬리겨우살이

♀ 산후요통, 통경   🧊 동상, 타박상
🦴 동맥경화증   🌀 진정

●학명 : *Hyphear tanakae* (Franch. et Sav.) Hosokawa   ●영명 : Mistletoe
●한자명 : 柏寄生   ●별명 : 동백겨우살이

| 1 | 2 | 3 | 4 | 5 | 6 | 7 | 8 | 9 | 10 | 11 | 12 |

● 꼬리겨우살이(꽃)

상록 관목. 높이 20~40cm. 가지는 2갈래로 갈라지고 짙은 자갈색, 광택이 나며, 월동 후에 회색 부분의 표피가 벗겨진다. 잎은 마주나며, 꽃은 황록색, 암수한그루로 수상화서를 이룬다. 장과는 구형으로 황색으로 익는다.

분포·생육지 우리나라 강원, 경북, 충북, 제주도 및 남쪽 섬. 중국, 일본, 인도, 오스트레일리아. 주로 밤나무 및 참나무류에 기생한다.

약용 부위·수치 전초를 가을부터 겨울까지 채취하여 썰어서 말린다.

약물명 Hypheari Herba

약효 산후요통, 동상, 통경, 진정, 동맥경화증, 타박상을 치료한다.

사용법 Hypheari Herba 30g에 물 3컵(600 mL)을 넣고 달여서 복용하고, 타박상에는 생것을 짓찧어 바른다.

● 꼬리겨우살이

동백나무겨우살이

풍습비통, 요슬산통, 지체마목

타박상 두훈목현

● 학명 : *Korthalsella japonica* (Thunb.) Engl. ● 영명 : parasite
● 한자명 : 柏寄生 ● 별명 : 동백겨우살이

1	2	3	4	5	6	7	8	9	10	11	12

상록 관목. 높이 10~30cm. 가지는 마디가 많고 많이 갈라진다. 잎은 퇴화되어 마디 끝에 돌기 같으며, 꽃은 암수한그루, 꽃덮개는 3개로 갈라지고 봄에서 여름 사이에 황록색으로 핀다. 열매는 가장과로 타원상 구형이며 등황색으로 성숙한다.

분포 · 생육지 우리나라 제주도 및 남쪽 섬. 중국, 일본, 인도, 오스트레일리아. 주로 동백나무 및 사철나무에 기생한다.

약용 부위 · 수치 전초를 가을부터 겨울까지 채취하여 썰어서 말린다.

약물명 율기생(栗寄生), 영기생(柃寄生), 백기생(柏寄生)이라고도 한다.

기미 · 귀경 미온(微溫), 고(苦), 감(甘) · 간(肝), 신(腎)

약효 거풍습(祛風濕), 보간신(補肝腎), 행기활혈(行氣活血), 지통의 효능이 있으므로 풍습비통(風濕痹痛), 지체마목(肢體麻木), 요슬산통(腰膝酸痛), 두훈목현(頭暈目眩), 타박상을 치료한다.

사용법 율기생 10g에 물 3컵(600mL)을 넣고 달여서 복용하거나 술에 담가서 복용하고, 타박상에는 짓찧어 바른다.
＊'겨우살이'에 비해 잎은 퇴화하여 비늘 조각 같고, 꽃은 단성으로 암수한그루이며, 꽃덮개는 3개로 갈라지고 떨어지지 않는다.

❶ 동백나무겨우살이

❶ 율기생(栗寄生)

❶ 동백나무겨우살이(동백나무에 기생한 모습)

유럽겨우살이

요슬산통, 풍습비통 태동불안, 태루하혈

● 학명 : *Loranthus europaeus* Jacq.

1	2	3	4	5	6	7	8	9	10	11	12

기생성 상록 관목. 주로 '떡갈나무속 *Quercus*'에 기생한다. 잎은 다른 종에 비하여 넓은 것이 특징이다.

분포 · 생육지 터키, 그리스. 지중해 연안. 산과 들에서 자라는 활엽수에 기생하여 살아간다.

약용 부위 · 수치 지상부를 이른 봄과 겨울에 채취하여 적당한 크기로 잘라서 말린다.

약물명 Loranthi Herba

약효 보간신(補肝腎), 강근골(强筋骨), 거풍습(祛風濕), 안태(安胎)의 효능이 있으므로 요슬산통(腰膝酸痛), 풍습비통(風濕痹痛), 태동불안(胎動不安), 태루하혈(胎漏下血)을 치료한다. 독일에서는 항암제로 개발되어 임상에 이용하며, 우리나라에서도 민간에서 항암 치료에 많이 사용하고 있다.

사용법 Loranthi Herba 10g에 물 3컵(600mL)을 넣고 달여서 복용하거나 알약으로 만들어 복용한다. 서양에서는 암 치료 보조 약물, 혈압 치료 주사제로 사용한다.

❶ Loranthi Herba

❶ 유럽겨우살이

[겨우살이과]

참나무겨우살이

| 간신휴손 | 고혈압 | 태동불안, 선조유산 |
| 요슬산통, 풍습비통, 좌골신경통, 사지마목 |

- 학명 : *Loranthus yadoriki* Sieb.
- 한자명 : 湖北桑寄生　● 별명 : 참나무겨울살이

| 1 | 2 | 3 | 4 | 5 | 6 | 7 | 8 | 9 | 10 | 11 | 12 |

기생성 상록 관목. 잎은 마주나거나 어긋나고 타원형. 꽃은 양성이며 잎겨드랑이에

2~3개의 꽃자루가 있는 꽃이 핀다. 꽃덮개는 좁은 통형이고, 수술은 4개, 암술대는

밖으로 나와서 위로 굽는다. 열매는 달걀 모양으로 겨울을 지낸 뒤 황색으로 익는다.

분포·생육지 우리나라 제주도. 중국. '구실잣밤나무', '동백나무', '후박나무' 및 '육박나무'에 기생하여 살아간다.

약용 부위·수치 여름부터 가을에 지상부를 채취하여 잡물을 제거하고 적당한 크기로 잘라서 말린다.

약물명 호북상기생(湖北桑寄生). 잡기생(雜寄生), 마상기생포(馬桑寄生泡)라고도 한다.

약효 보간신(補肝腎), 거풍습(祛風濕), 강혈압(降血壓), 양혈안태(養血安胎)의 효능이 있으므로 간신휴손(肝腎虧損), 요슬산통(腰膝酸痛), 풍습비통(風濕痺痛), 좌골신경통, 사지마목(四肢麻木), 고혈압, 태동불안(胎動不安), 선조유산(先兆流産)을 치료한다.

사용법 호북상기생 10g에 물 3컵(600mL)을 넣고 달여서 복용하거나 술에 담가서 복용하기도 한다.

● 참나무겨우살이

● 호북상기생(湖北桑寄生)

● 참나무겨우살이(열매)

[겨우살이과]

겨우살이

| 요슬산통, 풍습비통 | 태동불안 |

- 학명 : *Viscum album* L. var. *coloratum* (Komar.) Ohwi
- 한자명 : 槲寄生　● 별명 : 겨우사리, 붉은열매겨우살이

| 1 | 2 | 3 | 4 | 5 | 6 | 7 | 8 | 9 | 10 | 11 | 12 |

상록 관목. '서양겨우살이'와 형태가 유사하나, 열매가 담황색인 것이 다르다.

분포·생육지 우리나라 전역. 중국, 일본, 타이완, 우수리. '참나무', '팽나무', '물오리나무', '밤나무' 및 '자작나무'에 기생한다.

약용 부위·수치 이른 봄과 겨울에 지상부를 채취하여 잡물을 제거하고 적당한 크기로 잘라서 말린다.

약물명 전초를 곡기생(槲寄生)이라고 하며, 동청(冬青), 북기생(北寄生), 유기생(柳寄生), 황기생(黃寄生)이라고도 한다. 새들이 겨우살이의 열매를 쪼아 먹고 떡갈나무(槲)의 가지나 줄기에 배설한 분변 속에 있던 종자가 발아하여 기생하므로 곡기생(槲寄生)이라 한다. 대한민국약전외한약(생약)규격집(KHP)에 수재되어 있다.

성상 곡기생(槲寄生)은 잎, 줄기, 가지로 되고, 줄기와 가지는 원기둥 모양, 2~5회 분지되며, 표면은 황록색, 마디는 팽대되어 있다. 잎은 마주나고 쉽게 떨어지며 잎자루가 없다. 냄새는 없고 맛은 약간 쓰며 씹으면 점성이 있다.

약효 보간신(補肝腎), 강근골(強筋骨), 거풍습(祛風濕)의 효능이 있으므로 요슬산통(腰膝酸痛), 풍습비통(風濕痺痛), 태동불안(胎動不安)을 치료한다.

성분 rhamnazin, rhamnazin-3-*O*-β-D-glucoside, isorhamnetin-3-*O*-β-D-glucoside, isorhamnetin-7-*O*-β-D-glucoside, viscumenoside I~VII 등이 함유되어 있다.

약리 동물 실험 결과 혈압 강하 작용, 항혈소판 응집 작용, 항종양 작용이 있다.

사용법 곡기생 10~15g에 물 3컵(600mL)을 넣고 달여서 복용한다.

＊ 열매가 등적색으로 익는 '붉은겨우살이 var. *rubroaurantiacum*'도 약효가 같다.

● 곡기생(槲寄生)으로 만든 건강식품

● 겨우살이

● 곡기생(槲寄生)

● 붉은겨우살이

뽕나무겨우살이

요슬산통, 근골위약, 풍습비통
두훈목현   태동불안, 붕루하혈

● 학명 : *Taxillus chinensis* (DC.) Danser
● 한자명 : 桑寄生   ● 별명 : 뽕나무겨우사리, 상기생

주로 '뽕나무'에 기생하는 관목. 묵은 가지는 털이 없으나 새 가지는 털이 있다. 잎은 어긋나며 가죽질이고, 꽃은 양성으로 자홍색, 4~6월에 잎겨드랑이에 달린다. 꽃잎은 긴 관 모양이며 약간 휘어진다. 장과는 귤홍색을 띠고 겉에는 돌기가 있다.

분포 · 생육지 중국. '뽕나무'를 비롯하여 다른 나무에 기생한다.

약용 부위 · 수치 초봄과 겨울에 지상부를 채취하여 잡물을 제거하고 적당한 크기로 잘라서 말린다. 건조한 채로 사용하거나 주초(酒炒)하여 사용한다.

약물명 상기생(桑寄生), 광기생(廣寄生), 노기생(老寄生), 기생초(寄生草), 유기생(柳寄生)이라고도 한다. 대한민국약전외한약(생약)규격집(KHP)에 수재되어 있다.

본초서 상기생(桑寄生)은 「신농본초경(神農本草經)」의 상품(上品)에 상상기생(桑上寄生)이라는 이름으로 수재되어 있다. 명대(明代)에 발간된 이시진(李時珍)의 「본초강목(本草綱目)」에는 "이것은 다른 나무에 기생하여 새가 그 위에 있는 것 같다. 그러므로 기생(寄生), 우목(寓木), 앵목(蔦木)이라고 한다"고 하였다. 「동의보감(東醫寶鑑)」에

는 "근골을 튼튼하게 하고 혈액 순환이 잘되게 하며 피부를 탄력 있게 한다. 허리가 아픈 것과 종기가 난 것, 쇠붙이에 의한 상처를 낫게 한다. 임신 중에 하혈하는 것을 그치게 하고 태아가 잘 자랄 수 있게 하며 산후에 생기는 병과 자궁에서 분비물이 나오는 것을 낫게 한다."고 하였다.

神農本草經: 主腰痛, 小兒背強, 癰腫, 安胎, 充肌膚, 堅髮齒, 長鬚眉.

藥性論: 能令胎牢固, 主懷妊漏血不止.

日華子本草: 助筋骨, 益血脈.

東醫寶鑑: 助筋骨 益血脈 充肌膚 長鬚眉 主腰痛 治癰腫及金瘡 療女子懷胎漏血 能令胎牢固 除産後餘疾 及崩漏.

성상 원주형으로 길이 30cm 이상, 지름 5~10mm이며 대개는 분기(分岐)되어 있다. 바깥 면은 회갈색~적갈색이고 작고 얇은 피목이 많다. 어린가지에는 갈색의 가는 털과 잎이 붙어 있을 때도 있다. 잎은 긴 타원형으로 마주나거나 어긋나고 떨어지기 쉬우며 가죽질이다. 질은 단단하고 횡단면은 평탄하지 않다. 냄새가 없고 맛은 떫다.

기미 · 귀경 평(平), 고(苦), 감(甘) · 간(肝) · 신(腎)

약효 보간신(補肝腎), 강근골(强筋骨), 거풍습(祛風濕), 안태(安胎)의 효능이 있으므로 요슬산통(腰膝酸痛), 근골위약(筋骨痿弱), 지체편고(肢體偏枯), 풍습비통(風濕痹痛), 두훈목현(頭暈目眩), 태동불안(胎動不安), 붕루하혈(崩漏下血)을 치료한다.

성분 triterpenoid: oleanolic acid, β−amyrin, flavonoid: avicularin, kaempferol, quercetin 등이 함유되어 있다.

약리 물로 달인 액을 토끼에게 주사하면 혈압이 내려간다. avicularin을 개에게 투여하면 이뇨 작용과 혈압 강하 작용이 나타난다. 열수추출물은 사염화탄소와 galactosamine으로 유도한 간 독성으로부터 간세포를 보호한다.

사용법 상기생 5g에 물 2컵(400mL)을 넣고 달여서 복용하거나 술에 담가서 복용하기도 한다.

주의 눈의 각막에 이상이 생겨 사물이 또렷하게 보이지 않는 사람에게는 사용하지 않는다.

처방 독활기생탕(獨活寄生湯): 독활(獨活) · 당귀(當歸) · 작약(芍藥) · 상기생(桑寄生) 각 2.8g, 숙지황(熟地黃) · 천궁(川芎) · 인삼(人蔘) · 복령(茯苓) · 우슬(牛膝) · 두충(杜仲) · 진교(秦艽) · 방풍(防風) · 세신(細辛) · 육계(肉桂) 각 2g, 감초(甘草) 1.2g, 생강(生薑) 3쪽 「화제국방(和劑局方)」, 「동의보감(東醫寶鑑)」). 풍습(風濕)으로 허리와 다리, 무릎의 힘줄이 당기고 아프며 힘이 없고 저린 증상에 사용한다.

• 상기생탕(桑寄生湯): 백출(白朮) 80g, 상기생(桑寄生) · 복령(茯苓) · 인삼(人蔘) · 옥죽(玉竹) 각 40g, 경미(粳米) 반 홉, 생강(生薑) 10g 「향약집성방(鄕藥集成方)」). 임신 중에 태아가 자라지 않고 놀지 않으며 가슴이 몹시 아픈 증상에 사용한다.

❏ 뽕나무겨우살이

❏ 상기생(桑寄生, 중국산)

❏ 상기생(桑寄生, 국산)

서양겨우살이

요슬산통, 풍습비통   태동불안, 태루하혈

- 학명 : *Viscum album* L.   ● 영명 : Mistletoe, European mistletoe
- 한자명 : 槲寄生

| 1 | 2 | 3 | 4 | 5 | 6 | 7 | 8 | 9 | 10 | 11 | 12 |

상록 관목. 가지가 황록색이며 차상(叉狀)으로 많이 갈라져서 둥지같이 둥글게 자라고 큰 것은 지름 1m인 것도 있다. 잎은 마주나고 바늘 모양, 꽃은 암수딴그루, 가지 끝에 보통 3개씩 나고 담황색, 꽃덮개는 종 모양이다. 열매는 둥글며 백색이다.

분포·생육지 유럽, 지중해 연안, 아시아 일부. '참나무', '팽나무', '물오리나무', '밤나무' 및 '자작나무'에 기생한다.

약용 부위·수치 이른 봄과 겨울에 지상부를 채취하여 잡물을 제거하고 적당한 크기로 잘라서 말린다.

약물명 Visci Herba. 일반적으로 Mistletoe 또는 European mistletoe라 한다. 동양에서는 곡기생(槲寄生)이라고 하며, 동청(冬青), 북기생(北寄生), 유기생(柳寄生), 황기생(黃寄生)이라고도 한다. 새들이 겨우살이의 열매를 쪼아 먹고 '떡갈나무(槲)'의 가지나 줄기에 배설한 분변 속에 있던 종자가 발아하여 기생하므로 곡기생(槲寄生)이라 한다.

약효 보간신(補肝腎), 강근골(强筋骨), 거풍습(祛風濕), 안태(安胎)의 효능이 있으므로 요슬산통(腰膝酸痛), 풍습비통(風濕痺痛), 태동불안(胎動不安), 태루하혈(胎漏下血)을 치료한다. 독일에서는 항암제로 개발되어 임상에 이용하며, 우리나라에서도 민간에서 항암 치료에 많이 사용하고 있다.

성분 주성분은 lectin으로 mistle lectin I~Ⅲ 등이 0.1% 함유되어 있으며, 그외 flavoyadorinin B, homoflavoyadorinin B, rhamnzin, rhamnzin−3−*O*−β−D−glucose, isorhamnetin−7−*O*−β−D−glucose, quercetin, avicularin, 3'−methyleriodictyol과−*O*−β−D−glucose, viscumenoside I~Ⅶ, β−amyranol, β−acetylamyranol, β−amy-randiol, lupeol, oleanolic acid, β−amyrin acetate, daucosterol, syringin, liriodendrin 등이 함유되어 있다.

약리 에탄올추출물은 토끼, 개의 혈압을 하강시키고, 혈중 콜레스테롤을 낮추며, 개에게 정맥주사하면 이뇨 작용이 있다. 에탄올추출물은 혈액 응고를 저지하는 효능이 있다. 쥐에게 백혈병 암세포인 L1210을 이식시켜 종양을 유발한 알칼로이드 분획물을 주사하면 항암 작용이 나타난다. 티푸스균, 포도구균, 인플루엔자 바이러스에 항균 작용이 있다. 메탄올추출물을 쥐에게 투여하고 꼬리에서 채혈하면 대조군에 비하여 출혈 시간이 연장된다. 열수추출물은 암조직의 신생 혈관 생성을 억제하고 면역 세포의 생육을 증진시킨다. 70%에탄올추출물은 산화적 DNA 손상을 억제하는 효능이 있다.

사용법 Visci Herba 10g에 물 3컵(600mL)을 넣고 달여서 복용하거나 알약으로 만들어 복용한다. 서양에서는 암 치료 보조 약물, 혈압 치료 주사제로 사용한다.

주의 성질이 차고 독성이 약간 있으므로 찌거나 끓는 물에 데쳐서 말린 뒤 사용하고, 술에 담가 두었다가 말려서 사용하기도 한다.

● Visci Herba

● Visci Herba

● 피나무류에 기생한 서양겨우살이

● 서양겨우살이

[마디풀과]

범꼬리

폐열해수 　적리, 열사, 토혈 　나력
육혈, 구내염 　치창출혈

● 학명 : *Bistorta major* S. F. Gray var. *japonica* Hara [*B. manshuriensis*]
● 영명 : Snake-weed　● 한자명 : 券蔘　● 별명 : 범의꼬리, 범꼬리풀

| 1 | 2 | 3 | 4 | 5 | 6 | 7 | 8 | 9 | 10 | 11 | 12 |

여러해살이풀. 뿌리줄기는 짧고 굵으며 많은 잔뿌리가 달리고, 뿌리잎은 잎자루가 길며, 줄기잎은 위로 갈수록 작아진다. 꽃은 6~7월에 피며, 꽃이삭은 길이 5~8cm이다. 꽃받침은 엷은 홍색, 5개로 갈라지며, 꽃잎은 없고, 수술은 8개, 암술대는 3개이다. 수과는 달걀 모양, 길이 3mm 정도로 꽃받침으로 싸여 있고 3개의 능선이 있다.

분포 · 생육지 우리나라 전역. 중국, 일본, 아무르, 우수리. 깊은 산기슭이나 높은 평원에서 자란다.

약용 부위 · 수치 뿌리줄기를 봄에는 싹이 트기 전에, 가을에는 잎이 마르기 시작할 때 캐어 씻어서 말린다.

약물명 권삼(券蔘). 자삼(紫蔘), 도근초(倒根草)라고도 한다. 대한민국약전외한약(생약)규격집(KHP)에 수재되어 있다.

본초서 권삼(券蔘)은 「신농본초경(神農本草經)」에 처음 수재되어 "주심복적취(主心腹積聚), 한열사기(寒熱邪氣), 통구규(通九竅), 이대소변(利大小便)의 효능이 있다."고 하였으며, 송나라 소송(蘇頌)의 「도경본초(圖經本草)」에 그 형태와 약효가 상세하게 기록되어 오늘에 이르고 있다.

성상 뿌리줄기로 납작한 원기둥 모양이며 구부러져 있고 양쪽 끝은 약간 가늘다. 표면은 갈자색이고 거칠며 융기되고 들어간 부분이 있어서 꽈배기 모양이다. 질은 단단하고 횡단면은 담갈색이다. 냄새는 거의 없고 맛은 쓰고 떫다.

기미 · 귀경 미한(微寒), 고(苦) · 폐(肺), 간(肝), 대장(大腸)

약효 청열이습(淸熱利濕), 양혈지혈(涼血止血), 해독산결(解毒散結)의 효능이 있으므로 폐열해수(肺熱咳嗽), 열병양옹(熱病惊癰), 적리(赤痢), 열사(熱瀉), 토혈, 육혈(衄血), 치창출혈(痔瘡出血), 나력(瘰癧), 구내염을 치료한다.

성분 gallic acid, 6-galloylglucose, ellagic acid, d-catechol, 3,6-digalloyl glucose 등이 함유되어 있다.

약리 권삼(券蔘)의 percolate액과 젤라틴으로 만든 지혈정(止血淨)은 각종 동물의 실험에서 지혈의 효능이 탁월하고, 또한 녹농균, 고초균, 대장균에 항균 작용이 있다.

사용법 권삼 10g에 물 3컵(600mL)을 넣고 달여서 복용하고, 외용에는 짓찧어 환부에 바르거나 달인 물로 씻는다.

* '가는범꼬리 *B. alopecuroides*', '둥근범꼬리 *B. globispica*', '호범꼬리 *B. ochotensis*', '참범꼬리 *B. pacifica*', '씨범꼬리 *B. vivipara*'도 약효가 같다.

❶ 범꼬리

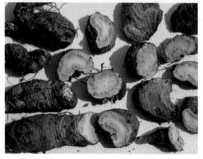
❶ 권삼(券蔘)

❶ 범꼬리(뿌리줄기 및 뿌리)

❶ 가는범꼬리

❶ 둥근범꼬리

❶ 흰범꼬리

❶ 참범꼬리

❶ 호범꼬리

❶ 씨범꼬리

[마디풀과]

금교맥

폐옹, 폐열해천 인후통 풍습비통

● 학명 : *Fagopyrum dibotrys* (D. Don) Hara ● 한자명 : 金蕎麥

1	2	3	4	5	6	7	8	9	10	11	12

여러해살이풀. 높이 0.5~1.5m. 뿌리줄기는 굵고 마디가 있는 듯하다. 잎은 어긋나고 화살형이다. 꽃은 7~10월에 총상화서로 줄기 끝 또는 잎겨드랑이에 달리며, 꽃덮개는 백색, 5개로 갈라진다. 수과는 세모지며 적갈색으로 익는다.

분포 · 생육지 중국. 우리나라 전역에서 재배한다.

약용 부위 · 수치 가을에 뿌리줄기를 채취하여 물에 씻은 후 말린다.

약물명 뿌리줄기를 금교맥(金蕎麥)이라고 하며, 야교맥(野蕎麥), 교맥삼칠(蕎麥三七)이라고도 한다.

약효 청열해독(淸熱解毒), 활혈소옹(活血消癰), 거풍제습(祛風除濕)의 효능이 있으므로 폐옹(肺癰), 폐열해천(肺熱咳喘), 인후통, 풍습비통(風濕痺痛)을 치료한다.

성분 hecogenin, β-sitosterol, ferulic acid, epicatechin, 3,3′-digalloylepicatechin, 3-galloylepicatechin이 함유되어 있고, 열매에 모세 혈관을 강화시키는 다량의 rutin과 orientin, homoorientin 등이 함유되어 있다.

약리 열수추출물을 쥐에게 주사하면 항암 작용이 나타난다.

사용법 금교맥 15g에 물 3컵(600mL)을 넣고 달여서 복용한다.

❶ 꽃   ❶ 금교맥

[마디풀과]

메밀

위장적체, 설사, 이질, 소화불량 객혈 고혈압, 당뇨병겸발현망염
습진, 나력, 화상, 옹종 자한 열식 대하

● 학명 : *Fagopyrum esculentum* Moench ● 영명 : Buckwheat
● 한자명 : 蕎麥 ● 별명 : 모밀

1	2	3	4	5	6	7	8	9	10	11	12

한해살이풀. 줄기는 곧게 서며 속이 비고, 높이 40~70cm. 담녹색이지만 붉은색이 돈다. 잎은 어긋나고, 꽃은 7~10월에 줄기 끝 또는 잎겨드랑이에 총상화서로 달린다. 꽃덮개는 백색~적백색, 5개로 갈라지고, 암술대 3개, 수과는 흑갈색으로 익는다.

분포 · 생육지 중국, 일본. 밭에서 재배하며 간혹 산기슭이나 들판에서도 자란다.

약용 부위 · 수치 가을에 서리가 내릴 때 종자를 채취하고, 줄기와 잎은 여름철에 채취하여 말린다.

약물명 종자를 교맥(蕎麥), 줄기와 잎을 교맥갈(蕎麥稭)이라 한다.

본초서 「동의보감(東醫寶鑑)」에는 교맥(蕎麥) 이외에 교면(蕎麪, 메밀가루), 교엽(蕎葉), 교양(蕎穰, 메밀 줄기)이 수재되어 있다. "교맥은 주로 위장과 대소장을 튼튼하게 하고 기력을 도운다."고 하였으며, "교면은 위장 속에 뭉친 것을 없애고, 교엽은 귀와 눈을 밝게 한다."고 하였다.
東醫寶鑑: 蕎麥 實腸胃 益氣力 雖動諸病 能鍊五臟滓穢續情神.
蕎麪 俗謂一年沈滯積在腸胃間 食此麥 乃消去.
蕎葉 作菜茹食之 下氣 利耳目.

기미 · 귀경 교맥(蕎麥): 한(寒), 감(甘), 산(酸) · 비(脾), 위(胃), 대장(大腸). 교맥갈: 한(寒), 산(酸)

약효 교맥(蕎麥)은 건비소적(健脾消積), 하기관장(下氣貫腸), 해독염창(解毒斂瘡)의 효능이 있으므로 위장적체(胃腸積滯), 설사, 이질, 대하, 자한(自汗), 습진, 나력(瘰癧), 화상을 치료한다. 교맥갈(蕎麥稭)은 하기소적(下氣消積), 청열해독(淸熱解毒), 지혈, 강압(降壓)의 효능이 있으므로 열식(噎食), 소화불량, 이질, 대하, 옹종(癰腫), 객혈, 고혈압, 당뇨병겸발현망염(糖尿病兼發現網膜炎)을 치료한다.

성분 열매에 모세 혈관을 강화시키는 rutin이 다량으로 함유되어 있고 orientin, homoorientin, vitexin, saponaretin, quercetin, cyanidin 등이 함유되어 있다. 지상부에는 rutin, quercetin 등이 함유되어 있다.

약리 종자에 많이 들어 있는 rutin은 vitamin P와 같은 활성 즉 모세 혈관을 강화시켜 지혈 작용과 고혈압을 예방한다. rutin이 함유된 제제는 시험관 내 실험에서 장내 원형충을 살충한다.

사용법 교맥 또는 교맥갈 10g에 물 3컵(600mL)을 넣고 달여서 복용하고, 외용에는 가루로 만들어 물에 개어서 상처에 붙인다.

❶ 메밀

❶ 교맥(蕎麥)

❶ 교맥갈(蕎麥稭)

죽절료

옹저종독, 타박상, 사충교상

●학명 : *Homalocladium platycladum* (F. Muell. ex Hook.) L. H. Bailey [*Coccoloba platyclada*] ●한자명 : 竹節蓼

1	2	3	4	5	6	7	8	9	10	11	12

한해살이풀. 줄기는 곧게 서며 속이 비고 높이 40~70cm, 담녹색이지만 붉은색이 돈다. 잎은 어긋나고, 꽃은 7~10월에 줄기 끝 또는 잎겨드랑이에 총상화서로 달린다. 꽃덮개는 백색~적백색, 5개로 갈라지고, 암술대 3개, 수과는 흑갈색으로 익는다.

분포 · 생육지 남태평양 군도 원산. 세계 각처에서 재배한다.

약용 부위 · 수치 전초를 봄부터 가을까지 채취하여 썰어서 말린다.

약물명 죽절료(竹節蓼), 관음죽(觀音竹), 철뉴변(鐵扭邊)이라고도 한다.

기미 · 귀경 평(平), 감(甘), 담(淡) · 간(肝), 폐(肺)

약효 청열해독(淸熱解毒), 거어소종(祛瘀消腫)의 효능이 있어 옹저종독(癰疽腫毒), 타박상, 사충교상(蛇蟲咬傷)을 치료한다.

사용법 죽절료 15g에 물 3컵(600mL)을 넣고 달여서 복용하고, 외상에는 짓찧어 상처에 붙이고 붕대로 싸맨다.

❶ 죽절료(竹節蓼)

❶ 죽절료(꽃)

❶ 죽절료

넓은잎미꾸리낚시

간기불서, 간염   괴혈병

●학명 : *Muehlenbeckia sagittifolia* Meissn [*M. australis*]   ●영명 : European hack berry
●별명 : 화살여뀌, 화살미꾸리낚시

1	2	3	4	5	6	7	8	9	10	11	12

상록 덩굴식물. 길게 덩굴을 벋는다. 줄기는 곧게 서고 높이 15~35cm이다. 털이 없으며 뿌리가 굵고, 잎은 뿌리에서 여러 개가 나오며 신원형(腎圓形)이다. 줄기잎은 퇴화하여 턱잎으로 된다. 꽃덮개는 4개로 안쪽 2개가 보다 크다.

분포 · 생육지 뉴기니아, 오스트레일리아, 뉴질랜드, 아르헨티나, 브라질. 산지에서 자란다.

약용 부위 · 수치 뿌리줄기를 봄부터 가을에 채취하여 물에 씻은 후 썰어서 말린다.

약물명 Muehlenbeckiae Herba. 일반적으로 European hack berry라고 한다.

약효 청열이습(淸熱利濕), 서간(舒肝)의 효능이 있으므로 간기불서(肝氣不舒), 간염, 괴혈병을 치료한다.

성분 caffeic acid, chlorogenic acid 등이 함유되어 있다.

사용법 Muehlenbeckiae Herba 10g에 물 3컵(600mL)을 넣고 달여서 복용한다.

❶ 넓은잎미꾸리낚시

[마디풀과]

나도수영

 간기불서, 간염　　괴혈병

● 학명 : *Oxyria digyna* (L.) Hill　● 영명 : Mountain-sorrel
● 한자명 : 酸漿菜　● 별명 : 큰산승애, 큰산수영, 큰산싱아

| 1 | 2 | 3 | 4 | 5 | 6 | 7 | 8 | 9 | 10 | 11 | 12 |

여러해살이풀. 줄기는 곧게 서고 높이 15~
35cm. 털이 없으며 뿌리가 굵고, 잎은 뿌
리에서 여러 개가 나오며 신원형(腎圓形)이
다. 줄기잎은 퇴화하여 턱잎으로 된다. 열
매는 편편하고 넓은 날개가 있으며 둥글고
끝이 오목하다.
분포·생육지 우리나라 백두산. 중국, 일본.
높은 산에서 자란다.
약용 부위·수치 전초를 가을부터 겨울까지
채취하여 말린다.
약물명 산장채(酸漿菜). 녹제엽(鹿蹄葉)이
라고도 한다.
기미·귀경 양(涼), 산(酸)·간(肝)
약효 청열이습(淸熱利濕), 서간(舒肝)의 효
능이 있으므로 간기불서(肝氣不舒), 간염,
괴혈병을 치료한다.
성분 caffeic acid, chlorogenic acid 등이
함유되어 있다.
사용법 산장채 10g에 물 3컵(600mL)을 넣
고 달여서 복용한다.

✿ 나도수영

[마디풀과]

중화산료

 요퇴통　　이질　　탈항

● 학명 : *Oxyria sinensis* Hemsl.　● 한자명 : 中華山蓼

| 1 | 2 | 3 | 4 | 5 | 6 | 7 | 8 | 9 | 10 | 11 | 12 |

여러해살이풀. 줄기는 곧게 서고 높이 25~
50cm. 털이 없으며 뿌리가 굵고, 잎은 뿌
리에서 여러 개가 나오며 신원형(腎圓形)이
다. 줄기잎은 삼각상 신원형이다. 수과는
양면이 볼록한 편원형이다.
분포·생육지 중국. 해발 2,500~3,700m에
서 자란다.
약용 부위·수치 전초를 가을부터 겨울까지
채취하여 말린다.
약물명 홍마제오(紅馬蹄烏). 요자칠(蓼子
七)이라고도 한다.
약효 서근활락(舒筋活絡), 활혈지통(活血止
痛), 수삽지사(收澁止瀉)의 효능이 있으므
로 요퇴통, 이질, 탈항을 치료한다.
사용법 홍마제오 10g에 물 3컵(600mL)을
넣고 달여서 복용하거나 술에 담가서 복용
한다.

✿ 중화산료

[마디풀과]

이삭여뀌

해혈, 해수객혈　요혈　월경부조
토혈, 변혈, 이질, 복통, 설사

●학명 : *Persicaria filiformis* Nakai [*Tobara filiformis*]　●별명 : 이삭여뀌

| 1 | 2 | 3 | 4 | 5 | 6 | 7 | 8 | 9 | 10 | 11 | 12 |

여러해살이풀. 높이 50~80cm. 전체에 거친 털이 퍼져 나고 마디가 굵다. 잎은 어긋나고 긴 타원형, 꽃은 7~8월에 줄기 끝에 수상화서로 피고 붉은색으로 드문드문 달린다. 열매는 수과로 납작한 달걀 모양이고 흑갈색으로 꽃받침에 싸인다.

분포 · 생육지 우리나라 전역. 중국, 일본. 산이나 들에서 자란다.

약용 부위 · 수치 지상부를 여름에, 뿌리는 수시로 채취하여 물에 씻은 후 썰어서 말린다.

약물명 금선초(金線草). 뿌리를 금선초근(金線草根)이라 한다.

약효 금선초(金線草)는 양혈지혈(涼血止血), 청열이습(淸熱利濕), 산어지통(散瘀止痛)의 효능이 있으므로 해혈(咳血), 토혈, 변혈, 요혈, 이질을 치료한다. 금선초근(金線草根)은 양혈지혈(涼血止血), 청열해독(淸熱解毒), 산어지통(散瘀止痛)의 효능이 있으므로 해수객혈(咳嗽喀血), 월경부조, 복통, 설사, 이질을 치료한다.

성분 금선초근(金線草根)은 gallic acid, catechin, epicatechin, epicatechin−3−O−gallate 등이 함유되어 있다.

사용법 금선초 또는 금선초근 15g에 물 3컵(600mL)을 넣고 달여서 복용한다.

✿ 금선초(金線草)

✿ 금선초근(金線草根)

✿ 이삭여뀌

[마디풀과]

여뀌

이질, 설사　풍습비통
습진, 타박상, 각선　붕루

●학명 : *Persicaria hydropiper* (L.) Spach [*Polygonum hydropiper* (L.) Spach]
●영명 : Warter pepper　●한자명 : 水蓼　●별명 : 버들여뀌, 버들잎여뀌, 역꾸, 역귀

| 1 | 2 | 3 | 4 | 5 | 6 | 7 | 8 | 9 | 10 | 11 | 12 |

한해살이풀. 높이 40~80cm. 줄기는 곧게 자라며 가지가 많이 갈라지고 홍갈색을 띠며 전체에 털이 거의 없다. 잎은 어긋나고, 꽃은 6~9월에 수상화서로 달리고 밑으로 처진다. 꽃덮개는 연한 녹색, 끝이 약간 붉은색이며 4~5개로 갈라지고, 수술은 6개, 암술대는 2개이다. 수과는 렌즈 모양이며 짙은 갈색, 길이 2~3mm, 꽃받침으로 싸여 있다.

분포 · 생육지 우리나라 전역. 북반구 온대지역. 냇가 또는 습지에서 자란다.

약용 부위 · 수치 전초를 여름에 채취하여 씻은 후 썰어서 말린다.

약물명 수료(水蓼). 요(蓼), 택료(澤蓼), 날료초(辣蓼草)라고도 한다.

본초서 수료(水蓼)는 「본초구원(本草求原)」에 날료초(辣蓼草)라는 이름으로 수재되어 있다. 「동의보감(東醫寶鑑)」에는 "뱀독을 풀어 주고 다리가 부은 것을 낫게 한다."고 하였다.
東醫寶鑑: 主蛇毒及脚氣腫.

약효 수료(水蓼)는 해독, 제습(除濕), 산어(散瘀), 지혈의 효능이 있으므로 이질, 설사, 풍습비통(風濕痺痛), 습진, 붕루(崩漏), 타박상, 각선(脚癬)을 치료한다.

성분 전초는 정유 0.07~0.13%가 함유되어 있으며, 그 주성분은 tadeonal(polygodial), isotadeonal, confertifolin, polygonone이며, 정유 외 성분으로는 persicarin, quercetin, quercitrin, quercimeritrin, hyperin 등이 함유되어 있다.

약리 여뀌의 잎은 자궁출혈, 치질출혈 및 기타 내출혈에 응용되며, 맥각과 비슷하나 작용이 약하다. 지상부에서 얻은 정유 성분은 혈압을 하강시킨다.

사용법 수료 10g에 물 3컵(600mL)을 넣고 달여서 복용하고, 외용에는 달인 액으로 상처를 씻는다. 뿌리의 사용법도 같다.
* 우리나라에 고추가 들어오기 전에는 여뀌를 김치의 매운 맛을 내는 데 사용하였으며, 줄기와 잎은 물고기 잡는 데 이용한다.

✿ 수료(水蓼)

✿ 여뀌

[마디풀과]

흰꽃여뀌

 창양종통, 마진불투　 복사, 장염이질

● 학명 : *Persicaria japonica* (L.) S. F. Gray [*Polygonum japonicum*]
● 한자명 : 蚕蟲草　● 별명 : 버들잎꽃여뀌, 가는꽃여뀌

| 1 | 2 | 3 | 4 | 5 | 6 | 7 | 8 | 9 | 10 | 11 | 12 |

❍ 잠충초(蚕蟲草)

한해살이풀. 높이 1m 정도. 줄기는 곧게 자라며 가지가 많이 갈라지고 홍갈색을 띠며 전체에 털이 거의 없다. 잎은 어긋나고 긴 타원형, 잎자루가 짧다. 꽃은 6~9월에 수상화서로 달리고 밑으로 처지며, 꽃덮개는 적자색, 수술은 6개, 암술대는 2개이다. 수과는 꽃받침으로 싸여 있다.

분포 · 생육지 우리나라 전역. 북반구 온대지역. 냇가 또는 습지에서 자란다.

약용 부위 · 수치 전초를 여름에 채취하여 씻은 후 썰어서 말린다.

약물명 잠충초(蚕蟲草). 자료(紫蓼), 요자초(蓼子草)라고도 한다.

약효 해독지통(解毒止痛), 투진(透疹)의 효능이 있으므로 창양종통(瘡瘍腫痛), 복사(腹瀉), 장염이질(腸炎痢疾), 마진불투(麻疹不透)를 치료한다.

성분 cyanidin-3,5-diglucoside, cyanidin, delphinidin, malvidine 등이 함유되어 있다.

약리 메탄올추출물을 쥐의 먹이에 혼합하여 주면 임신율이 강하된다.

사용법 잠충초 10g에 물 3컵(600mL)을 넣고 달여서 복용한다.

 꽃　　 흰꽃여뀌

[마디풀과]

개여뀌

 장염, 이질　 종독
 풍습비통

● 학명 : *Persicaria longiseta* (De Bruyn) Kitagawa [*Polygonum longiseta*]

| 1 | 2 | 3 | 4 | 5 | 6 | 7 | 8 | 9 | 10 | 11 | 12 |

❍ 백날료(白辣蓼)

한해살이풀. 높이 60cm 정도. 밑부분이 비스듬히 자라면서 땅에 닿으면 뿌리가 내리며 가지가 벌어 곧게 자란다. 잎은 어긋나고 양 끝이 좁다. 꽃은 6~9월에 수상화서로 붉은색의 많은 꽃이 달린다. 수과는 흑갈색이며 세모진다.

분포 · 생육지 우리나라 전역. 북반구 온대지역. 산과 들에서 흔하게 자란다.

약용 부위 · 수치 전초를 여름에 채취하여 씻은 후 썰어서 말린다.

약물명 백날료(白辣蓼). 요자초(蓼子草)라고도 한다.

약효 해독제습(解毒除濕)의 효능이 있으므로 장염, 이질, 종독, 풍습비통(風濕痺痛)을 치료한다.

사용법 백날료 10g에 물 3컵(600mL)을 넣고 달여서 복용한다.

 꽃　　 개여뀌

[마디풀과]

산여뀌

👁 인후종통, 목적, 치은염
📞 이질　　🌿 풍습비통

● 학명 : *Persicaria nepalensis* (Meisn.) Miyabe et Kudo [*Polygonum nepalensis*]
● 한자명 : 野蕎麥草　● 별명 : 산모밀, 애기개모밀, 관모역귀, 골여뀌

| 1 | 2 | 3 | 4 | 5 | 6 | 7 | 8 | 9 | 10 | 11 | 12 |

한해살이풀. 높이 30cm 정도. 밑부분이 옆으로 기고 붉은빛을 띠며, 마디에 갈고리 같은 털이 있다. 잎은 어긋나고 삼각형, 꽃은 잎겨드랑이나 줄기 끝에 달리며 적백색, 꽃받침은 4개, 수술 6~7개, 암술대는 2개이다. 열매는 납작한 원형이며 흑색이고 꽃받침으로 싸여 있다.

분포·생육지 우리나라 전역. 중국, 일본. 산에서 자란다.

약용 부위·수치 여름과 가을에 걸쳐서 전초를 채취하여 물에 씻거나 먼지를 털어서 말린다.

약물명 묘아안정(猫兒眼睛). 소묘안(小猫眼), 야양자(野養子)라고도 한다.

약효 청열해독(淸熱解毒), 제습통락(除濕通絡)의 효능이 있으므로 인후종통(咽喉腫痛), 목적(目赤), 치은염(齒齦炎), 이질, 풍습비통(風濕痺痛)을 치료한다.

성분 5,4′-dimethoxy-6,7-methylend-ioxyflavanone, 5,6,7,4′-tetramethoxy-flavanone, taraxenone, hyperoside, daucosterol 등이 함유되어 있다.

약리 에탄올추출물은 경련을 억제하는 작용이 있다.

사용법 묘아안정 10g에 물 3컵(600mL)을 넣고 달여서 복용한다.

❍ 산여뀌

❍ 묘아안정(猫兒眼睛)

[마디풀과]

명아주여뀌

📷 창종, 음저, 타박상　📞 이질

● 학명 : *Persicaria nodosa* Opiz [*Polygonum lapathifolium*]
● 한자명 : 節蓼　● 별명 : 큰개여뀌, 흰여뀌

| 1 | 2 | 3 | 4 | 5 | 6 | 7 | 8 | 9 | 10 | 11 | 12 |

한해살이풀. 높이 1m 정도. 줄기는 곧게 서며 마디는 굵고 원줄기에 흑자색 점이 있다. 잎은 어긋나고, 꽃은 붉은색, 7~9월에 가지 끝에 수상화서로 달리고 밑으로 처진다. 수과는 길이 2mm 정도로 편원형이며 꽃받침에 싸여 있다.

분포·생육지 우리나라 전역. 중국, 인도, 일본. 밭 근처에서 흔히 자란다.

약용 부위·수치 전초를 여름과 가을에 채취하여 물에 씻어 썰어서 말린다.

약물명 저료자초(猪蓼子草)

약효 청열해독(淸熱解毒), 활혈산어(活血散瘀), 지혈의 효능이 있으므로 창종(瘡腫), 음저(陰疽), 이질, 타박상을 치료한다.

성분 quercetin, quercetin-3β-D-glucoside-2″-gallate, kaempferol, taxifolin 등이 함유되어 있다.

사용법 저료자초 10g에 물 3컵(600mL)을 넣고 달여서 복용한다.

❍ 저료자초(猪蓼子草)

❍ 명아주여뀌

[마디풀과]

털여뀌

아이콘	아이콘
이질, 복사, 토사전근, 수고, 완복통	화안
풍습비통, 각기병	고환염
	창종, 나력

- 학명 : *Persicaria orientale* Spach [*P. cochinchinensis, Polygonum orientale*]
- 영명 : Prince feather ● 한자명 : 蓼實 ● 별명 : 노인장대, 붉은털여뀌, 말여뀌

1	2	3	4	5	6	7	8	9	10	11	12

한해살이풀. 높이 1~2m. 줄기는 곧게 서고 가지를 많이 치며 전체에 털이 빽빽이 난다. 잎은 어긋나고, 꽃은 붉은색으로 7~8월에 수상화서로 달리며 원줄기 윗부분에서 나오는 가지에서 밑으로 처진다. 수과는 원반 같고 흑갈색으로 꽃받침에 싸여 있다.

분포 · 생육지 중국, 인도, 말레이시아 원산. 집 근처에서 자라는 귀화 식물이다.

약용 부위 · 수치 전초를 가을에 채취하여 물에 씻거나 먼지를 털어서 말린다.

약물명 전초를 홍초(紅草), 열매를 수홍화자(水紅花子)라고 한다.

본초서 「동의보감(東醫寶鑑)」에 수홍화자는 "갈증을 풀어 주고 다리가 붓는 것을 낫게 한다."고 하였다.

東醫寶鑑: 主消渴 療脚氣

기미 · 귀경 홍초(紅草): 평(平), 신(辛) · 간(肝), 비(脾). 수홍화자(水紅花子): 양(凉), 함(鹹) · 간(肝), 비(脾)

약효 홍초(紅草)는 거풍제습(祛風除濕), 청열해독(清熱解毒), 활혈(活血)의 효능이 있으므로 풍습비통(風濕痺痛), 이질, 복사(腹瀉), 토사전근(吐瀉轉筋), 고환염, 각기, 타박상, 습진을 치료한다. 수홍화자(水紅花子)는 활혈소적(活血消積), 건비이습(健脾利濕), 청열해독(清熱解毒), 명목(明目)의 효능이 있으므로 늑복징적(肋腹癥積), 수고(水臟), 완복통(脘腹痛), 식소복창(食少腹脹), 화안(火眼), 창종(瘡腫), 나력(瘰癧)을 치료한다.

성분 quercetin, 3,3′,5,6,7,8-hexamethoxy-4′,5′-methyulenedioxyflavone, orientin, orientoside A, B, plastoquinone, vitexin, plastoquinone 등이 함유되어 있다.

약리 줄기, 잎의 열수추출물은 개구리, 토끼의 심장에 억제 작용이 있고, 토끼의 귀 혈관에 수축 작용이 있으며, 토끼의 자궁에는 흥분 작용이 있다.

사용법 홍초, 수홍화자 각각 10g에 물 3컵(600mL)을 넣고 달여서 복용한다.

❂ 털여뀌

❂ 홍초(紅草)

❂ 수홍화자(水紅花子)

[마디풀과]

며느리배꼽

아이콘	아이콘
정창옹종, 단독, 습진	유선염
수종	황달, 설사

- 학명 : *Persicaria perfoliata* H. Gross ● 영명 : Devil's tail
- 한자명 : 刺犁頭 ● 별명 : 사광이풀, 참가시덩굴여뀌

1	2	3	4	5	6	7	8	9	10	11	12

덩굴성 한해살이풀. 길이 1~2m. 밑으로 향한 가시가 있어서 다른 식물체에 잘 붙어 올라간다. 잎은 어긋나고 삼각형, 꽃은 7~9월에 가지 끝에 총상화서로 달린다. 꽃차례는 길이 1~2cm로 밑부분을 접시같이 생긴 엽상포가 받치고 있다. 수과는 달걀 모양으로 흑색이며 윤채가 돌고 육질화된 꽃받침으로 싸여 있다.

분포 · 생육지 우리나라 전역. 중국, 일본, 타이완. 들과 산의 낮은 곳, 물가에서 자란다.

약용 부위 · 수치 전초를 여름부터 가을까지 채취하여 물에 씻거나 먼지를 털어서 말린다.

약물명 강판귀(扛板歸), 용선초(龍仙草)라고도 한다.

기미 · 귀경 평(平), 산(酸), 고(苦) · 폐(肺), 소장(小腸)

약효 청열해독(清熱解毒), 이습소종(利濕消腫), 산어지혈(散瘀止血)의 효능이 있으므로 정창옹종(疔瘡癰腫), 단독, 유선염, 수종, 황달, 설사, 습진을 치료한다.

성분 뿌리와 줄기에는 anthraquinone계 성분인 emodin, chrysophanol 등이 함유되어 있다.

사용법 강판귀 10g에 물 3컵(600mL)을 넣고 달여서 복용하고, 외용에는 짓찧어 붙이거나 물에 달인 액으로 씻는다.

* '며느리밑씻개'에 비하여 잎자루가 방패 모양으로 붙고 끝이 둔하며 턱잎이 보다 크고 가시 외에는 털이 없다.

❂ 며느리배꼽

❂ 강판귀(扛板歸)

[마디풀과]

며느리밑씻개

🔲 옹창, 정절, 독사교상, 대상포진, 타박상, 습진, 황수포

💊 내치외치

● 학명 : *Persicaria senticosa* H. Gross   ● 영명 : Manispiny knot weed
● 한자명 : 刺蓼   ● 별명 : 가시모밀, 가시덩굴여뀌, 사광이아재비

| 1 | 2 | 3 | 4 | 5 | 6 | 7 | 8 | 9 | 10 | 11 | 12 |

덩굴성 한해살이풀. 줄기는 가지가 많고 길이 1~2m. 갈고리 같은 가시가 있다. 잎은 어긋나고, 꽃은 양성으로 7~8월에 가지 끝에 둥글게 모여 달린다. 꽃받침은 깊게 5개로 갈라지며 수술은 8개이다. 수과는 흑색이다.

분포 · 생육지 우리나라 전역. 중국, 일본, 타이완. 들이나 낮은 산, 물가에서 자란다.

약용 부위 · 수치 전초를 여름과 가을에 채취하여 물에 씻거나 먼지를 털어서 말린다.

약물명 낭인(廊茵). 석종초(石宗草), 묘아자(猫兒刺)라고도 한다.

약효 청열해독(淸熱解毒), 이습지양(利濕止痒), 산어소종(散瘀消腫)의 효능이 있으므로 옹창(癰瘡), 정절(疔癤), 독사교상, 황수포(黃水疱), 대상포진, 타박상, 내치외치(內痔外痔), 습진을 치료한다.

성분 낭인(廊茵)은 isoquerctin이 약 0.07% 함유되어 있다.

사용법 낭인 10g에 물 3컵(600mL)을 넣고 달여서 복용하고, 외용에는 짓찧어 붙이거나 물에 달인 액으로 씻는다.

* '며느리배꼽'에 비하여 잎자루가 방패 모양으로 붙지 않고 턱잎이 보다 작고 가시 외에 잔털이 있다.

❶ 며느리밑씻개

❶ 열매

❶ 낭인(廊茵)

[마디풀과]

미꾸리낚시

🏃 풍습관절동통   🔲 창옹절종, 독사교상

💊 설사, 이질

● 학명 : *Persicaria sieboldii* (Meisn.) Ohki [*Polygonum siebodii*]
● 한자명 : 箭葉蓼   ● 별명 : 여뀟대, 낚시여뀌, 늦미꾸리낚시

| 1 | 2 | 3 | 4 | 5 | 6 | 7 | 8 | 9 | 10 | 11 | 12 |

한해살이풀. 밑부분이 옆으로 누우며 가지가 갈라지고 밑을 향한 잔가시가 있다. 잎은 어긋나고, 꽃은 5~8월에 피며 밑부분이 백색이고 윗부분은 붉은색, 수술은 8개, 암술대는 3개이다. 수과는 꽃덮개로 싸여 있고 흑색이다.

분포 · 생육지 우리나라 전역. 중국, 일본, 타이완. 들이나 낮은 산, 물가에서 자란다.

약용 부위 · 수치 전초를 여름과 가을에 채취하여 물에 씻어서 말린다.

약물명 작교(雀翹), 거모(去母), 도자림(倒刺林)이라고도 한다.

약효 거풍제습(祛風除濕), 청열해독(淸熱解毒)의 효능이 있으므로 풍습관절동통(風濕關節疼痛), 창옹절종(瘡癰癤腫), 설사, 이질, 독사교상(毒蛇咬傷)을 치료한다.

사용법 작교 10g에 물 3컵(600mL)을 넣고 달여서 복용하고, 외용에는 짓찧어 붙이거나 물에 달인 액으로 씻는다.

❶ 작교(雀翹)

❶ 미꾸리낚시

[마디풀과]

고마리

| 풍열두통, 사진 | 해수 |
| 이질 | 타박상 |

● 학명 : *Persicaria thunbergii* H. Gross
● 한자명 : 戟葉蓼 ● 별명 : 꼬마리, 조선꼬마리, 큰꼬마리, 고만이

| 1 | 2 | 3 | 4 | 5 | 6 | 7 | 8 | 9 | 10 | 11 | 12 |

덩굴성 한해살이풀. 줄기의 밑부분은 땅을 기며 마디에서 뿌리를 내린다. 잎은 어긋나며 창검 같고, 꽃은 8~9월에 핀다. 꽃잎은 없으며 꽃받침은 5개로 갈라지고, 수과는 세모진 달걀 모양이다.
분포 · 생육지 우리나라 전역. 중국, 일본, 타이완, 사할린, 캄차카, 러시아. 도랑이나 물가에서 자란다.
약용 부위 · 수치 전초를 여름과 가을에 채취하여 물에 씻거나 먼지를 털어서 말린다.
약물명 수마료(水麻蓼). 납납초(拉拉草), 요엽초(凹葉草)라고도 한다.

약효 거풍청열(祛風淸熱), 활혈지통(活血止痛)의 효능이 있으므로 풍열두통(風熱頭痛), 해수(咳嗽), 사진(痧疹), 이질, 타박상을 치료한다.
성분 persicarin, quercetin, quercitrin, luteolin-4'-*O*-β-D-glucopyranoside, quercetin-3-*O*-β-D-glucglucuronide, isorhamnetin-3-*O*-β-D-glucglucuronide, chrysanthemin, isorhamnetin, keracyanin, cyanidin, malvidin, peonidin 등이 함유되어 있다.
약리 isorhamnetin은 암세포인 NIH3T3, K-RAS, H-RAS, SW 620의 증식을 억제한다.
사용법 수마료 10g에 물 3컵(600mL)을 넣고 달여서 복용한다. quercetin, quercitrin, luteolin-4'-*O*-β-D-glucopyranoside, quercetin-3-*O*-β-D-glucglucuronide, isorhamnetin-3-*O*-β-D-glucglucuronide는 acethylcholinesterase의 활성을 억제한다.

❍ 고마리

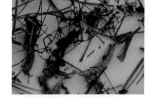
❍ 수마료(水麻蓼)

❍ 고마리(꽃)

[마디풀과]

기생여뀌

| 위통, 소화불량 | 풍습동통 |

● 학명 : *Persicaria viscosa* (Hamilt.) H. Gross
● 한자명 : 粘毛蓼 ● 별명 : 항여뀌

| 1 | 2 | 3 | 4 | 5 | 6 | 7 | 8 | 9 | 10 | 11 | 12 |

여러해살이풀. 높이 40~150cm. 전체에 긴 털과 선모가 있으며 향기가 난다. 잎은 어긋나며, 꽃은 8~9월에 가지 끝에 수상화서로 뭉쳐서 달리며 붉은색이다. 꽃잎은 없으며 꽃받침은 5개로 갈라진다. 수과는 세모지고 흑갈색이며 광택이 있다.
분포 · 생육지 우리나라 전역. 중국, 일본, 타이완, 사할린, 캄차카, 러시아. 도랑이나 연못 등 물가에서 자란다.
약용 부위 · 수치 전초를 여름과 가을에 채취하여 물에 씻거나 먼지를 털어서 말린다.
약물명 향료(香蓼). 수모료(水毛蓼), 홍간료(紅杆蓼)라고도 한다.
약효 이기제습(利氣除濕), 건위소식(健胃消食)의 효능이 있으므로 위통, 소화불량, 풍습동통(風濕疼痛)을 치료한다.
사용법 향료 10g에 물 3컵(600mL)을 넣고 달여서 복용한다.

❍ 향료(香蓼)

❍ 기생여뀌(꽃)

❍ 기생여뀌

쪽

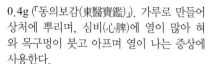

온병고열, 온병발열 | 발반, 절종, 온독발반, 화독창양
황달, 토혈 | 인후종통, 후비, 구창

● 학명 : *Persicaria tinctoria* H. Gross [*Polygonum tinctorium* Ait.]
● 한자명 : 蓼藍　● 별명 : 남, 목남, 청대

| 1 | 2 | 3 | 4 | 5 | 6 | 7 | 8 | 9 | 10 | 11 | 12 |

한해살이풀. 높이 50~60cm. 잎은 어긋나고, 꽃은 8~9월에 피며 붉은색 또는 흰색, 꽃덮개는 5개, 수술은 6~8개이다. 수과는 꽃덮개로 싸이고 세모진 달걀 모양, 길이 2mm 정도이고 흑갈색이다.

분포·생육지 중국 원산. 우리나라 전역에서 재배한다.

약용 부위·수치 열매는 가을에, 잎은 여름에 채취하여 말린다.

약물명 열매를 남실(藍實), 잎을 요대청엽(蓼大靑葉), 지상부를 가공한 청색 염료를 남전(藍靛) 또는 청대(靑黛)라고 한다. 대청엽(大靑葉)은 대한민국약전외한약(생약)규격집(KHP)에 수재되어 있다.

본초서 남실(藍實)은 「신농본초경(神農本草經)」에 처음 수재되었고, 「명의별록(名醫別錄)」에는 "남(藍)은 경엽(莖葉)으로 청색으로 물들일 수 있다."고 하였다. 「동의보감(東醫寶鑑)」에는 "독을 풀어 주고, 응어리진 것을 없애고 잠을 줄여 준다고 하였고, 청대(靑黛)는 주로 여러 독을 없애고, 두통과 춥고 더운 것, 열창을 치료하며, 종창, 쇠붙이로 인한 상처, 뱀과 개에 물린 독, 소아 감기, 살충의 효능이 있다."고 하였다.

東醫寶鑑: 主解諸毒殺蟲蚊疰鬼螫毒 治經絡中結氣 令人健少睡.

青黛 主解諸毒 天行頭痛寒熱 亦治熱瘡 惡腫 金瘡下血蛇犬等毒 解小兒疳熱消瘦 殺蟲.

기미·귀경 남실: 한(寒), 감(甘), 고(苦)·

간(肝). 요대청엽: 한(寒), 고(苦)·심(心)·위(胃). 남전: 한(寒), 함(鹹)·간(肝), 폐(肺), 위(胃)

약효 남실(藍實)은 청열(淸熱), 양혈(涼血), 해독의 효능이 있으므로 온병고열(溫病高熱), 토뉵(吐衄), 발반(發斑), 인후종통(咽喉腫痛), 절종(癤腫)을 치료한다. 요대청엽(蓼大靑葉)은 청열해독(淸熱解毒), 양혈소반(涼血消斑)의 효능이 있으므로 온병발열(溫病發熱), 발반발진(發斑發疹), 토혈뉵혈(吐血衄血), 후비(喉痺), 황달, 토혈, 구창을 치료한다. 남전(藍靛)은 청열(淸熱), 양혈(涼血)의 효능이 있으므로 온독발반(溫毒發斑), 토혈, 서열경간(暑熱驚癇), 화독창양(火毒瘡瘍)을 치료한다.

성분 지상부에는 indican, tannin 등, 뿌리에는 anthrqquinone류, 청대에는 indigotin, indirubin 등이 함유되어 있다.

약리 지상부의 에탄올추출물은 탄저균, 적리균, 콜레라균에 항균 작용이 있다.

사용법 남실 또는 요대청엽은 각 5g에 물 2컵(400mL)을 넣고 달여서 복용하고, 외용에는 가루 내어 상처에 바른다. 청대는 1~2g을 복용하거나 알약으로 만들어 복용한다.

처방 청대산(靑黛散): 황련(黃連)·황백(黃柏) 각 12g, 청대(靑黛)·망초(芒硝)·주사(朱砂) 각 2.4g, 석웅황(石雄黃)·우황(牛黃)·붕사(硼砂) 각 1.2g, 용뇌(龍腦)

0.4g (「동의보감(東醫寶鑑)」). 가루로 만들어 상처에 뿌리며, 심비(心脾)에 열이 많아 혀와 목구멍이 붓고 아프며 열이 나는 증상에 사용한다.

• 신효취후산(神效吹喉散): 청대(靑黛)·박하(薄荷)·박초(朴硝)·백반(白礬)·백강잠(白殭蠶)·화초(火硝)·붕사(硼砂)·황련(黃連) 각 16g (「외과정종(外科正宗)」). 가루로 만들어 상처에 뿌리며, 유아(乳蛾), 후비(喉痺), 중설(重舌)에 사용한다.

* 청대의 원료 식물로 '쪽'을 비롯하여 '마람 *Baphicacanthus cusia*(쥐꼬리망초과)', '숭람 *Isatis indigotica*(십자화과)'을 사용하고 있다.

* 남전 가공법: 여름이나 가을에 지상부를 채취하여 항아리에 넣고 물을 가하여 2~3일 동안 발효시킨다. 잎이 줄기에서 떨어질 정도가 되면 잎과 줄기를 건져서 버리고, 침출액과 석회를 10:1의 비율로 휘저어 섞어 침출액이 홍자색이 되면 위에 뜨는 거품을 걷어서 햇볕에 말려 청색의 가루를 얻을 수 있다.

○ 남실(藍實)

○ 남전(藍靛)

○ 요대청엽(蓼大靑葉)

○ 쪽(흰색 꽃)

○ 쪽(붉은색 꽃)

[마디풀과]

나도하수오

상호흡도감염 · 편도선염 · 월경불순 · 장염, 궤양, 토혈, 혈변 · 비뇨기감염증 · 관절염

● 학명 : *Pleuropterus cilinervis* Nakai ● 한자명 : 糯稻何首烏 ● 별명 : 개하수오

| 1 | 2 | 3 | 4 | 5 | 6 | 7 | 8 | 9 | 10 | 11 | 12 |

덩굴성 여러해살이풀. 길이 2m 정도. 잎은 어긋나고 길이 6~11cm, 너비 3~6cm이다. 꽃은 6~8월에 정생하거나 다소 밑부분에서 원추화서로 자라고 백색 꽃이 빽빽이 피며, 외꽃덮개에 날개가 있다. 수술은 7~8개이며 꽃덮개보다 짧고 암술머리는 3개이며 방패같다. 열매는 세모진 달걀 모양이고 꽃덮개로 싸여 있다.

분포 · 생육지 우리나라 설악산, 오대산, 덕유산, 지리산, 화천 부근. 중국, 일본. 산지의 능선을 따라 풀밭에서 자란다.

약용 부위 · 수치 여름에 덩이뿌리를 채취하여 물에 씻은 뒤 썰어서 말린다.

약물명 홍약자(紅藥子), 홍약(紅藥), 적약(赤藥), 주사칠(朱砂七)이라고도 한다.

기미 · 귀경 양(凉), 고(苦), 미삽(微澁) · 폐(肺), 대장(大腸), 간(肝)

약효 청열해독(淸熱解毒), 양혈(凉血), 활혈(活血)의 효능이 있으므로 상호흡도감염, 편도선염, 장염, 궤양, 비뇨기감염증, 월경불순, 토혈, 혈변, 관절염을 치료한다.

성분 trans-resvertrol, trans-resvertrol-3-O-β-D-glucopyranoside, trans-resvertrol-3-O-β-D-(2-O-galloyl)-glucopyranoside, dl-catechin, trans-resvertrol-3-O-β-D-(2-O-p-coumaroyol)-glucopyranoside, pleuropyrone A, (−)-lyoniresinol 3a-O-β-D-glucopyranoside, (+)-lyoniresinol 3a-O-β-D-glucopyranoside, 2,5-dimethyl-8-hyddroxynaphthopyrone 10-O-β-D-glucpyranoside, emodin, hyscion 등이 함유되어 있다.

약리 *trans*-resvertrol-3-O-β-D-(2-O-p-coumaroyol)-glucopyranoside, pleuropyrone A 등의 물질은 항산화 작용이 강하다. anthraquinone계 성분인 emodin, physcion 등은 포도상구균, 대장균, 화농성간균에 항균 작용이 있고, 열수추출물은 호흡기 및 장내 바이러스에 항바이러스 작용이 있다.

사용법 홍약자 10g에 물 3컵(600mL)을 넣고 달여서 복용하고, 외용에는 짓찧어 바른다. 임산부는 복용에 주의해야 한다.

● 나도하수오

● 홍약자(紅藥子)

● 나도하수오(열매)

[마디풀과]

두화료

이질 · 신우염, 방광염, 요로결석 · 풍습통 · 습진

● 학명 : *Polygonum capitatum* Buch.−Ham. ● 한자명 : 頭花蓼

| 1 | 2 | 3 | 4 | 5 | 6 | 7 | 8 | 9 | 10 | 11 | 12 |

여러해살이풀. 높이 15~25cm. 줄기는 비스듬히 자라고 적자색이다. 잎은 어긋나며 잎몸에 V자형의 무늬가 있고 가장자리는 밋밋하다. 꽃은 6~9월에 줄기 끝에 두상화서로 다닥다닥 피고, 꽃받침은 흰빛 또는 붉은빛이 돌고 꽃잎은 없다. 열매는 달걀 모양으로 흑색이다.

분포 · 생육지 중국 쓰촨성(四川省), 구이저우성(貴州省), 윈난성(雲南省), 티베트. 세계 각처에 귀화하여 길가나 낮은 산 양지에서 자란다.

약용 부위 · 수치 지상부를 봄부터 가을에 걸쳐 채취하여 물에 씻은 후 말린다.

약물명 석망초(石莽草), 성정초(省訂草), 화안단(火眼丹)이라고도 한다.

약효 청열이습(淸熱利濕), 활혈지통(活血止痛)의 효능이 있으므로 이질, 신우염, 방광염, 요로결석, 풍습통(風濕痛), 습진을 치료한다.

사용법 석망초 15g에 물 3컵(600mL)을 넣고 달여서 복용하고, 습진에는 짓찧어서 붙인다.

● 석망초(石莽草)

● 두화료

[마디풀과]

하수오

●학명 : *Pleuropterus multiflorus* Turcz. ●한자명 : 何首烏 ●별명 : 적하수오

| 1 | 2 | 3 | 4 | 5 | 6 | 7 | 8 | 9 | 10 | 11 | 12 |

덩굴성 한해살이풀. 뿌리는 땅속으로 벋고 둥근 뿌리줄기가 있으며, 잎은 어긋난다. 꽃은 백색, 8~9월에 가지 끝에 원추화서로 달리며, 꽃받침은 5개로 깊게 갈라지고, 꽃잎은 없으며 수술은 8개, 씨방은 달걀 모양이고, 암술대는 3개이다. 수과는 3개의 날개가 있으며 꽃받침으로 싸이고 길이 2.5mm, 세모진 달걀 모양이다.

분포 · 생육지 중국 원산. 우리나라 전역에서 재배하거나 산과 들로 퍼져서 자란다.

약용 부위 · 수치 뿌리줄기를 가을부터 겨울까지 채취하여 썰어서 말리고, 덩굴줄기를 여름철에 채취하여 썰어서 말린다.

약물명 둥근 뿌리줄기를 하수오(何首烏), 덩굴줄기를 야교등(夜交藤)이라고 한다. 하수오(何首烏)는 대한민국약전(KP)에, 야교등(夜交藤)은 대한약전외한약(생약)규격집(KHP)에 수재되어 있다.

본초서 「본초강목(本草綱目)」에 "하전아(何田兒)라는 노인이 이 약초를 캐서 먹은 뒤 머리카락(首)이 까마귀(烏)처럼 검어졌다고 하여 하수오(何首烏)라고 한다."고 기록되어 있다. 「동의보감(東醫寶鑑)」에 "나력, 종기, 치질을 낫게 하며 몸과 마음이 허약하고 피로하여 몸이 여윈 것을 낫게 한다. 담이 옆구리에 가서 아픈 것과 몸과 마음이 허약할 때 바람의 기운이 침입하여 몸이 몹시 상한 것을 낫게 한다. 산후에 생기는 여러 가지 병과 자궁에서 분비물이 나오는 것을 멎게 한다. 혈액과 기운을 돕고 근골을 튼튼하게 하며 골수를 채우고 머리카락을 검게 한다. 또 얼굴빛을 윤택하게 하고 늙지 않게 하며 오래 살게 한다."고 하였다.

日華子本草: 久服令人有子, 治腹臟宿疾, 一切冷氣及腸風.

開寶本草: 主瘰癧, 消癰腫, 療頭面風瘡, 逐五痔, 止心痛, 益血氣.

本草綱目: 足厥陰, 少陽藥也, 瀉肝風.

東醫寶鑑: 主瘰癧 消擁腫五痔 治積年老瘦痰癖 風虛敗熱 療婦人産後諸疾 帶下赤白 益血氣

壯筋骨 塡精髓 黑毛髮 悅顔色 駐顔延年.

성상 하수오(何首烏)는 방추형 또는 덩어리이고 길이 5~15cm, 지름 3~10cm이다. 표면은 적갈색이고 고르지 않은 굵은 세로 주름이 있고 편평하지 않으며 질은 단단하다. 횡단면은 담황갈색을 나타내며, 이상(異狀) 유관속이 있어서 꽃무늬를 이룬다. 냄새는 거의 없고 맛은 조금 쓰며 떫다. 질이 단단하고 횡단면이 가루질이며 붉은색인 것이 좋다.

기미 · 귀경 하수오(何首烏): 미온(微溫), 고(苦), 감(甘), 삽(澁) · 간(肝), 신(腎). 야교등(夜交藤): 평(平), 감(甘), 고(苦) · 심(心), 간(肝)

약효 하수오(何首烏)는 양혈자양(養血滋養), 윤장통변(潤腸通便), 거풍(祛風), 해독의 효능이 있으므로 혈허두혼목현(血虛頭昏目眩), 심계(心悸), 실면(失眠), 간신음허(肝腎陰虛)로 인한 요슬산연(腰膝酸軟), 수발조백(鬚髮早白), 이명, 유정, 장조변비, 풍진소양(風疹瘙痒), 창옹(瘡癰), 치창, 자궁출혈을 치료한다. 야교등(夜交藤)은 양심안신(養心安神), 거풍, 통락(通絡)의 효능이 있으므로 실면(失眠), 다몽(多夢), 혈허신통(血虛身痛), 기부마목(肌膚麻木), 풍습비통, 풍진소양(風疹瘙痒)을 치료한다.

성분 하수오(何首烏)에는 anthraquinone계 성분인 chrysophanol, emodin, rhein, physcion과 stilbene 배당체인 (*E*)−2,3,5,4′−tetrahydroxystilbene−2−β−D−(6″−galloyl)−glucoside, (*E*)−2,3,5,4′−tetrahydroxystilbene −2−β−D−(2″−galloyl)−glucoside, (*E*)−2,3, 5,4′−tetrahydroxystilbene−2−β−D−glucoside, (*Z*)−2,3,5,4′−tetrahydroxystilbene−2− β−D−glucoside, lecthin인 esterlecithin (3.7%) 등이 함유되어 있다.

약리 lecithin은 신경 조직, 특히 뇌척수를 구성하는 성분으로 신경 강장 작용이 있으며, 또한 혈구를 비롯한 세포의 세포막 구성 성분으로 혈구의 신생과 발육을 촉진한다. anthraquinone 성분들은 장 운동을 촉진시켜 배변을 용이하게 하고, 에탄올추출물은 혈중 콜레스테롤 함량을 저하시키고,

적출한 개구리 심장에 흥분 작용을 나타낸다. 에탄올추출물을 쥐에게 투여하면 학습 능력과 기억력을 개선시킨다. 50%에탄올추출물을 장기간 투여하면 허혈로 인한 뇌의 경색 부위가 대조군에 비하여 반으로 줄어든다. 에탄올추출물은 적리균에 항균 작용을 보인다.

확인 시험 가루를 에테르로 추출한 여액에 암모니아수 시액을 가하고 흔들면 물층은 연한 붉은색을 띤다(Borntraeger 반응).

사용법 하수오 또는 야교등 10g에 물 3컵(600mL)을 넣고 달여서 복용하고, 외용에는 짓찧어 바른다.

처방 하수오환(何首烏丸): 하수오(何首烏) · 백하수오(白何首烏) 각 300g, 육종용(肉蓰蓉) 240g, 우슬(牛膝) 160g. 알약으로 만들어 1회 10g씩 1일 3회 복용(「보양처방집(補陽處方集)」). 정혈(精血)이 모자라 일찍 늙고 머리카락이 희어지며 손발이 차고 음위증(陰痿症)이 나타나는 증상에 사용한다.

• 칠보미염단(七寶美髥丹): 하수오(何首烏) 1000g, 우슬(牛膝) · 구기자(枸杞子) · 토사자(菟絲子) · 당귀(當歸) · 복령(茯苓) 각 250g, 보골지(補骨脂) 120g, 가루약이나 알약으로 만들어 1회 9g 복용(「소응절방(邵応節方)」). 보간신(補肝腎), 흑수발(黑鬚髮)의 효능이 있으므로 유정, 요통, 수발조백(鬚髮早白)에 사용한다.

✿ 하수오

✿ 하수오(何首烏, 절편)

✿ 하수오(何首烏)로 만든 자양강장제

✿ 야교등(夜交藤, 절편)

✿ 야교등(夜交藤)

마디풀

임증, 소변불리, 치질	황달
소양증, 습진	백대

● 학명 : *Polygonum aviculare* L.   ● 영명 : Prostate knot-weed
● 한자명 : 道柳   ● 별명 : 돼지풀, 옥매듭

| 1 | 2 | 3 | 4 | 5 | 6 | 7 | 8 | 9 | 10 | 11 | 12 |

한해살이풀. 높이 30~40cm. 줄기는 밑부분에서 갈라지고, 잎은 어긋나며 길이 1.5~4cm, 너비 3~12mm이다. 꽃은 양성으로 6~7월에 잎겨드랑이에 1개 내지 여러 개씩 달리며, 꽃받침은 흰빛 또는 붉은빛이 돌고 5개로 갈라진다. 꽃잎은 없으며, 수술은 6~8개, 암술대는 3개로 갈라진다. 열매는 세모지고 꽃덮개보다 짧으며 작은 점이 있다.

분포 · 생육지 우리나라 전역. 일본, 중국, 아시아, 유럽, 북아메리카. 길가나 낮은 산의 양지에서 자란다.

약용 부위 · 수치 전초를 여름철에 채취하여 말린다.

약용명 편축(萹蓄). 편축(萹茿), 편만(萹蔓)이라고도 한다. 대한민국약전외한약(생약)규격집(KHP)에 수재되어 있다.

본초서 편축(萹蓄)은 「신농본초경(神農本草經)」의 하품에 수재되었고, 양대(梁代)의 도홍경(陶弘景)은 "어느 곳에서나 자라며, 마디 사이가 희고 잎은 가늘기 때문에 편죽(扁竹)이라고 한다."고 하였으며, 이후에 편축(萹蓄)으로 바뀐 것이다. 「동의보감(東醫寶鑑)」에 "옴을 긁어서 상처의 표면이 깊어져 잘 낫지 않는 것, 치질을 낫게 하고 촌충과 회충을 구제한다. 오줌 빛이 붉고 요도에 열이 나고 막히며 아랫배가 몹시 아픈 증상을 낫게 하고 소변을 잘 나오게 한다."고 하였다.

東醫寶鑑: 主浸淫疥瘙 疽痔 殺三蟲 療蚘痛 諸熱淋 通小便.

성상 편축(萹蓄)은 전초로 줄기는 가는 원기둥 모양이고 잎은 어긋나며 긴 타원형이다. 표면은 담갈색이며 마디에는 갈색의 얇은 엽초와 꽃이 붙어 있다. 냄새는 없고 맛은 떫다.

기미 · 귀경 미한(微寒), 고(苦) · 방광(膀胱), 대장(大腸)

약효 이수통림(利水通淋), 살충지양(殺蟲止痒)의 효능이 있으므로 임증(淋證), 소변불리, 황달, 소양증, 백대(白帶), 습진, 치질을 치료한다.

성분 편축은 avicularin, quercetin, quercitrin, myricitrin, juglanin, catechol, caffeic acid, gallic acid, catechin, protocatechuic acid, epicatechin-3-O-gallate 등이 함유되어 있다.

약리 물에 달인 액을 쥐에게 투여하면 이뇨 작용이 있고, 에탄올추출물은 토끼, 개의 혈압을 내리며, 자궁에 수축 작용이 있으며, 또 개에게 투여했을 때 이담 작용이 나타난다. avicularin, quercetin, quercitrin은 항산화 작용을 나타낸다.

사용법 편축 5g에 물 2컵(500mL)을 넣고 달여서 복용하고, 피부병에는 짓찧어 환부에 바른다.

처방 팔정산(八正散): 편축(萹蓄) · 구맥(瞿麥) · 목통(木通) · 차전자(車前子) · 활석(滑石) · 치자(梔子) · 대황(大黃) · 감초(甘草) 각 4g(「동의보감(東醫寶鑑)」, 「위생보감(衛生寶鑑)」). 방광에 열이 몰려 입안이 마르고 갈증이 있으며 아랫배가 불러오고 오줌이 방울방울 떨어지는 증상에 사용한다.

＊ 열매는 수과로 세모지며 윗부분이 다소 밖으로 나오는 '큰옥매듭풀 *P. bellardii* var. *effusum*'과 열매가 꽃덮개보다 길고 평활하며 윤채가 돌고 전체가 흰 가루색을 띠는 '갯마디풀 *P. polyneuron*'도 약효가 같다.

◐ 마디풀

◐ 편축(萹蓄, 중국산)

◐ 편축(萹蓄, 국내산)

[마디풀과]

화탄모초

 이질, 설사, 간염   👁 인후통, 중이염

습진

●학명 : *Polygonum chinense* L. ●한자명 : 火炭母草

| 1 | 2 | 3 | 4 | 5 | 6 | 7 | 8 | 9 | 10 | 11 | 12 |

여러해살이풀. 높이 1m 정도. 줄기는 비스듬하거나 바로 선다. 잎은 어긋나며 잎몸에 V자형의 무늬가 있고 가장자리는 밋밋하다. 꽃은 양성으로 7~8월에 줄기 끝에 두상화서로 다닥다닥 피고, 꽃받침은 흰빛 또는 붉은빛이 돌고 꽃잎은 없다. 열매는 달걀 모양으로 흑색이다.

분포 · 생육지 중국 윈난성(雲南省), 티베트. 길가나 낮은 산 양지에서 자란다.

약용 부위 · 수치 지상부를 여름철에 채취하여 물에 씻은 후 말린다.

약물명 화탄모초(火炭母草). 화탄모(火炭毛)라고도 한다.

약효 청열이습(清熱利濕), 양혈해독(涼血解毒), 평간명목(平肝明目), 활혈서근(活血舒筋)의 효능이 있으므로 이질, 설사, 인후통, 간염, 습진, 중이염을 치료한다.

사용법 화탄모초 10g에 물 3컵(600mL)을 넣고 달여서 복용하고, 습진에는 짓찧어 붙인다.

✿ 화탄모초(열매)

✿ 화탄모초

[마디풀과]

초혈갈

 만성위염, 위궤양, 소화불량, 설사

●학명 : *Polygonum paleaceum* Wall. ●한자명 : 草血竭

| 1 | 2 | 3 | 4 | 5 | 6 | 7 | 8 | 9 | 10 | 11 | 12 |

여러해살이풀. 높이 30~60cm. 뿌리줄기는 비후하고 구부러지며, 줄기는 바로 선다. 줄기의 밑부분 잎은 크지만, 위의 잎은 가늘다. 꽃은 양성으로 7~8월에 줄기 끝에 총상화서로 다닥다닥 피고, 꽃받침은 흰빛 또는 붉은빛이 돌고 꽃잎은 없다.

분포 · 생육지 중국 윈난성(雲南省). 길가나 낮은 산 양지에서 자란다.

약용 부위 · 수치 뿌리줄기를 여름철에 채취하여 물에 씻은 후 말린다.

약물명 초혈갈(草血竭). 일구혈(一口血), 회두초(回頭草)라고도 한다.

약효 활혈산어(活血散瘀), 지혈지통(止血止痛), 청열해독(清熱解毒), 수렴지사(收斂止瀉)의 효능이 있으므로 만성위염, 위궤양, 소화불량, 설사를 치료한다.

사용법 초혈갈 5g에 물 2컵(500mL)을 넣고 달여서 복용한다.

✿ 초혈갈

[마디풀과]

호장근

 풍습비통, 류머티즘　 창양종독, 독사교상
♀ 부녀경폐, 생리통, 산후오로불하, 임탁대하　🜃 습열황달

● 학명 : *Reynoutria japonica* Houtt. [*R. elliptica, P. cuspidatum*]　● 영명 : Knot-weed
● 한자명 : 虎杖　● 별명 : 범싱아, 감제풀

| 1 | 2 | 3 | 4 | 5 | 6 | 7 | 8 | 9 | 10 | 11 | 12 |

여러해살이풀. 뿌리줄기는 굵고 목질이며 땅속으로 길게 벋으면서 군락을 이룬다. 줄기는 높이 1.5m 정도이고, 잎은 어긋난다. 꽃은 암수딴그루, 6~8월에 피고, 꽃덮개 조각은 5개, 암꽃의 꽃덮개 조각은 자라서 길이 6~10mm로 되며 꽃잎이 없고, 수술은 8개, 암술머리는 3개이다. 수과는 세모진 달걀 모양이고 흑갈색의 윤채가 돈다.

분포 · 생육지 우리나라 전역. 일본, 중국, 타이완. 산골짜기에서 자란다.

약용 부위 · 수치 뿌리줄기를 수시로, 잎은 여름철에 채취하여 말린다.

약물명 뿌리줄기를 호장(虎杖), 잎을 호장엽(虎杖葉)이라고 한다. 호장(虎杖)은 대한민국약전외한약(생약)규격집(KHP)에 수재되어 있다.

본초서 호장(虎杖)은 「명의별록(名醫別錄)」의 중품(中品)에 처음 수재되었으며, 「촉본초(蜀本草)」에는 "습지에서 잘 자라며, 높이

자라고 줄기는 붉고 뿌리는 노랗다."고 하였다. 「본초강목(本草綱目)」에는 "줄기가 막대기(杖)처럼 생겼으며, 호랑이(虎)처럼 반점이 있으므로 호장(虎杖)이라 하게 되었다."고 하였다. 「동의보감(東醫寶鑑)」에 "피가 몰린 것과 몸속에 나쁜 기운이 몰린 것을 풀어 주고 생리를 순조롭게 하며 산후의 나쁜 피를 잘 나가게 하고 고름을 빨아 낸다. 피부에 얇게 생긴 상처, 열로 인해 살이 썩고 고름이 나는 것과 다쳐서 피가 뭉쳤을 때 주로 쓴다. 소변을 잘 나오게 하고 오림(五淋, 勞淋, 血, 氣, 熱淋)을 낫게 한다."고 하였다.

名醫別錄: 主通利月水 破留血癥結.
藥性論: 治大熱煩燥 止渴 利小便 壓一切熱毒.
本草拾遺: 主風在骨節間及血瘀 煮汁作酒服之.
東醫寶鑑: 破留血癥結 通利月水 下産後惡血 排膿 主瘡癤毒 撲損瘀血 利小便 通五淋.

성상 뿌리줄기 및 뿌리로, 구부러진 원뿔

또는 덩어리 모양이고 길이 3~7cm, 지름 1~1.5cm이다. 표면은 암갈색이고 뿌리 자국과 세로 주름이 있으며, 코르크층이 떨어진 곳은 갈색이고, 횡단면은 섬유질이며 황갈색이다. 냄새가 있고 맛은 약간 쓰다.

기미 · 귀경 호장(虎杖): 미한(微寒), 고(苦), 산(酸) · 간(肝), 담(膽)

약효 호장(虎杖)은 활혈산어(活血散瘀), 거풍통락(祛風通絡), 청열이습(淸熱利濕), 해독의 효능이 있으므로 부녀경폐, 생리통, 산후오로불하(産後惡露不下), 타박상, 풍습비통(風濕痺痛), 습열황달(濕熱黃疸), 임탁대하(淋濁帶下), 창양종독(瘡瘍腫毒), 독사교상을 치료한다. 호장엽(虎杖葉)은 뱀이나 독충에게 물린 상처, 류머티즘을 치료한다.

성분 뿌리와 뿌리줄기는 anthraquinone류 성분인 emodin, 1-*O*-methylemodin, physcion 8-*O*-β-D-glucopyranoside, physcion, stilbene계 성분으로 *trans*-resveratrol, oxyresveratrol, rhapontigenin, piceantanol, piceid, polydatin 등이 함유되어 있다. 잎에는 isoquercetin, plastoquinone A, B, C, tannin이 함유되어 있다.

약리 열수추출물은 황색 포도상구균, 대장균, 연쇄구균, 녹농균에 대하여 항균 작용이 있고, 또한 항바이러스 작용이 있다.

사용법 호장 또는 호장엽 10g에 물 3컵(600mL)을 넣고 달여서 복용하고, 독충에 물렸을 때는 잎을 짓찧어 붙인다.

주의 생리중이거나 임신부는 피한다.

처방 호장산(虎杖散): 호장(虎杖) 80g, 작약(芍藥) 40g (「향약집성방(鄕藥集成方)」). 타박상으로 어혈이 진 데 사용한다.

• 호장근탕(虎杖根湯): 호장(虎杖) 12g, 차전자(車前子) · 금은화(金銀花) 각 10g, 연교(連翹) 9g, 등심초(燈心草) 4g, 감초(甘草) 2g (「동약건강(東藥健康)」). 급성신장염으로 갑자기 몸이 붓고 오줌 양이 적으면서 열이 나고 두통이 있으며 혈압이 높은 증상에 사용한다.

○ 호장근

○ 호장(虎杖)

○ 호장엽(虎杖葉)

○ 호장근(새순)

○ 호장근(뿌리줄기)

[마디풀과]

왕호장근

풍습비통, 류머티즘 / 창양종독, 독사교상 / 부녀경폐, 생리통, 산후오로불하, 임탁대하 / 습열황달

● 학명 : *Reynoutria sachalinensis* (Fr. Schm.) Nakai [*Polygonum sachalinensis*]
● 별명 : 왕감제풀, 왕싱아

1	2	3	4	5	6	7	8	9	10	11	12

여러해살이풀. 높이 3m 정도. 뿌리줄기는 굵고 목질이며, 어린 줄기는 자주색 반점이 퍼져 있다. '호장근'에 비하여 키가 크며, 잎은 타원형, 밑부분이 깊은 심장저이며, 엽초는 길이 2~7cm로 길다.

분포 · 생육지 우리나라 울릉도. 일본. 산골짜기에서 자란다.

약물명 뿌리줄기를 호장(虎杖), 잎을 호장엽(虎杖葉)이라고 한다. 호장(虎杖)은 대한민국약전외한약(생약)규격집(KHP)에 수재되어 있다.

성분 physcion, 1−*O*−methylemodin, emodin, physcion−8−*O*−β−D−glucopyranoside, emodin−8−*O*−β−D−glucopyranoside, *trans*−resveratrol, *trans*−resveratrol−3−*O*−β−D−glucopyranoside 등이 함유되어 있다.

약리 emodin, 1−*O*−methylemodin, physcion은 protein tyrosine phosphatase의 활성을 강하게 억제한다. *trans*−resveratrol은 암세포인 L1210, HL60 및 B16F10에 세포 독성이 있다. emodin−8−*O*−β−D−glucopyranoside와 *trans*−resveratrol−3−*O*−β−D−glucopyranoside은 흰쥐의 간 균질액의 과산화 지질을 억제한다. emodin은 *Helicobacter pylori*에 항균 작용이 있다.

＊ 약효 및 사용법은 '호장근'과 같다.

◐ 왕호장근(열매)

◐ 왕호장근

[마디풀과]

약용대황

경폐, 산후어체복통 / 실적변비, 열결흉비, 습열사리, 황달, 징가적체, 위열구토, 토혈, 변혈 / 타박상, 열독옹양, 단독, 탕상, 출혈 / 임병, 수종복만, 소변불리, 요혈 / 목적, 인후종통, 구설생창, 육혈

● 학명 : *Rheum officinale* Baillon   ● 영명 : Rhubarb
● 한자명 : 藥用大黃

1	2	3	4	5	6	7	8	9	10	11	12

여러해살이풀. 줄기는 바로 서고 높이 2m 정도이다. 뿌리줄기는 굵고, 잎은 둥글며 가장자리가 얕게 결각진다. 줄기 아랫잎은 5개로 약간 갈라지고, 꽃은 비교적 크며 황록색이다. 꽃차례의 분지하는 모양이 옆으로 벌어지고, 열매의 날개가 투명하지 않다.

분포 · 생육지 중국 산시성(陝西省), 허난성(河南省), 후베이성(湖北省), 쓰촨성(四川省), 구이저우성(貴州省), 윈난성(雲南省). 산골짜기에서 자란다.

약물명 대황(大黃), 약용대황(藥用大黃), 아황(雅黃), 말발굽과 비슷하므로 마제대황(馬蹄大黃), 생산지가 남부 지방이므로 남대황(南大黃)이라고도 한다. 대한민국약전외한약(생약)규격집(KHP)에 수재되어 있다.

성상 대부분 납작한 원주형에 가깝게 가로로 잘라졌거나 덩어리 조각 또는 말발굽형이다. 표면은 황갈색~흑갈색으로 횡단면에는 금문(金紋, star spot)이 약간 볼록하게 나와 있고, 환을 이루거나 흩어져 있다. 횡단면에 자외선(장파장, 365μm)을 쪼이면 갈색 형광이 뚜렷하게 나타난다.

＊ 기타 사항은 '장엽대황'과 같다.

◐ 대황(大黃, 절편)

◐ 약용대황(뿌리줄기)

◐ 약용대황

❂ 약용대황(열매)

❂ 유럽에서도 대황은 건위제로 널리 사용된다(독일 본식물원).

❂ 약용대황(꽃)

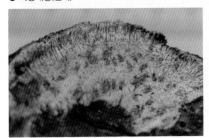

❂ 대황(大黃, 횡단면에 금문이 많다.)

[마디풀과]

장엽대황

 경폐, 산후어혈복통   실적변비, 열결흉비, 습열사리, 황달, 징가적체, 위열구토, 토혈, 변혈

타박상, 열독옹양, 단독, 탕상, 출혈   임병, 수종복만, 소변불리, 요혈   목적, 인후종통, 구설생창, 육혈

● 학명 : *Rheum palmatum* L.   ● 영명 : Rhubarb
● 한자명 : 掌葉大黃, 大黃   ● 별명 : 금문대황, 중질대황

| 1 | 2 | 3 | 4 | 5 | 6 | 7 | 8 | 9 | 10 | 11 | 12 |

여러해살이풀. 뿌리줄기는 굵고, 줄기는 바로 서고 높이 2m 정도이다. 줄기 속은 비었으며 광택이 나고 털이 없다. 줄기 밑 잎은 크고 육질의 긴 잎자루가 있으며 잎몸과 길이가 비슷하다. 잎몸은 거의 원형이며 길이 40cm에 이르고 3~7개로 손바닥처럼 갈라진다. 줄기 윗부분의 잎은 비교적 작고 잎자루도 짧다. 꽃은 6~7월에 피고, 꽃차례는 원추상으로 정생(頂生)하고, 적자색으로 피며, 꽃덮개는 6개, 길이 1.5mm이고, 수술은 9개, 암술대는 3개이다. 수과는 3개의 능선이 있고 암갈색이다. 열매는 7~8월에 익는다.

분포·생육지 중국 산시성(陝西省), 간쑤성(甘肅省), 칭하이성(青海省), 쓰촨성(四川省), 윈난성(雲南省), 시장성(西藏省). 산골짜기에서 자란다.

약용 부위·수치 종자를 뿌린 뒤 3년이 지난 가을에 뿌리줄기를 채취하여 잔뿌리는 제거하고 물로 씻은 뒤 썰어서 말린다. 때로는 주초(酒炒)하거나 주증(酒蒸)하여 사용한다. 주초인 경우 대황 500g에 황주(黃酒) 60g을 사용하고, 주증인 경우 대황 500g에 황주 120g을 사용한다. 대황에 황주를 타서 교반하여 스며들도록 한 뒤 강한 불로 6~8시간 쪄서 흑갈색이 되면 10시간 정도 두었다가 꺼내서 햇볕에 말린다.

약물명 대황(大黃). 금문대황(錦紋大黃), 장군(將軍), 천군(川軍), 주군(酒軍)이라고도 한다. '당고특대황'과 함께 산지가 서북 지역이므로 북대황(北大黃), 서대황(西大黃)이라고도 한다. 대한민국약전외한약(생약)규격집(KHP)에 수재되어 있다.

본초서 대황(大黃)은 「신농본초경」의 상품에 수재되어 "뿌리줄기가 굵고(大) 노란색(黃)이므로 대황(大黃)이라고 한다."고 기록되어 있다. 하제(下劑)로 사용할 때는 오래 달이지 않는 것이 좋고, 임산부는 복용을 금한다. 소량씩 사용하면 건위 효과가 있고, 다량으로 사용하면 하제의 효능이 있다. 「동의보감(東醫寶鑑)」에 "피가 몰린 것을 풀어 주고 생리불순을 낮게 하며 뱃속에 덩어리가 있는 것을 없애며 대소변을 잘 나오게 한다. 풍토병과 열병을 낮게 하고 상처의 표면이 깊어 잘 낫지 않는 것과 피부부스럼, 독성이 있는 종기를 없애 준다. 장군풀이라고 한다."고 하였다.

神農本草經: 主下瘀血, 血閉, 寒熱, 破癥瘕積聚, 留飮宿食, 蕩滌腸胃, 推陳致新, 通利水穀, 調中化食, 安和撲五臟.
名醫別錄: 平胃, 下氣, 諸痰實, 腸間結熱, 心腹脹滿, 女子寒血閉脹, 小腹痛, 諸老血留結.
本草綱目: 主治下痢赤白, 裏急腹痛, 小便淋瀝, 實熱燥結, 潮熱譫語, 黃疸, 諸火瘡.
東醫寶鑑: 主下瘀血血閉 破癥瘕積聚 通利大小便 除溫瘴熱疾 療癰疽瘡癤腫毒 號爲將軍

성상 난형, 또는 원주형이고 때때로 가로로 또는 세로로 잘려져 있으며 지름 4~10cm, 길이 5~15cm이다. 껍질은 거의 벗겨져 있다. 피층 대부분이 제거된 것의 표면은 황갈색~담갈색이고, 백색의 가는 그물눈 모양을 볼 수 있으며 질은 치밀하고 단단하다. 코르크층이 남아 있는 것의 표면은 암갈색 또는 적흑색을 나타내고 주름이 있으며, 질은 거칠면서 무르다. 횡단면은 회갈색, 엷은 회갈색 또는 갈색이고 흑갈색에 흰색, 엷은 갈색이 뒤섞인 복잡한 무늬가 있다. 이 무늬는 형성층 부근에서 때때로 방사상을 이루고, 안쪽의 수(髓)는 지름 1~3mm의 갈색 작은 원의 중심에서 방사상을 이루는 선문(旋紋)과 같은 조직으로 되어 있고, 이 조직은 환상으로 배열되거나 혹은 불규칙하게 산재되어 있다. 특이한 냄새가 있으며 맛은 떫고 쓰다. 입에 넣고 씹으면 가는 모래를 씹는 느낌이 있고, 침을 황색으로 물들인다. 횡단면에 자외선(장파장, 365μm)을 쪼이면 갈색 형광이 뚜렷하게 나타난다.

품질 형체가 잘 갖추어지고 횡단면에서 선문(旋紋, star spot)을 볼 수 있고 rhaponticin을 전혀 함유하지 않은 것이 좋다.

포제 그대로 사용하거나 주초(酒炒)하여 사용한다.

기미·귀경 한(寒), 고(苦)·위(胃), 대장(大腸), 간(肝), 비(脾)

약효 공적체(攻積滯), 청습열(淸濕熱), 사화(瀉火), 양혈(凉血), 거어(祛瘀), 해독의 효능이 있으므로 실적변비(實積便秘), 열결흉

비(熱結胸痞), 습열사리(濕熱瀉痢), 황달(黃疸), 임병(淋病), 수종복만(水腫服滿), 소변불리, 목적(目赤), 인후종통, 구설생창(口舌生瘡), 위열구토(胃熱嘔吐), 토혈, 육혈(衄血) 및 변혈, 요혈, 축혈(蓄血), 경폐(經閉), 산후어체복통(産後瘀滯腹痛), 징가적체(癥瘕積滯), 타박상, 열독옹양(熱毒癰瘍), 단독, 탕상(燙傷)을 치료한다.

성분 anthraquinone: chrysophanol, emodin, physcion, rhein, aloe-emodin, physcion, physcionglucoside, rhein-8-glucoside, chrysophanol-1-glucoside, sennidin A, B, C, rheidin A, B, C, palmidin A, B, C, sennoside A, B, C, D, dirhein, anthrone, stibene: rhaponticin, chrysopharhaponticin, desoxyrhapontigenin, rhapontigenin, resveratol, piceid, tannin: gallocatechol gallate, glucogallin 등이 함유되어 있다.

약리 물에 달인 액을 쥐에게 투여하면 담즙 분비가 증가되므로 소화불량에 좋다. 또 배변이 촉진되며, 이러한 작용은 anthraquinone 성분들이 대장의 운동을 촉진시키므로 일어난다. 물에 달인 액은 적리균, 티푸스균, 대장간균에 항균 작용이 있다. emodin과 rhein은 LPS로 유도된 iNOS의 활성을 저해함으로써 항염증 작용을 나타낸다. 열수추출물은 혈청의 콜레스테롤 함량을 높이는데, 이는 rhatannin에 기인한다. chrysophanol, physcion, emodin, aloe-emodin, rhein은 유방암 세포인 MCF-7과 MDA-MB-231에 세포 독성이 있다. rhaponticin, chrysopharhaponticin, desoxyrhapontigenin, rhapontigenin, resveratol은 lipoxygenase에 linoleic acid와 경쟁적 저해를 한다.

확인 시험 가루 2g에 THF-H₂O(7:3) 40mL를 넣고 30분간 흔들어 섞은 다음 원심 분리한다. 상징액(上澄液)을 분액 깔때기에 옮기고 소금 13g을 넣고 30분간 흔들어 섞는다. 분리된 물층과 소금을 따로 취하고 1N HCl 시액을 넣어 pH를 1.5로 조절한다. 이 액을 다른 분액 깔때기에 옮기고 THF 30mL를 넣고 10분간 흔들어 섞은 다음, 분리한 THF층을 취하여 검체액으로 한다. 따로 TLC용 sennoside A 1mg을 녹여 표준액으로 하고 TLC 법에 따라 실험한다.

사용법 대황 5g에 물 2컵 (400mL)을 넣고 달여서 또는 술에 담가서 복용한다. 가루약은 1~1.5g을 복용한다. 본 약물은 공하(攻下) 작용이 강하므로 혈분(血分)에 울열(鬱熱)이 없고 위장의 적체가 없는 경우, 임산부에게는 적당하지 않다.

처방 대승기탕(大承氣湯): 대황(大黃) 16g, 후박(厚朴)·지실(枳實)·망초(芒硝) 각 12g 『금궤요략(金匱要略)』. 헛배가 부르고 아프며 대변을 보지 못하는 증상. 땀이 저절로 나고 헛소리를 하거나 설태(舌苔)는 황색일 때 사용한다.

· 대황감초산(大黃甘草散): 대황(大黃) 50g, 감초(甘草) 10g, 1회 3g 씩 1일 2회 『금궤요략(金匱要略)』. 습관성 변비로 뒤가 늘 굳는 증상에 사용한다.

· 대황목단피탕(大黃牧丹皮湯): 대황(大黃)·망초(芒硝)·목단피(牧丹皮) 각 12g, 동과자(冬瓜子) 30g, 도인(桃仁) 15g 『금궤요략(金匱要略)』. 장옹(腸癰)으로 오른쪽 아랫배가 딴딴하고 아프며 오슬오슬 춥고 열이 나며 식은땀이 나는 증상. 충수염, 직장염, 궤양성대장염에 응용한다.

· 대황부자탕(大黃附子湯): 대황(大黃)·부자(附子) 각 16g, 세신(細辛) 12g 『금궤요략(金匱要略)』. 음한(陰寒)이 몰려서 배가 아프면서 변비가 있고, 때로는 한쪽 옆구리가 아프며 열이 나고, 맥이 가라앉고 탱탱한 증상에 사용한다.

· 도핵승기탕(桃核承氣湯): 도인(桃仁) 5g, 계피(桂皮) 4g, 대황(大黃) 3g, 감초(甘草) 1.5g, 망초(芒硝) 1g 『상한론(傷寒論)』. 월경불순, 요통, 변비, 두통, 갱년기장애에 사용한다.

· 삼황사심탕(三黃瀉心湯): 대황(大黃)·황련(黃連) 각 8g, 황금(黃芩) 4g 『동의보감(東醫寶鑑)』. 심열(心熱)이 성하여 얼굴이 벌겋고 눈에 피가 지면서 마음이 불안한 증상에 사용한다.

· 소승기탕(小承氣湯): 대황(大黃) 16g, 후박(厚朴)·지실(枳實) 각 12g 『상한론(傷寒論)』. 열이 나고 헛소리를 하며 가슴과 배가 그득하고 대변이 잘 나오지 않는 증상에 사용한다.

· 마자인환(麻子仁丸): 마자인(麻子仁)·대황(大黃) 각 300g, 후박(厚朴)·지실(枳實)·작약(芍藥)·행인(杏仁) 각 150g을 알약으로 만들어 매회 9g을 1일 2회 복용 『상한론(傷寒論)』. 급성 또는 습관성변비, 헛배가 부르고 아픈 증상에 사용한다.

· 양격산(涼膈散): 연교(連翹) 8g, 대황(大黃)·망초(芒硝)·감초(甘草)·죽엽(竹葉) 각 4g, 박하(薄荷)·황금(黃芩)·치자(梔子)·봉밀(蜂蜜) 각 2g 『화제국방(和劑局方)』, 『동의보감(東醫寶鑑)』. 장에 열이 몰려 목과 입술이 타고 입과 혀가 헐며 눈과 얼굴이 벌겋고 가슴이 답답하며 때로 코피가 나며 대소변이 불편한 증상에 사용한다.

＊하제로 사용할 때는 오래 달이지 않는 것이 좋으며, 임산부는 복용을 금하고, 황금(黃芩)과는 상사(相使) 작용, 건칠(乾漆)과는 상오(相惡) 작용이 있다.

＊백두산 주변에 분포하는 희귀 식물인 '장군풀 *Rheum coreanum* Nakai'의 뿌리줄기도 대황(大黃)이라 하며, 약효가 같다.

❍ 장군풀

❍ 장엽대황 자생지(중국 송번)

❍ 대황(大黃)

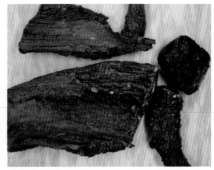
❍ 대황(大黃, 횡단면에 금문이 많다.)

❍ 장군풀(대황, 大黃)

❍ 장엽대황(뿌리줄기)

❍ 장엽대황(열매)

❍ 장엽대황(꽃)

❍ 대황(大黃)이 배합된 변비 치료제

[마디풀과]

당고특대황

♀ 경폐, 산후어체복통 ☌ 실적변비, 열결흉비, 습열사리, 황달, 징가적체, 위열구토, 토혈, 변혈

🗂 타박상, 열독옹양, 단독, 탕상, 출혈 👤 임병, 수종복만, 소변불리, 요혈 👁 목적, 인후종통, 구설생창, 육혈

● 학명 : *Rheum tanguticum* Maxim. [*R. palmatum* var. *tanguticum*]
● 한자명 : 唐古特大黃, 鷄爪大黃, 北大黃

1 2 3 4 5 6 7 8 9 10 11 12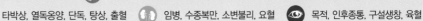

여러해살이풀. '장엽대황'과 비슷하나 잎이 심하게 갈라지며 열편이 삼각상 바늘 모양이거나 선형이다. 꽃차례는 조밀하게 분지하고, 적자색 꽃이 피며, 꽃이 다닥다닥 붙는다. 수과는 처음에는 황록색이나 차츰 붉은색으로 변한다.

분포·생육지 중국 간쑤성(甘肅省), 칭하이성(靑海省), 티베트. 산골짜기에서 자란다.

성상 대부분은 원뿔형 또는 원주형으로 지름 7~12cm이다. 뿌리줄기 끝부분의 횡단면은 금문(錦紋)이 많다. 종단면에 자외선을 비추면 갈색 형광이 나타난다. 절편의 금문(金紋)이 '장엽대황'에 비하여 뚜렷하지 않다.

약물명 대황(大黃). 금문대황(錦紋大黃), 금문(錦紋)이 개의 머리와 같다고 하여 구두대황(狗頭大黃)이라고도 한다. '장엽대황'과 함께 산지가 서북 지역이므로 북대황(北大

黃), 서대황(西大黃)이라고도 한다. 대한민국약전(KP)에 수재되어 있다.
※ 기타 사항은 '장엽대황'과 같다.

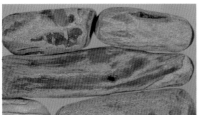

❍ 대황(大黃)

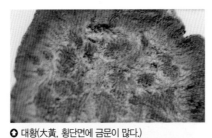
❍ 대황(大黃, 횡단면에 금문이 많다.)

❍ 당고특대황(중국 송번)

❍ 당고특대황(뿌리줄기)

❍ 당고특대황(꽃)

❍ 당고특대황(열매)

[마디풀과]

종대황

 경폐, 산후어체복통 | 실적변비, 열결흉비, 습열사리, 황달, 징가적체, 위열구토, 토혈, 변혈

타박상, 열독옹양, 단독, 탕상, 출혈 | 임병, 수종복만, 소변불리, 요혈 | 목적, 인후종통, 구설생창, 육혈

● 학명 : *Rheum undulatum* L. [*R. rhaponticum*]
● 한자명 : 波葉大黃, 土大黃, 輕質大黃   ● 별명 : 토대황

| 1 | 2 | 3 | 4 | 5 | 6 | 7 | 8 | 9 | 10 | 11 | 12 |

여러해살이풀. 굵은 황색 뿌리줄기가 있으며 높이 1m 정도. 뿌리잎은 가장자리가 물결 모양이고 자줏빛이 도는 잎자루가 있으며, 줄기잎은 위로 올라갈수록 작다. 꽃은 7~8월에 가지와 원줄기 끝에 원추화서로 달리며 황백색이다. 수과는 꽃덮개로 싸인다.

분포 · 생육지 중국 둥베이(東北) 지방, 몽골 원산. 세계 각처에서 재배한다.

약용 부위 · 수치 뿌리줄기는 가을에 채취하여 말린다. 뿌리줄기를 캐내어 잔뿌리를 제거한 다음 조피(粗皮)를 벗기고 노두(蘆頭)를 잘라내고 건조한다. 생대황에 막걸리를 고루 뿌려서 약한 불에 볶아서 말린 것을 주대황(酒大黃)이라고 한다.

약물명 뿌리줄기를 토대황(土大黃), 경질대황(輕質大黃), 줄기를 대황경(大黃莖)이라고 한다. 대한민국약전외한약(생약)규격집(KHP)에 수재되어 있다.

성상 토대황(土大黃)은 원반상 또는 원주상 등으로 형태가 고르지 않으며, 원반상인 것은 지름 3~10cm, 두께 1~3cm이고 원주상인 것은 길이 5~8cm이나 세로로 잘게 쪼개진 것도 있다. 횡단면은 황갈색이고 형성층 부근은 갈색의 환층이 분명하나 금문(金紋)이 없거나 뚜렷하지 않다. 냄새가 강하고, 맛은 떫고 쓰며, 씹으면 모래를 씹는 느낌이 있고 침이 노랗게 된다.

약효 뿌리줄기의 약효는 '대황(大黃)'과 같다. 대황경(大黃莖)은 술을 마신 뒷날 머리가 아프고 어지럼증, 변비 등을 치료한다.

성분 sennoside A, B, emodin, aloemodin, physcion, chrysophanol 등이 함유되어 있다.

약리 sennoside A, B, emodin, aloemodin, physcion, chrysophanol 등은 대장의 운동을 촉진시켜 배변을 용이하게 한다. 에탄올 추출물은 연쇄구균, 대장균, 디프테리아균, 고초균, 탄저균에 항균 작용이 있고, 흑색육종, 복수암, 유선암 등에 항암 작용이 있다.

사용법 토대황 또는 대황경 10g에 물 3컵(600mL)을 넣고 달여서 복용한다.

* 우리나라에는 '종대황'이 토착화되어 대량 재배되므로 대황으로 사용하여 왔는데, 최근에는 중국으로부터 '약용대황, 장엽대황, 당고특대황' 기원의 대황들이 대량 입하되고 있다.

❍ 종대황(꽃)

❍ 종대황(새싹)

❍ 종대황(뿌리줄기)

❍ 토대황(土大黃, 횡단면에 금문이 적거나 없다.)

❍ 종대황

[마디풀과]

수영

 토혈, 변혈, 열리, 변비   월경과다   👁 목적

약창, 개선, 습진, 창양, 단독, 탕상   소변불리, 임탁, 내치출혈

● 학명 : *Rumex acetosa* L. ● 영명 : Common sorrel
● 한자명 : 酸模 ● 별명 : 시금초, 괘승애, 괴싱아

| 1 | 2 | 3 | 4 | 5 | 6 | 7 | 8 | 9 | 10 | 11 | 12 |

여러해살이풀. 높이 30~80cm. 줄기는 곧게 서며 잎과 더불어 신맛이 있다. 뿌리줄기는 굵고 짧다. 뿌리잎은 모여나며, 줄기잎은 어긋나고 긴 타원형이다. 꽃은 암수딴그루로 5~6월에 피며 담녹색~녹자색, 꽃받침은 6개, 꽃잎은 없다. 수꽃은 6개의 수술이 있고, 암꽃은 3개의 암술대가 있다. 열매는 세모진 타원형, 길이 2mm 정도, 흑갈색이다.

분포 · 생육지 우리나라 전역. 전 세계. 산과 들의 풀밭에서 자라고 산성 토양의 지표식물이다.

약용 부위 · 수치 뿌리는 여름과 가을에, 잎은 수시로 채취하여 물에 씻어서 썰어서 말린다.

약물명 뿌리를 산모(酸模), 잎과 줄기를 산모엽(酸模葉)이라고 한다.

본초서 산모(酸模)는 「본초경집주(本草經集注)」에 처음 수재되어 "뿌리는 개선을 치료한다."고 하였다. 「동의보감(東醫寶鑑)」에 "어린아이가 열이 몹시 나는 것을 내려 준다. 화관을 채취하여 생것을 먹거나 즙을 내어 먹는다. '참소리쟁이'와 비슷하나 가늘고 맛은 시면 먹을 수 있다."고 하였다.

東醫寶鑑: 治小兒壯熱 折其英 可生食之 或取汁服 似羊蹄而細味酸 可食.

약효 산모(酸模)는 양혈지혈(凉血止血), 설열통비(泄熱通秘), 이뇨, 살충의 효능이 있으므로 토혈, 변혈, 월경과다, 열리(熱痢), 목적(目赤), 변비, 소변불리, 임탁(淋濁), 악창, 개선(疥癬), 습진을 치료한다. 산모엽(酸模葉)은 설열통비(泄熱通秘), 이뇨, 양혈지혈(凉血止血), 해독의 효능이 있으므로 변비, 소변불리, 내치출혈(內痔出血), 창양(瘡瘍), 단독, 개선(疥癬), 습진, 탕상(燙傷)을 치료한다.

성분 산모(酸模)는 chrysophanol, physcion, chrysophanol anthrone, physcion anthrone, emodin anthrone, aloe-emodin, 8-*O*-β-D-glucosylchrysophanol, 8-*O*-β-D-glucosylemodin, ω-acetoxyaloe-emodin, musizin 등이 함유되어 있다. 산모엽(酸模葉)은 chrysophanol, 1,8-dihydroxyanthraquinone, aloe-emodin, quercetin, kaempferol, myricetin, vitexin, hyperoside, violaxanthin, tartaric acid 등이 함유되어 있다. 열매에는 quercetin, hyperin이 함유되어 있다.

약리 열수추출물은 발선균류에 항진균 작용, 쥐에게 주사하면 항암 작용이 나타난다.

사용법 산모, 산모엽 각각 15g에 물 3컵(600mL)을 넣고 달여서 복용하고, 외용에는 짓찧어 바른다.

❍ 수영

❍ 산모(酸模)   ❍ 산모엽(酸模葉)

[마디풀과]

애기수영

🫁 폐결핵객혈

● 학명 : *Rumex acetosella* L.
● 한자명 : 小酸模 ● 별명 : 애기승애, 애기괴싱아

| 1 | 2 | 3 | 4 | 5 | 6 | 7 | 8 | 9 | 10 | 11 | 12 |

여러해살이풀. 높이 20~50cm. 줄기는 곧게 서며 세로로 능선이 있고 적자색이다. 뿌리잎은 모여나며, 줄기잎은 어긋나고 창 모양이다. 꽃은 암수딴그루로 5~6월에 원추화서를 이룬다. 열매에 날개가 없다.

분포 · 생육지 유럽 원산. 우리나라 산과 들의 풀밭에서 자란다.

약용 부위 · 수치 전초를 여름에 채취하여 물에 씻어서 썰어 말린다.

약물명 소산모(小酸模)

약효 청열양혈(淸熱凉血)의 효능이 있으므로 폐결핵객혈(肺結核咯血)을 치료한다.

사용법 소산모 15g에 물 3컵(600mL)을 넣고 달여서 복용한다.

❍ 애기수영

❍ 애기수영(군락)

[마디풀과]

소리쟁이

 급만성간염, 장염, 이질, 토혈, 변비

개선, 독창, 옹종창독   만성기관지염, 해수

● 학명 : *Rumex crispus* L.   ● 영명 : Sour dock
● 한자명 : 牛耳大黃   ● 별명 : 소루쟁이, 긴잎소루쟁이, 송구지

| 1 | 2 | 3 | 4 | 5 | 6 | 7 | 8 | 9 | 10 | 11 | 12 |

여러해살이풀. 높이 30~80cm. 흔히 자줏빛이 돌고 뿌리가 굵다. 줄기잎은 어긋나고 잎자루가 짧고 타원형, 양 끝이 좁으며 주름진다. 꽃은 연한 녹색, 6~7월에 가지 끝과 원줄기 끝에 원추화서로 많이 달리고, 꽃덮개와 수술은 각각 6개, 암술대는 3개이다. 열매는 세모지고 3개의 꽃덮개로 싸인다.

분포·생육지 우리나라 전역. 일본, 중국, 아시아, 유럽, 아프리카. 들의 습지에서 자란다.

약용 부위·수치 뿌리는 봄에, 잎은 수시로 채취하여 말린다.

약물명 뿌리를 우이대황(牛耳大黃) 또는 양제근(羊蹄根), 잎을 우이대황엽(牛耳大黃葉), 양제근엽(羊蹄根葉)이라고 한다. 양제근은 대한민국약전외한약(생약)규격집(KHP)에 수재되어 있다.

본초서 양제근(羊蹄根)은 중국에서는 「길림중초약(吉林中草藥)」에 처음 등장하며, 「동의보감(東醫寶鑑)」에는 "머리카락이 빠지고 옴, 버짐 등을 치료한다. 또 열매를 금교맥(金蕎麥)이라고도 하며, 적백리(赤白痢)를 치료한다."고 하였다.

東醫寶鑑: 主頭禿 疥癬 疽痔 女子陰蝕浸淫 殺諸蟲 療毒蟲

성상 우이대황(牛耳大黃)은 원기둥 모양으로 가로 주름이 있고 가는 잔뿌리가 약간 달려 있으며 길이 10~20cm, 지름 1~3cm이다. 근두에는 줄기의 흔적이 남아 있다. 표면은 황갈색이고 횡단면은 황갈색 바탕에 진한 갈색 선이 동심원상으로 나타난다. 냄새가 나고 맛은 쓰며 떫다.

기미·귀경 우이대황(牛耳大黃): 한(寒), 고(苦)·심(心), 간(肝), 대장(大腸)

약효 우이대황(牛耳大黃)은 청열해독(淸熱解毒), 양혈지혈(涼血止血), 통변살충(通便殺蟲)의 효능이 있으므로 급만성간염, 장염, 이질, 토혈, 만성기관지염, 변비, 개선(疥癬), 열결변비(熱結便秘), 독창(禿瘡)을 치료한다. 우이대황엽(牛耳大黃葉)은 청열통변(淸熱通便), 지해(止咳)의 효능이 있으므로 열결변비(熱結便秘), 해수(咳嗽), 옹종창독(癰腫瘡毒)을 치료한다.

성분 우이대황(牛耳大黃)은 chrysophanic acid, emodin, physcion 등의 anthraquinone 성분이 함유되어 있다.

약리 우이대황(牛耳大黃)의 열수추출물을 쥐의 위에 투여하면 진해 작용이 있고, anthraquinone 성분들은 연쇄구균, 대장균에 항균 작용이 있으며, L1210, HL60 세포 등 암세포 성장을 억제한다.

사용법 우이대황 또는 우이대황엽 10g에 물 3컵(600mL)을 넣고 달여서 복용하고, 외용에는 짓찧어 바른다. 황달에는 뿌리 10g과 오가피 10g에 물을 넣고 달여서 복용한다.

❶ 우이대황(牛耳大黃, 채집품)

❶ 소리쟁이(뿌리줄기)   ❶ 소리쟁이

[마디풀과]

호대황

열결변비   옹종창독, 개선

● 학명 : *Rumex gmelini* Turcz.   ● 한자명 : 胡大黃

| 1 | 2 | 3 | 4 | 5 | 6 | 7 | 8 | 9 | 10 | 11 | 12 |

여러해살이풀. 줄기는 곧게 서고 가지가 갈라지며 높이 0.6~1m. 뿌리줄기는 굵다. 잎은 타원형으로 길이 15~20cm, 너비 10~12cm이고, 꽃은 7~8월에 줄기 끝에 원추화서로 돌려나고 녹색, 꽃덮개의 바깥 조각은 바늘 모양이고 안쪽 조각은 달걀 모양으로 밋밋하다. 열매는 수과로 세모진 달걀 모양, 갈색, 광택이 있다.

분포·생육지 우리나라 북부 지방(함남·함북·백두산). 일본, 중국 둥베이(東北) 지방, 러시아, 사할린. 높은 지대의 습지에서 자란다.

약용 부위·수치 뿌리 및 뿌리줄기를 여름과 가을에 채취하여 물에 씻어 썰어서 말린다.

약물명 모맥산모(毛脈酸模)

약효 청열사화(淸熱瀉火), 해독소종(解毒消腫)의 효능이 있으므로 열결변비(熱結便秘), 옹종창독(癰腫瘡毒), 개선(疥癬)을 치료한다.

성분 모맥산모(毛脈酸模)는 emodin, physcion, chrysophanol 등이 함유되어 있다.

약리 열수추출물은 황색 포도상구균에 항균 작용이 있다.

사용법 모맥산모 10g에 물 3컵(600mL)을 넣고 달여서 복용하고, 옴이나 부스럼 치료에는 모맥산모 적당량에 황당(黃糖) 20g, 팔각회향(八角茴香) 2개를 넣어 짓이겨 환부에 바른다.

❶ 호대황(뿌리줄기)

성분 emodin, physcion, chrysophanol 등이 함유되어 있다.

약리 열수추출물은 금황색 포도상구균에 항균 작용이 있다.

❶ 호대황

[마디풀과]

참소리쟁이

	대변비결, 장풍변혈		치혈
	개선, 백독, 옹창종독		혈붕

- 학명 : *Rumex japonicus* Houttuyn
- 한자명 : 羊蹄 · 별명 : 참소루쟁이, 초록, 섬소루쟁이, 참소루장이

`1 2 3 4 5 6 7 8 9 10 11 12`

여러해살이풀. 높이 50~100cm. 뿌리는 굵고 황색이다. 잎은 아래쪽에 몰리고, 뿌리잎은 자루가 길고 긴 타원형으로 길이 10~25cm, 너비 4~10cm이며, 줄기잎은 어긋나고 위로 갈수록 작아진다. 꽃은 원추화서로 돌려나고 5~7월에 연한 녹색으로 핀다. 꽃덮개의 안쪽 조각은 분명한 톱니가 있고, 수과는 마름형이며 갈색으로 윤채가 돈다.

분포 · 생육지 우리나라 전역. 일본, 중국, 아시아, 유럽, 아프리카. 들의 습지에서 자란다.

약용 부위 · 수치 뿌리는 봄에, 잎은 수시로 채취하여 말린다.

약물명 뿌리를 양제(羊蹄)라고 하며, 동방숙(東方宿), 우설근(牛舌根), 귀목(鬼目), 토대황(土大黃)이라고도 한다. 잎을 양제엽(羊蹄葉)이라고 한다.

본초서 양제(羊蹄)는 「신농본초경(神農本草經)」에 처음 수재되었으며 「본초강목(本草綱目)」에 "뿌리가 양제(羊蹄, 양의 발톱)와 닮았고, 잎은 우설(牛舌)과 닮았으므로 붙여진 이름이다."라고 하였다. 「동의보감(東醫寶鑑)」에 "머리카락이 빠지는 것을 막아 주고, 옴, 버짐, 상처의 표면이 깊어 잘 낫지 않는 것, 치질, 여성의 음부가 허는 것과 헌데가 가렵고 아프며 진물이 나는 것을 낫게 한다. 또 촌충과 회충을 구제하고 독충의 독을 없애며 독성이 있는 종기에 붙이면 효과가 있다. 곳곳에서 자란다."고 하였다.
東醫寶鑑: 主頭禿 疥癬 疽痔 女子陰蝕浸淫 殺諸蟲, 療蟲毒 付腫毒 處處有之.

기미 · 귀경 양제(羊蹄): 한(寒), 고(苦) · 심(心), 간(肝), 대장(大腸). 양제엽: 한(寒), 감(甘)

약효 양제(羊蹄)는 청열통변(淸熱通便), 양혈지혈(涼血止血), 살충지양(殺蟲止痒)의 효능이 있으므로 대변비결(大便秘結), 토혈육혈(吐血衄血), 장풍변혈(腸風便血), 치혈(痔血), 혈붕(血崩), 개선(疥癬), 백독(白禿), 옹창종독(癰瘡腫毒), 타박상을 치료한다. 양제엽(羊蹄葉)은 양혈지혈(涼血止血), 통변(通便), 해독소종(解毒消腫), 살충지양(殺蟲止痒)의 효능이 있으므로 장풍변혈(腸風便血), 옹창종독(癰瘡腫毒), 개선(疥癬)을 치료한다.

성분 양제(羊蹄)에는 emodin, physcion, chrysophanol, musizin 등이 함유되어 있다.

약리 양제(羊蹄)의 열수추출물은 황색 포도상구균, 탄저간균, 용혈성구균에 항균 작용이 있다.

사용법 양제 또는 양제엽 15g에 물 3컵(600 mL)을 넣고 달여서 복용하고, 외용에는 짓찧어 바른다.

● 참소리쟁이

● 양제(羊蹄, 절편)

● 참소리쟁이(열매)

● 직수산모(直穗酸模)

● 개대황(뿌리)

[마디풀과]

개대황

	호흡기감염증		옹창종독
	이농종		

- 학명 : *Rumex longifolius* DC. · 한자명 : 直穗酸模 · 별명 : 들대황

`1 2 3 4 5 6 7 8 9 10 11 12`

여러해살이풀. 높이 80~120cm. 줄기는 굵고 바로 선다. 뿌리잎은 모여나고 난원형, 가장자리는 물결 모양, 줄기잎은 어긋나고 피침형이며 위로 갈수록 작아진다. 꽃은 원추화서로 돌려나고 5~7월에 적녹색으로 핀다. 수과는 세모지고 흑갈색이다.

분포 · 생육지 우리나라 전역. 일본, 중국, 아시아, 유럽, 아프리카. 들의 습지에서 자란다.

약용 부위 · 수치 전초를 여름에 채취하여 썰어서 말린다.

약물명 직수산모(直穗酸模)

약효 청열해독(淸熱解毒), 소종(消腫)의 효능이 있으므로 호흡기감염증, 옹창종독(癰瘡腫毒), 이농종(耳膿腫)을 치료한다.

사용법 직수산모 10g에 물 3컵(600mL)을 넣고 달여서 복용한다.

● 개대황

[마디풀과]

금소리쟁이

폐결핵객혈　치창출혈
개선

● 학명 : *Rumex maritimus* L.　● 별명 : 금소루쟁이, 금소루장이

| 1 | 2 | 3 | 4 | 5 | 6 | 7 | 8 | 9 | 10 | 11 | 12 |

한두해살이풀. 높이 20~50cm. 줄기는 곧게 서며, 뿌리잎은 넓은 타원형, 줄기잎은 가는 타원형이다. 꽃은 조밀하게 피며 돌려나고, 꽃차례 안에 잎이 있다. 꽃받침은 6개로 열매를 둘러싸고 안쪽 꽃받침은 가장자리에 돌기 같은 침이 있다. 수과는 긴 타원형으로 세모지고 황갈색이다.

분포 · 생육지 우리나라 중부 이북, 중국, 일본. 산과 들의 물가에서 자란다.

약용 부위 · 수치 전초를 여름에 채취하여 썰어서 말린다.

약물명 야파채(野菠菜)

약효 양혈(凉血), 해독의 효능이 있으므로 폐결핵객혈(肺結核喀血), 치창출혈(痔瘡出血), 개선(疥癬)을 치료한다.

성분 chrysophanol, 7-hyddroxy-2,3-dimethylchromone, kaempferol, quercetin 등이 함유되어 있다.

사용법 야파채 15g에 물 3컵(600mL)을 넣고 달여서 복용한다.

● 금소리쟁이(꽃)

● 금소리쟁이

[마디풀과]

돌소리쟁이

호흡기감염증　옹창종독
이농종

● 학명 : *Rumex obtusifolius* DC.
● 한자명 : 鈍穗酸模　● 별명 : 둥근소리쟁이, 들소루쟁이

| 1 | 2 | 3 | 4 | 5 | 6 | 7 | 8 | 9 | 10 | 11 | 12 |

여러해살이풀. 높이 60~120cm. 뿌리잎은 모여나고 긴 타원형, 밑은 심장형이다. 줄기잎은 피침형, 길이 10cm 정도이다. 꽃은 담녹색으로 돌려나며, 꽃자루는 꽃덮개보다 길다. 수과는 세모지고 능선에 돌기가 있고 붉은색이다.

분포 · 생육지 유럽 원산. 낮은 지대에서 자란다.

약용 부위 · 수치 전초를 여름에 채취하여 썰어서 말린다.

약물명 토대황(土大黃), 토혈초(吐血草), 전두초(箭頭草), 구명왕(救命王)이라고도 한다.

약효 청열해독(淸熱解毒), 소종(消腫)의 효능이 있으므로 호흡기감염증, 옹창종독(癰瘡腫毒), 이농종(耳膿腫)을 치료한다.

사용법 토대황 10g에 물 3컵(600mL)을 넣고 달여서 복용한다.

● 토대황(土大黃)

● 돌소리쟁이

낙규

 변비, 이질   열독창양

● 학명 : *Basella rubra* L. [*B. alba*]   ● 한자명 : 落葵

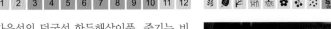

❍ 낙규(열매)

다육성의 덩굴성 한두해살이풀. 줄기는 비후하고, 잎은 어긋나며 가장자리는 밋밋하고 턱잎이 없다. 꽃은 5~6월에 수상화서로 달리고, 백색 또는 붉은색, 꽃잎이 없다.
분포 · 생육지 열대. 세계 각처에서 재배한다.
약용 부위 · 수치 전초를 봄부터 가을까지 채취하고 썰어서 말린다.
약물명 낙규(落葵). 종규(蔠葵), 번로(蘩露), 승로(承露)라고도 한다.
약효 활장통변(滑腸通便), 청열이습(淸熱利濕), 양혈해독(凉血解毒)의 효능이 있으므로 변비, 이질, 열독창양(熱毒瘡瘍)을 치료한다.
사용법 낙규 10g에 물 3컵(600mL)을 넣고 달여서 복용한다.

❍ 낙규

수주산호

 습진, 건선

● 학명 : *Rivina humilis* L.   ● 영명 : Rugue plant   ● 한자명 : 數珠珊瑚

❍ 수주산호(열매)

여러해살이풀. 높이 1m 정도. 줄기는 비후하며 가지를 많이 내고, 뿌리는 비대하다. 잎은 어긋나고 밑은 둥글고 끝은 뾰족하다. 꽃은 가지 끝에 총상화서로 달리고 위를 향하며, 꽃받침 조각은 5개, 꽃잎이 없다. 씨방은 8개의 분과로 되고 흑색 종자가 1개씩 들어 있다.
분포 · 생육지 북아메리카, 라틴 아메리카. 세계 각처의 음습지에서 자란다.
약용 부위 · 수치 잎을 여름에 채취하여 사용한다.
약물명 Rivinae Folium
약효 소염의 효능이 있으므로 습진, 건선 등 피부병을 치료한다.
사용법 잎을 짓찧어 상처에 붙인 후 붕대로 감싼다.

❍ 수주산호

자리공

수종창만 / 나력, 창독 / 이변불통, 징가, 현벽

● 학명 : *Phytolacca esculenta* van Houtte
● 한자명 : 商陸   ● 별명 : 장녹
● 영명 : Indian poke

| 1 | 2 | 3 | 4 | 5 | 6 | 7 | 8 | 9 | 10 | 11 | 12 |

여러해살이풀. 높이 1m 정도. 줄기는 비후하며 녹색이고, 뿌리는 비대해져 덩이를 형성한다. 잎은 어긋나고, 꽃은 백색, 5~6월에 총상화서로 달리고 위를 향한다. 꽃받침조각은 5개, 달걀 모양, 꽃잎이 없다. 수술은 8개, 씨방은 8개의 분과가 서로 인접하여 윤상으로 나열되고 자주색의 즙액이 있으며 흑색 종자가 1개씩 들어 있다.

분포 · 생육지 중국 원산. 마을 근처에서 자란다.

약용 부위 · 수치 뿌리를 봄부터 가을까지 채취하고 썰어서 초에 담갔다가 불에 볶아 사용한다. 표면이 자주색을 나타내며 안쪽이 백색으로 부드럽고 껍질이 얇은 것이 좋다. 「동의보감(東醫寶鑑)」에는 "껍질을 긁어 버리고 얇게 썰어 물에 3일 동안 담가 두었다가 녹두를 섞어 한나절 동안 찐 다음 녹두를 버리고 햇볕에 말리거나 약한 불에 볶아서 사용한다."고 하였다.

약물명 뿌리를 상륙(商陸)이라고 하며, 백모계(白毛鷄), 당륙(堂陸), 백창(白昌), 장류(章柳), 장불로(長不老)라고도 한다. 잎을 상륙엽(商陸葉), 꽃을 상륙화(商陸花)라고 한다. 상륙(商陸)은 대한민국약전외한약(생약)규격집(KHP)에 수재되어 있다.

본초서 상륙(商陸)은 「신농본초경(神農本草經)」의 하품에 수재되었고, 이수(利水), 소종(消腫)의 목적으로 사용되는 약물이다. 송대의 「개보본초(開寶本草)」에는 당륙(堂陸), 백창(白昌)이라는 이름으로, 「도경본초(圖經本草)」에는 장류(章柳)라는 이름으로 수재되어 있다. 「본초강목(本草綱目)」에는 "당륙이라는 별명이 와전되어 상륙(商陸)으로 바뀌었다."고 하였다. 「동의보감(東醫寶鑑)」에 "몸이 붓는 것을 가라앉히고 목 안이 벌겋게 붓고 아프며 막힌 감이 있는 증상을 낫게 하며 독충의 독을 없애고 종기를 삭인다. 유산될 수 있다. 헛것에 들린 것을 없애고 종기가 벌겋게 부어올라 아프고 가려우며 곪는 부위에 붙이면 효과를 볼 수 있고 대소변을 잘 나오게 한다."고 하였다.

神農本草經: 主水脹 疝瘕痺 熨除擁腫 殺鬼精物.

東醫寶鑑: 瀉十種水病 喉痺不通 下蠱蟲 墮胎 除擁腫 殺鬼精物 付惡瘡墮胎 通利大小腸.

성상 상륙(商陸)은 원추형으로 자른 방향에 따라 일정하지 않으며, 질은 연한 편이나 질기며 쉽게 부서지지 않고, 내면은 흰색 가루가 붙어 있다. 냄새가 약간 있고 맛은 조금 달며 오래 씹으면 혀를 마비시킨다.

기미 · 귀경 상륙(商陸): 한(寒), 고(苦) · 폐(肺), 신(腎), 대장(大腸)

약효 상륙(商陸)은 축수소종(逐水消腫), 통리이변(通利二便), 해독산결(解毒散結)의 효능이 있으므로 수종창만(水腫脹滿), 이변불통(二便不通), 징가(癥瘕), 현벽(痃癖), 나력(瘰癧), 창독(瘡毒)을 치료한다. 상륙엽(商陸葉)은 청열해독(淸熱解毒)의 효능이 있으므로 옹종창독(癰腫瘡毒)을 치료한다.

성분 상륙(商陸)은 phytolaccoside A, B, C, D, E 등 및 jaligonic acid, esculentic acid, phytolaccagenic acid, 상륙엽(商陸葉)은 phytolaccagenin, acinospesigenin, 열매는 acetylmyricdiol pokeberrygenin이 함유되어 있다.

약리 쥐에게 상륙(商陸)의 열수추출물을 투여하면 거담 작용과 진해 작용이 나타나고, 열수추출물은 폐렴쌍구균, 인플루엔자균에 항균 작용이 있고, jaligonic acid는 소염 작용이 있다.

사용법 상륙 10g에 물 3컵(600mL)을 넣고 달여서 복용한다. 상륙엽은 가루 내어 상처에 붙이거나 뿌린다.

주의 상륙(商陸)은 고한(苦寒)하고 유독하므로 임신부나 비허수종(脾虛水腫)에는 피하며, 생것을 다량 복용해서는 안된다.

처방 상륙산(商陸散): 택사(澤瀉) · 상륙(商陸) 같은 양, 1회 4g, 1일 3회 상백피(桑白皮) 달인 액에 타서 복용한다(「향약집성방(鄕藥集成方)」). 어린아이가 몸이 붓고 배가 팽팽하게 불러 오르면서 숨이 차고 오줌이 잘 나오지 않는 증상에 사용한다.

• 상륙탕(商陸湯): 상륙(商陸) 2g, 택사(澤瀉) · 두충(杜仲) 각 3g(「동약과 건강(東藥健康)」). 만성신장염으로 소변량이 적고 몸이 부으며 허리가 아프고 혈압이 오르는 증상에 사용한다.

• 모려택사산(牡蠣澤瀉散): 모려(牡蠣), 택사(澤瀉), 괄루근(括蔞根), 촉칠(蜀漆), 정력자(葶藶子), 상륙(商陸), 해조(海藻)(「상한론(傷寒論)」).

＊ 전체가 크고 꽃차례에 젖꼭지 같은 잔돌기가 있으며 꽃밥이 흰 '섬자리공 *P. insularis*', 열매가 익으면 밑으로 처지고 전체가 붉은색을 띠는 '미국자리공(양자리공) *P. americana*'도 약효가 같다.

◑ 섬자리공

◑ 미국자리공

◑ 자리공

◑ 상륙(商陸, 국내산)

◑ 상륙(商陸, 중국산)

◑ 자리공(열매)

[분꽃과]

분꽃나무

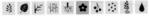 혈어경폐, 월경부조, 적백대하

● 학명 : *Bougainvillea glabra* Choisy　● 한자명 : 光葉子花

○ 엽자화(葉子花)

| 1 | 2 | 3 | 4 | 5 | 6 | 7 | 8 | 9 | 10 | 11 | 12 |

상록 관목. 가지는 늘 밑으로 처지고 잎겨드랑이에 가시가 있다. 잎은 어긋나고, 꽃은 3~7월에 가지 끝에서 피고 꽃잎처럼 생긴 3개의 포편 가운데 달린다. 포편은 붉은색, 자주색, 황색 등 여러 색이다. 수과에는 5개의 능선이 있고, 종자에는 배젖이 있다.

분포 · 생육지 열대 지방(중국 남부, 남아메리카, 아프리카 북부, 인도) 원산. 가정에서 재배하며, 들이나 도시 가까이에서 흔하게 자란다.

약용 부위 · 수치 꽃을 봄에 채취하여 잘 말린다.

약물명 엽자화(葉子花). 자삼각(紫三角), 자아란(紫亞蘭)이라고도 한다.

약효 활혈조경(活血調經), 화습지대(化濕止帶)의 효능이 있으므로 혈어경폐(血瘀經閉), 월경부조(月經不調), 적백대하(赤白帶下)를 치료한다.

성분 ferulic acid, 2-glucosylrutinose, betacyanin 등이 함유되어 있다.

사용법 엽자화 10g에 물 3컵(600mL)을 넣고 달여서 복용한다.

○ 분꽃나무

[분꽃과]

분꽃

 열림, 백탁　 수종　적백대하, 유옹
관절종통　옹창종독, 타박상, 개선, 면생반진, 농포창

● 학명 : *Mirabilis jalapa* L.　● 영명 : Four o'clock　● 별명 : 여자화

| 1 | 2 | 3 | 4 | 5 | 6 | 7 | 8 | 9 | 10 | 11 | 12 |

여러해살이풀. 높이 60~100cm. 잎은 마주난다. 꽃은 6~10월에 여러 색으로 피고 취산화서로 달린다. 꽃받침 같은 포는 녹색이고 5개로 갈라지며, 꽃잎 같은 꽃받침은 나팔꽃 같다. 열매는 둥글고 꽃받침으로 싸여 있으며 흑색으로 익고 겉에 주름이 있다.

분포 · 생육지 남아메리카 원산. 세계 각처에서 재배한다.

약용 부위 · 수치 뿌리는 봄이나 여름에, 종자는 가을에 채취하여 말린다.

약물명 뿌리를 자말리근(紫末莉根), 잎을 자말리엽(紫末莉葉), 종자를 자말리자(紫末莉子)라고 한다.

약효 자말리근(紫末莉根)은 청열이습(清熱利濕), 해독활혈(解毒活血)의 효능이 있으므로 열림(熱淋), 백탁(白濁), 수종(水腫), 적백대하(赤白帶下), 관절종통(關節腫痛), 옹창종독(癰瘡腫毒), 유옹(乳癰), 타박상을 치료한다. 자말리엽(紫末莉葉)은 청열해독(清熱解毒), 거풍삼습(祛風滲濕), 활혈(活血)의 효능이 있으므로 옹창종독(癰瘡腫

毒), 개선(疥癬), 타박상을 치료한다. 자말리자(紫末莉子)는 청열화반(清熱化斑), 이습해독(利濕解毒)의 효능이 있으므로 면생반진(面生斑疹), 농포창(膿疱瘡)을 치료한다.

성분 자말리근(紫末莉根)에는 stigmasterol, β-sitosterol, 종자에는 β-amyrin, β-sitosterol, quercetin, kaempferol glucoside 등이 함유되어 있다.

약리 자말리근(紫末莉根)에 함유된 수지 성분은 피부 자극 작용이 있고, 열수추출물은 마취시킨 토끼에게 주사하면 혈압이 올라간다. 열수추출물은 황색 포도상구균, 이질간균, 대장간균에 항균 작용이 있다.

사용법 자말리근 10g에 물 3컵(600mL)을 넣고 달여서 복용하고, 외용에는 짓찧어 바른다. 자말리엽과 자말리자는 짓찧어 나오는 즙액을 만들어 상처에 바른다.

○ 분꽃

○ 자말리근(紫末莉根)

○ 자말리엽(紫末莉葉)

[석류풀과]

빙초

간장염　　소변불리
수포진

● 학명 : *Mesembryanthemum crystallinum* L.　● 영명 : Ice plant
● 한자명 : 氷草

| 1 | 2 | 3 | 4 | 5 | 6 | 7 | 8 | 9 | 10 | 11 | 12 |

● Mesembryanthemi Herba

여러해살이풀. 다육 식물. 높이 40~60cm. 줄기는 울퉁불퉁하고, 잎은 넓은 타원형으로 돌려나며 가장자리에 물방울 같은 점액이 맺힌다. 꽃은 잎겨드랑이에서 피며 백색, 꽃잎이 가늘게 갈라져 있다. 핵과는 단단하고 많은 종자가 들어 있다.

분포 · 생육지 남아프리카의 나미브 사막 원산. 아프리카 남부, 동서부, 북부, 오스트레일리아 남서부, 아메리카의 서쪽. 건조 지역에서 자란다.

약용 부위 · 수치 전초를 여름에 채취하여 씻어서 생즙을 만든다.

약물명 Mesembryanthemi Herba. 일반적으로 Ice plant라고 한다.

약효 소염, 이뇨의 효능이 있으므로 간장염, 소변불리, 수포진(水疱疹)을 치료한다.

성분 inossitol류, β−carotene, 각종 미네랄, pinitol, myoinositol 등이 함유되어 있다.

사용법 Mesembryanthemi Herba 생즙을 한 컵씩 복용한다.

● 빙초

[석류풀과]

석류풀

복통설사, 이질　　감모해수　　중서
피부열진, 창절종독, 독사교상, 소탕상　　목적종통

● 학명 : *Mollugo pentaphyllam* L.　● 한자명 : 栗米草　● 별명 : 율미초

| 1 | 2 | 3 | 4 | 5 | 6 | 7 | 8 | 9 | 10 | 11 | 12 |

한해살이풀. 높이 10~20cm. 줄기는 밑에서 가지가 많이 갈라진다. 잎은 밑부분에서는 3~5개씩 돌려나며 윗부분에서는 마주나고 바늘 모양이다. 꽃은 7~10월에 피며 황갈색, 가지 끝과 잎겨드랑이에 취산화서로 달리고, 꽃덮개는 5개, 수술은 3~5개, 암술대는 짧으며 3개이다. 삭과는 둥글고, 종자는 편평한 신장형이며 갈색이고 작은 돌기가 있다.

분포 · 생육지 우리나라 중부 이남. 일본, 타이완, 중국, 인도, 말레이 반도. 밭이나 빈터에서 자란다.

약용 부위 · 수치 전초를 여름과 가을에 채취하여 흙과 먼지를 털고 씻어서 말린다.

약물명 율미초(栗米草). 지마황(地麻黃)이라고도 한다.

약효 청열화습(淸熱化濕), 해독소종(解毒消腫)의 효능이 있으므로 복통설사(腹痛泄瀉), 이질, 감모해수(感冒咳嗽), 중서(中暑), 피부열진(皮膚熱疹), 목적종통(目赤腫痛), 창절종독(瘡癤腫痛), 독사교상(毒蛇咬傷), 소탕상(燒燙傷)을 치료한다.

성분 oleanolic acid, mollugogenol A, B, D, vitexin, mollupentin 등이 함유되어 있다.

약리 mollugogenol A, B, D는 항산화 작용이 있다.

사용법 율미초 10g에 물 3컵(600mL)을 넣고 달여서 복용하고, 외용에는 짓찧어 붙이거나 즙액을 바른다.

※ 북아메리카에서 귀화한 것으로 잎이 4~7개가 돌려나며 꽃이 잎겨드랑이에 모여나는 '큰석류풀 *M. verticillata*'도 약효가 같다.

● 석류풀

● 율미초(栗米草)

[석류풀과]

번행초

풍열목적　　장염
정창종통, 종류, 패혈병

- 학명 : *Tetragonia tetragonoides* (Pall.) O. Kuntze
- 한자명 : 番杏　● 별명 : 번향

1	2	3	4	5	6	7	8	9	10	11	12

◑ 번행초

여러해살이풀. 높이 40~60cm. 줄기는 땅을 따라 벋는다. 잎은 어긋나고, 꽃은 봄부터 가을까지 피며 황색, 잎겨드랑이에 1~2개씩 달린다. 꽃잎은 없고, 수술은 9~16개로 황색, 씨방하위이다. 열매는 딱딱하며 여러 개의 종자가 있다.

분포 · 생육지 우리나라 제주도 및 남쪽 바닷가. 일본, 중국, 동남아시아, 남아메리카, 오스트레일리아. 바닷가 모래땅에서 흔하게 자란다.

약용 부위 · 수치 전초를 여름과 가을에 채취하여 흙과 먼지를 털고 씻어서 말린다.

약물명 번행(番杏). 백번행(白番杏), 백홍채(白紅菜), 백번현(白番莧)이라고도 한다.

기미 · 귀경 한(寒), 감(甘), 신(辛) · 폐(肺), 간(肝), 대장(大腸)

약효 소풍청열(消風淸熱), 해독소종(解毒消腫)의 효능이 있으므로 풍열목적(風熱目赤), 정창종통(疔瘡腫痛), 장염(腸炎), 패혈병(敗血病), 종류(腫瘤)를 치료한다.

성분 betacarotene, tetragonin, phosphatidylinositol, phosphatidylserine, phosphatidylcholine 등이 함유되어 있다.

약리 물에 달인 액을 쥐나 토끼에게 투여하면 위궤양과 부종을 억제하는 작용이 나타나며, tetragonin은 항균 작용이 있다. 물에 달인 액은 인체의 거대 세포에서 유래한 TNF−α와 tryptase의 활성을 저해한다. 전초의 50%에탄올추출물은 264.7 세포의 실험 결과 항염증 작용이 있으며, 암세포인 HL60에서는 증식을 억제한다.

사용법 번행 30g에 물 5컵(1mL)을 넣고 달여서 복용하고, 외용에는 짓찧어서 바른다.

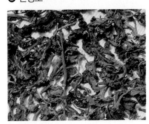
◑ 번행(番杏)

◑ 번행초(열매)

[쇠비름과]

채송화

창절, 습진, 타박상, 탕화상, 외상출혈
인후종통

- 학명 : *Portulaca grandiflora* Hooker　● 영명 : Rose moss
- 한자명 : 松葉牡丹　● 별명 : 따꽃

1	2	3	4	5	6	7	8	9	10	11	12

◑ 채송화(다양한 색깔의 꽃이 한낮에 피고 저녁에는 진다.)

한해살이풀. 높이 20cm 정도. 줄기는 땅위를 기는 듯 벋어 가거나 비스듬히 위로 올라가고, 가지가 많이 갈라지며 붉은빛이 돈다. 잎은 어긋나고 육질, 꽃은 7~10월에 여러 색으로 핀다. 삭과는 막질이며 종자가 많이 들어 있고 흑갈색이다.

분포 · 생육지 남아메리카 원산. 세계 각처에서 자란다.

약용 부위 · 수치 전초를 여름철에 수시로 채취하여 흙과 먼지를 털고 물에 씻어서 잘 말린다.

약물명 오시화(午時花). 반지련(半支蓮), 불갑초(佛甲草), 태양화(太陽花)라고도 한다.

약효 청열해독(淸熱解毒), 산어지혈(散瘀止血)의 효능이 있으므로 인후종통(咽喉腫痛), 창절(瘡癤), 습진, 타박상, 탕화상, 외상출혈을 치료한다.

성분 portulal, portulol, portulic acid, portulic lactone, 3−hydroxyportulolether, 5−hydroxyportulal, 5−hydroxyportulic acid, portulenone, portulenol, portulene, amaranthine, lindicaxanthin, humilixanthin, betalmic acid, betanidin, isobetanidin, betanin, isobetanin 등이 함유되어 있다.

약리 portulal은 식물 성장을 촉진한다.

사용법 오시화 10g에 물 3컵(600mL)을 넣고 달여서 복용하고, 외용에는 짓찧어 낸 즙을 바른다.

◑ 오시화(午時花)

◑ 채송화(꽃)

쇠비름

	열림, 요폐, 치혈	♀	적백대하, 붕루
	열독사리, 창양옹절, 단독, 습선, 나력		

● 학명 : *Portulaca oleracea* L.　● 영명 : Pigweed
● 한자명 : 馬齒莧　● 별명 : 돼지풀

1	2	3	4	5	6	7	8	9	10	11	12

한해살이풀. 높이 15~20cm. 줄기는 적자색이고 밑에서 가지가 많이 갈라져서 비스듬히 옆으로 퍼지며, 땅에 기면서 벋고 매끈하다. 뿌리는 백색이다. 잎은 마주나거나 어긋나고, 꽃은 양성으로 6~9월에 피며 황색이다. 열매는 타원상 구형이다.

분포 · 생육지 우리나라 전역. 일본, 중국 등베이(東北) 지방. 전 세계에서 자란다.

약용 부위 · 수치 전초를 여름부터 가을까지 수시로 채취하여 흙과 먼지를 털고 씻어서 말린다.

약물명 마치현(馬齒莧). 마치초(馬齒草), 마현(馬莧)이라고도 한다. 대한민국약전외한약(생약)규격집(KHP)에 수재되어 있다.

본초서 마치현(馬齒莧)은 「동의보감(東醫寶鑑)」에 "헌데와 부스럼 등을 낫게 하고 대소변을 잘 나오게 한다."고 하였으며, 종자는 "눈병에 좋다."고 하였다.

東醫寶鑑: 主諸腫惡瘡 利大小便 破癥結 療金瘡內漏 止渴殺諸蟲 主靑盲 白瞖.

성상 마치현(馬齒莧)은 전초로 질은 무르다. 줄기는 구부러진 원기둥 모양, 표면은 적갈색이며 세로 주름이 있다. 잎은 타원형, 열매는 타원상 구형이고 광택이 나는 회갈색, 종자가 들어 있다. 냄새가 나고 맛은 시며 끈적인다.

기미 · 귀경 한(寒), 산(酸) · 대장(大腸), 간(肝)

약효 청열해독(淸熱解毒), 양혈지지(凉血止痢), 제습통림(除濕通淋)의 효능이 있으므로 열독사리(熱毒瀉痢), 열림(熱淋), 요폐(尿閉), 적백대하(赤白帶下), 붕루(崩漏), 치혈(痔血), 창양옹절(瘡瘍癰癤), 단독(丹毒), 습선(濕癬), 나력(瘰癧), 백독(白禿)을

치료한다.

성분 bergapten, umbelliferone, daidzein, genistein, protocatechuic acid, ferulic acid, gallic acid, noradrenaline, dopa, dopamine, betanidin, isobetanidin, betanin, isobetanin 등이 함유되어 있다.

약리 열수추출물은 적리균, 간균에 항균작용이 있고, 또 개구리 심장에 수축 작용이 있다. 열수추출액은 토끼의 적출 자궁에 흥분 작용이 있다. 70%메탄올추출물은 혈압에 관여하는 angiotensin converting enzyme의 활성을 저해한다. protocatechuic acid, ferulic acid, gallic acid는 DPPH scavenging activity를 측정한 결과 항산화 작용이 강하게 나타났다. 에틸 아세테이트 분획물은 생쥐 유래 해마세포 HT22에서 글루타메이트로 유도되는 세포 손상을 억제한다.

사용법 마치현 10g에 물 3컵(600mL)을 넣고 달여서 복용하고, 외용에는 짓찧어 바른다. 종자를 가루 내어 1회 1 숟가락씩 아침 저녁으로 복용한다.

＊ 소염 작용이 강하므로 고약 원료로 이용하고 있으며, 꽃이 큰 '서양쇠비름 *P. pilosa*'도 약효가 같다.

❶ 건조가 덜 된 마치현(馬齒莧)

❶ 마치현(馬齒莧)

❶ 마치현(馬齒莧)이 함유된 고약

❶ 쇠비름

[쇠비름과]

토인삼

● 학명 : *Talinum paniculatum* (Jacq.) Gaertn. ● 한자명 : 土人參

1 2 3 4 5 6 7 8 9 10 11 12

한해살이풀. 높이 60cm 정도. 줄기는 곧으며, 원뿌리는 굵고 잔뿌리가 붙어 있다. 잎은 어긋나고 타원형이다. 꽃은 적자색이고, 줄기 및 가지 끝에 원추화서로 나온다. 열매는 구형으로 회갈색으로 익는다.

분포 · 생육지 중국 장쑤성(江蘇省), 안후이성(安徽省), 저장성(浙江省), 윈난성(雲南省). 길가나 밭 근처에서 자란다.

약용 부위 · 수치 뿌리를 초가을에 채취하여 잔뿌리를 제거하고 물에 씻어서 말린다. 잎은 여름에 채취하여 말린다.

약물명 토인삼(土人參), 삼초(參草), 토고려삼(土高麗蔘), 가인삼(假人參), 토삼(土參)이라고도 한다. 잎을 토인삼엽(土人參葉)이라고 한다.

기미 · 토인삼(土人參): 평(平), 감(甘), 담(淡) · 비(脾), 폐(肺), 신(腎)

약효 토인삼(土人參)은 보기윤폐(補氣潤肺), 지해(止咳), 조경(調經)의 효능이 있으므로 기허로권(氣虛勞倦), 설사, 폐로해혈(肺癆咳血), 월경부조, 산후유즙부족을 치료한다. 토인삼엽(土人參葉)은 통유즙(通乳汁), 소종독(消腫毒)의 효능이 있으므로 유즙부족, 옹종(癰腫)을 치료한다.

사용법 토인삼 또는 토인삼엽 30g에 물 4컵(800mL)을 넣고 달여서 복용한다.

♠ 토인삼(土人參)

♠ 토인삼(열매)

♠ 토인삼

[패랭이꽃과]

선옹초

자궁출혈

● 학명 : *Agrostemma githago* L. ● 별명 : 선홍초

1 2 3 4 5 6 7 8 9 10 11 12

여러해살이풀. 높이 80cm 정도. 전체에 거칠고 긴 털이 있다. 줄기는 바로 서며, 잎은 마주나고 선형이다. 꽃은 5~7월에 잎겨드랑이에서 나오는 긴 꽃자루에 1개씩 피며 분홍색, 삭과는 달걀 모양이다.

분포 · 생육지 유럽 원산. 세계 각처에서 재배한다.

약용 부위 · 수치 전초를 여름 또는 가을에 채취하여 물에 씻은 후 썰어서 말린다.

약물명 맥선옹(麥仙翁)

약효 소염지혈(消炎止血)의 효능이 있으므로 자궁출혈을 치료한다.

사용법 맥선옹 10g에 물 3컵(600mL)을 넣고 달여서 복용한다.

♠ 선옹초(열매)

♠ 선옹초

벼룩이울타리

음허폐로　골증조열
도한

○ 산은시호(山銀柴胡)

● 학명 : *Arenaria juncea* Bieberstein
● 한자명 : 無心菜　● 별명 : 좁쌀뱅이, 모래별꽃

| 1 | 2 | 3 | 4 | 5 | 6 | 7 | 8 | 9 | 10 | 11 | 12 |

여러해살이풀. 높이 50cm 정도. 뿌리는 굵고 길다. 줄기는 빽빽이 나고 위에서 가지가 갈라진다. 잎은 마주나고 선형이다. 꽃은 7~8월에 잎겨드랑이에 취산화서로 피며 백색, 꽃받침은 5개로 갈라지고, 꽃잎은 5개, 삭과는 6개로 갈라진다.

분포 · 생육지 우리나라 함남, 함북. 중국, 몽골, 아무르. 산지에서 자란다.

약용 부위 · 수치 뿌리를 여름에 채취하여 물에 씻어서 말린다.

약물명 산은시호(山銀柴胡)

기미 · 귀경 미한(微寒), 감(甘) · 폐(肺), 위(胃)

약효 양혈(凉血), 청허열(淸虛熱)의 효능이 있으므로 음허폐로(陰虛肺癆), 골증조열(骨蒸潮熱), 도한(盜汗)을 치료한다.

성분 vitexin, isovitexin 등이 함유되어 있다.

사용법 산은시호 10g에 물 3컵(600mL)을 넣고 달여서 복용한다.

○ 벼룩이울타리

벼룩이자리

간열목적, 인후염, 결막염　폐열해수

○ 소무심채(小無心菜)

● 학명 : *Arenaria serpyllifolia* L.　● 별명 : 좁쌀뱅이, 모래별꽃

| 1 | 2 | 3 | 4 | 5 | 6 | 7 | 8 | 9 | 10 | 11 | 12 |

한두해살이풀. 높이 10~25cm. 전체에 밑을 향한 털이 있다. 잎은 마주나고, 꽃은 백색, 4~5월에 잎겨드랑이에서 길이 1cm 정도의 꽃자루가 나와 핀다. 꽃받침은 5개로 갈라지고 긴 털과 선모가 빽빽이 나며, 꽃잎은 5개, 꽃받침과 길이가 비슷하다. 수술은 10개, 암술대는 3개이다. 삭과는 원통형, 종자는 신장형이다.

분포 · 생육지 우리나라 전역. 중국, 일본, 유럽. 밭이나 길가에서 흔하게 자란다.

약용 부위 · 수치 전초를 여름에 채취하여 물에 씻어서 말린다.

약물명 소무심채(小無心菜), 계불식초(鷄不食草), 작아단(雀兒蛋)이라고도 한다.

기미 · 귀경 양(凉), 감(甘), 미고(微苦) · 폐(肺), 위(胃), 간(肝)

약효 청열, 명목, 지해의 효능이 있으므로 간열목적(肝熱目赤), 폐열해수, 인후염, 결막염을 치료한다.

성분 vitexin, isovitexin, orientin, isoorientin 등이 함유되어 있다.

사용법 소무심채 15g에 물 3컵(600mL)을 넣고 달여서 복용한다.

○ 벼룩이자리

[패랭이꽃과]

구신초

| 신장염, 방광염 | 류머티즘, 관절염 |
| 피부염 | 담석증 |

● 학명 : *Herniaria glabra* L. ● 영명 : Smooth rupturewort, Herniary
● 한자명 : 求腎草

| 1 | 2 | 3 | 4 | 5 | 6 | 7 | 8 | 9 | 10 | 11 | 12 |

❍ 구신초

여러해살이풀. 높이 5~30cm. 뿌리가 굵고 한군데에서 여러 개의 줄기가 나와 땅 가까이 누워서 자란다. 잎은 마주나고, 줄기, 가지, 잎 모두 광택이 나며 타원형이다. 꽃은 담황록색으로 여름에 잎겨드랑이에서 나오고 잠깐 핀다.

분포 · 생육지 유럽, 중앙아시아. 산과 들에서 자란다.

약용 부위 · 수치 지상부를 여름에 채취하여 물에 씻은 후 썰어서 말린다.

약물명 Herniariae Herba. 일반적으로 Herniary 또는 Smooth rupturewort라고 한다.

약효 수렴, 이뇨, 진경(鎭痙)의 효능이 있으므로 신장염, 방광염, 담석증, 류머티즘, 관절염, 피부염을 치료한다.

성분 medicagenic acid, 16-hydroxymedicagenic acid, gypsogenic acid, quercetin, umbelliferone, herniarin 등이 함유되어 있다.

사용법 Herniariae Herba 3g을 뜨거운 물로 우려내어 복용하고, 피부염에는 신선한 것을 짓찧어 붙이거나 즙액을 바른다.

[패랭이꽃과]

동자꽃

| 소변불리 | 도한 |
| 두통 | 실면 |

● 학명 : *Lychnis cognata* Fisch. ● 한자명 : 大花剪秋蘿 ● 별명 : 참동자

| 1 | 2 | 3 | 4 | 5 | 6 | 7 | 8 | 9 | 10 | 11 | 12 |

여러해살이풀. 높이 40~100cm. 전체에 길고 흰 털이 있다. 줄기는 곧게 서며, 잎은 마주나고 잎자루가 없다. 꽃은 7~8월에 피며 지름 4cm 정도, 붉은색이고 백색 또는 적백색의 무늬가 있다. 꽃잎은 5개, 수술은 10개, 암술대는 5개이다. 삭과는 꽃받침통 안에 들어 있다.

분포 · 생육지 우리나라 중부 이북, 중국 둥베이(東北) 지방, 우수리. 깊은 산 숲속에서 자란다.

약용 부위 · 수치 전초를 여름과 가을에 채취하여 물에 씻은 뒤 썰어서 말린다.

약물명 대화전추라(大花剪秋蘿). 산홍화(山紅花), 천열전추라(淺裂剪秋蘿)라고도 한다.

약효 청열이뇨(淸熱利尿), 건비(健脾), 안신(安神)의 효능이 있으므로 소변불리(小便不利), 도한(盜汗), 두통, 실면(失眠)을 치료한다.

성분 orientin, homoorientin, vitexin, isovitexin, ecdysteroids 등이 함유되어 있다.

사용법 대화전추라 10g에 물 3컵(600mL)을 넣고 달여서 복용한다.

＊ 전체에 길고 흰 털이 많은 '털동자꽃 *L. fulgens*', 꽃잎이 짙은 붉은색이고 꽃잎이 깊게 갈라진 '제비동자꽃 *L. wilfordii*'도 약효가 같다.

❍ 털동자꽃

❍ 동자꽃

❍ 대화전추라(大花剪秋蘿)

❍ 제비동자꽃

애기장구채

 월경부조, 유소　　비허부종

●학명 : *Melandrium apricum* Rohrb.
●한자명 : 女婁菜　●별명 : 털장구채, 갯장구채

| 1 | 2 | 3 | 4 | 5 | 6 | 7 | 8 | 9 | 10 | 11 | 12 |

두해살이풀. 높이 30~50cm. 전체에 회색의 잔털이 빽빽이 나고, 잎은 마주난다. 꽃은 6~8월에 잎겨드랑이에서 취산화서로 피며 분홍색, 10개의 수술과 3개의 암술대가 있다. 열매는 삭과이며 달걀 모양, 종자는 신장형으로 돌기가 있다.

분포·생육지 우리나라 전역. 중국, 일본, 아무르, 우수리, 동시베리아. 산지에서 자란다.

약용 부위·수치 전초를 여름철에 수시로 채취하여 적당한 크기로 썰어서 말린다.

약물명 여루채(女婁菜). 관관화(罐罐花), 대엽초(對葉草)라고도 한다.

성상 지상부로 줄기는 원기둥 모양, 볼록한 마디가 있으며, 마디에서 가지와 잎이 마주난다. 잎은 바늘 모양, 황록색을 띤다. 냄새가 있고 맛은 달고 쓰다.

기미·귀경 평(平), 신(辛), 고(苦)·비(脾), 간(肝)

약효 활혈조경(活血調經), 하유(下乳), 건

비(健脾)의 효능이 있으므로 월경부조, 유소(乳少), 비허부종(脾虛浮腫)을 치료한다.

사용법 여루채 10g에 물 3컵(600mL)을 넣고 달여서 복용한다.

● 여루채(女婁菜)

● 애기장구채

장구채

 인후종통, 중이염　　소변불리

●학명 : *Melandrium firmum* (S. et Z.) Rohrb.　●영명 : Catchfly cockle
●한자명 : 粗壯女婁菜　●별명 : 장고채

| 1 | 2 | 3 | 4 | 5 | 6 | 7 | 8 | 9 | 10 | 11 | 12 |

두해살이풀. 높이 30~80cm. 털이 없고 자줏빛이 돌며 마디 부분은 흑자색이다. 잎은 마주난다. 꽃은 7월에 피며 잎겨드랑이와 원줄기 끝에 취산화서로 층층이 달린다. 삭과는 달걀 모양, 길이 7~8mm, 종자는 신장형, 흑갈색이고 돌기가 있다.

분포·생육지 우리나라 전역. 중국, 일본, 아무르, 우수리, 동시베리아. 산과 들에서 자란다.

약용 부위·수치 전초를 여름철에 수시로 채취하여 적당한 크기로 썰어서 말린다.

약물명 경엽여루채(硬葉女婁菜). 대엽금석류(大葉金石榴), 광궁여루채(光萼女婁菜)라고도 한다.

성상 지상부로 줄기는 원기둥 모양, 볼록한 마디가 있으며, 마디에서 가지와 잎이 마주난다. 잎은 바늘 모양, 황록색을 띠며 냄새가 있고 맛은 달고 쓰다.

기미·귀경 양(凉), 감(甘), 담(淡)·소장(小腸), 간(肝)

약효 청열해독(淸熱解毒), 이뇨, 조경(調經)의 효능이 있으므로 인후종통, 중이염, 소

변불리를 치료한다.

성분 α-spinasterol, ursolic acid, ergosteryl peroxide, α-spinasterol-glucoside, 2-methoxy-9-β-D-rufuranosyl purine, aristeromcin, ecdysterone, polypdoaurein, (−)-bornesitol, D-mannitol, cytisoside, melrubiellin C, melrubiellin D 등이 함유되어 있다.

약리 메탄올추출물은 hexobarbital로 유도되는 수면 시간을 연장하고, 혈청에 있는 transaminase의 활성을 강화하며, 간세포에 독성을 초래한다. α-spinasterol, ergosteryl peroxide, α-spinasterol-glucoside, ecdysterone은 5-lipoxygenase(5-LOX)의 활성을 억제한다.

사용법 경엽여루채 10g에 물 3컵(600mL)을 넣고 달여서 복용한다.

● 경엽여루채(硬葉女婁菜)

● 장구채

[패랭이꽃과]

개별꽃

비위허약, 식욕부진		권태무력, 기음양상, 신경쇠약			
건해담소		내열구갈		심계실면	두혼건망

● 학명 : *Pseudostellaria heterophylla* (Miq.) Pax   ● 영명 : False ginseng
● 한자명 : 太子參   ● 별명 : 들별꽃, 좀미치광이풀

1	2	3	4	5	6	7	8	9	10	11	12

여러해살이풀. 높이 10~18cm. 방추형의 뿌리가 1~2개씩 달린다. 원줄기는 1~2개씩 나오고 줄지는 털이 있으며, 잎은 마주 난다. 꽃은 5월에 작은 꽃대에 1~5개의 백색 꽃이 위를 향해 달린다. 삭과는 달걀 모양이고 3개로 갈라지며, 종자에는 작은 돌기가 있다.

분포 · 생육지 우리나라 전역. 중국, 일본, 우수리. 숲속에서 자란다.

약용 부위 · 수치 뿌리를 봄부터 가을까지 수시로 채취하여 물에 씻어서 말린다.

약물명 태자삼(太子參). 동삼(童參), 손아삼(孫兒參), 사엽삼(四葉參)이라고도 한다.

본초서 태자삼은 조학민(趙學敏)의 「본초강목습유(本草綱目拾遺)」에 "백초경(百草鏡)에서 말하자면, 태자삼이라는 것은 작은 요삼(遼蔘)을 말하는 것으로 다른 종류는 아니다. 이것은 소주(蘇州)의 인삼문옥(人蔘間屋)에서 인삼포(人蔘包) 가운데 골라낸 것을 이러한 이름으로 파는 것이다."라고

하였다. 이것으로 보아 2~3년생의 인삼을 말하는 것 같으나, 현재는 '개별꽃'의 뿌리로 변한 것으로 생각된다.

기미 · 귀경 미한(微寒), 감(甘), 미고(微苦) · 비(脾), 폐(肺)

약효 익기생진(益氣生津), 보비윤폐(補脾潤肺)의 효능이 있으므로 비위허약, 식욕부진, 권태무력, 기음양상(氣陰陽傷), 건해담소(乾咳痰少), 자한기단(自汗氣短), 기허상진(氣虛傷津), 내열구갈(內熱口渴), 신경쇠약, 심계실면(心悸失眠), 두혼건망(頭昏健忘)을 치료한다.

성분 glycerol 1-monolinolate, 3′-furfuryl pyrrole-2-carboxylate, behenic acid, 2-minaline, heterophyllin A, B 등이 함유되어 있다.

사용법 태자삼 10g에 물 3컵(600mL)을 넣고 달여서 복용한다.

＊ 꽃이 잎겨드랑이에 피고 가지가 길게 번어 덩굴성이 되는 '덩굴개별꽃 *P. davidii*',

꽃대에 털이 없고 꽃이 보통 1개이며 뿌리 1~4개가 모여나고 약간 비후한 '큰개별꽃(민개별꽃) *P. palibiniana*', 높이 약 20cm 이고 줄기에 줄지어 나는 털이 있으며 덩이뿌리는 구형으로 지름 1cm 내외인 '덩이뿌리개별꽃(가야개별꽃) *P. bulbosa*', 꽃잎은 거꿀피침형으로 끝이 2개로 갈라지며 암술대가 3~4개인 '참개별꽃(섬개별꽃) *P. coreana*', 잎이 바늘 모양인 '가는잎개별꽃 *P. sylvatica*'도 약효가 같다.

❂ 개별꽃

❂ 개별꽃(뿌리)

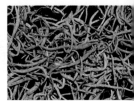

❂ 태자삼(太子參)

[패랭이꽃과]

개미자리

칠창, 독창, 습진, 단독, 종독, 독사교상, 타박상	
비연	

● 학명 : *Sagina japonica* Ohwi
● 한자명 : 蛇牙草   ● 별명 : 개미나물, 수캐자리

1	2	3	4	5	6	7	8	9	10	11	12

한두해살이풀. 높이 12~20cm. 밑에서 가지가 많이 갈라지며, 잎은 마주나고 바늘 모양이다. 꽃은 백색, 6~8월에 잎겨드랑이에 1개씩 달린다. 꽃받침은 5개, 꽃잎은 5개, 수술은 5~10개, 씨방은 달걀 모양이다.

분포 · 생육지 우리나라 전역. 중국, 일본. 그늘진 곳이나 집 근처에서 흔히 자란다.

약용 부위 · 수치 전초를 가을에 채취하여 깨끗이 씻어 말린다.

약물명 칠고초(漆姑草). 우모점(牛毛粘), 사

아초(蛇牙草)라고도 한다.

기미 · 귀경 양(凉), 고(苦), 신(辛) · 간(肝), 위(胃)

약효 양혈해독(凉血解毒), 살충지양(殺蟲止痒)의 효능이 있으므로 칠창(漆瘡), 독창(禿瘡), 습진, 단독, 종독, 비연(鼻淵), 독사교상, 타박상을 치료한다.

성분 6,8-di-*C*-glucosylapigenin, 6-*C*-arabinosyl-8-*C*-glucosylapigenin 등이 함유되어 있다.

약리 물에 달인 액을 쥐의 복강에 주사하면 종양의 성장이 억제되고, 쥐에게 투여하면 기침과 가래가 줄어들며, 적출한 쥐의 소장에 투여하면 평활근이 수축된다.

사용법 칠고초 10g에 물 3컵(600mL)을 넣고 달여서 복용하고, 외용에는 생것을 짓찧어 바른다.

＊ 꽃줄기와 꽃받침에 선모(腺毛)가 있으며, 종자 표면에 잔 돌기가 없는 '큰개미자리 *S. maxima*'도 약효가 같다.

❂ 칠고초(漆姑草)

❂ 개미자리

[패랭이꽃과]

거품장구채

| 만성기관지염 | 소변불리 |
| 옴, 습진, 부스럼 | |

● 학명 : *Saponaria officinalis* L. [*Vaccaria officinalis*] ● 영명 : Soapwort bouncing bet
● 한자명 : 石鹼花 ● 별명 : 비누풀

| 1 | 2 | 3 | 4 | 5 | 6 | 7 | 8 | 9 | 10 | 11 | 12 |

○ 비조초(肥皂草)

한두해살이풀. 높이 50~90cm. 뿌리줄기는 흰색, 잎은 마주나고 바늘 모양, 주맥은 3개이다. 꽃은 흰색 또는 연분홍색, 줄기 끝에 모여난다. 꽃받침은 5개로 갈라지며 꽃잎은 5개, 수술 10개, 암술대 2개, 삭과는 달걀 모양, 꽃받침으로 싸여 있다.

분포 · 생육지 유럽 원산. 우리나라 전역에서 재배한다.

약용 부위 · 수치 전초를 가을부터 겨울까지 채취하여 말린다.

약물명 비조초(肥皂草)

약효 소염, 이뇨, 살균의 효능이 있으므로 만성기관지염, 소변불리, 옴이나 습진, 부스럼을 치료한다.

복용법 비조초 10g에 물 3컵(600mL)을 넣고 달여서 복용하고, 외용에는 짓찧어서 붙인다.

○ 거품장구채

[패랭이꽃과]

가는다리장구채

| 음허폐로 | 골증조열 |
| 도한 | |

● 학명 : *Silene jenisseensis* Willd.
● 한자명 : 長白旱麥瓶草 ● 별명 : 짤룩장구채, 짤룩대나물

| 1 | 2 | 3 | 4 | 5 | 6 | 7 | 8 | 9 | 10 | 11 | 12 |

여러해살이풀. 높이 30~60cm. 잎은 마주난다. 꽃은 백색이고 6~7월에 원줄기 끝에 취산화서로 달린다. 꽃받침은 통형으로 끝이 5개로 갈라지고, 꽃잎은 5개, 수술은 10개, 삭과는 끝이 6개로 갈라진다.

분포 · 생육지 우리나라 백두산을 비롯하여 북부 지방. 중국, 일본, 유럽, 시베리아. 산속에서 자란다.

약용 부위 · 수치 뿌리를 여름과 가을에 채취하여 물에 씻은 후 말린다.

약물명 산은시호(山銀柴胡)

기미 · 귀경 미한(微寒), 감(甘) · 폐(肺), 위(胃)

약효 양혈(凉血), 청허열(淸虛熱)의 효능이 있으므로 음허폐로(陰虛肺癆), 골증조열(骨蒸潮熱), 도한(盜汗)을 치료한다.

성분 vitexin, isovitexin 등이 함유되어 있다.

사용법 산은시호 10g에 물 3컵(600mL)을 넣고 달여서 복용한다.

○ 가는다리장구채

[패랭이꽃과]

오랑캐장구채

🌙 도한

● 학명 : *Silene repens* Pers.
● 한자명 : 毛萼麥瓶草 ● 별명 : 가지대나물, 북장구채, 흰대나물

1	2	3	4	5	6	7	8	9	10	11	12

여러해살이풀. 높이 30~60cm. 잎은 마주
난다. 꽃은 6~7월에 피며 연한 붉은색, 작
은 꽃대는 매우 짧고 꽃받침은 통형, 꽃잎
은 5개로 끝이 2개로 갈라지고, 수술은 10
개이며 꽃받침 밖으로 나온다. 삭과는 끝이
6개로 갈라진다.
분포 · 생육지 우리나라 백두산을 비롯하여
북부 지방, 중국, 일본, 유럽, 시베리아. 산
에서 자란다.
약용 부위 · 수치 전초를 여름에 채취하여 깨
끗하게 씻어서 말린다.
약물명 호로채(葫蘆菜)
약효 양혈청열(凉血淸熱)의 효능이 있으므
로 도한(盜汗)을 치료한다.
사용법 호로채 10g에 물 3컵(600mL)을 넣
고 달여서 복용한다.
＊ 꽃이 백색이며 줄기 윗부분의 잎겨드랑
이에 돌려난 것처럼 모여 피고, 꽃받침은
원통형으로 10개의 자주색 맥이 있는 '흰장
구채 S. *oligantella*'도 약효가 같다.

○ 호로채(葫蘆菜)

○ 오랑캐장구채

[패랭이꽃과]

벼룩나물

🫁 상풍감모　　⌛ 설사, 이질, 토혈

💧 치질　　📋 독사교상, 타박상

● 학명 : *Stellaria alsine* Grim. var. *undulata* (Thunb.) Ohwi
● 한자명 : 雪里花 ● 별명 : 보리뱅이, 들별꽃, 벼룩별꽃

1	2	3	4	5	6	7	8	9	10	11	12

한두해살이풀. 높이 15~25cm. 잎은 마주
나고 길이 1~1.3cm, 맥은 1개이다. 꽃은
백색, 4~5월에 잎겨드랑이와 줄기 끝에 달
리며, 꽃받침 5개, 꽃잎도 5개, 수술은 6
개, 암술대는 2~3개이다. 열매는 삭과이고
6개로 갈라지며, 종자는 신장형이다.
분포 · 생육지 우리나라 전역. 북반구. 산 입
구, 길가나 밭에서 흔하게 자란다.
약용 부위 · 수치 전초를 여름과 가을에 채취
하여 흙을 털어서 말린다.
약물명 천봉초(天蓬草), 설리화(雪里花), 한
초(寒草)라고도 한다.
기미 · 귀경 평(平), 신(辛) · 비(脾), 폐(肺)
약효 거풍제습(袪風除濕), 활혈소종(活血消
腫), 해독지혈(解毒止血)의 효능이 있으므
로 상풍감모(傷風感冒), 설사, 이질, 치질,
토혈, 독사교상, 타박상을 치료한다.
사용법 천봉초 30g에 물 4컵(800mL)을 넣
고 달여서 복용하고, 외용에는 생것을 짓찧
어 바른다.
＊ 본 종은 포가 백색 막질이며 작고 식물체
가 흰 가루색을 띠므로 다른 종과 구분된다.

○ 천봉초(天蓬草)

○ 벼룩나물

[패랭이꽃과]

쇠별꽃

| | 폐열천해 | | 이질 | | 옹저 |
| 치통 | | 월경부조, 유즙불통 |

● 학명 : *Stellaria aquatica* (L.) Scop.　● 영명 : Chick weed
● 한자명 : 抽筋草　● 별명 : 콩버무리

| 1 | 2 | 3 | 4 | 5 | 6 | 7 | 8 | 9 | 10 | 11 | 12 |

여러해살이풀. 높이 20~50cm. 줄기는 가지가 많이 갈라지며, 잎은 마주난다. 꽃은 백색, 잎겨드랑이에 1개씩 피고, 꽃받침잎은 5개, 꽃잎은 5개로 깊게 2개로 갈라지며, 수술은 10개, 암술은 1개이다. 삭과는 달걀 모양, 종자는 타원형이다.

분포 · 생육지 우리나라 전역. 중국, 일본, 전 세계. 산이나 밭 또는 길가에서 흔하게 자란다.

약용 부위 · 수치 전초를 봄부터 가을까지 수시로 채취하여 흙을 털어서 말린다.

약물명 아장초(鵝腸草), 추근초(抽筋草), 신근초(伸筋草)라고도 한다.

기미 · 귀경 평(平), 감(甘), 산(酸) · 간(肝), 위(胃)

약효 청열해독(清熱解毒), 산어소종(散瘀消腫)의 효능이 있으므로 폐열천해(肺熱喘咳), 이질, 옹저(癰疽), 치통, 월경부조, 유즙불통을 치료한다.

사용법 아장초 15g에 물 3컵(600mL)을 넣고 달여서 복용하거나 짓찧어 즙액을 복용해도 좋다.

○ 아장초(鵝腸草)

○ 쇠별꽃

[패랭이꽃과]

은시호

| | 음허폐로 | | 골증조열 |
| 도한 | | 구학부지 |

● 학명 : *Stellaria dichotoma* L. var. *dichotoma* Bunge　● 한자명 : 銀柴胡, 狹葉岐繁縷

| 1 | 2 | 3 | 4 | 5 | 6 | 7 | 8 | 9 | 10 | 11 | 12 |

여러해살이풀. 높이 20~40cm. 원뿌리는 원주형으로 지름 1~3cm이다. 표피는 담황색, 줄기는 바로서고 가지는 차상으로 갈라진다. 잎은 마주나며, 꽃차례는 잎겨드랑이에서 나오고 백색이다. 삭과는 구형이다.

분포 · 생육지 중국 간쑤성(甘肅省), 산시성(陝西省), 둥베이(東北) 지방, 몽골. 산지나 들의 건조한 곳에서 자란다.

약용 부위 · 수치 뿌리를 봄부터 가을까지 채취하여 물에 씻은 후 잔뿌리를 제거하고 말린다.

약물명 은시호(銀柴胡). 은하시호(銀夏柴胡), 은호(銀胡), 우두근(牛肚根), 사삼아(沙蔘兒), 백근자(白根子), 토삼(土參)이라고도 한다. 대한민국약전외한약(생약)규격집(KHP)에 수재되어 있다.

본초서 은시호(銀柴胡)는 「본초강목(本草綱目)」시호(柴胡) 항목에 처음 나오며 「본초원시(本草原始)」에 "은하(銀夏)지방, 지금의 영하회족자치구(寧夏回族自治區)에서 생산되는 것이 품질이 좋다. 뿌리 길이는 1척(尺)이 되며 백색으로 부드러우므로 은시호

(銀柴胡)라고 한다."고 하였다. 「본초강목습유(本草綱目拾遺)」에 비로소 독립하여 정조품으로 수재되었다.

성상 원주형이거나 간혹 가지가 갈라진 것도 있다. 길이 15~40cm, 지름 1~2cm로, 두부는 지름 3~5cm이고 표면은 회색~회흑색이며 희미하고 가는 세로 주름이 있다. 질은 부드러워 쉽게 꺾이고 횡단면은 틈이 있으며, 황색과 백색이 섞인 방사상 무늬가 있다. 냄새는 없으며 아린 맛이 있다.

기미 · 귀경 미한(微寒), 감(甘) · 폐(肺), 위(胃)

약효 양혈(涼血), 청허열(清虛熱)의 효능이 있으므로 음허폐로(陰虛肺勞), 골증조열(骨蒸潮熱), 도한(盜汗), 구학부지(久瘧不止)를 치료한다.

성분 α-spinasterol, stigmast-7-enol, stellara cyclopeptide I, stigmasterol, α-spinasteryl glucoside, stigmast-7-enol-glucoside 등이 함유되어 있다.

사용법 은시호 10g에 물 3컵(600mL)을 넣고 달여서 복용한다.

＊ '대나물 *Gypsophila oldhamiana*' 또는 '가는대나물 *G. pacifica*' 뿌리도 은시호(銀柴胡)라고 하여 사용하고 있다.

○ 은시호

○ 은시호(銀柴胡)

○ 은시호(銀柴胡, 절편)

○ 은시호(뿌리)

○ 은시호(잎)

[패랭이꽃과]

별꽃

이질, 장옹 / 폐옹 / 정창종독, 타박상 / 산후복통, 유즙불하 / 치창종독

● 학명 : *Stellaria media* (L.) Villars　● 영명 : White bird's eye
● 한자명 : 繁縷　● 별명 : 번루

1	2	3	4	5	6	7	8	9	10	11	12

● 번루(繁縷)

두해살이풀. 높이 10~20cm. 줄기에 1줄의 털이 있다. 잎은 마주나고 길이 1~2cm, 너비 1~1.5cm이다. 꽃은 5~6월에 가지 끝이나 원줄기 끝에 취산화서로 달리며, 꽃받침과 꽃잎은 각각 5개, 수술은 1~7개이다. 삭과는 꽃받침보다 길고, 종자는 둥글며 돌기가 있다.

분포 · 생육지 우리나라 전역. 중국, 일본, 전 세계. 밭이나 길가에서 흔하게 자란다.

약용 부위 · 수치 전초를 봄부터 가을까지 수시로 채취하여 말린다.

약물명 번루(繁縷), 번위(繁萎), 자초(滋草)라고도 한다.

본초서 번루(繁縷)는 「명의별록(名醫別錄)」과 「본초도경(本草圖經)」에 수재되어 있으며 "봄에 채취하는 것이 약효가 좋다."고 하였다. 「동의보감(東醫寶鑑)」에 "종기의 독을 없애 주고 소변이 지나치게 나오는 것을 그치게 하며 피가 몰린 것을 풀어 준다. 종기가 벌겋게 부어올라 아프고 가려우며 곪

는 증상을 낫게 한다."고 하였다.
東醫寶鑑 主腫毒 止小便利 破瘀血 療積年惡瘡.

기미 · 귀경 양(凉), 미고(微苦), 감(甘), 산(酸) · 간(肝), 대장(大腸)

약효 청열해독(淸熱解毒), 양혈소옹(凉血消癰), 활혈지통(活血止痛), 하유(下乳)의 효능이 있으므로 이질, 장옹(腸癰), 폐옹(肺癰), 정창종독(疔瘡腫毒), 치창종독(痔瘡腫毒), 출혈, 타박상, 산후복통, 유즙불하(乳汁不下)를 치료한다.

성분 gypsogenin, orientin, isoorientin, luteolin, apigenin, genistein, aminoadipic acid, vicenin-2 등이 함유되어 있다.

사용법 번루 15g에 물 3컵(600mL)을 넣고 달여서 복용하거나 짓찧어 즙액을 복용해도 좋다. 외용에는 불에 약간 태워서 가루 내어 상처에 뿌리거나 짓찧어 바른다.

＊꽃잎이 여러 갈래로 갈라진 '왕별꽃 *S. radicans*', 꽃잎이 꽃받침보다 2배 정도로 긴 '실별꽃 *S. filicaulis*'도 약효가 같다.

● 별꽃

[패랭이꽃과]

말뱅이나물

부녀경행복통, 경폐, 유즙불통, 유옹 / 옹종

● 학명 : *Vaccaria pyramidata* Medicus [*V. segetalis*, *Saponaria segetalis*]
● 영명 : Pink cockle　● 한자명 : 麥藍菜, 道灌草　● 별명 : 개장구채, 들장구채, 쇠나물

1	2	3	4	5	6	7	8	9	10	11	12

한두해살이풀. 높이 50~60cm. 잎은 마주난다. 꽃은 6~7월에 피며, 꽃받침은 원통형, 수술은 10개, 암술대는 2개이다. 삭과는 날개 같은 5개의 능선이 있는 꽃받침으로 싸여 있고, 종자는 갈색이며 많고 둥글며, 앞면에 잔돌기가 있다.

분포 · 생육지 유럽 원산. 세계 각처에서 재배한다.

약용 부위 · 수치 종자를 여름부터 가을에 걸쳐서 채취하여 말린다.

약물명 왕불류행(王不留行). 왕불류(王不留), 맥남자(麥藍子), 유행자(留行子)라고도 한다. 대한민국약전외한약(생약)규격집(KHP)에 수재되어 있다.

본초서 왕불류행(王不留行)은 「신농본초경(神農本草經)」의 상품에 수재되어 있고, 「본초강목(本草綱目)」에는 "이 약초는 약효가 강하므로 왕의 명령에도 멈추지 않고 약효를 발휘하므로 왕불류행(王不留行)이라 한다."고 하였다. 「동의보감(東醫寶鑑)」에는 "쇠붙이에 의한 상처에 쓰며 피를 그치게 하고 통증을 완화시키며 가시를 빼낸다. 코

피 나는 데와 옹저 및 종기가 벌겋게 부으면서 아프고 가려우며 곪는 것을 낫게 하며 풍기를 몰아낸다. 혈액 순환을 잘 되게 하고 생리를 순조롭게 하며 아이 낳는 것이 순조롭지 못한 것을 돕는다."고 하였다.
神農本草經 主金瘡, 止血逐癰, 出刺, 除風痺內寒, 久服輕身耐老增壽.
藥性論 治風毒, 通血脈.
東醫寶鑑 主金瘡止血 逐痛出刺 治衄血癰疽惡瘡 去風毒.

기미 · 귀경 평(平), 고(苦) · 간(肝), 위(胃)

약효 활혈통경(活血通經), 하유소옹(下乳消癰)의 효능이 있으므로 부녀경행복통(婦女經行腹痛), 경폐(經閉), 유즙불통(乳汁不通), 유옹(乳癰), 옹종(癰腫)을 치료한다.

성분 vacsegoside A~D, gypsogenin, vaccarin, isosaponarin, stigmasterol, vaccaroside, vaccaxanthone, sapxanthone 등이 함유되어 있다.

약리 물로 달인 액은 쥐의 적출한 자궁에 수축 작용이 있고, 에탄올추출물은 이 작용이 더욱 강하다.

사용법 왕불류행 10g에 물 3컵(600mL)을 넣고 달여서 복용하거나, 가루로 만들어 환약, 가루약으로 복용한다. 외용에는 분말로 하여 도포한다.

처방 왕불류행산(王不留行散): 왕불류행(王不留行) · 활석(滑石) · 숙지황(乾地黃) 각 40g, 작약(芍藥) · 목통(木通) · 당귀(當歸) · 유백피(楡白皮) 각 12g, 황금(黃芩) 20g「향약집성방(鄕藥集成方)」. 몸이 허약하여 오줌이 잘 나가지 않고 음경이 아픈 증상에 사용한다.

＊우리나라에서는 '장구채 *Melandrium firmum*'의 전초를 왕불류행이라고 하여 사용한다.

● 말뱅이나물

● 왕불류행(王不留行)

● 말뱅이나물(잎)

[명아주과]

미국갯는쟁이

위산과다, 소화불량, 변비

●학명 : *Atriplex hortensis* L. ●영명 : Mountain spinach

| 1 | 2 | 3 | 4 | 5 | 6 | 7 | 8 | 9 | 10 | 11 | 12 |

❂ 미국갯는쟁이(꽃)

한해살이풀. 높이 1~2m. 줄기는 바로 서며 가지가 많이 벌어지고, 잎은 어긋난다. 꽃은 7~8월에 잎겨드랑이에서 나온 가지 끝에 많이 피고, 암꽃과 수꽃이 군데군데 모여 수상화서를 이룬다. 꽃덮개와 수술은 각 5개, 암술대는 2개이다.

분포 · 생육지 유럽, 북아메리카, 남아메리카, 서아시아. 길가에서 자라고 식용으로 재배한다.

약용 부위 · 수치 전초를 봄부터 가을에 채취하여 물에 씻어서 말린다.

약물명 Atriplex Herba

약효 건위의 효능이 있으므로 위산과다, 소화불량, 변비를 치료한다.

사용법 Atriplex Herba 10g에 물 3컵(600 mL)을 넣고 달여서 복용하고, 외용에는 짓찧어 붙인다.

❂ 미국갯는쟁이

[명아주과]

갯는쟁이

복사

●학명 : *Atriplex subcordata* Kitagawa ●한자명 : 紛藜 ●별명 : 갯능쟁이

| 1 | 2 | 3 | 4 | 5 | 6 | 7 | 8 | 9 | 10 | 11 | 12 |

한해살이풀. 높이 40~60cm. 잎은 어긋나고 길이 3~8cm, 너비 2~4cm이다. 꽃은 7~8월에 담녹색으로 피고 암꽃과 수꽃이 군데군데 모여 수상화서를 이룬다. 꽃덮개와 수술은 각 5개, 암술대는 2개, 암꽃의 포는 자라서 달걀 모양으로 되고 1개의 포과가 들어 있다.

분포 · 생육지 우리나라 제주도, 전남, 울릉도, 경기, 황해, 평남, 중국, 일본, 몽골. 바닷가에서 자란다.

약용 부위 · 수치 전초를 가을부터 겨울까지 채취하여 물에 씻어서 말린다.

약물명 분려(紛藜). 삼치분려(三齒紛藜)라고도 한다.

약효 이수삽장(利水澁腸)의 효능이 있으므로 복사(腹瀉)를 치료한다.

사용법 분려 10g에 물 3컵(600mL)을 넣고 달여서 복용하고, 외용에는 짓찧어 붙인다.

＊본 종에 비하여 잎이 더욱 가늘고 암꽃의 포가 열매가 성숙할 때 커지고 종자는 흑색으로 광택이 나는 '가는갯는쟁이 *A. gmelinii*'도 약효가 같다.

❂ 가는갯는쟁이

❂ 갯는쟁이

[명아주과]

근대

유행성열병, 소아발열 | 치창, 임탁, 치루하혈 | 폐경
마진투발불창, 옹종, 타박상 | 토혈, 열독하리

● 학명 : *Beta vulgaris* L. var. *cicla* L. ● 영명 : Swiss chard
● 한자명 : 莙蓬菜 ● 별명 : 다채, 군달, 첨채

| 1 | 2 | 3 | 4 | 5 | 6 | 7 | 8 | 9 | 10 | 11 | 12 |

두해살이풀. 높이 1m 정도. 뿌리잎은 긴 타원형, 줄기잎은 바늘 모양이다. 꽃은 6월에 피고 포 겨드랑이에 황록색의 작은 꽃이 모여서 1개의 덩어리처럼 된다. 꽃덮개는 5개로 꽃이 진 다음에 열매를 감싼다. 열매는 꽃받침과 꽃덮개로 된 딱딱한 껍질 속에 1개씩 들어 있다.

분포 · 생육지 유럽 원산. 우리나라 전역에서 채소로 재배한다.

약용 부위 · 수치 전초를 가을부터 겨울까지 채취하여 씻어서 말린다.

약물명 지상부를 군달채(莙蓬菜), 종자를 군달자(莙蓬子)라고 한다.

본초서 군달채(莙蓬菜)는 「명의별록(名醫別錄)」에 처음 수재되어 "열을 내리고 해독시키는 효능이 있다."고 하였으며, 당대(唐代)의 「신수본초(新修本草)」에는 "여름철에 이것으로 죽을 끓여 먹으면 열도 내리고 설사도 멈추게 한다."고 기록되어 있다. 「동의보감(東醫寶鑑)」에는 군달(莙蓬)이라는 이름으로 수재되어 "오장을 튼튼하게 한다."고 하였다.

東醫寶鑑: 補中下氣 理脾氣 去頭風 利五臟.

기미 · 귀경 군달채(莙蓬菜): 한(寒), 감(甘), 고(苦) · 폐(肺), 위(胃), 대장(大腸). 군달자(莙蓬子): 한(寒), 감(甘), 고(苦)

약효 군달채(莙蓬菜)는 청열해독(清熱解毒), 행어지혈(行瘀止血)의 효능이 있으므로 유행성열병, 치창(痔瘡), 마진투발불창(痲疹透發不暢), 토혈, 열독하리(熱毒下痢), 임탁(淋濁), 폐경, 옹종, 타박상을 치료한다. 군달자(莙蓬子)는 청열해독(清熱解毒), 양혈지혈(凉血止血)의 효능이 있으므로 소아발열(小兒發熱), 치루하혈(痔漏下血)을 치료한다.

사용법 군달채 15g에 물 3컵(600mL), 군달자 7g에 물 2컵(400mL)을 넣고 달여서 복용한다.

○ 근대

○ 군달자(莙蓬子)

○ 근대(열매)

[명아주과]

명아주

발열 | 습진, 개선, 창양종통, 독충교상
해수 | 이질, 복통설사 | 치통

● 학명 : *Chenopodium album* L. var. *centrorubrum* Makino ● 영명 : Fat-hen
● 한자명 : 黎 ● 별명 : 는쟁이, 능쟁이, 붉은잎능쟁이

  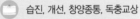

| 1 | 2 | 3 | 4 | 5 | 6 | 7 | 8 | 9 | 10 | 11 | 12 |

한해살이풀. 높이 1m 정도. 줄기는 곧게 서고, 잎은 어긋난다. 꽃은 황록색, 6~7월에 가지 끝에서 수상화서가 발달하여 전체적으로 원추화서를 형성하며, 포과는 꽃받침으로 싸여 있고 편원형이다. 종자는 흑색 윤채가 돈다.

분포 · 생육지 우리나라 전역. 중국, 일본. 산의 낮은 곳이나 들에서 흔하게 자란다.

약용 부위 · 수치 전초를 여름부터 가을까지 수시로 채취하여 물에 씻어서 말린다.

약물명 여(黎). 만화(蔓華), 몽화(蒙華), 비양초(飛揚草)라고도 한다.

약효 청열제습(清熱除濕), 해독소종(解毒消腫), 살충지양(殺蟲止痒)의 효능이 있으므로 발열(發熱), 해수, 이질, 복통설사, 치통, 습진, 개선(疥癬), 창양종통(瘡瘍腫痛), 독충교상을 치료한다.

성분 잎의 지질 중 68%는 중성 지방으로서 palmitic acid, carnubaic acid, linolic acid, oleic acid 등이 함유되어 있다.

약리 소량에서는 지렁이를 흥분시키고 시간이 가면 마비시키는 작용이 있고, 명아주를 먹고 난 뒤에 햇볕을 쬐면 피부염을 일으킨다.

사용법 여 10g에 물 3컵(600mL)을 넣고 달여서 복용하고, 외용에는 짓찧어 바른다.

＊ 잎이 3개로 갈라지고 얕은 톱니가 있으며 꽃덮개가 열매를 둘러싸는 '좀명아주 *C. ficifolium*', 꽃덮개가 3~4개이며 종자의 모양이 다양한 '취명아주 *C. glaucum*'도 약효가 같다.

○ 명아주

○ 여(黎)

○ 명아주(꽃)

○ 명아주(열매)

[명아주과]

냄새명아주

기생충병 | 피부습진, 개선, 타박상, 독충교상
풍습비통 | 경폐, 통경 | 구설생창

- 학명 : *Chenopodium ambrosioides* L. var. *anthelminticum* A. Gray
- 영명 : Mexican tea ● 한자명 : 土荊芥 ● 별명 : 약능쟁이, 양명아주, 체노포디

| 1 | 2 | 3 | 4 | 5 | 6 | 7 | 8 | 9 | 10 | 11 | 12 |

두해살이풀. 높이 1m 정도. 줄기에 능선이 있고, 잎은 어긋나고 홑잎, 뿌리잎은 긴 타원형, 줄기잎은 바늘 모양이다. 꽃은 6~7월에 피고 포의 겨드랑이에 황록색의 작은 꽃이 모여서 1개의 덩어리처럼 되며, 꽃덮개는 5개, 수술 5개, 암술대는 2~3개, 꽃이 진 다음에 열매를 감싼다.

분포 · 생육지 멕시코 원산. 약초원에서 재배하거나 우리나라 전역에 야생한다.

약용 부위 · 수치 전초를 여름과 가을에 채취하여 물에 씻어서 말린다.

약물명 토형개(土荊芥). 아각초(鵝脚草), 천선초(天仙草)라고도 한다.

약효 거풍제습(祛風除濕), 살충지양(殺蟲止痒), 활혈소종(活血消腫)의 효능이 있으므로 장내의 기생충병, 피부습진, 개선(疥癬), 풍습비통(風濕痺痛), 경폐(經閉), 통경(痛經), 구설생창(口舌生瘡), 타박상, 독충교상을 치료한다.

성분 정유 주성분은 ascaridol이며, pinocarvone, aritasone, kaempferol−7−O−rhamnoside, ambroside, isorhamnatin 등이 함유되어 있다.

약리 ascaridol로 10,000배 희석한 용액에서도 회충 등의 기생충 근육의 강직성 경련을 일으켜 마비시킨다. 광범위 구충제이기는 하나 독성이 있어서 구토, 오심, 이명, 난청 등의 부작용이 있다.

사용법 토형개 5g에 물 2컵(400mL)을 넣고 달여서 복용한다.

＊유럽에서는 열매가 달린 신선한 전초를 수증기로 증류하여 얻은 정유를 'Oleum Chenopodii'라고 하며, 광범위 구충제로 사용하고 있다.

✪ 냄새명아주

✪ 토형개(土荊芥)

[명아주과]

바늘명아주

월경과다, 통경, 폐경 | 과민성피부염, 담마진

- 학명 : *Chenopodium aristatum* L. [*Teloxys aristatum*]
- 한자명 : 紫藜, 紫穗藜 ● 별명 : 가시명아주, 바늘능쟁이, 애기명아주

| 1 | 2 | 3 | 4 | 5 | 6 | 7 | 8 | 9 | 10 | 11 | 12 |

한해살이풀. 높이 10~30cm. 밑부분에서 가지가 많이 갈라지며 작은가지 끝이 결실기에는 가시처럼 된다. 잎은 어긋나고 바늘 모양이다. 꽃은 6~7월에 피고 포 겨드랑이에 황록색의 작은 꽃이 모여서 덩어리처럼 되며, 결실기에는 성글게 늘어진다.

분포 · 생육지 우리나라 경북 이북, 중국, 일본, 시베리아. 산이나 들에서 자란다.

약용 부위 · 수치 전초를 여름과 가을에 채취하여 물에 씻어서 말린다.

약물명 자려(紫藜). 야계관자초(野鷄冠子草)라고도 한다.

약효 활혈조경(活血調經), 거풍지양(祛風止痒)의 효능이 있으므로 월경과다, 통경, 폐경, 과민성피부염, 담마진을 치료한다.

사용법 자려 10g에 물 3컵(600mL)을 넣고 달여서 복용한다.

✪ 바늘명아주

얇은명아주

	월경부조, 붕루		토혈
	객혈		육혈	요혈

● 학명 : *Chenopodium hybridum* L.
● 한자명 : 雜配黎 ● 별명 : 청명아주, 큰잎명아주, 큰명아주, 얇은잎능쟁이

| 1 | 2 | 3 | 4 | 5 | 6 | 7 | 8 | 9 | 10 | 11 | 12 |

한해살이풀. 높이 60~100cm. 잎은 어긋난다. 꽃은 황록색으로 큰 편이며 7~8월에 잎겨드랑이 또는 가지 끝에 수상화서를 이루어 드문드문 달린다. 꽃받침잎은 달걀 모양으로 뒷면에 1맥이 있고, 열매는 포과로 편구형이다. 종자는 원판 같으며 작게 파인 점이 있다.

분포 · 생육지 우리나라 백두산, 함남북, 평남북, 중국, 일본, 유럽, 북아메리카. 산과 들에서 자란다.

약용 부위 · 수치 전초를 여름철에 채취하여 씻은 뒤 썰어서 말린다.

약물명 대엽여(大葉黎). 혈견수(血見愁)라고도 한다.

약효 조경지혈(調經止血), 해독소종(解毒消腫)의 효능이 있으므로 월경부조(月經不調), 붕루(崩漏), 토혈, 객혈, 육혈(衄血), 요혈을 치료한다.

사용법 대엽여 10g에 물 3컵(600mL)을 넣고 달여서 복용하거나, 달인 액을 농축하여 엑스제로 하여 복용한다.

❍ 얇은명아주

댑싸리

	소변불리, 임탁		대하		풍진, 피부소양, 습진
	혈리, 설사, 적백리		목적삽통

● 학명 : *Kochia scoparia* Schrad. ● 영명 : Summer cypress
● 한자명 : 地葵 ● 별명 : 비싸리, 대싸리, 공쟁이

| 1 | 2 | 3 | 4 | 5 | 6 | 7 | 8 | 9 | 10 | 11 | 12 |

한해살이풀. 높이 1m 정도. 줄기는 곧게 서고 딱딱하며 가지가 많이 갈라지고, 잎은 어긋난다. 꽃은 7~8월에 피며 꽃 밑에 포가 있다. 양성화와 암꽃이 있으며, 꽃받침은 5개로 갈라지고 꽃이 핀 다음 자라서 열매를 둘러싸며 뒷면에서 날개 같은 돌기가 발달한다.

분포 · 생육지 우리나라 전역. 일본, 중국 둥베이(東北) 지방. 들에서 자란다.

약용 부위 · 수치 종자는 가을에 열매가 성숙할 때, 어린잎과 줄기는 봄에 채취하여 말린다.

약물명 종자를 지부자(地膚子)라고 하며, 지규(地葵)라고도 한다. 잎과 줄기를 지부묘(地膚苗)라고 한다.

본초서 지부자(地膚子)는 「신농본초경(神農本草經)」의 상품(上品)에 수재되어 있으며 별명을 지규(地葵), 지맥(地麥)이라고 하였다. 「동의보감(東醫寶鑑)」에는 "지부자(地膚子)는 주로 방광에 있는 열을 내리고 소변을 잘 보게 한다."고 하였다.

神農本草經: 主膀胱熱, 利小便, 補中, 益精氣, 久服耳目聰明, 輕身耐老.
藥性論: 治陰卵癀疾, 祛風熱, 可作湯沐浴.
日華子本草: 治客熱丹腫.
東醫寶鑑: 主膀胱熱 利小便 治陰卵癀疾 及客熱 丹腫.

성상 지부자(地膚子)는 편구상의 5각형 별 모양으로 지름 2~3mm이다. 표면은 회녹색~담갈색으로 주위에 작은 막 같은 깃이 5개 붙어 있다. 등쪽의 중심에는 작은 돌기와 열매자루 자국이 있으며, 방사상의 능선이 5~10개 있고 과피를 벗기면 납작한 달걀 같은 흑색의 종자가 들어 있다. 약한 향기가 있으며, 맛은 조금 쓰다.

기미 · 귀경 지부자(地膚子): 한(寒), 고(苦) · 신(腎), 방광(膀胱). 지부묘(地膚苗): 한(寒), 감(甘), 고(苦) · 간(肝), 비(脾), 대장(大腸).

약효 지부자(地膚子)는 청열이습(淸熱利濕), 거풍지양(祛風止痒)의 효능이 있으므로 소변불리, 임탁(淋濁), 대하, 혈리(血痢), 풍진, 습진, 피부소양을 치료한다. 지부묘(地膚苗)는 청열해독(淸熱解毒), 이뇨통림(利尿通淋)의 효능이 있으므로 적백리(赤白痢), 설사, 소변임통(小便淋痛), 목적삽통(目赤澁痛), 피부풍열적종(皮膚風熱赤腫), 악창개선(惡瘡疥癬)을 치료한다.

성분 지부자(地膚子)에는 triterpenoid, saponin, alkaloid가 함유되어 있고, 지부묘(地膚苗)에는 amaranthin, 7-hydroxy-6-methoxychromone, 2′,7-dihydroxy-6,7-methylenedioxyisoflavonol, quercetol, quercetin-3-*O*-β-D-glucoside, isorhamnetol-3-*O*-β-D-glucoside 등이 함유되어 있다.

약리 열수추출물은 황선균을 포함한 피부진균에 항진균 작용이 있다.

사용법 지부자는 10g에 물 3컵(600mL)을 넣고 달여서 복용하고, 외용에는 달인 액으로 씻는다. 지부묘는 20g에 물 4컵(800mL)을 넣고 달여서 복용한다.

처방 지부자탕(地膚子湯): 지부자(地膚子) 4g, 지모(知母) · 황금(黃芩) · 저령(豬苓) · 구맥(瞿麥) · 지실(枳實) · 승마(升麻) · 목통(木通) · 동규자(冬葵子) 각 2.8g「동의보감(東醫寶鑑)」. 하초(下焦)에 습열이 심하여 오줌을 잘 누지 못하고 피가 섞여 나오는 증상에 사용한다.

＊ 우리나라 인천 및 경기도 바닷가에서 자라며 밑에서 가지가 많이 갈라지는 '갯댑싸리 var. *littorea*'도 약효가 같다.

○ 댑싸리

○ 꽃

○ 지부묘(地膚苗)

○ 지부자(地膚子)

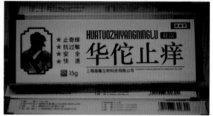
○ 지부자(地膚子)로 만든 피부소양(皮膚瘙痒) 치료제

[명아주과]

퉁퉁마디

고혈압　　　두통

●학명 : *Salicornia europaea* L.　●영명 : Glasswort　●별명 : 함초

1	2	3	4	5	6	7	8	9	10	11	12

한해살이풀. 높이 15~20cm. 전체에 털이 없으며, 줄기는 마디가 많고 두드러지며 1~2번 갈라지고 처음에는 녹색, 가을에는 붉은색으로 변한다. 꽃은 수상화서로 달리며 마디 위에 움푹 들어간 구멍 속에 2~3송이의 작은 녹색 꽃이 숨어 있다. 포과는 꽃덮개에 싸인다.

분포·생육지 우리나라 전역. 중국, 일본, 유럽. 바닷가의 모래땅에서 자란다.

약용 부위·수치 전초를 봄부터 가을까지 채취하여 물에 깨끗이 씻어서 말린다.

약물명 해봉자(海蓬子), 초염각(草塩角), 추근채(抽筋菜), 해갑채(海甲菜)라고도 한다. 우리나라에서는 함초(鹹草)라고 한다.

약효 평간(平肝), 이뇨, 강압(降壓)의 효능이 있으므로 고혈압과 두통을 치료한다.

성분 신선한 잎 100g에는 철 5.3mg, 섬유질 5~20%, 단백질 9.0%가 함유되어 있다. 일반 성분으로는 amarantin, 7-hydroxy-6-methoxychromone, 6-methoxychromone 7-*O*-β-D-glucoside, 2′-hydroxy-6,7-methylenedioxyisoflavonol, 2′,7-dihydroxy-6-methoxyisoflavonol, aspartic acid, quercetin, quercetin-3-*O*-β-D-glucoside, quercetin-3′,4′-*O*-β-D-diglucoside, kaempferol, myricetin, apigenin, luteolin, limonin, nomilin, rutin, quercetin-3-*O*-(6″-mlonyl)-β-D-glucoside, quercetin-3-*O*-(6″-mlonyl)-β-D-glucoside, quercetol 등이 함유되어 있다.

약리 quercetin, quercetin-3-*O*-β-D-glucoside, quercetin-3′,4′-*O*-β-D-diglucoside는 항산화 작용이 있다.

사용법 해봉자 10g에 물 3컵(600mL)을 넣고 달여서 복용한다. 1~2주 후에 효과가 나타나면 5~6개월 계속하여 복용한다.

○ 퉁퉁마디

○ 해봉자(海蓬子)

○ 퉁퉁마디(꽃)

○ 퉁퉁마디를 원료로 만든 건강식품 (함초환, 함초가루)

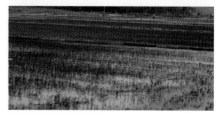
○ 퉁퉁마디 군락(서해안)

[명아주과]

솔장다리

 고혈압 　 두통 　 현훈

실면 　장조변비

● 학명 : *Salsola collina* Pall. ● 영명 : Mexican field weed ● 한자명 : 刺蓬

| 1 | 2 | 3 | 4 | 5 | 6 | 7 | 8 | 9 | 10 | 11 | 12 |

한해살이풀. 높이 30cm 정도. 밑에서 많은 가지가 갈라지며, 잎은 어긋난다. 꽃은 양성으로 7~8월에 피고 잎겨드랑이에 1개씩 달리며, 꽃대는 없고 2개의 소포가 있다. 꽃덮개 조각과 수술은 5개씩, 열매는 포과로 1개의 종자가 들어 있다.

분포 · 생육지 우리나라 중부 및 북부 지방. 중국, 몽골, 시베리아, 중앙아시아, 유럽. 바닷가의 모래땅에서 흔하게 자란다.

약용 부위 · 수치 전초를 가을에 채취하여 말린다.

약물명 저모채(猪毛菜). 자봉(刺蓬)이라고도 한다.

약효 평간잠양(平肝潛陽), 윤장통변(潤腸通便)의 효능이 있으므로 고혈압, 두통, 현훈, 실면(失眠), 장조변비(腸燥便秘)를 치료한다.

약리 열수추출물은 개, 토끼의 정맥에 주사할 때 혈압 강하 작용이 있고, 중추 신경계에 대한 실험에서 양성 조건 반사에 억제 작용이 있다. 봄에 채집한 것은 혈압을 상승시키고, 가을에 채집한 것은 혈압을 하강시킨다.

사용법 저모채 15g에 물 3컵(600mL)을 넣고 달여서 복용한다. 1~2주 후에 효과가 나타나면 5~6개월 계속하여 복용한다. 효과는 초기 환자에게는 현저하며 만성 환자에게는 비교적 약하다.

✿ 저모채(猪毛菜)

✿ 솔장다리

[명아주과]

수송나물

 고혈압 　 두통 　 현훈

 실면 　장조변비

● 학명 : *Salsola komarovii* Iljin ● 별명 : 가시솔나물

| 1 | 2 | 3 | 4 | 5 | 6 | 7 | 8 | 9 | 10 | 11 | 12 |

한해살이풀. 줄기는 비스듬히 자라고 털이 없으며, 잎은 반원주형이다. 꽃차례는 짧고, 꽃덮개 조각은 돌기를 내지 않는다.

분포 · 생육지 우리나라 중부 및 북부 지방. 중국, 몽골, 시베리아, 중앙아시아, 유럽. 바닷가 모래땅에서 흔하게 자란다.

약용 부위 · 수치 전초를 가을에 채취하여 잘 말린다.

약물명 저모채(猪毛菜). 자봉(刺蓬)이라고도 한다.

약효 평간잠양(平肝潛陽), 윤장통변(潤腸通便)의 효능이 있으므로 고혈압, 두통, 현훈, 실면(失眠), 장조변비(腸燥便秘)를 치료한다.

성분 lariciresinol−9−*O*−β−D−glucopyranoside, alangilignoside C, conicaoside, (+)−lyoniresinol−9−*O*−β−D−glucopyranoside, (8*S*,8′*R*, 7′*R*)−9′−[(β−D−glucopyranosyl)oxy]lioniresinol, blumenyl B β−D−glucopyranoside, blumenyl A β−D−glucopyranoside, staphylionoside D, icariside B$_2$, (6*R*,9*S*)−3−oxo−α−ionol β−D−glucopyranoside, canthoside C, tachioside, isotachioside, biophenol 2, cuneataside 등이 함유되어 있다.

약리 alangilignoside C, conicaoside 및 blumenyl B β−D−glucopyranoside는 NGF 분비를 촉진시킨다.

사용법 저모채 15g에 물 3컵(600mL)을 넣고 달여서 복용한다.

✿ 수송나물

시금치

| 육혈, 목현, 목적, 야맹증, 소갈인음 | 변혈 |
| 두통 | 치창 | 해천 |

● 학명 : *Spinacia oleracea* L. ● 영명 : Spinach
● 한자명 : 菠菜 ● 별명 : 싱금치, 시금추

| 1 | 2 | 3 | 4 | 5 | 6 | 7 | 8 | 9 | 10 | 11 | 12 |

한두해살이풀. 높이 50cm 정도. 잎은 처음에는 밑에서 모여나지만 원줄기에서는 어긋난다. 꽃은 암수딴그루, 수꽃은 잎이 없는 수상화서로 달리고 4개씩의 꽃덮개와 수술이 있으며, 암꽃은 잎겨드랑이에 3~5개씩 달리고, 포과에 2개의 가시가 있다.

분포 · 생육지 서아시아 원산. 우리나라 전역에서 채소로 재배한다.

약용 부위 · 수치 전초를 가을부터 겨울까지 채취하여 말린다.

약물명 전초를 파채(菠菜)라고 하며, 파릉(菠薐), 홍근채(紅根菜), 파사채(波斯菜)라고도 한다. 종자를 파채자(菠菜子)라고 하며, 파릉자(菠薐子)라고도 한다.

본초서 「본초강목(本草綱目)」에는 파사초(菠斯草)라고 하였으며, 「동의보감(東醫寶鑑)」에는 파릉(菠薐)이라는 이름으로 수재되어, "오장을 튼튼하게 하고 주독을 풀어 준다."고 하였다.

東醫寶鑑: 利五臟 通腸胃熱 解酒毒.

기미 · 귀경 파채(菠菜): 평(平), 감(甘) · 간(肝), 위(胃), 대장(大腸), 소장(小腸)

약효 파채(菠菜)는 양혈지혈(養血止血), 평간윤조(平肝潤燥)의 효능이 있으므로 육혈(衄血), 변혈, 두통, 목현(目眩), 목적(目赤), 야맹증, 소갈인음(消渴引飮), 치창(痔瘡)을 치료한다. 파채자(菠菜子)는 청간명목(淸肝明目), 지해평천(止咳平喘)의 효능이 있으므로 풍화목적종통(風火目赤腫痛), 해천(咳喘)을 치료한다.

성분 파채(菠菜) 100g에는 단백질 2g, 지방 0.2g, 당 2g, 섬유소 0.6g, 회분 2g, 칼슘 70mg, 인 34mg, 철 2.5mg, vitamin B_1 0.04mg, vitamin B_2 0.13mg, vitamin C 31mg, carotein 2.96mg, α-tocopherol, folic acid, β-ecdyson, spinacetin, patuletin, rutin, hyperoside, astragalin, spinatin, cholesterol, stigmasterol, α-spinasterol, palmitic acid, spinasaponin A, B 등이 함유되어 있다. 파채자(菠菜子)에는 polypodine B, 20-hydroxyecdysone, α-spinasterol, stigmastenol, stimastanol 등이 함유되어 있다.

약리 spinasaponin A, B는 항균 작용이 있

다. 종자의 열수추출물을 쥐에게 투여하면 기관지 천식 치료 효과가 나타난다.

사용법 파채 또는 파채자 15g에 물 3컵(600mL)을 넣고 달여서 복용한다.

● 시금치

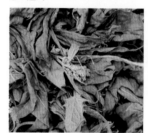
● 파채(菠菜)

● 파채자(菠菜子)

나문재

| 소화불량, 복창 |

● 학명 : *Suaeda asparagoides* (Miq.) Makino [*S. glauca*] ● 영명 : Sea blite
● 한자명 : 鹽蒿 ● 별명 : 갯솔나물

| 1 | 2 | 3 | 4 | 5 | 6 | 7 | 8 | 9 | 10 | 11 | 12 |

한해살이풀. 높이 50~80cm. 가지가 많이 갈라지고, 잎은 어긋나고 바늘 모양이다. 꽃은 녹황색, 7~8월에 잎겨드랑이에 1~2개씩 나고, 꽃 밑에 3개의 막질의 포가 있으며, 꽃덮개는 5개로 열매를 싸고, 수술 5개, 암술대는 2개이다. 열매는 포과로 둥글거나 편편한 구형이며, 흑색의 종자가 1개씩 들어 있다.

분포 · 생육지 우리나라 제주도, 전남, 경기, 황해, 평남. 중국, 일본, 몽골, 우수리, 동시베리아. 바닷가에서 자란다.

약용 부위 · 수치 지상부를 여름과 가을에 채취하여 흙과 소금기를 씻어 버리고 잘 말린다.

약물명 염봉(鹽蓬). 염호(鹽蒿), 염호자(鹽蒿子), 노호미(老虎尾)라고도 한다.

약효 청열(淸熱), 소적(消積)의 효능이 있으므로 소화불량, 복창(腹脹)을 치료한다.

성분 methyl 3,5-di-*O*-caffeoyl quinate, 3,5-di-*O*-caffeoyl quinic acid, isorhamnetin 3-*O*-β-D-galactoside, querce-

tin-3-*O*-β-D-galactoside 등이 함유되어 있다.

약리 methyl 3,5-di-*O*-caffeoyl quinate, 3,5-di-*O*-caffeoyl quinic acid는 tacrine으로 유도한 Hep G2 세포에 간세포 보호 작용이 있으며, silybin과 효능이 비슷하다.

사용법 염봉 7g에 물 2컵(400mL)을 넣고 달여서 복용하거나 분말로 사용한다.

* 우리나라 서해안에서 자라며 잎이 곤봉 모양이고 꽃은 수상화서로 2~14개가 달리는 '칠면초 *S. japonica*', 식물체가 바로 서고 줄기 중간 이하는 엽흔(葉痕)이 뚜렷하지 않은 '해홍나물 *S. maritima*'도 약효가 같다.

● 염봉(鹽蓬)

● 나문재

[비름과]
조모우슬

| ♀ 경폐, 통경, 월경부조, 습열대하 | ▭ 타박상, 정창옹종 |
| 풍습관절통 | 임병 | ◉ 인후통 | 외감발열 |

● 학명 : *Achyranthes aspera* L. ● 한자명 : 粗毛牛膝, 土牛膝

| 1 | 2 | 3 | 4 | 5 | 6 | 7 | 8 | 9 | 10 | 11 | 12 |

여러해살이풀. 높이 50~120cm. 갈황색이고 줄기는 네모지고, 잎은 마주난다. 꽃은 6~8월에 잎겨드랑이와 원줄기 끝에서 수상화서로 달리며 밑에서부터 피어 올라가며 밑으로 굽고, 꽃받침은 5개, 수술도 5개이다. 포과는 달걀 모양이다.

분포 · 생육지 중국 윈난성(雲南省), 화난성(華南省), 장시성(江西省), 후베이성(湖北省), 타이완. 산과 들에서 자란다.

약용 부위 · 수치 전초를 여름에 채취하여 물에 씻은 후 말린다.

약물명 도구초(倒扣草), 계돈초(鷄豚草), 토

상산(土常山), 도구초(倒鉤草)라고도 한다.

약효 활혈화어(活血化瘀), 이뇨통림(利尿通淋), 청열해표(淸熱解表)의 효능이 있으므로 경폐(經閉), 통경, 월경부조, 타박상, 풍습관절통, 임병, 수종, 습열대하(濕熱帶下), 외감발열(外感發熱), 인후통, 정창옹종(疔瘡癰腫)을 치료한다.

성분 ecdysterone(곤충 변태 호르몬), achyranthes saponin A, arginine, histidine, methionine, tryptophan, 36,47-dihydroxyhenpentacontan-4-one, triacontanol, achyranthine 등이 함유되어 있다.

약리 열수추출물은 개의 심장 수축력을 증가시키고 혈압을 상승시키며 호흡을 증가시킨다.

사용법 도구초 10g에 물 3컵(600mL)을 넣고 달여서 복용하거나 술에 담가서 복용하고, 외용에는 짓찧어 바른다.

❂ 조모우슬

❂ 토우슬(土牛膝)

[비름과]
쇠무릎

| ♀ 습열대하, 경폐, 통경, 월경부조 | ▭ 타박상, 창옹 | ◉ 인후통 |
| 풍습관절통 | 이질 | 임병 | 외감발열 |

● 학명 : *Achyranthes japonica* Nakai ● 한자명 : 粗毛牛膝, 土牛膝

| 1 | 2 | 3 | 4 | 5 | 6 | 7 | 8 | 9 | 10 | 11 | 12 |

여러해살이풀. 높이 50~100cm. 줄기는 네모지고, 잎은 마주난다. 꽃은 8~9월에 잎겨드랑이와 원줄기 끝에서 수상화서로 피며 밑에서부터 피어 올라가며 밑으로 굽고, 꽃받침은 5개이다. 수술은 5개, 암술과 암술대는 각각 1개이고, 포과는 타원상 구형이다.

분포 · 생육지 우리나라. 중국, 타이완, 일본, 히말라야. 산과 들에서 자란다.

약용 부위 · 수치 뿌리를 여름과 가을에 채취하여 물에 씻은 후 말린다.

약물명 토우슬(土牛膝), 두우슬(杜牛膝)이라고도 한다. 대한민국약전(KP)에 수재되어 있다.

약효 활혈거어(活血祛瘀), 사화해독(瀉火解毒), 이뇨통림(利尿通淋)의 효능이 있으므로 경폐(經閉), 타박상, 풍습관절통, 이질, 인후통, 통경, 월경부조, 임병, 습열대하(濕熱帶下), 외감발열(外感發熱), 창옹(瘡癰), 수종(水腫)을 치료한다.

성분 곤충의 변태 호르몬인 ecdysterone, inokosterone, ponastroside와, β-sitoster-

ol, β-sitosterol glycoside, rubrosterone, oleanolic acid bisdemoside, achyranthoside A~F 등이 함유되어 있다.

약리 에탄올추출물은 부종을 억제하고 육아종의 생성을 억제한다. 잎에서 얻은 비알칼로이드 분획물은 피부암의 발생을 억제한다. 열수추출물은 항알레르기 작용이 있다. ecdysterone, inokosterone, ponastroside은 곤충의 변태를 유도한다.

사용법 토우슬 10g에 물 3컵(600mL)을 넣고 달여서 복용하거나 술에 담가서 복용하고, 외용에는 짓찧어 바른다.

❂ 쇠무릎

❂ 쇠무릎(늦여름이 지나면서 줄기 마디가 부풀어 오른다.)

❂ 토우슬(土牛膝)

[비름과]

참쇠무릎

| 요슬산통, 하지위연 | 혈체경폐 | 인후통 |
| 타박상, 정창옹종 | 임병 | 구학 |

●학명 : *Achyranthes bidentata* Bl. ●한자명 : 懷牛膝 ●별명 : 참쇠무릎풀

| 1 | 2 | 3 | 4 | 5 | 6 | 7 | 8 | 9 | 10 | 11 | 12 |

여러해살이풀. 원줄기는 네모지고 높이 50~100cm. 잎은 마주난다. 꽃은 8~9월에 잎겨드랑이와 원줄기 끝에서 수상화서로 달리며, 꽃받침 5개, 수술 5개, 암술과 암술대가 각각 1개이다. 포과는 긴 타원형이며 꽃받침으로 싸여 있고 1개의 종자가 들어 있다.

분포·생육지 중국, 히말라야. 산과 들에서 자란다.

약용 부위·수치 뿌리는 가을부터 겨울까지 채취하여 말리고, 줄기와 잎은 봄과 여름에 채취하여 말린다.

약물명 뿌리를 우슬(牛膝)이라고 하며, 회우슬(懷牛膝), 백배(百倍), 우경(牛莖)이라고도 한다. 줄기와 잎을 우슬경엽(牛膝莖葉)이라고 한다. 우슬(牛膝)은 대한민국약전(KP)에 수재되어 있다.

본초서 우슬(牛膝)은 「신농본초경(神農本草經)」의 상품(上品)에 수재되어 있으며, 양대(梁代)의 도홍경(陶弘景)은 "줄기가 소의 무릎과 같은 마디가 있어서 우슬(牛膝)이라 한다."고 하였다. 「일화자본초(日華子本草)」에는 "회주(懷州)에서 생산되는 것은 뿌리가 길고 희며, 소주(蘇州)에서 생산되는 것은 자주색이다."라고 하였다. 옛날부터 회주(懷州)에서 생산되는 것이 유명하므로 요즘도 회우슬(懷牛膝)이라는 이름으로 거래되고 있다. 「동의보감(東醫寶鑑)」에는 "차고 습한 기운으로 팔다리의 근육이 약해지고 뼈마디가 저려 무릎이 아파서 굽혔다 폈다 하지 못하는 것을 낫게 한다. 남자의 음소증과 노인이 소변을 참지 못하는 것을 낫게 한다. 골수를 채워 주고 음기를 잘 통하게 하며 머리카락이 희지 않게 한다. 남성의 음경이 제대로 발기되지 않는 것을 낫게 하고 허리와 척추의 통증을 없애 준다. 생리를 순조롭게 한다. 유산될 수 있으므로 임신 중에는 복약을 금한다."고 하였다.

神農本草經: 主寒濕胃脾, 四肢拘攣, 膝痛不可屈伸, 逐血氣, 傷熱火爛, 墮胎, 久服輕身耐老.

藥性論: 治陽痿, 補身塡精, 逐惡血流結, 助十二經脈, 病人虛羸加而用之.

本草綱目: 治久瘧寒熱, 五淋尿血, 經中痛, 下痢, 喉痺, 口瘡, 齒痛, 癰腫惡瘡, 傷折.

東醫寶鑑: 主寒熱痿痺 膝痛 不可屈伸 男子陰消 老人失尿 塡骨髓 利陰氣 止髮白 起陰痿 療腰脊痛 墮胎 通月經.

성상 우슬(牛膝)은 가늘고 긴 원주상으로 약간 굽어 있으며, 표면은 회황색~황갈색이며 세로 주름이 많다. 질은 단단하지만 습기가 있으면 부드럽게 된다. 횡단면은 형성층이 뚜렷하고 목부의 중심부에 원생목부가 존재하며, 수(髓) 조직에는 이상유관속이 있다. 냄새는 거의 없으며, 맛은 약간 달다. 품질은 굵고 길며 부드러우면서 윤택이 나는 것이 좋다.

기미·귀경 우슬(牛膝): 평(平), 고(苦), 산(酸)·간(肝), 신(腎). 우슬경엽(牛膝莖葉): 평(平), 산(酸)·간(肝), 방광(膀胱).

약효 우슬(牛膝)은 보간신(補肝腎), 강근골(强筋骨), 활혈통경(活血通經), 인혈하행(引血下行), 이뇨통림(利尿通淋)의 효능이 있으므로 요슬산통(腰膝酸痛), 하지위연(下肢痿軟), 혈체경폐(血滯經閉), 타박상, 인후통, 정창옹종(疔瘡癰腫)을 치료한다. 우슬경엽(牛膝莖葉)은 거한습(祛寒濕), 강근골(强筋骨), 활혈이뇨(活血利尿)의 효능이 있으므로 한습위비(寒濕痿痺), 요슬동통(腰膝疼痛), 구학(久瘧), 임병(淋病)을 치료한다.

성분 우슬(牛膝)은 곤충 변태 호르몬인 ecdysterone, inokosterone과, ursolic acid, oleanolic acid 등이 함유되어 있다.

약리 물로 달인 액은 토끼의 자궁과 쥐의 적출 장관을 수축시키며, 쥐에게 투여하면 진통 작용이 있다. 에탄올추출물은 개, 고양이에게 주사하면 혈압이 하강된다.

사용법 우슬 또는 우슬경엽 10g에 물 3컵(600mL)을 넣고 달여서 복용하거나 술에 담가서 복용하고, 외용에는 짓찧어 바른다.

처방 우슬환(牛膝丸): 우슬(牛膝)·건지황(乾地黃)·토사자(菟絲子) 각 300g, 지실(枳實) 20g, 1알 0.3g, 1회 20~30알(「향약집성방(鄕藥集成方)」). 수염과 머리카락이 빠지는 증상에 사용한다.

• 대방풍탕(大防風湯): 건지황(乾地黃) 8g, 백출(白朮)·방풍(防風)·당귀(當歸)·작약(芍藥)·두충(杜仲)·황기(黃耆) 각 4g, 부자(附子)·천궁(川芎)·우슬(牛膝)·강활(羌活)·인삼(人蔘)·감초(甘草) 각 2g, 생강(生薑) 5쪽, 대추(大棗) 2개(「동의보감(東醫寶鑑)」). 허벅지와 무릎이 심하게 아픈 증상에 사용한다.

＊ 우리나라 전역에서 흔하게 자라는 '쇠무릎 *Achyranthes japonica*'은 중국, 일본 등에 분포하며, 뿌리가 굵지 않아서 약용 가치가 적다. 중국 쓰촨성(四川省)에서 생산되는 천우슬(川牛膝)은 '*Cyathula officinalis*'의 뿌리로, 우슬(牛膝)의 대부분은 이것이다.

○ 참쇠무릎

○ 참쇠무릎(뿌리, 중국산)

○ 참쇠무릎(뿌리)

○ 우슬(牛膝, 절편)

○ 우슬경엽(牛膝莖葉)

유엽우슬

요슬산통, 하지위연	혈체경폐	인후통
타박상, 정창옹종	임병	구학

● 학명 : *Achyranthes longifolia* (Makino) Makino　● 한자명 : 柳葉牛膝, 紅牛膝

| 1 | 2 | 3 | 4 | 5 | 6 | 7 | 8 | 9 | 10 | 11 | 12 |

여러해살이풀. 높이 50~100cm. 줄기는 네 모지고, 뿌리는 길게 내리면서 잔뿌리로 갈라지며 붉은색이다. 잎은 마주나며 길이 5~15cm, 뒷면이 붉은색을 띤다. 꽃은 8~9월에 잎겨드랑이와 원줄기 끝에서 수상화서로 핀다.

분포 · 생육지 중국 산시성(陝西省), 저장성(浙江省), 푸젠성(福建省). 타이완. 산이나 들에서 자란다.

약용 부위 · 수치 뿌리를 여름과 가을에 채취하여 물에 씻은 후 말린다.

약물명 토우슬(土牛膝). 두우슬(杜牛膝)이라고도 한다.

＊ 약효와 사용법은 '참쇠무릎'과 같다.

＊ 중국에서는 '참쇠무릎'의 뿌리를 우슬(牛膝)이라고 하며, '조모우슬(粗毛牛膝) *A. aspera*', '쇠무릎(日本牛膝) *A. japonica*', '유엽우슬(柳葉牛膝, 紅牛膝) *A. longifolia*'의 뿌리를 토우슬(土牛膝)이라고 한다.

❶ 유엽우슬

❶ 유엽우슬(뿌리)

❶ 유엽우슬(잎 뒷면)

연자초

해혈	토혈, 변혈, 습열황달
임증	

● 학명 : *Alternanthera sessilis* L.　● 한자명 : 蓮子草

| 1 | 2 | 3 | 4 | 5 | 6 | 7 | 8 | 9 | 10 | 11 | 12 |

여러해살이풀. 높이 10~45cm. 비스듬히 자라며 가지를 많이 친다. 잎은 마주나고 잎자루가 없다. 꽃은 7~9월에 잎겨드랑이에 1~4개의 두상화서를 형성하여 조밀하게 핀다. 열매는 포과로 작은 날개가 있다.

분포 · 생육지 중국 화동 · 중남 · 서남 지방. 집 근처나 들의 물가에서 자란다.

약용 부위 · 수치 전초를 여름에 채취하여 물에 씻은 후 말린다.

약물명 절절화(節節花). 내양채(耐惊菜), 연자초(蓮子草)라고도 한다.

약효 경혈산어(涼血散瘀), 청열해독(淸熱解毒), 제습통림(除濕通淋)의 효능이 있으므로 해혈(咳血), 토혈, 변혈, 습열황달(濕熱黃疸), 임증(淋症)을 치료한다.

성분 24-methylenecycloartanol, cycloeucalenol, campesterol 등이 함유되어 있다.

사용법 절절화 10g에 물 3컵(600mL)을 넣고 달여서 복용한다.

❶ 절절화(節節花)

❶ 연자초

[비름과]

줄맨드라미

권태증 | 소화불량
풍진소양, 수두, 마진

●학명 : *Amaranthus caudatus* L.　●한자명 : 尾穗莧

| 1 | 2 | 3 | 4 | 5 | 6 | 7 | 8 | 9 | 10 | 11 | 12 |

한해살이풀. 높이 1m 정도. 줄기는 바로서며 능선이 있고 붉은빛이 돈다. 잎은 어긋나고 잎자루가 있다. 꽃은 8~9월에 잎겨드랑이에 작은 꽃이 모여서 수상화서를 이루고 붉은색, 아래로 처진다. 수술은 3개, 암술은 1개이며 암술대는 3개로 갈라진다.

열매는 달걀 모양이다.

분포·생육지 열대 아메리카 원산. 전 세계. 집 근처나 들에서 자란다.

약용 부위·수치 뿌리, 잎, 종자를 가을에 채취하여 약용한다.

약물명 뿌리를 노창곡근(老槍谷根), 잎을 노창곡엽(老槍谷葉), 종자를 노창곡자(老槍谷子)라고 한다.

약효 노창곡근(老槍谷根)은 건비(健脾), 소감(消疳)의 효능이 있으므로 권태증, 소화불량을 치료한다. 노창곡엽(老槍谷葉)은 해독소종(解毒消腫)의 효능이 있으므로 풍진소양(風疹瘙痒)을 치료한다. 노창곡자(老槍谷子)는 청열투표(淸熱透表)의 효능이 있으므로 수두, 마진(麻疹)을 치료한다.

사용법 노창곡근 10g에 물 3컵(600mL)을 넣고 달여서 복용하고, 노창곡엽은 신선한 것을 짓찧어 환부에 붙이고, 노창곡자는 3g을 뜨거운 물에 우려내어 복용한다.

❶ 줄맨드라미(꽃)

❶ 줄맨드라미

[비름과]

천수곡비름

위장궤양, 설사 | 구강염, 치주염, 치통
혈뇨 | 습진, 비름

●학명 : *Amaranthus hypochondriacus* L.

| 1 | 2 | 3 | 4 | 5 | 6 | 7 | 8 | 9 | 10 | 11 | 12 |

한해살이풀. 높이 1~2m. 줄기는 바로서며 가지를 많이 치고 약간의 털이 있다. 잎은 어긋나며 끝이 둔하거나 약간 들어가고 광택이 나며 가장자리에 톱니가 있고 잎자루가 있다. 꽃은 6~7월에 잎겨드랑이에 작은 꽃이 모여서 원추화서를 이루고, 수술 3개, 암술 1개이다.

분포·생육지 유럽, 북아메리카, 남아메리카, 아시아. 집 근처나 들에서 자란다.

약용 부위·수치 종자를 가을에 채취하여 말린다.

약물명 Amaranthi Semen

약효 소염, 수렴의 효능이 있으므로 위장궤양, 구강염, 치주염, 치통, 혈뇨, 설사, 습진, 비름을 치료한다.

사용법 Amaranthi Semen 10g에 물 3컵(600mL)을 넣고 달여서 복용한다.

❶ 천수곡비름(꽃)

❶ 천수곡비름

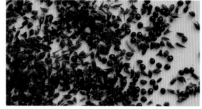

❶ 천수곡비름(열매)

❶ 천수곡비름(종자)

[비름과]

개비름

이질, 복사, 수종　간열목적, 예장
소변불리

● 학명 : *Amaranthus lividus* L. [*A. blitum*]　● 한자명 : 凹頭莧

| 1 | 2 | 3 | 4 | 5 | 6 | 7 | 8 | 9 | 10 | 11 | 12 |

한해살이풀. 높이 30~80cm. 잎은 어긋나며 끝이 오목하게 들어간다. 꽃은 6~7월경에 잎겨드랑이에 작은 꽃이 모여서 원추화서를 이룬다. 수술은 3개, 암술은 1개이며, 암술대는 3개로 갈라진다. 포과는 둥글고 표면이 매끄럽지 않으며 종자가 1개씩 들어 있다.

분포 · 생육지 라틴 아메리카 원산. 우리나라 전역의 집 근처나 들에서 자란다.

약용 부위 · 수치 지상부를 여름에, 종자를 가을에 채취하여 말린다.

약물명 지상부를 야현채(野莧菜), 종자를 야현자(野莧子)라고 한다.

약효 야현채(野莧菜)는 청열해독(淸熱解毒), 이뇨의 효능이 있으므로 이질, 복사(腹瀉), 수종(水腫)을 치료한다. 야현자(野莧子)는 청간명목(淸肝明目), 이뇨의 효능이 있으므로 간열목적(肝熱目赤), 예장(翳障), 소변불리를 치료한다.

성분 야현자(野莧子)는 myristic acid, ara-chidic acid, behenic acid, oleic acid 등이 함유되어 있다.

사용법 야현채, 야현자 각각 10g에 물 3컵(600mL)을 넣고 달여서 복용한다.

＊ 잎 뒷면과 화서에 털이 많은 '털비름 *A. retroflexus*'도 약효가 같다.

❍ 개비름(잎)

❍ 개비름

[비름과]

비름

이질, 설사　독충교상, 창독, 타박상, 칠창　붕루, 대하
치창, 음낭종통, 백탁혈뇨　치통, 청맹예장, 시물혼암

● 학명 : *Amaranthus mangostanus* L.　● 영명 : edible amaranth　● 한자명 : 莧

| 1 | 2 | 3 | 4 | 5 | 6 | 7 | 8 | 9 | 10 | 11 | 12 |

한해살이풀. 높이 1m 정도. 잎은 어긋난다. 꽃은 7월에 잎겨드랑이에 작은 꽃이 모여서 원추화서를 이루고, 수술은 3개, 암술은 1개이며 암술대는 3개로 갈라진다. 열매는 타원형으로 꽃받침보다 짧고 옆으로 뚜껑처럼 갈라지며 흑갈색 윤채가 도는 종자가 1개씩 들어 있다.

분포 · 생육지 우리나라 전역. 세계 각처. 집 근처나 들에서 자란다.

약용 부위 · 수치 지상부와 뿌리는 여름에, 종자는 가을에 채취하여 말린다.

약물명 지상부를 현(莧), 종자를 현실(莧實), 뿌리를 현근(莧根)이라고 한다.

본초서 「동의보감(東醫寶鑑)」에 현실(莧實)은 "눈을 밝게 하고 대소변을 잘 보게 하는 효능이 있다."고 하였으며, 경엽(莖葉)은 "기운을 내게 하고 구규를 잘 통하게 한다."고 하였다.

東醫寶鑑 : 主靑盲 白瞖 除邪 利大小便 殺蚘蟲 補氣 除熱 通九竅

기미 · 귀경 현(莧): 미한(微寒), 감(甘) · 대장(大腸), 소장(小腸). 현실(莧實): 미한(微寒), 감(甘) · 간(肝), 대장(大腸), 방광(膀胱). 현근(莧根): 미한(微寒), 신(辛) · 간(肝), 대장(大腸)

약효 현(莧)은 청열해독(淸熱解毒), 통리이변(通利二便)의 효능이 있으므로 이질, 이변불통(二便不通), 독충교상, 창독을 치료한다. 현실(莧實)은 청간명목(淸肝明目), 통리이변(通利二便)의 효능이 있으므로 청맹예장(靑盲翳障), 시물혼암(視物昏暗), 백탁혈뇨(白濁血尿), 이변불통(二便不通)을 치료한다. 현근(莧根)은 청열해독(淸熱解毒), 산어지통(散瘀止痛)의 효능이 있으므로 이질, 설사, 치창(痔瘡), 치통, 칠창(漆瘡), 타박상, 음낭종통, 붕루(崩漏), 대하를 치료한다.

성분 amaranthin, arachic acid, lignoceric acid, palmitic acid, linolic acid, linolenic acid, malvidin 3-glucoside, peonidin 3-glucoside 등이 함유되어 있다.

사용법 현은 30g에 물 5컵(1500mL), 현실과 현근은 각 10g에 물 3컵(600mL)을 넣고 달여서 복용한다. 음낭이 붓고 아픈 데에는 물을 넣고 달여서 복용하면서 짓찧어 즙액을 바른다.

❍ 비름

❍ 현(莧)

❍ 현근(莧根)

[비름과]

가시비름

위출혈, 담석증　습진, 옹종
인후염

●학명 : *Amaranthus spinosus* L.　●한자명 : 刺莧

| 1 | 2 | 3 | 4 | 5 | 6 | 7 | 8 | 9 | 10 | 11 | 12 |

❍ 가시비름(꽃)

한해살이풀. 높이 40~80cm. 잎은 어긋나
고 타원형이며 가장자리가 밋밋하다. 잎 끝
에 가시가 있고, 포와 소포는 달걀 모양이
고 끝이 가시로 되며 꽃덮개와 비슷하다.
분포·생육지 라틴 아메리카 원산. 우리나
라 전역의 집 근처나 들에서 자란다.
약용 부위·수치 지상부를 여름에 채취하여
말린다.
약물명 늑현채(簕莧菜). 자현(刺莧)이라고
도 한다.
약효 양혈지혈(涼血止血), 청리습열(淸利濕
熱), 해독소옹(解毒消癰)의 효능이 있으므
로 위출혈, 담석증, 습진, 인후염, 옹종(癰
腫)을 치료한다.
성분 stigmasterol, campasterol, α-spin-
asterol octacosanate 등이 함유되어 있다.
사용법 늑현채 10g에 물 3컵(600mL)을 넣
고 달여서 복용한다.

❍ 가시비름

[비름과]

색비름

토혈, 이질　육혈

●학명 : *Amaranthus tricolor* L.　●별명 : 삼색비름

| 1 | 2 | 3 | 4 | 5 | 6 | 7 | 8 | 9 | 10 | 11 | 12 |

❍ 색비름(잎)

한해살이풀. 높이 80~150cm. 잎은 어긋
나고 녹색 바탕에 붉은색, 자주색, 황색이
물들어 있다. 꽃은 6~7월에 잎겨드랑이에
작은 꽃이 모여서 큰 원추화서를 형성한다.
분포·생육지 라틴 아메리카 원산. 우리나
라 전역의 집 근처나 들에서 자란다.
약용 부위·수치 지상부를 여름에 채취하여
말린다.
약물명 안래홍(雁來紅)
약효 명목(明目), 지혈의 효능이 있으므로
토혈, 육혈(衄血), 이질을 치료한다.
사용법 안래홍 30g에 물 4컵(800mL)을 넣
고 달여서 복용한다.

❍ 색비름

[비름과]

청비름

이질, 설사　　소변적삽

● 학명 : *Amaranthus viridis* L.　● 한자명 : 假莧菜　● 별명 : 푸른비름

| 1 | 2 | 3 | 4 | 5 | 6 | 7 | 8 | 9 | 10 | 11 | 12 |

❍ 청비름(꽃)

한해살이풀. 높이 40~90cm. 털이 거의 없다. 잎은 어긋나고 타원형, 가장자리가 밋밋하다. 꽃은 녹색으로 7~9월에 원줄기 끝이나 잎겨드랑이에 수상화서로 핀다. 꽃덮개는 3개, 열매는 둥글고 주름이 많다.

분포·생육지 라틴 아메리카 원산. 우리나라 전역의 집 근처나 들에서 자란다.

약용 부위·수치 지상부를 여름에 채취하여 말린다.

약물명 백현(白莧), 세현(細莧), 저현(猪莧)이라고도 한다.

약효 지혈, 청열이습(清熱利濕)의 효능이 있으므로 이질, 설사, 소변적삽(小便赤澁)을 치료한다.

성분 spinasterol, 24-ethyllathosterol, α-cryptoxanthone, violaxnathin 등이 함유되어 있다.

사용법 백현 15g에 물 3컵(600mL)을 넣고 달여서 복용한다.

❍ 청비름

[비름과]

맨드라미

대하, 설사, 이질, 변혈, 토혈　　붕대, 붕루
목적종통, 육혈　　치창　　담마진

● 학명 : *Celosia cristata* L.　● 영명 : Tassel flower
● 한자명 : 鷄頭, 鷄冠　● 별명 : 맨드래미, 단기맨드래미

| 1 | 2 | 3 | 4 | 5 | 6 | 7 | 8 | 9 | 10 | 11 | 12 |

한해살이풀. 높이 90cm 정도. 붉은빛이 돌고, 잎은 어긋난다. 꽃은 7~8월에 여러 색으로 피고 꽃받침이 5개로 갈라지며, 수술은 5개, 수술대 밑이 서로 붙어 있으며, 암술은 1개이다. 열매는 달걀 모양, 꽃받침으로 싸여 있으며 흑색 종자가 3~5개 들어 있다.

분포·생육지 동인도 원산. 우리나라 전역 집 주변에서 관상용으로 심고 있다.

약용 부위·수치 꽃은 여름에, 지상부와 종자는 가을에 채취하여 말린다.

약물명 꽃을 계관화(鷄冠花)라고 하며, 라틴 생약명은 Celosiae Flos이다. 지상부(줄기와 잎)를 계관묘(鷄冠苗), 종자를 계관자(鷄冠子)라고 한다. 계관화(鷄冠花)는 대한민국약전외한약(생약)규격집(KHP)에 수재되어 있다.

본초서 계관화(鷄冠花)는 「본초강목(本草綱目)」에 "치질로 피가 나오는 것과 적백의 이질, 자궁에서 분비물이 나오는 것을 그치게 한다."고 하였다. 「동의보감(東醫寶鑑)」에는 "장풍(腸風)으로 피가 나오는 것과 혈액이 대변에 섞여 나오는 것, 자궁에서 분비물이 나오는 것을 그치게 한다."고 하였다.
本草綱目: 治痔漏下血 赤白下痢 崩中 赤白帶下.
東醫寶鑑: 止腸風瀉血 赤白痢 婦人崩中赤帶下.

기미·귀경 계관화(鷄冠花): 양(凉), 감(甘), 삽(澁)·간(肝), 대장(大腸). 계관자(鷄冠子): 양(凉), 감(甘). 계관묘(鷄冠苗): 양(凉), 감(甘)·간(肝), 대장(大腸).

약효 계관화(鷄冠花)는 양혈지혈(凉血止血), 지대(止帶), 지사(止瀉)의 효능이 있으므로 제출혈증(諸出血症), 대하, 설사, 이질을 치료한다. 계관자(鷄冠子)는 양혈지혈(凉血止血), 청간명목(清肝明目)의 효능이 있으므로 변혈, 이질(痢疾), 여성의 붕대(崩帶), 목적종통(目赤腫痛)을 치료한다. 계관묘(鷄冠苗)는 청열양혈(清熱凉血), 해독의 효능이 있으므로 토혈, 육혈(衄血), 붕루(崩漏), 치창(痔瘡), 이질, 담마진(蕁麻疹)을 치료한다.

성분 계관화(鷄冠花)는 kaempferitin, ama-ranthin 등, 계관자(鷄冠子)는 lauric acid, myristic acid, palmitic acid, stearic acid, oleic acid, linoleic acid, linolenic acid 등이 함유되어 있다.

약리 계관화(鷄冠花), 계관묘(鷄冠苗) 또는 계관자(鷄冠子) 달인 액은 trichomonas에 살충 효과가 있으며, 원충체는 약액에 담그면 5~10분 후에 죽는다.

사용법 계관화, 계관묘 또는 계관자 각 10g에 물 3컵(600mL)을 넣고 달여서 복용하고, 외용에는 짓찧어 바른다.

❍ 맨드라미

❍ 계관자(鷄冠子)

❍ 계관화(鷄冠花)

[비름과]

개맨드라미

● 목적종통, 안생예막, 시물혼화, 비뉵 ● 고혈압 ● 대하, 음양, 붕루
● 토혈, 적리 ● 풍열소양, 창선, 타박상 ● 치창, 소변불리, 열림, 혈림

● 학명 : *Celosia argentea* L. ● 영명 : cock comb
● 한자명 : 鷄冠莧 ● 별명 : 개매도램이, 들맨드라미

한해살이풀. 높이 40~80cm. 잎은 어긋
난다. 꽃은 연한 붉은색, 7~8월에 수상
화서로 달리고, 꽃받침은 바늘 모양, 길이
8~10mm, 수술은 5개이다. 열매는 꽃받침
보다 짧으며, 종자는 여러 개씩 들어 있으
며 지름 1.5mm 정도이다.

분포 · 생육지 우리나라 전역. 세계 각처. 집
가까이나 들에서 자란다.

약용 부위 · 수치 종자는 8~10월에, 전초와
꽃은 여름에 채취하여 말린다.

약물명 종자를 청상자(靑葙子)라고 하며,
초호(草蒿)라고도 한다. 전초를 청상(靑葙)
이라고 하며, 꽃을 청상화(靑葙花)라고 한
다. 청상자(靑葙子)는 대한민국약전외한약
(생약)규격집(KHP)에 수재되어 있다.

본초서 청상자(靑葙子)는 「신농본초경(神農
本草經)」의 하품에 수재되어 있으며, 별명
을 초호(草蒿), 처호(萋蒿)라고 한다. 「본초
강목(本草綱目)」에는 "꽃과 잎이 맨드라미
(鷄冠)와 비슷하며 싹이 쇠비름과 비슷하므
로 야계관(野鷄冠), 계관현(鷄冠莧)이라고
도 한다."고 하였다. 「동의보감(東醫寶鑑)」

에는 "주로 간열(肝熱)을 다스려 눈병을 치
료한다."고 하였다.
神農本草經: 療脣口靑
藥性論: 治肝臟熱毒衝眼, 赤障, 靑盲, 翳腫,
主惡瘡疥瘙, 治下部䘌瘡.
日華子: 治五臟邪氣, 益腦髓, 明耳目, 鎭
肝, 堅筋骨, 祛風寒濕痺.
東醫寶鑑: 治肝臟熱毒衝眼 赤障 靑盲 翳腫
主風瘙身瘡 殺三蟲
療惡瘡 下部䘌瘡 明耳目 鎭肝.

성상 청상자(靑葙子)는 둥근 콩팥 모양으로
지름 1~1.5mm. 표면은 흑적색으로 광택
이 나며 껍질은 얇고 부서지기 쉽다. 냄새
는 없고 맛은 담담하다.

기미 · 귀경 청상자(靑葙子) : 한(寒), 고
(苦) · 간(肝). 청상 : 한(寒), 고(苦) · 간(肝).
방광(膀胱)

약효 청상자(靑葙子)는 거풍열(祛風熱), 청
간화(淸肝火), 명목퇴예(明目退翳)의 효능
이 있으므로 목적종통(目赤腫痛), 안생예
막(眼生翳膜), 시물혼화(視物昏花), 고혈압
(高血壓), 비뉵(鼻衄), 풍열소양(風熱瘙痒),

창선(瘡癬)을 치료한다. 청상(靑葙)은 조습
(燥濕), 청열(淸熱), 지혈의 효능이 있으므로
치창(痔瘡), 소변불리(小便不利), 대하, 음양
(陰痒), 타박상에 의한 출혈을 치료한다. 청
상화(靑葙花)는 양혈지혈(凉血止血), 청간
제습(淸肝除濕), 명목(明目)의 효능이 있으
므로 토혈, 육혈(衄血), 붕루(崩漏), 적리(赤
痢), 열림(熱淋), 혈림(血淋), 목적종통(目赤
腫痛), 목생예장(目生翳障)을 치료한다.

성분 nicotinic acid가 함유되어 있다.

사용법 청상자는 10g에 물 3컵(600mL)을,
청상 또는 청상화는 15g에 물 4컵(800mL)
을 넣고 달여서 복용하고, 외용에는 짓찧어
바른다.

처방 청상자환(靑葙子丸): 청상자(靑葙子) ·
남실(藍實) · 지각(枳殼) · 대황(大黃) · 국
화(菊花) · 감초(甘草) 각 80g, 결명자(決明
子) · 황련(黃連) · 충위자(茺蔚子) · 세신(細
辛) · 마황(麻黃) · 차전자(車前子) 각 60g,
이어담(鯉魚膽) · 계담(鷄膽) 각 1개, 영양각
(羚羊角) 120g, 오동자(梧桐子) 크기로 만
들어 1회 20알 복용「증치준승(症治準繩)」.
목혼(目昏), 목적(目赤), 심번(心煩), 두통
(頭痛), 면열(面熱)에 사용한다.

주의 동공이 산대(散大)한 사람은 복용을 금
한다.

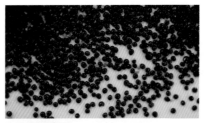
● 청상(靑葙)

● 청상자(靑葙子)

● 청상화(靑葙花)

● 개맨드라미

천우슬

 혈어경폐, 난산, 포의불하, 산후어혈복통, 통경

 열림, 석림 | 풍습관절통 | 타박상

● 학명 : *Cyathula officinalis* Kuan ● 한자명 : 川牛

| 1 | 2 | 3 | 4 | 5 | 6 | 7 | 8 | 9 | 10 | 11 | 12 |

여러해살이풀. 높이 50~100cm. 줄기는 네모지고, 잎은 마주난다. 꽃은 8~9월에 원줄기 끝에서 복취산화서로 작은 꽃들이 핀다. 포과는 길이 2~3mm. 지름 1~2mm이다. 종자는 달걀 모양으로 담황색을 띤다.

분포 · 생육지 중국 쓰촨성(四川省), 구이저우성(貴州省), 윈난성(雲南省). 산과 들에서 자란다.

약용 부위 · 수치 뿌리는 가을에 지상부가 말라 죽은 뒤 채취하여 흙과 먼지를 털고 말린다.

약물명 천우슬(川牛膝). 천전우슬(天全牛膝), 도우슬(都牛膝), 육우슬(肉牛膝)이라고도 한다.

본초서 명대(明代)의 「본초강목(本草綱目)」에 처음 소개되었으며, 쓰촨성(四川省)에서 많이 생산되므로 천우슬(川牛膝)이라고 한다.

기미 · 귀경 평(平), 감(甘), 미고(微苦) · 간(肝), 신(腎)

약효 활혈거어(活血祛瘀), 거풍이습(祛風利濕)의 효능이 있으므로 혈어경폐(血瘀經閉), 난산, 포의불하(胞衣不下), 산후어혈복통, 열림(熱淋), 석림(石淋), 통경, 풍습관절통, 타박상을 치료한다.

성분 곤충 변태 호르몬인 ecdysterone, inokosterone 등이 함유되어 있다.

약리 물로 달인 액은 토끼의 자궁과 쥐의 적출 장관을 수축시키고, 쥐에게 투여하면 진통 작용이 있다. 에탄올추출물은 개, 고양이에게 주사하면 혈압이 하강한다.

사용법 천우슬 10g에 물 3컵(600mL)을 넣고 달여서 복용하고, 외용에는 짓찧어서 바른다.

＊ 우슬(牛膝)에는 회우슬(懷牛膝), 토우슬(土牛膝), 천우슬(川牛膝) 등이 있는데, 이 가운데 천우슬을 많이 사용하고 있다.

○ 천우슬

○ 천우슬(뿌리)

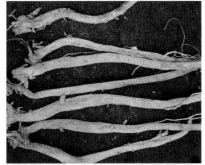
○ 천우슬(川牛膝)

○ 천우슬(川牛膝, 절편)

○ 천우슬(꽃)

○ 천우슬(재배, 중국 보흥)

[비름과]

천일홍

 해수, 효천 목적종통   창절
간열두훈, 두통   이질

● 학명 : *Gomphrena globosa* L.   ● 영명 : Globe amaranth
● 한자명 : 千金紅   ● 별명 : 천일초, 천날살이풀

| 1 | 2 | 3 | 4 | 5 | 6 | 7 | 8 | 9 | 10 | 11 | 12 |

한해살이풀. 전체에 털이 있고 높이 40cm 정도. 잎은 마주난다. 꽃은 7~10월에 원줄기와 가지 끝에 두상화서로 달리며, 작은 꽃은 보통 붉은색이지만 연한 붉은색 또는 백색인 것도 있고, 5개의 수술이 뭉쳐 통같이 된다. 씨방은 1개, 열매에 바둑알 같은 종자가 1개 들어 있다.

분포·생육지 열대 지역 원산. 세계 각처에서 재배한다.

약용 부위·수치 꽃을 여름에 채취하여 말린다.

약물명 천일홍(千日紅), 천금홍(千金紅), 천년홍(千年紅)이라고도 한다.

기미·귀경 평(平), 감(甘), 미함(微鹹)·간(肝), 폐(肺)

약효 지해평천(止咳平喘), 청간명목(淸肝明目), 해독의 효능이 있으므로 해수(咳嗽), 효천(哮喘), 목적종통(目赤腫痛), 간열두훈(肝熱頭暈), 두통, 이질, 창절(瘡癤)을 치료한다.

성분 gomphrenin I, II, III, V, VI, amaranthin, isogomphrenin I, II 등이 함유되어 있다.

사용법 천일홍 10g에 물 3컵(600mL)을 넣고 달여서 복용한다. 외용에는 달인 액으로 환부를 씻거나 고약으로 만들어 붙인다.

○ 천일홍

○ 천일홍(千日紅)

[비름과]

붉은비름

 육혈   변혈, 이질
해혈

● 학명 : *Iresine herbstii* Hook. f.   ● 한자명 : 血莧   ● 별명 : 홍등화

| 1 | 2 | 3 | 4 | 5 | 6 | 7 | 8 | 9 | 10 | 11 | 12 |

여러해살이풀. 줄기는 바로 서며 튼튼하고 높이 1m 정도. 잎은 마주난다. 꽃은 백색 또는 담황색, 가지 끝이나 잎겨드랑이에 수상화서를 이룬다. 포과는 구형이며, 종자는 신장형이다.

분포·생육지 중국 상하이(上海), 푸젠성(福建省), 광둥성(廣東省), 하이난성(海南省). 산과 들에서 자란다.

약용 부위·수치 전초를 여름에 채취하여 물에 씻은 후 썰어서 말린다.

약물명 홍목이(紅木耳), 홍엽현(紅葉莧)이라고도 한다.

약효 양혈지혈(涼血止血), 청열이습(淸熱利濕), 해독의 효능이 있으므로 육혈(衄血), 해혈, 변혈, 이질을 치료한다.

사용법 홍목이 15g에 물 3컵(600mL)을 넣고 달여서 복용한다.

○ 홍목이(紅木耳)

○ 꽃   ○ 붉은비름

브라질인삼

 허약체질   빈혈
두통   음위

●학명 : *Pfaffia paniculata* Kuntze ●영명 : Brazilian ginseng ●별명 : 파피아

| 1 | 2 | 3 | 4 | 5 | 6 | 7 | 8 | 9 | 10 | 11 | 12 |

여러해살이풀. 높이 1~1.5m. 마디가 많고 가지도 많으며 육질이다. 뿌리는 비교적 굵으며, 잎은 어긋나고 가장자리가 밋밋하다. 꽃은 잎겨드랑이에서 1~2개씩 피고 녹황색이다.

분포·생육지 열대 아마존, 브라질, 대서양 연안. 비가 많이 오는 곳에서 잘 자란다.

약용 부위·수치 뿌리를 가을에 채취하여 물에 씻은 후 썰어서 말린다.

약물명 Pfaffiae Radix. 일반적으로 Pfaffia 또는 Brazilian ginseng이라고 한다.

약효 강장의 효능이 있으므로 허약체질, 빈혈, 두통, 음위(陰痿)를 치료한다.

성분 pfaffoside, β−ecdysone 등이 함유되어 있다.

사용법 Pfaffiae Radix 10g에 물 3컵(600 mL)을 넣고 달여서 복용하거나, 술에 담가서 10mL씩 복용한다.

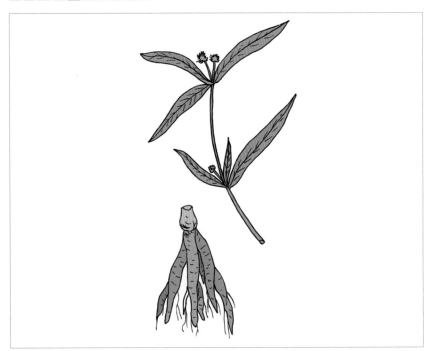

○ 브라질인삼

촛대선인장

위장염, 담낭염   해열   폐질환
강심   이뇨   괴혈병, 종기

●학명 : *Cereus giganteus* Sagnaro [*Marginatocereus marginatus* Backbg]
●영명 : Giant cactus

| 1 | 2 | 3 | 4 | 5 | 6 | 7 | 8 | 9 | 10 | 11 | 12 |

여러해살이풀. 높이 15m 정도. 줄기는 촛대 모양으로 수직으로 서고 둥글며 세로 골이 파이고 작은 가시를 많이 가지며 중간 또는 정상 부위에 가지를 약간 친다. 꽃은 황백색으로 줄기와 가시 사이에 핀다. 선인장 가운데서 가장 크게 자란다.

분포·생육지 멕시코, 페루, 서인도 제도, 남아메리카 북동부. 사막 지대에서 자란다.

약용 부위·수치 지상부를 봄부터 가을에 잘라서 사용한다.

약물명 Cerei Herba

약효 위장염, 해열, 담낭염, 폐질환, 강심, 이뇨, 괴혈병, 종기를 치료한다.

사용법 Cerei Herba 15~20g에 물 2컵(400 mL)을 넣고 달여서 복용하고, 폐질환에는 즙을 내어 마신다. 강심 및 이뇨에는 꽃을

알코올로 침적하여 그 침출물을 복용하고, 괴혈병에는 열매를 즙을 내어 마시고 종기에는 줄기를 찧어서 바르거나 붙인다.

○ 촛대선인장(꽃)

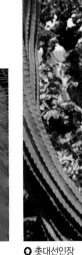

○ 촛대선인장

큰꽃선인장

심장질환, 뇌출혈	발열, 두통	기침, 충혈성천식
급성안염, 이염	류머티즘	담석증

●학명 : *Cereus grandiflorus* Mill. ●영명 : Large flowerweed cactus

| 1 | 2 | 3 | 4 | 5 | 6 | 7 | 8 | 9 | 10 | 11 | 12 |

여러해살이풀. 다육 식물. 줄기는 굵으며 많은 가지를 친다. 가지는 굽으며 작은 가시들이 모여나고, 꽃은 백색, 유백색, 붉은색 등으로 잎겨드랑이에 핀다.

분포 · 생육지 브라질, 멕시코, 페루. 사막지대에서 자란다.

약용 부위 · 수치 지상부를 사시사철 잘라서 사용한다.

약물명 Cerei Herba

성분 꽃의 에탄올추출물에는 동물의 뇌 또는 척추에 있는 당지질이 함유되어 있다.

약효 심장질환, 심계항진(心悸亢進), 동정맥의 격앙, 심장근육의 퇴쇠에 의한 혈관비대증, 발열, 뇌출혈, 기침, 충혈성천식, 두통, 급성안염, 이염, 류머티즘, 담석증을 치료한다.

사용법 Cerei Herba 15~20g에 물 3컵(600mL)을 넣고 달여서 복용하고, 폐질환에는 즙을 내어 마신다. 강심 및 이뇨에는 꽃을 에탄올로 침적하여 그 침출물을 복용한다.

● 붉은 꽃　　　　● 큰꽃선인장

담화

폐열해수, 객혈	심계, 실면

●학명 : *Epiphyllum oxypetalum* (DC.) Haw ●한자명 : 曇花

| 1 | 2 | 3 | 4 | 5 | 6 | 7 | 8 | 9 | 10 | 11 | 12 |

● 담화(시든 꽃)

다육 식물. 높이 1~2m. 원줄기는 바로 서고 원주형이다. 가지는 불규칙하게 갈라지며 편평하고 길이 15~60cm, 너비 5~6cm로 녹색이다. 꽃은 가지의 마디에서 피며, 꽃덮개는 백색~황색이다. 장과는 긴 편구형, 붉은색이고, 종자는 흑색이다.

분포 · 생육지 브라질, 멕시코, 페루, 열대지방. 모래땅에서 자란다.

약용 부위 · 수치 꽃을 봄부터 가을까지 채취하여 말린다.

약물명 담화(曇花). 경화(瓊花), 봉화(鳳花), 담화(曇華)라고도 한다.

약효 청폐지해(淸肺止咳), 양혈지혈(凉血止血), 양심안신(養心安神)의 효능이 있으므로 폐열해수(肺熱咳嗽), 객혈, 심계(心悸), 실면(失眠)을 치료한다.

사용법 담화 10g에 물 3컵(600mL)에 넣고 달여서 복용한다.

● 담화

[선인장과]

손바닥선인장

 위통, 이질, 토혈, 위음부족, 변혈 인후통, 번열구갈

독충교상, 정종, 탕상 폐열해수, 폐로객혈 치혈, 탈항

● 학명 : *Opuntia dillenii* (Ker–Gaw.) Haw. [*Cactus dillenii* Ker–Gaw.] ● 영명 : prickly pear
● 별명 : 부채선인장, 신선장, 단선

| 1 | 2 | 3 | 4 | 5 | 6 | 7 | 8 | 9 | 10 | 11 | 12 |

여러해살이풀. 높이 2m 정도. 편평한 가지가 많이 갈라지며 긴 타원형이고, 잎은 작은 바늘 모양이다. 여름철에 가지의 윗 가장자리에서 황색 꽃이 피며, 많은 꽃받침잎과 꽃잎 및 수술이 있고 암술은 1개이며 암술머리는 많다. 열매는 서양배 모양이고 많은 종자가 들어 있다.

분포 · 생육지 열대 지방 원산. 우리나라 전역에서 재배한다.

약용 부위 · 수치 줄기와 열매는 여름철에 채취하여 말리고, 봄과 여름철에 줄기 생것을 쪼개어 흘러나오는 액즙을 응고시킨다.

약물명 줄기를 선인장(仙人掌), 열매를 선장자(仙掌子), 다육질 줄기에서 흘러나오는 액즙을 응결시킨 것을 옥부용(玉芙蓉)이라고 한다.

기미 · 귀경 선인장(仙人掌): 한(寒), 고(苦) · 위(胃), 폐(肺), 대장(大腸). 선장자(仙掌子): 양(凉), 감(甘) · 위(胃), 옥부용(玉芙蓉): 한(寒), 감(甘) · 위(胃), 폐(肺), 대장(大腸)

약효 선인장(仙人掌)은 행기활혈(行氣活血), 양혈지혈(涼血止血), 해독소종(解毒消腫)의 효능이 있으므로 위통, 이질, 인후통, 폐열해수, 토혈, 폐로객혈(肺癆喀血), 치혈(痔血), 독충교상을 치료한다. 선장자(仙掌子)는 익위생진(益胃生津), 제번지갈(除煩止渴)의 효능이 있으므로 위음부족(胃陰不足), 번열구갈(煩熱口渴)을 치료한다. 옥부용(玉芙蓉)은 청열양혈(清熱凉血), 양심안신(養心安神)의 효능이 있으므로 치혈, 변혈, 정종(疔腫), 탕상(燙傷), 탈항을 치료한다.

성분 선인장(仙人掌)은 mescalin, tyramine, N–methyltyramine, 꽃은 isorhamnetin, quercetin glycoside, isoquercitrin 등이 함유되어 있다. 선장자(仙掌子)는 isorhamnetin 3–*O*–β–D–galactosyl–4′–*O*–β–D–glucoside, (+)–taxofolin, aromadendrin, kaempferol, kaempferol 3–methyl ether, quercetin, 3,4′–di–*O*–β–D–glucoside, isorhamnetin 3–*O*–β–D–(6–*O*–αL–rhamnosyl) glucoside, (+)–syringaresinol *O*–β–D–glucopyranoside 등이 함유되어 있다.

약리 선인장(仙人掌) 열수추출물은 혈당과 혈압을 내리고 스트레스성 위궤양을 회복시킨다. 초음파추출물은 면역 세포의 생육을 증가시키고 cytokine의 분비를 증진시킨다. isorhamnetin 3–*O*–β–D–galactosyl–4′–*O*–β–D–glucoside, isorhamnetin 3,4′–di–*O*–β–D–glucoside는 NO 생성을 억제한다.

사용법 선인장과 선장자는 10g에 물 3컵(600mL)을 넣고 달여서 복용하고, 외용에는 짓찧어 바른다. 옥부용은 10g을 뜨거운 물에 타서 복용한다.

◐ 선인장(仙人掌)

◐ 선장자(仙掌子)

◐ 손바닥선인장(꽃)

◐ 손바닥선인장

◐ 손바닥선인장(열매 내부)

◐ 손바닥선인장(열매)

용과

타박상, 창종

●학명 : *Hylocereus undatus* (Haw.) Britt. et Rose   ●한자명 : 龍果

| 1 | 2 | 3 | 4 | 5 | 6 | 7 | 8 | 9 | 10 | 11 | 12 |

◐ 용과(열매 내부)

여러해살이풀. 다육질. 줄기는 불규칙하게 갈라지고 길이 7m까지 벋는다. 많은 가지를 치고 가지가 굽으며 작은 가시들이 모여난다. 꽃은 잎겨드랑이에 백색으로 크게 달리며, 열매는 달걀 모양으로 붉은색이고, 종자는 흑색이다.

분포·생육지 브라질, 멕시코, 페루, 열대 지방. 전 세계에서 재배한다.

약용 부위·수치 줄기를 여름에 잘라서 짓찧어 사용한다.

약물명 양천척(量天尺)

약효 서근활락(舒筋活絡), 해독소종(解毒消腫)의 효능이 있으므로 타박상, 창종(瘡腫)을 치료한다.

사용법 줄기를 짓찧어 상처 부위에 붙이고 붕대로 감싼다.

◐ 용과

[포포나무과]

설탕사과

악창종통   이질

●학명 : *Annona cherimola* L.   ●영명 : Sugar apple   ●별명 : 가시번여지

| 1 | 2 | 3 | 4 | 5 | 6 | 7 | 8 | 9 | 10 | 11 | 12 |

◐ 설탕사과(열매)

낙엽 관목. 높이 5~8m. 줄기껍질은 암자색이다. 잎은 어긋나며 타원형, 가장자리는 밋밋하며 잎자루가 짧다. 꽃은 단성화로 황록색, 꽃덮개는 6개로 바깥쪽 3개는 크고 안쪽 3개는 작다. 열매는 구형으로 처음에는 녹색이지만 성숙하면 황갈색으로 변한다.

분포·생육지 남아메리카의 열대 지방. 숲 속에서 자라지만 식용으로도 많이 재식한다.

약용 부위·수치 열매는 가을에, 잎은 봄부터 가을까지 채취하여 적당한 크기로 썰어서 말린다.

＊기타 사항은 '번려지'와 같다.

◐ 설탕사과(열매 내부)

◐ 설탕사과

[포포나무과]

가시번려지

 약창종통　　 이질

● 학명 : *Annona muricata* L.

1	2	3	4	5	6	7	8	9	10	11	12

상록 관목. 높이 4~8m. 줄기껍질은 암자색이다. 잎은 어긋나며 타원형, 가장자리는 밋밋하며 잎자루가 짧다. 꽃은 단성화로 황록색이며 잎겨드랑이에 달리고, 꽃덮개는 6개로 바깥쪽 3개는 크고 안쪽 3개는 작다. 열매는 심장형으로 처음에는 녹색이지만 성숙하면 자주색으로 변한다.

분포 · 생육지 남아메리카의 열대 지방. 숲속에서 자라지만 식용으로 많이 재식한다.

＊ 기타 사항은 '번려지 *A. squamosa*'와 같다.

○ 가시번려지

○ 가시번려지(열매)

○ 번려지(番荔枝)로 만든 건강식품

[포포나무과]

번려지

 약창종통　　이질

● 학명 : *Annona squamosa* L.　● 영명 : Castard apple
● 한자명 : 番荔枝　● 별명 : 카스타드사과

1	2	3	4	5	6	7	8	9	10	11	12

상록 관목. 높이 4~8m. 줄기껍질은 암자색이다. 잎은 어긋나며 타원형, 가장자리는 밋밋하다. 꽃은 단성화로 황록색이며 잎겨드랑이에 달리고, 꽃덮개는 6개로 바깥쪽 3개는 크고 안쪽 3개는 작다. 열매는 심장형으로 처음에는 녹색이지만 성숙하면 자주색으로 변한다.

분포 · 생육지 남아메리카의 열대 지방. 숲속에서 자라지만 식용으로 많이 재식한다.

약용 부위 · 수치 열매는 가을에, 잎은 봄부터 가을까지 채취하여 적당한 크기로 썰어서 말린다.

약물명 열매를 번려지(番荔枝)라고 하며, 불두과(佛頭果), 석가과(釋迦果)라고도 한다. 잎을 번려지엽(番荔枝葉)이라고 한다.

기미 · 귀경 번려지: 한(寒), 감(甘). 번려지엽: 미한(微寒), 고(苦), 삽(澁) · 대장(大腸), 심(心)

약효 번려지는 보비위(補脾胃), 청열해독의 효능이 있으므로 약창종통을 치료한다. 번려지엽은 수렴삽통(收斂澁痛), 청열해독의 효능이 있으므로 적리(赤痢), 악창종통(惡瘡腫痛)을 치료한다.

성분 번려지는 기름 25.5%, 단백질 14.2%, anonaine, annonin, neoannonin, asimicin, squamostatin 등, 잎은 morcorydine, isocorydine, norisocorydine, anonaine, norlaureline 등이 함유되어 있다.

사용법 번려지 또는 번려지엽 10g에 물 3컵(600mL)을 넣고 달여서 복용하고, 외용에는 짓찧어 바른다.

○ 번려지

○ 번려지(番荔枝. 껍질을 벗긴 것)

○ 번려지(番荔枝)

○ 번려지(番荔枝)로 만든 소염제

[포포나무과]

이란

 정신불안　 고혈압

●학명 : *Cananga odorata* (Lamk.) Hook f. et Thomas [*Canangium odoratum, Uvaria odorata*]　●영명 : Ylang Ylang　●한자명 : 夷蘭

| 1 | 2 | 3 | 4 | 5 | 6 | 7 | 8 | 9 | 10 | 11 | 12 |

상록 교목. 높이 25~40m. 잎은 어긋나며 타원형, 길이 10~20cm, 가장자리는 밋밋하다. 꽃은 잎겨드랑이에 모여나고 향기가 좋다. 꽃받침은 녹색~황녹색, 3수성으로 9개, 과탁에 10개 정도의 열매가 달리며 긴 달걀 모양이다.

분포·생육지 미얀마, 인도, 말레이시아, 오스트레일리아. 숲속에서 자란다.

약용 부위·수치 꽃을 여름에 채취하여 말린다.

약물명 이란(夷蘭). Ylang Ylang이라고도 한다.

약효 진정의 효능이 있으므로 정신불안, 고혈압을 치료한다.

성분 정유의 주성분은 linalool(11~30%)이며, safrole, eugenol, geraniol, germacrene 등이 함유되어 있다.

사용법 이란 2g을 뜨거운 물로 우려내어 복용한다.

❍ 이란

❍ 이란(夷蘭)

❍ 이란(夷蘭)에서 뽑은 정유

❍ 이란(夷蘭)으로 만든 신경 안정제

❍ 이란(夷蘭)으로 만든 향수

[포포나무과]

가응조

 풍습비통, 풍습골통　 설사, 소화불량

　개선

●학명 : *Desmos chinensis* Lour. [*D. cohinchinensis*]　●한자명 : 假鷹爪

| 1 | 2 | 3 | 4 | 5 | 6 | 7 | 8 | 9 | 10 | 11 | 12 |

관목. 높이 2~3m. 잎은 어긋나며 긴 타원형, 가장자리는 밋밋하다. 꽃은 잎겨드랑이에 모여나고 담황색이다. 꽃받침은 3개, 꽃잎은 6개로 2줄로 배열하며, 과탁에 많은 열매가 달리며 염주형이다.

분포·생육지 미얀마, 인도, 말레이시아, 오스트레일리아. 숲속에서 자란다.

약용 부위·수치 잎 또는 가지껍질을 여름에 채취하여 말린다.

약물명 잎을 주병엽(酒餠葉)이라고 하며, 산길엽(山桔葉)이라고도 한다. 가지껍질은 계조지피(鷄爪枝皮)라고 한다.

약효 주병엽은 거풍이습(祛風利濕), 화어지통(化瘀止痛), 건비화위(健脾和胃)의 효능이 있으므로 풍습비통(風濕痺痛), 수종(水腫), 설사, 소화불량을 치료한다. 계조지피는 지통의 효능이 있으므로 풍습골통(風濕骨痛), 개선(疥癬)을 치료한다.

성분 정유의 주성분은 linalool(11~30%)이며, safrole, eugenol, geraniol, germacrene 등이 함유되어 있다.

사용법 주병엽 또는 계조지피 10g에 물 3컵(600mL)을 넣고 달여서 복용하고, 외용에는 짓찧어 바른다.

❍ 가응조(꽃)

❍ 가응조(열매)

❍ 가응조

[목련과]

남오미자

풍습비통, 만성요퇴통 | 위통, 복통
통경, 산후복통 | 타박상

● 학명 : *Kadsura japonica* (L.) Dunal   ● 한자명 : 南五味子   ● 별명 : 남오미자

| 1 | 2 | 3 | 4 | 5 | 6 | 7 | 8 | 9 | 10 | 11 | 12 |

상록 덩굴나무. 줄기 길이 3m 정도, 지름 1.5cm 정도이다. 잎은 두껍고 어긋난다. 꽃은 단성 또는 양성, 연한 황백색, 7~8월에 잎겨드랑이에서 나와 밑으로 처지며 지름 2cm 정도, 꽃받침잎은 2~4개, 꽃잎 6~8개, 암술과 수술이 많다. 꽃받침은 붉은색 장과가 밀착하여 둥글게 되고, 열매는 지름 2~3cm, 붉은색이며 9월에 익는다.

분포·생육지 우리나라 제주도 및 남쪽 섬. 일본, 중국 남부, 타이완. 산기슭 양지에서 자란다.

약용 부위·수치 가지를 봄부터 가을에 걸쳐 채취하여 적당한 크기로 썰어서 말린다.

약물명 지혈향(地血香). 풍등(風藤)이라고도 한다.

기미·귀경 온(溫), 신(辛), 고(苦)·비(脾), 위(胃), 간(肝)

약효 거풍제습(祛風除濕), 행기지통(行氣止痛), 서근활락(舒筋活絡)의 효능이 있으므로 풍습비통(風濕痺痛), 위통, 복통, 통경,

산후복통, 타박상, 만성요퇴통을 치료한다.

성분 lignan계 화합물인 kadzurin, acety-lbinankadsurin A, angeloylbinankadsurin A, caproylbinankadsurin A, heteroclitin A-G 등이 함유되어 있다.

약리 에탄올추출물 또는 kadzurin을 쥐에게 투여하면 항산화 작용이 나타난다.

사용법 지혈향 10g에 물 3컵(600mL)을 넣고 달여서 복용한다.

* 오미자속(*Schisandra*)에 비하여 잎이 늘 푸르고 꽃받침이 길게 늘어지지 않고 열매는 둥글게 모여 달린다.

● 남오미자

● 지혈향(地血香)

● 남오미자(꽃)

[목련과]

튤립나무

풍습비통 | 풍한해수

● 학명 : *Liriodendron tulipifera* L.   ● 영명 : tulip tree
● 한자명 : 木百合   ● 별명 : 튜립나무, 목백합

| 1 | 2 | 3 | 4 | 5 | 6 | 7 | 8 | 9 | 10 | 11 | 12 |

낙엽 교목. 잎은 어긋나고 끝이 수평으로 자른 듯하다. 꽃은 지름 6cm 정도, 녹황색, 5~6월에 가지 끝에 튤립 같은 꽃이 1개씩 달리며 꽃받침잎은 3개, 꽃잎은 6개이고 긴 타원형이다. 수술은 많으며, 열매는 길이 7cm 정도, 끝이 날개로 되며 1~2개의 종자가 들어 있다.

분포·생육지 북아메리카 원산. 우리나라 전역에서 재식한다.

약용 부위·수치 줄기껍질을 봄에 채취하여 적당한 크기로 썰어서 말린다.

약물명 요박피(凹朴皮). 마괘목피(馬挂木皮)라고도 한다.

약효 거풍제습(祛風除濕), 산한지해(散寒止咳)의 효능이 있으므로 풍습비통(風濕痺痛), 풍한해수(風寒咳嗽)를 치료한다.

성분 줄기껍질에는 liriodendrine, syringaresinol, syringaresinoldimethylester, syringaldehyde, glaucine, dehydroglaucine, 잎에는 tulipinolide, epitulipinolide 등이 함유되어 있다.

약리 에탄올추출물은 충치균의 성장을 억

제한다.

사용법 요박피 10g에 물 3컵(600mL)을 넣고 달여서 복용한다.

* 중국에서 자생하는 '아장추(鵝掌楸) *L. chinensis*'도 약효가 같다.

● 요박피(凹朴皮)

● 튤립나무(열매)

● 튤립나무

● 튤립나무(꽃)

망춘옥란

비연, 비색, 유체　　풍한감모두통

● 학명 : *Magnolia biondii* Pamp.　● 한자명 : 望春玉蘭

| 1 | 2 | 3 | 4 | 5 | 6 | 7 | 8 | 9 | 10 | 11 | 12 |

낙엽 교목. 높이 7~12m. 작은 가지는 황록색 또는 갈황색으로 광택이 나며 털이 약간 있다. 잎은 어긋나고 길이 10~18cm, 너비 4~6.5cm이다. 꽃은 크고 백색, 이른 봄에 가지 끝에서 피고 지름 6~8cm, 향기가 강하다. 3개의 꽃받침과 6개의 꽃잎은 모양이 서로 비슷하며, 수술은 나선상으로 붙는다. 열매는 골돌로 원주형이다.

분포 · 생육지 중국 원산. 우리나라 천리포 수목원 등에서 재식하고 있다.

약용 부위 · 수치 꽃을 이른 봄 꽃봉오리가 피기 직전에 채집하여 말린다.

약물명 꽃봉오리를 신이(辛夷), 신치(辛雉), 후도(侯桃), 영춘(迎春), 모신이(毛辛夷), 강박화(姜朴花)라고도 한다. 대한민국 약전외한약(생약)규격집(KHP)에 수재되어 있다.

본초서 신이(辛夷)는 「신농본초경(神農本草經)」의 상품(上品)에 수재되어 있으며, 별명을 신치(辛雉), 후도(侯桃), 영춘(迎春)이라고 한다. 「본초강목(本草綱目)」에는 목필(木筆, 자목련의 봉오리)이 처음 나타나는 것으로 보아 자목련도 명대(明代)부터 사용되었음을 알 수 있다. 「동의보감(東醫寶鑑)」에 "바람의 기운으로 오는 두통을 낮게 하고,

얼굴의 주근깨를 없애며 코가 막히고 콧물이 나는 것을 낮게 한다. 얼굴이 부은 것을 낮게 하고 치통을 낮게 하며 눈을 밝게 하고 수염과 머리카락이 잘 자라게 한다. 기름을 만들어 얼굴에 바르면 광택이 난다."고 하였다.

神農本草經: 主五臟身體寒熱, 風頭腦痛, 面䵟. 久服下氣, 輕身明目, 增年耐老.

藥性論: 能治面生䵟皰. 面脂用, 主光華.

日華子本草: 通關脈, 明目. 治頭痛, 憎寒, 體噤, 瘙痒.

東醫寶鑑: 主風頭腦痛 面䵟 通鼻塞涕出 治面腫引齒痛 明目 生鬚髮 作面脂生光澤.

성상 신이(辛夷)는 꽃봉오리로 장난형이며 길이 1.5~2.5cm, 지름 1~2cm이다. 아랫부분에는 짧은 꽃자루가 있고, 꽃자루 위에는 껍질눈이 있다. 꽃받침은 2~3층으로 각 층에 2개씩 있다. 질은 가볍고 부서지기 쉽다. 냄새는 향기롭고 맛은 맵고 약간 쓰다.

기미 · 귀경 온(溫), 신(辛) · 폐(肺), 위(胃)

성분 monoterpene계 성분인 α-pinene, β-pinene, 1,8-cineole, camphor, phellandrene, cadinene, myrcene, β-elemene, myrcene 등, lignan 성분인 fargesin, eudesmin, aschantin, lirioresinol B dimethyl

ether, magnolin, kobusin, epimagnolin, flavonoid인 tiliroside, kaempferol-7-methyl ether, 페놀 성분인 vanillic acid, 4-hydroxybenzoic acid, coumarin계인 scopoletin이 함유되어 있다.

약리 신이(辛夷)의 에탄올추출물을 토끼에게 주사하면 혈압이 하강하고, 달인 액을 쥐나 토끼에게 투여하면 자궁 흥분 작용이 일어나며, 여러 병원균에 항균 작용이 있다. 독성은 매우 적으며 쥐에게 복강 주사를 할 때 LD_{50} 값은 23g/kg이다. lirioresinol B dimethyl ether는 항염증 활성이 있다.

사용법 신이 10g에 물 3컵(600mL)을 넣고 달여서 복용한다.

처방 신이산(辛夷散): 신이(辛夷) · 백지(白芷) · 승마(升麻) · 고본(藁本) · 천궁(川芎) · 세신(細辛) · 목통(木通) · 감초(甘草) 각 40g을 가루로 만들어 1회 5g, 하루 3회(「동의보감(東醫寶鑑)」). 비염, 콧물감기에 사용한다.

• 신이고(辛夷膏): 신이(辛夷) 40g, 세신(細辛) · 목통(木通) · 목향(木香) · 백지(白芷) · 행인(杏仁) 각 10g, 용뇌(龍腦) · 사향(麝香) 각 2g을 고약을 만들어 코 안에 바른다(「동의보감(東醫寶鑑)」). 코막힘, 어린아이의 코흘림에 사용한다.

주의 다량을 복용하면 두훈(頭暈)이나 목적(目赤)이 올 수 있으므로 주의한다.

＊ 중국에서 수입되는 신이(辛夷)는 대부분 '망춘옥란'의 꽃봉오리이다.

○ 망춘옥란

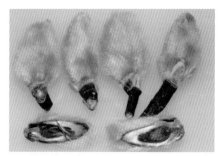

○ 신이(辛夷)

○ 망춘옥란(꽃봉오리)

○ 신이(辛夷)를 사용하여 만든 콧물감기약

[목련과]

야합화

협록창통　유방창통
산기통

● 학명 : *Magnolia coco* (Lour.) [*M. pumila, Liriodendron coco*]
● 한자명 : 夜合花

| 1 | 2 | 3 | 4 | 5 | 6 | 7 | 8 | 9 | 10 | 11 | 12 |

낙엽 관목. 높이 2~4m. 줄기껍질은 회색, 잎은 어긋나고 타원형이다. 꽃은 크고 백색, 이른 봄에 가지 끝에서 피고 9개의 꽃잎은 모양이 서로 비슷하며 달걀 모양에 가깝다. 골돌은 원추형이며 목질이다.

분포·생육지 중국 광둥성(廣東省), 광시성(廣西省), 푸젠성(福建省). 숲속에서 자란다.

약용 부위·수치 꽃 또는 꽃봉오리를 이른 봄에 채취하여 말린다.

약물명 야합화(夜合花). 야향목란(夜香木蘭)이라고도 한다.

약효 행기거어(行氣祛瘀), 지해지대(止咳止帶)의 효능이 있으므로 협륵창통(脇肋脹痛), 유방창통(乳房脹痛), 산기통(疝氣痛)을 치료한다.

성분 oxoushinsunine, salicifoline, magnoflorine, magnococline, stepharine 등이 함유되어 있다.

사용법 야합화 7g에 물 2컵(400mL)을 넣고 달여서 복용한다.

● 야합화(夜合花)

● 야합화(꽃)

● 야합화

[목련과]

태산목

외감풍한, 두통비색, 편두통
완복창통, 구토복사　고혈압

● 학명 : *Magnolia grandiflora* L.　● 영명 : Southern magnolia
● 한자명 : 泰山木, 洋玉蘭　● 별명 : 양옥란, 양목란, 큰꽃목련

| 1 | 2 | 3 | 4 | 5 | 6 | 7 | 8 | 9 | 10 | 11 | 12 |

상록 교목. 높이 5~7m. 잎은 어긋난다. 꽃은 5~6월에 가지 끝에서 피며 백색이고 지름 15~23cm이다. 꽃받침잎은 3개이며 꽃잎보다 짧고, 꽃잎은 9~12개, 수술은 많고 수술대는 자주색이다. 열매는 타원형, 길이 7~9cm, 녹백색이고 짧은 털로 덮여 있으며 익으면 터져서 주머니에 있던 붉은색 종자가 2개씩 나온다.

분포·생육지 중국. 우리나라 남부 지방에 식재한다.

약용 부위·수치 꽃 또는 줄기껍질을 이른 봄에 채취하여 말린다.

약물명 광옥란(廣玉蘭). 대화목란(大花木蘭)이라고도 한다.

기미·귀경 온(溫), 신(辛)·폐(肺), 위(胃), 간(肝)

약효 거풍산한(祛風散寒), 행기지통(行氣止痛)의 효능이 있으므로 외감풍한(外感風寒), 두통비색(頭痛鼻塞), 완복창통(脘腹脹痛), 구토복사(嘔吐腹瀉), 고혈압, 편두통을 치료한다.

성분 잎에는 parthenolide, peroxycostuno-lide, peroxyparthenolide, magnograndino-lide, costunolide diepoxide, liriodenine 등이 함유되어 있다. 줄기껍질에는 magnoflorine, candicine, magnolidin, magnolenin, magnosidin, syringin 등이 함유되어 있다.

약리 열수추출물을 토끼에게 투여하면 혈압이 내려가고, 적출한 소장에 투여하면 근육이 수축된다.

사용법 광옥란 10g에 물 3컵(600mL)을 넣고 달여서 복용한다. 코막힘에는 가루를 내어 불어넣는다.

● 태산목

● 광옥란(廣玉蘭)

● 태산목(열매)

● 태산목(꽃)

[목련과]

백목련

 비연, 비색, 유체　　풍한감모두통

● 학명 : *Magnolia denudata* Desr.　　● 한자명 : 白木蓮

| 1 | 2 | 3 | 4 | 5 | 6 | 7 | 8 | 9 | 10 | 11 | 12 |

낙엽 교목. 높이 10~15m. 잎은 어긋난다. 꽃은 크고 백색, 이른 봄에 가지 끝에서 피고 지름 12~15cm로 향기가 강하다. 3개의 꽃받침과 6개의 꽃잎은 모양이 서로 비슷하며 달걀 모양에 가깝고 약간 육질이며, 수술은 몇 개가 나선상으로 붙는다. 열매는 골돌로 원주형이며 길이 8~12cm로 갈색이 돈다.

분포·생육지 중국 원산. 집 근처에서 심고 있다.

약용 부위·수치 꽃봉오리를 이른 봄에 채집하여 말린다.

약물명 꽃봉오리를 신이(辛夷), 신치(辛雉), 후도(侯桃), 영춘(迎春), 모신이(毛辛夷), 강박화(姜朴花)라고도 한다. 대한민국약전외한약(생약)규격집(KHP)에 수재되어 있다.

약효 산풍한(散風寒), 통비규(通鼻竅)의 효능이 있으므로 비연(鼻淵), 풍한감모두통(風寒感冒頭痛), 비색(鼻塞), 유체(流涕)를 치료한다.

성분 pehnylpropanoid인 veraguesin, gal-gravin, machillin G, calopiptin, flavonoid인 isoqufercitrin, rutin, 정유(3~4%) 성분인 α-pinene, β-pinene, 1,8-cineole, camphor, phellandrene, cadinene, myrcene, β-elemene, myrcene 등, 기타 licarin B가 함유되어 있다.

약리 신이(辛夷)의 에탄올추출물은 토끼에게 주사하면 혈압이 하강하고, 달인 액을 쥐나 토끼에게 투여하면 자궁 흥분 작용이 일어나며, 여러 병원균에 항균 작용이 있다. 독성은 매우 적으며 쥐에게 복강 주사를 할 때 LD$_{50}$ 값은 23g/kg이다.

사용법 신이 10g에 물 3컵(600mL)을 넣고 달여서 복용한다.

* 중국산 신이(辛夷)가 수입되기 전에는 우리나라에서 주로 본 종의 꽃봉오리를 사용하였다. 꽃잎의 밑부분이 붉은색이고 꽃받침이 작으며 바늘 모양인 '목련 M. kobus', 꽃이 자주색인 '자목련 M. liliflora', 꽃잎이 좁은 '별목련 M. stellata'도 약효가 같다.

● 백목련

● 자목련

● 신이(辛夷)

● 목련

● 백목련(열매, 익으면 나출된다.)

● 백목련(꽃봉오리)

● 별목련

일본목련

비만창통, 반위, 구토, 숙식불소　담음천해

● 학명 : *Magnolia obovata* Thunb.　● 영명 : Japanese cucumber tree
● 한자명 : 日本厚朴　● 별명 : 일목련

| 1 | 2 | 3 | 4 | 5 | 6 | 7 | 8 | 9 | 10 | 11 | 12 |

낙엽 교목. 높이 20m 정도. 줄기껍질은 회백색이고 둥근 모양의 피목이 있다. 잎은 가지 끝에 모여서 어긋나고, 잎자루는 적자색이다. 꽃은 5월에 가지 끝에 1개씩 달리고 황백색이며, 꽃받침은 3개, 꽃잎은 6~9개이다. 열매는 긴 달걀 모양, 적자색으로 익는다.

분포 · 생육지 일본 원산. 우리나라 전역에서 재식한다.

약용 부위 · 수치 줄기껍질을 5~6월 사이에 채취하여 적당한 크기로 잘라서 말린다.

약물명 화후박(和厚朴)

약효 온중(溫中), 하기(下氣), 건위(健胃), 정장(整腸), 수렴(收斂), 이뇨(利尿), 조습(燥濕), 소담(消痰)의 효능이 있으므로 가슴과 옆구리의 비만창통(痞滿脹痛), 반위(反胃), 구토, 숙식불소(宿食不消), 담음천해(痰飮喘咳)를 치료한다.

성분 lignan 성분인 magnolol, magnolignan C, magnaldehyde B, magnaldehyde E, clovanemagnolol, honokiol, 4-methoxy-honokiol, eudeshonokiol B, 4′-methoxymagdialdehydc, 4-methoxymagdialdehyde B, 4-methoxymagdialdehyde E, alkaloid: magnocurarine, magnoflorine, 4*R*-4,8-dihydroxy-β-tetralone, phenylpropanoid 성분인 *trans-p*-coumarylaldehyde, *p*-coumaric acid, syingin, synapic aldehyde 4-*O*-β-D-glucopyranoside, coumarin: magnobolignan, triterpenoid 성분인 β-sitosterol, daucosterol, sesquiterpene 성분인 β-eudesmol, cryptomeridiol, eudesobovatol B, benzenoid: obovatol, fargesone C, isoclerone 등이 함유되어 있다. 잎은 (±)-syringaresinol, 4-hydroxybezaldehyde, 4-hydroxybenzoic acid, vanillic acid, 4-hydroxycinnamic acid, quercetin 3-*O*-rhamnoside, rutin, quercetin 3-(2^G-rhamnosylrutinoside) 등이 함유되어 있다.

약리 magnolol, honokiol은 충치균을 비롯한 여러 가지 병원균의 성장을 억제하는 작용이 강하다. magnocurarine, magnoflorine은 이완성 운동 마비 작용이 있어서 근육의 강직을 풀어 준다. β-eudesmol을 마취한 쥐에게 투여하면 혈압이 하강된다. *trans-p*-coumarylaldehyde, *p*-coumaric acid는 암세포인 K562, HeLa, A549의 증식을 억제한다. 4′-methoxymagdialdehyde, clovanemagnolol, honokiol, eudeshonokiol B, obovatol, eudesobovatol B는 HeLa, A549, HCT 116 등 여러 암세포의 증식을 억제한다. (±)-syringaresinol, quercetin 3-*O*-rhamnoside는 항혈전 작용을 나타낸다.

사용법 화후박 10g에 물 3컵(600mL)을 넣고 달여서 복용하거나 술에 담가서 복용한다.
＊ 일본에서는 후박(厚朴)으로 이것을 주로 사용하며, 중국산 후박(厚朴)의 성분과 약효가 서로 비슷하다.

❖ 화후박(和厚朴, 절편)

❖ 화후박(和厚朴)

❖ 일본목련

❖ 화후박(和厚朴)으로 만든 약용 치약

❖ 일본목련(열매)

[목련과]

후박나무

- 🏃 식적기체, 복창변비, 완비토사, 소화불량, 식욕부진, 흉완창민
- 🫁 흉만천해, 감모해수

● 학명 : *Magnolia officinalis* Thunb. ● 영명 : Magnolia
● 한자명 : 厚朴 ● 별명 : 당후박나무, 중국후박나무

| 1 | 2 | 3 | 4 | 5 | 6 | 7 | 8 | 9 | 10 | 11 | 12 |

낙엽 교목. 높이 10~15m. 줄기껍질은 자갈색이고, 잎은 새로 나온 가지 끝에 모여서 어긋난다. 꽃은 4~5월에 잎이 핀 다음 가지 끝에 1개씩 달리고 연한 누른빛이 도는 백색이다. 꽃받침잎은 3개, 꽃잎은 9~12개, 수술과 암술이 많고, 수술대는 밝은 홍색, 꽃밥은 황백색이다. 열매는 긴 타원형으로 길이 9~15cm에 이르고 홍자색으로 익는다.

분포 · 생육지 중국 쓰촨성(四川省), 푸젠성(福建省), 윈난성(雲南省). 산에서 자란다.

약용 부위 · 수치 줄기껍질을 5~6월 사이에 채취하여 적당한 크기로 잘라서 말린다. 꽃은 봄에 채취하고, 열매는 8~9월에 채취하여 말린다.

약물명 줄기껍질을 후박(厚朴)이라고 하며, 후피(厚皮), 중피(重皮), 적박(赤朴), 열박(烈朴), 천박(川朴), 자유후박(紫油厚朴)이라고도 한다. 꽃을 후박화(厚朴花), 열매를 후박과(厚朴果)라 한다. 후박(厚朴)은 대한민국약전(KP)에 수재되어 있다.

본초서 후박(厚朴)은 「신농본초경(神農本草經)」의 중품(中品)에 수재되어 있으며, 예로부터 진정, 진통, 경련성복통 등의 신경성 위장병에 사용되어 왔다. 「본초강목(本草綱目)」에는 "목질부가 순하며 껍질이 두껍고 맛이 신열(辛烈)하며 색깔이 자적(紫赤)이다. 그러므로 후(厚), 박(朴), 열(烈), 적(赤)의 이름이 붙는다."고 하였다. 「동의보감(東醫寶鑑)」에는 "주로 소화기의 기능을 강화시켜 복통, 소화불량 등을 치료한다."고 하였다.

神農本草經 : 主中風傷寒, 頭痛, 寒熱驚悸, 氣血痺, 死肌, 去三蟲.
名醫別錄 : 保中益氣, 消痰下氣, 療霍亂及腹痛脹滿, 胃中冷逆及胸中嘔不止, 泄痢淋露, 除驚, 去留熱心煩滿, 厚腸胃.
藥性論 : 主療積年冷氣, 腹內雷鳴, 虛吼, 宿食不消, 除痰飲, 去結水, 破宿血, 消化水

穀, 止痛, 大溫中氣, 嘔吐酸水, 主心腹滿, 病人虛而尿白.
東醫寶鑑 : 主積年冷氣 腹中脹滿 雷鳴 宿食不消 大溫胃氣 止霍亂吐瀉轉筋 消痰下氣 厚腸胃 治泄痢嘔逆 去三蟲 泄五臟一切氣.

성상 관상 또는 반관상의 피편(皮片)으로 두께 2~7mm. 표면은 회백색~회갈색, 코르크층이 떨어져나가 어두운 적갈색을 나타내기도 한다. 안쪽 면은 자갈색이며 횡단면은 섬유질이다. 냄새가 향기롭고 맛은 쓰다.

기미 · 귀경 후박(厚朴): 온(溫), 고(苦), 신(辛) · 온(溫). 후박화(厚朴花): 온(溫), 신(辛), 미고(微苦) · 비(脾), 위(胃), 폐(肺). 후박과(厚朴果): 온(溫), 감(甘).

약효 후박(厚朴)은 행기소적(行氣消積), 조습제만(燥濕除滿), 강역평천(降逆平喘)의 효능이 있으므로 식적기체(食積氣滯), 복창변비(腹脹便秘), 습조중초(濕阻中焦), 완비토사(脘痞吐瀉), 담옹기체(痰壅氣滯), 흉만천해(胸滿喘咳)를 치료한다. 후박화(厚朴花)는 행기관중(行氣寬中), 개울화습(開鬱化濕)의 효능이 있으므로 간위기체(肝胃氣滯), 흉완창민(胸脘脹悶), 식욕부진, 감모해수(感冒咳嗽)를 치료한다. 후박과(厚朴果)는 소식(消食), 이기(理氣), 산결(散結)의 효능이 있으므로 소화불량, 흉완창민(胸脘脹悶), 서위(鼠瘻)를 치료한다.

성분 후박에는 lignan 성분인 magnolol, honokiol, piperitylmagnolol, caffeic acid, sinapaldehyde, 4-methoxyhonokiol, eudeshonokiol, obovatol, eudesobovatol B, 6′-O-methylhonokiol, magnaldehyde B, C, magnolignan A~E, randainal, piperitylmagnolol, 알칼로이드인 magnocurarine, magnoflorine, phenylpropanoid인 coumaric acid, syringin 등이 함유되어 있다. 줄기껍질 및 뿌리껍질에서 나는 향기는 주로 β-eudesmol에 의한 것이다.

약리 magnolol은 스트레스에 의하여 일어나는 위궤양에 보호 작용이 나타나며, cimetidine이나 atropine과 달리 중추 억제에 의한 것이다. honokiol은 대뇌의 일시적인 허혈성 손상으로부터 대뇌를 보호하는 작용이 있다. magnolol은 B16-BL6 세포(melanoma, 폐암)의 암 전이 억제 작용이 있다. magnolol, honokiol은 충치균을 비롯한 여러 가지 병원균의 성장을 억제하는 작용이 강하다. magnocurarine, magnoflorine은 이완성 운동 마비 작용이 있어서 근육의 강직을 풀어 준다. magnolol은 동물 실험에서 기관지천식에 유효한 작용이 나타난다. magnaldehyde B는 항보체 활성이 있으며, piperitylmagnolol은 암세포인 K562, A549, HCT116에 세포 독성이 있다.

확인 시험 가루 1g에 메탄올 10mL를 넣어 10분간 흔든 뒤 원심 분리하고 상징액을 검액으로 하여 TLC법에 따라 시험한다. 검액을 TLC용 박층판에 점적한 후에 BuOH-H₂O-AcOH(4:2:1)을 전개 용매로 하여 약 10cm 전개한 후, 박층판을 바람에 말린다. 여기에 Dragendorff 시액을 뿌리면 Rf값 0.3 부근에 황색 반점이 나타난다.

사용법 후박은 10g에 물 3컵(600mL)을 넣고 달여서 복용하고, 후박화 또는 후박과는 3~5g에 물 2컵(400mL)을 넣고 달여서 복용한다.

처방 후박삼물탕(厚朴三物湯): 후박(厚朴) 8g, 지실(枳實) 4g, 대황(大黃) 4g (「금궤요략(金匱要略)」). 기(氣)가 울체되어 배가 그득하고 아프면서 대변 보기가 힘든 증상에 사용한다.

• 반하후박탕(半夏厚朴湯): 반하(半夏) 5g, 후박(厚朴) 4g, 자소엽(紫蘇葉) 2g, 복령(茯苓) 8g, 생강(生薑) 3쪽 (「금궤요략(金匱要略)」). 입덧, 기침, 목이 쉬고 잠을 잘 이루지 못하며 불안한 증상에 사용한다.

• 대승기탕(大承氣湯): 대황(大黃) 4g, 후박(厚朴) 8g, 지실(枳實) 4g, 망초(芒硝) 4g (「상한론(傷寒論)」). 배가 그득하고 아프며 변비가 있고 열이 났다 안났다 하며 식은땀이 나는 증상에 사용한다.

* 중국산 후박(厚朴)은 '후박나무 *Magnolia officinalis*' 또는 '요엽후박 *Magnolia officinalis* var. *biloba*'의 줄기껍질이며, 뿌리껍질도 근박(根朴)이라고 하여 사용하고 있다.

◐ 후박(厚朴)

◐ 껍질을 벗기기 위해 벌채한 후박나무 줄기

◑ 요엽후박(꽃)

◑ 후박(厚朴, 절편)

◑ 후박(厚朴)이 배합된 잇몸 치료제

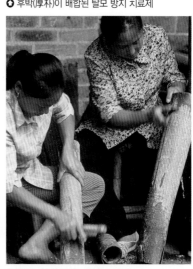
◑ 후박(厚朴)이 배합된 탈모 방지 치료제

◑ 요엽후박

◑ 후박화(厚朴花)

◑ 근박(根朴)

◑ 후박나무의 코르크층 제거 작업

◑ 후박나무

[목련과]

함박꽃나무

 폐허해수, 담중대혈   황달

● 학명 : *Magnolia sieboldii* K. Koch   ● 영명 : Oyama magnolia
● 한자명 : 山木蓮, 木蘭   ● 별명 : 함백이꽃, 흰띠함박꽃, 얼룩함박꽃나무

| 1 | 2 | 3 | 4 | 5 | 6 | 7 | 8 | 9 | 10 | 11 | 12 |

○ 목란화(木蘭花)

낙엽 교목. 높이 7m 정도. 잎은 어긋나고, 달걀을 거꾸로 세운 듯한 모양의 긴 타원형이다. 꽃은 양성으로 5~6월에 백색 꽃이 밑을 향해 피고, 꽃잎은 6개, 꽃밥과 수술대는 붉은빛이 돈다. 열매는 골돌, 달걀 모양이고 길이 3~4cm, 9월에 익으면 터져서 종자가 백색 실에 달려서 나온다.

분포 · 생육지 우리나라 전역, 중국, 일본. 산에서 흔하게 자란다.

약용 부위 · 수치 꽃봉오리를 이른 봄에 채취하여 말린다.

약물명 목란화(木蘭花). 천녀목란화(天女木蘭花)라고도 한다.

약효 이뇨소종(利尿消腫) 및 윤폐지해(潤肺止咳)의 효능이 있으므로 폐허해수(肺虛咳嗽)와 담중대혈(痰中帶血), 술을 많이 마셔서 나타나는 황달을 치료한다.

성분 줄기껍질에 15-acetoxycostunolide, costunolide 등이 함유되어 있다.

사용법 목란화 15g에 물 3컵(600mL)을 넣고 달여서 복용하거나 환약 또는 가루약으로 하여 복용한다.

 ○ 열매   ○ 함박꽃나무

[목련과]

무당옥란

 비연, 비색, 유체   풍한감모두통

● 학명 : *Magnolia sprengeri* Pamp.   ● 한자명 : 武當玉蘭

| 1 | 2 | 3 | 4 | 5 | 6 | 7 | 8 | 9 | 10 | 11 | 12 |

○ 무당옥란(꽃)

낙엽 교목. 높이 7~12m. 잎은 어긋나고 끝이 뾰족하거나 둥글 같다. 꽃은 3월에 피고, 꽃덮개는 12~14개로 많고 바깥면은 붉은색, 안쪽은 붉은색이 옅으며 자주색 세로무늬가 있다. 열매는 골돌로 원주형이다.

분포 · 생육지 중국 원산. 해발 1,300~2,000m에서 자란다.

약용 부위 · 수치 꽃을 이른 봄에 꽃봉오리가 피기 직전에 채집하여 말린다.

약물명 신이(辛夷). 신치(辛雉), 후도(侯桃), 영춘(迎春), 모신이(毛辛夷), 강박화(姜朴花)라고도 한다. 대한민국약전외한약(생약)규격집(KHP)에 수재되어 있다.

본초서 '망춘옥란' 항 참고(Ⅰ, 266쪽)

성상 '무당옥란'에서 유래하는 신이(辛夷)는 꽃봉오리로 꽃덮개가 12~14개로 많고, 바깥면은 붉은색을 띠며 안쪽에 자주색 세로무늬가 있다. 길이 3~4cm, 지름 1~2cm로 큰 편이다. 질은 가볍고 부서지기 쉬우며, 냄새는 향기롭고, 맛은 맵고 약간 쓰다.

기미 · 귀경 온(溫), 신(辛) · 폐(肺), 위(胃)

약효 신이는 산풍한(散風寒), 통비규(通鼻竅)의 효능이 있으므로 비연(鼻淵), 풍한감모두통(風寒感冒頭痛), 비색(鼻塞), 유체(流涕)를 치료한다.

성분 aromanderone, eremophilene, β-farnesene, ar-curcumene, 4-thujanol, thujene, p-1-menthen-3-ol, p-isopropylbenzaldehyde, thymol, isoborneol, curcumene, dihydro-α-copaene-8-ol, magnospren gerine 등이 함유되어 있다.

사용법 신이 10g에 물 3컵(600mL)을 넣고 달여서 복용한다.

＊ 신이(辛夷)의 기원 식물은 '망춘옥란(望春玉蘭) *Magnolia biondii*', '백목련(白木蓮) *M. denudata*', '무당옥란(武當玉蘭) *M. sprengeri*' 등의 꽃봉오리이다.

무당옥란(꽃봉오리) ○

○ 무당옥란

[목련과]

백란화나무

| 흉민복창 | 해수, 기관지염 |
| 백대 | 비뇨기염, 소변불리 |

● 학명 : *Michelia alba* DC.　● 한자명 : 白蘭花

| 1 | 2 | 3 | 4 | 5 | 6 | 7 | 8 | 9 | 10 | 11 | 12 |

상록 교목. 높이 10~20m. 줄기는 가지를 많이 치고 잎이 무성하다. 어린 가지는 황백색이고 털이 많다. 잎은 어긋나며 긴 타원형으로 길이 10~25cm, 너비 4~9cm이다. 꽃은 4~9월에 피며 백색, 꽃덮개는 10개 이상, 길이 약 3cm이다. 수술과 심피는 많고 취과를 형성한다.

분포 · 생육지 중국, 베트남, 타이

약용 부위 · 수치 꽃은 막 피었거나 봉오리가 터져 나올 때 채취하고, 잎은 여름에 채취하여 말린다.

약물명 꽃을 백란화(白蘭花)라고 하며, 백면화(白緬花)라고도 한다. 잎은 백란화엽(白蘭花葉)이라 한다.

약효 백란화(白蘭花)는 화습(化濕), 행기(行氣), 지해(止咳)의 효능이 있으므로 흉민복창(胸悶腹脹), 중서(中暑), 해수(咳嗽), 전열선염(前列腺炎), 백대(白帶)를 치료한다. 백란화엽(白蘭花葉)은 청열이뇨(淸熱利尿), 지해화담(止咳化痰)의 효능이 있으므로 비뇨기염, 소변불리, 기관지염을 치료한다.

성분 줄기껍질에는 oxoushinsunine, ush-insunine, salicifoline, michelabine 등이 함유되어 있고, 꽃은 정유가 다량 함유되어 있으며 주성분은 linalool, methyleugenol, phenylethyl alcohol 등이다.

약리 백란화(白蘭花) 에탄올추출물을 쥐에게 주사하면 기침과 가래가 줄어든다.

사용법 백란화 또는 백란화엽 10g에 물 3컵(600mL)을 넣고 달여서 복용한다.

＊ 우리나라 제주도 및 남쪽 섬에서 자라는 '초령목 *M. compressa*'도 약효가 같다.

❍ 백란화(白蘭花)

❍ 백란화나무

[목련과]

오미자

| 구사부지 | 구해허천 | 심계실면 |
| 자한도한 | 몽유활정, 요빈유뇨 | 진상구갈 |

● 학명 : *Schisandra chinensis* (Turcz.) Baillon　● 영명 : Chinese magnolia vine
● 한자명 : 五味子　● 별명 : 개오미자

| 1 | 2 | 3 | 4 | 5 | 6 | 7 | 8 | 9 | 10 | 11 | 12 |

낙엽 덩굴나무. 줄기는 가지를 많이 치고, 잎은 어긋난다. 꽃은 암수딴그루, 6~7월에 피고 지름 15mm 정도, 황백색이다. 열매는 8~9월에 붉은색으로 익으며 구형, 1~2개의 종자가 들어 있다.

분포 · 생육지 우리나라 전역. 중국, 일본, 아무르. 산골짜기에서 자란다.

약용 부위 · 수치 열매를 가을에 채취하여 말린다. 이것을 술에 담갔다가 건조시켜 사용하거나, 주증밀초(酒蒸蜜炒)나 초에 담갔다가 불에 볶아 사용한다.

약물명 오미자(五味子). 미(蓛), 현급(玄及), 회급(會及), 오매자(五梅子), 산화추(山花椒)라고도 한다. 대한민국약전(KP)에 수재되어 있다.

본초서 오미자(五味子)는 「신농본초경(神農本草經)」의 상품(上品)에 수재되어 있으며, 열매의 맛이 시고, 쓰고, 달고, 맵고, 짠, 다섯 가지 맛을 나타내므로 오미자(五味子)라고 한다. 「동의보감(東醫寶鑑)」에 "몸과 마음이 허약하고 피로하여 몹시 여윈 것을 보하며 눈을 밝게 한다. 신장의 기운을 따뜻하게 하고 양기를 돕는다. 남자의 정액을 보충하고 갈증을 풀어 주며 가슴이 답답하고 열이 나는 것을 없애며 술독을 풀어 주고 기침이 나면서 숨이 찬 것을 낫게 한다."고 하였다.

神農本草經: 主益氣, 咳逆上氣, 勞傷羸瘦, 補不足, 强陰, 益男子精.

名醫別錄: 養五臟, 除熱, 生陰中肌.

藥性論: 治中下氣, 止嘔逆, 補諸虛勞, 令人體悅澤, 除熱氣, 病人虛而有氣兼咳加用之.

東醫寶鑑: 補虛勞羸瘦 明目 煖水葬 强陰 益男子精 生陰中肌 止消渴 除煩熱 解酒毒 治咳嗽上氣.

성상 구형~편구형이며 지름 약 6mm로 붉은색~흑갈색을 띠며, 표면에는 주름이 있고 때로는 흰 가루가 묻어 있다. 과육을 벗기면 길이 3~4mm의 콩팥 모양의 종자가 1~2개 들어 있고, 그 종자의 표면은 광택이 있는 황갈색~적갈색이다. 특이한 냄새가 나며, 맛은 처음에는 시고 나중에는 떫고 쓰다. 열매가 크고 고르며 적갈색이고 윤기가 나는 것이 좋다.

기미 · 귀경 온(溫), 산(酸) · 폐(肺), 심(心), 신(腎)

약효 수렴고삽(收斂固澁), 익기생진(益氣生津), 영심안신(寧心安神)의 효능이 있으므로 구해허천(久咳虛喘), 몽유활정(夢遺活精), 요빈유뇨(尿頻遺尿), 구사부지(久瀉不止), 자한도한(自汗盜汗), 진상구갈(津傷口渴), 심계실면(心悸失眠)을 치료한다.

성분 gomisin A, B, C, D, E, F, G, J, N, wuweizisu C, gomisin L1, schizandrin A~C, schizandrol A, B, schisantherin A, B, D, isoschisandrin, (+)-deoxyschizandrin(schizandrin A), angeloylgomisin H, O, P, Q, benzoylgomisin H, benzoylisogomisin O, tigloylgomisin H, P, deoxygomisn A 등이 함유되어 있다.

약리 에탄올추출물은 중추 신경을 흥분시키고 혈액 순환을 개선시키며 혈압 강하 작용이 있고, 자궁을 흥분시키며, 폐렴균, 포도상구균, 녹농간균, 티푸스균 등에 항균 작용이 있다. 그리고 에탄올추출물은 만성간염을 치료하므로 환약이나 정제로 만들어 시판하고 있다. gomisin J는 항산화 효과가 있으며, EC_{50} 값은 213.8μM이다. 열수추출물은 TNF-α 및 COX-2의 발현을 억제함으로써 항염증 작용을 나타낸다. gomisin N, wuweizisu C, gomisin J는 PC12 세포에서 dopamine의 함량을 감소시키는 작용이 있다. schizandrol A, gomisin C, gomisin G는 5-lipoxygenase의 활성을 저해한다.

사용법 오미자 10g에 물 3컵(600mL)을 넣고 달여서 복용하거나 술에 담가서 복용한다.

처방 생맥산(生脈散): 맥문동(麥門冬) 8g, 인삼(人蔘)·오미자(五味子) 각 4g(『상한론(傷寒論)』). 심기(心氣)의 부족으로 온몸이 나른하고 기운이 없으며 입이 마르고 가슴이 아프며 숨이 차고 맥이 약한 증상, 열이나 더위로 인하여 땀을 많이 흘리고 입이 마르며 온몸이 피곤한 증상에 사용한다.

• 소청룡탕(小靑龍湯): 마황(麻黃)·작약(芍藥)·오미자(五味子)·반하(半夏) 각 6g, 세신(細辛)·건강(乾薑)·계지(桂枝)·감초(甘草) 각 4g(『동의보감(東醫寶鑑)』). 상한표증(傷寒表症)때 속에 수음(水飮)이 정체하여 오싹오싹 춥고 열이 나며 기침을 하고 숨이 차며 가래가 나오고 구역질이 나

며 윗배가 그득한 증상에 사용한다.

• 오미자산(五味子散): 오미자(五味子)·인삼(人蔘)·당귀(當歸)·황기(黃耆)·천궁(川芎)·복령(茯苓) 각 40g, 1회 12g, 1일 3회(『향약집성방(鄕藥集成方)』). 출산 후에 기혈 부족으로 숨이 차고 여위며 몸이 노곤하고 입맛이 없는 증상에 사용한다.

• 오미자탕(五味子湯): 오미자(五味子)·황기(黃耆)·인삼(人蔘)·맥문동(麥門冬)·감초(甘草) 각 4g(『동의보감(東醫寶鑑)』). 신수가 부족한 탓으로 옹저가 생겨 몸에 열감이 있으면서 입안과 혀가 마르고 가슴이 답답한 증상에 사용한다.

• 십보환(十補丸): 숙지황(熟地黃)·부자(附子)·오미자(五味子) 각 80g, 산수유(山茱萸)·산약(山藥)·목단피(牧丹皮)·녹용(鹿茸)·계심(桂心)·복령(茯苓)·택사(澤瀉). 손발이 저리며 차고 오줌이 시원하지 않으며 허리와 무릎이 시린 증상에 사용한다.

＊본 종에 비하여 잎 앞면 주맥이 푹 들어가지 않고 열매는 검게 익으며 종자 표면에 돌기가 있는 것을 '흑오미자 S. repandra (S.

et Z.) Radlk.'라고 하며 우리나라 제주도에서 자란다.

＊중국에는 여러 종의 오미자가 출하되고 있다. 'S. rubrifloa'의 열매를 '홍화오미자'라 하고, 'S. henryi'의 열매를 '익경오미자', 'S. incarnata'의 열매를 '홍산오미자', 'S. henryi var. yunannensis'의 열매를 '운남익경오미자', 'S. pubescens'의 열매를 '모엽오미자', 'S. neglecta'의 열매를 '전장오미자', 'S. lancifolia'의 열매를 '피침엽오미자', 'S. glauscens'의 열매를 '금산오미자', 'S. viridis'의 열매를 '녹엽오미자'라고 한다.

❍ 오미자(꽃)

❍ 오미자(五味子, 신선품)

❍ 오미자(五味子, 조말)

❍ 오미자(五味子)

❍ 오미자(야생, 설악산)

❍ 오미자(재배, 경북 상주)

❍ 오미자(미숙 열매)

❍ 오미자(완숙 열매)

❍ 오미자(五味子), 생강 등이 배합된 질세척제

❍ 오미자(五味子)를 원료로 한 건강식품

[목련과]

황란

 풍습비통　　 인후종통

위통, 소화불량

● 학명 : *Michelia champaca* L.　　● 한자명 : 黃蘭

| 1 | 2 | 3 | 4 | 5 | 6 | 7 | 8 | 9 | 10 | 11 | 12 |

상록 교목. 높이 10~20m 지름 1m 정도. 어린 가지는 황백색이고 털이 많다. 잎은 어긋나며 타원형, 가죽질, 가장자리가 밋밋하다. 꽃은 6~7월에 피며 등황색, 향기가 좋고, 꽃덮개 10개 이상, 길이 약 3cm이다. 열매는 취과이다.

분포 · 생육지 중국, 베트남, 타이

약용 부위 · 수치 뿌리는 사계절 내내, 열매는 가을에 채취하여 말린다.

약물명 뿌리를 황면계(黃緬桂)라고 하며, 황란(黃蘭), 대황계(大黃桂), 황각란(黃桷蘭)이라고도 한다. 열매를 황면계과(黃緬桂果)라고 한다.

약효 황면계(黃緬桂)는 거풍습(祛風濕), 이인후(利咽喉)의 효능이 있으므로 풍습비통, 인후종통을 치료한다. 황면계과(黃緬桂果)는 건위지통의 효능이 있으므로 위통과 소화불량을 치료한다.

성분 뿌리에는 parthenolide가 함유되어 있고, 줄기껍질은 oxoushinsunine, ush-insunine, magnoflorine, β-sitosterol 등, 잎은 정유가 함유되어 있으며, 그 주성분은 linalool, linalyl acetate, methyl heptenone, geraniol이다.

사용법 황면계는 10g에 물 3컵(600mL)을 넣고 달여서 복용하고, 황면계과는 가루로 만들어 1회 0.5g을 복용한다.

❶ 황란(열매)

❶ 황란

[목련과]

흑오미자

기침, 가래

● 학명 : *Schisandra nigra* Max.　　● 별명 : 북오미자, 검오미자, 검은오미자

| 1 | 2 | 3 | 4 | 5 | 6 | 7 | 8 | 9 | 10 | 11 | 12 |

❶ 흑오미자(열매)

낙엽 덩굴나무. 줄기를 자르면 솔 냄새가 난다. 잎은 어긋나며 가장자리가 밋밋하거나 얕은 톱니가 있다. 꽃은 2가화로 잎겨드랑이에서 피며 황백색이다. 열매는 이삭처럼 달리며 구형이고 흑색으로 익는다.

분포 · 생육지 우리나라 제주도. 산골짜기에서 자란다.

약용 부위 · 수치 열매를 가을에 채취하여 말린다.

약물명 흑오미자(黑五味子). 오미자 대용으로 사용하기도 한다.

약효 수렴(收斂)의 효능이 있으므로 기침, 가래를 치료한다.

성상 불규칙한 구형이고 흑색이며 대부분 말라서 오므라져 있고 지름은 0.4~0.5mm이다.

사용법 흑오미자 5g에 물 2컵(400mL)을 넣고 달여서 복용한다.

❶ 흑오미자

화중오미자

 골절상, 풍습요통, 관절염

●학명 : *Schisandra sphenanthera* Rehd. et Wilson ●한자명 : 華中五味子

| 1 | 2 | 3 | 4 | 5 | 6 | 7 | 8 | 9 | 10 | 11 | 12 |

낙엽 덩굴나무. 줄기는 가지를 많이 치고, 오래된 가지는 회갈색, 새 가지는 적자색을 띤다. 잎은 어긋나며, 꽃은 암수딴그루, 6~7월에 피고 지름 15mm 정도, 등황색이다. 열매는 8~9월에 분홍색으로 익으며 구형, 1~2개의 종자가 들어 있다.

분포·생육지 중국. 산골짜기에서 자란다.

약용 부위·수치 열매는 가을에, 줄기는 수시로 채취하여 말린다.

약물명 열매를 남오미자(南五味子)라고 한다. 줄기를 오향혈등(五香血藤)이라고 하며, 대혈등(大血藤), 자금등(紫金藤), 소혈등(小血藤)이라고도 한다. 오미자와 같이 사용하고 있다.

성상 남오미자(南五味子)는 불규칙한 구형이고 오미자보다 작으며 대부분 말라서 오므라져 있고 지름 0.4~0.5mm이다. 바깥면은 적갈색이다.

약효 오향혈등(五香血藤)은 서근활혈(舒筋活血), 이기지통(利氣止痛)의 효능이 있으므로 골절상, 풍습요통, 관절염을 치료한다.

사용법 남오미자 10g에 물 3컵(600mL)을 넣고 달여서 복용한다.

✿ 화중오미자(완숙 열매)

✿ 남오미자(南五味子)

✿ 남오미자(南五味子, 중국산)

✿ 화중오미자(미숙 열매)

대만육두구

 완복창만, 식소구토

●학명 : *Myristica cagayanensis* Merr. ●한자명 : 蘭嶼肉豆蔲

| 1 | 2 | 3 | 4 | 5 | 6 | 7 | 8 | 9 | 10 | 11 | 12 |

상록 교목. 높이 20m 정도. 잎은 어긋나며 길이 15~25cm이다. 꽃은 단성으로 암수딴그루, 잎겨드랑이에 총상화서로 연한 황백색 꽃이 핀다. 열매는 단생하며 구형, 지름 약 5cm, 담황색 또는 등붉은색으로 익는다. 성숙하면 껍질이 2개로 갈라지며 붉은색의 가종피가 드러나고 타원상 구형인 종자가 1개 들어 있다.

분포·생육지 타이완. 날씨가 더운 숲속에서 자란다.

약용 부위·수치 속씨와 가종피를 5~7월과 10~12월에 채취하여 그대로 말리거나 썰어서 말린다.

약물명 난서육두구(蘭嶼肉豆蔲)

기미·귀경 온(溫), 신(辛), 고(苦)·비(脾), 위(胃)

약효 온중행기(溫中行氣), 건위소식(健胃消食)의 효능이 있으므로 완복창만(脘腹脹滿), 식소구토(食少嘔吐)를 치료한다.

성분 cagayanin 등이 함유되어 있다.

사용법 난서육두구 3~5g에 물 2컵(400mL)을 넣고 달여서 복용한다.

✿ 난서육두구(蘭嶼肉豆蔲)

✿ 대만육두구

육두구

 허사, 냉리, 완복창통, 식소구토, 숙식불소

- 학명 : *Myristica fragrans* Houtt. ● 영명 : Nutmeg
- 한자명 : 肉豆蔻 ● 별명 : 육두구나무

| 1 | 2 | 3 | 4 | 5 | 6 | 7 | 8 | 9 | 10 | 11 | 12 |

상록 교목. 높이 15m 정도. 잎은 어긋나며 길이 4~7cm이다. 꽃은 단성으로 암수딴그루, 잎겨드랑이에 총상화서로 연한 황백색 꽃이 핀다. 열매는 단생하며 구형으로 지름 5~7cm이고 담황색 또는 등붉은색으로 익는다. 성숙하면 껍질이 2개로 갈라지며 붉은색의 가종피가 드러나고 종자가 1개 들어 있다. 열매는 1년에 2번, 5~7월과 10~12월에 성숙한다.

분포·생육지 인도네시아 반다섬 원산. 동인도 제도, 말레이시아, 서인도, 타이, 중국. 날씨가 더운 곳에서 자란다.

약용 부위·수치 가종피 및 종피를 제거한 종자를 5~7월, 10~12월에 채취하여 그대로 말리거나 썰어서 말린다.

약용명 육두구(肉豆蔻)라고 하며, 가구륵(迦拘勒), 두구(豆蔻), 육과(肉果), 옥과(玉果)라고도 한다. 가종피를 육두구의(肉豆蔻衣)라 한다. 대한민국약전(KP)에 수재되어 있다.

본초서 육두구(肉豆蔻)는 「개보본초(開寶本草)」에 처음 수재되었다. 구종석(寇宗奭)은 "육두구(肉豆蔻)는 초두구(草豆蔻)에 대한 이름으로 껍질을 버리고 육(肉)을 사용한다."고 하였으며, 「본초강목(本草綱目)」에는 "꽃, 열매 모두 두구(豆蔻)와 비슷하지만 핵(核)이 없으므로 붙여진 이름이다."라고 기록되어 있다. 소송(蘇頌)은 "지금은 영남 우리나라 지방에서도 재배하며, 봄에 싹이 나고 6~7월에 열매를 맺어 채취한다."고 하였다. 「동의보감(東醫寶鑑)」에는 "중초를 고르게 하고 기운을 내리게 하며 설사와 이질을 치료하고, 입맛을 돋우고 소화가 잘되게 한다. 어린아이가 젖을 토하는 것을 낮게 한다."고 하였다.

藥性論 : 能小兒嘔逆 不下乳 腹痛 治宿食不消 痰飮.

東醫寶鑑 : 調中下氣 止瀉痢 開胃消食 亦治

小兒吐乳.

성상 육두구(肉豆蔻)는 달걀 모양으로 길이 2~3cm, 지름 2cm 정도이다. 표면은 갈색이나 석회가루가 회백색으로 남아 있다. 한쪽 끝에 남아 있는 제점(臍点)은 작은 돌기를 이루고, 다른 쪽 끝의 합점은 패어 있으며 양 끝을 잇는 1줄의 흠은 얕고 넓다. 전체에 가는 그물눈 모양의 좁은 흠을 볼 수 있다. 특이한 냄새가 있으며, 맛은 맵고 조금 쓰다.

기미·귀경 육두구(肉豆蔻): 온(溫), 신(辛), 고(苦)·비(脾), 위(胃), 대장(大腸)

약효 육두구(肉豆蔻)는 온중삽장(溫中澁腸), 행기소식(行氣消食)의 효능이 있으므로 허사(虛瀉), 냉리(冷痢), 완복창통(脘腹脹痛), 식소구토(食少嘔吐), 숙식불소(宿食不消)를 치료한다.

성분 육두구(肉豆蔻)에 myristicin, eugenol, isoeugenol, safrole, dihydroguaiaretic acid, sabinene, pinene, terpinen-4-ol, γ-terpinene, limonene, bornylene, β-phellandrene, *p*-cymene, α-terpinolene, α-terpineol, elemicin, camphene, myrcene, 3,4-dimethylstyrene, linalool, *cis*-piperitol, *trans*-piperitol, *cis*-caryophyllene, *p*-cymen-α-ol, 1-(3,4-methylenedioxyphenyl)-2-(4-allyl-2,6-dimethoxyphenoxy)-propan-1-ol, dehydrodidiisoeugenol(licarin A), 5'-methoxydehydrodidiisoeugenol, licarin B, myristic acid, oleanolic acid 등이 함유되어 있다.

약리 정유는 위장 운동을 촉진하여 장내 가스를 배출한다. eugenol은 PAF와 에탄올에 의한 위점막 손상으로부터 위점막을 보호한다. 또는 kadzurin을 쥐에게 투여하면 항산화 작용이 나타난다. dihydroguaiaretic acid는 fos-jun-DNA complex의 형성을 억제하며, leukemia 세포주와 폐암

및 대장암 세포주에 세포 독성을 나타낸다. methylenechloanthrene으로 유도한 자궁경부암의 생성을 억제한다. myristicin이 주성분인 분획물은 항염증 작용을 갖는다. 메탄올추출물은 함염증 작용을 나타낸다. 휘발성 분획물은 저농도에서도 혈소판 응집을 억제하며 eugenol과 isoeugenol이 관여한다. 이들 두 화합물은 cyclooxygenase의 억제로 대장 점막과 같은 조직에서 prostaglandin의 생성을 억제한다. eugenol의 혈소판 응집 억제력은 indomethacin의 효능과 비슷하다. eugenol은 치과에서 국소성 진통 마취약으로 사용한다. myristicin은 대량일 때는 마취 작용과 마비 작용이 있다.

확인 시험 가루 1g에 메탄올 10mL를 넣고 수욕상에서 3분간 가온하여 온시 여과한다. 여액을 얼음물 중에서 10분간 방치하면 백색의 침전이 생긴다. 이 침전을 CHCl₃ 5mL에 녹여 검액으로 한다. 검액 2μL를 TLC용 실리카젤 박층판에 점적하여 CHCl₃-hexane (7:3)을 전개 용매로 하여 약 10cm 전개한 다음 말린다. 이것을 요오드 증기에 쪼이면 Rf값 0.6 부근에 황색 반점이 나타난다.

사용법 육두구 3~5g에 물 2컵(400mL)을 넣고 달여서 복용하거나, 환약이나 가루약으로 만들어 복용한다.

처방 사신환(四神丸): 파고지(破古紙) 160g, 육두구(肉豆蔻)·오미자(五味子) 각 80g, 오수유(吳茱萸) 40g을 가루로 만들어 생강 320g, 대추 100개를 함께 달인 액에 넣어서 오동자 크기로 환약을 만들어 1회 30알 복용(「만병회춘(萬病回春)」). 비신(脾腎)이 허냉(虛冷)하여 새벽에 설사하는 데 사용한다.

• 만병오령산(萬病五苓散): 적복령(赤茯苓)·백출(白朮)·저령(豬苓)·택사(澤瀉)·산약(山藥)·진피(陳皮)·창출(蒼朮)·축사(縮砂)·육두구(肉豆蔻)·가자(訶子) 각 3g, 계피(桂皮)·감초 각 2g, 생강 2쪽, 오매(烏梅) 1개, 등심초(燈心草) 약간(「만병회춘(萬病回春)」). 비습(脾濕)하여 복중뇌명(腹中雷鳴)하고 수사(水瀉)하며 맥세(脈細)한 증상에 사용한다.

* 육두구의(肉豆蔻衣)는 육두구(肉豆蔻)와 약효가 같다.

❶ 육두구(肉豆蔻, 분말)

❶ 육두구(肉豆蔻)

❶ 육두구(肉豆蔻, 절편)

◐ 육두구의(肉豆蔻衣)

◐ 육두구

◐ 육두구(꽃)

◐ 육두구(肉豆蔻)로 만든 향신료

◐ 육두구(肉豆蔻)에서 추출한 정유

◐ 육두구(열매 내부)

하납매

 위통

●학명 : *Calycanthus chinensis* Cheing et S. Y. Chang ●한자명 : 夏蠟梅

| 1 | 2 | 3 | 4 | 5 | 6 | 7 | 8 | 9 | 10 | 11 | 12 |

낙엽 관목. 높이 1~3m. 줄기껍질은 회갈색이며 피공이 돌출한다. 잎은 마주나며 타원형, 가장자리는 밋밋하며 잎자루가 짧다. 꽃은 5~6월에 가지 끝에 1개씩 피며 백색, 꽃덮개가 많은데, 바깥 것은 크고 안쪽은 작다. 가과(假果)는 타원상 구형이다.

분포 · 생육지 중국 저장성(浙江省). 숲속에서 자란다.

약용 부위 · 수치 꽃봉오리를 5월에 채취하여 말린다.

약물명 하납매(夏蠟梅), 목단목(牡丹木), 대엽시(大葉柴)라고도 한다.

기미 · 귀경 온(溫), 미고(微苦), 신(辛) · 위(胃)

약효 건위행기지통(健胃行氣地痛)의 효능이 있으므로 위통을 치료한다.

사용법 하납매 10g에 물 3컵(600mL)을 넣고 달여서 복용하고, 외용에는 짓찧어 바른다.

❍ 하납매

납매

 서열번갈, 인후통   두훈

●학명 : *Chimonanthus praecox* (L.) Link ●한자명 : 蠟梅

| 1 | 2 | 3 | 4 | 5 | 6 | 7 | 8 | 9 | 10 | 11 | 12 |

낙엽 관목. 높이 4m 정도. 줄기껍질은 회갈색이며 피공이 두드러진다. 잎은 마주나며 타원형으로 가장자리는 밋밋하고 잎자루가 짧다. 꽃은 단성화로 잎겨드랑이에 달리고 자갈색이며, 꽃덮개는 바깥쪽의 것은 크고 안쪽은 작다. 꽃받침이 성숙하여 가과(假果)가 되며 종자는 1개 들어 있다.

분포 · 생육지 중국 화둥(華東), 후베이성(湖北省), 후난성(湖南省), 쓰촨성(四川省), 구이저우성(貴州省). 물가나 숲속에서 자란다.

약용 부위 · 수치 꽃봉오리를 가을에 꽃이 피기 전 채취하여 말린다.

약물명 납매화(蠟梅花). 황매화(黃梅花), 석매화(腊梅花)라고도 한다.

기미 · 귀경 양(凉), 신(辛), 감(甘) · 폐(肺), 위(胃)

약효 해서청열(解暑淸熱), 이기개울(理氣開鬱)의 효능이 있으므로 서열번갈(暑熱煩渴), 두훈(頭暈), 인후통을 치료한다.

성분 정유가 많이 함유되어 있으며 주성분은 α-ocimene, linalool이다. 그 밖에 taxiphyllin, meratin, α-carotene, calycanthine 등이 함유되어 있다. 잎은 chimonanthine이 함유되어 있다.

사용법 납매화 7g에 물 2컵(400mL)을 넣고 달여서 복용한다.

❍ 납매

❍ 납매(줄기)

[붓순나무과]

붓순나무

 풍습관절통, 요기로손   독충교상

● 학명 : *Illicium anisatum* L. (*I. religiosum*)   ● 영명 : Star anise tree
● 한자명 : 地楓   ● 별명 : 붓순, 가시목, 발갓구, 말갈구

| 1 | 2 | 3 | 4 | 5 | 6 | 7 | 8 | 9 | 10 | 11 | 12 |

상록 관목. 높이 3~5m. 줄기껍질은 회갈색이고, 잎은 어긋난다. 꽃은 4월에 잎겨드랑이에 달리고 녹백색, 꽃대는 길이 1cm 정도, 꽃받침잎은 6개이며, 꽃잎은 12개, 길이 10~13mm, 선형이다. 수술은 많으며 길이 3mm 정도이고, 씨방은 길이 4mm, 6~12개이다. 열매는 골돌, 바람개비 같고 지름 2~2.5cm, 9월에 익는다.

분포 · 생육지 우리나라 제주도, 진도, 완도 및 남쪽 섬. 중국, 일본, 타이완. 산기슭 물기 있는 곳이나 골짜기에서 자란다.

약용 부위 · 수치 줄기껍질을 봄에 채취하여 썰어서 말린다.

약물명 지풍피(地楓皮)

약효 거풍제습(祛風除濕), 행기지통(行氣止痛)의 효능이 있으므로 풍습관절통, 요기로손(腰肌勞損), 독충교상을 치료한다.

성분 safrol, eugenol, anethol, anisatin, neoanisatin, pseudoanisatin, anislactone A, B, illicinone A, B, C, D, 1-allyl-2-methoxy-4,5-methylenedioxybenzene 등이 함유되어 있다.

약리 anisatin, neoanisatin, pseudoanis-atin을 쥐에게 투여하면 picrotoxin을 투여했을 때와 같은 경련이 일어나고 투여량을 증가하면 죽는다.

사용법 지풍피 7g에 물 2컵(400mL)을 넣고 달여서 복용하고, 외용에는 짓찧어서 바른다.

＊safrol, eugenol, anethol 등의 향기 성분이 많으므로 염주를 만드는 데 이용하고, 줄기껍질 및 열매는 향료로 이용한다.

◐ 지풍피(地楓皮)

◑ 붓순나무

◐ 붓순나무(열매와 종자)

◐ 붓순나무(꽃)

[붓순나무과]

붉은회향나무

타박상   풍한습비, 요퇴통

● 학명 : *Illicium henryi* Diels   ● 한자명 : 紅茴香, 土八角

| 1 | 2 | 3 | 4 | 5 | 6 | 7 | 8 | 9 | 10 | 11 | 12 |

상록 관목 또는 소교목. 높이 3~7m. 줄기껍질은 회백색이며, 어린 가지는 갈색이다. 잎은 어긋나며 피침형, 길이 10~16cm이다. 꽃은 4월에 잎겨드랑이에 달리고, 꽃덮개는 10~14개로 붉은색이다. 취합과는 바람개비 모양으로 지름 1.5~3cm, 골돌은 7~8개이다.

분포 · 생육지 중국 산시성(陝西省), 쓰촨성(四川省), 구이저우성(貴州省), 인도. 숲속, 산기슭의 물기 있는 곳이나 골짜기에서 자란다.

약용 부위 · 수치 잔뿌리 또는 뿌리껍질을 수시로 채취하여 물에 씻은 후 썰어서 말린다.

약물명 홍회향근(紅茴香根)

성분 taxifolin, anisatin, psudoanisatin, 6-deoxypsudoanisatin 등이 함유되어 있다.

약리 taxifolin은 항산화 작용, 황색 포도상구균, 대장간균, 이질간균에 항균 작용이 있다.

약효 활혈지통(活血止痛), 거풍제습(祛風除濕)의 효능이 있으므로 타박상, 풍한습비, 요퇴통을 치료한다.

사용법 뿌리는 3~4g, 뿌리껍질은 0.6~0.9g을 뜨거운 물에 우려내어 복용하고, 타박상에는 적당량을 가루로 만들어 연고기제와 섞어 환부에 바른다.

주의 유독하므로 사용량에 주의하여야 한다.

◐ 붉은회향나무

[붓순나무과]

팔각회향나무

중한구역, 한산복통 　 신허요통

각기

● 학명 : *Illicium verum* Hook. f. ● 영명 : Star anise
● 한자명 : 大茴香, 八角茴香 ● 별명 : 대회향나무

| 1 | 2 | 3 | 4 | 5 | 6 | 7 | 8 | 9 | 10 | 11 | 12 |

상록 관목. 높이 3~5m. 줄기껍질은 회갈색, 잎은 어긋난다. 꽃은 4월에 피며 잎겨드랑이에 달리고 녹백색, 꽃받침 6개, 꽃잎 12개, 씨방은 길이 4mm 정도로 6~12개이다. 열매는 골돌로 바람개비 같고, 지름 2~2.5cm, 9월에 익는다.

분포·생육지 중국, 타이완, 말레이시아, 타이, 베트남, 열대 아시아. 산기슭 물기 있는 곳이나 골짜기에서 자란다.

약용 부위·수치 춘과(春果)는 4월에 채취하고, 추과(秋果)는 10~11월에 채취하여 말린다.

약물명 팔각회향(八角茴香), 대회향(大茴香), 팔각주(八角珠)라고도 한다. 대한민국약전(KP)에 수재되어 있다.

본초서 회향은 소회향(小茴香)과 대회향(大茴香)이 있다. 소회향(小茴香)은 당나라 때 간행된 「신수본초(新修本草)」에 수재되어 있지만, 대회향(大茴香)은 「본초품회정요(本草品匯精要)」에 처음 수재되어 "모든 냉기 및 산통(疝痛)을 치료하는 약이다."라고 하였다. 이시진(李時珍)의 「본초강목(本草綱目)」에는 "열매 크기는 백실(柏實) 정도로 쪼개면 8개가 되며 색은 콩알 크기로 황색이고 맛은 달다. 이것을 박회향(舶茴香) 또는 대회향(大茴香)이라고 한다."고 하였다.

성상 통상 8개의 골돌과로 된 취합과이며, 각 분과는 크기가 비슷하며 방사상으로 배열되어 있다. 골돌과는 길이 1~2cm, 높이 0.5~1cm로 표면은 적갈색이며, 열매껍질은 비교적 두껍고 윤택이 난다. 각 골돌과에는 1개의 종자가 들어 있다. 냄새가 좋으며, 맛은 맵고 달다.

기미·귀경 온(溫), 신(辛), 감(甘)·간(肝), 신(腎), 비(脾), 위(胃)

약효 온양(溫陽), 산한(散寒), 이기(理氣), 지통의 효능이 있으므로 중한구역(中寒嘔逆), 한산복통(寒疝腹痛), 신허요통(腎虛腰痛), 각기를 치료한다.

성분 quercetin-3-*O*-rhamnoside, quercetin-3-*O*-glucoside, quercetin-3-*O*-galactoside, kaempferol, kaempferol-3-*O*-rutinoside, caffeoylquinic acid, feruloylquinic acid, hydroxycinnamic acid, estragaol, caryophyllene 등의 향료 성분이 함유되어 있다.

약리 물을 넣고 달인 액을 쥐에게 투여하면 중추 신경 흥분 작용이 나타나고, 적출한 장관에 투여하면 수축 작용이 나타난다.

사용법 팔각회향 5g에 물 2컵(400mL)을 넣고 달여서 복용하거나, 환약이나 가루약으로 만들어 복용한다.

처방 은선산(恩仙散): 대회향(大茴香), 두충(杜仲), 목향(木香)「활인심통(活人心統)」. 배가 그득하고 구토가 나며 속이 쓰리고 다리가 무겁게 느껴지는 증상에 사용한다.

❂ 팔각회향나무

❂ 팔각회향나무(꽃)

❂ 시판 중인 팔각회향(八角茴香)

❂ 팔각회향나무(잎)

❂ 팔각회향(八角茴香)

[붓순나무과]

좁은잎회향나무

두풍　풍충아통
피부마비, 옹종, 개선, 독창

● 학명 : *Ilicium lanceolatum* A. C. Smith　　● 한자명 : 狹葉茴香

| 1 | 2 | 3 | 4 | 5 | 6 | 7 | 8 | 9 | 10 | 11 | 12 |

◐ 좁은잎회향나무(꽃)

상록 관목 또는 소교목. 높이 3~10m. 줄기껍질은 회갈색이며, 잎은 어긋나고 피침형, 길이 6~15cm이다. 꽃은 4월에 피며 잎겨드랑이에 달리고, 꽃덮개는 10~15개로 붉은색이다. 취합과는 바람개비 모양, 골돌은 10~13개이다.

분포 · 생육지 중국 산시성(陝西省), 장쑤성(江蘇省), 저장성(浙江省), 타이완, 인도. 산기슭 물기 있는 곳이나 골짜기에서 자란다.

약용 부위 · 수치 잎을 여름에 채취하여 그대로 또는 썰어서 말린다.

약물명 망초(莽草)

약효 거풍지통(祛風止痛), 소종산결(消腫散結), 살충지양(殺蟲止痒)의 효능이 있으므로 두풍(頭風), 피부마비(皮膚麻痺), 옹종(擁腫), 개선(疥癬), 독창(禿瘡), 풍충아통(風蟲牙痛)을 치료한다.

사용법 망초 적당량을 짓찧어서 환부에 바른다.

◐ 좁은잎회향나무

[붓순나무과]

육박나무

위완창통　수종

● 학명 : *Actinodaphne lancifolia* (S. et Z.) Meisn.　● 한자명 : 六駁　● 별명 : 육박

| 1 | 2 | 3 | 4 | 5 | 6 | 7 | 8 | 9 | 10 | 11 | 12 |

상록 교목. 높이 15m 정도. 줄기껍질은 엷은 회흑색이지만 점차 큰 비늘처럼 떨어져서 '버즘나무' 같으며, 잎은 어긋나고 긴 타원형이다. 꽃은 암수딴그루로 5월에 피며, 총포편은 꽃잎 같고 황색, 꽃덮개는 6개, 수술은 9개이다. 열매는 구형, 8월에 붉은색으로 익는다.

분포 · 생육지 우리나라 제주도 및 남쪽 섬. 중국, 일본, 타이완, 말레이시아, 타이, 베트남, 열대 아시아. 산기슭 물기 있는 곳이나 골짜기에서 자란다.

약용 부위 · 수치 줄기껍질을 여름에 채취하여 적당한 크기로 잘라서 말린다.

약물명 줄기껍질을 시피장(豺皮樟)이라고 하며, 산계(山桂), 산육계(山肉桂)라고도 한다. 가지와 잎을 시피장지엽(豺皮樟枝葉)이라 한다.

기미 · 귀경 온(溫), 신(辛), 고(苦) · 비(脾), 위(胃)

약효 시피장(豺皮樟)은 온중지통(溫中止痛), 이기행수(理氣行水)의 효능이 있으므로 위완창통(胃脘脹痛), 수종(水腫)을 치료한다.

시피장지엽(豺皮樟枝葉)도 약효가 같다.

사용법 시피장 또는 시피장지엽 10g에 물 3컵(600mL)을 넣고 달여서 복용하거나, 환약이나 가루약으로 만들어 복용한다.

◐ 시피장지엽(豺皮樟枝葉)

◐ 육박나무(열매)

◐ 육박나무

[녹나무과]

음향

 한성위통, 복통설사, 이질복통

풍한습비 피부양진

● 학명 : *Cinnamomum burmannii* (C. G. et Th. Nees) Bl.
● 한자명 : 陰香 ● 별명 : 자바육계, 버마육계

| 1 | 2 | 3 | 4 | 5 | 6 | 7 | 8 | 9 | 10 | 11 | 12 |

상록 교목. 높이 20m 정도. 줄기껍질은 광택이 나며, 잎은 어긋나고 가죽질이며 뒷면은 회녹색, 잎을 자르면 강한 냄새가 난다. 꽃은 양성, 5월에 피며 백색~황색이다. 장과는 타원상 구형으로 길이 8mm 정도, 지름 5mm 정도로 11월에서 이듬해 3월에 흑자색으로 익는다.

분포 · 생육지 중국 푸젠성(福建省), 광둥성(廣東省), 광시성(廣西省), 윈난성(雲南省), 인도네시아, 미얀마. 산지 숲속에서 자란다.

약용 부위 · 수치 줄기껍질을 사시사철 채취하여 썰어서 말리고, 잎은 여름에 채취하여 말린다.

약물명 줄기껍질을 음향피(陰香皮)라고 하며, 광동계피(廣東桂皮), 소계피(小桂皮), 산육계(山肉桂), 산옥계(山玉桂)라고도 한다. 잎을 음향엽(陰香葉)이라 한다.

성상 음향피(陰香皮)는 두께 약 3mm, 표면은 회갈색으로 매끄럽지 않고 원형으로 튀어나온 피목과 회백색의 반점이 있다. 안쪽은 갈색으로 평활하며 질은 단단하다. 냄새는 향기롭고, 맛은 약간 달고 떫다.

약효 음향피(陰香皮)는 온중지통(溫中止痛), 거풍산한(祛風散寒), 해독소종(解毒消腫), 지혈(止血)의 효능이 있으므로 한성위통(寒性胃痛), 복통설사, 풍한습비(風寒濕痺), 창절종독(瘡節腫毒)을 치료한다. 음향엽은 거풍화습(祛風化濕), 지사지혈의 효능이 있으므로 피부양진(皮膚痒疹), 풍한습비(風寒濕痺), 이질복통을 치료한다.

성분 정유의 주성분은 cinnamaldehyde이며 safrole, eugenol, azulene 등이 함유되어 있다.

약리 열수추출물을 쥐에게 투여하면 위궤양 형성을 억제한다.

사용법 음향피는 10g에 물 3컵(600mL)을 넣고 달여서 복용하거나, 환약이나 가루약으로 만들어 복용한다. 음향엽은 5g을 뜨거운 물로 우려내어 복용한다.

● 음향

● 음향(꽃)

● 음향엽(陰香葉)

● 음향피(陰香皮)

[녹나무과]

생달나무

 완복냉통, 구토설사, 한산복통, 혈리

장풍 요슬산랭

● 학명 : *Cinnamomum japonicum* Sieb. ● 별명 : 신신무, 천립계, 토육계, 천축계

| 1 | 2 | 3 | 4 | 5 | 6 | 7 | 8 | 9 | 10 | 11 | 12 |

상록 교목. 높이 15m 정도. 줄기껍질은 흑갈색으로 평활하고, 작은 가지는 황록색으로 윤채가 돌며, 겨울눈은 끝이 뾰족하다. 잎은 어긋나고 타원형, 가죽질, 뒷면은 회녹색, 꽃은 잎겨드랑이에 취산화서로 피고, 열매는 달걀 모양으로 흑자색으로 익는다.

분포 · 생육지 우리나라 제주도 및 남쪽 섬. 산기슭 낮은 곳에서 자란다.

약용 부위 · 수치 줄기껍질을 봄부터 가을까지 채취하여 썰어서 말린다.

약물명 계피(桂皮), 산육계(山肉桂), 토계(土桂), 산옥계(山玉桂), 산계피(山桂皮)라고도 한다.

기미 · 귀경 온(溫), 신(辛), 감(甘) · 비(脾), 위(胃), 간(肝), 신(腎)

약효 온비위(溫脾胃), 난간신(暖肝腎), 거한지통(祛寒止痛), 산한소종(散寒消腫)의 효능이 있으므로 완복냉통(脘腹冷痛), 구토설사, 요슬산랭(腰膝酸冷), 한산복통(寒疝腹痛), 한습비통(寒濕痺痛), 어체통경(瘀滯痛經), 혈리(血痢), 장풍(腸風)을 치료한다.

성분 phellandrene, eugenol, 1,8-cineole, cinnamaldehyde 등이 함유되어 있다.

사용법 계피 10g에 물 3컵(600mL)을 넣고 달여서 복용한다.

● 생달나무(줄기)

● 생달나무

[녹나무과]

녹나무

 열병신혼 중악졸도 토사복통, 곽란, 위완동통, 한습토사

개창완선, 피부소양, 타박상, 옴, 독충교상 ∣ 각기, 풍습비통

● 학명 : *Cinnamomum camphora* (L.) Sieb.　● 영명 : Camphor tree
● 한자명 : 樟腦木, 樟木, 樟樹

1	2	3	4	5	6	7	8	9	10	11	12

상록 교목. 잎은 어긋나고 얇은 가죽질, 뒷면은 회녹색, 잎을 자르면 강한 냄새가 나고 3개의 맥이 있다. 꽃은 양성, 5월에 원추화서로 달리며 백색에서 황색으로 되고, 꽃덮개는 3개씩 2줄로 배열된다. 장과는 둥글고 흑자색으로 익는다.

분포·생육지 우리나라 제주도 및 남쪽 지방 해안가. 중국, 일본, 타이완. 산기슭 양지에서 자란다.

약용 부위·수치 뿌리, 줄기, 가지 및 잎을 썰어서 수증기로 증류하여 나오는 장뇌유(樟腦油)를 냉각시켜 석출한 결정체를 얻는다. 줄기는 사시사철, 줄기껍질은 봄에, 잎은 여름에 채취하여 말린다.

약물명 뿌리, 줄기, 가지 및 잎을 증류하여 생기는 과립상 물질을 장뇌(樟腦), 목재를 장목(樟木)이라고 하며, 줄기껍질을 장수피(樟樹皮), 잎을 장수엽(樟樹葉), 열매를 장목자(樟木子)라고 한다. 장뇌(樟腦)는 대한민국약전외한약(생약)규격집(KHP)에 수재되어 있다.

본초서 「동의보감(東醫寶鑑)」에는 "녹나무에서 나오는 진으로 만든 것을 장뇌(樟腦)라고 하며, 옴과 버짐, 한센병으로 열이 날 때 붙인다."고 하였다.
東醫寶鑑: 乃樟木屑液造成 治疥癬 癩瘡作熱付之 入香料 一名昭腦

성상 장뇌(樟腦)는 무색~백색의 반투명 결정체로 통상 덩어리로 뭉쳐 있다. 실온에 방치하면 서서히 승화한다. 냄새는 방향성이 강하고 맛은 쓰고 청량감이 있다.

기미·귀경 장뇌(樟腦): 열(熱), 신(辛), 소독(小毒)·심(心), 비(脾). 장수피: 온(溫), 신(辛), 고(苦). 장수엽(樟樹葉): 온(溫), 신(辛)

약효 장뇌(樟腦)는 통관규(通關竅), 이체기(利滯氣), 살충지양(殺蟲止痒), 소종지통(消腫止痛)의 효능이 있으므로 열병신혼(熱病神昏), 중악졸도(中惡猝倒), 토사복통(吐瀉腹痛), 한습각기(寒濕脚氣), 개창완선(疥瘡頑癬), 독창(禿瘡), 동창(凍瘡), 수화탕상(水火燙傷), 치통, 풍화적안(風火赤眼)을 치료한다. 장목(樟木)은 풍습을 제거하고 기혈을 잘 순환시키고 골절 치료에 효능이 있으므로 심복통(心腹痛), 곽란, 배가 더부룩한 증상, 각기, 통풍, 옴을 치료한다. 장수피(樟樹皮)는 거풍제습(祛風除濕), 난위화중(暖胃和中), 살충료창(殺蟲療瘡)의 효능이 있으므로 풍습비통, 위완동통(胃脘疼痛), 구토설사, 각기종통, 타박상, 개선창독을 치료한다. 장수엽(樟樹葉)은 거풍제습(祛風除濕), 살충해독(殺蟲解毒)의 효능이 있으므로 풍습비통, 위통, 수화탕상(水火燙傷), 창양종독(瘡瘍腫毒), 만성 하지궤양, 피부소양, 독충교상을 치료한다. 장목자(樟木子)는 거풍산한(祛風散寒), 온위화중(溫胃和中), 이기지통(理氣止痛)의 효능이 있으므로 완복냉통(脘腹冷痛), 한습토사(寒濕吐瀉), 기체복창(氣滯腹脹), 각기를 치료한다.

성분 장목(樟木)은 camphor, camphene, limonene, safrole, bisabolene, carvacrol, eugenol, azulene 등이 함유되어 있다.

약리 수증기 증류에 의하여 다량의 정유를 얻을 수 있으며, 정유를 냉각시키면 camphor가 결정으로 석출된다. 이 물질은 국소 마취, 소염, 진통 효능이 있으므로 제약 산업에 널리 이용된다.

사용법 장뇌는 위장을 자극하므로 내복하는 경우는 드물고 주사액(25%)으로 호흡 중추나 혈관 중추, 심장을 흥분시키는 데 사용한다. 외용약으로는 연고제에 배합하여 신경통이나 타박상, 피부병에 사용하며 가글제나 관장약, 흡입약에 배합된다. 장목은 camphor, cineole, safrol의 제조 원료, 비누, 향료의 원료로 사용한다. 장수피와 장수엽은 각각 10g에 물 3컵(600mL)을 넣고 달여서 복용하고, 외용에는 짓찧어 낸 즙액을 바른다.

❶ 장목자(樟木子)

❶ 장수엽(樟樹葉)

❶ 녹나무(가지)

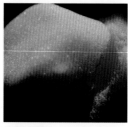
❶ 장뇌(樟腦)

❶ 장뇌(樟腦)가 함유된 피부 연고제

❶ 녹나무(꽃)

❶ 장목(樟木)

❶ 녹나무(줄기)

❶ 녹나무

육계나무

	두훈이명, 구설미파		신양부족, 양위유정, 소변불리		요슬산연, 사지궐랭, 한습비통
	완복냉통		궁냉불잉, 통경경폐		풍한표증		심계, 흉비

● 학명 : *Cinnamomum cassia* Presl.　● 영명 : Cinnamon　● 한자명 : 桂

| 1 | 2 | 3 | 4 | 5 | 6 | 7 | 8 | 9 | 10 | 11 | 12 |

상록 교목. 줄기껍질은 매끄럽고 회갈색을 띠며, 잎은 어긋나고, 잎자루는 길이 1.2~2cm, 잎몸은 긴 타원형, 3개의 뚜렷한 주맥이 있다. 꽃은 황록색으로 5~7월에 잎 사이에 원추화서로 달린다. 10~12월에 암갈색의 장과가 익는다.

분포 · 생육지 중국 남부, 인도네시아, 타이, 베트남. 야산에서 자란다.

약용 부위 · 수치 줄기껍질 또는 가지를 사시사철 채취하여 썰어서 말린다.

약물명 줄기껍질을 육계(肉桂)라고 하며, 균계(菌桂), 목계(牧桂), 계(桂), 통계(筒桂), 진계(陳桂), 대계(大桂), 옥계(玉桂)라고도 한다. 줄기껍질의 겉껍질(코르크층)을 제거한 것을 계심(桂心), 굵은 가지의 껍질을 계피(桂皮), 가지를 계지(桂枝)라고 하며, 어린 가지를 유계(柳桂), 꽃을 계화(桂花)라고 한다. 육계는 5~6년 이상 자란 나무의 껍질을 벗겨 말린 것이며, 계피는 굵은 가지의 껍질을 벗겨 말린 것이고, 계심은 육계의 겉껍질을 깎아 버린 것을 말한다. 한약 시장에는 육계, 계심, 계피의 구분이 명확하지 않고, 껍질이 두껍고 색깔이 고운 상품을 계심, 중품인 것을 육계, 하품인 것을 계피라고 하기도 한다. 육계(肉桂)는 대한민국약전(KP)에, 계지(桂枝)와 계심(桂心)은 대한민국약전외한약(생약)규격집(KHP)에 수재되어 있다.

본초서 「신농본초경(神農本草經)」에는 "주로 상기(上氣)하여 숨이 차고 기침이 나오는 증상, 목이 답답하고 관절염이 있는 증상을 치료한다."고 하였고, 「명의별록(名醫別錄)」에는 "위장을 따뜻하게 하고, 간장과 폐장의 기능을 좋게 한다."고 하였으며, 「약성본초(藥性本草)」에는 "배가 늘 찬 증상을 치료한다."고 하였고, 「본초강목(本草綱目)」에는 "속이 차고 손발이 찬 증상을 치료한다."고 기록되어 있다. 「동의보감(東醫寶鑑)」에는 육계, 계피, 계심, 계지, 유계에 관한 약효를 기술하고 있으며, "주로 소화기능을 돕는다."고 하였다.

육계(肉桂):

神農本草經: 牡桂, 主上氣咳逆結氣, 喉痺吐吸, 利關節, 補中益氣. 久服通神, 輕身不老. 菌桂, 主百病, 養精神, 和顏色, 爲諸藥先聘通使. 久服輕身不老, 面生光華, 媚好常如童子.

眞珠囊: 去衛中風邪, 秋冬下部腹痛, 非桂不能除, 肉桂, 散陰瘡之結聚排膿, 入心引血化寒化膿.

本草綱目: 治寒痺, 風瘖, 陰盛失血, 瀉痢, 驚癎, 治風僻失音喉痺, 陽盛失血, 內托癰疽

痘瘡, 能引血化汗化膿, 解蛇蝮毒.

東醫寶鑑: 桂皮–主溫中 通血脈 利肝肺氣 治霍亂轉筋 宣導百藥無所畏 能墮胎.

肉桂–能補腎 宣入治藏及下焦藥.

桂心–治九種心痛 殺三蟲 破血 止腹內冷痛 治一切風氣 補五勞七傷 通九竅 利關節 益精明目 煖腰膝 諸風痺 破痃癖癥瘕 消瘀血 續筋骨 生肌肉 下胞衣.

계지(桂枝):

神農本草經: 主上氣咳逆結氣, 喉痺吐吸, 利關節.

名醫別錄: 心痛, 脅風, 溫筋通脈, 止煩, 出汗. 主溫中, 利肝肺氣, 心腹寒熱, 冷疾, 霍亂轉筋, 頭痛, 出汗, 止睡, 咳嗽. 能引血化汗化膿, 解蛇蝮毒.

東醫寶鑑: 桂枝–表虛自汗 利桂枝發其邪 衝和則表密 汗自止 非桂枝能收汗也.

柳桂–乃小桂嫩條 善行上焦 補陽氣 薄桂 乃細薄枝 入上焦橫行肩臂.

성상 육계(肉桂)는 반관상 또는 말린 관상으로, 표면은 흑갈색, 안쪽 면은 적갈색을 띠며 매끈하다. 꺾이기 쉬우며 꺾인 면은 적갈색을 띠고 담갈색의 희미한 층이 있으며 점액성이다. 특이한 냄새가 나며 맛은 맵고 달다. 계지(桂枝)는 긴 원주형 또는 짧게 썬 원주형으로 지름 0.5~1cm이다. 표면은 갈색 또는 적갈색이며 주름이 잡히거나 잎이 붙었던 자국이 있다. 특이한 냄새가 나고, 맛은 맵고 달다.

기미 · 귀경 계피: 열(熱), 신(辛), 감(甘) · 신(腎), 비(脾), 심(心), 간(肝). 계지: 온(溫), 신(辛), 감(甘) · 방광(膀胱), 심(心), 폐(肺)

약효 육계(肉桂)는 보화조양(補火助陽), 인화귀원(引火歸源), 산한지통(散寒止痛), 온경통맥(溫經通脈)의 효능이 있으므로 신양부족(腎陽不足), 명문화쇠지외한지냉(命門火衰之畏寒肢冷), 요슬산연(腰膝酸軟), 양위유정(陽痿遺精), 소변불리혹빈삭(小便不利或頻數), 단기천촉(短氣喘促), 부종뇨소제증(浮腫尿小諸症), 명문화쇠(命門火衰), 화불귀원(火不歸源), 재양(載陽), 격양(格陽), 급상열하한(及上熱下寒), 면적족냉(面赤足冷), 두훈이명(頭暈耳鳴), 구설미파(口舌糜破), 비신허한(脾腎虛寒), 완복냉통(脘腹冷痛), 식감변당(食減便溏), 신허요통(腎虛腰痛), 한습비통(寒濕痺痛), 한산동통(寒疝疼痛), 궁냉불잉(宮冷不孕), 통경경폐(痛經經閉), 산후어체복통(産後瘀滯腹痛), 음저유주(陰疽流注), 혹허한용양농성불궤(或虛寒癰瘍膿成不潰), 혹궤후불렴(或潰後不

斂)을 치료한다. 계지는 산한해표(散寒解表), 온통경맥(溫通經脈), 통양화기(通陽化氣)의 효능이 있으므로 풍한표증(風寒表症), 한습비통(寒濕痺痛), 사지궐랭(四肢厥冷), 경폐통경(經閉通經), 징가결괴(癥瘕結塊), 흉비(胸痺), 심계(心悸), 담음(痰飮), 소변불리(小便不利)를 치료한다.

성분 육계(肉桂)에 cinnamaldehyde, cinnamyl acetate, ethylcinnamate, benzyl benzoate, benzaldehyde, calamenine, cinnamic alcohol, cinnamic acid, protocatechuic acid 등이 함유되어 있다. 계지(桂枝)에는 phenylpropanoid인 cinnamaldehyde, 2-methoxycinnamaldehyde, 2-hydroxycinnamaldehyde, coniferylaldehyde, eugenol, eugenyl glucoside, cinnamic acid, cinnamic alcohol, 3-hydroxy-2-methoxy cinnamaldehyde, 1,3-propandiol-2-amino-(4-hydroxy-3,5-dimethoxyphenol), 2-(2'-ace-tylphenyl)ethyl-O-β-D-glucopyranoside, coumarin인 coumarin, lingnan인 lyoniresinol, 페놀류 화합물인 syringaldehyde, 2-pheny-lethyl-O-β-D-apifuranosyl-(1→4)-β-D-gucopyranoside, triterpenoid인 β-sitosterol, daucosterol 등이 함유되어 있다.

약리 육계(肉桂)의 열수추출물 50~100mg/kg을 쥐의 복강에 주사하거나 위장에 관류시키면 궤양을 억제하는 작용이 나타난다. cinnamic aldehyde와 cinnamic acid는 혈소판 억제 효능이 나타난다. cinnamic aldehyde 50μg 500μg을 쥐의 심장에 투여하면 심장 근육이 수축된다. 2-methoxy-cinnamaldehyde는 항염증 작용이 있다.

❶ 육계나무

확인 시험 육계(肉桂) 가루 2g에 에테르 10mL를 넣고 3분간 흔들어 섞은 다음 여과한 액을 검액으로 한다. 검액을 TLC용 박층판에 점적한 다음 hexane-CHCl₃-EtOAc(4:1:1)을 전개 용매로 하여 약 10cm 전개한다. 이것을 말린 다음 2,4-dinitrophenylhydrazine 시약을 뿌리면 Rf값 0.4 부근 황갈색 반점이 나타나는데, 이것은 cinnamaldehyde에 기인한다.

사용법 육계 또는 계지 5g에 물 2컵(400mL)을 넣고 달여서 복용하거나 술에 담가 자기 전에 소주잔으로 한 잔씩 복용한다. 계피에 생강을 같은 양으로 배합하여 물을 넣고 달여 복용하여도 좋다.

처방 온경탕(溫經湯): 맥문동(麥門冬) 8g, 당귀(當歸) 6g, 인삼(人蔘)·반하(半夏)·작약(芍藥)·천궁(川芎)·목단피(牡丹皮) 각 4g, 아교(阿膠)·자감초(炙甘草) 각 3g, 오수유(吳茱萸)·육계(肉桂) 각 2g, 생강

(生薑) 3쪽(『동의보감(東醫寶鑑)』). 충임맥이 허하여 생리가 고르지 못하고 가슴과 손발바닥이 달아오르며 입안이 마르고 아랫배가 차며 오랫동안 임신이 안 되는 증상에 사용한다.

• 우귀환(右歸丸): 숙지황(熟地黃) 320g, 구기자(拘杞子)·산약(山藥)·녹각교(鹿角膠)·토사자(菟絲子)·두충(杜仲)·계피(桂皮) 각 160g, 산수유(山茱萸)·당귀(當歸) 각 120g, 포부자(炮附子) 80g(『보양처방집(補陽處方集)』). 신양(腎陽)의 부족으로 온몸이 무겁고 가슴이 두근거리며 불안하고 허리와 팔다리를 제대로 움직이지 못하거나 성 기능이 저하된 증상에 사용한다.

• 계지탕(桂枝湯): 계지(桂枝)·작약(芍藥) 각 12g, 자감초(炙甘草) 5g, 생강(生薑) 3쪽, 대추(大棗) 5개(『상한론(傷寒論)』). 열이 나고 오슬오슬 떨리는 증상, 땀이 저절로 나는 증상, 맥이 뜨고 약한 증상에 사용한다.

• 계지작약지모탕(桂枝芍藥知母湯): 계지(桂枝)·작약(芍藥)·지모(知母)·방풍(防風)·백출(白朮) 각 12g, 가공부자(加工附子)·마황(麻黃)·자감초(炙甘草) 각 6g, 생강(生薑) 3쪽(『금궤요략(金匱要略)』). 관절이 붓고 심하게 아픈 증상에 사용한다.

• 영계출감탕(苓桂朮甘湯): 복령(茯苓) 12g, 계지(桂枝) 6g, 백출(白朮) 9g, 자감초(炙甘草) 3g(『상한론(傷寒論)』). 허리가 차고 아프며 소변량이 많은 증상에 사용한다.

• 계지복령환(桂枝茯苓丸): 계지(桂枝)·복령(茯苓)·목단피(牡丹皮)·작약(芍藥)·도인(桃仁) 각 등분, 매환(每丸) 3g, 1회 2환(『금궤요략(金匱要略)』). 생리 이상, 갱년기 장애, 견비통, 어지러움증, 기미에 사용한다.

• 계지인삼탕(桂枝人蔘湯): 계지(桂枝) 4g, 인삼(人蔘) 3g, 백출(白朮) 3g, 감초(甘草) 3g, 건강(乾薑) 2g(『상한론(傷寒論)』). 위장이 약하고 두통이 자주 있는 증상, 가슴이 뛰는 증상, 만성위장염에 사용한다.

주의 본 약물은 온열(溫熱)로 보양(補陽)하며 신(辛)으로 혈행(血行)하기 때문에 음허양항(陰虛陽亢)한 사람과 임산부는 복용하지 말아야 한다.

＊ 우리나라에 수입되는 육계는 광남계피(廣南桂皮) 또는 동흥계피(東興桂皮)로 '육계나무' 또는 그 변종인 '큰잎계피나무 *C. cassia* var. *macrophyllum*'의 줄기껍질이며, 중국 광동성(廣東省), 윈난성(雲南省), 광시성(廣西省)에서 생산된다. 육계, 계지, 계엽은 향료 원료로도 널리 이용되고 있다. '*C. zeylanicum* (*C. verum*)'의 줄기껍질을 '실론계피'라고 하며, 유럽 및 미국에서 식품의 원료로 사용하는 Cinnamon bark의 대부분을 차지한다. 스리랑카(실론)가 원산지이지만 현재는 자바, 수마트라, 인도 등에서도 생산되고 맛과 향기가 가장 좋은 것으로 평가된다. '*C. obtussifolium*' 또는 'var. *lourieiri*'의 줄기껍질을 '베트남계피'라고 하며, '중국산 계피(*C. cassia*)' 다음으로 많이 거래되고 있다. '*C. burmanni*'의 줄기껍질을 '자바계피'라고도 하며, 자바 등지에서 생산되지만 향기와 맛이 다른 종에 비하여 떨어진다. '태국계피'는 '*C. iners*'의 줄기껍질이다. 대한민국약전외한약(생약)규격집(KHP)에 수재된 계심은 육계의 줄기껍질에서 주피와 겉껍질을 없앤 것, 계지는 육계의 어린 가지로 규정하고 있다.

❶ 계심(桂心, 국산)

❶ 계심(桂心, 베트남산)

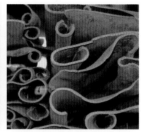
❶ 계심(桂心, 중국산)

❶ 계지(桂枝)

❶ 계지(桂枝, 절편)

❶ 계피(桂皮)

❶ 육계(肉桂, 베트남산)

❶ 육계(肉桂, 조말)

❶ 계피 성분이 함유된 시나몬 그린티

❶ 육계나무(열매와 잎)

❶ 계지(桂枝), 작약, 대추가 배합된 감기약

❶ 육계(肉桂)가 배합된 소화불량 치료제

❶ 육계(肉桂)가 함유된 소화제

❶ 육계(肉桂)가 함유된 혈액 순환 개선제

실론계피나무

 완복비만, 소화불량, 설사복통

● 학명 : *Cinnamomum zeylanicum* Bl. [*Laurus cinnamomum*]
● 한자명 : 錫蘭肉桂

1	2	3	4	5	6	7	8	9	10	11	12

❍ 실론계피나무(열매)

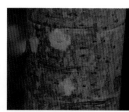
❍ 실론계피나무(줄기)

상록 교목. 높이 10m 정도. 줄기껍질은 흑갈색, 잎은 마주나고 타원형, 가죽질, 뒷면은 회녹색, 잎을 자르면 강한 향기가 난다. 꽃은 잎겨드랑이에 취산화서로 피고 황색, 열매는 달걀 모양, 흑색으로 익는다.
분포 · 생육지 스리랑카, 말레이시아, 중국. 산기슭 낮은 곳에서 자란다.
약용 부위 · 수치 줄기껍질을 봄부터 가을까지 채취하여 썰어서 말린다.

약물명 사리란가육계(斯里蘭卡肉桂)
약효 온중건위(溫中健胃), 지통의 효능이 있으므로 완복비만(脘腹痞滿), 소화불량, 설사복통을 치료한다.
성분 cinnzeylanine, cinnzeylanol, proanthocyanidin I~IV, arabinoxylan 등이 함유되어 있다.
사용법 사리란가육계 5g에 물 2컵(400mL)을 넣고 달여서 복용한다.

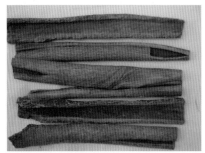
❍ 사리란가육계(斯里蘭卡肉桂)

❍ 향이 좋아 약용과 식용으로 많이 이용되는 사리란가육계(斯里蘭卡肉桂)

❍ 실론계피나무

월계수

 풍습비통   개선, 타박상
 이창   완창복통

● 학명 : *Laurus nobilis* L.   ● 영명 : Laurel   ● 한자명 : 月桂樹   ● 별명 : 월계수나무

1	2	3	4	5	6	7	8	9	10	11	12

상록 교목. 높이 10m 정도. 잎은 어긋나고, 꽃은 암수딴그루, 황색, 잎겨드랑이에 많이 피고, 꽃덮개는 4개로 깊게 갈라진다. 수꽃 꽃잎은 4개, 수술은 보통 12개, 암꽃 꽃잎은 4개, 암술은 1개이다. 열매는 달걀 모양, 흑자색으로 익는다.
분포 · 생육지 유럽 원산. 우리나라 경남 및 전남에서 재식한다.
약용 부위 · 수치 열매와 잎을 가을에 채취하여 말린다.
약물명 열매를 월계자(月桂子), 잎을 월계엽(月桂葉)이라 한다.
기미 · 귀경 월계자(月桂子): 온(溫), 신(辛). 월계엽(月桂葉): 미온(微溫), 신(辛)
약효 월계자(月桂子)는 거풍습(祛風濕), 해독, 살충의 효능이 있으므로 풍습비통(風濕痺痛), 하돈중독(河豚中毒), 개선(疥癬), 이창(耳瘡)을 치료한다. 월계엽(月桂葉)은 건위이기(健胃理氣)의 효능이 있으므로 완창복통(脘脹腹痛), 타박상, 개선(疥癬)을 치료한다.
성분 월계자(月桂子)는 linalool, wugenol,

geraniol, cineol, terpineol, methyleugenol, rutin, phellandrene, actinodaphnine, launobine, 잎에는 cineol, eugenol, geraniol, pinene, terpinene 등이 함유되어 있다.
약리 열매의 정유 성분은 항진균 작용이 있고, 중국에서는 '월계엑스'라는 상품으로 류머티즘, 피부병, 유산 촉진제로 사용하고 있다. 잎은 항병독(抗病毒) 작용이 있다.
사용법 월계자 또는 월계엽 10g에 물 3컵(600mL)을 넣고 달여서 복용하고, 외용에는 짓찧어 바른다.

❍ 월계엽(月桂葉)

❍ 월계수(꽃)

❍ 월계수

협엽산호초

풍한감모 　　두통
풍습비통

●학명 : *Lindera angustifolia* Cheng　　●한자명 : 狹葉山胡椒

| 1 | 2 | 3 | 4 | 5 | 6 | 7 | 8 | 9 | 10 | 11 | 12 |

낙엽 소교목. 높이 8m 정도. 잎은 어긋나고, 꽃은 황색, 3~4월에 산형화서로 달리고, 꽃덮개는 6개, 수술은 9개이며 안쪽 3개에 2개씩의 선체(腺體)가 있고, 1개의 암술이 있다. 장과는 둥글고 9월에 흑색으로 익는다.

분포 · 생육지 중국 허베이성(河北省), 장쑤성(江蘇省), 안후이성(安徽省). 산지에서 자란다.

약용 부위 · 수치 가지와 잎을 여름철에 채취하여 적당한 크기로 잘라서 말린다.

약물명 견풍소(見風消). 소계조(小鷄條)라고도 한다.

약효 거풍제습(祛風除濕), 행기산한(行氣散寒), 해독소종의 효능이 있으므로 풍한감모, 두통, 풍습비통을 치료한다.

사용법 견풍소 10g에 물 3컵(600mL)을 넣고 달여서 복용한다.

❖ 협엽산호초

비목나무

외상출혈, 개선습창, 타박상
위한토사, 복통복창　　수종각기

●학명 : *Lindera erythrocarpa* Makino [*L. umbellata*]
●한자명 : 白木　　●별명 : 보안목, 윤여리나무

| 1 | 2 | 3 | 4 | 5 | 6 | 7 | 8 | 9 | 10 | 11 | 12 |

낙엽 관목. 높이 10m 정도. 잎은 어긋나고, 꽃은 담황색, 4~5월에 산형화서로 달리고, 꽃덮개는 6개, 수술은 9개이며 안쪽 3개에 2개씩의 선체(腺體)가 있고, 1개의 암술이 있다. 장과는 둥글고 9월에 붉은색으로 익는다.

분포 · 생육지 우리나라 황해 및 강원 이남. 중국, 일본, 타이완. 산기슭 양지에서 자란다.

약용 부위 · 수치 가지와 잎은 여름철에, 뿌리껍질은 수시로 채취하여 적당한 크기로 잘라서 말린다.

약물명 가지와 잎을 조장지엽(釣樟枝葉), 뿌리껍질을 조장근피(釣樟根皮)라고 한다.

약효 조장지엽(釣樟枝葉)은 거풍살충(祛風殺蟲), 염창지혈(斂瘡止血)의 효능이 있으므로 외상출혈, 수족피열을 치료한다. 조장

근피(釣樟根皮)는 난위온중(暖胃溫中), 행기지통(行氣止痛), 거풍제습(祛風除濕)의 효능이 있으므로 위한토사(胃寒吐瀉), 복통복창(腹痛腹脹), 수종각기(水腫脚氣), 개선습창(疥癬濕瘡), 타박상을 치료한다.

성분 조장지엽(釣樟枝葉)은 linderone, lucidone, methyllinderone, methyllucidone, linderatone, pinostrobin, linderatin, 5,6-dehydrokawain, kanakugin, kanakugiol, dihydrokanakuginol, pashanone, dihydropashanone, methylcinnmate 등이 함유되어 있다. 조장근피(釣樟根皮)는 launobine, laurolitsine, boldine, laurotetanine, N-methyllaurotetanine, kanagkuginol, methyllinderone, 5,6-dehydrokawain 등이 함유되어 있다.

약리 methyllinderone은 쥐의 melanoma

암세포에 세포 독성이 있다.

사용법 조장지엽 또는 조장근피 10g에 물 3컵(600mL)을 넣고 달여서 복용한다.

❖ 조장지엽(釣樟枝葉)

✿ 조장근피(釣樟根皮)

✿ 비목나무(꽃)

✿ 비목나무(열매)

✿ 비목나무

[녹나무과]

감태나무

완복냉통　효천　풍습비통
창양종독, 타박상, 외상출혈, 피부소양

● 학명 : *Lindera glauca* (S. et Z.) Blume
● 한자명 : 石寒竹　● 별명 : 백동백나무, 간자목, 뇌성목

| 1 | 2 | 3 | 4 | 5 | 6 | 7 | 8 | 9 | 10 | 11 | 12 |

낙엽 관목. 높이 5m 정도. 꽃은 암수딴그루, 황색, 4~5월에 잎겨드랑이에 산형화서로 달린다. 꽃덮개는 6개, 수술은 9개, 안쪽 3개에 2개씩의 선체(腺體)가 있다. 장과는 둥글고 지름 8~9mm, 9월에 흑색으로 익는다.

분포·생육지 우리나라 황해 및 강원 이남. 중국, 일본, 타이완. 산기슭 양지에서 자란다.

약용 부위·수치 열매는 가을에, 잎은 여름에 채취하여 말리고, 뿌리는 사시사철 채취하여 물에 씻은 뒤 잘라서 말린다.

약물명 열매를 산호초(山胡椒), 잎을 산호초엽(山胡椒葉)이라고 한다.

기미·귀경 산호초(山胡椒): 온(溫), 신(辛)·폐(肺), 위(胃). 산호초엽(山胡椒葉): 미한(微寒), 고(苦), 신(辛)

약효 산호초(山胡椒)는 온중산한(溫中散寒), 행기지통(行氣止痛), 평천(平喘)의 효능이 있으므로 완복냉통(脘腹冷痛), 흉만비민(胸滿痞悶), 효천(哮喘)을 치료한다. 산호초엽(山胡椒葉)은 해독소창(解毒消瘡), 거풍지통(祛風止痛), 지양(止痒), 지혈의 효능이 있으므로 창양종독(瘡瘍腫毒), 풍습비통, 타박상, 외상출혈, 피부소양을 치료한다.

성분 산호초(山胡椒)는 ocimene, pinnene, camphene, borynyl acetate 등이 함유되어 있다. 산호초엽(山胡椒葉)은 정유가 0.2% 함유되어 있으며, 1,8−cineol 8.2%, caryophyllene 15.3%, bornylacetate 5.4%, camphene 0.9%, limonene 0.8%로 구성된다.

약리 정유 성분은 병원성 미생물에 항균 작용을 나타낸다.

사용법 산호초 또는 산호초엽 10g에 물 3컵(600mL)을 넣고 달여서 복용한다.

✿ 산호초(山胡椒)

◐ 감태나무

◐ 산호초엽(山胡椒葉)

◐ 감태나무(열매)

[녹나무과]

생강나무

심복동통 　　열감기, 해수
타박상, 창독, 어혈종통

● 학명 : *Lindera obtusiloba* Blume　● 영명 : Japanese spicebush
● 한자명 : 黃梅木　● 별명 : 아귀나무, 동백나무

| 1 | 2 | 3 | 4 | 5 | 6 | 7 | 8 | 9 | 10 | 11 | 12 |

낙엽 관목. 높이 5m 정도. 잎은 어긋나고, 꽃은 암수딴그루, 황색, 산형화서로 달린다. 꽃덮개는 6개, 수꽃은 9개의 수술이 있고, 암꽃은 1개의 암술과 거짓수술이 9개 있다. 열매는 둥글고 지름 7~8mm, 9월에 흑색으로 익는다.

분포 · 생육지 우리나라 전역. 중국, 일본. 숲속 그늘이나 산골짜기에서 자란다.

약용 부위 · 수치 줄기껍질과 가지를 봄, 여름에 채취하여 썰어서 말린다.

약물명 줄기껍질을 삼찬풍(三鑽風)이라고 하며, 삼찬칠(三鑽七)이라고도 한다. 가지를 황매목(黃梅木)이라고 하며, 황매목(黃梅木)은 대한민국약전외한약(생약)규격집(KHP)에 수재되어 있다.

성상 삼찬풍(三鑽風)은 줄기껍질로 두께

1.5~2mm로 얇고 관상으로 말리며 표면은 회갈색이고 울퉁불퉁하며, 안쪽 면은 적갈색이다. 냄새는 약간 있고 맛은 담담하며 약간 맵다. 황매목(黃梅木)은 가지로 원기둥 모양이며 표면은 회갈색이고 광택이 나고 갈색 반점이 있다. 횡단면을 보면 피층은 얇고 목부가 대부분이다. 냄새가 특이하고 맛은 쓰다.

기미 · 귀경 온(溫), 신(辛) · 위(胃), 간(肝)

약효 삼찬풍(三鑽風)은 온중행기(溫中行氣), 활혈산어(活血散瘀)의 효능이 있으므로 심복동통, 타박상, 어혈종통(瘀血腫痛), 창독을 치료한다. 황매목(黃梅木)은 해열, 진해의 효능이 있으므로 열감기, 해수를 치료한다.

성분 linderol, obtusilactone A, isoobtusilactone A, capric acid, lauric acid, myristic acid, linderic acid, oleic acid, linoleic acid 등이 함유되어 있다.

약리 잎의 70%에탄올추출물은 항산화 작용(DPPH 라디칼 소거 활성)과 tyrosinase의 활성을 억제하는 효능이 있다. 메탄올추출물은 동물 실험에서 진정 작용을 나타냈다.

사용법 삼찬풍 또는 황매목 10g에 물 3컵(600mL)을 넣고 달여서 복용하고, 외용에는 짓찧어 상처에 붙이거나 바른다.

◐ 삼찬풍(三鑽風)

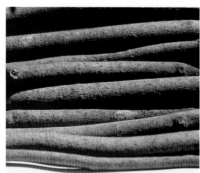
◐ 황매목(黃梅木)

○ 생강나무

○ 생강나무(꽃)

○ 생강나무(열매)

○ 황매목(黃梅木)이 함유된 피부미용제

[녹나무과]

오약나무

 완복창통　 빈뇨, 유뇨, 한산동통
 두통　 통경급산후복통

● 학명 : *Lindera strychnifolia* (S. et Z.) Villar [*L. aggregata* (Sims.) Koesterm.]
● 한자명 : 烏藥, 獨脚樟

| 1 | 2 | 3 | 4 | 5 | 6 | 7 | 8 | 9 | 10 | 11 | 12 |

상록 관목. 높이 4~5m. 잎은 어긋나고 가죽질이며 길이 4~7.5cm, 너비 1.5~4cm, 끝은 뾰족하거나 꼬리 같고 밑부분은 쐐기 모양이며 맥은 3개이다. 꽃은 3~4월에 피고 황록색, 꽃덮개는 6개, 수술은 9개, 열매는 흑자색이다.

분포 · 생육지 중국 저장성(浙江省), 안후이성(安徽省), 후난성(湖南省). 산지 숲속에서 자란다.

약용 부위 · 수치 봄에 뿌리를 캐서 작은 뿌리와 잡물을 제거하고 코르크층을 긁어낸 후 적당한 크기로 잘라서 말린다.

약물명 오약(烏藥), 방기(旁其)라고도 한다. 대한민국약전(KP)에 수재되어 있다.

본초서 「신농본초경(神農本草經)」의 중품에 수재되어 있으며 "이 식물의 열매가 까마귀처럼 검고 뿌리를 약으로 사용하므로 오약(烏藥)이라고 한다."고 하였다. 오약(烏藥)은 송대(宋代)의 「개보본초(開寶本草)」에는 "중악(中惡), 심복통(心腹痛), 음식의 소화 불량을 치료하는 약물이다."라고 기록되어 있다. 오약은 주로 천태(天台)에서 생산되므로 천태오약(天台烏藥)이라고 하기도 한다. 「동의보감(東醫寶鑑)」에는 "기를 다스려

복통, 설사, 부인병 등을 낫게 한다."고 하였다.

開寶本草: 主中惡心腹痛, 蠱毒, 疰忤, 鬼氣, 宿食不消, 天行疫瘴, 膀胱腎間冷氣攻冲背臂, 婦人血氣, 小兒腹中諸蟲.

日華子: 治一切氣, 除一切冷, 治霍亂及反胃吐食, 瀉痢, 癰疽疥癩, 兼解冷熱, 其功不可悉載, 猫犬百病併可摩服.

本草綱目: 治中氣, 脚氣, 疝氣, 氣厥頭痛, 腫脹喘急, 止小便頻數及白濁.

東醫寶鑑: 治一切氣 治一切冷 主中惡心腹痛 疰忤 治霍亂及反胃吐食瀉痢
癰癤 疥癬 止小便滑數 婦人血氣痛 小兒腹中諸蟲.

성상 양 끝이 약간 뾰족한 원기둥 모양이고 구부러졌으며 가운데가 오므라든 모양이기도 하며 길이 10~15cm, 지름 1~1.5cm이다. 표면은 황갈색이고 세로 주름과 뿌리 자국이 보이며, 질은 단단하고 쉽게 꺾이지 않는다. 횡단면은 황백색이나 중심부가 약간 진하고 수선(髓線)과 나이테가 분명하다. 냄새가 향기롭고 특이하며, 맛은 약간 쓰고 맵다.

기미 · 귀경 온(溫), 신(辛) · 비(脾), 위(胃),

간(肝), 신(腎), 방광(膀胱)

약효 행기지통(行氣止痛), 온신산한(溫腎散寒)의 효능이 있으므로 흉협만민(胸脅滿悶), 완복창통(脘腹脹痛), 두통, 한산동통(寒疝疼痛), 통경급산후복통(痛經及産後腹痛), 빈뇨, 유뇨(遺尿)를 치료한다.

성분 linderine, linderenine, linderane, linderene, isolinderalactone, inderenone, lindesterne, chamazulene, lindeazulene, isogermafurene, hydroxylindestenolide, strychinstenolide, strychnilactone, isolinderoxide, bilindestenolide, higenamine, magnoflorine 등이 함유되어 있다.

○ 오약(烏藥, 중국산 절편)

○ 오약(烏藥)

약리 열수추출물은 장관 평활근의 운동을 촉진한다. 오약과 목향이 주약인 배기탕(排氣湯)은 개의 위장관 평활근의 연동 운동을 촉진시킨다. linderene, isolinderalactone은 학습, 기억과 관련된 proline-containing neuropeptide의 분해에 관여하는 prolyl endopepeptidase의 활성을 억제한다. 오약 가루는 혈액 응고를 촉진하는 작용이 있다. 그 밖에 항히스타민 작용, 단순포진에 치료

효과가 있다.
사용법 오약 6g에 물 2컵(400mL)을 넣고 달여서 복용한다.
처방 오약순기산(烏藥順氣散): 마황(麻黃)·진피(陳皮)·오약(烏藥) 각 6g, 백지(白芷)·백강잠(白殭蠶)·지실(枳實)·길경(桔梗) 각 4g, 건강(乾薑) 2g, 감초(甘草) 1.2g, 생강(生薑) 3쪽, 대추(大棗) 2개 「동의보감(東醫寶鑑)」). 중풍으로 팔다리가 저리고 아

프며 잘 쓰지 못하는 증상에 사용한다.
• 축천환(縮泉丸): 오약(烏藥)·익지인(益智仁) 동량, 가루로 만들어 산약으로 쑨 죽을 가하여 0.3g의 환약을 만들어 1회 70알씩 복용 「동의보감(東醫寶鑑)」). 하초(下焦)가 허랭하여 오줌이 잦거나 어린아이의 야뇨증에 사용한다.

◐ 오약나무

◐ 오약나무(뿌리)

◐ 오약(烏藥)이 주약재로 처방된 중풍 치료제

[녹나무과]

산계초

완복냉통, 반위구토   효천

●학명: *Litsea cubeba* (Lour.) Pers.   ●한자명: 山鷄椒

| 1 | 2 | 3 | 4 | 5 | 6 | 7 | 8 | 9 | 10 | 11 | 12 |

낙엽 교목. 높이 10m 정도. 잎은 어긋나며, 꽃은 암수딴그루, 담황색, 2~4월에 잎겨드랑이에서 산형화서로 많이 달린다. 꽃덮개는 6개, 수술 9개, 암술은 1개이다. 열매는 장과, 둥글고 지름 4~6mm, 6~8월에 흑색으로 익는다.
분포·생육지 중국 푸젠성(福建省), 저장성(浙江省), 티베트, 타이완. 산골짜기에서 자란다.
약용 부위·수치 열매를 가을에 채취하여 말린다.
약물명 열매를 징가자(澄茄子)라고 하며, 필징가(蓽澄茄), 산계초(山鷄椒)라고도 한다. 잎을 산계초엽(山鷄椒葉)이라고 한다. 필징가(蓽澄茄)는 대한민국약전외한약(생약)규격집(KHP)에 수재되어 있다.
기미·귀경 온(溫), 신(辛), 고(苦)·비(脾), 신(腎)
약효 온중지통(溫中止痛), 행기활혈(行氣活血), 평천(平喘)의 효능이 있으므로 완복냉통(脘腹冷痛), 반위구토(反胃嘔吐), 효천(哮

喘)을 치료한다.
성분 정유가 1.6~3% 함유되어 있으며, 정유는 geranial과 citral의 혼합물이 62.5%, limonene이 11.6%이다.
약리 물을 넣고 달인 액은 혈소판 응집을 억제하며 기침을 둔화시킨다.
사용법 징가자 또는 산계초엽 10g에 물 3컵(600mL)을 넣고 달여서 복용한다.

◐ 징가자(澄茄子)

◐ 산계초

[녹나무과]

잔고수

 복사이질　　 당뇨병

● 학명 : *Litsea glutinosa* (Lour.) C. B. Rob.　● 한자명 : 潺槁樹

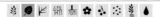

상록 교목. 높이 5~15m. 향기가 강하다. 잎은 어긋나며, 꽃은 암수딴그루, 담황색으로 5~6월에 잎겨드랑이에서 산형화서로 달린다. 꽃덮개는 6개로 때로는 불완전하며, 수술 9개, 암술 1개이다. 열매는 장과로 둥글고 지름 7mm 정도이다.

분포 · 생육지 중국 푸젠성(福建省), 저장성(浙江省), 방글라데시, 티베트, 타이완. 산골짜기에서 자란다.

약용 부위 · 수치 잎을 여름에 채취하여 잘 말린다.

약물명 향교목(香膠木)

약효 청습열(清濕熱), 발독소종(拔毒消腫), 거풍습(祛風濕)의 효능이 있으므로 복사이질(腹瀉痢疾), 당뇨병을 치료한다.

사용법 향교목 10g에 물 3컵(600mL)을 넣고 달여서 복용한다.

✿ 향교목(香膠木)

✿ 잔고수(열매)

✿ 잔고수

[녹나무과]

목강자

 위한복통, 소화불량　　 관절통

수종

● 학명 : *Litsea pungens* Hemsl.　● 한자명 : 木姜子

낙엽 교목. 높이 5~8m. 잎은 어긋나며, 꽃은 암수딴그루, 황색으로 3~5월에 잎겨드랑이에서 산형화서로 많이 달린다. 꽃덮개는 6개, 수술 9개, 암술 1개이다. 열매는 장과, 둥글고 지름 7~8mm, 6~8월에 흑남색으로 익는다.

분포 · 생육지 중국 푸젠성(福建省), 저장성(浙江省), 티베트, 타이완. 산골짜기에서 자란다.

약용 부위 · 수치 열매를 가을에 채취하여 말린다.

약물명 열매를 목강자(木姜子)라고 하며, 목향자(木香子)라고도 한다. 잎을 목강자엽(木姜子葉)이라 한다.

약효 목강자(木姜子)는 온중행기지통(溫中行氣止痛), 해독소종(解毒消腫)의 효능이 있으므로 위한복통(胃寒腹痛), 소화불량을 치료한다. 목강자엽(木姜子葉)은 거풍행기(祛風行氣), 건비이습(健脾利濕)의 효능이 있으므로 관절통, 수종을 치료한다.

성분 목강자(木姜子)는 정유가 2.5~3% 함유되어 있고, 정유는 geranial과 citral의 혼합물이 80.5%, limonene이 5.1%, citronellal이 3.9%이다.

사용법 목강자 또는 목강자엽 10g에 물 3컵(600mL)을 넣고 달여서 복용한다.

✿ 목강자

✿ 목강자(木姜子)

토후박나무

구토복사, 소아토유, 위매식소

타박상

전근, 족종

● 학명 : *Machilus thunbergii* S. et Z.
● 한자명 : 土厚朴 ● 별명 : 왕후박나무, 한후박나무

| 1 | 2 | 3 | 4 | 5 | 6 | 7 | 8 | 9 | 10 | 11 | 12 |

상록 교목. 높이 20m 정도. 잎은 어긋나고, 꽃은 황록색, 5~6월에 양성화가 많이 달리며, 꽃덮개 조각은 3개씩 2줄, 수술은 3개씩 4줄로 배열되며, 안쪽의 3개는 꽃밥이 없고 암술은 1개이다. 열매는 흑자색으로 익으며 지름 1.4cm 정도, 둥글고, 열매자루는 붉은색이다.

분포 · 생육지 우리나라 남부 해안 지방, 제주도, 울릉도, 남쪽 섬. 중국, 일본. 바닷가 산기슭에서 자란다.

약용 부위 · 수치 줄기껍질을 수시로 채취하여 적당한 크기로 잘라서 말린다.

약물명 홍남피(紅楠皮), 토후박(土厚朴), 한후박(韓厚朴)이라고도 한다.

성상 관상 또는 반관상의 피편(皮片)으로 두께 3~5mm이다. 표면은 암갈색, 불규칙한 세로 주름이 있고 타원형의 껍질눈이 산재하고, 안쪽 면은 갈색이다. 질은 단단하나 부러지기 쉽다. 냄새가 향기롭고 맛은 쓰다.

기미 · 귀경 온(溫), 신(辛), 고(苦) · 간(肝), 비(脾), 위(胃)

약효 온중순기(溫中順氣), 서경활락(舒經活絡), 소종지통(消腫止痛)의 효능이 있으므로 구토복사(嘔吐複寫), 소아토유(小兒吐乳), 위매식소(胃呆食少), 타박상, 전근(轉筋), 족종(足腫)을 치료한다.

성분 α-pinene, β-pinene, camphene, caryophyllene, machilin A, B, C, D, E, norarmepavine, reticulin, lignoceric acid, catechol, quercetin 등이 함유되어 있다.

약리 물로 달인 액은 쥐, 토끼 소장의 긴장을 저하시킨다.

사용법 근육통 치료에는 줄기껍질에 소금을 가하여 짓찧어 붙이고, 발이 부은 데는 줄기껍질을 물에 넣고 달인 액으로 훈증하고 씻으며, 구토와 설사에는 10g에 물 3컵(600mL)을 넣고 달여서 복용한다.

＊ 본 종에 비하여 잎이 좁고 길며 끝이 꼬리처럼 뾰족하고 엷은 가죽질인 '센달나무 *M. japonica*'도 약효가 같다.

◑ 홍남피(紅楠皮)

◑ 토후박나무(꽃)

◑ 토후박나무(열매)

◑ 토후박나무(줄기)

◑ 센달나무

◑ 토후박나무

[녹나무과]

장이

 구강염, 치주염, 충치염　관절염

● 학명 : *Persea americana* Mill.　● 한자명 : 樟梨, 油梨　● 별명 : 아보카도

| 1 | 2 | 3 | 4 | 5 | 6 | 7 | 8 | 9 | 10 | 11 | 12 |

❍ 장이(樟梨)

❍ 장이(樟梨)에서 추출한 정유

상록 교목. 높이 10m 정도. 잎은 어긋나고 도란형이다. 꽃은 황백색, 2~3월에 양성화가 많이 달리며, 꽃덮개 조각은 6개, 수술은 9개, 씨방은 달걀 모양으로 길이 1.5m, 털이 있다. 열매는 8~9월에 황록색으로 익으며 길이 10~18cm, 외과피가 두껍다.

분포 · 생육지 북아메리카 원산. 멕시코, 남아메리카, 중국 남부, 타이완.

약용 부위 · 수치 잎, 가지, 열매를 봄부터 가을에 채취하여 적당한 크기로 잘라서 말리거나 생으로 사용한다.

약물명 잎을 장이엽(樟梨葉)이라고 하며, 유이엽(油梨葉), 유유과엽(油油果葉)이라고도 한다. 열매를 장이(樟梨)라고 하며, 유이(油梨), 유유과(油油果)라고도 한다.

성분 잎에는 esteragol, eugenol 등, 열매에는 cycloartenol, methylcycloartenol, palmitic acid, linoleic acid 등이 함유되어 있다.

약리 유이엽(油梨葉) 에탄올추출물은 구강염, 치주염, 관절염에 효과가 나타나고, eugenol은 충치염, 치주염에 효과가 있다.

사용법 장이엽 또는 장이 10g을 뜨거운 물로 우려내어 복용한다.

❍ 장이

[미나리아재비과]

키다리바꽃

 안면신경마비　두통　류머티즘통증　피부가려움증

● 학명 : *Aconitum arcuatum* Maxim.

| 1 | 2 | 3 | 4 | 5 | 6 | 7 | 8 | 9 | 10 | 11 | 12 |

여러해살이풀. 높이 2m 정도. 뿌리줄기는 방추형, 흑갈색이다. 잎은 어긋나고, 잎자루는 길고 3~5갈래, 꽃은 자주색, 7~8월에 가지 끝에 겹총상화서로 엉성하게 달린다. 수술대 하부는 백색이며, 골돌은 3개이다.

분포 · 생육지 우리나라 평북, 함남, 함북, 백두산. 중국, 아무르. 산지에서 자란다.

약용 부위 · 수치 뿌리줄기를 가을에 채취하여 말린다.

약물명 초오(草烏). 대한민국약전외한약(생약)규격집(KHP)에 수재되어 있다.

※ 약효 및 사용법은 '투구꽃 *A. jaluense*'과 같다.

❍ 키다리바꽃(뿌리줄기)

❍ 키다리바꽃

바꽃

풍한습비, 관절동통, 지체마목, 반신불수
두풍두통 | 심복냉통 | 한산작통

●학명 : *Aconitum carmichaeli* Debx. ●영명 : Aconite ●한자명 : 烏頭 ●별명 : 오두

| 1 | 2 | 3 | 4 | 5 | 6 | 7 | 8 | 9 | 10 | 11 | 12 |

여러해살이풀. 높이 60~120cm. 뿌리줄기는 방추형, 흑갈색, 잎은 어긋난다. 꽃은 9~10월에 피고, ·꽃받침은 남자색, 5개, 위쪽의 것은 고깔 같으며 앞이마 쪽이 나와 있고, 옆의 것은 거의 둥글며 옆으로 서고, 밑부분 2개는 비스듬히 밑으로 퍼진다. 꽃잎은 2개, 긴 발톱을 구부린 것 같다. 골돌은 길이 1.5~1.8cm, 종자에는 막질의 날개가 있다.
분포·생육지 중국의 여러 산지에서 자라지만, 약용으로 사용하는 것은 주로 재배한 것이다.
약용 부위·수치 뿌리줄기를 가을에 채취하여 말린다. 아래와 같은 가공법이 있다.
• 오두(烏頭, 川烏): 뿌리줄기 가운데 모근(母根)을 물로 충분히 세척하고 나무통에 넣어서 7~8시간 찐 다음 말린다. 오두는 원뿔~네모꼴로 약간 굽고 길이 3~6cm, 지름 2~3cm, 표면은 회갈색 또는 흑갈색으로 쭈글쭈글하고 위쪽에는 줄기 자국과 자근(子根)과 뿌리가 떨어져 나간 흔적이 있다. 질은 매우 단단하여 부서지기 힘들다. 냄새가 없고 맛은 맵고 혀를 대면 아리다.
• 가공부자(加工附子): 정제부자(精製附子, Pulvis Aconiti Tuberis Purificatum)라고

도 한다. 말린 뿌리줄기를 냉수에 담그고 매일 2~3회씩 물을 갈아 준다. 이것을 소금물에 보름 정도 담갔다가 꺼내어 절단하고 다시 사흘 동안 물에 담근 뒤 세척한다. 물로 충분히 세척하고 절단된 부자를 나무통에 넣어서 7~8시간 찐다.
• 염부자(鹽附子): 비교적 큰 크기의 뿌리줄기를 골라 간수와 식염수의 혼합액에 담갔다가 매일 꺼내어 햇볕에 말린다. 점차 말리는 시간을 연장하여 표면에 소금 결정체가 나타나고 질이 딱딱하게 변할 때까지 한다. 원추형을 이루고 길이 4~7cm이며, 표면은 회흑색이고 염분의 결정으로 덮여 있다. 위쪽에는 싹이 있었던 흔적이 있고 주위에 혹 같은 모양과 작은 뿌리가 붙었던 자국이 있다.
• 담부편(淡附片): 염부자 10kg을 물에 담가서 소금기가 빠져나갈 수 있도록 매일 3~4회 물을 갈아 준다. 여기에 감초 0.5kg과 흑두 1kg을 넣고 물을 부어 끓인다. 일부를 잘라서 맛을 보아 혀가 아리지 않으면 이를 꺼내 얇게 썰어서 말린다.
• 흑순편(黑順片): 중간 크기의 뿌리줄기를 골라 간수에 며칠 동안 담가 두었다가 간수

❶ 가공부자(加工附子, 절편)

❶ 가공부자(加工附子)

❶ 담부편(淡附片)

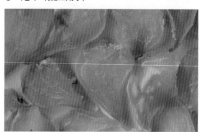
❶ 백부편(白附片)

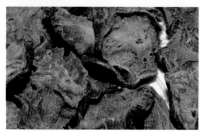
❶ 포부편(炮附片)

❶ 염부자(鹽附子)

와 함께 찐 후에 물에 헹구어 두껍게 세로로 쪼갠다. 다시 묽은 간수에 담그고 흑설탕과 채유(菜油)를 넣어 짙은 색으로 물들면 톡 쏘는 맛이 없어질 때까지 물에 헹구어 찌고 햇볕에 말린다.
• 백부편(白附片): 비교적 작은 크기의 뿌리줄기를 골라 간수에 며칠 담가 두었다가 찐 다음 바깥 부분을 제거하고 세로로 쪼개어 물에 헹군다. 톡 쏘는 맛이 없어질 때까지 다시 찐 다음 햇볕에 반쯤 말렸다가 유황에 훈증하여 다시 햇볕에 말린다. 황백색으로 반투명이고 두께는 약 3~5mm이다.
• 포부편(炮附片): 부편(附片)을 취하여 모래를 가한 후 약한 불로 약간 부풀어 오르고 색이 변하도록 볶는다.
약물명 측근(자근)을 부자(附子) 또는 측자(側子)라고 하며, 가장 큰 뿌리줄기를 오두(烏頭) 또는 천웅(天雄)이라고 한다. 가공부자(加工附子)는 대한민국약전(KP)에, 천오(川烏)는 대한민국약전외한약(생약)규격집(KHP)에 수재되어 있다.
본초서 「신농본초경(神農本草經)」의 하품에 부자(附子), 오두(烏頭), 천웅(天雄)이 따로따로 수재되어 있다. 양대(梁代)의 도홍경(陶弘景)은 "오두(烏頭)와 부자(附子)는 같은 뿌리이다. 봄에 싹이 나는 것을 오두(烏頭), 여름에 줄기를 빼어서 즙을 낸 것을 사망(射罔)이라고 한다. 사냥을 할 때 화살촉에 발라서 사용한다. 부자(附子)는 여름철에 팔각(八角) 모양인 뿌리를 채집하는 것이 좋다. 천웅(天雄)은 부자(附子)와 비슷하며 가늘고 길며 긴 것은 3~4촌의 것도 있다."고 하였다. 「명의별록(名醫別錄)」에는 측자(側子)가 수재되어 있으며, 도홍경은 "부자(附子)의 변각(邊角)이 큰 것이다."라고 하였다. 예로부터 모근(母根)을 오두(烏頭), 자근(子根)을 부자(附子)라고 하여 왔다. 천웅(天雄)에 대하여는 모근 또는 자근이라는 말이 없다. 「동의보감(東醫寶鑑)」에는 "오두(烏頭), 오훼(烏喙), 천웅(天雄), 부자(附子), 측자(側子)가 모두 한 식물에서 나온 것이다. 오두는 까마귀 머리처럼 생겼고, 오훼는 뿌리줄기가 두 갈래이며, 천웅은 가늘며 길이가 3~4치 되는 것, 부자는 뿌리줄기 옆에 토란 모양처럼 붙은 것, 측자는 곁에 연달아 난 것"이라고 기록되어 있다. "부자, 오두, 천웅은 약효에 약간 차이는 있지만 모두 차고 습한 기운을 몰아내고 근육을 풀어 준다."고 하였다.
神農本草經: 主風寒咳逆邪氣, 溫中, 金瘡, 破癥堅積聚, 血瘕, 寒濕踒躄, 拘攣膝痛, 不能行步.
名醫別錄: 脚疼冷弱, 腰脊風寒, 心腹冷痛, 癨亂轉筋, 下痢赤白, 堅肌骨, 強陰, 又墮胎, 爲百藥長.
本草拾遺: 醋浸削如小指, 內耳中祛聾, 去皮炮令拆, 以蜜涂上炙之, 令蜜入內, 含之勿咽其汁, 主喉痺.
東醫寶鑑: 附子-補三焦厥逆 六腑寒冷 寒濕痿躄 墮胎 爲百藥長.

烏頭-主風寒濕痺 消胸上冷痰 止心腹疝痛 破積聚 墮胎.

天雄-主風寒濕痺 歷節痛 强筋骨 輕身健行 諸骨間痛 破積聚 又墮胎.

기미·귀경 열(熱), 신(辛), 감(甘), 대독(大毒)·심(心), 신(腎), 비(脾)

약효 거풍제습(祛風除濕), 온경(溫經), 산한지통(散寒止痛)의 효능이 있으므로 풍한습비(風寒濕痺), 관절동통(關節疼痛), 지체마목(肢體麻木), 반신불수(半身不遂), 두풍두통(頭風頭痛), 심복냉통(心腹冷痛), 한산작통(寒疝作痛)을 치료한다.

성분 부자는 aconitine, hypaconitine, mesa-conitine, deoxyaconitine, beiwutine, tuguaconitine, higenamine, yokonoside 등의 알칼로이드가 함유되어 있다.

약리 aconitine은 소량으로 온열 중추를 진정시키고 심장 기능을 저하시켜 해열 및 정심 작용을 나타내며, 최토 작용, 진통 작용, 혈관 확장 작용 등이 있고, 진통 작용은 mesaconitine이 가장 강하고 다음 aconitine, hypaconitine 순이다. higenamine은 10억분의 1 농도에서 강심 작용을 나타낸다.

확인 시험 가루 2g에 에테르 15mL를 넣어 10분간 흔들어 섞은 다음 암모니아 시액 1mL를 가하여 30분간 흔들어 섞고 1시간 방치 후 에테르 층을 취하여 증발 건고시켜 에탄올에 녹여 검액으로 한다. 검액 및 표준 물질인 aconitine을 TLC용 실리카겔 박층판에 점적하고, hexane-EtOAc(1:1)을 전개 용매로 하여 약 10cm 전개 후 바람에 말린다. 여기에 Dragendorff 시액을 고르게 뿌릴 때 표준품과 같은 Rf값에 황적색 반점이 보여야 한다.

사용법 부자 또는 오두 3g에 물 2컵(400mL)을 넣고 달여서 복용하고, 가루는 1g을 복용한다.

처방 부자사심탕(附子瀉心湯): 대황(大黃)·황련(黃連)·황금(黃芩)·부자(附子) 각 4g(『동의보감(東醫寶鑑)』). 기(氣)가 치밀면서 마음이 불안하며 명치 밑이 그득하고 오한과 땀이 나는 증상에 사용한다.

• 계지부자탕(桂枝附子湯): 계지(桂枝)·부자(附子) 각 12g, 작약(芍藥) 8g, 감초(甘草) 4g, 생강(生薑) 5쪽, 대추(大棗) 2개(『동의보감(東醫寶鑑)』). 상한(傷寒)으로 오싹오싹 춥고 열이 나며 머리가 아프면서 땀이 많이 나며 바람을 싫어하고 팔다리가 당기면서 아픈 증상에 사용한다.

• 감초부자탕(甘草附子湯): 계지(桂枝) 16g, 감초(甘草)·부자(附子)·백출(白朮) 각 4g(『상한론(傷寒論)』). 풍습(風濕)으로 온 몸이 아프고 차고 붓는 증상, 오줌을 잘 누지 못하는 증상, 땀이 나고 숨결이 잦으며 바람을 싫어하는 증상에 사용한다.

• 계지작약지모탕(桂枝芍藥知母湯): 계지(桂枝)·작약(芍藥)·지모(知母)·방풍(防風)·백출(白朮) 각 12g, 가공부자(加工附子)·마황(麻黃)·자감초(炙甘草) 각 6g, 생강(生薑) 3쪽(『금궤요략(金匱要略)』). 관절이 붓고 심하게 아픈 증상에 사용한다.

• 사역탕(四逆湯): 자감초(炙甘草) 24g, 건강(乾薑) 20g, 가공부자(加工附子) 1개(『동의보감(東醫寶鑑)』). 양기가 부족하여 음한(陰寒)이 성하고 몸이 차며 손발이 싸늘한 증상에 사용한다.

• 진무탕(眞武湯): 계지(桂枝)·작약(芍藥)·지모(知母)·방풍(防風)·백출(白朮)

각 12g, 가공부자(加工附子)·마황(麻黃)·자감초(炙甘草) 각 6g, 생강(生薑) 3쪽(『동의보감(東醫寶鑑)』). 양기가 부족하여 온몸이 붓고 헛배가 부르며 아프고 손발이 차며 팔다리가 무겁고 오줌이 잘 나오지 않는 증상에 사용한다.

주의 음허(陰虛), 고열자(高熱者), 고혈압 환자, 임산부는 복용을 금한다. 유독한 약물이므로 약의 용량에 주의하여야 한다.

※ 우리나라에서도 본 종을 재배하고 있으나 주로 수입품에 의존하고 있다.

❍ 바꽃

❍ 바꽃(열매)

❍ 오두(烏頭)

❍ 오두(烏頭)

❍ 가공부자(加工附子) 제조(중국)

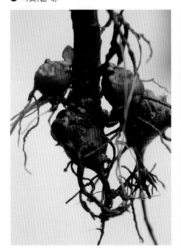

❍ 바꽃(뿌리줄기)

❍ 부자(附子)가 함유된 풍습성관절염 치료제

❍ 부자(附子)가 주약으로 처방된 감기몸살 치료제

❍ 바꽃 재배(중국 여강)

[미나리아재비과]

놋젓가락나물

안면신경마비　두통
류머티즘통증　피부가려움증

●학명 : *Aconitum ciliare* DC.　●별명 : 선덩굴바꽃

| 1 | 2 | 3 | 4 | 5 | 6 | 7 | 8 | 9 | 10 | 11 | 12 |

덩굴성 여러해살이풀. 길이 2m 정도. 뿌리줄기는 방추형, 흑갈색이다. 잎은 어긋나고 3~5갈래, 다시 갈라지며, 잎자루는 길다. 꽃은 담자색, 9월에 가지 끝에 겹총상화서로 엉성하게 달린다. 화서 줄기와 꽃자루에 잔털이 있으며, 골돌은 5개이다.

분포 · 생육지 우리나라 전역. 중국, 아무르. 산지에서 자란다.

약용 부위 · 수치 뿌리줄기를 가을에 채취하여 말린다.

약물명 초오(草烏). 대한민국약전외한약(생약)규격집(KHP)에 수재되어 있다.

＊약효 및 사용법은 '투구꽃 *A. jaluense*'과 같다.

◯ 초오(草烏)

◯ 초오(草烏, 절편)

◯ 놋젓가락나물(뿌리줄기)

◯ 놋젓가락나물

[미나리아재비과]

투구꽃

안면신경마비　두통
류머티즘통증　피부가려움증

●학명 : *Aconitum jaluense* Komar.
●별명 : 지이바꽃, 진돌쩌귀풀, 그늘돌쩌기, 세잎돌쩌기, 싹눈바꽃, 개싹눈바꽃

| 1 | 2 | 3 | 4 | 5 | 6 | 7 | 8 | 9 | 10 | 11 | 12 |

여러해살이풀. 높이 1m 정도. 잎은 어긋나고, 꽃은 9월에 피며 자주색, 총상화서로 달린다. 꽃받침잎은 꽃잎 같고 털이 있는데, 위쪽의 것은 고깔 같고 이마 쪽이 뾰족하게 나와 있으며, 중앙부의 것은 약간 둥글고 밑부분의 것은 긴 타원형이다. 꽃잎은 2개, 윗부분의 꽃받침잎 속에 들어 있으며, 수술은 많고 수술대는 밑부분이 날개처럼 넓어진다. 씨방은 3~5개로 털이 많다.

분포 · 생육지 우리나라 전역. 중국, 일본. 산속 숲에서 자란다.

약용 부위 · 수치 뿌리줄기를 가을에 채취하여 말린 것을 냉수에 담그고 매일 2~3회씩 물을 갈아 주며, 맛을 보아 아린 맛이 적어지면 건져서 초오(草烏) 50kg에 감초 3kg과 검은콩 5kg을 가하여 삶는다. 감초와 검은 콩을 제거하고 초오가 약간 건조되면 잘라서 햇볕에 말린다.

약물명 초오(草烏). 대한민국약전외한약(생약)규격집(KHP)에 수재되어 있다.

본초서 「동의보감(東醫寶鑑)」에는 "풍습에 의한 마비와 동통을 치료하며, 노랑돌쩌귀와 모양이 비슷한데 검다."고 하였다.
東醫寶鑑: 治風濕麻痹疼痛 發破傷風汗.

기미 · 귀경 열(熱), 신(辛), 감(甘), 대독(大毒) · 심(心), 신(腎), 비(脾)

약효 풍담(風痰)을 없애고 경련을 억제하는 효능이 있으므로 안면신경마비, 두통, 류머티즘에 의한 통증, 피부가려움증을 치료한다.

주의 음허(陰虛), 고열자(高熱者), 고혈압 환자, 임산부는 복용을 금한다.

약리 aconitine은 소량으로 온열 중추를 진정시키고 심장 기능을 저하시켜 해열 및 정심 작용을 나타내며, 최토 작용, 진통 작용, 혈관 확장 작용 등이 있고, 진통 작용은 mesaconitine이 가장 강하고 다음 aconitine, hypaconitine 순이다. higenamine은 10억분의 1 농도에서 강심 작용을 나타낸다.

사용법 초오 1~2g에 물 2컵(400mL)을 넣고 달여서 복용하고 가루 0.3g을 복용한다.
＊우리나라에서는 초오(草烏)의 기원 식물이 '투구꽃 *A. jaluense*'이나 '놋젓가락나물 *A. ciliare*'의 뿌리줄기로 알려져 왔으나 중국에서는 초오라는 이름 대신 초오두(草烏頭)라는 이름으로 '이삭바꽃 *A. kusnezofii*'을 기원으로 하고 있다.

◯ 투구꽃

◯ 초오(草烏)

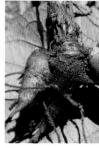
◯ 투구꽃(뿌리줄기)

[미나리아재비과]

노랑돌쩌귀

 안면신경마비　 두통
　류머티즘통증　　피부가려움증

● 학명 : *Aconitum koreanum* R. Raymond　● 영명 : White aconite
● 한자명 : 白附子, 黃花烏頭　● 별명 : 노랑바꽃, 노랑돌쩌귀풀

1	2	3	4	5	6	7	8	9	10	11	12

여러해살이풀. 높이 1m 정도. 줄기는 곧게 서며, 뿌리줄기는 2~3개가 달리고, 잎은 어긋난다. 꽃은 7~8월에 피고 담황색, 꽃받침은 5개, 꽃잎은 2개, 수술은 많고, 씨방은 3개이다. 골돌은 끝에 암술대가 달려 있어 뾰족하다.

분포 · 생육지 우리나라 충북 이북. 중국 둥베이(東北) 지방. 산골짜기나 산기슭의 숲에서 자란다.

약용 부위 · 수치 뿌리줄기를 여름과 가을에 캐서 말린 후 물에 몇 번 담갔다가 사용하거나 쪄서 독성을 약화시켜 사용한다.

약물명 백부자(白附子). 관백부(關白附)라고도 한다. 대한민국약전외한약(생약)규격집(KHP)에 수재되어 있다.

본초서 「동의보감(東醫寶鑑)」에 "중풍으로 말을 못하는 것을 낫게 하고, 찬 기운과 바람의 기운을 없애며, 심장의 통증을 멎게 한다. 음낭 밑이 축축한 것을 다스리고 얼굴에 난 모든 병을 낫게 하며 흉터를 없앤다."고 하였다.

東醫寶鑑: 主中風失音一切冷風氣 止心痛 除陰囊下濕 療面上百病 去瘢痕.

기미 · 귀경 열(熱), 신(辛), 감(甘), 대독(大毒) · 심(心), 신(腎), 비(脾)

약효 풍담(風痰)을 없애고, 경련을 억제하는 효능이 있으므로 안면신경마비, 두통, 류머티즘에 의한 마비동통, 피부가려움증을 치료한다.

성분 aconitine, hypaconitine 등의 알칼로이드가 함유되어 있다.

사용법 백부자 3g에 물 2컵(400mL)을 넣고 달여서 복용하고, 가루는 0.5g을 복용한다.

처방 견정산(牽正散): 백부자(白附子) · 백강잠(白殭蠶) · 전갈(全蝎) 각 동량, 1회 3~5g (「동의보감(東醫寶鑑)」). 중풍으로 입과 눈이 비뚤어지는 증상에 사용한다.

• 삼생환(三生丸): 백부자(白附子) · 천남성(天南星) · 반하(半夏) 각 동량, 1회 1.5~2g (「동의보감(東醫寶鑑)」). 담궐(痰厥)로 두통이 나고 어지러워서 눈을 뜨지 못하며 몸이 무겁고 게우는 증상에 사용한다.

• 옥진산(玉眞散): 백부자(白附子) · 천남성(天南星) · 방풍(防風) · 백지(白芷) · 천마(天麻) · 강활(羌活) 각 동량, 1회 8g (기타). 미친 개한테 물려 생긴 파상풍에 사용한다.

주의 음허(陰虛), 고열자(高熱者), 임산부는 복용을 금한다.

※ 최근에는 희귀하여 찾기가 쉽지 않다. 중국에서는 '독각련(獨角蓮) *Typhonium giganteum*'의 뿌리줄기를 백부자(白附子)로 사용하고 있다.

※ 중국에서는 '독각련(獨角蓮) *Typhonium giganteum*'의 뿌리줄기를 백부자(白附子)로 규정하고 있다.

○ 노랑돌쩌귀

○ 백부자(白附子)

○ 노랑돌쩌귀(뿌리줄기)

[미나리아재비과]

각시투구꽃

　안면신경마비　　두통
　류머티즘통증　　피부가려움증

● 학명 : *Aconitum monanthum* Nakai　● 별명 : 각씨투구꽃

1	2	3	4	5	6	7	8	9	10	11	12

여러해살이풀. 높이 20~25cm. 뿌리줄기는 방추형, 잎은 어긋나고 3~8개로 완전히 갈라진다. 꽃은 보라색, 9월에 원줄기 끝에 1~3개씩 달린다.

분포 · 생육지 우리나라 백두산. 중국 둥베이(東北) 지방. 산속에서 자란다.

약물명 초오(草烏). 대한민국약전외한약(생약)규격집(KHP)에 수재되어 있다.

※ 기타 사항은 '투구꽃'과 같다.

○ 각시투구꽃(열매)

○ 각시투구꽃(뿌리줄기)

○ 각시투구꽃

[미나리아재비과]

진교

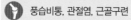
풍습비통, 관절염, 근골구련

● 학명 : *Aconitum loczyanum* (R. Raymond) Nakai [*A. pseudo-laeve*]
● 한자명 : 秦艽　● 별명 : 줄오독도기, 진범, 오독도기, 덩굴진범

| 1 | 2 | 3 | 4 | 5 | 6 | 7 | 8 | 9 | 10 | 11 | 12 |

여러해살이풀. 높이 50~80cm. 뿌리잎은 원심형이며 5~7개로 갈라진다. 꽃은 8월에 피며 연한 자주색, 5개의 꽃받침 가운데 뒤쪽의 것은 투구 같으며 양쪽 2개는 타원형, 밑부분에 달려 있는 2개는 긴 타원형이며, 2개의 꽃잎은 길어서 끝부분이 꿀샘처럼 되고 뒤쪽의 원통형 꽃받침 속에 들어 있다. 골돌은 3개로 끝에 뒤로 젖혀진 암술대가 남아 있다.

분포 · 생육지 우리나라 평안도 이남. 일본. 산골짜기에서 자란다.

약용 부위 · 수치 뿌리줄기를 여름과 가을에 채취하여 물에 씻은 후 말린다. 사용할 때는 삶거나 물에 담갔다가 여러 번 물을 갈아 주어 독성을 제거한다.

약물명 한진교(韓秦艽). 진교(秦艽)는 진(秦)나라에서 생산되는 오독도기(艽)라는 뜻이며, 우리나라에서만 사용되므로 한진교(韓秦艽)라고 한다.

약효 거풍습, 진통, 서근(舒筋), 이수의 효능이 있어 풍습비통, 관절염, 근골구련을 치료한다.

성분 뿌리에는 lycoctonine, avadharidine, septentriodine 등의 알칼로이드와 methyl−*N*−(3−carbamoylpropionyl) anthranilate, methyl−*N*−(2−acetamino−benzoyl) anthranilate가 함유되어 있다.

약리 알칼로이드 분획물은 소량에서 온열 중추를 진정시키고 심장 기능을 저하시킴으로써 해열 및 정심 작용을 나타내며, 최토 작용, 진통 작용, 혈관 확장 작용 등이 있다.

사용법 한진교 3g에 물 2컵(400mL)을 넣고 달여서 복용하고, 가루는 1g을 복용한다.

주의 음허(陰虛), 고열자(高熱者), 임산부는 복용을 금한다.

처방 진교강활탕(秦艽羌活湯): 진교(秦艽) · 강활(羌活) · 황기(黃耆) 각 6g, 방풍(防風) 2.8g, 승마(升麻) · 마황(麻黃) · 시호(柴胡) · 감초(甘草) 각 2g, 고본(藁本) 1.2g, 세신(細辛) · 홍화(紅花) 각 0.8g (『동의보감(東醫寶鑑)』). 치루로 멍울이 생겨 처지고 몹시 가려운 증상에 사용한다.
• 진교당귀탕(秦艽當歸湯): 대황(大黃) 16g, 진교(秦艽) · 지실(枳實) 각 4g, 택사(澤瀉) · 당귀(當歸) · 조각자(皂角子) · 백출(白朮) 각 2g, 홍화(紅花) 0.8g, 도인(桃仁) 20알 (『동의보감(東醫寶鑑)』). 치질이나 치루로 대변에 피곱이 섞이면서 뒤가 몹시 굳고 아픈 증상에 사용한다.
• 진교백출환(秦艽白朮丸): 진교(秦艽) ·

도인(桃仁) · 조각자(皂角子) 각 40g, 택사(澤瀉) · 당귀(當歸) · 지실(枳實) · 백출(白朮) 각 20g, 지유(地楡) 12g (『동의보감(東醫寶鑑)』). 치질이나 치루로 대변에 피곱이 섞이면서 몹시 아픈 증상에 사용한다.

＊ 산지에서 자라며, 높이 1m 정도 되고, 비스듬히 자라거나 덩굴로 되는 '흰진교 *A. longecassidatum*'도 약효가 같다.

＊ 중국에서는 '큰잎용담 *Gentiana trifoliata*'의 뿌리를 진교(秦艽)로 사용하고 있다.

● 한진교(韓秦艽)

● 진교

● 진교(뿌리줄기)

● 흰진교(뿌리줄기)

● 흰진교

[미나리아재비과]

이삭바꽃

 풍한습비, 관절동통, 중풍불수   두풍두통

어혈종통, 타박상   심복냉통

● 학명 : *Aconitum kusnezoffii* Reichb.

| 1 | 2 | 3 | 4 | 5 | 6 | 7 | 8 | 9 | 10 | 11 | 12 |

여러해살이풀. 암수딴그루, 높이 1m 정도.
잎은 어긋나고 3개로 완전히 갈라지고, 갈라
진 잎 조각은 다시 깃 모양으로 깊이 갈라진
다. 꽃은 청색, 8월에 줄기 끝과 위쪽 잎겨드
랑이에 총상화서로 달리고 작은 꽃자루에 잔
털이 있다. 골돌은 타원상 구형이고 끝에 암
술대가 남아 있어 밖으로 처진다.

분포 · 생육지 우리나라 함북(백두산 주변).
중국 둥베이(東北) 지방, 아무르, 우수리,
시베리아. 산지의 숲속에서 자란다.

약용 부위 · 수치 뿌리줄기를 여름과 가을에
캐서 말린 후 물에 몇 번 담갔다가 사용하
거나 쪄서 독성을 약화시켜 사용한다.

약물명 초오두(草烏頭). 근(菫), 급(芨), 계
독(鷄毒), 북오두(北烏頭)라고도 한다.

본초서 초오두는 「신농본초경(神農本草經)」
에 "중풍에 걸려 오한이 나며 온몸이 아픈
증상을 치료한다."고 하였다. 「동의보감(東
醫寶鑑)」에는 초오라는 이름으로 "풍습에
의한 마비와 동통을 치료하며, '노랑돌쩌귀'
와 모양이 비슷한데 검다."고 하였다.

神農本草經 : 主中風 惡風洗洗出汗 除寒濕
痺 咳逆上氣 破積聚寒熱.

東醫寶鑑 : 治風濕麻痺疼痛 發破傷風汗.

성상 덩이뿌리로 원뿔 모양이고 길이 4~
7cm, 지름 1~2cm이다. 위쪽에는 줄기의
흔적이 있거나 약간 남아 있다. 표면은 흑
갈색으로 쭈그러진 세로 주름이 있다. 횡단
면은 황갈색으로 고리 무늬가 층을 이루고
질은 단단하다. 냄새는 없고 맛을 보면 혀
가 아리다.

기미 · 귀경 열(熱), 신(辛), 감(甘), 대독(大
毒) · 심(心), 신(腎), 비(脾)

약효 거풍제습(祛風除濕), 온경산한(溫經散
寒), 소종지통(消腫止痛)의 효능이 있으므
로 풍한습비(風寒濕痺), 관절동통(關節疼
痛), 두풍두통(頭風頭痛), 중풍불수(中風不
遂), 심복냉통(心腹冷痛), 한산작통(寒疝作
痛), 타박상, 어혈종통(瘀血腫痛), 음용종독
(陰癰腫毒)을 치료한다.

성분 aconitine, hypaconitine, mesaconi-
tine, deoxyaconitine, beiwutine, tuguaco-
nitine, higenamine, yokonoside 등의 알
칼로이드가 함유되어 있다.

약리 aconitine은 소량에서 온열 중추를 진
정시키고 심장 기능을 저하시킴으로써 해
열 및 정심 작용을 나타내며, 최토 작용, 진
통 작용, 혈관 확장 작용 등이 있고, 진통
작용은 mesaconitine이 가장 강하고 다음
aconitine, hypaconitine 순이다. higenam-
ine은 10억분의 1 농도에서 강심 작용을 나
타낸다.

사용법 초오두 3g에 물 2컵(400mL)을 넣고
달여서 복용하고, 가루는 0.5g을 복용한다.

주의 음허(陰虛), 고열자(高熱者), 임산부는
복용을 금한다.

❍ 이삭바꽃

❍ 초오두(草烏頭)

❍ 이삭바꽃(뿌리줄기)

[미나리아재비과]

한라바꽃

 류머티즘, 신경통

● 학명 : *Aconitum napiforme* Lév. et Van.   ● 별명 : 섬초오, 섬투구꽃, 섬바꽃, 한라돌쩌귀

| 1 | 2 | 3 | 4 | 5 | 6 | 7 | 8 | 9 | 10 | 11 | 12 |

여러해살이풀. 높이 1m 정도. 잎은 어긋나
고 3개로 약간 갈라지고, 갈라진 잎 조각은
다시 갈라진다. 꽃은 적자색으로 7~8월에
줄기 끝과 위쪽 잎겨드랑이에 총상화서로
달리고, 꽃자루에는 털이 있으나 씨방에 털
이 없다. 골돌은 타원상 구형이며 끝이 뾰
족하다.

분포 · 생육지 우리나라 제주도, 지리산. 중
국, 일본. 산지의 숲속에서 자란다.

약용 부위 · 수치 뿌리줄기를 여름과 가을에
캐서 말린 후 물에 여러 번 담갔다가 사용
하거나 쪄서 독성을 약화시켜 사용한다.

약효 소염 진통의 효능이 있으므로 류머티
즘, 신경통을 치료한다.

사용법 뿌리줄기 3g에 물 2컵(400mL)을
넣고 달여서 복용하고, 가루는 0.5g을 복용
한다.

주의 독성이 강하므로 사용량에 주의하여
야 한다.

❍ 한라바꽃

서양바꽃

 류머티즘, 신경통

●학명 : *Aconitum napellus* L.　●영명 : Monks hood　●별명 : 진범바꽃

1	2	3	4	5	6	7	8	9	10	11	12

여러해살이풀. 높이 1m 정도. 잎은 어긋나고 3개로 완전히 갈라지며, 갈라진 잎 조각은 다시 깃 모양으로 갈라진다. 꽃은 청색, 7~8월에 줄기 끝과 위쪽 잎겨드랑이에 총상화서로 달리고 작은 꽃자루에 잔털이 있다. 골돌은 타원상 구형이며 끝이 뾰족하다.

분포 · 생육지 서유럽과 중앙 유럽. 산지의 숲속에서 자란다.

약용 부위 · 수치 뿌리줄기를 여름과 가을에 캐서 말린 후 물에 여러 번 담갔다가 사용하거나 쪄서 독성을 약화시켜 사용한다.

약물명 서양부자(西洋附子). 일반적으로는 aconite, monkshood, wolfsbane이라 한다.

기미 · 귀경 열(熱), 신(辛), 감(甘), 대독(大毒) · 심(心), 신(腎), 비(脾)

약효 소염 진통의 효능이 있으므로 류머티즘, 신경통을 치료한다.

성분 aconitine, hypaconitine, mesaconitine, deoxyaconitine, beiwutine, tuguaconitine, higenamine, yokonoside 등의 알칼로이드가 함유되어 있다.

약리 aconitine은 소량으로 온열 중추를 진정시키고 심장 기능을 저하시켜 해열 및 정심 작용을 나타내며, 최토 작용, 진통 작용, 혈관 확장 작용 등이 있다. 진통 작용은 mesaconitine이 가장 강하고 그 다음 aconitine, hypaconitine 순이다. higenamine은 10억분의 1 농도에서 강심 작용을 나타낸다.

사용법 서양부자 3g에 물 2컵(400mL)을 넣고 달여서 복용하고, 가루는 0.5g을 복용한다. 서양에서는 Aconite Tincture로 만들어 류머티즘 및 신경통 치료에는 저농도로, 통증 부위에는 고농도로 바른다.

❶ 서양바꽃(열매)

❶ 서양바꽃(뿌리줄기)

❶ 서양바꽃

철봉추

📋 타박상, 종독, 사교상　🧍 풍습요통

●학명 : *Aconitum pendulum* Busch.

1	2	3	4	5	6	7	8	9	10	11	12

여러해살이풀. 높이 0.5~1m. 뿌리줄기는 원추형 또는 원주형으로 갈색이며, 줄기는 바로 서고 간혹 분지한다. 잎은 어긋나고 가늘게 쪼개진다. 꽃은 황남색, 8~9월에 줄기 끝과 위쪽 잎겨드랑이에 총상화서로 달린다.

분포 · 생육지 중국 산시성(陝西省), 간쑤성(甘肅省), 칭하이성(靑海省), 쓰촨성(四川省), 티베트. 해발 3,000~4,500m의 숲속이나 풀밭에서 자란다.

약용 부위 · 수치 뿌리줄기를 여름과 가을에 캐서 말리거나 물에 씻어 짓찧어 사용한다.

약물명 철봉추(鐵棒錘). 철우칠(鐵牛七), 설상일지호(雪上一枝蒿)라고도 한다.

약효 활혈거어(活血祛瘀), 거풍제습(祛風除濕), 소종지통(消腫止痛)의 효능이 있으므로 타박상, 풍습요통, 종독, 사교상(蛇咬傷)을 치료한다.

성분 penduline, aconitine, hypaconitine, 3-acetylaconitine 등이 함유되어 있다.

사용법 철봉추 적당량을 가루로 만들거나 즙을 내어 환부에 바르고 붕대로 싸맨다.

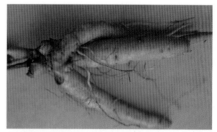

❶ 철봉추(鐵棒錘)

❶ 철봉추(꽃)

❶ 철봉추(꽃이 피기 전)

개싹눈바꽃

안면신경마비 두통
류머티즘통증 피부가려움증

● 학명 : *Aconitum psudo-proliferum* Nakai

| 1 | 2 | 3 | 4 | 5 | 6 | 7 | 8 | 9 | 10 | 11 | 12 |

○ 개싹눈바꽃

덩굴성 여러해살이풀. 길이 2m 정도. 뿌리줄기는 방추형, 줄기는 가늘고 구부러지며 땅에 닿으면 뿌리를 내린다. 잎은 어긋나고 3~5개로 갈라진다. 꽃은 담청자색, 9~10월에 잎겨드랑이에 2~4개씩 달린다.

분포 · 생육지 우리나라 중부 · 북부 지방. 중국 둥베이(東北) 지방, 일본. 산속 숲에서 자란다.

약물명 초오(草烏). 대한민국약전외한약(생약)규격집(KHP)에 수재되어 있다.

＊ 기타 사항은 '투구꽃'과 같다.

○ 개싹눈바꽃(줄기)

주의 독성이 강하므로 사용량에 주의하여야 한다.

＊ 잎의 열편이 1회로 갈라지는 '선투구꽃 *A. umbrosum*'도 약효가 같다.

○ 노랑투구꽃

노랑투구꽃

풍한습비, 지체동통, 신경통

타박상 심복내통

● 학명 : *Aconitum sibiricum* Poiret [*Lycoctonum sibiricum*]
● 별명 : 오돌또기

| 1 | 2 | 3 | 4 | 5 | 6 | 7 | 8 | 9 | 10 | 11 | 12 |

여러해살이풀. 높이 1m 정도. 뿌리줄기는 굵고 털이 많다. 잎은 3개로 갈라지고 갈래는 다시 갈라지며 잎자루는 길다. 꽃은 9월에 피고 황색, 작은 꽃대는 꽃받침과 더불어 털이 많다. 꽃받침 조각은 5개로 꽃잎 같고 위쪽 것은 원통 모양이며 꽃잎은 2개, 암술대는 뒤로 젖혀진다. 열매는 골돌로 3개이고 달걀 모양, 털이 없다.

분포 · 생육지 우리나라 백두산, 평남북, 함남북 및 강원도. 중국, 일본, 아무르. 산골짜기에서 자란다.

약용 부위 · 수치 뿌리를 여름과 가을에 채취하여 흙과 먼지를 털어 말린다. 사용할 때

는 삶거나 물에 담가 여러 번 물을 갈아 주어 독성을 제거한 뒤에 사용한다.

약물명 흑대교(黑大艽)

약효 거풍산한(祛風散寒), 제습지통(除濕腫止痛)의 효능이 있으므로 풍한습비(風寒濕痺), 지체동통(肢體疼痛), 수족구련(手足拘攣), 신경통, 대골절병(大骨節病), 타박상, 심복냉통(心腹冷痛)을 치료한다.

성분 lycaconitine, anthranoyllcoctonine, ajacine, umbrosine, tuguaconitine 등이 함유되어 있다.

사용법 흑대교 3g에 물 2컵(400mL)을 넣고 달여서 복용하고, 가루는 1g을 복용한다.

○ 흑대교(黑大艽)

○ 노랑투구꽃(뿌리)

[미나리아재비과]

세잎돌쩌귀

 안면신경마비　　두통
류머티즘통증　　피부가려움증

● 학명 : *Aconitum triphyllum* Nakai

| 1 | 2 | 3 | 4 | 5 | 6 | 7 | 8 | 9 | 10 | 11 | 12 |

여러해살이풀. 높이 1.2m 정도. 뿌리는 방추형. 잎은 어긋나며 3개로 갈라지고 갈래는 다시 2개로 갈라지며 가장자리에 톱니가 있고 잎자루는 길다. 꽃은 8~9월에 피고 보라색, 꽃자루에 황색 털이 많다. 꽃받침잎은 5개로 꽃잎 같고 백색의 긴 털이 있다.

분포 · 생육지 우리나라 중부 이남. 중국, 일본. 산속에서 자란다.

약물명 초오(草烏). 대한민국약전외한약(생약)규격집(KHP)에 수재되어 있다.

주의 독성이 강하므로 사용량에 주의하여야 한다.

＊ 기타 사항은 '투구꽃'과 같다.

❶ 세잎돌쩌귀(전체 형태)

❶ 세잎돌쩌귀

[미나리아재비과]

가는돌쩌귀

안면신경마비　　두통
류머티즘통증　　피부가려움증

● 학명 : *Aconitum villosum* Reichenbach

| 1 | 2 | 3 | 4 | 5 | 6 | 7 | 8 | 9 | 10 | 11 | 12 |

여러해살이풀. 높이 1m 정도. 뿌리는 방추형. 잎은 어긋나고 3개로 완전히 갈라지고 갈래는 다시 2개로 갈라지며, 잎자루는 길다. 꽃은 8~9월에 피고 청자색, 꽃자루에 황색 털이 많다. 꽃받침잎은 5개로 꽃잎 같고 긴 털이 있다.

분포 · 생육지 우리나라 강원도 이북. 중국, 몽골, 시베리아. 산속에서 자란다.

약물명 초오(草烏). 대한민국약전외한약(생약)규격집(KHP)에 수재되어 있다.

주의 독성이 강하므로 사용량에 주의하여야 한다.

＊ 기타 사항은 '투구꽃'과 같다.

❶ 가는돌쩌귀

❶ 가는돌쩌귀(꽃)

[미나리아재비과]

가는줄돌쩌귀

풍한습비, 관절동통, 중풍불수
심복내통
타박상, 창양종독

● 학명 : Aconitum volubile Pall. ex Koellae ● 한자명 : 蔓烏頭

| 1 | 2 | 3 | 4 | 5 | 6 | 7 | 8 | 9 | 10 | 11 | 12 |

❶ 가는줄돌쩌귀

덩굴성 여러해살이풀. 높이 1m 정도. 뿌리는 옆으로 벋고, 잎은 어긋나며 3개로 완전히 갈라지고 갈래는 다시 갈라진다. 꽃은 8~9월에 피고 청자색, 작은 꽃자루에 털이 많다. 꽃받침잎은 5개, 꽃잎 같고 위쪽의 것은 고깔 같으며 긴 털이 많다. 꽃잎은 2개, 수술은 많다. 열매는 골돌, 5개, 털이 없고, 암술대는 뒤로 젖혀진다.

분포 · 생육지 우리나라 경북에서 태백산맥을 따라 강원도, 백두산, 평남북, 함남북. 중국 둥베이(東北) 지방. 산 속에서 자란다.

약용 부위 · 수치 뿌리줄기를 여름과 가을에 채취하여 흙과 먼지를 털어 말린다. 사용할 때는 삶거나 물에 담갔다가 여러 번 물을 갈아 주어 독성을 제거한 뒤에 사용한다.

약물명 만오두(蔓烏頭)

약효 거풍(祛風), 산한(散寒), 진통(鎭痛), 지경(止痙)의 효능이 있으므로 풍한습비(風寒濕痺), 관절동통, 사지구련(四肢拘攣), 중풍불수, 심복냉통(心腹冷痛), 한산작통(寒疝作痛), 타박상, 반신불수, 창양종독(瘡瘍腫毒)을 치료한다.

사용법 만오두 0.5g에 물 2컵(400mL)을 넣고 달여서 복용하고, 가루는 0.2g을 복용한다.

주의 독성이 강하므로 사용량에 주의하여야 한다.

[미나리아재비과]

노루삼

풍열두통
인후종통
풍습동통
독충교상

● 학명 : Actaea asiatica Hara ● 영명 : Baneberry ● 별명 : 녹두승마

| 1 | 2 | 3 | 4 | 5 | 6 | 7 | 8 | 9 | 10 | 11 | 12 |

여러해살이풀. 높이 40~70cm. 뿌리줄기는 짧으며 굵고 수염뿌리가 많다. 줄기의 밑부분에 비늘조각 같은 잎이 있다. 줄기잎은 2~3개, 잎자루가 길고 2~4회 3출겹잎이다. 꽃은 6월에 피고 백색, 꽃받침은 4개, 꽃잎은 납작한 달걀형, 길이 2~2.5mm이다. 열매는 장과, 둥글고 지름 6mm 정도, 흑색으로 익으며 수평으로 달린다.

분포 · 생육지 제주도를 제외한 우리나라 전역. 중국, 일본, 우수리, 아무르. 산의 숲속에서 자란다.

약용 부위 · 수치 뿌리 및 뿌리줄기를 봄과 가을에 채취하여 흙과 먼지를 털고 씻어서 말린다.

약물명 녹두승마(綠豆升麻)

본초서 녹두승마(綠豆升麻)는 「본초도경(本草圖經)」에 처음 수재되어 "봄에 싹이 나오고 높이가 삼척(三尺)이며 잎이 마엽(麻葉)처럼 생겼고, 호북(湖北) 지방에서는 승마(升麻) 대용으로 사용한다."고 기록되어 있다.

기미 · 귀경 평(平), 신(辛), 미고(微苦) · 폐(肺)

약효 산풍열(散風熱), 거풍습(祛風濕), 투진(透疹), 해독의 효능이 있으므로 풍열두통, 인후종통, 풍습동통, 풍진괴(風疹塊), 독충교상을 치료한다.

약리 물을 넣고 달인 액 또는 생것을 실험 동물에게 투여하면 최토(催吐) 및 설사 작용이 있다.

사용법 녹두승마 7g에 물 3컵(600mL)을 넣고 달여서 복용한다.

* 우리나라 백두산에서 자라며 열매가 붉게 익는 '붉은노루삼 A. erythrocarpa', 북아메리카, 유럽, 남아메리카 등에 분포하는 'A. pachypoda, A. spicata'도 약효가 같다.

❶ 노루삼

❶ 녹두승마(綠豆升麻, 절편)

❶ 노루삼(지하부)

❶ 노루삼(열매)

[미나리아재비과]

복수초

급성·만성심부전, 심장성수종

- 학명 : *Adonis amurensis* Regel et Radde ● 영명 : Amur adonis
- 한자명 : 福壽草 ● 별명 : 복풀, 가지복수초, 눈색이꽃

| 1 | 2 | 3 | 4 | 5 | 6 | 7 | 8 | 9 | 10 | 11 | 12 |

● 복수초(福壽草)

● 복수초(열매)

여러해살이풀. 높이 25cm 정도. 윗부분에서 가지가 갈라지고, 뿌리줄기는 짧고 굵으며 흑갈색의 잔뿌리가 많이 달린다. 잎은 어긋나고, 꽃은 황색, 4월 초순에 원줄기 끝에 1개씩 달린다. 열매는 길이 1cm 정도의 꽃받침에 모여 달려서 전체가 둥글다.

분포·생육지 우리나라 전역. 중국, 일본, 시베리아. 산골짜기나 숲속에서 자란다.

약용 부위·수치 전초를 4월에 꽃이 필 때 뿌리째 뽑아서 흙과 먼지를 털고 물에 씻어서 말린다.

약물명 복수초(福壽草). 빙량화(冰凉花), 빙료화(冰蔘花), 빙릉화(冰凌花)라고도 한다.

기미·귀경 평(平), 고(苦), 대독(大毒)·심(心)

약효 강심(強心), 이뇨(利尿), 진정(鎭靜)의 효능이 있으므로 급성·만성심부전(急性慢性心不全), 심장성수종(心臟性水腫)을 치료한다.

성분 복수초는 강심 배당체인 cymarin, cymarol, corchoroside A, convallatoxin, somalin, adonitoxin 등, coumarin인 umbelliferone, scopoletin 등이 함유되어 있다.

약리 전초를 물로 달인 액은 토끼의 심장 수축을 정지시키고, 배당체는 쥐의 자발 운동을 억제하고, 투여량을 증가시키면 최면 현상이 나타나고, 대량으로 투여하면 카페인의 흥분 작용에 길항하고 이뇨 작용 및 항염증 작용이 있다. adonitoxin은 치료량에서는 혈압에 영향을 주지 않으나 중독량에서는 혈관 수축과 혈압 상승을 일으킨다.

사용법 복수초 2g에 물 2컵(400mL)을 넣고 달여서 복용하거나 가루 내어 0.2g씩 술이나 물에 타서 복용한다.

제제 빙량화(冰凉花) 에탄올추출물 주사액, 복수초편(福壽草片) 등의 제품이 중국에서 시판되고 있다.

주의 유독하므로 약의 용량에 주의하여야 한다.

● 복수초

[미나리아재비과]

미국복수초

급성·만성심부전, 심장성수종

- 학명 : *Adonis vernalis* L. ● 영명 : Spring adonis

| 1 | 2 | 3 | 4 | 5 | 6 | 7 | 8 | 9 | 10 | 11 | 12 |

● 복수초(福壽草)

여러해살이풀. 높이 30cm 정도. 윗부분에서 가지가 갈라지고, 뿌리줄기는 짧고 굵으며 흑갈색의 잔뿌리가 많이 달린다. 잎은 어긋나고 3~4회 깃 모양으로 가늘게 갈라진다.

분포·생육지 북아메리카와 남아메리카. 산골짜기나 숲속에서 자란다.

약용 부위·수치 전초를 4월에 꽃이 필 때 뿌리째 뽑아서 흙과 먼지를 털고 물에 씻어서 말린다.

약물명 복수초(福壽草). 빙량화(冰凉花), 빙료화(冰蔘花), 빙릉화(冰凌花)라고도 한다.

기미·귀경 평(平), 고(苦), 대독(大毒)·심(心)

약효 강심(強心), 이뇨(利尿), 진정(鎭靜)의 효능이 있으므로 급성·만성심부전(急性慢性心不全), 심장성수종(心臟性水腫)을 치료한다.

● 미국복수초

[미나리아재비과]

아이태은련화

열병신혼	기폐이롱
흉민복창	풍습비통

- 학명 : *Anemone altaica* Fish. ex C. A. Mey
- 한자명 : 阿爾泰銀連花   ● 별명 : 알타이은련화

| 1 | 2 | 3 | 4 | 5 | 6 | 7 | 8 | 9 | 10 | 11 | 12 |

여러해살이풀. 높이 15~25cm. 뿌리줄기는 옆으로 벋으며 원주형으로 길이 4cm 정도, 지름 2~4mm, 마디 사이는 3~5mm 정도이다. 꽃은 4~7월에 피며, 꽃잎은 없고 꽃받침은 7~10개로 백색이다.

분포·생육지 중국 산시성(山西省), 허난성(河南省), 후베이성(湖北省). 해발 1,200~1,800m에서 자란다.

약용 부위·수치 뿌리줄기를 수시로 채취하여 물에 씻어서 말린다.

약물명 구절창포(九節菖蒲). 소창포(小菖蒲), 외창포(外菖蒲), 절창포(節菖蒲)라고도 한다.

기미·귀경 온(溫), 신(辛)·간(肝), 비(脾)

약효 화담개규(化痰開竅), 안신(安神), 선습성비(宣濕腥脾), 해독(解毒)의 효능이 있으므로 열병신혼(熱病神昏), 기폐이롱(氣閉耳聾), 흉민복창(胸悶腹脹), 풍습비통(風濕痺痛)을 치료한다.

성분 5-hydroxyacetylpropanoic acid, β-sitosterol, anemonin 등이 함유되어 있다.

약리 열수추출물을 쥐에게 투여하면 진정 작용과 진통 작용이 나타난다.

사용법 구절창포를 가루로 만들어 2~3g을 복용하거나 환약으로 만들어 복용한다.

❍ 구절창포(九節菖蒲)

❍ 아이태은련화

[미나리아재비과]

가래바람꽃

타박상	풍습성관절염
이질	창옹

- 학명 : *Anemone dichotoma* L.   ● 별명 : 갈내바람꽃, 가지바람꽃

| 1 | 2 | 3 | 4 | 5 | 6 | 7 | 8 | 9 | 10 | 11 | 12 |

❍ 이지은련화근(二枝銀蓮花根)

여러해살이풀. 높이 40~50cm. 전체에 잔털이 있으며 윗부분에서 두 갈래로 갈라진다. 잎은 마주나며 잎자루가 없다. 꽃은 7~8월에 가지가 갈라지는 곳에서 꽃대가 나와 1개씩 달린다. 꽃잎은 없고, 꽃받침 조각은 5개, 수과에는 털이 있으며 납작한 달걀형이다.

분포·생육지 우리나라 함북 백두산. 중국, 일본, 시베리아. 산골짜기나 숲속에서 자란다.

약용 부위·수치 전초를 4월에 꽃이 필 때 뿌리째 뽑아서 물에 씻어서 말린다.

약물명 이지은련화근(二枝銀蓮花根). 토황금(土黃芩), 초옥매(草玉梅)라고도 한다.

약효 서근활혈(舒筋活血), 청열해독(清熱解毒)의 효능이 있으므로 타박상, 풍습성관절염, 이질, 창옹(瘡癰)을 치료한다.

성분 anemonin이 함유되어 있다.

사용법 이지은련화근 5g에 물 2컵(400mL)을 넣고 달여서 복용하거나 가루 내어 0.5g씩 술이나 물에 타서 복용한다.

❍ 가래바람꽃

[미나리아재비과]

대상화

 장내 기생충병　　중서발열

체선, 고선

● 학명 : *Anemone hupehensis* Lem. var. *japonica* Bowles et Stearn
● 영명 : Japanese anemone　● 한자명 : 秋牡丹

| 1 | 2 | 3 | 4 | 5 | 6 | 7 | 8 | 9 | 10 | 11 | 12 |

여러해살이풀. 높이 50~80cm. 뿌리줄기는 옆으로 길게 벋고, 뿌리잎은 3개의 작은잎으로 된 겹잎이다. 꽃은 9~10월에 피며 붉은색으로 가지 끝에 1개씩 달린다. 꽃잎은 없고, 꽃받침 30개 정도, 수술과 암술은 많고, 수과는 성숙하지 못한다.

분포 · 생육지 중국 원산. 세계 각처에서 재배한다.

약용 부위 · 수치 뿌리를 가을에 채취하여 물에 씻어서 말린다.

약물명 추목단근(秋牡丹根)

약효 살충, 청열해독(淸熱解毒)의 효능이 있으므로 장내 기생충병, 체선(體癬), 고선(股癬), 중서발열(中暑發熱)을 치료한다.

사용법 중서발열에는 추목단근 0.5g을 가루로 만들어 복용하고, 외용에는 생것을 짓찧어 즙액을 바르거나 환부에 붙인다.

↻ 추목단근(秋牡丹根)

↻ 대상화

[미나리아재비과]

바람꽃

이질　　옹창종독, 타박상

● 학명 : *Anemone narcissiflora* L.

| 1 | 2 | 3 | 4 | 5 | 6 | 7 | 8 | 9 | 10 | 11 | 12 |

↻ 바람꽃(꽃)

여러해살이풀. 높이 20~30cm. 줄기는 바로 선다. 잎은 줄기 끝에 3출겹잎으로 달리고, 작은잎은 가장자리가 불규칙하게 갈라진다. 꽃잎은 없고 수술은 많으며, 꽃받침은 황색이다.

분포 · 생육지 우리나라 주왕산, 주흘산, 경기 이북. 중국, 일본. 산지에서 자란다.

약용 부위 · 수치 전초를 여름에 채취하여 물에 씻은 후 말린다.

약물명 장모은련화(長毛銀蓮花)

약효 청열해독(淸熱解毒)의 효능이 있으므로 이질, 옹창종독(癰瘡腫毒), 타박상을 치료한다.

사용법 장모은련화 10g에 물 3컵(600mL)을 넣고 달여서 복용하고, 옹창종독과 타박상에는 연고로 만들어 바른다.

↻ 바람꽃

[미나리아재비과]

꿩의바람꽃

 사지마비, 요통, 골절통

 종통

●학명 : *Anemone raddeana* Regel ●한자명 : 竹節香附

| 1 | 2 | 3 | 4 | 5 | 6 | 7 | 8 | 9 | 10 | 11 | 12 |

여러해살이풀. 높이 10~15cm. 뿌리줄기는 옆으로 벋고 방추형, 약간 비후하며 길이 3~4cm이다. 뿌리잎은 꽃이 지고 난 뒤 자라고 2회 3출엽이며 잎자루는 짧다. 꽃은 4월에 피고 백색, 외측이 약간 자주색을 띠며 지름 3~4cm, 꽃잎은 없고, 꽃받침잎은 10~12개로 끝이 둔하며 길이 2cm 정도, 연한 자주색이 도는 백색이다. 열매는 수과이다.

분포·생육지 우리나라 지리산, 덕유산, 계룡산 및 중부 이북. 중국, 일본, 아무르, 우수리. 산지 숲속에서 자란다.

약용 부위·수치 뿌리줄기를 여름에 채취하여 줄기와 수염뿌리를 제거하고 물에 씻은 후 말린다.

약물명 죽절향부(竹節香附)

기미·귀경 열(熱), 신(辛), 유독(有毒)·간(肝), 비(脾)

약효 거풍(祛風), 소염의 효능이 있으므로 사지마비, 종통(腫痛), 요통, 골절통을 치료한다.

성분 oleanolic acid, diosgenin, raddeanin A~F, raddenoside R_8~R_9, ranuculin, anemonin 등이 함유되어 있다.

약리 사포닌 성분은 항종양 작용이 있다.

사용법 죽절향부 10g에 물 3컵(600mL)을 넣고 달여서 복용하거나 환약이나 가루약으로 한다. 외용에는 분말로 하여 고약을 만들어 상처 부위나 통증이 심한 곳에 붙인다.

❍ 죽절향부(竹節香附)

❍ 꿩의바람꽃

[미나리아재비과]

호장초

 인후종통

 요통, 골절통

●학명 : *Anemone rivularis* Buch.–Ham. ex DC. ●한자명 : 虎掌草

| 1 | 2 | 3 | 4 | 5 | 6 | 7 | 8 | 9 | 10 | 11 | 12 |

여러해살이풀. 높이 15~65cm. 뿌리줄기는 옆으로 벋고 지름 1~1.5cm. 외피는 흑갈색이다. 뿌리잎은 3~5개로 잎자루가 길고, 줄기잎은 꽃대가 나오는 곳에 마주난다. 꽃은 1개씩 피고 백색, 열매는 수과, 길이 7~8mm이다.

분포·생육지 중국, 유라시아. 해발 850~4,500m의 산지에서 자란다.

약용 부위·수치 뿌리줄기를 여름에 채취하여 물에 씻은 후 말린다.

약물명 호장초(虎掌草), 견풍청(見風靑), 견풍남(見風藍), 양구(羊九)라고도 한다.

약효 청열해독(淸熱解毒), 활혈서근(活血舒筋)의 효능이 있으므로 인후종통, 요통, 골절통을 치료한다.

성분 betulinic acid, rivularinin, huzhangoside A~D 등이 함유되어 있다.

사용법 호장초 10g에 물 3컵(600mL)을 넣고 달여서 복용한다.

❍ 호장초

[미나리아재비과]

세바람꽃

 풍습동통, 요기로손

●학명 : *Anemone stolonifera* Max. [*A. davidii*]
●한자명 : 西南銀連花 ●별명 : 세송이바람꽃

1	2	3	4	5	6	7	8	9	10	11	12

여러해살이풀. 높이 15~20cm. 뿌리줄기
는 짧고 굵다. 여러 개의 줄기가 비스듬히
서고, 뿌리잎은 3출겹잎으로 잎자루가 길
다. 꽃은 백색, 1개의 꽃대에 2~3개가 핀
다. 수과는 달걀 모양, 잔털이 많다.
분포 · 생육지 우리나라 제주도, 백두산 주
변, 중국, 일본, 타이완. 산지에서 자란다.
약용 부위 · 수치 뿌리줄기를 여름에 채취하
여 물에 씻은 후 말린다.
약물명 동골칠(銅骨七). 백접골련(白接骨連),
아로호(餓老虎), 요약(療藥)이라고도 한다.
약효 활혈거어(活血祛瘀), 지통(止痛)의 효
능이 있으므로 풍습동통(風濕疼痛), 요기로
손(腰肌勞損)을 치료한다.
사용법 동골칠 10g에 물 3컵(600mL)을 넣
고 달여서 복용한다.

◐ 세바람꽃

[미나리아재비과]

대화초

 노상해천   타박상

●학명 : *Anemone tomentosa* (Max.) Pei ●한자명 : 大火草

1	2	3	4	5	6	7	8	9	10	11	12

여러해살이풀. 높이 45~150cm. 뿌리는
굵다. 잎은 3출겹잎, 꽃은 취산화서로 2~3
회 분지하고, 포는 3개, 꽃잎은 5개, 분홍색
수과는 길이 3mm 정도, 솜털로 덮여 있다.
분포 · 생육지 중국 산시성(山西省), 윈난성
(雲南省), 간쑤성(甘肅省). 높은 산지에서
자란다.
약용 부위 · 수치 뿌리를 여름이나 가을에 채
취하여 물에 씻은 후 말린다.
약물명 대화초근(大火草根). 토백두옹(土白
頭翁)이라고도 한다.
약효 화담산어(化痰散瘀), 소식화적(消食
化積)의 효능이 있으므로 노상해천(勞傷咳
喘), 타박상을 치료한다.
성분 tomentoside I,4,5-dimethoxy-7-
methylcoumarin, 4,7-dimethoxy-5-
methylcoumarin, isofraxidin, fraxidin,
oleanolic acid, oleanolic acid 3-*O*-β-
D-galactopyranosyl-(1→3)-β-D-
glucopyranoside, hederagenin 3-*O*-α-
L-arabinopyranoside, betulinic acid,
18-hydroxyursolic acid, 2α,3β,23-

trihydroxyurs-12-en-28-oic acid 등이
함유되어 있다.
사용법 노상해천 증상에는 대화초근 10g에
물 2컵(400mL)을 넣고 달여서 복용하고,
타박상에는 생것을 짓찧어 환부에 붙인다.

◐ 대화초(꽃)

◐ 대화초

[미나리아재비과]

매발톱꽃

 월경불순, 대하

- 학명 : *Aquilegia buergeriana* S. et Z. var. *oxysepala* (Trautv. et Meyer) Kitamura
- 영명 : Columbine   ● 한자명 : 縷斗菜

| 1 | 2 | 3 | 4 | 5 | 6 | 7 | 8 | 9 | 10 | 11 | 12 |

여러해살이풀. 높이 50~100cm. 꽃은 갈자색, 지름 3~4cm, 6~7월에 가지 끝에서 긴 꽃대가 나와 1개씩 달리며 밑을 향하고, 꽃받침잎은 5개, 꽃잎은 5개로 황색이 돈다. 거(距)는 꽃잎과 길이가 비슷하며 안쪽으로 굽고, 열매는 골돌이다.

분포·생육지 우리나라 전역. 중국, 일본. 산에서 자란다.

약용 부위·수치 전초를 6~7월에 채취하여 흙과 먼지를 털고 물에 씻어서 말린다.

약물명 누두채(縷斗菜). 혈견수(血見愁)라고도 한다.

약효 통경, 활혈의 효능이 있으므로 월경불순, 대하를 치료한다.

성분 anemonine, corytuberine, coptisine, magnoflrine이 함유되어 있다.

약리 물을 넣고 달인 액을 동물에게 투여하면 최면 작용이 나타난다.

사용법 누두채 3g에 물 2컵(400mL)을 넣고 달여서 복용하고, 고약으로 만들어 따뜻한 물에 타서 마시기도 한다.

* 우리나라 백두산을 비롯하여 북부 지방의 높은 산에서 자라는 '산매발톱꽃(하늘매발톱) *A. flabellata* var. *pumila*'도 약효가 같다.

❶ 매발톱꽃

❶ 산매발톱꽃

❶ 매발톱꽃(열매)

❶ 누두채(縷斗菜)

[미나리아재비과]

서양매발톱꽃

 류머티즘, 관절염   백선, 두창

- 학명 : *Aquilegia vulgaris* L.   ● 영명 : Aquilegia

| 1 | 2 | 3 | 4 | 5 | 6 | 7 | 8 | 9 | 10 | 11 | 12 |

여러해살이풀. 높이 50~100cm. 잎은 뿌리에서 빽빽하게 나오고 2회 3출겹잎이며, 꽃은 백색, 분홍색 등이다. 열매는 5개씩 달리는 골돌이다.

분포·생육지 유럽 원산. 북아메리카와 남아메리카에 귀화하여 재배되고 있다.

약용 부위·수치 꽃과 잎을 여름에 채취하여 사용한다.

약물명 Aquilegiae Flos et Folium

약효 소염의 효능이 있으므로 류머티즘, 관절염, 백선, 두창을 치료한다.

성분 anemonine, corytuberine, coptisine, magnoflrine이 함유되어 있다.

사용법 류머티즘, 관절염에는 물을 넣고 달인 액을 수건에 적셔 환부에 찜질하고, 백선, 두창에는 신선한 것을 짓찧어 환부에 붙이고 붕대로 감싼다.

❶ 서양매발톱꽃(열매)

❶ 서양매발톱꽃

[미나리아재비과]

동의나물

| 중서발사 | 상풍감모 |
| 타박상, 탕화탕상 | |

● 학명 : *Caltha palustris* L. var. *membranacea* Turcz.　● 영명 : Yellow marsh marigold
● 한자명 : 馬蹄草　● 별명 : 참동의나물, 동이나물

| 1 | 2 | 3 | 4 | 5 | 6 | 7 | 8 | 9 | 10 | 11 | 12 |

여러해살이풀. 뿌리잎은 4~6개가 모여나고 둥근 심장형이다. 꽃은 황색, 4~5월에 원줄기 끝에 대개 2개씩 달리고, 꽃받침잎은 5~6개, 꽃잎은 없고, 수술은 많다. 골돌은 4~16개, 끝에 암술대가 남아 짧은 부리 모양이며 길이 1cm 정도이다. 금매화속 (*Trollius*)에 비하여 꽃잎이 없고 잎은 둥글며 갈라지지 않는다.

분포 · 생육지 우리나라 전역. 중국, 일본, 시베리아, 아무르. 산속 골짜기나 초원 지대의 물가에서 자란다.

❂ 마제초(馬蹄草)

약용 부위 · 수치 전초를 가을에 채취하여 물에 씻어서 말린다.
약물명 마제초(馬蹄草)
기미 · 귀경 평(平), 고(苦), 대독(大毒) · 심(心)
약효 구풍(驅風), 해서(解暑), 활혈소종(活血消腫)의 효능이 있으므로 상풍감모(傷風感冒), 중서발사(中暑發痧), 타박상, 탕화탕상(燙火燙傷)을 치료한다.
성분 coryruberine, magnoflorine, nicotine, caltholide, epicaltholide, palustrolide, her-

❂ 동의나물(열매)

ragenin, hederagenic acid, daucosterol, scopoletin, umbelliferone, veratrin, helleborin, protopine 등이 함유되어 있다.
약리 물을 넣고 달인 액을 토끼에게 주사하면 혈압이 내려간다.
사용법 마제초 10g에 물 3컵(600mL)을 넣고 달여서 복용하거나 술에 담가 복용한다.

❂ 동의나물

[미나리아재비과]

개승마

| 인후통 | 요통, 관절염 |
| 고혈압 | 노상 |

● 학명 : *Cimicifuga acerina* (S. et Z.) Tanaka
● 한자명 : 小升麻　● 별명 : 큰개승마, 왕승마

| 1 | 2 | 3 | 4 | 5 | 6 | 7 | 8 | 9 | 10 | 11 | 12 |

여러해살이풀. 높이 50~100cm. 뿌리잎은 자루가 길고 1회 3출하며, 작은잎은 원심형, 5~9개로 깊게 또는 얕게 갈라진다. 꽃은 백색, 7~8월에 복수상화서에 달린다. 꽃받침 조각은 넓고 둥근 배 모양이며, 꽃잎은 넓은 원형, 수술은 많다. 골돌은 1개이며, 종자는 타원상 구형이다.

분포 · 생육지 우리나라 제주도, 전남, 거제도, 지리산. 중국, 일본. 깊은 산속에서 자란다.

약용 부위 · 수치 뿌리줄기를 가을에 채취하여 흙과 먼지를 털고 물에 씻어서 말린다.
약물명 소승마(小升麻), 금사삼칠(金絲三七), 백승마(白升麻)라고도 한다.
기미 · 귀경 한(寒), 감(甘), 고(苦), 소독(小毒)
약효 청열해독(淸熱解毒), 활혈지통(活血止痛), 강혈압(降血壓)의 효능이 있으므로 인후통, 노상(勞傷), 요통, 관절염, 고혈압을 치료한다.
성분 cimigol, dahurinol, isodahurinol, acerinol, *o*-methylcimiacerol, cimicifugenol 등이 함유되어 있다.

약리 물로 달인 액은 결핵균 및 피부진균에 항균 작용이 있고, 토끼에게 주사할 때 혈압 강하 작용, 심근 억제 작용, 심박동 감소 작용이 나타나고 자궁 흥분 작용이 있다.
사용법 소승마 5g에 물 2컵(400mL)을 넣고 달여서 복용하거나 술에 담가 복용한다.
＊잎맥 위에 털이 있는 '왜승마 *C. japonica*'도 약효가 같다.

❂ 소승마(小升麻)

❂ 개승마

눈빛승마

	시역화독, 두통한열		구창, 인후통		대하, 붕중
	반진, 옹종창독		비허설사, 중기하함, 구리하중		

● 학명 : *Cimicifuga dahurica* Maxim. ● 한자명 : 興安升麻

1	2	3	4	5	6	7	8	9	10	11	12

여러해살이풀. 높이 1.5~2m. 뿌리줄기는 굵으며 흑자색, 잔뿌리가 많다. 줄기는 곧게 서고 높이 1.2m 정도, 잎은 어긋나고 2회 3출겹잎, 가장자리에 톱니가 있다. 꽃은 암수딴그루로 간혹 잡성화를, 백색, 9~10월에 원줄기 윗부분에 겹총상화서로 많은 수가 달리며 화서에 털이 없다. 꽃받침잎은 4~5개, 꽃잎은 3~4개이다. 열매는 골돌이다.

분포 · 생육지 우리나라 지리산, 계룡산, 속리산, 설악산. 중국, 일본, 우수리. 산속 숲에서 자란다.

약용 부위 · 수치 뿌리줄기를 가을에 채취하여 수염뿌리를 제거한 뒤 말린다. 말린 뿌리줄기를 껍질을 약간 벗겨서 황정의 즙에 하룻밤 담갔다가 햇볕에 말린 뒤 증기로 쪄서 다시 말린다.

약물명 승마(升麻). 주승마(周升麻), 주마(周麻), 계골승마(鷄骨升麻)라고도 한다. 대한민국약전(KP)에 수재되어 있다.

본초서 승마(升麻)는 「신농본초경(神農本草經)」의 상품(上品)에 수재되어 "열을 내리고 독을 풀어 준다."고 하였다. 「본초강목(本草綱目)」에는 "약의 성질이 마진(痲疹)을 위로 올리는(升) 효능이 있으므로 승마(升麻)라고 한다."고 기록되어 있다. 「광아(廣雅)」에는 "승마(升麻)는 주마(周麻)를 가리킨다."고 하였으나, 「주후비급방(肘後備急方)」에는 "승마(升麻) 단독으로 인후통을 치료한다."는 기록으로 보아 이시진(李時珍)의 설을 뒷받침하고 있다. 「동의보감(東醫寶鑑)」에는 승마는 "모든 독을 풀어 주고 몸이 붓는 것, 온역, 인후통을 치료한다. 헛것에 들린 것을 없애고 유행성 급성전염병과 축축하고 더운 땅에서 생기는 독기를 물리친다. 독충의 독과 풍기로 인해 몸이 붓는 것, 온갖 독으로 목이 아프고 입안이 허는 것을 낫게 한다."고 하였다.

神農本草經: 主解百毒, 殺百精老物殃鬼, 辟溫疫, 瘴氣邪氣, 毒蠱, 久服不夭.

名醫別錄: 主中惡腹痛, 時氣毒癘, 頭痛寒熱, 風腫諸毒, 喉痛, 口瘡, 久服輕身長年.

本草綱目: 消斑疹, 行瘀血. 治陽陷眩暈, 胸脅虛痛, 久泄下痢後重, 遺濁, 帶下, 崩中, 下血, 陰痿足寒.

東醫寶鑑: 主解百毒殺刮精老物 破溫疫瘴氣 療蠱毒 治風腫諸毒 喉痛口瘡.

성상 굵은 마디 모양이 고르지 않은 뿌리줄기로 길이 6~18cm, 지름 10~25mm이다. 표면은 암갈색~흑갈색이며 많은 뿌리의 잔기(殘基)가 붙어 있고 또한 흔히 땅위줄기가 붙어 있던 자국이 있는데, 그 주변은 엷은 색이며 방사상의 모양을 나타낸다. 질은 가벼우면서 단단하고 꺾은 면은 섬유상이다. 냄새는 없고 맛은 쓰고 조금 떫다.

품질 뿌리줄기가 고르게 크고 질이 단단하며 표면이 흑갈색이고 꺾은 면이 황록색을 나타내며 잔뿌리가 없는 것이 좋다.

기미 · 귀경 미한(微寒), 신(辛), 감(甘) · 폐(肺), 비(脾), 대장(大腸), 위(胃)

약효 청열해독(淸熱解毒), 발표투진(發表透疹), 승양거함(升陽擧陷)의 효능이 있으므로 시역화독(時疫火毒), 구창, 인후통, 반진(斑疹), 두통한열(頭痛寒熱), 옹종창독, 중기하함(中氣下陷), 비허설사, 구리하중(久痢下重), 대하, 붕중(崩中)을 치료한다.

성분 phenolpropanoid 성분인 isoferulic acid, ferulic acid, salicylic acid, caffeic acid, triterpenoid 성분인 cimiside E, cimigenol, 25−O−acetylcimigenol, 24−epi−7,8−didehydrocimigenol 3−xyloside, 7,8−didehydrocimigenol 23−O−acetylshengmanol 3−xyloside, cimigenol−3−O−β−D−xyloside, 12−O−acetyl−7,8−dihydrofoetidinol−3−O−β−L−arabinoside, cimiside C, cimiside D, cimiside E, cimigenol, cimicifugoside, 27−deoxyactein, cimicifugoside H−1, foetidinol−3−O−β−D−xyloside, cimicifugine, coumarin 성분인 isoimperatorin, cinitin, visanagin, cimigenol, norvisnagin, visamminol, dahurinol 등이 함유되어 있다.

약리 cimigenol, 25−O−acetylcimigenol, cimigenol−3−O−β−D−xyloside는 암세포 HL−60, MCF−7, A549의 증식을 억제한다. 물로 달인 액은 결핵균 및 피부진균에 항균 작용이 있고, 토끼에게 주사할 때 혈압 강하 작용, 심근 억제 작용, 심박동 감소 작용이 나타나고, 자궁 흥분 작용이 있다. 에탄올추출물을 ICR 쥐에게 투여하면 진정 작용이 나타난다.

사용법 승마 5g에 물 2컵(400mL)을 넣고 달여서 복용하고, 외용에는 분말로 하여 붙이거나 달인 액으로 양치질한다.

처방 승마갈근탕(升麻葛根湯): 갈근(葛根) 8g, 작약(芍藥) · 승마(升麻) · 감초(甘草) 각 4g, 생강(生薑) 3쪽, 총백(蔥白) 2개(『상한론(傷寒論)』, 『동의보감(東醫寶鑑)』). 돌림감기로 오슬오슬 춥고 열이 나며 머리가 무겁고 허리와 뼈마디가 아프며 코가 막히면서 콧물이 나고 기침을 하는 증상에 사용한다.

• 승마별갑탕(升麻鼈甲湯): 승마(升麻) 8g, 당귀(當歸) · 감초(甘草) 각 4.8g, 별갑(鼈甲) · 석웅황(石雄黃) 1.6g, 촉초(蜀椒) 20개(『금궤요략(金匱要略)』, 『동의보감(東醫寶鑑)』). 음독으로 음반(飮斑)이 생겨 가슴, 등, 손발에 작고 붉은 반점이 돋으면서 손발이 차고 소화되지 않는 설사를 하는 증상에 사용한다.

• 승마부자탕(升麻附子湯): 승마(升麻) · 포부자(炮附子) · 갈근(葛根) · 백지(白芷) · 황기(黃耆) 각 2g, 익지(益智) 1.2g, 총백(蔥白) 3개(『상한론(傷寒論)』, 『동의보감(東醫寶鑑)』). 위에 한습이 생겨 얼굴이 시리고 바람을 싫어하는 증상에 사용한다.

＊ 승마(升麻)와 시호(柴胡)는 모두 승산(升散)하는 작용이 유사하여 흔히 상보(相補)한다. 시호(柴胡)는 소양증의 반표반리(半表半裏)의 병사(病邪)를 소산시키는 데 뛰어나지만 승마(升麻)는 양명병(陽明病)의 기주(肌腠)에 있는 병사(病邪)를 몰아낸다.

＊ 잎이 겹깃 모양으로 2회 3출하는 '승마 *C. heracleifolia*', 꽃은 엷은 황색이며 냄새가 나는 '황새승마 *C. foetida*'도 약효가 같다.

❍ 승마(升麻)

❍ 눈빛승마(뿌리줄기)

❍ 눈빛승마

[미나리아재비과]

황새승마

 시역화독, 두통한열   구창, 인후통   ♀ 대하, 붕중

반진, 옹종창독   비허설사, 중기하함, 구리하중

● 학명 : *Cimicifuga foetida* L.   ● 한자명 : 升麻

| 1 | 2 | 3 | 4 | 5 | 6 | 7 | 8 | 9 | 10 | 11 | 12 |

여러해살이풀. 높이 1~1.5m. 뿌리줄기는 굵으며 흑자색, 잔뿌리가 많다. 줄기는 곧게 서고 높이 1.2m 정도, 잎은 어긋나고 2회 3출겹잎이다. 꽃은 암수한그루, 백색, 8~9월에 원줄기 윗부분에 겹총상화서로 많이 달리고 화서에 털이 있다. 꽃받침잎은 4~5개, 꽃잎은 3~4개. 수술은 많고, 씨방은 자루가 짧으며 5~6개, 열매는 골돌이고 광란형이다.

분포 · 생육지 우리나라 전역. 중국, 몽골, 시베리아. 산속 숲에서 자란다.

약물명 승마(升麻). 주승마(周升麻), 주마(周麻), 계골승마(鷄骨升麻). 대한민국약전(KP)에 수재되어 있다.

＊ 기타 사항은 '눈빛승마 *C. dahurica*'와 같다.

○ 황새승마

○ 꽃

○ 승마(升麻)

○ 황새승마(뿌리줄기)

[미나리아재비과]

승마

시역화독, 두통한열   구창, 인후통   ♀ 대하, 붕중

반진, 옹종창독   비허설사, 중기하함, 구리하중

● 학명 : *Cimicifuga heracleifolia* Kom.   ● 영명 : Bugbane
● 한자명 : 大三葉升麻   ● 별명 : 끼멸가리

| 1 | 2 | 3 | 4 | 5 | 6 | 7 | 8 | 9 | 10 | 11 | 12 |

여러해살이풀. 뿌리줄기는 굵으며 흑자색, 잔뿌리가 많다. 줄기는 곧게 서고 높이 1.2m, 잎은 어긋나고 2회 3출겹잎, 꽃은 암수한그루, 백색, 8~9월에 원줄기 윗부분에 많이 달린다. 꽃받침잎은 4~5개, 꽃잎은 3~4개, 끝이 대부분 2개로 갈라진다. 수술은 많고, 씨방은 3~5개, 열매는 골돌, 많은 자루가 있고, 종자는 타원상 구형으로 옆으로 주름이 있다.

분포 · 생육지 우리나라 지리산 이북. 중국, 일본, 우수리. 산속 숲에서 자란다.

＊ 기타 사항은 '눈빛승마 *C. dahurica*'와 같다.

○ 승마(升麻)

○ 승마(뿌리줄기)

○ 승마

[미나리아재비과]

서양승마

| 생리통, 갱년기장애 | 기침 |
| 현기증 | 이명 |

● 학명 : *Cimicifuga racemosa* (L.) Nutt. [*Actaea racemosa* L.]
● 영명 : Black cohosh, Black snakeroot ● 별명 : 양승마

| 1 | 2 | 3 | 4 | 5 | 6 | 7 | 8 | 9 | 10 | 11 | 12 |

○ 서양승마를 함유한 갱년기장애 치료제

여러해살이풀. 높이 2~2.5m. 땅속줄기는 옆으로 벋으며 줄기의 윗부분에서 가지가 갈라진다. 잎은 어긋나며 2~3회 3개씩 갈라진다. 꽃은 백색, 6~7월에 원줄기 끝에 길이 30~40cm의 총상화서로 많은 수가 달린다. 꽃받침은 5개, 타원형, 수술은 많다. 씨방은 2~7개, 열매는 길이 0.7~1cm, 많은 종자가 들어 있다.

분포 · 생육지 캐나다, 미국 북동 지역 원산. 산과 들에서 자라며, 세계 각처에서 재배한다.

약용 부위 · 수치 뿌리줄기를 가을에 채취하여 수염뿌리를 제거하여 말린다.

약물명 Cimicifugae Racemosae Rhizoma. 양승마(洋升麻), 서양승마(西洋升麻)라고도 한다.

기미 · 귀경 미한(微寒), 신(辛), 감(甘) · 폐(肺), 대장(大腸), 위(胃)

약효 생리통, 갱년기장애, 신경성질환, 기침, 현기증, 이명을 치료하며, 강장제로 사용하기도 한다.

성분 actaein, cimicifugoside, cimicifugenol, acetylacteol, isoferulic acid, salicylic acid, gallotannine, quinolizidine 알칼로이드가 함유되어 있다.

사용법 Cimicifugae Racemosae Rhizoma 3~4g에 물 2컵(400mL)을 넣고 달여서 복용한다.

＊국내는 물론 세계적으로 여성들의 갱년기장애 치료제로 시판되고 있다.

○ 서양승마(뿌리줄기)

○ 서양승마

[미나리아재비과]

촛대승마

| 두통 | 인후통 |
| 하리 | 탈항 |

● 학명 : *Cimicifuga simplex* Wormsk. ● 영명 : White pearl bugbane
● 별명 : 외대승마, 산촛대승마, 나물승마

| 1 | 2 | 3 | 4 | 5 | 6 | 7 | 8 | 9 | 10 | 11 | 12 |

○ 야승마(野升麻)

○ 촛대승마(뿌리줄기)

여러해살이풀. 높이 1m 정도. 땅속줄기는 옆으로 벋으며 줄기의 윗부분에서 가지가 갈라지고, 잎은 어긋나며 2~3회 3개씩 갈라진다. 꽃은 백색, 6~7월에 원줄기 끝에 길이 20~30cm의 총상화서로 많은 꽃이 달린다. 꽃받침은 5개, 타원형, 꽃잎은 얕게 2개로 갈라지고 수술은 많다. 씨방은 2~7개, 골돌은 길이 1cm 정도, 끝에 꼬부라진 암술대가 있다.

분포 · 생육지 우리나라 지리산 이북. 중국, 일본, 우수리. 산속 숲에서 자란다.

약용 부위 · 수치 뿌리줄기를 가을에 채취하여 수염뿌리를 제거하여 말린다.

약물명 야승마(野升麻)

기미 · 귀경 미한(微寒), 신(辛), 감(甘) · 폐(肺), 대장(大腸), 위(胃)

약효 해열, 해독, 산풍(散風), 승양(昇陽), 투진(透疹)의 효능이 있으므로 두통, 인후통, 하리(下痢), 탈항을 치료한다.

성분 cimicifugoside, methylcimicifugoside, acethylcimicifugoside, cimigenoside, cimicifugenol, ammiol, cimicifugine 등이 함유되어 있다.

사용법 야승마 5g에 물 2컵(400mL)을 넣고 달여서 복용한다.

＊'승마'에 비하여 작은 꽃대 길이가 5~10mm이고 밑의 잎은 3회 3출, 위의 것은 2~3회 3출한다.

○ 촛대승마(꽃)

○ 촛대승마(열매)

○ 촛대승마

[미나리아재비과]

사위질빵

풍습비중 | 토사, 이질, 복통장명 | 소변불리 | 수종

● 학명 : *Clematis apiifolia* A. P. DC. ● 영명 : Apple blossom
● 한자명 : 蔓楚 ● 별명 : 질빵풀

1 2 3 4 5 6 7 8 9 10 11 12

낙엽 덩굴 식물. 길이 3m 정도. 잎은 마주나고 1회 3출겹잎, 꽃은 7~9월에 취산화서 또는 원추화서로 달리며, 지름 13~25mm이다. 꽃받침잎은 달걀 모양, 백색, 앞면에 잔털이 있으며, 수술은 꽃받침과 길이가 거의 같다. 열매는 수과로 5~10개씩 모여 달리고 털이 있으며 백색 또는 연한 갈색 털이 있는 긴 암술대가 달린다.

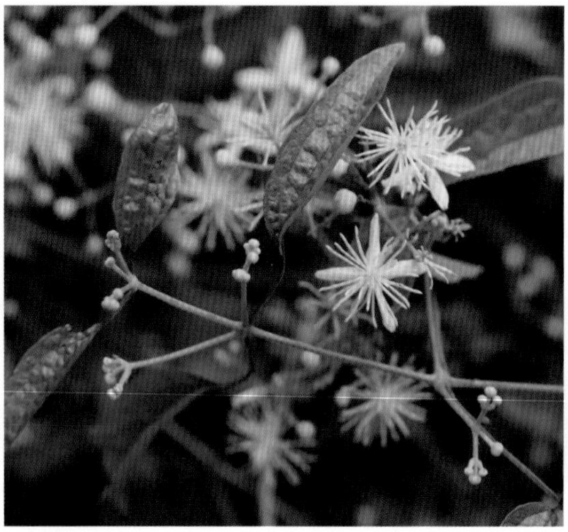
사위질빵

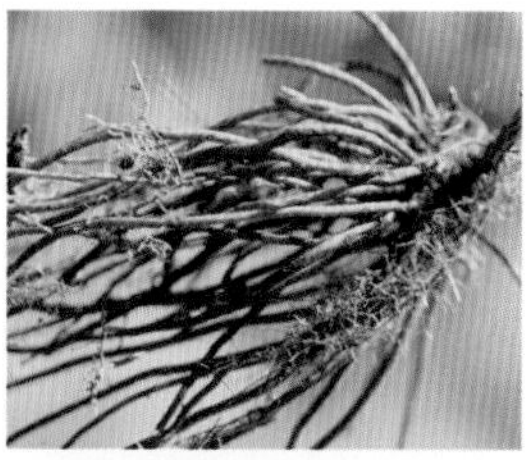
사위질빵(뿌리)

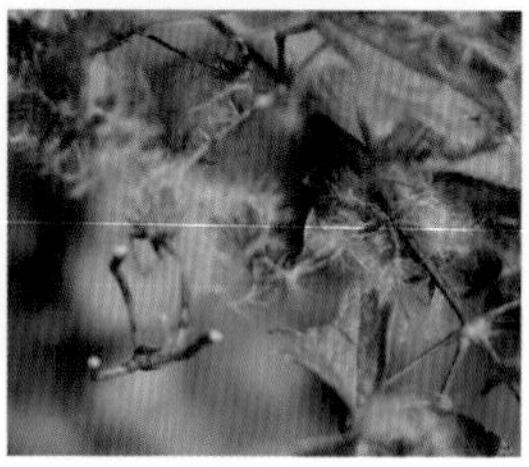
사위질빵(열매)

분포 · 생육지 우리나라 전역. 중국, 일본. 산야에서 흔하게 자란다.
약용 부위 · 수치 지상부 또는 뿌리를 여름부터 가을까지 채취하여 물에 씻은 후 썰어서 말린다.
약물명 여위(女萎), 만초(蔓楚), 목단만(牧丹蔓), 목통초(木通草)라고도 한다.
기미 · 귀경 온(溫), 신(辛), 소독(小毒) · 간(肝), 비(脾), 대장(大腸)
약효 거풍제습(祛風除濕), 온중이기(溫中理氣), 이뇨, 소식(消食)의 효능이 있으므로 풍습비증(風濕痺症), 토사, 이질, 복통장명(腹痛腸鳴), 소변불리, 수종을 치료한다.
성분 acetyl oleanolic acid, oleanolic acid, hederagenin, stigmasterol, quercetin, kaempferol 등이 함유되어 있다.
사용법 여위 15g에 물 4컵(800mL)을 넣고 달여서 복용하거나 또는 환약으로 하여 복용하고, 외용에는 태워 연기를 쐰다.

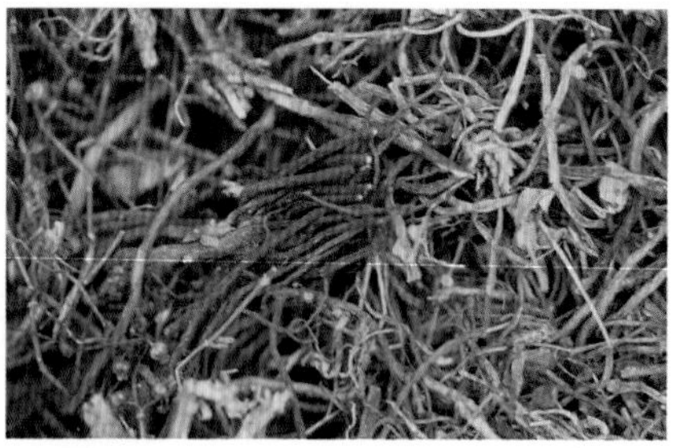
여위(女萎)

[미나리아재비과]

소목통

습열융폐 | 수종 | 습열비통 | 부녀경폐급유폐

● 학명 : *Clematis armandii* Franch. ● 한자명 : 小木通

1 2 3 4 5 6 7 8 9 10 11 12

목질의 낙엽 덩굴 식물. 길이 6m 정도. 잎은 마주나고 1회 3출겹잎, 작은잎은 긴 타원형으로 가장자리가 밋밋하다. 꽃은 7~9월에 취산화서 또는 원추화서로 달리며, 열매는 수과로 납작한 타원상 구형이며 털과 깃털이 있다.

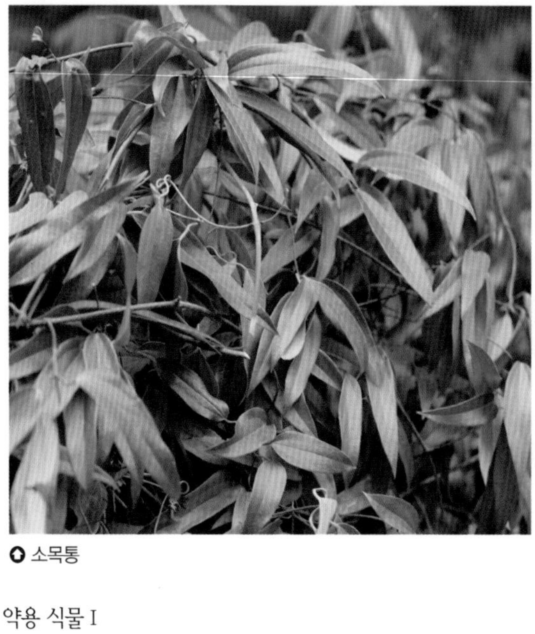
소목통

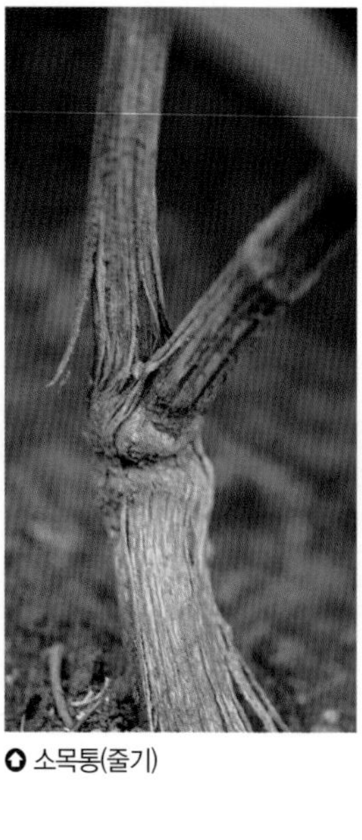
소목통(줄기)

분포 · 생육지 중국 간쑤성(甘肅省), 푸젠성(福建省), 쓰촨성(四川省). 산야에서 흔하게 자란다.
약용 부위 · 수치 덩굴성 줄기를 여름부터 가을까지 채취하여 물에 씻은 후 썰어서 말린다.
약물명 천목통(川木通), 회목통(淮木通), 유목통(油木通), 백목통(白木)이라고도 한다.
기미 · 귀경 담(淡), 미고(微苦), 한(寒) · 심(心), 소장(小腸), 방광(膀胱)
약효 청열이뇨(清熱利尿), 통경하유(通經下乳)의 효능이 있으므로 습열융폐(濕熱癃閉), 수종(水腫), 습열비통(濕熱痺痛), 부녀경폐급유폐(婦女經閉及乳閉)를 치료한다.
성분 oleanolic acid, clemotanoside A, B, fridelin 등이 함유되어 있다.
사용법 천목통 5g에 물 2컵(400mL)을 넣고 달여서 복용한다.
* 줄기가 길이 8m 정도로 벋으며 잎의 가장자리에 톱니가 있는 '수구등(綉球藤) *C. montana*'도 약효가 같다.

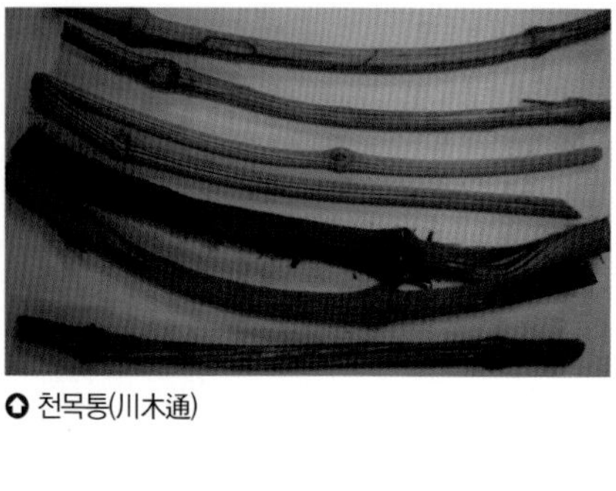
천목통(川木通)

[미나리아재비과]

좀사위질빵

습열임증　풍습비통
유즙불통

● 학명 : *Clematis brevicaudata* A. P. DC.
● 한자명 : 短尾鐵線蓮　● 별명 : 작은질빵풀

1	2	3	4	5	6	7	8	9	10	11	12

낙엽 덩굴 식물. 길이 3m 정도. 잎은 마주
나고 2회 3출겹잎, 작은잎은 길이 2~4cm
이다. 꽃은 백색, 7~9월에 취산화서로 달
리고 지름 1.5cm 정도이다. 꽃받침은 4~5
개, 수술과 암술은 다수이며, 열매는 수과
로 5~10개씩 모여 달리고 털이 거의 없다.
분포·생육지 우리나라 전역. 중국, 일본.
산야에서 흔하게 자란다.
약용 부위·수치 줄기 또는 뿌리를 여름부터
가을까지 채취하여 물에 씻은 후 썰어서 말
린다.
약물명 홍정파등(紅釘耙藤), 산목통등(山木
通藤), 산목통(山木通), 소목통(小木通)이라
고도 한다.
기미·귀경 고(苦), 양(涼)·간(肝), 방광(膀
胱)
약효 청열이수(淸熱利水), 거풍습(祛風濕),
통경하유(通經下乳)의 효능이 있으므로 습
열임증(濕熱淋症), 풍습비통(風濕痺痛), 유
즙불통을 치료한다.

성분 quercetin, kaempferol 등이 함유되어
있다.
사용법 홍정파등 10g에 물 3컵(600mL)을
넣고 달여서 복용한다.

● 홍정파등(紅釘耙藤)

● 좀사위질빵(열매)

● 좀사위질빵

[미나리아재비과]

꽃으아리

풍습성관절염　소변불리
변비복창, 황달　풍화치통

● 학명 : *Clematis florida* Thunb.　● 영명 : Chinese clematis　● 한자명 : 鐵線蓮

1	2	3	4	5	6	7	8	9	10	11	12

낙엽 덩굴 식물. 줄기는 가늘고 목질이며
길이 4m 정도. 잎은 마주나고 2회 3출겹
잎이다. 꽃은 5~6월에 잎겨드랑이에서 꽃
대가 나와 1개씩 달리며 지름 5~10cm, 꽃
대에 2개의 포엽이 달려 있다. 꽃받침잎은
6~7개가 옆으로 퍼지며 달걀 모양, 첨두로
유백색이지만, 밑부분은 자주색이며 뒷면
에 청색 줄이 있다. 수술은 자주색이고 털
이 없다.
분포·생육지 중국 원산. 우리나라 전역에
서 재배한다.
약용 부위·수치 뿌리 또는 전초를 가을에
채취하여 물에 씻어서 말린다.
약물명 철선련(鐵線蓮), 철선목단(鐵線牧
丹), 번련(番蓮)이라고도 한다.
기미·귀경 온(溫), 고(苦), 신(辛), 소독(小
毒)·간(肝), 비(脾), 신(腎)
약효 거풍습(祛風濕) 및 통경락(通經絡)의
효능이 있으므로 풍습성관절염, 소변불리,
변비복창(便秘腹脹), 풍화치통(風火齒痛),
황달, 독충교상을 치료한다.
성분 hederageinin, β-amyrin, lupeol, β-

sitosterol, oleanolic acid, stigmasterol
glycoside, anemonin, cimidahurin, quer-
cetin, kaempferol 등이 함유되어 있다.
사용법 철선련 15g에 물 4컵(800mL)을 넣
고 달여서 복용하거나 또는 환약으로 복용
하고, 독충 또는 뱀에 물렸을 때는 전초를
짓찧어 환부에 바른다.
＊ 꽃대에 포엽이 없고 꽃받침 조각이 8개
이며 작은 잎에 톱니가 없는 '큰꽃으아리
C. patens'도 약효가 같다.

● 큰꽃으아리

● 철선련(鐵線蓮)

● 꽃으아리

[미나리아재비과]

으아리

 풍습마비, 지체마목, 근맥구련, 굴신불리

 골경인후   담음적취

● 학명 : *Clematis mandshurica* Rupr.   ● 영명 : Clematis
● 한자명 : 威靈仙   ● 별명 : 응아리, 북참으아리

| 1 | 2 | 3 | 4 | 5 | 6 | 7 | 8 | 9 | 10 | 11 | 12 |

낙엽 덩굴 식물. 길이 2m 정도. 잎은 마주 나고 깃꼴겹잎으로 작은잎은 5~7개이다. 꽃은 6~8월에 가지 끝과 잎겨드랑이에 취산화서로 달리며, 꽃받침잎은 4~5개, 긴 타원형, 백색, 털이 없고, 꽃잎은 없다. 수과는 달걀 모양, 백색 털이 있는 길이 2cm 정도의 꼬리 같은 암술대가 달려 있으며, 열매는 9월에 익는다.

분포 · 생육지 우리나라 전역. 중국, 일본. 숲 가장자리나 들에서 자란다.

약용 부위 · 수치 뿌리를 가을에 채취하여 수염뿌리는 제거하고 물에 씻어서 말린다.

약물명 위령선(威靈仙). 영선(靈仙), 능소(能消), 흑골두(黑骨頭), 철각위령선(鐵脚威靈仙)이라고도 한다. 대한민국약전외한약(생약)규격집(KHP)에 수재되어 있다.

본초서 위령선(威靈仙)은 당나라 때의 「신수본초(新修本草)」에 처음 수재되었다. 이시진(李時珍)의 「본초강목(本草綱目)」에는 "약효가 강력하고(威), 효력이 신통(靈仙)하므로 위령선(威靈仙)이라는 이름이 붙었다."고 하였다. 최원량(崔元亮)의 「해상집험방(海上集驗方)」에는 "신라의 스님이 중국에 위령선(威靈仙)의 약효를 소개하였다."고 기록되어 있다. 「동의보감(東醫寶鑑)」에 "몸속에 있는 바람의 기운을 없애고 오장을 튼튼하게 하며, 뱃속에 찬 기운으로 인한 체기를 내리고 가슴에 있는 담수(痰水)를 없앤다. 뱃속에 덩어리가 생긴 것과 배

꼽 부위와 늑골 아래에 덩어리가 생긴 것, 방광에 있는 더러운 물을 없애고 허리와 무릎이 시리고 아픈 것을 낫게 한다. 오래 복용하면 봄철에 유행하는 급성전염병과 말라리아에 걸리지 않는다."고 하였다.

新修本草: 腰腎脚膝, 積聚, 腸內諸冷病, 積 年不差者, 服之無不立效.

開寶本草: 主諸風, 宣通五臟, 去腹內冷滯, 心膈痰水, 久積癥瘕, 痃癖氣塊, 膀胱宿膿惡 水, 腰膝冷疼, 及療折傷. 久服之, 無溫疫瘧.

東醫寶鑑: 主諸風 宣通五臟 去腹內冷滯 心 膈痰水 癥瘕痃癖 膀胱宿膿惡水 腰膝冷疼 久服 無溫疫瘧.

성상 고르지 않은 덩어리 모양의 뿌리줄기의 위쪽 끝에는 때때로 목질의 짧은 줄기(땅위줄기)가 붙어 있고 긴 뿌리가 다수 달린다. 뿌리줄기는 길이 1~4cm, 지름 2~3cm이고, 표면은 황갈색이며 섬유성이다. 뿌리는 길이 6~18cm, 지름 1~2mm이고, 표면은 갈색~흑갈색이며 세로 주름이 있고 질은 단단하나 부서지기 쉬우며 목부와 피부가 떨어지기 쉽다. 냄새가 없고, 맛은 조금 쓰다.

기미 · 귀경 온(溫), 신(辛), 함(鹹), 미고(微苦) · 방광(膀胱), 간(肝)

약효 거풍제습(祛風除濕), 통락지통(通絡止痛)의 효능이 있으므로 풍습마비(風濕痺痛), 지체마목(肢體麻木), 근맥구련(筋脈拘攣), 굴신불리(屈伸不利), 각기종통(脚氣腫

痛), 골경인후(骨哽咽喉), 담음적취(痰飲積聚)를 치료한다.

성분 clematisine, clematoside A, A′, B, C, anemonine, protoanemonine, hederagenine, kaempferol, sarsasapogenine, linderane, linderene, isolinderalactone, inderenone, lindesterne, chamazulene, lindeazulene 등이 함유되어 있다.

약리 목구멍에 걸린 생선뼈를 내려가게 하며 뼈에 대한 연화 작용을 나타낸다. 열수추출물은 피부진균의 성장을 억제한다. 해열 진통 작용이 있으며 항이뇨 작용을 나타낸다. 요산(uric acid)을 녹이는 작용이 있으므로 통풍에 효과가 있다. 위령선, 괄루근, 하고초의 에탄올추출물인 SKI 306x는 임상적으로 무릎의 골관절염에 효과가 있다. 마취한 개의 혈압을 강하시키고, 쥐의 적출 장관에 현저한 흥분 작용이 나타난다.

사용법 위령선 5g에 물 2컵(400mL)을 넣고 달여서 복용하거나 환약으로 복용한다. 술에 담가서 복용하면 편리하고, 외용에는 짓찧어 바른다.

처방 영선산(靈仙散): 당귀(當歸) · 몰약(沒藥) · 위령선(威靈仙) · 목향(木香) · 계심(桂心) 같은 양(『경험방(經驗方)』). 온몸이 저리고 심하게 아픈 증상에 사용한다.

• 이출탕(二朮湯): 백출(白朮) · 복령(茯苓) · 진피(陳皮) · 천남성(天南星) · 향부자(香附子) · 황금(黃芩) · 위령선(威靈仙) · 강활(羌活) · 반하(半夏) · 창출(蒼朮) 각 2.5g, 감초(甘草) 1.5g, 생강(生薑) 1g(『만병회춘(萬病回春)』). 수독성(水毒性)에 의한 오십견 통증에 사용한다.

※ 중국에 분포하며 잎의 가장자리가 물결 모양인 '중국으아리 *C. chinensis*', 꽃받침이 6~8개인 '좁은잎사위질빵 *C. hexapetala*'도 약효가 같다.

○ 으아리

○ 으아리(뿌리)

○ 위령선(威靈仙)이 함유된 근육통 치료제

○ 위령선(威靈仙, 절편)

○ 좁은잎사위질빵

○ 위령선(威靈仙)

○ 중국으아리

[미나리아재비과]

검종덩굴

 풍습성관절염

- 학명 : *Clematis fusca* Turcz. ● 영명 : Stanavol clematis
- 한자명 : 褐紫鐵線蓮 ● 별명 : 무궁화덩굴

| 1 | 2 | 3 | 4 | 5 | 6 | 7 | 8 | 9 | 10 | 11 | 12 |

덩굴 식물. 잎은 마주나고 깃꼴겹잎이다. 꽃은 종 모양, 암자색, 6~8월에 가지 끝이나 잎겨드랑이에 1개씩 달리며, 꽃덮개에는 암갈색의 털이 많고 2개의 포가 중앙부에 있으며 4개의 두꺼운 꽃덮개 끝이 뒤로 젖혀진다. 수과는 달걀 모양이다.

분포 · 생육지 우리나라 지리산 이북. 중국, 일본, 아무르, 우수리. 숲속에서 자란다.

약용 부위 · 수치 뿌리를 가을에 채취하여 흙과 먼지를 털고 씻어서 말린다.

약물명 갈자철선련(褐紫鐵線蓮)

약효 거풍습(祛風濕) 및 통경락(通經絡)의 효능이 있으므로 풍습성관절염을 치료한다.

사용법 갈자철선련 10g에 물 3컵(600mL)을 넣고 달여서 복용한다.

* 꽃은 암자색이고 작은잎이 5~7개이며

꽃덮개 조각의 바깥에 털이 없는 '종덩굴 var. *violacea*', 꽃이 황색인 '누른종덩굴 *C. chiisanensis*'도 약효가 같다.

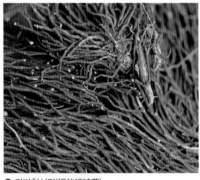

● 갈자철선련(褐紫鐵線蓮)

● 검종덩굴

[미나리아재비과]

조희풀

 만성설사   수족관절통풍

- 학명 : *Clematis heracleifolia* DC. ● 영명 : Alan bloom
- 한자명 : 大葉鐵線蓮 ● 별명 : 병조희풀, 병모란풀, 선목단풀

| 1 | 2 | 3 | 4 | 5 | 6 | 7 | 8 | 9 | 10 | 11 | 12 |

낙엽 관목. 높이 1m 정도. 잎은 마주나고 3출엽이다. 꽃은 잡성으로 8~9월에 피고, 꽃덮개는 4개, 통형이고 짙은 하늘색이며 뒤로 말린다. 수과는 편원형, 암술대는 길이 1.5~2cm, 백색의 털이 깃 모양으로 난다.

분포 · 생육지 우리나라 전역. 중국, 일본. 숲 가장자리에서 자란다.

약용 부위 · 수치 뿌리와 줄기를 가을에 채취

하여 흙과 먼지를 털고 씻어서 말린다.

약물명 초목단(草牧丹). 목단등(牧丹藤)이라고도 한다.

기미 · 귀경 온(溫), 신(辛), 감(甘), 고(苦) · 간(肝), 대장(大腸)

약효 풍습(風濕)을 몰아내고 설사를 멈추게 하며 염증을 제거하는 효능이 있으므로 만성적인 설사, 수족관절통풍을 치료한다.

성분 뿌리는 coniferyl alcohol, scoparone, (+)-lariciresinol, β-sitosterol, stigmasterol, campesterol, daucosterol 등, 잎은 proto catechuic acid, ferulic acid, caffeic acid, aesculin, (6Z)-9-hydroxylinaloyl glucoside, 9-hydroxylinaloyl glucoside 등이 함유되어 있다.

약리 daucosterol은 acetylcholinesterase의 활성을 억제한다.

사용법 초목단 10g에 물 3컵(600mL)을 넣고 달여서 복용하거나, 목단등 1.8kg, 우슬 40g 및 오가피 80g을 물을 넣고 달여서 수시로 복용한다.

* 꽃이 청람색으로 긴 원추화서로 달리고 꽃덮개의 끝이 뒤로 많이 젖혀지며 가장자리가 주름이 지는 '자주조희풀 *C. heracleifolia* var. *davidiana*'도 약효가 같다.

● 초목단(草牧丹)

● 자주조희풀

● 조희풀

[미나리아재비과]

개버무리

🦵 만성풍습성관절염

● 치엽철선련(齒葉鐵線蓮)　● 개버무리(열매)

● 학명 : *Clematis serratifolia* Rehder
● 한자명 : 齒葉鐵線蓮　● 별명 : 개버머리, 으아리꽃, 꽃버무리

| 1 | 2 | 3 | 4 | 5 | 6 | 7 | 8 | 9 | 10 | 11 | 12 |

덩굴 식물. 길이 2m 정도. 잎은 마주나고 2회 3출겹잎이며, 꽃은 연한 황색, 지름 5~6cm, 8~9월에 짧은 꽃대에 몇 개씩 밑을 향하여 달린다. 포엽은 2개, 꽃받침 조각은 4개, 수술은 많고 수술대에 털이 있다. 열매는 수과, 길이 2.5mm 정도이고 끝에 암술대가 꼬리처럼 달린다.

분포 · 생육지 우리나라 경북, 강원도 이북. 중국, 일본, 아무르, 우수리. 숲 가장자리에서 자란다.

약용 부위 · 수치 뿌리를 가을에 채취하여 물에 씻어서 말린다.

약물명 치엽철선련(齒葉鐵線蓮)

약효 풍습을 몰아내고, 통증을 멎게 하는 효능이 있으므로 만성풍습성관절염을 치료한다.

사용법 치엽철선련 10g에 물 3컵(600mL)을 넣고 달여서 복용하거나 술에 담가서 복용한다.

＊ '검종덩굴 *C. fusca*'에 비하여 잎이 2회 3출겹잎이며 작은잎에 예리한 톱니가 있고 꽃은 연한 황색, 짧은 꽃대에 몇 개씩 달린다.

● 개버무리

[미나리아재비과]

참으아리

🦵 풍습비통　👁 편도선염, 인후염

🍱 옹창종족

● 학명 : *Clematis terniflora* DC.
● 한자명 : 圓錐鐵線蓮　● 별명 : 음동덩굴, 왕으아리

| 1 | 2 | 3 | 4 | 5 | 6 | 7 | 8 | 9 | 10 | 11 | 12 |

● 동각위령선(銅脚威靈仙)

덩굴 식물. 길이 5m 정도. 잎은 마주나고 깃꼴겹잎이며, 작은잎은 3~7개이다. 꽃은 지름 3cm 정도, 8~9월에 백색으로 피고, 꽃받침 조각은 4개, 수술은 많고 수술대에 털이 있다. 열매는 수과, 끝에 암술대가 꼬리처럼 달린다.

분포 · 생육지 우리나라 중부 이남. 중국, 일본, 아무르, 우수리. 바닷가 산지나 들에서 자란다.

약용 부위 · 수치 뿌리를 가을에 채취하여 물에 씻어서 말린다.

약물명 동각위령선(銅脚威靈仙). 동령선(銅靈仙)이라고도 한다.

약효 거풍제습(祛風除濕), 해독소종(解毒消腫), 양혈지혈(凉血止血)의 효능이 있으므로 풍습비통(風濕痺痛), 편도선염, 인후염, 옹창종독(癰瘡腫毒)을 치료한다.

사용법 동각위령선 10g에 물 3컵(600mL)을 넣고 달여서 복용하고, 외용에는 짓찧어 붙인다.

● 참으아리

황련

[미나리아재비과]

유행성열병		장티푸스, 비만구역, 세균성설사, 복통, 구토
폐결핵		목충혈, 구내염
		당뇨병

● 학명 : *Coptis chinensis* Franch. ● 영명 : Chinese goldthread ● 한자명 : 黃連

1 2 3 4 5 6 7 8 9 10 **11** 12

상록 여러해살이풀. 높이 50cm 정도. 땅속줄기는 옆으로 벋으며 속은 황색, 많은 잔뿌리가 있다. 뿌리잎은 삼각형으로 3개로 갈라지고, 꽃은 암수딴그루 또는 암수한그루이며 3~4월에 꽃대에 1~3개가 달리고 백색이다. 꽃받침은 5~7개, 꽃잎은 5~6개, 수술은 많다. 열매는 대과이며 1개의 세로줄이 있고, 종자는 긴 타원형, 갈색, 길이 2mm 정도이다.

분포·생육지 중국 쓰촨성(四川省), 윈난성(雲南省), 후베이성(湖北省), 산시성(陝西省). 산속 음지에서 자란다.

약용 부위·수치 뿌리줄기를 11월에 채취하여 말린다. 수치는 수염뿌리를 제거하고 코르크층을 약간 긁어 버리고 불로 볶는다. 강황련(薑黃連)은 생강을 짓찧어 즙을 내어 끓는 물에 조금 타서 이것을 황련에 부어 고루 섞어서 충분히 생강즙을 흡수하면 약한 불로 볶는다(황련 50kg에 생강 6.5kg). 수황련(茰黃連)은 오수유에 맑은 물을 가하여 오수유탕액을 만들고 여기에 황련편을 넣어서 황련이 탕액을 흡수하면 볶아서 말린다(황련 50kg에 오수유 6.5kg). 주황련(酒黃連)은 황련편에 막걸리를 고루 혼합하여 볶는다.

약물명 황련(黃連). 왕련(王連), 지련(支連)이라고도 한다. 대한민국약전(KP)에 수재되어 있다.

본초서 황련(黃連)은 「신농본초경(神農本草經)」의 상품에 왕련(王連)이라는 이름으로 수재되어 있다. 「본초강목(本草綱目)」에는 "노란색의 뿌리가 염주처럼 길게 이어져 있으므로 황련(黃連)이라 한다."고 하였다. 「동의보감(東醫寶鑑)」에는 "눈을 밝게 하고 충혈되며 갈증이 나고 답답한 증상, 피를 동반하는 설사 등을 치료한다."고 하였다.

神農本草經 : 主熱氣目痛, 眥傷泣出, 明目, 腸澼腹痛下痢, 婦人陰中腫痛. 久服令人不忘.

名醫別錄 : 主五臟冷熱, 久下泄澼膿血, 止消渴, 大驚, 除水, 利骨, 調胃, 厚腸益膽, 治口瘡.

藥性論 : 殺小兒疳蟲, 点赤眼昏痛, 鎮肝, 祛熱毒.

東醫寶鑑 : 主明目 止淚出 鎮肝 去熱毒 點滴眼昏痛 療腸澼 下痢膿血 止消渴 治驚悸煩燥 益膽 療口瘡 殺小兒疳蟲.

성상 결절(結節)이 있으며, 약간 굽고 곳곳에서 분지하여 닭발처럼 보이며 단순 원주형인 것도 있다. 대부분 길이 2~4cm, 때로는 10cm 정도이며 지름 3~7mm이다. 표면은 회황갈색이며 외피가 떨어져 나간

곳은 적갈색을 나타낸다. 횡단면은 섬유질이고, 코르크층은 엷은 회갈색, 피층은 황갈색, 목부는 황색이고 수(髓)는 황갈색이다.

품질 berberine의 함량이 3.5% 이상으로 잔뿌리가 적으며 견실하고 맛이 쓴 것일수록 좋다.

기미·귀경 한(寒), 고(苦)·심(心), 간(肝), 위(胃), 대장(大腸)

약효 청열사화(淸熱瀉火), 청심제번(淸心除煩), 조습(燥濕), 해독, 살충의 효능이 있으므로 유행성열병, 장티푸스, 비만구역(痞滿嘔逆), 세균성설사, 복통, 폐결핵, 구토, 비출혈(鼻出血), 하혈, 당뇨병, 목충혈(目充血), 구내염을 치료한다.

성분 알칼로이드가 많이 함유되어 있으며 주성분인 berberine 7~10%, 기타 coptisine, epicoptisine, palmatine, jateorrhizine, obacunone, obaculactone, magnoflorine, groenlandicine, epiberberine 등이 함유되어 있다.

약리 berberine은 폐렴구균, 간초균, 콜레라균 등에 항균 작용이 있고, 쥐, 토끼에게 정맥주사하면 혈압이 하강된다. 쥐, 토끼의 심장 표본에 berberine을 투여하면 소량에서는 acethylcholine의 작용을 강화시킨다. epicoptisine, coptisine, groenlandicine은 aldose reductase의 활성을 억제함으로써 당뇨병 또는 당뇨병 합병증을 예방한다.

확인 시험 가루 0.5g에 물 10mL를 넣고 때때로 흔들어 섞으면서 10분간 방치한 다음 여과한다. 여액 2방울에 HCl 1mL를 넣고 H_2O_2 시액 1방울을 넣고 흔들어 섞을 때 적자색을 나타낸다. 이것은 berberine에 기인한다.

사용법 황련 5g에 물 2컵(400mL)을 넣고 달여서 복용하거나 환약, 가루약으로 하여 복용하고 외용에는 가루 내어 붙인다. 안병(眼病)에는 물로 달인 액으로 씻는다. 음허(陰虛)로 번열(煩熱)이 있고 오심, 비허하리(脾虛下痢)에는 주의를 요한다.

처방 황련탕(黃連湯): 황련(黃連)·생지황(生地黃)·맥문동(麥門冬)·당귀(當歸)·작약(芍藥) 각 4g, 서각(犀角)·박하(薄荷)·감초(甘草) 각 2g「동의보감(東醫寶鑑)」. 심화(心火)로 혀가 헐고 부으며 갈라 터지거나 말을 잘하지 못하는 증상에 사용한다.

• 황련해독탕(黃連解毒湯): 황련(黃連)·황금(黃芩)·황백(黃柏)·치자(梔子) 각 5g「동의보감(東醫寶鑑)」. 삼초(三焦)에 열이 심하여 가슴이 답답하고 입안과 목이 마르며 열이 나며 헛소리를 하고 잠을 이루지

못하는 증상에 사용한다.

• 삼황사심탕(三黃瀉心湯): 대황(大黃)·황련(黃連) 각 8g, 황금(黃芩) 4g「동의보감(東醫寶鑑)」. 심열(心熱)이 성하여 얼굴이 벌겋고 눈에 피가 지면서 마음이 불안한 증상에 사용한다.

• 자음강화탕(滋陰降火湯): 작약(芍藥)·당귀(當歸)·숙지황(熟地黃)·맥문동(麥門冬)·천문동(天門冬)·백출(白朮) 각 4g, 생지황(生地黃) 3.2g, 모려(牡蠣) 2.8g, 지모(知母)·황백(黃柏)·감초(甘草) 각 2g, 생강(生薑) 3쪽, 대추(大棗) 2개「동의보감(東醫寶鑑)」. 신음(腎陰)이 부족하여 화(火)가 많아 오후에 미열이 나면서 잠 잘 때 식은땀이 나고 기침을 하며 때로 피가 섞인 가래가 나오는 증상에 사용한다.

• 소함흉탕(小陷胸湯): 반하(半夏)·황련(黃連) 12g, 괄루인(括蔞仁) 40g「상한론(傷寒論)」. 소결흉으로 명치 밑이 그득하고 누르면 아프고 설태가 있는 증상, 상한(傷寒)에 땀을 잘못내서 결흉증이 되어 가슴과 명치 밑이 그득하고 아픈 증상에 사용한다.

＊ 중국산 황련(黃連)은 천련(川連)과 운련(雲連)으로 나뉘며, 산지에 따라 형태가 다양하다. 천련(川連), 川黃連, 正川連)은 미련(味連), 아련(雅連), 봉미련(鳳尾連) 등으로 나뉘고, 'C. chinensis', 'C. deltoides' 및 'C. omiensis'의 뿌리줄기이다. 운련(雲連)은 윈난성(雲南省)에서 생산되며, 'C. quinquesecta'의 뿌리줄기이다.

❶ 황련(뿌리줄기)

❶ 황련(黃連)이 배합된 정장제

❶ 황련(黃連)

❶ 황련(黃連)이 함유된 소화제

❶ 황련

[미나리아재비과]

일황련

 유행성열병　 장티푸스, 비만구역, 세균성설사, 복통, 구토
 폐결핵　 목충혈, 구내염　당뇨병

● 학명 : *Coptis japonica* (Thunb.) Makino　● 영명 : Japanese goldthread
● 한자명 : 日黃連

| 1 | 2 | 3 | 4 | 5 | 6 | 7 | 8 | 9 | 10 | 11 | 12 |

여러해살이풀. 땅속줄기는 옆으로 벋으며 속은 황색, 많은 잔뿌리가 있다. 잎은 뿌리 잎으로 잎자루가 길고 깃꼴겹잎, 꽃은 암수 딴그루 또는 암수한그루, 백색, 3~4월에 꽃대에 1~3개가 달린다. 꽃받침잎은 5~7개, 바늘 모양, 꽃잎은 5~6개로 주걱 모양, 수술은 많고, 열매는 대과, 길이 1cm 정도이다.

분포 · 생육지 일본 각처. 산속 음지에서 자란다.

약용 부위 · 수치 뿌리줄기를 11월에 채취하여 말린다. 수치는 수염뿌리를 제거하고 코르크층을 약간 긁어 버리고 불로 볶는다.

약물명 황련(黃連). 일황련(日黃連)이라고도 한다. 대한민국약전(KP)에 수재되어 있다.

성상 뿌리줄기는 고르지 않은 원기둥 모양이며 다소 구부러지고 때로는 분지하며, 길이 3~9cm, 지름 0.2~0.7cm이다. 한쪽 끝에는 줄기 및 잎자루의 흔적이 보인다. 표면은 황갈색이고 잔뿌리를 태울 때의 남은 그을음이 있고, 횡단면은 섬유질이고 피

층은 황갈색이고 목부는 적황색이다. 냄새는 약간 있고 맛은 매우 쓰며 씹으면 침이 황색으로 물든다.

＊약효와 사용법은 '황련'과 같다.

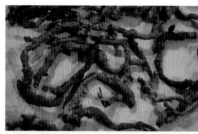
○ 황련(黃連)

○ 일황련

○ 일황련(잎)

○ 일황련(뿌리줄기)

[미나리아재비과]

비연초

 개창

● 학명 : *Delphinium ajacis* Regel　● 영명 : Larkspur
● 한자명 : 飛燕草

| 1 | 2 | 3 | 4 | 5 | 6 | 7 | 8 | 9 | 10 | 11 | 12 |

여러해살이풀. 높이 30~60cm. 잎은 어긋나고 3~5개로 갈라진다. 꽃은 짙은 자주색, 7~8월에 줄기 끝에 총상화서로 달린다. 꽃받침은 5개, 위쪽의 것은 거(距)가 있고, 꽃잎은 2개, 수술은 많고, 수술대의 밑부분은 넓다. 열매는 골돌로 3개이며 털이 없다.

분포 · 생육지 중국, 유럽. 산에서 자란다.

약용 부위 · 수치 종자를 늦여름에 채취하여 말린다.

약물명 비연초(飛燕草)

약효 소염(消炎)의 효능이 있으므로 개창(疥瘡)을 치료한다.

성분 ajacine, ajajconine, ajajacusine, ajadine, delsoline 등이 함유되어 있다.

사용법 비연초 적당량을 짓찧어서 환부에 바른다.

○ 비연초(꽃)

○ 비연초

[미나리아재비과]

제비고깔

👁 풍열치통   🧍 풍습비통

● 학명 : *Delphinium grandiflorum* L. var. *chinense* Fischer

| 1 | 2 | 3 | 4 | 5 | 6 | 7 | 8 | 9 | 10 | 11 | 12 |

❍ 제비고깔(꽃)

여러해살이풀. 높이 60cm 정도. 전체에 털이 많다. 잎은 어긋나고 3~5개로 갈라지며 다시 2~3갈래로 갈라진다. 꽃은 보라색, 7~8월에 줄기 끝에 총상화서로 달리고, 골돌은 3개이며 갈색 털이 조밀하다.
분포 · 생육지 우리나라 백두산을 비롯한 북부 지방. 중국 둥베이(東北) 지방, 아무르, 우수리. 산에서 자란다.
약용 부위 · 수치 뿌리 또는 전초를 늦여름에 채취하여 물에 씻어서 말린다.
약물명 소초오(小草烏)
약효 거풍습(祛風濕), 지통(止痛), 살충소양(殺蟲瘙痒)의 효능이 있으므로 풍열치통(風熱齒痛), 풍습비통(風濕痺痛)을 치료한다.
사용법 소초오 적당량을 짓찧어 환부에 붙이거나 즙액으로 씻는다.

❍ 제비고깔

[미나리아재비과]

큰제비고깔

♀ 생리통   🤰 복통   🦵 만성풍습성관절염   👁 치통

● 학명 : *Delphinium maackianum* Regel   ● 영명 : Large larkspur
● 한자명 : 飛燕草   ● 별명 : 산제비고깔

| 1 | 2 | 3 | 4 | 5 | 6 | 7 | 8 | 9 | 10 | 11 | 12 |

❍ 큰제비고깔(뿌리)

여러해살이풀. 높이 80~100cm. 잎은 어긋나고 3~5개로 갈라진다. 꽃은 짙은 자주색, 7~8월에 줄기 끝에 총상화서로 달린다. 포와 소포는 녹색, 바늘 모양, 작은 꽃대 중간에 달리고, 작은 꽃대는 갈색 털이 있다. 꽃받침은 5개, 위쪽의 것은 거(距)가 있고, 꽃잎은 2개, 수술은 많으며, 수술대의 밑부분은 넓다. 열매는 골돌로 3개이며 털이 없다.
분포 · 생육지 우리나라 경기 이북. 중국 둥베이(東北) 지방, 아무르, 우수리. 산에서 자란다.
약용 부위 · 수치 뿌리를 늦여름에 채취하여 물에 씻어서 말린다.
약물명 관포취작(寬苞翠雀)
약효 지통의 효능이 있으므로 생리통, 복통, 만성풍습성관절염, 치통을 치료한다.
성분 종자는 ajacine, delcosine, elatine 등의 알칼로이드와 delphin이 함유되어 있다.
약리 지방유(脂肪油)는 살충 작용을 가지고, 잎과 종자는 피부염을 일으키며, 종자의 독성은 다른 부분보다 크다. 중독된 동물은 행보가 곤란하고 호흡과 체온이 떨어지며 경련이 일어나 사망한다.
사용법 관포취작 3g에 물 2컵(400mL)을 넣고 달여서 복용한다.

❍ 큰제비고깔(열매)

❍ 큰제비고깔

[미나리아재비과]

서양고깔꽃

치통　　　　두발 기생충

●학명 : *Delphinium staphisagria* L.　●영명 : Stavesacre

1	2	3	4	5	6	7	8	9	10	11	12

❂ 서양고깔꽃(꽃)

여러해살이풀. 높이 90~100cm. 잎은 어긋나고 3~5개로 갈라진다. 꽃은 짙은 자주색, 7~8월에 줄기 끝에 총상화서로 달린다. 꽃받침은 5개, 위쪽의 것은 거(距)가 있고, 꽃잎은 2개, 수술은 많다. 열매는 골돌로 3개이다.

분포·생육지 유럽, 브라질, 아르헨티나, 뉴질랜드. 산과 들에서 자란다.

약용 부위·수치 전초를 여름에 채취하여 물에 씻어서 말린다.

약물명 Delphinii Herba

약효 소염지통(消炎止痛)의 효능이 있으므로 치통을 치료하고, 두발의 기생충을 박멸한다.

사용법 치통에는 물을 넣고 달인 액으로 양치질하고, 두발의 기생충 제거에는 달인 액으로 머리를 감는다.

❂ 서양고깔꽃

[미나리아재비과]

성탄장미

정신질환　　　　불안증

변비

●학명 : *Helleborus orientalis* L.　●영명 : Black hellebore, Christmas rose

1	2	3	4	5	6	7	8	9	10	11	12

여러해살이풀. 높이 30~50cm. 뿌리는 산미를 풍긴다. 잎은 뿌리에서 모여나고 긴 잎자루에 3출엽이며, 작은잎의 가장자리는 밋밋하다. 꽃대는 길게 나와 끝에 단성화로 핀다. 꽃잎은 5개이며 아래로 처지고, 수술은 아주 많다.

분포·생육지 유럽. 숲속이나 산골짜기에서 자라고, 세계 각처에서 재배한다.

약용 부위·수치 뿌리를 여름에 채취하여 물에 씻어서 말린 뒤 분말로 만든다.

약물명 Hellebori Radix. 일반적으로 Christmas rose라고 한다.

약효 진정, 사하의 효능이 있으므로 정신질환, 불안증, 변비를 치료한다.

사용법 Hellebori Radix 분말 500mg을 복용한다.

❂ 성탄장미

❂ Hellebori Radix

❂ 성탄장미(뿌리)

[미나리아재비과]

노루귀

근골산통　복통, 장염　해수　선창

● 학명 : *Hepatica asiatica* Nakai　● 영명 : Livermort
● 한자명 : 獐耳細辛　● 별명 : 뾰족노루귀

| 1 | 2 | 3 | 4 | 5 | 6 | 7 | 8 | 9 | 10 | 11 | 12 |

여러해살이풀. 잎은 뿌리에서 모여나고 심장형, 갈라진 조각의 끝은 뾰족하고 잎에 털이 많아 노루귀 같다. 꽃은 백색 또는 연한 분홍색, 4월에 잎이 나오기 전에 피며 1개의 꽃이 위를 향한다. 꽃받침잎은 6~8개이고 꽃잎 같다. 꽃잎은 없고 수술과 암술은 많으며 황색, 씨방에 털이 있다. 열매는 수과이며 퍼진 털이 있고 밑에 총포가 있다.

분포 · 생육지 우리나라 전역. 중국, 일본, 우수리. 숲속이나 산골짜기에서 자란다.

약용 부위 · 수치 전초를 여름에 채취하여 흙과 먼지를 털고 물에 씻어서 말린다.

약물명 장이세신(獐耳細辛). 유폐삼칠(幼肺三七)이라고도 한다.

약효 활혈거풍(活血祛風), 살충지양(殺蟲止痒)의 효능이 있으므로 근골산통(筋骨酸痛), 선창(癬瘡), 복통, 해수, 장염 및 하리를 치료한다.

사용법 장이세신 5g에 물 2컵(400mL)을 넣고 달여서 복용하고, 외용에는 짓찧어 바른다.

＊ 전체가 작고 잎 앞면에 흰 무늬가 있으며 꽃이 잎과 같이 되고 꽃받침 조각이 5개로 보다 짧은 '새끼노루귀 *H. insularis*', 본 종

에 비하여 식물체가 크고 씨방에 털이 없는 '큰노루귀 *H. maxima*'도 약효가 같다.

● 장이세신(獐耳細辛)

● 새끼노루귀

● 큰노루귀

● 노루귀(붉은꽃)

● 노루귀(흰꽃)

[미나리아재비과]

히드라스티스

출산 후 지속적인 출혈　소화불량, 설사　구내염, 안과질환

● 학명 : *Hydrastis canadensis* L.　● 영명 : Hydrastis, goldenseal

| 1 | 2 | 3 | 4 | 5 | 6 | 7 | 8 | 9 | 10 | 11 | 12 |

여러해살이풀. 뿌리줄기는 땅속에서 옆으로 기며 매년 각 뿌리줄기에서 2~3개의 줄기가 나온다. 줄기는 바로 서며 1~3개의 잎이 달린다. 잎은 5갈래로 깊이 갈라지고, 가장자리에는 톱니가 있다. 꽃은 줄기 끝에서 피고 백색이다. 가을에 나무딸기 같은 붉은색의 열매를 맺는다.

분포 · 생육지 캐나다, 미국. 숲속이나 산골짜기에서 자란다.

약용 부위 · 수치 뿌리와 뿌리줄기를 여름에 채취하여 흙과 먼지를 털고 물에 씻어서 말린다.

약물명 Hydrastidis Rhizoma

약효 지혈, 건위, 지사의 효능이 있으므로 출산 후의 지속적인 출혈, 소화불량, 설사, 구내염을 치료한다. hydrastinine은 안과질환에 복합제로 사용된다.

성분 hydrastine이 주성분이고(1.5~4%), berberine, canadine 등이 함유되어 있다. hydrastine은 산화되면 hydrastinine이 된다.

약리 hydrastine은 혈관 수축 및 혈압 상승 작용이 있고, 이러한 작용은 hydrastine보다 hydrastinine이 강하다. hydrastine은 자궁 지혈 작용이 있다. berberine은 살균 작용과 살진균 작용이 있다. hydrastine은 PC12세포에서 tyrosine hydroxylase의 활성을 저해하고 dopamine의 증가를 억제한다.

사용법 Hydrastidis Rhizoma 1g을 뜨거운 물에 우려내어 복용한다.

주의 이 약은 자궁에 작용하므로 임신기에 복용하면 안된다.

● 히드라스티스

나도바람꽃

| 습열황달, 복통, 장염, 하리 | 창독 |
| 두통 | 치통 | 해수 |

● 학명 : *Isopyrum raddeanum* (Regel) Max.

1 2 3 **4 5 6 7 8** 9 10 11 12

여러해살이풀. 높이 20~30cm. 줄기는 곧게 서고, 줄기 밑부분의 잎은 자루가 있으며, 잎몸은 3출겹잎, 위의 것은 자루가 없이 돌려난다. 꽃은 백색, 5~6월에 줄기 끝 3~6개의 꽃자루 끝에 1개씩 피고, 꽃잎은 없고, 5개의 꽃받침잎이 꽃잎 같다.

분포 · 생육지 우리나라 설악산 및 강원도 이북의 심산 지역. 중국, 일본, 우수리. 숲속이나 산골짜기에서 자란다.

약용 부위 · 수치 전초를 여름에 채취하여 흙과 먼지를 털고 물에 씻어서 말린다.

약물명 모저초(母猪草). 산황련(山黃連)이라고도 한다.

약효 진통, 진해, 소종의 효능이 있으므로 습열황달(濕熱黃疸), 창독(瘡毒), 두통, 치통, 복통, 해수, 장염 및 하리를 치료한다.

사용법 모저초 10g에 물 3컵(600mL)을 넣고 달여서 복용하고, 외용에는 짓찧어 바른다.

＊뿌리에 보리 알 같은 뿌리줄기가 있고 꽃이 잎겨드랑이에 달리며 골돌이 2개인 '만주바람꽃 *I. mandshuricum*'도 약효가 같다.

○ 나도바람꽃

향흑종초

| 소화불량, 복통, 위경련 | 두통 |
| 천식 |

● 학명 : *Nigella sativa* L. ● 영명 : Black cumin, kalonji
● 한자명 : 香黑種草 ● 별명 : 검은커민, 검은니겔라

1 2 3 4 5 **6 7 8 9 10** 11 12

한해살이풀. 높이 30~40cm. 줄기는 곧게 서고, 잎은 어긋나고 손바닥 모양으로 가늘게 갈라진다. 꽃은 6~7월에 줄기 끝에 1개씩 피고 회청색이 도는 백색, 꽃잎은 없고, 5개의 꽃받침잎이 꽃잎 같으며, 종자는 흑색이다.

분포 · 생육지 남유럽, 북아프리카, 서아시아. 양지바른 곳에서 자란다.

약용 부위 · 수치 종자를 가을에 채취하여 말려 사용한다.

약물명 향흑종초(香黑種草). black cumin, kalonji라고도 한다.

약효 면역 증강, 항경련, 이뇨의 효능이 있으므로 소화불량, 복통, 두통, 위경련, 천식을 치료한다.

성분 thymoquinone, thymol, *p*-cymene, α-hederin, nigellone, quercetin, kaempferol 등이 함유되어 있다.

약리 thymoquinone, nigellone은 동물 실험에서 지질산화 효소의 활성을 억제하고 산화질소 합성을 유도한다. 그러므로 염증과 자가면역증에 효과가 있다. 저혈당, 간 보호, 진통, 항혈전 응고, 경련 억제, 기관지 확장, 항암, 항균 효과 등이 있다.

사용법 향흑종초 10g에 물 3컵(600mL)을 넣고 달여서 복용한다.

＊아라비아와 이슬람의 중요한 천연 약물로 다양한 질병에 사용하고 있으며, 음료, 차, 환약 등으로 만들어 판매하고 있다.

○ 향흑종초(열매)

○ 향흑종초

[미나리아재비과]

중국할미꽃

열독성혈리 | 비출혈, 치출혈, 인종 | 심장통
부종 | 말라리아 | 대머리, 두창 | 요슬산풍

● 학명 : Pulsatilla chinensis (Bunge) [Anemone chinensis]　● 영명 : Regel
● 한자명 : 白頭翁　● 별명 : 넓은잎할미꽃, 세잎할미꽃, 백두옹

| 1 | 2 | 3 | 4 | 5 | 6 | 7 | 8 | 9 | 10 | 11 | 12 |

여러해살이풀. 키 20~30cm. 전체에 긴 비단 같은 털이 빽빽이 나고, 뿌리는 굵고 곧으며 암갈색이다. 잎은 뿌리에서 모여나며 3개의 작은잎으로 구성되고 깃꼴겹잎, 작은잎은 3갈래로 얕게 갈라지고 끝부분에 불규칙한 톱니가 있다. 꽃은 4~5월에 1개가 밑을 향해 달리며 남자색, 수과는 긴 달걀 모양이다.

분포 · 생육지 중국 둥베이(東北) 지방, 허베이성(河北省), 산시성(陝西省), 간쑤성(甘肅省), 장쑤성(江蘇省), 쓰촨성(四川省). 평원이나 낮은 산의 초지에서 자란다.

약용 부위 · 수치 뿌리를 봄에 꽃 피기 전에 채취하여 흙과 먼지를 털고 물에 씻어서 말리며, 꽃은 활짝 핀 것을 채취하고, 잎은 여름철에 채취하여 먼지를 털고 물에 씻어서 말린다.

약물명 백두옹(白頭翁). 노고초(老姑草), 노관화(老冠花), 노화상두(老和尚頭)라고도 한다. 꽃을 백두옹화(白頭翁花), 잎을 백두옹엽(白頭翁葉)이라 한다. 백두옹(白頭翁)은 대한민국약전외한약(생약)규격집(KHP)에 수재되어 있다.

약효 백두옹은 청열양혈(淸熱凉血), 해독의 효능이 있으므로 열독성혈리(熱毒性血痢), 비출혈(鼻出血), 치출혈(痔出血), 인종(咽腫)을 치료한다. 백두옹화는 말라리아, 대머리, 두창을 치료하고, 백두옹엽은 요슬산풍(腰膝風痛), 부종 및 심장통을 치료한다.

* 사용법은 '할미꽃 P. koreana'과 같다.

❍ 중국할미꽃

❍ 백두옹(白頭翁)

❍ 백두옹(白頭翁, 절편)

[미나리아재비과]

서양할미꽃

신경통 | 요도염
소화불량 | 불면증

● 학명 : Pulsatilla vulgaris Mill. [Anemone pratensis]　● 영명 : Pasque flower, Pulsatilla

| 1 | 2 | 3 | 4 | 5 | 6 | 7 | 8 | 9 | 10 | 11 | 12 |

여러해살이풀. 뿌리는 굵고 흑갈색, 잎은 뿌리에서 모여나며 가늘게 갈라진 깃꼴겹잎이다. 꽃은 4~5월에 피고 1개의 꽃이 위를 향해 피었다가 점차 밑을 향한다. 꽃받침 조각은 6개, 겉에 백색 털이 많고 안쪽은 털이 없으며 자주색이다. 수과는 긴 달걀 모양이고 끝에 깃털이 달려 있다.

분포 · 생육지 유럽. 산 양지에서 자란다.

약용 부위 · 수치 지상부를 봄에 채취하여 흙과 먼지를 털고 물에 씻어서 말린다.

약물명 Pulsatillae Herba. 일반적으로 pasque flower, pulsatilla라 한다.

약효 진통소염의 효능이 있으므로 신경통, 편두통, 요도염, 소화불량, 불면증을 치료한다.

성분 ranuculin, protoanemonin 등이 함유되어 있다.

약리 protoanemonin은 피부병균에 항균 작용이 있고, 중추 신경을 억제시켜 진정 효능이 있다.

사용법 Pulsatillae Herba 5~6g에 물 2컵(400mL)을 넣고 달여서 복용한다.

❍ 서양할미꽃

할미꽃

열독성혈리	비출혈, 치출혈, 인종	심장통
부종	말라리아	대머리, 두창	요슬산풍

● 학명 : *Pulsatilla koreana* Nakai　● 영명 : Pasque flower
● 한자명 : 老姑草　● 별명 : 할매꽃

| 1 | 2 | 3 | 4 | 5 | 6 | 7 | 8 | 9 | 10 | 11 | 12 |

여러해살이풀. 뿌리는 굵고 흑갈색, 잎은 뿌리에서 모여나며 5개의 작은잎으로 구성된 깃꼴겹잎이다. 꽃은 4~5월에 1개의 꽃이 밑을 향해 달리며, 꽃받침 조각은 6개, 겉에 백색 털이 많고 안쪽은 적자색이다. 수과는 긴 달걀 모양이다.

분포 · 생육지 우리나라 전역. 중국 둥베이(東北) 지방, 우수리, 아무르. 산의 양지에서 자란다.

약용 부위 · 수치 봄에 꽃이 피기 전에 뿌리를 채취하여 흙과 먼지를 털고 물에 씻어서 말린다. 꽃은 활짝 핀 것을 채취하고, 잎은 여름철에 채취하여 먼지를 털고 물에 씻어서 말린다.

약물명 백두옹(白頭翁), 노고초(老姑草), 노관화(老冠花), 노화상두(老和尙頭)라고도 한다. 꽃을 백두옹화(白頭翁花), 잎을 백두옹엽(白頭翁葉)이라 한다. 백두옹(白頭翁)은 대한민국약전외한약(생약)규격집(KHP)에 수재되어 있다.

본초서 백두옹(白頭翁)은 「신농본초경(神農本草經)」의 하품(下品)에 수재되어 있다. 양대(梁代) 도홍경(陶弘景)의 「본초경집주(本草經集注)」에는 "뿌리 가까운 곳에 백색 털(白茸)이 있으며 그 모양이 노옹(老翁)과 같으므로 백두옹(白頭翁)이라 한다."고 하였다. 「동의보감(東醫寶鑑)」에 "피가 섞인 대변, 목에 생긴 영류(癭瘤)와 나력을 낫게 하며, 사마귀를 없앤다. 머리에 난 악성 피부 질환을 낫게 한다."고 하였다.

神農本草經: 主溫瘧狂易寒熱, 癥瘕積聚, 癭氣, 逐血止痛, 療金瘡.

藥性論: 止腹痛及赤毒痢, 治齒痛, 主項下瘰癧主百骨節痛.

本草綱目拾遺: 去腸垢, 消積滯.

東醫寶鑑: 主赤毒痢及血痢 治項下瘰癧 消贅子 療頭癩.

성상 원주형으로 길이 6~20cm, 지름 5~20mm이다. 표면은 황갈색~갈색이며 불규칙한 세로 주름이 있고 피부가 쉽게 떨어져 나가 황색의 목부가 노출되어 그물 모양으로 갈라진 무늬가 있다. 근두부(根頭部)에는 백색의 연한 털이 있으며 줄기와 잎자루가 있다. 질은 단단하면서 푸석푸석하여 쉽게 꺾이며 꺾인 면은 평탄하다. 묵은 뿌리는 썩어서 공동(空洞)으로 된 것도 있다. 자극적인 냄새가 나며 맛은 쓰면서 떫다. 품질은 뿌리가 길쭉길쭉하고 회황색이며 근두부에 백색의 연한 털이 많은 것이 좋다.

기미 · 귀경 한(寒), 고(苦) · 위(胃), 대장(大腸)

약효 백두옹(白頭翁)은 청열양혈(淸熱凉血), 해독의 효능이 있으므로 열독성혈리(熱毒性血痢), 비출혈(鼻出血), 치출혈(痔出血), 인종(咽腫)을 치료한다. 백두옹화(白頭翁花)는 말라리아, 대머리, 두창을 치료하고, 백두옹엽(白頭翁葉)은 요슬산풍(腰膝風痛), 부종 및 심장통을 치료한다.

성분 cernuoside A, B, hederacholchiside E, F, beesioside Q, fatsiaside G, hederacoside B, raddeanoside R17, pulsatilla saponin D, I, F, patria saponin H3, hederasaponin D, raddeanoside R13, kalopanaxsaponin H, scabioside A, anemonin, hederagenin, oleanolic acid, acethyloleanolic acid 등이 함유되어 있다. 꽃에는 astragalin, tiliroside, buddlenoide 등이 함유되어 있다.

약리 물로 달인 액은 아메바성 적리균에 항균 작용이 있고, 트리코모나스를 살충하고, saponin 군은 용혈 작용이 약하고 항암 작용이 있다.

사용법 백두옹과 백두옹엽은 각각 10g에 물 3컵(600mL)을 넣고 달여서 복용하고, 외용에는 짓찧어 바른다. 백두옹화는 5g에 물 2컵(400mL)을 넣고 달여서 복용한다.

처방 백두옹탕(白頭翁湯) : 백두옹(白頭翁) · 황련(黃連) · 황백(黃柏) · 진피(秦皮) 각 6g (「상한론(傷寒論)」, 「동의보감(東醫寶鑑)」). 몸에 열이 나고 입안이 마를 뿐만 아니라 배가 아프고 피와 곱이 섞인 대변을 누며 뒤가 묵직하고 항문에 열감이 있는 증상에 사용한다.

• 진피고삼탕(秦皮苦蔘湯) : 진피(秦皮) 16g, 백두옹(白頭翁) 12g, 고삼(苦蔘) · 황금(黃芩) · 황백(黃柏) 각 10g (「경험방(經驗方)」). 세균성 적리(赤痢), 급성 및 만성대장염으로 열이 나며 설사하는 증상에 사용한다.

＊ 잎이 진한 녹색이고 뿌리가 곧고 긴 '중국할미꽃 *P. chinensis*', 꽃잎이 분홍색인 '분홍할미꽃 *P. dahurica*', 꽃잎이 청보라색인 '동강할미꽃 *P. tongkangenesis*'도 약효가 같다.

○ 백두옹(白頭翁)

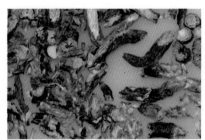
○ 백두옹(白頭翁, 절편)

○ 할미꽃

○ 동강할미꽃

○ 분홍할미꽃

○ 할미꽃(열매)

[미나리아재비과]

털개구리미나리

● 학명 : *Ranunclulus cantoniensis* DC.
● 한자명 : 野芹草, 自箟草 ● 별명 : 털젖가락나물, 왜젖가락나물

| 1 | 2 | 3 | 4 | 5 | 6 | 7 | 8 | 9 | 10 | 11 | 12 |

안예, 목적　　황달
풍습성관절염　　나력

여러해살이풀. 높이 15~80cm. 뿌리잎은 잎자루가 길고, 줄기잎은 잎자루가 짧다. 꽃은 8월에 피며 황색, 꽃받침은 5개, 꽃잎은 5개이며 길이 4~6mm로 달걀 모양이다. 수술대는 털이 없고 길이 1~1.5mm, 꽃밥은 길이 1.5mm 정도이다. 취과는 둥글고 꽃턱에 짧은 털이 있으며, 수과는 길이 3.5mm 정도로 납작한 도란형이다.

분포 · 생육지 우리나라 제주도, 전남, 설악산, 함북, 중국, 일본, 타이완. 물가의 풀밭에서 자란다.

약용 부위 · 수치 전초를 여름철에 채취하여 물에 씻어서 말린다.

약물명 자구초(自扣草), 야근초(野芹草), 자구초(自箟草)라고도 한다.

기미 · 귀경 온(溫), 미고(微苦), 신(辛), 유독(有毒) · 간(肝)

약효 청간명목(清肝明目), 제습해독(除濕解毒)의 효능이 있으므로 안예(眼翳), 목적(目赤), 황달, 풍습성관절염, 나력(瘰癧)을 치료한다.

성분 protoanemonine이 함유되어 있다.

사용법 자구초 5g에 물 2컵(400mL)을 넣고 달여서 복용하거나 분말로 하여 산포한다.

＊ 우리나라 전역의 습지에서 자라는 '개구리미나리 *R. tachiroei*'도 약효가 같다.

○ 털개구리미나리

[미나리아재비과]

젓가락풀

● 학명 : *Ranunculus chinensis* Bunge
● 한자명 : 水胡草, 蝎虎草 ● 별명 : 젓가락나물

| 1 | 2 | 3 | 4 | 5 | 6 | 7 | 8 | 9 | 10 | 11 | 12 |

간염, 황달, 간경화복수　　해수
치주염　　피부병

○ 회회산(回回蒜)

두해살이풀. 전체에 퍼진 털이 있고 높이 40~80cm. 줄기는 약간 굵으며 속이 비고 뿌리줄기가 짧다. 뿌리잎은 3출겹잎으로 잎자루가 길고, 작은잎은 3개로 깊게 갈라지며 다시 2~3개로 갈라진다. 꽃은 6월에 피며 지름 6~8mm, 황색이다. 꽃받침잎은 5개이고 좁은 달걀 모양으로 젖혀지며, 뒤에 털이 있고 꽃잎도 이와 비슷하다.

분포 · 생육지 우리나라 전역. 중국, 일본, 아무르, 우수리. 습지에서 자란다.

약용 부위 · 수치 전초를 여름에 채취하여 물에 씻은 뒤 썰어서 말린다.

약물명 회회산(回回蒜). 수호초(水胡草), 갈호초(蝎虎草)라고도 한다.

약효 회회산(回回蒜)은 해독퇴황(解毒退黃), 정천(定喘), 진통의 효능이 있으므로 간염, 황달, 간경화복수(肝硬化腹水), 해수, 치주염, 피부병을 치료한다.

사용법 회회산 5g에 물 2컵(400mL)을 넣고 달여서 복용하고, 외용에는 가루로 하여 바른다.

＊ 우리나라 중부 이북 및 계룡산에서 자라는 '왜미나리아재비 *R. franchetii*'도 약효가 같다.

○ 젓가락풀

미나리아재비

	간염, 황달, 간경화복수		해수
	치주염		피부병

●학명 : *Ranunculus japonicus* Thunb. ●영명 : Butter cup
●한자명 : 水菫, 毛建草 ●별명 : 늪동이, 바구지, 자래초

1	2	3	4	5	6	7	8	9	10	11	12

여러해살이풀. 높이 40~50cm. 뿌리줄기는 짧고 잔뿌리가 많이 나온다. 뿌리잎은 심장형, 3개로 깊게 갈라지고, 줄기잎은 3개로 갈라지며 잎자루가 짧다. 꽃은 6월에 황색으로 피고, 꽃받침은 5개, 꽃잎도 5개, 윤채가 돌며, 암술과 수술은 많고, 취과는 구형이다.

분포·생육지 우리나라 전역. 일본, 중국 둥베이(東北) 지방, 중국, 우수리. 양지바른 산과 들, 산골짜기에서 자란다.

약용 부위·수치 뿌리가 달린 전초를 여름부터 가을에 채취하여 물에 깨끗이 씻어서 말린다.

약물명 모간(毛茛). 수간(水菫), 모건초(毛建草), 모근(毛菫)이라고도 한다.

약효 해독퇴황(解毒退黃), 정천(定喘), 진통(鎭痛)의 효능이 있으므로 간염, 황달, 간경화복수, 해수, 치주염, 피부병을 치료한다.

성분 ranunculin, protoanemonin, anemonin이 함유되어 있다.

약리 protoanemonin은 유독하여 피부염이나 수포(水泡)를 일으키나 오래 두면 anemonin으로 변하여 유독성이 줄어든다.

사용법 모간 5g에 물 2컵(400mL)을 넣고 달여서 복용하고, 외용에는 짓찧어 환부에 붙이거나 삶은 물로 씻는다. 외용할 때는 수포가 생기지 않도록 주의한다.

※ 본 종에 비하여 뿌리잎의 잎자루와 줄기의 하부에 있는 털이 눕고 암술대 끝이 보다 길고 두드러지게 구부러진 '애기미나리아재비 *Ranunclulus acris*', 줄기잎의 열편이 좁고 (0.5~3mm) 가장자리가 밋밋한 '산미나리아재비 *Ranunclulus acris* var. *nipponicus*'도 약효가 같다.

❶ 미나리아재비(뿌리)

❶ 미나리아재비(열매)

❶ 산미나리아재비

❶ 미나리아재비

개구리자리

	풍한습비		종독, 독사교상, 나력		결핵
	하리궤양		충치, 심열번갈		말라리아

●학명 : *Ranunculus sceleratus* L. ●영명 : Celery-leafed butter cup
●한자명 : 姜苔 ●별명 : 늪동이풀, 늪바구지

1	2	3	4	5	6	7	8	9	10	11	12

두해살이풀. 높이 30~50cm. 뿌리잎은 모여나며 잎자루가 길고 3개로 깊이 갈라진다. 줄기잎은 어긋나고 위로 갈수록 잎자루가 짧아진다. 꽃은 4~5월에 피고 황색, 꽃받침은 5개, 꽃잎도 꽃받침과 형태와 크기가 같으며, 꽃받침은 꽃이 진 다음 자라서 긴 타원상 구형, 길이 8~10mm이다. 수과는 넓은 달걀 모양이다.

분포·생육지 우리나라 전역. 중국, 일본, 북반구. 논밭이나 습지에서 자란다.

약용 부위·수치 전초를 꽃이 피는 봄에 채취하고, 열매는 여름에 채취하여 물에 깨끗이 씻어서 말린다.

약물명 석룡예(石龍芮). 강태(姜苔), 팽근(彭根), 호초채(胡椒菜)라고도 하고, 열매를 석룡예자(石龍芮子)라 한다.

본초서 석룡예(石龍芮)는 「신농본초경(神農本草經)」에 수재되어 있으며, 「명의별록(名醫別錄)」에는 팽근(彭根)이라는 이름으로 수재되어 있다.

약효 청열해독(淸熱解毒), 소종산결(消腫散結), 진통의 효능이 있으므로 종독(腫毒), 독사교상, 나력, 결핵, 말라리아, 하리궤양, 충치를 치료한다. 석룡예자(石龍芮子)는 심열번갈(心熱煩渴), 음허실정(陰虛失精), 풍한습비(風寒濕痺)를 치료하는데, 효능은 '구기자'나 '복분자'와 유사하다.

성분 ranunculin, protoanemonin, anemonin 등이 함유되어 있다.

약리 신선한 잎이나 줄기에는 protoanemonin이 함유되어 있으므로 피부염, 수포를 일으키고, 가열하거나 오래 두면 anemonin으로 변화되어 매운맛과 자극성이 없어진다. 그리고 생것에 함유되어 있는 7종의 tryptamin 유도체는 쥐의 자궁을 수축시킨다.

사용법 석룡예 또는 석룡예자 5g에 물 2컵(400mL)을 넣고 달여서 복용하고 외용에는 짓찧어 붙이거나 고약을 만들어 환부에 붙인다.

❋ 석룡예(石龍芮)

❶ 개구리자리

개구리갓

나력, 정창　　폐결핵
인후염, 치통　　말라리아, 편두통

● 학명 : *Ranunculus ternatus* Thunb.　● 영명 : Giant horsetail
● 한자명 : 猫爪草, 三散草　● 별명 : 좀미나리아재비

| 1 | 2 | 3 | 4 | 5 | 6 | 7 | 8 | 9 | 10 | 11 | 12 |

두해살이풀. 높이 10~25cm. 방추형의 뿌리가 있다. 뿌리잎은 잎자루가 길고 달걀 모양이며 3개로 깊게 또는 완전히 갈라진다. 줄기잎은 1~4개, 꽃은 황색, 4~5월에 피고, 꽃받침 5개, 꽃잎도 5개, 꽃받침은 자라서 타원형으로 되며 길이 8~10mm로 털이 없거나 백색 털이 산생한다. 수과는 넓은 달걀 모양, 길이 1mm 정도, 털이 없고 구형으로 모여 달린다.

분포 · 생육지 우리나라 제주도, 전남, 설악산, 함북. 중국, 일본, 타이완. 물가의 풀밭에서 자란다.

약용 부위 · 수치 덩이뿌리를 봄 또는 가을에 채취하여 잔뿌리는 제거하고 물에 씻어서 말린다.

약물명 묘조초(猫爪草), 삼산초(三散草)라고도 한다.

본초서 「중약재수책(中藥材手冊)」에는 "목 주변에 생기는 결핵성 나력에 효과가 있다."고 하고, 「광서중약지(廣西中藥志)」에는 "가래를 제거하며 나력을 치료하는 효능이 있으며, 「광서중초약(廣西中草藥)」에는 림프성 결핵과 인후염에 좋다."고 하였다.

기미 · 귀경 평(平), 감(甘), 신(辛) · 간(肝), 폐(肺)

약효 해독, 화담산결(化痰散結)의 효능이 있으므로 나력(瘰癧), 폐결핵, 인후염, 정창(疔瘡), 말라리아, 편두통, 치통을 치료한다.

사용법 묘조초 10g에 물 3컵(600mL)을 넣고 달여서 복용하거나 분말로 하여 산포한다. 나력에는 묘조초와 하고초를 반씩 배합하여 물을 넣고 달인 액을 복용하면서 환부에 붙인다. 뿌리가 깊은 종기, 뱀이나 독충에 물린 상처에는 가루 내어 참기름과 섞어서 환부에 붙이며, 편두통에 이 방법으로 한다.
＊ '미나리아재비 *R. japonicus*'에 비하여 뿌리잎은 적어도 일부가 3출엽이며 뿌리의 일부가 방추형으로 비후하고 수과에 털이 없다.

○ 개구리갓

○ 묘조초(猫爪草)

개구리발톱

나력옹종, 사충교상, 정창　　산기, 소변임옹, 요로결석
유옹　　목적종통, 인후통

● 학명 : *Semiaquilegia adoxoides* (DC.) Makino
● 한자명 : 天葵草　● 별명 : 개구리망, 섬개구리망, 섬향수풀, 섬향수꽃

| 1 | 2 | 3 | 4 | 5 | 6 | 7 | 8 | 9 | 10 | 11 | 12 |

여러해살이풀. 높이 15~30cm. 뿌리잎은 잎자루가 길고 뒷면은 흰빛이 돌며 3개의 작은잎이 있고 2~3개로 깊게 갈라진다. 꽃은 4~5월에 피고 지름 5mm 정도, 백색 바탕에 약간 붉은빛이 돈다. 꽃받침은 5개, 꽃잎 같으며 긴 타원형, 꽃잎은 5개, 밑부분이 통 같고 극히 짧은 거(距)가 밑에 있다. 열매는 골돌로 바늘 모양이다.

분포 · 생육지 우리나라 제주도, 남쪽 섬(완도 · 진도), 무등산, 내장산 및 장성. 중국, 일본. 산기슭에서 자란다.

약용 부위 · 수치 전초를 가을부터 겨울까지 채취하여 말린 것과 땅속의 덩이줄기를 채취하여 가는 뿌리를 제거하고 씻어서 말린 것을 약용한다.

약물명 지상부를 채취하여 말린 것을 천규초(天葵草), 덩이줄기를 천규자(天葵子)라 한다.

본초서 천규초(天葵草)는 「명의별록(名醫別錄)」의 하품에 낙규(落葵)의 별명으로 수재되어 있으며, 「도경본초(圖經本草)」에는 토규(菟葵)라는 별명으로도 수재되어 있다. 낙규(落葵)는 낙규과(Basellaceae)에 속하는 '*Basella rubra*'의 전초이고, 토규(菟葵)는 아욱과 '*Malva parviflora*'의 지상부이다. 「식물명실도고(植物名實圖考)」에 처음 천규(天葵)라는 항목이 있으며, "젖가슴 질환에 사용하여 큰 효과를 보았다."는 기사가 그림과 함께 실려 있다. 홍콩 생약 시장에 출하되는 자배천규(紫背天葵) 또는 청천자(青天紫)는 난초과의 '순우란 *Nervilia fordii*'의 잎으로 중국 광둥성(廣東省), 광시성(廣西省)에서 산출되고 가래, 기침, 해독약으로 이용되고 있다.

기미 · 귀경 천규초(天葵草): 미한(微寒), 감(甘), 소독(小毒). 천규자(天葵子): 한(寒), 감(甘), 고(苦), 신(辛), 소독(小毒) · 간(肝), 비(脾), 방광(膀胱)

약효 천규초(天葵草)는 해독소종(解毒消腫), 이수통림(利水通淋)의 효능이 있으므로 나력옹종(瘰癧癰腫), 사충교상(蛇蟲咬傷), 산기(疝氣), 소변임옹(小便淋癰)을 치료한다. 천규자(天葵子)는 청열해독(淸熱解毒), 소종산결(消腫散結), 이수통림(利水通淋)의 효능이 있으므로 옹종(癰腫), 정창(疔瘡), 유옹(乳癰), 피부양창(皮膚痒瘡), 목적종통(目赤腫痛), 인후통, 요로결석을 치료한다.

성분 뿌리에는 알칼로이드류, coumarin류 및 phenol류가 함유되어 있다.

사용법 천규초는 10g에 물 3컵(600mL)을 넣고 달여서 복용한다. 천규자는 5g에 물 2컵(400mL)을 넣고 달여서 복용하고, 외용에는 짓찧어 환부에 붙인다.

❍ 개구리발톱

❍ 천규자(天葵子)

❍ 천규초(天葵草)

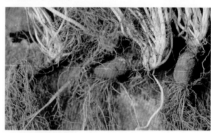

❍ 개구리발톱(뿌리)

[미나리아재비과]

꿩의다리

| 열병심번 | 습열사리 |
| 폐열해수 | 인후염, 목적종통 |

● 학명 : *Thalictrum aquilegifolium* L. var. *sibiricum* Regel et Tiling
● 영명 : Medom rue height   ● 한자명 : 白蓬草, 草黃連   ● 별명 : 가락풀

| 1 | 2 | 3 | 4 | 5 | 6 | 7 | 8 | 9 | 10 | 11 | 12 |

여러해살이풀. 높이 60~150cm. 뿌리잎은 잎자루가 길고 3개로 깊게 갈라지며, 줄기잎은 1~4개로 잎자루가 없다. 꽃은 백색 또는 붉은색을 약간 띠며 7~8월에 줄기 끝에 산방화서로 달린다. 꽃받침잎은 3~4개로 꽃잎 같고 빨리 떨어지며 3맥이 있다. 꽃잎은 없고, 수술은 많으며, 암술은 2~6개, 수과는 5~10개씩 달리며 3~4개의 날개 같은 돌출물이 있다.

분포 · 생육지 우리나라 전역. 중국, 일본, 유럽. 산이나 들에서 자란다.

약용 부위 · 수치 뿌리 또는 뿌리줄기를 가을에 채취하여 물에 씻어서 말린다.

약물명 당송초(唐松草), 백봉초(白蓬草), 초황련(草黃連), 토황련(土黃連)이라고도 한다.

기미 · 귀경 한(寒), 고(苦) · 심(心), 간(肝), 대장(大腸)

약효 청열사화(淸熱瀉火), 조습해독(燥濕解毒)의 효능이 있으므로 열병심번(熱病心煩), 습열사리(濕熱瀉痢), 폐열해수, 인후염, 목적종통(目赤腫痛)을 치료한다.

성분 뿌리는 berberine, thalcmine, thalicmine, magnoflorine, thalicsmidine, thalictricine, hernadezine, coryparine, 잎에는 thalictrinine, thalcimine, 종자에는 thalicimine이 함유되어 있다.

약리 에테르추출물은 항균 작용, 항종양 작용, 혈압 강하 작용이 있다.

사용법 당송초 7g에 물 2컵(400mL)을 넣고 달여서 복용하며, 시럽으로 만들어 복용해도 좋다. 황련(黃連) 대용으로도 사용한다.
※ 열매에 3~4개 날개 같은 돌출물이 없으며 분명한 자루가 있고 잎의 제1 · 제2마디에 작은 턱잎이 없는 '참꿩의다리 *T. actaefolium* var. *brevistylum*'도 약효가 같다.

❍ 당송초(唐松草)

❍ 꿩의다리(열매)

❍ 꿩의다리

바이칼꿩의다리

습열사리, 황달　　창양종독
감모발열

● 학명 : *Thalictrum baicalense* Turcz.
● 한자명 : 馬尾連　● 별명 : 북가락풀, 북꿩의다리

| 1 | 2 | 3 | 4 | 5 | 6 | 7 | 8 | 9 | 10 | 11 | 12 |

여러해살이풀. 높이 60~100cm. 줄기는 곧게 서고 가지가 갈라지며 능선이 있다. 잎은 어긋나고 밑의 것은 잎자루가 길지만 상부의 것은 없고 2~3회 3출엽이다. 꽃은 옅은 황백색으로 6~7월에 가지 끝에 원추화서로 달린다. 꽃잎은 없고 꽃받침잎은 빨리 떨어지며, 수술은 많다. 수과는 5~10개씩 달리며 타원상 구형이다.

분포·생육지 우리나라 함남북 백두산. 중국, 우수리, 동시베리아. 산이나 들에서 자란다.

약용 부위·수치 뿌리 또는 뿌리줄기를 가을에 채취하여 물에 씻어서 말린다.

약물명 마미련(馬尾連). 마미황련(馬尾黃連)이라고도 한다.

기미·귀경 한(寒), 고(苦)·심(心), 간(肝), 대장(大腸)

약효 청열제습(淸熱除濕), 사화해독(瀉火解毒)의 효능이 있으므로 습열사리(濕熱瀉痢), 황달, 창양종독(瘡瘍腫毒), 감모발열(感冒發熱)을 치료한다.

성분 뿌리에는 berberie, thalcmine, thalicmine, magnoflorine, thalicsmidine, thalictricine, hernadezine, coryparine, 잎에는 thalictrinine, thalcimine, 종자에는 thalicimine이 함유되어 있다.

약리 물을 넣고 달인 액을 암을 유발시킨 쥐에게 주사하면 암 조직의 성장이 둔화된다. 그 외에 에테르추출물은 항균 작용, 혈압 강하 작용이 있다.

사용법 마미련 7g에 물 2컵(400mL)을 넣고 달여서 복용하며, 외용에는 짓찧어서 바른다.

❂ 마미련(馬尾連)

❂ 바이칼꿩의다리(뿌리)

❂ 바이칼꿩의다리

좀꿩의다리

치통, 목적홍종　　급성피부염, 습진, 열창
폐렴　　복통하리　　비감

● 학명 : *Thalictrum minus* L. var. *hypoleucum* (S. et Z.) Kitagawa [*T. kemens* var. *hypoleucum*]　● 한자명 : 東亞唐松草　● 별명 : 다닥꿩의다리, 좀가락풀

| 1 | 2 | 3 | 4 | 5 | 6 | 7 | 8 | 9 | 10 | 11 | 12 |

여러해살이풀. 높이 60~120cm. 원줄기에 능선이 있고 전체에 털이 없다. 잎은 어긋나고 2~3회 3출엽으로 깃 모양으로 갈라진다. 턱잎은 물결 모양의 톱니가 있고, 꽃은 황록색, 7~8월에 줄기 끝에 원추화서로 달린다. 꽃받침 조각은 3~4개로 꽃잎 같고 빨리 떨어지며 3맥이다. 꽃잎은 없고 수술은 많으며, 열매는 수과, 달걀 모양이고 8개의 능선이 있다.

분포·생육지 울릉도를 제외한 우리나라 전역. 중국, 일본, 사할린. 산과 들에 자란다.

약용 부위·수치 뿌리를 여름에 채취하여 말린다.

약물명 연와초(煙窩草). 마미황련(馬尾黃連), 마미련(馬尾連)이라고도 한다.

약효 청열해독(淸熱解毒)의 효능이 있으므로 치통, 급성피부염, 습진, 폐렴, 복통하리(腹痛下痢), 비감(鼻疳), 목적홍종(目赤紅腫), 열창(熱瘡)을 치료한다.

성분 *O*-methylthalicberine, thalmelatidine, thalicthuberine, magnoflorine, thalicberine, takatonine, berberine, homoaromoline, thalictine 등이 함유되어 있다.

약리 *O*-methylthalicberine, thalmelatidine은 혈압을 내리고 여러 세균들의 증식을 억제한다.

사용법 연와초 7g에 물 3컵(600mL)을 넣고 달여서 복용하며, 외용에는 가루로 하여 뿌린다.

* 본 식물은 기본 종에 비하여 잎이 작고 작은 꽃대가 매우 짧다.

❂ 좀꿩의다리

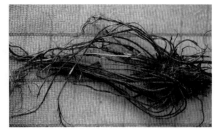
❂ 연와초(煙窩草)

[미나리아재비과]

긴잎꿩의다리

황달, 이질, 복통하리 / 천식, 폐렴 / 마진, 열창 / 비감, 목적홍종

●학명 : *Thalictrum simplex* L.

| 1 | 2 | 3 | 4 | 5 | 6 | 7 | 8 | 9 | 10 | 11 | 12 |

여러해살이풀. 높이 60~90cm. 줄기는 곧게 서고, 잎은 3회 3출 깃꼴겹잎, 작은잎은 끝이 3~5개로 갈라진다. 중·상부의 잎은 1~3회 3출하며, 작은잎은 구둣주걱 같다. 꽃은 담황색으로 7~8월에 좁은 원추화서로 달리며, 꽃잎은 없고 꽃받침 조각은 4개, 타원형, 3맥이 있고 수술은 많다. 열매는 수과로 3~5개이며 8~10개의 능선이 있다.

분포·생육지 우리나라 제주도와 중부 이북. 중국, 일본. 산과 들에서 자란다.

약용 부위·수치 뿌리를 5~6월에 채취하여 말린다.

약물명 경수황련(硬水黃連). 수황련(水黃連), 황각계(黃脚鷄)라고도 한다.

기미·귀경 한(寒), 고(苦)·간(肝), 폐(肺), 대장(大腸)

약효 청열해독(淸熱解毒), 이습퇴황(利濕退黃), 지리(止痢)의 효능이 있으므로 황달, 이질, 천식, 마진(痲疹), 폐렴, 복통하리(腹痛下痢), 비감(鼻疳), 목적홍종(目赤紅腫),

열창(熱瘡)을 치료한다.

성분 berberine, thalcmine, thalcimine, magnoflorine, thalicsmidine, thalictricine, hernadezine, 잎에는 thalictrinine, thalcimine, 종자에는 thalicimine이 함유되어 있다.

약리 thalcimine은 쥐에게 투여하면 진정 작용이 있고, 고양이에게 투여하면 혈압이 하강되며 심장위 수축 작용이 있고, 자궁에는 choline 유사 작용이 있다.

사용법 경수황련 5g에 물 2컵(400mL)을 넣고 달여서 복용하며, 외용에는 가루로 하여 뿌린다.

* 본 종은 '좀꿩의다리 *T. minus* L. var. *hypoleucum*'에 비하여 줄기에 예리한 모가 있고 화서가 가늘고 길며 잎은 1~3회 깃모양으로 3출한다.

○ 경수황련(硬水黃連)

○ 긴잎꿩의다리

[미나리아재비과]

큰금매화

호흡기감염증 / 편도선염, 급성결막염, 급성중이염

●학명 : *Trollius macropetalus* Fr. Schmidt ●한자명 : 長瓣金蓮花

| 1 | 2 | 3 | 4 | 5 | 6 | 7 | 8 | 9 | 10 | 11 | 12 |

여러해살이풀. 높이 60cm 정도. 잎은 어긋나고, 밑의 잎은 잎자루가 길고 3~5개로 깊이 갈라지며 가장자리에 톱니가 있다. 꽃은 황색, 지름 4cm 정도로 7~8월에 원줄기 또는 가지 끝에 1개씩 달린다. 꽃받침은

꽃잎 같고 5~8개, 꽃잎은 8~18개, 바늘 모양이다. 수술은 꽃잎 길이의 반 정도이다.

분포·생육지 우리나라 백두산, 평북 및 함경도. 중국. 높은 지대나 산에서 자란다.

약용 부위·수치 꽃을 피려고 할 때 채취하여 먼지를 털고 말린다.

약물명 장판금련화(長瓣金蓮花)

기미·귀경 한(寒), 고(苦)·폐(肺)

약효 청열해독(淸熱解毒)의 효능이 있으므로 호흡기감염증, 편도선염, 급성결막염, 급성중이염을 치료한다.

성분 orientin, vitexin, veratric acid, globeflower acid 등이 함유되어 있다.

약리 물을 넣고 달인 액은 그람 양성 세균에 항균 작용이 있다.

사용법 장판금련화 5g에 물 2컵(400mL)을 넣고 달여서 복용한다.

○ 큰금매화

○ 장판금련화(長瓣金蓮花)

○ 큰금매화(열매)

금매화

 감모발열

 편도선염, 인후염, 구창, 중이염, 결막염

● 학명 : *Trollius ledebourii* Reichenbach ● 영명 : Golden yellow flower
● 한자명 : 短瓣金蓮花, 金芙蓉

| 1 | 2 | 3 | 4 | 5 | 6 | 7 | 8 | 9 | 10 | 11 | 12 |

여러해살이풀. 높이 60~80cm. 뿌리잎은 잎자루가 길고, 줄기잎은 잎자루가 짧으며 위로 갈수록 잎이 작다. 꽃은 황색, 7~8월에 지름 3~4cm로 원줄기 또는 가지 끝에 1개씩 달리며, 꽃받침은 꽃잎 같고 5~7개로 타원형이다. 꽃잎은 5~10개, 바늘 모양이고 길이 2cm 정도로 수술보다 약간 길다. 열매는 골돌로 끝에 뾰족한 암술대가 있다.

분포 · 생육지 우리나라 백두산, 평북 및 함경도. 중국. 높은 지대나 산에서 자란다.
약용 부위 · 수치 꽃을 피려고 할 때 채취하여 먼지를 털고 말린다.
약물명 금련화(金蓮花). 한지련(旱地蓮), 금부용(金芙蓉)이라고도 한다.
본초서 명대(明代)의 「본초강목습유(本草綱目拾遺)」에 수재되어 있다.
기미 · 귀경 미한(微寒), 고(苦) · 폐(肺), 위(胃)

약효 청열해독(淸熱解毒), 소종(消腫), 명목(明目)의 효능이 있으므로 감모발열(感冒發熱), 편도선염, 인후염, 구창, 중이염, 결막염을 치료한다.
성분 veratric acid, orientin, vitexin, veratramide 등이 함유되어 있다.
약리 물을 넣고 달인 액은 그람 양성 세균에 항균 작용이 있다.
사용법 금련화 5g에 물 2컵(400mL)을 넣고 달여서 복용하고, 중이염과 결막염에는 금매화 12g, 국화 12g, 감초 4g을 물 1200mL를 넣고 함께 달여서 아침저녁으로 복용한다.
＊ 바늘 모양의 꽃잎이 수술보다 짧거나 같은 '애기금매화 *T. japonicus*'도 약효가 같다.

❶ 금매화

❶ 금련화(金蓮花)

❶ 백두산 주변에 활짝 핀 금매화

매발톱나무

	급성장염, 이질, 황달		나력
	폐렴		인후염, 결막염

●학명 : *Berberis amurensis* Rupr. ●영명 : Amur barberry
●한자명 : 小蘗 ●별명 : 대엽소얼

| 1 | 2 | 3 | 4 | 5 | 6 | 7 | 8 | 9 | 10 | 11 | 12 |

낙엽 관목. 높이 2m 정도. 잎은 새 가지에서는 어긋나고 짧은 가지에서는 모여난 것처럼 보이며 타원형, 길이 3~8cm이다. 꽃은 지름 1cm 정도, 총상화서는 길이 10cm 정도로 반쯤 처지고 10~20개의 꽃이 달린다. 작은 꽃대는 길이 5~10mm, 꽃잎은 6개, 끝이 약간 들어가며, 열매는 타원상 구형, 길이 1cm 정도, 붉은색으로 익는다.

분포·생육지 우리나라 중부 이북. 중국, 아무르, 우수리. 산에서 자란다.

약용 부위·수치 가지와 줄기를 가을에 채취하여 잘라서 말린다.

약물명 황로목(黃蘆木), 소벽(小蘗), 자황벽(刺黃蘗)이라고도 한다.

약효 해열조습(解熱燥濕), 소염, 해독의 효능이 있으므로 급성장염, 이질, 황달, 나력(瘰癧), 폐렴, 인후염, 결막염을 치료한다.

성분 알칼로이드의 주성분은 berberine이며, 그외에 oxyberberine, palmatine, columbamine, jatrorrhizine, oxyacanthine 등이 함유되어 있다.

약리 에탄올추출물을 개에게 주사하면 혈압이 내려간다. 열수추출물은 면역 세포의 생육을 증진시키고, 대식 세포에서의 NO 생성을 증가시키며, 세포의 면역 증진 효과가 있다.

사용법 황로목 10g에 물 3컵(600mL)을 넣고 달여서 복용하거나, 돼지고기와 함께 삶아서 먹는다. 외용에는 달인 액으로 점안하거나 상처에 바른다.

＊잎의 톱니가 불규칙하고 뒷면은 주름이 없으며 열매는 둥글고 2년된 가지에 붉은빛이 도는 '매자나무 *B. koreana*', 가지가 많이 갈라지고 잎이 바늘 모양이며 작고 털 같은 톱니가 있고 화서가 짧아 매발톱나무와 매자나무의 중간형인 '섬매자나무 *B. amurensis* var. *quelpaertensis*'도 약효가 같다.

○ 황로목(黃蘆木)

○ 매발톱나무(껍질을 벗긴 줄기)

○ 매발톱나무(열매)

○ 섬매자나무

○ 매자나무

○ 매발톱나무

[매자나무과]

호저자

습열이질	열림
목적종통, 치주염	단독, 습진

● 학명 : *Berberis julianae* Schneid. ● 한자명 : 豪猪刺

1	2	3	4	5	6	7	8	9	10	11	12

낙엽 관목. 높이 2~3m. 줄기는 능선이 지며 마디에 뾰족한 가시가 3~4개 있다. 어린가지는 담황색, 오래된 가지는 회황색을 띤다. 잎은 가장자리에 날카로운 톱니가 있고 길이 2~4cm이다. 꽃은 양성으로 황색이며, 열매는 타원상 구형이다.

분포·생육지 중국 장시성(江西省), 산시성(陝西省), 후베이성(湖北省), 쓰촨성(四川省). 산비탈이나 들에서 자란다.

약용 부위·수치 뿌리 또는 줄기를 가을부터 겨울까지 채취하여 물에 씻은 후 썰어서 말린다.

약물명 계각자(鷄脚刺)

약효 청리습열(淸利濕熱), 사화해독(瀉火解毒)의 효능이 있으므로 습열이질(濕熱痢疾), 열림(熱淋), 목적종통(目赤腫痛), 치주염, 단독, 습진을 치료한다.

성분 berberine, jatrorhizine, julianine, pakistanamine, palmatine, berbamine 등이 함유되어 있다.

사용법 계각자 10g에 물 3컵(600mL)을 넣고 달여서 복용한다.

❍ 호저자

[매자나무과]

당매자나무

습열이질, 복사, 황달	나력
폐렴	인후염, 결막염

● 학명 : *Berberis poiretii* Schneid. ● 영명 : Chinese barberry
● 한자명 : 銅針刺 ● 별명 : 가는잎매자나무

1	2	3	4	5	6	7	8	9	10	11	12

낙엽 관목. 높이 2m 정도. 줄기는 능선이 있고 자갈색, 잎은 가장자리에 톱니가 없고 길이 2~4cm이다. 꽃은 양성으로 황색이지만 앞면은 붉은빛이 돌며 짧은 가지 위에 총상화서로 8~15개가 달린다. 수과는 타원형이고 길이 1cm 정도로 붉은색이다.

분포·생육지 우리나라 전역에서 관상용으로 재식. 중국, 몽골, 아무르, 우수리. 산에서 자란다.

약용 부위·수치 가지와 줄기를 가을부터 겨울까지 채취하여 말린다.

약물명 삼과침(三顆針). 동침자(銅針刺)라고도 한다.

기미·귀경 한(寒), 고(苦)·위(胃), 대장(大腸), 간(肝), 담(膽)

약효 청열(淸熱), 조습(燥濕), 사화해독(瀉火解毒)의 효능이 있으므로 습열이질, 복사(複寫), 황달, 나력(瘰癧), 폐렴, 인후염, 결막염을 치료한다.

성분 berberine, oxyberberine, palmatine, berbamine 등이 함유되어 있다.

약리 에탄올추출물을 개에게 주사하면 혈압이 내려간다.

사용법 삼과침 15g에 물 3컵(600mL)을 넣고 달여서 복용하거나, 돼지고기와 함께 삶아서 먹는다. 외용에는 달인 액으로 점안하거나 상처에 바른다.

❍ 당매자나무

❍ 삼과침(三顆針)

❍ 당매자나무(열매)

[매자나무과]

남과소벽

| 습열이질, 복사, 황달 | 나력 |
| 폐렴 | 인후염, 결막염 |

●학명 : *Berberis veitchii* Schneid. ●한자명 : 藍果小檗

| 1 | 2 | 3 | 4 | 5 | 6 | 7 | 8 | 9 | 10 | 11 | 12 |

낙엽 관목. 높이 2m 정도. 어린가지는 붉은색, 오래된 가지는 담황색을 띤다. 잎은 바늘 모양, 가장자리에 톱니가 있고, 꽃은 황색, 양성, 총상화서로 달린다. 수과는 달걀 모양이고 남색으로 성숙한다.

분포 · 생육지 중국, 베트남. 산에서 자란다.

약용 부위 · 수치 가지와 줄기를 가을부터 겨울까지 채취하여 말린다.

약물명 삼과침(三顆針). 동침자(銅針刺)라고도 한다.

기미 · 귀경 한(寒), 고(苦) · 위(胃), 대장(大腸), 간(肝), 담(膽)

약효 청열(淸熱), 조습(燥濕), 사화해독(瀉火解毒)의 효능이 있으므로 습열이질, 복사(複寫), 황달, 나력(瘰癧), 폐렴, 인후염, 결막염을 치료한다.

사용법 삼과침 15g에 물 3컵(600mL)을 넣고 달여서 복용하거나, 돼지고기와 함께 삶아서 먹는다. 외용에는 달인 액으로 점안하거나 상처에 바른다.

❍ 남과소벽

[매자나무과]

서양매자나무

| 소화불량, 간장 질환 | 요도염 |
| 결막염 | 피부 질환 |

●학명 : *Berberis vulgaris* L. ●영명 : Common barberry, European barberry
●별명 : 유럽소벽

| 1 | 2 | 3 | 4 | 5 | 6 | 7 | 8 | 9 | 10 | 11 | 12 |

낙엽 관목. 높이 3~4m. 줄기는 능선이 지며 자갈색, 잎은 가장자리에 가시 같은 톱니가 있다. 꽃은 양성으로 황색이지만 앞면은 붉은빛이 돌며 짧은 가지 위에 총상화서로 8~15개의 꽃이 달린다. 수과는 타원상 구형이고 길이 1cm 정도, 붉은색이다.

분포 · 생육지 유럽과 서아시아 원산. 산과 들에서 자라며, 세계 각처에서 재식한다.

약용 부위 · 수치 가지와 줄기껍질을 수시로 채취하여 말린다.

약물명 Common barberry, European barberry라고도 한다.

약효 소화불량, 간장 질환, 요도염, 결막염, 피부 질환을 치료한다.

성분 berberine, oxyberberine, palmatine, berbamine 등이 함유되어 있다.

약리 protoberberine 알칼로이드는 여러 효소와 신경 수용체를 억제하고, 항균, 항진균, 아메바 살균 작용이 있다.

사용법 Common barberry 10g에 물 2컵(400mL)을 넣고 달여서 복용하거나 돼지고기와 함께 삶아서 먹는다. 외용에는 달인 액으로 점안하거나 상처에 바른다.

❍ Common barberry

❍ 서양매자나무(알코올 팅크)

❍ 서양매자나무

[매자나무과]

꿩의다리아재비

🦴 풍습근골동통, 관절염	🧴 타박상
🧍 고혈압	♀ 월경불순	👁 편도선염

● 학명 : *Caulophyllum robustum* Max.　● 영명 : Papoose root
● 한자명 : 紅毛漆　● 별명 : 줄기잎나물, 개음양각

1	2	3	4	5	6	7	8	9	10	11	12

🌿 🥬 🌾 🪴 🌳 🌸 🍂 🌧 🌾 💧

여러해살이풀. 높이 40~80cm. 전체가 회청색이고, 뿌리줄기는 굵고, 잎은 어긋나며 2~3회 3출겹잎이다. 꽃은 6~7월에 원줄기에 모여 피며 황록색, 꽃받침은 6개, 꽃잎은 6개로 꽃받침과 마주나고, 종자는 장과 같다.

분포 · 생육지 제주도를 제외한 우리나라 전역. 중국, 일본, 사할린, 우수리. 깊은 산속에서 자란다.

약용 부위 · 수치 뿌리줄기 및 뿌리를 8~9월에 채취하여 말린다.

약물명 홍모칠(紅毛七). 홍모칠(紅毛漆), 수산묘(搜山猫), 홍모세신(紅毛細辛)이라고도 한다.

❍ 꿩의다리아재비(뿌리)

❍ 꿩의다리아재비(열매)

기미 · 귀경 온(溫), 미고(微苦), 신(辛) · 간(肝)

약효 거풍제습(祛風除濕), 활혈산어(活血散瘀), 행기지통(行氣止痛)의 효능이 있으므로 풍습근골동통, 타박상, 월경불순, 관절염, 편도선염 및 고혈압을 치료한다.

성분 뿌리줄기에는 알칼로이드 성분으로 magnoflorine, taspine, methylcytisine, lupanine 등이 있고, 사포닌으로는 cauloside A, B, C, D, E 등이 함유되어 있다.

약리 뿌리줄기의 열수추출물은 자궁 수축 또는 혈관 수축 작용이 있고, taspine은 항

균 작용이 강하고, 쥐의 실험성 결핵에 치료 작용이 있다.

사용법 홍모칠 7g에 물 3컵(600mL)을 넣고 달여서 복용하거나 술에 담가 복용한다.

＊ 삼지구엽초속에 비하여 심피는 꽃이 핀 뒤에 곧 떨어지고 2개의 종자가 나출한다.

❍ 꿩의다리아재비

[매자나무과]

팔각련

🫁 해수, 해천	👁 인후염
🧴 타박상, 옹종정창	🦴 관절염

● 학명 : *Dysosma versipellis* M. Cheng ex Ying.　● 한자명 : 八角蓮

1	2	3	4	5	6	7	8	9	10	11	12

🌿 🥬 🌾 🪴 🌳 🌸 🍂 🌧 🌾 💧

여러해살이풀. 줄기는 바로 서고, 높이 20~30cm. 줄기잎은 보통 1개, 잎몸은 둥글며 8개로 갈라지고 톱니가 있다. 꽃은 붉은색, 4~6월에 밑을 향해 핀다. 꽃대는 짧으며, 꽃받침과 꽃잎은 각각 6개, 수술 6개, 씨방상위, 1실이다. 열매는 달걀 모양, 8~10월에 익는다.

분포 · 생육지 중국 저장성(浙江省), 장시성(江西省), 허난성(河南省), 후베이성(湖北省), 광둥성(廣東省). 깊은 산속 습지에서 자란다.

약용 부위 · 수치 뿌리 및 뿌리줄기를 봄부터 가을까지 채취하여 물에 씻어서 말린다.

약물명 팔각련(八角蓮). 귀구(鬼臼), 구구(九臼)라고도 한다. 잎을 팔각련엽(八角蓮葉)이라 한다.

본초서 「신농본초경(神農本草經)」에는 구구(九臼)라는 이름으로 수재되어 있으며, "뿌리에 홈이 파진 모양이 절구통처럼 생겼고 그 수가 9개이므로 붙여진 이름이다."라고

하였다. 「동의보감(東醫寶鑑)」에는 귀구(鬼臼)라는 이름으로 수재되어 "독충의 독과 귀주(鬼疰, 벌레가 폐에 침입하여 생긴 전염병)를 없애고 악기(惡氣)를 물리친다."고 하였다.

東醫寶鑑: 殺蠱毒 鬼疰 辟惡氣.

기미 · 귀경 양(凉), 고(苦), 신(辛) · 폐(肺), 간(肝)

약효 팔각련(八角蓮)은 화담산결(化痰散結), 거어지통(祛瘀止痛), 청열해독(淸熱解毒)의 효능이 있으므로 해수, 인후염, 타박상, 관절염을 치료한다. 팔각련엽(八角蓮葉)은 청열해독(淸熱解毒), 지해평천(止咳平喘)의 효능이 있으므로 옹종정창(癰腫疔瘡), 해천을 치료한다.

성분 팔각련(八角蓮)에는 podophyllotoxin, diphyllin, quercetin 등이 함유되어 있다.

약리 개구리 심장에 흥분 작용이 나타나고, 쥐에서 분리한 자궁에 흥분 작용이 있다.

사용법 팔각련 또는 팔각련엽 7g에 물 3컵

(600mL)을 넣고 달여서 복용하거나, 술에 담가 복용한다.

＊ 잎이 6~8개로 깊이 갈라지는 '천팔각련 *D. veitchii*'도 약효가 같다.

❍ 팔각련

❍ 천팔각련

삼지구엽초

불임, 백대, 월경불순 | 음위, 발기불능 | 천식발작
권태감 | 반신불수 | 소아야맹증

● 학명 : *Epimedium koreanum* Nakai ● 영명 : Homy–goat weed
● 한자명 : 三枝九葉草, 淫羊藿

1 2 3 4 5 6 7 8 9 10 11 12

여러해살이풀. 높이 30cm 정도. 뿌리줄기는 옆으로 벋고 잔뿌리가 많다. 뿌리잎은 잎자루가 길고 원줄기에서 1~2개의 잎이 어긋나며 3개씩 2회 갈라진다. 꽃은 5월에 황백색으로 피고 밑을 향해 달리며, 삭과는 방추형, 2개로 갈라진다.

분포·생육지 우리나라 경기도 이북. 중국, 우수리. 산의 숲속에서 자란다.

약용 부위·수치 전초 또는 뿌리를 여름부터 가을까지 채취하여 물에 씻어서 말린다. 자음양곽(炙淫羊藿)은 냄비에 양기름 1.5kg을 넣고 열을 가하여 녹인 뒤 음양곽 50kg을 넣어 볶아서 식힌다.

약물명 지상부를 음양곽(淫羊藿), 뿌리줄기를 음양곽근(淫羊藿根)이라 한다. 음양곽(淫羊藿)은 대한민국약전(KP)에 수재되어 있다.

본초서 「신농본초경(神農本草經)」의 중품(中品)에 수재되어 있으며, 양대(梁代)의 도홍경(陶弘景)은 "이것을 복용하면 음양(陰陽)이 즐겁게 된다. 북쪽 지방에 음양(淫羊)이라는 동물이 있는데, 하루에 백 번씩이나 짝짓기를 하였다. 자세히 보니 수컷이 즐겨 먹는 풀이 있었으며, 이 풀로 인하여 힘이 센 것이라고 하여 음양곽(淫羊藿)이라고 한다."고 하였다. 명대(明代)의 「본초강목(本草綱目)」에는 "서천(西川)에 발정(淫)한 양(羊)이 꽃봉오리인 화뇌(花蕾) 즉, 곽(藿)을 뜯어 먹고 백일 동안 교접한다고 적어 둔 것에서 음양곽(淫羊藿)이라는 이름이 생겼다."고 하였다. 삼지구엽초(三枝九葉草)라는 이름은 가지가 3개로 갈라지고 1개의 가지에 3개의 잎이 달리므로 붙여졌다. 「동의

보감(東醫寶鑑)」에 "모든 풍냉증과 몸과 마음이 허약하고 피로한 것을 낫게 하며 허리와 무릎을 좋게 한다. 남자의 양기가 끊어져 음경이 발기되지 않는 것과 여자의 음기가 소모되어 아이를 낳지 못하는 데 쓴다. 노인이 정신이 없고 기운이 부족한 것을 돕고 중년의 건망증을 낫게 한다. 성욕은 있으나 음경이 제대로 발기되지 않는 것과 음경이 아픈 것을 낫게 하고 기운을 보하며 근육과 뼈를 튼튼하게 한다. 남자가 오래 복용하면 자식을 낳게 할 수 있다. 또 나력을 낫게 하고 음부가 헌데를 이 약으로 씻으면 벌레가 나온다."고 하였다.

神農本草經: 主陰痿絕傷 莖中痛 利小便 益氣力 強志.

東醫寶鑑: 主一切冷風老者 補腰膝 丈夫絕陽不起女人絕陰無子 老人昏者 中年健忘治陰痿莖中痛 益氣力 堅筋骨 丈夫久服 令有子 消癭瘤 下部有瘡 洗出蟲.

성상 지상부는 줄기와 잎으로 되어 있다. 줄기는 가늘고 길며 세로 능선이 있고 하부는 속이 비어 있다. 잎은 3출겹잎으로 끝이 뾰족하고 가장자리에 톱니가 있으며 얇다. 냄새가 조금 있고 맛은 쓰다.

기미·귀경 온(溫), 신(辛), 감(甘)·신(腎), 간(肝)

약효 음양곽(淫羊藿)은 보신강양(補腎强陽), 강근건골(强筋健骨), 거풍제습(祛風除濕)의 효능이 있으므로 불임(不姙), 음위(陰痿), 발기불능, 권태감, 반신불수를 치료한다. 음양곽근(淫羊藿根)은 허림(虛淋), 백탁(白濁), 백대(白帶), 월경불순, 소아야

맹증, 천식발작을 치료한다.

성분 음양곽(淫羊藿)은 icariin, hyperoside, icarisid II, 2″–*O*–rhanosylicarisid II, epimedine A, B, C, hexandriside E, epimedoside A, cerylalcohol, henitriacontane, phytosterol, palmitic acid, oleic acid, linoleic acid 등이 함유되어 있다. 음양곽근(淫羊藿根)은 des–*O*–methylicariin이 함유되어 있다.

약리 동물 실험 결과 최음 작용이 있고, 정액 분비를 촉진시켜 정낭에 정액을 충만시킴으로써 감각 신경을 자극한다. 지속성 있는 혈압 강하 작용을 가지며 이것은 주로 말초 혈관을 확장시키는 것에 의한다. 50%에 탄올추출물은 항산화 작용이 있고 간 기능 증진 효과가 있으며 주성분은 icariin과 그 배당체들이다.

사용법 음양곽 또는 음양곽근 10g에 물 3컵(600mL)을 넣고 달여서 복용하거나 술에 담가 복용한다. 외용에는 짓찧어 바른다. 몸이 쇠약한 사람은 음양곽과 인삼을 1:1로 혼합하여 물을 넣고 달여서 복용하거나 환약으로 만들어 복용하면 효과가 나타난다.

처방 찬육단(贊肉丹): 숙지황(熟地黃)·백출(白朮) 각 300g, 당귀(當歸)·구기자(枸杞子) 각 220g, 두충(杜仲)·선모(仙茅)·파극(巴戟)·산수유(山茱萸)·음양곽(淫羊藿)·육종용(肉蓯蓉)·구자(韭子) 각 175g, 사상자(蛇床子)·부자(附子)·육계(肉桂) 각 75g 「동의노년보양처방집(東醫老年補陽處方集)」). 신허양위(腎虛陽萎), 요슬산연(腰膝酸軟), 빈뇨에 사용한다.

* 잎이 타원형이고 기부가 심장형인 '심엽음양곽(心葉淫羊藿)' *E. brevicornum*', 잎이 화살처럼 생긴 '전엽음양곽(箭葉淫羊藿)' *E. sagittarum*', 잎이 긴 타원형인 '무산음양곽(巫山淫羊藿)' *E. wushanense*'도 약효가 같다.

◑ 삼지구엽초

◑ 무산음양곽(巫山淫羊藿)

◑ 심엽음양곽(心葉淫羊藿)

◑ 음양곽(淫羊藿)이 배합된 은단

◑ 음양곽(淫羊藿)을 함유한 자양강장제

◑ 음양곽(淫羊藿, 절편)

◑ 음양곽(淫羊藿)

◑ 전엽음양곽(箭葉淫羊藿)

[매자나무과]

깽깽이풀

하리, 토혈　　　발열번조

구설생창, 결막염, 편도선염

● 학명 : *Jeffersonia dubia* (Maxim.) Bentham et Hooker　● 영명 : Love-to-know flower
● 한자명 : 朝鮮黃連, 鮮黃連　● 별명 : 산련풀

| 1 | 2 | 3 | 4 | 5 | 6 | 7 | 8 | 9 | 10 | 11 | 12 |

여러해살이풀. 원줄기가 없고, 뿌리줄기
는 짧고 옆으로 자라며 많은 잔뿌리가 달려
있고 끝에서 여러 잎이 모여 나온다. 꽃은
4~5월에 1~2개의 꽃대 끝에 1개씩 피고,
지름 2cm 정도, 홍자색이며, 꽃받침과 꽃
잎은 각각 4개, 수술은 8개이다. 열매는 삭
과로 타원상 구형이며 끝이 부리처럼 길다.
종자는 타원상 구형이며 흑색이다.
분포 · 생육지 우리나라 전남 순천, 무등산,
지리산, 경기, 강원, 백두산을 비롯한 평남
북, 함남북. 중국 둥베이(東北) 지방, 아무
르, 우수리. 산골짜기의 중턱 이하의 숲에
서 자란다.
약용 부위 · 수치 뿌리와 뿌리줄기를 가을에
채취하여 물에 씻어서 말린다.
약물명 선황련(鮮黃連). 상황련(常黃連), 철
사초(鐵絲草)라고도 한다.
기미 · 귀경 한(寒), 고(苦) · 신(腎), 간(肝),
대장(大腸)
약효 청열조습(淸熱燥濕), 사화해독(瀉火解
毒)의 효능이 있으므로 하리(下痢), 발열번
조(發熱煩燥), 구설생창(口舌生瘡), 결막염,

편도선염, 토혈을 치료한다.
성분 berberine, magnoflorine, jatro-
rrhizine, dehydrodiconiferylalcohol-
4β-D-glucoside 등이 함유되어 있다.
약리 쥐에게 염증을 일으키고 dehydrodico-
niferylalcohol-4β-D-glucoside를 주사
하면 염증이 소실된다.
사용법 선황련 7g에 물 3컵(600mL)을 넣
고 달여서 복용하고, 눈병에는 달인 액으로
씻는다.
＊ 황련(黃連)이 귀한 시절에는 이것으로 대
용하였다.

❍ 깽깽이풀

❍ 선황련(鮮黃連)

❍ 깽깽이풀(뿌리)

❍ 깽깽이풀(열매)

[매자나무과]

오레곤포도

간염, 황달　　　순환기장애

● 학명 : *Mahonia aquifolia* (Pursh) Nutt.　● 영명 : Oregon grape

| 1 | 2 | 3 | 4 | 5 | 6 | 7 | 8 | 9 | 10 | 11 | 12 |

상록 관목. 높이 1~2m 정도. 줄기는 곧게
자라고, 잎은 홀수 1회 깃꼴겹잎, 작은잎은
5~8쌍, 가장자리에는 날카로운 톱니가 있
고 뒷면은 회색을 띤다. 꽃은 3~4월에 총
상화서가 나와 조밀하게 피며, 황색, 꽃받
침은 9개, 꽃잎은 6개이다. 열매는 둥글며
흑자색으로 익는다.
분포 · 생육지 캐나다, 유럽. 전 세계에서 재
배한다.
약용 부위 · 수치 잎, 뿌리, 줄기, 열매를 가
을에 채취하여 말린다.
약물명 Mahoniae Herba. 일반적으로 Oregon
grape라고 한다.
약효 소염, 혈액 순환 촉진의 효능이 있으므
로 간염, 황달, 순환기장애를 치료한다.
사용법 Mahoniae Herba 10g에 물 3컵
(600mL)을 넣고 달여서 복용한다.

❍ Mahoniae Herba

❍ 오레곤포도

[매자나무과]

활엽십대공로

	해수, 해혈		조열, 두훈
	조열골증		하리		이명

●학명 : *Mahonia bealei* (Fort.) Carr.　●한자명 : 闊葉十大功勞

| 1 | 2 | 3 | 4 | 5 | 6 | 7 | 8 | 9 | 10 | 11 | 12 |

상록 관목. 높이 2~3m. 줄기는 곧게 자라고, 줄기 속은 황색이고, 잎은 홀수 1회 깃꼴겹잎, 작은잎은 5~8쌍, 가장자리에는 날카로운 톱니가 있고, 뒷면에는 회색을 띤 황록색에 흰 가루가 있다. 꽃은 황색으로 3~4월에 총상화서가 나와 밑으로 처지며, 꽃받침은 9개, 꽃잎은 6개, 수술은 6개, 암술은 1개이다. 열매는 둥글며 흑자색으로 익는다.

분포·생육지 중국, 타이완. 남부 지방에서 재식한다.

약용 부위·수치 잎, 뿌리, 줄기, 열매를 가을에 채취하여 말린다.

약물명 줄기를 공로목(功勞木)이라고 하며, 토황백(土黃柏)이라고도 한다. 잎을 십대공로엽(十大功勞葉), 열매를 공로자(功勞子)라고 한다.

기미·귀경 공로목(功勞木) : 한(寒), 고(苦)·폐(肺), 간(肝), 대장(大腸)

약효 공로목(功勞木)은 살충, 통대변, 보음(補陰), 양혈(凉血), 지갈(止渴)의 효능이 있으므로 폐(肺)를 튼튼하게 하여 해수(咳嗽)를 치료한다. 십대공로엽(十大功勞葉)은 청열(淸熱), 보허(補虛), 지해(止咳), 화담(化痰)의 효능이 있으므로 폐결핵의 해혈(咳血), 폐결핵 환자의 조열(潮熱), 눈이 붓고 벌겋게 되는 증상을 치료한다. 공로자(功勞子)는 청열(淸熱), 이습(利濕), 하초고삽(下焦固澁)의 효능이 있으므로 조열골증(潮熱骨蒸), 하리(下痢), 결핵성조열, 두훈(頭暈), 이명을 치료한다.

성분 공로목(功勞木)에는 isoterandrine, berberine, palmatine, jatrorrhizine, berbamine, oxycanthine 등, 공로자(功勞子)에는 isotetrandrine, berbamine 등이 함유되어 있다.

약리 잎의 열수추출물은 대장균, 결핵균, 녹농균에 항균 작용이 있고, 알칼로이드를 쥐의 적출 장관에 투여하면 자발 운동이 증진되고 혈압 하강 작용이 있다.

사용법 공로목, 십대공로엽, 공로자 각 7g에 물 3컵(600mL)을 넣고 달여서 복용하고 외용에는 달인 액으로 씻는다.

＊'중국남천(細葉十大功勞) *M. fortunei*'도 약효가 같다.

❍ 활엽십대공로

[매자나무과]

도아칠

	담즙분비부족, 간장염, 황달		암
	사마귀		

●학명 : *Podophyllum hexandrum* Royle [*P. emodii, Sinopodophyllum pentalum*]
●영명 : Himalayan may apple

| 1 | 2 | 3 | 4 | 5 | 6 | 7 | 8 | 9 | 10 | 11 | 12 |

상록 관목. 높이 40~45cm. 줄기는 곧게 자라고, 잎은 홀수 1회 깃꼴겹잎, 가장자리에는 날카로운 톱니가 있다. 꽃은 백색으로 봄에 총상화서가 나와 밑으로 처지며, 꽃받침은 9개, 꽃잎은 6개, 수술은 6개, 암술은 1개이다. 열매는 둥글며 붉은색으로 익는다.

분포·생육지 북아메리카, 남아메리카, 히말라야, 동아시아. 숲속에서 자란다.

약용 부위·수치 뿌리줄기 및 뿌리를 수시로 채취하여 물에 씻은 후 썰어서 말린다.

약물명 도아칠(桃兒七), Himalayan may apple 이라고도 한다.

성상 뿌리줄기는 불규칙한 덩이 모양이고 끝에는 오목하게 들어간 줄기의 흔적이 있다. 뿌리는 뿌리줄기에 모여나며 길이 7~12cm, 지름 0.2~0.3cm이다. 표면은 암갈색이고 세로 주름이 있으며, 횡단면은 황백색이고 가루질이다. 냄새는 없고 맛은 쓰다.

약효 보간(補肝), 항암의 효능이 있으므로 담즙분비부족, 간장염, 황달, 각종 암, 사마귀를 치료한다.

성분 podophyllin, podophyllotoxin, desoxy-podophyllotoxin, peltatins 등이 함유되어 있다. 이들 물질들은 항암제인 etoposide, mitoposide, teninoside의 출발 물질로 이용된다.

약리 podophyllotoxin은 mitotic spindle 독으로 작용하여 암의 성장을 억제한다. 피부의 악성종양이나 사마귀를 괴사시킨다.

사용법 도아칠 2~3g에 물 2컵(400mL)을 넣고 달여서 복용하고, 외용에는 짓찧어 바른다.

＊동북아메리카, 히말라야에서 자라는 '방패도아칠(防牌桃兒七) *P. peltatum*'도 약효가 같다.

❍ 방패도아칠

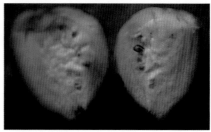

❍ 방패도아칠(열매 내부)

[매자나무과]

남천

구해, 기천, 감기, 백일해, 해수 / 혈뇨 / 좌골신경통 / 황달 / 타박상 / 두통 / 결막염

● 학명 : *Nandina domestica* Thunb.　● 영명 : Heavenly bamboo nandina
● 한자명 : 南天竹

| 1 | 2 | 3 | 4 | 5 | 6 | 7 | 8 | 9 | 10 | 11 | 12 |

상록 관목. 높이 3m 정도. 잎은 가죽질, 3회 깃꼴겹잎이다. 꽃은 양성, 6~7월에 가지 끝에 원추화서로 피며, 꽃받침잎은 3개, 화관은 백색, 수술은 6개, 꽃밥은 황색이다. 씨방은 1개, 암술대는 짧고, 암술머리는 손바닥 모양이다. 열매는 둥글고 10월에 붉은색으로 익으며, 종자는 2개이다.

분포 · 생육지 중국 원산. 우리나라 남부 지방에서 재식한다.

약용 부위 · 수치 열매는 가을부터 겨울까지, 잎, 줄기, 뿌리는 가을에 채취하여 말린다.

약물명 열매를 남천죽자(南天竹子)라고 하며, 남천실(南天實), 남천(南天)이라고 한다. 잎은 남천죽엽(南天竹葉), 줄기와 가지는 남천죽경(南天竹梗), 뿌리를 남천죽근(南天竹根)이라 한다.

본초서 송나라의 소송(蘇頌)은 「도경본초(圖經本草)」에 남천촉(南天燭)이라는 이름으로 수재하였으며, 역시 송나라 때의 「정화본초(政和本草)」에 "가정에서 관상으로 재식하며 높이 3~5척으로서 붉은 열매가 달린다."는 기사와 일치하는 것으로 보아 송대(宋代)로부터 약용하고 있다는 사실을 알 수 있다.

기미 · 귀경 남천죽자(南天竹子): 평(平), 산(酸), 감(甘) · 폐(肺)

약효 남천죽자(南天竹子)는 염폐지해(斂肺止咳), 평천(平喘)의 효능이 있으므로 구해(久咳), 기천(氣喘)을 치료한다. 남천죽엽(南天竹葉)은 감기, 백일해, 혈뇨(血尿), 타박상을 치료한다. 남천죽경(南天竹梗)은 지해정천(止咳定喘), 강장 흥분의 효능이 있으므로 해수(咳嗽)를 치료하고, 남천죽근(南天竹根)은 거풍(祛風), 청열(淸熱), 제습(除濕), 화담(化痰)의 효능이 있으므로 풍열(風熱)에 의한 두통, 폐열해수(肺熱咳嗽), 황달, 결막염, 좌골신경통을 치료한다.

성분 남천죽자(南天竹子)는 methyldomesticine, protopine, isocorydine, nandinine, domesticine, 줄기에는 magnoflorine, berberine, jatorrhizine, menisperine, domesticine, nandazurine, isoboldine 등이 함유되어 있다.

약리 domesticine, nandinine은 동물 실험 결과 morphine과 같은 마취 작용이 있고, 또 심장을 억제하는 작용이 있으며, nandinine을 토끼에게 주사하면 혈압을 하강시킨다.

사용법 남천실, 남천죽엽, 남천죽경 및 남천죽근 각각 10g에 물 3컵(600mL)을 넣고 달여서 복용한다.

❶ 남천

❶ 남천죽자(南天竹子)

❶ 남천(열매)

[매자나무과]

대황련

습열이질 / 목적종통 / 옹종창독 / 객혈

● 학명 : *Mahonia mairei* Takeda　● 한자명 : 大黃連, 密葉十大功勞

| 1 | 2 | 3 | 4 | 5 | 6 | 7 | 8 | 9 | 10 | 11 | 12 |

상록 관목. 높이 1~2m. 줄기는 곧게 자라고, 잎은 홀수 1회 깃꼴겹잎, 작은잎은 4~8쌍, 가장자리에는 날카로운 톱니가 있고, 뒷면은 회색을 띤다. 꽃은 3~4월에 길이 20cm 정도의 총상화서로 피며 황색, 꽃받침은 9개, 꽃잎은 6개이다. 열매는 둥글며 흑자색으로 익는다.

분포 · 생육지 캐나다, 유럽. 세계 각처에서 재배한다.

약용 부위 · 수치 잎, 뿌리, 줄기, 열매를 가을에 채취하여 말린다.

약물명 자황련(刺黃連), 노서자(老鼠刺), 목황련(木黃連), 자황금(刺黃芩)이라고도 한다.

약효 청열조습(淸熱燥濕), 사화해독(瀉火解毒)의 효능이 있으므로 습열이질(濕熱痢疾), 목적종통(目赤腫痛), 옹종창독(癰腫瘡毒), 객혈을 치료한다.

성분 berberine이 함유되어 있다.

사용법 자황련 10g에 물 3컵(600mL)을 넣고 달여서 복용하며, 외용에는 가루로 하여 연고를 만들어 환부에 붙이고, 목적종통(目赤腫痛)에는 짓찧어서 즙액을 눈에 떨어뜨린다.

❶ 대황련

[으름덩굴과]

으름덩굴

소변단적, 임탁, 혈뇨　수종
인후통, 번갈　부녀경폐, 유즙불통

● 학명 : *Akebia quinata* (Thunb.) Decaisne ● 영명 : Five-leaf akebia
● 한자명 : 木通, 林下婦人 ● 별명 : 으름

| 1 | 2 | 3 | 4 | 5 | 6 | 7 | 8 | 9 | 10 | 11 | 12 |

낙엽 덩굴나무. 길이 5m 정도. 잎은 새 가지에서는 어긋나고 오래된 가지에서는 모여나며 장상 복엽이다. 꽃은 암수딴그루, 5~6월에 피고, 장과는 길이 6~10cm, 10월에 자갈색으로 익는다.

분포 · 생육지 우리나라 황해도 이남. 중국, 일본. 산기슭 숲속에서 자란다.

약용 부위 · 수치 줄기는 봄이나 가을에 채취하여 외피를 갉아서 버리고 적당한 크기로 잘라서 말린다. 열매는 가을에 채취하여 햇볕에 말린다.

약물명 줄기를 목통(木通), 열매를 팔월찰(八月札) 또는 예지자(預知子)라고 한다. 목통(木通)은 대한민국약전(KP), 예지자(預知子)는 대한민국약전외한약(생약)규격집(KHP)에 수재되어 있다.

본초서 목통(木通)은 「신농본초경(神農本草經)」의 중품에 통초(通草)라는 이름으로 수재되어 있다. 「본초강목(本草綱目)」에는 "작은 구멍이 많으므로 통초라고 하며, 현재의 목통을 말한다. 요즘 통초라고 하는 것은 통탈목(通脫木)의 다른 이름이다. 송대(宋代)의 본초서에서 혼돈하여 기록하였다."고 지적하고 있다. 「본초경집주(本草經集註)」에는 덩굴성 식물이라는 기록이 있고, 「신수본초(新修本草)」에는 "마디에 2~3개의 가지가 있으며, 열매는 길이 3~4촌(寸)이며, 종자는 검고 과육은 백색으로 맛이 있다."고 한 기록과 「도경본초(圖經本草)」의 그림으로 보아 오늘날의 '으름덩굴'과 일치한다. 「동의보감(東醫寶鑑)」에도 통초(通草)

라는 이름으로 수재되어, "이것은 즉 목통(木通)이라고 하였으며, 오림(五淋)을 낫게 하고 소변불리, 구토, 가슴이 답답한 증상, 부종을 치료하며, 구규(九竅)를 통하게 한다."고 하였다.

神農本草經 : 主去五蟲 除脾胃寒熱 通利九竅血脈關節 令人不忘.

本草綱目 : 上能通心淸肺 治頭痛 下能泄濕熱 治遍身枸痛.

東醫寶鑑 : 治五淋 利小便 開關格 治水腫 除煩熱 通利九竅 出音聲 療脾膽常欲眼 墮胎去三蟲.

성상 목통(木通)은 원형 또는 타원형의 자른 조각으로 두께 2~3mm, 지름 1~3cm이다. 바깥쪽의 코르크층은 회갈색이며, 목부는 담갈색의 도관부와 회백색의 방사 조직이 엇갈려서 방사상으로 배열되어 있다. 수(髓)는 담황색으로 뚜렷하다. 냄새는 거의 없고 맛은 약간 아리다. 팔월찰(八月札)은 성숙한 열매로 약간 구부러졌고 길이 5~6cm, 지름 3~3.5cm, 표면은 회갈색~암갈색으로 껍질은 쭈그러진 그물 모양의 돌기가 있고 끝에는 암술머리의 흔적이 있다. 질은 단단하고 횡단면은 황백색이고 흑색의 종자가 많이 들어 있다. 냄새가 향기롭고 맛은 조금 떫다.

기미 · 귀경 목통(木通): 한(寒), 고(苦) · 심(心), 소장(小腸), 방광(膀胱). 팔월찰(八月札): 평(平), 미고(微苦) · 간(肝), 위(胃), 방광(膀胱)

약효 목통(木通)은 청열이뇨(淸熱利尿), 활

혈통맥(活血通脈)의 효능이 있으므로 소변단적(小便短赤), 임탁(淋濁), 수종(水腫), 흉중번열(胸中煩熱), 인후통, 부녀경폐(婦女經閉), 유즙불통(乳汁不通)을 치료한다. 팔월찰(八月札)은 이기(理氣), 서간(舒肝), 활혈, 지통, 제번(除煩), 이뇨의 효능이 있으므로 번갈(煩渴), 적백하리, 요통, 늑막염, 월경통, 혈뇨를 치료한다.

성분 목통(木通)은 hederagenin, oleanolic acid를 genin으로 하는 akeboside Stb~k, betulin, myoinositol 등이 함유되어 있다.

약리 목통(木通)의 메탄올추출물 및 사포닌의 경구 투여는 스트레스성 위궤양의 예방 효과, 부종 억제 및 이뇨 작용이 있고, 30% 에탄올추출물은 혈청 콜레스테롤, 인지질 및 트리글리세라이드의 함량을 저하시킨다.

사용법 목통은 6g에 물 3컵(600mL)을 넣고 달여서 복용하거나 환약, 가루약으로 복용한다. 팔월찰은 10g에 물 4컵(800mL)을 넣고 달여서 복용한다.

처방 목통탕(木通湯): 목통(木通) · 석위(石葦) · 구맥(瞿麥) 각 80g (「향약집성방(鄉藥集成方)」). 습열로 소변이 잘 나오지 않는 증상에 사용한다.

• 도적산(導赤散): 지황(地黃) · 목통(木通) · 감초(甘草) 각 4g, 죽엽(竹葉) 7개 (「동의보감(東醫寶鑑)」). 심장과 소장에 열이 많아 얼굴이 벌겋고 가슴이 답답하며 갈증이 나서 물을 켜는 증상, 급성신우신염, 구내염에 사용한다.

* '등칡 *Aristolochia mandshuriensis*'의 덩굴줄기를 관목통(關木通), '*Clematis amandii*' 또는 '*C. montana*'의 덩굴줄기를 천목통(川木通)이라 하여 사용하기도 한다.

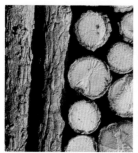
○ 목통(木通)

○ 팔월찰(八月札)

○ 으름덩굴(열매)

○ 으름덩굴(종자)

○ 으름덩굴(줄기)

○ 목통(木通)이 배합된 비뇨기염 치료제

○ 으름덩굴

[으름덩굴과]

세잎으름덩굴

소변단적, 임탁, 혈뇨 / 수종
인후통, 번갈 / 부녀경폐, 유즙불통

● 학명 : *Akebia trifoliata* (Thunb.) Koidz. ● 한자명 : 三葉木通

1	2	3	4	5	6	7	8	9	10	11	12

낙엽 덩굴나무. 길이 5m 정도. 잎은 장상 복엽으로 작은잎은 3개이며 가장자리가 밋밋하거나 물결 모양이다. 꽃은 암수딴그루로 5~6월에 피고, 장과는 길이 6~10cm로 10월에 자갈색으로 익는다.
분포·생육지 우리나라 전역. 중국, 일본.

○ 세잎으름덩굴

[으름덩굴과]

대혈등

장옹, 이질 / 유옹
풍습비통

● 학명 : *Sargentodoxa cuneata* Rehder et Willson [*Holboellia cuneata*]

1	2	3	4	5	6	7	8	9	10	11	12

낙엽 덩굴나무. 길이 10m 정도. 줄기는 원주형, 갈색이며 구부러지고 상처를 내면 붉은색 유즙을 낸다. 잎은 3출겹잎으로 잎자루가 길다. 꽃은 황색, 잎겨드랑이에 총상화서로 달린다. 장과는 육질이고, 종자는 달걀 모양으로 흑색이다.

분포·생육지 중국 안후이성(安徽省), 저장성(浙江省), 후베이성(湖北省), 광시성(廣西省). 산에서 자란다.
약용 부위·수치 덩굴성 줄기를 여름에 채취하여 썰어서 말린다.
약물명 대혈등(大血藤). 혈등(血藤), 과산룡

○ 대혈등

산기슭 숲속에서 자란다.
약용 부위·수치 줄기는 봄이나 가을에 채취하여 외피를 갉아서 버리고 적당한 크기로 잘라서 말린다. 열매는 가을에 채취하여 햇볕에 말린다.
약물명 줄기를 목통(木通), 열매를 팔월찰(八月札) 또는 예지자(預知子)라 한다.
* 약효 및 사용법은 '으름덩굴'과 같다.

○ 목통(木通)

○ 팔월찰(八月札)

(過山龍), 홍등(紅藤)이라고도 한다.
성상 대부분 절편으로 출하되며 지름 1~3cm이다. 표면은 회갈색~갈색이며 비늘조각처럼 벗겨졌고, 벗겨진 곳에는 적갈색이 드러난다. 횡단면은 피층이 적갈색이고 방사상의 수선이 뚜렷하여 꽃무늬를 형성한다. 냄새가 약간 나며 맛은 쓰다.
기미·귀경 평(平), 고(苦)·대장(大腸), 간(肝)
약효 해독소옹(解毒消癰), 활혈지통, 거풍제습의 효능이 있으므로 장옹(腸癰), 이질, 유옹(乳癰), 풍습비통(風濕痺痛)을 치료한다.
성분 emodin, physcion, β-sitosterol, daucosterol, salidroside, syringaresinol bisglucoside, chrysophanol 등이 함유되어 있다.
약리 열수추출물은 황색 포도상구균에 항균 작용이 있다.
사용법 대혈등 10g에 물 3컵(600mL)을 넣고 달여서 복용한다.

○ 대혈등(大血藤, 절편)

○ 대혈등(大血藤)

[으름덩굴과]

멀꿀

관절염 소변불리 창양, 습진

● 학명 : *Stauntonia hexaphylla* (Thunb.) Decaisne ● 영명 : Japanese staunton vin
● 한자명 : 牛藤, 野木瓜 ● 별명 : 멀굴, 멀꿀나무

1 2 3 4 5 6 7 8 9 10 11 12

상록 덩굴나무. 길이 15m 정도. 새 줄기는 녹색이다. 잎은 두껍고 장상 복엽, 꽃은 암수한그루, 황백색이다. 수과는 달걀 모양, 길이 5~10cm, 10월에 적갈색으로 익는다. 종자는 타원형, 편평하고 길이 6~10mm로 흑색이다.

분포 · 생육지 우리나라 제주도 및 남해안. 일본, 타이완. 바닷가 산기슭에서 자란다.

약용 부위 · 수치 줄기를 가을부터 겨울까지, 열매는 가을에 채취하여 썰어서 말린다.

약물명 줄기를 우등(牛藤), 열매를 우등과(牛藤果)라고 한다.

약효 우등(牛藤)은 거풍산어(祛風散瘀), 지통, 이뇨의 효능이 있으므로 관절염, 소변불리를 치료한다. 우등과(牛藤果)는 해독소종(解毒消腫)의 효능이 있으므로 창양(瘡瘍)과 습진을 치료한다.

성분 줄기와 잎에는 hederagenin 3-*O*-α-L-arabinopyranoside, mubenin A, B, C, quercetin 등이 함유되어 있다.

약리 열매는 회충과 편충에 구충 작용이 있고, 임상적으로는 진통 작용이 인정되어 수술 후의 복통이나 산통에 잘 쓰인다. hederagenin 3-*O*-α-L-arabinopyranoside와 quercetin은 colon cancer cell인 HCT116에 세포 독성이 있다.

사용법 우등 또는 우등과 각각 10g에 물 3컵(600mL)을 넣고 달여서 복용하고, 습진에는 달인 액으로 씻는다.

멀꿀

멀꿀(열매)

우등(牛藤)

우등과(牛藤果)

[새모래덩굴과]

댕댕이덩굴

풍습비통, 각슬소양 수종 위통 소변임탁 타박상, 습진

● 학명 : *Cocculus trilobus* (Thunb.) DC. [*C. orbiculatus*]
● 한자명 : 木防己 ● 별명 : 댕강덩굴

1 2 3 4 5 6 7 8 9 10 11 12

낙엽 덩굴나무. 길이 3m 정도. 잎은 어긋나고, 꽃은 암수한그루, 황백색, 5~6월에 잎겨드랑이에 총상화서로 2~4개씩 달린다. 꽃받침 6개, 꽃잎 6개, 수술 6개, 암꽃은 3개의 심피가 있고, 암술머리는 원주형, 핵과는 둥글며 흑색으로 익는다.

분포 · 생육지 우리나라 전역. 중국, 일본, 동남아시아. 산기슭이나 밭둑에서 자란다.

약용 부위 · 수치 뿌리는 수시로 채취하여 흙과 먼지를 털고 물에 씻어서 말리고, 여름철에 줄기와 잎을 채취하여 말린다.

약물명 뿌리를 목방기(木防己)라고 하며, 토목향(土木香), 우목향(牛木香)이라고도 한다. 줄기와 잎을 청단향(青檀香)이라고 한다. 목방기(木防己)는 대한민국약전외한약(생약)규격집(KHP)에 수재되어 있다.

본초서 목방기(木防己)는 「약성론(藥性論)」에 처음 수재되었고, 「동의보감(東醫寶鑑)」에는 방기(防己)의 이명으로 나와 있다.
藥性論: 治男子肢節中風 毒風不語 主散結氣 癰腫 溫瘧 風水腫 去膀胱熱.

기미 · 귀경 한(寒), 고(苦), 신(辛) · 방광(膀胱), 신(腎), 비(脾)

약효 거풍제습(祛風除濕), 통락활락(通絡活絡), 해독소종(解毒消腫)의 효능이 있으므로 풍습비통(風濕痹痛), 수종(水腫), 소변임탁(小便淋濁), 타박상, 습진을 치료한다. 청단향(青檀香)은 거풍, 이습(利濕), 소종(消腫)의 효능이 있으므로 제풍마비(諸風痲痺), 각슬소양(脚膝瘙痒), 위통을 치료한다.

성분 목방기(木防己)는 trilobine, isotrilobine, homotrilobine, trilobamine, normenisarine, magnoflorine 등, 청단향(青檀香)은 cocculolidine, isoboldine 등이 함유되어 있다.

사용법 목방기 또는 청단향 10g에 물 3컵(600mL)을 넣고 달여서 복용하거나 술에 담가 복용한다. 외용으로 달인 액으로 씻는다.

댕댕이덩굴

목방기(木防己)

청단향(青檀香)

댕댕이덩굴(뿌리)

댕댕이덩굴(열매)

[새모래덩굴과]
모엽윤환등

풍열감모　인후동통
복통, 습열사리　소변임탁, 사림

● 학명 : *Cyclea barbata* (Wall.) Miers　● 한자명 : 毛葉輪環藤

1	2	3	4	5	6	7	8	9	10	11	12

❂ 모엽윤환등

덩굴성 풀. 뿌리는 원주형으로 지름 1cm 정도. 줄기는 다른 나무나 물체를 감으며 잎과 더불어 털이 있다. 잎은 어긋나고 길이 5~10cm, 너비 3~8cm, 가장자리는 밋밋하다. 잎자루는 잎몸의 하부 중앙에 달린다. 꽃은 암수한그루, 8~11월에 잎겨드랑이에 총상화서로 달리며 황백색이다. 핵과는 편구형이다.

분포·생육지 중국 광둥성(廣東省), 하이난성(海南省), 광시성(廣西省), 인도네시아. 산지 음습한 곳, 숲속에서 자란다.

약용 부위·수치 뿌리를 봄부터 가을에 채취하여 흙과 먼지를 털고 물에 씻은 후 썰어서 말린다.

약물명 은불환(銀不換). 구조우(九條牛), 저장환(猪腸丸), 금선풍(金線風)이라고도 한다.

약효 청열해독(淸熱解毒), 산어지통(散瘀止痛), 이뇨통림(利尿通淋)의 효능이 있으므로 풍열감모(風熱感冒), 인후동통(咽喉疼痛), 복통, 습열사리(濕熱瀉痢), 소변임탁(小便淋濁), 사림(砂淋)을 치료한다.

성분 isochondrodendrine, curine, homoaromoline, berbamine, fanchinoline, cycleanine, tetraandrine, isotetraandrine, magnoflorine, cyclanoline 등이 함유되어 있다.

사용법 은불환 10g에 물 3컵(600mL)을 넣고 달여서 복용하거나, 술에 담가 복용한다.

[새모래덩굴과]
새모래덩굴

인후통　폐열해수　치창종통　독충교상, 나력
사리, 황달, 복사이질　풍습비통, 요통

● 학명 : *Menispermum dauricum* DC.　● 영명 : Asiatic moonseed
● 한자명 : 蝙蝠藤, 北山豆

1	2	3	4	5	6	7	8	9	10	11	12

덩굴나무. 길이 2~3m. 나무나 다른 물체를 감는다. 잎은 어긋나고, 꽃은 암수한그루, 6월에 잎겨드랑이에 원추화서로 달리며 담황색이다. 수꽃은 꽃받침 조각 4~6개, 꽃잎 6~10개, 수술 12~24개이고, 암꽃은 심피 3개, 머리는 2개로 갈라진다. 열매는 핵과로 둥글며 9월에 흑색으로 익는다.

분포·생육지 우리나라 전역. 중국, 일본, 아무르. 산기슭 양지에서 자란다.

약용 부위·수치 줄기는 가을에, 뿌리줄기는 봄과 여름에 채취하여 말린다.

약물명 뿌리줄기를 북두근(北豆根)이라고 하며, 편복갈근(蝙蝠葛根), 북산두근(北山豆根)이라고도 한다. 줄기를 편복등(蝙蝠藤), 잎을 편복갈엽(蝙蝠葛葉)이라고 한다.

기미·귀경 북두근(北豆根): 한(寒), 고(苦), 소독(小毒)·폐(肺), 위(胃), 대장(大腸). 편복등(蝙蝠藤): 한(寒), 고(苦)·간(肝), 폐(肺), 대장(大腸)

약효 북두근(北豆根)은 청열해독(淸熱解毒), 소종지통(消腫止痛), 이습(利濕)의 효능이 있으므로 인후통, 폐열해수, 사리(瀉痢), 황달, 풍습비통(風濕痺痛), 치창종통(痔瘡腫痛), 독충교상을 치료한다. 편복등(蝙蝠藤)은 청열해독(淸熱解毒), 소종지통(消腫止痛)의 효능이 있으므로 요통, 나력(瘰癧), 인후통, 복사이질(腹瀉痢疾), 치창종통(痔瘡腫痛)을 치료한다. 편복갈엽(蝙蝠葛葉)은 산결소종(散結消腫), 거풍지통(祛風止痛)의 효능이 있으므로 나력(瘰癧), 풍습비통을 치료한다.

성분 줄기에는 dauricine, tetrandine, menispermine, magnoflorine, 잎에는 sinomenine, acutumine, disinomenine, stepharine, acutumine, 뿌리줄기에는 dauricine, daurinoline, dauricinoline, dauricoline 등의 알칼로이드가 함유되어 있다.

약리 dauricine은 마취한 동물의 혈압을 하강시키고, 임상적으로 경증의 고혈압 환자 치료에 적용할 수 있다.

사용법 북두근은 7g에 물 2컵(400mL)을, 편복등은 10g에 물 3컵(600mL)을 넣고 달여서 복용한다. 편복갈엽은 짓찧어 상처에 바르거나 헝겊에 싸서 붙인다.

❂ 새모래덩굴

❂ 북두근(北豆根)

❂ 새모래덩굴(뿌리)

❂ 새모래덩굴(열매)

[새모래덩굴과]

방기

| 관절염, 각기 | 수종 |
| 방광수종 | 안면신경마비 |

●학명 : *Sinomenium acutum* (Thunb.) Rehder et Wilson ●한자명 : 靑藤, 淸風藤

| 1 | 2 | 3 | 4 | 5 | 6 | 7 | 8 | 9 | 10 | 11 | 12 |

낙엽 덩굴나무. 길이 7m 정도. 꽃은 암수 딴그루, 연한 녹색, 6월에 잎겨드랑이에 총 상화서로 달린다. 꽃받침잎과 꽃잎은 각각 6개, 수꽃은 9~12개의 수술이 있으며, 암 꽃은 3개의 심피가 있고, 암술머리는 2개 로 갈라진다. 열매는 핵과로 10월에 흑색 으로 익으며 둥글다.

분포·생육지 우리나라 제주도, 남해안. 중 국, 일본. 산기슭 양지에서 자란다.

약용 부위·수치 전초를 가을부터 겨울까지 채취하여 말린다.

약물명 줄기를 청등(靑藤)이라고 하며, 방 기(防己), 청풍등(淸風藤), 심풍등(尋風藤), 대청등(大淸藤)이라고도 한다. 방기(防己) 는 대한민국약전(KP)에 수재되어 있다.

본초서 방기(防己)는 「신농본초경(神農本草 經)」의 중품(中品)에 수재되어 풍질(風疾)의 중요한 치료약으로 사용되어 왔다. 중국에 는 '분방기 Stephania tetrandra'의 뿌리를 분방기(粉防己)라고 하며 주로 이것을 사용 하고 있다. 우리나라에는 이 식물이 없어서 본 종의 줄기를 방기(防己)로 사용한 것으로

추정된다. 「동의보감(東醫寶鑑)」에 "바람과 습한 기운으로 입과 얼굴이 비뚤어진 것, 손 발이 아픈 것을 낫게 하고, 열이 난 다음 오 한이 있는 것과 몸속의 열을 내려 주며 대소 변을 잘 나오게 한다. 몸이 붓는 것과 바람 을 맞아서 몸이 붓는 것, 그리고 다리가 붓 는 것을 가라앉힌다. 방광 속의 열을 없애고 종기에 심하게 멍울이 진 것을 삭이며 병으 로 오랜 기간 누워 지내는 환자의 엉덩이나 짓물러서 생긴 부스럼, 옴, 버짐, 벌레로 인 해 생긴 피부병을 치료한다."고 하였다.

本草綱目: 治濕流注 歷節鶴膝 麻痹瘙癢 損傷瘡腫

東醫寶鑑: 治濕風口面喎斜 手足疼 溫瘧熱 氣 利大小便 療水腫風腫脚氣 去膀胱熱 散癰腫惡結 諸癘疥癬 蟲瘡.

기미·귀경 평(平), 고(苦), 신(辛)·간(肝), 비(脾)

약효 진통, 소염, 이뇨의 효능이 있으므로 관절염, 수종, 각기, 방광수종, 안면신경마 비를 치료한다.

성분 sinomenine, disnomenine, magno-florine, acutumine, sinactine, isosinome-nine, tuduranine, sinoacutine, stepharine 등이 함유되어 있다.

약리 sinomenine은 쥐, 토끼에 대한 실험에 서 진정, 진통 작용이 있고, 혈압에 대한 실험 에서 하강 작용이 있으며, 적출 장관에 억제 작용이 있다.

사용법 청등 10g에 물 3컵(600mL)을 넣고 달여서 복용한다.

＊본 종의 줄기를 우리나라와 일본에서는 방기(防己), 중국에서는 청등(靑藤) 또는 청 풍등(淸風藤)이라고 한다.

○ 청등(淸藤)

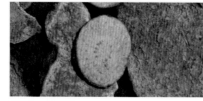
○ 방기

[새모래덩굴과]

백약자

| 인후염, 육혈 | 열독옹종 |
| 풍습비통 | 복통, 사리, 토혈 |

●학명 : *Stephania cepharantha* Hayata [*S. tetrandra* var. *glabra*, *S. disciflora*]
●한자명 : 白藥子

| 1 | 2 | 3 | 4 | 5 | 6 | 7 | 8 | 9 | 10 | 11 | 12 |

낙엽 덩굴나무. 덩이줄기는 크고 살이 찐다. 잎은 어긋나고 달걀 모양, 길이 5~9cm, 너 비 4~10cm이다. 뒷면은 흰 가루색을 띠고 가장자리는 밋밋하며, 잎자루는 방패 모양 으로 손바닥처럼 생긴 맥이 5~9개 있다. 꽃 은 6~7월에 피고, 수꽃은 꽃받침 6개, 꽃잎 3개, 수술 6개이며, 암꽃은 꽃받침 1개, 꽃 잎 2개이다. 8~9월에 열매가 성숙한다.

분포·생육지 중국 후난성(湖南省), 저장성 (浙江省), 장쑤성(江蘇省). 산골짜기에서 자 란다.

약용 부위·수치 덩이줄기를 채취하여 물에 씻은 뒤 썰어서 말린다.

약물명 백약자(白藥子), 백약(白藥), 백약근 (白藥根)이라고도 한다.

기미·귀경 양(凉), 고(苦), 신(辛), 소독(小 毒)·폐(肺), 위(胃)

약효 청열해독(淸熱解毒), 거풍지통(祛風止 痛), 양혈지혈(凉血止血)의 효능이 있으므 로 인후염, 열독옹종(熱毒癰腫), 풍습비통

(風濕痹痛), 복통, 사리(瀉痢), 토혈, 육혈 (衄血)을 치료한다.

성분 cepharanthine, isocorydine, isoretran-drine, cepharathine, cycleanine, homoaro-moline, cepharanone A, B, cepharadione A, B, trilobine, tetranddrine, quinine, papaverine, codeine, morphine, berberine, dehydrostephanine, dehydrorebanine, stephanine, crebanine, onornuciferine, ste-sakine 등이 함유되어 있다.

약리 cepharanthine 1mg/kg을 토끼 정맥 에 주사하면 모세 혈관 내 혈류가 증대된다. cepharanthine은 동물 실험에서 항결핵 작 용, 독사교상의 해독 작용, 항변태 작용, 골 수 조직 재생 작용 등이 나타난다.

사용법 백약자 10g에 물 3컵(600mL)을 넣 고 달여서 복용하거나 환약이나 가루약으로 만들어 복용하고, 외용에는 짓찧어 붙인다.

○ 백약자

○ 백약자(白藥子)

○ 백약자(덩이뿌리)

○ 백약자(열매)

[새모래덩굴과]

일문전

 기체식적, 완복동통 풍습비통

●학명 : *Stephania delavayi* Diels [*S. graciliflora*] ●한자명 : 一文錢

| 1 | 2 | 3 | 4 | 5 | 6 | 7 | 8 | 9 | 10 | 11 | 12 |

덩굴 식물. 길이 1~2m. 원뿌리는 약간 비후하다. 잎은 어긋나고 원형으로 길이와 너비가 3~5cm로 비슷하며 뒷면은 흰가루색을 띠고 가장자리는 밋밋하다. 꽃은 5~7월에 피고 담황색, 핵과는 달걀 모양으로 붉은색으로 성숙한다.

분포 · 생육지 중국 쓰촨성(四川省), 구이저우성(貴州省), 윈난성(雲南省). 산골짜기나 들판에서 자란다.

약용 부위 · 수치 전초를 여름에 채취하여 물에 씻은 뒤 썰어서 말린다.

약물명 일문전(一文錢). 포모계(抱母鷄)라고도 한다.

기미 · 귀경 고(苦), 미한(微寒), 유독(有毒) · 간(肝), 위(胃)

약효 이기지통(理氣止痛), 거풍습(祛風濕), 소종독(消腫毒)의 효능이 있으므로 기체식적(氣滯食積), 완복동통(脘腹疼痛), 풍습비통(風濕痺痛)을 치료한다.

성분 delavaine, 16-oxodelavaine, cepharanthine, cycleanine, homoaromoline 등이 함유되어 있다.

사용법 일문전 1g을 뜨거운 물로 우려내어 복용한다.

주의 유독하므로 복용량에 주의하여야 한다.

● 일문전

● 일문전(뿌리)

[새모래덩굴과]

핏빛마

 인후염, 치통   창옹, 타박상

위통, 위장염 신경통

●학명 : *Stephania dielsiana* Y. C. Wu ●한자명 : 血散薯

| 1 | 2 | 3 | 4 | 5 | 6 | 7 | 8 | 9 | 10 | 11 | 12 |

낙엽 덩굴나무. 덩이줄기는 크고 길이는 보통 10~15cm이나 큰 것은 30cm에 이른다. 잎은 어긋나고 원형으로 길이와 너비가 6~12cm로 비슷하며, 뒷면은 흰 가루색을 띠고 가장자리는 밋밋하다. 꽃은 5~7월에 피고, 수꽃은 꽃받침이 6개, 꽃잎은 3개, 수술 6개, 암꽃은 꽃받침이 1개, 꽃잎은 2개이다. 7~8월에 열매가 성숙한다.

분포 · 생육지 중국 광둥성(廣東省), 광시성(廣西省), 후난성(湖南省). 산골짜기나 들판에서 자란다.

약용 부위 · 수치 덩이줄기를 여름부터 가을에 채취하여 물에 씻은 뒤 썰어서 말린다.

약물명 혈산서(血散薯). 금불환(金不換), 일적혈(一滴血)이라고도 한다.

약효 청열해독(淸熱解毒), 산어지통(散瘀止痛)의 효능이 있으므로 인후염, 창옹(瘡癰), 위통, 위장염, 치통, 신경통, 타박상을 치료한다.

성분 crebanine, sinoacutine, stephanine, dihydrostephanine, xylopinine, tetrahydropalmatine, isoterandrine, cepharanthine, homoaromoline, berbamine 등이 함유되어 있다.

약리 암세포 S180을 쥐에게 이식시켜 암을 일으킨 쥐에게 stephanine을 투여하면 암 조직의 성장을 억제시킨다(억제율 16~34%).

사용법 혈산서 10g에 물 3컵(600mL)을 넣고 달여서 복용하거나 환약이나 가루약으로 만들어 복용하고, 외용에는 짓찧어 붙인다.

● 핏빛마

● 혈산서(血散薯)

[새모래덩굴과]

지불용

말라리아
식적복통
옹종정독

● 학명 : *Stephania epigaea* H. S. Lo   ● 한자명 : 地不容

| 1 | 2 | 3 | 4 | 5 | 6 | 7 | 8 | 9 | 10 | 11 | 12 |

덩굴 식물. 길이 2~3m. 덩이뿌리는 편구형으로 큰 것은 길이 30cm에 달한다. 잎은 어긋나고 원형으로 길이와 너비가 3~7cm로 비슷하며 뒷면은 흰 가루색을 띠고 가장자리는 밋밋하다. 꽃은 5~7월에 피고 자주색, 핵과는 달걀 모양으로 붉은색으로 성숙한다.

분포 · 생육지 중국 쓰촨성(四川省), 구이저우성(貴州省), 윈난성(雲南省). 산골짜기나 들판에서 자란다.

약용 부위 · 수치 덩이뿌리를 여름에 채취하여 물에 씻은 뒤 썰어서 말린다.

약물명 지불용(地不容). 지오구(地烏龜)라고도 한다.

기미 · 귀경 고(苦), 한(寒), 유독(有毒) · 간(肝), 위(胃)

약효 용토담식(湧吐痰食), 절학(截瘧), 해창독(解瘡毒)의 효능이 있으므로 말라리아, 식적복통, 옹종정독(癰腫疔毒)을 치료한다.

성분 cycleanine, cepharanthine, curine, corydine, dicentrine, sinomenine, oliverolin, berbamine 등이 함유되어 있다.

사용법 지불용 1g을 뜨거운 물로 우려내어 복용한다.

주의 유독하므로 복용량에 주의하여야 한다.

❍ 지불용(地不容)

❍ 지불용(열매)

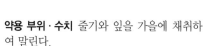
❍ 지불용

[새모래덩굴과]

함박이

인후염
옹종창절
풍습비통, 각기수종
위통

● 학명 : *Stephania japonica* (Thunb.) Miers   ● 영명 : Snake vine
● 한자명 : 千金藤   ● 별명 : 함바기, 함박이덩굴, 함백이

| 1 | 2 | 3 | 4 | 5 | 6 | 7 | 8 | 9 | 10 | 11 | 12 |

낙엽 덩굴나무. 잎은 어긋나고, 꽃은 암수한그루, 6~7월에 잎겨드랑이에 총상화서로 많이 달리며 담녹색이다. 수꽃은 꽃받침잎 6~8개, 꽃잎 3~4개, 수술 6개로 밑부분이 합쳐지고, 꽃밥이 옆으로 터진다. 암꽃은 꽃받침과 꽃잎이 각각 3~4개, 핵과는 둥글며 지름 6mm 정도, 주홍색으로 익는다.

분포 · 생육지 우리나라 제주도 및 남쪽 섬. 중국, 일본, 타이완, 인도, 말레이시아. 바닷가 산기슭에서 자란다.

약용 부위 · 수치 줄기와 잎을 가을에 채취하여 말린다.

약물명 천금등(千金藤)

약효 청열해독(淸熱解毒), 거풍지통(祛風止痛), 이수소종(利水消腫)의 효능이 있으므로 인후염, 옹종창절(癰腫瘡癤), 풍습비통(風濕痺痛), 위통, 각기수종(脚氣水腫)을 치료한다.

성분 hypoepistephanine, stepholine, stephanoline, homostephanoline, steponine, cyclanoline, metaphanine, prostephanine, epistephanine, insularine, hasubanonine 등이 함유되어 있다.

약리 cyclanoline에는 근육을 이완시키는 작용이 있고, 그 강도는 menisperine의 20분의 1이며 neostigmine에 의해 길항된다.

사용법 천금등 7g에 물 3컵(600mL)을 넣고 달여서 복용하고, 외용에는 짓찧어 붙이거나 즙을 내어 입안에 머금는다.

* 중국에 분포하는 '동엽천금등(桐葉千金藤) *S. hernandifolia*'의 덩이줄기도 약효가 같다.

❍ 함박이

❍ 천금등(千金藤)

[새모래덩굴과]

광서지불용

위통, 이질 | 인후염
옹종창절

● 학명 : *Stephania kwangsiensis* H. S. Lo　● 한자명 : 廣西地不容

| 1 | 2 | 3 | 4 | 5 | 6 | 7 | 8 | 9 | 10 | 11 | 12 |

덩굴나무. 길이 1~3m. 덩이뿌리는 편구형, 내면은 담황색이다. 잎은 어긋나며 원형이다. 꽃은 암수한그루, 6~7월에 잎겨드랑이에 총상화서로 많이 달리며 담녹색이다. 수꽃은 꽃받침잎 6~8개, 꽃잎 3~4개, 수술 6개로 밑부분이 합쳐지고 꽃밥이 옆으로 터지며, 암꽃은 꽃받침과 꽃잎이 각각 3~4개이다. 핵과는 둥글며 붉은색으로 익는다.

분포 · 생육지 중국 광시성(廣西省), 윈난성(雲南省). 석회암 지역에서 자란다.

약용 부위 · 수치 뿌리줄기를 여름과 가을에 채취하여 썰어서 말린다.

약물명 산오구(山烏龜), 조금구(弔金龜)라고도 한다.

약효 산어지통(散瘀止痛), 청열해독(淸熱解毒)의 효능이 있으므로 위통, 이질, 인후염, 옹종창절(癰腫瘡癤)을 치료한다.

성분 tetrahydroplamatine, capaurine, isocorydine, roemerine, dehydroroemerine, stephanine, palmatine 등이 함유되어 있다.

사용법 산오구 7g에 물 3컵(600mL)을 넣고 달여서 복용하고, 외용에는 짓찧어 붙이거나 즙을 내어 입안에 머금는다.

❶ 광서지불용

❶ 광서지불용(덩이뿌리)

[새모래덩굴과]

분방기

관절염, 각기 | 수종
방광수종 | 안면신경마비

● 학명 : *Stephania tetrandra* S. Moore　● 한자명 : 粉防己

| 1 | 2 | 3 | 4 | 5 | 6 | 7 | 8 | 9 | 10 | 11 | 12 |

덩굴성 여러해살이풀. 덩이 같은 뿌리줄기는 통상 원주형이고 육질이다. 잎은 어긋나며, 잎자루는 길이 5~6cm, 잎몸은 삼각상 원형, 맥이 5개 있다. 꽃은 작고 암수딴그루이며, 꽃잎 4개, 꽃받침 4개이다. 핵과는 둥글다.

분포 · 생육지 중국 저장성(浙江省), 안후이성(安徽省), 후베이성(湖北省), 후난성(湖南省). 산속에서 자란다.

약용 부위 · 수치 뿌리줄기를 가을에 채취하여 흙과 먼지를 털고 거피(去皮)한 뒤 물에 씻어서 적당한 크기로 잘라서 말려 사용한다. 풍습 질환에는 막걸리에 담갔다가 사용한다.

약물명 방기(防己), 분방기(粉防己) 또는 통초(通草)라고도 한다.

본초서 방기(防己)는 「신농본초경(神農本草經)」의 중품(中品)에 수재되어 풍질(風疾)의 중요한 치료약으로 사용되어 왔다. 「명의별록(名醫別錄)」에 "산시성(陝西省) 한중(漢中)에서 생산되며 절단해 보면 국화 같은 문양(紋樣)이 있는 것이 좋다."라는 기록으로 보아 오늘날의 약물과 형태가 유사하다. 방기(防己)와 통초(通草)에는 많은 설(說)이 있다. 도홍경(陶弘景)의 「신농본초경집주(神農本草經集注)」에는 "지금은 선도(宜都, 湖北省 서북부)에서 생산되며 청백색을 띠고 허약한 것이 좋다."고 하였지만, 소경(蘇敬)의 「당본초(唐本草)」에는 "한중(漢中)의 것은 국화 문양을 띠며 황색으로 충실하고 향기가 좋다. 목방기(木防己)는 청색을 띠며 품질이 좋지 못하다."라고 기록되어 있다. 이러한 내용으로 보아 예로부터 방기(防己)는 목방기(木防己)보다는 분방기(粉防己)를 많이 사용하였으며, 중국 시장에 출하되는 것은 그 이름과 품질이 복잡하다.
神農本草經集注: 療風水要藥. 殺雄黃毒.
藥性論: 治風濕, 口面喎斜, 手足疼, 散留痰, 主脚氣嗽喘.
本草再新: 利濕, 除風, 解火, 波血. 治膀胱水腫, 健脾胃, 化痰.

성상 분방기(粉防己)는 원형~타원형의 절편으로 두께 2~4mm, 지름 10~45mm이다. 옆면은 어두운 회갈색이며 세로 홈과 혹 모양의 돌기가 있다. 피부는 엷은 갈색~암갈색, 목부는 회갈색의 도관부와 어두운 갈색의 방사 조직이 엇갈려서 방사상으로 배열되어 있다. 거의 냄새가 없고 맛은 쓰다.

기미 · 귀경 한(寒), 고(苦), 신(辛) · 방광(膀胱), 폐(肺), 비(脾)

약효 진통, 소염, 이뇨, 거풍습(祛風濕)의 효능이 있으므로 관절염, 수종, 각기, 방광수종, 하초의 혈분습열, 안면신경마비를 치료한다.

성분 sinomenine, disnomenine, magnoflrorine, acutumine, sinactine, isosinomenine, tuduranine, sinoacutine, stepharine 등이 함유되어 있다.

약리 sinomenine은 쥐, 토끼에 대한 실험에서 진정, 진통 작용이 있고, 혈압에 대한 실험에서 하강 작용이 있으며, 적출 장관에 운동 억제 작용이 있다.

사용법 방기 10g에 물 3컵(600mL)을 넣고 달여서 복용하고, 외용에는 고약으로 만들어 붙이거나 달인 액으로 씻는다.

주의 허약 체질과 비위허한(脾胃虛寒)의 경우는 피한다.

처방 방기탕(防己湯): 상백피(桑白皮) · 적복령(赤茯苓) · 자소엽(紫蘇葉) 각 8g, 방기(防己) 6g, 목향(木香) 2g, 생강(生薑) 5쪽(「동의보감(東醫寶鑑)」). 임신부가 소변을 잘 보지 못하면서 온몸이 붓고 숨이 차며 배가 그득하고 불러오는 증상에 사용한다.
• 방기복령탕(防己茯苓湯): 적복령(赤茯苓)

12g, 방기(防己)·황기(黃耆)·계지(桂枝) 각 6g, 감초(甘草) 4g (『동의보감(東醫寶鑑)』). 오줌이 잘 나오지 않으면서 얼굴과 팔다리가 붓고, 몸이 무거우며 맥이 약한 증상에 사용한다.

· 목방기탕(木防己湯): 목방기(木防己) 12g, 석고(石膏) 100g, 계지(桂枝) 8g, 인삼(人蔘) 16g (『동의보감(東醫寶鑑)』). 숨이 차고 가슴이 답답하며 명치 밑이 그득하고 목안이 마르며 오줌이 잘 나오지 않는 증상에 사용한다.

· 의이인탕(薏苡仁湯): 의이인(薏苡仁)·방기(防己)·적소두(赤小豆)·구감초(灸甘草) 각 6g (『동의보감(東醫寶鑑)』). 풍사(風邪)로 비(脾)가 상하여 입술이 붓고 아프면서 허는 증상에 사용한다.

※ 방기(防己)는 풍수병(風水病)에 사용하는 약물이다. 중국에는 본 종의 뿌리를 분방기(粉防己)라고 하여 주로 사용하고 있다. 이것 외에 광방기(廣防己), 목방기(木防己)라는 약물이 있다. 우리나라에는 '분방기'가 없으므로 이것의 대용품으로 '방기 S. acutum'의 덩굴줄기 또는 뿌리를 사용한 것으로 생각된다.

❍ 방기(防己, 절편)

❍ 방기(防己)

❍ 방기(防己, 신선품)

❍ 분방기

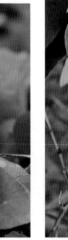

❍ 분방기(뿌리)

❍ 방기(防己)가 배합된 소화불량 치료제

[새모래덩굴과]

구두치

🏃 당뇨병, 고지혈증   🤰 간염

●학명 : *Tinospora cordifolia* (Thunb.) Miers   ●영명 : Guduchi, Giloy

| 1 | 2 | 3 | 4 | 5 | 6 | 7 | 8 | 9 | 10 | 11 | 12 |

❍ 구두치 줄기로 만든 소염제

낙엽 덩굴나무. 뿌리는 가늘고 길게 벋으며 군데군데 덩이뿌리가 있다. 잎은 심장형, 가장자리는 밋밋하다. 꽃은 암수딴그루, 황백색, 원추화서로 피고, 꽃받침과 꽃잎은 6개씩이다. 핵과는 구형이고 붉은색으로 익는다.

분포·생육지 인도, 인도네시아, 스리랑카. 숲속이나 산골짜기에서 자란다.

약용 부위·수치 덩굴성 줄기를 채취하여 물에 씻은 후 잘라서 말린다.

약물명 Tinosporae Calulis. 일반적으로 Guduchi 또는 Giloy라고 한다.

약효 청열해독(淸熱解毒), 활혈소종(活血消腫)의 효능이 있으므로 당뇨병, 고지혈증, 간염 등을 치료한다.

성분 tinosporoside, columbin, jatrorhizine, berberine, palmatine, tenbeterine 등이 함유되어 있다.

사용법 Tinosporae Calulis 10g에 물 3컵(600mL)을 넣고 달여서 복용한다.

※ 인도, 인도네시아 등에서는 본 종의 줄기를 소염제로 제제화하여 사용하고 있다.

❍ 구두치

[새모래덩굴과]

파엽청우담

골절　　타박상

이질

● 학명 : *Tinospora crispa* (L.) Hook. f. et Thoms.　● 한자명 : 波葉靑牛膽

1	2	3	4	5	6	7	8	9	10	11	12

낙엽 덩굴나무. 뿌리는 가늘고 길게 벋으며 길이 1m 정도이고 군데군데 덩이뿌리가 있다. 잎은 긴 타원형, 가장자리는 밋밋하다. 꽃은 암수딴그루, 황백색, 원추화서로 피고, 꽃받침과 꽃잎은 6개씩이다. 핵과는 달걀 모양, 지름 1cm 정도, 등황색으로 익는다.

분포 · 생육지 중국 광시성(廣西省), 윈난성(雲南省), 광둥성(廣東省), 후난성(湖南省), 구이저우성(貴州省), 쓰촨성(四川省). 숲속이나 산골짜기에서 자란다.

약용 부위 · 수치 덩굴성 줄기를 채취하여 물에 씻은 후 잘라서 말린다.

약물명 녹포등(綠包藤). 소라등(小賴藤), 녹등(綠藤)이라고도 한다.

약효 청열해독(淸熱解毒), 활혈소종(活血消腫), 지리(止痢)의 효능이 있으므로 타박상, 골절, 이질을 치료한다.

사용법 녹포등 10g에 물 3컵(600mL)을 넣고 달여서 복용한다.

＊ 중국, 인도, 인도네시아 등에서는 본 종의 줄기를 소염제로 제제화하여 사용하고 있다.

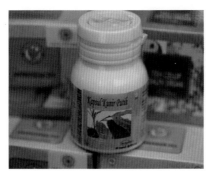

❶ 파엽청우담으로 만든 소염 진통제

❶ 파엽청우담

[새모래덩굴과]

금과람

인후염, 구설미란　　완복동통, 사리

열해실음

● 학명 : *Tinospora sagittata* (Oliv.) Gagnep.　● 한자명 : 金果欖

1	2	3	4	5	6	7	8	9	10	11	12

상록 덩굴나무. 뿌리는 가늘고 길게 벋으며 길이 1m 정도이고 군데군데 덩이뿌리가 있다. 잎은 긴 타원형, 길이 6~16cm, 너비 2~8cm, 끝이 뾰족하고 가장자리는 밋밋하다. 꽃은 암수딴그루, 황백색, 원추화서로 피고, 꽃받침과 꽃잎은 6개씩이며, 가을에 둥근 핵과가 붉은색으로 익는다.

분포 · 생육지 중국 광시성(廣西省), 후난성(湖南省), 구이저우성(貴州省), 쓰촨성(四川省). 숲속이나 산골짜기에서 자란다.

약용 부위 · 수치 뿌리줄기를 가을에 채취하여 물에 씻어서 말린다.

약물명 금과람(金果欖). 금고람(金苦欖), 지담(地膽)이라고도 한다.

기미 · 귀경 한(寒), 고(苦) · 폐(肺), 위(胃)

약효 청열해독(淸熱解毒), 소종지통(消腫止痛)의 효능이 있으므로 인후염, 구설미란(口舌糜爛), 열해실음(熱咳失音), 완복동통(脘腹疼痛), 사리(瀉痢)를 치료한다.

성분 palmatine, columbin, isocolumbin, jatrorhizine, tinoside, columbamine, stepharanine, dehydrodiscretamine, menis-perine, magnoflorine 등이 함유되어 있다.

약리 암세포인 Sarcoma 180을 이식시킨 쥐에게 열수추출물 4g/kg을 투여하면 암조직 증식을 25~45% 억제한다.

사용법 금과람 7g에 물 3컵(600mL)을 넣고 달여서 복용하거나 가루로 만들어 1~2g씩 복용한다.

＊ 중국에 분포하는 '동엽천금등(桐葉千金藤) *S. hernandifolia*'의 덩이줄기도 약효가 같다.

❶ 금과람(金果欖)

❶ 금과람

[계수나무과]

계수나무

소아경풍, 지냉

●학명 : *Cercidiphyllum japonicum* S. et Z.　●별명 : 연향나무

| 1 | 2 | 3 | 4 | 5 | 6 | 7 | 8 | 9 | 10 | 11 | 12 |

낙엽 교목. 높이 20m 정도. 잎은 마주나고 원형, 잎자루는 붉은빛이 돈다. 꽃은 암수딴그루, 5월에 잎보다 먼저 각 잎겨드랑이에 1개씩 달리며 꽃덮개가 없고 소포가 있다. 열매는 3~5개씩 달리며 길이 15mm 정도로 굽은 원주형이고, 종자는 편평하며 한쪽에 날개가 있다.

분포 · 생육지 일본 원산. 우리나라 전역에서 식재한다.

약용 부위 · 수치 열매를 늦여름과 가을에 채취하여 말린다.

약물명 연향수과(連香樹瓜), 파초향청(芭蕉香淸), 산백과(山白果)라고도 한다.

약효 거풍정경지경(祛風定驚止痙)의 효능이 있으므로 소아경풍(小兒驚風), 지냉(肢冷)을 치료한다.

성분 잎에는 maltol, sorbitol, cathchol, cyanidin, delphinidin, peonidin, malvidin, cercidin A, B, chamamelitannin, 3-*O*-galloylhamelitannin, 1,2,3,6-tetra-*O*-galloyl-β-D-glucose, 1,2,3,4,6-penta-*O*-galloyl-β-D-glucose, corilagin, geraniin, elaeocarpusin이 함유되어 있다.

사용법 연향수과 10g에 물 3컵(600mL)을 넣고 달여서 복용한다.

✪ 계수나무

✪ 연향수과(連香樹瓜)　　✪ 계수나무(열매)

[수련과]

순채

습열이질, 황달　수종
소변불리　열독옹종

●학명 : *Brasenia schreberi* J. F. Gmel.　●영명 : Water shield　●한자명 : 蓴

| 1 | 2 | 3 | 4 | 5 | 6 | 7 | 8 | 9 | 10 | 11 | 12 |

여러해살이풀. 뿌리줄기는 굵고, 잎은 어긋나며 물속의 잎은 바늘 모양, 물위에 나온 잎은 타원형이다. 꽃은 8월에 잎겨드랑이에서 나오는 꽃자루 끝에 1개씩 달리고 적자색으로 핀다. 열매는 달걀 모양, 벌어지지 않는다.

분포 · 생육지 우리나라 전역, 중국, 일본, 동아시아, 인도, 오스트레일리아, 북아메리카, 서아프리카. 연못이나 늪에서 자란다.

약용 부위 · 수치 줄기와 잎을 5~7월에 채취하여 맑은 물에 씻어서 말린다.

약물명 순(蓴). 수규(水葵), 괴순(塊蓴)이라고도 한다.

본초서 순(蓴)은「명의별록(名醫別錄)」에 처음 수재되어 "주로 소갈증(消渴症)을 치료한다."고 하였으며, 당대의「신수본초(新修本草)」에는 "오랫동안 복용하면 몸이 튼튼한 사람이 된다."고 하였다.「동의보감(東醫寶鑑)」에 "갈증을 풀어 주고 열로 인해 몸이 마비되는 증상을 낫게 한다. 위와 대소장을 튼튼하게 하고 기운을 도와 준다. 열이 나는 것과 황달을 낫게 하며 약독을 풀어 주고 식욕을 돋운다."고 하였다.

東醫寶鑑: 主消渴 熱痺 厚腸胃 補大小腸 治熱痰 解百藥毒 開胃氣.

기미 · 귀경 한(寒), 감(甘) · 간(肝), 비(脾)

약효 이수소종(利水消腫), 청열해독의 효능이 있으므로 습열이질, 황달, 수종(水腫), 소변불리, 열독옹종(熱毒癰腫)을 치료한다.

성분 소량의 vitamin B₁₂가 함유되어 있고, 잎의 뒷면에서는 점액이 분비되며, 새 잎에는 더 많다. 이것을 분석해 보면 fucose, galactose, arabinose, glucuronic acid, leucine, phenylalanine, methionine, proline, glucosamine, asparagine, histamine 등이 함유되어 있다.

약리 순채의 점액질을 암을 일으킨 쥐에게 투여하면 항암 작용이 나타난다.

사용법 순 10g에 물 3컵(600mL)을 넣고 달여서 복용하거나 국을 끓여 먹고, 외용에는 짓찧어 바른다.

＊'연꽃'에 비하여 꽃과 잎이 훨씬 작고 꽃받침 조각과 꽃잎이 각각 3개이고 수술은 12~18개이다. 성(性)이 활(滑)하므로 다식(多食)하거나 계속하여 복용하지 말아야 한다.

✪ 순채

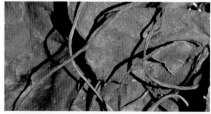

✪ 순(蓴)

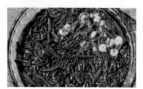

✪ 순채 요리　　✪ 순채 채취 모습

[수련과]

가시연꽃

| 유정, 소변불금, 백탁, 산기 | 대하, 포의불하 |
| 번갈 | 설사, 토혈 | 종독 |

● 학명 : *Euryale ferox* Salisbury　● 영명 : Pricky water lily
● 한자명 : 芡　● 별명 : 개연, 가시련, 가시연

| 1 | 2 | 3 | 4 | 5 | 6 | 7 | 8 | 9 | 10 | 11 | 12 |

한해살이풀. 뿌리줄기는 짧으며, 잎은 뿌리줄기에서 나와 물 위에 뜨고 앞면이 주름지고 가시가 있으며, 뒷면은 흑자색으로 맥이 튀어나오고, 긴 잎자루는 방패처럼 달린다. 꽃은 자주색, 7~8월에 피고, 꽃받침 조각은 4개로 넓은 바늘 모양이다. 꽃잎은 많고 넓은 바늘 모양, 수술은 많고, 씨방하위이다. 열매는 장과로 둥글고, 종자는 구형으로 육질의 가종피가 있다.

분포 · 생육지 우리나라 중부 이남, 전주, 대구, 광주, 홍성, 서해안, 강릉. 중국, 일본, 타이완, 인도. 늪이나 연못에서 자란다.

약용 부위 · 수치 열매를 9~10월에 따서 껍질을 벗겨 종자를 빼낸 뒤 딱딱한 껍질을 제거하여 말린다. 초검실(炒芡實)은 부피(麩皮)를 냄비에 넣고 연기가 날 정도로 볶고, 가시연꽃의 종자를 넣어 노랗게 볶아서 체로 쳐서 부피를 제거하고, 종자만 골라내어 쪄서 말린다. 뿌리는 7월에 채취하고, 줄기와 잎은 수시로 채취하여 말린다.

약물명 속씨(種仁)를 검실(芡實), 검인(芡仁), 뿌리를 검실근(芡實根), 꽃대를 검실경(芡實莖), 잎을 검실엽(芡實葉)이라고 한다. 검인(芡仁)은 대한민국약전(KP)에 수재되어 있다.

본초서「신농본초경(神農本草經)」에 수재되어 "습으로 몸이 저리고 등과 허리가 아픈 것을 낫게 한다. 중초를 도와 뱃속의 여러 질병을 낫게 하고, 정기를 키우고 의지를 굳세게 한다. 귀와 눈을 밝게 하고 오래 복용하면 몸이 튼튼해지며 신선처럼 잘 늙지 않는다."고 하였다. 검실(芡實)은 흉년이 들어 곡식이 부족(欠)할 때 사용하였던 풀(草)의 열매인 것에 유래한다.「동의보감(東醫寶鑑)」에는 "정기를 돕고 의지를 강하게 하며 귀와 눈을 밝게 하며 오래 복용하면 수명을 연장한다."고 하였다.

神農本草經: 主濕痹腰脊膝痛 補中諸暴疾 益精氣 强志 令耳目聰明 久服輕身不饑 耐老神仙.

東醫寶鑑: 益精氣 强志 令耳目聰明 延年.

성상 검실(芡實)은 타원상 구형이며 지름 0.5~0.8cm로 내종피가 얇은 막으로 되며 표면에 붙어 있고, 적갈색~보라색, 불규칙한 망문(網紋)이 있기도 한다. 한쪽 끝은 담황색이고 3분의 1을 차지하며 오목한 배꼽점 흔적이 있으며 내종피를 벗기면 백색이 된다. 간혹 부서져서 작은 덩어리를 이루기도 한다. 냄새가 없고 맛은 담담하다.

기미 · 귀경 검실(芡實): 평(平), 감(甘), 삽

(澁) · 비(脾), 신(腎)

약효 검실(芡實)은 고신삽정(固腎澁精), 보비지설(補脾止泄)의 효능이 있으므로 유정(遺精), 대하(帶下), 소변불금(小便不禁), 설사를 치료한다. 검실근(芡實根)은 산기(疝氣), 백탁(白濁), 종독(腫毒), 소복(小腹)의 결기통(結氣痛)을 치료한다. 검실경(芡實莖)은 번갈(煩渴)을 치료하며, 검실엽(芡實葉)은 포의불하(胞衣不下), 토혈(吐血)을 치료한다.

성분 종자는 다량의 전분이 함유되어 있고, 이것의 분석치는 단백질 4.4%, 지방 0.2%, 탄수화물 32% 등이다.

사용법 검실, 검실근 및 검실경, 검실엽 각각 10g에 물 3컵(600mL)을 넣고 달여서 복용하거나 국을 끓여 먹고, 외용에는 짓찧어 바른다.

주의 치질이 있는 사람, 복부에 팽만감이 있는 사람, 혈뇨 및 변비가 있는 사람, 산후에는 복용을 피한다.

처방 금앵단(金櫻丹): 금앵자(金櫻子) · 창출(蒼朮) · 생지황(生地黃) · 세신(細辛) · 육종용(肉蓰蓉) · 토사자(菟絲子) · 우슬(牛膝) · 검실(芡實) · 연심(蓮心) · 산약(山藥) · 인삼(人蔘) · 복령(茯苓) · 정향(丁香) · 목향(木香) · 석창포(石菖蒲) · 사향(麝香) · 감초(甘草) · 진피(陳皮) · 백자인(柏子仁) 각 40g (「보양처방집(補陽處方集)」). 정혈 부족으로 몸이 여위고 오후마다 미열이 나며 식은땀이 나거나 건망증, 가슴이 울렁거리는 증상에 사용한다.

● 가시연꽃(꽃)

● 가시연꽃

● 가시연꽃(열매)

● 검실(芡實)

● 검실(芡實)의 건조 모습(중국)

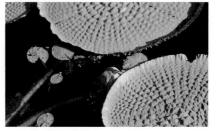

● 가시연꽃(잎 표면과 뒷면에 가시가 많다.)

[수련과]

연꽃

 다몽, 번조불면 유정, 임탁, 열림, 요혈, 빈뇨
구리, 토혈, 변혈 　대하, 붕루, 월경과다 　현훈목적

● 학명 : *Nelumbo nucifera* Gaertner　● 영명 : Lotus, East indian lotus
● 한자명 : 蓮　● 별명 : 연, 쌍둥이련꽃

| 1 | 2 | 3 | 4 | 5 | 6 | 7 | 8 | 9 | 10 | 11 | 12 |

여러해살이풀. 뿌리가 옆으로 길게 벋으며 굵고 크며 마디가 많다. 잎은 뿌리줄기에서 나와 물 위에 솟고 원형에 가깝다. 꽃은 연한 홍색 또는 백색이며 7~8월에 꽃대에 1개가 달린다. 꽃받침 조각은 4~5개, 꽃잎과 수술은 많으며, 꽃받침은 원추형이다. 열매는 견과이고, 흑색의 종자는 타원상 구형, 길이가 2cm 정도이다.

분포 · 생육지 우리나라 전역. 중국, 일본, 인도, 오스트레일리아. 연못에서 자란다.

약용 부위 · 수치 열매와 종자는 늦가을에, 뿌리줄기와 뿌리줄기 마디는 일년 내내, 잎은 여름에 채취하여 말린다. 종자는 껍질과 배아를 제거하여 말리고, 줄기의 마디는 볶아서 사용한다. 수꽃은 여름에 꽃이 무성하게 피었을 때 채취하고, 잎은 여름에 채취하여 잎자루와 가장자리를 제거하여 사용한다.

약물명 종자 그대로 또는 연자심(蓮子心)을 제거한 것을 연자(蓮子) 또는 연자육(蓮子肉), 종자의 유엽(幼葉)과 배근(胚根)을 연자심(蓮子心) 또는 연심(蓮心), 뿌리줄기를 우(藕), 뿌리줄기의 마디를 우절(藕節), 꽃받침을 연방(蓮房), 수꽃을 연수(蓮鬚), 잎을 하엽(荷葉), 연잎 꼭지를 하비(荷鼻)라고 한다. 연자육(蓮子肉)은 대한민국약전(KP)에, 우절(藕節), 연자심(蓮子心), 하엽(荷葉)은 대한민국약전외한약(생약)규격집(KHP)에 수재되어 있다.

본초서 『동의보감(東醫寶鑑)』에는 연실(蓮實, 蓮子), 연자심(蓮子心), 우(藕), 우절(藕節), 하엽(荷葉), 하비(荷鼻) 등이 수재되어 있다. 연실(蓮實)은 "기운을 도와 온갖 병을 낫게 하고 오장을 튼튼하게 하며, 갈증을 풀어 주고 이질을 멎게 한다. 또 정신을 맑게 하고 마음을 안정시키며 많이 먹으면 몸이

건강해진다."고 하였다. 연자심(蓮子心)은 "종자 가운데 있는 푸른 것을 의(薏)라 하는데 맛이 매우 쓰다. 먹으면 구토와 설사가 유발된다."고 하였다. 우(藕)는 "연뿌리를 말한다. 피를 토하는 것을 그치게 하고 피가 뭉쳐 있는 것을 풀어 준다. 생것은 토한 후 나는 갈증을 그치게 하고 찐 것은 오장의 기운을 보하며 하초를 튼튼하게 한다."고 하였다. 우절(藕節)은 "성질이 차므로 열독을 없애고, 뭉친 피를 풀어 준다."고 하였다. 하엽(荷葉)은 "갈증을 멎게 하고, 태반을 잘 나오게 한다. 버섯의 독을 풀어 주고 혈창(血瘡)으로 배가 아픈 것을 낫게 한다."고 하였다. 하비(荷鼻)는 "이질, 설사를 그치게 하고 안태시키며 나쁜 피를 없앤다. 즉 연잎 꼭지를 하비라 한다."고 하였다.

蓮實(蓮子): 養氣力 除百疾 補五藏 止渴 止痢 益腎安心 多食令人喜.

蓮實心: 蓮薏的中有靑爲薏味甚苦 食之令人霍亂.

藕: 藕者蓮根也 止吐血 消瘀血 生食主霍亂後虛渴 蒸食甚補五臟 實下焦.

藕節: 性冷 解熱毒 消瘀血.

荷葉: 止渴 落胞穀草毒 主血脹腹痛.

荷鼻: 主血痢 安胎 去惡血卽荷葉蒂也 爲之荷鼻.

성상 하엽(荷葉)은 반원형 또는 부채 모양, 잎 가장자리는 밋밋하거나 물결 모양이다. 상면은 황록색이고 하면은 광택이 난다. 질은 단단하지 않아 잘 부서진다. 냄새가 특이하고 맛은 쓰다.

기미 · 귀경 연자(蓮子): 평(平), 감(甘), 삽(澁) · 비(脾), 신(腎), 심(心). 연자심(蓮子心): 한(寒), 고(苦) · 신(腎), 심(心). 우(藕): 한(寒), 감(甘) · 심(心), 간(肝), 비(脾), 위(胃). 우절(藕節): 평(平), 감(甘), 삽(澁) ·

간(肝), 폐(肺), 위(胃). 연방(蓮房): 평(平), 고(苦), 삽(澁) · 간(肝). 연수(蓮鬚): 감(甘), 삽(澁), 평(平) · 심(心), 신(腎). 하엽(荷葉): 평(平), 고(苦), 삽(澁) · 심(心), 간(肝), 비(脾)

약효 연자(蓮子)는 익심(益心), 익신(益腎), 보비(補脾), 삽장(澁臟)의 효능이 있으므로 다몽(多夢), 유정(遺精), 임탁(淋濁), 구리(久痢), 대하(帶下)를 치료한다. 연자심(蓮子心)은 청심화(淸心火), 평간화(平肝火), 지혈(止血), 고정(固精)의 효능이 있으므로 신혼섬어(神昏譫語), 번조불면(煩燥不眠), 현훈목적(眩暈目赤), 토혈, 유정(遺精)을 치료한다. 우(藕)는 청열(淸熱), 양혈(凉血), 해독(解毒), 산어(散瘀)의 효능이 있으므로 열병번갈(熱病煩渴), 주독(酒毒), 토혈, 열림(熱淋)을 치료한다. 우절(藕節)은 지혈(止血), 산어(散瘀)의 효능이 있으므로 해혈(咳血), 토혈, 혈뇨(血尿), 혈변(血便)을 치료한다. 연방(蓮房)은 산어지혈(散瘀止血)의 효능이 있으므로 월경과다(月經過多), 변혈(便血), 요혈(尿血)을 치료한다. 연수(蓮鬚)는 청심익신(淸心益腎), 삽정지유(澁精止遺)의 효능이 있으므로 유정(遺精), 빈뇨(頻尿), 토혈, 붕루(崩漏)를 치료한다. 하엽(荷葉)은 수렴(收斂) 및 지혈(止血)의 목적으로 사용하거나 야뇨 치료에 응용한다.

성분 연자(蓮子)는 4-(hydroxymethyl) phenol, tyrosol, 4-(hydroxymethyl) benzaldehyde, 4-hydroxybenzoic acid, (+)-catechin, elephantorrizol, (+)-dehydrovomifoliol, (−)-boschialin, uridine, nuciferine, nornuciferine, liriodenine, norarmepavine 등, 연자심(蓮子心)은 liensinine, isoliensinine, neferine, nuciferine, pronuciferine, lotusine, methylcorypalline, demethylcoclaurine(hygenamine), galuteolin 등, 하엽(荷葉)은 roemerine, nuciferine, nornuciferine, armepavie, pronuciferine, liriodenine, anonaine, quercetin, rutin, Qc-3-Gal, Qc-3-Gln, Qc-3-Glc, Qc-3-AraGal, isoquercitrin, nelumboside 등이 함유되어 있다. 연방(蓮房)은 β-sitosterol, hyperoside, kaempferol 3-*O*-β-glucopyranoside 등이 함유되어 있다.

약리 liriodenine은 코와 후두부의 암을 억제하는 작용이 있다. roemerine, nuciferine, nornuciferine, armepavie, pronuciferine, liriodenine, anonaine, quercetin, rutin, Qc-3-Gal, Qc-3-Gln, Qc-3-Glc, Qc-3-AraGal, isoquercitrin, nelumboside 등은 항산화 작용 및 aldose reductase의 활성을 저해한다. hyperoside, kaempferol 3-*O*-β-glucopyranoside는 tyrosinase의 활성을 저해한다.

사용법 연자, 연자심, 우, 우절, 연방, 또는 하엽 7g에 물 3컵(600mL)을 넣고 달여서 복용한다.

처방 고정환(固精丸), 연화음(蓮花飮), 연각산(蓮殼散), 청궁탕(淸宮湯)

○ 연꽃　　○ 꽃

○ 연자(蓮子)

○ 연화차

❶ 연자심(蓮子心)

❶ 우절(藕節)

❶ 하엽(荷葉)

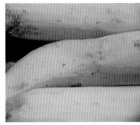
❶ 연방(蓮房)

❶ 우(藕)

[수련과]

왜개연꽃

| 소화불량 | 음허해수 | 타박상 |
| 혈어월경부조, 통경, 태동불안, 태루하혈 | 도한 |

● 학명 : *Nuphar pumilum* (Timm.) DC. ● 영명 : Yellow bird lotus
● 한자명 : 萍蓬草 ● 별명 : 애기좀연꽃

| 1 | 2 | 3 | 4 | 5 | 6 | 7 | 8 | 9 | 10 | 11 | 12 |

여러해살이풀. 뿌리줄기가 굵고 진흙 속에서 옆으로 벋으며, 잎은 뿌리줄기에서 나와 물 위에 뜬다. 꽃은 8~9월에 긴 꽃대가 나와 물 위에서 피고 지름 2.5cm 정도, 황색, 꽃받침은 5개로 꽃잎 같다. 암술대는 10~20개이고, 암술머리는 쟁반 같고 황색이거나 붉은빛이 돌며 중앙부에 돌기가 있다. 열매는 장과, 종자는 긴 달걀 모양이다.

분포 · 생육지 우리나라 전남 해남, 백두산을 비롯한 북부 지방. 중국, 일본, 타이완, 아무르, 시베리아, 유럽, 북아메리카. 연못이나 늪에서 자란다.

약용 부위 · 수치 뿌리줄기는 여름철에, 종자는 가을에 채취하여 말린다.

약물명 뿌리줄기를 평봉초근(萍蓬草根)이라고 하며 천골(川骨)이라고도 한다. 종자를 평봉초자(萍蓬草子)라고 한다. 천골(川骨)은 대한민국약전외한약(생약)규격집(KHP)에 수재되어 있다.

본초서 우리나라와 일본에서는 '왜개연꽃' 또는 '개연꽃 N. japonica'의 뿌리줄기를 천골(川骨)이라는 이름으로 사용하고 있다. 중국에서는 천골이라는 이름이 없다. 평봉초근(萍蓬草根)은 「본초습유(本草拾遺)」에 처음 수재되어 "허(虛)를 보(補)하고 기력을 키우는 데 좋다. 식물은 냇물(川)에서 자라

고 뿌리줄기의 속이 백골(白骨)처럼 희므로 천골(川骨)이라고 한다."고 기록되어 있다.

성상 평봉초근(萍蓬草根)은 불규칙한 원주형으로 조금 구부러져 있다. 길이 6~15 cm, 지름 1~2 cm이고 표면은 회갈색이며 매우 거칠고 세로 주름이 있다. 질은 비교적 단단하고 꺾은 면은 황백색이며 목부와 피층이 확실하게 구분이 된다. 냄새가 없으며 아린 맛이 있다.

품질 내부가 백색으로 속이 충실하고 잎이 붙어 있던 자리가 갈색인 것이 좋다.

기미 · 귀경 평봉초근 : 평(平), 감(甘) · 비(脾), 폐(肺), 간(肝)

약효 평봉초근(萍蓬草根)은 건비익폐(健脾益肺), 활혈조경(活血調經)의 효능이 있으므로 소화불량, 음허해수(陰虛咳嗽), 도한, 혈어월경부조(血瘀月經不調), 통경, 타박상을 치료한다. 평봉초자(萍蓬草子)는 소화불량과 아기를 낳고 난 뒤에 계속되는 출혈을 치료한다. 임산부의 태(胎)를 안정시키는 효능이 있으므로 임신 때의 태동불안(胎動不安), 태루하혈(胎漏下血)을 치료한다. 그 외에 임질, 창상, 단독 등에 이용한다.

성분 quinozoline 알칼로이드인 nupharidine, deoxynupharidine, nupharmine, tannin 성분인 nupharine A, B 등, dimeric

sesquiterpene 성분인 thiobinupharidine, 6-hydroxythiobinupharidine, 6,6-dihydroxythiobinupharidine, thionuphlutine B, 6-hydroxythionuphlutine B, 6'-hydroxythionuphlutine B, 6,6'-dihydroxythionuphlutine B, neothiobinupharidine 등이 함유되어 있다.

약리 열수추출물은 결핵균의 증식을 억제하고, 50%메탄올추출물을 쥐에게 투여하면 울혈성 부종을 개선하고 이뇨 효능을 나타낸다. deoxynupharidine은 중추 신경을 억제하는 작용이 있으며, 이러한 작용에는 아드레날린성 신경이 관여하고 있다. 6-hydroxythiobinupharidine은 면역 억제 작용이 있고, 6-hydroxythiobinupharidine은 암세포인 B16 melanoma로 유도한 폐암의 형성을 억제한다.

사용법 평봉초근 또는 평봉초자 10g에 물 3컵(600mL)을 넣고 달여서 복용하거나 환약으로 복용한다. 술에 담가서 복용하면 편리하고, 외용에는 짓찧어 바른다.

처방 실모산(實母散): 육계(肉桂), 침향(沈香), 천궁(川芎), 목향(木香), 빈랑자(檳榔子), 계설향(鷄舌香), 황금(黃芩), 평봉초근(萍蓬草根), 당귀(當歸), 생지황(生地黃), 백출(白朮), 복령(茯苓), 인삼(人蔘), 숙지황(熟地黃), 황련(黃連), 감초(甘草) (「상지비록(上池秘錄)」). 부종, 진정(신경성 흥분), 산전 · 산후의 허약체질 개선, 월경불순에 사용한다.

* 암술머리가 붉은색인 '남개연꽃 var. ozeense', 잎이 물 위로 올라오는 '개연꽃 N. japonica'의 뿌리줄기도 약효가 같다.

❶ 왜개연꽃

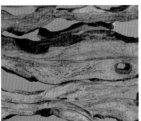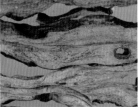
❶ 평봉초근(萍蓬草根)

❶ 왜개연꽃(뿌리)

❶ 남개연꽃(꽃)

❶ 개연꽃

[수련과]

수련

중서

소아경풍

주취번갈

●학명 : *Nymphaea tetragona* Georgi　●영명 : Water lily
●한자명 : 睡蓮, 瑞蓮

| 1 | 2 | 3 | 4 | 5 | 6 | 7 | 8 | 9 | 10 | 11 | 12 |

물에서 자라는 여러해살이풀. 뿌리줄기는 굵고 짧으며 많은 뿌리가 난다. 꽃은 6~7월에 피고 백색 또는 붉은색이며 지름 5cm 정도이다. 꽃은 3일 동안 피었다 닫혔다 하며, 꽃받침잎은 4개, 긴 타원형, 녹색, 꽃잎은 8~15개로 긴 타원형이다. 열매는 삭과로 달걀 모양의 원형, 꽃받침으로 싸여 있다.

분포 · 생육지 우리나라 중부 이남. 중국, 일본, 타이완, 아무르, 시베리아, 유럽, 북아메리카. 연못이나 늪에서 자란다.

약용 부위 · 수치 꽃을 여름에 활짝 필 때 채취하여 말린다.

약물명 수련(睡蓮). 서련(瑞蓮)이라고도 한다.

약효 청서(清暑), 해주(解酒), 정경(定驚)의 효능이 있으므로 중서(中署), 주취번갈(酒醉煩渴), 소아경풍(小兒驚風)을 치료한다.

성분 뿌리와 잎에는 많은 아미노산과 알칼로이드가 함유되어 있다.

사용법 수련 5g에 물 2컵(400mL)을 넣고 달여서 복용한다.

＊'개연꽃'에 비하여 꽃받침 조각이 4개이고 씨방은 반하위이며 꽃잎이 밤에 오므라들기 때문에 수련(睡蓮)이라고 한다.

❶ 수련(睡蓮)

❶ 수련(꽃)

❶ 수련

[수련과]

파라과이수련

청량제, 성욕억제제

●학명 : *Victoria cruziana* Orbigny　●영명 : Santa Cruz water lily

| 1 | 2 | 3 | 4 | 5 | 6 | 7 | 8 | 9 | 10 | 11 | 12 |

물에서 자라는 여러해살이풀. 뿌리줄기는 굵고 옆으로 벋으며 수염뿌리가 많이 달린다. 잎은 매우 크고 가장자리가 위로 접히며 윗면은 녹색, 아랫면은 자주색을 띤다. 꽃은 6~7월에 피고 백색 또는 붉은색이다. 열매는 삭과, 달걀 모양, 꽃받침으로 싸여 있다.

분포 · 생육지 남아메리카, 파라과이, 아르헨티나, 브라질. 연못이나 늪에서 자라고, 세계 각처에서 재배한다.

약용 부위 · 수치 꽃을 여름에 활짝 필 때 채취하여 말린다.

약물명 Victoriae Flos

약효 청량제 또는 성욕억제제로 사용한다.

사용법 Victoriae Flos 건조한 것은 5g에 물 2컵(400mL)을 넣고 달여서 복용하고, 생것은 짜낸 즙액을 복용한다.

❶ 파라과이수련(꽃)

❶ 파라과이수련

[붕어마름과]
붕어마름

 혈열토혈   해혈

● 학명 : *Ceratophyllum demersum* L.   ● 별명 : 솔잎말

1	2	3	4	5	6	7	8	9	10	11	12

여러해살이풀. 높이 40cm 정도. 뿌리는 없고 가지가 변한 헛뿌리가 있다. 잎은 돌려나며 5~12개, 선형, 가장자리에 잔가시 같은 톱니가 있고 잎자루가 없다. 꽃은 단성화, 잎겨드랑이에 1개씩 달리며, 꽃덮개는 없고 수꽃은 수술 10~20개, 암꽃에 1개의 씨방상위가 있다.

분포 · 생육지 우리나라 전역, 중국, 일본, 동아시아, 인도, 오스트레일리아, 북아메리카, 서아프리카. 연못이나 늪에서 자란다.

약용 부위 · 수치 전초를 여름에 채취하여 맑은 물에 씻어서 말린다.

약물명 금어조(金魚藻). 세초(細草) 또는 연초(軟草)라고도 한다.

약효 양혈지혈(涼血止血), 청열이수(淸熱利水)의 효능이 있으므로 혈열토혈, 해혈을 치료한다.

성분 plastocyanine, ferredoxin 등이 함유되어 있다.

약리 혈중 지질을 저하시키는 작용이 나타난다.

사용법 금어조 5g에 물 2컵(400mL)을 넣고 달여서 복용하거나 가루로 만들어 복용한다.

❍ 붕어마름

❍ 금어조(金魚藻)

[삼백초과]
약모밀

 폐옹토농, 담열해천   옹종창독
열림   인후염   열리

● 학명 : *Houttuynia cordata* Thunb.   ● 영명 : Rainbow plant
● 한자명 : 蕺菜, 魚腥草   ● 별명 : 집약초, 십자풀

1	2	3	4	5	6	7	8	9	10	11	12

여러해살이풀. 높이 50cm 정도. 뿌리줄기는 가늘고 길며 백색, 옆으로 벋는다. 잎은 어긋나고, 꽃은 5~6월에 수상화서로 많은 나화(裸花)가 달린다. 꽃차례 밑에 꽃잎 같은 백색의 총포가 4개 있고, 수술은 3개, 황색이다. 삭과는 달걀 모양, 종자는 담갈색이다.

분포 · 생육지 우리나라 제주도와 울릉도. 중국, 일본, 타이완, 히말라야, 자바. 숲속에서 자라며, 우리나라 전역에서 재배한다.

약용 부위 · 수치 뿌리가 달린 전초를 여름과 가을에 채취하여 썰어서 말린다.

약물명 어성초(魚腥草), 즙(蕺), 즙채(蕺菜), 중약(重藥), 십약(十藥)이라고도 한다. 대한민국약전외한약(생약)규격집(KHP)에 수재되어 있다.

본초서 「명의별록(名醫別錄)」의 하품(下品)에 즙(蕺)이라는 이름으로 수재되었고, "별명을 어성초(魚腥草)라고 한다."고 하였다. 「본초강목(本草綱目)에는 "잎에서 생선 비린내가 나므로 어성초(魚腥草)라고 한다."고 하였다. 「도경본초(圖經本草)에는 "즙채(蕺菜)는 습지, 산의 음지에서 자라며 덩굴지고 줄기는 자주색을 띤다."라고 한 것으로 보아 오늘날의 식물 형태와 일치하고 있다. 「동의보감(東醫寶鑑)에는 즙채(蕺菜)라는 이름으로 수재되어 "집게벌레의 오줌독으로 생긴 시창(屎瘡)을 치료한다."고 하였다.

本草綱目: 散熱毒癰腫 瘡痔脫肛 斷痎疾 解硇毒.

東醫寶鑑: 主蠷螋尿瘡.

기미 · 귀경 미한(微寒), 신(辛) · 폐(肺), 방광(膀胱), 대장(大腸).

약효 청열해독, 배농소옹(排膿消癰), 이뇨통림(利尿通淋)의 효능이 있으므로 폐옹토농(肺癰吐膿), 담열해천(痰熱咳喘), 인후염, 열리(熱痢), 옹종창독(癰腫瘡毒), 열림(熱淋)을 치료한다.

성분 chlorogenic acid, rutin, hyperin, apigenin, cepharadione, procatechuic acid, decanoyl acetaldehyde, quercitrin, quercetin, afzelin 등이 함유되어 있다.

약리 decanoyl acetaldehyde는 인플루엔자 간균, 폐렴구균, 황색 포도상구균에 항균력이 있고, 어성초(魚腥草)를 두꺼비의 신장, 또는 개구리의 발에 관류시키면 모세혈관이 확장하여 혈류량과 분뇨가 증가한다. afzelin, quercitrin은 쥐의 안구에 있는 aldose reductase의 활성을 억제하며, 이들의 IC_{50} 값은 각각 0.81, 0.16 μM이다.

사용법 어성초 10g에 물 3컵(600mL)을 넣고 달여서 복용하거나 환약으로 만들어 복용하고, 피부병에는 짓찧어 낸 즙을 바른다.

처방 어성초동규자탕(魚腥草冬葵子湯): 어성초(魚腥草) 18g, 동규자(冬葵子) · 토복령(土茯苓) 각 30g, 한련초(旱蓮草) 18g, 관중(貫中) 18g, 감초(甘草) 5g (「기타처방집(其他處方集)」). 빈뇨, 소변불리, 혈뇨 등에 사용한다.

치료 경험 오래된 무좀에 어성초(魚腥草)를 복용하면서 짓찧어 무좀 부위에 싸매서 효과를 본 사례가 있다. 속이 그득하고 소화불량인 환자가 어성초(魚腥草)를 환약으로 만들어 1~2개월 복용하고 완치되었다.

◑ 어성초(魚腥草)

◑ 어성초(魚腥草)가 함유된 변비약

◑ 약모밀

◑ 약모밀(열매)

[삼백초과]

삼백초

| 각기 | 옹종, 개선 | 황달 |
| 대하 | 임탁 | |

● 학명 : *Saururus chinensis* (Lour.) Baill.　● 영명 : Chinese lizard's tail
● 한자명 : 三白草

| 1 | 2 | 3 | 4 | 5 | 6 | 7 | 8 | 9 | 10 | 11 | 12 |

여러해살이풀. 뿌리줄기는 백색으로 옆으로 벋는다. 잎은 어긋나고, 꽃은 백색, 양성으로 6~8월에 총상화서로 피며, 꽃잎이 없고, 수술은 6~7개이다. 열매는 둥글고, 종자는 각 실에 1개씩 있다.

분포·생육지 우리나라 제주도 협재. 중국, 일본, 필리핀. 습지에서 자란다.

약용 부위·수치 지상부를 여름에 채취하여 썰어서 말리고, 뿌리줄기는 가을에 채취하여 수염뿌리를 제거하고 썰어서 말린다.

약물명 지상부를 삼백초(三白草)라고 하며, 수목통(水木通), 오로백(五路白), 천성초(天性草)라고도 한다. 잎, 꽃 및 뿌리가 백색이기 때문에 삼백초(三白草)라고 한다. 뿌리를 삼백초근(三白草根)이라고 하며, 삼백근(三白根), 지우(地藕), 백련우(白蓮藕)라고도 한다. 삼백초(三白草)는 대한민국약전외한약(생약)규격집(KHP)에 수재되어 있다.

성상 삼백초(三白草)는 지상부로 줄기는 길이 20~40cm로 세로 주름이 있고, 마디가 두드러진다. 줄기 하부의 마디는 뿌리가 있다. 잎은 말려 있거나 쭈그러져 있으며 상면은 황갈색이고 하면은 회록색이다. 냄새가 특이하여 생선 비린내가 나며 맛은 떫다.

기미·귀경 삼백초(三白草): 한(寒), 감(甘), 신(辛)·비(脾), 신(腎), 담(膽), 방광(膀胱). 삼백초근: 한(寒), 감(甘), 신(辛)

약효 삼백초(三白草)는 습열(濕熱), 해독(解毒)의 효능이 있으므로 각기, 황달, 대하(帶下)를 치료한다. 삼백초근(三白草根)은 이수(利水), 제습(除濕), 청열(淸熱), 해독(解毒)의 효능이 있으므로 각기(脚氣), 임탁(淋濁), 대하(帶下), 옹종(擁腫), 개선(疥癬)을 치료한다.

성분 7-hydroxysauchinone, sauchinone, henricine, saucerneol, quercetin, quercitrin, isoquercitrin, hyperin, rutin, manassantin A, B, cycloshizukaol, shizukaol F, 정유의 주성분인 methyl-*n*-nonylketone, *meso*-dihydroguaiaretic acid, licarin A 등이 함유되어 있다.

약리 중추 억제 작용 및 정신병 치료 작용이 있다. *meso*-dihydroguaiaretic acid는 cyclooxygenase-2와 5-lipoxygenase의 활성을 억제한다. 메탄올추출물은 파골 세포(osteoclast)의 분화를 억제한다. manassantin B는 쥐의 hepatic stellate 세포의 증식을 억제한다. manassantin A, B는 PMA에 의한 HL60세포의 homolytic aggregation을 저해함으로써 동맥경화나 염증성 질환에 유효하다. 7-hydroxysauchinone, sauchinone, henricine, saucerneol은 암세포인 A549, HL-60, MCF-7에 세포 독성이 있다.

사용법 삼백초와 삼백초근 10g에 각각 물 3컵(600mL)을 넣고 달여서 복용하거나 짓찧어 즙을 내어 마신다.

치료 경험 항문 근처의 부스럼에 전초를 찧어서 낸 즙을 며칠간 발라서 나았다 (『한약백과도감』). 방광염에 물을 넣고 달인 액을 복용하여 효과를 보았다 (『한약백과도감』). 차와 1:1로 섞어서 물을 넣고 달여 마시면 고혈압에 좋다 (『한약백과도감』). 축농증에 생잎을 짓찧어서 코에 넣어 효과를 보았다 (저자).

＊'약모밀'에 비하여 꽃차례에 총포가 없고 상부의 잎이 백색을 띤다.

❶ 삼백초(三白草)

❶ 삼백초근(三白草根)

❶ 삼백초(뿌리줄기)

❶ 삼백초　　　　　　　　　　　　　　　❶ 열매

❶ 삼백초(三白草)를 원료로 만든 건
강 음료

[후추과]

구

완복냉통, 구토설사, 충적복통　　해역상기, 효천

창양종독　　치통　　수종

● 학명 : *Piper betle* L.　● 영명 : Betel pepper　● 한자명 : 蒟　● 별명 : 베틀후추

| 1 | 2 | 3 | 4 | 5 | 6 | 7 | 8 | 9 | 10 | 11 | 12 |

상록 덩굴나무. 길이 5~6m. 마디마다 뿌리가 내린다. 잎은 어긋나고, 꽃은 암수딴그루, 백색, 6~7월에 수상화서로 작은 꽃이 많이 달린다. 열매는 장과, 구형이며 8~9월에 흑갈색으로 익는다.

분포 · 생육지 중국 광둥성(廣東省), 하이난성(海南省), 광시성(廣西省), 윈난성(雲南省), 타이완, 인도, 인도네시아, 말레이시아, 숲속에서 자란다.

약용 부위 · 수치 여름에 미성숙된 과수와 잎을 채취하여 말린다.

약물명 과수(果穗)를 구장(蒟醬)이라고 하며, 구장(枸醬), 구자(蒟子), 토필발(土蓽茇), 대필발(大蓽茇)이라고도 한다. 잎을 구장엽(蒟醬葉)이라고 하며, 구엽(蒟葉), 누엽(蔞葉)이라고도 한다.

기미 · 귀경 구장(蒟醬): 온(溫), 신(辛) · 위(胃), 비(脾), 폐(肺). 구장엽(蒟醬葉): 온(溫), 신(辛) · 폐(肺), 비(脾), 간(肝)

약효 구장(蒟醬)은 온중하기(溫中下氣), 소담산결(消痰散結), 지통의 효능이 있으므로 완복냉통, 구토설사, 충적복통(蟲積腹痛), 해역상기(咳逆上氣), 치통을 치료한다. 구장엽(蒟醬葉)은 소풍산한(疏風散寒), 행기화담(行氣化痰), 해독소종(解毒消腫), 조습지양(燥濕止癢)의 효능이 있으므로 풍한해수(風寒咳嗽), 효천(哮喘), 완복종통(脘腹腫痛), 수종(水腫), 풍한골통(風寒骨痛), 창양종독(瘡瘍腫毒)을 치료한다.

성분 구장엽(蒟醬葉)은 chavibetol, allylcatechol, eugenolmethylether 등이 함유되어 있다.

약리 구장엽의 열수추출물은 포도상구균, 대장간균, 변형간균 등에 항균 작용이 있다.

사용법 구장은 5g에 물 2컵(400mL)을, 구장엽은 10g에 물 3컵(600mL)을 넣고 달여서 복용하거나 술에 담가서 복용한다. 외용에는 짓찧어 상처에 붙이거나 바른다.

❶ 구

[후추과]

정엽구

 감모풍한　 풍습비통

● 학명 : *Piper boehmeriaefolium* (Miq.) DC.　● 한자명 : 葽葉蒟

| 1 | 2 | 3 | 4 | 5 | 6 | 7 | 8 | 9 | 10 | 11 | 12 |

덩굴성 관목. 높이 3~5m. 잎은 어긋나고 타원형, 꽃은 암수딴그루, 6~7월에 수상화서로 피며 길이 10~15cm이다. 장과는 구형, 8~9월에 흑갈색으로 익으며 지름 3mm 정도이다.

분포 · 생육지 중국 윈난성(雲南省), 베트남, 캄보디아. 숲속이나 산골짜기에서 자란다.

약용 부위 · 수치 여름에 전주(全株)를 채취하여 썰어서 말린다.

약물명 호자등(芦子藤). 엽자란(葉子蘭)이라고도 한다.

기미 · 귀경 온(溫), 신(辛) · 폐(肺), 간(肝), 위(胃)

약효 거풍산한(祛風散寒), 행기지통(行氣止痛), 제습통락(除濕通絡)의 효능이 있으므로 감모풍한(感冒風寒) 풍습비통(風濕痺痛), 위통을 치료한다.

성분 piperine, piperolactam A, B, C, D, cepharanone B, aristolactam AII, cepharadione 등이 함유되어 있다.

사용법 호자등 15g을 물 3컵(600mL)을 넣고 달여서 복용한다.

❂ 호자등(芦子藤)

❂ 정엽구

[후추과]

필징가

 풍한습비, 관절동통, 근맥구련　 완복동통　수종

● 학명 : *Piper cubeba* (Lour.) Pers.　● 영명 : Cubeb berry
● 한자명 : 華澄茄　● 별명 : 큐베브

| 1 | 2 | 3 | 4 | 5 | 6 | 7 | 8 | 9 | 10 | 11 | 12 |

상록 덩굴나무. 길이 5~6m. 잎은 어긋나고 타원형, 가장자리는 밋밋하고 광택이 나며 털은 없다. 꽃은 암수딴그루, 6~7월에 수상화서로 피며 길이 10cm 정도이다. 열매는 핵과, 구형이고 지름 5mm 정도, 8~9월에 흑갈색으로 익는다.

분포 · 생육지 중국 광둥성(廣東省), 하이난성(海南省), 광시성(廣西省), 인도, 인도네시아, 말레이시아. 숲속에서 자란다.

약용 부위 · 수치 여름에 미성숙 열매를 채취하여 말린다.

약물명 필징가(華澄茄). 징가(澄茄) 또는 필가(華茄)라고도 한다. 대한민국약전외한약(생약)규격집(KHP)에 수재되어 있다.

본초서 「동의보감(東醫寶鑑)」에는 "몰린 기운을 내리고 소화를 잘 시킨다. 구토와 설사, 복통을 다스리며 신장의 기운이 허하고 방광이 찬 것을 낫게 한다. 머리카락을 물들이기도 하고 몸에서 향기가 나게 한다."고 하였다.

東醫寶鑑: 主下氣消食 治霍亂泄瀉肚腹痛 并腎氣膀胱冷 能染髮及香身.

(威靈仙), 진교(秦艽), 계지(桂枝), 천궁(川芎) 각 9g을 배합하여 물을 넣고 달여서 복용한다(『중화본초(中華本草)』). 심한 복통에 '바람등칡' 잎과 줄기 30g에 물을 넣고 달여 먹어 효과를 보았다(『절강약용식물지(浙江藥用植物志)』).

성상 구형, 지름 0.4~0.5cm, 표면은 갈색~흑갈색, 그물 모양의 주름이 많다. 종자는 1개 들어 있고 황갈색이다.

기미 · 귀경 온(溫), 신(辛) · 위(胃), 비(脾), 신(腎), 방광(膀胱)

약효 거풍습(祛風濕), 통경락(通經絡), 이기(理氣), 지통의 효능이 있으므로 풍한습비(風寒濕痺), 관절동통, 근맥구련(筋脈拘攣), 완복동통, 수종(水腫)을 치료한다.

성분 줄기와 잎에는 futoxide, futoenone, futoquinol, futoamide, 정유의 성분으로는 pinene, limonene, sabiene, camphene, isoasarone 등이 함유되어 있다.

약리 futoxide는 종양의 성장을 억제하는 작용이 있다.

사용법 필징가 10g에 물 3컵(600mL)을 넣고 달여서 복용하거나 술에 담가서 복용한다. *필징가(華澄茄)의 기원 식물은 본 종의 열매와 '산계초(山鷄草) *Litsea cubeba*'의 열매이다. 형태와 성분이 다르나 같은 이름으로 사용하고 있다.

치료 경험 관절염에 해풍등(海風藤), 위령선

❂ 필징가

❂ 필징가(華澄茄)

[후추과]

필발

● 학명 : *Piper longum* L. ● 영명 : Indian long pepper ● 한자명 : 蓽撥

| 1 | 2 | 3 | 4 | 5 | 6 | 7 | 8 | 9 | 10 | 11 | 12 |

여러해살이풀. 높이 1~1.5m. 줄기 밑 부분은 기며 윗부분은 곧게 서고 가지를 많이 낸다. 잎은 어긋나고, 꽃은 단성으로 잎겨드랑이에 수상화서로 달리며 꽃잎과 꽃받침이 없다. 수꽃이삭은 길이 3~4cm, 암꽃이삭은 길이 1.5cm 정도, 열매는 장과이다.

분포 · 생육지 중국 남부 지방, 인도네시아, 말레이시아, 필리핀, 타이, 타이완, 베트남, 열대 지방. 우리나라에는 자라지 않는다.

약용 부위 · 수치 덜 익은 열매이삭을 여름철에 채취하여 말린다.

약물명 열매이삭을 필발(蓽撥)이라고 하며, 필발(畢勃), 필발리(蓽撥梨)라고도 한다. 대한민국약전외한약(생약)규격집(KHP)에 수재되어 있다.

본초서 구종석(寇宗奭)은 "필발(蓽茇, 蓽撥)은 위장(胃腸)에 효과가 있으며, 냉기(冷氣)로 인한 구토, 복통에 좋으나, 복용을 많이 하면 진기(眞氣)를 상하게 하고, 내장이 약해지고 아랫배가 무겁게 느껴지게 한다."고 하였다. 이시진(李時珍)은 "필발은 두통, 축농증, 치주 질환의 중요한 약으로 그 약성이 맵고 열이 있어서 양명경(陽明經)에 들어가서 부열(浮熱)을 없애는 특징이 있다."고 하였다. 민간에서는 양념하는 데 사용하기도 한다. 「동의보감(東醫寶鑑)」에 "위장의 찬 기운을 없애고, 고환이 부어오르면서 아프며 아랫배가 당기는 것을 낫게 한다. 손발이 찬 것과 배꼽 부위와 늑골 아래에 덩어리가 생긴 것을 낫게 한다. 구토와 설사

가 계속되는 것을 그치게 하고 가슴이 아픈 것을 낮게 하며 음식을 잘 소화시키며 비린 냄새를 제거한다."고 하였다.

本草拾遺: 溫中下氣, 補腰脚, 殺勝氣, 消食, 除胃冷, 陰疝, 痃癖.
日華子: 治癨亂, 冷氣, 心痛血氣.
本草綱目: 治頭痛, 鼻淵, 齒痛.
東醫寶鑑: 除胃冷陰疝痃癖 治癨亂冷氣心痛血氣 消食 殺腥氣.

성상 원주형으로 길이 2~5cm, 지름 5~8mm, 과축의 주위에는 작은 알맹이의 열매가 무수히 붙어 있어 그물눈 모양을 나타낸다. 표면은 적갈색~흑갈색이다. 열매의 위쪽에 셋으로 갈라진 암술머리가 있고 아래쪽은 과축이 붙어 있고 지름 2~5mm이다. 특이한 방향이 있고 맛은 떫다.

기미 · 귀경 열(熱), 신(辛) · 위(胃), 비(脾), 대장(大腸)

약효 온중산한(溫中散寒), 하기지통(下氣止痛)의 효능이 있으므로 완복냉통(脘腹冷痛), 구토, 설사, 치통, 비연(鼻淵), 협심증을 치료한다.

성분 piperine, methyl piperate, guineensine, retrofractamide C, piperlongumine, tetrahydropiperic acid, piperidine, sesamine, pipercide, sylvatine, chavicine, pipernonaline, piperundecalidine, piperlonguminine, dihydropiperlonguminine, dehydropiperononaline, diaceudesmin 등이 함유되어 있다.

약리 물에 달인 액을 쥐나 토끼에게 투여하면 혈중 콜레스테롤의 함량이 감소하고 진통, 진정 및 해열 작용이 나타난다. methyl piperate, guineensine, piperlongumine은 MAO−B의 활성을 억제한다. guineensine, retrofractamide C, pipernonaline은 AcylCoA: cholesterol acyltransferase의 활성을 억제한다.

사용법 필발 1g에 물 2컵(400mL)을 넣고 달여서 복용하거나 환약으로 만들어 복용한다.

치료 경험 복통이 나는 소화불량에 필발(蓽撥), 후추(胡椒), 계심(桂心) 각 4g을 배합하여 물을 넣고 달여서 복용하여 효과를 보았다 (「식의심감(食醫心鑑)」).

○ 필발

○ 필발(蓽撥)

[후추과]

나도후추

● 학명 : *Piper methysticum* Forster f. ● 영명 : Kava ● 별명 : 카바

| 1 | 2 | 3 | 4 | 5 | 6 | 7 | 8 | 9 | 10 | 11 | 12 |

상록 덩굴나무. 길이 3m 정도. 뿌리줄기는 굵다. 잎은 어긋나고 심장형이며 가장자리는 밋밋하다. 꽃은 암수딴그루, 6~7월에 피고, 수꽃이삭은 잎과 마주나며, 길이 5~10cm이다. 방패 모양의 포가 있고, 꽃덮개는 없으며, 수술이 2~3개이다.

분포 · 생육지 폴리네시아, 서태평양 연안. 바닷가가 가까운 곳의 나무나 바위에 붙어 자란다.

약용 부위 · 수치 뿌리줄기를 8~10월에 채취하여 물에 씻고 썰어서 말린 후에 가루로 만든다.

약물명 Piperis Methystici Rhizoma. 일반적으로 Kava라고 한다.

약효 진정의 효능이 있으므로 불안증, 불면증을 치료한다.

성분 kawain, methysticin, dihydrokawain, dihydromethysticin, yangonin 등이 함유되어 있다.

약리 kawain 등 kavalactone계 물질들은 진정, 근육 이완, 항경련 등의 효능이 있다.

사용법 Piperis Methystici Rhizoma 가루 500mg을 복용한다.

○ 나도후추

○ Piperis Methystici Rhizoma

[후추과]

바람등칡

풍한습비, 관절동통, 근맥구련
완복동통
수종

● 학명 : *Piper kadzura* (Choisy) Ohwi
● 한자명 : 海風藤 ● 별명 : 후추등, 호초등, 풍등덩굴

| 1 | 2 | 3 | 4 | 5 | 6 | 7 | 8 | 9 | 10 | 11 | 12 |

상록 덩굴나무. 길이 4~5m. 잎은 어긋나고, 꽃은 암수딴그루로 6~7월에 핀다. 수꽃이삭은 잎과 마주나며, 꽃덮개는 없고, 수술이 2~3개로 황색이다. 열매는 장과, 구형이고 지름 4~5mm로 가을에서 겨울에 걸쳐 붉은색으로 익는다.

분포 · 생육지 우리나라 제주도 및 남쪽 섬. 일본, 타이완. 바닷가 가까운 곳의 나무나 바위에 붙어 자란다.

약용 부위 · 수치 덩굴성 줄기를 8~10월에 채취하여 말린다.

약물명 해풍등(海風藤). 암호초(岩胡椒)라고도 한다.

기미 · 귀경 미온(微溫), 신(辛), 고(苦) · 간(肝), 신(腎)

약효 거풍습(祛風濕), 통경락(通經絡), 이기(理氣), 지통의 효능이 있으므로 풍한습비(風寒濕痺), 관절동통(關節疼痛), 근맥구련(筋脈拘攣), 완복동통(脘腹疼痛), 수종(水腫)을 치료한다.

성분 줄기와 잎에는 futoxide, futoenone, futoquinol, futoamide와 정유의 성분인 pinene, limonene, sabiene, camphene, isoasarone 등이 함유되어 있다.

약리 futoxide는 종양의 성장을 억제하는 작용이 있다.

사용법 해풍등 10g에 물 3컵(600mL)을 넣고 달여서 복용하거나 술에 담가서 복용한다.

치료 경험 관절염에 해풍등(海風藤), 위령선(威靈仙), 진교(秦艽), 계지(桂枝), 천궁(川芎) 각 9g을 배합하여 물을 넣고 달여서 효과를 보았다 (『중화본초(中華本草)』). 심한 복통에 해풍등(海風藤) 30g을 물을 넣고 달여 복용하여 효과를 보았다 (『절강약용식물지(浙江藥用植物志)』).

● 바람등칡(제주도 바닷가에 흔하게 자란다.)

● 해풍등(海風藤)

● 바람등칡(열매)

[후추과]

가구

풍한해수 풍습비통
완복창만, 설사, 이질

● 학명 : *Piper sarmentosum* Roxb. ● 한자명 : 假蒟

| 1 | 2 | 3 | 4 | 5 | 6 | 7 | 8 | 9 | 10 | 11 | 12 |

● 가구(열매)

약간 덩굴지는 풀. 향기가 강하다. 줄기의 마디는 팽대하고 부정근(不定根)을 낸다. 잎은 어긋나고 타원형, 밑부분은 약간 오목하다. 꽃은 암수딴그루로 여름철에 핀다. 수꽃차례는 길이 1.5~2cm의 수상화서로 달리고, 암꽃차례는 길이 6~8mm이나 열매가 성숙할 때는 길이 2.5cm에 달한다.

분포 · 생육지 인도, 인도네시아, 말레이시아, 베트남, 중국. 숲속이나 산골짜기에서 자란다.

약용 부위 · 수치 여름에 잎 또는 전주(全株)를 채취하여 썰어서 말린다.

약물명 가구(假蒟)

약효 거풍산한(祛風散寒), 행기지통(行氣止痛), 활락(活絡)의 효능이 있으므로 풍한해수(風寒咳嗽), 풍습비통(風濕痺痛), 완복창만(脘腹脹滿), 설사와 이질을 치료한다.

성분 asarone, asaricin, hydrocinnamic acid 등이 함유되어 있다.

사용법 가구 15g에 물 3컵(600mL)을 넣고 달여서 복용한다.

● 가구(잎)

● 가구

[후추과]

후추나무

위한동통, 구토, 수한설사, 식욕부진

● 학명 : *Piper nigrum* L. ● 영명 : Black pepper ● 한자명 : 胡椒 ● 별명 : 호초

| 1 | 2 | 3 | 4 | 5 | 6 | 7 | 8 | 9 | 10 | 11 | 12 |

상록 덩굴 식물. 길이 4~5m. 마디가 볼록하며 많다. 잎은 어긋나고 두껍고 타원형, 길이 8~15cm, 너비 4~7cm, 끝은 뾰족하고 가장자리는 밋밋하다. 꽃은 단성으로 암수딴그루, 꽃이삭은 길이 약 10cm이다. 열매는 둥글고 지름 4~5mm로 빽빽하게 난다. 과수는 원주형, 황적색으로 익으며, 결실기는 10월에서 다음해 4월까지이다.

분포·생육지 중국 남부, 인도, 타이, 베트남, 필리핀, 말레이시아.

약용 부위·수치 잘 익은 열매를 가을부터 겨울까지 채취하여 겉껍질을 벗겨서 버리고 말린다.

약물명 후추(胡椒). 부추(浮椒), 옥추(玉椒)라고도 한다. 대한민국약전(KP)에 수재되어 있다.

본초서 후추(胡椒)는 당대의 「신수본초(新修本草)」에 처음 수재되어 있는 것으로 보아 예로부터 약용으로 사용되어 온 것을 알 수 있다. 소경(蘇敬)은 「신수본초(新修本草)」에 "후추(胡椒)는 서역(西域)에서 생산되며 서이자(鼠李子)와 비슷하고, 음식물의 조리에 사용하고 맛이 매우 맵다."고 기록되어 있다. 「본초강목(本草綱目)」에는 "열매는 오랑캐(胡) 지방에서 생산되고 맛이 매워서 초(椒)와 비슷하여 후추(胡椒)라고 하지만 산초(山椒)는 아니다."라고 기록되어

있다. 「동의보감(東醫寶鑑)」에는 "기를 내리고 속을 따뜻하게 하며 담을 없애고 오장육부를 따뜻하게 한다. 구토와 설사가 계속되는 것과 명치 밑에 찬 기운이 몰려 아픈 것, 찬 기운이 몰려 비장의 기운을 상하게 하는 것을 낫게 한다. 또 모든 생선, 고기, 자라 및 버섯의 독을 풀어 준다."고 하였다.

新修本草: 主下氣, 溫中, 祛痰, 除臟腑中風冷.
日華子: 潤五臟, 止霍亂, 心腹冷痛, 壯腎氣及主冷痢, 殺一切魚, 肉, 鱉, 菇毒.
本草綱目: 暖腸胃, 除寒濕反胃, 虛脹冷積, 陰毒, 牙齒浮熱作痛.
東醫寶鑑: 下氣溫中 祛痰 除藏腑中風冷 止霍亂心腹疼痛.

성상 구형, 열매꼭지가 없고 지름 0.4~0.6cm, 표면은 외과피가 얇고 흑갈색이며 그물 같은 주름이 있다. 냄새가 방향성이고 맛은 톡 쏘며 맵다.

기미·귀경 열(熱), 신(辛)·위(胃), 대장(大腸), 간(肝).

약효 후추(胡椒)는 온중산한(溫中散寒), 하기지통(下氣止痛), 지사, 개위(開胃), 해독 효능이 있으므로 위한동통, 구토, 수한설사(受寒泄瀉), 식욕부진, 중어별독(中魚鱉毒)을 치료한다.

성분 piperine, pipercide, dihydropiperacide, piperlyne, piperretine, piperrolein

B, guineesine, retrofractamide A, B, piperamide C, chavicine, piperanine, piperchabamide D, pellitorin, dehydropiper-retrofractamide C, dehydropipernonaline 등이 함유되어 있다.

약리 알칼로이드 성분들은 쥐의 수면 시간을 연장시키고, 담즙 분비를 촉진시키고, 항염증 작용이 있다. retrofractamide A, pipercide, piperrolein, piperrolein B, piperchabamide D, pellitorin, dehydropiper-retrofractamide C, dehydropipernonaline은 AcylCoA: cholesterol acyltransferase의 활성을 억제한다.

사용법 후추 2g에 물 2컵(400mL)을 넣고 달여서 복용하거나 환약, 가루약으로 하여 사용한다. 외용에는 가루 내어 붙이거나 고약에 섞어 붙인다.

치료 경험 아랫배가 차고 아프며 신물을 게우는 사람이 후추에 물을 넣고 달여 먹고 효과를 보았다(「식료본초(食燎本草)」). 소화가 잘 안 되고 자주 토하는 사람이 후추와 생강을 1:3으로 배합하여 물을 넣고 달여 복용하거나 환약으로 복용하여 효과를 보았다(「성혜방(聖惠方)」).

* 익기 전의 열매를 건조한 것을 흑후추(黑胡椒)라고 하며, 익은 열매의 외과피를 벗겨 버리고 건조한 것을 백후추(白胡椒)라고 한다. 일반적으로 흑후추는 식용으로, 백후추는 약용으로 이용한다.

⬥ 후추나무(뿌리)

⬥ 후추나무(열매)

⬥ 후추(胡椒)가 배합된 소화제

⬥ 후추(胡椒) 분말

⬥ 흑후추(왼쪽), 백후추(오른쪽)

⬥ 꽃   ⬥ 후추나무

[홀아비꽃대과]

어자란

 풍한감모　두통
풍습비통, 지체마목　산후유혈

●학명 : *Chloranthus elatior* Link. ●한자명 : 魚子蘭

| 1 | 2 | 3 | 4 | 5 | 6 | 7 | 8 | 9 | 10 | 11 | 12 |

나무 같은 풀. 높이 2m 정도. 잎은 마주나며 길이 10~20cm, 너비 4~8cm, 가장자리에 톱니가 있다. 꽃은 양성, 백색, 줄기 끝에 수상화서로 달리며 원추형을 이루고 꽃잎이 없다. 수술대는 3개, 밑부분이 짧게 합쳐져서 씨방 뒷면에 붙어 있다.

분포·생육지 중국 광시성(廣西省), 쓰촨성(四川省), 윈난성(雲南省), 인도네시아, 인도. 산 숲속에서 자란다.

약용 부위·수치 전초를 봄과 여름에 채취하여 물에 씻어서 말린다.

약물명 절절차(節節茶). 구절풍(九節風), 야주란(野珠蘭)이라고도 한다.

기미 온(溫), 신(辛), 미고(微苦)

약효 거풍산한(祛風散寒), 통경활락, 지혈의 효능이 있으므로 풍한감모(風寒感冒), 두통, 풍습비통(風濕痺痛), 지체마목(肢體麻木), 산후유혈을 치료한다.

사용법 절절차 15g에 물 3컵(600mL)을 넣고 달여서 복용하거나 술에 담가서 복용한다.

✿ 어자란

✿ 어자란(꽃)

[홀아비꽃대과]

옥녀꽃대

풍습성관절염　급성위장염
창절개선, 타박상

●학명 : *Chloranthus fortunei* (A. Gray) Solms-Laubach ●별명 : 조선꽃대

| 1 | 2 | 3 | 4 | 5 | 6 | 7 | 8 | 9 | 10 | 11 | 12 |

여러해살이풀. 높이 20~30cm. 땅속 뿌리줄기는 짧다. 줄기에 3~4개의 마디가 있고, 잎은 줄기 하부에서 마주나며 위에서는 4개가 돌려난다. 꽃은 양성, 백색, 4월에 수상화서로 달리며 길이 2~3cm, 꽃잎이 없다. 수술은 3개, 꽃밥은 황색이다.

분포·생육지 우리나라 거제도 옥녀봉, 부산, 보길도, 지리산. 중국, 일본. 산 숲속에서 자란다.

약용 부위·수치 전초를 봄과 여름에 채취하여 물에 씻어서 말린다.

약물명 전초(剪草). 사괴와(四壞瓦), 사대초(四對草)라고도 한다.

기미·귀경 평(平), 신(辛), 고(苦)·폐(肺), 간(肝)

약효 거풍활혈(祛風活血), 해독소종(解毒消腫)의 효능이 있으므로 풍습성관절염, 급성위장염, 창절개선(瘡癤疥癬), 타박상을 치료한다.

사용법 전초 5g에 물 2컵(400mL)을 넣고 달여서 복용하거나 술에 담가서 복용한다. 외용에는 짓찧어 낸 즙액을 바르거나 짓찧은 채로 환부에 붙인다.

✿ 옥녀꽃대

[홀아비꽃대과]

죽절초

폐렴 급성충수염
류머티즘성동통 타박상

● 학명 : Chloranthus glaber (Thunb.) Makino ● 영명 : Chloranthus
● 한자명 : 竹節草 ● 별명 : 죽절나무

| 1 | 2 | 3 | 4 | 5 | 6 | 7 | 8 | 9 | 10 | 11 | 12 |

❶ 죽절초

상록 관목. 높이 1m 정도. 잎은 마주나며 길이 10~15cm, 너비 4~6cm, 긴 타원형, 잎자루는 길이 1~2cm이다. 꽃은 6~7월에 가지 끝에 수상화서로 달리며, 꽃덮개는 없다. 핵과는 둥글며 10월에 붉은색으로 익는다.

분포·생육지 우리나라 제주도. 중국, 일본, 인도, 말레이시아. 산기슭 숲속에서 자란다.

약용 부위·수치 줄기와 잎을 여름에 채취하여 적당한 크기로 잘라서 말린다.

약물명 종절풍(腫節風), 관음차(觀音茶), 구절다(九節茶)라고도 한다.

기미·귀경 평(平), 신(辛), 고(苦)·간(肝), 대장(大腸)

약효 해열, 해독, 거풍, 활혈의 효능이 있으므로 폐렴, 급성충수염, 류머티즘성동통, 타박상을 치료한다.

성분 잎과 가지에는 istanbulin A, isofraxidin, fumaric acid, succinic acid, 열매에는 elargonidin-3-rhamnosylglucoside가 함유되어 있다.

약리 정유 성분은 백혈병 세포의 성장을 억제하고, 열수추출물은 포도상구균, 녹농균, 대장균, 적리균에 항균 작용이 있다.

사용법 종절풍 10g에 물 3컵(600mL)을 넣고 달여서 복용하거나 술에 담가서 마신다. 외용에는 짓찧어 붙이거나 상처 부위를 씻는다. 임부는 복용을 금한다.

치료 경험 풍습(風濕)에 의한 관절염에 복용시켰더니 효과가 있었다(『한국본초도감(韓國本草圖鑑)』). 위궤양에 고약으로 만들어(1회량, 죽절초 7.5g 해당) 복용시켰더니 증상이 호전되었다(『중화본초(中華本草)』). 혈소판 감소증 환자에게 고약으로 만들어(1회량, 죽절초 2.5g 해당) 한달간 복용시켰더니 증상이 호전되었다(『중화본초(中華本草)』).

❶ 종절풍(腫節風)

❶ 죽절초(열매)

[홀아비꽃대과]

사괴와

풍습비통, 류머티즘성동통
감기 타박상

● 학명 : Chloranthus holostegius (Hand.-Mazz.) Pei et Shan
● 한자명 : 四塊瓦

| 1 | 2 | 3 | 4 | 5 | 6 | 7 | 8 | 9 | 10 | 11 | 12 |

❶ 사괴와(열매)

여러해살이풀. 높이 30~50cm. 뿌리줄기는 옆으로 벋고 뿌리는 가늘다. 잎은 마주나며 긴 타원형, 잎자루는 길이 1~2cm이다. 꽃은 6~7월에 줄기 끝 또는 잎겨드랑이에 3~5개의 수상화서로 달린다.

분포·생육지 중국, 타이완, 인도, 말레이시아. 산기슭 숲속에서 자란다.

약용 부위·수치 전초를 여름에 채취하여 물에 씻은 후 잘라서 말린다.

약물명 수정화(水晶花), 흑세신(黑細辛), 토세신(土細辛)이라고도 한다.

약효 거풍제습(祛風除濕), 산어소종(散瘀消腫), 지통의 효능이 있으므로 감기, 풍습비통(風濕痺痛), 류머티즘성동통, 타박상을 치료한다.

사용법 수정화 10g에 물 3컵(600mL)을 넣고 달여서 복용하거나 술에 담가서 마신다. 외용에는 짓찧어 붙이거나 상처 부위를 씻는다.

❶ 사괴와

[홀아비꽃대과]

홀아비꽃대

풍습비통　　풍한감모
종독창양, 타박상

●학명 : *Chloranthus japonicus* Sieb.
●한자명 : 銀線草, 四葉草　　●별칭 : 홀애비꽃대, 홀아비꽃대, 홀꽃대

| 1 | 2 | 3 | 4 | 5 | 6 | 7 | 8 | 9 | 10 | 11 | 12 |

여러해살이풀. 높이 20~30cm. 뿌리줄기는 덩이처럼 되며 회갈색의 뿌리가 난다. 잎은 4개가 줄기 끝에서 모여나고, 꽃은 양성, 4월에 피며 백색이다. 열매는 길이 2.5~3mm, 달걀 모양이다.

분포 · 생육지 우리나라 전역. 중국, 일본, 사할린, 아무르. 산 숲속에서 자란다.

약용 부위 · 수치 전초를 봄과 여름에 채취하여 물에 씻어서 말린다.

약물명 은선초(銀線草). 사엽초(四葉草)라고도 한다.

기미 온(溫), 신(辛), 고(苦), 유독(有毒)

약효 활혈행어(活血行瘀), 거풍제습(祛風除濕), 해독의 효능이 있으므로 풍습비통(風濕痺痛), 풍한감모(風寒感冒), 종독창양(腫毒瘡瘍), 타박상을 치료한다.

성분 은선초(銀線草)에는 cycloshizukaol, shizukaol F, 9-hydroxyheterogorgiolide, isofraxidin-7-*O*-β-D-glucopyranoside, β-sitosterol, dacucosterol, chloranthalactone A, chloranthalactone B, chloranthalactone C, chloranthalactone D, chloranthalactone C epoxide, atractylenolide I, atractylenolide III, helenalin 등의 sesquilactone 화합물과 sofraxidin, shijuknolide 등의 flavonoid 성분이 함유되어 있다.

약리 sesquilactone 화합물들은 쥐의 백혈병 암세포인 L-5178Y cells에 세포 독성이 있다. 물에 달인 액을 쥐에게 투여하면 담즙 분비가 증가한다. cycloshizukaol, shizukaol F는 PMA에 의한 HL60세포의 homolytic aggregation을 저해함으로써 동맥경화나 염증성 질환에 유효하다.

사용법 은선초 5g에 물 2컵(400mL)을 넣고 달여서 복용하거나 술에 담가서 복용한다. 외용에는 짓찧어 낸 즙액을 바르거나 짓찧어 낸 채로 환부에 붙인다.

치료 경험 골절상 환자나 타박상 환자에게 본 종 신선한 것에 소금을 조금 넣어 짓찧어 붙여 효과를 보았다(「중화본초(中華本草)」).

＊꽃차례가 2~3개인 '쌍꽃대(두사람꽃대) *C. serratus*'도 약효가 같다.

● 은선초(銀線草)

● 홀아비꽃대

[홀아비꽃대과]

금속란

풍습비통　　편두통

●학명 : *Chloranthus spicatus* (Thunb.) Makino　　●한자명 : 金粟蘭

| 1 | 2 | 3 | 4 | 5 | 6 | 7 | 8 | 9 | 10 | 11 | 12 |

여러해살이풀. 높이 30~60cm. 뿌리줄기는 옆으로 벋고 뿌리는 가늘다. 잎은 마주나며 긴 타원형, 잎맥은 6~8쌍, 잎자루는 길이 8~18mm이다. 꽃은 4~7월에 줄기 끝 또는 잎겨드랑이에 3~5개의 수상화서로 달린다.

분포 · 생육지 중국, 타이완, 인도, 말레이시아. 산기슭 숲속에서 자란다.

약용 부위 · 수치 전초를 여름에 채취하여 물에 씻은 후 잘라서 말린다.

약물명 주란(珠蘭). 진주란(眞珠蘭), 어자란(魚子蘭)이라고도 한다.

약효 거풍습(祛風濕), 활혈지통(活血止痛)의 효능이 있으므로 풍습비통(風濕痺痛), 편두통(偏頭痛)을 치료한다.

성분 정유가 다량 함유되어 있으며, 그 주성분은 *cis*-methyl jasmonate, *cis*-β-ocimene, trans-β-ocimene 등이다.

사용법 주란 15g에 물 3컵(600mL)을 넣고 달여서 복용한다.

● 금속란(열매)

● 금속란

[홀아비꽃대과]

해남초산호

 타박상, 어조종통   골절, 풍습비통

- 학명 : *Sarcandra hainanensis* (Pey) Swamy [*Chloranthus hainanensis*]
- 한자명 : 海南草珊瑚

| 1 | 2 | 3 | 4 | 5 | 6 | 7 | 8 | 9 | 10 | 11 | 12 |

❂ 해남초산호

상록 관목, 높이 1~1.5m. 줄기는 바로 서고 털이 없다. 잎은 마주나며 타원형으로 가장자리에 톱니가 있다. 꽃은 양성, 10월부터 다음해 4월까지 피며 녹황색, 수상화서로 달리며 길이 2~3cm, 꽃잎이 없다. 핵과는 달걀 모양이다.

분포 · 생육지 중국 하이난성(海南省), 광시성(廣西省), 윈난성(雲南省). 산 숲속에서 자란다.

약용 부위 · 수치 전초를 봄과 여름에 채취하여 물에 씻어서 말린다.

약물명 산양이(山羊耳), 노상약(勞傷藥), 접골초(接骨草)라고도 한다.

약효 활혈산어(活血散瘀), 거풍지통의 효능이 있으므로 타박상, 골절, 어조종통(瘀阻腫痛), 풍습비통(風濕痺痛)을 치료한다.

사용법 산양이 10g에 물 3컵(600mL)을 넣고 달여서 복용하거나 술에 담가서 복용한다. 외용에는 짓찧어 낸 즙액을 바르거나 짓찧은 채로 환부에 붙인다.

[쥐방울과]

태생초

 출산   타박상, 뱀독

- 학명 : *Aristolochia clematis* L.   ● 영명 : Birthwort   ● 한자명 : 胎生草

| 1 | 2 | 3 | 4 | 5 | 6 | 7 | 8 | 9 | 10 | 11 | 12 |

❂ 태생초(열매)

여러해살이풀. 곧게 자란다. 줄기는 땅에서부터 벋으며, 잎은 어긋나고 심장형이다. 잎겨드랑이에서 꽃자루가 1개씩 나오고, 몇 개의 꽃이 모여 피며 색소폰 같고, 황백색 바탕에 적갈색 반점이 있다.

분포 · 생육지 남부 유럽. 서부 유럽으로 전파되었다.

약용 부위 · 수치 전초를 여름과 가을에 채취하여 물에 씻어서 썰어서 말린다.

약물명 태생초(胎生草). 생약명은 Aristolochiae Herba, 일반적으로 Birthwort라고 한다.

약효 면역 증강 작용, 소염의 효능이 있으므로 출산, 뱀독, 타박상을 치료한다.

성분 aristolochic acid, magnoflorine 등이 함유되어 있다.

사용법 태생초 5g을 뜨거운 물로 우려내어 복용한다.

주의 aristolochic acid는 발암성이 있으므로 장기간 사용은 금한다.

※ '쥐방울 *A. contorta*'과 비슷한 모양이나 잎이 보다 넓다.

❂ 태생초

쥐방울

	폐열해수, 담옹기촉, 폐허구해		장열치혈, 장염, 하리복통		풍습비통
	고혈압		산후혈기복통, 임신수종		치창종통		옹종정창, 습진, 피부소양

● 학명 : *Aristolochia contorta* Bunge ● 영명 : Aristolochia
● 한자명 : 馬兜鈴 ● 별명 : 쥐방울덩굴, 방울풀

| 1 | 2 | 3 | 4 | 5 | 6 | 7 | 8 | 9 | 10 | 11 | 12 |

덩굴성 여러해살이풀. 길이 2m 정도. 잎은 어긋난다. 꽃은 녹자색, 7~8월에 잎겨드랑이에서 꽃자루가 1개씩 나오고 몇 개의 꽃이 모여 피며 색소폰 같다. 삭과는 둥글며 가는 꽃대에 매달리고, 종자는 여러 개이며 날개가 있다.

분포 · 생육지 우리나라 전역. 중국, 일본, 우수리. 산과 들에서 자란다.

약용 부위 · 수치 열매, 줄기, 잎과 뿌리를 여름과 가을에 채취하여 말린다.

약물명 열매를 마두령(馬兜鈴)이라고 하며, 두령(兜鈴), 수마향과(水馬香果)라고도 한다. 뿌리를 청목향(靑木香), 줄기와 잎을 천선등(天仙藤)이라고 한다.

본초서 마두령(馬兜鈴)은 송대의 「개보본초(開寶本草)」에 처음 수재되었으며, 송대 구종석(寇宗奭)의 「본초연의(本草衍義)」에는 "열매가 달려 있는 모양이 말의 목에 다는 방울과 비슷하다고 하여 마두령(馬兜鈴)이라 한다."고 하였다. 당대의 「신수본초(新修本草)」에는 "독행근(獨行根) 또는 청목향(靑木香)이라 하는 것은 뿌리이고, 잎이 붙어 있는 줄기를 천선등(天仙藤)이라 한다"고 하였다. 중국에서는 마두령(馬兜鈴), 청목향(靑木香), 천선등(天仙藤)의 세 가지가 시판되고 있다. 「동의보감(東醫寶鑑)」에 마두령(馬兜鈴)은 "폐열이 있어 기침하고 숨이 찬 것을 낫게 하며, 폐를 튼튼하게 하고 기운을 내린다."고 하였다.

開寶本草: 主肺熱咳嗽 痰結喘促 血痔瘻瘡.
東醫寶鑑: 主肺熱咳嗽 痰結喘急 淸肺 下氣.

기미 · 귀경 마두령(馬兜鈴): 한(寒), 고(苦), 신(辛) · 폐(肺), 대장(大腸). 청목향(靑木香): 한(寒), 고(苦), 신(辛), 소독(小毒) · 폐(肺), 위(胃), 간(肝). 천선등: 온(溫), 고(苦) · 간(肝), 비(脾), 신(腎)

약효 마두령(馬兜鈴)은 청폐강기(淸肺降氣), 지해평천(止咳平喘), 청설대장(淸泄大腸)의 효능이 있으므로 폐열해수(肺熱咳嗽), 담옹기촉(痰壅氣促), 폐허구해(肺虛久咳), 장열치혈(腸熱痔血), 치창종통(痔瘡腫痛), 수종(水腫)을 치료한다. 청목향(靑木香)은 행기지통(行氣止痛), 해독소종(解毒消腫), 평간강압(平肝降壓)의 효능이 있으므로 흉협완복동통(胸脇脘腹疼痛), 산기통(疝氣痛), 장염, 하리복통, 사충교상, 옹종정창(癰腫疔瘡), 습진, 피부소양, 고혈압을 치료한다. 천선등(天仙藤)은 행기활혈, 이

수소종(利水消腫), 해독의 효능이 있으므로 산기통(疝氣痛), 위통, 산후혈기복통, 풍습비통(風濕痺痛), 임신수종, 독충교상을 치료한다.

성분 마두령(馬兜鈴)은 aristolochic acid, magnoflorine, 청목향(靑木香)은 aristolochic acid, 7-methoxy aristolochic acid, aristolene, alantoin, debilic acid 등이 함유되어 있다.

약리 마두령(馬兜鈴)의 열수추출물을 토끼에게 투여하면 거담 작용이 나타난다. 물에 달인 액을 토끼에게 투여하면 혈압이 하강된다.

사용법 마두령, 청목향, 천선등 각각 10g에 물 3컵(600mL)을 넣고 달여서 복용한다.

처방 마두령산(馬兜鈴散): 진피(陳皮) · 상백피(桑白皮) · 자소엽(紫蘇葉) · 마두령(馬兜鈴) · 길경(桔梗) · 인삼(人蔘) · 패모(貝母) · 오미자(五味子) · 감초(甘草) 각 3g, 생강(生薑) 3쪽 「동의보감(東醫寶鑑)」. 임신부가 풍한(風寒)으로 인하여 기침을 몹시 하고 가래가 많으며 숨이 찬 증상에 사용한다.

• 보폐아교탕(補肺阿膠湯): 아교(阿膠) 16g, 마두령(馬兜鈴) · 우방자(牛蒡子) · 행인(杏仁) 각 10g, 감초(甘草) 2g, 찹쌀 20g 「동의보감(東醫寶鑑)」. 폐음(肺飮) 부족으로 기침이 나고 숨이 차며 점조한 가래가 나오고 목안이 마르는 증상에 사용한다.

※ 중국 윈난성(雲南省)이나 타이완에는 백합과의 *Lilium* 속 식물의 열매를 마두령(馬兜鈴)으로 사용하기도 한다.

치료 경험 마두령(馬兜鈴) 에탄올추출물을 고혈압 환자에게 투여한 결과 121명의 환자 가운데 50명이 비교적 좋은 결과를 보였다 「중화본초(中華本草)」. 마두령은 만성기관지염, 폐렴에 효과가 있었고 「한국본초도감」, 이질에 효과가 있었다 「중화본초(中華本草)」.

○ 쥐방울

○ 쥐방울(뿌리)

○ 쥐방울(열매)

○ 청목향(靑木香)

○ 마두령(馬兜鈴)

유럽쥐방울

 분만유도　　타박상

●학명 : *Aristolochia europaeum* Wu ex Chow et Hwang　●영명 : Birth wort

| 1 | 2 | 3 | 4 | 5 | 6 | 7 | 8 | 9 | 10 | 11 | 12 |

덩굴나무. 길이 3~4m. 다른 물체를 감고 자라며, 뿌리는 굵고 원주형이다. 잎은 어긋나고 원형, 가장자리는 밋밋하다.

분포·생육지 독일, 프랑스, 이탈리아. 산과 들에서 자란다.

약용 부위·수치 뿌리를 여름과 가을에 채취하여 물에 씻어서 썰어서 말린다.

약물명 Aristolochiae Radix. 일반적으로 Birth wort라고 한다.

약효 출산 유도, 소염의 효능이 있으므로 유럽에서는 분만유도, 타박상을 치료한다.

사용법 Aristolochiae Radix 7g에 물 2컵 (400mL)을 넣고 달여서 복용한다.

＊ 낙태약으로도 사용하였으나 독성 때문에 제한적으로 사용되고 있다.

❶ 유럽쥐방울

광방기

 습열신통, 풍습비통, 각기종통
 하지수종, 소변불리

●학명 : *Aristolochia fangchi* Wu ex Chow et Hwang　●한자명 : 廣防己

| 1 | 2 | 3 | 4 | 5 | 6 | 7 | 8 | 9 | 10 | 11 | 12 |

덩굴나무. 길이 3~4m. 다른 물체를 감고 자라며 뿌리는 굵고 원주형이다. 잎은 어긋나고 타원형, 가장자리는 밋밋하다. 꽃은 5~6월에 피고 자주색이며 황색의 작은 반점이 있다. 열매는 긴 원통형으로 7~8월에 익고 많은 종자가 들어 있다.

분포·생육지 중국 광둥성(廣東省), 광시성(廣西省), 윈난성(雲南省). 산과 들에서 자란다.

약용 부위·수치 뿌리를 여름과 가을에 채취하여 물에 씻어서 썰어서 말린다.

약물명 광방기(廣防己)

기미·귀경 한(寒), 고(苦), 신(辛)·폐(肺), 방광(膀胱)

약효 거풍지통, 청열이수의 효능이 있으므로 습열신통(濕熱身痛), 풍습비통(風濕痺痛), 하지수종(下肢水腫), 소변불리, 각기종통을 치료한다.

성분 aristolochic acid, aristololactam, allantoin, magnoflorine, β-sitosterol이 함유되어 있다.

사용법 광방기 7g에 물 2컵(400mL)을 넣고 달여서 복용한다.

❶ 광방기(廣防己, 절편)

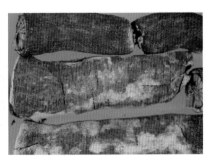

❶ 광방기(廣防己)

❶ 광방기

[쥐방울과]

광서마도령

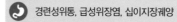
경련성위통, 급성위장염, 십이지장궤양

● 학명 : *Aristolochia kwangsiensis* Chun et How [*A. shukangii*]
● 한자명 : 廣西馬兜鈴

덩굴나무. 뿌리줄기는 방추형, 줄기는 황갈색의 털이 조밀하게 난다. 잎은 둥근 심장형, 잎자루가 길다. 꽃은 잎겨드랑이에 총상화서로 달리며, 화관 중앙은 황색이고 주변부는 담록색 바탕에 자주색 반점이 널려 있으며 털이 많다.

분포 · 생육지 중국 광시성(廣西省), 광둥성(廣東省), 윈난성(雲南省), 저장성(浙江省). 산골짜기에서 자란다.

약용 부위 · 수치 뿌리를 여름과 가을에 채취하여 물에 씻어서 썰어서 말린다.

약물명 대백해서(大百解署), 금은대(金銀袋), 대총관(大總管)이라고도 한다.

약효 이기지통(理氣止痛), 청열해독의 효능이 있으므로 경련성위통, 급성위장염, 십이지장궤양을 치료한다.

성분 allantoin, aristolochic acid, magnoflorine, β-sitosterol이 함유되어 있다.

약리 알칼로이드 분획물을 쥐의 복강에 주사하면 초산으로 야기되는 통증을 억제하는 작용 및 진경 작용이 나타난다.

사용법 대백해서 7g에 물 2컵(400mL)을 넣고 달여서 복용하거나 가루로 만들어 1회 1~2g을 복용한다.

❍ 광서마도령

❍ 광서마도령(꽃)

[쥐방울과]

등칡

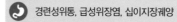
소변적삽, 열림, 요로감염, 요독증
구내염　심중번열　유즙불통

● 학명 : *Aristolochia manshuriensis* Kom.　● 영명 : Mandshurian birthwort
● 한자명 : 關木通　● 별명 : 큰쥐방울

낙엽 덩굴나무. 길이 10m 정도. 잎은 어긋나고, 꽃은 암수딴그루, 5월에 잎겨드랑이에 1개씩 달리며 색소폰처럼 생겼다. 꽃대는 길이 2~3cm, 열매는 삭과로 긴 타원형이며 6개의 능선이 있고 길이 11cm, 지름 3cm 정도, 털이 없고 9~10월에 익는다.

분포 · 생육지 우리나라 경남북, 지리산, 강원 오대산, 설악산. 중국 둥베이(東北) 지방, 우수리. 깊은 산의 골짜기에서 자란다.

약용 부위 · 수치 굵은 줄기를 가을부터 겨울까지 채취하여 겉껍질은 긁어 버리고 적당한 크기로 잘라서 말린다.

약물명 관목통(關木通), 마목통(馬木通), 고목통(苦木通), 동북목통(東北木通)이라고도 한다.

성상 긴 원기둥 모양이나 대부분 출하되는 것은 절편으로 지름 1~6cm이다. 표면은 회황색~황갈색, 얕은 세로 홈과 갈색 반점이 있고 마디가 있는 부분은 부풀어 있다. 횡단면을 보면 피층은 얇고 목부는 넓다. 냄새는 없고 맛은 쓰다.

기미 · 귀경 한(寒), 고(苦), 유독(有毒) · 심(心), 소장(小腸), 방광(膀胱).

약효 청심사화(淸心瀉火), 통림(通淋), 하유통경(下乳通經)의 효능이 있으므로 소변적삽(小便赤澁), 열림(熱淋), 수종(水腫), 심중번열(心中煩熱), 요로감염, 요독증, 구내염, 악성종양, 유즙불통을 치료한다.

성분 aristolochic acid, oleanolic acid, hederagenin, aristolochialactone이 함유되어 있다.

약리 물에 달인 액은 Digitalis와 유사한 작용이 있고, 쥐의 적출 소장에 흥분 작용이 있으며, 이뇨 작용이 있다.

사용법 관목통 3g에 물 2컵(400mL)을 넣고 달여서 복용한다.

민간요법 소변이 붉고 잘 나오지 않는 증상에는 관목통 6g에 마치현(쇠비름) 50g을 배합하여 물을 넣고 달여서 복용한다(『중화본초(中華本草)』).

처방 통유탕(通乳湯): 관목통(關木通) · 천궁(川芎) 각 40g, 천산갑(穿山甲) 14쪽, 감초(甘草) 4g, 저족(猪足) 4개 (『동의보감(東醫寶鑑)』). 산후에 음혈 부족으로 젖이 잘 나오지 않는 증상에 사용한다.

• 청폐산(淸肺散): 저령(猪苓) · 관목통(關木通) 각 8g, 등심초(燈心草) · 적복령(赤茯苓) · 택사(澤瀉) · 차전자(車前子) 각 4g, 편축(萹蓄) · 목통(木通) · 구맥(瞿麥) 각 2.8g, 남과자(南瓜子) 2g (『동의보감(東醫寶鑑)』). 상초(上焦)에 열이 성하여 목이 마르고 갈증이 나며 오줌이 시원하지 않은 증상에 사용한다.

＊ '쥐방울'에 비하여 나무이고, 잎은 둥근 심장형, 털이 있으며, 꽃은 잎겨드랑이에 1개씩 난다.

❍ 등칡

❍ 관목통(關木通)

❍ 등칡(종자)

[쥐방울과]

이엽마도령

 정창옹종, 나력　　관절염

● 학명 : *Aristolochia tagala* Champ.　● 한자명 : 耳葉馬兜鈴

1	2	3	4	5	6	7	8	9	10	11	12

❶ 이엽마도령

덩굴나무. 뿌리는 원주형, 줄기는 털이 없다. 잎은 어긋나고 둥근 심장형, 잎자루가 길다. 꽃은 잎겨드랑이에 총상화서로 달리며, 화관 중앙은 백색이고 주변부는 흑자색이다. 열매는 능각이 뚜렷한 달걀 모양이다.

분포 · 생육지 중국 광시성(廣西省), 광둥성(廣東省), 윈난성(雲南省). 산골짜기에서 자란다.

약용 부위 · 수치 뿌리를 여름과 가을에 채취하여 물에 씻어 썰어서 말린다.

약물명 흑면방기(黑面防己), 가대서(假大薯)라고도 한다.

약효 청열해독(淸熱解毒), 거풍지통(祛風止痛)의 효능이 있으므로 정창옹종(疔瘡癰腫), 나력, 관절염을 치료한다.

사용법 흑면방기 15g에 물 3컵(600mL)을 넣고 달여서 복용한다.

❶ 이엽마도령(익은 열매와 씨)

[쥐방울과]

족도리풀

풍한표증, 두통　　담음해천
치통, 비색, 비연, 구창　　풍습비통

● 학명 : *Asarum sieboldii* Miq.　● 영명 : Wild ginger
● 한자명 : 細辛　● 별명 : 족도리, 털족도리풀, 족두리풀, 민족도리풀

1	2	3	4	5	6	7	8	9	10	11	12

여러해살이풀. 줄기 끝에서 2개의 잎이 나오고 심장형이다. 꽃은 4~5월에 피며 지름 10~15mm, 검은 홍자색이다. 꽃받침은 반구형이며 안쪽에 줄이 있고 윗부분이 3개로 갈라진다. 장과는 끝에 꽃덮개 조각이 달려 있으며, 종자가 20개 정도 들어 있다.

분포 · 생육지 우리나라 전역. 중국, 일본. 산 숲속에서 자란다.

약용 부위 · 수치 뿌리가 달린 전초를 봄에 채취하여 물에 씻어서 말린다.

약물명 세신(細辛). 소신(小辛), 소신(少辛), 옥번사(玉番絲), 독엽초(獨葉草), 금분초(金盆草)라고도 한다. 대한민국약전(KP)에 수재되어 있다.

본초서 세신(細辛)은 「신농본초경(神農本草經)」의 상품(上品)에 수재되어 있으며 뿌리가 가늘고 맛이 매워 붙인 이름이다. 양대(梁代) 도홍경(陶弘景)의 「본초경집주(本草經集注)」에는 "세신(細辛)을 입에 머금으면 입 냄새를 제거한다."고 하였으며, 「명의별록(名醫別錄)」에는 "2월과 8월에 뿌리를 채집하여 음건(陰乾)하여 사용한다."고 하였다. 「본초경집주(本草經集注)」에는 "이것을

사용할 때에는 두절(頭節)을 제거한다."고 하였으며, 구종석(寇宗奭)의 「본초연의(本草衍義)」에도 "세신(細辛)은 뿌리를 사용한다."고 기록되어 있다. 현재 중국산 및 한국산의 세신(細辛)은 잎이 달린 전초를 사용하고 있으나 본초서의 기록처럼 뿌리만 사용하는 것이 타당하다. 「동의보감(東醫寶鑑)」에 "풍습으로 인하여 저리고 아픈 데 사용하며, 속을 따뜻하게 하고 기를 내린다. 목 안이 벌겋게 붓고 아프며 막힌 감이 있는 증상과 코가 막힌 것을 치료한다. 쓸개의 기운을 강하게 하며, 두통을 낫게 하고 눈을 밝게 하며 치통을 낫게 한다. 담을 풀어 주고 땀을 잘 나오게 한다."고 하였다.

神農本草經: 主咳逆, 頭痛, 腦動, 百節拘攣, 風濕痺痛, 死肌. 久服明目, 利九竅, 輕身長年.

珍珠囊: 主少陰苦頭痛.

本草綱目: 治口舌生瘡, 大便燥結, 起目中倒睫. 散浮熱.

東醫寶鑑: 主風濕痺痛 溫中下氣 鼻 添膽氣 去頭風 明目 治齒痛 破痰出汗.

성상 고르지 않게 구부러진 노끈 모양을 이

루고 길이 2~4cm, 지름 2~3mm의 황갈색 마디가 진 뿌리줄기에 길이 약 15cm, 지름 약 1mm의 뿌리가 많이 달린다. 표면은 엷은 갈색~어두운 갈색으로 밋밋하거나 극히 얕은 세로 주름이 있다. 꺾기 쉽고 꺾인 면은 황백색으로 평탄하지 않다. 특이한 냄새가 있고 맛은 맵고 혀를 약간 마비시킨다.

기미 · 귀경 온(溫), 신(辛), 소독(小毒) · 폐(肺), 신(腎), 심(心).

약효 산한거풍(散寒祛風), 지통, 온폐화음(溫肺化飮), 통규(通竅)의 효능이 있으므로 풍한표증(風寒表證), 두통, 치통, 풍습비통(風濕痺痛), 담음해천(痰飮咳喘), 비색(鼻塞), 비연(鼻淵), 구창을 치료한다.

성분 정유 2~3%: 주성분은 methyleugenol (50%), α-asarone, β-asarone, sarole, eucarvone, limonene, 1,8-cineole, elemicin, lignan: (−)-asarinin, alkaloid: hygenamine, 2,3,5-trimethoxytoluene, 3,4,5-trimethoxytoluene, aristolochic acid I, II 등이 함유되어 있다.

약리 해열, 진정, 진해 작용이 있고, 적리균, 티푸스균, 결핵균에 항균 작용이 있으며, 국소 마취 작용도 있다. 열수추출물을 토끼에게 투여하면 체온이 내려간다. methyleugenol은 항히스타민 작용이 있다. hygenamine은 강심 작용이 있으며 β-adrenergic effect와 유사하다.

사용법 세신 5g에 물 2컵(400mL)을 넣고 달여서 복용하고, 외용에는 가루를 만들어서 뿌리거나 코 안에 불어 넣는다. 혹은 달

인 액을 입안에 머금었다가 뱉는다.

처방 마황부자세신탕(麻黃附子細辛湯): 마황(麻黃)·세신(細辛) 각 8g, 부자(附子) 4g (「상한론(傷寒論)」, 「동의보감(東醫寶鑑)」). 소음병(少陰病) 때 자리에 누우려고만 하고 열이 나며 맥은 가라앉는 증상으로서 평소 양기가 부족한 사람이 풍한으로 오한이 심하고 열이 심하지 않은 경우에 사용한다.

• 세신탕(細辛湯): 세신(細辛) 40g, 백지(白芷)·천궁(川芎)·노봉방(露蜂房) 각 10g (「향약집성방(鄕藥集成方)」). 풍한으로 잇몸이 쑤시면서 아픔이 얼굴 전체로 퍼진 경우에 사용한다.

• 소청룡탕(小靑龍湯): 마황(麻黃)·작약(芍藥)·오미자(五味子)·반하(半夏) 각 6g, 세신(細辛)·건강(乾薑)·계지(桂枝)·자감초(炙甘草) 각 4g (「상한론(傷寒論)」, 「동의보감(東醫寶鑑)」). 상한표증으로 몸속에 수음(水飮)이 정체되어 오싹오싹 춥고 열이 나며 기침을 하고 숨이 차며 거품이 섞인 가래가 나오고 구역질이 나며 윗배가 그득한 증상에 사용한다.

* 우리나라 한라산, 완도, 두륜산 등에서 자라며 잎에 무늬가 있는 '개족도리풀 *A. maculatum*', 꽃과 잎에 무늬가 있는 '무늬족도리풀 *A. versicolor*', 꽃이 황록색인 '황록족도리풀 *A. viridiluteolum*', 꽃받침 끝이 뾰족한 '뿔족도리풀 *A. sieboldii* var. *cornutum*'도 약효가 같다.

❶ 뿔족도리풀

❶ 개족도리풀

❶ 무늬족도리풀

 뿌리   족도리풀

❶ 세신(細辛, 한국산)

❶ 황록족도리풀

[쥐방울과]

청성세신

풍한표증, 두통 담음해천
치통, 비색, 비연, 구창 풍습비통

● 학명 : *Asarum splendens* (Maekawa) C. Y. Cheng et C. S. Yang ● 한자명 : 靑城細辛

| 1 | 2 | 3 | 4 | 5 | 6 | 7 | 8 | 9 | 10 | 11 | 12 |

여러해살이풀. 뿌리줄기는 옆으로 벋는다. 잎자루는 길이 6~18cm, 잎은 긴 타원형으로 심장형, 잎에 백색의 반점이 있다. 꽃은 4~5월에 피며 녹자색이다.

분포·생육지 중국 윈난성(雲南省), 쓰촨성(四川省), 후베이성(湖北省), 구이저우성(貴州省). 대나무 숲, 산비탈에서 자란다.

약용 부위·수치 뿌리가 달린 전초를 봄에 채취하여 물에 씻어서 말린다.

약물명 화검세신(花臉細辛)

기미·귀경 온(溫), 신(辛), 소독(小毒)·폐(肺), 간(肝)

약효 산한거풍(散寒祛風), 지통, 온폐화음(溫肺化飮), 통규(通竅)의 효능이 있으므로 풍한표증(風寒表證), 두통, 치통, 풍습비통(風濕痺痛), 담음해천(痰飮咳喘), 비색(鼻塞), 비연(鼻淵), 구창을 치료한다.

사용법 화검세신 5g에 물 2컵(400mL)을 넣고 달여서 복용하고, 외용에는 가루를 만

들어서 뿌리거나 코 안에 불어 넣는다. 혹은 달인 액을 입안에 머금었다가 뱉는다.

❶ 화검세신(花臉細辛)

❶ 청성세신

[쥐방울과]

마제향

 풍한감모 해수두통
관절통

● 학명 : *Saruma henryi* Oliv. ● 한자명 : 馬蹄香

| 1 | 2 | 3 | 4 | 5 | 6 | 7 | 8 | 9 | 10 | 11 | 12 |

○ 냉수단(冷水丹)

여러해살이풀. 높이 50~100cm. 뿌리줄기는 굵고 원주형이다. 잎은 어긋나고 심장형, 가장자리는 밋밋하다. 꽃은 황색, 5~6월에 피며, 열매는 골돌, 종자는 삼각상 원추형으로 옆으로 무늬가 있다.

분포 · 생육지 중국, 유럽. 산과 들에서 자란다.

약용 부위 · 수치 전초를 여름과 가을에 채취하여 물에 씻어서 썰어 말린다.

약물명 냉수단(冷水丹)이라고 하며, 고각세신(高脚細辛), 구육향(狗肉香)이라고도 한다.

약효 거풍산한(祛風散寒), 이기지통(理氣止痛)의 효능이 있으므로 풍한감모(風寒感冒), 해수두통(咳嗽頭痛), 관절통을 치료한다.

사용법 냉수단을 가루로 만들어 1회 1.5g을 복용한다.

○ 마제향

[오아과과]

오아과

 이질, 복사

● 학명 : *Dillenia indica* L. ● 한자명 : 五椏果

| 1 | 2 | 3 | 4 | 5 | 6 | 7 | 8 | 9 | 10 | 11 | 12 |

○ 오아과

상록 교목. 높이 30m 정도. 줄기껍질은 적자색, 잎은 어긋나고, 꽃은 백색, 가지 끝에 있는 잎 겨드랑이에서 피며, 꽃받침은 5개로 갈라지며 육질이다. 열매는 구형으로 그대로 익고, 종자는 납작하며 변두리에 털이 있다.

분포 · 생육지 인도, 동남아시아 열대 지방, 중국 윈난성(雲南省). 산골짜기에서 자란다. 우리나라에는 여미지 식물원을 비롯하여 남부 지방에서 재식한다.

약용 부위 · 수치 뿌리 또는 줄기를 채취하여 적당한 크기로 썬 후 물에 씻어서 말린다.

약물명 오아과(五椏果). 제륜도(第倫桃)라고도 한다.

약효 수렴, 해독의 효능이 있으므로 이질, 복사(服瀉)를 치료한다.

성분 betulinaldehyde, betulin, betulinic acid, lupeol, β-sitosterol, myricetin, kaempfeyl glucoside, quercetin 등이 함유되어 있다.

사용법 오아과 5g에 물 2컵(400mL)을 넣고 달여서 복용한다.

○ 오아과(종자)

[오아과과]

모엽석엽등

| 구사구리 | 탈항 |
| 백대, 자궁탈수 | 타박상 |

●학명 : *Tetracera scandens* (L.) Merr. ●한자명 : 毛葉錫葉藤

| 1 | 2 | 3 | 4 | 5 | 6 | 7 | 8 | 9 | 10 | 11 | 12 |

❖ 모엽석엽등

상록 덩굴 식물. 길이 3~7m. 가지가 많이 갈라진다. 잎은 어긋나고 털이 많다. 꽃은 백색, 가지 끝 잎겨드랑이에서 피며 골돌과는 길이 1cm 정도, 적황색으로 익는다.

분포 · 생육지 베트남, 인도, 중국. 산골짜기에서 자란다.

약용 부위 · 수치 뿌리 또는 줄기를 여름에 채취하여 적당한 크기로 썬 후 물에 씻어서 말린다.

약물명 석엽등(錫葉藤). 삽사등(澁沙藤)이라고도 한다.

약효 수삽고탈(收澁固脫), 소종지통(消腫止痛)의 효능이 있으므로 구사구리(久瀉久痢), 탈항, 백대, 자궁탈수, 타박상을 치료한다.

사용법 석엽등 15g에 물 3컵(600mL)을 넣고 달여서 복용한다.

[작약과]

좁은잎작약

| 월경부조, 경행복통, 붕루 | 자한, 도한 |
| 현훈 | 두통 |

●학명 : *Paeonia anomala* L. ●한자명 : 窄葉芍藥 ●별명 : 착엽작약

| 1 | 2 | 3 | 4 | 5 | 6 | 7 | 8 | 9 | 10 | 11 | 12 |

여러해살이풀. 높이 50~70cm. 뿌리가 굵고, 잎은 1~2회 3출겹잎으로 작은잎은 가늘게 갈라진다. 꽃은 적자색으로 5~6월에 줄기 끝에 1개씩 핀다. 암술은 3~4개, 열매는 골돌로 털이 있다.

분포 · 생육지 중국, 유럽. 해발 1,200~2,000m의 초원에서 자란다.

약용 부위 · 수치 뿌리를 가을에 채취하여 물에 씻어서 말린다.

약물명 중국에서는 착엽작약(窄葉芍藥)이라고 하나, 작약(芍藥)이라고 하기도 한다.

약리 FEPA 분획물은 에탄올로 유도된 쥐의 손상된 간을 회복시키는 작용이 있다.

＊약효와 사용법은 '작약'과 같다.

❖ 좁은잎작약

[작약과]

호작약

| 월경부조, 경행복통, 붕루 | 자한, 도한 |
| 현훈 | 두통 |

●학명 : *Paeonia lactiflora* Pallas var. *hirta* Regel.

| 1 | 2 | 3 | 4 | 5 | 6 | 7 | 8 | 9 | 10 | 11 | 12 |

여러해살이풀. 높이 60cm 정도. 잎은 3출겹잎, 작은잎은 타원형, 가장자리는 밋밋하고 뒷면 맥 위에 잔털이 난다. 꽃은 원줄기 끝에 1개씩 달리며 백색이다. 열매는 골돌, 2~5개씩 달리며 달걀 모양, 털이 없다.

분포 · 생육지 우리나라 백두산 주변, 함북 지방. 중국 둥베이(東北) 지방. 산지에서 드물게 자란다.

약용 부위 · 수치 뿌리를 가을에 채취하여 물에 씻어 말린다.

약물명 작약(芍藥)

＊약효와 사용법은 '작약'과 같다.

＊본 변종은 흔하지 않으므로 중국 둥베이(東北) 지방과 우리나라 함경도에서 가끔 사용한다.

❖ 호작약

[작약과]

황목단

| 발반, 옹종창독, 타박상 | 혈체경폐, 통경 |
| 징가 | 풍습열비 |

● 학명 : *Paeonia delavayi* Franch. ● 한자명 : 黃牡丹

| 1 | 2 | 3 | 4 | 5 | 6 | 7 | 8 | 9 | 10 | 11 | 12 |

상록 덩굴 식물. 길이 3~7m. 가지가 많이 갈라진다. 잎은 어긋나고 털이 많다. 꽃은 가지 끝에 있는 잎겨드랑이에서 피며 꽃잎은 백색, 골돌과는 길이 1cm 정도, 적황색으로 익는다.

분포 · 생육지 중국 윈난성(雲南省). 산골짜기에서 자란다.

약용 부위 · 수치 뿌리껍질을 채취하여 물에 씻은 후 썰어서 말린다.

약물명 목단피(牡丹皮)

＊약효와 사용법은 '모란'과 같다.

＊중국에서 목단피(牡丹皮)라고 하여 사용하기도 하나 빈도가 높지 않다.

○ 황목단

○ 황목단(열매)

[작약과]

적작약

| 월경부조, 경행복통, 붕루 | 자한, 도한 |
| 현훈 | 두통 |

● 학명 : *Paeonia lactiflora* Pallas [*P. albiflora*] ● 영명 : Peony
● 한자명 : 芍藥 ● 별명 : 함박꽃

| 1 | 2 | 3 | 4 | 5 | 6 | 7 | 8 | 9 | 10 | 11 | 12 |

여러해살이풀. 높이 50~80cm. 뿌리가 굵고 적자색, 자르면 붉은색이 돈다. 뿌리잎은 1~2회 깃꼴로 3출하며, 작은잎은 기부가 밑으로 길게 흐르고 엽질이 강하며 광택이 난다. 꽃은 5~6월에 피고 백색 또는 붉은색으로 크다. 골돌은 털이 없으며 성숙하면 내봉선(內縫線)으로 터진다.

분포 · 생육지 우리나라 전역. 중국, 일본, 아무르, 우수리, 다후리아. 깊은 산에서 드물게 자란다.

약용 부위 · 수치 뿌리를 가을에 채취하여 물에 씻어 말린다.

약물명 작약(芍藥). 적작약(赤芍藥)이라고도 한다.

＊약효와 사용법은 '작약'과 같다.

＊본 종은 흔하지 않기 때문에 변종인 '작약 var. *hortensis*' 또는 '참작약 var. *trchocarpa*'을 재배하여 주로 사용한다

○ 작약(芍藥)

○ 적작약(뿌리)

○ 적작약(붉은색 꽃)

○ 적작약

작약

	월경부조, 경행복통, 붕루		자한, 도한
	현훈		두통

● 학명 : *Paeonia lactiflora* Pallas var. *hortensis* Makino

| 1 | 2 | 3 | 4 | 5 | 6 | 7 | 8 | 9 | 10 | 11 | 12 |

여러해살이풀. 높이 50~80cm. 뿌리가 굵고, 잎은 어긋나고 밑부분의 잎은 작은 잎이 3장씩 한두 번 나오는 겹잎이다. 작은 잎은 보통 3개로 갈라진다. 꽃은 5~6월에 피고 백색 또는 붉은색, 꽃받침은 5개, 꽃잎은 10개 정도이나 종종 겹꽃이고, 수술은 많으며 황색이다. 씨방은 3~5개, 짧은 암술머리가 뒤로 젖혀지고, 골돌은 내봉선(內縫線)으로 터진다.

분포·생육지 우리나라 전역. 중국, 일본에서 재배한다.

약용 부위·수치 뿌리를 가을에 채취하여 물에 씻어서 말린 것을 적작약(赤芍藥)이라고 한다. 코르크층을 긁어 버리고 말린 것을 백작약(白芍藥)이라고 하며, 작약 50kg에 막걸리 500mL를 고루 뿌려 볶은 것을 주작약(酒芍藥)이라고 한다. 초작약(炒芍藥)은 강한 불로 황색이 되도록 볶은 다음 찬물을 뿌려 꺼낸 다음 햇볕에 말린다.

약물명 작약(芍藥). 백작약(白芍藥), 금작약(金芍藥)이라고도 한다. 작약(芍藥)이라는 이름은 꽃이 활짝 피고 뿌리를 약으로 사용하는 것에서 유래한다. 작약의 꽃을 작약화(芍藥花)라 한다. 대한민국약전(KP)에 수재되어 있다.

본초서 작약(芍藥)은 「신농본초경(神農本草經)」의 중품(中品)에 수재되어 있으며, 송대(宋代) 소송(蘇頌)은 "작약(芍藥)에는 2종류가 있는데, 하나는 금작약(金芍藥)이고 다른 하나는 목작약(木芍藥)이다. 병을 치료하는 데는 금작약(金芍藥)을 사용하며 색이 희고 두껍고, 목작약(木芍藥)은 자주색이며 가늘고 맥이 많다."고 하였다. 이시진(李時珍)의 「본초강목(本草綱目)」에는 "흰 것을 금작약(金芍藥)이라고 하며 붉은 것을 목작약(木芍藥)이라고 한다."고 하였다. 이와 같이 옛날에는 흰 꽃의 작약을 백작(白芍), 붉은 꽃을 피우는 작약을 적작(赤芍)이라고 하였으나 요즘은 코르크층을 벗긴 것을 백작(白芍), 그대로 말린 것을 적작(赤芍)이라고 한다. 「동의보감(東醫寶鑑)」에 "기운이 허약해서 뼈마디가 아프고 저린 증상을 낮게 하고 혈액순환을 잘 되게 하며 속을 진정시킨다. 어혈을 몰아내고 종기를 삭이며 복통을 치료하고 여성의 모든 병과 산전과 산후의 여러 질병을 치료하며 생리를 순조롭게 한다. 치질로 대변을 볼 때 피가 나오는 것, 항문 주변에 상처가 생기는 것, 등에 나는 종기를 낮게 하며 눈병을 치료한다."고 하였다. 神農本草經: 主邪氣腹痛, 除血痹, 破堅積, 寒熱散瘕, 止痛, 利小便, 益氣.

本草綱目: 止下痢腹痛後重.

東醫寶鑑: 除血痹 通順血脈 緩中 散惡血 消癰腫 止腹痛 消瘀血 能蝕膿 主女人一切病 幷産前後諸疾 通月水 療腸風瀉血痔瘻 發背瘡疥及目赤努肉 能明目.

성상 적작약(赤芍藥)은 원기둥 모양이고 약간 구부러졌으며 표면은 갈색~적갈색이고 꺼칠꺼칠하며 세로 홈 및 세로 주름이 있고 잔뿌리의 흔적이 있다. 질은 단단하고 쉽게 부서지며, 횡단면은 분백색 또는 분홍색이고 피층은 좁으며 방사상의 무늬가 뚜렷하다. 냄새는 약간 방향성이고 맛은 쓰고 시며 떫다. 백작약(白芍藥)은 적작약(赤芍藥)과 비슷하나 코르크층을 제거하고 삶아서 말린 것이므로 표면이 황백색~담갈색을 띤다.

기미·귀경 미한(微寒), 고(苦), 산(酸)·간(肝), 비(脾)

약효 양혈화영(養血和營), 완급지통(緩急止痛), 염음평간(斂陰平肝)의 효능이 있으므로 월경부조(月經不調), 경행복통(經行腹痛), 붕루(崩漏), 자한(自汗), 도한(盜汗), 협륵완복통(脇肋脘腹疼痛), 사지련통(四肢攣痛), 두통, 현훈(眩暈)을 치료한다. 작약화(芍藥花)는 두통, 현훈(眩暈)을 치료한다.

성분 paeoniflorin, oxypaeoniflorin, benzoylpaeoniflorin, benzoyloxypaeoniflorin, albiflorin, paeonol, paeonin, astragalin, kaempferol-3,7-diglucoside, paeoniflorigenone, gallotannin, 3,3′-di-*O*-methylellagic acid, 3,4′-di-*O*-methylellagic acid, *p*-hydroxybenzoic acid, 30-norhederagenin, hederagenin, oleanolic acid, β-sitosterol 등이 함유되어 있다. 작약화(芍藥花)는 astragalin, pyrethrin, β-sitosterol, hexacosane, paeonin, kaempferid, kaempferol, 잎은 oleanolic acid, kaempferol, methylgallate, astragalin, paeoniflorin 등이 함유되어 있다.

약리 열수추출물은 장 내용물의 수송을 촉진하고 위 운동을 항진시킨다. 메탄올추출물은 tyrosinase의 활성을 저해하고 melanin 생성을 억제한다. paeoniflorin에는 진경 작용, 진정 작용, 스트레스 궤양 억제 작용, 혈압 강하, 혈관 확장, 평활근 이완, 항염증 작용이 있다. paeoniflorigenone에는 신경근 접합부 차단 작용이 있고, gallotannin은 blood urine nitrogen 감소 작용이 있다. 메탄올추출물은 암 조직의 신생 혈관 형성을 억제하는 작용이 있으며, 과산화수소(H₂O₂)로 유도되는 피부의 산화적 손상을 억제하는 효능이 있다. 고지방식으로 유도하여 당뇨병을 일으킨 쥐에게 에탄올추출물의 핵산 분획물을 경구로 투여하면 혈당 강하 작용이 나타난다.

사용법 작약 10g에 물 3컵(600mL)을 넣고 달여서 복용하거나 환약이나 가루약으로 만들어 복용한다. 작약화는 1회 2~3g을 뜨거운 물로 우려내어 복용한다.

처방 작약탕(芍藥湯): 작약(芍藥) 8g, 황련(黃連)·황금(黃芩)·당귀(當歸) 각 4g, 대황(大黃) 3g, 목향(木香)·빈랑자(檳榔子)·계심(桂心)·감초(甘草) 각 2g 「동의보감(東醫寶鑑)」). 혈액 순환이 잘 되지 않아서 복통이 심하고 열이 나며 오줌이 잘 나오지 않고 가슴이 답답한 증상에 사용한다.

• 작약감초탕(芍藥甘草湯): 작약(芍藥) 16g, 감초(甘草) 8g 「동의보감(東醫寶鑑)」). 혈액 순환이 잘 되지 않아서 복통이 심하고 팔다리가 당기며 아픈 증상에 사용한다.

• 작약감초부자탕(芍藥甘草附子湯): 작약(芍藥)·감초(甘草) 4g, 부자(附子) 0.4g 「동의보감(東醫寶鑑)」). 오슬오슬 춥고 땀이 많이 나면서 팔다리가 당기며 아픈 증상에 사용한다.

• 자음강화탕(滋陰降火湯): 작약(芍藥) 5.2g, 당귀(當歸) 4.8g, 숙지황(熟地黃)·천문동(天門冬)·맥문동(麥門冬)·백출(白朮) 각 4g, 생지황(生地黃)·모려(牡蠣) 각 2.8g, 지모(知母)·황백(黃柏)·구감초(灸甘草) 각 2g, 생강(生薑) 3쪽 대추(大棗) 2개 「동의보감(東醫寶鑑)」). 신음(腎飮) 부족으로 화(火)가 성하여 오후에 미열이 나고 잘 때 식은땀이 나며 기침을 하고 가래가 있으며 입맛이 없는 증상에 사용한다.

• 온경탕(溫經湯): 맥문동(麥門冬) 8g, 당귀(當歸) 6g, 인삼(人蔘)·반하(半夏)·작약(芍藥)·천궁(川芎)·목단피(牧丹皮) 각 4g, 아교(阿膠)·감초(甘草) 각 3g, 오수유(吳茱萸)·육계(肉桂) 각 2g, 생강(生薑) 3쪽 「금궤요략(金匱要略)」). 생리가 고르지 못하며 가슴과 손발바닥이 달아오르며 입안이 마르고 아랫배가 차며 임신이 잘 안 되는 증상에 사용한다.

❶ 작약(붉은 꽃)

❍ 백작약(白芍藥, 절편)

❍ 백작약(白芍藥)

❍ 작약(뿌리)

❍ 작약(흰 꽃)

❍ 작약화(芍藥花)

❍ 적작약(赤芍藥, 절편)

❍ 적작약(赤芍藥)

❍ 적작약(赤芍藥, 왼편)과 백작약
(白芍藥, 오른편)의 분말

❍ 주작약(酒芍藥)

❍ 초작약(炒芍藥)

❍ 작약(열매)

❍ 작약(芍藥)이 주약으로
배합된 자양강장제

[작약과]

산작약

| 월경부조, 경행복통, 붕루 | 자한, 도한 |
| 현훈 | 두통 |

● 학명 : *Paeonia obovata* Maxim.　● 한자명 : 草芍藥, 江芍藥　● 별명 : 야작약

| 1 | 2 | 3 | 4 | 5 | 6 | 7 | 8 | 9 | 10 | 11 | 12 |

❍ 산작약(꽃)

❍ 산작약(종자)

여러해살이풀. 높이 20~40cm. 뿌리가 굵고, 잎은 어긋나고 3개 또는 9개의 작은 잎으로 된 깃꼴겹잎이며 작은잎은 타원형으로 가장자리는 밋밋하다. 꽃은 황백색, 5~6월 줄기 끝에 1개씩 핀다. 암술은 3~4개, 열매는 골돌이다.

분포 · 생육지 우리나라 전역. 중국, 일본. 산의 초원에서 자란다.

약용 부위 · 수치 뿌리를 가을에 채취하여 물에 씻어 썰어서 말린다.

약물명 산작약(山芍藥) 또는 작약(芍藥). 약효가 좋은 것으로 알려져 있다.

성상 산작약(山芍藥)은 원기둥 모양이고 길이 5~10cm, 지름 0.7~1.2cm로 표면은 적자색이며 작약(芍藥)에 비하여 작다. 냄새는 강하고 맛은 약간 달다.

＊ 약효와 사용법은 '작약'과 같다.

❍ 산작약(山芍藥)

❍ 산작약(뿌리)

❍ 산작약

[작약과]

유럽작약

 간질

●학명 : *Paeonia officinalis* L. ●한자명 : 藥用芍藥 ●별명 : 약용작약

| 1 | 2 | 3 | 4 | 5 | 6 | 7 | 8 | 9 | 10 | 11 | 12 |

여러해살이풀. 높이 60~70cm. 뿌리가 굵고, 잎은 어긋나며 9개의 작은잎으로 된 깃꼴곁잎이고, 작은잎은 타원형으로 가장자리는 밋밋하다. 꽃은 붉은색으로 5월에 줄기 끝에 1개씩 핀다. 암술은 3~4개, 열매는 골돌이다.

분포 · 생육지 프랑스, 독일, 스위스, 이탈리아. 산의 초원에서 자란다.

약용 부위 · 수치 종자를 가을에 채취하고, 꽃은 봄에 채취하여 말린다.

약물명 종자를 Paeoniae Semen이라 하고, 꽃은 Paeoniae Flos라고 한다.

약효 유럽에서는 종자 또는 꽃을 간질 치료제로 사용하고 있다.

사용법 Paeoniae Semen이나 Paeoniae Flos 2~3g을 뜨거운 물로 우려내어 복용한다.

✿ 유럽작약

[작약과]

천적작

 월경부조, 경행복통, 붕루   자한, 도한

현훈   두통

●학명 : *Paeonia veitchii* Lynch ●한자명 : 川赤芍, 毛果赤芍, 條赤芍

| 1 | 2 | 3 | 4 | 5 | 6 | 7 | 8 | 9 | 10 | 11 | 12 |

여러해살이풀. 높이 50~120cm. 뿌리는 굵고 1개이거나 분지하며 지름 1.5~2cm이다. 줄기는 바로 서며, 잎은 어긋나고 2~3회 3출겹잎이다. 꽃은 적자색, 5~6월에 줄기 끝에 1개씩 달리며, 열매는 골돌로 내봉선(內縫線)으로 터진다.

분포 · 생육지 중국 산시성(陝西省), 쓰촨성(四川省), 간쑤성(甘肅省), 칭하이성(青海省), 티베트. 해발 1,800~3,700m의 초원에서 자란다.

약용 부위 · 수치 뿌리를 가을에 채취하여 물에 씻어서 말린다.

약물명 천적작(川赤芍), 천작(川芍)이라고 한다.

성상 천적작(川赤芍)은 원기둥 모양이고 길이 10~20cm, 지름 1~2.5cm로 표면은 적자색이고, 코르크층을 긁어 버린 것은 황백색이다. 냄새는 강하고 맛은 쓰고 달다. 얇은 판상으로 만든 것이 많다.

* 약효와 사용법은 '작약'과 같다.

✿ 천적작(川赤芍)

✿ 천적작(어린 개체)

✿ 천적작

[작약과]

모란

발반, 옹종창독, 타박상 ♀ 혈체경폐, 통경
징가 풍습열비

● 학명 : *Paeonia suffruticosa* Andr. [*P. moutan* Sims.] ● 영명 : Moutan
● 한자명 : 牡丹 ● 별명 : 목단, 부귀화

| 1 | 2 | 3 | 4 | 5 | 6 | 7 | 8 | 9 | 10 | 11 | 12 |

낙엽 관목. 높이 1~1.5m. 가지는 갈라지며 굵고, 잎은 2회 3출엽, 꽃은 양성, 5월에 붉은색으로 핀다. 꽃받침은 5개, 꽃잎은 8개 이상, 수술은 많고, 암술은 2~6개로 털이 있으며, 열매는 골돌, 종자는 둥글며 검다.

분포ㆍ생육지 중국 원산. 우리나라 전역에서 재배한다.

약용 부위ㆍ수치 뿌리껍질을 가을부터 겨울까지 채취하여 말린다. 초단피(炒丹皮)는 뿌리껍질을 썰어서 냄비에 넣고 센 불로 볶고, 단피탄(丹皮炭)은 목단피를 검게 되도록 볶는다.

약물명 목단피(牡丹皮), 목단(牡丹), 단피(丹皮), 목단근피(牡丹根皮), 단근(丹根)이라고도 한다. 대한민국약전(KP)에 수재되어 있다.

본초서 목단피(牡丹皮)는 「신농본초경(神農本草經)」의 중품(中品)에 수재되어 있으며, 명대(明代) 이시진(李時珍)의 「본초강목(本草綱目)」에 "새싹은 뿌리에서 나고(牧-수컷) 붉은 것(丹)이 품질이 좋으므로 목단(牡丹)이라고 한다. 당대(唐代)에 목단(牡丹)을 목작약(木芍藥)이라고 하는 것은 꽃이 작약(芍藥)과 비슷하지만 나무이기 때문이다. 꽃 가운데서 목단(牡丹)은 제일(第一)이며, 작약(芍藥)은 제이(第二)이다. 세상에서 목단(牡丹)을 화왕(花王), 작약(芍藥)을 화상(花相)이라고 한다."고 하였다. 「동의보감(東醫寶鑑)」에 "뱃속에 덩어리가 생겨 딱딱한 것과 어혈을 풀어 주며 여성의 생리가 없는 것과 피가 몰린 것, 요통을 낫게 하고, 태반을 나오게 하며 산후의 모든 혈병과 기운이 몰리는 것을 낫게 하며 피부가 곪거나 부스럼이 나는 것을 없애 준다. 고름을 없애고 타박상으로 인한 어혈을 풀어 준다."고 하였다.

神農本草經: 主寒熱, 中風瘛瘲, 痙, 驚癇邪氣, 除癥堅瘀血留舍腸胃, 安五臟, 療癰瘡.
藥性論: 治冷氣, 散諸痛. 治女子經脈不通, 血瀝腰疼.
本草綱目: 和血, 生血, 凉血, 治血中伏火, 除煩熱.
東醫寶鑑: 諸癥堅瘀血 治女子經脈不通 血瀝腰痛 落胎 下胞衣産後一切血氣 療癰瘡排膿 消撲損瘀血.

성상 관상~반관상의 껍질이며 길이 5~8cm, 지름 1~1.5cm, 두께 0.5cm, 표면은 암갈색~자갈색을 띠며 옆으로 길고 작은 타원형의 측근(側根)의 흔적이 있고, 세로 주름이 있으며 안쪽은 담갈색~암자색을 띤다.

때로는 안쪽 및 파절 면에 백색의 결정이 부착되어 있다. 냄새는 방향성이고 맛은 약간 쓰다.

기미ㆍ귀경 미한(微寒), 고(苦), 신(辛)ㆍ심(心), 간(肝), 신(腎)

약효 청열양혈(淸熱凉血), 활혈산어(活血散瘀)의 효능이 있으므로 온열병열입혈분(溫熱病熱入血分), 발반(發斑), 토뉵(吐衄), 열병후기열복음분발열(熱病後期熱伏陰分發熱), 음허골증조열(陰虛骨蒸潮熱), 혈체경폐(血滯經閉), 통경(痛經), 징가(癥瘕), 옹종창독(癰腫瘡毒), 타박상, 풍습열비(風濕熱痺)를 치료한다.

성분 페놀류 화합물인 paeonol, paeonoside, paeonolide, apiopaeonoside, paeoniflorin, oxypaeoniflorin, benzoylpaeoniflorin, α-benzoylpaeoniflorin, β-benzoylpaeoniflorin, galloylpaeoniflorin, albiflorin, mudanpinoside H, paeoniflorigenone, 6-methoxypaeoniflorigenone, gallic acid, benzoic acid, methyl gallate, tetragalloglucose, pentagalloylglucose, hexagalloglucose, suffruticoside A, B, suffruticosol A, B, hydroxypaeobrinone, benzoylpaeonidanin, 4-*n*-butanolpaeoniflorin, lignan인 5-hydroxy-3-hydroxymethylene-6-methyl-benzofuran, flavonoid인 kaempferol, quercetin, (+)-catechin, triterpenoid인 betulinic acid, oleanolic acid, ursolic acid, daucosterol, 3β-hydroxy-30-norhederagenin 등이 함유되어 있다.

약리 쥐에게 paeonol과 paeoniflorin을 주사하면 진정, 최면, 진통 작용이 나타난다. 물로 달인 액을 개, 고양이, 쥐에게 주사하면 혈압이 하강된다. 달인 액은 포도상구균, 대장균, 고초균에 항균 작용이 있고, paeonol은 쥐의 다리에 일으킨 부종을 억제하는 작용이 있다. paeoniflorin과 benzoylpaeoniflorin은 혈소판의 응집을 억제하며, plasminogen과 plasmin에 대해서도 억제 효과를 나타낸다. paeoniflorin은 실험 동물(기니피그)의 말초 혈관을 확장시켜 혈압을 낮추며 쥐의 관상 동맥과 뒷다리 혈관을 확장시킨다. gallic acid, methylgallate는 항산화 작용이 있다.

사용법 목단피 7g에 물 3컵(600mL)을 넣고 달여서 복용하거나 환약, 가루약으로 하여 복용한다.

처방 대황목단피탕(大黃牡丹皮湯): 대황(大黃)ㆍ망초(芒硝)ㆍ목단피(牡丹皮) 각 12g, 동과자(冬瓜子) 30g, 도인(桃仁) 15g (「금궤요략(金匱要略)」). 장옹(腸癰)으로 오른쪽 아랫배가 딴딴하고 아프며 오슬오슬 춥고 열이 나며 식은땀이 나는 증상. 충수염, 직장염, 궤양성대장염에 사용한다.

• 목단피탕(牧丹皮湯): 목단피(牡丹皮)ㆍ당귀(當歸) 각 6g, 작약(芍藥)ㆍ건지황(乾地黃)ㆍ진피(陳皮)ㆍ백출(白朮)ㆍ향부자(香附子) 각 4g, 천궁(川芎)ㆍ시호(柴胡)ㆍ황금(黃芩) 각 2.8g, 감초(甘草) 1.6g (「동의보감(東醫寶鑑)」). 월경이 있다가 없어지면서 아랫배가 아프고 때로는 열이 나며 기침을 하는 증상에 사용한다.

• 계지복령환(桂枝茯苓丸): 계지(桂枝)ㆍ적복령(赤茯苓)ㆍ작약(芍藥)ㆍ도인(桃仁) 동량 (「금궤요략(金匱要略)」, 「동의보감(東醫寶鑑)」). 태동불안, 어혈(瘀血)에 의한 생리통, 산후에 오로(惡露)가 잘 나오지 않으면서 아랫배가 아픈 데, 미괴(癥塊) 등에 사용한다.

• 온경탕(溫經湯): 맥문동(麥門冬) 8g, 당귀(當歸) 6g, 인삼(人蔘)ㆍ반하(半夏)ㆍ작약(芍藥)ㆍ천궁(川芎)ㆍ목단피(牡丹皮) 각 4g, 아교(阿膠)ㆍ감초(甘草) 각 3g, 오수유(吳茱萸)ㆍ육계(肉桂) 각 2g, 생강(生薑) 3쪽 (「금궤요략(金匱要略)」). 생리가 고르지 못하며 가슴과 손발바닥이 달아오르며 입안이 마르고 아랫배가 차며 임신이 잘 안 되는 증상에 사용한다.

◐ 모란(붉은 꽃)

◐ 모란(흰 꽃)

◐ 모란(예산 추사고택)

◐ 모란(열매)

◐ 모란(종자)

◐ 목단피(牡丹皮, 절편)

◐ 목단피(牡丹皮)

◐ 모란(암술과 수술)

[다래나무과]

다래나무

| 👁 | 번갈인음 | 📖 | 옹양창절, 타박상, 외상출혈 | ♀ | 유즙불하 |
| 🧍 | 사림, 석림 | 🤰 | 간염, 황달, 소화불량, 구토 |

● 학명 : *Actinidia arguta* (S. et Z.) Planchon ● 영명 : Vine pear, Bower actinidia
● 한자명 : 軟棗 ● 별명 : 참다래나무, 다래년출

 | 1 2 3 4 5 6 7 8 9 10 11 12 |

낙엽 덩굴나무. 길이 7m 정도. 꽃은 암수 딴그루. 5월에 잎겨드랑이에 취산화서로 3~10개가 달리고, 지름 2cm 정도, 백색, 꽃잎 기부에 갈색이 돈다. 꽃차례에는 갈색 털이 있다. 열매는 장과, 넓은 원통형, 길이 2.5cm 정도, 10월에 황록색으로 익는다.
분포·생육지 우리나라 전역. 중국, 일본, 우수리, 사할린. 산골짜기에서 자란다.
약용 부위·수치 열매를 초가을에 채취하여 말린다. 뿌리는 봄에서 가을까지 채취하여 흙을 털어서 썰어 말리고, 잎은 여름에 채취하여 말린다.
약물명 열매를 연조자(軟棗子)라고 하며, 연조(軟棗), 원조(猿棗), 미후리(獼猴梨)라고도 한다. 뿌리를 미후리근(獼猴梨根) 또는 등이근(藤梨根)이라고 하며, 잎을 미후리엽(獼猴梨葉)이라고 한다.
기미 연조자(軟棗子): 미한(微寒), 감(甘), 미산(微酸). 미후리근(獼猴梨根): 평(平), 담(淡), 미삽(微澀). 미후리엽: 평(平), 감(甘)

약효 연조자(軟棗子)는 자음청열(滋陰淸熱), 제번지갈(除煩止渴), 통림(通淋)의 효능이 있으므로 열병상진(熱病傷津), 음혈부족(陰血不足), 번갈인음(煩渴引飮), 사림(沙淋), 석림(石淋), 간염(肝炎)을 치료한다. 미후리근(獼猴梨根)은 청열이습(淸熱利濕), 거풍제비(祛風除痺), 해독소종(解毒消腫), 지혈(止血)의 효능이 있으므로 황달, 소화불량, 구토, 소화도암종(消化道癌腫), 옹양창절(癰瘍瘡節), 타박상, 외상출혈, 유즙불하(乳汁不下)를 치료한다. 미후리엽(獼猴梨葉)은 지혈(止血)의 효능이 있으므로 주로 외상출혈을 치료한다.
성분 연조자(軟棗子)는 actinidine, boschniakine, protocatechuic acid, caffeic acid, caffeoyl−β−D−glucopyranoside, esculetin, quercetin, quercetin−3−O−D−galactopyranoside, quercetin−3−O−α−L−rhanopyranosyl(1→6)−O−β−D−glucopyranoside 등이 함유되어 있다. 미후리근(獼猴

梨根)은 3−O−trans−p−coumaroyl actinidic acid, urosolic acid, 23−hydroxyurosolic acid, corosolic acid, asiatic acid, betulinic acid 등이 함유되어 있다.
약리 actinidine을 고양이나 호랑이에게 먹이면, 중추 신경 흥분 작용이 있다. 3−O−trans−p−coumaroyl actinidic acid는 pancreatic lipase(PL)의 활성을 강하게 억제하며, urosolic acid, 23−hydroxyurosolic acid, corosolic acid, asiatic acid, betulinic acid는 약간 억제한다. protocatechuic acid, caffeic acid, caffeoyl−β−D−glucopyranoside, esculetin, quercetin, quercetin−3−O−D−galactopyranoside, quercetin−3−O−α−L−rhanopyranosyl(1→6)−O−β−D−glucopyranoside는 항산화 효과가 있다.
사용법 연조자 또는 미후리근 10g에 물 3컵(600mL)을 넣고 달여서 복용하고, 미후리엽은 가루 내어 상처에 뿌리거나 짓찧어 붙인다.
치료 경험 미후리근과 호장(虎杖)을 2:1로 배합한 에탄올추출물을 위암 환자 18명에게 투여한 결과 3명은 치료 효과가 좋았고 7명은 암 조직의 크기가 반으로 줄어들었다(「중화본초(中華本草)」).

○ 다래나무

○ 연조자(軟棗子)

○ 다래나무(열매)

○ 미후리근(獼猴梨根)

○ 미후리엽(獼猴梨葉)

○ 다래나무(줄기)

[다래나무과]

중국다래

| 번열 | 당뇨병 | 석림, 치창 |
| 폐열간해 | 소화불량, 습열황달, 구토, 황달 |

● 학명 : *Actinidia chinensis* Planch.
● 한자명 : 獼猴桃　● 별명 : 미후도, 참다래, 양다래

| 1 | 2 | 3 | 4 | 5 | 6 | 7 | 8 | 9 | 10 | 11 | 12 |

덩굴나무. 어린가지와 잎에 털이 있다. 오래된 가지는 적갈색, 잎은 어긋나고 원형, 꽃은 암수딴그루, 4~6월에 취산화서로 피며 꽃잎은 5개이다. 열매는 8~10월에 익으며 길이 3~5cm로 크고, 열매껍질은 황갈색이며 털이 많다. 종자는 작으며 많고 흑색이다.

분포·생육지 중국 원산. 우리나라 전역에서 재식한다.

약용 부위·수치 열매를 가을에 채취하여 적당한 크기로 잘라서 햇볕에 말리고, 줄기는 필요할 때 잘라서 말려 사용한다.

약물명 열매를 미후도(獼猴桃)라고 하며, 등이(藤梨) 또는 양도(羊桃)라고도 한다. 줄기를 미후도등(獼猴桃藤)이라고 한다.

본초서 「본초습유(本草拾遺)」에는 "골절풍, 중풍, 머리가 희어지는 것을 치료하고, 비위를 다스린다."고 하였다. 「동의보감(東醫寶鑑)」에는 "갈증과 소변에 모래 같은 것이 섞여 나오는 것, 비위가 차고, 속이 불편한 것을 치료한다."고 하였다.
本草拾遺: 主骨節風 癱緩不隨 長年變白 野

鷄肉痔病 調中下氣.
東醫寶鑑: 止暴渴解煩熱 下石林 冷脾胃 療熱壅反胃.

기미·귀경 미후도(獼猴桃): 한(寒), 산(酸), 감(甘)·위(胃), 간(肝), 신(腎). 미후도등(獼猴桃藤): 한(寒), 감(甘)

약효 미후도(獼猴桃)는 해열(解熱), 지갈(止渴), 건위(健胃), 통림(通淋)의 효능이 있으므로 번열(煩熱), 당뇨병, 폐열간해(肺熱干咳), 소화불량, 습열황달(濕熱黃疸), 석림(石淋), 치창(痔瘡)을 치료한다. 미후도등(獼猴桃藤)은 화중개위(和中開胃), 청열이습(清熱利濕)의 효능이 있으므로 소화불량, 구토, 황달을 치료한다.

성분 열매에는 actinidine, zeatin, 9-ribosylzeatin, emodin, physcion, emodic acid 등이 함유되어 있다.

약리 열매에는 항암 작용, 항산화 작용, 혈압 강하 작용, 소염 작용 등이 있다.

사용법 미후도 또는 미후도등 10g에 물 3컵(600mL)을 넣고 달여서 복용하거나 술에 담가서 복용한다.

○ 중국다래

○ 미후도(獼猴桃)

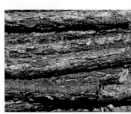

○ 미후도등(獼猴桃藤)

[다래나무과]

쥐다래나무

🔷 vitamin C 결핍증

●학명 : *Actinidia kolomikta* (Max. et Rupr.) Max.　●한자명 : 狗棗　●별명 : 쇠젓다래

| 1 | 2 | 3 | 4 | 5 | 6 | 7 | 8 | 9 | 10 | 11 | 12 |

덩굴 식물. 길이 5m 정도. 잎은 어긋나고 잎의 상반부가 백색 또는 담적색으로 변하는 것이 많다. 꽃은 암수딴그루, 백색, 5월에 피며, 잎겨드랑이에 1~3개 달리고, 열매는 긴 원통형, 길이 2~2.5cm, 10월에 황색으로 익는다.

○ 쥐다래나무

분포·생육지 우리나라 전역. 중국, 일본, 우수리, 사할린. 산골짜기에서 자란다.
약용 부위·수치 열매를 초가을에 채취하여 말린다.
약물명 구조미후리(狗棗獼猴梨). 구조자(狗棗子), 묘인삼(猫人蔘)이라고도 한다.
약효 자양강장(滋養强壯) 효능이 있으므로 vitamin C 결핍증을 치료한다.
성분 vitamin C(634mg/100g), actinidine, daucosterol 등이 함유되어 있다.
약리 actinidine을 고양이나 호랑이에게 먹이면, 중추 신경 흥분 작용이 있다.
사용법 구조미후리 10g에 물 3컵(600mL)을 넣고 달여서 복용한다.
＊중심부가 백색인 '개다래나무'와 달리 본종의 줄기를 횡단면으로 잘라 보면 중심부가 갈색이다.

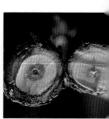

○ 구조미후리(狗棗獼猴梨)　○ 쥐다래나무(왼쪽), 개다래나무(오른쪽)의 줄기

[다래나무과]

개다래나무

🦵 반신불수, 풍한습비, 요통　🔶 징가적취, 현벽복통
👁 구안와사　🔷 산기

●학명 : *Actinidia polygama* (S. et Z.) Planchon　●한자명 : 天蓼　●별명 : 말다래

| 1 | 2 | 3 | 4 | 5 | 6 | 7 | 8 | 9 | 10 | 11 | 12 |

낙엽 덩굴나무. 길이 5m 정도. 줄기의 골속은 백색으로 꽉 차 있고, 잎은 어긋난다. 꽃은 암수딴그루, 6월에 어린가지의 중간 잎겨드랑이에 1~3개가 달리고 백색이다. 열매는 긴 원통형, 끝이 뾰족하고 길이 2~3cm, 9~10월에 황색으로 익는다. 열매는 종종 진딧물(*Asphidylia matatabi*)의 산란한 알이 부화하여 사람에 따라 불규칙한 벌레 주머니 모양을 보이기도 한다.
분포·생육지 우리나라 전역. 중국, 일본, 우수리, 사할린. 산골짜기에서 자란다.
약용 부위·수치 가지와 잎을 여름에 채취하여 적당한 크기로 잘라서 말리고, 벌레집이 있는 열매를 여름과 초가을에 채취하여 말린다.
약물명 가지와 잎을 목천료(木天蓼)라고 하며, 천료(天蓼), 등천료(藤天蓼)라고도 하고, 벌레집이 있는 열매를 목천료자(木天蓼子)라고 한다. 목천료자(木天蓼子)는 대한민국약전외한약(생약)규격집(KHP)에 수재되어 있다.
성상 목천료자(木天蓼子)는 편구형으로 표면은 적갈색으로 불규칙하게 울퉁불퉁하다. 냄새가 없고 맛은 약간 맵다. 간혹 벌레

먹지 않은 열매가 출하되기도 하며 꼭지가 뾰족한 긴 원통형이다.
기미 목천료(木天蓼): 온(溫), 고(苦), 신(辛), 소독(小毒). 목천료자(木天蓼子): 온(溫), 고(苦), 신(辛).
약효 목천료(木天蓼)는 거제풍습(祛除風濕), 온경지통(溫經止痛), 소징가(消癥瘕)의 효능이 있으므로 중풍으로 인한 반신불수, 풍한습비(風寒濕痹), 요통(腰痛), 징가적취(癥瘕積聚)를 치료한다. 목천료자(木天蓼子)는 거풍통락(祛風通絡), 활혈행기(活血行氣), 산한지통(散寒止痛)의 효능이 있으므로 중풍으로 인한 구안와사(口眼喎斜), 현벽복통(痃癖腹痛), 요통(腰痛), 통풍(痛風), 산기(疝氣)를 치료한다.
성분 actinidine, matatabilactone, matatabiol, iridomymecin, isoiridomyrmecin, dihydronepetalactol, neonepetalactone 등이 함유되어 있다.
약리 열매를 고양이과 동물에 먹이면 중추 신경 흥분 작용이 일어나고 다량은 최면 작용을 볼 수 있다. actinidine, matatabilactone의 냄새를 맡은 고양이는 타액 분비의 증가 현상이 있다. 2,3,24-

trihydroxyurs−12,20(30)−dien−28−oic acid, corosolic acid는 LPS로 자극한 RAW264.7 대식 세포와 BV2 미세 아교 세포 세포주에서 농도 의존적으로 NO 생성을 억제함으로써 항염증 효과를 나타낸다.
사용법 목천료 또는 목천료자 7g에 물 3컵(600mL)을 넣고 달여서 복용하거나 술에 담가 복용한다.

○ 개다래나무

○ 목천료(木天蓼)　○ 목천료자(木天蓼子)

[차나무과]

금화차나무

변혈, 이질
창양
월경과다

● 학명 : *Camellia chrysantha* (Hu.) Tuyama　● 한자명 : 金花茶樹

1	2	3	4	5	6	7	8	9	10	11	12

상록 관목. 높이 2~3m. 가지에는 털이 없다. 잎은 어긋나고, 꽃은 11~1월에 황색으로 핀다. 삭과는 마름 모양으로 녹백색이고, 종자는 담갈색~갈색이다.

분포 · 생육지 중국 광시성(廣西省). 숲속에서 자란다.

약용 부위 · 수치 꽃은 겨울에, 잎은 봄과 여름에 채취하여 말린다.

약물명 꽃을 금화다화(金花茶花), 잎을 금화다엽(金花茶葉)이라고 한다.

약효 금화다화(金花茶花)는 수렴지혈(收斂止血)의 효능이 있으므로 변혈과 월경과다를 치료한다. 금화다엽(金花茶葉)은 청열해독(清熱解毒), 지리(止痢)의 효능이 있으므로 이질과 창양(瘡瘍)을 치료한다.

사용법 금화다화는 5g에 물 2컵(400mL)을 넣고 달여서 복용하고, 금화다엽은 10g에 물 3컵(600mL)을 넣고 달여서 복용한다.

＊ 잎이 큰 '큰잎금화차나무 var. *mcrophylla*'도 약효가 같다.

❶ 금화다엽(金花茶葉)

❶ 큰잎금화차나무

❶ 금화차나무

[차나무과]

동백나무

토혈, 하혈, 변혈, 적백리, 기생충병
옹저종독, 탕화상, 개선소양
치혈

● 학명 : *Camellia japonica* L.　● 영명 : Camellia　● 한자명 : 冬栢　● 별명 : 동백, 동박

1	2	3	4	5	6	7	8	9	10	11	12

상록 교목. 높이 7~15m. 줄기껍질은 회백색이며 평활하다. 잎은 어긋나고, 꽃은 2~4월에 잎겨드랑이에 1개씩 달리며, 붉은색이다. 삭과는 둥글고 저절로 벌어지며, 종자는 암갈색이다.

분포 · 생육지 우리나라 제주도 및 남부 지방. 중국, 일본. 바닷가나 촌락에서 자란다.

약용 부위 · 수치 꽃을 4~5월경 개화하기 전에 채취하여 말려 사용하고, 잎은 여름철에, 종자는 늦여름에 채취하여 말렸다가 가루로 만들어 사용한다.

약물명 꽃을 산다화(山茶花)라고 하며, 보주산화(寶珠山花)라고도 한다. 잎을 산다엽(山茶葉)이라고 하며, 종자를 산다자(山茶子)라고 한다.

기미 · 귀경 산다화(山茶花): 양(凉), 감(甘), 고(苦), 신(辛) · 간(肝), 폐(肺), 대장(大腸). 산다엽(山茶葉): 한(寒), 고(苦), 삽(澁) · 심(心). 산다자(山茶子): 평(平), 고(苦), 감(甘), 유독(有毒) · 비(脾), 위(胃), 대장(大腸)

약효 산다화(山茶花)는 양혈지혈(凉血止血), 산어소종(散瘀消腫)의 효능이 있으므로 토혈, 하혈, 변혈, 치혈(痔血), 적백리(赤白痢)를 치료한다. 산다엽(山茶葉)은 청열해독(清熱解毒), 지혈의 효능이 있으므로 옹저종독(癰疽腫痛), 탕화상, 출혈을 치료한다. 산다자(山茶子)는 행기(行氣), 윤장(潤腸), 살충의 효능이 있으므로 기체복통(氣滯腹痛), 장조변비(腸燥便秘), 기생충병, 개선소양(疥癬瘙痒)을 치료한다.

성분 산다화(山茶花)는 leucoanthocyanin, anthocyanin, camellin, tsubakisaponin, camelliagenin A, B, C 등이 함유되어 있다.

약리 camellin을 쥐에게 1~3개월 경구 투여하면 이식한 종양의 성장을 억제하고, 또 9,10-dimethyl-1,2-bezanthracene이 일으키는 횡문근 세포종의 형성을 억제한다.

사용법 산다화는 5g에 물 2컵(400mL)을 넣고 달여서 복용하고, 산다자는 가루 내어 식용유와 섞어 상처에 바른다.

＊ 잎이 작고 꽃잎은 밑이 서로 붙어 반쯤 벌어지고 씨방에 털이 없는 '애기동백 C. *sasanqua*'도 약효가 같다.

❶ 동백나무

✪ 산다자(山茶子)

✪ 산다화(山茶花)

✪ 애기동백

✪ 동백나무 숲(선운사)

[차나무과]

빗죽이나무

창옹종독, 유옹, 개선소양

● 학명 : *Cleyera japonica* Thunb.
● 한자명 : 柃木 ● 별명 : 비쭈기나무, 무러치기나무, 세푸랑나무, 가새목

| 1 | 2 | 3 | 4 | 5 | 6 | 7 | 8 | 9 | 10 | 11 | 12 |

✪ 빗죽이나무

상록 교목. 높이 10m 정도. 잎은 어긋나며 두껍고 타원형이다. 꽃은 양성화, 백색으로 피었다가 황색으로 변한다. 열매는 달걀 모양, 흑자색으로 익는다.

분포·생육지 우리나라 제주도, 경남, 전남북의 해안가나 섬. 중국, 일본, 인도, 아시아. 바닷가 산기슭에서 자란다.

약용 부위·수치 잎과 가지를 여름이나 가을에 채취하여 말리고, 꽃은 여름에 채취하여 신선한 것을 사용한다.

약물명 잎과 가지를 후피향(厚皮香), 꽃을 후피향화(厚皮香花)라고 한다.

약효 후피향(厚皮香)은 청열해독(淸熱解毒), 산어소종(散瘀消腫)의 효능이 있으므로 창옹종독(瘡癰腫毒), 유옹(乳癰)을 치료한다. 후피향화(厚皮香花)는 살충지양(殺蟲止痒)의 효능이 있으므로 개선소양(疥癬瘙痒)을 치료한다.

사용법 후피향 10g에 물 3컵(600mL)을 넣고 달여서 복용한다. 후피향화는 짓찧어 환부에 즙액을 바르거나 붙인다.

✪ 후피향(厚皮香)

[차나무과]

사스레피나무

| 풍습비통 | 복수팽창 |
| 발열구간 | 창종, 타박상, 창상출혈 |

● 학명 : *Eurya japonica* Thunb.
● 한자명 : 柃木 ● 별명 : 무러치기나무, 세푸랑나무, 가새목

| 1 | 2 | 3 | 4 | 5 | 6 | 7 | 8 | 9 | 10 | 11 | 12 |

상록 관목. 높이 1m 정도. 잎은 어긋나며 두껍고 타원형이다. 꽃은 암수딴그루, 4월에 1~2개씩 달리며 지름 5~6mm, 연한 황록색이다. 꽃받침잎은 5개, 자흑색, 꽃잎도 5개, 자백색, 수꽃의 수술은 10~15개,

암꽃의 꽃잎은 길이 약 2mm로 수술이 없다. 열매는 지름 5~6mm로 10월에 흑자색으로 익는다.

분포 · 생육지 우리나라 제주도, 경남, 전남북의 해안가나 섬. 중국, 일본, 인도, 아시아. 바닷가 산기슭에서 자란다.

약용 부위 · 수치 줄기, 잎, 열매를 가을에 채취하여 말린다.

약물명 영목(柃木)

약효 거풍청열(祛風淸熱), 이수소종(利水消腫), 지혈생기(止血生肌)의 효능이 있으므로 풍습비통(風濕痺痛), 복수팽창(腹水膨脹), 발열구간(發熱口干), 창종(瘡腫), 타박상, 창상출혈(創傷出血)을 치료한다.

성분 잎은 3-hexen-1-ol, 열매는 chrysanthemin, cyanidin 3-acetylrutinoside, euryanoside, halleridone, cornoside가 함유되어 있다.

사용법 영목 10g에 물 3컵(600mL)을 넣고 달여서 복용한다.

＊ 잎이 두껍고 마르면 황색이 되며 암술대가 떨어져 있는 '떡사스레나무 var. *aurescens*', 잎이 작은 '우묵사스레피(갯쥐똥나무, 섬쥐똥나무) *E. emarginata*'도 약효가 같다.

❍ 사스레피나무

❍ 사스레피나무(꽃)

[차나무과]

목하

| 정창, 종독, 창독 |

● 학명 : *Schima superba* Gardin. et Champ. ● 한자명 : 木荷

| 1 | 2 | 3 | 4 | 5 | 6 | 7 | 8 | 9 | 10 | 11 | 12 |

상록 교목. 높이 10~20m. 줄기껍질은 회갈색 또는 암갈색이고, 작은가지에는 피목이 뚜렷하다. 잎은 어긋나고 타원형, 길이 10~12cm, 너비 3~5cm, 가장자리에 물결 모양의 톱니가 있다. 꽃은 6~7월에 피며, 꽃잎은 백색으로 5~6개이다. 수술은 5개, 열매는 남아 있는 암술대와 더불어 길이 2~2.2cm, 10월에 익는다.

분포 · 생육지 중국 장쑤성(江蘇省), 안후이성(安徽省), 윈난성(雲南省). 산지 중턱에서 자란다.

약용 부위 · 수치 뿌리껍질은 사시사철 채취하여 물에 씻은 후 썰어서 말리고, 잎은 봄과 가을에 신선한 것을 채취하거나 말려서 사용한다.

약물명 뿌리껍질을 목하(木荷), 잎을 목하엽(木荷葉)이라고 한다.

약효 목하(木荷)는 공독(攻毒), 소종(消腫)의 효능이 있으므로 정창(疔瘡), 종독(腫毒)을 치료한다. 목하엽(木荷葉)은 해독료창(解毒療瘡)의 효능이 있으므로 창독(瘡毒)을 치료한다.

사용법 목하 또는 목하엽 적당량을 짓찧어 상처에 바르거나 붙인다.

주의 본 식물은 유독하므로 내복하여서는 안 된다.

❍ 목하(꽃)

❍ 목하

[차나무과]

노각나무

타박상　　풍습마목

- 학명 : *Stewartia pseudo-camellia* Maxim. [*S. koreana* Nakai]
- 영명 : mountain camellia ● 한자명 : 錦繡木 ● 별명 : 노가지나무, 비단나무

| 1 | 2 | 3 | 4 | 5 | 6 | 7 | 8 | 9 | 10 | 11 | 12 |

낙엽 교목. 높이 10m 정도. 잎은 어긋나고 타원형, 가장자리에 물결 모양의 톱니가 있다. 꽃은 6~7월에 새 가지 기부의 잎겨드랑이에 달리고, 꽃받침잎은 둥글며, 꽃잎은 백색으로 5~6개, 수술은 5개이다. 열매는 남아 있는 암술대와 더불어 길이 2~2.2cm, 10월에 익는다.

분포 · 생육지 우리나라 전남북, 경남북, 평양. 일본. 산지 중턱에서 자란다.

약용 부위 · 수치 줄기껍질을 봄에 채집하여 썰어서 말린다.

약물명 자경(紫莖)

약효 활혈서근(活血舒筋), 거풍제습(祛風除濕)의 효능이 있으므로 타박상, 풍습마목(風濕痲木)을 치료한다.

성분 잎에는 caffeine, theobromin, theophylline, xanthine, epicatechin 등, 열매에는 theasapogenol A, B(barringtogenol C), C(camellagenin C), D(camellagenin A), E(camellagenin E), camellagenin B, camellagenin D, theasaponin, theasapogenol A~E, camelliagenin D, angelicic acid 등, 가지에는 phloridizin, 2´,4,4´-trihydroxy-6-methoxydihydrochalcone, confusoside 등이 함유되어 있다.

사용법 자경 10g에 물 3컵(600mL)을 넣고 달여서 복용하거나 술에 담가 조금씩 복용한다.

❂ 노각나무(종자)

❂ 노각나무(줄기)

❂ 노각나무(꽃)

❂ 노각나무

[차나무과]

자경

타박상　　풍습마목

- 학명 : *Stewartia sinensis* Rehd. et Wils. [*S. gemmata*] ● 한자명 : 紫莖

| 1 | 2 | 3 | 4 | 5 | 6 | 7 | 8 | 9 | 10 | 11 | 12 |

❂ 자경(열매)

교목. 높이 6~10m. 줄기껍질은 회갈색, 잎은 어긋나고 타원형, 가장자리에 톱니가 있고, 잎자루는 담자색이다. 꽃은 6~7월에 새 가지 기부의 잎겨드랑이에 달리고, 꽃받침잎은 둥글며, 꽃잎은 백색, 열매는 구형이며 능선이 뚜렷하다.

분포 · 생육지 중국 저장성(浙江省), 윈난성(雲南省). 산지의 중턱에서 자란다.

약용 부위 · 수치 줄기껍질을 봄에 채집하여 썰어서 말린다.

약물명 자경(紫莖)

기미 · 귀경 양(涼), 신(辛), 고(苦) · 간(肝)

약효 활혈서근(活血舒筋), 거풍제습(祛風除濕)의 효능이 있으므로 타박상, 풍습마목(風濕痲木)을 치료한다.

사용법 자경 10g에 물 3컵(600mL)을 넣고 달여서 복용하거나 술에 담가 조금씩 복용한다.

❂ 자경

[차나무과]

후피향나무

창옹종독, 개선소양 | 유선염

● 학명 : *Ternstroemia gymnanthera* (Wight et Arn.) Sprague [*T. japonica* Thunb.]
● 영명 : Japanese ternstroemia　● 한자명 : 厚皮香

| 1 | 2 | 3 | 4 | 5 | 6 | 7 | 8 | 9 | 10 | 11 | 12 |

상록 관목. 잎은 어긋나고 가죽질이다. 꽃은 7월에 피며 황백색, 수술은 많고, 씨방은 달걀 모양, 2개의 암술머리가 있다. 열매는 둥글고 길이 1.2~1.5cm로 10월에 익는다. 열매껍질은 붉은색이고 상반부가 불규칙하게 갈라지며 홍색 종자가 5개씩 들어 있다.
분포 · 생육지 우리나라 제주도 및 남쪽 섬. 중국, 일본, 타이완, 인도, 자바. 산기슭에서 자란다.
약용 부위 · 수치 잎과 가지를 수시로 채취하여 사용하고, 꽃은 여름에 채취하여 생으로 사용한다.
약물명 잎과 가지를 후피향(厚皮香), 꽃을 후피향화(厚皮香花)라고 한다.
약효 후피향(厚皮香)은 청열해독(淸熱解毒), 산어소종(散瘀消腫)의 효능이 있으므로 창옹종독(瘡癰腫毒), 유선염을 치료한다. 후피향화(厚皮香花)는 살충지양(殺蟲止痒)의 효능이 있으므로 개선소양(疥癬瘙痒)을 치료한다.
사용법 후피향 또는 후피향화 적당량을 짓찧어 상처에 붙이거나 즙액을 바른다.

◑ 후피향나무(꽃)

◑ 후피향나무

[차나무과]

보이차나무

서열구갈, 두통목혼 | 사기복통, 이질, 육식적체
마진불투 | 신피다면

● 학명 : *Thea sinensis* L. var. *assamica* Kitamura [*T. assamica* Mast.]
● 한자명 : 普洱茶　● 별명 : 푸얼차

| 1 | 2 | 3 | 4 | 5 | 6 | 7 | 8 | 9 | 10 | 11 | 12 |

상록 교목. 높이 10~17m. 새 가지는 털이 있고, 잎은 어긋나며 가죽질로 타원형, 길이 10~20cm, 끝은 점차 뾰족해진다. 가장자리는 톱니가 있고 양면에 털이 없으며, 잎자루는 길이 1cm 정도이다. 꽃은 잎겨드랑이에 1~4겹으로 취산화서로 달리며 백색으로 핀다. 삭과는 편구형, 종자는 구형이며 지름 1.5cm 정도이다.
분포 · 생육지 중국 윈난성(雲南省). 산기슭에서 자란다.
약용 부위 · 수치 잎을 봄에 채취하여 말린다.
약물명 보이차(普洱茶)

기미 · 귀경 한(寒), 고(苦), 감(甘) · 위(胃), 간(肝), 대장(大腸)
약효 청열생진(淸熱生津), 벽예해독(辟穢解毒), 소식해주(消食解酒), 성신투진(醒神透疹)의 효능이 있으므로 서열구갈(暑熱口渴), 두통목혼(頭痛目昏), 사기복통(痧氣腹痛), 이질(痢疾), 육식적체(肉食積滯), 주독(酒毒), 신피다면(神疲多眠), 마진불투(痲疹不透)를 치료한다.
성분 caffeine, theobromin, theophylline, xanthine, epicatechin 등, 열매에는 theasapogenol A, B(barringtogenol C), C(camellagenin C), D(camellagenin A), E(camellagenin E), camellagenin B, camellagenin D 등이 함유되어 있다.
약리 물에 달인 액은 홍차나 녹차에 비하여 항산화 작용이 강하다. 쥐에게 열수추출물을 투여하면 지방의 분해 작용이 촉진된다.
사용법 보이차 5g에 물 2컵(400mL)을 넣고 달여서 복용한다.

◑ 보이차(普洱茶)

◑ 보이차나무(꽃)

◑ 보이차나무

차나무

	두통		심장병		목혼, 목적, 심번구갈		소변불리
	통경		사리, 간염		감기		창양절종, 수화탕상

●학명 : *Thea sinensis* L. [*Camellia sinensis*]　●영명 : Tea　●한자명 : 茶

| 1 | 2 | 3 | 4 | 5 | 6 | 7 | 8 | 9 | 10 | 11 | 12 |

상록 관목. 높이 1~2m. 잎은 어긋나고 긴 타원형, 두껍고 가장자리에 잔톱니가 있다. 꽃은 백색, 10~11월에 1~3개씩 달리며, 지름 3~5cm, 꽃대는 밑으로 처지고, 위 끝이 비대해진다. 꽃받침잎은 5개, 꽃잎은 6~8개, 수술은 많고 밑부분이 합쳐진다. 꽃밥은 황색, 3개의 암술대가 있고, 열매는 편구형이다.

분포 · 생육지 우리나라 전남북, 경남. 중국, 일본. 산기슭에서 자란다.

약용 부위 · 수치 잎을 봄에, 뿌리는 수시로, 열매는 가을에 채취하여 말린다.

약물명 잎을 다엽(茶葉)이라 하고, 고차(苦茶), 차(茶), 가(檟)라고도 한다. 뿌리를 다수근(茶樹根), 열매를 다자(茶子)라 한다.

본초서 다엽(茶葉)은 「본초강목(本草綱目)」에는 "진하게 달여서 복용하면 토하고 열이 심하여 담이 끓는 것을 낫게 한다."고 하였다. 「동의보감(東醫寶鑑)」에는 고차(苦茶)라는 이름으로 수재되어 기를 내리고 소화를 촉진하며 머리와 눈을 맑게 하고 소변을 잘 보게 한다. 갈증을 풀어 주며 잠을 적게 자게 한다. 또 굽거나 볶은 음식의 독을 풀어 준다."고 하였다.

本草綱目 : 濃煎 吐風熱痰涎.
東醫寶鑑 : 下氣 消宿食 淸頭目 利小便 止消渴 令人少睡 又解炙炒毒.

기미 · 귀경 다엽(茶葉) : 양(凉), 고(苦), 감(甘) · 심(心), 폐(肺), 위(胃), 신(腎). 다수근(茶樹根) : 양(凉), 고(苦) · 심(心), 간(肝), 폐(肺). 다자(茶子) : 한(寒), 고(苦), 유독(有毒) · 폐(肺)

약효 다엽(茶葉)은 청두목(淸頭目), 제번열(除煩熱), 소식(消食), 화담(化痰), 이뇨, 해독의 효능이 있으므로 두통, 목혼, 목적(目赤), 다수선침(多睡善寢), 감기, 심번구갈(心煩口渴), 식적(食積), 구취, 담천(痰喘), 소변불리, 사리(瀉痢), 후종(喉腫), 창양절종(瘡瘍癤腫), 수화탕상(水火湯傷)을 치료한다. 다수근(茶樹根)은 강심이뇨(强心利尿), 활혈조경(活血調經), 청열해독(淸熱解毒)의 효능이 있으므로 심장병, 수종(水腫), 간염, 통경, 창양종독(瘡瘍腫毒), 대상포진, 구창, 우피선(牛皮癬)을 치료한다. 다자(茶子)는 강화소담평천(降火消痰平喘)의 효능이 있으므로 담열천수(痰熱喘嗽), 두뇌명향(頭腦鳴響)을 치료한다.

성분 다엽(茶葉)은 caffeine, theobromin, theophylline, xanthine, epicatechin 등, 다자(茶子)는 theasapogenol A, B(barringtogenol C), C(camellagenin C), D(camellagenin A), E(camellagenin E), camellagenin B, camellagenin D 등이 함유되어 있다. 종자는 theasaponin, theasapogenol A~E, camellagenin D, angelicic acid 등이 함유되어 있다.

약리 다엽(茶葉)의 약리 작용은 주로 xanthine 유도체에 의하여 생긴다. caffeine은 중추 신경을 흥분시키고 사고력을 높이며 피로를 없앤다. theophylline은 평활근을 이완시키므로 기관지천식이나 담산통(膽疝痛)에 이용하고, 또 요세관의 재흡수를 억제하므로 이뇨 작용이 있다. tannin 성분들은 수렴 작용 및 모세 혈관의 저항력을 증가하는 작용이 있다. 열수추출물은 프리라디칼 소거 작용 및 LDL 항산화 작용이 있고, 과산화수소(H_2O_2)의 세포 독성에 억제 효과, 산화적 DNA 손상에 억제 효과가 있다.

사용법 다엽 또는 다수근은 5g에 물 2컵(400mL)을 넣고 달여서 복용한다. 다자는 1g에 물 2컵(400mL)을 넣고 달여서 복용하고, 가루로 만들어 코 속으로 뿌린다.
＊싹과 어린잎을 완전하게 발효시켜 타닌, 펙틴, 클로로필 등이 산화되어 붉은색을 띠는 것을 홍차(紅茶)라고 하며, 중간 정도 발효시킨 것을 우롱차(烏龍茶)라고 한다.

○ 차나무

○ 차나무(열매)

○ 다엽(茶葉)

○ 우롱차(烏龍茶)

○ 홍차(紅茶)

홍후각

풍습동통　타박상, 외상출혈
생리통

●학명 : *Calophyllum inophyllum* L.　●한자명 : 紅厚殼　●별명 : 용화수

1 2 3 4 5 6 7 8 9 10 11 12

❶ 홍후각(꽃, 가지, 잎)

상록 교목. 높이 7~12m. 줄기껍질은 암갈색, 잎은 마주나고 타원형, 길이 8~15cm, 너비 4~8cm, 끝이 약간 들어가고 가장자리는 밋밋하다. 꽃은 백색, 6~8월에 잎겨드랑이에 총상화서로 핀다. 열매는 핵과로 둥글고 지름 2.5~3cm로 황색으로 익는다.

분포 · 생육지 중국 광둥성(廣東省), 하이난성(海南省), 타이완. 산속에서 자란다.

약용 부위 · 수치 잎을 여름에 채취하여 사용한다.

약물명 홍후각(紅厚殼)

약효 거담지통(祛痰止痛)의 효능이 있으므로 풍습동통(風濕疼痛), 타박상, 생리통, 외상출혈을 치료한다.

성분 friedelin, canophyllal, canophyllol, canophyllic acid 등이 함유되어 있다.

사용법 홍후각 7g에 물 3컵(600mL)을 넣고 달여서 복용하고, 외용에는 짓찧어서 바른다.

❶ 홍후각

홍아목

감기　중서발열
황달, 급성위장염, 이질　창절

●학명 : *Cratoxylum formosum* (Jack) Dyer subsp. *pruniflorum* Gogelin
●한자명 : 紅芽木

1 2 3 4 5 6 7 8 9 10 11 12

❶ 토차(土茶)　　　　❶ 홍아목(꽃)

교목. 높이 8~12m. 줄기의 기부는 가시가 있다. 작은가지는 밑으로 약간 처지며 회갈색이다. 잎은 마주나고 타원형, 가장자리가 밋밋하다. 꽃은 작은가지에 4~6개가 취산화서로 피고, 꽃잎은 5개, 분홍색, 꽃받침은 5개, 수술은 많다. 삭과는 타원형, 흑갈색이다.

분포 · 생육지 중국 광둥성(廣東省), 하이난성(海南省), 윈난성(雲南省). 산지에서 자란다.

약용 부위 · 수치 뿌리, 줄기껍질, 잎, 가지를 여름에 채취하여 썰어서 말린다.

약물명 토차(土茶). 고정차(苦丁茶), 차개(茶盖)라고도 한다.

약효 해서청열(解暑淸熱), 화습소체(化濕消滯)의 효능이 있으므로 감기, 중서발열(中暑發熱), 황달, 급성위장염, 이질, 창절(瘡癤)을 치료한다.

사용법 토차 10g에 물 3컵(600mL)을 넣고 달여서 복용한다.

❶ 홍아목

[물레나물과]

운남산죽자

습진

구강염, 치주염

● 운남산죽자(가지와 잎)

●학명 : *Garcinia cowa* Roxb. ●한자명 : 雲南山竹子

| 1 | 2 | 3 | 4 | 5 | 6 | 7 | 8 | 9 | 10 | 11 | 12 |

상록 교목. 높이 8~12m. 작은가지는 밑으로 약간 처지며 회갈색이다. 잎은 마주나고 가장자리가 밋밋하며 잎자루가 짧다. 꽃은 단생하고 꽃잎은 4~5개, 황백색, 꽃받침은 5개, 수술은 많고 수술대가 짧다. 열매는 장과로 지름 2cm 정도, 종자는 4개이다.

분포·생육지 중국 윈난성(雲南省). 산지에서 자란다.

약용 부위·수치 가지와 잎을 여름에 채취하여 썰어서 가루로 만든다.

약물명 황심과(黃心果). 황아과(黃芽果), 화피과(化皮果)라고도 한다.

약효 청열해독(淸熱解毒), 살충의 효능이 있으므로 습진, 구강염, 치주염을 치료한다.

성분 1,3,6-trihydroxy-7-methoxy-8-geranylxanthone, cowaxanthone, cowanin 등이 함유되어 있다.

사용법 황심과 적당량을 가루로 만들어 참기름과 섞거나 연고로 만들어 환부에 바른다.

● 운남산죽자

[물레나물과]

등황나무

옹저종독, 궤양, 습진, 종류, 완선

●학명 : *Garcinia hanburyi* Hook. f.

| 1 | 2 | 3 | 4 | 5 | 6 | 7 | 8 | 9 | 10 | 11 | 12 |

상록 교목. 높이 15~18m. 작은가지는 네모진다. 잎은 마주나고 잎자루가 짧다. 꽃은 단생하고 꽃잎은 4~5개, 황백색, 꽃받침은 5개, 수술은 많고 수술대가 짧다. 열매는 장과로 지름 2cm 정도이고, 종자는 4개이다.

분포·생육지 방글라데시, 인도, 파키스탄, 말레이시아, 타이, 베트남 원산. 중국 광둥성(廣東省), 광시성(廣西省), 윈난성(雲南省)에서 재식. 산과 들의 양지바른 곳에서 자란다.

약용 부위·수치 꽃이 피기 전 봄에 줄기에 상처를 내어 흘러나오는 삼출물을 모으고 이것을 가열 건조시켜 덩어리로 만든다.

약물명 등황(藤黃). 옥황(玉黃), 월황(月黃)이라고도 한다. 대한민국약전외한약(생약)규격집(KHP)에 수재되어 있다.

성상 크기가 고르지 않은 수지 덩어리, 표면은 황적색~황갈색이며 황록색의 가루로 덮여 있다. 질은 단단하나 부서지기 쉽다. 물에 넣고 으깨면 황색의 유액이 된다. 냄새가 조금 나고 맛은 맵다.

약효 공독(攻毒), 소종(消腫), 거부렴창(祛腐斂瘡), 지혈의 효능이 있으므로 옹저종독(癰疽腫毒), 궤양(潰瘍), 습진, 종류(腫瘤), 완선(頑癬)을 치료한다.

성분 gambogic acid, allogambogic acid 등이 함유되어 있다.

약리 복수암을 일으킨 쥐에게 gambogic acid 5mg/kg을 주사하면 항암 작용이 있다. gambogic acid는 Hsp90을 저해하여 항암 작용을 나타낸다.

사용법 등황 적당량을 가루로 만들어 참기름과 섞거나 연고로 만들어 환부에 붙여 붕대로 싸맨다.

＊본 종보다 잎이 큰 '큰잎등황나무 *G. xanthochymus*'의 수지도 약효가 같다.

● 등황나무

● 등황(藤黃)

● 등황나무(줄기)

[물레나물과]

인도등황나무

옹저종독, 궤양, 습진, 종류, 완선

● 학명 : *Garcinia indica* Choisy

| 1 | 2 | 3 | 4 | 5 | 6 | 7 | 8 | 9 | 10 | 11 | 12 |

상록 교목. 높이 15m 정도. 줄기는 회흑색, 줄기에 상처를 내면 유액이 흐른다. 잎은 마주나고 타원형, 가장자리가 밋밋하다. 꽃은 단생하고, 꽃잎은 4~5개, 황색, 꽃받침은 5개, 수술은 많고 수술대가 짧다. 열매는 장과이다.

분포·생육지 인도, 스리랑카, 방글라데시, 파키스탄. 산과 들 양지바른 곳에서 자란다.

약용 부위·수치 꽃이 피기 전 봄에 줄기에 상처를 내어 흘러나오는 삼출물을 모으고 이것을 가열 건고시켜 덩어리로 만든다.

약물명 인도등황(印度藤黃)

약효 소종(消腫), 거부렴창(祛腐斂瘡), 지혈의 효능이 있으므로 옹저종독(癰疽腫毒), 궤양(潰瘍), 습진, 종류(腫瘤), 완선(頑癬), 고지혈증을 치료한다.

성분 열매의 껍질은 hydroxycitric acid가 함유되어 있다.

약리 열매의 열수추출물은 생쥐에서 불안을 해소시키는 효과가 있다.

사용법 인도등황 적당량을 가루로 만들어 참기름과 섞거나 연고로 만들어 환부에 붙여 붕대로 싸맨다.

◐ 인도등황나무(줄기에서 흘러 나오는 유액)

◐ 인도등황나무(잎)

◐ 인도등황(印度藤黃)을 원료로 만든 고지혈증 치료제

◐ 인도등황나무

[물레나물과]

망고스틴

피부염　　허약체질

● 학명 : *Garcinia mangostana* L.　●영명 : Mangosteen　●한자명 : 莽吉柿

| 1 | 2 | 3 | 4 | 5 | 6 | 7 | 8 | 9 | 10 | 11 | 12 |

상록 교목. 높이 20m 정도. 잎은 마주나고 타원형, 잎자루가 짧다. 줄기나 잎에 상처를 내면 유액이 흘러나온다. 꽃은 단생하고, 꽃잎은 4~5개, 열매는 장과로 구형이고 지름 6~8cm, 종자는 4개이다.

분포·생육지 중국, 방글라데시, 인도, 파키스탄, 말레이시아, 타이, 베트남. 산과 들의 양지바른 곳에서 자란다.

약용 부위·수치 줄기껍질과 열매를 여름에 채취하여 말린다.

약물명 줄기껍질을 Garciniae Cortex, 열매를 Garciniae Fructus라고 한다.

성분 과피는 α-mangostin, γ-mangostin, garcinone, garcinone D 등이 함유되어 있다.

약리 α-mangostin, γ-mangostin 성분은 COX-2, IL-6, IL-1β를 저해하여 항염 효과를 나타낸다.

약효 줄기껍질은 소염의 효능이 있으므로 피부염을 치료한다. 열매는 강장의 효능이 있으므로 허약체질을 개선한다.

사용법 Garciniae Cortex는 10g에 물 2컵(400mL)을 넣고 달여서 복용하고, Garciniae Fructus는 2~3개에 물을 넣고 달여 복용한다.

◐ 망고스틴(열매)

◐ 망고스틴으로 만든 자양강장제

◐ 망고스틴

[물레나물과]
물레나물

| 토혈, 변혈, 간염, 이질 | 타박상, 외상출혈, 습진 |
| 요혈 | 객혈, 풍열감모 | 붕루, 월경부조, 유즙불하 |

- 학명 : *Hypericum ascyron* L.　● 영명 : Asian John's wort
- 한자명 : 湖南連翹　● 별명 : 매대체

| 1 | 2 | 3 | 4 | 5 | 6 | 7 | 8 | 9 | 10 | 11 | 12 |

여러해살이풀. 높이 0.7~1m. 줄기는 갈라지며 네모진다. 잎은 마주나고 밑부분은 줄기를 약간 감싸고, 가장자리는 밋밋하고 투명한 점이 있다. 꽃은 지름 4~6cm로 황색 바탕에 붉은빛이 돌며 6~8월에 가지 끝에 1개씩 달린다. 꽃잎은 물레방아처럼 보이고, 암술대는 중앙까지 5개로 갈라지며 수술은 많아서 다섯 뭉치가 되고, 삭과는 달걀 모양이다.

분포 · 생육지 우리나라 전역. 중국, 일본, 시베리아. 산과 들의 양지바른 곳에서 자란다.

약용 부위 · 수치 여름철 열매가 성숙할 때 지상부를 채취하여 흙과 먼지를 털어 내고 말린다.

약물명 홍한련(紅旱蓮). 금사호접(金絲蝴蝶)이라고도 한다.

기미 · 귀경 한(寒), 고(苦) · 간(肝), 위(胃)

약효 양혈지혈(凉血止血), 활혈조경(活血調經), 청열해독(淸熱解毒)의 효능이 있으므로 혈열(血熱)로 인한 토혈, 객혈, 요혈, 변혈, 붕루(崩漏), 타박상, 외상출혈, 월경부조, 통경(痛經), 유즙불하(乳汁不下), 풍열감모(風熱感冒), 간염(肝炎), 이질(痢疾), 복사(腹瀉), 습진, 황수창(黃水瘡)을 치료한다.

성분 전초에 quercetin, kaempferol, hyperin, rutin, isoquercitrin, betulinic acid, β-sitosterol, 1,6-dihydroxy-5,7-dimethylxanthone, 4-hydroxybenzoic acid methylester, euxanthone, 6-*O*-palmitolyll-1,6-dihydroxy-5,7-dimethoxyxanthone 등이 함유되어 있다.

약리 열수추출물을 동물에게 투여하면 진정 작용이 있다. 열수추출물을 쥐에게 투여하면 기침과 가래를 멎게 하는 작용이 나타나고 진통 작용이 나타난다. hypericin이 많이 함유되어 있어서 빛에 민감한 작용을 하며, 사람이 이 식물을 많이 먹으면 피부염을 일으킬 염려가 있다.

사용법 홍한련 7g에 물 3컵(600mL)을 넣고 달여서 복용하고, 외용에는 짓찧어 바른다. 소변에 피가 섞여 나올 때는 홍한련 9g에 차전초 9g을 합하여 물을 넣고 달여서 복용하고, 대변에 피가 섞여 나올 때는 혼한련 15g, 오배자(五倍子) 3g, 애엽(艾葉) 3g을 배합하여 물을 넣고 달여서 복용한다. 황달이나 간염에는 홍한련 · 차전초(車前草) 각 15g, 치자(梔子) 12g, 결명자(決明子) 6g, 향부자(香附子) 9g을 배합하여 물을 넣고 달여서 복용한다.

❶ 물레나물

❶ 홍한련(紅旱蓮)

❶ 물레나물(열매)

[물레나물과]
고추나물

| 토혈, 변혈 | 객혈 | 창상출혈, 타박상 |
| 육혈 | 붕루, 월경불순, 유즙불통 |

- 학명 : *Hypericum erectum* Thunb.　● 영명 : Goatweed　● 한자명 : 小連翹, 排香草

| 1 | 2 | 3 | 4 | 5 | 6 | 7 | 8 | 9 | 10 | 11 | 12 |

여러해살이풀. 높이 20~60cm. 잎은 마주나고, 꽃은 황색, 7~8월에 가지 끝에 취산화서로 달리며, 포는 잎 같고 작다. 꽃받침과 꽃잎은 각각 5개, 수술은 많으며 3개로 갈라지고, 암술대는 길이 3.5~4mm, 열매는 삭과이며 작은 종자가 많이 들어 있다.

분포 · 생육지 우리나라 전역. 일본, 사할린. 산과 들의 습기가 있는 곳에서 자란다.

약용 부위 · 수치 전초를 여름에 채취하여 말린다.

약물명 소연교(小連翹). 배향초(排香草)라고도 한다.

기미 · 귀경 평(平), 고(苦) · 간(肝), 위(胃)

약효 지혈, 통경, 산어지통(散瘀止痛), 해독소종(解毒消腫)의 효능이 있으므로 토혈, 객혈, 육혈(衄血), 변혈, 붕루(崩漏), 창상출혈, 월경불순, 유즙불통, 타박상, 타박상에 의한 출혈을 치료한다.

성분 hypericin, wedelolactone, demethyl-wedelactone, otogirin, otogirone 등이 함유되어 있다.

약리 열수추출물 1g/kg을 쥐의 복강에 주사하면 지혈 작용이 나타나며, 기관지 평활근을 수축시킨다. 메탄올추출물은 항균 작용이 있다.

사용법 소연교 10g에 물 3컵(600mL)을 넣고 달여서 복용하거나 즙을 내어 복용한다. 외용에는 짓찧어 바르거나 달인 액으로 씻는다.

＊ 본 종보다 키가 작고 밑부분에서 줄기가 모여나는 '다북고추나물 var. *caespitosum*', 마디 사이가 잎보다 짧은 '큰고추나물 *H. conifertissimum*'도 약효가 같다.

❶ 고추나물

❶ 소연교(小連翹)

[물레나물과]

애기고추나물

습열황달, 설사, 이질, 장옹
구창, 편도선염 │ 독사교상

●학명 : *Hypericum japonicum* Thunb. ●영명 : Goatweed ●한자명 : 地耳草

| 1 | 2 | 3 | 4 | 5 | 6 | 7 | 8 | 9 | 10 | 11 | 12 |

한해살이풀 또는 여러해살이풀. 높이 15~
50cm. 줄기는 네모지며 윗부분에서 가
지가 많이 갈라진다. 잎은 마주나고 길이
5~13mm, 너비 3~10mm이다. 꽃은 7~8
월에 피고 지름 6~8mm, 황색이다. 꽃받
침잎은 5개, 길이 1cm 정도, 꽃잎은 길이
3mm 정도, 수술은 10~20개, 암술대는 암
술머리와 더불어 길이 0.5~1mm이다. 삭
과는 달걀 모양, 꽃받침보다 짧다.

분포 · 생육지 우리나라 제주도, 전남북, 경
남. 중국, 일본, 타이완, 인도, 오스트레일
리아. 들판의 습지에서 자란다.

약용 부위 · 수치 전초를 여름과 가을에 채취
하여 물에 씻어서 말린다.

약물명 전기황(田基黃), 지이초(地耳草)라
고도 한다.

기미 · 귀경 양(凉), 감(甘), 고(苦) · 간(肝),
담(膽), 대장(大腸)

약효 청열이습(清熱利濕), 해독, 산어소종
(散瘀消腫), 지통의 효능이 있으므로 습열
황달, 설사, 이질, 장옹(腸癰), 구창, 편도선
염, 맹장염, 독충이나 독사에게 물린 상처를
치료한다.

성분 flavonoid류로 quercetin, quercetin-
3-*O*-rhamnoside, quercetin-3-*O*-glu-
coside, quercetin-7-*O*-rhamnoside가 알
려져 있고 그외 coumarin류, tannin류,
phenol류가 함유되어 있다.

약리 유동추출물은 결핵균, 폐렴구균, 황색
포도구균, 적리균에 항균력이 있고, 토끼의
적출 장관에 수축력을 증가시키고, 개에게
정맥주사하면 혈압이 하강된다.

사용법 전기황 10g에 물 3컵(600mL)을 넣
고 달여서 복용하거나 즙을 내어 복용한다.
외용에는 짓찧어 바르거나 달인 액으로 씻
는다.

＊수술이 8~10개인 '좀고추나물(둥근애기
고추나물) *H. laxum*'도 약효가 같다.

❂ 애기고추나물

❂ 전기황(田基黃)

[물레나물과]

금사매

토혈 │ 객혈 │ 타박상
붕루, 유즙불하 │ 풍습비통

●학명 : *Hypericum patulum* Thunb. ●한자명 : 金絲桃 ●별명 : 망종화

| 1 | 2 | 3 | 4 | 5 | 6 | 7 | 8 | 9 | 10 | 11 | 12 |

관목. 높이 1m 정도. 가지가 붉은색이거
나 갈색이다. 잎은 마주나고 타원형, 길이
3~5cm, 너비 2~3cm, 투명한 유점(油点)
이 있고 가장자리는 밋밋하다. 꽃은 황색,
6~7월에 1개 또는 3~4개가 줄기 끝에 달
리며 지름 4cm 정도이다. 꽃받침잎과 꽃잎
은 각각 5개, 수술은 5뭉치, 암술대는 5갈
래이며, 삭과는 달걀 모양이다.

분포 · 생육지 중국 원산. 관상용으로 재배
한다.

약용 부위 · 수치 전초를 여름과 가을에 채취
하여 물에 씻은 후 썰어서 말린다.

약물명 간산편(赶山鞭), 소금사도(小金絲
桃), 소엽차(小葉茶), 소금사작(小金絲雀)이
라고도 한다.

약효 양혈지혈(凉血止血), 활혈지통(活血止
痛), 해독소종의 효능이 있으므로 토혈, 객
혈, 붕루(崩漏), 풍습비통(風濕痺痛), 유즙
불하(乳汁不下), 타박상을 치료한다.

성분 hyperin, quercetin, chlorogenic acid
등이 함유되어 있다.

사용법 간산편 10g에 물 3컵(600mL)을 넣
고 달여서 복용하고, 타박상에는 짓찧어 바
른다.

❂ 간산편(赶山鞭)

❂ 꽃   ❂ 금사매

[물레나물과]

서양고추나물

객혈 | 토혈, 장풍하혈, 황달 | 옹절종독, 탕화상 | 우울증
붕루, 월경불순, 유즙불통 | 인후동통, 목적종통 | 요로감염

●학명 : *Hypericum perforatum* L.　●영명 : John's wort　●별명 : 넓은잎고추나물

1 2 3 4 5 6 7 8 9 10 11 12

여러해살이풀. 높이 1m 정도. 줄기는 바로
서고 가지를 많이 친다. 잎은 마주나고, 꽃
은 황색, 6~7월에 가지 끝에 취산화서로
달린다. 꽃받침과 꽃잎은 각각 5개, 꽃잎은
일그러진 타원형, 수술은 많으며 3개로 갈
라지고, 암술대는 길이 3.5~4mm이다.

분포 · 생육지 유럽, 중국. 산기슭이나 풀밭
에서 자란다. 우리나라에서는 약용과 관상
용으로 재배한다.

약용 부위 · 수치 전초를 여름에 채취하여 썰
어서 말린다.

약물명 관엽연교(寬葉連翹), 과로황(過路
黃), 소종황(小種黃), 천층루(千層樓)라고도
한다.

기미 · 귀경 평(平), 고(苦), 삽(澁) · 간(肝)

약효 수렴지혈(收斂止血), 조경통유(調經通
乳), 청열해독(淸熱解毒), 이습의 효능이 있
으므로 객혈, 토혈, 장풍하혈(腸風下血), 붕
루(崩漏), 월경불순, 유즙불통, 황달, 인후
동통, 목적종통(目赤腫痛), 요로감염, 구비
생창(口鼻生瘡), 옹절종독(癰癤腫毒), 탕화
상, 우울증을 치료한다.

성분 quercetin, methylhesperidin, rutin,
hypericin, hyperoside, hyperforin, caffeic
acid, chlorgenic acid, violaxanthin, epicate-
chin 등이 함유되어 있다.

약리 quercetin, methylhesperidin, rutin,
hypericin 등이 함유된 추출물을 쥐에게 복
강으로 주사하면 진통 작용이 나타난다. 열
수추출물을 정맥주사하면 혈압이 상승하
고, 수면 시간을 연장시키며, 우울증을 해
소한다.

사용법 관엽연교 10g에 물 3컵(600mL)을
넣고 달여서 복용하거나 즙을 내어 복용한
다. 외용에는 짓찧어 바르거나 달인 액으로
씻는다.

＊유럽에서는 신경 안정제로 임상에 응용
하고 있으며, 국내에서도 갱년기 장애 증상
치료제로 이용되고 있다.

◐ 서양고추나물

◐ 관엽연교(寬葉連翹)

◐ 관엽연교(寬葉連翹)
에탄올추출액

◐ 관엽연교(寬葉連翹)가
배합된 우울증 치료제

[물레나물과]

쇠칼나무

해수담다 | 창양절종
치창출혈

●학명 : *Mesua ferrea* L.　●영명 : 鐵刀木

1 2 3 4 5 6 7 8 9 10 11 12

◐ 쇠칼나무

상록 교목. 높이 30m 정도. 줄기껍질은 회
갈색으로 광택이 난다. 잎은 마주나고 타원
형으로 가죽질, 가장자리는 밋밋하다. 꽃은
담적백색, 6~7월에 피고 꽃잎은 크다. 꽃잎
은 4개, 수술은 5뭉치, 삭과는 끝이 뾰족한
달걀 모양이다.

분포 · 생육지 중국 광둥성(廣東省), 관시성
(關西省), 윈난성(雲南省), 방글라데시. 산지
에서 자란다.

약용 부위 · 수치 줄기껍질과 꽃은 봄에 종자
는 가을에 채취하여 물에 씻은 후 말린다.

약물명 철도목(鐵刀木). 석염(石鹽), 철릉(鐵
棱)이라고도 한다.

약효 지해거담(止咳祛痰), 해독소종(解毒消
腫)의 효능이 있으므로 해수담다(咳嗽痰多),
창양절종(瘡瘍癤腫), 치창출혈(痔瘡出血)을
치료한다.

성분 종자에 mammeisin, mesuagin, mam-
mameigin, mesuol, mesuarin 등이 함유되
어 있고, 잎에는 mesuein, mesuafenol 등, 심
재(心材)에는 euxanthone, 2-methoxyxan-
thone, euxanthone-7-methylether 등이 함
유되어 있다.

사용법 철도목 10g에 물 3컵(600mL)을 넣
고 달여서 복용하고, 치창출혈에는 짓찧어
바른다.

[끈끈이주걱과]

끈끈이귀개

풍습비통, 요기로손　　타박상, 습진

인후염　　위통, 이질

● 학명 : *Drosera peltata* Smith var. *nipponica* (Masamune) Ohwi [*D. nipponica* Masamune] ● 별명 : 끈끈이귀이개

| 1 | 2 | 3 | 4 | 5 | 6 | 7 | 8 | 9 | 10 | 11 | 12 |

여러해살이풀. 줄기는 가늘고 곧게 서며 높이 10~30cm. 줄기잎은 초승달 같다. 꽃은 백색, 어릴 때는 줄기 끝에 피나 뒤에는 잎과 마주나며 6~7월에 총상화서로 달린다. 꽃잎은 5개, 수술 5개, 암술은 3개이며 각각 4개로 갈라지고, 열매는 둥글다.

분포 · 생육지 우리나라 전남 보길도, 진도, 해남, 경북 무제치 늪, 대암산. 중국, 일본, 타이완. 고원 지대의 습지나 늪에서 자란다.

약용 부위 · 수치 전초를 5~6월에 채취하여 말린다.

약물명 모고채(茅膏菜)

기미 · 귀경 평(平), 감(甘), 신(辛), 유독(有毒) · 비(脾)

약효 거풍지통(祛風止痛), 활혈, 해독의 효능이 있으므로 풍습비통(風濕痺痛), 타박상, 요기로손(腰肌勞損), 인후염, 위통, 이질, 습진을 치료한다.

성분 plunbagin, droseron, hydroxynaph-thoquinone, bepsine 등이 함유되어 있다.

사용법 모고채 7g에 물 3컵(600mL)을 넣고 달여서 달인 물을 복용하거나 술에 담가서 복용하고, 외용에는 짓찧어 바른다.

● 끈끈이귀개(열매)

● 끈끈이귀개

[끈끈이주걱과]

끈끈이주걱

해수, 효천, 백일해　　적백리

● 학명 : *Drosera rotundifolia* L. ● 영명 : round-leaved sundew
● 한자명 : 圓葉茅膏菜, 捕蟲草

| 1 | 2 | 3 | 4 | 5 | 6 | 7 | 8 | 9 | 10 | 11 | 12 |

여러해살이풀. 잎은 모여나고 옆으로 퍼지며 주걱 같고 길이와 너비가 각각 0.5~1cm, 앞면과 가장자리에는 선모(腺毛)가 많이 있다. 꽃은 7~8월에 피며 백색, 길이 10~30cm의 긴 꽃대가 나와 윗부분에 한쪽으로 치우쳐 모여 달린다. 열매는 삭과이다.

분포 · 생육지 우리나라 전남, 경남, 경기 이북. 중국, 일본, 아무르, 사할린, 시베리아, 북아메리카. 양지바른 산성의 습지에서 자란다.

약용 부위 · 수치 전초를 5~6월에 채취하여 물에 씻어서 말린다.

약물명 원엽모고채(圓葉茅膏菜). 포충초(捕蟲草)라고도 한다.

기미 · 귀경 평(平), 신(辛), 감(甘) · 폐(肺)

약효 거담(祛痰), 진해(鎭咳), 평천(平喘), 지리(止痢)의 효능이 있으므로 해수(咳嗽), 효천(哮喘), 백일해(百日咳), 적백리(赤白痢)를 치료한다.

성분 droserone, hydroplumbagin gluco-side, plumbagin, quercetin, myricetin, kaempferol, hyperoside, quercetin-3-di-galactoside 등이 함유되어 있다.

약리 동물 실험에서 경련을 억제하는 작용이 나타나고, 단백질 용해 작용이 있으며, 백일해균에 항균 작용을 나타낸다.

사용법 원엽모고채 10g에 물 3컵(600mL)을 넣고 달여서 복용한다.

＊ 잎의 밑부분이 서서히 좁아지는 '긴잎끈끈이주걱 *D. anglica*'도 약효가 같다.

● 끈끈이주걱

● 긴잎끈끈이주걱

● 끈끈이주걱 잎에 달린 선모(腺毛)

유수

  중풍구금, 기폐이롱, 구창, 후비

열병신혼 창양

● 학명 : *Dipterocarpus turbinatus* Gaertn. f. ● 한자명 : 油樹

| 1 | 2 | 3 | 4 | 5 | 6 | 7 | 8 | 9 | 10 | 11 | 12 |

상록 교목. 방향성 수지가 많이 함유되어 있고, 줄기껍질은 회백색, 세로로 갈라지기도 하며 가지는 회색 털이 많다. 잎은 어긋나고 긴 타원형, 길이 20~35cm, 너비 8~13cm이다. 꽃은 3~6개가 총상화서로 달리며 분홍색이다. 꽃잎은 5개이다. 열매는 달걀 모양, 날개가 달려 있다.

분포·생육지 중국 윈난성(雲南省). 산비탈이나 숲속에서 자란다.

약용 부위·수치 줄기에서 흘러나오는 수지 또는 가지를 썰어서 수증기로 증류하여 얻은 백색의 결정체이다.

약물명 갈포라향(羯布羅香)

성상 무색투명하거나 백색 반투명한 판상 또는 입상을 이루고, 결정편이 부스러져 가루로 된 것도 있다.

성분 dipterocarpol이 함유되어 있다.

약효 개규성신(開竅醒神), 산열지통(散熱止痛)의 효능이 있으므로 중풍구금(中風口

噤), 열병신혼(熱病神昏), 기폐이롱(氣閉耳聾), 구창, 후비(喉痺), 창양(瘡瘍)을 치료한다.

사용법 갈포라향 0.1~0.2g을 환약이나 가루약으로 만들어 복용하고 외용에는 가루로 만들어 참기름과 섞어서 바른다.

주의 몸이 허약한 사람이거나 임신 중인 사람은 복용하지 않는 것이 좋다.

❶ 유수(열매)

❶ 유수

용뇌향나무

심장쇠약 정신혼미 난산 치질

흉복통, 곽란 비점막염, 눈의 충혈, 구강염

● 학명 : *Dryobalanops aromatica* Gaetner ● 한자명 : 龍腦香樹

| 1 | 2 | 3 | 4 | 5 | 6 | 7 | 8 | 9 | 10 | 11 | 12 |

상록 교목. 높이 50~60m. 지름 1~2m. 줄기, 잎, 가지에서 수액이 잘 흘러나와서 방향성 냄새가 강하다. 잎은 작고 타원형, 몇 개의 가는 평행맥이 있다. 꽃은 지름 1.5cm, 꽃잎은 백색, 수술은 약 30개이다. 열매에 5개의 날개가 있다.

분포·생육지 수마트라, 말레이시아, 보르네오, 중국 윈난성(雲南省), 광둥성(廣東省), 광시성(廣西省). 열대 강우림에서 자란다.

약용 부위·수치 용뇌향나무의 줄기에서 흘러나오는 수지 또는 가지를 썰어서 수증기로 증류하여 얻은 백색의 결정체이다.

약물명 매화빙편(梅花氷片), 빙편(氷片), 용뇌(龍腦), 용뇌향(龍腦香), 뇌자(腦子), 매화뇌(梅花腦), 빙편뇌(氷片腦)라고도 한다. 대한민국약전외한약(생약)규격집(KHP)에 수재되어 있다.

본초서 용뇌(龍腦)는 「명의별록(名醫別錄)」에 처음 수재되었고, 당나라 본초서인 「신수본초(新修本草)」에는 용뇌향(龍腦香)으로, 이시진(李時珍)의 「본초강목(本草綱目)」에는 매화뇌(梅花腦)라는 이름으로 수재되어 있다. 「동의보감(東醫寶鑑)」에는 "눈 속

이나 겉에 난 눈병을 낫게 하고, 눈을 밝게 하며, 마음을 진정시키고 눈의 충혈, 예막을 치료한다. 명치 밑에 있는 나쁜 기운과 풍기와 습기를 몰아내고 뱃속에 덩어리가 생긴 것을 없애며 촌백충과 회충을 구제하고 치질을 낫게 한다."고 하였다.

名醫別錄 : 婦人難産 取龍腦研末少許 以新汲水調服.

本草綱目 : 療喉痺 腦痛 鼻瘜 齒痛 傷寒舌出 小兒頭陷 通諸竅 散鬱火.

東醫寶鑑 : 主內外障眼 明目 鎭心 去目赤膚瞖 心腹邪氣 風濕積聚 去三蟲 治五痔.

성상 무색투명하거나 백색 반투명한 판상 또는 입상을 이루고 결정편이 부스러져 가루로 된 것도 있다. 손으로 비비면 부서져서 백색 가루가 되면 일부는 승화한다. 냄새는 향기롭고 맛은 맵다.

품질 흑갈색이고 부서지기 쉬우며 광택이 있고 냄새와 맛은 함께 짙은 것이 좋다.

약효 급성열병의 심장쇠약, 정신혼미, 난산, 곽란, 흉복통에 복용하며, 비점막염, 눈의 충혈, 구강염, 치질 등에 외용한다.

성분 *d*-borneol, cineol, camphor, oleano-

❶ 용뇌향나무

lic acid acetate, hedragonic acid, dryobalanic acid, dryobalanone, dipterocarpol 등이 함유되어 있다.

약리 장뇌와 마찬가지로 국부에 적용하여도 흡수가 잘되어 지각 신경을 가볍게 자극한다. borneol은 국소 마취제인 lidocaine보다 강력하게 nicotinic ACh receptor를 비경쟁적으로 억제함으로써 catecholamine의 유리를 억제한다.

사용법 매화빙편 0.02g을 환약이나 가루약으로 만들어 복용하고, 외용에는 가루로 만들어 참기름과 섞어서 바른다.

주의 몸이 허약한 사람이나 임신 중인 사람은 복용하지 않는 것이 좋다.

❖ 매화빙편(梅花氷片)이 함유된 인후염 치료제

❖ 매화빙편(梅花氷片)

❖ 매화빙편(梅花氷片, 정제가 덜 된 것)

❖ 용뇌향나무(열매)

❖ 매화빙편(梅花氷片)이 함유된 피부염 치료제

[양귀비과]

멕시코양귀비

감모무한 / 황달, 산통 / 임병 / 개선창종

● 학명 : *Argemone mexicana* L. ● 영명 : Mexican poppy
● 한자명 : 薊罌粟 ● 별명 : 엉겅퀴양귀비

| 1 | 2 | 3 | 4 | 5 | 6 | 7 | 8 | 9 | 10 | 11 | 12 |

한해살이풀. 높이 30~90cm. 가지가 많이 갈라지고 가시가 있으며 백색을 띠는 녹색이다. 잎은 어긋나고 타원형으로 결각이 있으며, 잎자루는 짧다. 꽃은 황색, 5~7월에 원줄기와 가지 끝에 달린다. 열매는 달걀 모양으로 가시가 있고, 종자는 구형으로 그 물맥이 있다.

분포 · 생육지 멕시코 원산. 약용 또는 관상용으로 재배한다.

약용 부위 · 수치 전초를 5~7월에 채취하여 말린다.

약물명 계앵속(薊罌粟). 노서륵(老鼠芀)이라고도 한다.

약효 발한이수(發汗利水), 청열해독(清熱解毒), 지통지양(止痛止痒)의 효능이 있으므로 감모무한(感冒無汗), 황달, 임병(淋病), 수종(水腫), 산통(疝痛), 개선창종(疥癬瘡腫)을 치료한다.

성분 allocryptopine, protopine, berberine, dihydrosanguinarine, sanguinarine, dihydrochelerythrine, chelerythrine, norchelerythrine, crytopine, chelianthifolin, α−stylopine, β−scoulerine methohydroxide 등이 함유되어 있다.

약리 α−stylopine, β−scoulerine methohydroxide를 쥐에게 정맥주사하면 심장 혈관의 순환을 정상화한다. 알칼로이드 성분들은 포도상구균에 항균 작용이 있다.

사용법 계앵속 5g에 물 2컵(400mL)을 넣고 달여서 복용하고, 외용에는 짓찧어서 바른다.

주의 종자와 종자유를 과량 복용하면 구토와 설사, 시력감퇴를 초래한다.

❖ 멕시코양귀비

❖ 멕시코양귀비(열매)

애기똥풀

| 위장동통, 황달, 소화성궤양 | 수종 |
| 개선창종, 독사교상 | 월경불순, 월경통 |

●학명 : *Chelidonium majus* L. var. *asiaticum* (Hara) Ohwi ●영명 : Asian celandine
●별명 : 젖풀, 까치다리, 씨앗똥, 버즘풀

| 1 | 2 | 3 | 4 | 5 | 6 | 7 | 8 | 9 | 10 | 11 | 12 |

두해살이풀. 높이 30~80cm. 가지가 많이 갈라지고, 땅속의 뿌리줄기는 묵은 뿌리줄기 위에서 새로 생기고 지름 1cm 정도이다. 줄기와 잎은 흰빛이 돌고 상처를 내면 등황색의 유액이 나온다. 잎은 마주나고, 꽃은 5~8월에 피며 황색, 삭과는 길이 3~4cm이다.

분포·생육지 우리나라 전역. 중국, 일본, 몽골, 우수리, 사할린, 시베리아. 산과 들에서 자란다.

약용 부위·수치 전초는 6~7월에 꽃이 피려고 할 때 채취하여 사용하고, 꽃이 핀 것이나 열매가 달린 것은 외용으로 사용한다. 뿌리는 여름에 채취하여 물에 씻은 후 썰어서 말린다.

약물명 전초를 백굴채(白屈菜)라 하며 지황련(地黃連), 우금화(牛金花)라고도 한다. 뿌리를 백굴채근(白屈菜根)이라고 한다. 백굴채(白屈菜)는 대한민국약전외한약(생약)규격집(KHP)에 수재되어 있다.

성상 지상부로 줄기는 속이 비고 표면은 황록색 흰 털이 많다. 잎은 마주나고 기부는 깃꼴, 잎자루가 있다. 냄새가 특이하고 맛은 쓰다.

기미 백굴채(白屈菜): 양(凉), 고(苦), 유독(有毒). 백굴채근(白屈菜根): 온(溫), 고(苦), 삽(澁).

약효 백굴채(白屈菜)는 진통, 지해, 이뇨, 해독의 효능이 있으므로 위장의 동통, 황달, 수종(水腫), 개선창종(疥癬瘡腫), 사교상을 치료한다. 백굴채근(白屈菜根)은 파어(破瘀), 소종(消腫), 지혈, 진통의 효능이 있으므로 노상어혈(勞傷瘀血), 월경불순, 월경통, 소화성궤양, 독사교상 등을 치료한다.

성분 유액(乳液)에는 알칼로이드인 che-lidonine 41%, protopine 22%, stylopine 17%, allocryptopine 9%, berberine 5%, chelerythrine 3%, sanguinarine 1.5%, sparteine 0.1%가 함유되어 있다.

약리 백굴채(白屈菜)의 열수추출물 또는 chelidonine은 protopine과 같이 중추 억제 작용이 있으며, morphine과 비교하면 말초에 대한 작용은 보다 강하고 중추에 대한 작용은 약하며, 어느 정도의 진통 작용과 최면 작용이 있다. chelidonine은 동물 실험에서 진해, 거담, 평천(平喘) 작용을 나타낸다. chelidonine을 부종을 유발시킨 쥐에게 주사하면 소염 작용을 나타낸다. 백혈병 암세포인 S180으로 암을 유발시킨 쥐에게 열수추출물을 투여하면 암 조직의 성장을 억제시킨다.

사용법 백굴채 또는 백굴채근 5g에 물 2컵(400mL)을 넣고 달여서 복용하고, 외용에는 짓찧어 바른다.

＊복통이나 치통에 좋은 효과를 보았다는 보고가 많이 있고, 벌레 물린 상처나 습진에 짓찧어낸 즙액을 발라 잘 나았다는 보고가 있다. 그러므로 민간에서는 '버즘풀'이라고도 한다.

◐ 애기똥풀

◐ 애기똥풀(상처를 내면 등황색 유액이 나온다.)

◐ 애기똥풀(열매)

◐ 백굴채(白屈菜)

◐ 백굴채근(白屈菜根)

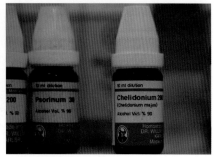

◐ 애기똥풀 팅크

[양귀비과]

왜현호색

| 심복통 | 요슬통 |
| 월경불순, 산후혈훈 | |

● 학명 : *Corydalis ambigua* Cham. et Schlecht.　● 한자명 : 東北玄胡索

| 1 | 2 | 3 | 4 | 5 | 6 | 7 | 8 | 9 | 10 | 11 | 12 |

여러해살이풀. 높이 10~30cm. 땅속의 덩이줄기는 지름 1~2cm, 잎은 2개로 어긋난다. 꽃은 벽자색, 4~5월에 5~10개가 원줄기 끝의 총상화서로 달린다. 거(距)는 옆으로 벋고 끝이 약간 밑으로 굽는다. 포는 바늘 모양, 삭과는 긴 원주형, 종자는 흑색 윤채가 도는 갈색이다.

분포 · 생육지 우리나라 전역. 중국, 일본, 아무르, 우수리. 산과 들에서 자란다.
약용 부위 · 수치 덩이줄기를 가을부터 겨울까지 채취하여 말린다. 덩이줄기의 외피를 벗긴 다음 끓는 물에 넣고 속의 흰색이 없어지고 노랗게 될 때까지 삶아 말린다.
약물명 동북연호색(東北延胡索). 남화채(藍花茱), 남화두(藍花豆)라고도 한다.
기미 · 귀경 온(溫), 신(辛), 고(苦) · 간(肝), 위(胃).
약효 활혈(活血), 산어(散瘀), 이기(理氣), 진통의 효능이 있으므로 심복통(心腹痛), 요슬통(腰膝痛), 월경불순, 산후혈훈(産後血暈)을 치료한다.
성분 corydaline, corydalmine, *dl*-tetrahydropalmatine, protopine, tetrahydro-columbamine, *dl*-tetrahydrocoptisine, cavidine, α-allocryptopine, methylcorypalline, dehydrothalictrifolie, ambinine 등이 함유되어 있다.
약리 알칼로이드는 유문(幽門) 결찰로 인한 궤양에 항궤양 작용이 있다. 진통 효과가 있으며 아편의 약 100분의 1이고, 최면, 진정 작용이 있다.
사용법 동북연호색 5g에 물 2컵(400mL)을 넣고 달여서 복용하거나 가루약, 환약으로 복용한다.
＊ 중국 둥베이(東北) 지방, 허베이성(河北省), 산둥성(山東省)에 분포하고 잎이 전연(全緣)이며 열매가 달걀 모양인 '전연연호색(全緣延胡索) *C. repens*'도 약효가 같다.

❀ 왜현호색

❀ 왜현호색(덩이줄기)　❀ 왜현호색(열매)

[양귀비과]

좀현호색

| 두통 | 위장경련통 |
| 통경 | |

● 학명 : *Corydalis decumbens* Persoon [*C. buschii*]
● 한자명 : 東紫菫　● 별명 : 제주도현호색

| 1 | 2 | 3 | 4 | 5 | 6 | 7 | 8 | 9 | 10 | 11 | 12 |

여러해살이풀. 높이 10cm 정도. 덩이줄기는 묵은 덩이줄기 위에 새로 생기고 지름 1cm 정도이다. 줄기는 5~6개가 나오고, 잎은 2~3회 3출겹잎이다. 꽃은 4~5월에 총상화서로 피고 적자색, 화관은 길이 1.5~2cm로 앞쪽은 입술 모양, 뒤쪽은 통 모양의 거(距)로 된다. 꽃잎은 4개, 수술은 6개, 암술은 1개이다.
분포 · 생육지 우리나라 제주도, 중부 지방, 중국, 일본, 타이완. 산지에서 자란다.
약용 부위 · 수치 전초를 여름에 채취하여 물에 씻어서 말린다.
약물명 동자근(東紫菫)
기미 · 귀경 한(寒), 고(苦) · 심(心), 간(肝), 대장(大腸)
약효 행기활혈(行氣活血) 및 지통의 효능이 있으므로 두통, 위장 경련통, 통경을 치료한다.

사용법 동자근 7g에 물 2컵(400mL)을 넣고 달여서 복용한다.

❀ 좀현호색(덩이줄기)

❀ 좀현호색

[양귀비과]

애기현호색

| 심복통 | 요슬통 |
| 월경불순, 산후혈훈 | |

● 학명 : *Corydalis fumariaefolia* Maxim.

| 1 | 2 | 3 | 4 | 5 | 6 | 7 | 8 | 9 | 10 | 11 | 12 |

여러해살이풀. 높이 25cm 정도. 땅속의 덩이줄기는 지름 1.5cm 정도, 원줄기는 1개이다. 잎은 어긋나고 1~2회 3출겹잎, 열편은 바늘 모양이다. 꽃은 자주색, 4월에 5~10개가 원줄기 끝에 총상화서로 달린다. 열매는 삭과로 편평하고 긴 타원형이다.

분포·생육지 우리나라 충북 이북. 중국, 아무르, 우수리. 산지에서 자란다.

약용 부위·수치 덩이줄기를 가을부터 겨울까지 채취하여 말린다. 덩이줄기의 외피를 벗긴 다음 끓는 물에 넣고 속의 흰색이 없어지고 노랗게 될 때까지 삶아 말린다.

약물명 연호색(延胡索). 연호(延胡), 현호색(玄胡索), 원호색(元胡索), 원호(元胡)라고도 한다. 대한민국약전(KP)에 수재되어 있다.

약효 활혈, 산어(散瘀), 이기(理氣), 진통의 효능이 있으므로 심복통, 요슬통, 월경불순, 산후혈훈(産後血暈)을 치료한다.

사용법 연호색(延胡索) 5g에 물 2컵(400 mL)을 넣고 달여서 복용하거나 가루약, 환약으로 복용한다.

❍ 애기현호색(덩이줄기)

❍ 애기현호색

[양귀비과]

갈퀴현호색

| 심복통 | 요슬통 |
| 월경불순, 산후혈훈 | |

● 학명 : *Corydalis grandicalyx* B. Oh et Y. Kim

| 1 | 2 | 3 | 4 | 5 | 6 | 7 | 8 | 9 | 10 | 11 | 12 |

여러해살이풀. 높이 20cm 정도. 땅속의 덩이줄기는 백색, 지름 1.5cm 정도, 줄기는 덩이줄기 위에서 3~4개로 갈라진다. 비늘잎은 백색, 잎은 어긋나고 2회 3출겹잎, 작은잎은 원형으로 가장자리는 밋밋하다. 꽃은 3~4월에 피고 보라색이다. 열매는 삭과로 방추형이다.

분포·생육지 우리나라 강원도. 산지에서 자란다.

약용 부위·수치 덩이줄기를 가을부터 겨울까지 채취하여 말린다. 덩이줄기의 외피를 벗긴 다음 끓는 물에 넣고 속의 흰색이 없어지고 노랗게 될 때까지 삶아 말린다.

약물명 연호색(延胡索). 연호(延胡), 현호색(玄胡索), 원호색(元胡索), 원호(元胡)라고도 한다. 대한민국약전(KP)에 수재되어 있다.

약효 활혈, 산어(散瘀), 이기(理氣), 진통의 효능이 있으므로 심복통, 요슬통, 월경불순, 산후혈훈(産後血暈)을 치료한다.

사용법 연호색(延胡索) 5g에 물 2컵(400 mL)을 넣고 달여서 복용하거나 가루약, 환약으로 복용한다.

❍ 갈퀴현호색(흰꽃)

❍ 갈퀴현호색

염주괴불주머니

 옹창열절, 종독   각막충혈

● 학명 : *Corydalis heterocarpa* S. et Z. ● 별명 : 줄구슬뿔꽃

| 1 | 2 | 3 | 4 | 5 | 6 | 7 | 8 | 9 | 10 | 11 | 12 |

두해살이풀. 줄기는 모여나며 높이 60cm 정도. 전체에 흰 가루색이 돌고 자르면 불쾌한 냄새가 난다. 잎은 어긋나고 얇고 2~3회 3출겹잎이다. 열편은 쐐기형, 꽃은 3~5월에 피고 황색이다. 열매는 삭과로 넓은 선형이고 염주 모양이다.

분포 · 생육지 우리나라 전역. 중국, 일본. 바닷가의 모래밭에서 자란다.

약용 부위 · 수치 전초를 봄과 여름에 채취하여 물에 씻어서 말린다.

약물명 주과황자근(珠果黃紫菫)

약효 청열해독(淸熱解毒), 소종지통(消腫止痛)의 효능이 있으므로 옹창열절(癰瘡熱節), 종독(腫毒), 각막충혈(角膜充血)을 치료한다.

사용법 주과황자근 7g에 물 2컵(400mL)을 넣고 달여서 복용하고, 외용에는 환부에 짓찧어 붙이거나 즙을 내어 바른다.

주의 유독하므로 사용량에 주의하여야 한다.

◘ 염주괴불주머니

자주괴불주머니

개선, 선창   탈항

● 학명 : *Corydalis incisa* (Thunb.) Persoon
● 한자명 : 刻葉紫菫 ● 별명 : 자지괴불주머니, 자주현호색, 자주뿔꽃

| 1 | 2 | 3 | 4 | 5 | 6 | 7 | 8 | 9 | 10 | 11 | 12 |

◘ 자주괴불주머니

두해살이풀. 높이 20~50cm. 줄기는 약하고 능선이 있다. 뿌리잎은 3회 3출겹잎이고, 꽃은 5월에 피고 적자색이다. 포는 쐐기 모양의 타원형으로 결각이 있다. 화관은 길이 12~18mm로 한쪽이 입술 모양, 다른쪽은 거(距)로 되며, 수술은 6개이고 2개로 갈라진다. 열매는 삭과로 긴 타원형이고 밑으로 처지며 흑색 종자가 들어 있다.

분포 · 생육지 우리나라 전역. 중국, 일본. 산기슭 그늘진 곳에서 자란다.

약용 부위 · 수치 전초 또는 뿌리를 5~6월에 채취하여 말린다.

약물명 자화어정초(紫花魚灯草), 천규초(天奎草), 단장초(斷腸草), 야근채(野芹菜)라고도 한다.

약효 살충, 해독의 효능이 있으므로 개선(疥癬), 선창(癬瘡), 탈항을 치료한다.

성분 protopine, sanguinarine, coptisine, corysamine, corynoloxine, corynoline, isocorynoline, pallidine 등의 알칼로이드가 함유되어 있다.

약리 pallidine은 저농도에서 그람 양성 및 음성균에 항균 작용이 있고, 그 작용은 설파제보다 강하다. 혈액 및 조직에 있어서 약물 농도는 비교적 장기간 유지되어 대소변으로 배출 속도는 느리다.

사용법 외용으로만 사용하며, 환부에 짓찧어 붙이거나 즙을 내어 바른다.

주의 유독하므로 복용은 금한다.

◘ 자화어정초(紫花魚灯草)

◘ 자주괴불주머니(열매)

[양귀비과]

점현호색

심복통　　요슬통
월경불순, 산후혈훈

● 학명 : *Corydalis maculata* B. Oh et Y. Kim

| 1 | 2 | 3 | 4 | 5 | 6 | 7 | 8 | 9 | 10 | 11 | 12 |

여러해살이풀. 높이 20cm 정도. 땅속의 덩이줄기는 백색, 지름 1.5cm 정도, 줄기잎은 2개, 2회 3출겹잎, 작은잎은 손바닥 모양으로 갈라지고, 표면에 백색 반점이 흩어져 있다. 꽃은 4~5월에 피고 보라색이다.

분포 · 생육지 우리나라 경기도, 강원도. 산지에서 자란다.

약용 부위 · 수치 덩이줄기를 가을부터 겨울까지 채취하여 말린다. 덩이줄기의 외피를 벗긴 다음 끓는 물에 넣고 속의 흰색이 없어지고 노랗게 될 때까지 삶아 말린다.

약물명 연호색(延胡素). 연호(延胡), 현호색(玄胡索), 현호색(玄胡索), 원호색(元胡索), 원호(元胡)라고도 한다. 대한민국약전(KP)에 수재되어 있다.

약효 활혈, 산어(散瘀), 이기(理氣), 진통의 효능이 있으므로 심복통, 요슬통, 월경불순, 산후혈훈(産後血暈)을 치료한다.

사용법 연호색(延胡索) 5g에 물 2컵(400mL)을 넣고 달여서 복용하거나 가루약, 환약으로 복용한다.

◐ 점현호색

◐ 점현호색(꽃)

[양귀비과]

눈괴불주머니

창독종통　　이질
폐결핵객혈

● 학명 : *Corydalis ochotensis* Turcz. ● 한자명 : 黃紫菫 ● 별명 : 산해주머니

| 1 | 2 | 3 | 4 | 5 | 6 | 7 | 8 | 9 | 10 | 11 | 12 |

두해살이풀. 전체에 분백색이 돌고 가지가 많이 갈라져서 엉키며 길이 60cm 정도, 능선이 있다. 잎은 어긋나고, 꽃은 7~9월에 피며 황색이다. 열매는 삭과로 선형이고 길이 1.2~1.5cm, 지름 3.5~4.5mm이며, 종자는 흑색으로 2줄로 배열된다.

분포 · 생육지 우리나라 전역. 중국, 일본. 숲 가장자리의 습지에서 흔하게 자란다.

약용 부위 · 수치 전초를 봄과 여름에 채취하여 물에 씻어서 말린다.

약물명 황자근(黃紫菫)

약효 청열해독(淸熱解毒)의 효능이 있으므로 창독종통(瘡毒腫痛), 이질, 폐결핵객혈(肺結核喀血)을 치료한다.

성분 protopine, ochotensimine, adlumidine, chelianthifoline, didehydrochelianthifoline, yenhusomine, corytensine 등이 함유되어 있다.

사용법 황자근 5g에 물 2컵(400mL)을 넣고 달여서 복용하고, 외용에는 환부에 짓찧어 붙이거나 즙을 내어 바른다.

◐ 황자근(黃紫菫)

◐ 열매　　　◐ 눈괴불주머니

[양귀비과]

괴불주머니

 옹창열절, 종독　　👁 각막충혈

● 학명 : *Corydalis pallida* (Thunb.) Persoon
● 한자명 : 珠果黃菫　　● 별명 : 산해주머니, 뿔꽃

두해살이풀. 줄기는 모여나며, 높이 30～50cm, 연약하고, 전체가 백록색이다. 잎은 어긋나며 얇고 2회 깃꼴겹잎이다. 꽃은 4～5월에 피고 황색, 열매는 삭과로 바늘 모양이고 약간 구부러지며 염주 모양이다.

종자는 흑색이며 돌기가 많이 있다.

분포 · 생육지 우리나라 전역. 중국, 일본 등 전 세계. 산과 들에서 흔하게 자란다.

약용 부위 · 수치 전초를 봄과 여름에 채취하여 물에 씻어서 말린다.

약물명 주과황자근(珠果黃紫菫). 염주황근(念珠黃菫), 호황근(胡黃菫)이라고도 한다.

약효 청열해독(淸熱解毒), 소종지통(消腫止痛)의 효능이 있으므로 옹창열절(癰瘡熱節), 종독(腫毒), 각막충혈(角膜充血)을 치료한다.

성분 pallidine, kikemanine, protopine, capaurimine, capaurine, sinoacutine, corydaline, isoboldine, tetrahydropalmatine, cryptopine 등의 알칼로이드가 함유되어 있다.

약리 pallidine은 저농도에서 그람 양성 및 음성균에 항균 작용이 있고, cryptopine은 아편 중에 들어 있는 미량 성분이나 의약품의 papaverine에 함유된 양은 4%에 달하고, 작용은 papaverine과 비슷하다.

사용법 주과황자근 7g에 물 2컵(400mL)을 넣고 달여서 복용하고, 외용에는 환부에 짓찧어 붙이거나 즙을 내어 바른다.

주의 유독하므로 사용량에 주의하여야 한다.

◐ 괴불주머니

◐ 주과황자근(珠果黃紫菫)

[양귀비과]

산괴불주머니

옹창열절, 종독　　👁 각막충혈

● 학명 : *Corydalis speciosa* Maxim.　● 별명 : 암괴불주머니, 조선괴불주머니

◐ 산괴불주머니 무리

두해살이풀. 줄기는 모여나며 높이 40cm 정도, 줄기는 바로 서며 속이 비었고 전체에 흰 가루색이 돌고 연약하다. 잎은 어긋나며 얇고 2회 깃꼴겹잎이다. 열편은 긴 타원형, 꽃은 4～6월에 피고 황색이다. 열매는 삭과로 바늘 모양, 염주 모양이다.

분포 · 생육지 우리나라 전역. 중국, 일본. 산지의 습한 곳에서 흔하게 자란다.

약용 부위 · 수치 전초를 봄과 여름에 채취하여 물에 씻어서 말린다.

약물명 주과황자근(珠果黃紫菫)

약효 청열해독(淸熱解毒), 소종지통(消腫止痛)의 효능이 있으므로 옹창열절(癰瘡熱節), 종독(腫毒), 각막충혈(角膜充血)을 치료한다.

사용법 주과황자근 7g에 물 2컵(400mL)을 넣고 달여서 복용하고, 외용에는 환부에 짓찧어 붙이거나 즙을 내어 바른다.

주의 유독하므로 사용량에 주의하여야 한다.

◐ 산괴불주머니

[양귀비과]

들현호색

심복통　요슬통
월경불순, 산후혈훈

● 학명 : *Corydalis ternata* Nakai　● 별명 : 꽃나물, 세잎현호색, 에게잎, 외잎현호색

1	2	3	4	5	6	7	8	9	10	11	12

여러해살이풀. 높이 15cm 정도. 땅속의 뿌리줄기는 옆으로 번고, 둥근 덩이가 주렁주렁 생겨 번식한다. 줄기는 여러 개가 모여 나며, 잎은 어긋나고 3출겹잎, 작은잎은 달걀 모양, 밑은 좁고 끝은 둥글며 톱니가 있다. 꽃은 4월에 피고 적자색이다.

분포 · 생육지 우리나라 전역. 중국. 산지에서 자란다.

약용 부위 · 수치 덩이줄기를 가을부터 겨울까지 채취하여 말린다. 덩이줄기의 외피를 벗긴 다음 끓는 물에 넣고 속의 흰색이 없어지고 노랗게 될 때까지 삶아 말린다.

약물명 연호색(延胡索). 현호색(玄胡索)이라고도 한다.

약효 활혈, 산어(散瘀), 이기(理氣), 진통의 효능이 있으므로 심복통, 요슬통, 월경불순, 산후혈훈(産後血暈)을 치료한다.

사용법 연호색(延胡索) 5g에 물 2컵(400 mL)을 넣고 달여서 복용하거나 가루약, 환약으로 복용한다.

성분 tetrahydrocoptisine, corydaline, tetrahydropalmatine, isocorybulbine, *N*-methyltetrahydroberbinium, dehydrocorybulbine, corybulbine 등의 알칼로이드가 함유되어 있다.

약리 corybulbine, isocorybulbine, *N*-methyltetrahydroberbinium은 Aldose-Reductase의 활성을 저해한다.

○ 연호색(延胡索, 절편)

○ 들현호색

[양귀비과]

현호색

심복통　요슬통
월경불순, 산후혈훈

● 학명 : *Corydalis turtschaninovii* Besser　● 영명 : Corydalis
● 한자명 : 玄胡索　● 별명 : 조선현호색, 소엽현호색

1	2	3	4	5	6	7	8	9	10	11	12

여러해살이풀. 높이 20cm 정도. 땅속의 덩이줄기는 지름 1cm 정도. 잎은 어긋나고 3개씩 1~2회 갈라진다. 꽃은 담적자색, 4월에 5~10개가 원줄기 끝에 총상화서로 달린다. 열매는 삭과로 편평하고 긴 타원형이다.

분포 · 생육지 우리나라 전역. 중국, 일본, 아무르, 우수리. 산과 들에서 자란다.

약용 부위 · 수치 덩이줄기를 가을부터 겨울까지 채취하여 말린다. 덩이줄기의 외피를 벗긴 다음 끓는 물에 넣고 속의 흰색이 없어지고 노랗게 될 때까지 삶아 말린다.

약물명 치판현호색(齒瓣玄胡索). 남작화(藍雀花), 남화채(藍花菜)라고도 한다. 우리나라에서는 현호색(玄胡索) 또는 연호색(延胡索)이라고 한다. 대한민국약전(KP)에 수재되어 있다.

약효 활혈, 산어(散瘀), 이기(理氣), 진통의 효능이 있으므로 심복통, 요슬통, 월경불순, 산후혈훈(産後血暈)을 치료한다.

사용법 치판현호색(齒瓣玄胡索) 5g에 물 2컵(400mL)을 넣고 달여서 복용하거나 가루약, 환약으로 복용한다.

성상 편구형으로 지름 1~2cm이며 한쪽 끝에 줄기의 흔적이 있고 밑부분에는 몇 개의 돌기가 있다. 표면은 황색~황갈색으로 그물 모양의 주름이 있다. 횡단면은 황색으로 질이 단단하다. 냄새는 거의 없고 맛은 쓰다.

＊ 잎이 대나무 잎처럼 갈라진 '댓잎현호색 var. *linearis*', 잎이 빗살 모양인 '빗살현호색 var. *pectinata*'도 약효가 같다. 중국약전(中國藥典)에는 현호색의 기원 식물로 '중국현호색 *C. yanhusuo*'을 수재하고 있다.

○ 현호색(덩이줄기)

○ 치판현호색(齒瓣玄胡索)

○ 현호색

○ 댓잎현호색

○ 빗살현호색

[양귀비과]

중국현호색

심복통 요슬통
월경불순, 산후혈훈

● 학명 : *Corydalis yanhusuo* W. T. Wang ● 별명 : 현호색

| 1 | 2 | 3 | 4 | 5 | 6 | 7 | 8 | 9 | 10 | 11 | 12 |

여러해살이풀. 높이 10~20cm. 땅속의 덩이줄기는 편구형으로 지름 1cm 정도. 줄기잎은 어긋나고 2회 3출겹잎이다. 꽃은 적자색, 4월에 3~8개가 원줄기 끝에 총상화서로 달린다. 포는 길이 1cm 정도, 타원형, 가장자리가 밋밋하지만 밑의 것은 3~5개의 톱니가 있다. 꽃받침은 2개, 꽃잎은 4개, 삭과는 선형이다.

분포 · 생육지 중국 산시성(陝西省), 장쑤성(江蘇省), 안후이성(安徽省), 후베이성(湖北省). 산과 들에서 자란다. 저장성 동양(東陽), 장쑤성 난통(南通), 지린성 창춘(長春)에서 대량으로 재배한다.

약용 부위 · 수치 덩이줄기를 가을부터 겨울까지 채취하여 말린다. 덩이줄기의 외피를 벗긴 다음 끓는 물에 넣고 속의 흰색이 없어지고 노랗게 될 때까지 삶아 말린다.

약물명 연호색(延胡索). 연호(延胡), 현호색(玄胡索), 원호색(元胡索), 원호(元胡)라고도 한다. 대한민국약전(KP)에 수재되어 있다.

본초서 연호색(延胡索)은 송대(宋代)의 「개보본초(開寶本草)」에 처음 수재되었다. 송(宋)의 진종(眞宗)의 어릴 때 이름이 현(玄)이었으므로 현호색(玄胡索)이 연호색(延胡索)으로 바뀌었다. 진장기(陳藏器)는 "연호색(延胡索)의 뿌리는 반하(半夏)처럼 황색이다."라고 말한 사실에서 이 시대부터 약으로 사용한 것으로 추정된다. 명대(明代)의 「본초원시(本草原始)」에는 모산연호색

(茅山延胡索)과 서연호색(西延胡索)이 수재된 것으로 보아 여러 지방에서 재배한 것으로 생각된다. 「동의보감(東醫寶鑑)」에 "산후 피가 몰려 생기는 여러 가지 병, 생리가 고르지 못한 것과 뱃속에 뭉쳐 있는 덩어리, 자궁의 분비물, 산후 출혈로 정신이 혼미한 것, 다쳐서 생긴 어혈을 치료한다. 낙태될 수도 있고, 기병(氣病)과 심장병, 아랫배의 복통을 치료한다."고 하였다.

雷公炮炙論 : 治心痛慾死.

日華子 : 除風 治氣 暖腰膝 破癥癖 補損瘀血 落胎及暴腰痛.

本草綱目 : 活血 利氣 止痛, 通小便.

東醫寶鑑 : 主産後諸病 因血所爲者 治月經不調腹中結塊 崩中淋露 産後血暈 消撲損瘀血 落胎 破癥癖 破血 治氣 治心痛 小腹痛如神.

성상 편구형으로 지름 1~1.5cm이며 표면은 황색~황갈색으로 그물 모양의 주름이 있다. 횡단면은 황색으로 질이 단단하다. 냄새는 거의 없고 맛은 쓰다. 황색이 선명하고 크며 단단한 것이 좋다.

기미 · 귀경 온(溫), 신(辛), 고(苦) · 심(心) · 간(肝), 비(脾)

약효 활혈, 산어(散瘀), 이기(理氣), 진통의 효능이 있으므로 심복통, 요슬통, 월경불순, 산후혈훈(産後血暈)을 치료한다.

성분 corydaline, xylopinine, stylopine, oxypseudopalmatine, corydaline A, *dl*-tetrahydropalmatine, oxyberberine, oxypalmatine, oxyglaucidaline, corytenchine,

pseudohydrocorydaline, berberine, pseudocoptisine, pseudoberberine, corybulmine, coptisine, l-coryclamine, conadine, protopine, l-tetrahydrocoptisine, *dl*-tetrahydrocoptisine, l-isocorypalmine, dehydrocorydalmine 등이 함유되어 있다.

약리 진통 효과가 있으며 아편의 약 100분의 1이고 최면, 진정 작용이 있다. tetrahydropalmatine은 strychnine의 경련 발생을 억제하지 못하나 pentyleneterazol의 경련 작용은 억제한다. 그러나 전기 쇼크의 발생은 억제하지 못한다. tetrahydropalmatine은 쥐의 뇌하수체의 ACTH 분비를 촉진하고 그 작용 부위는 시상하부라고 생각된다. tetrahydropalmatine을 쥐에 경구 투여하면 빠르고 완전하게 흡수된다. berberine, pseudocoptisine, pseudoberberine은 acetylcholinesterase의 활성을 억제한다. 견우자 및 현호색의 에탄올추출물은 내장의 과민 반응을 현저하게 줄인다.

사용법 연호색 5g에 물 2컵(400mL)을 넣고 달여서 복용하거나 가루약, 환약으로 복용한다.

처방 현호색환(玄胡索丸) : 현호색(玄胡索) 60g, 계심(桂心) · 홍화(紅花) · 활석(滑石) · 홍국(紅麴) 각 20g, 도인(桃仁) 30알 「동의보감(東醫寶鑑)」. 어혈(瘀血)로 명치 밑이 찌르는 듯이 아픈 증상에 사용한다.

• 안중산(安中散) : 계지(桂枝) · 모려(牡蠣) 각 9g, 현호색(玄胡索) 6g, 회향(茴香) · 사인(砂仁) · 감초(甘草) 각 3g, 양강(良薑) 2g. 비위가 허약하여 배가 아프고 배꼽 주변이 쿵쿵거리는 증상에 사용한다.

주의 행혈약(行血藥)이므로 어혈이 없거나 임신부는 피한다.

❍ 중국현호색(덩이줄기)

❍ 연호색(延胡索, 절편)

❍ 연호색(延胡索)

순수한방생약제제
韓新 후리캄 엑스과립
(安中散)
❍ 연호색(延胡索)이 주 원료인 안중산(安中散)

❍ 중국현호색

[양귀비과]

금낭화

 종창　 위통

● 학명 : *Dicentra spectabilis* (L.) Lemaire [*Dielytra spectabilis*]　● 영명 : Bleeding heart
● 한자명 : 金囊花, 荷包牡丹, 活血草　● 별명 : 며느리주머니

| 1 | 2 | 3 | 4 | 5 | 6 | 7 | 8 | 9 | 10 | 11 | 12 |

여러해살이풀. 높이 50~70cm. 줄기는 연약하다. 잎은 어긋나고 2회 3출겹잎이다. 꽃은 연한 붉은색, 5~6월에 줄기 끝에 총상화서로 달린다. 꽃받침 조각은 2개, 꽃잎은 4개가 모여서 편평한 심장형으로 되고, 수술은 6개가 2뭉치를 이룬다. 열매는 삭과로 긴 원통형이다.

분포 · 생육지 우리나라 전남, 경남 지리산, 경기, 강원, 함북. 중국. 산기슭에서 자란다.

약용 부위 · 수치 뿌리줄기를 가을에 채취하여 말린다.

약물명 하포모단근(荷包牡丹根). 활혈초(活血草)라고도 한다.

약효 거풍, 활혈, 진통의 효능이 있으므로 종창, 위통을 치료한다.

성분 cryptopine, protopine, sanguinarine, coptisine, chelerythrine, chelirubine, chelilutine, scoulerine, reticuline, cheilanthifoline 등의 알칼로이드가 함유되어 있다.

약리 cryptopine은 아편 중에 들어 있는 미량 성분이나 의약품의 papaverine에 함유된 양은 4%에 달하고, 작용은 papaverine과 비슷하다.

사용법 뿌리줄기를 짓찧어 즙을 내어 술에 타서 복용하고, 환부에 짓찧어 붙이거나 즙을 내어 바른다.

＊ 꽃이 백색인 '흰금낭화 for. *albiflorum*'도 약효가 같다.

● 하포모단근(荷包牡丹根)

● 금낭화

● 금낭화(열매)

● 금낭화 재배

[양귀비과]

금영화

 정신불안, 수면장애　 신경통

● 학명 : *Eschscholzia california* Cham.　● 별명 : 캘리포니아양귀비

| 1 | 2 | 3 | 4 | 5 | 6 | 7 | 8 | 9 | 10 | 11 | 12 |

한해살이풀. 높이 30~60cm. 전체가 회녹색을 띠고, 줄기는 연약하며 털이 없고 가지를 많이 낸다. 잎은 2~3회 삼출겹잎이다. 꽃은 등황색, 5~6월에 줄기나 가지 끝에 1개씩 달리며, 꽃잎은 4개, 개화와 동시에 꽃받침이 탈락하여 저녁에 진다. 수술은 많고, 암술머리는 4~6갈래, 열매는 긴 원주형이다.

분포 · 생육지 북아메리카 원산. 세계 각처에서 재배한다.

약용 부위 · 수치 전초를 여름이나 가을에 채취하여 말린다.

약물명 화릉초(花菱草)

약효 진경, 진정의 효능이 있으므로 정신불안, 수면장애, 신경통을 치료한다.

성분 californidine, eschlozine, protopine, chelerythrine, sanquinarine 등이 함유되어 있다.

약리 protopine은 항경련, 항부정맥, 항콜린 작용이 있다.

사용법 화릉초 1g을 뜨거운 물에 우려내어 복용한다.

● 금영화

서양현호색

소화불량, 담낭경련　　건선, 만성습진

● 학명 : *Fumaria officinalis* L.　● 영명 : Fumitory　● 별명 : 둥근빗살현호색

| 1 | 2 | 3 | 4 | 5 | 6 | 7 | 8 | 9 | 10 | 11 | 12 |

❍ 서양현호색

한해살이풀. 전체에 분백색이 돌고 가지가 많이 갈라지고 희미한 능선이 있다. 잎은 어긋나고, 꽃은 7~9월에 가지 끝과 원줄기 끝에 총상화서로 피고, 화관은 연한 붉은색이나 끝부분은 적자색을 띤다. 포는 넓은 달걀 모양, 가장자리가 밋밋하다. 열매는 삭과로 타원상 구형이다.

분포·생육지 유럽, 중동 지역, 지중해 연안. 숲 가장자리의 습지에서 흔하게 자란다.

약용 부위·수치 전초를 7~9월에 채취하여 흙과 먼지를 털어서 말린다.

약물명 Corydalis Herba

약효 이담(利痰), 진경의 효능이 있으므로 소화불량, 담낭이나 담관의 경련을 치료한다. 외용으로는 건선, 만성습진에 사용한다.

성분 protopine, fumarine, fumaricine, rutin, fumariline, fumaritine, fumarofine, quercetin 등이 함유되어 있다.

사용법 Corydalis Herba 2~3g을 뜨거운 물에 우려내어 복용하고, 외용에는 짓찧어 붙이거나 즙을 내어 바른다.

피나물

풍습비통　　타박상
노상

● 학명 : *Hylomecon vernale* Maxim.　● 한자명 : 荷靑花　● 별명 : 매미꽃

| 1 | 2 | 3 | 4 | 5 | 6 | 7 | 8 | 9 | 10 | 11 | 12 |

여러해살이풀. 줄기는 곧게 서고 높이 30cm 정도. 뿌리줄기는 짧으며 많은 뿌리가 나온다. 뿌리잎은 5~7개로 갈라진 깃꼴겹잎이고, 꽃은 4~5월에 원줄기 끝의 잎겨드랑이에서 1~3개가 나온다. 꽃받침잎은 2개, 꽃잎은 4개, 황색, 많은 수술과 1개의 암술이 있다. 열매는 삭과로 길이 3~5cm, 지름 3mm 정도, 원주형이다.

분포·생육지 우리나라 전역. 중국, 일본, 아무르, 우수리. 산의 숲속에서 자란다.

약용 부위·수치 뿌리를 일년 내내 채취하며, 물에 씻어서 말린다.

약물명 하청화근(荷靑花根). 도두삼칠(刀豆三七), 괴조칠(拐棗七)이라고도 한다.

약효 거풍통락(祛風通絡), 산어소종(散瘀消腫)의 효능이 있으므로 풍습비통(風濕痺痛), 타박상, 노상(勞傷)을 치료한다.

성분 cryptopine, allocryptopine, protopine, coptisine, berberine, sanguinarine, chelerythrine, chelirubine 등이 함유되어 있다.

사용법 하청화근 10g에 물 3컵(600mL)을 넣고 달여서 복용하거나 술에 담가 복용하고, 타박상에는 짓찧어 바르거나 붙인다.

＊ 잎 끝이 갈래가 지는 '갈래피나물 var. *dissectifolium*', 줄기에 잎이 없는 '매미꽃 *H. hylomeconoides*'도 약효가 같다.

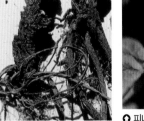

❍ 하청화근(荷靑花根)

❍ 피나물(꽃줄기에 상처를 내면 붉은색 유액이 나온다.)

❍ 피나물

❍ 매미꽃

[양귀비과]

죽자초

 종기, 하지궤양, 완선, 백독자, 화상, 개선
 급성편도선염, 중이염 ♀ 질염

●학명 : *Macleaya cordata* (Willd.) R. Br. ●한자명 : 竹子草

| 1 | 2 | 3 | 4 | 5 | 6 | 7 | 8 | 9 | 10 | 11 | 12 |

여러해살이풀. 높이 1.5~2m. 줄기는 원주형이며 속이 비어 있다. 잎은 어긋나며 달걀 모양, 5~7개로 얕게 갈라지고 톱니가 있다. 꽃은 6~7월에 피며, 꽃받침잎은 2개, 백색, 바늘 모양이다. 꽃잎은 없고, 수술은 많으며 암술은 1개, 암술대는 짧다. 열매는 삭과로 달걀 모양이다.

분포·생육지 중국 원산. 우리나라 전역에서 약용으로 재배하고 있다.

약용 부위·수치 뿌리 또는 전초를 가을에 채취하여 썰어서 말린다.

약물명 박락회(博落回). 낙회(落回), 호통초(號筒草)라고도 한다.

약효 소종(消腫), 해독, 살충의 효능이 있으므로 종기, 하지궤양, 완선(頑癬), 백독자(白禿子), 급성편도선염, 중이염, 질염, 화상, 개선(疥癬)을 치료한다.

성분 뿌리에는 sanguinarine, chelerythrine, bocconine, 지상부에는 protopine, allocryptopine, oxysanguinarine, coptis-ine, berberine, corysamine 등, 열매에는 sanguinarine, protopine 등이 함유되어 있다.

약리 이 식물에 함유되어 있는 3종의 알칼로이드는 선충을 죽이는 작용이 있고, 세균 및 진균에 항균 작용, 그리고 파리 알을 죽이는 작용이 있다.

사용법 주로 외용하는데, 짓찧어 환부에 붙이거나 달인 액으로 씻는다. 하지궤양, 완선(頑癬), 백독자(白禿子)의 치료에는 잎을 식초에 일주일 정도 담갔다가 짓찧어 환부에 붙인다.

주의 유독한 식물이므로 복용에 주의하여야 한다.

○ 죽자초

○ 죽자초(열매)

○ 박락회(博落回)

[양귀비과]

전연록융호

 폐열해수 황달
 수종

●학명 : *Meconopsis integrifolia* (Maxim.) Franch. [*Cathcartia integrifolia*]
●한자명 : 全緣綠絨蒿

| 1 | 2 | 3 | 4 | 5 | 6 | 7 | 8 | 9 | 10 | 11 | 12 |

한해살이풀. 높이 1.5m 정도. 전체에 털이 있다. 뿌리잎은 모여나고, 줄기잎은 어긋나며 바늘 모양, 가장자리가 밋밋하다. 꽃은 5~11월에 피며, 꽃잎은 6~8개, 황색이다. 열매는 삭과로 달걀 모양이다.

분포·생육지 중국 간쑤성(甘肅省), 칭하이성(靑海省), 쓰촨성(四川省), 티베트. 해발 3,500~5,000m에서 자란다.

약용 부위·수치 전초를 가을에 채취하여 썰어서 말린다.

약물명 녹융호(綠絨蒿)

약효 청열이습(淸熱利濕), 지해의 효능이 있으므로 폐열해수, 황달, 수종을 치료한다.

사용법 녹융호 5g에 물 2컵(400mL)을 넣고 달여서 복용한다.

○ 전연록융호(꽃)

○ 전연록융호

[양귀비과]

흰양귀비

해수 · 하리 · 탈항 · 심복근골

- 학명 : *Papaver amurense* N. Busch [*P. anomalum* Fedde]
- 한자명 : 野罌 · 별명 : 흰개양귀비, 흰아편꽃

1	2	3	4	5	6	7	8	9	10	11	12

두해살이풀. 높이 50~70cm. 전체에 털이 있다. 잎은 밑부분에서 모여나고 잎자루가 길다. 꽃은 백색, 6~7월에 긴 꽃대 끝에 1개씩 달린다. 꽃받침잎은 2개, 꽃잎은 4개, 수술은 많으며 암술머리는 합쳐져서 방사형으로 된다. 삭과는 달걀 모양이고 위쪽 구멍에서 종자가 나온다.

분포 · 생육지 우리나라 백두산 주변. 길가나 강가에서 흔하게 자란다.

약용 부위 · 수치 전초를 여름과 가을에 채취하여 말린다.

약물명 야앵속(野罌粟), 산앵속(山罌粟), 모앵속(毛罌粟)이라고도 한다.

기미 · 귀경 한(寒), 신(辛), 유독(有毒) · 폐(肺), 신(腎), 대장(大腸)

약효 염폐(斂肺), 지해, 삽장(澁腸), 지통의 효능이 있으므로 해수, 하리, 탈항, 심복근골의 통증을 치료한다.

성분 amurine, amuroline, amurinine, coptisine, muramine, cryptopalmatine 등이 함유되어 있다.

약리 쥐에게 열수추출물을 투여하면 활동이 억제되며, 토끼의 장관을 적출하여 이것을 투여하면 장관의 운동이 증가된다.

사용법 야앵속 5g에 물 2컵(400mL)을 넣고 달여서 복용하거나, 술에 담가서 복용한다.

○ 흰양귀비(뿌리)

○ 흰양귀비

[양귀비과]

두메양귀비

복통, 설사 · 기침, 가래

- 학명 : *Papaver radicatum* Rottb. var. *pseudo-radicatum* (Kitagawa) Kitagawa
- 한자명 : 山罌粟 · 별명 : 두메아편꽃

1	2	3	4	5	6	7	8	9	10	11	12

두해살이풀. 높이 5~10cm. 뿌리는 땅속으로 30cm 정도 들어가며, 지름 1cm 정도이며 곧다. 잎은 꽃대와 더불어 30개 정도가 모여나며 1~2회 깃 모양으로 갈라진다. 꽃은 녹황색, 7~8월에 피며, 열매는 삭과로 달걀 모양이다.

분포 · 생육지 우리나라 백두산을 비롯한 북부 지방. 중국 둥베이(東北) 지방. 높은 산에서 자란다.

약용 부위 · 수치 전초를 가을부터 겨울까지 채취하여 말린다.

약물명 산앵속(山罌粟)

약효 진통(鎭痛), 진경(鎭痙)의 효능이 있으므로 복통, 설사, 기침과 가래를 치료한다.

사용법 산앵속 5g에 물 2컵(400mL)을 넣고 달여서 복용한다.

* 꽃이 백색인 '흰두메양귀비 for. *albiflorum*' 도 약효가 같다.

○ 두메양귀비

○ 흰두메양귀비

[양귀비과]

개양귀비

해수 · 편두통 · 복통, 이질

● 학명 : *Papaver rhoeas* L.
● 한자명 : 麗春花, 錦被花   ● 별명 : 꽃양귀비, 애기아편꽃

| 1 | 2 | 3 | 4 | 5 | 6 | 7 | 8 | 9 | 10 | 11 | 12 |

두해살이풀. 높이 50~80cm. 잎은 어긋나고 깃꼴이다. 꽃은 붉은색, 백색 등 여러 색이 있고 5~6월에 원줄기 끝에 1개씩 달리며, 꽃이 피기 전에는 밑으로 처져 있으나 필 때는 위를 향한다. 꽃받침은 2개, 짙은 갈색 털이 있고, 꽃잎은 4개이다. 열매는 삭과로 넓은 도란형, 길이 1cm 정도로 털이 없다.

분포 · 생육지 유럽 원산. 우리나라 전역에서 약용 또는 관상용으로 재배한다.

약용 부위 · 수치 전초를 여름과 가을에 채취하여 썰어서 말린다.

약물명 여춘화(麗春花). 금피화(錦被花)라고도 한다.

기미 · 귀경 미한(微寒), 고(苦), 삽(澁), 유독(有毒) · 폐(肺), 대장(大腸)

약효 진해, 진통, 지사의 효능이 있으므로 해수, 편두통, 복통, 이질을 치료한다.

성분 지상부에는 rhoeadine, rhoeageine, protopine, isorhoeadine, thebaine, coptisine, sanguinarine 등, 열매에는 morphine, narcotine, thebaine 등의 알칼로이드가 함유되어 있다.

약리 rhoeadine은 안압을 내리고, 열매에서 분리한 다당체는 항암 작용을 나타낸다.

사용법 여춘화 5g에 물 2컵(400mL)을 넣고 달여서 복용한다.

＊ 유럽과 지중해 연안에서 관상용으로 기르는 '점양귀비 *P. communitum*', '동양양귀비 *P. orientale*', '꽃양귀비 *P. nudicaulis*'도 약효가 같다.

❂ 개양귀비

[양귀비과]

양귀비

해수, 천식 · 하리, 설사, 이질 · 백대 · 탈항, 유정 · 심복근골통, 근골동통

● 학명 : *Papaver somniferum* L.   ● 영명 : poppy
● 한자명 : 罌粟   ● 별명 : 앵속, 약담배, 아편꽃

| 1 | 2 | 3 | 4 | 5 | 6 | 7 | 8 | 9 | 10 | 11 | 12 |

두해살이풀. 높이 1~1.5m. 잎은 어긋나고 긴 타원형, 끝은 뾰족하며, 밑부분은 줄기를 반쯤 감싸고, 가장자리에 결각상의 톱니가 있다. 꽃은 붉은색, 백색 또는 여러 색이 있고 5~6월에 원줄기 끝에 1개씩 위를 향해 달린다. 열매는 삭과로 달걀 모양이고 길이 4~6cm, 지름 3.5~4cm이다.

분포 · 생육지 지중해 연안 원산. 우리나라 서해안에서 가끔 볼 수 있다.

약용 부위 · 수치 열매가 완전히 성숙하기 전에 칼로 상처를 내어 유액을 채취하고, 열매와 종자는 가을에 채취하여 말린다.

약물명 익지 않은 열매에 상처를 내서 나오는 유액을 건고시킨 것을 아편(阿片)이라고 하며, 종자를 제거한 열매를 앵속각(罌粟殼), 종자를 앵속(罌粟)이라고 한다.

본초서 「동의보감(東醫寶鑑)」에는 아편(阿片)과 앵속각(罌粟殼), 앵자속(罌子粟)이 수재되어 소화기계에 주로 사용한 것으로 기록되어 있다. 아편(阿片)은 "오래된 이질을 그치게 한다. 일명 아부용(啞芙蓉)이라 한다."고 하였다. 앵속각(罌粟殼)은 "설사와 이질을 낫게 한다. 이는 수렴 작용이 강하기 때문이다. 몸이 피로한 것을 낫게 하고, 오래된 기침을 그치게 한다. 이 약의 기운은 신장으로 들어가므로 골병(骨病)을 치료한다."고 하였다. 앵속(罌粟) 앵자속(罌子粟)이라는 이름으로 수재되어 "음식을 먹은 뒤 토하는 증상을 낫게 하고 가슴에 담이 막혀 음식이 내려가지 않는 것을 낫게 한다. 일명 어미(御米)라고도 한다."고 하였다.

阿片: 治久痢不止 一名啞芙蓉.

罌粟殼: 治脾瀉 久痢 澁腸 及虛勞 久嗽 又入腎 治骨病.

罌粟: 治反胃 胸中痰滯不下食 一名御米.

기미 · 귀경 아편(阿片): 온(溫), 고(苦), 유독(有毒) · 폐(肺), 신(腎), 대장(大腸). 앵속각(罌粟殼): 미한(微寒), 산(酸), 삽(澁) · 신(腎), 대장(大腸). 앵속(罌粟): 평(平), 감(甘) · 비(脾), 위(胃), 대장(大腸)

약효 아편(阿片)은 염폐(斂肺), 지해(止咳), 삽장(澁腸), 지통(止痛)의 효능이 있으므로 해수(咳嗽), 하리(下痢), 탈항(脫肛), 심복근골(心腹筋骨)의 통증을 치료한다. 앵속각(罌粟殼)은 염폐(斂肺), 삽장(澁腸), 고신(固腎), 지통의 효능이 있으므로 구해허수(久咳虛嗽), 천식, 설사, 이질, 탈항, 유정, 백대, 근골동통을 치료한다. 앵속(罌粟)은 건비개위(健脾開胃), 청열이수(淸熱利水)의 효능이 있으므로 반위(反胃), 복통, 하리, 탈항을 치료한다.

성분 열매, 종자와 지상부에는 morphine, papaverine, codeine, theobaine, narcotine, meconic acid 등이 함유되어 있다.

약리 아편(阿片)의 효능은 주로 함유된 알칼로이드가 중추 신경계 및 말초 신경계의 특정 수용체에 강한 친화력을 가지고 결합하는 데 기인한다. 이들 알칼로이드 성분들은 서로 협력하기도 하고 길항하기도 한다.

• morphine: 중추 신경계에 작용하여 하향성 마비, 특히 대뇌피질 통각 중추를 마비시켜 불안증을 해소한다. 소량을 투여하면 연수의 호흡 중추를 마비시켜 호흡을 느리게 하고 호흡량을 증가시키며, 대량을 투여하면 호흡이 불규칙하게 되고 호흡이 정지된다. 약용량(藥用量)에서는 기침을 멎게 하는 효능이 있고 평활근에 작용하여 위장의 연장 운동을 항진시킨다. 뇌하수체에 작용하여 FSH, LH 및 ACTH 등의 호르몬 분비를 억제한다.

• papaverine: 대뇌 및 연수에 대한 작용은 약하지만 평활근의 긴장 증가나 경련의 이완 작용이 강하여 항경련제로 사용한다. 약용량(藥用量)에서는 혈관 확장 효능이 있어서 혈압을 내린다.

• codeine: 일반적으로 morphine과 유사하나 진해 거담 작용이 강하다. 기침과 가래가 심할 때 사용하며, 투여 후 체내에서 파괴되어 소변으로 대부분 배설되므로 내성이나 습관성은 약하다.

• narcotine: codeine보다는 약하지만 진해 작용이 있고, 기관지 평활근을 이완시키며 속효성이다.

사용법 아편은 1회 0.1~0.2g, 1일 0.5g을 초과 복용하지 말아야 한다. 환약이나 가루약으로 하여 복용하고, 앵속각과 앵속은 5g

에 물 2컵(400mL)을 넣고 달여서 복용하거나 환약으로 하여 복용한다.

확인 시험 아편 0.1g에 물 5mL를 넣고 5분간 흔들어 섞은 후 여과한 액에 hydroxy-amine−HCl 용액 1mL 및 FeCl₃ 시액 1방울을 넣어 흔들면 적갈색으로 변한다. 초음파 처리한 뒤 묽은 에탄올을 넣어 10mL로 만든다.

약전 수재 품목 아편가루, 아편 10배산, 염산아편알칼로이드, 염산아편알칼로이드주사액, 아편토근산, 아편알칼로이드·스코폴라민주사액, 아편알칼로이드·아트로핀주사액, 아편팅크, 염산모르핀, 염산파파베린, 노스카핀, 인산코데인, 인산코데인정, 인산코데인 10배산, 인산코데인 100배산

주의 마약에 속하는 식물이므로 재배할 수 없다.

＊morphine 부작용으로는 두통, 현기증, 구토, 변비, 배뇨곤란, 발한 등이 있으며,

가장 위험한 것은 호흡장애이다. morphine의 중독 증상 3대 특징은 혼수, 동공축소, 호흡억제이다.

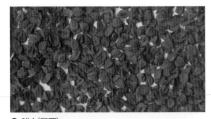
◑ 앵속(罌粟)

◑ 앵속각(罌粟殼)

◑ 양귀비(흰색 꽃)

◑ 양귀비(꽃대가 올라오기 전)

◑ 유액 채취 모습

◑ 앵속각(罌粟殼)과 마황으로 만든 기침가래약

◑ 양귀비(자주색 꽃)

◑ 양귀비(붉은색 꽃)

[양귀비과]

캐나다양귀비

🫁 해수   👁 후두염, 인후염, 치주염

● 학명 : *Sanguinaria canadensis* L.   ● 영명 : Blood root, Sanguinaria
● 한자명 : 血根草   ● 별명 : 지치나

| 1 | 2 | 3 | 4 | 5 | 6 | 7 | 8 | 9 | 10 | 11 | 12 |

여러해살이풀. 높이 40cm 정도. 뿌리줄기는 붉은색이며 줄기, 가지, 잎을 자르면 유액이 흘러나온다. 잎은 마주나고 가장자리에 톱니가 있고 잎자루가 짧다. 꽃은 백색, 5~6월에 원줄기 끝에 1개씩 달리며 위를 향한다. 씨방은 2심피이며, 종자는 작고 많이 들어 있다.

분포·생육지 북아메리카 동부. 산지에서 자란다.

약용 부위·수치 뿌리줄기를 여름에 채취하여 물에 씻은 후 썰어서 말린다.

약물명 혈근초(Sanguinariae Rhizoma). 일반적으로 Blood root, 또는 Sanguinaria라고 한다.

약효 항균, 소염, 거담진경(祛痰鎭痙)의 효능이 있으므로 해수, 후두염, 인후염, 치주염을 치료한다.

성분 sanguinarine, chelerythrine, sanguilutine, allocryptopine, protopine, berberine, coptisine이 함유되어 있다.

약리 sanguinarine은 각종 수용체와 결합하여 항균, 항염증, 항미생물 작용을 나타

내므로 치석의 생성을 억제한다.

사용법 혈근초 5g에 물 2컵(400mL)을 넣고 달여서 복용한다.

＊sanguinarine은 주로 치약에 혼입되어 충치 예방에 응용된다.

◑ 캐나다양귀비(꽃은 원줄기 끝에 1개씩 달린다.)

◑ 캐나다양귀비

[십자화과]

느러진장대

창양종독   음도염

● 학명 : *Arabis pendula* L.   ● 한자명 : 垂果南芥   ● 별명 : 늘어진장대

| 1 | 2 | 3 | 4 | 5 | 6 | 7 | 8 | 9 | 10 | 11 | 12 |

두해살이풀. 높이 50~120cm. 곧게 자라며 윗부분에서 가지가 갈라진다. 잎은 어긋나고, 밑의 잎은 잎자루가 있고, 위의 잎은 잎자루가 없으며 줄기를 감싸고 톱니가 있다. 꽃은 백색, 7~8월에 원줄기 또는 가지 끝에 총상화서로 핀다. 열매는 각과로 길이 7~10cm이며 아래로 처진다.

분포 · 생육지 우리나라 충북 이북. 중국, 일본. 산과 들에서 자란다.

약용 부위 · 수치 전초를 여름과 가을에 채취하여 물에 씻은 후 썰어서 말린다.

약물명 편담호(扁擔蒿)

약효 청열해독(淸熱解毒), 소종(消腫)의 효능이 있으므로 창양종독(瘡瘍腫毒), 음도염(陰道炎)을 치료한다.

사용법 편담호 10g에 물 3컵(600mL)을 넣고 달여서 복용하거나, 외용에는 생것을 짓찧어 즙액을 바른다.

* 열매가 위로 향하는 '참장대나물 *A. columnalis*'도 약효가 같다.

● 느러진장대

● 느러진장대(열매)

[십자화과]

겨자무

소화불량, 담낭염   소변불리
관절염

● 학명 : *Armoracia lapathifolia* Gilib. [*A. rustica*]   ● 영명 : horse radish
● 한자명 : 馬蘿卜

| 1 | 2 | 3 | 4 | 5 | 6 | 7 | 8 | 9 | 10 | 11 | 12 |

여러해살이풀. 꽃대는 높이 70cm 정도. 뿌리가 굵다. 뿌리잎은 잎자루가 길고 긴 타원형, 털이 없고 가장자리에 끝이 둥근 치아상의 톱니가 있으며, 끝이 둥글고 밑부분이 심장저이며 잎자루 윗부분에 날개가 있다. 밑부분의 잎은 깃 모양으로 갈라지며, 위의 잎은 긴 타원형이다. 꽃은 백색, 5월에 피고, 꽃차례는 잎겨드랑이와 줄기 끝에 달리고 잎 같은 포가 있다.

분포 · 생육지 유라시아 원산. 우리나라 전역에서 재배한다.

약용 부위 · 수치 뿌리를 10월에 채취하여 물에 씻은 후 썰어서 말린다.

약물명 날근(辣根). 마라복(馬蘿卜)이라고도 한다.

기미 · 귀경 온(溫), 신(辛) · 위(胃), 담(膽), 방광(膀胱)

약효 소식화중(消食和中), 이담(利膽), 이뇨(利尿)의 효능이 있으므로 소화불량, 소변불리, 담낭염(膽囊炎), 관절염을 치료한다.

성분 allylglucosinolate, sinigrin, benzylglucosinolate 등이 함유되어 있다.

사용법 날근 10g에 물 3컵(600mL)을 넣고 달여서 복용하거나 즙액을 짜서 복용한다.

* 중국에서는 소금물이나 된장에 절여 두었다가 잘게 썰어서 밑반찬으로 이용하고 있다.

● 겨자무

● 날근(辣根)

● 겨자무(뿌리)

[십자화과]

유채

🔆 산후혈풍, 산후복통　　🔆 토혈, 혈리
🔆 노상　　🔆 단독, 열독창, 종독　　🔆 치루, 몽정

● 학명 : *Brassica campestris* L. subsp. *napus* var. *nippo-oleifera* Makino　　● 영명 : rape
● 한자명 : 油菜, 胡菜, 寒菜　　● 별명 : 왜배추

| 1 | 2 | 3 | 4 | 5 | 6 | 7 | 8 | 9 | 10 | 11 | 12 |

한해~두해살이풀. 높이 1m 정도. 줄기가 굵고 튼튼하다. 밑부분의 잎은 잎자루가 있으며, 윗부분의 잎은 밑부분이 줄기를 감싼다. 꽃은 5월에 총상화서로 달리며 황색, 꽃받침과 꽃잎은 각각 4개이다. 수술은 6개로 4개는 길고 2개는 짧으며, 암술은 1개, 씨방상위, 1실이나 격막으로 갈라져 2실로 된다. 열매는 원주형이며 흑갈색의 종자가 들어 있다.

분포 · 생육지 중국 원산. 우리나라 전역에서 재배한다.

약용 부위 · 수치 지상부는 여름에, 종자는 가을에 채취하여 말린다.

약물명 지상부를 운대(蕓薹)라고 하며, 호채(胡菜), 한채(寒菜)라고도 하고, 종자를 운대자(蕓薹子)라고 한다. 운대자(蕓薹子)는 대한민국약전외한약(생약)규격집(KHP)에 수재되어 있다.

본초서 운대(蕓薹)는 「명의별록(名醫別錄)」에 수재되어 있으며, 「본초강목(本草綱目)」에는 "이 식물은 구름 같은 모양에다 가지가 많이 벌어져 삿갓처럼 보이므로 붙여진 이름이다."라고 기록되어 있다. 「동의보감(東醫寶鑑)」에는 "운대(蕓薹)는 붉은 종기와 유방염으로 생긴 종기를 없애며, 나쁜 기운이 몰린 것과 어혈을 풀어 준다."고 하였으며, "운대자(蕓薹子)는 기름을 짜서 머리에 바르면 머리카락이 검어지고 잘 자란다."고 하였다.

東醫寶鑑: 蕓薹 主遊風 丹腫 乳癰 破癥結 瘀血.

蕓薹子 壓取油 付頭 令髮長黑.

성상 운대자(蕓薹子)는 편구형으로 지름 0.2cm 정도, 표면은 흑색 간혹 황색도 있다. 냄새는 없고 맛은 담담하다.

기미 · 귀경 운대(蕓薹): 평(平), 신(辛), 감(甘) · 폐(肺), 간(肝), 비(脾). 운대자(蕓薹子): 평(平), 신(辛), 감(甘) · 간(肝), 대장(大腸)

약효 운대(蕓薹)는 산혈(散血), 소종(消腫)의 효능이 있으므로 산후혈풍(産後血風), 어혈(瘀血), 토혈, 노상(勞傷), 혈리(血痢), 단독(丹毒), 열독창(熱毒瘡)을 치료한다. 운대자(蕓薹子)는 행혈(行血), 소종(消腫), 산결(散結)의 효능이 있으므로 산후복통, 산후혈체(産後血滯), 하혈, 혈리, 종독, 치루(痔漏), 몽정(夢精)을 치료한다.

성분 전초에는 quercitrin, vitamin K, linolenic acid methyl ester, 10-undecenoic acid 3-octyl methyl ester, oxiraneoctanoic acid 3-octyl methyl ester, galactosyl diglyceride 등, 열매에는 campesteol, brassicasterol, cholesterol, tocopherol, rutin 등이 함유되어 있다.

약리 운대(蕓薹)의 열수추출물을 토끼에게 주사하면 혈압이 내려가고, ovalbumin으로 유도된 쥐의 천식을 경감시키는 작용이 있다.

사용법 운대는 짓찧어 즙을 한 컵씩 마시고, 운대자는 10g에 물 3컵(600mL)을 넣고 달여서 복용한다.

＊'갓'과 비슷하나 잎의 밑부분이 줄기를 감싸고 전체적으로 흰색을 띠는 푸른색이다.

❍ 운대(蕓薹)

❍ 운대자(蕓薹子)

❍ 유채(재배, 경주)

❍ 유채

갓

해수, 담체, 흉격만민 | 통비, 후비
위한토식, 심복동통, 한음내성 | 타박상

● 학명 : *Brassica juncea* Czern et Coss. var. *integrifolia* Sinsk.　● 영명 : mustard
● 한자명 : 芥菜, 芥　● 별명 : 겨자

1	2	3	4	5	6	7	8	9	10	11	12

한해~두해살이풀. 높이 1~2m. 줄기는 곧게 서고 윗부분에서 가지가 갈라진다. 뿌리잎은 크고 밑부분이 좁아져서 잎자루로 된다. 줄기잎은 원줄기를 감싸지 않으며 흑자색이 돈다. 꽃은 총상화서로 달리며 봄부터 여름까지 황색 꽃이 많이 핀다. 꽃받침과 꽃잎은 각각 4개, 수술은 6개이며 4개는 길고 2개는 짧다. 열매는 각과로 윤기가 나며 길고 털이 없다.

분포·생육지 중국 원산. 우리나라 전역에서 재배한다.

약용 부위·수치 지상부는 여름에, 종자는 6~7월에 황색으로 성숙할 때 채취하여 말린다. 종자를 냄비에 넣고 노랗게 될 때까지 볶은 것을 초개자(炒芥子)라고 한다.

약물명 지상부를 개채(芥菜)라고 하며, 개(芥), 대개(大芥), 황개(黃芥)라고도 한다. 종자를 개자(芥子)라고 하며, 개채자(芥菜子), 황개자(黃芥子), 청채자(靑菜子)라고도 한다. 개자(芥子)는 대한민국약전외한약(생약)규격집(KHP)에 수재되어 있다.

본초서 「명의별록(名醫別錄)」의 상품(上品)에 개(芥)라는 이름으로 수재되었고, 왕안석(王安石)의 자설(字說)에는 "개(芥)는 계(界)의 의미이며, 한(汗)을 발하고 기(氣)를 흐트린다는 뜻이다."라고 기록되어 있다. 「동의보감(東醫寶鑑)」에 "개채(芥菜)는 신장의 나쁜 기운을 없애고 구규(九竅)를 잘 통하게 하며 눈과 귀를 밝게 하고 기침과 속을 따뜻하게 하여 두면풍(頭面風)을 치료한다."고 하였다. 개채자(芥菜子)는 "몸이 찬 것을 낫게 하고 오장을 편안하게 한다."고 하였다.

東醫寶鑑: 芥菜 除腎邪 利九竅 明耳目 止咳嗽上氣 能溫中 去頭面風.
芥菜子 主冷氣 能安五臟.

성상 개채자(芥菜子)는 구형이며 지름 1.5~2mm, 표면은 황갈색이고 간혹 갈색도 있다. 잘게 부수거나 간 것에 물을 부어 반죽하면 특이한 냄새가 나고 맛은 맵다.

기미·귀경 개채(芥菜): 온(溫), 신(辛)·폐(肺), 위(胃), 신(腎). 개자(芥子): 열(熱), 신(辛), 소독(小毒)·위(胃), 폐(肺)

약효 개채(芥菜)는 선폐(宣肺), 온중(溫中), 이기(理氣)의 효능이 있으므로 한음내성(寒飮內盛), 해수(咳嗽), 담체(痰滯), 흉격만민(胸膈滿悶)을 치료한다. 개자(芥子)는 온중산한(溫中散寒), 이기(理氣), 통경락(通經絡), 소종해독(消腫解毒)의 효능이 있으므로 위한토식(胃寒吐食), 심복동통(心腹疼痛), 폐한해수(肺寒咳嗽), 통비(痛痺), 후비(喉痺), 타박상을 치료한다.

성분 종자는 sinigrin, myrosin, sinapinic acid, sinapine, isorhamnetin 3-*O*-β-D-glucopyranoside 등이 함유되어 있다.

약리 sinigrin은 물과 합하면 myrosin이란 효소에 의하여 분해되어 allylisothiocynate란 물질이 생성되는데, 매우 매운맛과 자극작용이 있는 이것을 피부에 바르면 온열감이 나면서 붉게 되는데, 심한 경우에는 수포가 생긴다. isorhamnetin 3-*O*-β-D-glucopyranoside를 쥐에게 투여하면 알코올로 손상된 간에 치료 작용이 나타난다.

사용법 개채는 10g에 물 3컵(600mL), 개자는 5g에 물 2컵(400mL)을 넣고 달여서 복용한다. 외용에는 짓찧어 상처에 붙인다.

주의 개자 연고를 피부에 붙여서 오래 두면 수포가 생길 수도 있으므로 주의하고, 폐허해수(肺虛咳嗽)하는 사람은 복용을 금한다.

처방 삼자양친탕(三子養親湯): 나복자(蘿蔔子)·자소자(紫蘇子)·개자(芥子) 각 4g(「동의보감(東醫寶鑑)」). 기침을 하고 숨이 차며 가래가 많은 증상이나 가슴이 그득하고 입맛이 없으며 소화가 잘 안 되는 증상에 사용한다.

＊중국에는 황개자(黃芥子)와 백개자(白芥子) 두 가지가 있는데, 황개자는 'B. juncea'의 종자이고, 백개자는 'B. alba'의 종자이다. 일반적으로 백개자의 품질이 좋다.

○ 갓

○ 개자(芥子)

○ 갓(열매)

[십자화과]

백개자

🫁 해천담다

●학명 : *Brassica alba* L. [*Sinapis alba*] ●영명 : White mustard

1	2	3	4	5	6	7	8	9	10	11	12

🌿 🍃 ⼁ 🌾 🎋 ❀ ⚘ ❄ 🌾 💧

한해살이풀. 높이 1m 정도. 줄기가 굵고 튼튼하다. 잎은 어긋나고 녹백색, 밑부분의 잎은 크고, 줄기잎은 밑부분이 줄기를 감싼다. 꽃은 5~7월에 총상화서로 달리며 황색, 꽃받침과 꽃잎은 각각 4개이다. '흑개자'에 비하여 열매에는 부드러운 털이 많으며 길이가 짧다. 종자는 황백색이다.

분포 · 생육지 유럽 원산. 세계 각처에서 재배한다.

약용 부위 · 수치 종자를 7~8월에 채취하여 말린다.

약물명 백개자(白芥子). 날채자(辣菜子)라고도 하며, 라틴 생약명은 Sinapis Albae Semen이다.

약효 산결소종(散結消腫)의 효능이 있으므로 해천담다(咳喘痰多)를 치료한다.

성분 sinigrin, sinalbin이 함유되어 있으며, sinalbin이 가수분해하면 allylisothiocyanate가 생긴다.

사용법 백개자 5~10g에 물 2컵(400mL)을 넣고 달여서 복용하거나 종자유를 10mL씩 복용한다.

○ 백개자(白芥子)

○ 백개자(열매)

○ 백개자

[십자화과]

흑개자

🧍 혈액순환장애   🫄 소화불량

🦵 류머티즘

●학명 : *Brassica nigra* (L.) Koch [*Sinapis nigra*] ●영명 : Mustard, Black mustard

1	2	3	4	5	6	7	8	9	10	11	12

🌿 🍃 ⼁ 🌾 🎋 ❀ ⚘ ❄ 🌾 💧

한해살이풀. 높이 1m 정도. 줄기가 굵고 튼튼하다. 잎은 어긋나고 녹백색이며 밑부분의 잎은 크고, 줄기잎은 밑부분이 줄기를 감싼다. 꽃은 5~7월에 총상화서로 달리며 황색, 꽃받침과 꽃잎은 각각 4개이다. 열매는 부드러운 털이 많으며, 종자는 적갈색이다.

분포 · 생육지 유럽, 인도 원산. 세계 각처에서 재배한다.

약용 부위 · 수치 종자를 7~8월에 채취하여 말려서 사용하거나, 에탄올추출물(tincture) 또는 기름을 짜서 사용한다.

약물명 흑개자(黑芥子). 라틴 생약명은 Sinapis Nigrae Semen이다.

약효 혈액순환장애, 소화불량, 류머티즘를 치료한다.

성분 sinigrin, sinalbin이 함유되어 있으며, sinalbin이 가수분해하면 allylisothiocyanate가 생긴다.

약리 종자유는 말초 혈류를 증가시켜 피부 자극제로 이용된다.

사용법 흑개자 5~10g에 물 2컵(400mL)을 넣고 달여서 복용하며, 류머티즘에는 종자유로 바른다.

○ 흑개자(열매)

○ 흑개자

[십자화과]

양배추

 습열황달, 위궤양　　관절염

● 학명 : *Brassica oleracea* L. var. *capitata* L.　● 영명 : Cabbage

| 1 | 2 | 3 | 4 | 5 | 6 | 7 | 8 | 9 | 10 | 11 | 12 |

❖ 감람(甘藍)

한해살이풀. 높이 1m 정도. 줄기가 굵고 튼튼하다. 밑부분의 잎은 로제트형으로 둥근 모양이고 녹백색, 서로 겹쳐서 둥글게 되고, 줄기잎은 밑부분이 줄기를 감싼다. 꽃은 5월에 총상화서로 달리며 황색, 꽃받침과 꽃잎은 각각 4개이다.

분포 · 생육지 중국 원산. 우리나라 전역에서 재배한다.

약용 부위 · 수치 잎을 봄~여름에 채취하여 신선한 것을 사용한다.

약물명 감람(甘藍), 남채(藍菜), 서토남(西土藍)이라고도 한다.

약효 청리습열(清利濕熱), 산결지통(散結止痛), 익신보허(益腎補虛)의 효능이 있으므로 습열황달(濕熱黃疸), 위궤양, 관절염을 치료한다.

성분 뿌리에는 gluconasturtiin, allylisothiocynate, goitrin, brassicasterol 등이 함유되어 있다.

사용법 감람을 짓찧어 나오는 즙을 200~300mL씩 복용한다.

❖ 양배추

[십자화과]

배추

 소화불량

● 학명 : *Brassica campestris* L. ssp. *napus* (L.) Hooker f. et Anderson var. *pekinensis* (Lour.) Makino

| 1 | 2 | 3 | 4 | 5 | 6 | 7 | 8 | 9 | 10 | 11 | 12 |

두해살이풀. 뿌리잎은 땅에 깔리고 가장자리에 톱니가 있으며, 줄기잎은 줄기를 감싼다. 꽃은 5월에 총상화서로 달리며 황색, 꽃받침과 꽃잎은 각각 4개이다. 열매는 각과이다.

분포 · 생육지 중국 원산. 우리나라 전역에서 재배한다.

약용 부위 · 수치 전초를 여름부터 가을까지, 종자는 가을에 채취하여 말린다. 배추를 햇볕에 약간 말려서 밥물을 부어 잠기게 한 후 3일이 지나면 초같이 시어지고 국물이 생긴다.

약물명 전초를 숭람(菘藍)이라고 하며, 종자를 숭람자(菘藍子)라고 한다. 물김치의 국물을 제수(虀水)라고 한다.

본초서 「동의보감(東醫寶鑑)」에 "숭람(菘藍)은 소화를 잘 시키며, 위장을 튼튼하게 하고, 가슴에 있는 열을 풀어 준다. 그리고 술독을 없애 주며 소갈증을 멈추게 한다. 숭람자(菘藍子)는 기름을 뽑아 머리에 바르면 머리털이 길어지며, 칼에 바르면 녹슬지 않는다."고 하였다.

東醫寶鑑: 菘藍 消食下氣 通利腸胃 除胸中

熱 解酒渴 止消渴.
菘藍子 可作油 塗頭長髮 塗刀劍 令不銹.
虀水 入藥可吐痰涎 和五味 作湯食 益脾胃
解酒麴毒.

약효 숭람(菘藍)은 소식하기(消食下氣), 통리장위(通利腸胃)의 효능이 있으므로 소화불량을 치료한다. 숭람자(菘藍子)는 기름으로 만들어 머리에 바르면 머리카락이 자란다. 제수(虀水)의 국물을 복용하면 담연을 토하게 하고, 양념을 넣고 끓여 먹으면 비위를 튼튼하게 하여 술독을 풀어 준다.

성분 뿌리에는 gluconasturtiin, allylisothiocynate, goitrin, brassicasterol 등이 함유되어 있다.

사용법 숭람 또는 숭람자를 짓찧어 나오는 즙을 200~300mL씩 복용한다.

❖ 배추

❖ 배추(뿌리)

❖ 숭람자(菘藍子)

[십자화과]

냉이

이질, 토혈, 혈변 　임질 　수종
월경과다 　목통, 녹내장, 예장

● 학명 : *Capsella bursa-pastoris* (L.) Medicus　● 영명 : Sephard's pulsa
● 한자명 : 薺菜　● 별명 : 나생이, 나승계

| 1 | 2 | 3 | 4 | 5 | 6 | 7 | 8 | 9 | 10 | 11 | 12 |

두해살이풀. 높이 30~50cm. 전체에 털이 있으며, 뿌리는 곧고 백색이다. 뿌리잎은 모여나고 땅에 퍼진다. 줄기잎은 어긋나고 위로 갈수록 작아지며, 밑부분이 귀 모양으로 줄기를 감싼다. 꽃은 5~6월에 원줄기 끝에 백색 십자화가 많이 달린다. 꽃받침잎은 4개, 꽃잎 4개, 수술은 6개, 암술은 1개이다. 열매는 각과로 편평한 삼각형, 20~25개의 종자가 들어 있다.

분포 · 생육지 우리나라 전역. 세계 각처. 산과 들에서 자란다.

약용 부위 · 수치 뿌리가 달린 전초를 5~6월 꽃이 필 때, 종자는 가을에 채취하여 말린다.

약물명 전초를 제채(薺菜). 종자를 제채자(薺菜子)라고 한다.

본초서 「동의보감(東醫寶鑑)」에서 "제채(薺菜)는 간장의 기능을 돕고 오장을 편안하게 한다."고 하였고, "제채자(薺菜子)는 오장의 부족한 기운을 돕고, 풍독과 사기를 없애며 눈을 밝게 하고 열독을 풀어 준다."고 하였다.

東醫寶鑑: 薺菜 利肝氣 和中 利五臟.
薺菜子 補五臟不足 去風毒邪氣 療靑盲目痛 不見物 明目 去障瞖 解熱毒 久食視物鮮明.

기미 · 귀경 제채(薺菜): 양(凉), 감(甘), 담(淡) · 간(肝), 비(脾), 방광(膀胱). 제채자(薺菜子): 평(平), 감(甘) · 간(肝)

약효 제채(薺菜)는 화비(化脾), 이뇨(利尿), 지혈(止血), 명목(明目)의 효능이 있으므로 이질, 임질, 수종(水腫), 토혈, 혈변(血便), 월경과다(月經過多)를 치료한다. 제채자(薺菜子)는 거풍명목(祛風明目)의 효능이 있으므로 목통(目痛), 녹내장, 예장(瞖障)을 치료한다.

성분 제채(薺菜)는 bursic acid, pyruvic acid, sufanilic acid, fumaric acid, nicotinic acid 등, 제채자(薺菜子)는 flavonoid 류의 하나인 diosmin이 함유되어 있다.

약리 제채(薺菜)의 열수추출물은 맥각과 같은 약효로 자궁 수축 작용이 있고, 에탄올 추출물은 개나 고양이에 주사하면 혈압 하강 작용이 있고, 수면 연장 작용이 있다. 이 식물에 들어 있는 bursic acid는 지혈 작용이 있고, diosmin은 vitamin P와 같은 모세혈관 강화 작용이 있다.

사용법 제채 또는 제채자 10g에 물 3컵(600mL)을 넣고 달여서 복용한다.

❍ 냉이

❍ 제채(薺菜)

[십자화과]

황새냉이

습열사리, 변혈 　열림
심계

● 학명 : *Cardamine flexuosa* With.　● 한자명 : 白帶草, 雀兒菜, 野薺菜

| 1 | 2 | 3 | 4 | 5 | 6 | 7 | 8 | 9 | 10 | 11 | 12 |

❍ 황새냉이

두해살이풀. 높이 30cm 정도. 흔히 모여나고, 밑에서 가지가 많이 갈라진다. 잎은 어긋나고 홀수 깃꼴겹잎이다. 꽃은 백색, 4~5월에 가지와 줄기 끝에 총상화서로 달리며, 꽃받침은 4개로 흑자색을 띤다. 꽃잎은 4개로 꽃받침보다 2배, 6개의 수술 중 2개는 짧으며, 암술은 1개이다. 열매는 길이 2cm 정도, 옆으로 약간 기운다.

분포 · 생육지 우리나라 전역. 중국, 일본, 북아메리카. 논밭 근처나 습지에서 흔하게 자란다.

약용 부위 · 수치 전초를 봄에 채취하여 물에 씻은 후 말린다.

약물명 백대초(白帶草). 작아채(雀兒菜), 야제채(野薺菜)라고도 한다.

약효 청열이습(淸熱利濕), 안신(安神), 지혈의 효능이 있으므로 습열사리(濕熱瀉痢), 열림(熱淋), 심계(心悸), 변혈을 치료한다.

사용법 백대초 15g에 물 3컵(600mL)을 넣고 달여서 복용하고, 외용에는 짓찧어 상처에 붙이거나 즙액을 바른다.

＊ 본 종에 비하여 줄기가 바로 서고 잎이 소형이며 털이 많은 '좁쌀냉이 var. *fallax*'도 약효가 같다.

[십자화과]

싸리냉이

| ♀ 월경부조 | 옹종 |
| 임증 |

● 학명 : *Cardamine impatiens* L.
● 한자명 : 水菜花　● 별명 : 긴잎황새냉이, 싸리황새냉이

| 1 | 2 | 3 | 4 | 5 | 6 | 7 | 8 | 9 | 10 | 11 | 12 |

❍ 탄열쇄미제(彈裂碎米薺)

두해살이풀. 높이 40~50cm. 전체에 부드러운 털이 있다. 잎은 어긋나고 홀수 깃꼴겹잎, 작은잎은 11개 이상이다. 꽃은 백색, 4~5월에 가지와 줄기 끝에 총상화서로 달린다. 꽃받침은 4개, 꽃잎도 4개, 6개의 수술 중 2개는 짧으며 암술은 1개이다. 열매는 긴 원통형으로 위로 향한다.

분포·생육지 우리나라 전역. 중국, 일본, 북아메리카. 논밭 근처나 습지에서 흔하게 자란다.

약용 부위·수치 전초를 봄에 채취하여 물에 씻은 후 말린다.

약물명 탄열쇄미제(彈裂碎米薺), 수채화(水菜花), 수화채(水花菜)라고도 한다.

약효 활혈조경(活血調經), 청열해독(淸熱解毒), 이뇨통림(利尿通淋)의 효능이 있으므로 월경부조, 옹종, 임증을 치료한다.

사용법 탄열쇄미제 20g에 물 3컵(600mL)을 넣고 달여서 복용하고, 외용에는 짓찧어 상처에 붙이거나 즙액을 바른다.

❍ 싸리냉이

[십자화과]

미나리냉이

| 만성기관지염 | ♀ 월경부조 |
| 타박상 |

● 학명 : *Cardamine leucantha* (Tausch) O. E. Schulz.　● 영명 : white cardamon
● 한자명 : 菜子七, 山芥菜　● 별명 : 승마냉이, 미나리황새냉이

| 1 | 2 | 3 | 4 | 5 | 6 | 7 | 8 | 9 | 10 | 11 | 12 |

❍ 채자칠(菜子七)

여러해살이풀. 높이 50cm 정도. 잎은 어긋나고 3~7개의 작은잎으로 구성된 깃꼴겹잎이다. 꽃은 백색, 6~7월에 가지와 줄기 끝에 총상화서로 달리며, 꽃받침잎은 타원형, 꽃잎은 꽃받침보다 2배 이상 길다. 6개의 수술 중 2개는 짧으며 암술은 1개이고, 열매는 길이 2cm 정도, 옆으로 약간 기운다.

분포·생육지 우리나라 전역. 중국, 일본, 아무르, 우수리, 사할린. 산속 음지에서 자란다.

약용 부위·수치 뿌리를 여름과 가을에 채취하여 말린다.

약물명 채자칠(菜子七), 산개채(山芥菜)라고도 한다.

기미·귀경 평(平), 신(辛), 감(甘)·폐(肺), 간(肝)

약효 화담지해(化痰止咳), 활혈지통(活血止痛)의 효능이 있으므로 만성기관지염, 월경부조, 타박상을 치료한다.

사용법 채자칠 10g에 물 3컵(600mL)을 넣고 달여서 복용한다.

＊ 잎이 보다 크고 씨방에 털이 있는 '통영미나리냉이 var. *toensis*'도 약효가 같다.

❍ 미나리냉이

[십자화과]

논냉이

신염수종　목적
이질, 토혈　붕루, 월경부조

● 학명 : *Cardamine lyrata* Bunge
● 한자명 : 水田薺, 水芥菜　● 별명 : 논황새냉이

| 1 | 2 | 3 | 4 | 5 | 6 | 7 | 8 | 9 | 10 | 11 | 12 |

여러해살이풀. 높이 30~50cm. 전체에 털이 없고 기는줄기가 있어서 옆으로 벋는다. 잎은 어긋나고 3~13개의 작은잎으로 구성된 깃꼴겹잎이다. 꽃은 백색, 4~5월에 가지와 줄기 끝에 총상화서로 달리며, 꽃받침과 꽃잎은 각각 4개이다. 열매는 각과, 길이 2~3cm이다.

분포 · 생육지 우리나라 전역. 중국, 일본, 몽골, 아무르, 사할린, 들의 물가에서 자란다.

약용 부위 · 수치 전초를 여름에 채취하여 물에 씻은 후 말린다.

약물명 수전쇄미제(水田碎米薺), 수전제(水田薺), 수개채(水芥菜)라고도 한다.

기미 · 귀경 평(平), 미신(微辛), 감(甘) · 방광(膀胱), 간(肝)

약효 청열이습(淸熱利濕), 양혈조경(凉血調經), 명목거예(明目祛翳)의 효능이 있으므로 신염수종(腎炎水腫), 이질, 토혈, 목적(目赤), 붕루(崩漏), 월경부조를 치료한다.

사용법 수전쇄미제 15g에 물 3컵(600mL)을 넣고 달여서 복용한다.

❶ 논냉이

[십자화과]

꽃무

변비, 소화불량　월경부조, 경폐

● 학명 : *Cheiranthus cheiri* L.　● 한자명 : 桂竹香　● 별명 : 향꽃무, 개부지깽이

| 1 | 2 | 3 | 4 | 5 | 6 | 7 | 8 | 9 | 10 | 11 | 12 |

두해살이풀. 높이 30cm 정도. 전체에 털이 있고 곧게 자란다. 잎은 어긋나고 바늘 모양, 가장자리는 밋밋하다. 꽃은 붉은색을 비롯하여 여러 가지이고 향기가 좋으며, 꽃잎은 달걀 모양이다. 열매는 원주형, 길이 4~6cm, 4개의 능선이 있다.

분포 · 생육지 중국 원산. 세계 각처에서 재배한다.

약용 부위 · 수치 꽃 또는 전초를 봄에 채취하여 말린다.

약물명 계죽향(桂竹香)

기미 · 귀경 평(平), 감(甘) · 대장(大腸), 간(肝)

약효 사하(瀉下), 조경(調經), 강심(强心)의 효능이 있으므로 변비, 소화불량, 월경부조(月經不調), 경폐(經閉)를 치료한다.

성분 quercetin, rhamnetin, isorhamnetin, isorhamnetin-arabino-7-*O*-rhamnoside, isorhamnetin-3-*O*-glucopyranosyl-7-*O*-rhamnoside, cheirotoxin, alliside, cheiroside A 등이 함유되어 있다.

사용법 계죽향 10g에 물 3컵(600mL)을 넣고 달여서 복용한다.

❶ 계죽향(桂竹香)

❶ 꽃무

지마채

담옹천해 　부종

○ 지마채(꽃)

●학명 : *Eruca sativa* Mill. ●한자명 : 芝麻菜

1 2 3 4 5 6 7 8 9 10 11 12

한해살이풀. 높이 60~90cm. 줄기는 바로
서며, 잎은 어긋나고 육질이며 깃 모양으로
갈라진다. 꽃은 3~4월에 담황색으로 피며,
꽃받침은 4개, 꽃잎은 4개로 타원형이다.
열매는 각과로 길이 7~9mm, 종자는 둥글
고 황갈색이다.

분포·생육지 유럽, 남아메리카. 세계 각처
에서 재배한다.

약용 부위·수치 종자를 봄에 채취하여 말
린다.

약물명 지마채(芝麻菜)

약효 하기행수(下氣行水), 거담정천(祛痰
定喘)의 효능이 있으므로 담옹천해(痰壅喘
咳), 부종(浮腫)을 치료한다.

성분 sinapine, glucosinolate, isorhamne-
tin 등이 함유되어 있다.

사용법 지마채 10g에 물 3컵(600mL)을 넣
고 달여서 복용한다.

○ 지마채

부지깽이나물

식적불화 　심력쇠갈
부종

●학명 : *Erysimum amurense* Kitagawa var. *bungeri* Kitagawa [*E. aurantiacum*]
●한자명 : 糖芥 ●별명 : 좀부지깽이, 큰쑥왕부지깽이

1 2 3 4 5 6 7 8 9 10 11 12

두해살이풀. 높이 60cm 정도. 잎은 어긋나
고 바늘 모양이며 길이 4~7cm, 너비 5mm
이다. 꽃은 황색, 5~7월에 줄기 끝에 총상
화서로 달리며, 작은꽃대는 길이 3mm 정
도로 능선이 있다. 꽃받침은 4개, 꽃잎은 4
개로 원형이며, 수술은 6개 중 2개는 짧다.
열매는 각과로 쐐기 같은 바늘 모양으로 끝
이 뾰족하며 밑으로 처진다. 종자는 1개이
고 흑색이다.

분포·생육지 우리나라 지리산, 경기, 황해,
함남북, 백두산 부근. 중국, 몽골. 산기슭에
서 자란다.

약용 부위·수치 전초를 여름과 가을에 채취
하여 물에 씻은 후 썰어서 말린다.

약물명 당개(糖芥)

기미·귀경 한(寒), 고(苦), 신(辛)·비(脾),
위(胃), 심(心)

약효 건비화위(健脾和胃), 이뇨강심(利尿
强心)의 효능이 있으므로 식적불화(食積不
化), 심력쇠갈(心力衰竭), 부종을 치료한다.

성분 erysimoside, corchroside A, erychro-
side, erychrozol, erycordine, 종자에는

β-strophanthin, erysimotoxin, erysimin,
helvesticosol, erysimosol 등이 함유되어
있다.

사용법 당개 10g에 물 3컵(600mL)을 넣고
달여서 복용한다.

＊꽃이 보다 작고 털이 2~4갈래로 갈라지
는 '쑥부지깽이 *E. chelianthoides*'도 약효
가 같다.

○ 당개(糖芥)

○ 부지깽이나물

서양말냉이

소화불량   통풍, 류머티즘

● 학명 : *Iberis amara* L.   ● 영명 : Bitter candytuft, White candytuft

1	2	3	4	5	6	7	8	9	10	11	12

◑ 서양말냉이

한해살이풀. 드물게 두해살이풀. 높이 25~30cm. 잎은 긴 타원형이고 가장자리에 굵은 톱니가 드문드문 있으며 잎자루가 없다. 꽃은 5~6월에 총상화서로 달리며 백색, 간혹 담자색의 꽃이 피기도 하며, 꽃잎은 4개인데 2개는 짧다. 꽃받침은 4개이며 넓은 주걱 모양, 수술은 6개이다.

분포 · 생육지 유럽. 들에서 자라고 원예용으로 재배한다.

약용 부위 · 수치 지상부를 봄부터 여름에 채취하여 물에 씻어서 말린다.

약물명 Iberis Herba. 일반적으로 Bitter candytuft라고 한다.

약효 건위, 소염의 효능이 있으므로 소화불량, 통풍, 류머티즘를 치료한다.

성분 cucurbitacin E, I, kaempferol, quercetin, glucoiberin, isothiocynate류 등이 함유되어 있다.

약리 cucurbitacin E, I는 부신피질 호르몬 유사 작용을 나타내고, isothiocynate류는 항균, 항진균 작용이 있다.

사용법 Iberis Herba 3~4g을 뜨거운 물에 우려내어 복용한다.

대청

고열번갈, 후비, 구창   신혼   유행성감기

반진, 단독, 창종, 마진   토혈, 황달, 사리, 간염

● 학명 : *Isatis indigotica* Fort. [*I. tincroria* var. *jezoensis*]   ● 영명 : Dyer's woad, woad
● 한자명 : 大靑   ● 별명 : 갯갓

1	2	3	4	5	6	7	8	9	10	11	12

두해살이풀. 높이 50~70cm. 털이 없으며 잎과 함께 흰 가루색을 띤다. 꽃은 황색, 5~6월에 가지와 줄기 끝에 총상화서로 달린다. 꽃받침은 4개, 넓은 주걱 모양, 꽃잎도 4개, 수술은 6개 중 4개는 길고 2개는 짧다. 열매는 각과로 쐐기 같은 바늘 모양으로 끝이 뾰족하며 밑으로 처지고, 종자는 1개, 흑색이다.

분포 · 생육지 우리나라 전역에서 재배. 함남 원산, 함북, 중국, 일본, 우수리. 논이나 밭가에서 자란다.

약용 부위 · 수치 뿌리를 가을에 채취하여 물에 씻어서 말리고, 잎은 여름에 채취하여 말린다.

약물명 뿌리를 판람근(板藍根), 잎을 대청엽(大靑葉)이라고 한다. 판람근(板藍根)과 대청엽(大靑葉)은 대한민국약전외한약(생약)규격집(KHP)에 수재되어 있다.

본초서 「신농본초경(神農本草經)」의 상품(上品)에 남(藍)이라는 약재가 수재되어 있는데, 남(藍)은 종류가 많다. 그 가운데 송남(松藍)이라는 것이 '대청'의 뿌리이고 요즘은 판람근(板藍根)이라고 한다. 「동의보감(東醫寶鑑)」에 대청엽(大靑葉)은 노변청(路邊靑)이라는 이름으로 수재되어 "돌림병과 열이 많이 나는 것, 입안이 헌 것을 낫게 하고 열독풍과 가슴이 답답하고 갈증이 나는 것을 풀어 준다. 광물성 약 중독을 풀어 주며 독성의 종기에 바르면 효과가 있다."고 하였다.

판람근(板藍根)
日華子 : 治天行熱毒.
本草便讀 : 凉血, 淸熱, 解毒, 辟疫, 殺蟲.
中藥志 : 凉血止血, 治熱病發斑, 吐血衄血.
대청엽(大靑葉)
名醫別錄 : 葉汁殺百藥毒, 解狼毒, 射罔毒.
本草經集注 : 至解毒, 以汁塗五心, 又止煩悶, 甚療蜂螯毒.
東醫寶鑑 : 治天行熱疾 大熱口瘡 熱毒風 心煩悶渴及金石藥毒 兼塗腫毒.

성상 판람근(板藍根)은 원주형이며 꼬이고 조금 구부러진 것도 있으며, 길이 5~15cm, 지름 3~8mm이다. 표면은 엷은 갈색이며

◑ 대청

근두부는 조금 굵고 줄기와 잎이 붙었던 자리가 남아 있으며 세로 주름과 피목 및 곁뿌리가 붙었던 흔적이 있다. 질은 부서지기 쉽고 횡단면은 희고 목부는 엷은 황색이다. 냄새가 없고 맛은 조금 달고 뒷맛은 쓰다. 대청엽(大靑葉)은 쭈글쭈글하고 때로는 부서져 있다. 온전한 모양은 타원형으로 가장자리는 밋밋하거나 물결 모양을 이루며 질은 회남색을 띠고, 향기는 별로 없으며 맛은 약간 쓰다.

기미 · 귀경 판람근(板藍根): 한(寒), 고(苦) · 심(心), 간(肝), 위(胃). 대청엽(大靑葉): 한(寒), 고(苦) · 심(心), 위(胃), 간(肝), 폐(肺)

약효 판람근(板藍根)은 해열해독(解熱解毒), 양혈(涼血), 이인(利咽)의 효능이 있으므로 고열번갈(高熱煩渴), 신혼(神昏), 반진(斑疹), 토혈, 황달, 사리(瀉痢), 후비(喉痺), 구창(口瘡)을 치료한다. 대청엽(大靑葉)은 해열해독(解熱解毒), 양혈소반(涼血消斑)의 효능이 있으므로 온독발반(溫毒發斑), 고열두통(高熱頭痛), 대두온역(大頭瘟疫), 난후단사(爛喉丹痧), 단독(丹毒), 후비(喉痺), 창종(瘡腫), 마진(麻疹), 간염(肝炎), 유행성감기, 열이 몹시 나고 입안이 마르는 증상, 급성전염성간염, 급성폐렴, 토혈, 황달, 이질을 치료한다.

성분 판람근(板藍根)에는 indoxyl-β-O-glucoside, isatin 등이 함유되어 있다.

약리 판람근(板藍根)의 열수추출물은 고초균, 황색 포도상구균, 대장균, 티푸스균, 적리균에 항균 작용이 있고, 개에게 판남근, 황련, 여로를 같이 복용시켰더니 여로의 독성이 줄어들어 사망률이 낮아졌다.

사용법 판람근 또는 대청엽 10g에 물 3컵(600mL)을 넣고 달여서 복용하고, 외용에는 짓찧어 환부에 붙인다.

◑ 판람근(板藍根)으로 만든 감기약

◑ 판람근(板藍根, 신선품)

◐ 대청엽(大靑葉)

◑ 판람근(板藍根, 절편)

◑ 판람근(板藍根)

◑ 대청 재배지(중국)

[십자화과]

다닥냉이

| | | | 천해담다, 폐옹, 흉복적수 |
| | | | 수종, 폐원성심장병 · 소변불리 |

● 학명 : *Lepidium apetalum* Will.　● 영명 : Poor man's pepper
● 한자명 : 葶藶

| 1 | 2 | 3 | 4 | 5 | 6 | 7 | 8 | 9 | 10 | 11 | 12 |

두해살이풀. 높이 30~60cm. 뿌리잎은 깃꼴겹잎이며 잎자루는 길다. 줄기잎은 어긋나고 바늘 모양, 꽃은 5~7월에 피며 백색이다. 꽃받침잎은 4개, 녹색, 꽃잎은 4개, 수술은 6개, 암술은 1개이다. 열매는 끝이 조금 들어간 원반형이다.

분포 · 생육지 북아메리카 원산. 우리나라 전역의 양지바른 곳에서 흔히 자란다.

약용 부위 · 수치 종자를 여름에 채취하여 말린다.

약용명 정력자(葶藶子). 대적(大適), 대실(大室), 정력(丁歷)이라고도 한다. 대한민국약전외한약(생약)규격집(KHP)에 수재되어 있다.

본초서 정력자(葶藶子)는 「신농본초경(神農本草經)」의 하품(下品)에 처음 수재되었다. 소송(蘇頌)은 "이 식물의 형태에 관하여 봄에 잎이 나며 높이 6~7cm이고 냉이(薺)와 비슷하며 뿌리는 희고 줄기는 푸르며 종자는 편평하고 길며 황색이다."라고 한 것으로 보아 오늘날의 '다닥냉이'나 '꽃다지'

와 일치한다. 이시진(李時珍)은 「본초강목(本草綱目)」에서 "폐에 수기(水氣)가 가득 찰 때에 정력자가 좋다. 단 수기가 제거되면 복용을 중지한다"고 하였다. 「동의보감(東醫寶鑑)」에서는 "폐에 고름이 차서 숨이 가빠지며 기침하는 것을 낫게 하고 숨이 찬 것을 진정시키며 가슴 속의 기를 순환시키고 얼굴과 눈이 부은 것을 치료하며 소변을 잘 보게 한다."고 하였다.

神農本草經: 主癥瘕積聚結氣, 飮食寒熱, 破堅逐邪, 通利水道.
藥性論: 能利小便, 抽肺氣上喘息急, 止咳.
東醫寶鑑: 主肺癰上氣咳嗽 定喘促 除胸中痰飮 療皮間邪水上溢面目浮腫 利小便.

성상 정력자(葶藶子)는 납작한 달걀 모양, 길이 1~1.5mm, 너비 0.7~1mm 정도, 표면은 적갈색, 광택이 조금 난다. 냄새는 없고 맛은 쓰고 물에 넣으면 끈적거린다.

기미 · 귀경 한(寒), 신(辛), 고(苦) · 폐(肺), 방광(膀胱), 대장(大腸)

약효 사폐강기(瀉肺降氣), 거담평천(祛痰平

喘), 이수소종(利水消腫), 설열축사(泄熱逐邪)의 효능이 있으므로 천해담다(喘咳痰多), 폐옹(肺癰), 수종(水腫), 흉복적수(胸腹積水), 소변불리, 폐원성심장병(肺原性心臟病)을 치료한다.

성분 sinalbin, bezylisothiocynate, allylisothiocynate, diallyldisulfide, helviticoside(erysimin) 등이 함유되어 있다.

약리 종자의 에탄올추출물은 토끼와 고양이의 심장에 대한 실험 결과 강심 작용이 있는데, 강심 성분의 하나로 helviticoside(erysimin)라는 물질이 밝혀졌다.

사용법 정력자 5g에 물 2컵(400mL)을 넣고 달여서 복용하거나 환약으로 만들어 복용하며, 외용에는 짓찧어 환부에 바른다.

처방 정력대조탕(葶藶大棗湯): 정력자(葶藶子) 15g, 대추(大棗) 20개 (「동의보감(東醫寶鑑)」). 폐옹(肺癰)으로 숨이 차서 눕지도 못하고 가래가 끓으며 기침이 나는 증상에 사용한다.

• 대함흉환(大陷胸丸): 대황(大黃) 20g, 정력자(葶藶子) · 행인(杏仁) 각 12g, 망초(芒硝) 10g, 감수(甘遂) 2g (「동의보감(東醫寶鑑)」). 급성열성병 때 잘못 설사시켜서 가슴이 아프고 명치 밑이 그득하면서 아픈 증상에 사용한다.

* '콩다닥냉이 *L. virginianum*', '재쑥 *Decursiana sophia*(*Sisymbrium sophia*)'의 종자도 약효가 같다.

❍ 다닥냉이

❍ 다닥냉이(열매)

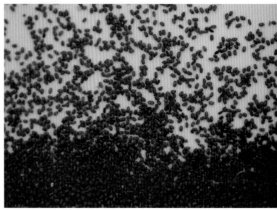

❍ 정력자(葶藶子)

[십자화과]

마카

 허약체질

●학명 : *Lepidium meyenii* Walp. [*L. peruvianum*]　●영명 : Maca

| 1 | 2 | 3 | 4 | 5 | 6 | 7 | 8 | 9 | 10 | 11 | 12 |

여러해살이풀. 뿌리는 팽이처럼 비대하고 다육질이며, 잎은 길이 12~20cm, 로제트형으로 짧고 땅 가까이 눕는다. 꽃은 뿌리 중앙의 꽃대에 총상화서로 핀다. 열매는 길이 4~5mm, 종자는 2개의 작은 종자가 들어 있다.

분포 · 생육지 남아메리카 페루, 볼리비아, 칠레. 양지바른 곳에서 자란다.

약용 부위 · 수치 뿌리를 수시로 채취하여 물에 씻은 후 말린다.

약물명 Peruvian ginseng. Maca라고도 한다.

성분 탄수화물 60~75%, 단백질 10~14%, 식이섬유 8.5%, 지방 2.2%가 함유되어 있다. Ca, K, Na, Fe, Cu, Mn 등의 무기물, linolenic acid, palmitic acid, and oleic acids, and 19 amino acid, (1R,3S)−1−Methyltetrahydro−carboline−3−carboxylic acid, uridine, malic acid, 이들의 benzoyl derivative, glucosinolates, glucotropaeolin, methoxyglucotropaeolin, (1R,3S)−1−methyltetrahydro−carboline−3−carboxylic acid 등이 함유되어 있다.

약리 골다공증, 호르몬불균형, 전립선암, 불임 등에 효과가 있다.

약효 강장의 효능이 있으므로 허약체질을 개선한다.

사용법 Peruvian ginseng을 가루로 만들어 1회 1~2g에 복용한다.

❍ 마카

❍ 마카, 호박종자, 빌베리가 함유된 눈영양제

❍ 마카(새싹)

❍ Peruvian ginseng(신선품)

❍ Peruvian ginseng

[십자화과]

무

해수담천	식적기체, 식적창만, 하리후중, 토혈, 이질
비출혈	당뇨병
편두통	

● 학명 : *Raphanus sativus* L. var. *acanthiformis* Makino　● 영명 : Radish
● 한자명 : 蘿蔔　● 별명 : 무우

1 2 3 4 5 6 7 8 9 10 11 12

한해~두해살이풀. 높이 1m 정도. 뿌리잎은 모여나며 깃처럼 갈라지고 털이 있다. 꽃대는 높이 1m 정도 자란 다음 가지가 갈라지고, 그 밑에서 총상화서가 발달한다. 꽃은 4~5월에 피며, 꽃잎은 연한 자주색 또는 백색이다. 꽃받침은 4개, 꽃잎은 달걀 모양으로 꽃받침보다 2배 길고, 수술은 6개, 암술은 1개이다. 열매는 각과로 길이 4~6cm이다.

분포·생육지 우리나라 전역에서 재배한다.

약용 부위·수치 뿌리는 가을에 채취하여 물에 씻어서 사용하고, 종자도 가을에 채취하여 말린다.

약물명 종자를 내복자(萊菔子)라고 하며, 나복자(蘿蔔子), 노비(蘆萉)라고도 한다. 뿌리를 내복(萊菔)이라고 한다. 내복자(萊菔子)는 대한민국약전(KP)에 수재되어 있다.

본초서 무는 당대(唐代)의 「신수본초(新修本草)」에 내복근(萊菔根)의 이름으로 처음 수재되었으며, 별명을 나복(蘿蔔), 노비(蘆萉)로 적고 있다. 한보승(韓保昇)도 "내복(萊菔)은 일반적으로 나복(蘿蔔)이라고 한다."고 하였으며, 「명의별록(名醫別錄)」에는 무청(蕪菁) 및 노복(蘆菔)이 정조품으로 수재되어 있다. 「동의보감(東醫寶鑑)」에서 "내복자(萊菔子)는 배가 팽창하는 것, 오래된

소화불량을 낮게 하고 오장을 편안하게 하고 대소변을 잘 보게 한다. 가루 내어 복용하면 풍담을 치료한다."고 하였다. 내복(萊菔)은 "소화를 잘 시키며 갈증을 풀어 주고 뼈마디의 움직임을 부드럽게 하며 오장의 기운을 몰아내고 진액이 소모되어 폐가 거칠어져 피를 토하는 증상, 과로로 인한 풍담을 낮게 한다."고 하였다.

東醫寶鑑: 萊菔子 治膨脹積聚 利五臟及大小二便 又研末飲服吐風痰甚效.

萊菔 消食去痰癖 止消渴 利關節 練五臟惡氣 治肺痿吐血.

성상 약간 납작한 난원형이며 길이 0.3~0.4cm, 너비 0.2~0.3cm, 두께 0.15~0.25cm, 표면은 적갈색이며 한 쪽 끝에는 암갈색의 배꼽점이 있다. 냄새가 없고 맛은 담담하며 약간 쓰고 맵다.

기미·귀경 내복자(萊菔子): 평(平), 신(辛), 감(甘)·비(脾), 위(胃), 폐(肺), 대장(大腸) 내복(萊菔): 양(凉), 신(辛), 감(甘)·비(脾), 위(胃), 대장(大腸)

약효 내복자(萊菔子)는 하기(下氣), 정천(定喘), 소식(消食), 화담(化痰)의 효능이 있으므로 해수담천(咳嗽痰喘), 식적기체(食積氣滯), 흉민복장(胸悶腹腸), 하리후중(下痢後重)을 치료한다. 내복(萊菔)은 소적(消積),

화열담(化熱痰), 하기(下氣), 관중(貫中), 해독(解毒)의 효능이 있으므로 식적창만(食積脹滿), 담해실음(痰咳失音), 토혈, 비출혈(鼻出血), 당뇨병, 이질, 편두통을 치료한다.

성분 종자에는 지방유, 정유가 함유되어 있고, 지방유에는 erucic acid, linoleic acid, linolenic acid, glycerin-sinapic aicd의 ester와 항균성 물질인 raphanin, 정유는 methylthiol이 함유되어 있다.

약리 종자를 물로 달인 액은 1%의 농도에서 연쇄구균, 화농균, 폐렴쌍구균, 대장균에 항균력이 있고, 유효 성분은 raphanin이고, 또 6종의 피부 진균에 항진균 작용이 있다.

사용법 내복자는 5g에 물 2컵(400mL)을 넣고 달여서 복용하거나 환약, 가루약으로 복용하고 외용에는 짓찧어 붙인다. 내복은 30g을 짓찧어 즙을 마신다.

처방 나복고(蘿蔔膏): 정력자(葶藶子)와 조각실(皂角實)을 같은 양으로 가루 내어 사용(「동의보감(東醫寶鑑)」). 갑자기 풍을 맞아 담이 심규에 막혀 의식이 똑똑하지 못하고 목에서 가래 끓는 소리가 나는 증상에 사용한다. 조각산(皂角散)이라고도 한다.

· 보화환(保和丸): 산사자(山査子)·반하(半夏)·나복자(蘿蔔子)·황련(黃連)·진피(陳皮) 각 20g, 신국(神麴) 12g, 맥아(麥芽)(「동의보감(東醫寶鑑)」). 소화불량으로 명치 밑이 그득하고 신물이 올라오는 증상에 사용한다.

· 삼자양친탕(三子養親湯): 나복자(蘿蔔子)·자소자(紫蘇子)·개자(芥子) 각 4g(「동의보감(東醫寶鑑)」). 기침을 하고 숨이 차며 가래가 많은 증상이나, 가슴이 그득하고 입맛이 없으며 소화가 잘 안되는 증상에 사용한다.

❶ 무(열매)

❶ 무

❶ 내복(萊菔)

❶ 내복자(萊菔子)

[십자화과]

개갓냉이

이질, 장염　유행성감기
습진

● 학명 : *Rorippa indica* (L.) Hiern
● 한자명 : 蔊菜　● 별명 : 쇠냉이, 갓냉이, 줄속속이풀, 선속속이풀

| 1 | 2 | 3 | 4 | 5 | 6 | 7 | 8 | 9 | 10 | 11 | 12 |

● 한채(蔊菜)

여러해살이풀. 높이 30~50cm. 털이 없고 가지가 많이 갈라진다. 뿌리잎은 모여나고 많이 갈라진다. 줄기잎은 어긋나고 갈라지지 않으며 가장자리에 톱니가 있다. 꽃은 5~6월에 피며 황색, 꽃받침잎은 긴 타원형, 꽃잎은 주걱 모양이다. 열매는 장각으로 길이 1.5~2.2cm이다.

분포 · 생육지 우리나라 중부 이남. 중국, 일본, 타이완, 인도, 아프리카. 산과 들에서 자란다.

약용 부위 · 수치 전초를 여름과 가을에 채취하여 물에 씻은 후 썰어서 말린다.

약물명 한채(蔊菜), 계육채(鷄肉菜), 날미채(辣米菜)라고도 한다.

약효 소염해독(消炎解毒), 수렴지삽(收斂止澁)의 효능이 있으므로 이질, 장염, 유행성감기, 습진을 치료한다.

사용법 한채 10g에 물 3컵(600mL)을 넣고 달여서 복용하고, 외용에는 짓찧어 바른다.

● 개갓냉이

[십자화과]

속속이풀

풍열감모　인후염　관절염
황달　수종

● 학명 : *Rorippa islandica* (Oed.) Borb. [*R. palustris*]
● 한자명 : 水前草, 水蘿卜　● 별명 : 속속냉이

| 1 | 2 | 3 | 4 | 5 | 6 | 7 | 8 | 9 | 10 | 11 | 12 |

● 수전초(水前草)

한해살이풀. 높이 30~60cm. 털이 없다. 뿌리잎은 모여나고 땅으로 퍼지며, 줄기잎은 어긋나고 깃 모양이다. 꽃은 5~6월에 피며 황색, 꽃받침잎은 긴 타원형, 꽃잎은 주걱 모양이다. 열매는 긴 타원형, 길이 4~6mm이다.

분포 · 생육지 우리나라 전역. 중국, 일본, 중국 둥베이(東北) 지방, 타이완 북반구. 산과 들에서 자란다.

약용 부위 · 수치 전초를 여름과 가을에 채취하여 물에 씻은 후 썰어서 말린다.

약물명 수전초(水前草), 수라복(水蘿卜), 엽향(葉香)이라고도 한다.

기미 · 귀경 양(涼), 신(辛), 고(苦) · 간(肝), 방광(膀胱)

약효 청열해독(淸熱解毒), 이수소종(利水消腫)의 효능이 있으므로 풍열감모(風熱感冒), 인후염, 황달, 수종(水腫), 관절염을 치료한다.

성분 종자에는 sinapine이 함유되어 있다.

사용법 수전초 10g에 물 3컵(600mL)을 넣고 달여서 복용하고, 외용에는 짓찧어 바른다.

● 속속이풀

[십자화과]

말냉이

 신장염　　 자궁내막염

●학명 : *Thlaspi arvense* L.　●한자명 : 菥蓂, 大芥

| 1 | 2 | 3 | 4 | 5 | 6 | 7 | 8 | 9 | 10 | 11 | 12 |

두해살이풀. 높이 20~60cm. 줄기잎은 어긋나고 줄기를 약간 감싸며 불규칙한 톱니가 있다. 꽃은 5월에 피며 백색, 꽃받침은 긴 타원형, 꽃잎은 달걀 모양, 수술은 6개 중 4개가 길고, 암술은 1개이다. 열매는 원반형, 넓은 날개가 있고 끝이 음푹 들어가 있다.

분포·생육지 우리나라 전역. 아시아, 유럽, 북아메리카. 밭가나 논 등 낮은 지대에서 자란다.

약용 부위·수치 전초는 여름에 채취하여 물에 씻은 후 썰어서 말리고, 종자는 늦여름이나 가을에 채취하여 말린다.

약물명 석명(菥蓂). 대개(大芥)라고도 한다.

본초서 「동의보감(東醫寶鑑)」에 "주로 눈을 밝게 하고, 눈이 아프며 눈물이 흐르는 데 쓴다. 간에 쌓인 열로 눈이 충혈되고 아픈 것을 낫게 하며 눈에 정기가 돌게 한다."고 하였다.

東醫寶鑑: 主明目 目痛淚出 能治肝家積熱 安目赤痛 益精光.

기미·귀경 미한(微寒), 고(苦), 감(甘)·간(肝), 비(脾)

약효 석명(菥蓂)은 익기(益氣), 보간(補肝), 명목(明目)의 효능이 있으므로 신장염 및 자궁내막염을 치료한다.

성분 전초는 sinigrin이 함유되고, 이 물질은 효소 작용에 의하여 allylthiocynate가 생성된다.

사용법 석명 10g에 물 3컵(600mL)을 넣고 달여서 복용한다.

❶ 석명(菥蓂)

❶ 말냉이

[십자화과]

고추냉이

 소화불량　　 신경통

●학명 : *Wasabia tenuicaulis* T. Lee　●영명 : Wasabi　●별명 : 겨자냉이

| 1 | 2 | 3 | 4 | 5 | 6 | 7 | 8 | 9 | 10 | 11 | 12 |

여러해살이풀. 높이 30~40cm. 뿌리줄기는 굵고 둥글다. 뿌리잎은 뿌리줄기에서 많이 나와 사방으로 퍼지며 심장형이고 가장자리에 톱니가 있다. 줄기잎은 어긋나고, 잎자루가 없다. 꽃은 5~6월에 피며, 백색이고, 열매는 길이 2cm 정도로 좁고 길며 약간 굽어 있다.

분포·생육지 우리나라 울릉도. 습기가 많은 곳에서 자라며, 전역에서 재배한다.

약용 부위·수치 뿌리줄기를 여름에 채취하여 물에 씻은 후 썰어서 말린다.

약물명 Wasabiae Rhizoma

약효 소화불량, 신경통을 치료한다.

성분 전초에는 sinigrin이 함유되어 있고, 이 물질은 효소 작용에 의하여 allylthiocynate가 생성된다.

사용법 뿌리줄기 10g에 물 3컵(600mL)을 넣고 달여서 복용한다.

＊본 종에 비하여 줄기가 굵은 '*Wasabia japonica*'도 약효가 같다.

❶ 고추냉이

❶ 고추냉이 뿌리줄기 가루를 물에 갠 것

[풍접초과]

양풍접초

- 풍습비통
- 치아통
- 설사, 이질

●학명 : *Capparis spinosa* L. ●영명 : Caper ●한자명 : 刺山柑

| 1 | 2 | 3 | 4 | 5 | 6 | 7 | 8 | 9 | 10 | 11 | 12 |

덩굴성 관목. 길이 1~2m. 뿌리는 비교적 굵고, 작은가지는 담녹색이다. 잎은 어긋나며 원형에 가깝고, 턱잎이 변하여 가시가 된다. 꽃은 잎겨드랑이에 1개씩 달리며 적백색이다. 열매는 삭과이며, 종자는 흑갈색으로 여러 개이다.

분포 · 생육지 지중해, 중국 간쑤성(甘肅省), 신장성(新疆省), 티베트. 건조한 곳에서 자란다.

약용 부위 · 수치 뿌리껍질 또는 잎을 여름철에 채취하여 물에 씻은 뒤 썰어서 말리고, 열매를 가을에 채취하여 말린다.

약물명 열매, 잎 또는 뿌리껍질을 노서과(老鼠瓜)라고 하며, 고과(苦瓜), 야서과(野西瓜), 항한초(抗旱草)라고도 한다.

약효 거풍지통(祛風止痛), 제습산한(除濕散寒)의 효능이 있으므로 풍습비통(風濕痺痛), 치아통, 설사, 이질을 치료한다.

성분 뿌리에는 glucobrassicin, neoglucobrassicin, methoxyglucobrassicin, stachydrine, 잎에는 glucocapparin, glucocleomin 등이 함유되어 있다.

사용법 외용에는 적당량의 생것을 짓찧어 바르고, 뿌리껍질은 5g에 물 2컵(400mL)을 넣고 달여서 복용한다.

＊꽃봉오리는 향신료로 많이 이용되며, 특히 연어 요리에 곁들여진다.

❍ 양풍접초

❍ 양풍접초(향신료, 소화제로 사용되는 꽃봉오리)

[풍접초과]

풍접초

- 타박상, 치창
- 근골마목, 요통, 골결핵
- 소변임통

●학명 : *Cleome spinosa* L.
●한자명 : 白花菜, 羊角菜 ●별명 : 취접화

| 1 | 2 | 3 | 4 | 5 | 6 | 7 | 8 | 9 | 10 | 11 | 12 |

두해살이풀. 높이 1m 정도. 전체에 선모와 잔가시가 있다. 잎은 어긋나며 장상 복엽이고, 작은잎은 5~7개, 턱잎은 바늘 모양이다. 꽃은 연한 붉은색, 7~9월에 원줄기 끝에 총상화서로 많이 달린다. 수술은 4개, 열매는 삭과, 종자는 신장형이다.

분포 · 생육지 열대 아메리카 원산. 우리나라 전역에서 재배한다.

약용 부위 · 수치 전초를 여름철에 채취하여 썰어서 말리고, 가을에 종자를 채취하여 말린다.

약물명 전초를 백화채(白花菜)라고 하며, 양각채(羊角菜), 취화채(臭花菜)라고도 한다. 종자를 백화채자(白花菜子)라고 하며, 취화채자(臭花菜子)라고도 한다.

약효 백화채(白花菜)는 거풍제습(祛風除濕), 이습통림(利濕通淋)의 효능이 있으므로 타박상, 소변임통(小便淋痛)을 치료한다. 백화채자(白花菜子)는 거풍산한(祛風散寒), 활혈지통의 효능이 있으므로 근골마목(筋骨麻木), 요통, 골결핵(骨結核), 치창(痔瘡)을 치료한다.

성분 종자에는 glucoiberine, glucocapparine, glucobrassicin, neoglucobrassicin, cleomin 등이 함유되어 있다.

사용법 백화채 또는 백화채자 10g에 물 3컵(600mL)을 넣고 달여서 복용하고, 외용에는 달인 액을 바르거나 씻는다.

❍ 풍접초

❍ 풍접초(잎)

❍ 풍접초(열매)

[두충나무과]

두충나무

 요슬산통, 풍습비통, 요배산통, 족슬산연핍력

 태동불안, 습관성유산 | 양위, 빈뇨 | 고혈압

●학명 : *Eucommia ulmoides* Oliver ●영명 : hardy rubber tree ●한자명 : 杜仲

| 1 | 2 | 3 | 4 | 5 | 6 | 7 | 8 | 9 | 10 | 11 | 12 |

낙엽 교목, 높이 20m 정도. 줄기껍질, 잎, 열매를 자르면 고무 같은 실이 나온다. 잎은 어긋난다. 꽃은 단성, 암수딴그루, 꽃덮이개는 없고, 씨방은 2개의 심피가 합쳐지고, 암술머리는 2개로 갈라진다. 열매는 편평하고 긴 타원형, 날개가 있다.

분포·생육지 중국 원산. 우리나라 전역에서 재식한다.

약용 부위·수치 이른 봄에 수분과 영양이 많이 오를 때 10년 이상 된 줄기껍질을 채취한다. 겉껍질(粗皮)을 벗겨 버리고 치료의 목적에 따라 주초(酒炒), 염초(鹽炒), 초초(醋炒), 강즙초(薑汁炒)하여 사용한다. 어린잎은 5~7월에 채취하여 말린다.

약물명 줄기껍질을 두충(杜仲)이라고 하며, 사선(思仙), 사충(思仲), 면(檰)이라고도 한다. 잎을 두충엽(杜仲葉)이라고 한다. 두충(杜仲)은 대한민국약전(KP)에, 두충엽(杜仲葉)은 대한민국약전외한약(생약)규격집(KHP)에 수재되어 있다.

본초서 두충(杜仲)은 「신농본초경(神農本草經)」의 상품(上品)에 수재되어 있다. 「본초강목(本草綱目)」에는 "옛날에 두충(杜仲)이라는 사람이 이것을 먹고 득도(得道)하였다고 전해지므로 붙여진 이름이며, 또한 껍질에 은사(銀絲)가 있어서 면(綿)과 같다 하여 목면(木棉)이라고도 한다."고 하였다. 도홍경(陶弘景)은 "후박(厚朴)의 모양과 비슷하며, 꺾으면 흰 실이 많이 나오는 것일수록 품질이 좋다."고 하였다. 「동의보감(東醫寶鑑)」에서 "신장의 기능이 허약하여 허리와 등이 조여들고 다리가 시큰하게 아픈 것을 낫게 하며 근골을 튼튼하게 한다. 음낭 밑이 축축하고 가려우며 오줌이 방울방울 떨어지는 증상, 정기를 돕고 신장의 찬기운을 없애며 요통을 치료한다."고 하였다.

神農本草經: 主腰脊痛 補中 益精氣 堅筋骨 強志 除陰下痒濕 小便余瀝 久服輕身耐老.

名醫別錄: 主脚中酸痛, 不欲踐地.

東醫寶鑑: 治腎勞 腰脊攣痛 胸中痿疼 牽筋骨 除陰下濕痒 小便餘瀝 益精氣 能治腎冷腎腰痛.

성상 두충(杜仲)은 판상, 두께는 3~7mm이다. 표면은 회색~암회색이며 두드러진 주름과 피공(皮孔)이 있고 이끼가 붙어 있는 것도 있다. 안쪽 면은 매끈하고 암갈색을 띤다. 꺾으면 끈기 있는 백색 수지의 실이 생긴다. 냄새는 특이하고 맛은 쓰다. 두충엽(杜仲葉)은 대개 절단된 것과 원형의 것이 출하된다. 원형의 것은 타원형이고 상면은 회녹색이며 하면은 녹갈색이다. 질은 부서지기 쉽고 찢어 보면 실 모양의 고무질이 늘어난다. 냄새는 특이하며 맛은 담담하다.

기미·귀경 두충(杜仲): 온(溫), 감(甘), 신(辛)·간(肝), 신(腎). 두충엽(杜仲葉): 온(溫), 미신(微辛)·간(肝), 신(腎)

약효 두충(杜仲)은 보간신(補肝腎), 강근골(強筋骨), 안태(安胎)의 효능이 있으므로 요슬산통(腰膝酸痛), 양위(陽痿), 빈뇨(頻尿), 소변여력(小便余瀝), 풍습비통(風濕痺痛), 태동불안(胎動不安), 습관성유산(習慣性流産)을 치료한다. 두충엽(杜仲葉)은 보간신(補肝腎), 강근골(強筋骨), 강혈압(降血壓)의 효능이 있으므로 요배산통(腰背酸痛), 족슬산연핍력(足膝酸軟乏力), 고혈압을 치료한다.

성분 pinoresinol, syringaresinol, hydroxy-pinoresinol, acucubin, harpagide acetate, ajugoside, reptoside, ulmoside, eucommiol, eucommioside, bisdeoxyeucommiol, bisdeoxyeucommioside, pinoresinol di−*O*−β−D−glucoside, olivil, cycloolivil, eucommin A, gutta−percha, caffeic acid, fumaric acid 등이 함유되어 있다.

약리 열수추출물을 개에게 정맥주사하면 혈압이 현저하게 강하되고, 귀 동맥을 확장시키며, 내장과 자궁의 긴장도를 높인다. 흰쥐의 혈압과 심박동 수를 낮추고 소변량을 증가시키지만 전해질 농도와 소변의 pH에는 영향을 주지 않는다. 두충차나 두충주를 2개월 복용한 고혈압 환자에서 혈압이 94% 낮아졌다는 보고가 있다. 열수추출물을 복용하면 허리와 무릎 관절의 통증을 현저하게 경감시키는 작용이 있다. pinoresinol, hydroxypinoresinol 등은 사람의 장내 세균에 항균 작용을 나타낸다. 열수추출물을 개에게 투여하면 소변량이 증가한다.

사용법 두충 10g에 물 3컵(600mL)을 넣고 달여서 복용하고, 두충엽은 20g에 물 4컵(800mL)을 넣고 달여서 복용한다.

처방 두충탕(杜仲湯): 두충(杜仲)·산약(山藥)·천궁(川芎)·황기(黃耆)·용안육(龍眼肉) 각 5g, 하고초(夏姑草)·황금(黃芩)·당귀(當歸)·고본(藁本)·익모초(益母草) 각 4g, 괴화(槐花) 3g (「동의보감(東醫寶鑑)」). 고혈압 환자에게 사용한다.

•두충환(杜仲丸): 두충(杜仲) 80g, 귀판(龜板)·황백(黃柏)·지모(知母)·구기자(枸杞子)·오배자(五倍子)·당귀(當歸)·황기(黃耆)·작약(芍藥)·파고지(破古紙) 각 40g (「동의보감(東醫寶鑑)」). 0.3g의 환약으로 만들어 1회에 80알씩 복용하며, 허리에 힘이 없고 아픈 환자에게 사용한다.

•대방풍탕(大防風湯): 숙지황(熟地黃) 6g, 백출(白朮)·방풍(防風)·당귀(當歸)·두충(杜仲)·황기(黃耆) 각 4g, 부자(附子)·천궁(川芎)·우슬(牛膝)·강활(羌活)·인삼(人蔘)·감초(甘草) 각 2g, 생강(生薑) 5쪽, 대추(大棗) 2개 (「동의보감(東醫寶鑑)」). 학슬풍이나 허벅지와 무릎이 아픈 증상, 뼛속이 저리고 아픈 증상, 이질을 앓고 난 뒤에 정강이와 무릎이 아프고 잘 걷지 못하는 증상에 사용한다.

•우귀환(右歸丸): 숙지황(熟地黃) 320g, 구기자(枸杞子)·산약(山藥)·녹각교(鹿角膠)·토사자(菟絲子)·두충(杜仲)·계피(桂皮) 각 160g, 산수유(山茱萸)·당귀(當歸) 각 120g, 포부자(炮附子) 80g (「보양처방집(補養處方集)」). 신양(腎陽)의 부족으로 온몸이 무겁고 가슴이 두근거리며 불안하고 허리와 팔다리를 제대로 움직이지 못하거나 성기능이 저하된 증상에 사용한다.

◐ 두충(杜仲, 절편)

◐ 두충(杜仲)

◐ 두충차(杜仲茶)

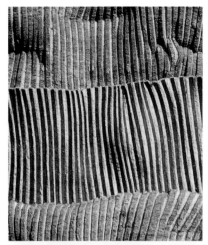

● 두충(杜仲)을 자르면 gutta-percha가 실처럼 보인다.

● 두충엽(杜仲葉, 신선품)

● 두충엽(杜仲葉)

● 두충나무(열매)

● 두충나무

[조록나무과]

히어리

 외감풍사, 두통   오심구토
심계, 번조불안

● 학명 : *Corylopsis coreana* Uyeki
● 한자명 : 蠟瓣花 ● 별명 : 송광납판화, 납판나무, 송광꽃나무, 조선납판나무

| 1 | 2 | 3 | 4 | 5 | 6 | 7 | 8 | 9 | 10 | 11 | 12 |

낙엽 관목. 높이 1~2m. 잎은 어긋나고, 꽃은 황색, 4월에 총상화서로 달리고 밑으로 처지며 8~12개가 달린다. 꽃받침은 5개로 갈라지며, 꽃잎은 연한 황록색, 수술은 5개, 암술대는 2개이다. 열매는 삭과로 2실, 9월에 익고 2개로 갈라져서 흑색 종자가 나온다.

분포 · 생육지 우리나라 백운산, 지리산, 광덕산. 일본. 산기슭에서 자란다.

약용 부위 · 수치 뿌리껍질을 봄에 채취하여 적당한 크기로 썰어서 말린다.

약물명 납판화근(蠟瓣花根)

기미 · 귀경 평(平), 감(甘) · 위(胃), 심(心)

약효 소풍화위(消風和胃), 영심안신(寧心安神)의 효능이 있으므로 외감풍사(外感風邪), 두통, 오심구토. 심계(心悸), 번조불안(煩燥不安)을 치료한다.

성분 bergenin, 6′-O-galloylbergenin, 3′-O-galloylbergenin, (−)-catechin, (−)-epicatechin, (−)-epicatechin-3-O-galloyl ester, quercitrin 등이 함유되어 있다.

약리 6′-O-galloylbergenin, 3′-O-gallo-ylbergenin, (−)-catechin, (−)-epicatechin, (−)-epicatechin-3-O-galloyl ester는 A549(폐암 세포), SKOV-3(난소암 세포), SK-MEL-2(피부암 세포), HCT15(대장암 세포)에 세포 독성을 나타낸다. 메탄올추출물은 대식 세포에서 iNOS의 발현 억제 및 염증성 매개 물질인 COX-2의 발현을 억제함으로써 항염증 효과가 나타난다.

사용법 납판화근 7g에 물 2컵(400mL)을 넣고 달여서 복용한다. 납판화근 120g에 선학초 20g, 등심초 12g, 죽엽 12g, 생강 3쪽을 물 2000mL를 넣고 달여서 아침저녁으로 한 잔씩 복용한다.

＊ 일본에 분포하며 잎이 넓고 잎맥이 적고 꽃대에 많은 꽃이 밀집하여 달리는 'C. gotoana'도 약효가 같다.

● 히어리

● 히어리(꽃)

● 히어리(열매)

[조록나무과]

조록나무

- 수종
- 수족부종
- 타박상

●학명 : *Distylium racemosum* S. et Z.　●한자명 : 蚊母樹　●별명 : 조롱나무

| 1 | 2 | 3 | 4 | 5 | 6 | 7 | 8 | 9 | 10 | 11 | 12 |

상록 교목이지만 보통은 관목으로 자란다. 잎은 어긋난다. 꽃은 잡성, 꽃차례는 잎겨드랑이에서 나오고, 화관은 없으며 꽃받침은 붉은색, 5~6개로 갈라지며 갈색 털이 있다. 삭과는 딱딱하며 겉에 털이 있고 9월에 익으며 2개로 갈라져서 종자가 나온다.

분포·생육지 우리나라 완도 및 제주도. 중국, 일본. 산기슭의 낮은 곳에서 자란다.

약용 부위·수치 뿌리를 채취하여 물에 씻은 후 썰어서 말린다.

약물명 문모수근(蚊母樹根)

기미·귀경 평(平), 신(辛), 미고(味苦)·비(脾), 간(肝)

약효 이수삼습(利水滲濕), 거풍활락(祛風活絡)의 효능이 있으므로 수종(水腫), 수족부종(手足浮腫), 타박상을 치료한다.

사용법 문모수근 10g에 물 3컵(600mL)을 넣고 달여서 복용한다.

● 조록나무(열매)

● 조록나무

[조록나무과]

풍년화

- 구강염
- 설사
- 타박상, 종창, 피부병
- 치질

●학명 : *Hamamelis japonica* S. et Z.

| 1 | 2 | 3 | 4 | 5 | 6 | 7 | 8 | 9 | 10 | 11 | 12 |

낙엽 관목. 높이 2~3m. 잎은 어긋나고 달걀 모양, 길이 12cm로 두껍고 표면에만 주름이 있으며, 가장자리에 톱니가 있다. 꽃은 황갈색, 4월에 잎보다 먼저 피고, 잎겨드랑이에 여러 개가 수상화서로 달린다. 꽃받침과 꽃잎은 각각 4개, 열매는 달걀 모양이다.

분포·생육지 일본. 산기슭에서 자라고, 우리나라에서는 관상용으로 재식한다.

약용 부위·수치 잎과 줄기껍질을 여름에 채취하여 적당한 크기로 썰어서 말린다.

약물명 잎을 Hamamelis Folium, 줄기껍질을 Hamamelis Cortex라고 한다.

약효 잎 또는 껍질은 수렴(收斂), 소염, 지혈의 효능이 있으므로 구강염, 설사, 타박상, 정맥류, 종창, 치질, 피부병을 치료한다.

성분 hamamelitannin(digalloylhamamelose), catechols, proanthocyanidins, ellagitannins, safrol, ionon 등이 함유되어 있다.

약리 타닌은 단백질과 상호 작용하여 수렴, 살균, 울혈, 상처 치료 효과를 나타낸다.

사용법 Hamamelis Folium 또는 Hamamelis Cortex 1g을 뜨거운 물에 우려내어 복용한다.
＊ 꽃이 담황색인 미국풍년화 'H. virginiana'는 연고와 로션으로 만들어 피부병, 치질에 사용한다.

● 풍년화

● 풍년화(꽃)

[조록나무과]

미국풍년화

 구강염   설사 타박상, 피부병
정맥류두통 치질

● 학명 : *Hamamelis virginiana* L. ● 별명 : 하마메리스

| 1 | 2 | 3 | 4 | 5 | 6 | 7 | 8 | 9 | 10 | 11 | 12 |

낙엽 관목. 높이 2~4m. 밑에서 많은 가지가 나와 퍼지며, 줄기껍질은 회갈색으로 미끄럽다. 잎은 어긋나고 달걀 모양, 길이 5~7cm로 두껍고 표면에만 주름이 있으며, 가장자리에 드문드문 톱니가 있다. 꽃은 담황색, 2~3월에 잎보다 먼저 피고 잎겨드랑이에 여러 개가 수상화서로 달린다.

분포 · 생육지 북아메리카, 남아메리카. 산기슭에서 자란다.

약용 부위 · 수치 잎, 가지, 줄기껍질을 여름에 채취하여 적당한 크기로 썰어서 말린다.

약물명 Hamamelis Folium et Cortex. 일반적으로 Witch hazel 또는 Hammelis라고 한다.

약효 수렴(收斂), 소염(消炎), 지혈(止血)의 효능이 있으므로 구강염, 설사, 타박상, 정맥류두통(靜脈瘤頭痛), 종창(腫脹), 치질, 피부병을 치료한다.

성분 hamamelitannin(digalloylhamamelose), catechols, proanthocyanidins, ellagitannins, safrol, ionon 등이 함유되어 있다.

약리 타닌은 단백질과 상호 작용하여 수렴, 살균, 울혈, 상처 치료 효과를 나타낸다.

사용법 Hamamelis Folium et Cortex 1g을 뜨거운 물에 우려내어 복용하고, 연고와 로션으로 만들어 피부병, 치질에 사용한다. 가지를 잘라서 수증기 증류하여 나오는 수액에 에탄올을 가하여 화장품 원료로 사용한다.

○ 미국풍년화

○ 미국풍년화 팅크

[조록나무과]

풍향나무

지체마목, 수족구련, 비통 완복동통 객혈
유즙불통 옹저, 습진, 외상출혈 치통

● 학명 : *Liquidambar formosana* Hance ● 한자명 : 楓果

| 1 | 2 | 3 | 4 | 5 | 6 | 7 | 8 | 9 | 10 | 11 | 12 |

낙엽 교목. 높이 20~30m. 줄기껍질은 회갈색, 오래되면 작은조각으로 벗겨진다. 잎은 어긋나고, 잎자루는 길이 4~7cm, 잎몸은 보통 3개로 갈라지며 암수한그루이다. 꽃과 꽃잎은 없다. 씨방은 2실, 암술대 2개, 열매는 구형, 표면에 가시가 많이 나 있다.

분포 · 생육지 중국 남부 지방, 타이완, 필리핀, 베트남. 숲속에서 자란다.

약용 부위 · 수치 겨울에 열매를 채취하여 말린다. 줄기에 상처를 내어 흘러나오는 수지를 모아 건고시킨다.

약물명 열매를 노로통(路路通)이라고 하며, 풍실(楓實), 풍과(楓果)라고도 한다. 수지를 건고시킨 것을 풍향지(楓香脂)라고 하며, 백교향(白膠香)이라고도 한다. 노로통(路路通)은 대한민국약전외한약(생약)규격집(KHP)에 수재되어 있다.

본초서 「동의보감(東醫寶鑑)」에서 풍향지(楓香脂)는 「신수본초(新修本草)」의 기록과 마찬가지로 "두드러기가 나거나 피부가려움증, 치통을 치료한다."고 하였다.

路路通(노로통)

本草綱目拾遺: 辟瘴却瘟 明目 除濕 舒筋拘攣 周身痺痛.

楓香脂(풍향지)

新修本草: 主癮疹風痒浮腫 齒痛.

本草綱目: 治一切癰疽瘡疥 金瘡, 喀血 生肌解毒.

東醫寶鑑: 主癮疹風痒 齒痛.

성상 노로통(路路通)은 구형인 취과로 지름 3cm 정도, 아래쪽에는 과경이 있고 표면은 회갈색, 뾰족한 가시가 많다. 냄새가 약간 있고 맛은 담담하다. 풍향지(楓香脂)는 황갈색의 고르지 않은 덩어리로 유통품은 규격이 일정하지 않다. 질은 취약하며 반투명하고 부서진 부분은 광택이 난다. 냄새가 나고 맛은 담담하다.

기미 · 귀경 평(平), 고(苦) · 간(肝), 방광(膀胱).

약효 노로통(路路通)은 거풍제습(祛風除濕), 소간활락(疏肝活絡), 이수(利水)의 효능이 있으므로 풍습비통(風濕痺痛), 지체마목(肢體麻木), 수족구련(手足拘攣), 완복동통(脘腹疼痛), 유즙불통(乳汁不通), 습진을 치료한다. 풍향지(楓香脂)는 거풍활혈(祛風活血), 해독지통(解毒止痛)의 효능이 있으므로 옹저(癰疽), 습진, 치통, 비통(痺痛), 객혈, 외상출혈을 치료한다.

성분 ambronic acid, moronic acid, ambrolic acid, ambrodiolic acid, liquidambronic acid, liquidambrodiolic acid, forucosolic acid, liquidambronovic acid 등이 함유되어 있다.

약리 메탄올추출물을 쥐에게 투여하면 손상된 간을 보호하는 작용이 나타난다.

사용법 노로통은 7g에 물 3컵(600mL)을 넣고 달여서 복용하거나 환약으로 만들어 복용한다. 풍향지는 5g에 물 2컵(400mL)을 넣고 달여서 복용하고, 외용에는 연고로 만들어 환부에 바른다.

○ 풍향나무

○ 노로통(路路通)

○ 풍향나무(열매)

[조록나무과]

소합향나무

중풍 담궐, 습탁토리 개선

●학명 : *Liquidambar orientalis* Miller   ●한자명 : 蘇合香樹

1	2	3	4	5	6	7	8	9	10	11	12

낙엽 활엽 교목. 높이 10~15m. 잎은 어긋나며 보통 5개로 갈라지고, 잎자루가 길고, 턱잎은 작으나 빨리 떨어진다. 꽃은 단성으로 암수한그루이며 원두상화서이다. 수꽃은 꽃잎이 없으며, 암꽃의 심피는 다수이고 기부가 유합된다. 열매는 구형이며 종자 1~2개가 들어 있다.

분포 · 생육지 터키 서남부. 숲속에서 자라며, 중국의 광시성(廣西省) 및 남부 지방에서 재식한다.

약용 부위 · 수치 봄에 줄기에 상처를 내어 흘러나오는 수지를 모아서 공기 중에 말린다. 그대로 사용하거나, 물에 삶아서 녹인 후 향부자(香附子) 가루를 넣고 혼합한 다음 봉밀(蜂蜜)을 넣어 적당한 조도(租度)로 한 후 사용한다.

약물명 소합향(蘇合香), 제고(帝膏), 소합유(蘇合油)라고도 한다. 대한민국약전외한약(생약)규격집(KHP)에 수재되어 있다.

본초서 「명의별록(名醫別錄)」에 처음 수재되었으며, 당나라 「신수본초(新修本草)」에는 회향(襛香)이라는 이름으로 기재되었고 "제루(諸瘻), 곽란(癨亂) 및 사상(蛇傷)을 주치하는 약물이다."라고 기록되어 있으며, 소송(蘇頌)은 "북방에서는 일반적으로 회향(茴香)이라고도 하는데, 이는 서로 발음이 비슷하기 때문이다."고 하였다. 「동의보감(東醫寶鑑)」에 "나쁜 기운을 몰아내고 헛것이 보이는 것을 없앤다. 열이 난 다음 오한이 나는 증상을 낫게 하고 촌백충과 회충을 구제하며 악몽에 시달리지 않게 한다."고 하였다.

東醫寶鑑: 主辟惡 殺鬼精物 溫瘧 蟲毒 去三蟲 令人無夢魘.

성상 반유동성의 끈적끈적한 액체로 황백색~회갈색을 띠고 반투명성이다. 막대로 찍어서 당기면 끈끈하여 길게 실처럼 늘어진다. 특이한 향기가 있으며 맛은 조금 달고 맵다. 불에 태울 때 녹으면서 폭음이 나고 향기가 강한 것이 좋은 품질이다.

기미 · 귀경 온(溫), 신(辛), 감(甘), 고(苦) · 심(心), 비(脾)

약효 개규벽예(開竅辟穢), 개울활담(開鬱豁痰), 행기지통(行氣止痛)의 효능이 있으므로 중풍(中風), 담궐(痰厥), 기궐지폐색증(氣厥之閉塞症), 습탁토리(濕濁吐利), 개선(疥癬)을 치료한다. 요즘은 약용보다는 향료로 많이 사용한다.

성분 α-styrsenol, β-styrsenol, cinnamyl-cinnamate, phenylpropyl cinnamate, styrol, ethylcinnamate 등이 함유되어 있다.

약리 온화한 자극 작용이 있으며, 약한 항균 작용이 있다. 또한 항염증 작용, 궤양성 치료 작용이 나타난다.

사용법 소합향 0.3~1g에 물을 넣고 달여서 복용하거나 환약으로 만들어 복용하고, 외용에는 적당량을 에탄올에 녹여 상처 부위에 바른다.

처방 소합향원(蘇合香元): 백출(白朮) · 목향(木香) · 침향(沈香) · 사향(麝香) · 정향(丁香) · 안식향(安息香) · 백단향(白檀香) · 주사(朱砂) · 서각(犀角) · 가자피(訶子皮) · 향부자(香附子) · 필발(畢撥) · 각 80g, 소합향(蘇合香) · 유향(乳香) · 용뇌(龍腦) 각 40g (「동의보감(東醫寶鑑)」). 중풍으로 갑자기 정신을 잃고 넘어져 이를 악물면서 가슴과 배가 불러오고 목에 가래가 끓는 증상에 사용한다.

＊'북아메리카풍향나무 *L. styraciflua*'도 같은 용도로 사용된다.

✿ 소합향나무

✿ 소합향(蘇合香)

✿ 소합향나무(줄기)

낙지생근

♀ 월경폐지, 혈붕, 대하	🦔 수종
🗂 타박상	

● 학명 : *Bryophyllum pinnatum* (L.) Oken [*Kalanchoe pinnata*]
● 한자명 : 落地生根

1	2	3	4	5	6	7	8	9	10	11	12

여러해살이풀. 높이 40~150cm. 줄기는 바로 서고, 가지는 여러 개로 갈라지며 마디가 분명하다. 잎은 마주나고 가장자리에 톱니가 있다. 꽃은 3~5월에 원추화서로 피고 종 모양, 적자색이다. 열매는 골돌이고, 종자는 작다.

분포 · 생육지 중국 푸젠성(福建省), 광둥성(廣東省), 광시성(廣西省). 타이완. 길가의 습지에서 자란다.

약용 부위 · 수치 전초를 여름과 가을에 채취하여 물에 씻은 후 썰어서 말린다.

약물명 낙지생근(落地生根). 토삼칠(土三七), 차근채(扯根菜)라고도 한다.

약효 이수제습(利水除濕), 활혈산어(活血散瘀), 지혈, 해독의 효능이 있으므로 월경폐지, 수종(水腫), 혈붕(血崩), 대하, 타박상을 치료한다.

성분 bryophyllol, bryophyllone, bryophyllenone, *cis*-aconitic acid, *p*-coumaric acid, quercetin, kaempferol, quercetin-3-diarabinoside 등이 함유되어 있다.

약리 즙액은 포도상구균, 변형간균 등에 살균 작용이 있다.

사용법 낙지생근 10g에 물 3컵(600mL)을 넣고 달여서 복용하고, 외용에는 짓찧어 바른다.

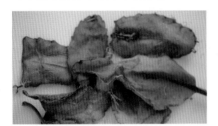
○ 낙지생근(落地生根)

○ 잎에서 뿌리가 돋아난다.

○ 낙지생근

낙지다리

♀ 월경폐지, 혈붕, 대하	🦔 수종
🗂 타박상	

● 학명 : *Penthorum chinense* Pursh　● 한자명 : 水澤蘭, 扯根菜　● 별명 : 낙지다리풀

1	2	3	4	5	6	7	8	9	10	11	12

여러해살이풀. 높이 30~70cm. 잎은 어긋나고 바늘 모양이다. 꽃은 황백색, 7월에 줄기 끝에서 가지가 사방으로 갈라져 위쪽으로 치우쳐서 달린다. 꽃받침은 5개로 갈라지고 꽃잎은 없으며, 수술은 10개이다. 열매는 삭과로 심피가 붙어 있는 부분의 위쪽이 떨어져서 종자가 나온다.

분포 · 생육지 우리나라 전역. 중국, 일본, 우수리, 동시베리아. 습지에서 자란다.

약용 부위 · 수치 전초를 가을에 채취하여 물에 씻은 후 썰어서 말린다.

약물명 수택란(水澤蘭). 차근채(扯根菜)라고도 한다.

약효 이수제습(利水除濕), 활혈산어(活血散瘀), 지혈, 해독의 효능이 있으므로 월경폐지, 수종(水腫), 혈붕(血崩), 대하(帶下), 타박상을 치료한다.

사용법 수택란 10g에 물 3컵(600mL)을 넣고 달여서 복용하고, 외용에는 짓찧어 바른다.

＊ 줄기 끝에서 가지가 사방으로 갈라져서 황백색 꽃이 위쪽으로 치우쳐서 달리므로 낙지다리처럼 보인다.

○ 낙지다리

○ 수택란(水澤蘭)

○ 낙지다리(열매)

[돌나물과]

바위솔

토혈, 혈리, 간염   치질
습진, 화상   암

- 학명 : *Orostachys japonica* (Max.) A. Berger   ● 영명 : Houseleek, Sengreen
- 한자명 : 瓦松   ● 별명 : 지붕지기

| 1 | 2 | 3 | 4 | 5 | 6 | 7 | 8 | 9 | 10 | 11 | 12 |

여러해살이풀. 육질(肉質)이다. 겨울을 나는 뿌리잎은 로제트형으로 퍼지며 잎자루가 없다. 꽃은 백색, 9월에 총상화서로 피고 길이 6~15cm, 꽃대가 없는 꽃이 밀착한다. 꽃받침은 5개, 바늘 모양, 연한 녹색, 꽃잎도 5개, 바늘 모양, 수술은 10개, 씨방은 5개, 꽃밥은 적자색이다.

분포·생육지 우리나라 제주도, 경남북, 강원, 함북, 중국, 일본, 몽골, 시베리아. 산이나 바닷가의 바위, 지붕 위에서 자란다.

약용 부위·수치 전초를 여름과 가을에 채취하여 흙과 먼지를 털어서 말린다.

약물명 와송(瓦松), 향천초(向天草), 와화(瓦花)라고도 한다. 대한민국약전외한약(생약)규격집(KHP)에 수재되어 있다.

본초서 「신수본초(新修本草)」에 처음 수재되어 "입안이 건조하고 아프며 소화되지 않고 점액과 함께 나오는 설사병과 피가 섞여 나오는 설사를 낫게 한다."고 하였다. 「동의보감(東醫寶鑑)」에는 작엽하초(昨葉荷草)라는 이름으로 수재되어, "음식이 소화되지 않고 점액과 함께 나오는 설사병과 대변에

피가 섞여 나오는 것을 낫게 한다."고 하였다.

新修本草: 主口中干痛 水穀血痢 止血.
東醫寶鑑: 主水穀血痢.

성상 전초로 줄기는 원기둥 모양이고 길이 10~30cm. 잎은 다육질이며 표면은 녹색~보라색, 뿌리잎은 뭉쳐나고 줄기잎은 다닥다닥 붙어 있다. 마른 잎은 쉽게 부서진다. 냄새가 없고 맛은 약간 시다.

기미·귀경 양(凉), 산(酸), 고(苦), 유독(有毒)·간(肝), 폐(肺)

약효 양혈지혈(凉血止血), 청열해독(淸熱解毒), 수습렴창(收濕斂瘡)의 효능이 있으므로 토혈, 혈리(血痢), 간염, 치질, 습진, 화상을 치료한다. 민간에서 항암 치료에 널리 사용되고 있다.

성분 triterpenoid인 β-sitosterol, stigma-4-en-3-one, ergost-4-en-3one, taraxetrone, β-amyrin, (−)-fridelin, glutinol, epifriedelanol, flavonoid인 kaempferol, quercetin, afzelin, quercitrin, isoquercitrin 등이 함유되어 있다.

약리 마취한 개와 토끼에게 유동엑스를 정맥주사하면 처음에는 혈압이 올라가지만 곧 내려갔다가 회복된다. 두꺼비의 적출 심장에 투여하면 수축이 강해지고 심박 수는 감소하고, 토끼의 적출 장관에서는 흥분 작용이 나타난다. 실험적으로 고열을 일으킨 토끼에게 유동엑스를 주사하면 해열 작용이 나타난다. 메탄올추출물은 항산화 작용이 있고 암세포인 HL60의 증식을 억제한다.

사용법 와송 10g에 물 3컵(600mL)을 넣고 달여서 복용하거나 생즙을 내어 복용하고, 외용에는 짓찧어 붙인다.

＊잎이 타원형 또는 주걱형인 '둥근바위솔 *O. malacophyllus*'도 약효가 같다. 중국에서는 '와송(瓦松) *O. fimbriatus*', '만홍와송(晩紅瓦松) *O. erubescens*', '둔엽와송(鈍葉瓦松) *O. malcophyllum*', '황화와송(黃花瓦松) *O. spinosus*'이 와송의 기원 식물이다.

❶ 만홍와송(晩紅瓦松)

❶ 바위솔

❶ 바위솔(꽃)

❶ 둥근바위솔

❶ 와송(瓦松)

❶ 와송(瓦松)으로 만든 식초

[돌나물과]

좁은잎돌꽃

양위
당뇨병
피부병

● 학명 : *Rhodiola angusta* (Ldeb.) Fischer et Meyer
● 한자명 : 長白紅景天　● 별명 : 가는돌꽃, 가지돌꽃, 각시바위돌꽃

| 1 | 2 | 3 | 4 | 5 | 6 | 7 | 8 | 9 | 10 | 11 | 12 |

여러해살이풀. 높이 10~15cm. 암수딴그루. 뿌리에서 여러 줄기가 나온다. 뿌리는 굵고, 잎은 육질이며 바늘 모양, 길이 0.7~1cm, 가장자리에 톱니가 없다. 꽃은 황색, 꽃받침

잎은 4개, 자주색 반점이 있다. 꽃잎은 4개, 수술은 8개이고 꽃잎과 길이가 비슷하다.

분포 · 생육지 우리나라 백두산, 함남(노봉, 관모산, 북수백산), 평북(낭림산). 중국, 일

본. 높은 산에서 자란다.

약용 부위 · 수치 뿌리를 여름에 채취하여 물에 씻어 썰어서 말린다.

약물명 장백홍경천(長白紅景天)

약효 자보강장(滋補强壯)의 효능이 있으므로 양위(陽痿), 당뇨병, 피부병을 치료한다.

성분 salidroside, rhodioloside, caffeic acid, umbelliferone 등이 함유되어 있다.

약리 열수추출물을 쥐에게 투여하면 수면 시간을 연장시키고 항산화 작용이 나타난다.

사용법 장백홍경천 10g에 물 3컵(600mL)을 넣고 달여서 복용하고, 피부병에는 짓찧어 낸 즙을 바른다. 백두산 부근에서는 본 종을 강장제로 많이 사용하고 있다.

＊ 잎이 좁고 가장자리가 밋밋한 '가지돌꽃 *R. ramosa*', 잎이 넓고 녹색인 '돌꽃 *R. elongata*', 잎이 넓고 백록색인 '바위돌꽃 *R. rosea*' 도 약효가 같다.

○ 좁은잎돌꽃(암꽃)

○ 좁은잎돌꽃(수꽃)

○ 장백홍경천(長白紅景天)

○ 돌꽃(수꽃)

○ 좁은잎돌꽃(뿌리)

[돌나물과]

높은산돌꽃

기허체약, 병후외한, 기단핍력
폐열해수, 객혈 | 양위

● 학명 : *Rhodiola sachalinensis* A. Bor.　● 별명 : 참돌꽃

| 1 | 2 | 3 | 4 | 5 | 6 | 7 | 8 | 9 | 10 | 11 | 12 |

여러해살이풀. 암수딴그루이며 높이 10~30cm. 뿌리에서 여러 줄기가 나온다. 뿌리는 굵고, 잎은 육질이며 바늘 모양, 길이 0.7~1cm, 둔한 톱니가 있다. 꽃은 황색, 꽃받침잎은 4개, 자주색 반점이 있다. 꽃잎은 4개, 수술은 8개이고 꽃잎과 길이가 비슷하다.

분포 · 생육지 우리나라 백두산. 중국 영하(寧夏), 간쑤성(甘肅省), 쓰촨성(四川省), 시짱성(西藏省). 높은 산 돌밭에서 자란다.

약용 부위 · 수치 뿌리를 봄과 가을에 채취하여 흙을 털어서 말린다.

약물명 홍경천(紅景天)

기미 · 귀경 한(寒), 감(甘), 삽(澁) · 폐(肺)

약효 보기청폐(補氣淸肺), 익지양심(益智養心), 수삽지혈(收澁止血), 산어소종(散瘀消腫)의 효능이 있으므로 기허체약(氣虛體弱), 병후외한(病後畏寒), 기단핍력(氣短乏力), 폐열해수(肺熱咳嗽), 객혈(喀血), 양위(陽痿)를 치료한다.

성분 salidroside, tyrosol, rhodioloside, caffeic acid, umbelliferone, *p*-tyrosol 등

이 함유되어 있다.

약리 열수추출물을 쥐에게 투여하면 수면 시간이 연장되고 항산화 작용이 나타난다. salidroside는 무산소증, 극초단파방사성 및 피로 환자의 치료 효과, 중추 신경의 억제 효과, 강심 작용, 아드레날린 분비 촉진으로 인한 혈당 조절 작용이 있다. 초음파추출물은 암세포인 Hep3B, MCF-7, A549, AGS의 증식을 억제한다. 열수추출물과 에탄올추출물은 면역 세포의 생육을 증진시키고 cytokine의 분비를 촉진하며, 혈액 중 IgG의 항체량을 증가시킨다.

사용법 홍경천 10g에 물 3컵(600mL)을 넣고 달여서 복용하고, 피부병에는 짓찧어 낸 즙을 바른다. 본 종의 추출물을 원료로 한 강장제가 시판되고 있다.

❂ 높은산돌꽃

❂ 홍경천(紅景天)

❂ 홍경천(紅景天, 절▨

❂ 홍경천(紅景天)으로 만든 자양강장제

[돌나물과]

말똥비름

열독옹종, 독사교상, 혈열출혈
치통

● 학명 : *Sedum bulbiferum* Makino
● 한자명 : 珠芽半支, 小箭草　● 별명 : 알돌나물아재비, 싹눈돌나물, 알돌나물

| 1 | 2 | 3 | 4 | 5 | 6 | 7 | 8 | 9 | 10 | 11 | 12 |

두해살이풀. 높이 10~20cm. 전체가 연약하고, 줄기 밑부분이 옆으로 벋으면서 마디에서 뿌리가 내린다. 줄기 아래쪽에 달리는 잎은 마주나고 윗부분 잎은 어긋난다. 꽃은 6~8월에 황색으로 피며, 꽃받침은 주걱형, 꽃잎은 바늘 모양, 수술은 10개, 심피는 5개이다.

분포 · 생육지 우리나라 제주도, 전남, 경남, 지리산, 충남북. 중국, 일본. 논밭이나 돌담 사이에서 자란다.

약용 부위 · 수치 전초를 여름에 채취하여 흙을 털어서 말린다.

약물명 주아반지(珠芽半支), 소전초(小箭草)라고도 한다.

기미 · 귀경 양(凉), 산(酸), 삽(澁) · 간(肝)

약효 청열해독(淸熱解毒), 양혈지혈(凉血止血)의 효능이 있으므로 열독옹종(熱毒癰腫), 치통, 독사교상, 혈열출혈(血熱出血)을 치료한다.

사용법 주아반지 10g에 물 3컵(600mL)을

넣고 달여서 복용하거나 술에 담가서 복용하고, 외용에는 짓찧어 바른다.

❂ 주아반지(珠芽半支)

❂ 말똥비름

[돌나물과]

꿩의비름

 단독, 풍진, 외상출혈　토혈
번열경광

● 학명 : *Sedum erythrostichum* Miq. [*Hylotelephium erythrostichum*]
● 한자명 : 景天　● 별명 : 큰꿩의비름

| 1 | 2 | 3 | 4 | 5 | 6 | 7 | 8 | 9 | 10 | 11 | 12 |

여러해살이풀. 높이 30~90cm. 잎은 마주나거나 어긋나고 육질이다. 꽃은 백색 바탕에 붉은빛이 돌고 8~9월에 줄기 끝에 산방상 취산화서로 많이 달린다. 꽃받침잎은 5개, 꽃잎은 5개, 암술은 5개이며 붉은색이 돈다.

분포 · 생육지 우리나라 전역. 일본. 산에서 드물게 자란다.

약용 부위 · 수치 전초를 가을에 채취하여 흙과 먼지를 털고 물에 씻어서 말린다.

약물명 경천(景天). 대한약전외한약(생약)규격집(KHP)에 수재되어 있다.

본초서 경천(景天)은 「신농본초경(神農本草經)」에 수재되어, "열화(熱火)로 오는 창종(瘡腫)과 번열(煩熱)을 치료한다."고 하였다. 「동의보감(東醫寶鑑)」에는 "가슴이 답답하고 열이 나는 증상, 눈이 충혈되고 두통, 얼굴이 달아오르는 증상, 자궁의 분비물, 어린아이의 단독을 낫게 한다."고 하였다.
神農本草經: 主大熱火瘡 身煩熱 邪惡氣.

東醫寶鑑: 治心煩熱狂 赤眼 頭痛 遊風丹腫 及大熱火瘡 婦人帶下 小兒丹毒.

성상 경천(景天)은 지상부로 줄기는 원기둥 모양이고 청록색, 잎은 달걀 모양, 마주나거나 어긋나고 두꺼우며 가장자리에 톱니가 있다. 냄새는 없고 맛은 쓰고 시다.

기미 · 귀경 고(苦), 산(酸), 한(寒) · 심(心), 간(肝)

약효 청열해독(淸熱解毒), 지혈(止血)의 효능이 있으므로 단독(丹毒), 토혈, 풍진(風疹), 번열경광(煩熱驚狂), 외상출혈을 치료한다.

사용법 경천 10g에 물 3컵(600mL)을 넣고 달여서 복용하고, 외용에는 달인 액으로 씻는다.

❍ 꿩의비름

❍ 경천(景天)

[돌나물과]

기린초

 토혈, 변혈　심계
창종

● 학명 : *Sedum kamtschaticum* Fischer　● 한자명 : 景天三七, 費菜

| 1 | 2 | 3 | 4 | 5 | 6 | 7 | 8 | 9 | 10 | 11 | 12 |

여러해살이풀. 높이 20~30cm. 뿌리줄기가 굵으며, 줄기가 뿌리줄기에서 모여나고, 잎은 어긋난다. 꽃은 6~7월에 줄기 끝에 달리며 황색, 꽃받침은 5개, 바늘 모양, 꽃잎은 5개, 수술은 10개이다. 골돌은 별 모양으로 배열한다.

분포 · 생육지 우리나라 전역. 중국, 일본, 아무르, 사할린. 산이나 들의 바위 곁에서 자란다.

약용 부위 · 수치 전초를 가을에 채취하여 흙과 먼지를 털어서 말린다.

약물명 경천삼칠(景天三七). 비채(費菜)라고도 한다.

기미 · 귀경 평(平), 감(甘), 산(酸) · 심(心), 간(肝)

약효 산한(散寒), 지혈, 영심안신(寧心安神), 해독의 효능이 있으므로 토혈, 변혈(便血), 심계(心悸), 창종(瘡腫)을 치료한다.

성분 경천삼칠(景天三七)에는 myricitrin, aesculin, hyperin, isomyricitrin, gossypetin, gossypin, quercetin, kaempferol 등이 함유되어 있다.

약리 에탄올추출물은 진통 및 항염증 작용이 나타난다.

사용법 경천삼칠 10g에 물 3컵(600mL)을 넣고 달여서 복용하고, 외용에는 달인 액으로 씻는다. 위장이 허약한 사람, 묽은 변을 보는 사람은 복용을 금한다.

* 잎이 주걱 모양이고 줄기 밑쪽이 홍자색을 띠는 '섬기린초 var. *takesimense*', 잎이 주걱 모양이고 꽃이 4수성인 '속리기린초 var. *zokuriense*', 줄기는 뿌리줄기에서 1~2개가 나와 곧게 자라고 잎은 좁은 '가는기린초 *S. aizoon*', 식물 전체가 소형인 '애기기린초 *S. middendorffianum*'도 약효가 같다. 우리나라 특산 식물인 '섬기린초'는 ferulic acid, caffeic acid, gallic acid, methyl gallate, 1-(4-hydroxyphenyl)-2-(3,5-dihydroxyphenyl) 2-hydroxyethanone, myricetin, quercetin, luteolin, rhodalin, gossypetin-8-O-β-xyloside, 2,6-digalloylarbutin, arbutin이 함유되어 있고, 2,6-digalloylarbutin과 gossypetin-8-O-β-xyloside는 superoxide 라디칼 소거능이 있다. 또, 1-(4-hydroxyhenyl)-2-(3,5-dihydroxyphenyl) 2-hydroxyethanone, gossypetin-8-O-β-xyloside, 2,6-digalloylarbutin은 COX-1과 -2의 활성을 억제하며 대조 약물인 aspirin보다 강하다.

❍ 기린초

❍ 경천삼칠(景天三七)

❍ 기린초(열매)

[돌나물과]

불갑초

● 인후종통, 목적종통　● 단독
● 습열사리, 변혈

●학명 : *Sedum lineare* Thunb. [*S. obutso-lineare*]　●한자명 : 佛甲草

| 1 | 2 | 3 | 4 | 5 | 6 | 7 | 8 | 9 | 10 | 11 | 12 |

❶ 불갑초

여러해살이풀. 높이 10~20cm. 뿌리는 수염 같다. 잎은 바늘 모양으로 3~4개가 돌려난다. 꽃은 5~6월에 줄기 끝에 취산화서로 피며, 꽃받침 조각은 5개, 꽃잎은 황색, 수술은 10개, 심피는 5개이다. 골돌은 5각형의 별 모양이다.

분포·생육지 중국, 일본. 들에서 자란다.

약용 부위·수치 전초를 여름에 채취하여 물에 씻은 후 말린다.

약물명 불갑초(佛甲草), 화소초(火燒草), 불지갑(佛指甲), 화염초(火焰草)라고도 한다.

기미·귀경 양(凉), 감(甘), 담(淡)·간(肝), 폐(肺)

약효 청열해독(淸熱解毒), 이습지혈(利濕止血)의 효능이 있으므로 인후종통(咽喉腫痛), 목적종통(目赤腫痛), 단독, 습열사리(濕熱瀉痢), 변혈(便血)을 치료한다.

성분 chrysoeriol, pratensein, oroboside, oroboside-3′-methylether, tritriaxontane 등이 함유되어 있다.

사용법 불갑초 10g에 물 3컵(600mL)을 넣고 달여서 복용한다.

[돌나물과]

돌나물

● 습열황달, 간염　● 인후종통
● 창종, 독사교상

●학명 : *Sedum sarmentosum* Bunge　●한자명 : 垂盆草, 石地甲　●별명 : 돈나물

| 1 | 2 | 3 | 4 | 5 | 6 | 7 | 8 | 9 | 10 | 11 | 12 |

여러해살이풀. 줄기는 밑에서 가지가 갈라져서 땅 위로 벋고 마디에서 뿌리가 내린다. 잎은 3개씩 돌려나며, 꽃은 5~6월에 줄기 끝에 취산화서로 핀다. 꽃받침 조각은 5개, 긴 타원형, 꽃잎은 바늘 모양으로 꽃받침보다 길며 황색이다. 수술은 10개이며 꽃잎보다 짧고, 심피는 5개이다. 열매는 골돌로 비스듬히 벌어진다.

분포·생육지 우리나라 전역. 중국, 일본. 들에서 자란다.

약용 부위·수치 전초를 여름에 채취하여 물에 씻은 후 말린다.

약물명 수분초(垂盆草), 석지갑(石地甲), 불지초(佛指草), 석지초(石指草)라고도 한다.

기미·귀경 양(凉), 감(甘), 담(淡), 미산(微酸)·간(肝), 폐(肺), 대장(大腸)

약효 청열이습(淸熱利濕), 해독소종(解毒消腫)의 효능이 있으므로 습열황달, 인후종통, 간염, 창종, 독사교상을 치료한다.

성분 전초는 methylpelletierineketone, sarmentosin 등의 알칼로이드가 함유되어 있다.

약리 전초를 간염 치료에 사용하고 있으며, 약효의 주성분은 sarmentosin이다. 70%메탄올추출물은 혈압에 관여하는 angiotensin converting enzyme의 활성을 저해한다.

사용법 수분초 10g에 물 3컵(600mL)을 넣고 달여서 복용하고, 외용에는 달인 액으로 씻는다.

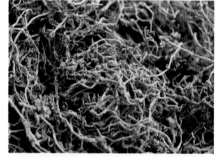

❶ 수분초(垂盆草)

❶ 돌나물

[돌나물과]

큰꿩의비름

정창, 옹종

● 학명 : *Sedum spectabile* Boreau ● 한자명 : 長藥八寶 ● 별명 : 키큰꿩의비름

1	2	3	4	5	6	7	8	9	10	11	12

◑ 석두채(石頭菜)

여러해살이풀. 높이 30~70cm. 전체에 털이 없고 녹백색, 뿌리는 굵다. 잎은 마주나거나 돌려나며 물결 모양의 톱니가 있다. 꽃은 8~9월에 산방화서로 피며 적자색이다. 꽃받침은 백색, 꽃잎은 타원형으로 끝이 뾰족하다. 열매는 골돌로 5개이며 바로 선다.

분포 · 생육지 우리나라 전남, 경기 이북. 중국. 산과 들에서 자란다.

약용 부위 · 수치 전초를 여름에 채취하여 물에 씻은 후 말린다.

약물명 석두채(石頭菜)

약효 청열해독(淸熱解毒), 소종지통(消腫止痛)의 효능이 있으므로 정창(疔瘡), 옹종(癰腫)을 치료한다.

사용법 석두채 7g에 물 2컵(400mL)을 넣고 달여서 복용하고, 외용에는 짓찧어 붙인다.

◑ 큰꿩의비름(열매)

◑ 큰꿩의비름

[돌나물과]

세잎꿩의비름

요통

금창출혈, 종독

● 학명 : *Sedum verticillatum* L. ● 한자명 : 輪葉八寶 ● 별명 : 제주꿩비름

1	2	3	4	5	6	7	8	9	10	11	12

여러해살이풀. 높이 30~50cm. 전체에 털이 없고 녹백색, 뿌리는 굵다. 잎은 3개씩 돌려나며 물결 모양의 톱니가 있다. 꽃은 8~9월에 산방화서로 피며 황백색, 꽃받침은 백색, 꽃밥은 흑갈색이다. 열매는 골돌, 달걀 모양이다.

분포 · 생육지 우리나라 전역. 중국, 일본, 캄차카 반도, 시베리아, 유럽. 산지에서 자란다.

약용 부위 · 수치 전초를 여름에 채취하여 물에 씻은 후 말린다.

약물명 윤엽팔보(輪葉八寶). 윤엽경천(輪葉景天), 환혼초(還魂草)라고도 한다.

약효 활혈화어(活血化瘀), 해독소종(解毒消腫)의 효능이 있으므로 요통, 금창출혈(金瘡出血), 종독을 치료한다.

사용법 윤엽팔보 10g에 물 3컵(600mL)을 넣고 달여서 복용하고, 외용에는 짓찧어 붙인다.

◑ 세잎꿩의비름

◑ 윤엽팔보(輪葉八寶)

[돌나물과]

지붕바위솔

 단독, 티눈, 사마귀, 화상, 궤양, 동상

류머티즘, 통풍

● 학명 : *Sempervivum tectorum* L.　● 영명 : House leek　● 별명 : 늘푸른돌나물

1	2	3	4	5	6	7	8	9	10	11	12

❍ Semipervivi Folium

여러해살이풀. 높이 20cm 정도. 줄기가 목질같이 딱딱하다. 잎은 크고 육질이며 다닥다닥 붙고 끝은 뾰족하며 갈색을 띤다. 꽃은 5~6월에 줄기 끝에 취산화서로 피며 황색 또는 보라색이다.

분포·생육지 지중해 연안 원산. 세계 각처에서 재배한다.

약용 부위·수치 잎을 봄부터 여름에 채취하여 물에 씻은 후 사용한다.

약물명 Sempervivi Folium

약효 단독, 티눈, 사마귀, 화상, 궤양, 동상, 류머티즘, 통풍을 치료한다.

사용법 잎을 적당량 짓찧어 환부에 붙이거나 즙액을 내어 바른다.

❍ 지붕바위솔(꽃)

❍ 지붕바위솔(군생)

[범의귀과]

돌단풍

 심황, 심계

● 학명 : *Aceriphyllum rossii* (Oliver) Engler [*Mukdenia rossii*]
● 한자명 : 槭葉草, 爬山虎　● 별명 : 장장포, 부처손, 돌나리

1	2	3	4	5	6	7	8	9	10	11	12

❍ 척엽초(槭葉草)

여러해살이풀. 높이 25~30cm. 줄기에 긴 갈색 털이 있으며, 뿌리줄기는 굵고 옆으로 짧게 벋는다. 잎은 3개씩 2~3회 갈라지며 가장자리에 톱니가 있다. 꽃은 7~8월에 피고 홍자색이며, 꽃받침은 5개로 갈라지고, 꽃잎도 5개이다. 열매는 삭과로 길이 3~4mm이다.

분포·생육지 우리나라 전역. 중국, 일본. 골짜기나 산비탈 바위틈에서 자란다.

약용 부위·수치 전초를 여름에 채취하여 물에 씻어서 적당한 크기로 썰어서 말린다.

약물명 척엽초(槭葉草). 파산호(爬山虎)라고도 한다.

약효 영심안신(寧心安神)의 효능이 있으므로 심황(心慌), 심계(心悸)를 치료한다.

성분 galloyl linarionoside, rhododendroside, rutin, dihydromyricetin, 3α,23-isopropylidenedioxyolean-12-en-27-oic acid, 3-oxoolean-12-en-27-oic acid, β-sitosterol, stigmasterol, 3α-hydroxyolean-12-en-27-oic acid, β-peltoboykinolic acid, 3α,23-diacetoxyolean-12-en-27-

oic acid, 23-hydroxy-3-oxoolean-12-en-27-oic acid, oleanolic acid, gypsogenic acid, gypsogenin, daucosterol 등이 함유되어 있다.

약리 3α,23-isopropylidenedioxyolean-12-en-27-oic acid, 3-oxoolean-12-en-27-oic acid, 3α-hydroxyolean-12-en-27-oic acid, β-peltoboykinolic acid, 3α,23-diacetoxyolean-12-en-27-oic acid, 23-hydroxy-3-oxoolean-12-en-27-oic acid, 3α,23-dihyroxyolean-12-en-27-oic acid는 K562d, HL60d 등의 암세포 성장을 억제하며, 동물(쥐) 실험에서 항암 작용을 나타낸다. 3-oxoolean-12-en-27-oic acid는 apoptosis를 유발하며, 그 기전은 caspase의 활성화에 관여한다.

사용법 척엽초 10g에 물 3컵(600mL)을 넣고 달여서 복용한다.

❍ 돌단풍

[범의귀과]

노루오줌

타박상　풍습동통
만성위염

●학명 : *Astilbe rubra* Hook f. et Thomas [*Astilbe chinensis* var. *davidii* Fr.]
●한자명 : 小升麻, 赤升麻　●별명 : 노루풀

| 1 | 2 | 3 | 4 | 5 | 6 | 7 | 8 | 9 | 10 | 11 | 12 |

여러해살이풀. 높이 30~70cm. 뿌리줄기는 굵고 짧게 옆으로 벋는다. 잎은 3개씩 2~3회 갈라진다. 꽃은 적자색, 7~8월에 줄기 끝에 원추화서로 달린다. 꽃대는 갈색 털이 많고, 암술대는 2개, 삭과는 길이 3~4mm이다.
분포 · 생육지 우리나라 전역. 중국, 일본, 아무르, 우수리. 산에서 자란다.
약용 부위 · 수치 뿌리줄기를 봄부터 가을에 채취하여 잔뿌리를 제거하고 물에 씻은 후 썰어서 말린다.
약물명 소승마(小升麻). 선악낙신부(腺蕚落新婦), 적승마(赤升麻)라고도 한다.
약효 활혈산어(活血散瘀), 거풍제습(祛風除濕), 지통의 효능이 있으므로 타박상, 풍습동통, 만성위염을 치료한다.
성분 astilbin, bergenin, distylin 등이 함유되어 있다.
약리 bergenin은 위액 및 위산 분비를 억제하는 작용이 있다.
사용법 소승마 10g에 물 3컵(600mL)을 넣

고 달여서 복용한다.
＊작은잎의 잎자루와 잎줄기가 직각이거나 둔각이고 꽃차례의 옆가지가 길게 퍼지며 꽃잎이 크고 넓으며 뾰족한 '진퍼리노루오줌 var. *divaricata*', 꽃차례가 밑으로 처지는 '숙은노루오줌 *A. koreana*'도 약효가 같다.

○ 노루오줌

○ 숙은노루오줌

○ 소승마(小升麻, 절편)

○ 소승마(小升麻)

[범의귀과]

떡돌부채

두훈　해수
토혈

●학명 : *Bergenia crassifolia* (L.) Fritsch.　●한자명 : 厚葉岩白菜

| 1 | 2 | 3 | 4 | 5 | 6 | 7 | 8 | 9 | 10 | 11 | 12 |

여러해살이풀. 높이 30~50cm. 뿌리줄기는 굵고 옆으로 벋는다. 줄기는 바로 서고, 잎은 줄기의 기부에서 나오며 원형으로 가장자리에 톱니가 있다. 꽃은 백색, 5~7월에 줄기 끝에 원추화서로 달린다.
분포 · 생육지 중국, 아무르, 우수리. 산에서 자란다.
약용 부위 · 수치 전초를 여름에 채취하여 잔뿌리를 제거하고 물에 씻은 후 썰어서 말린다.
약물명 후엽암백채(厚葉岩白菜). 암백채(岩白菜)라고도 한다.
약효 보허지혈(補虛止血), 지해정천(止咳定喘)의 효능이 있으므로 두훈(頭暈), 해수, 토혈을 치료한다.
성분 bergenin, arbutin, kaempferol, quercetin 등이 함유되어 있다.
약리 bergenin은 위액 및 위산 분비를 억제하는 작용이 있다.
사용법 후엽암백채 10g에 물 3컵(600mL)을 넣고 달여서 복용한다.

○ 떡돌부채

[범의귀과]

오대산괭이눈

임증   황달, 토혈

- 학명 : *Chrysosplenium alternifolium* L. var. *sibiricum* Seringe
- 한자명 : 金腰子 • 별명 : 육지괭이눈, 노랑괭이눈, 시베리아괭이눈

| 1 | 2 | 3 | 4 | 5 | 6 | 7 | 8 | 9 | 10 | 11 | 12 |

여러해살이풀. 땅속에 옆으로 기는줄기가 있고, 뿌리잎은 잎자루가 길며 신장상 원형, 가장자리에 얕은 톱니가 있다. 꽃줄기는 길이 5~12cm로 중앙에 잎이 1개 있다. 꽃은 4~6월에 피고, 꽃받침은 4개로 황색, 수술은 8개이다. 열매는 삭과, 종자는 타원형으로 표면이 밋밋하다.

분포 · 생육지 우리나라 제주도, 함북. 중국, 일본. 산지의 습지에서 자란다.

약용 부위 · 수치 전초를 여름에 채취하여 물에 씻어서 말린다.

약물명 금요자(金腰子). 전고엽초(錢苦葉草)라고도 한다.

약효 청열이습(淸熱利濕)의 효능이 있으므로 임증(淋症), 황달, 토혈을 치료한다.

성분 지상부에는 트리테르페노이드 성분으로 β-peltoboykinolic acid, flavonoid 성분으로 chrysosplenol-C, chrysosplenoside-A, -B,-C가 함유되어 있다.

약리 β-peltoboykinolic acid는 ST-KM을 비롯한 수종의 암세포에 세포 독성 작용이 있고, B16-BL6 및 C57BL를 이식한 쥐에서 항암 작용이 나타난다.

사용법 금요자 7g에 물 3컵(600mL)을 넣고 달여서 복용한다.

* 잎과 줄기에 흰 털이 많은 '흰털괭이눈(흰괭이눈) *C. barbatum*', 줄기잎에 거치가 3개인 '애기괭이눈 *C. flagelliferum*', 수술이 4개이고 잎에 털이 많은 '털괭이눈 *C. pilosum*', 가지는 길게 자라면서 갈라지는 '가지괭이눈 *C. ramosum*'도 약효가 같다.

○ 금요자(金腰子)

○ 가지괭이눈

○ 털괭이눈

○ 흰털괭이눈

○ 오대산괭이눈

○ 애기괭이눈

[범의귀과]

물참대

 소변불리　　피부조양

●학명 : *Deutzia glabrata* Kom.　　●한자명 : 空疏　　●별명 : 댕강말발도리

| 1 | 2 | 3 | 4 | 5 | 6 | 7 | 8 | 9 | 10 | 11 | 12 |

❍ 노산수소(嶗山溲疏)

낙엽 관목. 높이 2m 정도. 줄기껍질은 흑회색으로 불규칙하게 벗겨진다. 잎은 마주나고, 꽃은 5~6월에 백색으로 핀다. 꽃잎과 꽃받침은 각각 5개이고, 꽃잎은 서로 포개지며 수술은 10개, 암술대는 3개이다. 열매는 삭과로 종 모양이고 9월에 성숙하며 털이 없다.

분포 · 생육지 우리나라 전역. 중국 둥베이(東北) 지방, 우수리. 숲가장자리나 산골짜기에서 자란다.

약용 부위 · 수치 가지와 잎을 여름에 채취하여 적당한 크기로 썰어서 말린다.

약물명 노산수소(嶗山溲疏). 공소(空疏), 자양화(紫陽花)라고도 한다.

약효 청열(淸熱), 이뇨의 효능이 있으므로 위열(胃熱)로 인한 소변불리, 피부조양(皮膚燥痒)을 치료한다.

사용법 노산수소 7g에 물 2컵(400mL)을 넣고 달여서 복용하고, 외용에는 달인 액을 바른다.

❍ 물참대

[범의귀과]

말발도리나무

 감기, 기관지염

●학명 : *Deutzia parviflora* Bunge　　●한자명 : 東北溲疏　　●별명 : 말발도리

| 1 | 2 | 3 | 4 | 5 | 6 | 7 | 8 | 9 | 10 | 11 | 12 |

낙엽 관목. 높이 2m 정도. 잎은 마주나고, 꽃은 지름 12mm 정도, 백색, 별 모양 털이 있고 산방화서에 달린다. 꽃받침은 통 모양이고 끝이 5개로 갈라지며, 꽃잎도 5개로 갈라진다. 수술은 10개, 수술대는 거의 톱니가 없으며, 암술대는 3개, 화반에 별 모양 털이 있다. 열매는 삭과로 지름 3~5mm이다.

분포 · 생육지 제주도를 제외한 우리나라 전역. 중국, 일본. 산기슭에 흔하게 자란다.

약용 부위 · 수치 줄기를 봄부터 여름에 채취하여 적당한 크기로 썰어서 말린다.

약물명 동북수소(東北溲疏)

약효 해표(解表), 선폐(宣肺)의 효능이 있으므로 감기, 기관지염을 치료한다.

사용법 동북수소 7g에 물 2컵(400mL)을 넣고 달여서 복용한다.

＊ 본 종보다 잎자루가 긴(2cm) '바위말발도리 *D. prunifolia*'도 약효가 같다.

❍ 말발도리나무

[범의귀과]

둥근잎말발도리

감기 / 골절 / 소변불리, 빈뇨, 야뇨

● 학명 : *Deutzia scabra* Thunb. ● 한자명 : 溲疏

| 1 | 2 | 3 | 4 | 5 | 6 | 7 | 8 | 9 | 10 | 11 | 12 |

낙엽 관목. 작은가지에 별 모양 털이 있다. 잎은 마주나고 넓은 타원형, 꽃은 5~6월에 피며 원추화서로 달린다. 꽃받침은 통 모양이고 끝이 5개로 갈라지며, 꽃잎도 5개로 갈라진다. 수술은 10개, 양쪽에 날개가 있으며, 암술대는 3개이다. 열매는 삭과로 구형이다.

분포·생육지 제주도를 제외한 우리나라 전역. 중국, 일본. 산기슭에 흔하게 자란다.

약용 부위·수치 늦여름 또는 가을에 열매를 채취하여 말린다.

약물명 수소(溲疏), 거골(巨骨), 공목(空木), 묘화(卯花)라고도 한다.

본초서 수소(溲疏)는 「신농본초경(神農本草經)」에 수재되었으며, 「명의별록(名醫別錄)」에는 거골(巨骨)이라는 이름으로 수재되어 있을 정도로 오랫동안 사용되어 온 약초이다.

神農本草經: 主身皮膚中熱 除邪氣 止遺溺 可作浴湯.

名醫別錄: 通利水道 諸胃中熱 下氣.

약효 청열(淸熱), 이뇨, 접골의 효능이 있으므로 감기, 소변불리, 빈뇨, 야뇨, 골절 등을 치료한다.

성분 kaempferol 7-glucoside, kaempferol 3-rhamno-7-glucoside, quercetin 4-glucoside, quercetin 3-rhamnoglucoside 등이 함유되어 있다.

사용법 수소 10g에 물 3컵(600mL)을 넣고 달여서 복용하고, 외용에는 짓찧어 바른다.

＊ 잎과 씨방에 털이 없는 '물참대 *D. glabrata*', 작은가지에 털이 없는 '애기말발도리 *D. gracilis*', 새 가지에 꽃이 피는 '꼬리말발도리 *D. paniculata*'도 약효가 같다.

❶ 수소(溲疏)   ❶ 둥근잎말발도리

[범의귀과]

중국상산나무

말라리아 / 흉중담음

● 학명 : *Dichroa febrifuga* Lour. ● 한자명 : 常山, 互草, 恒山

| 1 | 2 | 3 | 4 | 5 | 6 | 7 | 8 | 9 | 10 | 11 | 12 |

낙엽 관목. 높이 1~2m. 잎은 마주나고 타원형, 길이 5~10cm, 너비 3~6cm이다. 꽃은 6~7월에 줄기 끝에 산방화서로 달리며 청자색이다. 꽃받침은 4~7개로 갈라지며 씨방하위, 암술대는 4~6개이다. 열매는 8~10월에 장과로 성숙하며 남색으로 많은 종자가 들어 있다.

분포·생육지 중국 쓰촨성(四川省), 구이저우성(貴州省), 후난성(湖南省), 후베이성(湖北省). 산골짜기에서 자란다.

약용 부위·수치 뿌리를 봄부터 가을에 채취하여 물에 씻은 뒤 적당한 크기로 썰어서 말린다.

약물명 상산(常山), 호초(互草), 항산(恒山)이라고도 한다. 대한민국약전외한약(생약)규격집(KHP)에 수재되어 있다.

본초서 상산(常山)은 「신농본초경(神農本草經)」에 항산(恒山)이라는 이름으로 수재되어 있다. 한서(漢書)의 「지리지(地理志)」에 "무릉군(武陵郡)의 항산(恒山)이라는 곳에서 생산되므로 붙여진 이름이며 한대(漢代)의 문제(文帝) 때 상산(常山)으로 바뀌었다."고 기록되어 있다. 「동의보감(東醫寶鑑)」에는 "학질을 낫게 하고 담연(痰涎, 가래와 침)을 토하게 하며 추웠다 열이 났다 하는 증상을 치료한다."고 하였다.

神農本草經: 主傷寒寒熱 溫瘧 鬼毒 胸中痰結吐逆.

名醫別錄: 療鬼蠱往來 水脹 洒洒惡寒 鼠瘻.

東醫寶鑑: 治諸瘧 吐痰涎 去寒熱.

성상 상산(常山)은 뿌리로 원기둥 모양이며 구부러져 있고 때로는 분지되며 표면은 황갈색의 가로 무늬가 있고 코르크층이 쉽게 떨어져 나간다. 질은 단단하고 잘 부서지지 않으며 꺾으면 작은 가루가 날린다. 냄새가 약간 나고 맛은 쓰다.

기미·귀경 한(寒), 고(苦), 신(辛), 소독(小毒)·간(肝), 비(脾)

약효 재학(裁虐), 거담(祛痰)의 효능이 있으므로 말라리아, 흉중담음(胸中痰飮)을 치료한다.

성분 kaempferol 7-O-glucoside, kaempferol 3-rhamno-7-O-glucoside, quercetin 3-O-rhamnoglucoside, quercetin 4-glucoside 등이 함유되어 있다.

사용법 상산 10g에 물 3컵(600mL)을 넣고 달여서 복용하거나 알약으로 만들어 복용한다.

❶ 상산(常山, 절편)

❶ 상산(常山)

❶ 중국상산나무(꽃과 열매)

❶ 중국상산나무(꽃봉오리)

❶ 중국상산나무

[범의귀과]

수국

● 학명 : *Hydrangea macrophylla* (Thunb.) Seringe for. *otaksa* (S. et Z.) Wilson
● 한자명 : 綉球

| 1 | 2 | 3 | 4 | 5 | 6 | 7 | 8 | 9 | 10 | 11 | 12 |

낙엽 관목. 높이 1m 정도. 잎은 마주나고, 꽃은 유성화와 무성화로 구성되며 6~7월에 줄기 끝에 크고 둥글며 지름 10~15cm인 산방화서로 달린다. 꽃받침은 4~5개로 꽃잎 모양이고 처음에는 자주색이던 것이 붉은색으로 변한다. 꽃잎은 극히 작으며

4~5개, 열매는 달걀 모양이다.
분포 · 생육지 우리나라 전역. 중국, 일본. 산골짜기에서 흔하게 자란다.
약용 부위 · 수치 전초를 가을부터 겨울까지 채취하여 말린다.
약물명 수구(綉球). 분단화(粉團花), 자양화

(紫陽花), 팔선화(八仙花)라고도 한다.
약효 항학(抗瘧), 청열(淸熱), 해독, 살충(殺蟲)의 효능이 있으므로 말라리아, 심열경계(心熱驚悸), 번조(煩燥), 후비(喉痺), 음낭습진(陰囊濕疹), 개선(疥癬)을 치료한다.
성분 꽃은 rutin, 뿌리는 daphnetinmethyl-ether, umbelliferone, hydrangenol, hydrangenic aicd, lunularic acid, 잎에는 skimmin 등이 함유되어 있다.
약리 전초의 에탄올추출물을 말라리아에 감염된 닭에 투여한 결과 항말라리아 작용이 나타났고, 약효의 강도는 quinine의 13배 정도이다. 또 마취한 고양이에게 정맥주사한 결과 혈압 강하 및 심장근 수축 작용이 나타났다.
사용법 수구 10g에 물 3컵(600mL)을 넣고 달여서 복용한다.
* 변종인 '산수국 var. *acuminata*'도 약효가 같다.

❂ 수국

❂ 수구(綉球)

❂ 산수국

[범의귀과]

나무수국

● 학명 : *Hydrangea paniculata* Sieb. ● 한자명 : 水亞木 ● 별명 : 풀수국

| 1 | 2 | 3 | 4 | 5 | 6 | 7 | 8 | 9 | 10 | 11 | 12 |

낙엽 관목. 높이 2~3m. 잎은 마주나고 넓은 타원형, 길이 10~15cm, 너비 5~8cm, 두껍고 짙은 녹색으로 끝은 꼬리 같으며 가장자리에 톱니가 있다. 꽃은 무성화, 7~8월에 줄기 끝에 크고 둥글며 지름 10~15cm인 산방화서로 달린다. 꽃받침잎은 4~5개로 꽃잎 모양이고 백색이다.
분포 · 생육지 중국, 일본, 사할린. 우리나라에서는 관상용으로 재식하고 있다.
약용 부위 · 수치 잎을 여름에 채취하여 말린다.
약물명 수아목(水亞木). 백화련(白花蓮), 토상산(土常山)이라고도 한다.
약효 재학(裁瘧), 해독, 산어지혈(散瘀止血)의 효능이 있으므로 말라리아, 인후동통, 피부궤양을 치료한다.
성분 4-*O*-methyl-D-glucuronic acid, paniculatan, D-glacturonic acid, neohydrangine이 함유되어 있다.
사용법 수아목 15g에 물 3컵(600mL)을 넣고 달여서 복용하고, 외용에는 짓찧어 붙이거나 즙액을 바른다.

* 줄기가 덩굴성인 '등수국 *H. petiolaris*'도 약효가 같다.

❂ 나무수국

❂ 수아목(水亞木)

[범의귀과]

감차

🧴 당뇨병 환자의 감미제, 감미료

●학명 : *Hydrangea serrata* (Thunb. ex Murray) Ser. var. *thunbergii* (Sieb.) H. Ohba
●한자명 : 甘茶

| 1 | 2 | 3 | 4 | 5 | 6 | 7 | 8 | 9 | 10 | 11 | 12 |

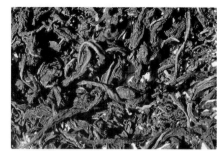

❍ 감차(甘茶)

낙엽 관목. 높이 0.7~1m. 줄기와 잎이 '수국'과 많이 닮았다. 잎은 마주나고, 꽃은 7~8월에 가지 끝에 중성화와 양성화가 산방화서로 달린다. 꽃받침은 백색이지만 시간이 지나면 약간 붉은빛과 푸른빛이 돌기도 하며 꽃잎 같은 모양이고 끝이 둥글다. 꽃잎은 5개, 삭과는 달걀 모양이다.

분포·생육지 일본 원산. 약용으로 재배한다.

약용 부위·수치 잎을 여름철에 채취하여 말린다.

약물명 감차(甘茶)

약효 식품의 감미료 또는 당뇨병 환자의 감미제로 사용한다.

성분 isocoumarin 성분인 phyllodulcin, isophyllodulcin과, flavonoid 성분인 thunberginol A, B, C, E, F 등이 함유되어 있다.

약리 신선한 잎에는 배당체로 함유되어 있으므로 달지 않으나, 효소에 의해 분해되면 감미를 나타내는 phyllodulcin, isophyllodulcin 등이 생성된다.

사용법 감차 10g에 물 3컵(600mL)을 넣고 달여서 복용한다.

❍ 감차

[범의귀과]

나도승마

🟦 말라리아　　👁 인후동통
🟫 피부궤양

●학명 : *Kirengeshoma palmata* Yatabe var. *koreana* Nakai
●한자명 : 少女花　●별명 : 백운승마

| 1 | 2 | 3 | 4 | 5 | 6 | 7 | 8 | 9 | 10 | 11 | 12 |

❍ 영종삼칠(鈴鍾三七, 절편)

❍ 영종삼칠(鈴鍾三七)

여러해살이풀. 높이 60~70cm. 줄기는 6각형, 잎은 마주나며, 잎자루는 길고 손바닥 모양이다. 꽃은 8~9월에 줄기 끝에 피고 황색, 화관의 지름은 5cm 정도이다. 씨방은 반하위이고, 꽃밥은 황색, 암술대는 3개, 열매는 둥근 모양의 삭과이며 10월에 익는다.

분포·생육지 우리나라 전남 백운산. 산지에서 자란다.

약용 부위·수치 뿌리줄기를 여름에 채취하여 물에 씻어 썰어서 말린다.

약물명 영종삼칠(鈴鍾三七). 소녀화(少女花)라고도 한다.

약효 재학(裁虐), 해독, 산어지혈(散瘀止血)의 효능이 있으므로 말라리아, 인후동통, 피부궤양을 치료한다.

성분 quercetin, kaempferol, caffeic aicd 등이 함유되어 있다.

사용법 영종삼칠 10g에 물 3컵(600mL)을 넣고 달여서 복용하거나 술에 담가서 복용한다.

❍ 꽃　　　　❍ 나도승마

❂ 매화초(梅花草)

[범의귀과]
물매화풀

황달형간염　인후염
임파결핵　열독창종

● 학명 : *Parnassia palustris* L.　● 영명 : White buttercup
● 한자명 : 梅花草　● 별명 : 물매화

| 1 | 2 | 3 | 4 | 5 | 6 | 7 | 8 | 9 | 10 | 11 | 12 |

여러해살이풀. 높이 20~40cm. 줄기와 뿌리잎은 모여나며, 줄기잎은 1개로 줄기 중앙부에 달린다. 꽃은 백색, 7~9월에 줄기 끝에 1개가 달린다. 꽃받침 조각은 5개, 꽃잎도 5개, 수술은 5개, 헛수술은 5개로 끝이 12~20개로 갈라지고 끝에 황록색의 선체가 있다. 삭과는 넓은 달걀 모양이다.

분포 · 생육지 우리나라 전역. 중국, 일본, 타이완, 시베리아, 히말라야. 산기슭의 습지에서 자란다.

약용 부위 · 수치 전초를 여름철에 채취하여 흙과 먼지를 털어서 말린다.

약효명 매화초(梅花草)

약효 청열양혈(淸熱涼血), 해독소종(解毒消腫), 지해화담(止咳化痰)의 효능이 있으므로 황달형간염, 인후염, 임파결핵, 열독창종(熱毒瘡腫)을 치료한다.

성분 kaempferol, rutin, hyperin, quercetin, 알칼로이드가 함유되어 있다.

사용법 매화초 7g에 물 3컵(600mL)을 넣

고 달여서 복용한다.

＊ 본 종에 비하여 전체가 작고, 헛수술 끝이 실 모양으로 갈라지지 않는 '애기물매화 *P. alpicola*'도 약효가 같다.

❂ 애기물매화

❂ 물매화풀

[범의귀과]
엷은잎고광나무

치창, 소변불리

● 학명 : *Philadelphus tenuifolia* Rupr. et Maxim.　● 별명 : 얇은잎고광나무

| 1 | 2 | 3 | 4 | 5 | 6 | 7 | 8 | 9 | 10 | 11 | 12 |

낙엽 관목. 높이 1~3m. 잎은 마주나고 막질이며 가장자리의 거치는 매우 얕다. 꽃은 잎겨드랑이에 5~7개가 총상화서로 달린다. 꽃잎은 4개, 달걀 모양, 암술대는 4개

로 반 이상 갈라지며 털이 없다. 열매는 원추형이다.

분포 · 생육지 우리나라 전역. 중국, 우수리. 산기슭이나 숲속에서 흔하게 자란다.

약용 부위 · 수치 가지와 잎을 여름철에 채취하여 적당한 크기로 썰어서 말린다.

약물명 근엽산매화(菫葉山梅花)

약효 청열양혈(淸熱涼血), 이뇨의 효능이 있으므로 치창(痔瘡), 소변불리를 치료한다.

사용법 근엽산매화 10g에 물 3컵(600mL)을 넣고 달여서 복용한다.

＊ 꽃잎이 4개이고 잎 뒷면의 잎맥에 털이 있는 '고광나무 *P. schrenckii*'도 약효가 같다.

❂ 근엽산매화(菫葉山梅花)

❂ 고광나무

❂ 엷은잎고광나무

바늘까치밥나무

 풍습비증

● 학명 : *Ribes burejense* Fr. Schmidt　● 별명 : 바눌까치밥나무

1	2	3	4	5	6	7	8	9	10	11	12

낙엽 관목. 높이 1m 정도. 줄기껍질은 회색이고 작은가지는 가늘다. 잎은 어긋나고 둥글며 3~5개로 갈라진다. 꽃은 양성화로 5월에 피고, 꽃잎과 꽃받침잎은 둥글며 각 5개이다. 수술은 길게 밖으로 나오며, 암술대는 2개로 갈라진다. 열매는 둥글며 털이 많다.

분포 · 생육지 우리나라 함경도. 높은 산에서 자란다.

약용 부위 · 수치 뿌리를 여름철에 채취하여 물에 씻은 후에 썰어서 말린다.

약물명 자과다표(刺果茶藨). 자이(刺梨), 산이(山梨)라고도 한다.

약효 거풍제습(祛風除濕)의 효능이 있으므로 풍습비증(風濕痺症)을 치료한다.

사용법 자과다표 10g에 물 3컵(600mL)을 넣고 달여서 복용하거나 술에 담가서 복용한다.

＊ 꽃이 총상으로 달리는 '가막바늘까치밥나무 *R. horridum*'도 약효가 같다.

❶ 바늘까치밥나무

❶ 가막바늘까치밥나무

까마귀밥나무

 허열핍력　 통경

● 학명 : *Ribes fasciculatum* S. et Z. var. *chinense* Max.　● 영명 : Gooseberry
● 한자명 : 三升米　● 별명 : 까마귀밥여름나무

1	2	3	4	5	6	7	8	9	10	11	12

낙엽 관목. 높이 1~2m. 잎은 어긋나고 둥글며 3~5개로 갈라지고 길이와 너비는 4~7cm이다. 잎자루는 길이 1.5~3.5cm이며 가장자리에 톱니가 있다. 꽃은 양성화로 5월에 피고, 꽃잎과 꽃받침잎은 둥글며 각각 5개이다. 수술은 길게 밖으로 나오며, 암술대는 2개로 갈라진다. 열매는 둥글며 털이 없고 붉은색으로 익는다.

분포 · 생육지 우리나라 평남 및 강원도 이남. 산지에서 자란다.

약용 부위 · 수치 뿌리를 여름철에 채취하여 물에 씻은 후에 썰어서 말린다.

약물명 삼승미(三升米)

약효 양혈청열(凉血淸熱), 조경(調經)의 효능이 있으므로 허열핍력(虛熱乏力), 통경(痛經)을 치료한다.

사용법 삼승미 15g에 물 3컵(600mL)을 넣고 달여서 복용하거나 술에 담가서 복용한다.

❶ 까마귀밥나무

[범의귀과]

까치밥나무

🫁 초기 감기

* 꽃차례와 잎 뒷면에 털이 많은 '개앵도나무 var. *subglobrum*'도 약효가 같다.

●학명 : *Ribes mandshuricum* Kom.　●한자명 : 燈龍果, 狗葡萄, 山櫻桃

| 1 | 2 | 3 | 4 | 5 | 6 | 7 | 8 | 9 | 10 | 11 | 12 |

낙엽 관목. 높이 2m 정도. 잎은 어긋나고 가장자리에 겹톱니가 있다. 꽃은 양성화로 5월에 피고 총상화서로 많이 달린다. 포는 숙존성이고, 꽃받침통은 달걀 모양, 꽃받침은 둥글며 뒤로 젖혀지고 꽃잎은 작다. 열매는 둥글며 털이 없다.

분포 · 생육지 우리나라 덕유산, 지리산, 북부 지방. 중국, 동부 시베리아. 높은 산에서 자란다.

약용 부위 · 수치 성숙한 열매를 여름철에 채취하여 말린다.

약물명 등룡과(燈龍果). 구포도(狗葡萄), 산앵도(山櫻桃)라고도 한다.

기미 온(溫), 신(辛)

약효 해표(解表)의 효능이 있으므로 초기 감기를 치료한다.

사용법 등룡과 10g에 물 3컵(600mL)을 넣고 달여서 복용한다.

❂ 등룡과(燈龍果)

❂ 까치밥나무(꽃)

❂ 까치밥나무

[범의귀과]

양가막까치밥나무

🫁 기침　　🦵 통풍

🟫 수포진　　🧍 소변불통

●학명 : *Ribes nigrum* L.　　●영명 : Blackcurrant
●별명 : 양까막까치밥나무, 검은송이수구리

| 1 | 2 | 3 | 4 | 5 | 6 | 7 | 8 | 9 | 10 | 11 | 12 |

낙엽 관목. 높이 1.5m 정도. 잎은 어긋나고 가장자리에 겹톱니가 있다. 꽃은 양성화로 5월에 피고 총상화서로 많이 달린다. 꽃받침은 둥글며 뒤로 젖혀지고, 꽃잎은 작으며 도란형으로 뒤로 젖혀지고, 수술은 길게 밖으로 나오며, 암술대는 2개로 갈라진다. 열매는 둥글며 흑색이다.

분포 · 생육지 유럽. 높은 산에서 자라고, 찬 기후 지역에서 재배한다.

약용 부위 · 수치 잎을 여름철에 채취하여 말린다.

약물명 Ribes Folium

약효 강장, 발한의 효능이 있으므로 기침, 통풍, 수포진, 소변불통을 치료한다.

성분 잎은 quercetin, kaempferol, myricetin, isorhamnetin, sakuranetin 등, 종자는 γ−linolenic acid가 다량 함유되어 있다.

약리 잎의 추출물은 쥐와 고양이 실험에서 이뇨 작용과 혈압 강하 작용이 나타났고, quercetin, kaempferol 등 플라보노이드 성분들은 불포화지방산 형성과 모세 혈관 침투력을 감소시켰다.

사용법 Ribes Folium 3g을 뜨거운 물에 우려내어 복용한다.

* 열매는 잼이나 음료, 백포도주, 샴페인의 원료로도 이용된다.

❂ Ribes Folium

❂ 열매　　　　❂ 양가막까치밥나무

[범의귀과]

붉은까치밥나무

	폐렴		성홍열
	말라리아		담낭열

●학명 : *Ribes rubrum* L. ●영명 : Red currant

1	2	3	4	5	6	7	8	9	10	11	12

❍ 붉은까치밥나무(성숙한 열매)

낙엽 관목. 높이 1.5m 정도. 잎은 어긋나고 4~5개로 갈라지며 가장자리에 겹톱니가 있다. 꽃은 양성화로 5월에 피고 총상화서로 많이 달리며 붉은색이다. 열매는 둥글고 붉은색으로 익는다.

분포·생육지 유럽. 높은 산에서 자라고, 찬기후 지역에서 재배한다.

약용 부위·수치 성숙한 열매를 여름 또는 가을에 채취하여 사용한다.

약물명 Ribes Fructus. 일반적으로는 Red currant라 한다.

약효 소염의 효능이 있으므로 폐렴, 성홍열, 말라리아, 담낭열을 치료한다.

성분 잎은 quercetin, kaempferol, myricetin, isorhamnetin, sakuranetin 등, 종자는 γ-linolenic acid가 다량 함유되어 있다.

사용법 Ribes Fructus를 과즙으로 만들어 1회 20~30g을 복용한다.

❍ 붉은까치밥나무

[범의귀과]

칠엽귀등경

	설사, 토혈		대하		인후염
	골절, 관절염				타박상

●학명 : *Rodgersia aesculifolia* Batal. ●영명 : Rodger's bronze leaf
●한자명 : 七葉鬼燈檠

1	2	3	4	5	6	7	8	9	10	11	12

여러해살이풀. 높이 1.5m 정도. 뿌리줄기는 비대하다. 잎은 손바닥 모양이며, 꽃은 6~7월에 피고 황백색이다. 화서는 길이 20~40cm, 꽃받침잎은 4~8개, 수평으로 퍼지며, 꽃잎은 없다. 수술은 8~15개로 꽃받침보다 다소 길며, 암술대는 2개이다. 삭과는 달걀 모양이다.

분포·생육지 중국, 일본, 유럽. 산골짜기에서 자란다.

약용 부위·수치 뿌리줄기를 봄부터 가을에 채취하여 물에 씻어서 적당한 크기로 썰어서 말린다.

약물명 색골단(索骨丹). 칠엽귀등경(七葉鬼燈檠), 구엽암타(九葉岩陀), 암타(岩陀)라고도 한다.

약효 청열해독(淸熱解毒), 양혈지혈(凉血止血), 수렴의 효능이 있으므로 설사, 대하, 토혈, 인후염, 타박상, 골절, 관절염 등을 치료한다.

성분 β-peltoboykinolic acid, β-sitosterol, campesterol, eugenol, valeric acid, caprylic acid, capric acid, lauric acid 등이 함유되어 있다.

약리 β-peltoboykinolic acid는 암세포의 성장을 억제하고, 열수추출물은 포도상구균 등에 항균 작용이 있다. 뿌리줄기의 초음파추출물은 melanine의 초기 생합성에 관여하는 tyrosinase의 발현을 현저히 감소시킨다.

사용법 색골단 7g에 물 3컵(600mL)을 넣고 달여서 복용하거나 술에 담가 복용하고, 타박상에는 짓찧어 바른다.

❍ 칠엽귀등경

❍ 칠엽귀등경(열매)

[범의귀과]

도깨비부채

 골절, 관절염　 생리불순

타박상

●학명 : *Rodgersia podophylla* A. Gray.　●별명 : 독개비부채, 수레부채

| 1 | 2 | 3 | 4 | 5 | 6 | 7 | 8 | 9 | 10 | 11 | 12 |

여러해살이풀. 높이 1m 정도. 뿌리줄기는 굵고 짧게 옆으로 번는다. 뿌리잎은 손바닥 모양, 가장자리에 톱니가 있다. 꽃은 6~7월에 피고 분홍색, 줄기 끝에 원추화서로 많이 달린다. 꽃잎은 5개, 꽃받침은 통 모양, 5개, 약간 갈라진다. 열매는 골돌이고 작다.

분포 · 생육지 우리나라 중부 이북, 중국, 일본, 아무르, 우수리. 깊은 산골짜기에서 자란다.

약용 부위 · 수치 뿌리줄기를 봄이나 여름에 채취하여 물에 씻은 후 썰어서 말린다.

약물명 Rodgersiae Rhizoma

약효 소염의 효능이 있으므로 골절, 관절염, 생리불순, 타박상을 치료한다.

사용법 Rodgersiae Rhizoma 10g에 물 3컵(600mL)을 넣고 달여서 복용한다.

❶ 도깨비부채(열매)

❶ 도깨비부채(뿌리)

❶ Rodgersiae Rhizoma

❶ 도깨비부채

[범의귀과]

서남귀등경

타박상　 골절, 풍습동통

 월경부조, 생리통

●학명 : *Rodgersia sambucifolia* Hemsl.　●한자명 : 西南鬼燈檠

| 1 | 2 | 3 | 4 | 5 | 6 | 7 | 8 | 9 | 10 | 11 | 12 |

여러해살이풀. 높이 1m 정도. 뿌리줄기는 비대하다. 잎은 어긋나고 깃꼴겹잎이며, 작은잎은 5~9개, 잎자루는 길이 10~25cm이고, 잎 기부에는 갈색 털이 빽빽이 난다. 꽃은 6~8월에 취산화서로 피며, 꽃잎은 없고, 꽃받침은 백색, 수술은 10개, 삭과는 달걀 모양이다.

분포 · 생육지 중국, 일본, 유럽. 산골짜기에서 자란다.

약용 부위 · 수치 뿌리줄기를 여름철에 채취하여 물에 씻어서 적당한 크기로 썰어서 말린다.

약물명 암타(岩陀), 모청홍(毛靑紅), 구월암타(九月岩陀), 야황강(野黃姜)이라고도 한다.

약효 활혈조경(活血調經), 거풍제습(祛風除濕), 수렴지사(收斂止瀉)의 효능이 있으므로 타박상, 골절, 월경부조, 생리통, 풍습동통을 치료한다.

사용법 암타 5g에 물 3컵(600mL)을 넣고 달여서 복용하거나 술에 담가 복용하고, 타박상에는 짓찧어 바른다.

＊잎이 깃꼴겹잎인 '우엽귀등경(羽葉鬼燈檠) *R. pinnata*'도 약효가 같다.

❶ 서남귀등경(열매)

❶ 우엽귀등경

❶ 우엽귀등경(열매)

❶ 서남귀등경

개병풍

🔊 설사

○ 대엽자(大葉子)

- 학명 : *Rodgersia tabularis* (Hemsl.) Engl. [*Astilboides tabularis* Hemsl.]
- 한자명 : 大葉子　● 별명 : 골병풍, 골평풍

| 1 | 2 | 3 | 4 | 5 | 6 | 7 | 8 | 9 | 10 | 11 | 12 |

여러해살이풀. 높이 1~1.5m. 줄기에 거센 털이 있으며, 뿌리줄기는 굵고 짧게 옆으로 벋는다. 뿌리잎은 홑잎으로 방패 모양, 가장자리에 톱니가 있다. 꽃은 6~7월에 피고 분홍색, 줄기 끝에 원추화서로 많이 달린다. 꽃잎은 5개, 꽃받침은 통 모양으로, 5개, 약간 갈라진다. 열매는 골돌이고 작다.

분포·생육지 우리나라 중부 이북, 중국, 일본, 아무르, 우수리. 깊은 산골짜기에서 자란다.

약용 부위·수치 뿌리줄기를 봄이나 여름에 채취하여 물에 씻은 후 썰어서 말린다.

약물명 대엽자(大葉子)

약효 삽장지사(澁腸止瀉)의 효능이 있으므로 설사를 치료한다.

성분 leucodelphinidin, quercetin, leuco-cyanidin 등이 함유되어 있다.

사용법 대엽자 10g에 물 3컵(600mL)을 넣고 달여서 복용한다.

○ 개병풍

바위떡풀

👁 중이염

○ 화중호이초(華中虎耳草)

- 학명 : *Saxifraga fortunei* Hooker f. var. *incisolobata* Nakai
- 한자명 : 華中虎耳草　● 별명 : 지이떡풀, 대문자꽃잎풀

| 1 | 2 | 3 | 4 | 5 | 6 | 7 | 8 | 9 | 10 | 11 | 12 |

여러해살이풀. 뿌리줄기는 짧고, 뿌리잎은 둥근 심장형, 턱잎이 있다. 꽃대는 길이 10~35cm이고, 꽃은 백색, 원추상 취산화서로 달린다. 꽃받침은 5개, 꽃잎은 5개, 아래쪽 2개의 잎이 밑으로 길게 퍼지며 백색 바탕에 붉은빛이 돈다. 삭과는 달걀 모양, 종자는 긴 방추형이다.

분포·생육지 우리나라 전역. 중국, 일본. 산지의 습한 바위 겉에 붙어서 자란다.

약용 부위·수치 전초를 여름부터 가을에 채취하여 물에 씻어서 말린다.

약물명 화중호이초(華中虎耳草)

약효 해독의 효능이 있으므로 중이염을 치료한다.

사용법 화중호이초 7g에 물 2컵(400mL)을 넣고 달여서 복용하고, 생것을 짓찧어 낸 즙액을 귓속에 바른다.

○ 바위떡풀

톱바위취

정창, 종독

● 학명 : *Saxifraga punctata* L. ● 한자명 : 斑點虎耳草 ● 별명 : 멧바위취

1	2	3	4	5	6	7	8	9	10	11	12

● 톱바위취

여러해살이풀. 높이 25~50cm. 뿌리줄기가 다소 비후하고, 줄기와 꽃줄기에는 선모가 있다. 뿌리잎은 모여나며 둥근 심장형, 꽃은 7~8월에 산방상 취산화서로 피고 백색이다. 꽃받침은 젖혀지고, 꽃잎은 꽃받침보다 2~3배 길며, 암술대는 2개이다. 삭과는 달걀 모양이다.

분포 · 생육지 우리나라 강원, 백두산 및 북부 지방. 중국, 몽골, 아무르, 우수리, 유럽. 높은 산의 습지에서 자란다.

약용 부위 · 수치 전초를 여름과 가을에 채취하여 물에 씻어서 말린다.

약물명 반점호이초(斑點虎耳草)

약효 청열해독의 효능이 있으므로 정창(疔瘡), 종독을 치료한다.

사용법 반점호이초 7g에 물 2컵(400mL)을 넣고 달여서 복용하고, 짓찧어 낸 즙액을 상처 부위에 바른다.

* 우리나라 백두산 주변에서 자라는 '구름범의귀 *S. laciniata*'도 약효가 같다.

바위취

풍열해수, 해수   풍진, 습진, 단독

치질   중이염   토혈

● 학명 : *Saxifraga stolonifera* Meerb. ● 영명 : Saxifrage
● 한자명 : 虎耳草 ● 별명 : 겨우사리범의귀

1	2	3	4	5	6	7	8	9	10	11	12

여러해살이풀. 높이 40cm 정도. 잎은 신장형, 가장자리에 얕은 톱니가 있다. 꽃은 5월에 피며 백색, 꽃받침은 5개로 갈라진다. 꽃잎은 5개로 위쪽의 3개는 연한 붉은색 바탕에 짙은 붉은색 반점이 있으며 아래쪽 2개는 백색이다. 삭과는 달걀 모양, 종자에는 돌기가 있다.

분포 · 생육지 우리나라 전역. 중국, 일본. 산의 바위 곁이나 습지에서 자란다.

약용 부위 · 수치 전초를 수시로 사용하여도 무방하나 꽃이 핀 다음 것을 채취하여 말리면 더욱 좋다.

약물명 호이초(虎耳草), 석하엽(石荷葉), 노호이(老虎耳)라고도 한다. 대한민국약전외한약(생약)규격집(KHP)에 수재되어 있다.

본초서 호이초(虎耳草)는 「본초강목(本草綱目)」에 처음 수재되어 "잎의 모양이 호랑이 귀와 비슷하므로 붙여진 이름이다."라고 기록되어 있다.

성상 대부분 잎으로 되어 있고 꽃대와 가는 줄기가 있다. 표면은 회녹색이며 잎의 가장자리는 얕게 갈라지고 심장형, 잎자루가 길며, 전체에 털이 많다. 냄새는 없고 맛은 쓰다.

약효 소풍(疎風), 청열(淸熱), 양혈(凉血), 해독의 효능이 있으므로 풍열해수(風熱咳嗽), 풍진, 습진, 중이염, 단독, 해수, 토혈, 치질을 치료한다.

성분 호이초(虎耳草)는 arbutin, catechol, quercetin, aesculin 등이 함유되어 있다.

약리 개구리 심장을 꺼내어 링거액에 두고 여기에 호이초(虎耳草) 즙액을 가하면 강심작용이 나타난다. 마취시킨 개에게 에탄올 추출물을 주사하면 이뇨 작용이 나타난다.

사용법 호이초 10g에 물 3컵(600mL)을 넣고 달여서 복용하고, 외용에는 짓찧어 바른다.

● 바위취

● 호이초(虎耳草)

[범의귀과]

헐떡이풀

창절, 종독　해수, 기천
간염

●학명 : *Tiarella polyphylla* D. Don　●한자명 : 黃水枝　●별명 : 헐덕이풀

| 1 | 2 | 3 | 4 | 5 | 6 | 7 | 8 | 9 | 10 | 11 | 12 |

여러해살이풀. 뿌리줄기는 옆으로 자라고, 뿌리잎은 모여나며 잎자루가 길고, 줄기잎은 잎자루가 짧다. 꽃대에는 선모가 있고 2~3개의 잎이 달린다. 꽃은 5~6월에 총상화서로 피고 백색, 밑을 향한다. 꽃받침은 종형, 열매는 삭과로 길이 7~10mm이다.

분포·생육지 우리나라 울릉도 성인봉. 중국, 일본, 타이완. 나무 그늘이나 숲속에서 자란다.

약용 부위·수치 전초를 여름에 채취하여 흙과 먼지를 털어서 말린다.

약물명 황수지(黃水枝), 박락(博落), 방풍칠(防風七)이라고도 한다.

약효 청열(清熱), 해독, 활혈거어(活血祛瘀), 소종지통(消腫止痛)의 효능이 있으므로 창절(瘡癤), 종독, 해수, 기천(氣喘), 간염을 치료한다.

성분 tiarellic acid, corosolic acid, tomentic acid, myricetin, astragalin, afzelin, quercitrin, myricitrin, nicotiflorin, isoquercitrin, 3β-hydroxy-20(29)-lupen-27-oic acid, daucosterol, stigmasterol-3-*O*-β-D-glucoside, β-sitosterol, ergosterol endoperoxide 등이 함유되어 있다.

약리 tiarellic acid 등 oleanolic acid 배당체들은 항보체 활성과 apoptosis를 유도하는 효능이 있다. 메탄올추출물은 혈장 내의 cholinesterase에 저해 활성을 나타낸다.

사용법 황수지 10g에 물 3컵(600mL)을 넣고 달여서 복용하거나 술에 담가서 복용한다.
＊'헐떡이풀'이란 숨이 헐떡헐떡 가쁜 증상을 치료한다는 뜻에서 유래한다.

❂ 헐떡이풀

❂ 헐떡이풀(열매)

❂ 황수지(黃水枝)

[돈나무과]

태경해동

타박상　이질

●학명 : *Pittosporum formosanum* Hayata [*P. pentodrum* var. *hainanese*]
●한자명 : 台琼海桐

| 1 | 2 | 3 | 4 | 5 | 6 | 7 | 8 | 9 | 10 | 11 | 12 |

상록 교목. 높이 12m 정도. 잎은 타원형이고 끝이 둔하다. 꽃은 5~10월에 가지 끝에 취산화서로 달리며 담황색이다. 열매는 편구형, 종자는 불규칙적인 다각형으로 10개 정도가 들어 있다.

분포·생육지 중국, 타이완. 바닷가 산기슭에서 자란다.

약용 부위·수치 잎을 여름에 채취하여 말린다.

약물명 칠리향(七里香)

약효 활혈소종(活血消腫), 해독지리(解毒止痢)의 효능이 있으므로 타박상, 이질을 치료한다.

사용법 칠리향 10g에 물 3컵(600mL)을 넣고 달여서 복용한다.

❂ 태경해동

[돈나무과]

돈나무

 타박상, 습진, 종독 　 이질

고혈압, 동맥경화 　　관절염

● 학명 : *Pittosporum tobira* (Thunb.) Ait. ● 영명 : Japanese pittosporum
● 한자명 : 七里香 ● 별명 : 섬음나무, 갯똥나무, 해동, 섬엄나무

| 1 | 2 | 3 | 4 | 5 | 6 | 7 | 8 | 9 | 10 | 11 | 12 |

상록 관목. 높이 2~3m. 잎은 가지 끝에 모여 달리고 두껍다. 꽃은 5~6월에 가지 끝에 취산화서로 달리며 백색에서 황색으로 되고 꽃잎은 5개, 주걱 모양이다. 열매는 삭과로 원형, 길이 1.2cm 정도, 연한 녹색, 10월에 3개로 갈라져서 붉은색 종자가 나온다.

분포 · 생육지 우리나라 제주도, 남쪽 섬, 경남, 전남북. 중국, 타이완, 일본. 바닷가 산기슭에서 자란다.
약용 부위 · 수치 가지와 잎을 여름이나 가을에 채취하여 적당한 크기로 썰어서 말린다.
약물명 해동지엽(海桐枝葉). 칠리향(七里香)이라고도 한다.

약효 활혈소종(活血消腫), 해독지리(解毒止痢)의 효능이 있으므로 타박상, 이질, 고혈압, 동맥경화, 관절염, 습진, 종독을 치료한다.
성분 R1-barrigenol, 21-*O*-angeloyl-R1-barrigenol, pittosporanoside A1, A2, B1, B2, B3, isorhamnetin 3-rhamnoglucoside 등이 함유되어 있다.
사용법 해동지엽 10g에 물 3컵(600mL)을 넣고 달여서 복용하고, 외용에는 짓찧어 바른다.

● 해동지엽(海桐枝葉)

● 돈나무

● 돈나무(열매)

[돈나무과]

능과돈나무

 복사, 이질 　　인후통

심번불면

● 학명 : *Pittosporum trigonocarpum* Lével. ● 한자명 : 菱果海桐

| 1 | 2 | 3 | 4 | 5 | 6 | 7 | 8 | 9 | 10 | 11 | 12 |

● 능과돈나무

상록 관목. 높이 2~3m. 잎은 타원형이고 끝이 뾰족하다. 꽃은 5~6월에 가지 끝에 취산화서로 달리며 백색으로 피었다가 황색으로 시든다. 열매는 3개의 모서리가 있으며, 성숙하면 3개로 갈라져서 붉은색 종자가 나온다.
분포 · 생육지 중국, 타이완. 바닷가의 산기슭에서 자란다.
약용 부위 · 수치 종자를 가을에 채취하여 말린다.
약물명 능과해동자(菱果海桐子). 산지인(山枝仁)이라고도 한다.
약효 수렴지사(收斂止瀉), 청열제번(淸熱除煩)의 효능이 있으므로 복사(腹瀉), 이질, 인후통, 심번불면(心煩不眠)을 치료한다.
사용법 능과해동자 10g에 물 3컵(600mL)을 넣고 달여서 복용한다.

마름잎돈나무

 구갈, 인통　　　사리

●학명 : *Pittosporum truncatum* Pritzl.　●한자명 : 菱葉海桐

1　2　3　4　5　6　7　8　9　10　11　12

상록 관목. 높이 2~3m. 잎이 '마름'과 닮아 있다. 꽃은 5~6월에 가지 끝에 취산화서로 달리며 백색으로 피었다가 황색으로 시든다. 열매가 성숙하면 3개로 갈라져서 붉은색 종자가 나온다.
분포·생육지 중국, 타이완. 바닷가의 산기슭에서 자란다.
약용 부위·수치 종자를 가을에 채취하여 말린다.
약물명 애화자(崖花子), 산다랄(山茶辣)이라고도 한다.
약효 청열생진(淸熱生津), 이인지사(利咽止瀉)의 효능이 있으므로 구갈, 인통(咽痛), 사리(瀉痢)를 치료한다.
사용법 애화자 7g에 물 2컵(400mL)을 넣고 달여서 복용한다.

❍ 마름잎돈나무

서양짚신나물

간염　　　방광염
생리불순　　　구강염

●학명 : *Agrimonia eupatoria* L.　●영명 : Hairyvein agrimonia

1　2　3　4　5　6　7　8　9　10　11　12

❍ Agrimoniae Herba

여러해살이풀. 높이 70~90cm. 곧게 자란다. 잎은 어긋나고 깃꼴겹잎, 5~7개의 작은잎이 있는데, 밑으로 갈수록 작아지고 가장자리에 톱니가 있다. 턱잎은 반월형, 한쪽 가장자리에 큰 톱니가 있다. 꽃은 6~8월에 피고 황색, 총상화서로 달린다.
분포·생육지 유럽, 지중해 연안, 북남미. 산과 들에서 자란다.
약용 부위·수치 지상부를 여름부터 가을까지 채취하여 물에 씻은 후 썰어서 말린다.
약물명 Agrimoniae Herba
약효 수렴(收斂)의 효능이 있으므로 간염, 방광염, 생리불순, 구강염을 치료한다.
사용법 Agrimoniae Herba 10g에 물 3컵(600mL)을 넣고 달여서 복용하고, 구강염에는 생즙을 내어 양치질한다.

❍ 서양짚신나물

[장미과]

짚신나물

| 객혈 | | 토혈, 혈변, 위궤양출혈 |
| 혈뇨 | | 옹종 |

● 학명 : *Agrimonia pilosa* Ledeb.　● 영명 : Hairyvein agrimonia
● 한자명 : 仙鶴草, 狼牙草, 龍牙草　● 별명 : 집신나물

| 1 | 2 | 3 | 4 | 5 | 6 | 7 | 8 | 9 | 10 | 11 | 12 |

여러해살이풀. 높이 100cm 정도. 잎은 어긋나고 깃꼴겹잎, 5~7개의 작은잎이 있다. 턱잎은 반월형이며 한쪽 가장자리에 큰 톱니가 있다. 꽃은 황색, 6~8월에 총상화서로 달리고, 꽃잎은 5개, 수술은 5~10개이다. 수과에는 갈고리 털이 있다.

분포 · 생육지 우리나라 전역. 중국, 일본, 몽골, 시베리아, 유럽. 산과 들에서 자란다.

약용 부위 · 수치 지상부를 여름부터 가을에 채취하여 흙과 먼지를 털고 썰어서 말린다.

약물명 선학초(仙鶴草). 낭아초(狼牙草), 용아초(龍牙草)라고도 한다. 대한민국약전외한약(생약)규격집(KHP)에 수재되어 있다.

본초서 「신농본초경(神農本草經)」에는 "뿌리에서 돋아나는 새싹이 이리와 닮았으므로 낭아초(狼牙草)라고 한다."고 기록되어 있다. 「동의보감(東醫寶鑑)」에 "옴으로 가려운 것과 종기가 벌겋게 부어올라 아프고 가려우며 곪는 것을 낫게 한다. 치질을 치료하고, 촌충과 회충을 구제한다."고 하였다.

東醫寶鑑: 主疥瘡 惡瘡 瘡痔 殺寸伯蟲及腹中一切蟲.

성상 선학초(仙鶴草)는 지상부 전체에 백색 털이 있다. 줄기의 하부는 원기둥 모양으로 적갈색이고 상부는 네모진다. 잎은 깃꼴겹잎이다. 냄새는 없고 맛은 쓰며 떫다.

기미 · 귀경 평(平), 고(苦), 삽(澁) · 폐(肺), 간(肝), 비(脾)

약효 수렴지혈(收斂止血), 건위의 효능이 있으므로 폐결핵의 객혈, 토혈, 혈뇨, 혈변, 위궤양출혈, 옹종(癰腫)을 치료한다.

성분 선학초(仙鶴草)는 agrimonin, agrimonolide, luteolin−7−O−glucoside, apigenin−7−O−glucoside, ursolic acid, pomolic acid, tomentosic acid, corosolic acid 등, 뿌리에는 agrimonolide, taxifolin, vanillic acid, agrimonol 등이 함유되어 있다.

약리 agrimonin은 혈소판의 형성을 촉진시켜 지혈 작용이 있고, 심박 수를 조정하고, 강심 작용을 하며, 여러 세균에 항균 작용이 있다.

사용법 선학초 10g에 물 3컵(600mL)을 넣고 달여서 복용하거나 생즙을 내어 복용한다. 외용에는 짓찧어 바른다.

＊ 꽃이 드문드문 피며 수술이 5~10개이고 턱잎이 반원형인 '산짚신나물 *A. coreana*'도 약효가 같다.

❍ 짚신나물

❍ 짚신나물(꽃)

❍ 산짚신나물(꽃)

❍ 선학초(仙鶴草)

❍ 짚신나물(열매)

❍ 산짚신나물(턱잎)

[장미과]

숙녀외투

 기관지염 　 요도염

● 학명 : *Alchemilla xanthochlora* Botka. 　 ● 영명 : Lady's mantle

| 1 | 2 | 3 | 4 | 5 | 6 | 7 | 8 | 9 | 10 | 11 | 12 |

여러해살이풀. 높이 50cm 정도. 덩굴성이며 줄기는 길고 가늘다. 잎은 손바닥 모양이고 4~6개의 결각이 지고 털이 많다. 꽃은 잎자루에서 나오는 꽃대에서 핀다.
분포 · 생육지 유럽 서북부, 그리스. 산기슭에서 자란다.

약용 부위 · 수치 전초를 여름에 채취하여 말린다.
약물명 Alchemillae Herba
약효 강장, 수렴의 효능이 있으므로 기관지염, 요도염을 치료한다.
사용법 Alchemillae Herba 10g에 물 3컵(600mL)을 넣고 달여서 복용한다.
＊ 줄기가 바로 서며 전체에 부드러운 털이 있는 '털숙녀외투 *A. mollis*'도 약효가 같다.

❶ 숙녀외투

❶ 털숙녀외투

[장미과]

채진목

 토혈, 변혈 　 요혈
　 적백대하 　 타박상

● 학명 : *Amelanchier asiatica* (S. et Z.) Endl. 　 ● 한자명 : 東亞唐棣 　 ● 별명 : 독요나무

| 1 | 2 | 3 | 4 | 5 | 6 | 7 | 8 | 9 | 10 | 11 | 12 |

낙엽 관목. 잎은 어긋나고 달걀 모양, 길이 4~8cm, 너비 2.5~4cm, 침상의 톱니가 있다. 꽃은 산방상 총상화서로 달리며 백색, 꽃받침통에 면모가 빽빽이 난다. 꽃잎은 5개, 선형이다. 열매는 둥글고 지름 1cm 정도, 9월에 흑자색으로 익는다.
분포 · 생육지 우리나라 제주도. 중국, 일본. 산기슭에서 자란다.
약용 부위 · 수치 줄기껍질을 봄과 여름에 채취하여 껍질을 벗겨 잘라서 말린다.

약물명 동아당체(東亞唐棣). 산림금(山林檎)이라고도 한다.
약효 익신(益腎), 활혈(活血)의 효능이 있으므로 토혈, 요혈, 변혈, 적백대하(赤白帶下), 타박상을 치료한다.
사용법 동아당체 10g에 물 3컵(600mL)을 넣고 달여서 복용한다. 속이 메스꺼운 증상에는 동아당체 300g에 목단피(牡丹皮) 150g, 승마(升麻) · 모려(牡蠣) 각 40g을 넣어 달여서 식전에 한 잔씩 마신다.

❶ 채진목(열매)

❶ 채진목

[장미과]

광핵도

●학명 : *Amygdalus mira* (Koehne) Yu et Lu. [*Prunus mira*]　●한자명 : 光核桃

1 2 3 4 5 6 7 8 9 10 11 12

소교목. 가지는 적갈색 피목이 산재한다. 잎은 어긋나고 타원형, 길이 1~5cm, 너비 1~1.5cm, 톱니가 있다. 꽃은 산방상 총상화서로 달리며 적백색, 꽃받침통에 면모가 빽빽이 난다. 꽃잎은 5개, 선형, 원두이다. 열매는 둥글고 지름 1cm 정도, 8~9월에 황색으로 익는다.

분포 · 생육지 중국 쓰촨성(四川省), 윈난성(雲南省), 티베트. 해발 2,000~3,400m에서 자란다.

약용 부위 · 수치 열매를 늦여름에 채취하여 종피를 벗기고 속씨를 꺼내어 말린다.

약물명 장도인(藏桃仁)

약효 활혈거어(活血祛瘀), 윤장통변(潤腸通便), 지해의 효능이 있으므로 월경부조, 타박상, 어혈통, 변비, 해수를 치료한다.

사용법 장도인 7g에 물 2컵(400mL)을 넣고 달여서 복용한다.

❍ 광핵도

[장미과]

아로니아

●학명 : *Aronia melanocarpa* (Michx.) Ell.
●영명 : Black chokeberry, Aronia berry, Aronia

1 2 3 4 5 6 7 8 9 10 11 12

❍ Aroniae Fructus　　❍ 아로니아로 만든 건강 음료

낙엽 관목. 높이 3m 정도. 약간 덩굴진다. 잎은 어긋나고 타원형, 가장자리에 작은 톱니가 있다. 꽃은 산방상 총상화서로 달리며 백색, 꽃잎은 5개이다. 열매는 둥글고 지름 1cm 정도, 6~7월에 흑자색으로 익는다.

분포 · 생육지 북아메리카 동부 원산. 세계 각처에서 재식한다.

약용 부위 · 수치 열매를 여름에 채취하여 그대로 사용하거나 말린다.

약물명 Aroniae Fructus

약효 활혈(活血), 항산화의 효능이 있으므로 고혈압을 치료한다.

성분 vitamin C, anthocyanin, polyphenol, flavonoid 등이 함유되어 있다.

사용법 Aroniae Fructus 10g에 물 3컵(600mL)을 넣고 달여서 복용하거나 즙을 내어 복용한다.

❍ 아로니아(꽃)

❍ 아로니아

눈개승마

 타박상　　　근육통, 관절염

● 학명 : *Aruncus dioicus* (Walter) Fern. var. *kamtschaticus* (Max.) Hara
● 한자명 : 棣棠升麻　● 별명 : 삼나물, 죽토자, 눈산승마

| 1 | 2 | 3 | 4 | 5 | 6 | 7 | 8 | 9 | 10 | 11 | 12 |

여러해살이풀. 높이 60~90cm. 잎은 어긋
나고 깃꼴겹잎이다. 꽃은 황백색, 6~7월에
가지 끝에 많이 달린다. 꽃받침잎은 5개,
꽃잎은 5개이며 주걱 모양, 수술은 20개이
다. 열매는 골돌, 긴 타원상 구형이다.

분포·생육지 우리나라 지리산, 소백산, 울
릉도, 금강산, 평북, 함남북, 중국, 일본.
산골짜기에서 자란다.

약용 부위·수치 뿌리를 봄부터 가을에 채취
하여 물에 씻어서 잘라서 말린다.

약물명 체당승마(棣棠升麻)

약효 보허(補虛), 지통의 효능이 있으므로
타박상, 근육통 및 관절염을 치료한다.

성분 prunasin, sambunigrin, aruncide A,
C, 1−*O*−caffeoyl−β−d−glucopyranose,
caffeic acid, uridine, 2,4−dihydroxycin-
namic acid, hyperoside, daucosterol 등
이 함유되어 있다.

약리 aruncide C는 암세포인 HeLa cell에,
aruncide A는 HL−60에 세포 독성이 있다.
1−*O*−caffeoyl−β−d−glucopyranose, caf-
feic acid, hyperoside, 2,4−dihydroxycin-
namic acid는 항산화 작용이 있다.

사용법 체당승마 10g에 물 3컵(600mL)을
넣고 달여서 복용한다.

＊ 잎 가장자리에 깊은 거치가 있는 '한라개
승마 *A. aethusifolius*'도 약효가 같다.

❶ 체당승마(棣棠升麻)

❶ 눈개승마(뿌리)

❶ 눈개승마

양야광나무

 이질, 설사, 복통　　　해수

● 학명 : *Cotoneaster horizontalis* Decne.　● 별명 : 서양야광나무

| 1 | 2 | 3 | 4 | 5 | 6 | 7 | 8 | 9 | 10 | 11 | 12 |

낙엽 반덩굴성 관목. 높이 50~70m. 가지
는 대부분 수평으로 벋고, 작은가지는 둥글
며 흑색이다. 잎은 어긋나고 가장자리가 밋
밋하다. 꽃은 5~6월에 산방화서로 피고 지
름 1.8cm 정도, 분홍색이다. 열매는 거의
둥글고 붉은색으로 익는다.

분포·생육지 유럽, 중국. 해발 2,000~2,500m
에서 자란다.

약용 부위·수치 가지와 잎을 봄과 여름에
채취하여 썰어서 말린다.

약물명 수련사(水蓮沙)

약효 청열이습(淸熱利濕), 화담지해(化痰止
咳)의 효능이 있으므로 이질, 설사, 복통,
해수를 치료한다.

성분 catechin, epicatechin, cyanidin,
anthocyanidine 등이 함유되어 있다.

사용법 수련사 10g에 물 3컵(600mL)을 넣
고 달여서 복용한다.

❶ 양야광나무(열매)

❶ 양야광나무

산당화

풍습비통, 지체산중, 근맥구련, 각기수종

토사전근

● 학명 : *Chaenomeles speciosa* (Sweet) Nakai ● 영명 : flowering quince
● 한자명 : 貼梗海棠 ● 별명 : 명자꽃

| 1 | 2 | 3 | 4 | 5 | 6 | 7 | 8 | 9 | 10 | 11 | 12 |

낙엽 관목. 높이 1~2m. 가지는 비스듬히 자라고, 작은가지는 매끈하며 가시로 변하는 것도 있다. 잎은 짧은 가지에서 모여난다. 꽃은 양성, 붉은색, 4월에 가지 끝에 몇 개씩 달리며, 꽃잎은 달걀 모양, 수술은 30~50개, 암술대는 5개이고, 열매는 달걀 모양이다.

분포·생육지 중국 원산. 우리나라 중부 이남에서 재식한다.

약용 부위·수치 열매를 초가을에 황색으로 익을 때 채취하여 적당한 크기로 썰어서 말린다.

약물명 모과(木瓜). 모과실(木瓜實), 철각이(鐵脚梨), 추모과(秋木瓜), 산모과(酸木瓜)라고도 한다.

본초서 모과(木瓜)는 「명의별록(名醫別錄)」에 모과실(木瓜實)이라는 이름으로 수재되어 있으며, 「본초강목(本草綱目)」에는 "열매가 딱딱하고 신맛이 나므로 모과(木瓜) 또는 산모과(酸木瓜)라고 한다."고 기록되어 있다. 「동의보감(東醫寶鑑)」에는 명사(榠樝)라는 이름으로 수재되어 "담을 삭이고 갈증을 풀어 주며 술을 많이 마실 수 있게 한다."고 하였다.

名醫別錄: 主濕痺邪氣, 癨亂大吐下, 轉筋不止.
日華子: 止吐瀉, 奔豚, 及脚氣水腫, 冷熱痢, 心腹痛, 療渴嘔逆痰唾.

本草衍義: 益筋與血, 病腰腎脚膝無力, 不可厥也.
東醫寶鑑: 消痰止渴 可進酒.

성상 절편으로 길이 4~9cm, 너비 2~5cm, 두께 1~2.5cm이며, 표면은 적자색이고 불규칙한 깊은 주름이 있다. 자른 면은 가장자리가 안쪽으로 구부러져 있고, 과육은 적갈색이다. 질은 질기고 단단하며 부서지지 않는다. 냄새는 약간 나고 맛은 시고 떫다.

기미·귀경 온(溫), 산(酸)·간(肝), 비(脾), 위(胃)

약효 서근활락(舒筋活絡), 화위화습(和胃化濕)의 효능이 있으므로 풍습비통(風濕痺痛), 지체산중(肢體酸重), 근맥구련(筋脈拘攣), 토사전근(吐瀉轉筋), 각기수종(脚氣水腫)을 치료한다.

성분 malic acid, tartaric acid, citric acid, oleanolic acid, saponin, vitamin C, flavonoid, tannin 등이 함유되어 있다.

약리 쥐에게 열수추출물을 투여하면 간 보호 작용이 나타나고, 즙액은 항균 작용 및 항암 작용이 있다.

사용법 모과 10g에 물 3컵(600mL)을 넣고 달여서 복용하거나 술에 담가서 복용한다.

처방 보간탕(補肝湯): 숙지황(熟地黃)·당귀(當歸)·작약(芍藥) 각 8g, 천궁(川芎)·산조인(酸棗仁)·모과(木瓜)·감초(甘草) 각 4g(「보양처방집(補陽處方集)」). 간혈(肝血)의 부족으로 다리가 붓고 경련을 일으키며 힘이 없고 때로는 가슴이 두근거리는 증상에 사용한다.

• 서근보안산(舒筋保安散): 모과(木瓜) 200g, 비해(萆薢)·오령지(五靈脂)·우슬(牛膝)·속단(續斷)·백강삼(白殭蠶)·오약(烏藥)·송절(松節)·작약(芍藥)·천마(天麻)·위령선(威靈仙)·황기(黃蓍)·당귀(當歸)·방풍(防風)·호골(虎骨) 각 40g(「동의보감(東醫寶鑑)」). 중풍으로 반신을 잘 쓰지 못하고 힘줄이 당기면서 아프고 힘이 없는 증상에 사용한다.

＊ 본 종에 비하여 잎의 끝이 뾰족하고 가장자리의 톱니가 날카로운 '풀명자나무 *C. japonica*'도 약효가 같다.

● 모과(木瓜)

● 산당화(꽃)

● 산당화

모과나무

 오심, 토사, 이질 근육통

● 학명 : *Chaenomeles sinensis* Koehne ● 영명 : Chinese quince
● 한자명 : 榠樝, 木李, 木梨 ● 별명 : 모과

| 1 | 2 | 3 | 4 | 5 | 6 | 7 | 8 | 9 | 10 | 11 | 12 |

낙엽 교목. 높이 7~10m. 줄기껍질은 회녹 갈색, 윤채가 돌고 곳곳에 껍질이 벗겨져 흰 무늬가 있다. 잎은 어긋나고 타원형이다. 꽃은 5월에 피며 지름 2.5~3cm, 연한 붉은색, 1개씩 달리며, 꽃잎은 도란형으로 끝이 오목하게 들어간다. 열매는 구형이다.

분포·생육지 중국 원산. 우리나라 중부 이남에서 재식한다.

약용 부위·수치 가을에 덜 익은 황록색 열매를 채취하여 적당한 크기로 썰어서 말린다.

약물명 명사(榠樝). 목이(木李), 목이(木梨)라고도 한다.

본초서 명사(榠樝)는「본초경집주(本草經集注)」에 처음 수재되었으며, 어떤 지방에서는 모과(木瓜)라고도 한다고 하였다.「동의보감(東醫寶鑑)」에는 모과(木瓜)라 하며, "몹시 토하고 설사하며 근육이 뭉쳐서 아픈 것을 낫게 한다. 소화가 잘 되게 하며 이질 뒤의 갈증을 풀어 준다. 장의 경련으로 배가 아픈 것과 다리와 몸이 붓는 것, 갈증이 나고 구역과 가래가 있는 것을 낫게 한다. 근골을 튼튼하게 하며 다리와 무릎에 힘이 생기게 한다."고 하였다.

本草拾遺: 去惡心 止心中酸水 水痢.

東醫寶鑑: 主霍亂 大吐下 轉筋不止 消食 止痢後渴 治奔豚及脚氣 水腫 消渴 嘔逆 痰唾 强筋骨 療足膝無力.

성상 절편은 타원형으로 길이 5~10cm, 너비 4~7cm, 두께 2~3cm이며, 표면은 흑갈색이고 불규칙한 깊은 주름이 있다. 안쪽은 표면에 비하여 색깔이 조금 옅은 적갈색이다. 질은 질기고 단단하며 부서지지 않는다. 냄새가 약간 나고 맛은 시고 떫다.

약효 거소담풍습(祛消痰風濕)의 효능이 있으므로 오심(惡心), 토사(吐瀉), 이질, 근육통을 치료한다.

성분 열매에는 malic acid, maslinic acid, tormentic acid, tartaric acid, citric acid, oleanolic acid 등, 줄기에는 betulin, tormentic acid, 1-β-D-glucopyranosyl-3,4,5-trimethoxybenzene, lyoniresinol-2a-*O*-α-L-rhamnopyranoside 등이 함유되어 있다.

약리 열수추출물을 쥐에게 투여하면 간 보호 작용이 나타난다. betulin, lyoniresinol-2a-*O*-α-L-rhamnopyranoside는 TNF-α로 유도되는 IL-6의 생성을 억제한다.

사용법 명사 10g에 물 3컵(600mL)을 넣고 달여서 복용하거나 술에 담가서 복용한다.

* 우리나라에서는 '모과나무'의 열매를 '산당화'의 열매 대신 '모과'라 하여 사용하고 있다.

❶ 모과나무

❶ 명사(榠樝)

❶ 모과나무(꽃)

유엽구자

👁 간해실음   💧 습열발황

🫘 소변단소

● 학명 : *Cotoneaster salicifolia* Franch.   ● 한자명 : 柳葉枸子

| 1 | 2 | 3 | 4 | 5 | 6 | 7 | 8 | 9 | 10 | 11 | 12 |

반상록성 관목. 높이 5m 정도. 작은가지는 둥글며 회갈색이다. 잎은 어긋나고 긴 타원형으로 가장자리가 밋밋하다. 꽃은 5~6월에 산방화서로 피고 백색이다. 열매는 거의 둥글고 붉은색으로 익는다.

분포 · 생육지 유럽, 중국. 높은 산지의 해발 2,000~3,000m에서 자란다.

약용 부위 · 수치 가지와 잎을 봄과 여름에 채취하여 썰어서 말린다.

약물명 번백시(翻白柴). 파파시(把把柴)라고도 한다.

약효 청열거풍(淸熱祛風), 지혈, 이뇨의 효능이 있으므로 간해실음(干咳失音), 습열발황(濕熱發黃), 소변단소(小便短小)를 치료한다.

사용법 번백시 15g에 물 3컵(600mL)을 넣고 달여서 복용한다.

❍ 유엽구자

붉은산사

🏃 고혈압   🫘 이뇨, 신장염

❍ 붉은산사(꽃)

● 학명 : *Crataegus laevigata* (Poir.) DC.   ● 별명 : 붉은산사나무

| 1 | 2 | 3 | 4 | 5 | 6 | 7 | 8 | 9 | 10 | 11 | 12 |

낙엽 소교목. 높이 8~10m. 줄기껍질은 회갈색이며 가시가 있다. 잎은 어긋나고 달걀모양, 깃 모양으로 약간 갈라지고 길이 5cm 정도이다. 꽃은 5~6월에 산방화서로 피고 지름 1.8cm 정도이며, 백색이다. 열매는 둥글다.

분포 · 생육지 유럽. 산기슭이나 마을 근처의 약간 서늘한 곳에서 자란다.

약용 부위 · 수치 잎은 여름에, 열매는 초가을에 채취하여 말린다.

약물명 Crataegi Folium. Crataegi Fructus라고도 한다.

약효 순환계에 효능이 있으므로 고혈압, 이뇨, 신장염을 치료한다.

사용법 Crataegi Folium 10g에 물 3컵(600 mL)을 넣고 달여서 복용한다.

❍ 붉은산사(열매)

[장미과]

아광나무

 식체육적, 완복창통　♀ 산후어통

칠창, 동창

● 학명 : *Crataegus maximowiczii* C. K. Schneider
● 한자명 : 毛山査, 深山山査木　● 별명 : 뫼찔광나무

| 1 | 2 | 3 | 4 | 5 | 6 | 7 | 8 | 9 | 10 | 11 | 12 |

낙엽 소교목. 높이 5m 정도. 잎은 어긋나고 타원형, 얕은 결각이 있다. 꽃은 5월에 산방화서로 피고 백색이다. 열매는 이과로 둥글고 붉은색으로 익는다.

분포 · 생육지 우리나라 북부 지방. 중국, 아무르, 우수리, 시베리아 사할린. 산골짜기에서 자란다.

약용 부위 · 수치 열매를 가을에 익었을 때 채취하여 말린다.

약물명 야산사(野山査)

약효 건비소식(健脾消食), 활혈화어(活血化瘀)의 효능이 있으므로 식체육적(食滯肉積), 완복창통(腕腹脹痛), 산후어통(産後瘀痛), 칠창(漆瘡), 동창(凍瘡)을 치료한다.

성분 quercetin, hyperoside, chlorogenic acid, ursolic acid 등이 함유되어 있다.

사용법 야산사 10g에 물 3컵(600mL)을 넣고 달여서 복용하거나 술에 담가서 복용한다. 칠창(漆瘡), 동창(凍瘡)에는 물에 달인 액을 자주 바른다.

● 아광나무(꽃)

● 아광나무

[장미과]

서양산사나무

 심부전, 서맥증

● 학명 : *Crataegus monogyna* Jacq.　● 영명 : Hawthorn　● 별명 : 서양찔광이

| 1 | 2 | 3 | 4 | 5 | 6 | 7 | 8 | 9 | 10 | 11 | 12 |

낙엽 소교목. 높이 10m 정도. 가시가 있다. 잎은 어긋나고, 꽃은 5월에 산방화서로 피고 지름 1.8cm 정도, 백색이다. 꽃잎은 둥글며 꽃받침잎과 더불어 각각 5개이다. 열매는 둥글고 지름 1.5cm 정도이다.

분포 · 생육지 유럽. 산기슭이나 마을 근처에서 자란다.

약용 부위 · 수치 열매를 가을에 채취하여 말린다.

약물명 Crataegi Monogynae Fructus

약효 심부전(NYHA 단계 I과 II)과 서맥증(徐脈症)을 치료한다.

성분 vitexin–rhamnoside, hyperoside, chlorogenic acid, caffeic acid, procyanidin, flavonoid 등이 함유되어 있다.

약리 procyanidin과 flavonoid는 각종 효소 및 Na^+-K^+ ATPase의 활성을 억제하고, 심박량과 수축력을 증가시킨다. 에탄올 추출물은 관상 동맥의 혈류량을 증가시키고, 항서맥 효능이 있다.

사용법 Crataegi Monogynae Fructus. 10g에 물 3컵(600mL)을 넣고 달여서 복용하거나 술에 담가서 복용한다.

＊ 서양산사나무(열매), 마늘(기름), 멜리사(잎), 은행나무(잎)으로 만든 혈액 순환 개선제가 시판되고 있다.

● Crataegi Monogynae Fructus

● Crataegi Monogynae Fructus(절편)

● 열매　　● 서양산사나무

[장미과]

산사나무

음식적체, 완복창통, 설사이질 | 칠창, 궤양불렴
고지혈증, 고혈압 | 혈어통경, 산후복통

● 학명 : *Crataegus pinnatifida* Bunge ● 영명 : Chinese hawthorn
● 한자명 : 山査 ● 별명 : 찔광이

| 1 | 2 | 3 | 4 | 5 | 6 | 7 | 8 | 9 | 10 | 11 | 12 |

낙엽 관목. 높이 5m 정도. 줄기껍질은 회색이며 가시가 있다. 잎은 어긋나고 깃 모양으로 갈라진다. 꽃은 백색, 5월에 산방화서로 피고, 꽃잎과 꽃받침은 각각 5개, 수술은 20개, 암술대는 3~5개이다. 열매는 둥글고 지름 1.5cm 정도로 붉은색으로 익으며 백색 반점이 있다.

분포·생육지 우리나라 전역. 중국, 일본, 아무르. 산기슭이나 마을 근처에서 자란다.

약용 부위·수치 열매는 초가을에 붉게 성숙할 때 채취하여 말린다. 종자를 제거하고 그대로 사용하거나, 주침(酒浸)하거나 주증(酒蒸)하여 사용한다. 잎은 여름에 채취하여 말린다.

약물명 열매를 산사자(山査子)라고 하며, 산사육(山査肉)이라고도 한다. 잎을 산사엽(山査葉)이라고 한다. 산사자(山査子)는 대한민국약전(KP)에 수재되어 있다.

본초서 당대(唐代)의 본초서인 「신수본초(新修本草)」에 "적과목(赤瓜木)의 별명을 산사육(山査肉)이라고 한다."고 하였으며, "산에서 나고 열매가 거칠다 하여 산사(山査)라 한다."고 하였다. 「동의보감(東醫寶鑑)」에 "음식을 먹고 체하거나 신경을 많이

써 체했을 때 몸속에 덩어리가 생긴 것을 풀어 준다. 비장과 위장을 튼튼히 하여 이질, 설사를 그치게 하며 종기를 낫게 한다."고 하였다.

新修本草: 汁服主水痢, 沐頭及洗身上瘡瘍.

本草綱目: 化飲食, 消肉積, 癥瘕, 痰飲痞滿吞酸, 滯血痛瘡.

東醫寶鑑: 消食積 化宿滯 行結氣 消積塊 痰塊 健脾開隔 療痢疾兼催瘡痛.

성상 산사자(山査子)는 열매가 절단되어 있으며 지름 1~1.5cm, 표면은 황갈색~적갈색을 띠며 주름이 많다. 횡단면은 5실로 되며, 각 실에는 종자가 1개씩 들어 있다. 종자는 지름 6~8mm이며 담갈색으로 단단하다. 특이한 냄새가 있으며, 맛은 약간 시다.

기미·귀경 산사자(山査子): 미온(微溫), 산(酸), 감(甘)·비(脾), 위(胃), 간(肝). 산사엽(山査葉): 산(酸), 평(平)·간(肝).

약효 산사자(山査子)는 소식적(消食積), 화체어(化滯瘀)의 효능이 있으므로 음식적체, 완복창통(脘腹脹痛), 설사이질, 혈어통경(血瘀痛經), 산후복통, 고지혈증을 치료한다. 산사엽(山査葉)은 지양(止痒), 염창(斂瘡), 강혈압(降血壓)의 효능이 있으므로 칠창(漆

瘡), 궤양불렴(潰瘍不斂), 고혈압을 치료한다.

성분 hyperoside, quercetin, kaempferol, pinnatifinoside A, B, C, D, crataegolic acid, oleanolic acid, chlorogenic acid, citric acid trimethylester, ursolic acid, uvaol, hyperin, vitexin-4″-O-glucoside 등이 함유되어 있다.

약리 마취시킨 토끼에게 산사자(山査子)에 탄올추출물을 정맥주사하면 혈압을 하강시켜 3시간 지속되며, 두꺼비의 전신 혈관에 주사하면 혈관이 확장된다. 달인 액은 적리균, 녹농균에 항균 작용이 있고, 유동추출물은 혈중 콜레스테롤을 저하시킨다. vitexin-4″-O-glucoside는 항산화 작용이 있다.

사용법 산사자 또는 산사엽 10g에 물 3컵(600mL)을 넣고 달여서 복용하거나 술에 담가서 복용한다.

처방 산사국출환(山査麴尤丸): 백출(白尤) 80g, 산사자(山査子)·신국(神麴) 각 60g, 황금(黃芩)·작약(芍藥)·반하(半夏) 각 20g, 1알을 0.3g으로 하여 1회 50알 복용(「동의보감(東醫寶鑑)」). 노인들의 소화불량 또는 설사에 사용한다.

• 산사안심환(山査安心丸): 산사자(山査子)·선학초(仙鶴草)·감초(甘草) 각 6g, 영사(靈砂) 4g, 용뇌(龍腦) 2g, 꿀(적당량), 1회 5g 복용(「동약건강(東藥健康)」). 자율신경 장애에 의한 심장쇠약에 사용한다.

• 보화환(保和丸): 산사자(山査子)·반하(半夏)·나복자(蘿蔔子)·황련(黃連)·진피(陳皮) 각 20g, 신국(神麴) 12g, 맥아(麥芽)(「동의보감(東醫寶鑑)」). 소화불량으로 명치 밑이 그득하고 신물이 올라오는 증상에 사용한다.

※ 잎이 크고 얕게 갈라지며 길이 2cm 정도이고 열매는 9~10월에 붉은색으로 익으며 백색 반점이 있고 지름이 2.5cm인 '넓은잎산사나무(넓은잎산사, 큰아가위나무, 참찔광나무, 山里紅) *C. pinnatifida* var. *major*'도 약효가 같다.

○ 산사나무

○ 산사자(山査子, 절편)

○ 산사나무(열매)

○ 넓은잎산사나무

○ 산사자(山査子)

[장미과]

온발

 설사, 소화불량   천식성심장염
유방염 치질 결막염

● 학명 : *Cydonia oblonga* Mill. ● 영명 : Cydonian apple
● 한자명 : 榲桲 ● 별명 : 말메로

1	2	3	4	5	6	7	8	9	10	11	12

❶ 온발

소교목. 높이 8~10m. 줄기껍질은 회갈색이며 가시가 있다. 잎은 어긋나고 타원형, 잎맥이 분명하며 잎자루가 있다. 꽃은 5~6월에 가지 끝에서 연한 붉은색으로 핀다. 열매는 달걀 모양, 황갈색이고 표면에 솜털이 많다.

분포 · 생육지 페르시아 원산. 코카서스, 브라질, 아르헨티나, 중국에서 재식한다.

약용 부위 · 수치 열매를 가을에 채취하여 말려 두었다가 사용할 때 잘게 부순다.

약물명 온발(榲桲). 목이(木梨)라고도 한다.

약효 온중하기(溫中下氣), 소식(消食), 지사의 효능이 있으므로 설사, 유방염, 소화불량, 치질, 결막염, 천식성심장염을 치료한다.

사용법 온발 10g에 물 3컵(600mL)을 넣고 달여서 복용한다.

❶ 온발(꽃)

[장미과]

뱀딸기

열병 해수 사교상
 인후종통, 목적홍종, 치주염 이질

● 학명 : *Duchesnea chrysantha* (Zoll. et Morr.) Miq. [*Fragaria indica*]
● 영명 : false strawberry ● 한자명 : 蛇莓, 蠶莓, 野楊梅 ● 별명 : 배암딸기

1	2	3	4	5	6	7	8	9	10	11	12

여러해살이풀. 전체에 털이 많고, 줄기는 꽃이 필 때는 짧지만 열매가 익을 때는 마디에서 뿌리가 내려 길게 벋는다. 잎은 어긋나고 3출엽, 꽃은 4~5월에 피고 황색, 열매는 지름 10mm 정도, 수과가 점처럼 흩어져 있다.

분포 · 생육지 우리나라 전역. 중국, 일본, 말레이시아, 인도. 산과 들에서 자란다.

약용 부위 · 수치 지상부 또는 뿌리를 여름에 채취하여 흙과 먼지를 털어서 물에 씻어서 말린다.

약물명 지상부를 사매(蛇莓)라고 하며, 잠매(蠶莓), 야양매(野楊梅)라고도 하고, 뿌리를 사매근(蛇莓根)이라 한다.

본초서 사매(蛇莓)는 「명의별록(名醫別錄)」에 처음 수재되어, "가슴과 배에 열이 심하나 그치지 않는 것을 치료한다."고 하였으며 「동의보감(東醫寶鑑)」에도 「명의별록(名醫別錄)」에서의 약효 이외에 "생리불순, 옆구리 창종, 독사교상을 치료한다."고 하였다.
名醫別錄：主胸腹大熱不止.
東醫寶鑑：主胸腹大熱 通月經 脇瘡腫 付蛇毒咬.

약효 사매(蛇莓)는 청열해독(淸熱解毒), 양혈지혈(涼血止血), 산어소종(散瘀消腫)의 효능이 있으므로 열병(熱病), 발작, 해수, 인후종통, 이질, 사교상(蛇蛟傷) 등을 치료한다. 사매근(蛇莓根)은 청열사화(淸熱瀉火), 해독소종(解毒消腫)의 효능이 있으므로 열병, 목적홍종(目赤紅腫), 치주염을 치료한다.

성분 사매(蛇莓)는 gomisin A, N, *trans*-tiliroside, isovitexin, kaempferol-3-*O*-β-glucoside, kaempferol-7-*O*-β-glucoside 등이 함유되어 있다.

약리 Sarcoma 180을 쥐에 이식한 뒤 열수 분획물을 투여한 군에서 생명 연장 효과가 있고 자궁 수축 작용이 있다. 에탄올추출물은 아토피 동물 모델에서 항아토피 효과가 있으며, IgE 및 히스타민 유리 억제 효과가 있다.

사용법 사매 또는 사매근 10g에 물 3컵(600mL)을 넣고 달여서 복용하거나 생즙을 내어 복용하고, 외용에는 짓찧어 바른다.

❶ 뱀딸기

❶ 사매(蛇莓)

❶ 뱀딸기(열매)

[장미과]

비파나무

폐열해수 · 비출혈 · 구토, 토혈

● 학명 : *Eriobotrya japonica* Lindl. ● 영명 : Loquat ● 한자명 : 枇杷, 琵琶

1	2	3	4	5	6	7	8	9	10	11	12

상록 소교목, 높이 6~8m. 줄기껍질은 회갈색, 잎은 어긋나고 뒷면은 갈색 솜털로 덮여 있다. 꽃은 10~11월에 피며 지름 1cm 정도, 백색이다. 꽃받침과 꽃잎은 각각 5개, 수술은 20개, 암술대는 5개이다. 열매는 구형 또는 타원형, 지름 3~4cm, 다음 해 6월에 황색으로 익는다.

분포 · 생육지 중국, 일본 원산. 우리나라 남부 지방에서 재식한다.

약용 부위 · 수치 열매와 잎을 초여름에 채취하여 말린다.

약물명 잎을 비파엽(枇杷葉), 열매를 비파(枇杷)라고 한다. 비파엽(枇杷葉)은 대한민국약전외한약(생약)규격집(KHP)에 수재되어 있다.

본초서 비파엽(枇杷葉)은 「명의별록(名醫別錄)」의 중품(中品)에 수재되었고, 구종석(寇宗奭)은 "잎의 모양이 비파(琵琶)와 비슷하므로 붙여진 이름이다."라고 하였다. 소송(蘇頌)은 "나무의 높이는 1장(丈) 정도이며, 잎은 길고 크며 뒷면에 황색 털이 많고 겨울에 백화가 피며 3~4월에 열매를 맺고 크기는 달걀 정도이고 4월에 잎을 채취하여

햇볕에 말려 약으로 사용한다."고 하였다. 「신수본초(新修本草)」에는 "기침이 가라앉지 않는 것과 소화불량을 낫게 한다."고 하였다. 「동의보감(東醫寶鑑)」에는 비파엽(枇杷葉)은 "기침하면서 기운이 치밀고 음식이 내려가지 않아 위장이 가득 차서 구토를 하고 딸꾹질하는 것을 그치게 한다. 폐의 기능을 살려 주며 갈증을 해소한다."고 하였다. 비파(枇杷)는 "폐와 관련된 병을 치료하고 오장을 튼튼하게 하며 기운을 내린다."고 하였다.

新修本草: 主咳逆不下食.

東醫寶鑑: 枇杷葉 主咳逆不下食 胃冷嘔噦 治肺氣 主渴疾.

枇杷 治肺 潤五臟 下氣.

성상 타원형으로 가장자리에 톱니가 드문드문 있고 아래쪽에는 없으며 잎자루가 짧다. 윗면은 녹갈색이고 아랫면은 황록색이며 선모가 조밀하게 덮여 있다. 냄새는 없고 맛은 조금 쓰다.

기미 · 귀경 비파엽(枇杷葉): 미한(微寒), 고(苦), 신(辛) · 폐(肺), 위(胃). 비파(枇杷): 양(凉), 감(甘), 산(酸) · 폐(肺), 비(脾).

약효 비파엽(枇杷葉)은 청폐(淸肺), 화위(和胃), 강기(降氣), 화담(化痰)의 효능이 있으므로 폐열해수(肺熱咳嗽), 비출혈(鼻出血), 위열(胃熱)에 의한 구토를 치료한다. 비파(枇杷)는 윤폐(潤肺), 지갈(止渴), 하기(下氣)의 효능이 있으므로 폐병에 의한 해수, 토혈, 구토를 치료한다.

성분 비파엽(枇杷葉)에는 정유가 많이 함유되어 있으며 주성분은 nerolidol, farnesol, 그 외에 camphene, linalool, camphor, geraniol, elemol 등이다. 기타 성분으로는 ursolic acid, 2α-hydroxyursolic acid, sorbitol 등이 함유되어 있다. 종자는 amygdalin, ceryl alcohol, 4~hydroxymethyl-proline 등이 함유되어 있다.

약리 ursolic acid와 2α-hydroxyursolic acid는 MMP-2와 MMP-9의 활성을 억제한다. 잎의 열수추출물은 황색 포도상구균의 성장을 억제한다.

사용법 비파엽 또는 비파 각 10g에 물 3컵(600mL)을 넣고 달여서 복용하고, 외용에는 짓찧어 붙이거나 바른다.

처방 비파청폐음(枇杷淸肺飮): 비파엽(枇杷葉) · 상백피(桑白皮) · 사삼(沙蔘) · 치자(梔子) 각 12g, 황금(黃芩) · 감초(甘草) 각 4g, 황련(黃連) 2g (「의종금감(醫宗金鑑)」). 폐열에 의한 해천(咳喘)으로 황색의 가래가 나오고 입안이 마르는 증상에 사용한다.

• 백급비파환(白芨枇杷丸): 백급(白及) 30g, 비파엽(枇杷葉) · 우절(藕節) · 합분(蛤粉) · 아교(阿膠) 각 15g (「증치준승(症治準繩)」). 해수, 객혈, 해혈 등 폐경(肺經)의 출혈성 질환에 사용한다.

❖ 비파나무

❖ 비파나무(꽃)

❖ 비파(枇杷)

❖ 비파엽(枇杷葉, 절편)

❖ 비파엽(枇杷葉)

[장미과]

터리풀

| 풍습관절염 | 감기몸살 |
| 붕루, 월경과다 | 외상출혈 |

● 학명 : *Filipendula palmata* Max. var. *glabra* Ledeb. [*F. glaberrima* Nakai]
● 영명 : Meadowsweet ● 한자명 : 蚊子草 ● 별명 : 털이풀, 민털이풀

| 1 | 2 | 3 | 4 | 5 | 6 | 7 | 8 | 9 | 10 | 11 | 12 |

여러해살이풀. 높이 1~1.2m. 줄기는 곧게 서며 능선이 있다. 잎은 어긋나고 1회 깃꼴겹잎, 꽃은 백색, 6~7월에 많이 핀다. 꽃받침과 꽃잎은 각각 5개, 수술은 많고 꽃잎보다 길며 암술은 6~8개이다. 열매는 수과로 바늘 모양이고 휘어져 있다.

분포 · 생육지 우리나라 전역. 중국, 몽골, 아무르, 동시베리아. 산의 숲속에서 자란다.

약용 부위 · 수치 전초를 여름철에 채취하여 적당한 크기로 썰어서 말린다.

약물명 문자초(蚊子草)

약효 거풍제습(祛風除濕), 발한퇴열(發汗退熱), 지혈의 효능이 있으므로 풍습관절염, 감기몸살, 붕루(崩漏), 월경과다, 외상출혈을 치료한다.

성분 methylsalicylate, anthocyanin, quercetin 등이 함유되어 있다.

사용법 문자초 10g에 물 3컵(600mL)을 넣고 달여서 복용하고, 화상과 동상에는 짓찧어 바른다.

＊ 잎이 손바닥 모양으로 심하게 갈라지는 '단풍터리풀 *F. multijuga*', 꽃이 적자색이고 잎의 갈라진 조각이 달걀 모양이며 뒷면 맥 위에만 털이 있는 '붉은터리풀 *F. purpurea*' 도 약효가 같다.

❶ 문자초(蚊子草)

❶ 터리풀(뿌리)

❶ 터리풀(열매)

❶ 터리풀

❶ 단풍터리풀

❶ 붉은터리풀

서양터리풀

신장염, 요로결석, 전립선염, 방광염

기침

● 학명 : *Filipendula spiraea* Mill.   ● 영명 : Medowsweet

| 1 | 2 | 3 | 4 | 5 | 6 | 7 | 8 | 9 | 10 | 11 | 12 |

○ Filipendulae Herba

여러해살이풀. 높이 1.5m 정도. 줄기는 곧게 서며 털이 거의 없다. 잎은 어긋나고 손바닥 모양으로 3~7개로 갈라지며, 갈라진 조각은 뾰족하다. 꽃은 6~7월에 취산상 산방화서로 많이 피며 백색이다.

분포·생육지 유럽, 북아메리카, 남아메리카. 산지에서 자란다.

약용 부위·수치 전초를 여름철에 채취하여 적당한 크기로 썰어서 말린다.

약물명 Filipendulae Herba

약효 신장염, 요로결석, 전립선염, 기침, 방광염을 치료한다.

사용법 전초 10g에 물 3컵(600mL)을 넣고 달여서 복용한다.

○ 서양터리풀

미국터리풀

고혈압   피부염   신장염, 방광염

관절염, 신경통, 류머티즘, 통풍

● 학명 : *Filipendula ulmaria* L.   ● 영명 : Meadowsweet

| 1 | 2 | 3 | 4 | 5 | 6 | 7 | 8 | 9 | 10 | 11 | 12 |

○ 미국터리풀(열매)

여러해살이풀. 높이 1~1.2m. 줄기는 곧게 서며 능선이 있다. 잎은 어긋나고 손바닥 모양으로 5~7개로 갈라진다. 꽃은 백색, 6~7월에 많이 핀다. 꽃받침과 꽃잎은 각각 5개, 수술은 많고 꽃잎보다 길며, 암술은 6~8개이다. 열매는 수과이다.

분포·생육지 북아메리카, 남아메리카 브라질, 칠레, 아르헨티나. 산의 숲속에서 자란다.

약용 부위·수치 전초를 여름철에 채취하여 적당한 크기로 썰어서 말린다.

약물명 합엽자(合葉子)

약효 평간강압(平肝降壓), 거부렴창(祛腐斂瘡)의 효능이 있으므로 고혈압, 관절염, 신경통, 류머티즘, 통풍, 피부염, 신장염, 방광염을 치료한다.

성분 methylsalicylate, anthocyanin, quercetin 등이 함유되어 있다.

사용법 합엽자 10g에 물 3컵(600mL)을 넣고 달여서 복용한다.

○ 미국터리풀

[장미과]

딸기

 구갈　　 식욕부진, 소화불량

● 학명 : *Fragaria ananassa* Duch. ● 영명 : strawberry
● 한자명 : 草莓 ● 별명 : 양딸기, 재배종딸기

| 1 | 2 | 3 | 4 | 5 | 6 | 7 | 8 | 9 | 10 | 11 | 12 |

여러해살이풀. 전체에 털이 있고, 꽃이 진 다음 기는줄기를 내어 번식한다. 잎은 뿌리에서 모여나고, 잎자루가 길며 3출엽, 꽃은 백색, 꽃받침은 꽃이 진 다음 육질화하여 붉은색으로 익으며 곰보같이 파진 곳에 열매가 들어 있다.
분포·생육지 남아메리카 원산. 우리나라 전역에서 재배한다.
약용 부위·수치 꽃이 핀 후 한 달 뒤에 열매가 성숙하면 채취한다.
약물명 초매(草莓)

약효 청량지갈(淸凉止渴), 건위소식(健胃消食)의 효능이 있으므로 구갈(口渴), 식욕부진, 소화불량을 치료한다.
성분 ellagic acid, 2-hexen-1-al, furfuraldehyde, octyl alcohol, linalool, methylsalicylate, pelargonic acid, 2-methylnaphthalene, catechin, epicatechin 등이 함유되어 있다.
약리 ellagic acid는 수종의 암세포에 증식 억제 작용을 나타낸다.
사용법 초매를 1회 30~40g을 복용한다.

❶ 초매(草莓)

❶ 딸기(꽃)

❶ 초매(草莓)로 만든 건강식품

❶ 딸기

[장미과]

황모초매

폐열해수　　 구설생창

● 학명 : *Fragaria nilgerrensis* Schlecht. ex Gay ● 한자명 : 黃毛草莓

| 1 | 2 | 3 | 4 | 5 | 6 | 7 | 8 | 9 | 10 | 11 | 12 |

여러해살이풀. 높이 10~25cm. 전체에 황색 털이 있고 마디에서 뿌리가 내린다. 잎은 뿌리에서 나오고 잎자루가 길며 3출엽이다. 꽃대는 5월에 자라며, 꽃은 지름 2cm 정도, 백색, 1~5개가 달린다.
분포·생육지 중국, 타이완. 해발 700~3,000m의 풀밭에서 자란다.
약용 부위·수치 전초를 여름철에 채취하여 물에 씻은 후 말린다.
약물명 백초매(白草莓)
약효 청폐지해(淸肺止咳), 해독소종(解毒消腫)의 효능이 있으므로 폐열해수(肺熱咳嗽), 구설생창(口舌生瘡)을 치료한다.
사용법 백초매 15g에 물 3컵(600mL)을 넣고 달여서 복용한다.

❶ 황모초매

[장미과]

들딸기

감모해수 · 인후염 · 이질 · 혈붕 · 혈뇨

●학명 : *Fragaria vesca* L. ●한자명 : 野草莓 ●별명 : 큰딸기, 야생딸기

| 1 | 2 | 3 | 4 | 5 | 6 | 7 | 8 | 9 | 10 | 11 | 12 |

○ 들딸기(꽃)

여러해살이풀. 전체에 털이 있고, 꽃이 진 다음 기는줄기를 내어 번식하며, 뿌리잎은 3출엽이다. 꽃은 백색, 꽃받침은 꽃이 진 다음 육질화하여 붉은색으로 익으며 곰보같이 팬 곳에 달걀 모양의 수과가 들어 있다.

분포·생육지 중국, 유럽, 남아메리카. 들이나 산지에서 자란다.

약용 부위·수치 전초를 여름에 채취하여 물에 씻어서 말린다.

약물명 야초매(野草莓)

약효 청열해독(清熱解毒), 수렴지혈(收斂止血)의 효능이 있으므로 감모해수(感冒咳嗽), 인후염, 이질, 혈붕(血崩), 혈뇨를 치료한다.

사용법 야초매 10g에 물 3컵(600mL)을 넣고 달여서 복용한다.

○ 들딸기

[장미과]

뱀무

두훈목현, 인후염 · 사지무력 · 해수토혈, 감기 · 월경불순 · 창종, 창절정독, 타박상 · 풍습비통 · 이질

●학명 : *Geum japonicum* Thunb. ●영명 : Japanese avens
●한자명 : 水楊梅 ●별명 : 배암무

| 1 | 2 | 3 | 4 | 5 | 6 | 7 | 8 | 9 | 10 | 11 | 12 |

여러해살이풀. 높이 25~100cm. 전체에 털이 있다. 뿌리잎은 깃 모양으로 갈라지고, 줄기잎은 어긋난다. 꽃은 6월에 피며 황색, 꽃받침과 꽃잎은 5개, 과탁에 길이 2~3mm의 털이 있고, 수과의 모임은 원형으로 너비 1.5cm 정도이다.

분포·생육지 우리나라 제주도, 울릉도, 경남북, 전남북. 일본, 중국 둥베이(東北) 지방. 산과 들에서 자란다.

약용 부위·수치 전초와 뿌리를 여름과 가을에 채취하여 물에 씻어서 말린다.

약물명 전초를 수양매(水楊梅), 뿌리를 수양매근(水楊梅根)이라고 한다.

기미·귀경 수양매(水楊梅): 한(寒), 고(苦), 신(辛)·간(肝), 신(腎). 수양매근(水楊梅根): 평(平), 신(辛), 감(甘)

약효 수양매(水楊梅)는 보허(補虛), 익신(益腎), 활혈, 해독의 효능이 있으므로 두훈목현(頭暈目眩), 사지무력, 해수토혈, 월경불순, 창종을 치료한다. 수양매근(水楊梅根)은 활혈거풍(活血祛風), 소종지통(消腫止痛)의 효능이 있으므로 창절정독(瘡癤疔毒), 인후염, 타박상, 감기, 풍습비통(風濕痺痛), 이질을 치료한다.

성분 gein(geoside), tannin 등이 함유되어 있다.

약리 수양매(水楊梅) 열수추출물을 쥐나 고양이에게 투여하면 이뇨 작용이 나타난다.

사용법 수양매와 수양매근 각 10g에 물 3컵(600mL)을 넣고 달여서 복용하고, 외용에는 짓찧어 바른다.

＊본 종에 비해 열매의 구자(鉤刺)에 선모가 없고 과탁의 털이 짧으며 측소엽이 2~5쌍인 '큰뱀무 *G. aleppicum*'도 약효가 같다.

○ 큰뱀무

○ 뱀무

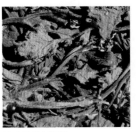

○ 수양매(水楊梅)

○ 수양매근(水楊梅根)

○ 뱀무(열매)

[장미과]

서양뱀무

설사, 소화불량, 식욕부진

인후염, 구내염

●학명 : *Geum urbanum* L.   ●영명 : Wood avens

| 1 | 2 | 3 | 4 | 5 | 6 | 7 | 8 | 9 | 10 | 11 | 12 |

여러해살이풀. 높이 50~60cm. 전체에 털이 있다. 뿌리줄기는 짧고 두꺼우며 흑색, 잔뿌리가 많이 달린다. 뿌리잎은 깃 모양으로 갈라지고 크며 가장자리에 불규칙한 톱니가 있다. 줄기잎은 어긋나고 작다. 꽃은 6월에 피며 황색, 꽃받침과 꽃잎은 5개, 과탁에 털이 있고, 수과의 털은 적갈색이다.

분포 · 생육지 유럽, 북아메리카, 남아메리카. 숲이나 강가에서 자란다.

약용 부위 · 수치 뿌리줄기를 여름과 가을에 채취하여 물에 씻어서 말린다.

약물명 Gei Rhizoma et Radix. 일반적으로 Wood avens라고 한다.

약효 설사와 소화불량, 식욕부진, 인후염, 구내염을 치료한다. 치약, 구강세척제 등으로도 사용한다.

성분 caffeic acid, chlorogenic acid, ellagic acid, gallic acid, protocatechuic acid, gemin A, D, pedunculagin, saguii H-6,

eugenol, myrtenal, catechol 타닌 등이 함유되어 있다.

약리 eugenol은 항균 작용이 있다. catechol 타닌은 수소와 이온 결합을 하기 때문에 수렴 작용과 항균력이 있다.

사용법 Gei Rhizoma et Radix 1g을 뜨거운 물에 우려내어 복용한다.

✪ 서양뱀무(뿌리줄기)

✪ 서양뱀무

[장미과]

황매화

오래된 기침   소화불량   수종

류머티즘   창독, 소아풍진

●학명 : *Kerria japonica* (L.) DC.   ●영명 : kerria   ●한자명 : 竹桃花, 棣棠花

| 1 | 2 | 3 | 4 | 5 | 6 | 7 | 8 | 9 | 10 | 11 | 12 |

낙엽 관목. 높이 2m 정도. 줄기는 모여나고, 잎은 어긋난다. 꽃은 4~5월에 가지 끝에 1개씩 달리며 지름 3~4cm이다. 꽃받침과 꽃잎은 각각 5개, 수술은 많으며 암술대와 길이가 비슷하고, 심피는 5개이다. 열매는 작은 견과로 꽃받침 안에서 9월경에 흑갈색으로 익는다.

분포 · 생육지 우리나라 중부 이남. 일본, 중국. 산기슭에서 자란다.

약용 부위 · 수치 전초를 가을부터 겨울까지 채취하여 말린다.

약물명 체당화(棣棠花). 계단화(鷄蛋花), 삼월화(三月花)라고도 한다.

약효 거풍(祛風), 윤폐(潤肺), 지해, 거담의

효능이 있으므로 오래된 기침, 소화불량, 수종(水腫), 류머티즘, 창독(瘡毒), 소아의 풍진을 치료한다.

성분 helenine, lutein, palmitic acid ester, pecolinaroside 등이 함유되어 있다.

약리 열수추출물을 쥐나 고양이에게 투여하면 이뇨 작용이 나타난다.

사용법 체당화 10g에 물 3컵(600mL)을 넣고 달여서 복용하고, 외용에는 달인 액으로 씻는다.

＊꽃잎이 매우 많은 '죽단화 *K. japonica* for. *plena*'도 약효가 같다.

✪ 체당화(棣棠花)

✪ 황매화

✪ 죽단화

[장미과]

능금나무

🔆 담음적식, 흉격비색 🏃 당뇨병

●학명 : *Malus asiatica* Nakai ●한자명 : 花紅 ●별명 : 능금

1	2	3	4	5	6	7	8	9	10	11	12

낙엽 소교목. 높이 10m 정도. 꽃받침의 기부가 혹처럼 부푼 것이 '사과나무'와 다르다. 열매는 10월에 적황색으로 익으며 겉에 흰 가루가 덮여 있고 지름 4~5.5cm이다.

분포·생육지 우리나라 중부 이남

약용 부위·수치 열매를 가을에 채취하여 바로 사용하거나 썰어서 말린다. 잎은 여름에 채취하여 썰어서 말린다.

약물명 임금(林檎). 문림랑과(文林郞果), 내금(來檎), 화홍과(花紅果), 사과(沙果), 밀과(蜜果)라고도 한다. 잎을 화홍엽(花紅葉)이라고 한다.

본초서 「동의보감(東醫寶鑑)」에는 임금(林檎)은 "갈증을 풀어 주고 구토와 설사가 계속되어 배가 아픈 것을 낮게 하며 담을 삭이고 피고름이 섞인 대변을 낮게 한다."고 하였다.

東醫寶鑑 : 止消渴 治霍亂頭痛 消痰 止痢.

기미·귀경 임금(林檎): 온(溫), 산(酸), 감(甘)·위(胃), 대장(大腸)

약효 임금(林檎)은 하기관흉(下氣寬胸), 생진지갈(生津止渴), 화중지통(和中止痛)의 효능이 있으므로 담음적식(痰飮積食), 흉격비색(胸膈痞塞), 당뇨병을 치료한다.

사용법 임금 15g에 물 3컵(600mL)을 넣고 달여서 복용하거나 술에 담가서 복용한다.

○ 능금나무

○ 능금나무(꽃)

[장미과]

야광나무

🔆 이질, 토사, 장염 🧴 각종 감염증

●학명 : *Malus baccata* Borkh. ●한자명 : 山荊子 ●별명 : 동배나무, 아가위나무, 매지나무

1	2	3	4	5	6	7	8	9	10	11	12

낙엽 관목. 높이 6m 정도. 줄기껍질은 회갈색, 외피가 갈라지고 떨어져 나가기 쉽다. 잎은 어긋나고 타원형, 잎자루가 길다. 꽃은 5월에 피고 지름 3.5cm 정도로 백색 또는 연한 붉은색이며 암술대 기부에 털이 있다. 열매는 지름 1cm 정도로 10월에 붉은색으로 익는다.

분포·생육지 우리나라 중부 이북. 중국, 몽골, 아무르, 우수리, 동시베리아. 산골짜기에서 자란다.

약용 부위·수치 열매를 가을에 채취하여 말린다.

약물명 산형자(山荊子)

약효 소염, 살균의 효능이 있으므로 이질, 토사, 장염 및 각종 감염증을 치료한다.

사용법 산형자 15g에 물 3컵(600mL)을 넣고 달여서 복용하거나 술에 담가서 복용한다.

* 잎자루와 잎 뒷면에 털이 많은 '털야광나무 var. *mandshurica*', 가지가 많은 '개야광나무 for. *minor*'도 약효가 같다.

○ 산형자(山荊子)

○ 야광나무(열매)

○ 야광나무

개아그배나무

설사, 이질

❂ 개아그배나무(꽃)

- 학명 : *Malus micromalus* Makino
- 한자명 : 西部海棠 ● 별명 : 좀아그배나무, 제주아그배

| 1 | 2 | 3 | 4 | 5 | 6 | 7 | 8 | 9 | 10 | 11 | 12 |

낙엽 관목. 높이 6~7m. 가지는 자주색, 잎은 어긋나고 타원형, 잎자루가 길다. 꽃은 5~6월에 피고 백색, 꽃받침과 꽃받침통은 길이가 비슷하다. 열매는 지름 1.5cm 정도, 황색 또는 붉은색으로 익는다.

분포 · 생육지 우리나라 제주도. 중국. 산골짜기에서 자란다.

약용 부위 · 수치 열매를 가을에 채취하여 말린다.

약물명 해홍(海紅). 적당(赤棠), 해당이(海棠李)라고도 한다.

약효 삽장지리(澀腸止痢)의 효능이 있으므로 설사, 이질을 치료한다.

사용법 해홍 15g에 물 3컵(600mL)을 넣고 달여서 복용한다.

❂ 개아그배나무

사과나무

당뇨병 　 비허설사, 식후복창
열독창양 　 산후혈훈, 월경부조

- 학명 : *Malus pumila* Miller var. *dulcissima* Koidz. ● 영명 : Apple
- 한자명 : 苹果 ● 별명 : 사과

| 1 | 2 | 3 | 4 | 5 | 6 | 7 | 8 | 9 | 10 | 11 | 12 |

낙엽 소교목. 높이 10m 정도. 작은가지에 가시가 없다. 잎은 어긋나고 타원형, 가장자리에 뾰족한 잔톱니가 있고 잎자루가 길다. 꽃은 5월에 피고 지름 4~5cm로 연한 붉은색, 5~7개가 산형으로 달린다. 열매는 지름 10cm 정도로 붉은색으로 익는다.

분포 · 생육지 유럽 동남부 및 아시아 서부 원산. 우리나라 전역에서 재식한다.

약용 부위 · 수치 열매를 가을에 채취하고, 잎은 여름에 채취하여 말린다.

약물명 열매를 평과(苹果)라고 하며, 내(柰), 내자(柰子)라고도 한다. 잎은 평과엽(苹果葉)이라 한다.

본초서 「동의보감(東醫寶鑑)」에는 내자(柰子)라는 이름으로 수재되어 "심장의 기능을 돕고 비장의 기운을 고르게 하며 중초(中焦)의 부족한 기운을 도와준다."고 하였다. 東醫寶鑑: 益心氣 和脾 補中焦諸不足氣.

약효 평과(苹果)는 익위(益胃), 생진(生津), 제번(除煩), 성주(醒酒)의 효능이 있으므로 당뇨병, 비허설사, 식후복창, 음주과도를 치료한다. 평과엽(苹果葉)은 양혈해독(凉血解毒)의 효능이 있으므로 산후혈훈(産後血暈), 월경부조, 발열(發熱), 열독창양(熱毒瘡瘍)을 치료한다.

성분 cyanidin-3-glucoside, cyanidin-3-xyloside, quercetin, quercitrin, rutin, hyperin, quercetin glucoside 등이 함유되어 있다.

사용법 평과는 적당량을 생식하거나 즙을 내어 복용한다. 평과엽은 50g에 물 4컵(800mL)을 넣고 달여서 복용하고, 외용에는 짓찧어 바른다.

❂ 평과(苹果)

❂ 평과엽(苹果葉)으로 만든 건강식품

❂ 꽃　　　　❂ 사과나무

[장미과]

아그배나무

🌀 음식적체

● 학명 : *Malus sieboldii* (Regel) Rehder [*M. toringo, Pyrus sieboldii*]
● 한자명 : 三葉海棠 ● 별명 : 시볼드아그배나무, 삼엽매지나무

| 1 | 2 | 3 | 4 | 5 | 6 | 7 | 8 | 9 | 10 | 11 | 12 |

낙엽 관목. 높이 6m 정도. 잎은 어긋나고 타원형이지만, 맹아(萌芽)의 잎은 3~5개로 갈라진다. 꽃은 5월에 피고 백색 또는 연한 붉은색이며, 꽃받침은 빨리 떨어진다. 열매는 이과로 지름 5~7mm, 황색 또는 붉은색으로 익는다.

분포 · 생육지 우리나라 중부 이북. 중국, 몽골, 아무르, 우수리, 동시베리아. 산골짜기에서 자란다.

약용 부위 · 수치 열매를 가을에 채취하여 말린다.

약물명 삼엽해당(三葉海棠)

약효 소식건위(消食健胃)의 효능이 있으므로 음식적체(飲食積滯)를 치료한다.

사용법 삼엽해당 15g에 물 3컵(600mL)을 넣고 달여서 복용한다.

🔾 삼엽해당(三葉海棠)

🔾 아그배나무

🔾 아그배나무(열매)

[장미과]

나도국수나무

🫀 수종   🫁 해혈

● 학명 : *Neillia uyekii* Nakai
● 한자명 : 釣杆柴 ● 별명 : 나두국수나무, 조팝나무아재비

| 1 | 2 | 3 | 4 | 5 | 6 | 7 | 8 | 9 | 10 | 11 | 12 |

낙엽 관목. 높이 1~2m. 잎은 어긋나고 타원형, 가장자리에 겹톱니가 있다. 꽃은 백색, 5~6월에 새 가지 끝에 원추화서로 많이 달린다. 꽃받침통은 독 모양이며 선모가 빽빽이 난다. 삭과는 달걀 모양, 선모가 많고 씨방은 1실이다.

분포 · 생육지 우리나라 전역. 중국, 일본. 산골짜기와 산기슭에서 자란다.

약용 부위 · 수치 뿌리를 봄과 여름에 채취하여 물에 씻은 뒤 썰어서 말린다.

약물명 조간시(釣杆柴)

약효 이수소종(利水消腫), 청열지혈(淸熱止血)의 효능이 있으므로 수종(水腫), 해혈(咳血)을 치료한다.

사용법 조간시 30g에 물 4컵(800mL)을 넣고 달여서 복용한다.

🔾 나도국수나무(꽃)

🔾 나도국수나무(열매)

🔾 나도국수나무

[장미과]

화서소석적

창양종독　인후종통
장풍하혈　풍습비통

●학명 : *Osteomeles schwerinae* Schneid. [*O. chinensis*]　●한자명 : 華西小石積

| 1 | 2 | 3 | 4 | 5 | 6 | 7 | 8 | 9 | 10 | 11 | 12 |

❂ 화서소석적

낙엽 관목. 높이 1~3m. 잎은 어긋나고 홀수 깃꼴겹잎, 작은잎은 마주나며 타원형으로 가장자리가 밋밋하다. 꽃은 백색, 4~5월에 산방화서로 핀다. 꽃받침통은 독 모양이며 선모가 빽빽이 난다. 열매는 삭과로 구형, 흑남색이다.

분포·생육지 중국, 유럽. 해발 1,500~3,000m의 산지에서 자란다.

약용 부위·수치 잎을 봄과 여름에 채취하여 물에 씻은 뒤 썰어서 말린다.

약물명 화서소석적(華西小石積). 호엽엽(蒿葉葉)이라고도 한다.

약효 청열해독(淸熱解毒), 수렴지사(收斂止瀉), 거풍제습(祛風除濕)의 효능이 있으므로 창양종독(瘡瘍腫毒), 인후종통(咽喉腫痛), 장풍하혈(腸風下血), 풍습비통(風濕痺痛)을 치료한다.

사용법 화서소석적 10g에 물 3컵(600mL)을 넣고 달여서 복용한다.

[장미과]

홍가시나무

구충 구제　하혈, 소변불리
타박상　두통

●학명 : *Photinia glabra* (Thunb.) Max.　●한자명 : 醋林　●별명 : 홍가시, 붉은순나무

| 1 | 2 | 3 | 4 | 5 | 6 | 7 | 8 | 9 | 10 | 11 | 12 |

상록 관목. 높이 5m 정도. 잎은 어긋난다. 꽃은 백색, 5~6월에 새 가지 끝에 원추화서로 달린다. 꽃받침은 삼각형, 꽃잎은 기부에 털이 있다. 수술은 20개, 씨방중위이다. 열매는 달걀 모양, 지름 5~6mm, 끝에 꽃받침이 달려 있으며 붉은색으로 익는다.

분포·생육지 일본 원산. 우리나라 남부 지방에서 정원에 관상용으로 재식한다.

약용 부위·수치 열매를 가을에 채취하여 썰어서 말린다.

약물명 열매를 초림자(醋林子), 잎을 광엽석남(光葉石楠)이라 한다.

약효 초림자(醋林子)는 살충, 지혈, 삽장(澁腸), 생진(生津), 해주(解酒)의 효능이 있으므로 장내 기생충, 치질에 의한 하혈, 만성적인 설사를 치료한다. 광엽석남(光葉石楠)은 청열이뇨(淸熱利尿), 소종지통(消腫止痛)의 효능이 있으므로 소변불리, 타박상, 두통을 치료한다.

성분 초림자는 cyanidin-3-*O*-monoglucoside, pelargonidin-3-*O*-monoglucoside, cyanidin-3-*O*-rutinoside, pelargonidin-3-*O*-rutinoside 등이 함유되어 있다.

사용법 초림자는 1~3g을 가루 내어 복용하고, 광엽석남은 7g에 물 3컵(600mL)을 넣고 달여서 복용한다.

❂ 홍가시나무(새순)

❂ 광엽석남(光葉石楠)

❂ 광엽석남(光葉石楠, 절편)

❂ 홍가시나무

[장미과]

석남

  풍습비통, 각슬위약, 신허요통

 두풍두통 풍진 양위, 유정

● 학명 : *Photinia serrulata* Lindl. ● 한자명 : 石南

1 2 3 4 5 6 7 8 9 10 11 12

○ 석남(열매)

○ 석남(줄기)

상록 관목. 높이 5m 정도. 작은가지는 회갈색이다. 잎은 어긋나고 타원형, 길이 10~20cm, 가장자리에 잔톱니가 있다. 꽃은 백색, 4~5월에 산방화서로 많이 달린다. 수술은 20개, 씨방중위, 2실, 암술대는 2개이다. 열매는 타원상 구형이고 지름 5~6mm, 붉은색으로 익는다.

분포 · 생육지 중국 장쑤성(江蘇省), 간쑤성(甘肅省), 산시성(陝西省). 타이완. 양지바른 곳에서 자란다.

약용 부위 · 수치 잎과 가지를 여름에 채취하여 썰어서 말리고, 열매는 가을에 채취하여 말린다.

약물명 잎과 가지를 석남(石南)이라고 하며, 풍약(風藥)이라고도 한다. 열매를 석남실(石南實)이라 한다.

본초서 석남(石南)과 석남실(石南實)은 모두 「신농본초경(神農本草經)」에 수재된 약물이다. 「본초강목(本草綱目)」에는 "바위(石)가 많고 햇볕이 잘 드는 곳에서 자라므로 석남(石南)이라고 한다."고 하였다. 「동의보감(東醫寶鑑)」에는 "근골의 병과 피부의 가려움증을 낫게 하고, 성 기능을 도우며 다리가 약한 것을 치료한다."고 하였다.

神農本草經: 石南 主養腎氣 內傷陰衰 利筋骨皮毛.
石南實 殺蟲毒 破積聚 逐風痹.
東醫寶鑑: 石南 主筋骨皮膚風 養腎强陰 療脚弱.

기미 · 귀경 석남(石南): 평(平), 고(苦), 신(辛) · 간(肝), 신(腎). 석남실(石南實): 평(平), 고(苦), 신(辛)

약효 석남(石南)은 거풍습(祛風濕), 지양(止痒), 강근골(强筋骨), 익간신(益肝腎)의 효능이 있으므로 풍습비통(風濕痹痛), 두풍두통(頭風頭痛), 풍진(風疹), 각슬위약(脚膝痿弱), 신허요통(腎虛腰痛), 양위(陽痿), 유정(遺精)을 치료한다. 석남실(石南實)은 거풍습(祛風濕), 소적취(消積聚)의 효능이 있으므로 풍비적취(風痹積聚)를 치료한다.

성분 석남(石南)에는 sakuranin, sorbitol, hydrocyanic acid, benaldehyde 등이 함유되어 있다.

약리 75% 달인 액을 토끼에게 정맥주사하면 심장이 흥분된다.

사용법 석남 또는 석남실 7g에 물 3컵(600mL)을 넣고 달여서 복용한다.

○ 석남

[장미과]

모엽석남

 적백이질, 구토   노상피핍

● 학명 : *Photinia villosa* (Thunb.) DC. [*Crataegus villosa*]
● 한자명 : 毛葉石南

1 2 3 4 5 6 7 8 9 10 11 12

○ 모엽석남(꽃)

상록 관목. 높이 3~5m. 작은가지는 회갈색, 잎은 어긋나고 회갈색, 타원형, 가장자리에 잔톱니가 있고 털이 많다. 꽃은 백색, 4월에 산방화서로 10~20개가 달린다. 열매는 달걀 모양, 지름 6~8mm, 붉은색~황적색으로 익는다.

분포 · 생육지 중국 산둥성(山東省), 장쑤성(江蘇省), 간쑤성(甘肅省), 산시성(陝西省), 타이완. 양지바른 곳에서 자란다.

약용 부위 · 수치 뿌리를 봄부터 가을에 채취하여 물에 씻은 후 썰어서 말린다.

약물명 모엽석남(毛葉石南)

약효 청열이습(淸熱利濕), 화중건비(和中健脾)의 효능이 있으므로 적백이질(赤白痢疾), 구토, 노상피핍(勞傷疲乏)을 치료한다.

사용법 모엽석남 10g에 물 3컵(600mL)을 넣고 달여서 복용한다.

○ 모엽석남

[장미과]

궐마

●학명 : *Potentilla anserina* L.   ●한자명 : 蕨麻

설사, 복통   구강염
치질   습진

| 1 | 2 | 3 | 4 | 5 | 6 | 7 | 8 | 9 | 10 | 11 | 12 |

여러해살이풀. 뿌리가 굵고 곧으며, 식물 전체에 솜털이 많아 녹백색이다. 뿌리잎은 깃꼴겹잎으로 6~11쌍, 가장자리에 날카로운 톱니가 있으며, 줄기잎은 작거나 퇴화되었다. 꽃은 5~7월에 황색으로 피고 지름 1~2cm, 꽃받침과 꽃잎은 각각 5개이다.

열매는 수과로 넓은 달걀 모양, 세로로 주름살이 있다.

분포 · 생육지 유럽, 북아메리카, 아시아 중국. 산과 들의 양지바른 곳에서 자란다.

약용 부위 · 수치 전초를 여름에 채취하여 말린다.

약물명 궐마(蕨麻)

약효 수렴(收斂), 진경(鎭痙)의 효능이 있으므로 설사, 구강염, 복통, 치질, 습진을 치료한다.

성분 quercetin, kaempferol, myricetin, ellagic acid의 monomeric과 dimeric ellagitannin 등이 함유되어 있다.

약리 ellagitannin은 수종의 병원균에 항균 활성을 나타내고, 항염증, 지혈 작용이 있다.

사용법 궐마 2~3g을 뜨거운 물로 우려내어 복용한다.

❶ 궐마

❶ 궐마(잎)

[장미과]

물싸리풀

붕루, 산후출혈   이질
치창

●학명 : *Potentilla bifurca* L. var. *glabrata* Lehmann
●한자명 : 二裂委陵菜   ●별명 : 풀매화, 풀물싸리

| 1 | 2 | 3 | 4 | 5 | 6 | 7 | 8 | 9 | 10 | 11 | 12 |

여러해살이풀. 높이 20cm 정도. 잎은 어긋나고 1회 깃꼴겹잎, 작은잎은 긴 타원형으로 거치가 없다. 꽃은 황색, 6월에 취산화서로 피고, 꽃받침과 꽃잎은 각각 5개이다. 열매는 수과로 긴 털이 빽빽이 난다.

분포 · 생육지 우리나라 함남, 함북. 중국, 몽골, 아무르, 다후리아. 고산 및 고원에서 자란다.

약용 부위 · 수치 전초를 여름에 채취하여 말린다.

약물명 계관초(鷄冠草), 지홍화(地紅花), 토지유(土地榆)라고도 한다.

기미 · 귀경 미한(微寒), 감(甘), 고(苦) · 대장(大腸), 간(肝)

약효 양혈지혈(凉血止血), 해독의 효능이 있으므로 붕루(崩漏), 산후출혈, 이질, 치창(痔瘡)을 치료한다.

사용법 계관초 10g에 물 3컵(600mL)을 넣고 달여서 복용한다.

❶ 물싸리풀

[장미과]

딱지꽃

이질
골격통, 근육통
옴

● 학명 : *Potentilla chinensis* Ser. ● 영명 : Chinese cinquefoil
● 한자명 : 委陵菜, 翻白菜 ● 별명 : 갯딱지, 딱지, 당딱지꽃

| 1 | 2 | 3 | 4 | 5 | 6 | 7 | 8 | 9 | 10 | 11 | 12 |

여러해살이풀. 높이 30~60cm. 뿌리가 굵고 곧으며 전체에 긴 털이 많다. 뿌리잎과 줄기잎은 깃꼴겹잎이다. 꽃은 6~7월에 황색으로 피고 지름 1~2cm, 꽃받침과 꽃잎은 각각 5개이다. 열매는 수과로 넓은 달걀 모양, 세로로 주름이 지며 길이 1.3mm 정도이다.
분포 · 생육지 우리나라 전역. 중국, 일본, 몽골. 산과 들에서 자란다.

약용 부위 · 수치 뿌리가 달린 전초를 봄, 여름에 채취하여 말린다.
약물명 위릉채(委陵菜). 번백초(翻白草), 번백채(翻白菜)라고도 한다. 대한민국약전외한약(생약)규격집(KHP)에 수재되어 있다.
성상 전초로 뿌리는 원뿔 모양이고 약간 구부러졌으며 분지한 것도 있다. 근두부(根頭部)는 지름 3~5cm로 굵고 단단하다. 잎은

깃꼴겹잎이나 대부분 뭉쳐 있고 아랫면은 백색 털이 빽빽이 난다. 냄새는 향기롭고 맛은 쓰며 떫다.
기미 · 귀경 한(寒), 고(苦) · 대장(大腸), 폐(肺), 간(肝)
약효 거풍(祛風), 해독의 효능이 있으므로 이질, 골격통, 근육통, 옴을 치료한다.
성분 quercetin, kaempferol, gallic acid, anchoic acid, 3,3',4'-tri-*O*-methylellagic acid 등이 함유되어 있다.
약리 gallic acid는 수종의 병원균에 항균 활성을 나타낸다.
사용법 위릉채 10g에 물 3컵(600mL)을 넣고 달여서 복용하거나 술에 담가서 복용한다.
＊ 잎 앞면에 털이 많이 나 있는 '털딱지꽃 var. *spontanea*'도 약효가 같다.

● 위릉채(委陵菜)

● 위릉채(委陵菜, 중국산)

● 딱지꽃

[장미과]

물양지꽃

창독
구내염

● 학명 : *Potentilla cryptotaeniae* Max.
● 한자명 : 狼牙委陵菜 ● 별명 : 세잎딱지, 세잎물양지꽃

| 1 | 2 | 3 | 4 | 5 | 6 | 7 | 8 | 9 | 10 | 11 | 12 |

여러해살이풀. 높이 30~100cm. 뿌리잎은 꽃이 필 때 시들고, 줄기잎은 3출엽으로 어긋난다. 꽃은 7~8월에 피며 지름 1cm 정도, 황색이다. 꽃잎은 도란상 원형, 길이 4mm 정도, 꽃받침과 길이가 거의 같거나 약간 짧으며 작은 꽃줄기 윗부분과 꽃받침 밑부분에 융모가 있다. 꽃턱에 짧은 털이 있으며, 수과는 길이 1mm 정도, 잔주름이 있다.
분포 · 생육지 우리나라 전역. 중국, 일본, 사할린, 우수리. 심산 지역의 냇가에서 자란다.
약용 부위 · 수치 전초를 가을부터 겨울까지 채취하여 말린다.
약물명 낭아위릉채(狼牙委陵菜)
약효 해독, 항균, 지혈, 구충의 효능이 있으므로 창독, 구내염을 치료한다.
사용법 낭아위릉채 10g에 물 3컵(600mL)을 넣고 달여서 복용한다.

● 물양지꽃

● 낭아위릉채(狼牙委陵菜)

[장미과]

솜양지꽃

| 폐열해천, 폐옹, 해혈, 결핵 | 나력 |
| 말라리아 | 사리, 토혈 |

●학명 : *Potentilla discolor* Bunge ●한자명 : 翻白草 ●별명 : 칠양지꽃, 닭의발톱

| 1 | 2 | 3 | 4 | 5 | 6 | 7 | 8 | 9 | 10 | 11 | 12 |

여러해살이풀. 높이 15~40cm. 전체에 솜털이 빽빽이 나고 뿌리가 몇 개로 갈라져서 방추형으로 굵어진다. 뿌리잎은 홀수깃꼴겹잎이고 3~4쌍의 작은잎이 있으며, 줄기잎은 3출엽이다. 꽃은 4~8월에 피며 황색, 꽃잎은 5개, 수술과 암술이 많다. 열매는 수과로 털이 없으며 갈색이다.

분포·생육지 우리나라 전역. 중국, 일본. 산과 들에서 자란다.

약용 부위·수치 전초를 가을에 채취하여 흙과 먼지를 털어서 말린다.

약물명 번백초(翻白草)

○ 솜양지꽃

기미·귀경 평(平), 감(甘), 고(苦)·간(肝), 위(胃), 대장(大腸)

약효 청열해독(淸熱解毒), 지혈소종(消腫)의 효능이 있으므로 폐열해천(肺熱咳喘), 사리(瀉痢), 말라리아, 폐옹(肺癰), 해혈(解血), 토혈, 나력과 결핵을 치료한다.

성분 gallic acid, procatechuic acid, quercetin, naringenin, kaempferol, phtalic acid, rosamultin, tetracentronside B, 4-*O*-methylellagic acid 3'-*O*-α-L-rhamnopyranoside, vanillic acid 4-*O*-β-D-glucopyranoside 등이 함유되어 있다.

약리 열수추출물과 gallic acid는 수종의 병원균에 항균 작용이 있다. 4-*O*-methylellagic acid 3'-*O*-α-L-rhamnopyranoside는 쥐의 안구에 있는 aldose reductase의 활성을 억제한다.

사용법 번백초 10g에 물 3컵(600mL)을 넣고 달여서 복용하고, 외용에는 짓찧어 바른다.

○ 번백초(翻白草)

[장미과]

선딱지꽃

| 설사, 위염 | 구강염 |
| 치질 | 습진 |

●학명 : *Potentilla erecta* (L.) Raeusch [*P. tormentosa*] ●영명 : Tormentil

| 1 | 2 | 3 | 4 | 5 | 6 | 7 | 8 | 9 | 10 | 11 | 12 |

여러해살이풀. 높이 35~50cm. 뿌리가 굵고 곧으며 속은 붉은색이다. 잎은 5출엽으로 광택이 나고 가장자리에 톱니가 드문드문 있으며, 잎자루는 없다. 꽃은 5~7월에 황색으로 피고 지름 1~2cm, 꽃받침과 꽃잎은 각각 4개이다. 수과는 넓은 달걀 모양이다.

분포·생육지 유럽, 유라시아, 시베리아. 산과 들의 양지바른 곳에서 자란다.

약용 부위·수치 뿌리줄기를 여름에 채취하여 말린다.

약물명 Potentillae Rhizoma. 일반적으로 tormentil이라고 한다.

약효 수렴(收斂), 소염의 효능이 있으므로 설사, 구강염, 위염, 치질, 습진을 치료한다.

성분 oligomeric proanthocyanidine계 탄닌이 다량 함유되어 있으며 가수 분해성 탄닌은 agrimoniin, ellagitannin, catecholgallate이다. tormentoside, tormentillic acid의 배당체 등이 함유되어 있다.

약리 tormentoside, tormentillic acid의 배당체는 항염증, 항고혈압, 항알레르기 작용이 있고, 종양 세포 증식을 억제한다.

사용법 Potentillae Rhizoma 2~3g을 뜨거운 물로 우려내어 복용한다.

○ Potentillae Rhizoma

○ 선딱지꽃

[장미과]

양지꽃

 산기, 혈로, 부인과출혈, 산후오로

폐결핵, 객혈

● 학명 : *Potentilla fragarioides* L. var. *major* Max.
● 한자명 : 雉子筵　● 별명 : 소시랑개비, 큰소시랑개비

| 1 | 2 | 3 | 4 | 5 | 6 | 7 | 8 | 9 | 10 | 11 | 12 |

여러해살이풀. 높이 30~50cm. 전체에 긴 털이 있다. 뿌리잎은 사방으로 퍼지며, 줄기잎은 홀수 깃꼴겹잎, 위쪽의 세 잎은 크기가 비슷하나 밑부분의 잎은 작아진다. 꽃은 4~6월에 황색으로 핀다. 열매는 달걀 모양이며 길이 1mm 정도, 가는 주름살이 있다.

분포·생육지 우리나라 전역. 중국, 일본, 사할린, 우수리. 산과 들의 양지에서 자란다.

○ 양지꽃

약용 부위·수치 전초를 여름에 채취하여 흙과 먼지를 털어서 말린다.

약물명 지상부를 치자연(雉子筵). 뿌리를 치자연근(雉子筵根)이라 한다.

기미·귀경 치자연(雉子筵): 온(溫), 감(甘), 신(辛)·간(肝)

약효 치자연(雉子筵)은 활혈화어(活血化瘀), 양음청열(養陰淸熱)의 효능이 있으므로 산기(疝氣), 혈로(血癆)를 치료한다. 치자연근(雉子筵根)은 지혈의 효능이 있으므로 부인과출혈(자궁출혈, 자궁근종출혈, 월경과다), 산후오로(産後惡露), 폐결핵의 객혈을 치료한다.

성분 치자연(雉子筵)은 *d*-catechol 등이 함유되어 있다.

약리 *d*-catechol은 모세 혈관을 강화시키는 작용이 있다.

사용법 치자연 또는 치자연근 10g에 물 3컵(600mL)을 넣고 달여서 복용하고, 외용에는 짓찧어 바른다.

○ 치자연(雉子筵)　　○ 치자연근(雉子筵根)

[장미과]

세잎양지꽃

해천　　장염, 이질

● 학명 : *Potentilla freyniana* Bornm.
● 한자명 : 三葉萎陵菜　● 별명 : 털세잎양지꽃, 우단양지꽃

| 1 | 2 | 3 | 4 | 5 | 6 | 7 | 8 | 9 | 10 | 11 | 12 |

여러해살이풀. 잎은 3출겹잎으로 작은잎은 타원형, 가장자리에 톱니가 많고 뒷면에 털이 많으며 자주색이다. 꽃은 황색, 3~4월에 피며, 꽃받침은 끝이 날카롭고, 부꽃받침은 바늘 모양이다.

분포·생육지 우리나라 전역. 중국과 일본, 우수리. 산과 들에서 자란다.

약용 부위·수치 전초를 여름에 채취하여 물에 씻어서 말린다.

약물명 지봉자(地蜂子). 백리금매(白里金梅), 산봉자(山蜂子)라고도 한다.

약효 청열해독(淸熱解毒), 염창지혈(斂瘡止血), 산어지통(散瘀止痛)의 효능이 있으므로 해천(咳喘), 장염, 이질을 치료한다.

사용법 지봉자 10g에 물 3컵(600mL)을 넣고 달여서 복용한다.

○ 세잎양지꽃

○ 지봉자(地蜂子)

[장미과] 물싸리

서열현훈	양목불청
위기불화	월경불순

●학명 : *Potentilla fruticosa* L.　●한자명 : 金老梅葉　●별명 : 금랍매

1	2	3	4	5	6	7	8	9	10	11	12

○ 물싸리

낙엽 관목. 높이 1.5m 정도. 잎은 어긋나고 깃꼴겹잎, 작은잎은 3~7개, 타원형, 길이 1.5~2cm, 솜 같은 털이 빽빽이 난다. 꽃은 황색, 6~8월에 새 가지 끝이나 잎겨드랑이에 2~3개씩 달린다. 열매는 수과로 광택이 나고 긴 털이 퍼져 나간다.

분포·생육지 우리나라 북부 지방. 중국과 일본. 높은 지대의 산골짜기에서 자란다.

약용 부위·수치 잎을 여름에 채취하여 말린다.

약물명 금로매엽(金老梅葉)

약효 청설서열(淸泄暑熱), 건위소식(健胃消食), 조경(調經)의 효능이 있으므로 서열현훈(暑熱眩暈), 양목불청(兩目不淸), 위기불화(胃氣不和), 월경불순을 치료한다.

성분 chatechol, epicatechol, epigallocat-echol, caffeic acid, sinapic acid, ellagic acid, gallic acid, quercetin, quercitrin 등이 함유되어 있다.

약리 열수추출물과 gallic acid는 수종의 병원균에 항균 작용이 있다.

사용법 금로매엽 10g에 물 3컵(600mL)을 넣고 달여서 복용한다.

[장미과] 가락지나물

고열경풍	대상포진, 단독, 사교상
폐열해수	인후통

●학명 : *Potentilla kleiniana* Wight et Arnott [*P. anemonefolia*]
●한자명 : 蛇含　●별명 : 큰잎가락지나물

1	2	3	4	5	6	7	8	9	10	11	12

여러해살이풀. 높이 20~60cm. 꽃은 5~7월에 피며 지름 8mm 정도로 황색이다. 부악편은 선형이고 꽃받침잎은 달걀 모양, 예두로 모두 겉에 털이 약간 있다. 꽃잎은 심장형이며 넓은 예저로 각각 5개이다. 열매는 수과로 털이 없고 세로로 약간 주름이 진다.

분포·생육지 우리나라 전역. 중국, 일본. 산과 들이나 논가에서 자란다.

약용 부위·수치 전초를 가을부터 겨울까지 채취하여 말린다.

약물명 사함(蛇含)

본초서 본 약물은 「신농본초경(神農本草經)」에 처음 수재되어 주로 상처 치료에 쓰

였으며, 「본초강목(本草綱目)」에는 "뱀에 물렸을 때 이 풀로 나았으므로 사함(蛇含)이라 한다."고 하였다. 「동의보감(東醫寶鑑)」에 "쇠붙이에 의한 상처, 상처의 표면이 깊어 잘 낫지 않는 것, 치질, 서루(鼠瘻), 종기가 벌겋게 부어올라 아프고 가려우며 곪는 것, 머리의 부스럼을 낫게 한다. 뱀이나 벌, 독사에 물린 독을 없애고 풍진을 낫게 하며 종기를 치료한다."고 하였다.

神農本草經: 主驚癇 寒熱邪氣 除熱 金瘡 鼠瘻惡瘡 頭瘍.

東醫寶鑑: 主金瘡 疽痔 鼠瘻惡瘡 頭瘍 療蛇蟲蜂虺毒傷 治風疹癰腫.

기미·귀경 미한(微寒), 고(苦)·간(肝), 폐(肺)

약효 청열정경(淸熱定驚), 지해화담(止咳化痰), 해독활혈(解毒活血)의 효능이 있으므로 고열경풍, 대상포진, 폐열해수, 인후통, 단독, 사교상(蛇蛟傷)을 치료한다.

성분 agrimoniin, protentillin, peduncu-lagin 등이 함유되어 있다.

사용법 사함 10g에 물 3컵(600mL)을 넣고 달여서 복용하고, 외용에는 짓찧어 바른다.

○ 사함(蛇含)

○ 가락지나물

[장미과]

은양지꽃

 습열이질, 급만성장염 산후허약증

●학명 : *Potentilla nivea* L. ●한자명 : 雪白萎陵菜 ●별명 : 유구양지꽃, 은빛딱지

| 1 | 2 | 3 | 4 | 5 | 6 | 7 | 8 | 9 | 10 | 11 | 12 |

○ 설백위릉채(雪白萎陵菜)

여러해살이풀. 높이 10~20cm. 뿌리는 굵고 땅속 깊이 자란다. 잎은 어긋나고 3출겹 잎으로 작은잎은 타원형, 표면과 뒷면에 털이 빽빽이 나며, 가장자리에는 톱니가 있다. 꽃은 황색으로 6~7월에 피며 꽃줄기에 2~4개가 달린다.

분포 · 생육지 우리나라 중부 · 북부 지방. 중국과 일본, 유럽. 높은 지대에서 자란다.

약용 부위 · 수치 뿌리를 여름에 채취하여 물에 씻어서 말린다.

약물명 설백위릉채(雪白萎陵菜). 설백(雪白)이라고도 한다.

약효 청열이습(淸熱利濕), 소종지통(消腫止痛), 보허(補虛)의 효능이 있으므로 습열이질, 급만성장염, 산후허약증을 치료한다.

사용법 설백위릉채 10g에 물 3컵(600mL)을 넣고 달여서 복용한다.

○ 은양지꽃

[장미과]

검은낭아초

 폐로해수 황달
 신경통

●학명 : *Potentilla palustre* (L.) Scopoli [*Comarum palustre*]
●한자명 : 沼萎陵菜 ●별명 : 검은꽃낭아초, 자주쇠스랑개비

| 1 | 2 | 3 | 4 | 5 | 6 | 7 | 8 | 9 | 10 | 11 | 12 |

○ 검은낭아초(꽃)

여러해살이풀. 높이 30~60cm. 뿌리줄기는 목질화 되어 있다. 잎은 어긋나며 1회 깃꼴겹잎, 작은잎은 3~7개로 뒷면은 백색이 돈다. 꽃은 흑자색, 6~7월에 줄기 끝에 1~3개씩 달린다. 열매는 수과로 찌그러진 달걀 모양이다.

분포 · 생육지 우리나라 중부 이북. 중국, 일본, 카프카스, 유럽, 북아메리카. 산과 들의 습지에서 자란다.

약용 부위 · 수치 잎을 여름에 채취하여 말린다.

약물명 소위릉채(沼萎陵菜)

약효 화담지해(化痰止咳), 해독렴창(解毒斂瘡)의 효능이 있으므로 폐로해수(肺癆咳嗽), 황달, 신경통을 치료한다.

사용법 소위릉채 10g에 물 3컵(600mL)을 넣고 달여서 복용한다.

○ 검은낭아초

[장미과]

개소시랑개비

| 설사, 토혈, 변혈 | 요혈 |
| 수발조백 | 치아불고 |

- 학명 : *Potentilla supina* L. [*P. paradoxa*]
- 한자명 : 朝天萎陵菜   • 별명 : 큰양지꽃, 수소시랑개비, 깃쇠스랑개비

| 1 | 2 | 3 | 4 | 5 | 6 | 7 | 8 | 9 | 10 | 11 | 12 |

○ 조천위릉채(朝天萎陵菜)

여러해살이풀. 높이 10~20cm. 전체에 긴 털이 있고, 줄기는 가늘며 땅을 긴다. 뿌리 잎은 모여나고, 줄기잎은 어긋나며, 잎은 3 개로 된 겹잎이다. 꽃은 황색, 5~6월에 줄 기 끝에 1개씩 달리며 지름 2cm 정도이다. 꽃받침은 삼각상 송곳 모양이며, 부꽃받침 은 바늘 같다. 열매는 수과이다.

분포 · 생육지 우리나라 전역. 중국과 일본. 들에서 흔하게 자란다.

약용 부위 · 수치 잎을 여름에 채취하여 말 린다.

약물명 조천위릉채(朝天萎陵菜)

약효 수렴지사(收斂止瀉), 양혈지혈(凉血止 血), 자음익신(滋陰益腎)의 효능이 있으므 로 설사, 토혈, 요혈, 변혈, 수발조백(鬚髮 早白), 치아불고(齒牙不固)를 치료한다.

사용법 조천위릉채 10g에 물 3컵(600mL)을 넣고 달여서 복용한다.

○ 개소시랑개비

[장미과]

윤노리나무

| 황달 | 유옹 |
| 아통 | |

- 학명 : *Pourthiaea villosa* Decaisne [*P. laevis*]

| 1 | 2 | 3 | 4 | 5 | 6 | 7 | 8 | 9 | 10 | 11 | 12 |

○ 윤노리나무(줄기)

낙엽 관목. 높이 5m 정도. 잎은 어긋나고 긴 타원형, 가장자리에는 날카로운 톱니가 있다. 꽃은 백색, 4월에 피며 지름 8mm 정 도이다. 이과(梨果)는 붉은색으로 익으며 달걀 모양, 열매자루에 피목이 없다.

분포 · 생육지 우리나라 전역. 중국, 일본. 산기슭에서 자란다.

약용 부위 · 수치 뿌리를 8~9월에 채취하여 물에 씻은 후 썰어서 말린다.

약물명 소엽석남(小葉石南)

약효 청열해독(淸熱解毒), 활혈지통(活血止 痛)의 효능이 있으므로 황달, 유옹(乳癰), 아통(牙痛)을 치료한다.

사용법 소엽석남 15g에 물 3컵(600mL)을 넣고 달여서 복용하고, 달인 액으로 눈을 씻는다.

○ 소엽석남(小葉石南)

○ 윤노리나무

[장미과]

떡잎윤노리나무

 황달　　 유옹

아통

● 학명 : *Pourthiaea villosa* Decaisne var. *brunnea* (Lévl.) Nakai

| 1 | 2 | 3 | 4 | 5 | 6 | 7 | 8 | 9 | 10 | 11 | 12 |

❂ 떡잎윤노리나무(열매)

낙엽 관목. '윤노리나무'에 비하여 잎이 두껍고 도란형이며 잎자루가 짧고 화서가 크다. 열매는 지름 1.2cm 정도로 약간 크다.

분포 · 생육지 우리나라 제주도, 경남, 전남

성분 가지와 잎은 lyonoside 등이 함유되어 있다.

약리 RAW 264.7 세포에서 lyonoside의 독성이 없었고, LPS에 의해 유도되는 NO의 생성이 감소되는 경향이 보이며, IL-6 단백질을 저해한다.

약용 부위 · 수치 뿌리를 8~9월에 채취하여 물에 씻은 후 썰어서 말린다.

약물명 소엽석남(小葉石南)

약효 청열해독(淸熱解毒), 활혈지통(活血止痛)의 효능이 있으므로 황달, 유옹(乳癰), 아통(牙痛)을 치료한다.

사용법 소엽석남 15g에 물 3컵(600mL)을 넣고 달여서 복용하고, 달인 액으로 눈을 씻는다.

❂ 떡잎윤노리나무

[장미과]

빈추나무

목적종통, 다루, 혼암수명

● 학명 : *Prinsepia sinensis* (Oliver) Oliver ex Bean [*Plagiospermum sinensis*]
● 한자명 : 東北扁核木

| 1 | 2 | 3 | 4 | 5 | 6 | 7 | 8 | 9 | 10 | 11 | 12 |

❂ 동북편핵목(東北扁核木)

낙엽 관목. 높이 1.5m 정도. 가지에 가시가 있고 광택이 난다. 잎은 어긋나고 긴 타원형, 털이 없고 가장자리는 밋밋하다. 꽃은 4월에 피며 지름 1.5cm 정도이다. 핵과는 달걀 모양, 자주색으로 익는다.

분포 · 생육지 우리나라 충북 이북. 중국, 우수리. 산기슭에서 자란다.

약용 부위 · 수치 열매를 8~9월에 채취하여 말린다.

약물명 동북편핵목(東北扁核木). 편담호자(扁擔胡子), 편조호자(扁棗胡子)라고도 한다.

약효 청간명목(淸肝明目)의 효능이 있으므로 목적종통(目赤腫痛), 다루(多淚), 혼암수명(昏暗羞明)을 치료한다.

사용법 동북편핵목 10g에 물 3컵(600mL)을 넣고 달여서 복용하고, 달인 액으로 눈을 씻는다.

❂ 빈추나무(열매)

❂ 빈추나무

[장미과]

참빈추나무

목적종통, 다루, 혼암수명

야침불안

● 학명 : *Prinsepia uniflora* Batal
● 한자명 : 蕤, 單花扁核木 ● 별명 : 중국빈추나무

| 1 | 2 | 3 | 4 | 5 | 6 | 7 | 8 | 9 | 10 | 11 | 12 |

관목. 높이 1~2m. 줄기껍질은 적갈색이다. 잎은 어긋나며 길이 2~5.5cm, 너비 6~8mm, 가장자리는 거치가 있다. 꽃은 4~5월에 백색으로 피고, 꽃받침과 꽃잎은 각각 5개이며 씨방상위이다. 열매는 8~9월에 흑자색으로 익고 구형이다.

분포 · 생육지 중국 각처. 산지에서 자란다.

약용 부위 · 수치 열매를 가을에 채취하여 과육을 벗기고 핵인(核仁)을 모아서 말렸다가 빻아서 사용한다.

약물명 유인(蕤仁). 유핵(蕤核), 유자(蕤子)라고도 한다.

본초서 유인(蕤仁)은 「신농본초경(神農本草經)」에 수재된 약물로 심복(心腹)에 뭉쳐 있는 나쁜 결기(結氣)를 풀어 주며 눈병을 치료하는 약물이라 하였다. 「동의보감(東醫寶鑑)」에는 유핵(蕤核)이라는 이름으로 수재되어, "눈을 밝게 하며, 눈이 충혈되고 눈물이 나며 붓고 눈과 귀가 문드러지는 것 등을 낫게 한다."고 하였다.

神農本草經: 主心腹邪結氣 明目 目赤痛傷淚出.

東醫寶鑑: 主明目 目赤痛傷 淚出目腫 眥爛.

기미 · 귀경 미한(微寒), 감(甘) · 심(心), 간(肝)

성분 유인(蕤仁)에는 수분 10.4%, 회분 1.7%, 단백질 3.5%, 지방 7.6%, 섬유 56.9%가 함유되어 있다.

약효 소풍산열(疎風散熱), 양간명목(養肝明目), 안신(安腎)의 효능이 있으므로 목적종통(目赤腫痛), 다루(多淚), 혼암수명(昏暗羞明), 야침불안(夜寢不安)을 치료한다.

사용법 유인 10g에 물 3컵(600mL)을 넣고 달여서 복용한다.

＊ 잎의 길이 5~8cm이고 가장자리가 밋밋한 '빈추나무 *P. sinensis*'도 약효가 같다.

● 유인(蕤仁)

● 참빈추나무(표본, 중국 육반산약초원 소장)

[장미과]

아프리카벚나무

요도염, 전립선비대증

● 학명 : *Prunus africana* (Hook. f.) Kalkman [*Pygeum africana*]
● 영명 : African cherry, red stinkwood, pygeum

| 1 | 2 | 3 | 4 | 5 | 6 | 7 | 8 | 9 | 10 | 11 | 12 |

낙엽 관목. 높이 30m 정도. 가지가 많고, 잎은 어긋나고 길이 7~8cm, 너비 4~5m이며, 표면은 광택이 나며 뒷면은 백색이 돌고 가장자리에 희미한 톱니가 있다. 꽃은 5월에 잎보다 먼저 피며 황백색, 꽃잎은 타원형, 수술이 꽃잎보다 짧다. 열매는 지름 1cm 정도로 적갈색, 둥글다.

분포 · 생육지 아프리카, 마다가스카르. 산기슭 숲속에서 자란다.

약용 부위 · 수치 줄기껍질 또는 가지껍질을 봄에 채취하여 절단하고 물에 깨끗이 씻어서 말린다.

약물명 Pruni Cortex. 일반적으로는 African cherry, red stinkwood, pygeum라고 한다.

약효 소염의 효능이 있으므로 요도염, 전립선비대증을 치료한다.

성분 β–sitosterol, campesterol, mygdalin 등이 함유되어 있다.

약리 β–sitosterol은 전립선 안에서 dihydrotestosterone의 증가를 억제하고, 5α–reductase와 aromatase를 억제하여 전립선

비대를 치료한다.

사용법 Pruni Cortex추출물을 1일 100mg으로 나누어서 복용한다.

＊ 전립선비대 치료제로 본 생약에 '붉은쐐기풀 *Urtica dioica*', '톱야자(saw palmetto) *Serenoa repens*'를 배합한 제품이 시판되고 있다.

● 아프리카벚나무

[장미과]

살구나무

외감해수, 천만　　변비　　목질다루
수종　　피부소양, 옹창나력, 타박상

● 학명 : *Prunus armeniaca* var. *ansu* Maxim. [*Armeniaca vulgaris*]
● 영명 : apricot　● 한자명 : 杏　● 별명 : 살구

1	2	3	4	5	6	7	8	9	10	11	12

낙엽 관목. 높이 5~10m. 줄기껍질은 붉은 색이 돌고, 잎은 어긋난다. 꽃은 4월에 잎보다 먼저 피며 연한 붉은색, 꽃받침은 5개, 젖혀지며 꽃잎은 둥글다. 열매는 7월에 황적색으로 익고 지름 3cm 정도이다. 핵은 거칠고 예두로 측면에 날개 같은 돌기가 없다.

분포 · 생육지 중국 원산. 마을 근처에서 재식한다.

약용 부위 · 수치 가을에 열매를 따서 과육과 단단한 가종피를 벗긴 뒤 속씨를 채취하여 말린다. 잎은 여름에 채취하여 말리고, 가지는 여름과 가을에 채취하여 썰어서 말린다.

약물명 속씨(種仁)를 행인(杏仁)이라고 하며, 행핵인(杏核仁), 행자(杏子), 고행인(苦杏仁)이라고도 한다. 잎을 행엽(杏葉), 가지를 행지(杏枝)라고 한다. 행인(杏仁)은 대한민국약전(KP)에 수재되어 있다.

본초서 행인(杏仁)은 「신농본초경(神農本草經)」의 하품(下品)에 행핵인(杏核仁)으로 수재되어 주로 해수를 치료하는 약물로 기록되어 있다. 「동의보감(東醫寶鑑)」에는 행핵인(杏核仁)으로 수재되어 "기침이 나면서 기가 치미는 것을 낫게 하고 천식으로 숨이 찬 것을 다스린다. 근육을 풀어 땀이 나게 하며 개에게 물린 상처를 아물게 한다."고 하였다.

神農本草經: 主咳逆上氣雷鳴, 喉痺, 下氣, 産乳金瘡, 寒心奔豚.

名醫別錄: 驚癇, 心下煩熱, 風氣去來, 時行頭痛, 解肌, 消心下急, 殺狗毒.

本草綱目: 殺蟲, 治諸瘡疥, 消腫, 祛頭面諸風氣, 皶皰.

東醫寶鑑: 主咳逆上氣 療肺氣喘促 解肌出汗 殺狗毒.

성상 납작한 달걀 모양으로 길이 1~1.8cm, 너비 0.8~1.5cm, 두께 0.5~0.8cm로 종피는 엷은 갈색이고 떡잎은 백색이다. 기름이 풍부하며, 냄새는 향긋하며 맛은 쓰다. 물을 가하여 분쇄하면 벤즈알데히드 냄새가 난다.

기미 · 귀경 미온(微溫), 고(苦), 소독(小毒) · 폐(肺), 대장(大腸)

약효 강기화담(降氣化痰), 지해평천(止咳平喘), 윤장통변(潤腸通便)의 효능이 있으므로 외감해수(外感咳嗽), 천만(喘滿), 변비를 치료한다. 행엽(杏葉)은 거풍이습(祛風利濕), 명목(明目)의 효능이 있으므로 수종(水腫), 피부소양(皮膚瘙痒), 목질다루(目疾多淚), 옹창나력(癰瘡瘰癧)을 치료한다. 행지(杏枝)는 활혈산어(活血散瘀)의 효능이 있으므로 타박상을 치료한다.

성분 행인(杏仁)은 amygdalin, prunasin,

3′-caffeoylquinic acid, 5′-caffeoylquinic acid, 3′-feruloylquinic acid, 5′-feruloylquinic acid, neochlorogenic acid, inositol이 함유되어 있다. amygdalin은 emusin에 의하여 benzaldehyde, HCN, glucose로 분해된다. 행엽(杏葉)은 rutin, quercetin, quercetin-3-*O*-rhamnoside, neochlorogenic acid, rhamnocitrin-3-*O*-rhamnoside, phlorizin이 함유되어 있고, 행지는 quercitrin, rhamnetin-3-*O*-rhamnoside, rhamnocitrin-3-*O*-rhamnoside이 함유되어 있다.

약리 benzaldehyde는 개의 적출 부신에서 catecholamine을 유리시키는 작용이 있고, HCN은 저농도에서 경동맥과 대동맥의 화학수용기에 작용하고 호흡 흥분을 일으킨다. 물로 달인 액은 적출 회장의 자동 운동을 촉진하고 histamine에 의한 기관지 수축을 억제하며, ephedrine에 의한 이완 반응을 증강시킨다.

사용법 행인, 행엽 또는 행지 각각 10g에 물 3컵(600mL)을 넣고 달여서 복용하고, 외용에는 짓찧어 바른다.

처방 행인반하탕(杏仁半夏湯): 행인(杏仁) · 반하(半夏) · 길경(桔硬) · 모려(牡蠣) · 복령(茯苓) · 방기(防己) · 상백피(桑白皮) · 백반(白礬) 각 4g, 조협(皂莢) · 박하(薄荷) · 감초(甘草) 각 2g (「동의보감(東醫寶鑑)」). 폐기가 부족하여 숨이 차고 기침이 나는 증상에 사용한다.

• 행인석고탕(杏仁石膏湯): 석고(石膏) 32g, 행인(杏仁) · 반하(半夏) 각 20g, 치자(梔子) · 황백(黃白) 각 12g (「동의보감(東醫寶鑑)」). 황달이 오고 명치 밑이 무겁고 메스꺼우며 대변이 굳고, 오줌 색이 붉은 증상에 사용한다.

• 대청룡탕(大靑龍湯): 마황(麻黃) 12g, 계지(桂枝) 8g, 행인(杏仁) 6g, 석고(石膏) 16g, 감초(甘草) 4g, 생강(生薑) 3쪽, 대추(大棗) 2개 (「상한론(傷寒論)」). 몸살이 나며 오싹오싹 춥고 가슴이 답답하고 숨이 찬 증상에 사용한다.

• 대함흉환(大陷胸丸): 대황(大黃) 20g, 정력자(葶藶子) · 행인(杏仁) 각 12g, 망초(芒硝) 10g, 감수(甘遂) 2g (「동의보감(東醫寶鑑)」). 급성열성병에 잘못 설사시켜서 가슴이 아프고 명치 밑이 그득하면서 아픈 증상에 사용한다.

• 마황탕(麻黃湯): 마황(麻黃) 12g, 계지(桂枝) 8g, 행인(杏仁) 10개, 감초(甘草) 2.4g, 생강(生薑) 3쪽 (「상한론(傷寒論)」, 「동의보감(東醫寶鑑)」). 몸살이 나고 기침이 심하며 숨이 찬 증상에 사용한다.

※ '시베리아살구나무 *P. sibirica*', '개살구나무 *P. mandshurica* var. *glabra*'의 속씨도 행인(杏仁)으로 사용되기도 한다. 민간에서는 행인유(杏仁油)로 가래와 기침 치료에 이용하기도 한다.

○ 살구나무

❍ 살구나무(꽃)

❍ 살구나무(열매)

❍ 행엽(杏葉)

❍ 행인(杏仁)

❍ 행인유(杏仁油, 독일산)

❍ 행인유(杏仁油, 국내산)

❍ 행지(杏枝)

[장미과]

양벚나무

 가래　　　 변비

● 학명 : *Prunus avium* Guindo　● 영명 : Sweet cherry

| 1 | 2 | 3 | 4 | 5 | 6 | 7 | 8 | 9 | 10 | 11 | 12 |

❍ 양벚나무(열매)

낙엽 교목. 높이 15m 정도. 줄기껍질은 자갈색이다. 잎은 어긋나고 긴 타원형으로 가장자리에 잔톱니가 많다. 꽃은 가지 끝에 2~3개가 산방상 산형화서로 달리며, 꽃자루는 길이 1cm 정도, 꽃잎은 5개로 백색이다. 열매는 달걀 모양으로 적갈색으로 익는다.
분포·생육지 유럽 원산. 세계 각처에서 재식한다.
약용 부위·수치 꽃을 봄에 채취하여 말린다.
약물명 Pruni Flos
약효 소염의 효능이 있으므로 가래, 변비를 치료한다.
사용법 Pruni Flos 20g을 뜨거운 물로 우려내어 복용한다.

❍ 양벚나무

[장미과]

아몬드

⬚ 주근깨

- 학명 : *Prunus dulcis* (Mill.) D. A. Webb [*P. amygadalus, Amygadalus communis*]
- 영명 : Almond

| 1 | 2 | 3 | 4 | 5 | 6 | 7 | 8 | 9 | 10 | 11 | 12 |

낙엽 관목. 높이 5m 정도. 가지가 많다. 잎은 어긋나고 긴 타원형으로 가장자리에 잔톱니가 많다. 꽃은 가지 끝에 단성화로 달리며, 꽃잎은 5개, 분홍색이다. 열매는 달걀 모양, 솜털이 많다.
분포 · 생육지 아프리카 원산. 세계 각처에서 재식한다.
약용 부위 · 수치 종자를 가을에 채취하여 말린다.
약물명 Pruni Semen. 일반적으로는 Almond 라고 한다.
성분 amygdalin이 2.5~4% 함유되어 있다.
약효 소염의 효능이 있으므로 얼굴의 주근깨를 치료한다.
사용법 Pruni Semen 5~10개를 수시로 먹거나 종자유를 환부에 바른다.

◐ 아몬드유(국내산)

◐ 아몬드유(독일산)

◐ Pruni Semen, Almond

◐ 아몬드(꽃)

◐ 아몬드

[장미과]

산개버찌나무

⬚ 자한, 도한

- 학명 : *Prunus maximowiczii* Ruprecht
- 한자명 : 野櫻桃, 心山櫻 • 별명 : 산개벚지나무

| 1 | 2 | 3 | 4 | 5 | 6 | 7 | 8 | 9 | 10 | 11 | 12 |

낙엽 교목. 높이 15m 정도. 잎은 어긋나고 타원형, 끝이 뾰족하고 표면에 털이 산재하며, 뒷면 맥 위에 털이 있고 가장자리에 겹톱니가 있다. 꽃은 백색, 잎보다 약간 늦게 산방화서로 달리며 지름 1.5cm 정도, 포와 꽃받침에 톱니가 있다. 핵과는 구형이며 지름 5mm 정도, 흑색으로 익는다.
분포 · 생육지 우리나라 전역. 중국, 우수리, 사할린. 깊은 산 중턱에서 자란다.
약용 부위 · 수치 미성숙 열매를 늦여름부터 가을에 채취하여 말린다.
약물명 흑앵도(黑櫻桃)
약효 수렴지한(收斂止汗)의 효능이 있으므로 자한(自汗), 도한(盜汗)을 치료한다.
사용법 흑앵도 10g에 물 3컵(600mL)을 넣고 달여서 복용한다.

◐ 산개버찌나무(열매)

◐ 산개버찌나무

[장미과]

이스라지나무

대장기체, 복수종 | 소변불리 | 각기

● 학명 : *Prunus japonica* Thunb. var. *nakaii* (Lev.) Rehder [*Cerasus japonica*]
● 영명 : Japanese bush cherry ● 한자명 : 郁李 ● 별명 : 이스라지, 산앵도

| 1 | 2 | 3 | 4 | 5 | 6 | 7 | 8 | 9 | 10 | 11 | 12 |

낙엽 관목. 높이 1m 정도. 가지가 많고, 잎은 어긋난다. 꽃은 5월에 잎보다 먼저 피며 연한 붉은색, 꽃잎은 타원형, 수술이 꽃잎보다 짧다. 열매는 둥글며 털이 없고 7~8월에 붉은색으로 익으며 맛이 약간 떫다. 종자는 둥글며 끝이 뾰족하고 길이 12mm 정도이다.

분포 · 생육지 우리나라 전역. 중국. 산기슭 숲속에서 자란다.

약용 부위 · 수치 열매를 여름에 채취하여 껍질과 과육을 벗기고 종자를 채취, 물에 깨끗이 씻어서 말린다. 물에 달일 때는 부수어서 사용한다.

약물명 욱리인(郁李仁). 욱자(郁子), 소이인(小李仁), 대리인(大李仁)이라고도 한다. 대한민국약전외한약(생약)규격집(KHP)에 수재되어 있다.

본초서 욱리인은 「신농본초경(神農本草經)」의 하품(下品)에 수재되어 있고 "대보수종(大腹水腫), 면목사지(面目四肢)의 부종(浮腫)을 치료하며 소변을 잘 보게 한다."고 기록되어 있으며, 「명의별록(名醫別錄)」에는 일명 울리(鬱李), 차하리(車下李)로 기록되어 있다. 「동의보감(東醫寶鑑)」에는 "부종을 낮게 하고 소변을 잘 보게 하며 오장의 통

증을 치료한다."고 하였다.

神農本草經 : 主大腹水腫 面目 四肢浮腫 利小便水道.

東醫寶鑑 : 主通身浮腫 利小便 治藏中結氣 關格不通 通泄膀胱五藏急痛 宣腰脚冷膿 消宿食下氣.

성상 난원형이고 길이 1~1.2cm, 너비 0.6~0.8cm 정도, 표면은 황백색~담갈색, 한쪽 끝은 뾰족하고, 한쪽 끝은 둥글다. 냄새가 약간 있고, 맛은 쓰다.

기미 · 귀경 평(平), 고(苦), 신(辛), 감(甘) · 비(脾), 대장(大腸), 소장(小腸)

약효 윤조(潤燥), 활장(滑腸), 하기(下氣), 이수(利水)의 효능이 있으므로 대장기체(大腸氣滯), 소변불리, 복수종(腹水腫), 각기(脚氣) 등을 치료한다.

성분 flavonoid: prunuside(multiflorin A), multiflorin B, afzelin, kaempfertrin, multinoside A 등이 함유되어 있다.

약리 열수추출물을 쥐에게 투여하면 통변 작용과 이뇨 작용이 나타난다.

사용법 욱리인 5g에 물 2컵(400mL)을 넣고 달여서 복용하거나 알약이나 가루약으로 만들어 복용한다.

처방 욱리인산(郁李仁散): 욱리인(郁李仁)

160g, 상백피(桑白皮) · 적소두(赤小豆) 각 120g, 진피(陳皮) 80g, 자소엽(紫蘇葉) 60g, 1회 20알씩 복용(「향약집성방(鄕藥集成方)」). 수기(水氣)가 몰려 온몸이 붓고 소변이 시원하지 않으며 가슴이 그득하고 숨이 찬 증상에 사용한다.

• 오인환(五仁丸): 도인(桃仁) · 행인(杏仁) 각 40g, 백자인(柏子仁) 20g, 욱리인(郁李仁) 8g, 송자인(松子仁) 5g(「세의득효방(世醫得效方)」). 기혈(氣血)의 허약증, 변비에 사용한다.

＊ '구리(歐李) *Prunus humilis*(*Cerasus humilis*)', '풀또기 *Prunus triloba* var. *truncata* (*Amygdalus triloba*)'의 종자가 욱리인(郁李仁)으로 통용되기도 한다.

● 욱리인(郁李仁)

● 이스라지나무(꽃)

● 이스라지나무(열매)

● 이스라지나무

매실나무

 구해부지　 번열　👁 허열번갈, 시물불청　🗄 종창
　구사구리, 회궐복통, 서열곽란　　요혈변혈　♀ 붕루

● 학명 : *Prunus mume* S. et Z. [*Armeniaca mume* Sieb.]　● 영명 : Japanese apricot
● 한자명 : 烏梅　● 별명 : 매실, 매화나무, 매화수

| 1 | 2 | 3 | 4 | 5 | 6 | 7 | 8 | 9 | 10 | 11 | 12 |

낙엽 소교목. 잎은 어긋나고, 꽃은 잎보다 먼저 피며 붉은색 또는 백색이다. 꽃잎은 달걀 모양, 털이 없고, 수술은 많으며 꽃잎보다 짧고 씨방에 밀모가 있다. 핵과는 둥글고 지름 2~3cm, 황색으로 익으며 시다.

분포 · 생육지 중국 원산. 마을 근처에서 재식한다.

약용 부위 · 수치 5월에 설익은 열매를, 뿌리는 수시로, 봄에 잎과 줄기를 채취하여 말린다. 덜 익은 열매를 항아리에 넣고 뚜껑을 덮은 다음 진흙으로 봉합하여 검게 될 때까지 가열한 것을 오매(烏梅)라 한다. 속씨는 열매가 성숙하였을 때 과육을 제거하여 말리고, 잎은 여름에 채취하여 물에 씻은 뒤 썰어서 말린다.

약용명 열매를 오매(烏梅)라고 하며 매실(梅實)이라고도 한다. 속씨를 매핵인(梅核仁), 잎을 매엽(梅葉)이라 한다. 오매(烏梅)는 대한민국약전(KP)에 수재되어 있다.

본초서 매실(梅實)은 「신농본초경(神農本草經)」의 중품(中品)에 처음 수재되었으며, 약용에는 매실(梅實), 오매(烏梅), 백매(白梅)의 3종이 있지만 한방의 처방용으로는 매실(梅實)이 기록되어 있다. 「동의보감(東醫寶鑑)」에는 매실(梅實)은 "갈증을 없애고, 가슴 속의 열기를 없앤다."고 하였다. 오매(烏梅)는 "가래를 삭이고 갈증을 풀어 주며 구토와 이질을 그치게 한다. 몸과 마음이 허약하고 피로하여 열이 나는 것을 내리고 뼛속이 쑤시는 것을 낫게 하며 술독을 풀어 준다. 감기로 인해 열이 나는 것을 내리고

구토와 설사가 계속되는 것을 그치게 하며 이로 인한 갈증을 풀어 준다. 피부에 난 검은 반점을 없애며 입 안에 침이 잘 나오게 한다."고 하였다. 매엽(梅葉)은 "오랫동안 잘 낫지 않는 만성이질과 구토와 설사를 그치게 한다."고 하였다.

神農本草經: 主下氣 除熱煩滿 安心 肢體痛 偏枯不仁 死肌 去靑黑痣 惡疾.

名醫別錄: 止下痢 好睡 口干.

東醫寶鑑: 梅實 止渴 令人膈上熱.

烏梅 去痰 止吐逆 止渴 止痢 除勞熱骨蒸 消酒毒 主傷寒 及霍亂燥渴 去黑痣 療口乾好睡. 梅葉 濃煎湯 治休息痢及霍亂.

성상 오매(烏梅)는 구형에 가까우며 길이 2~3cm, 지름 2~2.5cm, 흑색~흑갈색, 표면에 주름이 있고, 과핵은 매우 딱딱하다. 냄새는 특유하고, 맛은 시다.

기미 · 귀경 오매(烏梅): 평(平), 산(酸) · 간(肝), 비(脾), 폐(肺), 대장(大腸)

약효 오매(烏梅)는 수렴지해(收斂止咳), 삽장지사(澁腸止瀉), 지혈, 생진(生津), 안회(安蛔), 치창(治瘡)의 효능이 있으므로 구해부지(久咳不止), 구사구리(久瀉久痢), 요혈변혈(尿血便血), 붕루(崩漏), 허열번갈(虛熱煩渴), 회궐복통(蛔厥腹痛)을 치료한다. 매핵인(梅核仁)은 청서(淸暑), 제번(除煩), 명목(明目)의 효능이 있으므로 서열곽란(暑熱癨亂), 번열(煩熱), 시물불청(視物不淸)을 치료한다. 매엽(梅葉)은 지리(止痢), 지혈, 해독의 효능이 있으므로 이질, 붕루(崩漏), 종창(腫瘡)을 치료한다.

성분 prunasin, maleic anhydride, citraconic anhydride, 5-hydroxymethyl-2-furaldehyde, neochlorogenic acid, chlorogenic acid, crytochlorogenic acid, 4-hydroxycinnamic acid, 4-*O*-caffeoylquinic acid methyl ester, benzoyl-*O*-β-D-glucopyranoside, qiquiritigenin-7-*O*-β-D-glucopyranoside, vanillin, palmitic acid, isopropyl palmitate, stearic acid, linoleic acid, ethyl linolate, squalene 등이 함유되어 있다.

약리 농축 과즙은 angiotensin II로 유도한 혈관 평활근 세포의 성장을 억제함으로써 혈류 개선 작용을 나타낸다. 쥐에게 물로 달인 액을 투여하면 단백질에 의한 과민성과 히스타민 쇼크에 의한 사망률을 낮춘다. 물로 달인 액은 대장균을 비롯하여 여러 세균들에 항균 작용이 있고, *Trichophyton menthagrophytes* 등에 진균 작용이 있다. 메탄올추출물과 trimethyl citrate, dimethyl citrate 등은 돌연변이 원인 3-amino-1,4-dimethyl-SH-pyrido(tro-p-1)에 의한 SOS-inducing activity를 억제한다. 질산염과 아민이 풍부한 추출물은 인체 내에서 발암 물질인 nitrosamine류의 생성을 억제한다. 오매환의 5% 물 용액은 회충의 활동성을 현저하게 억제한다. 다당류인 P-1은 C3H/HeN, C3H/HeJ와 같은 비장세포의 분열을 촉진한다. 오매에 함유된 benzyl β-D-glucopyranosede는 ether로 야기된 스트레스로 감소하는 catecholamine 수치를 회복시키며 chlorogenic acid는 감소한 adrenocorticotropic acid(ACTH)의 수치를 증가시킴으로써 폐경기의 정신적인 긴장을 해소시킨다.

사용법 오매, 미핵인, 매엽 각각 5g에 물 2컵(400mL)을 넣고 달여서 복용하거나 알약이나 가루약으로 만들어 복용한다.

처방 오매환(烏梅丸): 오매(烏梅), 세신(細辛), 부자(附子), 계지(桂枝), 인삼(人蔘), 황백(黃柏), 당귀(當歸), 촉추(蜀椒), 생강(生薑), 황련(黃連)(「금궤요략(金匱要略)」). 배가 몹시 아프고 변혈(便血)이 나오는 증상에 사용한다.

• 인삼양위탕(人蔘養胃湯): 창출(蒼朮), 반하(半夏), 복령(茯苓), 후박(厚朴), 진피(陳皮), 곽향(藿香), 초과(草果), 인삼(人蔘), 오매(烏梅)(「화제국방(和劑局方)」). 온몸이 아프고 입맛이 없으며 오한이 나고 게우고 설사하는 증상에 사용한다.

• 오인환(五仁丸): 도인(桃仁) · 행인(杏仁) 각 40g, 백자인(柏子仁) 20g, 욱리인(郁李仁) 8g, 송자인(松子仁) 5g(「세의득효방(世醫得效方)」). 기혈(氣血)의 허약증, 변비에 사용한다.

✿ 매실나무(흰꽃)

❶ 매실나무(붉은 꽃)

❶ 매실나무(열매)

❶ 오매(烏梅, 절편)

❶ 오매(烏梅)

❶ 오매(烏梅)로 만든 건강식품

[장미과]

귀룽나무

설사

풍습동통, 요통, 관절통, 척추질환

● 학명 : *Prunus padus* L. ● 영명 : Bird cherry
● 한자명 : 九龍木, 櫻額 ● 별명 : 귀롱나무

| 1 | 2 | 3 | 4 | 5 | 6 | 7 | 8 | 9 | 10 | 11 | 12 |

낙엽 교목. 높이 10~15m. 어린가지를 꺾으면 냄새가 난다. 잎은 어긋나고, 꽃은 5월에 새 가지 끝에 총상화서로 달리며 지름 1~1.5cm, 백색이고, 꽃받침잎과 꽃잎은 각각 5개이다. 열매는 핵과로 둥글며 6월에 흑색으로 익고, 핵은 주름이 있으며 과육이 떫다.

분포 · 생육지 우리나라 지리산 이북. 중국, 일본, 몽골, 동시베리아. 깊은 산의 골짜기나 물가에서 자란다.

약용 부위 · 수치 가을에 열매를, 가지와 잎은 수시로 채취하여 말린다.

약물명 열매를 앵액(櫻額)이라고 하며, 가지와 잎을 구룡목(九龍木)이라고 한다.

성분 가지에는 pinelloside, soyacerebroside I, quercetin 3-*O*-β-D-galactopyranoside, nudiposide, (+)-isolarisiresinol 9′-*O*-β-D-xylopyranoside, khaepuoside A, icariside F2 등이 함유되어 있다.

약리 열매의 열수추출물은 항균 작용이 있고, 정유 성분들은 약제 내성을 감소시킨다.

기미 · 귀경 앵액(櫻額): 온(溫), 감(甘), 삽(澁) · 비(脾)

약효 앵액(櫻額)은 건비지사(脾胃止瀉)의 효능이 있으므로 비허(脾虛)로 인한 설사를 치료한다. 구룡목(九龍木)은 거풍(祛風), 진통, 지사의 효능이 있으므로 풍습동통(風濕疼痛), 요통, 관절통, 척추질환, 설사를 치료한다.

사용법 앵액이나 구룡목 10g에 물 3컵(600mL)을 넣고 달여서 복용하거나 술에 담가 복용한다.

❶ 귀룽나무

❶ 구룡목(九龍木)

❶ 귀룽나무(열매)

❶ 귀룽나무(줄기)

복숭아나무

| 통경, 혈체경폐, 산후복통 | 타박상, 가려움증 |
| 해수 | 변비, 배앓이 | 관절염, 요통 |

● 학명 : *Prunus persica* (L.) Batsch　● 영명 : Peach
● 한자명 : 桃　● 별명 : 복사나무

| 1 | 2 | 3 | 4 | 5 | 6 | 7 | 8 | 9 | 10 | 11 | 12 |

낙엽 소교목. 높이 6m 정도. 줄기껍질은 갈자색, 어린가지는 갈자색 또는 녹색이다. 잎은 어긋나고, 꽃은 연한 붉은색, 4~5월에 잎보다 먼저 1~2개씩 달리며 꽃자루가 짧다. 핵과는 털이 많고 지름 5cm, 8~9월에 익으며, 심장형의 종자가 1개 들어 있다.

분포 · 생육지 중국 원산. 마을 근처에서 재식한다.

약용 부위 · 수치 6~7월에 성숙한 열매를 따서 과육과 핵각(核殼)을 제거하고 속씨를 취하여 말린다. 잎 또는 가지는 여름철에 채취하여 적당한 크기로 썰어서 말린다.

약물명 속씨를 도인(桃仁)이라고 하며, 도핵인(桃核仁)이라고도 한다. 잎을 도엽(桃葉), 가지를 도지(桃枝)라 한다. 도인(桃仁)은 대한민국약전(KP)에 수재되어 있다.

본초서 도인(桃仁)은 「신농본초경(神農本草經)」의 하품(下品)에 핵도인(核桃仁)으로 수재되어 있다. 장원소(張元素)는 "혈결(血結), 혈비(血秘), 혈조(血燥)를 치료하며 대변을 잘 나오게 하며, 축혈(蓄血)을 제거한다."고 하였으며, 「본초강목(本草綱目)」에는 "혈체(血滯), 풍비(風痹), 골증(骨蒸), 산후의 어혈(瘀血)에 효과가 있다."고 하였다. 「동의보감(東醫寶鑑)」에는 도핵인(桃核仁), 도화(桃花), 도엽(桃葉), 도효(桃梟), 나무에서 마른 열매), 도지(桃枝), 도실(桃實) 등이 수재되어 있다. 도핵인(桃核仁)은 "피가 몰려 생리가 막힌 것을 풀어 주고 아랫배

속에 덩어리가 생긴 것을 없애며 생리를 순조롭게 한다. 또 심장과 명치 부위의 통증을 낮게 하고, 촌충과 회충을 구제한다."고 하였다. 도화(桃花)는 "소변에 모래 같은 것이 섞여 피와 같이 나오는 것을 낮게 하고 대소변을 잘 나오게 하며, 촌충과 회충을 구제한다. 악귀를 쫓아내며 얼굴빛을 윤택하게 한다."고 하였다. 도엽(桃葉)은 "어린 아이가 갑자기 놀란 것이 원인이 되어 생긴 병을 낫게 한다."고 하였다. 도효(桃梟)는 정신이 안정되지 않아 헛것이 보이는 것과 명치 밑이 아픈 것을 낮게 하고 나쁜 피가 몰린 것을 풀어 준다. 또 나쁜 기운이나 독을 풀어 준다. 일명 도노(桃奴)라고 한다."고 하였다. 도실(桃實)은 "얼굴빛을 윤택하게 하나 많이 먹으면 열이 난다."고 하였다. 도경백피(桃莖白皮)는 "정신이 안정되지 않으며 속이 메스껍고 아랫배가 아픈 것을 낮게 한다."고 하였다.

神農本草經: 主瘀血血閉 破癥瘕 邪氣 殺小蟲.

名醫別錄: 止咳逆上氣, 消心下堅, 除卒暴岳血, 破癥瘕, 通月水, 止痛.

本草綱目: 主血滯風痹, 骨蒸, 肝瘧寒熱, 鬼疰疼痛, 産後血病.

東醫寶鑑: 桃核仁 主瘀血血閉 破癥瘕 通月水 止心痛 殺小蟲. 桃花 破石淋 利大小便 下三蟲 殺疰惡鬼 令人好顔色. 桃梟 主殺百鬼 五毒不祥 療中惡心腹痛 破血 又治中惡毒氣 蠱疰 一名桃奴. 桃莖白皮 除邪鬼 主中惡心腹痛. 桃葉 除尸蟲 出瘡中蟲 治小兒中惡 疰忤. 桃實 益顔色 多食令人發熱.

성상 도인(桃仁)은 납작한 달걀 모양으로 한쪽 끝은 뾰족하고 다른 한쪽은 둥글며 여기에 합점이 있다. 길이는 1.2~1.8cm, 너비 0.8~1.2cm, 두께 0.2~0.4cm, 종피는 적갈색을 띠며 겉에는 떨어지기 쉬운 석세포(石細胞)로 된 표피 세포가 있으며 가루를 뿌린 것 같다. 물을 가하여 분쇄하면 벤즈알데히드 냄새가 난다.

기미 · 귀경 도인(桃仁): 평(平), 고(苦), 감(甘), 소독(小毒) · 심(心), 간(肝), 대장(大腸)

약효 도인(桃仁)은 활혈거어(活血祛瘀), 윤장통변(潤腸通便)의 효능이 있으므로 통경, 혈체경폐(血滯經閉), 산후복통, 해수, 변비를 치료한다. 도엽(桃葉)은 거풍청열(祛風淸熱), 조습해독, 살충의 효능이 있으므로 습진과 가려움증을 치료한다. 도지(桃枝)는 활혈통락(活血通絡), 해독, 살충의 효능이 있으므로 배앓이, 관절염, 요통, 타박상, 가려움증을 치료한다.

성분 도인(桃仁)은 amygdalin이 함유되어 있으며, 이것은 emusin에 의하여 benzaldehyde, HCN, glucose로 분해된다. 도엽(桃葉)은 ursolic acid, mandelic acid, quercetin, astragalin, meratin, persicogenin, aromadendrine, hesperetin 등이 함유되어 있다. 도지(桃枝)는 naringenin, dihydrokaempferol, kaempferide glucoside, quercetinglucoside, hesperetin glucoside, daucosterol 등이 함유되어 있다.

약리 benzaldehyde는 개의 적출 부신에서 catecholamine을 유리시키는 작용이 있고, HCN은 저농도에서 경동맥과 대동맥의 화학수용기에 작용하고 호흡 흥분을 일으킨다. 물로 달인 액은 적출 회장의 자동 운동을 촉진하고 histamine에 의한 기관지 수축을 억제하며, ephedrine에 의한 이완 반응을 증강시킨다. 80%에탄올추출물은 쥐의 melanin-a 세포에서 melanin 생합성을 저해하며, 70%메탄올추출물은 혈압에 관여하는 angiotensin converting enzyme의 활성을 저해한다.

사용법 도인은 10g에 물 3컵(600mL)을 넣고 달여서 복용하고, 외용에는 짓찧어 바른다. 도엽은 외용으로 주로 사용하며 짓찧어 바른다. 도지는 10g에 물 3컵(600mL)을 넣고 달여서 복용한다.

처방 도인탕(桃仁湯): 당귀(當歸) · 작약(芍藥) · 생지황(生地黃) · 향부자(香附子) · 목단(牧丹) · 홍화(紅花) · 현호색(玄胡索) · 도인(桃仁) 각 4g 「방약합편(方藥合編)」. 혈체(血滯)로 인한 폐경(閉經)에 사용한다.

• 도핵승기탕(桃核承氣湯): 도인(桃仁) 10개, 망초(芒硝) 8g, 계지(桂枝) 8g, 감초(甘草) 4g, 대황(大黃) 12g 「상한론(傷寒論)」. 아랫배가 몹시 아프고 단단하며 대변이 검고 헛소리를 하는 증상에 사용한다.

❍ 복숭아나무

○ 복숭아나무(열매)

○ 도인(桃仁) 조말

○ 도지(桃枝)

○ 도엽(桃葉)

○ 도인(桃仁)

이근피 각 10g에 물 3컵(600mL)을 넣고 달여서 복용한다.

[장미과]

자두나무

| 허로골증, 각기 | 당뇨병 | 타박상, 종독 |
| 적벽대하 | 복수, 변비, 습열이질 | 해수 |

●학명 : *Prunus salicina* Lindl. ●영명 : Japanese plum
●한자명 : 李 ●별명 : 오얏나무, 자도나무

낙엽 소교목. 높이 5~10m. 작은가지는 적갈색으로 털이 없으며 윤채가 돈다. 잎은 어긋나고 긴 타원형, 길이 5~10cm, 너비 2~4cm, 꽃은 백색, 4월에 잎보다 먼저 3개씩 달리고, 꽃잎은 길이 1cm 정도이다. 열매는 달걀 모양 또는 구형이다.

분포 · 생육지 중국 원산. 우리나라 전역에서 과수로 재식한다.

약용 부위 · 수치 열매와 속씨는 6~7월에, 잎은 여름에 채취하여 말린다.

약물명 열매를 이자(李子)라고 하며, 이실(李實)이라고도 한다. 속씨(種仁)를 이핵인(李核仁), 잎을 이수엽(李樹葉), 뿌리껍질을 이근피(李根皮)라 한다.

본초서 이자(李子)는 「명의별록(名醫別錄)」에 처음 수재되어, "몸에 열을 없애고, 속을 편하게 한다."고 하였다. 「동의보감(東醫寶鑑)」에는 "몸이 피로하여 뼈마디 사이에 열이 나는 것과 오랫동안 앓은 열을 풀어 주며 기운을 내게 한다."고 하였다.

名醫別錄: 除痼熱 調中.

東醫寶鑑: 除骨節間勞熱及痼熱 益氣.

기미 · 귀경 이자(李子): 평(平), 감(甘), 산(酸) · 간(肝), 비(脾), 위(胃). 이핵인(李核仁): 평(平), 고(苦) · 간(肝), 폐(肺), 대장(大腸)

약효 이자(李子)는 청간(淸肝), 생진(生津), 이수(利水)의 효능이 있으므로 허로골증(虛勞骨蒸), 당뇨병, 복수(復水)를 치료한다. 이핵인(李核仁)은 산어(散瘀), 이수(利水), 윤장(潤腸)하는 효능이 있으므로 타박상, 해수, 수기종만(水氣腫滿), 변비를 치료한다. 이수엽(李樹葉)은 청열해독(淸熱解毒)의 효능이 있으므로 당뇨병, 종독을 치료한다. 이근피(李根皮)는 강역(降逆), 조습(燥濕), 청열해독(淸熱解毒)의 효능이 있으므로 기역분돈(氣逆奔豚), 습열이질(濕熱痢疾), 적백대하, 당뇨병, 각기를 치료한다.

성분 속씨는 amygdalin이 함유되어 있으며, 이것은 emusin에 의하여 benzaldehyde, HCN, glucose로 분해된다.

약리 benzaldehyde는 개의 적출 부신에서 catecholamine을 유리시키는 작용이 있고, HCN은 저농도에서 경동맥과 대동맥의 화학 수용기에 작용하고 호흡 흥분을 일으킨다. 물로 달인 액은 적출 회장의 자동 운동을 촉진하고 histamine에 의한 기관지 수축을 억제하며, ephedrine에 의한 이완 반응을 증강시킨다.

사용법 이자는 신선한 것을 그대로 먹거나 즙을 내어서 마신다. 이핵인 또는 이수엽,

○ 자두나무

○ 자두나무(꽃)

○ 이자(李子)

검은벚나무

마른기침, 경련성기침, 기관지염

❍ 검은벚나무(열매)

●학명 : *Prunus serotina* Ehrh. ●영명 : Wild black cherry

| 1 | 2 | 3 | 4 | 5 | 6 | 7 | 8 | 9 | 10 | 11 | 12 |

낙엽 교목. 높이 20~30m. 잎은 어긋나고 타원형, 가장자리에 예리한 톱니가 있다. 꽃은 잎겨드랑이에 총상화서로 피고 백색이다. 열매는 구형이며 지름 1.5cm 정도로 흑자색으로 익는다.

분포 · 생육지 북아메리카 원산. 세계 각처에서 재식한다.

약용 부위 · 수치 열매는 여름에, 줄기껍질은 수시로 채취하여 썰어서 말린다.

약물명 열매를 Pruni Serotinae Fructus, 줄기껍질을 Pruni Serotinae Cortex라 한다.

약효 진해(鎭咳)의 효능이 있으므로 마른기침, 경련성기침, 기관지염을 치료한다.

사용법 Pruni serotinae Fructus, Pruni serotinae Cortex 20g에 물 3컵(600mL)을 넣고 달여서 복용한다.

❍ 검은벚나무

앵도나무

식적사리, 변비 각기

유정활설

●학명 : *Prunus tomentosa* Thunb. ●영명 : Chinese bush fruit ●한자명 : 櫻桃

| 1 | 2 | 3 | 4 | 5 | 6 | 7 | 8 | 9 | 10 | 11 | 12 |

낙엽 관목. 높이 3m 정도. 줄기껍질은 흑갈색으로 바깥 부분이 벗겨지기도 한다. 잎은 어긋나고 타원형, 길이 5~7cm, 가장자리에 겹톱니가 있다. 꽃은 백색, 4월에 잎보다 먼저 1~2개씩 잎겨드랑이에 달리고, 꽃자루는 짧다. 열매는 붉은색으로 익으며 지름 1cm 정도이다.

분포 · 생육지 중국 원산. 우리나라 전역에서 과수로 재식한다.

약용 부위 · 수치 열매가 성숙하는 여름철에 채취하여 말리고, 뿌리는 수시로 채취하여 물에 씻은 후 썰어서 말린다.

약물명 열매를 산앵도(山櫻桃)라고 하며 우도(牛桃), 영두(英豆), 매도(梅桃)라고도 한다. 뿌리를 동행근(東行根), 잎을 앵도엽(櫻桃葉)이라고 한다.

본초서 「동의보감(東醫寶鑑)」에는 열매를 앵도(櫻桃), 잎을 앵도엽(櫻桃葉), 뿌리를 동행근(東行根)이라 한다. 앵도(櫻桃)는 "중초의 기운을 다스리고 비장의 기운을 도우며, 얼굴빛을 윤택하게 한다. 기분을 좋게 하며 음식이 소화되지 않고 점액과 함께 나오는 설사를 낫게 한다."고 하였다. 앵도엽(櫻桃葉)은 "뱀에 물린 부위에 앵도나무 잎을 짓찧어 붙이고 또 즙액을 내어 복용하면 뱀독이 속으로 들어가는 것을 막을 수 있다."고 하였다. 동행근(東行根)은 "촌백충과 회충을 구제하며 공복에 삶은 물을 복용한다."고 하였다.

山櫻桃 主調中 益脾氣 令人好顔色 美志 止水穀痢.

山櫻桃葉 搗付蛇咬 且搗汁服 防蛇毒內攻.

東行根 療寸白蟲 蚘蟲 煮汁 空心腹.

약효 건비(健脾), 익기(益氣), 고정(固精)의 효능이 있으므로 식적사리(食積瀉痢), 변비, 각기(脚氣), 유정활설(遺精滑泄)을 치료한다.

성분 quercitrin, catechin, tomentin이 함유되어 있다.

사용법 산앵도 100~200g에 물 5컵(1L)을 넣고 달여서 복용한다.

❍ 앵도나무

❍ 앵도엽(櫻桃葉)

❍ 동행근(東行根)

❍ 산앵도(山櫻桃)

❍ 앵도나무(열매)

벗나무

마진투발불창

● 학명 : *Prunus serrulata* Lindly var. *spontanea* (Maxim.) Wilson
● 영명 : Japanese cherry ● 한자명 : 山櫻, 樺木泰

| 1 | 2 | 3 | 4 | 5 | 6 | 7 | 8 | 9 | 10 | 11 | 12 |

낙엽 교목. 높이 20m 정도. 줄기껍질은 암자색, 잎은 어긋나고 타원형, 끝이 매우 뾰족하고 양면에 털이 없으며, 가장자리에 겹톱니가 있다. 꽃은 백색, 4~6월에 잎보다 먼저 산방화서로 2~5개씩 달린다. 핵과는 구형이며 지름 5mm 정도, 흑색으로 익는다.
분포 · 생육지 우리나라 전역. 일본. 산이나 마을 근처에서 자란다.
약용 부위 · 수치 7월에 열매의 과피와 과육, 내과피를 제거하고 속씨를 채취하여 말린다.
약물명 산앵화(山櫻花), 산앵도(山櫻桃), 야앵화(野櫻花)라고도 한다.
약효 청폐투진(淸肺透疹)의 효능이 있으므로 마진투발불창(麻疹透發不暢)을 치료한다.
사용법 산앵화 10g에 물 3컵(600mL)을 넣고 달여서 복용한다.

○ 벗나무(열매)

○ 벗나무

왕벗나무

고혈압, 당뇨병

● 학명 : *Prunus yedoensis* Matsumura ● 영명 : Japanese flaming cherry

| 1 | 2 | 3 | 4 | 5 | 6 | 7 | 8 | 9 | 10 | 11 | 12 |

낙엽 교목. 높이 15m 정도. 줄기껍질은 회갈색으로 바깥 부분이 벗겨지기도 한다. 잎은 어긋나고 타원형, 가장자리에 겹톱니가 있다. 꽃은 백색, 4월에 잎보다 먼저 1~2개씩 잎겨드랑이에 달리고, 꽃자루는 짧다. 열매는 적갈색으로 익는다.
분포 · 생육지 우리나라 제주도. 우리나라 전역에서 재식한다.

약용 부위 · 수치 줄기껍질을 봄에 채취하여 썰어서 말려 사용하거나, 줄기에서 흘러내려 응고된 반고형 수지를 사용한다.
약물명 「동의보감(東醫寶鑑)」에는 줄기껍질을 앵피(櫻皮), 화피(樺皮)라 하여, 자작나무 줄기껍질인 화피(樺皮)의 대용으로 쓰기도 한 것 같다. 일본에서는 줄기껍질을 화두충(和杜沖)이라 하고, 중국에서는 수지(樹脂, Pruni Resina)를 약으로 사용하고 있다.
약효 화두충(和杜沖)은 일본에서 두충(杜沖)의 대용으로 고혈압, 당뇨병 치료에 이용한다. 중국에서는 수지를 같은 목적으로 사용한다.
사용법 화두충 10g에 물 3컵(600mL)을 넣고 달여서 복용하거나 수지 0.5g을 복용한다.

○ 왕벗나무(반고형 수지)

○ 왕벗나무

○ 화두충(和杜沖)

○ 왕벗나무(줄기에서 흘러나온 수지)

[장미과]
불가시나무

● 학명 : *Pyracantha fortuneana* (Max.) Li　● 한자명 : 火棘

| 1 | 2 | 3 | 4 | 5 | 6 | 7 | 8 | 9 | 10 | 11 | 12 |

상록 관목. 높이 3m 정도. 옆으로 벋는 가지는 짧으며 어릴 때는 털이 있으나 점차 없어진다. 잎은 어긋나지만 짧은가지에 모여나고 긴 타원형, 가장자리에 톱니가 있다. 꽃은 산방화서로 피며 백색이다. 열매는 이과로 둥글고 지름 5mm 정도, 붉은색으로 익는다.

분포 · 생육지 중국 산시성(陝西省), 저장성(浙江省), 장쑤성(江蘇省), 윈난성(雲南省). 산비탈, 풀밭, 길가에서 자란다.

약용 부위 · 수치 열매가 익으면 채취하여 신선한 것을 사용하거나 말려 사용한다. 잎과 뿌리는 여름이나 가을에 채취하여 물에 씻은 후 적당한 크기로 잘라서 말린다.

약물명 열매를 적양자(赤陽子), 잎을 구군량엽(求軍糧葉), 뿌리를 홍자근(紅子根)이라 한다.

약효 적양자(赤陽子)는 건비소식(健脾消食), 수삽지리(收澁止痢), 지통(止痛)의 효능이 있으므로 식적정체(食積停滯), 완복창만(脘腹脹滿), 이질, 붕루(崩漏)를 치료한다. 구군량엽(求軍糧葉)은 청열해독(清熱解毒), 지혈의 효능이 있으므로 창양종통(瘡瘍腫痛), 목적(目赤), 이질, 외상출혈을 치료한다. 홍자근(紅子根)은 청열양혈(清熱凉血), 화어지통(化瘀止痛)의 효능이 있으므로 조열도한(潮熱盜汗), 장풍하혈(腸風下血), 목적종통(目赤腫痛)을 치료한다.

성분 적양자(赤陽子)는 β−sitosterol, eriodictyol, rutin, miscanthoside, isoquercitrin, quercetin 등이 함유되어 있다.

약리 적양자(赤陽子)는 항산화 작용과 면역 증강 작용, 체력 증강 작용이 있다.

사용법 적양자, 구군량엽, 홍자근 각 10g에 물 3컵(600mL)을 넣고 달여서 복용한다.

○ 적양자(赤陽子)

○ 구군량엽(求軍糧葉)

○ 불가시나무

○ 불가시나무(열매)

[장미과]
콩배나무

● 학명 : *Pyrus calleryana* Decaisne　● 한자명 : 豆梨, 大豆梨　● 별명 : 좀돌배나무, 문배

| 1 | 2 | 3 | 4 | 5 | 6 | 7 | 8 | 9 | 10 | 11 | 12 |

낙엽 관목. 높이 3m 정도. 줄기에는 가지가 변한 가시가 있고 갈색의 피목이 있다. 잎은 어긋나고 심장형, 침상의 톱니가 있다. 꽃은 백색, 산방화서로 달린다. 열매는 이과로 지름 1.5cm 정도이며 둥글고 흑색으로 익는다.

분포 · 생육지 우리나라 황해도 이남. 중국, 일본. 산과 들에서 자란다.

약용 부위 · 수치 열매가 익으면 채취하여 신선한 것을 사용하거나 잘라서 말려 사용한다. 가지와 잎은 여름이나 가을에 채취하여 적당한 크기로 잘라서 말려 사용한다.

약물명 열매를 녹이(鹿梨), 잎을 녹이엽(鹿梨葉), 가지를 녹이지(鹿梨枝)라고 한다.

약효 녹이(鹿梨)는 건비소식(健脾消食), 삽장지리(澁腸止痢)의 효능이 있으므로 음식적체(飲食積滯), 사리(瀉痢)를 치료한다. 녹이엽(鹿梨葉)은 청열해독(清熱解毒), 윤폐지해(潤肺止咳)의 효능이 있으므로 독고중독(毒菰中毒), 독사교상, 위장염, 폐열해수를 치료한다. 녹이지(鹿梨枝)는 행기(行氣)의 효능이 있으므로 토사곽란, 반위토식(反胃吐食)을 치료한다.

성분 녹이엽(鹿梨葉)에는 quercetin−3−glucoside, callyeryanin, caffeoylcallyeryanin, protocatechuoylcallyeryanin, p−hydrocybenzoycallyeryanin 등이 함유되어 있다.

사용법 녹이, 녹이엽 또는 녹이지 15g에 물 3컵(600mL)을 넣고 달여서 복용한다.

○ 콩배나무

산돌배나무

폐조해수	창양, 탕화상, 정창, 개선
당뇨병	소변불리

목적, 서열번갈

토사곽란, 토혈, 복통, 이질 | 수종

●학명 : *Pyrus ussuriensis* Maxim.　●영명 : Pear　●한자명 : 梨　●별명 : 산돌배

1	2	3	4	5	6	7	8	9	10	11	12

낙엽 관목. 높이 10m 정도. 작은가지는 잎이 어긋나고 심장형, 가장자리에 톱니가 있다. 꽃은 지름 2~2.5cm, 백색, 산방화서로 달리며 꽃받침은 빨리 떨어진다. 이과는 둥글고 지름 3~4cm, 황색으로 익는다.

분포 · 생육지 우리나라 전역. 중국, 일본, 우수리, 아무르. 마을 부근과 산지에서 자란다.

약용 부위 · 수치 열매가 익으면 채취하여 신선한 것을 사용하거나 잘라서 말려 사용한다. 가지와 잎은 여름이나 가을에 채취하여 적당한 크기로 잘라서 말려 사용한다.

약물명 열매를 이(梨) 또는 이자(梨子), 줄기껍질을 이피(梨皮), 꽃을 이화(梨花), 잎을 이엽(梨葉), 가지를 이지(梨枝)라 한다.

본초서 돌배나무는 「명의별록(名醫別錄)」에 이(梨)라는 이름으로 처음 수재되었고, 송대(宋代)의 「개보본초(開寶本草)」에는 "열을 내리고 화상을 치료하며 부종을 없앤다."고 기록되어 있다. 「동의보감(東醫寶鑑)」에는 열매를 이자(梨子), 줄기껍질을 이피(梨皮), 잎을 이엽(梨葉)이라 하여 수재하고 있다. 이자(梨子)는 "밖으로부터 침입한 열을 없애고 가슴이 답답한 것을 풀어 주며, 바람으로 인해 유발된 열과 가슴 속에 뭉친 열을 풀어 준다."고 하였다. 이피(梨皮)는 "피부병을 낫게 한다."고 하였으며, 이엽(梨葉)은 "구토와 설사가 계속되는 것을 그치게 한다."고 하였다.

梨子 除喀血 止心煩 消風熱 除胸中熱結.
梨皮 治瘡癬 疥癩 甚效 煮汁洗之.
梨葉 主霍亂利不止 煮汁服.

기미 · 귀경 이(梨): 양(凉), 감(甘), 산(酸) · 폐(肺), 위(胃), 심(心)

약효 이(梨)는 청폐화담(淸肺化痰), 생진지갈(生津止渴)의 효능이 있으므로 폐조해수(肺燥咳嗽), 열병번조(熱病煩燥), 진소구간(津少口干), 당뇨병, 목적(目赤), 창양(瘡瘍), 탕화상을 치료한다. 이피(梨皮)는 청심윤폐(淸心潤肺), 강화생진(降火生津), 해창독(解瘡毒)의 효능이 있으므로 서열번갈(暑熱煩渴), 폐조해수(肺燥咳嗽), 토혈, 이질, 정창(疔瘡), 개선(疥癬)을 치료한다. 이화(梨花)는 택면거반(澤面去班)의 효능이 있으므로 면생흑반분재(面生黑斑粉滓)를 치료한다. 이엽(梨葉)은 서간화위(舒肝和胃), 이수해독(利水解毒)의 효능이 있으므로 토사곽란, 수종(水腫), 소변불리, 균고중독(菌菇中毒)을 치료한다. 이지(梨枝)는 행기화중(行氣和中), 지통의 효능이 있으므로 토사곽란, 복통을 치료한다.

성분 이(梨)는 chlorogenic acid, flavan-3-ol, arbutin, vitamin C, β-sitosterol, daucosterol 등이 함유되어 있다.

약리 chlorogenic acid, flavan-3-ol, arbutin, vitamin C는 항산화 작용이 있다. β-sitosterol, daucosterol은 iNOS로 유도되는 NO 생성을 억제한다.

사용법 이는 생과실로 먹거나 과피와 핵을 제거하여 즙을 내어 마시고, 말렸다가 10g에 물 3컵(600mL)을 넣고 달여서 복용한다. 이피, 이엽, 이화의 사용법도 같다.

＊잎과 열매가 큰 '배나무 var. *macrostipes*' 도 약효가 같다.

◐ 배와 도라지로 만든 건강식품(기침, 가래)

◐ 산돌배나무

[장미과]

다정큼나무

골수염, 관질염

궤양성부스럼, 타박상, 궤양홍종

● 학명 : *Raphiolepsis indica* (L.) Lindley var. *umbellata* (Thunb.) Ohashi
● 한자명 : 石班木 ● 별명 : 쪽나무, 둥근다정큼

| 1 | 2 | 3 | 4 | 5 | 6 | 7 | 8 | 9 | 10 | 11 | 12 |

● 석반목엽(石班木葉)

● 석반목근(石班木根)

상록 관목. 높이 2~4m. 작은가지는 돌려 난다. 잎은 어긋나고 길이 6~8cm, 끝부분은 둔하거나 둥글며, 윗부분에 둔한 톱니가 있고 두꺼우며 가장자리가 말리고, 뒷면은 흰빛이 도는 연한 녹색이다. 꽃은 4~6월에 원추화서로 달리며 백색, 꽃받침과 꽃잎은 각각 5개, 수술은 20개, 암술대는 2개이다. 열매는 이과로 둥글며 흑색으로 익는다.

분포 · 생육지 우리나라 제주도, 전남, 경남. 일본, 타이완. 산에서 자란다.

약용 부위 · 수치 뿌리와 잎을 여름에 채취하여 물에 씻어서 적당한 크기로 잘라서 말린다.

약물명 뿌리를 석반목근(石班木根)이라고

하며, 춘화목(春花木)이라고도 한다. 잎을 석반목엽(石班木葉)이라고 하며, 춘화목엽(春花木葉)이라고도 한다.

약효 석반목근(石班木根)은 활혈소종(活血消腫), 양혈해독(凉血解毒)의 효능이 있으므로 골수염, 관절염, 궤양성부스럼, 타박상을 치료한다. 석반목엽(石班木葉)은 소염거부(消炎去腐)의 효능이 있으므로 궤양홍종(潰瘍紅腫)을 치료한다.

사용법 석반목근은 15g에 물 3컵(600mL)을 넣고 달여서 복용하고, 외용에는 짓찧어 바른다. 석반목엽은 물을 넣고 달여서 달인액을 환부에 바른다.

● 다정큼나무

● 다정큼나무(뿌리)

● 다정큼나무(열매)

● 꽃

[장미과]

병아리꽃나무

혈허신휴

● 학명 : *Rhodotypos scandens* (Thunb.) Makino
● 한자명 : 鷄麻, 双珠母 ● 별명 : 죽도화, 자마꽃, 이리화, 개함박꽃나무

| 1 | 2 | 3 | 4 | 5 | 6 | 7 | 8 | 9 | 10 | 11 | 12 |

● 계마(鷄麻)

● 병아리꽃나무(열매)

상록 관목. 높이 2m 정도. 작은가지는 자갈색으로 광택이 난다. 잎은 마주나고 타원형, 길이 6~10cm, 너비 3~6cm, 끝은 뾰족하고 가장자리에는 예리한 톱니가 있다. 꽃은 4~5월에 달리며 백색, 꽃받침과 꽃잎은 각각 4개이다. 열매는 흑색으로 성숙하며 광택이 난다.

분포 · 생육지 우리나라 중부 이남. 중국, 일본. 마을 근처 산에서 자란다.

약용 부위 · 수치 열매를 여름철에 채취하여 말린다.

약물명 계마(鷄麻). 쌍주모(双珠母)라고도 한다.

약효 보혈(補血), 익신(益腎)의 효능이 있으므로 혈허신휴(血虛腎虧)를 치료한다.

사용법 계마 15g에 물 3컵(600mL)을 넣고 달여서 복용한다.

● 병아리꽃나무

[장미과]

민둥인가목

 풍습성관절염

●학명 : *Rosa acicularis* (Thunb.) Makino　●한자명 : 刺薔薇　●별명 : 인가목

| 1 | 2 | 3 | 4 | 5 | 6 | 7 | 8 | 9 | 10 | 11 | 12 |

상록 관목. 높이 2m 정도. 잎은 마주나고 깃꼴겹잎, 작은잎은 3~7개, 타원형, 가장자리에는 잔톱니가 있고, 잎줄기에 날카로운 털이 있다. 꽃은 백색 또는 분홍색, 5~6월에 햇가지 끝에 달리며, 꽃받침과 꽃잎은 각각 4개이다. 열매는 타원상 구형이고 붉은색으로 성숙한다.

분포·생육지 우리나라 전역. 중국, 일본, 아무르, 유럽, 북아메리카. 산 중턱 이상에서 자란다.

약용 부위·수치 뿌리를 여름부터 가을에 채취하여 물에 씻은 후 썰어서 말린다.

약물명 소자대엽장미(少刺大葉薔薇)

약효 거풍습(祛風濕)의 효능이 있으므로 풍습성관절염을 치료한다.

사용법 소자대엽장미 10g에 물 3컵(600mL)을 넣고 달여서 복용한다.

✪ 소자대엽장미(少刺大葉薔薇)

✪ 흰꽃

✪ 민둥인가목(분홍색 꽃)

[장미과]

개똥장미

 방광염, 신장염　류머티즘　담석증

●학명 : *Rosa canina* L.　●영명 : Dog rose

| 1 | 2 | 3 | 4 | 5 | 6 | 7 | 8 | 9 | 10 | 11 | 12 |

✪ 개똥장미(열매)

상록 관목. 높이 2m 정도. 작은가지는 자갈색으로 광택이 난다. 잎은 마주나고 타원형, 끝은 둔하거나 둥글며 가장자리에는 톱니가 있다. 꽃은 백색, 4~5월에 햇가지 끝에 1~2개 달리며, 꽃받침과 꽃잎은 각각 4개이다. 열매는 둥글고 붉은색으로 익는다.

분포·생육지 온대와 열대 고산 지대. 남아메리카, 유럽 등에서 재식한다.

약용 부위·수치 열매를 가을에 채취하여 말린다.

약물명 Rosae Caninae Fructus

약효 거풍(祛風), 소염의 효능이 있으므로 방광염, 신장염, 류머티즘, 담석증을 치료한다.

사용법 Rosae Caninae Fructus 5개에 물 3컵(600mL)을 넣고 달여서 복용한다.

✪ 개똥장미

[장미과]

월계화

♀ 월경부조, 통경, 경폐

🗑 타박상, 어혈종통, 탕상

● 학명 : *Rosa chinensis* Jacq.　● 한자명 : 月季花, 四季花

○ 월계화(月季花)

관목. 높이 1~2m. 잎은 홀수 깃꼴겹잎, 작은잎은 두껍고 타원형이다. 꽃은 5~6월에 피며 지름 4~5cm, 새 가지 끝에 1~3개가 달린다. 꽃잎은 붉은색 또는 분홍색, 끝이 오므라들고, 꽃받침 조각은 길이 2cm 정도이다. 열매는 6~10월에 익고 타원상 구형, 꽃받침이 달려 있다.

분포·생육지 중국 원산. 우리나라에서 재식한다.

약용 부위·수치 꽃이 활짝 피기 전에 채취하여 말린다.

약물명 월계화(月季花). 사계화(四季花)라고도 한다.

기미·귀경 온(溫), 감(甘), 고(苦)·간(肝)

약효 활혈조경(活血調經), 해독소종(解毒消腫)의 효능이 있으므로 월경부조(月經不調), 통경(痛經), 경폐(經閉), 타박상, 어혈종통(瘀血腫痛), 탕상(燙傷)을 치료한다.

사용법 월계화 5g에 물 2컵(400mL)을 넣고 달여서 복용하거나, 뜨거운 물에 우려내어 복용한다.

○ 월계화

[장미과]

생열귀나무

🗑 소화불량, 기체복사, 위통, 토혈　　♀ 월경불순, 통경, 붕루, 자궁출혈

👥 방광염　　🧍 늑간신경통　　🫁 폐로해수, 만성기관지염

● 학명 : *Rosa davurica* Pallas　● 한자명 : 山莓瑰, 山刺莓花　● 별명 : 뱀의찔네, 범의찔네

○ 자매과(刺莓果)

○ 자매화(刺莓花)

낙엽 관목. 높이 1~1.5m. 원줄기는 적갈색, 잎은 어긋나고 5~9개의 작은잎으로 된 홀수 깃꼴겹잎이다. 꽃잎은 적자색, 끝이 오므라들고, 꽃받침 조각은 길이 2cm 정도이며 겉에 선점이 있다. 열매는 6월에 익고 구형, 지름 1~1.2cm, 붉은색으로 익는다.

분포·생육지 우리나라 중부 이북. 일본, 중국 둥베이(東北) 지방, 몽골, 아무르, 시베리아. 산골짜기의 물가에서 자란다.

약용 부위·수치 열매는 가을에, 꽃은 꽃이 피기 전에, 뿌리는 수시로 채취하여 말린다.

약물명 열매를 자매과(刺莓果), 꽃을 자매화(刺莓花), 뿌리를 자매근(刺莓根)이라 한다.

기미·귀경 자매과(刺莓果): 온(溫), 산(酸), 고(苦)·간(肝). 자매화(刺莓花): 온(溫), 산(酸), 고(苦). 자매근(刺莓根): 평(平), 고(苦), 삽(澁)·폐(肺), 간(肝), 대장(大腸)

약효 자매과(刺莓果)는 건비소식(健脾消食), 활혈조경(活血調經), 염폐지해(斂肺止咳)의 효능이 있으므로 소화불량, 기체복사(氣滯腹瀉), 위통, 월경불순을 치료한다. 자매화(刺莓花)는 이기화혈(理氣和血), 지해의 효능이 있으므로 월경부조, 통경, 붕루(崩漏), 토혈, 늑간신경통, 폐로해수(肺癆咳嗽)를 치료한다. 자매근(刺莓根)은 지해(止咳), 지리(止痢), 지혈의 효능이 있으므로 만성기관지염, 장염, 이질, 방광염, 자궁출혈을 치료한다.

성분 자매과(刺莓果)는 leucoanthocyanidin, anthocyanidin, catechin, tiliroside, casuarictin, agrimoniin, davuricin M₁, D, D₂, T₁ 등이 함유되어 있고, 자매근(刺莓根)은 taxifolin-3-*O*-β-D-apio-D-furanoside, 1,2,3,6-tetra-*O*-galloyl-β-D-glucose, 1,2,3,4,6-penta-*O*-galloyl-β-D-glucose, agrimoniin, laevigatin D, F, davuriciin D₁, D₂, M₁, T₁ 등이 함유되어 있다.

약리 자매과의 열수추출물은 항산화 작용, 면역 증강 작용, 항암 작용, 간 보호 작용이 있다.

사용법 자매과 7g에 물 2컵(400mL)을 넣고 달여서 복용하고, 자매화는 꽃 5개에 물 2컵(400mL)을 넣고 달여서 복용한다. 자매근은 10g을 달인 물에 계란을 넣어 복용한다.

＊'긴생열귀 var. *ellipsoidea*'도 약효가 같다.

○ 생열귀나무

[장미과]

장미

이질, 설사

화상, 종기, 기미, 주근깨

●학명 : *Rosa hybrida* Hort.　●영명 : Rose

1	2	3	4	5	6	7	8	9	10	11	12

상록 관목. 높이 2m 정도. 잎은 깃꼴겹잎이고, 작은잎은 타원형, 끝은 뾰족하고 밑은 둔하거나 둥글며 가장자리에는 톱니가 있다. 꽃은 4~5월에 달리며 백색 또는 분홍색. 꽃받침과 꽃잎은 각각 4개이다. 열매는 둥글고 붉은색으로 성숙한다.

분포 · 생육지 온대와 열대 고산 지대. 세계 각처에서 재식한다.

약용 부위 · 수치 열매를 가을에 채취하여 말린다.

약물명 Rosae Hybridae Fructus

약효 수렴(收斂)의 효능이 있으므로 이질, 설사, 화상, 종기, 기미, 주근깨를 치료한다.

사용법 이질과 설사에는 잎과 꽃에 계지를 약간 넣어 물을 넣고 달여서 복용하고, 화상과 종기에는 꽃을 짓찧어 환부에 붙인다. 백대하에는 잎과 꽃을 물을 넣고 달여서 질 세척을 하며, 기미와 주근깨에는 뿌리와 잎을 찧어 식초에 개어 환부에 바른다.

◎ 장미(꽃봉오리)　　◎ 장미, 쑥이 배합된 머리 염색약

◎ 장미

◎ 향료용으로 꽃을 채취하고 있다.

[장미과]

흰인가목

신체허약증　　빈혈

폐결핵　　위궤양

●학명 : *Rosa koreana* Komarov　●한자명 : 長白薔薇　●별명 : 흰인가목

1	2	3	4	5	6	7	8	9	10	11	12

낙엽 관목. 높이 1m 정도. 작은가지에는 붉은색의 가시 같은 털이 빽빽이 난다. 잎은 깃꼴겹잎이고, 작은잎은 타원형, 가장자리에는 톱니가 있다. 꽃은 5~6월에 달리며 백색, 꽃받침과 꽃잎은 각각 4개이다. 열매는 원통형으로 붉은색으로 익는다.

분포 · 생육지 우리나라 강원도 이북. 중국, 우수리. 해발 600~1,200m에서 자란다.

약용 부위 · 수치 열매를 7~9월에 채취하여 말리고, 뿌리는 봄부터 가을에 채취하여 물에 씻은 후 썰어서 말린다.

약물명 열매를 장백장미과(長白薔薇果), 뿌리를 장백장미근(長白薔薇根)이라 한다.

약효 장백장미과는 자보강장(慈補强壯), 건위소식(健胃消食)의 효능이 있으므로 신체허약증, 빈혈, 폐결핵, 위궤양을 치료한다. 장백장미근은 수렴고삽(收斂固澁), 거풍습(祛風濕)의 효능이 있으므로 유정(遺精), 대하(帶下), 구리(久痢), 풍습동통(風濕冬痛)을 치료한다.

사용법 장백장미과 또는 장백장미근 10g에 물 3컵(600mL)을 넣고 달여서 복용한다.

◎ 흰인가목

금앵자나무

| 유정, 활정, 유뇨, 빈뇨, 탈항, 변혈 | 이질, 구사, 설사 |
| 옹종정창 | 자궁하수, 대하 | 해혈 |

●학명 : *Rosa laevigata* Michx. ●한자명 : 金櫻

| 1 | 2 | 3 | 4 | 5 | 6 | 7 | 8 | 9 | 10 | 11 | 12 |

상록 관목. 높이 5m 정도. 줄기에는 가시가 많고 잎은 3개의 작은잎으로 된 깃꼴겹잎이다. 꽃은 5~6월에 피며 지름 5~9cm, 꽃잎은 5개, 백색, 수술과 심피는 많다. 열매는 달걀 모양, 7~11월에 익으며 길이 2~4cm로 자갈색, 바깥에 털이 많다.

분포·생육지 중국 장쑤성(江蘇省), 저장성(浙江省), 후베이성(湖北省), 장시성(江西省), 안후이성(安徽省). 산지에서 자란다.

약용 부위·수치 열매를 가을에 채취하고, 뿌리는 수시로, 잎은 여름에, 꽃은 봄에 채취하여 말린다.

약물명 열매를 금앵자(金櫻子)라고 하며, 자유자(刺榆子), 자이자(刺梨子)라고도 한다. 뿌리를 금앵근(金櫻根), 잎을 금앵엽(金櫻葉), 꽃을 금앵화(金櫻花)라고 한다. 금앵자(金櫻子)는 대한약전(KP)에 수재되어 있다.

본초서 「본초강목(本草綱目)」에서 금앵(金櫻)은 금앵(金罌)이라는 술병과 닮아서 붙여진 이름이라고 하였다. 「명의별록(名醫別錄)」에 처음 수재되어, "유정(遺精)을 낮게 한다."고 하였으며, 「동의보감(東醫寶鑑)」에는 "비장의 기능이 떨어져 설사를 하거나 소변이 자주 나오는 것을 낮게 하고 정액이 흘러나오는 것과 꿈을 꾸면서 정액이 배설되거나 정액이 저절로 흘러나오는 것을 멈추게 한다."고 하였다.

名醫別錄: 止遺泄.

東醫寶鑑: 療脾泄下痢 止小便利澁精氣 止遺精泄精.

성상 금앵자(金櫻子)는 긴 도란형으로 길이 3~3.5cm, 너비 1.5~2cm. 표면은 적갈색~황적색으로 가시가 떨어진 곳은 갈색의 작은 점으로 볼록하다. 냄새가 약간 있고 맛은 달고 떫다.

기미·귀경 금앵자(金櫻子): 평(平), 산(酸), 삽(澁)·비(脾), 신(腎), 방광(膀胱)

약효 금앵자(金櫻子)는 고정(固精), 축뇨(縮尿), 삽장(澁腸), 지대(止帶)의 효능이 있으므로 유정, 활정(滑精), 유뇨(遺尿), 빈뇨, 구사(久瀉), 탈항, 자궁하수를 치료한다. 금앵근(金櫻根)은 수렴고삽(收斂固澁), 지혈렴창(止血斂瘡), 거풍활혈(祛風活血), 지통의 효능이 있으므로 유정, 유뇨(遺尿), 설사, 해혈(咳血), 변혈을 치료한다. 금앵엽(金櫻葉)은 청열해독(淸熱解毒), 활혈지혈(活血止血), 지대(止帶)의 효능이 있으므로 옹종정창, 이질, 붕루(崩漏), 대하를 치료한다. 금앵화(金櫻花)는 삽장(澁腸), 고정(固精), 축뇨(畜尿), 지대(止帶)의 효능이 있으므로 구사구리(久瀉久痢), 유정, 유뇨(遺尿), 대하를 치료한다.

성분 agrimoniin, laevigatin A~G, sanguiin H-4, peduculagein, potentillin, agrimonic acid A, B, ursolic acid, oleanolic acid 등이 함유되어 있다.

약리 열수추출물을 쥐에게 투여하면 배뇨 횟수가 줄어들고 배뇨 간격의 시간이 연장된다. 열수추출물을 토끼의 적출 장관에 투여하면 평활근이 수축된다.

사용법 금앵자, 금앵근, 금앵엽 또는 금앵화 각각 10g에 물 3컵(600mL)을 넣고 달여서 복용하거나 알약으로 만들어 복용한다.

처방 금앵단(金櫻丹): 금앵자(金櫻子)·창출(蒼朮)·생지황(生地黃)·세신(細辛)·육종용(肉茯蓉)·토사자(菟絲子)·우슬(牛膝)·검실(芡實)·연심(蓮心)·산약(山藥)·인삼(人蔘)·복령(茯苓)·정향(丁香)·목향(木香)·석창포(石菖蒲)·사향(麝香)·감초(甘草)·진피(陳皮)·백자인(柏子仁) 각 40g「보양처방집(補陽處方集)」. 정혈 부족으로 몸이 여위고 오후마다 미열이 나며 식은땀이 나거나 건망증, 가슴이 울렁거리는 증상에 사용한다.

❍ 금앵자나무

❍ 금앵자나무(열매와 잎)

❍ 금앵자(金櫻子, 절편)

❍ 금앵자(金櫻子, 신선품)

❍ 금앵자(金櫻子)

찔레나무

| 신장염, 부종, 소변불리 | 각기 | 서혈토혈, 설사 | 폐옹 |
| 구갈 | 당뇨병 | 말라리아 | 개선, 창종 | 월경복통 |

● 학명 : *Rosa multiflora* Thunb.　● 영명 : Baby brier
● 한자명 : 野薔薇　● 별명 : 찔레꽃, 들장미

낙엽 관목. 높이 2m 정도. 가지 끝이 밑으로 처지므로 덩굴처럼 보인다. 잎은 어긋나고 깃꼴겹잎, 턱잎은 상반부가 잎자루와 합쳐진다. 꽃은 5월에 피고 백색이다. 열매는 둥글며 지름 8mm 정도, 9월경에 붉은색으로 익는다.

분포 · 생육지 우리나라 전역. 일본. 산기슭에서 자란다.

약용 부위 · 수치 꽃은 5~6월에, 뿌리는 수시로, 열매는 가을에 채취하여 말린다.

약물명 열매를 영실(營實)이라고 하며, 장미자(薔薇子)라고도 한다. 꽃을 장미화(薔薇花)라고 하며, 뿌리를 장미근(薔薇根)이라 한다. 영실(營實)은 대한민국약전외한약(생약)규격집(KHP)에 수재되어 있다.

본초서 영실은 「신농본초경(神農本草經)」의 상품(上品)에 처음 수재되었으며 "옹저, 악창, 결육(結肉), 패창(敗瘡), 열기(熱氣)를 치료하며, 관절을 부드럽게 한다."고 기록되어 있다. 도홍경(陶弘景)은 영실(營實)은 장미의 한 종류로 꽃이 작으며 흰꽃이 피는 열매라 하였다. 「동의보감(東醫寶鑑)」은 「신농본초경(神農本草經)」의 약효와 비슷하나 "두창과 백독(머리가 희어지고 빠지는 것)을 치료한다."고 하였다.

神農本草經: 主癰疽惡瘡 結肉 跌筋 敗瘡 熱氣 陰蝕不瘳 利關節

東醫寶鑑: 主癰疽惡瘡 敗瘡 陰蝕不瘳 頭瘡白禿

성상 영실(營實)은 위과(僞果)로 구형, 길이 0.7~1cm, 지름 0.4~0.7cm, 표면은 적갈색으로 광택이 있고 끝에는 암술머리의 잔기가 있으며 열매자루가 있다. 횡단면은 속에 은백색 털이 빽빽이 나고 5~10개의 종자가 있다. 냄새는 시고 맛은 약간 달다.

기미 · 귀경 영실(營實): 양(凉), 산(酸) · 간(肝), 신(腎), 위(胃)

약효 영실(營實)은 이뇨, 해독, 사하(瀉下), 활혈(活血)의 효능이 있으므로 신장염, 부종, 소변불리, 각기(脚氣), 창종(瘡腫), 월경복통을 치료한다. 장미화(薔薇花)는 청서(淸暑), 화위(和胃), 지혈의 효능이 있으므로 서열토혈(暑熱吐血), 구갈, 설사, 말라리아를 치료한다. 장미근(薔薇根)은 청열(淸熱), 이습(利濕), 거풍(祛風), 활혈(活血)의 효능이 있으므로 폐옹(肺癰), 당뇨병, 이질, 관절염, 사지마비, 토혈, 빈뇨, 개선(疥癬)을 치료한다.

성분 flavonoid: multinoside A, B, multiflorin A, B, rutin, isoquercitrin. 지방산: palmitic acid, stearic acid, linoleic acid. 홍색 색소: lycopene 등이 함유되어 있다. 꽃과 잎에는 astragalin이 함유되어 있다.

약리 multiflorin A와 B를 쥐에게 투여하면 사하 작용이 나타난다. 임상적으로 성인에게 0.1g을 내복하게 하면 3~9시간 이후에 설사를 일으킨다. 동물의 사료에 영실(營實)을 혼합하여 주면 이뇨 효과가 나타난다. 열수추출물은 혈중 콜레스테롤의 함량을 저하시킨다.

사용법 영실 또는 장미화 5g에 각각 물 2컵(400mL)을 넣고 달여서 또는 술에 담가서 복용한다. 장미근 10g에 물 3컵(600mL)을 넣고 달여서 복용하거나 술에 담가 복용한다.
* 꽃이 작고 잎이 작은 '좀찔레 var. *quelpaertensis*'도 약효가 같다.

❍ 영실(營實)

❍ 장미근(薔薇根)

❍ 찔레나무

❍ 찔레나무(열매)

❍ 장미화(薔薇花)로 만든 건강식품

[장미과]

향수월계

이질, 설사 　백대

해수

●학명 : *Rosa odorata* (Andr.) Sweet　●한자명 : 香水月季

| 1 | 2 | 3 | 4 | 5 | 6 | 7 | 8 | 9 | 10 | 11 | 12 |

상록 덩굴나무. 줄기나 가지에는 드문드문 가시가 있다. 잎은 홀수 깃꼴겹잎, 작은잎은 5~7개, 타원형, 가장자리에 톱니가 있다. 꽃은 6~9월에 피며 백색~유백색, 향기가 강하다. 열매는 구형~편구형이고 붉은색으로 익는다.

분포 · 생육지 중국 윈난성(雲南省), 티베트. 산과 들에서 자란다.

약용 부위 · 수치 뿌리를 봄부터 가을에 채취하여 물에 씻은 후 썰어서 말린다.

약물명 백장미근(白薔薇根). 고공과근(固公果根)이라고도 한다.

약효 청열지리(淸熱止痢), 조기화혈(調氣和血)의 효능이 있으므로 이질, 설사, 백대(白帶), 해수를 치료한다.

사용법 백장미근 10g에 물 3컵(600mL)을 넣고 달여서 복용한다.

❍ 향수월계

[장미과]

아미장미

토혈, 설사

●학명 : *Rosa omeiensis* Rolfe　●한자명 : 峨眉薔薇

| 1 | 2 | 3 | 4 | 5 | 6 | 7 | 8 | 9 | 10 | 11 | 12 |

❍ 아미장미(꽃)

관목. 높이 3~4m. 줄기 밑부분이 팽대하여 껍질에 가시가 있다. 잎은 홀수 깃꼴겹잎, 작은잎은 두껍고 타원형, 가장자리에 톱니가 있다. 꽃은 5~6월에 피며 지름 4~5cm, 백색, 끝이 오므라든다. 열매는 6~10월에 익고 타원상 구형이고 꽃받침이 달려 있다.

분포 · 생육지 중국 윈난성(雲南省), 산시성(山西省), 간쑤성(甘肅省), 칭하이성(靑海省). 해발 750~4,000m의 산지에서 자란다.

약용 부위 · 수치 뿌리를 봄부터 가을에 채취하여 물에 씻은 후 썰어서 말린다.

약물명 자석류근(刺石榴根). 산석류(山石榴)라고도 한다.

약효 지혈, 지리(止痢)의 효능이 있으므로 토혈, 설사를 치료한다.

사용법 자석류근 15g에 물 3컵(600mL)을 넣고 달여서 복용한다.

❍ 아미장미

[장미과]

소사화

식적포창, 장염복사 / 인후통, 치통 / 대하, 붕루 / 유정, 치창 / 옹종

● 학명 : *Rosa roxburghii* Tratt.　● 한자명 : 繅絲花

| 1 | 2 | 3 | 4 | 5 | 6 | 7 | 8 | 9 | 10 | 11 | 12 |

관목. 높이 1~2m. 줄기껍질은 회갈색으로 가시가 있다. 잎은 홀수 깃꼴겹잎, 작은잎은 9~15개, 가장자리에 톱니가 있다. 꽃은 5~7월에 피며 지름 5~6cm, 연한 붉은색이다. 열매는 편구형으로 8~10월에 익는다.

분포 · 생육지 중국 윈난성(雲南省), 산시성(陝西省), 간쑤성(甘肅省), 안후이성(安徽省). 산과 들에서 자란다.

약용 부위 · 수치 열매, 뿌리, 잎을 여름에 채취하여 물에 씻은 후 말린다.

약물명 열매를 자리(刺梨)라고 하며, 문광과(文光果), 유자과(油刺果)라고도 한다. 뿌리를 자리근(刺梨根), 잎을 자리엽(刺梨葉)이라 한다.

약효 자리(刺梨)는 지혈, 지리(止痢)의 효능이 있으므로 건위소식(健胃消食), 지사의 효능이 있으므로 식적포창(食積飽脹), 장염복사(腸炎腹瀉)를 치료한다. 자리근(刺梨根)은 건위소식, 지통, 수삽(收澁), 지혈의 효능이 있으므로 위만창만(胃滿脹滿), 인후통, 치통, 대하, 유정, 붕루, 치창을 치료하고, 자리엽(刺梨葉)은 청열해서(淸熱解暑), 해독료창(解毒療瘡), 지혈의 효능이 있으므로 옹종, 치창(痔瘡), 서열권태(暑熱倦怠)를 치료한다.

성분 자리(刺梨)는 tormentic acid, euscaphic acid, procatechuic acid, roxburic acid, pedunculagin, roxbin A, B 등이 함유되어 있다.

약리 자리(刺梨)의 에탄올추출물은 쥐의 회장 운동을 억제한다. 에탄올추출물은 쥐에게 투여하면 소화액의 분비가 증가된다.

사용법 자리, 자리근, 자리엽 각각 10g에 물 3컵(600mL)을 넣고 달여서 복용한다.

● 자리(刺梨)　　● 소사화(열매)

● 소사화

[장미과]

산딸기나무

간신부족, 간염 / 유뇨, 양위유정 / 구갈 / 풍습성관절염, 통풍 / 수발조백 / 불잉증

● 학명 : *Rubus crataegifolius* Bunge
● 한자명 : 牛迭肚　● 별명 : 산딸기, 나무딸기, 참딸, 함박딸

| 1 | 2 | 3 | 4 | 5 | 6 | 7 | 8 | 9 | 10 | 11 | 12 |

낙엽 관목. 높이 1~2m. 줄기는 적갈색을 띠고 가시가 있다. 잎은 어긋나고 타원형, 3~5개로 갈라지고 가장자리에 겹톱니가 있으며 잎맥과 잎자루에는 가시가 있다. 꽃은 백색, 5~6월에 산방상화서로 피고, 열매는 둥근 집합과로 7~8월에 흑적색으로 익는다.

분포 · 생육지 우리나라 전역. 중국, 일본. 산기슭 양지에서 자란다.

약용 부위 · 수치 열매는 여름에, 뿌리는 봄부터 가을에 걸쳐서 채취하여 물에 씻은 뒤 썰어서 말린다.

약물명 열매를 우질두과(牛迭肚果), 뿌리를 우질두근(牛迭肚根)이라고 한다.

기미 · 귀경 우질두과(牛迭肚果): 온(溫), 산(酸), 감(甘) · 간(肝), 신(腎). 우질두근(牛迭肚根): 평(平), 고(苦), 삽(澁) · 간(肝)

약효 우질두과(牛迭肚果)는 보신고삽(補腎固澁), 지갈(止渴)의 효능이 있으므로 간신부족(肝腎不足), 양위유정(陽痿遺精), 유뇨(遺尿), 수발조백(鬚髮早白), 불잉증(不孕症), 구갈(口渴)을 치료한다. 우질두근(牛迭肚根)은 거풍이습(祛風利濕)의 효능이 있

으므로 풍습성관절염(風濕性關節炎), 통풍, 간염을 치료한다.

성분 pomolic acid ester, euscaphic acid, tomentic acid, 23-hydroxytomentic acid, kaji-ichigoside F_1, rosamultin, fupenzic acid, nigaichigoside F_1~F_2, suavissimoside F_1, coreanoside F_1, miquelianin, kaempferol 3-O-glucuronide, cyanindin-3-rutinoside, cyanindin-3-glucoside 등이 함유되어 있다.

약리 euscaphic acid, tomentic acid는 과지질 생성을 억제한다. 메탄올추출물은 쥐의 비장 및 흉선 세포의 증식을 촉진시키며, T림프구가 증가된다. 또 암세포인 L1210와 HL60의 apoptosis를 촉진시키고, 복강 대식 세포의 탐식 작용을 촉진시키며, 항체 생성 세포 수를 증가시킨다. nigaichigoside F_1은 혈중 지질을 감소시킨다.

사용법 우질두과는 10g에 물 3컵(600mL)을 넣고 달여서 복용하고, 우질두근은 15g에 물 4컵(800mL)을 넣고 달여서 복용하거나 술에 담가 복용한다.

● 산딸기나무

● 우질두과(牛迭肚果)　　● 산딸기나무(열매)

[장미과]

해당화

간위기통, 토혈, 간장병　　만성관절염, 풍습비통
타박상　　객혈　　유옹, 월경부조, 대하

● 학명 : *Rosa rugosa* Thunb.　　● 영명 : Turkestan rose, Japanese rose　　● 한자명 : 玫瑰

| 1 | 2 | 3 | 4 | 5 | 6 | 7 | 8 | 9 | 10 | 11 | 12 |

낙엽 관목. 높이 1.5m 정도. 줄기는 모여 나며 가시가 있다. 잎은 어긋나고 7~9개의 작은잎으로 된 홀수 깃꼴겹잎이다. 꽃은 5~7월에 피며 적자색, 꽃잎은 넓은 도란형이며 끝이 오목하다. 열매는 수과로 편구형이며 붉은색으로 익고 길이 4mm 정도, 털이 없다.

분포 · 생육지 우리나라 전역. 일본, 중국 둥베이(東北) 지방, 사할린, 북아메리카. 주로 바닷가 모래땅에서 자란다.

약용 부위 · 수치 꽃봉오리는 꽃이 피기 전에 채취하여 말린다. 뿌리는 봄이나 여름에 채취하여 물에 씻은 후 썰어서 말린다.

약물명 꽃봉오리를 매괴화(玫瑰花), 꽃의 증류액을 매괴로(玫瑰露), 뿌리를 매괴근(玫瑰根)이라 한다. 매괴화(玫瑰花)는 대한민국약전외한약(생약)규격집(KHP)에 수재되어 있다.

성상 꽃봉오리로 타원상 구형이며 암적색이고 꽃자루에는 털이 있다. 꽃받침은 5개로 갈라지고 녹갈색이며 반구형이다. 냄새는 향기롭고 맛은 약간 쓰다.

기미 · 귀경 매괴화(玫瑰花): 온(溫), 감(甘), 고(苦) · 간(肝), 비(脾). 매괴근(玫瑰根): 미온(微溫), 감(甘), 고(苦) · 간(肝)

약효 매괴화(玫瑰花)는 이기(理氣), 해울(解鬱), 화혈산어(和血散瘀)하는 효능이 있으므로 간위기통(肝胃氣痛), 만성관절염, 토혈, 객혈, 유옹을 치료한다. 매괴로(玫瑰露)는 화혈(和血), 평간(平肝), 양위(養胃), 관흉(貫胸), 해울(解鬱)의 효능이 있으므로 간장병(肝臟病)을 치료한다. 매괴근(玫瑰根)은 활혈(活血), 조경(調經), 지대(止帶)의 효능이 있으므로 월경부조, 대하, 타박상, 풍습비통(風濕痺痛)을 치료한다.

성분 매괴화(玫瑰花)는 정유가 약 0.03% 함유되어 있고, 그 주요 성분은 citronllol, geraniol, nerol, eugenol, phenylethyl alcohol 등이다. phenolic 성분인 rosamultin, quercetin, terpenoid 성분인 euscaphic acid, saponin인 arjunetin, daucosterol, campesterol glucoside 등이 함유되어 있다. 매괴근(玫瑰根)은 daucosterol, euscaphic acid, arjunetin, campesterol glucoside, kaji-ichigoside F_1, rosamultin, quercetin, hyperin, (+)-catechin이 함유되어 있다.

약리 매괴화(玫瑰花)의 열수추출물은 안티몬에 중독된 쥐에게 투여할 때 중독 증상이 없어진다. 매괴근(玫瑰根)의 열수추출물 또는 에탄올추출물은 간암 세포인 Hep3B에 세포 독성이 있고, 면역 활성을 증강시키는 작용이 있다. (+)-catechin을 bromobenzene으로 간 독성을 유발시킨 쥐에게 복강으로 주사한 뒤 사료와 물만 투여한 간 독성 대조군과 비교하면 간 보호 작용이 있다.

사용법 매괴화 또는 매괴근 6g에 물 2컵(400mL)을 넣고 달여서 복용한다. 매괴로는 따뜻하게 하여 술을 조금 섞어 복용한다.

❍ 해당화

❍ 해당화(흰꽃)

❍ 매괴화(玫瑰花)

❍ 매괴화(玫瑰花, 채집품)

❍ 해당화(열매)

복분자딸기

| 양위조설, 유정활정 | 궁냉불잉, 대하청희, 월경불순 |
| 목시혼암, 안검적란, 청맹, 치통 | 수발조백, 타박상 |

● 학명 : *Rubus coreanus* Miq.　● 한자명 : 覆盆子　● 별명 : 복분자딸

| 1 | 2 | 3 | 4 | 5 | 6 | 7 | 8 | 9 | 10 | 11 | 12 |

낙엽 관목. 높이 2~3m. 잎은 어긋나고 깃꼴겹잎이다. 꽃은 5~6월에 피며, 꽃받침은 털이 있고, 꽃잎은 꽃받침보다 짧고 도란형으로 연한 붉은색이다. 열매는 흑색으로 익는다.

분포·생육지 우리나라 황해도 이남. 중국. 산기슭 양지에서 자란다.

약용 부위·수치 열매는 여름에 덜 익었을 때, 뿌리는 수시로, 잎과 줄기는 늦여름에 채취하여 말린다.

약물명 덜 익은 열매를 복분자(覆盆子), 잎과 줄기를 복분자엽(覆盆子葉), 뿌리를 복분자근(覆盆子根)이라 한다. 복분자(覆盆子)는 대한민국약전(KP)에 수재되어 있다.

본초서 복분자(覆盆子)는 「명의별록(名醫別錄)」의 상품(上品)에 수재되어 있고, 이당지(李堂之)는 "열매가 가지에 매달려 있는 모양이 물건을 받치고 있는 접시 모양과 비슷하므로 복분자(覆盆子)라고 한다."고 하였다. 구종석(寇宗奭)은 "신장(腎臟)을 이롭게 하여 소변을 잘 나오게 하며, 이것을 복용하면 요강을 뒤집을 정도로 오줌살이 세기 때문에 복분자(覆盆子)라 한다."고 하였다. 「동의보감(東醫寶鑑)」에는 "남자에게는 신장이 허하고 정액이 고갈된 것을 채워 주고 여자에게는 임신이 되게 한다. 남자의 음경이 발기되지 않는 증상을 낫게 하고 간기

(肝氣)를 보하여 눈을 밝게 하고, 기운을 도와 몸을 가볍게 하고, 머리카락이 세지 않게 한다."고 하였다.

名醫別錄: 主益氣, 輕身, 令髮不白.

藥性論: 主男子腎精虛竭, 女子食之有子, 主陰痿, 能令堅長.

日華子: 安五臟, 益顔色, 養精氣, 長髮, 强志, 療中風身熱及驚.

東醫寶鑑: 主男子腎精虛竭 女人無子 主丈夫陰痿 能令堅長 補肝明目 益氣輕身 令髮不白.

성상 복분자(覆盆子)는 작은 핵과가 여러 개 모인 취합과로 구형이며 지름 0.7~0.9cm, 꽃받침이 달려 있다. 표면은 회갈색이다. 냄새는 없고 맛은 시고 달다.

기미·귀경 복분자(覆盆子): 미온(微溫), 감(甘), 산(酸)·간(肝), 신(腎)

약효 복분자(覆盆子)는 보간익신(補肝益腎), 고정축뇨(固精縮尿), 명목(明目)의 효능이 있으므로 양위조설(陽痿早泄), 유정활정(遺精滑精), 궁냉불잉(宮冷不孕), 대하청희(帶下淸稀), 요빈유뇨(尿頻遺尿), 목시혼암(目示昏暗), 수발조백(鬚髮早白)을 치료한다. 복분자엽(覆盆子葉)은 청열해독(淸熱解毒), 명목(明目), 염창(斂瘡)의 효능이 있으므로 안검적란(眼瞼赤爛), 목적종통(目赤腫痛), 청맹(靑盲), 치통을 치료한다. 복분자근(覆盆子根)은 혈액 순환을 도우면 출혈

을 멈추게 하는 효능이 있어서 과로로 인한 출혈, 월경불순, 타박상을 치료한다.

성분 nigaichigoside F_1, fupenzic acid, 각종 유기산(malic acid, tataric acid, citric acid), miquelianin, kaempferol 3−*O*−glucuronide 및 vitamin C가 다량 함유되어 있다.

약리 nigaichigoside F 및 그 비당체(aglycone)는 진통 작용과 항염증 작용이 있으며, 비당체의 효능이 더 크다. 열수추출물은 동물(쥐) 실험에서 전신성 또는 국소성 과민성 알레르기 반응(anaphylaxis)을 억제한다. 열수추출물은 항바이러스 작용이 있으며, 여성 호르몬 유사 작용이 나타난다. 열수추출물은 항알레르기 작용과 염증 반응에 관여하는 cytokine의 생성을 억제한다. 초고압추출물은 폐암 세포인 A549에 생육 억제 작용이 있고, 면역 세포인 B세포와 T세포의 생육 증진 효과가 있다. 열수추출물은 간암 세포인 Hep3B, 위암 세포인 AGS, 유방암 세포인 MCF7, 폐암 세포인 A549의 세포 증식을 억제하고, 고혈압을 유도하는 효소인 ACE(angiotensin converting enzyme)의 활성을 저해한다.

사용법 복분자와 복분자근 또는 복분자엽 10g에 각각 물 3컵(600mL)을 넣고 달여서 복용하거나 술에 담가 복용한다. 종창에는 짓찧어 바른다.

처방 사물오자원(四物五子元): 당귀(當歸)·천궁(川芎)·숙지황(熟地黃)·작약(芍藥)·구기자(枸杞子)·복분자(覆盆子)·지부자(地膚子)·토사자(菟絲子)·차전자(車前子) 동량, 50알(1알 0.3g)씩 복용(「동의보감(東醫寶鑑)」). 간신(肝腎)의 음(飮)이 부족하여 시력이 약해지고 눈물이 마르는 증상에 사용한다.

• 오자연종환(五子衍宗丸): 구기자(枸杞子) 360g, 토사자(菟絲子) 280g, 복분자(覆盆子) 200g, 차전자(車前子) 120g, 오미자(五味子) 40g을 알약(1알 0.3g)으로 만들어 1회 50알 복용(「동의보감(東醫寶鑑)」). 노인들의 허약 체질, 정력 감퇴에 사용한다.

＊줄기는 비스듬히 자라고 잎에 짧은 털이 있는 '가시복분자 *R. schizostylus*'도 약효가 같다. 중국약전에는 복분자(覆盆子)의 기원 식물로 '*R. chingii*'가 수재되어 있다.

❶ 복분자근(覆盆子根)

❶ 복분자근(覆盆子根, 절편)

❶ 복분자딸기

❶ 복분자(覆盆子)가 함유된 건강식품

❶ 복분자(覆盆子)

[장미과]

서양산딸기

| 수포진 | 류머티즘, 요통 |
| 신장결석 | |

●학명 : *Rubus fruticosus* L. ●영명 : Blackberry, Bramble ●별명 : 서양산딸기나무

| 1 | 2 | 3 | 4 | 5 | 6 | 7 | 8 | 9 | 10 | 11 | 12 |

❖ 서양산딸기(열매)

낙엽 관목. 높이 1~2m. 덩굴지며 줄기에 가시가 있다. 잎은 어긋나며 타원형, 3~5 개로 갈라지기도 한다. 잎자루는 길고 갈고리 같은 가시가 있다. 꽃은 백색, 5~6월에 산방화서로 피고, 열매는 둥근 집합과로 7~8월에 흑적색으로 익는다.

분포·생육지 남아메리카, 유럽, 북아메리카. 산기슭 양지에서 자란다.

약용 부위·수치 열매를 수시로 채취하여 물에 씻은 뒤 썰어서 말린다.

약물명 Rubus Fruticosi Fructus. 일반적으로 Blackberry라고 한다.

약효 수렴(收斂)의 효능이 있으므로 수포진(水疱疹), 류머티즘, 요통, 신장결석을 치료한다.

사용법 Blackberry 10g에 물 3컵(600mL)을 넣고 달여서 복용한다.

❖ 서양산딸기

[장미과]

장딸기

| 유행성감기 | 인후통, 치주염, 결막염 |
| 외상출혈 | 두통 | 관절염 |

●학명 : *Rubus hirsutus* Thunb. ●한자명 : 草莓 ●별명 : 땅딸기

| 1 | 2 | 3 | 4 | 5 | 6 | 7 | 8 | 9 | 10 | 11 | 12 |

❖ 장딸기(꽃)

낙엽 관목. 높이 1~2m. 덩굴지며 줄기에 가시가 있다. 잎은 어긋나며 타원형, 3~5 개로 갈라지기도 한다. 잎자루는 길고 갈고리 같은 가시가 있다. 꽃은 백색, 5~6월에 산방화서로 피고, 열매는 둥근 집합과로 7~8월에 흑적색으로 익는다.

분포·생육지 우리나라 제주도, 거제도 등 섬 지역. 중국, 일본. 산기슭에서 자란다.

약용 부위·수치 뿌리를 여름부터 가을에 채취하여 물에 씻은 후 썰어서 말린다. 잎은 채취하여 바로 사용하거나 말린다.

약물명 뿌리를 탁반(托盤), 잎을 탁반엽(托盤葉)이라고 한다.

약효 탁반(托盤)은 청열해독(清熱解毒), 소종지통(消腫止痛), 지혈의 효능이 있으므로 유행성감기, 인후통, 두통, 관절염을 치료한다. 탁반엽(托盤葉)은 청열해독(清熱解毒), 수렴지혈(收斂止血)의 효능이 있으므로 치주염, 결막염, 외상출혈을 치료한다.

사용법 탁반, 탁반엽 각각 15g에 물 3컵(600mL)을 넣고 달여서 복용한다. 탁반엽은 짓찧어 상처에 바르거나 붙인다.

❖ 탁반(托盤)

❖ 탁반엽(托盤葉)

❖ 장딸기

[장미과]

멍덕딸기

🫘 소변불리

● 학명 : *Rubus matsumuranus* L. [*R. idaeus* var. *microphyllus*]
● 별명 : 산멍덕딸기, 두메딸기, 긴잎멍덕딸기, 멧딸기, 화태나무딸기

| 1 | 2 | 3 | 4 | 5 | 6 | 7 | 8 | 9 | 10 | 11 | 12 |

낙엽 관목. 높이 1m 정도. 가지는 구부러지고, 줄기에 가시가 빽빽이 난다. 잎은 어긋나고 3출겹잎, 뒷면에는 솜털이 나고, 가장자리는 겹톱니나 불규칙한 톱니가 있다. 꽃은 백색, 가지 끝이나 잎겨드랑이에 산방화서로 달린다. 열매는 복과로 둥근 모양이며 털이 나고 붉은색으로 익는다.

분포·생육지 우리나라 전역. 중국, 일본. 산기슭 양지 특히 화전을 일구었던 곳에서 흔하게 자란다.

약용 부위·수치 열매를 여름이나 가을에 채취하여 물에 씻은 뒤 말린다.

약물명 봉류(蓬蘽)

본초서 「동의보감(東醫寶鑑)」에 "소변이 잦은 것을 줄이고 흰머리를 검게 한다."고 하였다.
東醫寶鑑: 具能縮小便 黑白髮.

약효 소변불리, 흰머리를 검게 하는 효능이 있다.

사용법 봉류 10g에 물 3컵(600mL)을 넣고 달여서 복용하거나 술에 담가 두었다가 조금씩 복용한다.

○ 멍덕딸기(열매)

○ 멍덕딸기

[장미과]

덩굴딸기

🦠 소아경풍

● 학명 : *Rubus oldhami* Miquel [*R. pungens* var. *oldhami*]
● 한자명 : 香苺, 蔓苺   ● 별명 : 줄딸기, 덤불딸기

| 1 | 2 | 3 | 4 | 5 | 6 | 7 | 8 | 9 | 10 | 11 | 12 |

낙엽 관목. 갈고리 같은 가시가 많다. 잎은 깃꼴겹잎으로 작은잎은 5~9개, 타원형으로 가장자리에 톱니가 있다. 꽃은 분홍색, 햇가지 끝에 1개씩 달린다. 열매는 복과로 붉은색으로 익는다.

분포·생육지 우리나라 전역. 중국, 일본. 산기슭 양지에서 흔하게 자란다.

약용 부위·수치 뿌리를 여름이나 가을에 채취하여 물에 씻은 뒤 썰어서 말린다.

약물명 향매(香苺). 낙지각공(落地角公)이라고도 한다.

약효 청열정경(淸熱定驚)의 효능이 있으므로 소아경풍을 치료한다.

사용법 향매 10g에 물 3컵(600mL)을 넣고 달여서 소량씩 복용한다.

○ 덩굴딸기(꽃)

○ 덩굴딸기(뿌리)

○ 덩굴딸기

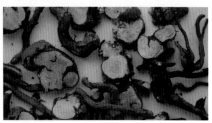

○ 향매(香苺)

[장미과]

멍석딸기

감모발열　해수담혈　요로감염, 결석　개창
인후통, 시선염　풍습비통　이질, 간염　산후복통

● 학명 : *Rubus parvifolius* L.
● 한자명 : 薅田藨　● 별명 : 번둥딸나무, 멍두딸, 멍딸기, 덤풀딸기, 사슨딸기

| 1 | 2 | 3 | 4 | 5 | 6 | 7 | 8 | 9 | 10 | 11 | 12 |

낙엽 관목. 높이 1m 정도. 갈고리 모양의 가시가 있다. 잎은 어긋나고 깃꼴겹잎, 작은잎은 보통 3개, 정생하는 작은잎은 달걀 모양, 측생하는 작은잎은 작다. 꽃받침은 길고, 수술과 암술은 많다. 열매는 둥글고 7~8월에 붉은색으로 익는다.

분포 · 생육지 우리나라 전역. 중국, 일본. 산기슭 양지에서 자란다.
약용 부위 · 수치 지상부는 여름에, 뿌리는 봄부터 가을에 걸쳐서 채취하여 물에 씻은 뒤 썰어서 말린다.
약물명 지상부를 호전표(薅田藨), 뿌리를 호전표근(薅田藨根)이라 한다.

성분 kaempferol 3−*O*−glucuronide, miquelianin, cyanindin−3−rutinoside, cyanindin−3−glucoside 등이 함유되어 있다.
약리 열수추출물을 쥐에게 투여하면 지혈 작용과 혈전을 방지하는 효능이 있다.
약효 호전표(薅田藨)는 청열해독(淸熱解毒), 산어지혈(散瘀止血), 살충료창(殺蟲療瘡)의 효능이 있으므로 감모발열, 해수담혈(咳嗽痰血), 이질, 산후복통, 개창(疥瘡)을 치료한다. 호전표근(薅田藨根)은 청열해독, 거풍이습(祛風利濕), 활혈양혈(活血凉血)의 효능이 있으므로 감모발열(感冒發熱), 인후통, 풍습비통, 간염, 신염수종(腎炎水腫), 요로감염, 결석, 시선염(腮腺炎)을 치료한다.
사용법 호전표 또는 호전표근 각각 10g에 물 3컵(600mL)을 넣고 달여서 복용하거나 술에 담가 복용한다. 종창에는 짓찧어 바른다.

✪ 멍석딸기

✪ 멍석딸기(열매)

[장미과]

붉은가시딸기

풍습비통　타박상
월경부조　신허양위

● 학명 : *Rubus phoenicolasius* Maxim.
● 한자명 : 空筒泡　● 별명 : 곰딸기, 수리딸나무, 섬가시딸나무

| 1 | 2 | 3 | 4 | 5 | 6 | 7 | 8 | 9 | 10 | 11 | 12 |

✪ 붉은가시딸기(열매)

✪ 붉은가시딸기(줄기)

낙엽 관목. 높이 3m 정도. 윗부분이 밑으로 처지며 드문드문 가시가 있고, 줄기, 화서, 잎줄기에 붉은색 선모가 빽빽이 난다. 잎은 어긋나고 깃꼴겹잎, 작은잎은 3~5개, 꽃은 적자색, 5~6월에 총상화서로 핀다. 열매는 둥근 집합과로 7~8월에 붉은색으로 익는다.
분포 · 생육지 우리나라 전역. 중국, 일본. 깊은 산에서 자란다.
약용 부위 · 수치 뿌리를 봄부터 가을에 걸쳐서 채취하여 물에 씻은 뒤 썰어서 말린다.
약물명 공통포(空筒泡)
약효 거풍활혈(祛風活血), 보신장양(補腎壯陽)의 효능이 있으므로 풍습비통(風濕痺痛), 타박상, 월경부조, 신허양위(腎虛陽痿)를 치료한다.
사용법 공통포 15g에 물 4컵(800mL)을 넣고 달여서 복용하거나 술에 담가 복용한다.

✪ 붉은가시딸기

[장미과]

거지딸기

| 산후복통 | 식욕부진 |
| 수종 | 중이염 |

● 학명 : *Rubus sorbifolius* Maxim. [*R. asper*]　● 별명 : 거지딸, 복딸기

| 1 | 2 | 3 | 4 | 5 | 6 | 7 | 8 | 9 | 10 | 11 | 12 |

✿ 거지딸기(열매)

낙엽 관목. 높이 1.5m 정도. 줄기에는 적갈색 선모와 가시가 빽빽이 난다. 잎은 어긋나고 깃꼴겹잎, 작은잎은 3~5개, 주맥 주변에 가시가 있고 가장자리에 잔톱니가 있다. 꽃은 백색, 5~6월에 원추화서로 핀다. 열매는 둥근 집합과로 7~8월에 황색으로 익는다.

분포 · 생육지 우리나라 제주도, 남쪽 섬. 중국, 일본. 산지에서 자란다.

약용 부위 · 수치 뿌리를 봄부터 가을에 걸쳐서 채취하여 물에 씻은 뒤 썰어서 말린다.

약물명 우내매(牛奶莓). 호포(虎泡)라고도 한다.

약효 청열해독(淸熱解毒), 개위이수(開胃利水)의 효능이 있으므로 산후복통, 식욕부진, 수종, 중이염을 치료한다.

사용법 우내매 10g에 물 3컵(600mL)을 넣고 달여서 복용하거나 술에 담가 복용한다.

✿ 거지딸기

[장미과]

오이풀

| 토혈, 변혈 | 객혈 | 습진, 부스럼, 가려움증, 옴, 화상, 창양종통 |
| 자궁출혈 | 열병발열 | 육혈 | 요혈, 치혈 |

● 학명 : *Sanguisorba officinalis* L.　● 영명 : Burnet bloodwort
● 한자명 : 地楡　● 별명 : 외순나물, 지우초

| 1 | 2 | 3 | 4 | 5 | 6 | 7 | 8 | 9 | 10 | 11 | 12 |

여러해살이풀. 높이 1~1.5m. 뿌리줄기가 옆으로 갈라져 방추형으로 되고, 잎은 1회 깃꼴겹잎, 작은잎은 11~15개이다. 꽃은 적자색, 7~9월에 줄기 끝에 길이 1~2.5cm의 수상화서로 달리며, 꽃잎은 없고 꽃받침과 수술은 각각 4개이다. 수과는 달걀 모양이고 날개가 있다.

분포 · 생육지 우리나라 전역. 중국, 일본, 시베리아, 유럽. 산과 들에서 자란다.

약용 부위 · 수치 이른 봄 싹이 나오기 전, 또는 가을에 잎과 줄기가 마른 다음에 뿌리를 채취하여 말린다. 뿌리는 지름 1cm 이상의 방추형으로 굵고 비대하며 질이 단단한 것이 좋다. 잎은 여름에 채취하여 말린다.

약물명 뿌리를 지유(地楡)라고 하며, 지아(地芽), 옥시(玉豉)라고도 한다. 잎을 지유엽(地楡葉)이라 한다. 지유(地楡)는 대한민국약전외한약(생약)규격집(KHP)에 수재되어 있다.

본초서 지유(地楡)는 「신농본초경(神農本草經)」의 중품(中品)에 수재되어 있으며, "부인들의 젖몸살, 칠상(七傷), 대하를 치료하며 통증을 멈추게 한다."고 기록되어 있다. 도홍경(陶弘景)은 "이 식물은 풀이므로 땅

바닥에서 높지 않게 자라고 느릅나무(楡)의 잎과 닮아 있으므로 지유(地楡)라고 한다."고 하였다. 「동의보감(東醫寶鑑)」에는 "부인의 칠상(七傷) 즉 자궁에서 분비물이 나오는 것, 산후에 피가 뭉쳐 아픈 것을 치료한다. 변혈을 치료하고 배농하며 쇠붙이에 의한 상처를 아물게 한다."고 하였다.

神農本草經: 主婦人乳痛, 七傷, 帶下病, 止痛, 除惡肉, 止汗, 療金瘡.

藥性論: 能治産後余瘀, 疹痛, 七傷, 治金瘡, 止血痢, 蝕膿.

本草綱目: 搗汁涂虎, 犬, 蛇, 蟲傷, 除下焦熱, 治大小便血症.

東醫寶鑑: 主婦人七傷 帶下病及産後瘀痛 止血痢 排膿 療金瘡

성상 다소 편평하고 굵은 노끈 모양을 이루며 길이 3~15 cm, 지름 5~15 mm로 조금 구부러지고 때로는 갈라져 있다. 표면은 황갈색~갈색이고, 윗면에는 한 줄의 세로줄과 털 모양으로 된 엽초의 잔기(殘氣) 또는 그 붙었던 자국이 가는 윤절(輪節)로 되어 있고, 아랫면에는 오목하고 둥근 점상의 뿌리 자국이 많이 있다. 질은 가볍고 꺾어지기 쉽다. 약간 특이한 냄새가 있고 맛은 조

금 달고 점액성이며 나중에는 쓰다.

기미 · 귀경 지유(地楡): 미한(微寒), 고(苦), 산(酸) · 간(肝), 위(胃), 대장(大腸). 지유엽(地楡葉): 미한(微寒), 고(苦) · 위(胃)

약효 지유(地楡)는 양혈지혈(凉血止血), 청열해독(淸熱解毒), 소종염창(消腫斂瘡)의 효능이 있으므로 토혈, 객혈, 육혈, 요혈, 변혈, 치혈, 자궁출혈, 습진, 부스럼, 가려움증, 옴, 화상을 치료한다. 지유엽(地楡葉)은 청열해독의 효능이 있으므로 열병발열(熱病發熱), 창양종통(瘡瘍腫痛)을 치료한다.

성분 sanguisorbin, ziyuglycoside I, II, gallic aci, pedunculagin, β-D-glucogallin, 2′,3,5-tri-*O*-galloyl-D-hamamelose, pentagalloylglucose, isostrictinin,

✿ 오이풀

sanguiin H-6, procyanidin B-3, ursolic acid, daucosterol, benthamic acid 등이 함유되어 있다.

약리 열수추출물을 UV-B를 조사한 피부에 바르면 주름 생성이나 탄력성 상실을 감소시키므로 피부가 보호된다. 피부 색소에 관여하는 endothelin-converting 효소를 억제하므로 UV-B에 의한 색소 침착을 막는다. tannin 성분에 의한 수렴 작용이 있어서 설사를 멈추게 하며 화상 부위의 분비물 생성을 감소시키므로 임상적으로 화상 치료에 응용한다. 어린아이들의 잦은 설사에 유효하다. sanguiin H-11은 화학 물질에 관계없이 쥐의 neutrophil의 이동을 억제한다. sanguiin H-6는 DNA topoisomerase I, II의 활성을 억제하고, 열수추출물은 쥐의 백혈병 암세포인 L1210의 성장을 억제하고, chromogenic bioassay에서 항트롬빈 활성이 있으며, histamine의 방출을 억제하여 항알레르기 작용을 나타낸다. 메탄올추출물은 amyloid β protein(25~35)로 손상되는 뇌세포에 보호 작용이 있다.

사용법 지유는 5g에 물 2컵(400mL)을 넣고 달여서 복용한다. 피부병에는 가루 내어 뿌리거나 즙을 내어 바른다. 지유엽은 7g에 물 2컵(400mL)을 넣고 달여서 복용한다.

처방 지유산(地榆散): 지유(地榆)·서각(犀角)·황련(黃連)·갈근(葛根)·황금(黃芩) 각 4g, 치자(梔子) 2g, 해백(薤白) 5개(『동의보감(東醫寶鑑)』). 열독(熱毒)으로 혈변(血便)이나 설사를 자주하는 증상에 사용한다.

• 지유작약탕(地榆芍藥湯): 창출(蒼朮) 300g, 지유(地榆) 80g, 권백(卷柏)·작약(芍藥) 각 120g(『향약집성방(鄉藥集成方)』). 이질로 피곱이 섞인 설사를 오래 하여 생기는 탈항증에 사용한다.

* 우리나라 전역의 낮은 지대에서 자라는 '가는오이풀 S. tenuifolia var. alba', 고산지대에서 자라는 '산오이풀 S. hakusanensis var. coreana', 백두산을 비롯하여 함남북에서 자라는 '큰오이풀 S. stipulata var. riishiriensis'도 약효가 같다.

○ 지유(地榆)

○ 지유(地榆, 절편)

○ 지유엽(地榆葉)

○ 오이풀(뿌리)

○ 산오이풀

○ 산오이풀(열매)

○ 큰오이풀

○ 가는오이풀

[장미과]

쉬땅나무

🦵 골절　　🩹 타박상

● 학명 : *Sorbaria sorbifolia* (L.) A. Braun var. *stellipila* Max.　● 영명 : False spiraea
● 한자명 : 珍珠莓　● 별명 : 빕쉬나무, 밥쉬나무

| 1 | 2 | 3 | 4 | 5 | 6 | 7 | 8 | 9 | 10 | 11 | 12 |

낙엽 관목. 높이 2m 정도. 뿌리가 땅속줄기처럼 벋어 많은 줄기를 내어 모여난다. 잎은 어긋나고 깃꼴겹잎이다. 꽃은 6~7월에 가지 끝에 많이 달리며, 꽃받침과 꽃잎은 각각 5개, 수술은 40~50개, 씨방은 5개이다. 열매는 5개의 골돌로 원통형이다.

분포·생육지 우리나라 오대산, 설악산, 태기산, 중부 지역. 중국, 일본. 산골짜기에서 자란다.

약용 부위·수치 줄기껍질을 여름에 채취하여 썰어서 말리고, 열매는 8~9월에 채취하여 말린다.

약물명 줄기껍질 또는 열매를 진주매(珍珠莓)라고 하며, 산고량(山高梁), 화아간(花兒杆)이라고도 한다.

기미·귀경 한(寒), 고(苦), 유독(有毒)·간(肝), 신(腎)

약효 활혈거어(活血祛瘀), 소종지통(消腫止痛)의 효능이 있으므로 풍습비통(風濕痺痛), 골절, 타박상을 치료한다.

성분 잎에는 sorbifolin(scutellarein-7-O-xylorhamnoside), 꽃에는 astragalin, scutellarein, quercetin-3-O-glucuronide, kaempferol-3-O-arabofuranoside, scutellarein-7-O-rhamnoside, arbutin, chlorogenic acid 등이 함유되어 있다.

약리 열수추출물을 쥐의 복강에 투여하면 항산화 작용이 나타난다.

사용법 진주매 1g을 가루로 만들어 복용하고, 외용에는 가루를 환부에 뿌리거나 바른다.

* 잎 뒤에 선점(腺点)이 있는 '점쉬땅나무 for. *glandulosa*', 꽃이 필 때 잎 뒤에 털이 없는 '청쉬땅나무 for. *incerta*'도 약효가 같다.

○ 쉬땅나무　　○ 꽃

○ 진주매(珍珠莓)

○ 쉬땅나무(열매)

[장미과]

팥배나무

해수, 기관지염, 폐결핵　　수종

위염

●학명 : *Sorbus alnifolia* K. Koch.　　●영명 : Korean mountain ash
●한자명 : 杜, 甘棠, 水榆　　●별명 : 왕팥배나무

| 1 | 2 | 3 | 4 | 5 | 6 | 7 | 8 | 9 | 10 | 11 | 12 |

낙엽 교목. 높이 15m 정도. 가지에 피목이 뚜렷하다. 잎은 어긋나고 타원형이다. 꽃은 5~6월에 가지 끝에 산방화서로 달리며 지름 1.5cm 정도, 백색, 꽃받침과 꽃잎은 각각 5개, 수술은 많다. 열매는 이과로 둥글고 붉은색으로 익는다.
분포·생육지 우리나라 전역. 중국, 일본. 깊은 산의 숲속에서 자란다.
약용 부위·수치 잎은 여름철에, 열매는 늦여름과 초가을에 채취하여 말린다.

약물명 수유과(水榆果)
기미·귀경 평(平), 감(甘)·간(肝), 비(脾)
약효 진해(鎭咳), 거담(祛痰), 이수(利水), 지갈(止渴), 강장(强壯)의 효능이 있으므로 해수, 기관지염, 폐결핵, 수종(水腫), 위염을 치료한다.
사용법 수유과 10g에 물 3컵(600mL)을 넣고 달여서 복용한다.

＊ 본 종에 비하여 잎이 얕게 갈라지는 '벌배나무 var. *lobulata*'도 약효가 같다.

❖ 수유과(水榆果)

❖ 팥꽃나무

❖ 열매

❖ 팥꽃나무(꽃)

[장미과]

석회화추

풍습비통, 주신마목

●학명 : *Sorbus folgneri* (Schneid.) Rehd.　　●한자명 : 石灰花楸

| 1 | 2 | 3 | 4 | 5 | 6 | 7 | 8 | 9 | 10 | 11 | 12 |

소교목. 높이 10m 정도. 작은가지는 피목이 많고 흑갈색. 잎은 어긋나고 타원형, 가장자리에 톱니가 있다. 꽃은 4~5월에 가지 끝에 겹산방화서로 달리며, 꽃받침과 꽃잎은 5개씩이다. 이과는 달걀 모양으로 붉은색으로 익는다.
분포·생육지 중국 산시성(陝西省), 간쑤성(甘肅省), 광둥성(廣東省), 윈난성(雲南省). 해발 800~2,000m의 산지에서 자란다.
약용 부위·수치 가지를 봄과 여름에 채취하여 썰어서 말린다.
약물명 석회수(石灰樹). 분배엽(紛背葉)이라고도 한다.
약효 거풍제습(祛風除濕), 서근활락(舒筋活絡)의 효능이 있으므로 풍습비통(風濕痺痛), 주신마목(周身麻木)을 치료한다.
사용법 석회수 적당량에 물을 넣고 달여서 달인 액을 환부에 바르거나 씻는다.

❖ 석회화추

[장미과]

마가목

신체허약　요슬통　수종　위염

해수, 기관지염, 폐결핵　백발

● 학명 : *Sorbus commixta* Hedl.　● 영명 : Mountain ash
● 한자명 : 馬牙木　● 별명 : 은빛마가목

| 1 | 2 | 3 | 4 | 5 | 6 | 7 | 8 | 9 | 10 | 11 | 12 |

낙엽 소교목. 높이 6~8m. 잎은 어긋나고 깃꼴겹잎, 작은잎은 9~13개이다. 꽃은 백색, 5~6월에 가지 끝에 겹산방화서로 달리며, 꽃받침과 꽃잎은 각각 5개씩, 수술은 20개, 암술대는 3~4개이다. 열매는 이과로 둥글고 붉은색으로 익으며 지름 5~8mm이다.

분포 · 생육지 우리나라 남부 지방 및 강원도. 일본. 깊은 산의 숲속에서 자란다.

약용 부위 · 수치 줄기껍질은 수시로, 열매는 10월경에 채취하여 말린다.

약물명 줄기껍질을 정공피(丁公皮), 열매를 마가자(馬家子)라고 한다.

약효 정공피(丁公皮)는 강장, 거풍(祛風), 진해의 효능이 있으므로 신체허약, 요슬통, 해수, 백발을 치료한다. 마가자(馬家子)는 진해, 거담, 이수(利水), 지갈(止渴), 강장의 효능이 있으므로 해수, 기관지염, 폐결핵, 수종(水腫), 위염을 치료한다.

성분 정공피(丁公皮)에는 (−)-lyoniresinol 3α-*O*-β-D-xylopyranoside, catechin-7-*O*-β-D-xylopyranoside, catechin-7-*O*-D-apiofuranoside, lupenone, lupeol, β-sitosterol, ursolic acid, 3β-acetoxy ursolic acid, linoresinol 3a-*O*-β-D-xylopyranoside, 마가자(馬家子)에는 pru-

nasin과 amygdalin이 함유되어 있다.

약리 (−)-lyoniresinol 3α-*O*-β-D-xylosylpyranoside, catechin-7-*O*-β-D-xylosylpyranoside, catechin-7-*O*-D-apiofuranoside는 DPPH radical 소거 활성, superoxide radical 소거 활성, 과산화 지질 억제 활성이 있으며 이러한 항산화 활성은 α-tocopherol이나 BHA보다 강한 활성을 보였다. prunasin과 amygdalin은 진해 거담 작용이 있다. 정공피(丁公皮)의 70%메탄올추출물은 혈압에 관여하는 angiotensin converting enzyme의 활성을 저해한다. 정공피(丁公皮)의 메탄올추출물은 폐암 세포인 A549, 유방암 세포인 MCF7, 간암 세포인 HepG2에 세포 독성이 있다. 마가자(馬家子)의 열수 및 메탄올 추출물은 혈중 콜레스테롤 함량을 감소시킨다.

사용법 정공피 또는 마가자 각각 10g에 물 3컵(600mL)을 넣고 달여서 복용한다.

* 열매가 타원상 구형이며 작은잎이 13~17개인 '당마가목 *S. amurensis*', 전체가 작고 작은잎은 7~9개이며 암술대가 5개인 '산마가목 *S. sambucifolia* var. *pseudogracilis*'도 약효가 같다.

● 마가자(馬家子)

● 정공피(丁公皮)

● 마가목(열매)

● 마가목(꽃)

● 당마가목

● 산마가목

● 마가목

[장미과]

화추수

해수, 효천, 만성기관지염, 폐로

비허부종, 위염, 이질

●학명 : *Sorbus pohuashanensis* (Hance) Hedl. ●한자명 : 花楸樹

| 1 | 2 | 3 | 4 | 5 | 6 | 7 | 8 | 9 | 10 | 11 | 12 |

❍ 화추수

낙엽 소교목. 높이 8m 정도. 잎은 어긋나고 깃꼴겹잎, 작은잎은 11~15개이다. 꽃은 백색, 5~6월에 가지 끝에 겹산방화서로 달리며, 꽃받침과 꽃잎은 5개씩이다. 이과는 둥글고 붉은색 또는 등황색으로 익는다.

분포·생육지 중국 내몽골, 허베이성(河北省), 간쑤성(甘肅省). 해발 900~2,500m의 산지에서 자란다.

약용 부위·수치 열매는 가을에 채취하여 말리고, 줄기껍질은 수시로 채취하여 썰어서 말린다.

약물명 열매를 화추과(花楸果)라고 하며, 산괴자(山槐子)라고도 한다. 줄기껍질을 화추경피(花楸莖皮)라 한다.

약효 화추과(花楸果)는 지해화담(止咳化痰), 건비이수(健脾利水)의 효능이 있으므로 해수, 효천(哮喘), 비허부종(脾虛浮腫), 위염을 치료한다. 화추경피(花楸莖皮)는 청폐지해(淸肺止咳), 해독지리(解毒止痢)의 효능이 있으므로 만성기관지염, 폐로(肺癆), 이질을 치료한다.

사용법 화추과는 30g에 물 4컵(800mL), 화추경피는 10g에 물 3컵(600mL)을 넣고 달여서 복용한다.

[장미과]

산조팝나무

타박상, 창독, 습진   인후종통

백대

●학명 : *Spiraea blumei* G. Don
●한자명 : 繡球繡線菊   ●별명 : 찰조팝나무, 개조팝나무, 넓은잎산조팝나무

| 1 | 2 | 3 | 4 | 5 | 6 | 7 | 8 | 9 | 10 | 11 | 12 |

낙엽 관목. 높이 1m 정도. 잎은 어긋나고 달걀 모양, 가장자리의 위쪽에 둔한 톱니가 있다. 꽃은 백색, 5월에 작은가지 끝에 산형화서로 달린다. 꽃잎과 꽃받침은 각각 5개, 수술은 꽃잎 위로 나오지 않는다. 열매는 골돌로 털이 없고 9~10월에 익는다.

분포·생육지 우리나라 전역. 중국, 일본, 타이완. 산기슭의 양지바른 곳에서 자란다.

약용 부위·수치 뿌리를 수시로 채취하여 물에 씻은 뒤 썰어서 말리고, 열매는 가을에 채취하여 말린다.

약물명 뿌리를 마엽수구(麻葉繡球), 열매를 마엽수구과(麻葉繡球果)라고 한다.

기미·귀경 마엽수구(麻葉繡球): 미온(微溫), 신(辛)·간(肝), 비(脾)

약효 마엽수구(麻葉繡球)는 활혈지통(活血止痛), 해독거습(解毒祛濕)의 효능이 있으므로 타박상, 어체동통(瘀滯疼痛), 인후종통, 백대(白帶), 창독, 습진을 치료한다. 마엽수구과(麻葉繡球果)는 이기화중(理氣和中)의 효능이 있으므로 완복창통(脘服脹痛)을 치료한다.

사용법 마엽수구는 15g에 물 4컵(800mL)을 넣고 달여서 복용하고, 외용에는 짓찧어 상처에 붙이거나 즙액을 바른다. 마엽수구과는 3g에 물 2컵(400mL)을 넣고 달여서 복용한다.

❍ 마엽수구(麻葉繡球)

❍ 산조팝나무(꽃)

❍ 산조팝나무

[장미과]

참조팝나무

● 학명 : *Spiraea fritschiana* Schneid.　● 한자명 : 紅梗菊　● 별명 : 꼬리조밥나무

| 1 | 2 | 3 | 4 | 5 | 6 | 7 | 8 | 9 | 10 | 11 | 12 |

낙엽 관목. 높이 1.5m 정도. 가지는 모가 나며 자갈색을 띤다. 잎은 어긋나고 타원형, 가장자리에 잔톱니가 있다. 꽃은 6~7월에 줄기 끝에서 피며, 가장자리는 연한 붉은색이고 안쪽은 붉은색이다. 꽃받침은 뒤로 젖혀지며 꽃잎은 둥글고 지름 3mm 정도, 수술은 꽃잎보다 2배 정도 길고 붉은 색이다. 열매는 지름 3mm 정도, 봉선 이외에는 털이 없으며 9월에 익는다.

분포 · 생육지 우리나라 중부 이북. 중국, 몽골, 일본. 산골짜기에서 자란다.

약용 부위 · 수치 지상부를 여름과 가을에 채취하여 적당한 크기로 썰어서 말린다.

약물명 화엽수신국(樺葉繡線菊), 홍경국(紅梗菊), 진주국(珍珠菊)이라고도 한다.

약효 이뇨통림(利尿通淋), 청열해독(淸熱解毒), 활혈조경(活血調經)의 효능이 있으므로 열림(熱淋), 풍화아통(風火牙痛), 경폐(經閉)를 치료한다.

사용법 화엽수선국 10g에 물 3컵(600mL)을 넣고 달여서 복용한다.

* 작은가지가 적갈색이고 열매에 털이 많은 '덤불조팝나무 *S. miyabei*'도 약효가 같다.

❂ 참조팝나무

❂ 화엽수선국(樺葉繡線菊)

[장미과]

일본조팝나무

● 학명 : *Spiraea japonica* L.　● 한자명 : 繡線菊　● 별명 : 꼬리조밥나무

| 1 | 2 | 3 | 4 | 5 | 6 | 7 | 8 | 9 | 10 | 11 | 12 |

낙엽 관목. 높이 1.5m 정도. 잎은 어긋나고 긴 타원형, 끝이 뾰족하고 가장자리에 불규칙하고 예리한 톱니가 있다. 꽃은 분홍색, 6~7월에 줄기 끝에서 산형화서로 달린다. 꽃받침통은 원추형으로 5개로 갈라지며, 꽃잎은 5개, 열매는 골돌이다.

분포 · 생육지 중국, 일본, 히말라야. 우리나라에서는 재식하고 있다.

약용 부위 · 수치 뿌리를 수시로 채취하여 물에 씻은 뒤 썰어서 말리고, 잎은 여름에 채취하여 말린다.

약물명 뿌리를 수선국근(繡線菊根), 잎을 수선국엽(繡線菊葉)이라 한다.

약효 수선국근(繡線菊根)은 거풍청열(祛風淸熱), 명목퇴예(明目退翳)의 효능이 있으므로 해수, 두통, 치통, 목적예장(目赤翳障)을 치료한다. 수선국엽(繡線菊葉)은 해독소종(解毒消腫), 거부생기(去腐生肌)의 효능이 있으므로 음저위관(陰疽瘻管)을 치료한다.

성분 수선국근(繡線菊根)은 spirasine I~VIII이 함유되어 있다.

사용법 수선국근은 10g에 물 3컵(600mL)을 넣고 달여서 복용하고, 수선국엽은 외용으로 사용하며 짓찧어 상처에 붙이거나 즙액을 바른다.

❂ 일본조팝나무

❂ 수선국근(繡線菊根)

[장미과]

긴잎조팝나무

 관절염   비허설사

● 학명 : *Spiraea media* Schmidt   ● 한자명 : 歐亞綉線菊   ● 별명 : 긴조팝나무

| 1 | 2 | 3 | 4 | 5 | 6 | 7 | 8 | 9 | 10 | 11 | 12 |

❶ 석봉수선국(石棒綉線菊)   ❶ 긴잎조팝나무(꽃)

낙엽 관목. 높이 1.5m 정도. 잎은 어긋나고 상반부에 톱니가 있다. 꽃은 백색, 4~5월에 작은가지 끝에 산형상 총상화서로 달린다. 꽃잎과 꽃받침은 각각 5개이다. 열매는 골돌로 한쪽이 튀어나오고 털이 있다.

분포 · 생육지 우리나라 경북, 중부, 북부 지방. 중국, 일본, 시베리아. 산기슭의 양지바른 곳에서 자란다.

약용 부위 · 수치 잎과 가지를 여름부터 가을에 채취하여 물에 씻은 뒤 썰어서 말린다.

약물명 석봉수선국(石棒綉線菊). 석봉자(石棒子)라고도 한다.

약효 거풍제습(祛風除濕)의 효능이 있으므로 관절염, 비허설사(脾虛泄瀉)를 치료한다.

사용법 석봉수선국 10g에 물 3컵(600mL)을 넣고 달여서 복용한다.

❶ 긴잎조팝나무

[장미과]

조팝나무

 인후통   풍습비통

● 학명 : *Spiraea prunifolia* S. et Z. for. *simpliciflora* Nakai
● 영명 : Bridal wreath spiraea   ● 한자명 : 笑靨花   ● 별명 : 조밥나무, 홀조팝나무

| 1 | 2 | 3 | 4 | 5 | 6 | 7 | 8 | 9 | 10 | 11 | 12 |

❶ 소엽화(笑靨花)

낙엽 관목. 높이 1.5~2m. 줄기는 모여 나고, 잎은 어긋나며 타원형이다. 꽃은 백색, 4~5월에 윗부분의 짧은 가지에서 산형화서로 4~6개가 달린다. 꽃받침은 5개, 꽃잎은 5개, 씨방은 4~5개, 암술대는 수술보다 짧다. 열매는 골돌, 9월에 익는다.

분포 · 생육지 우리나라 전역. 중국, 타이완. 산기슭의 양지바른 곳에서 자란다.

약용 부위 · 수치 뿌리를 수시로 채취하여 물에 씻은 뒤 썰어서 말린다.

약물명 소엽화(笑靨花)

약효 이인소종(利咽消腫), 거풍지통(祛風止痛)의 효능이 있으므로 인후통, 풍습비통(風濕痹痛)을 치료한다.

성분 1β-*O*-cinnamoyl-D-glucopyranose, spirarin, sorbitol-6-phosphatedehydronase 등이 함유되어 있다.

사용법 소엽화 15g에 물 4컵(800mL)을 넣고 달여서 복용하고, 외용에는 짓찧어 상처에 붙이거나 즙액을 바른다.

＊ 산형화서로 반구형인 '당조팝나무(中華綉線菊, 唐綉線菊) *S. chinensis*'도 약효가 같다.

❶ 열매   ❶ 조팝나무

[장미과]

아구장나무

🫀 수종

● 학명 : *Spiraea pubescens* Turcz.
● 한자명 : 土廧綉線菊　● 별명 : 아구장조팝나무

| 1 | 2 | 3 | 4 | 5 | 6 | 7 | 8 | 9 | 10 | 11 | 12 |

낙엽 관목. 높이 1.5~2m. 잎은 어긋나고 타원형, 상반부에 결각상 톱니가 있고 뒷면에 털이 빽빽이 난다. 꽃은 백색, 5월에 산형화서로 핀다. 열매는 골돌, 털이 있다.

분포·생육지 우리나라 경북 및 충북 이북, 중국. 깊은 산 바위틈에서 자란다.

약용 부위·수치 가을에 줄기를 채취하여 껍질은 버리고 속(莖隨)을 채취하여 썰어서 말린다.

약물명 토장수선국(土廧綉線菊), 토장화(土廧花), 소엽석봉자(小葉石棒子)라고도 한다.

약효 이뇨소종(利尿消腫)의 효능이 있으므로 수종(水腫)을 치료한다.

사용법 토장수선국 7g에 물 2컵(400mL)을 넣고 달여서 복용한다.

＊ 열매에 털이 없는 '설악아구장나무 var. *lasiocarpa*'도 약효가 같다.

○ 아구장나무

○ 토장수선국(土廧綉線菊)

[장미과]

꼬리조팝나무

🦵 관절통, 근육통　🫁 해수

● 학명 : *Spiraea salicifolia* L.　● 한자명 : 柳葉綉線菊　● 별명 : 꼬리조밥나무

| 1 | 2 | 3 | 4 | 5 | 6 | 7 | 8 | 9 | 10 | 11 | 12 |

낙엽 관목. 높이 1.5m 정도. 잎은 어긋나고 가장자리에 잔톱니가 있다. 꽃은 6~7월에 피고 연한 붉은색, 수술은 꽃잎보다 길고 붉은색이며 수술대에 털이 없다. 꽃밥은 황색, 씨방은 4~7개, 골돌은 내봉선을 따라 털이 있다.

분포·생육지 우리나라 지리산, 중부 이북. 중국, 일본, 티베트, 시베리아. 산지에서 자란다.

약용 부위·수치 지상부 또는 뿌리를 여름과 가을에 채취하여 적당한 크기로 썰어서 말린다.

약물명 공심류(空心柳). 마뇨수(馬尿溲)라고도 한다.

약효 활혈조경(活血調經), 이수통변(利水通便), 화담지해(化痰止咳)의 효능이 있으므로 관절통, 해수, 근육통 등을 치료한다.

사용법 공심류 10g에 물 3컵(600mL)을 넣고 달여서 복용한다.

○ 꼬리조팝나무(꽃)

○ 꼬리조팝나무

서양조팝나무

고혈압　　창양농혈

● 학명 : *Spiraea ulmaria* L.　● 한자명 : 旋果蚊子草

| 1 | 2 | 3 | 4 | 5 | 6 | 7 | 8 | 9 | 10 | 11 | 12 |

❶ 서양조팝나무(열매)

낙엽 관목. 높이 1.2m 정도. 잎은 깃꼴겹잎, 작은잎은 2~5쌍이다. 꽃은 6~7월에 피고, 연한 붉은색, 수술은 꽃잎보다 길고, 꽃밥은 황색이며, 씨방은 4~7개이다. 열매는 골돌로 반월형이다.

분포 · 생육지 유럽, 중국 신장성(新疆省). 산지에서 자란다.

약용 부위 · 수치 뿌리를 봄부터 가을에 채취하여 물에 씻은 후 말리거나 꽃을 채취하여 말린다.

약물명 합엽자(合葉子)

약효 평간강압(平肝降壓), 거담렴창(祛痰斂瘡)의 효능이 있으므로 고혈압, 창양농혈(瘡瘍膿血)을 치료한다.

사용법 합엽자 10g에 물 3컵(600mL)을 넣고 달여서 복용한다.

❶ 서양조팝나무

국수나무

인후종통　　혈붕, 월경부조

● 학명 : *Stephandra incisa* (Thunb.) Zabel
● 한자명 : 野珠蘭, 滴滴金　● 별명 : 뱁새더울, 거렁방이나무

| 1 | 2 | 3 | 4 | 5 | 6 | 7 | 8 | 9 | 10 | 11 | 12 |

낙엽 관목. 높이 1.5m 정도. 잎은 어긋나고 긴 삼각형이다. 꽃은 담황색, 햇가지 끝에 원추형으로 달리고 지름 5mm 정도, 5~6월에 피며, 꽃잎은 5개, 수술은 10개, 암술은 1개이다. 열매는 9월에 익고 골돌이며 달걀 모양, 잔털이 많다.

분포 · 생육지 우리나라 전역. 중국, 일본, 아시아. 산지에서 흔하게 자란다.

약용 부위 · 수치 뿌리를 봄과 여름에 채취하여 물에 씻은 뒤 적당한 크기로 썰어서 말린다.

약물명 야주란(野珠蘭). 적적금(滴滴金)이라고도 한다.

기미 · 귀경 미한(微寒), 고(苦) · 폐(肺), 간(肝)

약효 해독이인(解毒利咽), 지혈조경(止血調經), 이수통변(利水通便)의 효능이 있으므로 인후종통, 혈붕(血崩), 월경부조를 치료한다.

사용법 야주란 15g에 물 3컵(600mL)을 넣고 달여서 복용한다.

＊ 잎이 거의 5갈래로 비슷하게 갈라진 '개국수나무(나비국수나무) var. *quadrifissa*'도 약효가 같다.

❶ 야주란(野珠蘭)

❶ 국수나무(줄기 내부)

❶ 국수나무

❶ 개국수나무

[장미과]

홍과수

- 풍습통
- 타박상
- 이질, 소화불량

● 학명 : *Stranvaesia davidiana* Decne.　● 한자명 : 紅果樹

| 1 | 2 | 3 | 4 | 5 | 6 | 7 | 8 | 9 | 10 | 11 | 12 |

낙엽 소교목. 높이 10m 정도. 작은가지가 많다. 잎은 어긋나고 타원형, 가장자리가 밋밋하다. 꽃은 백색, 햇가지 끝에 원추화서로 달리고 꽃잎은 5개, 꽃밥은 황색, 암술은 1개이다. 열매는 9월에 붉은색으로 익는다.

분포 · 생육지 중국, 유럽. 산지에서 흔하게 자란다.

약용 부위 · 수치 열매를 가을에 채취하여 물에 씻은 뒤 말린다.

약물명 홍과수(紅果樹). 홍풍자(紅楓子)라고도 한다.

약효 청열제습(淸熱除濕), 화어지통(化瘀止痛)의 효능이 있으므로 풍습통(風濕痛), 타박상, 이질, 소화불량을 치료한다.

사용법 홍과수 15g에 물 3컵(600mL)을 넣고 달여서 복용한다.

● 홍과수(열매)

● 홍과수

[콩과]

계골초

- 황달형간염, 위통
- 풍습골통
- 타박상
- 유통

● 학명 : *Abrus cantoniensis* Hance　● 한자명 : 鷄骨草

| 1 | 2 | 3 | 4 | 5 | 6 | 7 | 8 | 9 | 10 | 11 | 12 |

덩굴성 관목. 높이 1m 정도. 원뿌리는 굵고 길며, 잎은 짝수 깃꼴겹잎이고 작은잎은 7~12쌍이다. 꽃은 잎겨드랑이에 총상화서로 달리고 꽃잎은 길이 6mm 정도, 꽃받침은 종 모양, 연한 붉은색을 띤다. 꼬투리는 납작하고, 종자는 납작한 구형으로 흑갈색이다.

분포 · 생육지 중국 광둥성(廣東省), 광시성(廣西省). 산지에서 자란다.

약용 부위 · 수치 전초를 여름 또는 가을에 채취하여 흙과 먼지를 털어서 말린다.

약물명 계골초(鷄骨草). 황두초(黃頭草), 대황초(大黃草)라고도 한다.

기미 · 귀경 양(凉), 감(甘), 고(苦) · 간(肝), 위(胃)

약효 청열이습(淸熱利濕), 산어지통(散瘀止痛)의 효능이 있으므로 황달형간염, 위통, 풍습골통(風濕骨痛), 타박상, 유통(乳痛)을 치료한다.

성분 abrisapogeol A~G, soyasapogenol A, B, kudzsapogenol A, sophoradiol, cantoniensistriol, glycyrrhetinic acid, glabrolide, abrisaponin, choline, abrine 등이 함유되어 있다.

약리 토끼의 적출한 회장에 열수추출물을 적하하면 수축력을 증강시킨다. 쥐에게 열수추출물을 투여하면 수영 시간이 연장된다. 사염화탄소를 쥐에게 주사한 뒤 열수추출물을 계속적으로 투여하면 간 보호 작용이 나타난다.

사용법 계골초 15g에 물 3컵(600mL)을 넣고 달여서 복용한다.

＊중국에서는 본 종을 주약으로 하는 간염 치료제가 개발되어 임상에 사용되고 있다.

● 계골초(鷄骨草)

● 계골초

[콩과]

상사나무

옹창, 개선, 창절 | 시선염, 인후종통 | 유옹
간염 | 풍습골통 | 감기, 폐열해수

●학명 : *Abrus precatorius* L. ●한자명 : 相思木 ●별명 : 홍두

| 1 | 2 | 3 | 4 | 5 | 6 | 7 | 8 | 9 | 10 | 11 | 12 |

덩굴성 관목. 잎은 어긋나고 짝수 깃꼴겹 잎, 작은잎은 8~15쌍이다. 꽃은 잎겨드랑 이에 총상화서로 달리고 담자색이다. 꼬투 리는 길이 3~4.5cm, 너비 1.2~1.4cm, 4~6개의 종자가 들어 있다. 종자는 타원상 구형, 배꼽 주변은 흑색이고 상단부는 붉은 색을 띤다.

분포 · 생육지 인도, 타이완, 중국 푸젠성(福建省), 하이난성(海南省), 윈난성(雲南省). 산지에서 자란다.

약용 부위 · 수치 종자를 여름 또는 가을에 채취하여 말린다.

약물명 종자를 상사자(相思子)라고 하며, 홍두(紅豆), 낭군자(郎君子)라고도 한다. 줄기를 상사등(相思藤)이라고 한다.

본초서 상사자(相思子)는 당나라 「신수본초(新修本草)」에 처음 수재되었으며, 이시진(李時珍)의 「본초강목(本草綱目)」에는 "별명을 홍두(紅豆)라고 하며, 상사자(相思子)는 맛은 쓰고 독이 있으며 토하게 하고 가래를 제거하며 살충의 효능이 있다."고 하였다. 「본초습유(本草拾遺)」에도 "맛은 맵고 약간 독이 있다."고 하였으므로 내복할 때는 약 용량을 초과하지 말아야 하고, 피부병에는 짓찧어 바르거나 물에 달인 액을 바르는 것 이 좋다. 이 약물은 중국약전 및 우리나라

생약규격집에 수재되어 있다.

기미 · 귀경 상사자(相思子): 평(平), 고(苦), 신(辛). 대독(大毒). 상사등(相思藤): 양(凉), 감(甘) · 폐(肺), 위(胃), 간(肝)

약효 상사자(相思子)는 청열해독(清熱解毒), 거담(祛痰), 살충의 효능이 있으므로 옹창(癰瘡), 시선염(腮腺炎), 개선(疥癬), 풍습골통(風濕骨痛)을 치료한다. 상사등(相思藤)은 청열해독, 이뇨의 효능이 있으므로 감기, 인후종통, 폐열해수(肺熱咳嗽), 유옹(乳癰), 창절(瘡癤), 간염을 치료한다.

성분 abrine, abraline, hypaphorine, precatorine, choline, trigonelline, ricin 등이 함유되어 있다.

약리 수용성 단백질은 항암 작용이 있고, 에탄올추출물은 과민성 반응을 억제하는 작용이 있다.

사용법 상사자는 물을 넣고 달여서 복용하 지 않는 것이 좋으며, 외용으로 사용하는 것이 좋다. 외용에는 짓찧어 즙을 내어 바 르거나 가루로 만들어 상처에 뿌린다. 상사 등은 3g에 물 2컵(400mL)을 넣고 달여서 복용하고, 외용에는 짓찧어 즙을 내어 바르 거나 가루로 만들어 상처에 뿌린다.

주의 독성이 강하므로 복용량에 주의하여 야 한다.

❍ 상사자(相思子)

❍ 상사나무(열매)

❍ 상사나무

[콩과]

아라비아나무

기관지염, 기침 | 신장염, 요로결석

●학명 : *Acacia arabica* Will. [*Vachellia nilotica*, *A. nilotica*]

| 1 | 2 | 3 | 4 | 5 | 6 | 7 | 8 | 9 | 10 | 11 | 12 |

낙엽 소교목. 높이 10m 정도. 줄기껍질은 자흑색, 잎은 어긋나고 짝수 2회 깃꼴겹잎, 10~30쌍으로 가장자리가 밋밋하다. 꽃은 양성, 4~8월에 작은가지 끝에 뭉쳐서 달리 고 꽃잎은 황색~백색이다. 꼬투리는 9월에 서 다음 해 1월에 익는다.

분포 · 생육지 아라비아, 이집트, 브라질, 아르헨티나, 멕시코. 산지에서 자란다.

약용 부위 · 수치 줄기껍질, 작은가지를 봄에 채취하여 물에 씻은 후 썰어서 말린다.

약물명 Acaciae Cortex

약효 기관지염, 기침, 신장염, 요로결석을 치료한다.

사용법 Acaciae Cortex 10g에 물 3컵(600 mL)을 넣고 달여서 복용한다.

❍ 아라비아나무(잎)

❍ 아라비아나무(열매)

❍ 아라비아나무

❍ 아라비아나무 줄기에서 흘러나오는 수지

[콩과]

페구아선약나무

창양구궤불렴, 습창류수　구창
객혈, 기침, 가래　혈뇨

● 학명 : *Acacia catechu* (L.) Wild.　● 영명 : Catechu acacia, Black catechu
● 한자명 : 阿仙木

1 2 3 4 5 6 7 8 9 10 11 12

❶ 페구아선약나무

낙엽 소교목. 높이 10~13m. 줄기껍질은 자흑색, 잎은 어긋나고 짝수 2회 깃꼴겹잎으로 10~30쌍이다. 꽃은 양성, 4~8월에 작은가지 끝에 달리고, 꽃잎은 황색~백색이다. 꼬투리는 9월에서 다음 해 1월에 익으며 자갈색, 3~10개의 종자가 들어 있다.

분포 · 생육지 중국 저장성(浙江省), 광둥성(廣東省), 광시성(廣西省), 윈난성(雲南省). 산지에서 자란다.

약용 부위 · 수치 줄기를 봄과 여름에 채취하여 적당한 크기로 잘라 4배 양의 물을 가하여 찐다. 이것을 6번 되풀이하여 나오는 추출물을 다시 가열하여 끈끈한 고약으로 만든다.

약물명 해아차(孩兒茶). 오정니(烏丁泥)라고도 한다.

본초서 「본초강목(本草綱目)」에는 "해아차(孩兒茶)는 아차(兒茶)에서 비롯된 이름이며, 상초(上焦)의 열을 없애고 모든 염증을 낫게 한다."고 하였다. 「동의보감(東醫寶鑑)」에도 "모든 상처의 독을 풀어 준다."고 하였다.

本草綱目: 淸上膈熱 化痰生津 涂金瘡 一切 諸瘡 生肌定痛 止血 收濕.
東醫寶鑑: 治一切瘡毒.

기미 · 귀경 양(凉), 고(苦), 삽(澁) · 심(心), 폐(肺), 비(脾)

약효 수습렴창(收濕斂瘡), 지혈정통(止血定痛), 청열화담(淸熱化痰)의 효능이 있으므로 창양구궤불렴(瘡瘍久潰不斂), 습창류수(濕瘡流水), 구창, 객혈, 혈뇨, 기침과 가래를 치료한다.

성분 catechu−tannic acid, catechin, phlobatannin, fisetin, kaempferol, dihydrokaempferol, taxifolin, isorhamnetin 등이 함유되어 있다.

약리 열수추출물은 간장을 보호하고 이담(利膽) 작용과 면역 증강 작용이 있고, 병원미생물에 항균 작용이 있다.

사용법 해아차 1g에 물 2컵(400mL)을 넣고 달여서 복용한다.

❶ 해아차(孩兒茶)

❶ 해아차(孩兒茶)가 함유된 소화제

[콩과]

황금아선약나무

유정, 탈항　백대
외상출혈　만성해천

● 학명 : *Acacia farnesiana* (L.) Willd.　● 영명 : Golden catechu, Sweet acacta
● 한자명 : 黃金阿仙木, 金合歡

1 2 3 4 5 6 7 8 9 10 11 12

❶ 황금아선약나무 줄기의 삼출물

낙엽 소교목. 높이 5~7m. 가지는 길게 번는다. 잎은 어긋나고 짝수 깃꼴겹잎, 작은잎은 6~10쌍이다. 꽃은 잎겨드랑이에 총상화서로 달리고 구형, 담황색이다. 꼬투리는 2개씩 달리며 길이 5~10cm, 너비 1.5~2cm이다.

분포 · 생육지 중국, 타이완, 북아메리카, 남아메리카. 숲속에서 자란다.

약용 부위 · 수치 줄기껍질을 봄에 채취하여 썰어서 말린다.

약물명 압조수피(鴨皂樹皮). 금합환피(金合歡皮)라고도 한다.

약효 수렴(收斂), 지혈, 지해(止咳)의 효능이 있으므로 유정(遺精), 백대(白帶), 탈항, 외상출혈, 만성해천(慢性咳喘)을 치료한다.

성분 catechu-tannin 등이 함유되어 있다.

사용법 압조수피 10g에 물 3컵(600mL)을 넣고 달여서 복용하고, 외용에는 짓찧어 바른다.

❶ 황금아선약나무

[콩과]

아라비아고무나무

편도선염

● 학명 : *Acacia senegal* Willd. ● 영명 : Hashab gum, Kher, Khor

1 2 3 4 5 6 7 8 9 10 11 12

교목. 높이 5~12m, 지름 30cm. 줄기에 가시가 있다. 잎은 어긋나고 짝수 2회 깃꼴겹잎이다. 꽃은 황색, 총상화서로 많이 핀다. 꼬투리는 긴 원통형으로 잘록잘록하고 적갈색으로 성숙한다.

분포 · 생육지 사하라 사막 이남의 아프리카 지역, 인도 서해안, 파키스탄, 오만. 산과 들에서 자란다.

약용 부위 · 수치 줄기 및 가지에서 분비되어 단단해진 수지를 채취하여 말린다.

약물명 Gummi Arabica

약효 수렴(收斂)의 효능이 있으므로 편도선염을 치료한다.

성분 80% 정도 arabic acid(L−arabinose, D−galactose, D−glucuronic acid, L−rhamnose를 구성당으로 하는 다당체), 기타 당, 수지, 질소화합물, 산화효소(oxidase, peroxidase) 및 가수 분해 효소인 amylase, emulsin 등이 함유되어 있다.

약리 점막의 염증 완화 작용이 있어 위장 카타르에 내복하는 외에 뚜렷한 생리 작용은 없다. 이화학적 성질을 이용하여 피부염증, 피부질환에 산포제로 사용한다. julibrin I, II는 부정맥 치료 효능이 있고, 다당체 성분들은 항암 활성 작용이 있다.

사용법 Gummi Arabica 1g을 뜨거운 물에 우려내어 복용한다.

＊물에 녹지 않는 약품의 유화제(예 간 유화제), 환약, 정제의 결합제, 공업용 호료(糊料)로 널리 이용한다.

아라비아고무나무 줄기에서 흘러나오는 수지

아라비아고무나무

[콩과]

해홍두

면부흑반, 두면유풍 좌창

● 학명 : *Adenanthera microsperma* Teijsm. et Binnend. ● 한자명 : 海紅豆

1 2 3 4 5 6 7 8 9 10 11 12

낙엽 교목. 높이 10~20m. 줄기는 곧게 자라며, 잎은 어긋나고 2회 깃꼴겹잎, 우편은 3~5쌍, 작은잎은 4~7쌍이다. 꽃은 4~7월에 총상화서로 피고 담황색이다. 꼬투리는 납작한 원통형이며 종자가 7~10개 들어 있다.

분포 · 생육지 중국 윈난성(雲南省). 숲속에서 자란다.

약용 부위 · 수치 종자를 여름과 가을에 채취하여 말린다.

약물명 해홍두(海紅豆). 홍두(紅豆), 대홍편두(大紅扁豆), 상사수(相思樹)라고도 한다.

약효 소풍청열(消風淸熱), 조습지양(燥濕止痒), 윤부양안(潤膚養眼)의 효능이 있으므로 면부흑반(面部黑斑), 두면유풍(頭面遊風), 좌창(痤瘡)을 치료한다.

성분 sigmasterol, sigmasterol acetate, dulcitol, ampeloptin, butein 등이 함유되어 있다.

사용법 해홍두 적당량을 짓찧어 환부에 바른다.

해홍두

자귀풀

	열림, 혈림		수종
	황달, 이질, 위염, 복부팽만		습진

●학명 : *Aeschynomene indica* L.　●영명 : Indian sensitive joint vetch　●한자명 : 田皁角

1	2	3	4	5	6	7	8	9	10	11	12

한해살이풀. 높이 50~80cm. 줄기는 곧게 자라며 윗부분은 속이 비어 있다. 잎은 어긋나고 짝수 깃꼴겹잎이다. 꽃은 7월에 총상화서로 피고 길이 1cm 정도, 황색이다. 꼬투리는 털이 없고 편평한 선형이다.

분포·생육지 우리나라 전역. 중국, 인도, 일본, 아프리카, 오스트레일리아. 논이나 습지에서 자란다.

약용 부위·수치 전초를 여름 또는 가을에 채취하여 흙과 먼지를 털어서 말린다.

약물명 합맹(合萌)

약효 청열해독(淸熱解毒), 거풍명목(祛風明目), 통유(通乳)의 효능이 있으므로 열림(熱淋), 혈림(血淋), 수종(水腫), 황달, 이질, 위염, 복부팽만, 습진을 치료한다.

성분 열매에는 알칼로이드, saponin, tannin 등이 함유되어 있다.

사용법 합맹 10g에 물 3컵(600mL)을 넣고 달여서 복용하고, 외용에는 짓찧어 바른다.

◐ 합맹(合萌)

◐ 자귀풀(열매)

◐ 자귀풀

중국자귀나무

	이질, 장염복사

●학명 : *Albizia chinensis* (Osbeck.) Merr.　●한자명 : 楹樹

1	2	3	4	5	6	7	8	9	10	11	12

낙엽 교목. 높이 30m 정도. 잎은 어긋나고 짝수 2회 깃꼴겹잎, 우편은 15쌍 정도, 소우편 잎은 30~35쌍이다. 꽃은 양성, 6~7월에 작은가지 끝에 15~20개가 산형으로 달리며, 수술은 백색이다. 꼬투리는 길이 10~15cm이다.

분포·생육지 우리나라 중부 이남. 중국, 일본, 동남아시아. 산이나 마을 근처에서 자란다.

약용 부위·수치 줄기껍질을 봄에 채취하여 적당한 크기로 썰어서 말린다.

약물명 영수피(楹樹皮)

약효 삽장지사(澁腸止瀉), 생기(生肌), 지혈의 효능이 있으므로 이질, 장염복사(腸炎腹瀉)를 치료한다.

성분 α-spinasterol, quercetin, taxifolin, fustin, fisetin, asiatic acid, arjunolic acid 등이 함유되어 있다.

사용법 영수피 15g에 물 3컵(600mL)을 넣고 달여서 복용한다.

◐ 영수피(楹樹皮)

◐ 중국자귀나무(꽃)

◐ 중국자귀나무

[콩과]

자귀나무

👁 시력약화, 인후통	🩹 옹종, 나력
🦵 근골절상	🌙 심신불안, 우울불면, 불면

●학명 : *Albizia julibrissin* Durazz. ●영명 : Silk tree ●한자명 : 合歡木, 夜合樹

1	2	3	4	5	6	7	8	9	10	11	12

낙엽 교목. 높이 15m 정도. 잎은 어긋나고 짝수 2회 깃꼴겹잎이다. 꽃은 양성, 6~7월에 피고 작은가지 끝에 15~20개가 산형으로 달린다. 수술은 25개 정도, 상반부는 홍색, 하반부는 백색이다. 꼬투리는 길이 15cm 정도, 5~6개의 종자가 들어 있다.

분포 · 생육지 우리나라 중부 이남. 중국, 일본, 동남아시아. 산이나 마을 근처에서 자란다.

약용 부위 · 수치 줄기껍질을 봄에 채취하여 적당한 크기로 썰어서 말리고, 꽃은 여름철에 채취한다.

약물명 줄기껍질을 합환피(合歡皮)라고 하며, 합혼피(合昏皮), 야합피(夜合皮)라고도 한다. 꽃을 합환화(合歡花)라고 하며, 야합화(夜合花)라고도 한다.

본초서 합환피는 「신농본초경(神農本草經)」의 중품(中品)에 수재되어 있으며, 합혼(合昏), 야합(夜合), 청상(靑裳), 맹갈(萌葛)이라고 한다. 진장기(陳藏器)는 "잎은 해가 저물면 서로 합쳐지고 해가 뜨면 펴진다. 그러므로 합혼(合昏)이라 한다."고 하였으며, 「일화자본초(日華子本草)」에서는 "이런 모양에서 야합(夜合)이라고 한다."하였다. 「동의보감(東醫寶鑑)」에는 "오장을 편안하게 하고 정신과 의지를 안정시키며 근심을 없애고 마음을 편하게 한다."고 하였다.

神農本草經 : 主按五臟, 利心志, 令人歡樂無憂, 久服輕身明目, 得所欲.

日華子本草 : 煎膏, 消癰腫, 幷續筋骨.

本草綱目 : 和血, 消腫, 止痛.

東醫寶鑑 : 主安五臟 利心志令人歡樂無憂.

성상 합환피(合歡皮)는 줄기껍질로 반관상 또는 판상이고 표면은 회갈색이며 가로로 껍질눈이 뚜렷하다. 안쪽은 황갈색으로 매끄럽고 세로 무늬가 조밀하다. 횡단면은 담황색이며 섬유질이다. 냄새는 없고 맛은 담담하나 혀를 대면 자극적이다.

기미 · 귀경 합환피(合歡皮) : 평(平), 감(甘) · 심(心), 간(肝), 비(脾). 합환화(合歡花) : 평(平), 감(甘), 고(苦) · 심(心), 비(脾)

약효 합환피(合歡皮)는 해울(解鬱), 화혈(和血), 소종(消腫)의 효능이 있으므로 심신불안, 우울불면, 옹종(癰腫), 나력(瘰癧), 근골절상(筋骨折傷)을 치료한다. 합환화(合歡花)는 안신(安神), 활락(活絡)의 효능이 있으므로 불면, 건망증, 시력약화, 인후통을 치료한다.

성분 합환피(合歡皮)에는 julibroside A1, A2, A3, A4, B1, C1, acacic acid, acacic acid lactone, julibrogenin B, julibrogenin C methylester, julibrin I, II, icariside E5, 3,4,5-trimethoxyphenol, 종자에는 albizin 등이 함유되어 있다.

약리 julibrin I, II는 부정맥 치료 효능이 있고, 다당체 성분들은 항암 활성 작용이 있다.

사용법 합환피 또는 합환화 10g에 물 3컵(600mL)을 넣고 달여서 복용한다.

처방 합환탕(合歡湯) : 합환피(合歡皮), 용치(龍齒), 백자인(柏子仁), 산조인(酸棗仁), 치자(梔子), 작약(芍藥), 생지황(生地黃), 맥문동(麥門冬), 감초(甘草)「경험방(經驗方)」. 심신불안, 우울증, 건망증에 사용한다.

• 합환피산(合歡皮散) : 합환피(合歡皮) 160g, 사향(麝香), 유향(乳香) 각 4g, 가루로 만들어 1회 12g 복용「속본사방(續本事方)」. 타박상, 골절동통에 사용한다.

＊ 본 종에 비하여 잎이 크고 수술이 많으며 꽃이 백색인 '왕자귀나무(작윗대나무, 山塊) *A. coreana*'도 약효가 같다.

🔾 합환피(合歡皮, 절편)

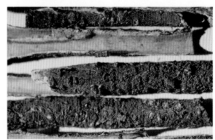
🔾 합환피(合歡皮)

🔾 자귀나무

🔾 꽃

🔾 자귀나무(줄기)

🔾 합환화(合歡花)

🔾 왕자귀나무

큰잎자귀나무

 타박상, 옹창　👁 안염
🐍 복사

❍ 대엽합환피(大葉合歡皮)

● 학명 : *Albizia lebbeck* (L.) Benth.　● 한자명 : 大葉合歡皮

| 1 | 2 | 3 | 4 | 5 | 6 | 7 | 8 | 9 | 10 | 11 | 12 |

낙엽 관목. 높이 3~8m. 잎은 어긋나고 짝수 2회 깃꼴겹잎, 작은잎은 6~8쌍이다. 꽃은 황색, 양성, 6~7월에 작은가지 끝에 15~20개가 산형으로 달린다. 꼬투리는 9~10월에 익으며 길이 15cm, 4~12개의 종자가 들어 있다.
분포 · 생육지 중국, 인도, 방글라데시, 말레이시아. 산이나 마을 근처에서 자란다.
약용 부위 · 수치 줄기껍질을 봄이나 여름에 채취하여 말린다.
약물명 대엽합환피(大葉合歡皮)
약효 소종지통(消腫止痛), 수렴지사(收斂止瀉)의 효능이 있으므로 타박상, 옹창(癰瘡), 안염(眼炎), 복사(腹瀉)를 치료한다.
사용법 대엽합환피 10g에 물 3컵(600mL)을 넣고 달여서 복용하고, 외용에는 짓찧어 바른다.

❍ 큰잎자귀나무

애기자운

📁 옹종정창, 단독　🐍 황달, 장염

● 학명 : *Amblytropis pauciflora* (Pall.) Fisch.　● 한자명 : 小花米口袋　● 별명 : 털새동부

| 1 | 2 | 3 | 4 | 5 | 6 | 7 | 8 | 9 | 10 | 11 | 12 |

여러해살이풀. 높이 3~8m. 잎은 어긋나고 홀수 1회 깃꼴겹잎, 작은잎은 4~8쌍이다. 꽃은 자주색, 양성, 6~7월에 작은가지 끝에 2~4개가 산형으로 달린다. 꼬투리는 긴 난형으로 길이 1.2cm, 흰 털이 빽빽이 난다.
분포 · 생육지 우리나라 경북, 평북, 함북, 백두산. 중국, 우수리, 시베리아. 깊은 산에서 자란다.
약용 부위 · 수치 전초를 여름에 채취하여 씻은 후 썰어서 말린다.
약물명 첨지정(甛地丁), 미포대(米布袋), 소정황(小丁黃), 양양초(痒痒草)라고도 한다.
기미 · 귀경 한(寒), 감(甘), 고(苦) · 심(心), 간(肝)
약효 청열해독(淸熱解毒), 양혈소종(凉血消腫)의 효능이 있으므로 옹종정창(癰腫疔瘡), 단독, 황달, 장염을 치료한다.
성분 psyllosearyl alcohol, β-sitosterol, soyasapogenol B, E가 함유되어 있다.
사용법 첨지정 10g에 물 3컵(600mL)을 넣고 달여서 복용하고, 외용에는 짓찧어 바른다.

❍ 애기자운

[콩과]

족제비싸리

옹창, 탕상, 습진

- ●학명 : *Amorpha fruticosa* L.   ●영명 : Bastard indigo
- ●한자명 : 紫穗槐   ●별명 : 미국싸리, 왜싸리

| 1 | 2 | 3 | 4 | 5 | 6 | 7 | 8 | 9 | 10 | 11 | 12 |

낙엽 관목. 높이 3m 정도. 잎은 어긋나고 홀수 1회 깃꼴겹잎, 작은잎은 11~25개이다. 꽃은 5~6월에 피며 길이 6mm, 자줏빛이 도는 하늘색, 기판(旗瓣)은 길이 6mm, 달걀 모양, 익판(翼瓣)과 용골판(龍骨瓣)이 없다.

열매는 약간 굽으며 길이 7~9mm이다.

분포 · 생육지 북아메리카 원산. 중부 이남의 산지나 들에서 흔하게 자란다.

약용 부위 · 수치 잎을 여름에 채취하여 말린다.

약물명 자수괴(紫穗槐)

약효 청열해독(淸熱解毒), 거습소종(祛濕消腫)의 효능이 있으므로 옹창(癰瘡), 탕상(燙傷), 습진을 치료한다.

성분 rutin, quercetin, amorphastibol, amorphispironone, tephrosin, amorphigenin, amorphigenol, 12α-hydroxyamorphigenin, 12α-hydroxydalpanol, 4′,6-dimethoxyisoflavone-7-*O*-β-D-glucopyranoside 등이 함유되어 있다.

약리 메탄올추출물 및 4′,6-dimethoxyisoflavone-7-*O*-β-D-glucopyranoside는 인체의 T세포 성장을 촉진하는 효능이 있으며, cytokines, TNF-α, IL-6의 분비를 증가시킨다.

사용법 자수괴 10g에 물 3컵(600mL)을 넣고 달여서 복용하고, 외용에는 짓찧어 바른다.

＊ 작은가지에 능선이 있고 회색 털이 많은 '털족제비싸리 *A. canescens*'도 약효가 같다.

❶ 족제비싸리   ❶ 족제비싸리(열매)   ❶ 자수괴(紫穗槐)

[콩과]

새콩

소화불량   체허자한, 도한

각종 동통   창절

- ●학명 : *Amphicarpaea edgeworthii* Bentham var. *trisperma* Ohwi   ●한자명 : 野扁豆

| 1 | 2 | 3 | 4 | 5 | 6 | 7 | 8 | 9 | 10 | 11 | 12 |

덩굴성 한해살이풀. 길이 1~2m. 전체에 거친 털이 있으며, 잎은 어긋나고 3출겹잎이다. 꽃은 자주색, 8~9월에 잎겨드랑이에 5~6개씩 총상화서로 달리고 꽃차례가 잎보다 짧다. 열매는 납작한 꼬투리로 길이 3cm 정도, 털이 나며 약간 굽는다.

분포 · 생육지 우리나라 전역. 중국, 일본, 우수리, 히말라야. 산지나 들에서 흔하게 자란다.

약용 부위 · 수치 전초를 여름에 채취하여 말린다.

약물명 음양두(陰陽豆). 야편두(野扁豆)라고도 한다.

약효 소식(消食), 해독, 지통의 효능이 있으므로 소화불량, 체허자한(體虛自汗), 도한(盜汗), 각종 동통(疼痛), 창절(瘡癤)을 치료한다.

성분 rutin, quercetin, amorphastibol, amorphispironone, tephrosin, amorphigenin, amorphigenol, 12α-hydroxyamorphigenin, 12α-hydroxydalpanol 등이 함유되어 있다.

사용법 음양두 15g에 물 3컵(600mL)을 넣고 달여서 복용하고, 외용에는 짓찧어서 바른다.

❶ 새콩(열매)

❶ 새콩

땅콩

비허불운 　반위불서 　실면 　고혈압 　각기

타박상, 옹종창독, 혈우병, 혈소판감소증 　조해, 해혈, 객혈

●학명 : *Arachis hypogaea* L. ●영명 : Peanut, Ground nut, Earth nut
●한자명 : 落花生 ●별명 : 호콩

| 1 | 2 | 3 | 4 | 5 | 6 | 7 | 8 | 9 | 10 | 11 | 12 |

한해살이풀. 높이 50~60cm. 잎은 어긋나고 짝수 깃꼴겹잎, 작은잎은 4개이다. 꽃은 황색, 7~9월에 잎겨드랑이에 1개씩 핀다. 꽃받침통 안에 1개의 씨방이 있으며 실 같은 암술대가 밖으로 나오고 수정되면 씨방 밑부분이 길게 자라서 땅속으로 들어간다.

분포·생육지 남아메리카 원산. 세계 각처에서 재배한다.

약용 부위·수치 열매를 가을에 채취하여 종자와 종자껍질을 분리하여 말린다.

약물명 종자를 낙화생(落花生)이라고 하며, 화생(花生), 낙화삼(落花蔘), 장생과(長生果)라고도 한다. 줄기와 잎을 낙화생지엽(落花生枝葉)이라고 하며, 낙화생경엽(落花生莖葉)이라고도 한다. 종자껍질을 화생의(花生衣)라고 한다.

기미·귀경 낙화생(落花生): 평(平), 감(甘)·비(脾), 폐(肺)

약효 낙화생(落花生)은 건비양위(健脾養胃), 윤폐화담(潤肺化痰)의 효능이 있으므로 비허불운(脾虛不運), 반위불서(反胃不舒), 각기(脚氣), 조해(燥咳)를 치료한다. 낙화생지엽(落花生枝葉)은 청열해독(清熱解毒), 영신강압(寧神降壓)의 효능이 있으므로 타박상, 옹종창독(癰腫瘡毒), 실면(失眠), 고혈압을 치료한다. 화생의(花生衣)는 양혈지혈(凉血止血), 산어(散瘀)의 효능이 있으므로 혈우병, 혈소판감소증, 해혈, 객혈을 치료한다.

성분 낙화생(落花生)에는 lecithine, purine, betaine, arachine, biotin, campesterol, stigmasterol, cholesterol 등이 함유되어 있고, 지방유 40~50%, 질소 화합물 20~25%, 전분 10~20%가 함유되어 있다.

약리 낙화생(落花生)을 내복하면 혈우병 환자의 출혈 증상을 억제하는 것이 발견되었고, 그후 A형 혈우병에 더욱 효과가 있다는 것이 알려져 있다. 종자에 들어 있는 성분 미상의 혈구응집소는 neuraminidase 처리한 사람의 적혈구를 응집하는데, 이것은 P 응집소에 속한다.

사용법 낙화생 또는 낙화생지엽, 화생의 30g에 물 5컵(1L)을 넣고 달여 복용한다.

＊ 실 같은 암술대가 밖으로 나오고 수정되면 씨방 밑부분이 길게 자라서 땅속으로 들어가 열매가 성장하므로 모래땅에서 재배한다.

○ 낙화생(落花生)

○ 낙화생지엽(落花生枝葉)

○ 화생의(花生衣)

○ 땅콩(열매)

○ 땅콩

○ 땅콩(씨방의 자루가 뻗어 땅속으로 들어가는 과정)

[콩과]

루이보스

 복통　　 피부노화

● 학명 : *Aspalathus linearis* L.　● 영명 : Rooibos

| 1 | 2 | 3 | 4 | 5 | 6 | 7 | 8 | 9 | 10 | 11 | 12 |

관목. 줄기는 바로 서며 높이 2m 정도. 많은 가지가 있으며 적갈색~암녹색을 띤다. 잎은 어긋나고 바늘 모양이다. 꽃은 황색, 7~9월에 잎겨드랑이에 1개씩 달리고 꽃대가 없다.

분포 · 생육지 남아프리카 희망봉 서쪽 지방 원산. 원산지에서 재배한다.

약용 부위 · 수치 지상부를 여름에 채취하여 썰어서 말린다.

약물명 Aspalathi Herba. 일반적으로 루이보스(Rooibos), 루이보스차(Rooibos tea)라고 한다.

약효 진통, 항산화의 효능이 있으므로 복통을 치료하고, 화장품 원료로 사용되며 피부노화를 방지한다.

성분 플라보노이드 성분인 orientin, isoorientin, quercitrin, aspalathin, nothofagin 등이 함유되어 있다.

약리 orientin, isoorientin, quercitrin, aspalathin, nothofagin 등은 항산화 작용이 있다.

사용법 Aspalathi Herba 1g을 뜨거운 물에 우려내어 복용한다.

◐ Aspalathi Herba, 루이보스

◐ 루이보스로 만든 차

[콩과]

배편황기

 간신부족　　요통슬연　　안목혼화

유정조설, 소변빈삭　　이명현훈

● 학명 : *Astragalus complanatus* R. Br. ex Bunge　● 한자명 : 背扁黃耆

| 1 | 2 | 3 | 4 | 5 | 6 | 7 | 8 | 9 | 10 | 11 | 12 |

여러해살이풀. 높이 30~90cm. 줄기는 곧게 서고 백색, 털이 없다. 잎은 어긋나고 홀수 깃꼴겹잎, 작은잎은 21~31개이다. 꽃은 6~8월에 총상화서로 잎겨드랑이에 많이 달리며, 꽃받침은 종 모양, 꽃잎은 나비 모양으로 황색이다. 열매는 꼬투리로 달걀 모양, 종자는 콩팥 모양이다.

분포 · 생육지 중국 지린성(吉林省), 내몽골, 허베이성(河北省), 허난성(河南省), 산둥성(山東省). 소금기가 있는 모래땅이나 산기슭에서 자란다.

약용 부위 · 수치 종자를 늦여름이나 초가을에 채취하여 말린다. 초(炒)하면 온삽(溫澁) 작용이 강해진다.

약물명 사원자(沙苑子). 사원질려(沙苑蒺藜), 백질려(白蒺藜)라고도 한다.

본초서 사원자(沙苑子)는 「임증지남의약(臨症指南醫藥)」이라는 의서에 처음 수재되었으며 현재 중국약전 및 우리나라 생약규격집에 수재된 약물이다. 「중화본초(中華本草)」에는 배편황기(背偏黃耆)의 종자를 사원질려(沙苑蒺藜)의 기원으로 하고 있다. 이 식물이 "사원(沙苑)이라는 지방에서 생산되고 잎이 질려(蒺藜)와 닮았으므로 사원질려(沙苑蒺藜)라 한다."고 하였으며 "별명을 사원자(沙苑子)라고도 한다."고 하였다.

성상 납작한 콩팥 모양, 길이 2mm, 너비 1.5mm, 두께 1mm 정도, 표면은 회갈색~녹갈색으로 광택이 있다. 한쪽 변은 안쪽으로 함몰된다. 질은 단단하여 쉽게 부서지지 않는다. 냄새가 없고 맛은 덤덤하며 씹으면 콩 비린내가 난다.

기미 · 귀경 감(甘), 고(苦), 온(溫) · 간(肝), 신(腎).

약효 보신고정(補腎固精), 익간명목(益肝明目)의 효능이 있으므로 간신부족(肝腎不足), 요통슬연(腰痛膝軟), 유정조설(遺精早泄), 소변빈삭(小便頻數), 이명현훈(耳鳴眩暈), 안목혼화(眼目昏花)를 치료한다.

성분 사원자(沙苑子)는 complanatuside, neocomplanoside, myricomplanoside, astragalin, kaempferol, rhomnocirin-3-*O*-β-D-glucoside, 그 밖에 많은 종류의 사포닌이 함유되어 있다.

약리 쥐에게 사원자의 열수추출물을 투여하면 강장 작용이 나타나고 항염증 작용이 있으며, 혈압을 하강시키고, 혈액 중의 지질을 저하시키는 작용, 간장 보호 작용이 나타난다.

사용법 사원자 5g에 물 2컵(400mL)을 넣고 달여서 복용하거나 술에 담가서 복용한다.

◐ 배편황기

◐ 사원자(沙苑子)

◐ 배편황기 재배(중국 서안)

황기

자한, 도한   유종
설사

● 학명 : *Astragalus membranaceus* (Fischer) Bunge   ● 영명 : astragal
● 한자명 : 黃耆   ● 별명 : 단너삼, 노랑황기, 도미황기

| 1 | 2 | 3 | 4 | 5 | 6 | 7 | 8 | 9 | 10 | 11 | 12 |

여러해살이풀. 높이 1m 정도. 전체에 잔털이 있으며, 뿌리는 굵고 땅속 깊이 들어간다. 잎은 어긋나고 홀수 1회 깃꼴겹잎, 작은잎은 13~23개이다. 꽃은 연한 황색, 7~8월에 잎겨드랑이에 총상화서로 핀다. 꽃받침은 종 모양이고 끝이 5개로 갈라지며, 꽃잎은 나비 모양, 길고 가늘며 길이 1.5~1.8cm, 수술은 10개이다. 꼬투리는 달걀 모양, 길이 2~3cm이다.

분포 · 생육지 우리나라 경북, 강원, 함남북. 중국, 일본, 몽골, 시베리아, 중앙아시아. 산에서 자라지만 주로 재배하여 약용한다.

약용 부위 · 수치 뿌리를 가을에 채취하여 흙과 먼지를 털고 바깥 부분의 코르크층을 긁어서 버리고 햇볕에 말린다.

약물명 황기(黃耆). 진기(晉耆), 소면기(小綿耆), 선황기(鮮黃耆)라고도 한다.

본초서 황기는 「신농본초경(神農本草經)」의 상품(上品)에 수재되어 있고, 「본초강목(本草綱目)」에는 「기(耆)에는 장(長)의 의미가 있다. 황기(黃耆)는 황색이고 보양(補養)의 장(長)이므로 붙여진 이름이다.」라고 기록되어 있다. 「동의보감(東醫寶鑑)」에는 "몸과 마음이 허약하고 피로하며 여윈 사람에게 쓴다. 신장의 기운이 약하여 소리가 들리지 않는 증상 등을 치료한다."고 하였다.

神農本草經: 主癰疽 久敗瘡 排膿止痛 大風癩疾 五痔 鼠瘻 補虛 小兒百病.

藥性論: 治發背 內補 主虛喘 腎衰 耳聾 療寒熱.

東醫寶鑑: 主虛損羸瘦 益氣 長肉 止寒熱 療腎衰耳聾 治癰疽久敗瘡 排膿止痛 又治小兒百病 婦人崩漏帶下 諸諸疾.

성상 긴 원주형으로 길이 30~70cm, 지름 1~2cm이며 외면은 담황색~담갈색을 띠며 세로 주름이 있다. 질은 치밀하고 꺾기 힘들며 섬유질이 많고, 냄새는 거의 없으며 맛은 약간 달다.

기미 · 귀경 온(溫), 감(甘) · 폐(肺), 비(脾)

약효 익기고표(益氣固表), 이수소종(利水消腫)의 효능이 있으므로 저절로 땀이 나오는 증상(自汗, 盜汗), 유종(乳腫)을 치료하고, 밀자(蜜炙)한 것은 보중익기(補中益氣)의 효능이 있으므로 비허(脾虛)로 인한 설사를 치료한다.

성분 astrisoflavan, astraisoflavan glucoside, astrapterocarpan, formonetin, 3′-hydroxyformonetin, calycosin, calycosin 7-O-β-D-glucoside, isoliquiritigenin, astragaloside I~IV, agroastragaloside I~IV, liquiritigenin, daidzein, sophoro-phenolone, methylnissolin, isomucronulatol, isomucronulatol 7-O-glucoside, methylnissolin 3-O-glucoside, calycosin 7-O-glucoside, (+)-syringaresinol O-β-D-glucoside, isomucranulatol 7,2′-di-O-glucoside, astragaloside I~IV, agroastragaloside I~II, astramembranoside A, B, cyclogaleginoside B, cycloaraloside A, cyclocanthoside E, cyclounifolioside B, azukisaponin V methyl ester, lupenone, fridelin, lupeol, soyasapogenol E, β-sitosterol, stigmastane-3,6-dione, 7α-hydroxysitosterol, 5α,6β-dihydroxysitosterol, 7-oxo-β-sitosterol, β-sitosterol glucoside, β-sitosterol glucoside 6′-O-palmitate 등이 함유되어 있다.

약리 열수추출물은 정자(사람)의 운동성을 증가시키고, 수컷 실험 동물의 발정을 일으키며 비장과 간장의 RNA 합성을 촉진시킨다. 또 동물(쥐) 실험에서 T-dependent 항원에 항체 반응을 강화한다. 열수추출물이나 70%에탄올추출물을 정맥주사하면 혈관확장에 의하여 혈압이 낮아진다. 에탄올추출물은 stilbenmidine으로 유도한 간 독성으로부터 간세포를 보호하는 작용이 있다. 열수추출물은 구리에 의한 과산화 지질과 단백질의 산화적 변형을 억제하며 비뇨기 관련 종양에 의한 macrophage 억제 현상을 없애 준다. 에탄올추출물은 아토피 동물 모델에서 항아토피 효과가 있으며, IgE 및 히스타민 유리 억제 효과가 있다. astragaloside I과 IV는 쥐의 수동적 피부 과민성을 억제한다.

사용법 황기 10g에 물 3컵(600mL)을 넣고 달여서 복용한다.

주의 보기(補氣)의 효능이 강하므로 음허화왕(陰虛火旺), 습열내성(濕熱內盛)에는 피한다.

처방 황기건중탕(黃耆健中湯), 작약(芍藥) 20g, 계지(桂枝) 12g, 황기(黃耆) · 감초(甘草) 각 4g, 엿 40g, 생강(生薑) 5쪽, 대추(大棗) 4개 (「동의보감(東醫寶鑑)」). 기(氣)가 허약하여 배가 아프고 입맛이 없으며 손발이 저리고 식은땀이 나는 증상에 사용한다.
• 황기탕(黃耆湯): 황기(黃耆) 12g, 인삼(人蔘) · 맥문동(麥門冬) · 구기자(枸杞子) · 숙지황(熟地黃) 각 6g, 오미자(五味子) 4g (「동의보감(東醫寶鑑)」). 폐(肺)와 신(腎)이 모두 허약하여 물을 한 번 마시면 소변은 두 번 보는 증상에 사용한다.
• 대건중탕(大健中湯): 황기(黃耆) · 부자(附子) · 녹용(鹿茸) · 지골피(地骨皮) · 속단(續斷) · 석곡(石斛) · 작약(芍藥) · 인삼(人蔘) · 천궁(川芎) · 당귀(當歸) · 원지(遠志) 각 4g, 구감초(炙甘草) 2g, 생강(生薑) 3쪽, 대추(大棗) 2개 (「동의보감(東醫寶鑑)」). 허로(虛勞)로 온몸이 나른하고 쉽게 피곤해지며 아랫배가 당기며 아픈 증상에 사용한다.

❶ 건조 중인 황기(黃耆)

❶ 황기(열매)

❶ 황기(종자)

❶ 황기(黃耆, 절편)

❶ 황기(黃耆)

❶ 황기로 만든 자양강장제

❶ 황기

❶ 황기(黃耆)가 배합된 건강식품

❶ 황기 재배(충북 제천)

[콩과]

트라가칸타

 변비

●학명 : *Astragalus gummifer* Lab.

1	2	3	4	5	6	7	8	9	10	11	12

상록 관목. 높이 30~40cm. 줄기는 굵은 편이고 곧게 서며 중간 부분에서 가지가 갈라진다. 잎은 홀수 깃꼴겹잎, 작은잎은 9~13개로 타원형이다. 꽃은 황백색, 총상화서로 핀다. 열매는 타원상 구형이며, 종자 사이가 편평하다.

분포·생육지 소아시아, 시리아, 아르메니아, 이라크, 이란, 러시아. 소금기가 있는 모래땅이나 산기슭에서 자란다.

약용 부위·수치 봄에 줄기에 상처를 내어 삼출물을 얻고 이것을 건고시킨다.

약물명 Tragacantha

성상 백색~황백색의 반투명한 평판 또는 얇은 조각의 알갱이로 두께는 0.1~0.3mm, 부서지기 쉬우며 물에 담그면 부푼다. 냄새는 없고 맛을 보면 담담하나 끈적거린다.

약효 점활의 효능이 있으므로 변비를 치료한다.

응용 크림제제, 리니멘트제제 등의 부형제, 화장품 원료, 점활제, 현탁화제, 정제와 환약의 결합제 또는 붕해제로 사용한다.

성분 bassorin 60~70%, tragacanthin 약 30%, 기타 소량의 전분과 cellulose가 함유되어 있다. bassorin은 D-galactose, L-arabinose로 pectin과 비슷한 중성 다당류로 polymethoxylated acid로 구성되며, 이는 물에 녹지 않고 팽화성이 있어 이른바 trag-acantha mucilage를 형성한다. tragacan-thin(tragacanthic acid)은 D-galacturonic acid, D-xylose, L-fucose, D-galactose 등으로 된 산성 다당류로 glucuronic acid, arabinose와 side chain에 두 분자의 arabi-nose가 결합된 형태이다.

○ Tragacantha

[콩과]

몽고황기

 자한, 도한 ♀ 유종
설사

●학명 : *Astragalus membranaceus* (Fischer) Bunge var. *mongholicus* Hsiao
●영명 : Mongol astragal ●한자명 : 蒙古黃耆 ●별명 : 중국황기

1	2	3	4	5	6	7	8	9	10	11	12

여러해살이풀. 높이 50~80cm. 뿌리는 굵고 땅속 깊이 들어간다. 잎은 어긋나고 홀수 1회 깃꼴겹잎, 작은잎은 25~27개이다. 꽃은 연한 황색, 6~7월에 잎겨드랑이에 총상화서로 핀다. 꽃받침은 종 모양이고 끝이 5개로 갈라지며, 꽃잎은 나비 모양으로 길고 가늘다. 꼬투리는 달걀 모양, 종자는 흑색으로 신장형이다.

분포·생육지 중국 내몽골, 지린성(吉林省), 허베이성(河北省), 랴오닝성(遼寧省). 산에서 자라지만 주로 재배하여 약용한다.

약용 부위·수치 뿌리를 가을에 채취하여 흙과 먼지를 털고 물에 씻어서 말린다.

약물명 황기(黃耆). 몽고황기(蒙古黃耆)라고도 한다.

성상 긴 원주형으로 길이 50~70cm, 지름 1~3cm, 외면은 담황색~담갈색을 띠며 세로 주름이 있다. 절단면은 섬유성이고 가루질이다. 피부는 황백색이고 목질부는 황갈색이며 방사상의 무늬가 있다. 특이한 냄새가 있으며 맛은 콩비린내가 난다.

기미·귀경 온(溫), 감(甘)·폐(肺), 비(脾)

약효 익기고표(益氣固表), 이수소종(利水消腫)의 효능이 있으므로 저절로 땀이 나오는 증상(自汗, 盜汗), 유종(乳腫)을 치료하고, 밀자(蜜炙)한 것은 보중익기(補中益氣)의 효능이 있으므로 비허(脾虛)로 인한 설사를 치료한다.

성분 astragaloside I~IV, soyasaponin I, brachyoside B, calycosin, calycosin-7-O-β-D-glucoside, daucosterol, for-mononetin, isomucronulatol 등이 함유되어 있다.

약리 열수추출물을 쥐의 복강에 주사하면 면역력 증강 작용이 나타난다. 열수추출물에는 항산화 작용이 있고, 암세포 증식 억제 작용과 항암 작용이 있다.

사용법 황기 10g에 물 3컵(600mL)을 넣고 달여서 복용한다.

＊중국에서 생산되는 황기는 대부분 본 종의 뿌리이며, 우리나라에서 생산되는 황기에 비하여 뿌리가 굵고 색깔이 진하다.

○ 황기(黃耆, 신선품)

○ 몽고황기(열매)

○ 황기(黃耆)

○ 황기(黃耆, 절편)

○ 몽고황기 ○ 몽고황기(뿌리)

[콩과]

자운영

●학명 : *Astragalus sinicus* L.　●한자명 : 紫雲英, 紅花菜

| 1 | 2 | 3 | 4 | 5 | 6 | 7 | 8 | 9 | 10 | 11 | 12 |

두해살이풀. 높이 10~25cm. 밑에서 가지가 많이 갈라져서 옆으로 자라다가 곧게 서고, 잎은 어긋나며 홀수 1회 깃꼴겹잎, 작은잎은 9~11개이다. 꽃은 적자색, 4~5월에 꽃대 끝에 7~10개가 산형화서로 달리고 길이 12mm 정도이다. 꼬투리는 흑색으로 익는다.

분포·생육지 중국 원산. 우리나라 남부 지방의 들에서 자란다.

약용 부위·수치 전초를 여름에, 종자를 가을에 채취하여 말린다.

약물명 전초를 홍화채(紅花菜), 종자를 자운영자(紫雲英子)라고 한다.

약효 홍화채(紅花菜)는 청열해독(淸熱解毒), 거풍명목(祛風明目), 양혈지혈(涼血止血)의 효능이 있으므로 풍담해수(風痰咳嗽), 인후통, 외상출혈, 대상포진을 치료한다. 자운영자(紫雲英子)는 거풍명목(祛風明目)의 효능이 있으므로 목적종통(目赤腫痛)을 치료한다.

성분 홍화채에는 apigenin, acacetin, isorhamnetin, kaempferol, luteolin, trigonelline, canavanine, 종자에는 canaline, cana-

vanine, homoserin 등이 함유되어 있다.

사용법 홍화채 10g에 물 3컵(600mL)을 넣고 달여서 복용하고, 자운영자 5g에 물 2컵(400mL)을 넣고 달여서 복용하거나 가루로 만들어 복용한다.

＊ 꽃이 황색인 '정선황기 var. *koraiensis*'도 약효가 같다.

◐ 자운영(열매)

◐ 홍화채(紅花菜)

◐ 자운영

◐ 자운영(습지에서 자라는 모습)

[콩과]

개황기

●학명 : *Astragalus uliginosus* L.　●한자명 : 濕地黃耆　●별명 : 좀황기

| 1 | 2 | 3 | 4 | 5 | 6 | 7 | 8 | 9 | 10 | 11 | 12 |

여러해살이풀. 높이 80~100cm. 전체에 잔털이 있고, 줄기는 곧게 선다. 잎은 어긋나고 1회 깃꼴겹잎, 작은잎은 8~13쌍이다. 꽃은 연한 황색, 6~7월에 잎겨드랑이에 총상화서로 핀다. 꽃받침은 종 모양이고 끝이 5개로 갈라지며, 꽃잎은 나비 모양으로 길고 가늘다. 꼬투리는 긴 달걀 모양으로 흑색으로 익는다.

분포·생육지 우리나라 함남북, 백두산. 중국. 높은 산에서 자란다.

약용 부위·수치 뿌리를 여름이나 가을에 채취하여 물에 씻은 뒤 썰어서 말린다.

약물명 습지황기(濕地黃耆)

약효 보기승양(補氣升陽), 탁창생기(托瘡生肌), 이뇨소종(利尿消腫)의 효능이 있으므로 기허무력(氣虛無力), 옹창(癰瘡)을 치료한다.

사용법 습지황기 15g에 물 3컵(600mL)을 넣고 달여서 복용한다.

◐ 습지황기(濕地黃耆)

◐ 개황기(착엽 표본)

◐ 개황기

밥티시아

패혈증, 염증, 피부병

● 학명 : *Baptisia australis* (L.) R. Br. ex Ait. f.
● 영명 : Blue wild indigo, Blue false indigo

| 1 | 2 | 3 | 4 | 5 | 6 | 7 | 8 | 9 | 10 | 11 | 12 |

❂ 밥티시아(열매)

여러해살이풀. 넓게 벋는 뿌리줄기가 있으며 높이 1m 정도. 잎은 3출엽이며 가장자리가 밋밋하다. 꽃은 청색, 총상화서로 핀다. 종자는 지름 2mm 정도, 갈색이다.
분포 · 생육지 북아메리카. 세계 각처에서 재배한다.
약용 부위 · 수치 전초를 여름에 채취하여 말린다.
약물명 Baptisiae Herba. 일반적으로 Blue wild indigo, Blue false indigo라고 한다.
약효 북아메리카에서는 전염병 치료제로 사용하였고 패혈증, 염증, 피부병 등을 치료한다.
사용법 Baptisiae Herba 2g을 뜨거운 물에 우려내어 복용한다.
＊과량 복용하면 갈증, 오심, 식은땀이 흐른다.

❂ 밥티시아

금모양제갑

관절염
신장염
타박상

● 학명 : *Bauhinia aurea* Lével. ● 한자명 : 金毛羊蹄甲

| 1 | 2 | 3 | 4 | 5 | 6 | 7 | 8 | 9 | 10 | 11 | 12 |

상록 덩굴나무. 작은가지, 잎자루, 꽃차례에 부드러운 털이 있다. 잎은 어긋나고 둥글며 끝이 2개로 갈라진다. 꽃은 백색, 산방화서로 달린다. 열매는 길고 편평하며 털이 많고, 종자가 6~11개 들어 있다.
분포 · 생육지 중국 광시성(廣西省), 쓰촨성(四川省), 구이저우성(貴州省), 윈난성(雲南省). 해발 500~1,500m의 산지에서 자란다.
약용 부위 · 수치 줄기를 여름과 가을에 채취하여 적당한 크기로 잘라서 말린다.
약물명 우제등(牛蹄藤). 구룡등(九龍藤), 합장풍(合掌風)이라고도 한다.
약효 거풍제습(祛風除濕), 통락지통(通絡止痛)의 효능이 있으므로 관절염, 타박상, 신장염을 치료한다.
사용법 우제등 15g에 물 3컵(600mL)을 넣고 달여서 복용한다.

❂ 금모양제갑

[콩과]

심열엽양제갑

습진, 개선, 옹창종독   이질

●학명 : *Bauhinia corymbosa* Roxb. ex DC.   ●한자명 : 深裂葉羊蹄甲

1 2 3 4 5 6 7 8 9 10 11 12

○ 심열엽양제갑(꽃)

덩굴나무. 잎은 어긋나고 둥글며 끝이 움푹 파이고, 기부는 둥글며 잎자루가 길다. 꽃은 백색, 암술머리는 크며 수술 가운데 3개는 정상이나 5~6개는 퇴화한다. 열매는 편평하며 길고, 10여 개의 종자가 들어 있다.

분포 · 생육지 중국 광둥성(廣東省), 광시성(廣西省), 하이난성(海南省), 타이완. 산비탈에서 자란다.

약용 부위 · 수치 잎을 여름에 채취하여 말린다.

약물명 수관등(首冠藤)

약효 청열이습(淸熱利濕), 해독지양(解毒止痒)의 효능이 있으므로 이질, 습진, 개선(疥癬), 옹창종독(癰瘡腫毒)을 치료한다.

사용법 수관등 15g에 물 3컵(600mL)을 넣고 달여서 복용한다.

○ 심열엽양제갑

[콩과]

자양제갑

창절, 탕화상, 타박상

●학명 : *Bauhinia purpurea* L.   ●한자명 : 紫羊蹄甲

1 2 3 4 5 6 7 8 9 10 11 12

○ 자양제갑(열매)

상록 소교목. 높이 4~10m. 줄기껍질은 두껍고 회갈색을 띠며 광택이 난다. 잎은 어긋나고 둥글며 끝이 움푹 파이고, 기부는 둥글며 잎자루가 길다. 꽃은 자주색, 암술머리는 크며 수술 가운데 3개는 정상이나 5~6개는 퇴화한다. 열매는 편평하며 길고, 12~15개의 종자가 들어 있다.

분포 · 생육지 중국 푸젠성(福建省), 광시성(廣西省), 하이난성(海南省). 타이완. 산비탈에서 자란다.

약용 부위 · 수치 잎을 여름에 채취하여 말린다.

약물명 자양제갑(紫羊蹄甲). 영갑화(玲甲花), 양자형(洋紫荊)이라고도 한다.

약효 청열해독(淸熱解毒)의 효능이 있으므로 창절(瘡癤), 탕화상, 타박상을 치료한다.

사용법 외용으로 사용하며 짓찧어 환부에 붙이거나 즙액을 바른다.

○ 자양제갑

양제갑

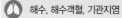
소화불량, 급성위장염, 간염, 변비
해수, 해수객혈, 기관지염

●학명 : *Bauhinia variegata* L.　●한자명 : 羊蹄甲

| 1 | 2 | 3 | 4 | 5 | 6 | 7 | 8 | 9 | 10 | 11 | 12 |

상록 소교목. 높이 4~10m. 줄기껍질은 두껍고 회갈색을 띠며 광택이 난다. 잎은 어긋나며 둥글지만 양 끝이 움푹 파인다. 꽃은 자주색으로 암술머리는 크며 수술 가운데 3개는 정상이나 5~6개는 퇴화한다. 열매는 편평하며 길고, 12~15개의 종자가 들어 있다.

분포 · 생육지 중국의 푸젠성(福建省), 광시성(廣西省), 하이난성(海南省), 타이완. 산비탈에서 자란다.

약용 부위 · 수치 뿌리, 줄기껍질, 잎을 여름에 채취하여 물에 씻은 후 썰어서 말린다.

약물명 뿌리를 양제갑(羊蹄甲), 줄기껍질을 양제갑수피(羊蹄甲樹皮), 잎을 양제갑엽(羊蹄甲葉)이라 한다.

약효 양제갑(羊蹄甲)은 건비거습(健脾祛濕), 지혈(止血)의 효능이 있으므로 소화불량, 급성위장염, 간염, 해수객혈(咳嗽咯血)을 치료한다. 양제갑수피(羊蹄甲樹皮)는 건비거습(健脾祛濕)의 효능이 있으므로 소화불량을 치료하고, 양제갑엽(羊蹄甲葉)은 지해화담(止咳化痰), 통변의 효능이 있으므로 기관지염, 해수, 변비를 치료한다.

성분 양제갑수피(羊蹄甲樹皮)는 quercitroside, isoquercitroside, rutinoside, taxifoline rhamnoside 등이 함유되어 있다.

사용법 양제갑, 양제갑수피 또는 양제갑엽 각각 10g에 물 3컵(600mL)을 넣고 달여서 복용하거나 환약으로 만들어 복용한다.

❶ 양제갑

운실

감모발열, 말라리아　해수　풍습비통
옹저종독　인후통, 치통　이질, 간염, 설사

●학명 : *Caesalpinia decapetala* (Roth) Alston [*C. sepiaria, Reichardia decapetala*]
●한자명 : 雲實

| 1 | 2 | 3 | 4 | 5 | 6 | 7 | 8 | 9 | 10 | 11 | 12 |

덩굴성 관목. 줄기는 암적색으로 가시가 빽빽이 나며 가지가 길게 벋는다. 잎은 어긋나고 2회 짝수 깃꼴겹잎이다. 꽃은 황색, 6월에 총상화서로 달리며, 꽃받침과 꽃잎은 10개이다. 꼬투리는 혀 모양으로 길이 6~12cm, 너비 2~3cm이고, 6~9개의 종자가 들어 있다.

분포 · 생육지 중국 화동(華東), 중남(中南), 서남(西南), 하북(河北) 지방. 산기슭 양지에서 자란다.

약용 부위 · 수치 뿌리는 수시로 채취하여 물에 씻은 후 썰어서 말리고, 종자는 가을에 채취하여 말린다.

약물명 뿌리를 운실근(雲實根)이라고 하며, 도계우(倒桂牛)라고도 하고, 종자를 운실(雲實)이라 한다.

기미 운실근(雲實根): 평(平), 고(苦), 신(辛) · 폐(肺), 비(脾)

약효 운실근(雲實根)은 거풍제습(祛風除濕), 해독소종(解毒消腫)의 효능이 있으므로 감모발열(感冒發熱), 해수, 인후통, 치통, 이질, 간염, 풍습비통(風濕痺痛), 옹저종독(癰疽腫毒)을 치료한다. 운실(雲實)은 해독제습(解毒除濕), 해독소종(解毒消腫)의 효능이 있으므로 말라리아, 이질, 설사를 치료한다.

사용법 도계우 또는 운실 10g에 물 3컵(600mL)을 넣고 달여서 복용하거나 환약으로 만들어 복용한다.

＊ 우리나라에서는 '실거리나무(띠거리가시, 띠거리나무, 野皂角, 倒桂牛, Japanese brasiletto) *C. japonica*'를 '운실'의 대용으로 사용하고 있다.

❶ 실거리나무(줄기)

❶ 실거리나무

❶ 운실

[콩과]

석련나무

풍열감모 / 이질, 애역 / 타박상, 옹종, 창선, 독사교상

● 고석련(苦石蓮)　　● 석련나무(열매)

● 학명 : *Caesalpinia minax* Hance　● 한자명 : 苦石蓮

| 1 | 2 | 3 | 4 | 5 | 6 | 7 | 8 | 9 | 10 | 11 | 12 |

덩굴성 관목. 높이 4m 정도. 가지가 길게 벋고 꼬부라진 예리한 가시가 있다. 잎은 어긋나고 2회 짝수 깃꼴겹잎, 작은잎은 5~8쌍이다. 꽃은 백색, 4~5월에 총상화서로 피며, 꽃받침과 꽃잎은 각각 5개이다. 꼬투리는 길이 9cm, 너비 8~13cm, 긴 원통형, 7~9월에 성숙하며, 4~8개의 종자가 들어 있다.

분포 · 생육지 중국 광둥성(廣東省), 광시성(廣西省), 쓰촨성(四川省), 구이저우성(貴州省), 윈난성(雲南省). 산기슭 양지에서 자란다.

약용 부위 · 수치 종자를 가을에 채취하여 말린다.

약물명 고석련(苦石蓮). 석련자(石蓮子)라고도 한다.

약효 청열화습(淸熱化濕), 산어지통(散瘀止痛)의 효능이 있으므로 풍열감모(風熱感冒), 이질, 애역(呃疫), 타박상, 옹종(癰腫), 창선(瘡癬), 독사교상을 치료한다.

사용법 고석련 7g에 물 3컵(600mL)을 넣고 달여서 복용하거나 환약으로 만들어 복용한다.

● 석련나무

[콩과]

소목

혈체경폐, 통경, 산후어조심복통, 산후혈훈 / 옹종, 타박상

● 학명 : *Caesalpinia sappan* L.　● 한자명 : 蘇木, 蘇方木

| 1 | 2 | 3 | 4 | 5 | 6 | 7 | 8 | 9 | 10 | 11 | 12 |

상록 교목. 높이 5~10m. 줄기에는 가시가 있으며 작은가지는 회녹색, 구형으로 돌출한 피목이 있다. 잎은 짝수 2회 깃꼴겹잎이고 마주나며 길이 40cm, 잎은 7~13쌍, 작은잎은 9~17쌍이다. 꽃받침은 5개, 수술은 10개, 암술은 1개이다. 열매는 길이 7cm 정도이다.

분포 · 생육지 중국 광둥성(廣東省), 광시성(廣西省), 구이저우성(貴州省). 타이완, 인도, 타이, 말레이시아. 산지에서 자란다.

약용 부위 · 수치 종자를 뿌리고 8년이 지나면 약재로 쓸 수 있다. 줄기를 봄부터 가을에 잘라서 피층을 제거하고 심재(心材) 부분을 적당한 크기로 잘라서 말린다.

약물명 소목(蘇木). 소방목(蘇方木), 소방(蘇方)이라고도 한다.

본초서 당나라의 「신수본초(新修本草)」에 소방목(蘇方木)으로 수재되어 있으며, 「본초강목(本草綱目)」에 의하면 "이 나무는 소방국(蘇方國)이라는 나라에서 많이 자라므로 소방목(蘇方木)이라고 하며 뒤를 줄여서 소목(蘇木)이라고 한다."고 하였다. 「일화자본초(日華子本草)」에는 "부인의 혈기(血氣), 심복통(心腹痛), 월경부조를 치료한다."고 하였으며, 혈행을 잘 통하게 하고 어혈을 제거하고, 통경시키고 진통시키는 작용이 있다. 「본초강목(本草綱目)」에는 "혈분(血分)의 약물로 소량 사용하면 혈(血)을 조화시키고 다량 사용하면 어혈을 없앤다."고 하였다. 「동의보감(東醫寶鑑)」에는 "부인이 혈기가 몰려서 명치 아래가 아프고 산후에 피가 뭉쳐 배가 부풀어 오르며 가슴이 답답하여 죽을 지경인 것, 생리가 중단된 것, 목이 쉰 것을 치료하며, 고름을 없애고 어혈을 풀어 준다."고 하였다.

新修本草: 主破血, 産後血脹悶欲死者.

藥性論: 補心散瘀, 除血分妄作之風熱.

本草拾遺: 主癨亂嘔逆, 及人常嘔吐, 用水煎服之, 破血當以酒煮爲良.

東醫寶鑑: 治婦人血氣 心腹痛 及産後血脹

悶慾死 女子血噤失音 消癰腫 撲損瘀血 排膿止痛 能破血.

성상 껍질을 제거한 목부로 조각 또는 막대 모양이다. 표면은 등적색~회갈색, 흔히 가로 또는 세로로 잘라져 있고 질은 딱딱하나 세로로 잘린 것은 부스러지기 쉽다. 횡단면은 나이테를 명백히 볼 수 있다. 냄새가 거의 없고 맛은 조금 떫다. 거칠고 크며 나무 조직이 견실하고 긴 조각이며 색이 적황색인 것이 좋다.

기미 · 귀경 평(平), 감(甘), 함(鹹), 미신(微辛) · 심(心), 간(肝), 대장(大腸)

약효 활혈거어(活血祛瘀), 소종정통(消腫定痛)의 효능이 있으므로 혈체경폐(血滯經閉), 통경(痛經), 산후어조심복통(産後瘀阻心腹痛), 산후혈훈(産後血暈), 옹종(癰腫), 타박상을 치료한다.

성분 brasilin, brasilein, ombuin, rhamnetin, calsalpin J, P, taraxerol, sappanol 등이 함유되어 있다.

약리 열수추출물을 개구리의 적출 심장에 투여하면 심장의 수축력을 증대시킨다. 두꺼비의 혈관 수축을 증가시키며 아질산염에 의한 혈관 확장 작용을 소실시킨다. 쥐에게 열수추출물을 투여하면 동맥 혈류의 이동량이 증가한다. 열수추출물은 HL60 암세포의 성장을 억제한다.

사용법 소목 5g에 물 2컵(400mL)을 넣고

달여서 복용하거나 술에 담가서 복용하고, 외용에는 달인 액으로 씻거나 분말로 하여 바른다.

처방 소방산(蘇方散): 목별(木鼈)·당귀(當歸)·작약(芍藥)·백지(白芷)·천궁(川芎)·소목(蘇木)·사간(射干)·대황(大黃)·몰약(沒藥)·감초(甘草) 각 4g(『동의보감(東醫寶鑑)』). 변독(便毒)으로 항문에 멍울이 생겨 단단하고 아프며 벌겋게 부어

화끈화끈 달아오르거나 고름이 나오면서 잘 아물지 않는 증상에 사용한다.
• 팔리산(八釐散): 소목(蘇木) 20g, 홍화(紅花) 80g, 마전자(馬錢子) 4g, 자연동(自然銅)·유향(乳香)·몰약(沒藥)·혈갈(血竭) 각 12g, 사향(麝香) 0.4g, 정향(丁香) 2g을 가루로 만들어 3g씩 복용(『의종금감(醫宗金鑑)』). 타박상, 근골절상에 사용한다.
* 남아메리카에서 생산되는 '브라질나무

(Fernambuci Lignum, brazilwood) *Caesalpinia echinata*'의 심재(心材)는 소목(蘇木)과 마찬가지로 황색의 색소 brasilin과 brasilein이 함유되어 있다. 1540년경 포르투갈 사람이 처음 이 나무를 발견하여 소목으로 잘못 알고 소목의 인도 이름인 Bresil이라고 부른 것이 Brasil로 변하여 브라질 나라 이름으로 된 것이다.

❍ 소목

❍ 소목(종자)

❍ 소목(蘇木, 절편)

❍ 소목(줄기)

❍ 브라질나무

[콩과]

나무콩

🐾 풍습비통   ▱ 타박상

🖐 변혈, 황달형간염

● 학명 : *Cajanus cajan* Hance   ● 한자명 : 木豆   ● 별명 : 비둘기콩

| 1 | 2 | 3 | 4 | 5 | 6 | 7 | 8 | 9 | 10 | 11 | 12 |

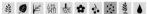
❍ 나무콩(열매)   ❍ 목두(木豆)

관목. 높이 2~3m. 전체가 회녹색이다. 잎은 어긋나며 3출겹잎, 턱잎이 작다. 꽃은 적황색, 2~11월에 잎겨드랑이에 총상화서로 피며, 꽃받침과 꽃잎은 각각 5개로 깊이 갈라지고, 꽃잎은 달걀 모양이다. 꼬투리는 길이 5~7cm이다.

분포·생육지 유럽, 중국 광둥성(廣東省), 광시성(廣西省), 쓰촨성(四川省), 구이저우성(貴州省), 방글라데시, 타이완. 산기슭 양지에서 자란다.

약용 부위·수치 종자를 가을에 채취하여 말린다.

약물명 목두(木豆). 관음두(觀音豆), 대목두(大木豆)라고도 한다.

약효 이습소종(利濕消腫), 산어지혈(散瘀止血)의 효능이 있으므로 풍습비통(風濕痹痛), 타박상, 변혈, 황달형간염을 치료한다.

사용법 목두 10g에 물 3컵(600mL)을 넣고 달여서 복용하거나 환약으로 만들어 복용한다.

❍ 나무콩

[콩과]

작두콩

 허한애역   신허요통

● 학명 : *Canavaria gladiata* (Jacq.) DC. ● 영명 : Horse bean
● 한자명 : 刀豆 ● 별명 : 줄작두콩

| 1 | 2 | 3 | 4 | 5 | 6 | 7 | 8 | 9 | 10 | 11 | 12 |

덩굴성 한해살이풀. 높이 3m 정도. 잎은 3출겹잎이다. 꽃은 총상화서로 잎겨드랑이에서 나오고, 꽃받침은 종 모양이며 위의 깃은 2개로 갈라지고 아래 것은 3개로 갈라진다. 꼬투리의 길이는 10~30cm로 10~14개의 종자가 들어 있으며, 종자는 길이 3.5cm, 너비 2cm 정도이다.

분포·생육지 열대 원산. 우리나라 중부 이남에서 재배한다.

약용 부위·수치 종자를 여름철에 채취하여 말린다.

약물명 도두(刀豆), 도두자(刀豆子), 대도두(大刀豆)라고도 한다.

기미·귀경 온(溫), 감(甘)·비(脾), 위(胃), 신(腎)

약효 온중하기(溫中下氣), 익신보원(益腎補元)의 효능이 있으므로 허한애역(虛寒呃逆)과 신허요통(腎虛腰痛)을 치료한다.

성분 canavanine, canavalmine, aminopropylcanavalmine, aminobutylcanavalmine, concanavalin A, agglutinin 등이 함유되어 있다.

약리 agglutinin은 lipoxgenase의 활성을 증강시키는 작용이 있다.

사용법 도두 10g에 물 3컵(600mL)을 넣고 달여서 복용한다.

❶ 작두콩

❶ 작두콩(열매) ❶ 도두(刀豆)

[콩과]

수금계아

 신허이명, 안화두훈 각기부종

● 학명 : *Caragana arborescens* (Amm.) Lam. ● 한자명 : 樹錦鷄兒

| 1 | 2 | 3 | 4 | 5 | 6 | 7 | 8 | 9 | 10 | 11 | 12 |

관목. 높이 2~5m. 줄기껍질은 회갈색, 작은가지는 암갈색이다. 잎은 깃꼴겹잎, 작은잎은 타원형으로 가장자리는 밋밋하다. 꽃은 황색, 총상화서로 줄기 끝 또는 잎겨드랑이에 핀다. 열매는 긴 원통형으로 털이 있다.

분포·생육지 중국 둥베이(東北) 지방, 화북 지방, 서북 지방. 해발 1,600~1,900m의 산지에서 자란다.

약용 부위·수치 뿌리를 여름에 채취하여 물에 씻은 후 썰어서 말린다.

약물명 수금계아(樹錦鷄兒)

약효 건비익신(健脾益腎), 거풍이습(祛風利濕)의 효능이 있으므로 신허이명(腎虛耳鳴), 안화두훈(眼花頭暈), 각기부종(脚氣浮腫)을 치료한다.

성분 rutin, quercetin, quercitrin 등이 함유되어 있다.

사용법 수금계아 15g에 물 3컵(600mL)을 넣고 달여서 복용한다.

❶ 수금계아(꽃)

❶ 수금계아

[콩과]

골담초

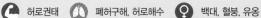

허로권태 | 폐허구해, 허로해수 | 백대, 혈붕, 유옹
풍습골통, 통풍, 요슬산연 | 두훈이명 | 고혈압

● 학명 : *Caragana sinica* (Buchoz) Rehder [*C. chamlagu* Lamarck]
● 한자명 : 金鷄兒, 金雀根

| 1 | 2 | 3 | 4 | 5 | 6 | 7 | 8 | 9 | 10 | 11 | 12 |

낙엽 관목. 높이 2m 정도. 가지가 많이 갈라지며 회갈색, 5개의 능선이 있다. 잎은 어긋나고 짝수 1회 깃꼴겹잎, 작은잎은 4개이다. 꽃은 황적색, 5월에 1개씩 달린다. 열매는 길이 3~3.5cm, 털이 없으며 9월에 익는다.

분포 · 생육지 중국 원산. 우리나라 전역에서 재식한다.

약용 부위 · 수치 꽃은 5월 중순에, 뿌리는 수시로 채취하여 물에 씻어서 말린다.

약물명 뿌리를 금계아근(金鷄兒根)이라고 하며, 금작근(金雀根), 백심피(白心皮), 야황기(野黃耆), 토황기(土黃耆), 골담초근(骨膽草根), 골담근(骨擔根)이라고도 한다. 꽃을 금계아(金鷄兒)라고 하며, 금작화(金雀花)라고도 한다. 금계아근(金鷄兒根)은 대한민국약전외한약(생약)규격집(KHP)에 수

재되어 있다.

본초서 금계아근은 「본초강목습유(本草綱目拾遺)」에 처음 수재되어 "근골(筋骨)을 튼튼히 하고, 통풍(痛風)을 다스리는 약물이다."라고 하였고, 「식물명실도고(植物名實圖考)」에 형태와 약효에 관하여 상세하게 기록되어 있다. 「동의보감(東醫寶鑑)」에는 초부(草部)의 하(下)에 수록되어 있다.

本草綱目拾遺: 治跌打損傷 咳嗽 暖筋骨 療痛風 性能追風活血 兼通血脈 消結毒.

植物名實圖考: 去皮 煮豬心 除癆症 補筋骨.

本草便方: 利竅, 祛風除濕, 濕疹疥癬, 風痺, 洗服婦陰痒痛.

형상 원주형으로 길이 15~25cm, 지름 1~3cm이다. 표면은 갈색 세로 주름이 있으며 돌출한 가로무늬가 불규칙하게 산재한다. 껍질이 벗겨진 것은 엷은 황색으로 가로로 갈라진 흔적이 드문드문 있으며 질은 단단하다. 꺾은 면은 엷은 황색을 띤 백색으로 육질이며 섬유가 많고 맛은 쓰다. 굵으며 딱딱하고 갈색을 띤 것이 좋다.

기미 · 귀경 금계아근(金鷄兒根): 평(平), 감(甘), 신(辛), 미고(微苦) · 폐(肺), 비(脾). 금계아(金鷄兒): 미온(微溫), 감(甘) · 비(脾), 신(腎)

약효 금계아근(金鷄兒根)은 보폐건비(補肺健脾), 활혈거풍(活血祛風)의 효능이 있으므로 허로권태(虛勞倦怠), 폐허구해(肺虛久咳), 백대(白帶), 혈붕(血崩), 풍습골통(風濕骨痛), 통풍(痛風), 고혈압을 치료한다. 금계아(金鷄兒)는 건비익신(健脾益腎), 화혈거풍(和血祛風), 해독의 효능이 있으므로 허로해수(虛勞咳嗽), 두훈이명(頭暈耳鳴), 요슬산연(腰膝酸軟), 유옹(乳癰)을 치료한다.

성분 금계아근(金鷄兒根)에는 maackiain, formonetin, ononin, pseudobaptigenin, calycosin-7-*O*-β-D-glucoside, (+)-α-viniferin 등이 함유되어 있다.

약리 (+)-α-viniferin은 항염증 작용, 메탄올추출물은 진통 효과가 있다.

사용법 금계아 또는 금계아근 10g에 물 3컵(600mL)을 넣고 달여서 복용한다.

● 골담초

● 금계아(金鷄兒)

● 금계아근(金鷄兒根, 절편)

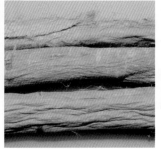

● 금계아근(金鷄兒根)

● 골담초(뿌리)

쌍잎콩나무

습진, 피부소양, 우피선, 신경성피염, 포진
변비

● 학명 : *Cassia alata* L. ● 한자명 : 對葉豆

1	2	3	4	5	6	7	8	9	10	11	12

관목. 높이 1.5~3m. 잎은 어긋나며 짝수깃꼴겹잎이다. 꽃은 황색, 11~12월에 총상화서로 줄기 끝 또는 잎겨드랑이에 6~14개가 모여난다. 꽃받침은 5개로 달걀 모양, 꽃잎은 5개, 수술은 10개, 암술은 낫처럼 굽어 있다. 열매는 다음 해 3월에 성숙한다.

분포 · 생육지 중국 광둥성(廣東省), 하이난성(海南省), 윈난성(雲南省), 인도, 이란, 이라크, 이집트, 수단. 산지에서 자란다.

약용 부위 · 수치 잎을 여름에 채취하여 말린다.

약물명 대엽두(對葉豆)

약효 거풍조습(祛風燥濕), 지양(止痒), 완사(緩瀉)의 효능이 있으므로 습진, 피부소양(皮膚瘙痒), 우피선(牛皮癬), 신경성피염(神經性皮炎), 포진(疱疹), 창절종양(瘡癤腫瘍), 변비를 치료한다.

성분 4,5-dihydroxy-1-hydroxymethylanthrone, rhein, emodin, isochrydophanol, physcion-L-glucoside, 4,5-dihydroxy-1-hydroxymethylanthraquinone 등이 함유되어 있다.

사용법 대엽두 5g에 물 2컵(400mL)을 넣고 달여서 복용하고, 외용에는 생것을 짓찧어 그 즙액을 바른다.

❍ 쌍잎콩나무

인도센나나무

열결변비, 습관성변비, 위 · 십이지장궤양
수종

● 학명 : *Cassia angustifolia* Vahl. ● 영명 : Indian senna ● 한자명 : 番瀉木 ● 별명 : 센나

1	2	3	4	5	6	7	8	9	10	11	12

관목. 높이 1m 정도. 잎은 어긋나며 짝수깃꼴겹잎, 작은잎은 길이 2~5cm, 너비 0.5~1.5cm, 회황록색, 끝이 뾰족하고 가장자리는 밋밋하다. 꽃은 황색, 9~12월에 총상화서로 줄기 끝 또는 잎겨드랑이에 6~14개가 모여난다. 꽃받침은 5개로 달걀 모양, 꽃잎은 5개로 황색, 수술은 10개, 암술은 낫처럼 굽어 있다. 열매는 다음 해 3월에 성숙한다.

분포 · 생육지 인도, 중국 광둥성(廣東省), 하이난성(海南省), 윈난성(雲南省), 이란, 이라크, 이집트, 수단. 산지에서 자란다.

약용 부위 · 수치 전초를 여름에, 종자를 가을에 채취하여 말린다.

약물명 번사엽(番瀉葉). 사엽(瀉葉), 포죽엽(泡竹葉)이라고도 한다. 대한민국약전(KP)에 수재되어 있다.

성상 긴 타원형으로 가장자리가 밋밋하고 잎자루가 짧다. 냄새가 특이하고 맛은 쓰다.

역사 Senna의 어원은 아랍의 토속어로 약(drug)을 의미한다. 9세기경부터 아랍인들이 이 약으로 사용하였으며, 메카로부터 이집트를 거쳐 유럽으로 전파되었다. 아랍에서는 이 약을 sena라 하였으므로 뒤에 senna로 부르게 되었다.

기미 · 귀경 양(涼), 감(甘), 고(苦) · 폐(肺), 비(脾)

약효 사열통변(瀉熱通便), 소적도체(消積導滯), 지혈의 효능이 있으므로 열결변비(熱結便秘), 습관성변비, 수종(水腫), 위 · 십이지장궤양으로 인한 출혈 등을 치료한다.

성분 sennoside A~B(2~3%), aloeemodindianthrone, rhein, aloeemodin, physcion, chrysophanol, kaempferol, kaempferin, isorhamnetin 등이 함유되어 있다.

약리 물에 달인 액은 대장 운동을 원활하게 하여 배변이 잘 되도록 한다.

확인 시험 가루 0.5g에 에테르 10mL를 넣고 2분간 추출하여 여과한 액에 NH_4OH 5mL를 넣을 때 물 층이 황적색을 나타낸다.

사용법 번사엽 5g에 물 2컵(400mL)을 넣고 달여서 복용하거나 가루 내어 1g을 복용한다.

주의 체질이 허약한 사람이나 임산부는 복용하지 않는 것이 좋으며, 과량을 복용하면 오심, 구토, 복통 등의 부작용이 있을 수 있다. 곽향(藿香)이나 목향(木香)을 같이 쓰면 부작용을 줄일 수 있다.

* senna는 산지에 따라 인도에서 주로 생산되는 Tinnevelly senna와 이집트와 수단에서 생산되는 Alexandria senna가 있는데,

전자는 '인도센나나무'의 잎이고 후자는 '나일센나나무 *C. acutifolia*'의 잎이다. '나일센나나무'는 잎이 넓고 뾰족하다.

❍ 번사엽(番瀉葉)

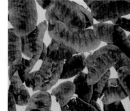
❍ 인도센나나무(열매)

❍ 인도센나나무

❍ 나일센나나무

❍ 번사엽(番瀉葉)이 배합된 변비 치료용 센나차

❍ 번사엽(番瀉葉)이 배합된 변비 치료제

❍ 번사엽(番瀉葉)과 차전자로 만든 변비 치료제

[콩과]

황금센나

🤰 습관성변비

●학명 : *Cassia bicapsularis* L. ●영명 : California gold

| 1 | 2 | 3 | 4 | 5 | 6 | 7 | 8 | 9 | 10 | 11 | 12 |

○ 황금센나(열매)

낙엽 관목. 높이 2m 정도. 가지를 많이 친다. 잎은 어긋나고 깃꼴겹잎, 작은잎은 4~5쌍이며 타원형이고 끝이 둥글다. 꽃은 황색, 7~8월에 잎겨드랑이에서 나오는 꽃대에 여러 개가 달린다. 열매는 편평한 타원형이다.

분포 · 생육지 브라질, 아르헨티나, 페루 등 남아메리카. 약용으로 재배한다.

약용 부위 · 수치 열매를 여름에 채취하여 물에 씻어서 말린다.

약물명 Cassiae Fructus라 하고, 일반적으로는 California gold라 한다.

약효 통변(通便)의 효능이 있으므로 습관성변비를 치료한다.

사용법 Cassiae Fructus 10~15g에 물 3컵(600mL)을 넣고 달여서 복용하거나 뜨거운 물을 부어 우려내어 마신다.

○ 황금센나

[콩과]

꽃센나

🤰 습관성변비

●학명 : *Cassia corymbosa* Lam. ●영명 : Flowery senna

| 1 | 2 | 3 | 4 | 5 | 6 | 7 | 8 | 9 | 10 | 11 | 12 |

○ Sennae Folium

한해살이풀. 줄기는 곧게 서고 높이 1~1.5m. 잎은 어긋나고 짝수 깃꼴겹잎, 작은잎은 5~6쌍이며 타원형, 길이 4~6cm이다. 꽃은 황색, 7~8월에 잎겨드랑이에서 나오는 꽃대에 5~6개가 달린다. 열매는 편평한 타원형, 종자는 달걀 모양, 가운데가 오목하다.

분포 · 생육지 브라질, 아르헨티나, 페루, 남아메리카. 약용으로 재배한다.

약용 부위 · 수치 잎을 여름에 채취하여 물에 씻어서 말린다.

약물명 Sennae Folium

약효 통변(通便)의 효능이 있으므로 습관성변비를 치료한다.

사용법 Sennae Folium 10~15g에 물 3컵(600mL)을 넣고 달여서 복용하거나 뜨거운 물을 부어 우려내어 마신다.

○ 꽃센나

[콩과]

석장수

습관성변비, 위완통

●학명 : *Cassia fistula* L. ●한자명 : 腊腸樹

| 1 | 2 | 3 | 4 | 5 | 6 | 7 | 8 | 9 | 10 | 11 | 12 |

낙엽 소교목. 높이 15m 정도. 잎은 어긋나고 짝수 깃꼴겹잎, 작은잎은 3~4쌍이며 타원형이고 길이 4~6cm이다. 꽃은 황색, 7~8월에 잎겨드랑이에서 나오는 늘어진 꽃대에 많이 달린다. 열매는 긴 원주형, 40~100개의 종자가 옆으로 들어 있다.

분포·생육지 인도, 방글라데시, 말레이시아. 약용으로 재배한다.

약용 부위·수치 열매를 가을에 채취하여 물에 씻어서 말린다.

약물명 바라문조협(婆羅門皁莢). 아륵발(阿勒勃), 향장두(香腸豆)라고도 한다.

약효 청열통변(淸熱通便), 화체지통(化滯止痛)의 효능이 있으므로 습관성변비, 위완통(胃脘痛)을 치료한다.

사용법 바라문조협 10g에 물 3컵(600mL)을 넣고 달여서 복용한다.

◐ 석장수(꽃)

◐ 석장수(열매)

◐ 석장수

[콩과]

모협결명

옹저, 종독, 창절

●학명 : *Cassia hirsuta* L. ●한자명 : 毛莢決明

| 1 | 2 | 3 | 4 | 5 | 6 | 7 | 8 | 9 | 10 | 11 | 12 |

관목. 높이 1~2.5m. 어린가지에는 황갈색 털이 빽빽이 난다. 잎은 어긋나고 짝수 깃꼴겹잎, 작은잎은 4~6쌍, 타원형, 길이 10~20cm, 너비 1.5~3.5cm이다. 꽃은 황색, 7~8월에 가지 끝에 총상화서로 핀다. 열매는 긴 원통형, 길이 10~15cm, 너비 6mm 정도이다.

분포·생육지 북아메리카, 인도, 스리랑카, 중국. 산이나 들에서 자란다.

약용 부위·수치 열매를 가을에 채취하여 물에 씻어서 사용한다.

약물명 모협결명(毛莢決明). 산편두(山扁豆), 몽초(夢草), 사곡초(蛇谷草)라고도 한다.

약효 청열(淸熱), 해독, 지통(止痛)의 효능이 있으므로 옹저(癰疽), 종독(腫毒), 창절(瘡節)을 치료한다.

성분 모협결명(毛莢決明)은 sterculic acid, malvalic acid, 1,3,8-trihydroxy-2-methyl-6-methoxyanthraquinone 등이 함유되어 있다.

사용법 모협결명 적당량을 짓찧어 환부에 붙이고 붕대로 감싼다.

◐ 모협결명(毛莢決明)

◐ 모협결명(종자)

◐ 모협결명

[콩과]
석결명

목적종통, 두통목적 | 두훈두창 | 옹종창독
소변혈림 | 소화불량, 복통, 이질, 변비 | 해수기천

● 학명 : *Cassia occidentalis* L. ● 영명 : Coffee senna, Negro coffee
● 한자명 : 望江南 ● 별명 : 석결명풀

1 2 3 4 5 6 7 8 9 10 11 12

❍ 망강남자(望江南子)

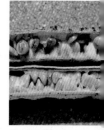
❍ 석결명(종자)

한해살이풀. 높이 50~150cm. 줄기는 곧게 서며 윗부분에 가지가 많이 갈라진다. 잎은 어긋나고 짝수 깃꼴겹잎, 작은잎은 3~5쌍이다. 꽃은 황색, 6~8월에 잎겨드랑이에 5~6개씩 핀다. 꼬투리는 길이 10cm, 종자는 달걀 모양, 중앙이 오목하다.

분포 · 생육지 멕시코 원산. 세계 각처에서 재식한다.

약용 부위 · 수치 잎과 줄기를 여름에 채취하여 말린다.

약물명 종자를 망강남자(望江南子)라고 하며, 괴두(槐豆), 금두자(金豆子)라고도 한다. 잎과 줄기를 망강남(望江南)이라고 한다.

성상 망강남자(望江南子)는 삼각상 편구형으로 한쪽 변은 안으로 오목하게 들어간다. 표면은 회갈색이고 질은 단단하다. 냄새가 약간 있으며 맛은 담담하다.

기미 · 귀경 망강남자(望江南子): 양(凉), 감(甘), 고(苦), 유독(有毒) · 간(肝), 비(脾), 대장(大腸). 망강남(望江南): 한(寒), 고(苦), 소독(小毒)

약효 망강남자(望江南子)는 청간(清肝), 명목(明目), 건위, 통변, 해독의 효능이 있으므로 목적종통(目赤腫痛), 두훈두창(頭暈頭脹), 소화불량, 복통, 이질, 변비를 치료한다. 망강남(望江南)은 숙폐(肅肺), 청간(清肝), 이뇨, 통변(通便)의 효능이 있으므로 해수기천(咳嗽氣喘), 두통목적(頭痛目赤), 소변혈림(小便血淋), 대변비결(大便秘結), 옹종창독(癰腫瘡毒)을 치료한다.

성분 뿌리에는 emodin, physcion, chrysophanol 등, 망강남(望江南)에는 emodin, rhein, chrysophanol, aloe-emodin 등이 함유되어 있다.

약리 종자의 열수추출물 또는 에탄올추출물은 대장 운동을 촉진시켜 배변 작용을 용이하게 한다.

사용법 망강남자 또는 망강남 10g에 물 3컵(600mL)을 넣고 달여서 복용한다.

❍ 석결명(열매)

❍ 석결명

[콩과]
황괴결명

장조변비 | 치창출혈

● 학명 : *Cassia surattensis* Burm. f. ● 한자명 : 黃槐決明

1 2 3 4 5 6 7 8 9 10 11 12

❍ 황괴결명(꽃)

관목. 높이 5m 정도. 줄기껍질은 광택이 나며 윗부분에서 가지가 많이 갈라진다. 잎은 어긋나고 짝수 깃꼴겹잎, 작은잎은 7~9쌍이다. 꽃은 황색, 6~8월에 잎겨드랑이에 5~6개씩 달린다. 꼬투리는 길이 7~10cm, 10개 정도의 종자가 들어 있다.

분포 · 생육지 중국, 베트남, 타이완. 산지에서 자란다.

약용 부위 · 수치 열매를 여름과 가을에 채취하여 말린다.

약물명 황괴(黃槐). 분엽결명(紛葉決明)이라고도 한다.

약효 청열통변(清熱通便)의 효능이 있으므로 장조변비(腸燥便祕), 치창출혈(痔瘡出血)을 치료한다.

사용법 황괴 10g에 물 3컵(600mL)을 넣고 달여서 복용한다.

❍ 황괴결명

결명차

| 목적종통, 수명루다, 청맹, 작목, 시물혼암 | 두통두훈 | 풍열강모 |
| 대하, 유선염 | 간경화복수, 복통, 변비, 습열황달 | 소변불리, 신장염 |

● 학명 : *Cassia tora* L.　● 영명 : Oriental senna　● 한자명 : 草決明　● 별명 : 긴강남차

1 2 3 4 5 6 7 8 9 10 11 12

한해살이풀. 높이 1m 정도. 전체에 짧은 털이 있다. 잎은 어긋나고 짝수 깃꼴겹잎, 작은잎은 2~4쌍이다. 꽃은 황색, 6~8월에 잎겨드랑이에 1~2개씩 달린다. 꼬투리는 길이 15cm, 활처럼 굽고 네모진 종자가 1줄로 배열된다.

분포·생육지 북아메리카 원산. 우리나라 전역에서 재배한다.

약용 부위·수치 종자는 가을에, 전초는 여름에 채취하여 말린다. 초결명(炒決明)은 냄새가 날 정도로 불에 볶은 것이다.

약물명 종자를 결명자(決明子)라고 하며, 초결명(草決明), 양명(羊明), 양각(羊角)이라고도 한다. 전초를 야화생(野花生)이라 한다. 결명자(決明子)는 대한민국약전(KP)에 수재되어 있다.

본초서 결명자(決明子)는 「신농본초경(神農本草經)」의 상품(上品)에 수재되어 있으며, 「본초강목(本草綱目)」에는 "이 약물을 복용하면 눈을 밝게 하므로 붙여진 이름이다."라고 기록되어 있다. 「동의보감(東醫寶鑑)」에 "시력이 약하고 눈이 충혈되며 눈물이 나오는 증상과 백내장 등 주로 눈병을 치료한다."고 하였다. 「방약합편(方藥合編)」의 습초편(濕草篇), 중국약전(CP)에 수재되어 있다.

神農本草經: 主青盲 目淫 白膜 眼赤痛 漏出 久服益精光 輕身.
名醫別錄: 療唇口青.
本草衍義補遺: 益腎, 解蛇毒.
東醫寶鑑: 主青盲 及眼赤痛 漏出淫膚 赤白膜 助肝氣 益精水 治頭痛 鼻衄 療唇口青.

성상 모가 나는 짧은 원기둥 모양이며 길이 3~6mm, 지름 2~3.5mm로 한쪽 끝은 뾰족하고 다른 한쪽 끝은 매끈하다. 양쪽의 옆에 황갈색의 넓은 세로줄 및 띠가 있고 질은 단단하다. 특이한 냄새와 맛이 있다.

기미·귀경 결명자(決明子): 미한(微寒), 감(甘), 고(苦), 함(鹹)·간(肝), 신(腎), 대장(大腸). 야화생(野花生): 평(平), 함(鹹), 고(苦).

약효 결명자(決明子)는 청간명목(淸肝明目), 이수통변(利水通便)의 효능이 있으므로 목적종통(目赤腫痛), 수명루다(羞明淚多), 청맹(靑盲), 작목(雀目), 두통두훈(頭痛頭暈), 시물혼암(視物昏暗), 간경화복수(肝硬化腹水), 소변불리, 복통, 변비를 치료한다. 야화생(野花生)은 거풍청열(祛風淸熱), 해독이습(解毒利濕)의 효능이 있으므로 풍열감모(風熱感冒), 급성결막염(急性結膜炎), 습열황달(濕熱黃疸), 신장염(腎臟炎), 대하(帶下), 유선염(乳腺炎), 변비를 치료한다.

성분 결명자(決明子)에는 sennoside A, B, chrysophanol, aloe-emodin, rhein, emo-din, physcion, obtusin, aurantio-obtusin, emodin-anthrone 등이 함유되어 있다.

약리 열수추출물, 또는 에탄올추출물은 개, 고양이, 토끼에게 정맥주사하면 혈압이 떨어지고, 또한 포도상구균, 디프테리아균, 대장균, 티푸스균 등에 항균 작용이 있다. anthraquinone 물질들을 쥐나 토끼에게 투여하면 배변 작용이 좋아진다. 그 밖에 에탄올추출물은 골다공증 형성을 완화시키는 작용이 있다.

확인 시험 가루 0.1g을 슬라이드 글라스 위에 놓고 유리고리를 위에 얹고 물로 적신 여과지를 위에 덮은 뒤 천천히 가열한다. 여과지 윗부분이 황색을 띠면 여과지를 꺼내고 승화물이 붙은 자리에 KOH 시액 1방울을 떨어뜨리면 붉은색을 나타낸다.

사용법 결명자 또는 야화생 10g에 물 3컵(600mL)을 넣고 달여서 복용한다.

처방 결명원(決明元): 맥문동(麥門冬)·당귀(當歸)·차전자(車前子) 각 80g, 청상자(靑箱子)·방풍(防風)·지실(枳實) 각 40g, 충위자(充蔚子)·세신(細辛)·구기자(枸杞子)·택사(澤瀉)·건지황(乾地黃)·모려(牡蠣)·황련(黃連) 각 20g (「동의보감(東醫寶鑑)」). 간열(肝熱)로 눈이 붉고 아프며 눈물이 자주 나오는 증상에 사용한다.

• 결명탕(決明湯): 모려(牡蠣)·인삼(人蔘)·천궁(川芎)·세신(細辛)·오미자(五味子) 각 40g, 복령(茯苓) 80g (「향약집성방(鄕藥集成方)」). 눈동자에 핏줄이 서고 눈이 아프며 눈물이 자주 나오는 증상에 사용한다.

◐ 결명차

◐ 결명자(決明子)

[콩과]

박태기나무

관절통, 근골통　｜　월경폐지, 월경통, 임부심통
이질　｜　옹종, 타박상　｜　인후통　｜　천식

● 학명 : *Cercis chinensis* Bunge　● 영명 : Chinese redbud
● 한자명 : 紫荊木　● 별명 : 밥태기꽃나무, 구슬꽃나무

| 1 | 2 | 3 | 4 | 5 | 6 | 7 | 8 | 9 | 10 | 11 | 12 |

낙엽 관목. 높이 5m 정도. 줄기는 둥글며 작은 피목이 많다. 잎은 어긋나며 심장형, 꽃은 적자색, 4월에 잎보다 먼저 묵은 가지의 잎겨드랑이에 10~30개씩 모여 달린다. 용골판이 가장 크고, 익판은 둥글며 자루가 있다. 꼬투리는 길이 7~12cm, 종자는 편원형이다.

분포 · 생육지 중국 원산. 우리나라 마을 근처에서 재식한다.

약용 부위 · 수치 줄기껍질은 7~8월에, 목부는 수시로, 꽃은 봄에, 열매는 가을에 채취하여 말린다. 줄기껍질은 소주에 볶아서 사용한다.

약물명 줄기껍질을 자형피(紫荊皮), 목부를 자형목(紫荊木), 꽃을 자형화(紫荊花), 열매를 자형과(紫荊果)라 한다.

기미 · 귀경 자형피(紫荊皮): 평(平), 고(苦) · 간(肝)

약효 자형피(紫荊皮)는 활혈(活血), 소종(消腫), 통경(通經), 해독(解毒)의 효능이 있으므로 풍한(風寒)으로 인한 관절통, 월경폐지, 월경통, 인후통을 치료한다. 자형목(紫荊木)은 행혈(行血), 파어(破瘀), 소종(消腫), 지통(止痛)의 효능이 있으므로 부인의 혈기(血氣)에 의한 심복통(心腹痛), 산후어혈(産後瘀血)에 의한 천식(喘息), 월경폐지, 이질, 옹종(癰腫), 타박상을 치료한다. 자형화(紫荊花)는 청혈(淸血), 통소장(通小腸)의 효능이 있으므로 류머티즘성근골통을 치료한다. 자형과(紫荊果)는 해수(咳嗽)와 임부(姙婦)의 심통(心痛)을 치료한다.

성분 가지와 잎에는 isoliquiritigenin, liquiritigenin, 2′,4′-dihydroxy-4-methoxychalcone, resveratrol, piceatannol, gallic acid, methyl gallate, ethyl gallate, myricetin, afzelin, quercitrin, myricitrin, myricetin-3-*O*-(2′-*O*-galloyl)-α-L-rhamnopyranoside, syringetin-3-*O*-rutinoside, syringetin-3-*O*-(2′-*O*-galloyl)-rutinoside, (+)-catechin, (−)-epicatechin-3-*O*-gallate, (−)-epigallocatechin-3-*O*-gallate, (−)-lyoniresinol-3a-*O*-β-D-xylopyranoside, (+)-lyoniresinol-3a-*O*-β-D-glucopyranoside 등이 함유되어 있다.

약리 자형피(紫荊皮)의 열수추출물은 Echo virus에 항바이러스 작용이 있고, 포도상구균에 항균 작용이 있다. myricetin-3-*O*-(2″-*O*-galloyl)-α-L-rhamnopyranoside, syringetin-3-*O*-rutinoside, (−)-epicatechin-3-*O*-gallate, (−)-epigallocatechin-3-*O*-gallate은 DPPH 및 O₂⁻ 소거 작용이 강하게 나타난다. piceatannol은 telomerase의 활성을 억제함으로써 세포 노화를 저지하는 효능이 있으며 UVB로 조사에 의한 피부 손상을 저지한다.

사용법 자형피, 자형목, 자형화 또는 자형과 10g에 물 3컵(600mL)을 넣고 달여서 복용한다.

◑ 박태기나무

◑ 박태기나무(열매)

◑ 자형목(紫荊木, 절편)

◑ 자형피(紫荊皮)

◑ 자형화(紫荊花)

나비콩

관절통

●학명 : *Clitoria ternata* L.　●한자명 : 蝶豆

`1 2 3 4 5 6 7 8 9 10 11 12`

❶ 나비콩(열매)

덩굴성 풀. 줄기와 가지는 가늘고 약하다. 잎은 어긋나고 홀수 깃꼴겹잎, 작은잎은 2~3쌍, 타원형이다. 꽃은 남색, 잎겨드랑이에 총상화서로 달린다. 꼬투리는 길고 편평하며, 6~10개의 종자가 들어 있다.

분포 · 생육지 오스트레일리아, 중국, 베트남, 미얀마. 산이나 들에서 자란다.

약용 부위 · 수치 종자를 가을에 채취하여 말린다.

약물명 호접화두(蝴蝶花豆). 양두(羊豆)라고도 한다.

약효 지통의 효능이 있으므로 관절통을 치료한다.

성분 adenosine, 3,5,7,4′-tetrahydroxy-flavone 3-rhamoglucoside, *p*-hydroxy-cinnamic acid, threonine 등이 함유되어 있다.

사용법 호접화두 적당량을 가루로 만들어 기름에 섞어 통증 부위에 바른다.

❶ 나비콩

활나물

이질　창절종, 악성종류
열림　천해　풍습비통

●학명 : *Crotalaria sessiliflora* L.　●영명 : Rattlebox
●한자명 : 野百合, 農吉利, 佛指甲, 野芝麻

`1 2 3 4 5 6 7 8 9 10 11 12`

한해살이풀. 높이 20~70cm. 줄기는 한 줄기 또는 갈라지기도 한다. 잎은 어긋나고 긴 타원형이다. 꽃은 청자색, 7~9월에 피고, 꽃받침은 2개로 갈라지며 다시 위쪽 것은 2개로, 밑의 것은 3개로 갈라져 꽃과 열매를 감싸며 갈색 털이 많다. 꼬투리는 타원형, 2개로 갈라진다.

분포 · 생육지 우리나라 전역. 중국, 일본, 타이완, 인도, 필리핀. 풀밭에서 자란다.

약용 부위 · 수치 전초를 여름과 가을에 채취하여 말린다.

약물명 농길리(農吉利). 불지갑(佛指甲), 야지마(野芝麻), 야화생(野花生), 야백합(野百合)이라고도 한다.

약효 청열(淸熱), 이습(利濕), 소종(消腫), 해독의 효능이 있으므로 이질, 열림(熱淋), 천해(喘咳), 풍습비통(風濕痺痛), 창절종(瘡癤腫), 악성종류(惡性腫瘤)를 치료한다.

성분 종자에는 monocrotaline, intergerrimine, trichodesmine 알칼로이드 7종이 함유되어 있으며, 주성분은 monocrotaline이다.

약리 monocrotaline을 쥐의 암세포인 sarcoma 180, 백혈병 암세포 L60, 쥐의 Walker carcinosarcoma 256 등에 세포 독성이 있고, monocrotaline을 마취한 개에게 정맥주사하면 혈압이 하강하고, 토끼의 적출 심장의 운동을 억제한다.

사용법 농길리 5g에 물 3컵(600mL)을 넣고 달여서 복용한다.

❶ 활나물

❶ 농길리(農吉利)

허니부쉬

 변비

● 학명 : *Cyamopsis tetragonoloba* (L.) Taub.   ● 영명 : Guar gum

| 1 | 2 | 3 | 4 | 5 | 6 | 7 | 8 | 9 | 10 | 11 | 12 |

✿ 허니부쉬(꼬투리)

한해살이풀. 줄기는 바로 서고 높이 2~3m. 잔뿌리가 많아서 척박한 땅에서도 잘 자란다. 잎과 줄기에 털이 있고 작은잎은 타원형이다. 꽃은 청백색, 줄기 끝에 많이 달린다. 꼬투리는 네모지며, 종자는 달걀 모양이다.

분포·생육지 인도, 파키스탄 원산. 세계 각처에서 재배한다.

약용 부위·수치 꼬투리를 가을에 채취하여 말린다.

약물명 Cyamopsis Fructus

약효 사하(瀉下)의 효능이 있으므로 변비를 치료한다.

약리 sparteine은 muscarinic ACh 수용체를 자극하고 Na⁺와 K⁺ 경로를 차단함으로써 quinine이나 ajmalicine처럼 부정맥을 치료한다. tyramine은 혈관 수축과 고혈압, 자궁 수축에 유효하다.

사용법 Cyamopsis Fructus 3~5g을 뜨거운 물로 우려내어 1일 3회 복용한다.

✿ 허니부쉬

양골담초

 심장병수종   심계

고혈압   진발불투, 타박상

● 학명 : *Cytisus scoparius* (L.) Link   ● 영명 : Broom   ● 한자명 : 金雀枝

| 1 | 2 | 3 | 4 | 5 | 6 | 7 | 8 | 9 | 10 | 11 | 12 |

관목. 높이 2m 정도. 줄기는 네모지며 상부에서 가지가 많이 갈라진다. 잎은 어긋나고 3출겹잎, 잎자루는 길이 1cm, 작은잎은 타원형이다. 꽃은 황색, 잎겨드랑이에 1개씩 피고 길이 2cm이다. 꼬투리는 편평하고 백색의 부드러운 털이 많으며 몇 개의 종자가 들어 있다.

분포·생육지 지중해 원산. 전 세계에서 재식한다.

약용 부위·수치 꽃과 어린가지를 여름에 채취하여 말린다.

약물명 금작아(金雀兒)

약효 강심이뇨(强心利尿), 승양발표(升陽發表)의 효능이 있으므로 심장병수종(心臟病水腫), 심계(心悸), 고혈압, 진발불투(疹發不透), 타박상을 치료한다.

성분 3′-O-methylorobol, 7-glucosyl-3′-O-methylorobol, genistein, dimethyl terephthalate, quercetin, quercetin-3-O-β-D-gucoside, isorhamnetin, sparteine, tyramine, lupanin 등이 함유되어 있다.

약리 sparteine은 muscarinic ACh 수용체를 자극하고 Na⁺와 K⁺ 경로를 차단함으로써 quinine이나 ajmalicine처럼 부정맥을 치료한다. tyramine은 혈관 수축과 고혈압, 자궁 수축에 유효하다.

사용법 금작아 1~2g을 뜨거운 물로 우려내어 1일 4회 복용한다.

✿ 양골담초

✿ 양골담초(꽃과 열매)

[콩과]

둔엽황단

 흉복창통

●학명 : *Dalbergia obtusifolia* Prain　●한자명 : 鈍葉黃檀

1	2	3	4	5	6	7	8	9	10	11	12

○ 둔엽황단(줄기)

교목. 높이 15m 정도. 잎은 홀수 깃꼴겹잎, 작은잎은 5~7개, 잎 끝이 둥원형이다. 꽃은 담황색, 8~9월에 원줄기 끝과 가지 끝에 달린다. 꼬투리는 납작한 타원형, 길이 4~8cm로 1~2개의 종자가 들어 있다.

분포 · 생육지 중국 윈난성(雲南省)을 비롯한 남부 지방. 열대 우림 지역에서 자란다.

약용 부위 · 수치 줄기를 봄부터 가을에 채취하여 껍질은 벗기고 심재(心材)를 채취하여 적당한 크기로 잘라서 말린다.

약물명 둔엽황단(鈍葉黃檀). 우근목(牛筋木), 철도목(鐵刀木)이라고도 한다.

약효 행기지통(行氣止痛)의 효능이 있으므로 흉복창통(胸腹脹痛)을 치료한다.

사용법 둔엽황단 10g에 물 3컵(600mL)을 넣고 달여서 복용한다.

○ 둔엽황단

[콩과]

강향나무

 흉륵동통, 구토복통　 타박상, 창상출혈

●학명 : *Dalbergia odorifera* T. Chen　●영명 : Chinese rosewood　●한자명 : 降香檀

1	2	3	4	5	6	7	8	9	10	11	12

교목. 높이 15m 정도. 작은가지는 피목이 있고 잎은 홀수 깃꼴겹잎, 작은잎은 9~13개이며 가죽질이다. 꽃은 8~9월에 원줄기 끝과 가지 끝에 달리고, 꽃잎과 꽃받침은 각각 5개, 담황색이다. 꼬투리는 납작한 타원형, 1~2개의 종자가 들어 있다.

분포 · 생육지 중국 원산. 우리나라에는 전남 임업 시험장에서 재식하고 있다.

약용 부위 · 수치 줄기를 봄부터 가을에 채취하여 껍질은 벗기고 심재(心材)를 채취하여 적당한 크기로 잘라서 말린다.

약물명 강향(降香), 강진향(降眞香), 자등향(紫藤香), 강진(降眞)이라고도 하며, 라틴 생약명은 *Dalbergiae Odoriferae Lignum* 이다. 대한민국약전외한약(생약)규격집(KHP)에 수재되어 있다.

본초서 「본초강목(本草綱目)」에는 "절상(折傷)과 금창(金瘡)을 치료하고 종기를 없애며 새살을 돋아나게 한다."고 하였다. 「동의보감(東醫寶鑑)」에는 "돌림열병이나 집안에 괴상한 기운이 감돌 때 이것을 태우면 나쁜 기운을 물리친다."고 하였다. 대한민국약전외한약(생약)규격집(KHP), 중국약전(CP)에 수재되어 있다.

本草綱目: 療折傷 金瘡 止血定痛 消腫生氣.
東醫寶鑑: 主天行時氣 宅舍怪異 燒之 辟邪惡之氣.

성상 구부러지고 긴 막대 모양이며 군데군데 갈라져 있다. 표면은 적자색~적갈색이며 긴 세로 무늬가 나 있다. 꺾은 면은 고르지 않으며 섬유성이고 질은 단단하고 기름기가 있다. 특이한 향기가 있고 맛은 조금 쓰다.

기미 · 귀경 온(溫), 신(辛) · 간(肝), 비(脾), 심(心)

약효 활혈산어(活血散瘀), 지혈정통(止血定痛), 강기(降氣)의 효능이 있으므로 흉륵동통(胸肋疼痛), 타박상, 창상출혈, 구토복통을 치료한다.

성분 formononetin, bowdichione, 3′-methoxydaidzein, liquiritigenin, isoliquiritigenin, 2′-*O*-methylisoliquiritigenin, (3*R*)-vestitol, (3*R*)-5′-methoxyvestitol, mucronulatol, duartin, isoduartin, odoriflavene 등이 함유되어 있다.

약리 열수추출물을 동물에게 투여하면 혈중 지질 함량이 저하하고 혈압이 하강한다. 에탄올추출물을 쥐에게 투여하면 운동량이 줄어들고 진정 작용이 나타난다. 쥐에게 열수추출물을 50mg/kg 농도로 투여하면 진통 작용이 관찰된다.

사용법 강향 5g에 물 2컵(400mL)을 넣고 달여서 복용하고, 외용에는 달인 액으로 씻는다. 뜨거운 물에 풀어서 욕탕료로 사용하면 신경통에 좋다.

○ 강향(降香)

○ 강향나무(열매)

○ 강향나무

○ 강향나무(줄기)

인도강향나무

 흉륵동통, 구토복통　　타박상, 창상출혈

●학명 : *Dalbergia sissoo* Roxb.　●영명 : Chinese rosewood　●한자명 : 降香檀

| 1 | 2 | 3 | 4 | 5 | 6 | 7 | 8 | 9 | 10 | 11 | 12 |

○ 인도강향나무(열매와 종자)

소교목. 높이 10m 정도. '강향나무'와 비슷하지만 꽃잎 끝이 물결 모양이며 잎이 보다 넓고 끝이 뾰족하다. 열매에 종자가 보통 2개씩 들어 있다.

분포·생육지 인도, 방글라데시, 중국, 타이완 등에서 재식한다.

약용 부위·수치 줄기를 봄부터 가을에 채취하여 껍질은 벗기고 심재(心材)를 채취하여 적당한 크기로 잘라서 말린다.

약물명 강향(降香), 강진향(降眞香), 자등향(紫藤香), 강진(降眞)이라고도 하며, 라틴 생약명은 *Dalbergiae Odoriferae Lignum*이다. 대한민국약전외한약(생약)규격집(KHP)에 수재되어 있다.

약효 활혈산어(活血散瘀), 지혈정통(止血定痛), 강기(降氣)의 효능이 있으므로 흉륵동통(胸肋疼痛), 타박상, 창상출혈, 구토복통을 치료한다.

사용법 강향 5g에 물 2컵(400mL)을 넣고 달여서 복용하고, 외용에는 달인 액으로 씻는다. 뜨거운 물에 풀어서 욕탕료로 사용하면 신경통에 좋다.

○ 인도강향나무

봉황나무

 고혈압　　　현훈

 심번불녕

●학명 : *Delonix regia* (Bojea) Rafin.　●영명 : Royal poinciana　●한자명 : 鳳凰木

| 1 | 2 | 3 | 4 | 5 | 6 | 7 | 8 | 9 | 10 | 11 | 12 |

낙엽 교목. 높이 20m 정도. 잎은 2회 깃꼴겹잎, 우편은 30~40개로 40~80개의 작은잎으로 구성된다. 꽃은 붉은색, 5월에 잎겨드랑이나 줄기 끝에 총상화서로 달리고 수술은 10개이다. 열매는 꼬투리로 길이 50cm에 이르고 10월에 익으며 많은 종자가 들어 있다.

분포·생육지 중국 푸젠성(福建省), 윈난성(雲南省), 광시성(廣西省), 타이완. 산과 들에서 자란다.

약용 부위·수치 여름에 줄기껍질을 채취하여 적당한 크기로 썰어서 말린다.

약물명 봉황목(鳳凰木)

약효 평간잠양(平肝潛陽)의 효능이 있으므로 고혈압, 현훈(眩暈), 심번불녕(心煩不寧)을 치료한다.

성분 lupeol, quercetin, proline, 2-ketoglutaric acid, oxaloacetic acid, glyoxylic acid, protocatechuic acid 등이 함유되어 있다.

사용법 봉황목 10g에 물 3컵(600mL)을 넣고 달여서 복용하고, 외용에는 달인 액으로 씻는다.

○ 봉황나무

○ 봉황나무(줄기)

[콩과]

데리스

농업용 살충제

● 학명 : *Derris elliptica* Benth.

| 1 | 2 | 3 | 4 | 5 | 6 | 7 | 8 | 9 | 10 | 11 | 12 |

덩굴성 관목. 잎은 어긋나고 홀수 깃꼴겹잎, 4~6쌍의 작은잎으로 구성되며 가죽질, 양 끝이 뾰족하고 가장자리는 밋밋하다. 꽃은 붉은색, 8월에 잎겨드랑이에 길이 20~30cm의 원추화서로 핀다.

분포 · 생육지 말레이 반도, 수마트라, 보루네오, 타이완. 산과 들에서 자란다.

약용 부위 · 수치 뿌리를 여름과 가을에 채취하여 물에 씻은 후 적당한 크기로 썰어서 말린다.

약물명 Tuba Radix. Tuba, Derris root라고도 한다.

약효 rotenone은 농업용 살충제로 이용한다.

성분 rotenone, tephrosin, toxicarol, (−)-elliptone, malaccol 등이 함유되어 있다.

약리 rotenone은 접촉이나 흡입에 의하여 살충 작용을 나타낸다. 즉, 혈관 운동 중추를 마비시켜 전신 운동 및 호흡 운동 마비로 치사시킨다.

사용법 Tuba Radix를 가루로 만들어 약초 재배지에 뿌리거나 살충제에 섞어 사용한다.

✿ 데리스(줄기)

✿ 데리스

[콩과]

어등

피부염, 피부습진, 타박상

관절동통

● 학명 : *Derris trifoliata* Lour.   ● 한자명 : 魚藤

| 1 | 2 | 3 | 4 | 5 | 6 | 7 | 8 | 9 | 10 | 11 | 12 |

덩굴나무. 잎은 어긋나고 홀수 깃꼴겹잎, 5~7개의 작은잎으로 구성되며 가죽질, 길이 4~12cm, 너비 2~5cm, 양 끝이 뾰족하고 가장자리는 밋밋하다. 꽃은 백색, 8월에 잎겨드랑이에 원추화서로 핀다. 열매는 9~11월에 익으며 편원형으로 보통 2개의 종자가 들어 있다.

분포 · 생육지 중국 저장성(浙江省), 장시성(江西省), 푸젠성(福建省), 윈난성(雲南省), 타이완, 말레이시아. 산과 들에서 자란다.

약용 부위 · 수치 여름과 가을에 줄기와 잎을 채취하여 적당한 크기로 썰어서 말린다.

약물명 어등(魚藤)

약효 산어지통(散瘀止痛), 살충지양(殺蟲止痒)의 효능이 있으므로 피부염, 피부습진, 타박상, 관절동통을 치료한다.

성분 quercetin−3−*O*−β−neohesperidoside, rhamnetin−*O*−β−neohesperdioside 등이 함유되어 있다.

사용법 어등 적당량을 짓찧어 붙이거나 즙액을 바른다.

✿ 어등

[콩과]

된장풀

<table>
<tr><td>🫁 해수토혈</td><td>🦵 류머티즘</td></tr>
<tr><td>❤️ 수종</td><td>🩹 타박상</td></tr>
</table>

● 학명 : *Desmodium caudatum* DC.
● 한자명 : 小塊花 ● 별명 : 쉬풀, 쉬풀나무, 쉽싸리풀

| 1 | 2 | 3 | 4 | 5 | 6 | 7 | 8 | 9 | 10 | 11 | 12 |

낙엽 관목. 높이 1.5m 정도. 잎은 어긋나고 3개의 작은잎으로 구성된다. 꽃은 황백색, 길이 7~8mm, 6~7월에 잎겨드랑이나 줄기 끝에 총상화서로 달리며, 꽃받침은 5개로 갈라진다. 꼬투리는 길이 5~7cm, 선형이고 4~6개의 마디가 있다.

분포 · 생육지 우리나라 제주도, 거문도. 중국, 일본, 타이완, 말레이시아. 산과 들에서 자란다.

약용 부위 · 수치 전초를 여름에 채취하여 적당한 크기로 썰어서 말린다.

약물명 청주항(靑酒缸). 소괴화(小塊花), 점의초(粘衣草)라고도 한다.

약효 청열이습(淸熱利濕), 소적산어(消積散瘀)의 효능이 있으므로 해수토혈, 류머티즘, 수종(水腫), 타박상을 치료한다.

성분 전초에 알칼로이드가 0.2% 함유되어 있으며, swertisin, canavanine 등이 함유되어 있다.

사용법 청주항 10g에 물 3컵(600mL)을 넣고 달여서 복용하고, 외용에는 달인 액으로 씻는다.

* 우리나라 제주도에서는 잎과 줄기를 된장에 넣어 두어 구더기가 생기는 것을 방지하고 있다. 살충 성분이 많이 함유되어 있을 것으로 생각된다.

◐ 된장풀

◐ 청주항(靑酒缸)

◐ 된장풀(열매)

[콩과]

애기도둑놈의갈고리

<table>
<tr><td>🫁 풍열감모</td><td>🤰 황달형간염</td></tr>
</table>

● 학명 : *Desmodium fallax* Schindler [*Podocarpium podocarpum* var. *fallax*]
● 한자명 : 寬卵葉長柄山馬蝗 ● 별명 : 애기갈구리풀, 애기갈쿠리풀

| 1 | 2 | 3 | 4 | 5 | 6 | 7 | 8 | 9 | 10 | 11 | 12 |

여러해살이풀. 높이 60~90cm. 뿌리는 목질이며, 줄기는 바로 선다. 잎은 어긋나고 3출겹잎, 줄기의 중간 이하에 있다. 꽃은 연한 붉은색, 7~8월에 핀다. 꼬투리는 2개의 마디가 있고, 마디 조각은 반달 모양, 열매자루는 길이 5~7mm로 길다.

분포 · 생육지 우리나라 평남과 함남 이하. 중국, 일본, 타이완, 인도. 산과 들에서 자란다.

약용 부위 · 수치 전초를 가을에 채취하여 말린다.

약물명 관란엽산마황(寬卵葉山馬蝗). 가산녹두(假山綠豆)라고도 한다.

약효 청열해표(淸熱解表), 이습퇴황(利濕退黃)의 효능이 있으므로 풍열감모(風熱感冒), 황달형간염을 치료한다.

사용법 관란엽산마황 10g에 물 3컵(600mL)을 넣고 달여서 복용한다.

◐ 관란엽산마황(寬卵葉山馬蝗)

◐ 애기도둑놈의갈고리(열매)

◐ 애기도둑놈의갈고리

큰잎도둑놈의갈고리

	타박상		자궁탈수, 폐경
	탈항		복통

● 학명 : *Desmodium gangeticum* (L.) DC.

| 1 | 2 | 3 | 4 | 5 | 6 | 7 | 8 | 9 | 10 | 11 | 12 |

반관목. 높이 1.5m 정도. 줄기에 털이 많고, 잎은 어긋나며 타원형이다. 꽃은 백색, 길이 4mm, 4~8월에 줄기 끝에 총상화서로 달리며, 꽃받침은 5개로 갈라진다. 꼬투리는 길이 5~7cm, 선형이고 6~8개의 마디가 있다.

분포 · 생육지 중국, 타이완, 인도. 산과 들에서 자란다.

약용 부위 · 수치 전초를 여름에 채취하여 적당한 크기로 썰어서 말린다.

약물명 홍모계초(紅毛鷄草), 점인초(粘人草), 점초(粘草)라고도 한다.

약효 거어조경(祛瘀調經), 해독지통(解毒止痛)의 효능이 있으므로 타박상, 자궁탈수, 탈항, 복통, 폐경을 치료한다.

성분 *N,N*-dimethyltryptamine, hypaphorine, 5-methoxy-*N,N*-dimethyltryptamine 등이 함유되어 있다.

사용법 홍모계초 10g에 물 3컵(600mL)을 넣고 달여서 복용하고, 외용에는 짓찧어 환부에 붙이고 붕대로 싸맨다.

❶ 홍모계초(紅毛鷄草)

❶ 큰잎도둑놈의갈고리(열매)

❶ 큰잎도둑놈의갈고리

잔디갈고리

	폐열해수		인후염
	창절		석림, 하지부종

● 학명 : *Desmodium heterocarpon* (L.) DC.   ● 별명 : 개쉽싸리, 좀도둑놈의갈고리, 잔디갈쿠리

| 1 | 2 | 3 | 4 | 5 | 6 | 7 | 8 | 9 | 10 | 11 | 12 |

반관목. 밑부분에서 가지가 갈라져 사방으로 퍼지고 털이 있다. 잎은 어긋나고 3출겹잎, 작은잎은 타원형, 끝이 둥글거나 오목하다. 꽃은 붉은색으로 9~10월에 줄기 끝에 총상화서로 달린다. 꼬투리는 4~6개의 마디가 있다.

분포 · 생육지 우리나라 제주도. 중국, 일본, 타이완, 인도. 잔디밭에서 자란다.

약용 부위 · 수치 전초를 여름에 채취하여 적당한 크기로 썰어서 말린다.

약물명 철선초(鐵線草). 가지두(假地豆), 포지등(鋪地藤)이라고도 한다.

약효 청열해독(清熱解毒), 이뇨통림(利尿通淋)의 효능이 있으므로 폐열해수(肺熱咳嗽), 인후염, 창절(瘡癤), 석림(石淋), 하지부종을 치료한다.

사용법 철선초 20g에 물 4컵(800mL)을 넣고 달여서 복용한다.

❶ 잔디갈고리

[콩과]

큰도둑놈의갈고리

 온병발열   풍습골통

해수, 객혈

● 학명 : *Desmodium oldhamii* Oliver [*Podocarpium oldhamii*]
● 한자명 : 羽葉長柄山馬蝗 ● 별명 : 큰도둑놈의갈구리풀, 큰도둑놈의갈쿠리풀

1 2 3 4 5 6 7 8 9 10 11 12

여러해살이풀. 높이 1~1.5m. 줄기는 곧게 선다. 잎은 어긋나고 깃꼴겹잎, 작은잎은 7개이다. 꽃은 연한 붉은색, 7~8월에 핀다. 꼬투리는 2개의 마디가 있고, 마디 조각은 반달 모양, 종자가 1개씩 들어 있으며, 겉에 갈고리 같은 털이 있다.

분포·생육지 우리나라 전역. 중국, 일본, 타이완, 인도. 산지에서 자란다.

약용 부위·수치 전초를 가을에 채취하여 말린다.

약물명 우엽산마황(羽葉山馬蝗)

약효 소풍청열(疎風淸熱), 해독의 효능이 있으므로 온병발열(溫病發熱), 풍습골통(風濕骨痛), 해수, 객혈을 치료한다.

사용법 우엽산마황 10g에 물 3컵(600mL)을 넣고 달여서 복용하고, 외용에는 달인 액으로 씻는다.

❁ 큰도둑놈의갈고리(꽃)

❁ 큰도둑놈의갈고리

[콩과]

도둑놈의갈고리

완복동통   류머티즘

화농성유선염   타박상

● 학명 : *Desmodium oxyphyllum* DC. [*D. racemosum, Podocarpium podocarpum* var. *oxyphyllum*] ● 한자명 : 尖葉長柄山馬蝗 ● 별명 : 도독놈갈쿠리, 갈구리풀, 갈쿠리풀

1 2 3 4 5 6 7 8 9 10 11 12

❁ 산마황(山馬蝗)

여러해살이풀. 높이 60~90cm. 잎은 어긋나고 3출복엽이다. 꽃은 연한 붉은색, 7~8월에 핀다. 꼬투리는 2개의 마디가 있고 종자가 1개씩 들어 있으며, 겉에 갈고리 같은 털이 있고, 열매자루는 짧다.

분포·생육지 우리나라 평남과 함남 이하. 중국, 일본, 타이완, 인도. 산과 들에서 자란다.

약용 부위·수치 전초를 가을에 채취하여 말린다.

약물명 산마황(山馬蝗)

약효 활혈지통(活血止痛), 해독소종(解毒消腫)의 효능이 있으므로 완복동통(脘腹疼痛), 류머티즘, 화농성유선염, 타박상을 치료한다.

성분 잎에는 kaempferitrin이 함유되어 있다.

사용법 산마황 10g에 물 3컵(600mL)을 넣고 달여서 복용하고, 외용에는 달인 액으로 씻는다.

❁ 열매   ❁ 도둑놈의갈고리

[콩과]

개도둑놈의갈고리

 풍한감모, 해수   도상출혈

○ 개도둑놈의갈고리(열매)

● 학명 : *Desmodium podocarpum* DC. [*D. podocarpum* var. *indicum*]
● 한자명 : 長柄山馬蝗   ● 별명 : 좀도둑놈갈쿠리, 털도둑놈의갈구리

| 1 | 2 | 3 | 4 | 5 | 6 | 7 | 8 | 9 | 10 | 11 | 12 |

여러해살이풀. 높이 60~90cm. 잎은 어긋
나고 3출복엽이다. 꽃은 연한 붉은색, 7~8
월에 핀다. 꼬투리는 2개의 마디가 있고 종
자가 1개씩 들어 있으며 겉에 갈고리 같은
털이 있고, 열매자루는 짧다.
분포 · 생육지 우리나라 평남과 함남 이하.
중국, 일본, 타이완, 인도. 산과 들에서 자
란다.
약용 부위 · 수치 잎을 여름과 가을에 채취하
여 썰어서 말린다.
약물명 능엽산마황(菱葉山馬蝗). 소점자초
(小粘子草)라고도 한다.
약효 산한해표(散寒解表), 지해지혈(止咳
止血)의 효능이 있으므로 풍한감모(風寒感
冒), 해수, 도상출혈(刀傷出血)을 치료한다.
사용법 능엽산마황 10g에 물 3컵(600mL)을
넣고 달여서 복용하고, 도상출혈에는 짓찧
어 붙이고 붕대로 감싼다.

○ 개도둑놈의갈고리

[콩과]

광금전초

   비뇨기감염, 요로결석, 신염수종

   담낭염, 간염

● 학명 : *Desmodium styracifolium* (Osbeck) Merr.   ● 한자명 : 廣金錢草

| 1 | 2 | 3 | 4 | 5 | 6 | 7 | 8 | 9 | 10 | 11 | 12 |

나무 같은 풀. 높이 60~100cm. 가지에는
황색 털이 빽빽하다. 잎은 어긋나고 잎자루
가 있으며 3출복엽이다. 꽃은 자주색, 길이
3~4mm, 7~8월에 잎겨드랑이나 줄기 끝
에 총상화서로 달리고, 꽃받침은 종 모양이

다. 열매는 잘록잘록하며 마디마다 종자가
1개씩 들어 있다.
분포 · 생육지 중국, 타이완, 인도. 산과 들
에서 자란다.
약용 부위 · 수치 지상부를 여름에 채취하여

말린다.
약물명 광금전초(廣金錢草)
성상 줄기는 원주형이고 황색, 털로 조밀하
게 덮여 있다. 잎은 어긋나고 원형, 끝은 약
간 오목하고 기부는 심장형이다. 냄새가 약
간 있고 맛은 담담하다. 대한민국약전외한
약(생약)규격집(KHP)에 수재되어 있다.
약효 청열이습(淸熱利濕), 통림배석(通淋排
石)의 효능이 있으므로 비뇨기감염, 요로결
석, 신염수종(腎炎水腫), 담낭염, 간염을 치
료한다.
성분 soyasaponin I, soyasapogenol E,
vicenin 1, vicenin 3, schaftoside 등이 함
유되어 있다.
사용법 광금전초 15g에 물 3컵(600mL)을
넣고 달여서 복용하고, 외용에는 달인 액으
로 씻는다.
＊ 중국에서는 '광금전초'를 이용한 요로결석
치료제가 판매되고 있다.

○ 광금전초

○ 광금전초(廣金錢草)

까치콩

😋	구토, 하리, 식욕감소, 설사, 이질, 변혈
♀	적백대하 👥 임탁, 치창 🗄 타박상, 창절종독

● 학명 : *Dolichos lablab* L. ● 한자명 : 扁豆 ● 별명 : 제비콩

1	2	3	4	5	6	7	8	9	10	11	12

덩굴성 한해살이풀. 길이 6m 정도. 잎은 어긋나고 3출엽이다. 꽃은 자주색, 잎겨드랑이에 총상화서로 모여 달린다. 꽃받침은 종 모양이고, 기판은 뒤로 젖혀지며 밑부분 양쪽에 귀 같은 돌기가 있고, 익판(翼瓣)과 용골판이 비스듬히 옆으로 향하고, 꼬투리는 넓고 납작하다.

분포 · 생육지 열대 원산. 우리나라 전역에서 재배한다.

약용 부위 · 수치 종자와 뿌리는 가을에, 꽃과 잎은 여름에 채취하여 말린다. 종자는 끓는 물에 담갔다가 껍질이 부풀면 냉수에 담가서 껍질을 벗기고 말린다.

약물명 백편두(白扁豆). 편두(扁豆)라고도 한다. 꽃을 편두화(扁豆花), 잎을 편두엽(扁豆葉), 뿌리를 편두근(扁豆根)이라 한다. 대한민국약전(KP)에 수재되어 있다.

본초서 백편두는 「명의별록(名醫別錄)」의 중품(中品)에 수재되어 있으며, 소송(蘇頌)은 "그 열매는 2가지가 있는데 백색의 것은 따뜻하며, 흑색의 것은 약간 차므로 약으로 백색을 사용한다."고 하였다. 「동의보감(東醫寶鑑)」에는 변두(藊豆)라는 이름으로 수재되어 "중초(中焦)의 기운을 다스리고 기운을 내리며 구토, 설사, 근육통을 낮게 한다."고 하였다.

本草綱目: 止泄痢 消暑 暖脾胃 除濕熱 止消渴.
東醫寶鑑: 主和中下氣 療霍亂吐痢不止 轉筋.

기미 · 귀경 백편두(白扁豆): 평(平), 감(甘), 담(淡) · 비(脾), 위(胃)

약효 백편두(白扁豆)는 건비(健脾), 소서(消暑), 화습(化濕)의 효능이 있으므로 서습(暑濕)에 의한 구토와 하리(下痢), 비허(脾虛)로 인한 구역, 식욕감소, 오래된 설사를 치료한다. 편두화(扁豆花)는 해서화습(解暑化濕), 화중건비(和中健脾)의 효능이 있으므로 하상서습(夏傷暑濕), 설사, 이질, 타박상 적백대하를 치료한다. 편두엽(扁豆葉)은 소서이습(消暑利濕), 해독소종(解毒消腫)의 효능이 있으므로 서습토사(暑濕吐瀉), 창절종독(瘡癤腫毒)을 치료한다. 편두근(扁豆根)은 소서(消暑), 화습(化濕), 지혈의 효능이 있으므로 서습설사(暑濕泄瀉), 이질, 임탁(淋濁), 대하, 변혈, 치창(痔瘡)을 치료한다.

성분 백편두(白扁豆)에는 labloside A~F, dolicholide, dolichosterone, homodolichosterone, (–)-pipecolic acid, phytoagglutin A, B 등이 함유되어 있다.

약리 phytoagglutin A, B는 사람의 적혈구에 비특이성 응집이 일어나지만, 소나 양의 적혈구에 대해서는 응집 작용이 없다. 열수추출물을 쥐에게 먹이면 이뇨 작용이 나타난다.

사용법 백편두, 편두화, 편두엽 또는 편두근 10g에 물 3컵(600mL)을 넣고 달여서 복용한다.

❶ 까치콩

❶ 백편두(白扁豆)

❶ 편두화(扁豆花)

❶ 까치콩(열매)

여우팥

👁 인후통	♀ 유옹, 백대과다

● 학명 : *Dunbaria villosa* (Thunb.) Makino [*Glycine villosa*]
● 한자명 : 毛野扁豆 ● 별명 : 새돔부, 여우팥, 돌팥, 덩굴돌팥

1	2	3	4	5	6	7	8	9	10	11	12

덩굴성 여러해살이풀. 전체에 털이 많다. 잎은 어긋나고 3출겹잎, 잎자루는 길고, 작은 잎은 마름모꼴, 뒷면에 적갈색 선점이 있다. 꽃은 황색, 잎겨드랑이에 총상화서로 모여 달린다. 꼬투리는 넓고 납작하며 길다.

분포 · 생육지 우리나라 충청 이남. 중국, 일본. 산이나 들에서 자란다.

약용 부위 · 수치 전초를 봄에 채취하여 물에 씻은 후 말린다.

약물명 야편두(野扁豆)

약효 청열해독(淸熱解毒), 소종지대(消腫止帶)의 효능이 있으므로 인후통, 유옹(乳癰), 백대과다(白帶過多)를 치료한다.

사용법 야편두 10g에 물 3컵(600mL)을 넣고 달여서 복용한다.

❶ 야편두(野扁豆)

❶ 열매 ❶ 여우팥

[콩과]

안경콩

 완복창통, 황달 　 각기수종
탈항

●학명 : *Entada phaseoloides* (L.) Merr. [*Lens phaseoloides*] 　 ●한자명 : 榼藤子

| 1 | 2 | 3 | 4 | 5 | 6 | 7 | 8 | 9 | 10 | 11 | 12 |

❍ 합등자(榼藤子)

상록 덩굴나무. 높이 4m 정도. 줄기는 꾸불꾸불하거나 뒤틀린다. 잎은 2회 깃꼴겹잎, 작은잎은 2~4쌍이다. 꽃은 담황색, 수상화서로 단생하거나 원추상이다. 열매는 잘록잘록하며 길이 1m, 너비 8~12cm, 종자는 원형으로 암갈색이며 광택이 난다.

분포 · 생육지 중국 푸젠성(福建省), 윈난성(雲南省), 광시성(廣西省), 타이완. 해발 600~1,600m의 산비탈에서 자란다.

약용 부위 · 수치 종자를 가을에 채취하여 가루로 만들어 사용한다.

약물명 합등자(榼藤子). 안경두(眼鏡豆), 상두(象豆), 합자(榼子)라고도 한다.

약효 행기지통(行氣止痛), 이습소종(利濕消腫)의 효능이 있으므로 완복창통(脘腹脹痛), 황달, 각기수종, 탈항을 치료한다.

성분 myristic acid, palmitic acid, arachidic acid, behenic acid, enta saponin I, entadamide A 등이 함유되어 있다.

사용법 합등자 1~2g을 가루로 만들어 복용한다.

❍ 안경콩

[콩과]

황금목

 류머티즘, 통풍, 요통, 좌골신경통
 치질 　 대하

●학명 : *Erythrina cristagalli* L. 　 ●영명 : Ceibo, Cockspur coral tree

| 1 | 2 | 3 | 4 | 5 | 6 | 7 | 8 | 9 | 10 | 11 | 12 |

❍ 황금목(줄기)

교목. 높이 15~20m. 줄기가 굵고 가시가 있으며 긴 가지를 뻗는다. 잎은 어긋나고 3출엽, 달걀 모양으로 밑은 둥글고 끝은 뾰족하며 가장자리는 밋밋하다. 꽃은 붉은색, 7~8월에 잎겨드랑이에 총상화서로 피며, 수술은 10개이다. 열매는 구부러지고 종자는 6~12개이다.

분포 · 생육지 열대, 아열대. 세계 각처에서 재식한다.

약용 부위 · 수치 줄기껍질을 여름에 채취하여 적당한 크기로 잘라서 말린다.

약물명 Erythrinae Cristagalli Cortex

약효 류머티즘, 통풍, 요통, 좌골신경통, 치질, 대하를 치료한다.

사용법 줄기껍질 40g에 물 5컵(1L)을 넣고 달인 물로 좌욕을 하거나 환부에 찜질한다.

＊이 식물은 아르헨티나의 국화이며, 종자는 독성이 있다.

❍ 황금목

송곳오동나무

풍습비통, 지절구련

타박상, 개선, 습진

●학명 : *Erythrina variegata* L.　　●한자명 : 刺桐

| 1 | 2 | 3 | 4 | 5 | 6 | 7 | 8 | 9 | 10 | 11 | 12 |

낙엽 교목. 높이 15~20m. 줄기껍질은 갈색으로 단단한 흑갈색 가시가 많이 돋아 있으나 차츰 떨어져 나간다. 잎은 어긋나거나 모여나며 3출엽, 꽃은 붉은색, 3월에 총상화서로 피며, 수술은 10개이다. 열매는 뒤틀리고 잘록잘록하다.

분포·생육지 중국 저장성(浙江省), 윈난성(雲南省), 후베이성(湖北省), 광둥성(廣東省), 광시성(廣西省). 타이완. 산지에서 자란다.

약용 부위·수치 줄기껍질을 여름에 채취하여 적당한 크기로 잘라서 말린다.

약물명 줄기껍질을 해동피(海桐皮)라 하며, 고동피(鼓桐皮), 자동피(刺桐皮), 자통(刺通)이라고도 한다.

본초서 해동피(海桐皮)는 송대(宋代)의 「개보본초(開寶本草)」에 처음 수재되어, "해동피(海桐皮)는 미고(味苦), 평(平), 무독(無毒)하며, 곽란(癨亂), 적백구리(赤白久痢), 개선(疥癬), 치통(齒痛)을 치료한다. 그리고 달인 물로 씻으면 피부의 붉은 것들을 없앤다."고 하였다. 소송(蘇頌)은 "해동피(海桐

皮)는 남해 이남의 산에서 생산된다. 지금은 광둥성의 바닷가 산기슭에 자라며, 잎의 크기는 손보다 크다."고 하였다. 「본초강목(本草綱目)」에는 "해동피(海桐皮)는 큰 가시가 있어서 자동피라고도 한다."고 기록되어 있다.

開寶本草: 主癨亂中惡, 赤白久痢, 疥癬, 齒痛, 并煮服及含之. 水浸洗目, 除膚赤.

日華子: 治血脈麻痺疼痛及目赤, 煎洗.

本草綱目: 能行經絡, 達病所, 又入血分及去風殺蟲.

성상 긴 관상 또는 반 관상으로 표면은 회갈색이고 불규칙한 세로줄과 회황색의 가시 자국이 있다. 남아 있는 가시는 뾰족한 원추형이고 길이 0.5~1cm이다. 안쪽은 황갈색이고 가느다란 세로줄이 있다. 냄새는 없으며, 맛은 조금 쓰고 아리다.

기미·귀경 해동피(海桐皮): 평(平), 고(苦), 신(辛)·간(肝), 비(脾)

약효 해동피(海桐皮)는 거풍제습(祛風除濕), 서근통락(舒筋通絡), 살충지양(殺蟲止癢)의 효능이 있으므로 풍습비통(風濕痺痛),

지절구련(肢節拘攣), 타박상, 개선(疥癬), 습진을 치료한다.

성분 erysovine, stachydrine, erysotrine, erysodine, erythraline, erysopine, erysopitrine, erysodienone, erysonine, hypophorine, hypophorine methyl ester, erysotine, erythratidine 등이 함유되어 있다.

약리 쥐에게 열수추출물을 투여하면 진통·진정 작용이 나타난다. 열수추출물에는 여러 가지 병원균에 항균 작용이 있다.

사용법 해동피 10g에 물 3컵(600mL)을 넣고 달여서 복용하거나 술에 담가서 복용한다.

처방 해동피산(海桐皮散): 해동피(海桐皮)·목단피(牡丹皮)·당귀(當歸)·숙지황(熟地黃)·우슬(牛膝) 각 40g, 산수유(山茱萸)·파고지(破古紙) 각 20g(「향약집성방(鄉藥集成方)」). 어린아이가 선천적으로 신기(腎氣)와 혈(血)이 부족하여 발과 발가락이 오그라들면서 펴지 못하는 증상에 사용한다. 1회 4g씩 복용한다.

• 해동피주(海桐皮酒): 해동피(海桐皮)·의이인(薏苡仁) 각 80g, 생지황(生地黃) 400g, 우슬(牛膝)·천궁(川芎)·강활(羌活)·지골피(地骨皮)·오가피(五加皮) 각 40g, 감초(甘草) 6g(「잡병원류서촉(雜病源流犀燭)」). 요슬동통(腰膝疼痛)과 풍습비통(風濕痺痛)에 사용한다.

＊ 우리나라에서는 '엄나무 *Kalopanax pictus*'의 줄기껍질을 해동피(海桐皮)로 사용하고 있다.

❂ 송곳오동나무

❂ 해동피(海桐皮)

❂ 송곳오동나무(꽃)

❂ 송곳오동나무(열매)

[콩과]

대엽천근발

 풍습골통, 요통

●학명 : *Flemingia macrophylla* (Wall.) Merr. ●한자명 : 大葉千斤拔

| 1 | 2 | 3 | 4 | 5 | 6 | 7 | 8 | 9 | 10 | 11 | 12 |

반관목. 높이 1~3m. 줄기는 바로 서다가 윗부분이 구부러진다. 잎은 어긋나며 3출 겹잎, 작은잎은 가장자리가 밋밋하다. 꽃은 담황색, 잎겨드랑이에 총상화서로 핀다. 꼬투리는 짧으며 통통하다.
분포·생육지 중국 푸젠성(福建省), 윈난성(雲南省), 타이완. 해발 500~1,800m의 산비탈이나 골짜기에서 자란다.
약용 부위·수치 뿌리를 여름과 가을에 채취하여 물에 씻은 후 썰어서 말린다.

약물명 대엽천근발(大葉千斤拔). 대저미(大猪尾), 천근력(千斤力), 천금홍(千金紅)이라고도 한다.
약효 거풍습(祛風濕), 익비신(益脾腎), 강근골(强筋骨)의 효능이 있으므로 풍습골통(風濕骨痛), 요통을 치료한다.
사용법 대엽천근발 10g에 물 3컵(600mL)을 넣고 달여서 복용한다.

○ 대엽천근발

[콩과]

만성천근발

 풍습비통, 요통   인후종통

●학명 : *Flemingia prostrata* Roxb. ●한자명 : 蔓性千斤拔

| 1 | 2 | 3 | 4 | 5 | 6 | 7 | 8 | 9 | 10 | 11 | 12 |

직립 또는 약간 기우는 반관목. 어린가지는 능각이 지며 털이 있다. 잎은 어긋나며 3출 겹잎, 작은잎은 타원형으로 가장자리가 밋밋하다. 꽃은 자주색, 잎겨드랑이에 총상화서로 핀다. 꼬투리는 짧으며 통통하다.
분포·생육지 중국 푸젠성(福建省), 윈난성(雲南省), 타이완. 해발 500~1,800m의 산비탈이나 골짜기에서 자란다.
약용 부위·수치 뿌리를 여름과 가을에 채취하여 물에 씻은 후 썰어서 말린다.

약물명 천근발(千斤拔). 금계낙지(金鷄落地)라고도 한다.
약효 거풍제습(祛風除濕), 강근장골(强筋壯骨), 활혈해독(活血解毒)의 효능이 있으므로 풍습비통(風濕痺痛), 요통, 인후종통을 치료한다.
성분 flemiphilippinin C, D, flemichin, lupeol 등이 함유되어 있다.
사용법 천근발 15g에 물 3컵(600mL)을 넣고 달여서 복용한다.

○ 만성천근발

[콩과]

갈레가

 열감기   당뇨병
유방염

●학명 : *Galega officinalis* L. ●영명 : Common goat's rue

| 1 | 2 | 3 | 4 | 5 | 6 | 7 | 8 | 9 | 10 | 11 | 12 |

여러해살이풀. 높이 1~1.5m. 줄기는 둥글고 가지를 많이 친다. 잎은 어긋나며 깃꼴겹잎, 작은잎은 3~6쌍, 긴 타원형으로 가장자리는 밋밋하다. 꽃은 연한 붉은색, 잎겨드랑이에 총상화서로 핀다. 꼬투리는 길며 약간 잘록잘록하다.
분포·생육지 남유럽과 서아시아 원산. 세계 각처에서 재배한다.

약용 부위·수치 전초를 여름과 가을에 채취하여 말린다.
약물명 Galegae Herba. 일반적으로 Common goat's rue라 한다.
약효 해열, 소종(消腫)의 효능이 있으므로 열감기, 당뇨병, 유방염을 치료한다.
사용법 Galegae Herba 10g에 물 3컵(600mL)을 넣고 달여서 복용한다.

○ 갈레가

[콩과]

염색풀

황달	말라리아, 열감기
만성신장염	류머티즘, 좌골신경통

● 학명 : *Genista tinctoria* L.   ● 영명 : Dyers's green weed

1	2	3	4	5	6	7	8	9	10	11	12

여러해살이풀. 높이 1m 정도. 줄기는 뿌리에서 여러 개가 나온다. 잎은 어긋나며 타원형, 가장자리는 밋밋하며 잎자루가 매우 짧다. 꽃은 황색, 줄기 끝과 잎겨드랑이에 총상화서로 핀다. 꼬투리는 길며 납작하고 끝이 뾰족하다.

분포 · 생육지 남유럽과 서아시아 원산. 세계 각처에서 재배한다.

약용 부위 · 수치 전초를 여름에 채취하여 말린다.

약물명 Genistae Herba

약효 해열, 소종(消腫)의 효능이 있으므로 황달, 말라리아, 열감기, 만성신장염, 류머티즘, 좌골신경통을 치료한다.

사용법 Genistae Herba 10g에 물 3컵(600 mL)을 넣고 달여서 복용한다.

❶ 염색풀

[콩과]

주엽나무

중풍, 신혼불어	해수천식	산후결유, 태의불하	후비
혈변, 대변조결, 하혈, 하리복통		옹종개선, 종독, 옹저종독, 나력, 여풍	

● 학명 : *Gleditsia japonica* Miq. var. *koraiensis* (Nakai) Nakai
● 한자명 : 皀角樹   ● 별명 : 주염나무

1	2	3	4	5	6	7	8	9	10	11	12

낙엽 교목. 높이 20m 정도. 줄기에 가지가 변한 가시가 있다. 잎은 어긋나고 깃꼴겹잎, 작은잎은 5~8쌍이다. 꽃은 황록색, 6월에 피며, 꽃잎은 5개, 수술 9~10개이다. 꼬투리는 길이 20~30cm로 뒤틀린다.

분포 · 생육지 우리나라 전역. 중국, 일본. 산기슭이나 산골짜기 또는 하천 둑에서 자란다.

약용 부위 · 수치 열매를 가을에, 가시는 일년 내내 채취하여 적당한 크기로 잘라서 말린다.

약물명 열매를 조협(皀莢) 또는 조각(皀角)이라고 하며, 종자를 조협자(皀莢子), 굵은 가시를 조각자(皀角刺)라 한다. 조각자(皀角刺)는 대한민국약전(KP)에, 조협(皀莢)은 대한민국약전외한약(생약)규격집(KHP)

❶ 주엽나무(꽃)

에 수재되어 있다.

약효 조협(皀莢)은 거담지해(祛痰止咳), 개규통폐(開竅通閉), 살충산결(殺蟲散結)의 효능이 있으므로 중풍, 해수천식, 신혼불어(神昏不語), 후비(喉痺), 옹종개선(癰腫疥癬), 혈변을 치료한다. 조협자(皀莢子)는 윤조통변(潤燥通便), 거풍산열(祛風散熱), 화담산결(化痰散結)의 효능이 있으므로 대변조결(大便燥結), 하혈, 하리복통, 종독을 치료한다. 조각자(皀角刺)는 소종투농(消腫透膿), 수풍(搜風), 살충(殺蟲)의 효능이 있으므로 옹저종독(癰疽腫毒), 나력(瘰癧), 여풍(癘風), 포진완선(疱疹頑癬), 산후결유(産後缺乳), 태의불하(胎衣不下)를 치료한다.

사용법 조협 2g을 가루약이나 환약으로 만들어 복용한다. 조협자, 조각자는 10g에

❶ 주엽나무(줄기에 달린 가시)

물 3컵(600mL)을 넣고 달여서 복용하거나 1~1.5g을 가루약이나 환약으로 만들어 복용한다. 외용에는 달인 액으로 씻거나 짓찧어 붙인다.

주의 산후에 혈허(血虛) 증상이 있거나 찬 기운으로 설사를 하는 경우는 복용하지 않는 것이 좋다.

❶ 주엽나무

[콩과]

조각나무

중풍, 신혼불어　해수천식　산후결유, 태의불하　후비

혈변, 대변조결, 하혈, 하리복통　옹종개선, 종독, 옹저종독, 나력, 여풍

●학명 : *Gleditsia sinensis* Lamarck　●별명 : 조각자나무

| 1 | 2 | 3 | 4 | 5 | 6 | 7 | 8 | 9 | 10 | 11 | 12 |

낙엽 교목. 높이 15~20m. 줄기껍질은 흑갈색, 피목이 많고 몇 개의 가지가 있는 가시가 있다. 잎은 어긋나고 깃꼴겹잎, 작은잎은 3~6쌍이다. 꽃은 황록색, 6월에 피며, 꽃잎은 5개, 수술은 9~10개이다. 꼬투리는 뒤틀리지 않고 편평하며 길이 20~30cm이다.

분포 · 생육지 중국 장쑤성(江蘇省), 쓰촨성(四川省), 허베이성(河北省), 안후이성(安徽省), 후베이성(湖北省). 우리나라 산지에서 자라며, 안강읍(경주시) 옥산서원에서 자라고 있다.

약용 부위 · 수치 열매를 가을에, 가시는 일년 내내 채취하여 적당한 크기로 잘라서 말린다.

약약명 열매를 조협(皂莢) 또는 조각(皂角)이라고 하며, 종자를 조협자(皂莢子), 굵은 가시를 조각자(皂角刺)라 한다. 조각자(皂角刺)는 대한민국약전(KP)에, 조협(皂莢)은 대한민국약전외한약(생약)규격집(KHP)에 수재되어 있다.

본초서 조협(皂莢)은 「신농본초경(神農本草經)」의 중품(中品)에 수재되어 있고, 이시진(李時珍)의 「본초강목(本草綱目)」에는 "협(莢)이라고 불리는 나무가 조(皂)라는 나무와 비슷하므로 조협(皂莢)이라고 하게 되었다."고 기록되어 있다. 「동의보감(東醫寶鑑)」에는 조협(皂莢)은 "뼈마디의 움직임을 부드럽게 하고 두통을 낫게 하며 몸에 있는 구규(九竅, 콧구멍 등 9개의 구멍)를 잘 통하게 한다. 담연(痰涎, 가래와 침)을 삭이고 기침을 멎게 하며 배가 부풀어 오르는 것을 낫게 하고 뱃속에 생긴 덩어리를 없앤다. 유산될 수 있다. 또 중풍으로 이를 악문 것을 낫게 하며, 노채충(勞瘵蟲, 마음이 답답하고 열이 나며 피를 토하는 병을 일으키는 벌레)을 구제한다."고 하였다. 조협자(皂莢子)는 "장에 풍열이 몰려 뭉친 것을 풀어 주고 폐병을 치료한다. 대장에 바람의 기운이 있어 변비가 된 것을 낫게 한다. 조협자를 싸서 구운 다음 속에 있는 종자를 꺼내어 씹어 먹으면 가슴에 있는 담과 신물을 없앤다."고 하였다. 조각자(皂角刺)는 "터지지 않은 종기를 터지게 한다. 종기가 이미 터졌을 때는 약 기운을 끌고 상처까지 가므로 모든 종기에 좋은 약이다."라고 하였다.

皂莢: 神農本草經: 主風痹邪氣, 邪氣, 風頭淚出, 利九竅, 殺精物.

本草綱目: 通肺及大腸氣, 治咽喉痹寒, 痰氣喘咳, 風癘疥癬.

東醫寶鑑: 通關節 除頭風 利九竅 消痰涎 止咳嗽 療脹滿 破堅癥 能墜胎 治中風口噤 殺勞蟲.

皂莢子: 本草衍義: 疎導五臟風熱壅.

本草綱目: 治風熱大腸虛秘 癲癇 腫毒 疥癬.

東醫寶鑑: 疎導 五臟風熱壅滯 又入治肺藥 療大腸風痹 炮核 取中心嚼餌 治膈病吞酸.

皂角刺: 本草圖經: 米醋熬嫩刺針作膿煎, 以敷瘡癬有奇效.

本草綱目: 治癰腫, 妒乳, 風癘惡瘡, 胞衣不下, 殺蟲.

東醫寶鑑: 凡癰疽未破者 能開竅 已破者 能引藥達瘡處 乃諸惡瘡 及癘風要藥也.

성상 조협(皂莢)은 납작하고 구부러졌으며 길이 10~35cm, 너비 25~40mm, 두께 8~20mm이다. 표면은 평탄하지 않고 적갈색~적자색으로 회백색의 가루가 덮여 있다. 꼬투리의 양쪽 끝은 뾰족하고, 기부에는 과병 자국이 있다. 횡단면은 황색을 띠고 속에는 3~6개의 종자가 들어 있다. 조각자(皂角刺)는 중심가시와 갈라져 나온 작은가시로 되어 있다. 중심가시는 길이 7~15cm, 작은가시는 길이 3~7cm이다. 표면은 적갈색~적자색이며 질은 단단하고 꺾기 힘들다. 냄새는 없고 맛은 담담하다.

기미 · 귀경 조협(皂莢): 온(溫), 신(辛), 함(鹹) · 폐(肺), 간(肝), 위(胃), 대장(大腸). 조협자(皂莢子): 온(溫), 신(辛) · 폐(肺), 대장(大腸). 조각자(皂角刺): 온(溫), 신(辛) · 간(肝), 폐(肺), 위(胃)

약효 조협(皂莢)은 거담지해(祛痰止咳), 개규통폐(開竅通閉), 살충산결(殺蟲散結)의 효능이 있으므로 중풍, 해수천식, 신혼불어(神昏不語), 후비(喉痹), 옹종개선(癰腫疥癬), 혈변을 치료한다. 조협자(皂莢子)는 윤조통변(潤燥便通), 거풍산열(祛風散熱), 화담산결(化痰散結)의 효능이 있으므로 대변조결(大便燥結), 하혈, 하리복통, 종독을 치료한다. 조각자(皂角刺)는 소종투농(消腫透膿), 수풍(搜風), 살충의 효능이 있으므로 옹저종독(癰疽腫毒), 나력(瘰癧), 여풍(癘風), 포진완선(疱疹頑癬), 산후결유(産後缺乳), 태의불하(胎衣不下)를 치료한다.

성분 열매는 saponin 성분으로 gledinin, 비당부는 gledigenin이고, gleditsia saponin, nonacosane, stigmasterol, 알칼로이드인 triacanthin 등이 함유되어 있다.

약리 열수추출물은 HL60이나 여러 가지 고형암 세포주의 성장과 신생 혈관의 형성을 억제하는 작용이 있다. 부탄올추출물은 알레르기성비염을 억제하고 에탄올추출물은 항알레르기 작용, 항염증 작용 및 진통 작용이 있다. gleditsia saponin C에는 항HIV 작용이 있다.

사용법 조협 2g을 가루약이나 환약으로 만들어 복용한다. 조협자, 조각자는 10g에 물 3컵(600mL)을 넣고 달여서 복용하거나 1~1.5g을 가루약이나 환약으로 만들어 복용한다. 외용에는 달인 액으로 씻거나 짓찧어 붙인다.

주의 산후에 혈허(血虛) 증상이 있거나 찬 기운으로 설사를 하는 경우는 복용하지 않는 것이 좋다.

처방 조각대황탕(皂角大黃湯): 승마(升麻) · 갈근(葛根) 12g, 대황(大黃) · 조각(皂角) 각 4g(『동의수세보원(東醫壽世保元)』). 열이 몹시 나면서 춥고 떨리며 얼굴과 목덜미가 붉어지고 붓는 증상에 사용한다.

• 조각산(皂角散): 조각(皂角)과 나복자(蘿蔔子)를 같은 양으로 배합하여 가루 내어 복용한다(『동의보감(東醫寶鑑)』). 풍(風)을 맞아 의식이 뚜렷하지 못하고 목에서 가래 끓는 소리가 날 때 사용한다.

• 유옹탕(乳癰湯): 포공영(蒲公英) 20g, 금은화(金銀花) 12g, 백지(白芷) · 당귀(當歸) · 천궁(川芎) · 괄루근(括蔞根) · 조각자(皂角刺) 각 4g(『동약급건강(東藥及健康)』). 급성유선염에 사용한다.

◐ 조각자(皂角刺)

◐ 조협(皂莢, 절편)

◐ 조각나무(줄기에 달린 가시)

◐ 조협자(皂莢子)

◐ 조각나무

[콩과]

콩

외감표증, 한열두통, 습온초기, 서습발열 | 식체완비
습비, 골절번통 | 소변불리, 수종창만

●학명 : *Glycine max* (L.) Merr. ●별명 : 대두

1 2 3 4 5 6 7 8 9 10 11 12

한해살이풀. 높이 50~60cm. 줄기는 바로 서고 황갈색의 딱딱한 털이 있다. 잎은 어긋나고 3출엽이다. 꽃은 담자색, 7월에 잎겨드랑이에 총상화서로 2~10개가 피며, 씨방상위이다. 꼬투리는 긴 타원형, 편평하고 5~6개의 종자가 들어 있다.

분포 · 생육지 중국 원산. 우리나라 전역에서 재배한다.

약용 부위 · 수치 종자를 가을에 채취하여 상엽(桑葉), 청호(菁蒿)를 달인 즙액에 넣고 찐 것과 종자를 발아시켜 싹이 1~2cm 정도로 자란 것을 약용한다.

약물명 종자를 찐 것을 담두시(淡豆豉)라고 하고, 두시(豆豉), 향시(香豉)라고도 한다. 종자를 발아시킨 것을 대두황권(大豆黃卷)이라 한다. 검은 종자를 흑대두(黑大豆)라 한다. 담두시(淡豆豉)와 대두황권(大豆黃卷), 흑대두(黑大豆)는 대한민국약전외한약(생약)규격집(KHP)에 수재되어 있다.

본초서 담두시(淡豆豉)는 「명의별록(名醫別錄)」에 시(豉)라는 이름으로 수재되었고, 「본초강목(本草綱目)」에는 대두시(大豆豉)로 기록되어 있으며, "시(豉)는 모든 콩으로 만들 수 있지만 검은콩으로 만든 것이 좋다."고 하였다. 대두황권(大豆黃卷)은 「신농본초경(神農本草經)」의 중품(中品)에 습비(濕痺), 근련(筋攣), 슬통(膝痛)을 치료하는 약물로 수재되어 있다. 「동의보감(東醫寶鑑)」에는 담두시(淡豆豉)를 시(豉)라는 이름으로 수재하고, 또 두황(豆黃, 콩가루)과 대두황권을 별도로 수재하고 있다. 두황은 "위 속에 열이 나며 배가 부풀어 오르는 것을 가라앉히고, 음식을 소화시키며, 몸이 부은 것을 낫게 하고, 관절이 아프고 저리며 팔다리의 움직임이 불편한 것을 낫게 한다."고 하였다. 대두황권(大豆黃卷)은 "팔다리의 움직임이 원활하지 않아 힘줄이 당기고 무릎이 아픈 것을 낫게 한다."고 하였다.

東醫寶鑑: 淡豆豉 主傷寒頭痛 寒熱瘴氣 發汗 通關節.

豆黃 主胃中熱 止腹脹 消穀 去腫除痺.

大豆黃卷 主久風濕痺 筋攣膝痛 諸五臟胃中結聚.

기미 · 귀경 담두시(淡豆豉): 평(平), 고(苦), 신(辛) · 폐(肺), 위(胃). 대두황권(大豆黃卷): 평(平), 감(甘) · 비(脾), 위(胃), 폐(肺)

약효 담두시(淡豆豉)는 해기발표(解肌發表), 선울제번(宣鬱除煩)의 효능이 있으므로 외감표증(外感表證), 한열두통(寒熱頭痛), 심번(心煩), 흉민(胸悶)을 치료한다. 대두황권(大豆黃卷)은 청열투표(清熱透表), 제습이기(除濕利氣)의 효능이 있으므로 습온초기(濕溫初起), 서습발열(暑濕發熱), 식체완비(食滯脘痞), 습비(濕痺), 골절번통(骨節煩痛), 수종창만(水腫脹滿), 소변불리(小便不利)를 치료한다.

성분 담두시는 daidzin, genistin, soyaspogenol A, B, C, D, E 등이 함유되어 있다.

약리 daidzin, genistin은 estrogen 효과가 있고, 쥐의 적출 소장에 투여하면 이완 작용이 있으며 papaverine의 30% 정도의 강도로 나타난다. 열수추출물은 histamine의 방출과 cytokine의 분비를 억제하여 항알레르기 작용을 나타낸다.

사용법 담두시 또는 대두황권 10g에 물 3컵(600mL)을 넣고 달여서 복용한다.

처방 치시탕(梔豉湯): 치자(梔子) 7개와 담두시(淡豆豉) 반홉(「향약집성방(鄕藥集成方)」). 땀을 많이 흘리고 가슴이 답답하며 잠을 못자는 증상에 사용한다.

• 과체산(瓜蒂散): 과체(瓜蒂), 적소두(赤小豆), 담두시(淡豆豉)를 같은 양으로 배합하여 가루로 만든다(「상한론(傷寒論)」). 가래와 소화불량으로 정신이 혼미하고 가슴이 답답한 증상에 사용한다.

* 콩에 물을 부어 푹 익힌 것을 메주로 만들어 볏짚을 깔고 건조시키면 곰팡이가 서식하고 이것에 소금을 붓고 오래 삭혀 추출한 액체를 간장, 나머지를 된장이라 한다. 된장은 생선, 독초, 버섯을 먹고 중독되었을 때 그리고 화상을 치료한다.

○ 콩

○ 콩(열매)

○ 담두시(淡豆豉)

○ 대두황권(大豆黃卷)

○ 흑대두(黑大豆)

[콩과]

돌콩

신허요통, 근골동통, 노상근통, 풍비 / 도한
위완통 / 내열소갈 / 목혼두훈

● 학명 : *Glycine soja* S. et Z. [*G. ussuriensis*]
● 한자명 : 野大豆藤, 野料豆 ● 별명 : 야생콩

| 1 | 2 | 3 | 4 | 5 | 6 | 7 | 8 | 9 | 10 | 11 | 12 |

덩굴성 한해살이풀. 길이 2m 정도. 전체에 갈색 털이 있다. 잎은 어긋나고 3출겹잎이다. 꽃은 담자색, 7~8월에 잎겨드랑이에 총상화서로 2~5개가 핀다. 꼬투리는 긴 타원형, 길이 2~3cm, 털이 빽빽이 난다.
분포 · 생육지 우리나라 전역. 중국, 일본, 우수리, 동시베리아. 들에서 흔하게 자란다.
약용 부위 · 수치 종자와 지상부를 가을에 채취하여 말린다.

약물명 종자를 여두(穭豆)라고 하며, 영오두(零烏豆), 세흑두(細黑豆)라고도 한다. 지상부를 야대두등(野大豆藤)이라 한다.
본초서 여두(穭豆)는 「본초강목습유(本草綱目拾遺)」에는 "근골을 튼튼하게 하고 도한을 그치게 하고 속을 보하며 십이경락을 도와주며 위장을 따뜻하게 한다."고 하였다.

「동의보감(東醫寶鑑)」에는 "중초(中焦)의 기운을 고르게 하고 기를 내리며 관규(關竅)와 맥이 막힌 것을 통하게 하고 광물성 독을 없앤다."고 하였다.

本草綱目拾遺: 壯筋骨 止盜汗 益中 助十二經絡 調中 暖腸胃.
東醫寶鑑: 調中下氣 通關脈 制金石藥毒.

기미 · 귀경 여두(穭豆): 양(凉), 감(甘) · 신(腎), 간(肝)
약효 여두(穭豆)는 보익간신(補益肝腎), 거풍해독(祛風解毒)의 효능이 있으므로 신허요통(腎虛腰痛), 풍비(風痺), 근골동통(筋骨疼痛), 음허도한(陰虛盜汗), 내열소갈(內熱消渴), 목혼두훈(目昏頭暈)을 치료한다. 야대두등(野大豆藤)은 청열렴한(淸熱斂汗), 서근지통(舒筋止痛)의 효능이 있으므로 도한(盜汗), 노상근통(勞傷筋痛), 위완통(胃脘痛)을 치료한다.
사용법 여두는 10g에 물 3컵(600mL)을 넣고 달여서 복용하고, 야대두등은 30g에 물 4컵(800mL)을 넣고 달여서 복용한다.

❶ 돌콩

❶ 야대두등(野大豆藤)

❶ 여두(穭豆)

[콩과]

러시아감초

보허약, 비허권태 / 해수기천
옹저후비

● 학명 : *Glycyrrhiza echinata* L. [*G. inermis, G. macedonica*]
● 영명 : Hungarian licorice ● 별명 : 독일감초, 고슴도치감초, 스페인감초

| 1 | 2 | 3 | 4 | 5 | 6 | 7 | 8 | 9 | 10 | 11 | 12 |

❶ Hungarian licorice(절편)

여러해살이풀. 높이 150cm 정도. 줄기는 곧게 자라고, 잎은 홀수 깃꼴겹잎, 작은잎은 11~15개로 끝이 약간 들어간다. 화관은 담자색, 꼬투리는 타원형이며 쐐기털이 나 있다.
분포 · 생육지 러시아, 에스파냐, 독일, 헝가리, 유럽. 산골짜기에서 자란다.
약용 부위 · 수치 뿌리 및 뿌리줄기를 가을에 채취하여 뇌두와 줄기 밑부분을 제거하고 물에 씻은 후 자르거나 썰어서 말린다.
약물명 Hungarian licorice. 러시아감초, 스페인감초라고도 한다.
＊약효와 사용법은 '감초'와 같다. 약용 또는 과자, 식품, 담배 등의 향료로 사용된다.

❶ 러시아감초

[콩과]

광과감초

◐ 광과감초(光果甘草)

● 학명 : *Glycyrrhiza glabra* L.
● 한자명 : 光果甘草　● 별명 : 스페인감초, 양감초, 구감초, 미감초

| 1 | 2 | 3 | 4 | 5 | 6 | 7 | 8 | 9 | 10 | 11 | 12 |

여러해살이풀. 높이 1m 정도. 줄기는 곧게 자라고, 잎은 홀수 깃꼴겹잎, 작은잎은 11~15개로 끝이 약간 들어간다. 화관은 담자색, 씨방은 광활하다. 꼬투리는 약간 구부러지며 쐐기털이 없고, 3~4개의 종자가 들어 있다.

분포 · 생육지 남부 유럽, 중국 신장성(新疆省), 구이저우성(貴州省). 산골짜기에서 자란다.

약용 부위 · 수치 뿌리 및 뿌리줄기를 가을에 채취하여 뇌두와 줄기 밑부분을 제거하고 물에 씻은 후 자르거나 썰어서 말린다.

약물명 광과감초(光果甘草). 스페인감초, 양감초(洋甘草), 미감초(美甘草)라고도 한다.

성상 뿌리 및 뿌리줄기는 목질성이고 굵으며 때로는 분지한다. 겉껍질은 대부분 적갈색이며 세로줄이 분명하고 거칠며 피목은 가늘고 뚜렷하지 않다. 횡단면은 국화 모양이다.

＊ 약효와 사용법은 '감초'와 같다.

◐ 광과감초

[콩과]

창과감초

● 학명 : *Glycyrrhiza inflata* Batalin　● 한자명 : 脹果甘草

| 1 | 2 | 3 | 4 | 5 | 6 | 7 | 8 | 9 | 10 | 11 | 12 |

여러해살이풀. 높이 80~150cm. 줄기는 곧게 자라고, 잎은 홀수 깃꼴겹잎, 작은잎은 3~7개로 가장자리가 물결 모양이다. 화관은 자주색, 씨방은 광활하다. 꼬투리는 약간 부풀며 쐐기털이 있다.

분포 · 생육지 중국 신장성(新疆省), 구이저우성(貴州省). 산골짜기에서 자란다.

약용 부위 · 수치 뿌리 및 뿌리줄기를 가을에 채취하여 뇌두와 줄기 밑부분을 제거하고 물에 씻은 후 자르거나 썰어서 말린다.

약물명 창과감초(脹果甘草)

성상 뿌리 및 뿌리줄기는 목질성이고 굵으며 때로는 분지한다. 겉껍질은 거칠지 않고 대부분 회갈색이며 세로줄이 희미하고 피목은 가늘고 뚜렷하지 않다. 횡단면은 국화 모양이다.

＊ 약효와 사용법은 '감초'와 같다.

◐ 창과감초

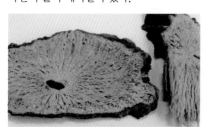

◐ 창과감초(脹果甘草)

◐ 창과감초(脹果甘草)

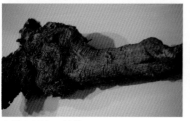

◐ 창과감초(脹果甘草)

◐ 창과감초(脹果甘草, 절편)

◐ 창과감초(뿌리)

◐ 창과감초(잎)

[콩과]

개감초

♀ 산후유즙결핍   肺 백일해

● 학명 : *Glycyrrhiza pallidiflora* Maxim.
● 한자명 : 刺果甘草   ● 별명 : 가시감초, 가시쓴감초

| 1 | 2 | 3 | 4 | 5 | 6 | 7 | 8 | 9 | 10 | 11 | 12 |

여러해살이풀. 높이 100~150cm. 줄기는 곧게 자라고, 잎은 홀수 깃꼴겹잎, 작은잎은 11~15개로 끝이 뾰족하다. 꽃은 잎겨드랑이에 달리며 화관은 남색이다. 꼬투리는 달걀 모양, 갈색 쐐기털이 빽빽이 나고 종자가 2개 들어 있다.

분포·생육지 중국 둥베이성(東北省), 허베이성(河北省), 윈난성(雲南省). 산골짜기나 들에서 자란다.

약용 부위·수치 열매를 8~9월에, 뿌리를 가을에 채취하여 물에 씻은 후 썰어서 말린다.

약물명 열매를 구감초(狗甘草)라고 하며, 호창이(胡蒼耳), 내추(奶椎)라고도 한다. 뿌리를 구감초근(狗甘草根)이라 한다.

성상 구감초근(狗甘草根)은 겉에 긴 쐐기털이 빽빽이 나며 목질성이고 굵으며 때로는 분지한다. 겉껍질은 대부분 적갈색이다.

약효 구감초(狗甘草)는 최유(催乳)의 효능이 있으므로 산후유즙결핍을 치료한다. 구감초근(狗甘草根)은 진해(鎭咳)의 효능이 있으므로 백일해를 치료한다.

성분 구감초근(狗甘草根)은 macedonic acid, glypallidifloric acid, homopterocarpin, soyasapogenol B, pallidiflorin, medicarpin, calycosin 등이 함유되어 있다.

사용법 구감초 10g에 물 3컵(600mL)을 넣고 달여서 복용한다. 구감초근은 10g에 물 3컵(600mL)을 넣고 달여서 몇 번 나누어 복용한다.

❶ 개감초

❶ 개감초(잎)

❶ 개감초(꼬투리)

[콩과]

운남감초

😴 보허약, 비허권태   肺 해수기천

👁 옹저후비

● 학명 : *Glycyrrhiza yunnanensis* Cheng f. et L. K. Dai   ● 한자명 : 雲南甘草

| 1 | 2 | 3 | 4 | 5 | 6 | 7 | 8 | 9 | 10 | 11 | 12 |

여러해살이풀. 높이 150cm 정도. 줄기 및 작은잎에는 비늘 같은 선점(腺點)이 있다. 잎은 어긋나고 홀수 깃꼴겹잎, 작은잎은 7~15개로 끝이 뾰족하다. 꽃은 잎겨드랑이에 달리며, 화관은 남색이다. 꼬투리는 달걀 모양, 연한 붉은 백색의 긴 털이 빽빽이 나고 신장형의 갈색 종자가 들어 있다.

분포·생육지 중국 윈난성(雲南省). 해발 2,000~2,800m에서 자란다.

약용 부위·수치 뿌리 및 뿌리줄기를 가을에 채취하여 물에 씻은 후 말린다.

약물명 운남감초(雲南甘草)

* 약효와 사용법은 '감초'와 같다.

❶ 운남감초(雲南甘草)

❶ 운남감초

❶ 운남감초(꽃)

[콩과]

감초

| 보허약, 비허권태 | 해수기천 |
| 옹저후비 | 심허계동 | 약식중독 |

●학명 : *Glycyrrhiza uralensis* Fisch.　●별명 : 동북감초, 우랄감초

| 1 | 2 | 3 | 4 | 5 | 6 | 7 | 8 | 9 | 10 | 11 | 12 |

여러해살이풀. 높이 1m 정도. 줄기는 곧게 자라고, 긴 뿌리가 땅속 깊이 들어가며 뿌리껍질은 적갈색이다. 잎은 어긋나고 홀수 깃꼴겹잎, 작은잎은 7~17개이다. 꽃은 연한 자주색, 7~8월에 총상화서로 잎겨드랑이에서 나온다. 꽃받침은 종 모양, 꼬투리는 납작하고 길다.

분포 · 생육지 중국 북부, 내몽골, 외몽골, 시베리아. 산지나 들에서 자란다.

약용 부위 · 수치 뿌리 및 뿌리줄기를 가을에 채취하여 뇌두와 줄기 밑부분을 제거하고 물에 씻은 후 자르거나 썰어서 말린다. 해열의 목적으로는 건조시킨 그대로 사용하고, 온중(溫中)할 경우는 밀자(蜜炙)하여 사용한다.

약물명 감초(甘草). 국로(國老), 미초(美草), 밀초(蜜草), 노초(蕗草), 분초(紛草), 첨초(甛草)라고도 한다. 벌꿀을 물에 풀어 감초에 적셔서 불에 볶은 것을 자감초(炙甘草)라 한다. 감초(甘草)를 비롯하여 감초추출물, 감초조추출물, 감초 가루는 대한민국약전(KP)에 수재되어 있다.

본초서 감초(甘草)는 「신농본초경(神農本草經)」의 상품(上品)에 수재되어 있다. 「명의별록(名醫別錄)」에는 별명이 밀초(蜜草), 노초(蕗草)로 기록되어 있으며, 양대(梁代) 도홍경(陶弘景)의 「본초경집주(本草經集注)」에는 "감초(甘草)는 국로(國老)라고도 하며, 많은 약물 가운데서 주된 것으로 모든 처방에 배합될 정도이다. 국로(國老)라는 것은 제왕(帝王)의 사(師)라는 뜻이며,

다른 약물과 잘 조화하고 독을 풀어 준다." 라고 기록되어 있다. 「동의보감(東醫寶鑑)」에는 "여러 가지 약의 독을 풀어 주며, 주로 오장육부의 오한과 발열을 유발하는 나쁜 기운을 다스리고, 구규(九竅)를 잘 통하게 하고 혈액 순환을 돕고 근골을 튼튼하게 한다."고 하였다. 대한민국약전(KP)에는 감초 이외에 감초추출물(glycyrrhizin 4.5% 이상), 감초조추출물(glycyrrhizin 6% 이상), 감초 가루(glycyrrhizin 2.5% 이상, liquiritigenin 0.7% 이상)가 수재되어 있으며, 중국약전(CP)에 수재되어 있다.

神農本草經: 主五臟六腑寒熱邪氣 堅筋骨 長肌肉 倍氣力 金瘡腫 解毒.

藥性本草: 主腹中冷痛 治驚癇 除腹脹滿 補益五臟 制諸藥毒 養腎氣內傷.

本草綱目: 解小兒胎毒 驚癇 降火止痛.

東醫寶鑑: 主五臟六腑寒熱邪氣 通九竅 利百脈 堅筋骨 長肌肉.

성상 원주형으로 갈라지지 않으며 길이 50~90cm, 지름 1~3cm, 표면은 암갈색으로 세로 주름이 있으며 간혹 피목 및 작은 눈이 붙어 있다. 특이한 냄새가 나며 맛은 달다. 품질은 단단하고 가루 질이며 황백색이 좋다.

기미 · 귀경 평(平), 감(甘) · 비(脾), 위(胃), 폐(肺)

약효 보허약(補虛藥)으로 사용한다.

• 비허권태(脾虛倦怠) · 심허계동(心虛悸動): 감평(甘平)하고 자(炙)하여 사용하면 중초(中焦)를 따뜻하게 하고 보기(補氣)하는

효능이 있다. 권태롭고 힘이 없으며 식욕이 적고 변이 묽은 증상에는 인삼(人蔘), 백출(白朮), 백복령(白茯苓)과 배합한다(四君子湯).

• 해수기천(咳嗽氣喘): 폐기(肺氣)를 보익하며 자윤(滋潤)하여 기침을 멈추게 한다.

• 옹저후비(癰疽喉痺) · 약식중독(藥食中毒): 성량(性涼)하여 열을 내리고 해독하므로 목구멍이 따가운 증상이나 약식(藥食)에 의한 중독을 다스린다.

• 완복사지연급동통(脘腹四肢攣急疼痛): 미감(味甘)하여 완급(緩急)하고 지통(止痛)하는 효능이 있으므로 비위가 허한(虛寒)하여 경련할 때는 이당(飴糖), 작약(芍藥), 계지(桂枝) 등을 같이 사용하고(小健中湯), 영양 상태가 좋지 않아서 근육이 떨리고 아플 때에는 작약(芍藥)을 배합하여 사용한다 (芍藥甘草湯).

• 조화약성(調和藥性): 약성(藥性)을 완만하게 하고 여러 약을 조화시키는 효능이 있다. 석고(石膏)와 같이 쓰면 한량(寒凉)이 중초(中焦)를 상하지 않게 하고(白虎湯), 부자(附子)와 건강(乾薑)과 함께 사용하면 조열(燥熱)이 음(陰)을 상하지 않게 하고(四逆湯), 대황(大黃)과 망초(芒硝)를 함께 사용하면 정기(精氣)가 상하는 것을 막아 준다(調胃承氣湯).

성분 triterpenoid: glycyrrhizin 5~12%. glycyrrhizin 성분은 가수 분해하면 glycyrrhetic acid와 두 분자의 glucuronic acid가 생성된다. 그외 23-hydroxyglycyrrhetic acid, 24-hydroxyglycyrrhetic acid, 11-deoxyglycyrrhetic acid, uralenic acid, ammonium glycyrrhizinate, carbenoxolone disodium salt, flavonoid: liquiritin, liquiritigenin, isoliquiritigenin, isoliquiritigenin-2′-O-methyl ether, isoliquiritin, neoliquiritin, rhamnoliquiritin, ononin, prunetin, coumarin: glycycoumarin, glycyrol 등이 함유되어 있다.

❶ 감초(甘草)

❶ 감초(甘草, 절편)

❶ 자감초(炙甘草)

❶ 감초(열매)

❶ 감초(甘草), 육계, 건강, 용담이 배합된 위염 치료제

감초(甘草)가 함유된 위통 치료제

약리 glycyrrhizin의 가수 분해 산물인 glu-curonic acid는 간에서 유해 물질과 결합하여 glucuronide로 됨으로써 해독 작용을 한다. glycyrrhizin과 glycyrrhetic acid는 소염 작용이 있는데 부신 피질 호르몬과 유사한 것으로 증명되었다. glycyrrhizin의 유도체인 biogastrone(carbenoxolone)은 위궤양에 대한 치료 효능이 뚜렷하다. flavonoid (liquiritin, liquiritigenin 등) 성분들은 경련을 억제하는데 그 작용 기전은 papaverine과 같이 항근육성이다. 70%메탄올추출물은 혈압에 관여하는 angiotensin converting enzyme의 활성을 저해한다.

사용법 감초 5g에 물 2컵(400mL)을 넣고 달여서 복용하고, 가루약은 1회 0.5g을 복용한다.

*습(濕)이 몸속에 가득할 때는 부적당하며 감수(甘遂), 대극(大戟), 원화(芫花), 해조(海藻)와는 반(反)한다. 신장병으로 인한 수종, 소변불리, 고혈압 등에는 과량 또는 장기간 복용하면 부종이나 혈압 상승을 초래한다.

처방 감초건강탕(甘草乾薑湯): 자감초(炙甘草) 16g, 포건강(炮乾薑) 8g(『동의보감(東醫寶鑑)』). 상한(傷寒) 때에 지나치게 땀을 내어 손발이 싸늘해지고 목안이 마르며 가슴이 답답하고 게우려 하는 증상에 사용한다.

• 자감초탕(炙甘草湯): 자감초(炙甘草)・승마(升麻)・당귀(當歸)・계지(桂枝) 각 4g, 석웅황(石雄黃)・조협(皂莢) 각 6g, 별갑(鱉甲) 12g(『동의보감(東醫寶鑑)』). 상한음독(傷寒飮毒)으로 게우고 설사하며 심하면 머리와 목이 아프며 음낭이 찬 증상에 사용한다.

• 감초부자탕(甘草附子湯): 계지(桂枝) 16g, 감초(甘草)・부자(附子)・백출(白朮) 각 4g(『상한론(傷寒論)』). 풍습(風濕)으로 온몸이 아프고 차고 붓는 데, 오줌을 잘 누지 못하는 데, 땀이 나고 숨결이 잦으며 바람을 싫어하는 증상에 사용한다.

• 사군자탕(四君子湯): 인삼(人蔘)・백출(白朮)・백복령(白茯苓)・자감초(炙甘草) 각 5g(『화제국방(和劑局方)』). 힘이 없으며 얼굴에 핏기가 없고 온몸이 노곤하며 입맛이 없고 소화가 잘 안되며 설사를 자주하는 증상에 사용한다.

• 조위승기탕(調胃承氣湯): 대황(大黃) 16g, 망초(芒硝) 8g, 감초(甘草) 4g(『상한론(傷寒論)』, 『동의보감(東醫寶鑑)』). 위(胃)에 조열(燥熱)이 심해서 갈증이 나고 대변이 굳으며 배가 더부룩한 증상에 사용한다.

• 소시호탕(小柴胡湯): 시호(柴胡) 12g, 황금(黃芩) 8g, 인삼(人蔘)・반하(半夏) 각 4g, 감초(甘草) 1.2g, 생강(生薑) 3쪽(『상한론(傷寒論)』, 『금궤요략(金匱要略)』). 추웠다 열이 났다 하면서 가슴과 옆구리가 답답하고 입맛이 없으며 때로는 구역질을 하며 입이 쓰고 마르며 어지럼증이 있는 증상에 사용한다.

*감초(甘草)는 한방 처방 가운데서 가장 많이 배합되는 약물이다. 감초의 주성분인 glycyrrhizin은 설탕보다 150배의 감미(甘味)가 있다.

*광과감초(光果甘草, 스페인감초 또는 미감초)는 'G. glabra'의 뿌리 및 뿌리줄기를 건조한 것으로 에스파냐, 러시아, 이란, 파키스탄 등에서 생산된다. 창과감초(脹果甘草)는 'G. inflata'의 뿌리 및 뿌리줄기를 건조한 것으로 중국의 간쑤성(甘肅省)과 신장성(新疆省)에서 재배하고, 구감초(狗甘草)는 'G. pallidiflora'의 뿌리 및 뿌리줄기를, 서북감초(西北甘草)는 'G. glandulifera'의 뿌리 및 뿌리줄기를 건조한 것으로 중국의 신장성(新疆省), 간쑤성(甘肅省) 등에서 생산하고, 러시아감초는 'G. echinata'의 뿌리 및 뿌리줄기를 건조한 것으로 러시아에서 주로 생산되고, 운남감초(雲南甘草)는 'G. yunanensis'의 뿌리 및 뿌리줄기를 건조한 것으로 중국의 윈난성(雲南省)에서 생산된다. 이것들은 본 종에 비하여 감미가 적고 약효가 좋지 못하다. 대한민국약전(KP)에 수재된 감초추출물(Glycyrrhiza Extract)은 glycyrrhizin이 4.5% 이상, 감초조추출물(Crude Glycyrrhiza Extract)은 glycyrrhizin이 6.0% 이상, 대한민국약전외한약(생약)규격집(KHP)에 수재된 감초 가루(Pulvis Glycyrrhizae Radicis et Rhizomatis, Locorice Powder)는 glycyrrhizin 2.5% 이상, liquiritigenin 0.7% 이상 함유되도록 규정하고 있다.

❍ 감초

❍ 글리시리진산이 함유된 결막염 치료제

[콩과]

홍기

♀ 붕루 · 식소변당, 변혈, 혈허위황
구사탈항 · 기허핍력, 표허자한, 기허부종

●학명 : *Hedysarum polybotrys* Hand.-Mazz.　●한자명 : 紅耆

| 1 | 2 | 3 | 4 | 5 | 6 | 7 | 8 | 9 | 10 | 11 | 12 |

여러해살이풀. 높이 1.5m 정도. 원뿌리는 굵고 길며 원주형이다. 잎은 어긋나며 깃꼴겹잎, 작은잎은 9~25개, 잎자루가 짧다.

꽃은 담황색, 6~8월에 핀다. 꼬투리는 편평한 선형이지만 마디 부분이 좁아져서 잘록잘록해지고 털이 약간 있으며 마디에 종

❂ 홍기

❂ 홍기(잎)

❂ 홍기(紅耆)

자가 1개씩 들어 있다.

분포 · 생육지 우리나라 백두산. 중국 간쑤성(甘肅省), 광둥성(廣東省), 푸젠성(福建省). 높은 산에서 자란다.

약용 부위 · 수치 뿌리를 가을에 채취하여 흙을 털고 물에 씻은 뒤 썰어서 말린다.

약물명 홍기(紅耆). 암황기(岩黃耆)라고 한다.

기미 · 귀경 미온(微溫), 감(甘) · 폐(肺), 비(脾)

약효 고표지한(固表止寒), 보기이뇨(補氣利尿), 탁독염창(托毒斂瘡)의 효능이 있으므로 기허핍력(氣虛乏力), 식소변당(食少便溏), 구사탈항(久瀉脫肛), 변혈, 붕루(崩漏), 표허자한(表虛自汗), 기허부종(氣虛浮腫), 혈허위황(血虛萎黃)을 치료한다.

성분 r-diaminobutyric acid, 1,3-dihydroxy-9-methoxypterocarpane, formonetin, afromosin, liquiritigenin, isoliquiritigenin, (−)-vestitol, onionin, vanillic acid, urosolic acid 등이 함유되어 있다.

약리 열수추출물을 쥐의 복강에 주사하면 면역력이 촉진되고 항산화 작용이 나타난다. 열수추출물을 토끼에게 주사하면 혈압이 내려가고 진정 작용이 나타난다.

사용법 홍기 15g에 물 3컵(600mL)을 넣고 달여서 복용하고, 익기보중(益氣補中)에는 밀자(蜜炙)하여 사용한다.

[콩과]

땅비싸리

☰ 서온 · 열결변비, 황달 · 치창
인후통, 번갈 · 폐열해수

●학명 : *Indigofera kirilowii* Max.
●별명 : 젓밤나무, 논싸리, 고려당비사리, 완도땅비싸리

| 1 | 2 | 3 | 4 | 5 | 6 | 7 | 8 | 9 | 10 | 11 | 12 |

낙엽 관목. 높이 1m 정도. 잎은 어긋나고 홀수 1회 깃꼴겹잎, 작은잎은 7~13개이다. 꽃은 적자색, 5~6월에 잎겨드랑이에

총상화서로 달리며 길이가 서로 같다. 꼬투리는 원주형, 9~10월에 익고, 종자는 긴 원주형, 흑자색이다.

❂ 땅비싸리

분포 · 생육지 우리나라 전역. 중국, 일본. 산기슭 양지에서 자란다.

약용 부위 · 수치 뿌리를 가을에 채취하여 말린다.

약물명 목남산두근(木藍山豆根). 토두근(土豆根)이라고도 한다.

약효 청열이인(淸熱利咽), 해독(解毒), 통변(通便)의 효능이 있으므로 서온(暑溫), 열결변비(熱結便秘), 인후통, 폐열해수(肺熱咳嗽), 번갈(煩渴), 황달(黃疸), 치창(痔瘡)을 치료한다.

사용법 목남산두근 15g에 물 3컵(600mL)을 넣고 달여서 복용하고, 외용에는 달인 액으로 씻는다.

＊ 중국에서는 '다화목남(多花木藍)' *I. amblyantha*'의 뿌리를 목남산두근(木藍山豆根)으로 사용하기도 한다.

❂ 목남산두근(木藍山豆根)

[콩과]

낭아초

풍열감모, 폐열해수 / 탕상, 정창, 나력, 타박상 / 식적복창

- 학명 : *Indigofera pseudotinctoria* Matsumura
- 별명 : 랑아초, 물감싸리, 낭아비싸리, 개물감싸리

1 2 3 4 5 6 7 8 9 10 11 12

낙엽 관목. 높이 1.5m 정도. 잎은 어긋나고 깃꼴겹잎, 작은잎은 7~11개이다. 꽃은 연한 붉은색, 7~8월에 잎겨드랑이에 총상화서로 피며, 꽃받침은 5개, 기판(旗瓣)은 끝이 오목하다. 열매는 꼬투리이며 9월에 익고 원주형, 종자는 5~6개가 들어 있다.

분포 · 생육지 우리나라 제주도, 경남, 전북. 중국, 일본. 바닷가의 들이나 산기슭에서 자란다.

약용 부위 · 수치 지상부를 8~9월에 채취하여 흙과 먼지를 털고 적당한 크기로 잘라서 말린다.

약물명 마극(馬棘), 야괴수(野槐樹), 산조각(山皂角), 일미약(一味藥)이라고도 한다.

약효 청열해표(淸熱解表), 산어소적(散瘀消積)의 효능이 있으므로 풍열감모(風熱感冒), 폐열해수(肺熱咳嗽), 탕상(燙傷), 정창(疔瘡), 나력(瘰癧), 타박상, 식적복창(食積腹脹)을 치료한다.

성분 indican, indigotin 등이 함유되어 있다.

사용법 마극 20g에 물 4컵(800mL)을 넣고 달여서 복용한다. 외용에는 생것을 짓찧어 붙이거나 즙액을 바른다.

○ 낭아초

○ 마극(馬棘)

○ 낭아초(꽃)

[콩과]

야청수

고열감모 / 인후염 / 임파결핵

- 학명 : *Indigofera suffruticosa* Mill. · 한자명 : 野靑樹

1 2 3 4 5 6 7 8 9 10 11 12

아관목. 줄기는 바로 서고 높이 1~1.5m. 잎은 어긋나고 깃꼴겹잎, 작은잎은 11~15개이다. 꽃은 붉은색, 7~8월에 잎겨드랑이에 총상화서로 피며, 꽃받침은 5개, 기판(旗瓣)은 끝이 오목하다. 열매는 꼬투리이며 9월에 익고 원주형, 종자는 6~8개가 들어 있다.

분포 · 생육지 중국 푸젠성(福建省), 광둥성(廣東省), 광시성(廣西省), 타이완. 산기슭에서 자란다.

약용 부위 · 수치 뿌리 또는 지상부를 8~9월에 채취하여 물에 씻은 후 썰어서 말린다.

약물명 야청수(野靑樹), 가남근(假藍根), 소남청(小藍靑)이라고도 한다.

약효 청열해독(淸熱解毒), 양혈(凉血), 투진(透疹)의 효능이 있으므로 고열감모(高熱感冒), 인후염, 임파결핵을 치료한다.

성분 louisfieserone, D−pinitol, β−sitosterol 등이 함유되어 있다.

사용법 야청수 20g에 물 4컵(800mL)을 넣고 달여서 복용한다. 외용에는 생것을 짓찧어 붙이거나 즙액을 바른다.

○ 야청수(뿌리)

○ 야청수

[콩과]

목람

 뇌염   옹종창절, 단독, 개선

시선염, 인후염, 목적, 구창   림프샘염

●학명 : *Indigofera tinctoria* Max. ●영명 : Indigo ●한자명 : 木藍

| 1 | 2 | 3 | 4 | 5 | 6 | 7 | 8 | 9 | 10 | 11 | 12 |

낙엽 관목. 높이 50~80cm. 줄기는 바로 서고, 잎은 어긋나며 홀수 1회 깃꼴겹잎, 남색을 띤다. 꽃은 홍자색, 5~10월에 잎겨드랑이에 총상화서로 달리며, 꽃잎은 길이 18~20mm로 길이가 서로 같다. 꼬투리는 원주형, 9~10월에 익고 5~10개의 종자가 들어 있다.

분포·생육지 중국 후베이성(湖北省), 후난성(湖南省), 광둥성(廣東省), 광시성(廣西省). 산기슭 양지에서 자란다.

약용 부위·수치 지상부를 여름에 채취하여 말린다.

약물명 목람(木藍). 괴람(槐藍), 대람(大藍), 대람청(大藍靑), 수람(水藍), 소청(小靑)이라고도 한다.

약효 청열해독(淸熱解毒), 양혈지혈(凉血止血)의 효능이 있으므로 뇌염(腦炎), 시선염(腮腺炎), 인후염, 림프샘염, 목적(目赤), 구창, 옹종창절(癰腫瘡癤), 단독, 개선(疥癬)을 치료한다.

사용법 목람 15g에 물 3컵(600mL)을 넣고 달여서 복용하고, 외용에는 달인 액으로 씻는다.

* 인도네시아에서는 바틱의 염료(현지에서는 Tarum 또는 Nila로 부름.)로 사용한다. 마르코 폴로(Marco Polo)는 인도에서 이 식물인 인디고(Indigo)에 관한 정보를 입수, 유럽에 전달했으며, 인디고는 중세 시대에 유럽에서 그림물감으로 자주 사용하였다.

❂ 목람   ❂ 목람(열매)

❂ 목람(木藍)

[콩과]

매듭풀

 감모발열, 서습발열   타박상

이질, 황달, 전염성간염

●학명 : *Kummerowia striata* (Thunb.) Schneider ●영명 : Common lespedeza
●한자명 : 鷄眼草 ●별명 : 매돕풀, 가위풀, 가새풀

| 1 | 2 | 3 | 4 | 5 | 6 | 7 | 8 | 9 | 10 | 11 | 12 |

한해살이풀. 높이 10~30cm. 잎은 어긋나고 3출엽, 꽃은 적자색, 8~9월에 잎겨드랑이에 1~2개씩 달리며, 포와 소포는 각각 5~7맥이 있다. 꽃받침은 끝이 5개로 갈라지며 꽃잎은 꽃받침의 2배 정도 길고, 수술은 10개이다. 꼬투리는 달걀 모양이며 1개의 종자가 들어 있다.

분포·생육지 우리나라 전역. 중국, 일본, 사할린. 들이나 길가에서 자란다.

약용 부위·수치 전초를 여름에 채취하여 적당한 크기로 썰어서 말린다.

약물명 계안초(鷄眼草). 인자초(人字草), 홍화초(紅花草), 지란초(地蘭草)라고도 한다.

약효 청열해독(淸熱解毒), 건비이습(健脾利濕), 활혈지혈(活血止血)의 효능이 있으므로 감모발열, 서습발열(暑濕發熱), 이질, 황달, 전염성간염, 타박상을 치료한다.

성분 genistein, isoorientin, isoquercitrin, isovitexin, kaempferol, quercetin, rutin, luteolin-7-*O*-β-D-glucoside, daucosterol 등이 함유되어 있다.

약리 열수추출물은 황색 포도상구균, 적리균과 대장균에 항균 작용이 있다.

사용법 계안초 15g에 물 3컵(600mL)을 넣고 달여서 복용하고, 외용에는 짓찧어 바른다.

* 줄기에 위로 향하는 털이 있고 작은잎은 끝이 오목하며 꽃받침은 털이 없고 열매의 끝이 둥근 '둥근매듭풀 *K. stipulacea*'도 약효가 같다.

❂ 매듭풀

❂ 계안초(鷄眼草)   ❂ 둥근매듭풀

[콩과]

활량나물

 생리통, 생리불순

● 학명 : *Lathyrus davidii* Hance ● 한자명 : 茳芒香豌豆 ● 별명 : 활양나물

| 1 | 2 | 3 | 4 | 5 | 6 | 7 | 8 | 9 | 10 | 11 | 12 |

여러해살이풀. 높이 1.2m 정도. 윗부분은 능선이 있다. 잎은 어긋나고 2~4쌍의 작은잎으로 구성되며 끝에 2~3개로 갈라지는 덩굴손이 있다. 꽃은 황색, 6~8월에 피고 꽃받침은 끝이 5개로 갈라진다. 꼬투리는 편평한 선형, 길이 6~8cm, 10개 정도의 종자가 들어 있다.

분포 · 생육지 우리나라 전역. 중국, 일본, 아무르. 산과 들의 햇볕을 잘 받는 곳에서 자란다.

약용 부위 · 수치 열매 또는 종자를 8~9월에 채취하여 말린다.

약물명 대산여두(大山藜豆). 대완두(大豌豆)라고도 한다.

약효 소간이기(疏肝利氣), 조경지통(調經止痛)의 효능이 있으므로 생리통, 생리불순을 치료한다.

성분 *n*-hexacosanol, astragalin, isoquer-citrin, nicotiflorin, rutin, uracil, soyasaponin IV methyl ester, azukisaponin II methyl ester, ombuoside, soyasaponin II methyl ester, azukisaponin V methyl ester 등이 함유되어 있다.

사용법 대산여두 10g에 물 3컵(600mL)을 넣고 달여서 복용한다.

✿ 활량나물

✿ 대산여두(大山藜豆)

✿ 활량나물(열매)

[콩과]

연리초

 피부병

● 학명 : *Lathyrus quinquenervius* (Miq.) Litv.
● 한자명 : 連理草, 五脈葉豌豆 ● 별명 : 참연리초, 덩굴연리, 북새완두, 갈퀴완두

| 1 | 2 | 3 | 4 | 5 | 6 | 7 | 8 | 9 | 10 | 11 | 12 |

여러해살이풀. 높이 40~60cm. 뿌리줄기가 벋으며 퍼진다. 잎은 어긋나고 깃꼴겹잎, 작은잎은 1~3쌍, 끝에 갈라지지 않은 덩굴손이 있다. 꽃은 적자색, 5월에 잎겨드랑이에 총상화서로 5~8개씩 달린다. 꼬투리는 선형, 털이 없다.

분포 · 생육지 우리나라 중부 이북. 중국, 일본, 아무르, 동시베리아. 산지나 냇가의 풀밭에서 자란다.

약용 부위 · 수치 전초를 8~9월에 채취하여 썰어서 말린다.

약물명 죽엽마두(竹葉馬頭). 철마두(鐵馬豆)라고도 한다.

약효 청열해독(淸熱解毒)의 효능이 있으므로 창(瘡), 선(癬), 개(疥) 등의 피부병을 치료한다.

사용법 죽엽마두 10g에 물 3컵(600mL)을 넣고 달여서 복용하면서 짓찧어 환부에 붙이고 붕대로 싸맨다.

✿ 연리초

[콩과]

싸리나무

폐열해수　감모발열　임증, 혈뇨　토혈, 변혈

●학명 : *Lespedeza bicolor* Turcz.　●한자명 : 山萩, 胡枝子　●별명 : 싸리

1	2	3	4	5	6	7	8	9	10	11	12

낙엽 관목. 높이 3m 정도. 작은가지에 능선이 있고 암갈색, 잎은 3출엽, 작은잎의 끝이 약간 움푹하다. 꽃은 적자색, 7~8월에 잎겨드랑이에 총상화서로 1개 달리고, 꽃받침통 조각은 얕게 갈라진다. 꼬투리는 넓은 타원형, 털이 많고, 끝이 부리처럼 길고 구부러진다.

분포·생육지 우리나라 전역. 중국, 일본, 몽골, 우수리. 산기슭에서 자란다.

약용 부위·수치 줄기와 잎을 여름에 채취하여 적당한 크기로 썰어서 말린다.

약물명 호지자(胡枝子). 수군차(水軍茶), 호지조(胡枝條)라고도 한다.

약효 청열윤폐(淸熱潤肺), 이뇨통림(利尿通淋), 지혈의 효능이 있으므로 폐열해수, 감모발열(感冒發熱), 임증, 토혈, 혈뇨, 변혈을 치료한다.

성분 quercetin, isoquercetin, kaempferol, trifolin, orientin, isoorientin 등이 함유되어 있다.

약리 총플라보노이드 1g/kg을 쥐에게 복강 주사하면 항염증 및 진통 작용이 나타나고, 피부 알레르기 반응을 억제한다.

사용법 호지자 10g에 물 3컵(600mL)을 넣고 달여서 복용한다.

❶ 싸리나무

❶ 싸리나무(열매)

❶ 호지자(胡枝子)

❶ 싸리나무(꽃)

[콩과]

비수리

신허, 유정, 유뇨, 백탁　대하　옹창종독　목적종통　해수기천　설사　수종

●학명 : *Lespedeza cuneata* (Dumont d. Cours.) G. Don
●한자명 : 鐵掃把　●별명 : 공겡이대

1	2	3	4	5	6	7	8	9	10	11	12

여러해살이풀. 높이 1m 정도. 줄기는 바로 서고 전체에 약간 털이 있다. 잎은 어긋나고 3출엽이다. 꽃차례는 잎보다 짧고 꽃은 황백색, 8~9월에 피며, 기판(旗瓣) 중앙부에 자주색 줄이 있다. 꼬투리는 넓은 달걀 모양, 암갈색, 종자는 신장형, 황록색 바탕에 흑색 반점이 있다.

분포·생육지 우리나라 전역. 중국, 일본, 타이완, 인도, 오스트레일리아. 산과 들에서 자란다.

약용 부위·수치 전초를 가을에 채취하여 흙을 털고 물에 씻어 말려서 적당한 크기로 잘라서 사용한다.

약물명 야관문(夜關門). 봉초(封草)라고도 한다.

기미·귀경 양(凉), 고(苦), 삽(澁)·신(腎), 간(肝)

약효 보신삽정(補腎澁精), 건비이습(健脾利濕), 거담지해(祛痰止咳), 청열해독(淸熱解毒)의 효능이 있으므로 신허(腎虛), 유정, 유뇨(遺尿), 백탁(白濁), 대하, 설사, 수종(水腫), 해수기천(咳嗽氣喘), 목적종통(目赤腫痛), 옹창종독(癰瘡腫毒)을 치료한다. 민간에서는 정력에 좋다 하여 널리 사용하고 있다.

성분 flavonoid류로 quercetin, kaempferol, vitexin, orientin 등이 함유되어 있다.

약리 황산동을 투여하여 기침과 가래가 나오도록 한 동물에게 열수추출물을 투여하면 그 증상이 멎고, 당뇨를 일으킨 쥐에게 투여하면 치료 효과가 나타난다. 에탄올추출물을 쥐에게 투여하면 자궁이 수축되고 흥분된다.

사용법 야관문 15g에 물 3컵(600mL)을 넣고 달여서 복용한다. 정액이 저절로 흘러나오거나 소변을 시원하게 보지 못하는 증상에는 야관문 30g, 계신초 30g, 팔월과 30g, 흑대두 적당량에 물 5컵(1L)을 넣고 달여서 아침저녁으로 조금씩 복용한다.
＊ 잎이 작고 꼬투리가 회색인 '땅비수리(파리채) *L. juncea*'도 약효가 같다.

❶ 꽃　❶ 비수리

❶ 야관문(夜關門)

❶ 야관문(夜關門)이 배합된 자양강장제

[콩과]

호비수리

 감모발열　　해수

● 학명 : *Lespedeza davurica* (Laxm.) Schneider
● 한자명 : 興安胡枝子　● 별명 : 큰비수리, 큰땅비수리

| 1 | 2 | 3 | 4 | 5 | 6 | 7 | 8 | 9 | 10 | 11 | 12 |

❂ 호비수리

여러해살이풀. 높이 1m 정도. 전체에 털이 있다. 잎은 어긋나고 3출엽, 잎맥이 돌출하지 않는다. 꽃차례는 잎보다 길며, 꽃은 꽃대의 중간쯤부터 피고 황백색, 기판 중앙부에 자주색 줄이 있다. 꼬투리는 넓은 달걀 모양, 자주색이다.

분포 · 생육지 우리나라 중부 이북. 중국, 일본, 몽골, 아무르, 다후리카. 들에서 자란다.

약용 부위 · 수치 전초를 여름에 채취하여 말린다.

약물명 지아조(枝兒條). 우지자(牛枝子)라고도 한다.

약효 해표산한(解表散寒)의 효능이 있으므로 감모발열(感冒發熱), 해수를 치료한다.

성분 flavonoid류로 quercetin, kaempferol, vitexin, orientin 등이 함유되어 있다.

사용법 지아조 10g에 물 3컵(600mL)을 넣고 달여서 복용한다. 열이 심하게 나는 감기, 기침과 가래에는 지아조 15g, 선복화 15g, 상엽 9g에 물 4컵(800mL)을 넣고 달여서 조금씩 복용한다.

❂ 지아조(枝兒條)

[콩과]

꽃싸리

풍한감모　　신염수종
반신불수

● 학명 : *Lespedeza macrocarpa* Bunge [*Campylotropis macrocarpa*]
● 별명 : 붉은꽃싸리

| 1 | 2 | 3 | 4 | 5 | 6 | 7 | 8 | 9 | 10 | 11 | 12 |

❂ 꽃싸리(꽃)

낙엽 관목. 높이 1m 정도. 잎은 어긋나고 3출엽, 작은잎은 길이 3~5cm로 끝이 오목하게 들어간다. 꽃은 자주색, 꽃과 꽃자루 사이에 마디가 있다. 꼬투리는 타원형, 길이 1.5cm 정도이다.

분포 · 생육지 우리나라 경남, 경북. 중국. 산지에서 자란다.

약용 부위 · 수치 지상부를 여름에 채취하여 말린다.

약물명 장근초(壯筋草). 가화생(假花生), 마료초(馬料梢)라고도 한다.

약효 소풍해표(疎風解表), 치혈통락(治血通絡)의 효능이 있으므로 풍한감모(風寒感冒), 신염수종(腎炎水腫), 반신불수를 치료한다.

사용법 장근초 10g에 물 3컵(600mL)을 넣고 달여서 복용하거나 술에 담가서 복용한다.

❂ 꽃싸리

[콩과]

괭이싸리

 기허발열　 실면　옹저
수종　복부팽만통

● 학명 : *Lespedeza pilosa* (Thunb.) S. et Z. [*Hedysarum pilosum, Desmodium pilosum*]
● 한자명 : 鐵馬鞭　● 별명 : 털풀싸리

| 1 | 2 | 3 | 4 | 5 | 6 | 7 | 8 | 9 | 10 | 11 | 12 |

여러해살이풀. 줄기는 땅위를 기며 전체에 부드러운 털이 많다. 잎은 어긋나고 3출엽이다. 꽃은 백색, 8~9월에 짧은 꽃대에 있는 꽃차례가 잎겨드랑이에서 나와 3~5개가 모여서 피고, 기판은 밑부분에 자주빛이 돈다. 꼬투리는 달걀 모양, 앞면에 그물맥

❶ 괭이싸리

과 부드러운 털이 있다.

분포 · 생육지 우리나라 제주도 및 중부 이남. 중국, 일본. 산기슭에서 자란다.

약용 부위 · 수치 전초를 가을에 채취하여 말린다.

약물명 철마편(鐵馬鞭). 삼엽등(三葉藤), 야화생(野花生)이라고도 한다.

약효 익기안신(益氣安神), 활혈지통(活血止痛), 이뇨소종(利尿消腫), 해독산결(解毒散結)의 효능이 있으므로 기허발열(氣虛發熱), 실면(失眠), 토사하리(吐瀉下痢)에 의한 복부팽만통, 수종, 옹저를 치료한다.

사용법 철마편 15g에 물 3컵(600mL)을 넣고 달여서 복용하고, 외용에는 술에 담갔다가 짓찧어 붙인다.

＊ 본 종에 비하여 꽃대가 높이 1.2cm에 달하는 '긴괭이싸리 var. *penduculata*'도 약효가 같다.

❶ 철마편(鐵馬鞭)

[콩과]

개싸리

허로　경폐, 통경
혈허두훈, 수종　복수

● 학명 : *Lespedeza tomentosa* Siebold　● 한자명 : 山豆花　● 별명 : 들싸리

| 1 | 2 | 3 | 4 | 5 | 6 | 7 | 8 | 9 | 10 | 11 | 12 |

여러해살이풀. 높이 1m 정도. 전체에 부드러운 털이 많다. 잎은 어긋나고 3출엽, 작은잎은 긴 타원형, 길이 2~6cm, 가장자리는 밋밋하다. 꽃은 담황색, 8~10월에 잎겨드랑이에 총상화서로 달린다. 꼬투리는 10월에 익고 납작한 원형이다.

분포 · 생육지 우리나라 제주도 및 중부 이남. 중국, 일본. 산기슭에서 자란다.

약용 부위 · 수치 뿌리 또는 전초를 가을에 채취하여 물에 씻은 후 썰어서 말린다.

약물명 소설인삼(小雪人蔘). 소모향(小毛香), 산유마(山油麻)라고도 한다.

약효 건비보허(健脾補虛), 청열이습(淸熱利濕), 활혈조경(活血調經)의 효능이 있으므로 허로(虛勞), 혈허두훈(血虛頭暈), 수종(水腫), 복수(腹水), 경폐(經閉), 통경을 치료한다.

성분 lespedezaflavanone, quercetin-3-O-glucoside, kaempferol-3-O-glucoside, isorhamnetin-3-O-rutinoside 등

이 함유되어 있다.

약리 열수추출물을 쥐에게 투여하면 혈중 콜레스테롤을 줄이는 작용이 나타난다.

사용법 소설인삼 15g에 물 3컵(600mL)을 넣고 달여서 복용하고, 외용에는 술에 담갔다가 짓찧어 붙인다.

❶ 소설인삼(小雪人蔘)

❶ 개싸리

[콩과]

좀싸리

| 중서 | 소변불리 |
| 감기 | 고혈압 |

●학명 : *Lespedeza virgata* Siebold [*Hedysarum virgatum*]
●한자명 : 細梗胡枝子, 蒔檜萩   ●별명 : 좀풀싸리, 실대싸리

| 1 | 2 | 3 | 4 | 5 | 6 | 7 | 8 | 9 | 10 | 11 | 12 |

낙엽 관목. 높이 1m 정도. 잎은 어긋나고 3
출엽, 작은잎은 타원형으로 표면은 암녹색,
뒷면은 회녹색이다. 꽃은 백색으로 마주나
고, 꽃받침은 깊게 갈라지며, 꽃과 꽃 사
이가 꽃 길이보다 길다. 꼬투리는 달걀 모
양이다.
분포·생육지 우리나라 중부 이남. 중국, 일
본. 산기슭에서 자란다.
약용 부위·수치 뿌리를 가을에 채취하여 물
에 씻은 후 썰어서 말린다.
약물명 겹부제(揲不齊). 과자조초(瓜子鳥梢),
반구화(斑鳩花)라고도 한다.
약효 청서이뇨(淸暑利尿)의 효능이 있으므
로 중서(中暑), 소변불리, 감기, 고혈압을
치료한다.
사용법 겹부제 15g에 물 3컵(600mL)을 넣
고 달여서 복용한다.

❁ 좀싸리

[콩과]

은합환

심번실면, 심계정충

●학명 : *Leucaena leucocephala* (Lam.) de Wit. [*L. glauca*]   ●한자명 : 銀合歡

| 1 | 2 | 3 | 4 | 5 | 6 | 7 | 8 | 9 | 10 | 11 | 12 |

❁ 은합환(열매)

낙엽 소교목. 높이 2~6m. 잎은 어긋나고
2회 짝수 깃꼴겹잎, 작은잎은 타원형으로
7~15쌍, 표면은 암녹색, 뒷면은 회녹색이
다. 꽃은 백색으로 마주나고, 꽃받침은 깊
게 갈라진다. 꼬투리는 길이 10~18cm, 너
비 1.5~2cm이다.
분포·생육지 중국 푸젠성(福建省), 윈난성
(雲南省), 광시성(廣西省), 구이저우성(貴州
省), 하이난성(海南省), 북아메리카. 산기슭
에서 자란다.
약용 부위·수치 뿌리를 가을과 겨울에 채취
하여 물에 씻은 후 썰어서 말린다.
약물명 은합환(銀合歡). 백합환(白合歡)이
라고도 한다.
약효 해울녕심(解鬱寧心), 해독소종(解毒
消腫)의 효능이 있으므로 심번실면(心煩失
眠), 심계정충(心悸怔忡)을 치료한다.
사용법 은합환 7g에 물 2컵(400mL)을 넣
고 달여서 복용한다.

❁ 은합환

[콩과]

벌노랑이

● 학명 : *Lotus corniculatus* L. var. *japonicus* Regel
● 별명 : 노랑들콩, 노랑돌콩, 털벌노랑이, 잔털벌노랑이

| 1 | 2 | 3 | 4 | 5 | 6 | 7 | 8 | 9 | 10 | 11 | 12 |

여러해살이풀. 높이 30cm 정도. 줄기는 모여나며, 잎은 어긋나고 깃꼴겹잎이다. 꽃은 황색, 6~8월에 핀다. 꼬투리는 길이 3cm 정도, 곧고 바늘 모양, 익으면 두 조각으로 갈라져서 작고 많은 흑색 종자가 나온다.

분포·생육지 우리나라 함남 이남. 중국, 일본, 타이완, 히말라야. 산기슭이나 들에서 자란다.

약용 부위·수치 지상부를 5~6월에 채취하여 말린다.

약물명 지양작(地羊鵲), 황화초(黃花草), 금화채(金花荣)라고도 한다.

약효 청열해독(淸熱解毒), 지해평천(止咳平喘), 이습소비(利濕消痞)의 효능이 있으므로 풍열해수(風熱咳嗽), 인후통, 습진, 이질, 혈변을 치료한다.

성분 kaempferitrin, violaxanthin, xanthophyllperoxide, linamarin, soyasapogenol 등이 함유되어 있다.

약리 메탄올추출물은 황색 포도상구균, 대장균에 항균 작용이 있다.

사용법 지양작 15g에 물 4컵(800mL)을 넣고 달여서 복용하거나 술에 담가 복용한다.

❶ 벌노랑이

❶ 지양작(地羊鵲)

[콩과]

다릅나무

● 학명 : *Maackia amurensis* Rupr. et Max.
● 한자명 : 唐槐   ● 별명 : 쇠코둘개나무, 소터래나무, 쇠코뜨래나무

| 1 | 2 | 3 | 4 | 5 | 6 | 7 | 8 | 9 | 10 | 11 | 12 |

낙엽 교목. 높이 10~15m. 줄기껍질은 녹갈색으로 윤채가 돈다. 잎은 어긋나고 홀수 1회 깃꼴겹잎이다. 꽃은 백색, 7월에 원추화서로 달리고, 꽃받침은 4개로 얕게 갈라진다. 꼬투리는 넓은 선형, 종자는 신장형이다.

분포·생육지 우리나라 전역. 중국, 아무르, 우수리. 산에서 자란다.

약용 부위·수치 꽃은 7월에 활짝 필 때 채취하여 말리고, 가지와 잎은 봄과 여름에 채취하여 썰어서 말린다.

약물명 꽃을 산괴화(山槐花)라고 하며 조선괴(朝鮮槐)라고도 한다. 가지와 잎을 산괴지(山槐枝)라 한다.

약효 산괴화(山槐花)는 양혈지혈(涼血止血), 청열해독(淸熱解毒)의 효능이 있으므로 장풍혈변(腸風血便), 치질, 혈뇨, 적백리(赤白痢)를 치료한다. 산괴지(山槐枝)는 거풍제습(祛風除濕)의 효능이 있으므로 풍습성관절염을 치료한다.

성분 목부는 (−)-medicarpin, afromosin, formononetin, tectoriginin, prunetin, wistin, tectoridin, genistein, sophorol, ononin, medicagol, maackiain 등이 함유되어 있다.

약리 (−)-medicarpin, tectoriginin, wistin은 *Helicobacter pylori*의 활성을 억제한다.

사용법 산괴화 또는 산괴지 10g에 물 3컵(600mL)을 넣고 달여서 복용하거나 환약이나 가루약으로 하여 복용한다.

＊ 본 종에 비하여 키가 작고(8m 정도) 우리나라 제주도에서 흔히 자라는 '솔비나무 *M. fauriei*(*M. floribunda*)'도 약효가 같다.

❶ 다릅나무

❶ 산괴화(山槐花)

❶ 다릅나무(열매)

❶ 솔비나무

[콩과]

개자리

 열병번만
 황달, 장염, 이질
부종, 요로결석, 치창출혈

● 학명 : *Medicago hispida* Gartner ● 별명 : 꽃자리풀

| 1 | 2 | 3 | 4 | 5 | 6 | 7 | 8 | 9 | 10 | 11 | 12 |

두해살이풀. 밑부분에서 갈라진 가지가 옆으로 기거나 비스듬히 선다. 잎은 어긋나고 3출겹잎이다. 꽃은 황색, 5월에 잎겨드랑이에 두상화서로 달린다. 꼬투리는 2~3회 말리고 지름 5~6mm, 맥이 있으며 가장자리에 갈고리 같은 가시가 있다.
분포·생육지 유럽 원산. 목초로 심던 것이 들에 퍼져 자란다.
약용 부위·수치 전초를 여름에, 뿌리는 수시로 채취하여 말린다.
약물명 전초를 목숙(苜蓿), 뿌리를 목숙근(苜蓿根)이라 한다.
기미·귀경 목숙(苜蓿): 고(苦), 삽(澁), 감(甘), 평(平). 목숙근(苜蓿根): 고(苦), 한(寒).

약효 목숙(苜蓿)은 청열양혈(淸熱涼血), 이습퇴황(利濕退黃), 통림배석(通淋排石)의 효능이 있으므로 열병번만(熱病煩滿), 황달, 장염, 이질, 부종, 요로결석, 치창출혈(痔瘡出血)을 치료한다. 목숙근(苜蓿根)은 청열이습(淸熱利濕), 통림배석(通淋排石)의 효능이 있으므로 열병번만(熱病煩滿), 황달, 요로결석을 치료한다.
성분 목숙(苜蓿)은 saponin 성분으로 lucernol, sativol, coumesterol, flavonoid 성분으로 fromonetin, daidzein, 그 밖에 tricin, citrulline, canaline 등이 함유되어 있다.
약리 tricin은 기니피그의 적출 장관에 이완 작용이 있다.

사용법 목숙 또는 목숙근 15g에 물 3컵(600mL)을 넣고 달여서 복용한다.
＊ 꽃이 자주색인 '자주개자리 *M. sativa*'도 약효가 같다.

❶ 개자리

❶ 목숙(苜蓿)　　❶ 개자리(뿌리)　　❶ 자주개자리

[콩과]

잔개자리

 습열황달
 열림, 치창출혈
풍습비통
해천

● 학명 : *Medicago lupulina* L. [*M. parviflora*] ● 한자명 : 天藍苜蓿 ● 별명 : 잔꽃자리풀

| 1 | 2 | 3 | 4 | 5 | 6 | 7 | 8 | 9 | 10 | 11 | 12 |

두해살이풀. 길이 50cm 정도. 전체에 잔털이 있고 밑부분에서 가지가 많이 갈라진다. 잎은 어긋나고 3출겹잎이다. 꽃은 황색, 5월에 잎겨드랑이에 두상화서로 핀다. 꼬투리는 반 바퀴 정도 말리고 흑색으로 익는다.
분포·생육지 유럽 원산. 우리나라 전역에서 자란다.
약용 부위·수치 전초를 여름과 가을에 채취하여 말린다.
약물명 노와생(老蝸生), 천람(天藍), 접근초(接筋草), 금화채(金花菜)라고도 한다.
약효 청열이습(淸熱利濕), 서근활락(舒筋活絡), 지해평천(止咳平喘), 양혈해독(涼血解毒)의 효능이 있으므로 습열황달(濕熱黃疸), 열림(熱淋), 풍습비통(風濕痹痛), 해천(咳喘), 치창출혈(痔瘡出血)을 치료한다.
성분 soyasapogenol B~F, medicagenic acid, laricitrin, quercetin, panthothenic acid, nicotinic acid 등이 함유되어 있다.
사용법 노와생 15g에 물 4컵(800mL)을 넣고 달여서 복용한다.

❶ 잔개자리

흰전동싸리

부종	림프 기능 부진	모세혈관 파괴, 정맥류
가려움증	하지경련, 류머티즘	

●학명 : *Melilotus alba* Desr.　●별명 : 꿀풀싸리

1	2	3	4	5	6	7	8	9	10	11	12

✿ 흰전동싸리

두해살이풀. 높이 1~4m. 곧게 자라고 가지가 많이 갈라진다. 잎은 어긋나고 작은잎은 3개로 톱니가 있다. 꽃은 백색, 7~8월에 피고, 꽃대는 길이 2~4cm이다. 꼬투리는 달걀 모양, 회갈색으로 익는다.

분포 · 생육지 유럽, 아시아, 지중해 연안, 남아메리카, 북아프리카. 들에서 자란다.

약용 부위 · 수치 지상부를 꽃이 필 때 채취하여 말린다.

약물명 백화벽한초(白花辟汗草). 금화초(金花草)라고도 한다.

약효 소염, 정맥 혈관 강화의 효능이 있으므로 부종, 림프 기능 부진, 모세혈관 파괴, 정맥류, 가려움증, 하지경련, 류머티즘을 치료한다.

성분 *o*-hydroxycinnamic acid, coumarimic acid, *o*-coumaric acid, *o*-coumaric acid-β-D-glucoside, scopoletin 등이 함유되어 있다.

약리 혈액 응고를 지연시키는 작용, 결핵간균의 생장을 억제하는 작용이 있다.

사용법 백화벽한초 15g에 물 4컵(800mL)을 넣고 달여서 복용한다.

약용전동싸리

부종	림프 기능 부진	모세혈관 파괴, 정맥류
가려움증	하지경련, 류머티즘	

●학명 : *Melilotus officinalis* (L.) Medicus　●별명 : 서양전동싸리, 미국전동싸리

1	2	3	4	5	6	7	8	9	10	11	12

✿ 약용전동싸리

두해살이풀. 높이 90cm 정도. 곧게 자라고 가지가 많이 갈라진다. 잎은 어긋나고 작은잎은 3개로 톱니가 있다. 꽃은 황색, 7~8월에 피고, 꽃대는 길이 2~4cm, 포는 바늘 모양으로 작은꽃대보다 길고, 꽃받침에는 잔털이 있다. 꼬투리는 달걀 모양, 흑색으로 익는다.

분포 · 생육지 유럽, 아시아, 지중해 연안, 남아메리카, 북아프리카. 들에서 자란다.

약용 부위 · 수치 지상부를 꽃이 필 때 채취하여 말린다.

약물명 Meliloti Herba. 일반적으로 Sweet clover, Common melilot이라고 한다.

약효 소염, 정맥혈관 강화의 효능이 있으므로 부종, 림프 기능 부진, 모세혈관 파괴, 정맥류, 가려움증, 하지경련, 류머티즘을 치료한다.

성분 melilotoside, melilotin, caffeic acid, ferulic acid, soyasapogenol, dicoumarol 등이 함유되어 있다.

약리 melilotoside, melilotin은 항부종, 소염 작용이 있다.

사용법 Meliloti Herba 5g을 뜨거운 물로 우려내어 복용한다.

[콩과]

전동싸리

서습흉민, 임파결핵　　두창두통
습창　　구창　　이질　　대하

●학명 : *Melilotus suaveolens* Ledeb.　●별명 : 노랑풀싸리

| 1 | 2 | 3 | 4 | 5 | 6 | 7 | 8 | 9 | 10 | 11 | 12 |

두해살이풀. 높이 60~90cm. 가지가 많이 갈라지고, 잎은 어긋나며 작은잎은 3개이다. 꽃은 황색, 7~8월에 피고, 꽃대는 길이 2~4cm, 포는 바늘 모양으로 작은꽃대보다 길고, 꽃잎은 길이 3~4mm, 기판이 가장 길고 용골판이 가장 짧다. 꼬투리는 달걀 모양, 흑색으로 익는다.

분포 · 생육지 우리나라 전역. 중국, 일본, 아무르, 몽골, 시베리아. 들에서 자란다.

약용 부위 · 수치 전초를 꽃이 필 때, 뿌리는 늦가을에 채취하여 말린다.

약물명 개화기의 전초를 벽한초(辟汗草)라고 하며, 야목숙(野苜蓿)이라고도 한다.

본초서 벽한초(辟汗草)는 「식물명실도고(植物名實圖考)」에 처음 수재되었으며, 「중약지(中藥志)」에는 "열을 내리고 독을 풀어 주며 살충의 효능이 있어서 소변을 잘 보게 하고 피부병을 치료하며 설사를 멎게 한다."고 소개하고 있다.

약효 청서화습(淸暑化濕), 건위화중(健胃和中)의 효능이 있으므로 서습흉민(暑濕胸悶), 두창두통(頭脹頭痛), 이질, 대하, 구창, 습창(濕瘡), 임파결핵을 치료한다.

성분 coumaric acid, umbelliferone, scopoletine, melitoic acid, melitoside 등이 함유되어 있다.

약리 항말라리아 작용이 있는데, 말라리아 원충을 소멸시킨다. coumarin 성분들은 소량에서는 독성이 크지 않지만 다량이면 구토, 현훈, 오심 등을 일으킨다. 메탄올추출물은 황색 포도상구균, 대장균에 항균 작용이 있다.

사용법 벽한초 5g에 물 2컵(400mL)을 넣고 달여서 복용하고, 외용에는 태워서 연기를 환부에 쐰다.

❖ 전동싸리

❖ 벽한초(辟汗草)

[콩과]

망락애두등

기혈허약　　유정, 음위
적백대하

●학명 : *Millettia reticulata* (L.) Medicus　●한자명 : 網絡崖豆藤

| 1 | 2 | 3 | 4 | 5 | 6 | 7 | 8 | 9 | 10 | 11 | 12 |

덩굴나무. 길이 2~4m. 줄기껍질은 회색, 잎은 어긋나고 1회 깃꼴겹잎, 작은잎은 타원형으로 가장자리가 밋밋하다. 꽃은 붉은색, 5~6월에 핀다. 꼬투리는 길고 종자는 편원형이다.

분포 · 생육지 중국 장쑤성(江蘇省), 윈난성(雲南省), 푸젠성(福建省), 타이완. 산지의 평원에서 자란다.

약용 부위 · 수치 덩굴성 줄기를 봄부터 가을에 채취하여 물에 씻은 후 썰어서 말린다.

약물명 망락계혈등(網絡鷄血藤). 황등(黃藤), 남등(藍藤)이라고도 한다.

약효 양혈보혈(養血補血), 활혈통경(活血通經)의 효능이 있으므로 기혈허약, 유정, 음위(陰痿), 적백대하를 치료한다.

성분 7-hydroxy-8,4′-dimethoxyisoflavone, afrormosin(7-hydroxy-6,4′-dimethoxyisoflavone) 등이 함유되어 있다.

약리 에탄올추출물을 토끼의 정맥에 투여하면 혈액 응고를 저지하는 작용이 있다.

사용법 망락계혈등 10g에 물 3컵(600mL)을 넣고 달여서 복용하거나, 술에 담가 복용한다.

❖ 망락애두등(열매)

❖ 망락애두등

[콩과]

잠풀

| 장염, 만성위염 | 불면 | 목적동통 |
| 만성기관지염 | 풍습동통 | 대상포진 |

●학명 : *Mimosa pudica* L.　●영명 : Sensitive plant　●별명 : 미모사

| 1 | 2 | 3 | 4 | 5 | 6 | 7 | 8 | 9 | 10 | 11 | 12 |

한해살이풀. 높이 30cm 정도. 잔털과 가시가 드문드문 있다. 잎은 어긋나고 2쌍의 우편이 손바닥처럼 갈라지며 다른 물체에 닿으면 오므라져서 아래로 처진다. 꽃은 연한 붉은색, 7~8월에 꽃대 끝에 모여 달리며, 수술은 4개이다. 꼬투리는 마디가 있으며 종자가 3개 들어 있다.

분포·생육지 브라질 원산. 우리나라 전역에서 재배한다.

약용 부위·수치 지상부를 여름에, 뿌리는 가을에 채취하여 말린다.

약물명 지상부를 함수초(含羞草), 뿌리를 함수초근(含羞草根)이라 한다.

약효 함수초(含羞草)는 청열(淸熱), 안신(安神), 소적(消積), 해독의 효능이 있으므로 장염, 불면, 목적동통(目赤疼痛), 대상포진을 치료한다. 함수초근(含羞草根)은 지해화어(止咳化瘀), 이습통락(利濕通絡), 화위소적(和胃消積), 명목진정(明目鎭定)의 효능이 있으므로 만성기관지염, 풍습동통(風濕疼痛), 만성위염을 치료한다.

성분 flavonoid, phenol, mimosineglucoside, mimosine 등이 함유되어 있다.

약리 mimosine이 함유된 잠풀을 말 등의 동물에 먹이면 탈모가 된다. 뿌리의 열수추출물은 포도상구균과 대장균에 항균 작용이 있다.

사용법 함수초 또는 함수초근 10g에 물 3컵(600mL)을 넣고 달여서 복용한다.

❍ 함수초(含羞草)

❍ 함수초(含羞草)로 만든 피부 연고

❍ 잠풀　　❍ 열매

[콩과]

모링가

| 장염, 위장염 | 신경과민 |

●학명 : *Moringa oleifera* L.　●영명 : Moringa

| 1 | 2 | 3 | 4 | 5 | 6 | 7 | 8 | 9 | 10 | 11 | 12 |

여러해살이풀. 높이 60~90cm. 전체에 잔털과 가시가 있다. 잎은 어긋나고 2회 깃꼴겹잎, 잎과 잎 사이에 거친 가시가 있다. 꽃은 연한 붉은색, 7~8월에 원추화서로 모여 달리며 수술은 4개이다. 꼬투리는 마디가 있으며 종자가 3개 들어 있다.

분포·생육지 열대, 아열대. 세계 각처에서 재배한다.

약용 부위·수치 잎 또는 종자를 여름과 가을에 채취하여 말린다.

약물명 잎을 Moringae Folium이라 하고, 종자를 Moringae Semen이라 한다.

약효 소염해독의 효능이 있으므로 장염, 위장염, 신경과민을 치료한다.

사용법 Moringae Folium 또는 Moringae Semen 10g에 물 3컵(600mL)을 넣고 달여서 복용한다.

❍ Moringae Semen

❍ 모링가로 만든 장염, 위염 치료제

❍ 모링가

[콩과]

백화유마등

장염　불면　목적동통　대상포진

●학명 : *Mucuna birdwoodiana* Tutcher　●한자명 : 白花油麻藤

| 1 | 2 | 3 | 4 | 5 | 6 | 7 | 8 | 9 | 10 | 11 | 12 |

덩굴나무. 길이 10m 정도. 잎은 어긋나고 3출겹잎, 작은잎은 3~5개이다. 꽃은 녹백색, 잎겨드랑이에 길이 30~40cm의 총상화서로 달리고 20~30개가 핀다. 열매는 단단하고 긴 꼬투리로 5~10개의 종자가 들어 있으며, 종자는 신장형으로 흑색이다.

분포·생육지 중국 광둥성(廣東省), 광시성(廣西省), 구이저우성(貴州省). 해발 400~ 500m의 산골짜기에서 자란다.

약용 부위·수치 덩굴성 줄기를 여름과 가을에 채취하여 썰어서 말린다.

약물명 백화유마등(白花油麻藤). 혈등(血藤), 화혈등(火血藤)이라고도 한다.

성상 대부분 절편이 출하되고 있으며 지름 3~7cm이다. 표면은 회갈색이고 거칠며 뚜렷하게 세로 홈과 점 같은 갈색의 껍질눈(皮目)이 산재한다. 횡단면은 목부가 담황색이고 적갈색의 동심성 환문이 2~3개 있다. 냄새는 약하고 맛은 쓰다.

약효 청열(淸熱), 안신(安神), 소적(消積), 해독의 효능이 있으므로 장염, 불면, 목적동통(目赤疼痛), 대상포진을 치료한다.

성분 2,6-dimethoxyphenol, syringic acid, vanillic acid 등이 함유되어 있다.

약리 2,6-dimethoxyphenol은 혈소판 응집을 억제한다.

사용법 백화유마등 10g에 물 3컵(600mL)을 넣고 달여서 복용하거나 술에 담가 복용한다.

❂ 백화유마등

❂ 백화유마등(꽃)

[콩과]

톨루발삼나무

감모　인후염　치질　화상, 동상, 타박상

●학명 : *Myroxylon balsamum* (L.) Harms

| 1 | 2 | 3 | 4 | 5 | 6 | 7 | 8 | 9 | 10 | 11 | 12 |

상록 교목. 높이 20m 정도. 잎은 홀수 1회 깃꼴겹잎으로 11~13개, 작은잎은 타원형, 가장자리는 밋밋하다. 꽃은 백색, 7~8월에 꽃대 끝에 모여 달린다. 꽃받침잎은 뚜렷하지 않고 꽃잎의 밑은 합쳐지며 끝은 4개로 갈라지고, 수술 4개, 수술대는 길다. 꼬투리는 마디가 있다.

분포·생육지 남아메리카, 중앙아메리카. 콜롬비아의 톨루(Tolu)에서 주로 거래된다.

약용 부위·수치 봄에 줄기에 상처를 내어 흘러나오는 수지를 채취한다.

약물명 톨루발삼(Tolu balsam)

약효 살충, 거담(祛痰), 수렴(收斂)의 효능이 있으므로 감모(感冒), 인후염, 치질, 화상, 동상, 타박상을 치료한다.

성분 수지에는 benzoic acid, cinnamic acid와 이들의 ester가 함유되어 있다.

약리 benzoic acid와 그 유도체는 강력한 항균제이다. benzyl benzoate는 외부 기생물 특히 옴에 대한 효과가 있다.

사용법 톨루발삼 0.2g을 뜨거운 물에 풀어서 복용하고, 외용(치질 등)에는 연고로 만들어 바른다.

❂ 톨루발삼나무

[콩과]

오노니스

신장결석, 요도염

●학명 : *Ononis spinosa* L.   ●영명 : Spiny restharrow

| 1 | 2 | 3 | 4 | 5 | 6 | 7 | 8 | 9 | 10 | 11 | 12 |

상록 관목. 높이 60cm 정도. 뿌리는 굵고 줄기는 대부분 비스듬히 자라고 가시가 많다. 잎은 3출엽, 가장자리에 톱니가 있다. 꽃은 적자색, 6~9월에 잎겨드랑이에서 나오는 작은 가지에 여러 개가 피고, 꽃받침은 종형이며, 꼬투리가 성숙한다.
분포·생육지 유럽, 서아시아, 북아프리카, 남아메리카, 지중해 연안. 양지바른 곳에서 자란다.
약용 부위·수치 뿌리를 가을에 채취하여 물에 씻은 후 말린다.
약물명 Ononis Radix. 일반적으로는 spiny restharrow라 한다.
약효 소염이뇨의 효능이 있으므로 신장결석, 요도염을 치료한다.
사용법 Ononis Radix 5~6g에 물 2컵(400 mL)을 넣고 달여서 복용한다.

❶ 오노니스

[콩과]

두메자운

옹창종독

●학명 : *Oxytropis anertii* Nakai   ●별명 : 묏돔부, 두메돔부

| 1 | 2 | 3 | 4 | 5 | 6 | 7 | 8 | 9 | 10 | 11 | 12 |

여러해살이풀. 높이 10cm 정도. 뿌리는 매우 굵고 전체에 털이 있다. 잎은 뿌리에서 나오고 원줄기와 높이가 비슷하며 10~20 쌍의 작은잎으로 구성된 홀수 1회 깃꼴겹잎이다. 꽃은 홍자색으로 7~8월에 긴 꽃대 끝에 1~5개가 총상화서로 달린다. 꼬투리 는 부풀며 종자가 5개 들어 있다.
분포·생육지 우리나라 백두산. 중국. 높은 산에서 자란다.
약용 부위·수치 전초를 가을에 채취하여 물에 씻어서 말린다.
약물명 장백극두(長白棘豆)
약효 청열소종(淸熱消腫)의 효능이 있으므로 옹창종독(癰瘡腫毒)을 치료한다.
사용법 외용으로만 사용하며, 장백극두 적당량을 짓찧어 상처에 붙인다.

❶ 두메자운

❶ 두메자운(열매)

❶ 두메자운(전초)

❶ 장백극두(長白棘豆)

[콩과]

편축목

신체쇠약, 노상핍력, 자한, 도한

●학명 : *Parkinsonia aculeata* L.　●영명 : Jerusalem thorn　●한자명 : 扁軸木

1	2	3	4	5	6	7	8	9	10	11	12

◐ 편축목(꽃)

소교목. 높이 6m 정도. 줄기껍질은 광택이 나는 푸른색, 잎은 2회 짝수 깃꼴겹잎이다. 꽃은 황색, 잎겨드랑이에 총상화서로 핀다. 꼬투리는 긴 타원형으로 잘록잘록하며 종자가 4~7개 들어 있다.

분포·생육지 인도, 네팔, 페루, 중국. 산이나 들에서 자란다.

약용 부위·수치 줄기껍질이나 잎을 봄과 여름에 채취하여 물에 씻어서 말린다.

약물명 편축목(扁軸木), 파금생두(巴金生豆), 편엽축목(扁葉軸木)이라고도 한다.

약효 보허(補虛)의 효능이 있으므로 신체쇠약, 노상핍력(勞傷乏力), 자한(自汗), 도한을 치료한다.

성분 β-sitosterol, daucosterol, choline, β-amyrin acetate, β-amyrone 등이 함유되어 있다.

사용법 편축목 10g에 물 3컵(600mL)을 넣고 달여서 복용한다.

◐ 편축목

[콩과]

녹두

설사, 토사　　수종

단독, 옹종, 반진, 개선

●학명 : *Phaseolus radiatus* L.　●별명 : 돔부, 록두

1	2	3	4	5	6	7	8	9	10	11	12

한해살이풀. 잎은 어긋난다. 꽃은 황색, 8월에 잎겨드랑이에서 나오는 꽃대 끝에 모여 달린다. 꽃받침은 비틀린 종 모양, 4개로 갈라지고, 기판은 심장형, 익판(翼瓣)은 좁아져서 갈고리가 된다. 꼬투리는 겉에 털이 있고, 씨는 타원형, 갈색의 그물 같은 무늬가 있다.

분포·생육지 인도 원산. 우리나라 전역에서 재배한다.

약용 부위·수치 종자는 가을에, 잎은 여름에 채취하여 말린다.

약물명 종자를 녹두(綠豆)라고 하며, 잎을 녹두엽(綠豆葉)이라고 한다. 녹두는 대한민국약전외한약(생약)규격집(KHP)에 수재되어 있다.

본초서 녹두(綠豆)는 「본초강목(本草綱目)」에 수재되어 두독(痘毒)과 종창(腫脹)을 낫게 한다고 하였다. 「동의보감(東醫寶鑑)」에는 "피부가 벌겋게 되면서 화끈 달아오르고 열이 나는 것, 가슴이 답답하고 열이 나는 것, 풍진, 광물성 약의 독을 풀어 준다. 열을 내리고 부은 것을 가라앉히며 기운을 내

리고 갈증을 풀어 준다."고 하였다.
本草綱目: 治痘毒 利腫脹.
東醫寶鑑: 主一切丹毒 煩熱 風疹 藥石發動 壓熱消腫 下氣止消渴.

성상 모가 진 달걀 모양, 표면은 흑황색이며 광택이 있다. 배꼽점은 백색, 질은 단단하다. 냄새는 없고 맛은 약간 달다.

기미·귀경 한(寒), 감(甘)·심(心), 위(胃)

약효 녹두(綠豆)는 청열, 해독, 이수(利水)의 효능이 있으므로 설사, 수종, 단독, 옹종을 치료한다. 녹두엽(綠豆葉)은 화위(和胃), 해독의 효능이 있으므로 토사, 반진(斑疹), 개선(疥癬)을 치료한다.

성분 녹두(綠豆) 100g에는 단백질 22.1g, 지방 0.8g, 탄수화물 59g, Ca 49mg, P 286mg, Fe 3.2mg, carotenoid 0.22mg, vitamin B_1 0.53mg, vitamin B_2 0.12mg, nicotinic acid 1.8mg이 함유되어 있다.

사용법 녹두 또는 녹두엽 10g에 물 3컵(600mL)을 넣고 달여서 복용한다.

◐ 녹두

◐ 녹두엽(綠豆葉)

◐ 녹두(綠豆)

[콩과]

팥

부종, 소변빈삭
각기
황달, 설사, 혈변
심번구갈

● 학명 : *Phaseolus angularis* W. F. Wight [*Vigna angularis* (Willd.) Ohwi et Ohashi]
● 별명 : 적두, 소두, 적소두

| 1 | 2 | 3 | 4 | 5 | 6 | 7 | 8 | 9 | 10 | 11 | 12 |

한해살이풀. 높이 30~50cm. 곧게 서거나 윗부분이 덩굴로 되고 잎은 어긋난다. 꽃은 황색, 8월에 총상화서로 피며, 꽃받침은 끝이 얕게 갈라진 통형, 용골판(龍骨瓣)은 꾸불꾸불하고, 씨방도 꾸불꾸불하다. 꼬투리는 원주형, 길이 6~10cm, 6~10개의 종자가 들어 있다.

분포 · 생육지 중국 원산. 우리나라 전역에서 재배한다.

약용 부위 · 수치 종자를 가을에 채취하여 말리고, 잎은 여름에 채취하여 말린다.

약물명 종자를 적소두(赤小豆) 또는 적두(赤豆)라고 하며, 잎을 적소두엽(赤小豆葉)이라고 한다. 적소두(赤小豆)는 대한민국약전외한약(생약)규격집(KHP)에 수재되어 있다.

본초서 적소두(赤小豆)는 「신농본초경(神農本草經)」에 수재되어 있으며 "수분 대사를 잘 시키고 종기의 고름을 제거한다."고 하였고, 양(梁)나라의 「명의별록(名醫別錄)」에는 "한열(寒熱)과 소갈증, 설사, 구토를 치료한다."고 하였다. 소송(蘇頌)은 "수기(水氣)와 각기(脚氣)에 효능이 있다."고 하였으며, 「촉본초(蜀本草)」에는 "주독(酒毒)을 푸는 데는 즙액을 갈아 마신다."고 하였다. 「동의보감(東醫寶鑑)」에는 "적소두는 수종(水腫)을 없애고 종기를 낫게 하며 갈증을 풀어 주고 설사를 그치게 하며 소변을 잘 나오게 하고 부기(浮氣)를 뺀다."고 하였다.
神農本草經: 主下水排癰腫膿血.

東醫寶鑑: 主下水排癰腫膿血 治消渴止泄利小便 下水腫脹滿.

기미 · 귀경 미한(微寒), 감(甘), 산(酸) · 심(心), 소장(小腸), 비(脾)

약효 적소두는 이수소종퇴황(利水消腫退黃), 청열해독소옹(淸熱解毒消癰)의 효능이 있으므로 부종(浮腫), 각기, 황달, 설사, 혈변을 치료한다. 적소두엽(赤小豆葉)은 고신축뇨(固腎縮尿), 명목(明目), 지갈(止渴)의 효능이 있으므로 소변빈삭(小便頻數), 간열목호(肝熱目糊), 심번구갈(心煩口渴)을 치료한다.

성분 적소두(赤小豆) 100g에는 단백질 20.7g, 지방 0.5g, 탄수화물 58g, 섬유 4.9g, 회분 3.3g, Ca 67mg, P 305mg, Fe 5.2mg, thiamine 0.31mg, riboflavine 0.11mg, nicotinic acid 2.7mg, luteolin genistein, genistin, phytosterol, phaseolidin 등이 함유되어 있다.

약리 열수추출물을 쥐에게 투여하면 장운동을 촉진하며 주성분인 perillaketone의 작용이 강하게 나타난다. luteolin은 충치와 치주염을 일으키는 여러 세균에 항균작용을 나타낸다. ethyl acetate 분획물은 DPPH radical 소거 시험과 superoxide 소거 활성 시험에서 강한 항산화 작용이 있다. genistein, genistin은 예쁜꼬마선충의 수명을 연장시킨다.

사용법 적소두 또는 적소두엽 10g에 물 2컵(400mL)을 넣고 달여서 복용한다.

처방 적소두탕(赤小豆湯): 적소두(赤小豆) · 당귀(當歸) · 상륙(商陸) · 우슬(牛膝) · 연교(連翹) · 적작약(赤芍藥) · 한방기(漢防己) · 저령(豬苓) · 상백피(桑白皮) · 택칠(澤漆) 각 4g, 생강(生薑) 5쪽 「동의보감(東醫寶鑑)」. 젊은 사람이 열독으로 헌데가 생기고 몸이 부으면서 오슬오슬 춥고 열이 나며 소변이 잘 나오지 않고 변비가 있는 증상에 사용한다.

• 적소두당귀산(赤小豆當歸散): 적소두(赤小豆) 200g, 당귀(當歸) 40g 「동의보감(東醫寶鑑)」. 대장에 습열(濕熱)이 몰려 대변이 나오기 전에 피가 나오는 증상에 사용한다.

• 의이인탕(薏苡仁湯): 의이인(薏苡仁) · 방기(防己) · 적소두(赤小豆) · 구감초(炙甘草) 각 6g 「동의보감(東醫寶鑑)」. 풍사(風邪)로 비(脾)가 상하여 입술이 붓고 아프면서 허는 증상에 사용한다.

＊ 덩굴성이며 용골판이 나선형으로 말리는 '덩굴팥 *P. calcaratus*'도 약효가 같다.

● 팥(열매)

● 적소두(赤小豆)

● 팥

[콩과]

덩굴강낭콩

👁 서열번갈   🫘 부종

🖐 각기

● 학명 : *Phaseouls vulgaris* L.

| 1 | 2 | 3 | 4 | 5 | 6 | 7 | 8 | 9 | 10 | 11 | 12 |

🌿 🍃 🌾 🎋 🌱 🌸 🍇 ❄ 🌿 💧

덩굴성 한해살이풀. 잎은 어긋나고 3출엽, 잎자루는 길다. 꽃은 흰색 또는 연한 붉은 색, 잎겨드랑이에 이삭 모양으로 달린다. 꼬투리는 원주형으로 길이 10~20cm, 약 간 구부러지고, 종자는 둥글고 여러 색을 가진다.

분포·생육지 열대 아메리카 원산. 우리나 라 전역에서 재배한다.

약용 부위·수치 열매를 가을에 채취하여 말 린다.

약물명 채두(菜豆). 백반두(白飯豆)라고도 한다.

약효 자양해열(滋養解熱), 이뇨소종(利尿消 腫)의 효능이 있으므로 서열번갈(暑熱煩渴), 부종(浮腫), 각기를 치료한다.

성분 soyasapogenol, 3β,22β–dihydroxy ole-an–12–en–24–*O*–β–D–glucoside, phaseo-loside D, E, kaempferol–3–*O*–xylosylglu-coside, quercetin 3–*O*–glucoside, leuco-pelargonidin 등이 함유되어 있다.

약리 동물 실험에서 면역 강화 활성이 있고 피임 효과가 나타나며, 쥐에게 주사하면 과 민 반응이 관찰된다.

사용법 채두 10g에 물 3컵(600mL)을 넣고 달여서 복용한다.

＊ 줄기가 서고 백색~황백색 꽃이 피는 '강 낭콩 var. *humilis*'도 약효가 같다.

❶ 덩굴강낭콩

❶ 채두(菜豆)

❶ 덩굴강낭콩(종자)

[콩과]

배전수

💊 감모발열   👁 인후통

❤ 수종   🫲 간비종대

● 학명 : *Phyllodium pulchellum* (L.) Desv. [*Hedysarum pulchellum, Desmodium pul-chellum*] ● 한자명 : 排錢樹

| 1 | 2 | 3 | 4 | 5 | 6 | 7 | 8 | 9 | 10 | 11 | 12 |

🌿 🍃 🌾 🎋 🌱 🌸 🍇 ❄ 🌿 💧

관목. 높이 1~1.5m. 잎은 어긋나고 3출겹 잎, 작은잎은 가장자리가 밋밋하다. 가지 끝 에 잎 같은 포편이 길게 배열한다. 꽃은 백 색, 7~9월에 핀다. 꼬투리는 긴 타원형, 2 개의 마디가 있고, 종자는 갈색이다.

분포·생육지 인도, 인도네시아, 중국 윈난 성(雲南省), 광시성(廣西省), 푸젠성(福建 省). 산비탈이나 들에서 자란다.

약용 부위·수치 가지와 잎을 여름이나 가을 에 채취하여 썰어서 말린다.

약물명 배전초(排錢草), 용린초(龍鱗草)라고 도 한다.

약효 청열해독(清熱解毒), 거풍행수(祛風行 水), 활혈소종(活血消腫)의 효능이 있으므로 감모발열, 인후통, 수종, 간비종대(肝脾腫 大)를 치료한다.

성분 bufotenine, *N*,*N*–dimethyltryptamine, *N*,*N*–dimethyltryptamine oxide, 5–meth-oxy–*N*–methyltryptamine 등이 함유되어 있다.

사용법 배전초 10g에 물 3컵(600mL)을 넣 고 달여서 복용한다.

❶ 배전수

[콩과]

완두

| 당뇨병 | 곽란전근, 각기 |
| 복창 | 옹종 |

●학명 : *Pisum sativum* L.　●한자명 : 豌豆

| 1 | 2 | 3 | 4 | 5 | 6 | 7 | 8 | 9 | 10 | 11 | 12 |

두해살이풀. 높이 1m 정도. 잎은 어긋나고 1회 깃꼴겹잎, 작은잎은 1~3쌍이다. 꽃은 백색, 5월에 잎겨드랑이에서 2개가 옆을 향해 핀다. 꽃받침은 깊게 5개로 갈라지고 기판은 서며, 익판(翼瓣)은 둥글며 서로 붙고 용골판은 없다. 꼬투리는 긴 타원형, 길이 5cm 정도이다.

분포·생육지 유럽 원산. 우리나라 전역에서 재배한다.
약용 부위·수치 종자를 가을에 채취하여 말린다.
약물명 완두(豌豆)
본초서 완두는 「본초강목(本草綱目)」에 "옹종과 두창에 가루로 만들어 사용한다."고 하였고, 「동의보감(東醫寶鑑)」에는 "중초(中焦)의 기운을 다스리고 원기를 왕성하게 하며 혈액 순환을 순조롭게 한다."고 하였다.
本草綱目: 硏末塗癰腫 痘瘡.
東醫寶鑑: 主益中 平氣 調順營衛.
기미·귀경 평(平), 감(甘)·비(脾), 위(胃)
약효 화중하기(和中下氣), 통유이수(通乳利水), 해독의 효능이 있으므로 당뇨병, 곽란전근(霍亂轉筋), 복창(腹脹), 각기, 옹종을 치료한다.
성분 lectin, legumin, vicilin, legumelin, gibberellin A5, canavalmine, homospermine, aminopropylcanavalmine 등이 함유되어 있다.
사용법 완두 50g을 물에 삶아서 복용한다.
＊꽃이 붉은 '붉은완두 var. *arvense*'도 약효가 같다.

❶ 완두

❶ 완두(열매)

❶ 완두(豌豆)

[콩과]

네모콩

| 인후염, 치통 | 요급, 요통 |

●학명 : *Psophocarpus tetragonolobus* (L.) DC.　●별명 : 날개콩　●한자명 : 四棱豆, 翼豆

| 1 | 2 | 3 | 4 | 5 | 6 | 7 | 8 | 9 | 10 | 11 | 12 |

덩굴성 여러해살이풀. 길이 6m 정도. 뿌리는 감자 같으며 전체에 털이 없다. 잎은 어긋나며 3출겹잎, 꽃은 남자색이다. 열매는 길이 10~25cm로 네모지며, 종자는 구형이고 남색이며 광택이 있다.
분포·생육지 중국 광둥성(廣東省), 윈난성(雲南省), 쓰촨성(四川省), 타이완. 초지에서 자란다.
약용 부위·수치 뿌리를 수시로 채취하여 물에 씻은 후 말린다.
약물명 사릉두근(四棱豆根)
약효 청열(淸熱), 지통(止痛), 통림(通淋)의 효능이 있으므로 인후염, 치통, 요급(尿急), 요통(尿痛)을 치료한다.
사용법 사릉두근 15g에 물 3컵(600mL)을 넣고 달여서 복용한다.

❶ 네모콩(꽃)

❶ 네모콩

[콩과]

보골지

| 신양부족, 하원허랭 | 요슬냉통 | 대변구사 |
| 양위활정, 빈뇨 | | 허천부지 |

● 학명 : *Psoralea corylifolia* L. ● 한자명 : 補骨脂

| 1 | 2 | 3 | 4 | 5 | 6 | 7 | 8 | 9 | 10 | 11 | 12 |

두해살이풀. 밑부분에서 갈라진 가지가 옆으로 기거나 비스듬히 선다. 잎은 어긋나고 작은잎은 3개, 길이 10~20mm, 너비 7~15mm, 윗가장자리에 잔톱니가 있다. 꽃은 황색, 5월에 잎겨드랑이에 두상화서로 달리며 꽃받침은 길이 2mm 정도이다. 꼬투리는 2~3회 말리고 지름 5~6mm, 맥이 있으며 가장자리에 가시가 있다.

분포·생육지 중국 윈난성(雲南省), 쓰촨성(四川省). 초지에서 자라며, 우리나라에서는 약초원에서 재배하고 있다.

약용 부위·수치 열매를 늦여름에 채취하여 말리거나, 소금을 조금 가하여 약한 불에 볶아서 사용한다.

약물명 보골지(補骨脂). 호구자(胡韭子), 파고지(破古紙)라고도 한다. 대한민국약전외한약(생약)규격집(KHP)에 수재되어 있다.

본초서 송대(宋代)의 「개보본초(開寶本草)」에 처음 수재되었으며, "오로칠상(五勞七傷), 풍허랭(風虛冷), 골수상패(骨髓傷敗), 부인의 혈기가 부족한 것을 치료한다."고 기록되어 있다. 「본초강목(本草綱目)」에는 "보골지(補骨脂)는 그 효능을 나타낸 약명(藥名)으로 호인(胡人)들은 이것을 복용하면, 남성의 사출액(射出液)이 종이를 뚫기 때문에 파고지(破古紙)라고 한다."고 하였다. 「동의보감(東醫寶鑑)」에 "몸과 마음이 허약하고 피로한 것, 손상을 입어 골수가 줄어들고 신장의 기운이 차가워 정액이 저절로 나오는 것, 허리와 무릎이 아프고 차며 음낭이 축축한 것을 낫게 하고, 음경이 잘 일어나게 한다."고 하였다.

藥性論: 主男子腰疼, 膝冷, 囊濕, 逐諸冷痺頑, 止小便利, 腹中冷.

本草綱目: 治腎泄, 通命門, 暖丹田, 斂精神.

東醫寶鑑: 主勞傷 骨髓傷敗 腎冷精流 腰疼膝冷 囊濕 止小便利 治腹中冷 能興陽事.

성상 편구형이며 길이 0.4~0.5cm, 너비 0.3~0.4cm, 두께 0.3cm 정도이다. 표면은 흑갈색이고 그물 모양의 무늬가 있다. 냄새는 방향성이고 맛은 맵고 쓰다.

기미·귀경 온(溫), 신(辛), 고(苦)·신(腎), 비(脾)

약효 보신조양(補腎助陽), 납기평천(納氣平喘), 온폐지사(溫肺止瀉)의 효능이 있으므로 신양부족(腎陽不足), 하원허랭(下元虛冷), 요슬냉통(腰膝冷痛), 양위활정(陽痿滑精), 빈뇨(頻尿), 허천부지(虛喘不止), 대변구사(大便久瀉)를 치료한다.

성분 angelicin, bakuchiol, psoralen, psoralidin, bavachin, bavachinin, isobavachin, lucernol, sativol, fromonetin, daidzein 등이 함유되어 있다.

약리 열수추출물은 관상 동맥을 확장하는 작용이 있고, 여러 암세포의 성장을 억제하며, 황색 포도상구균 등 여러 병원 미생물에 항균 작용이 있다.

사용법 보골지 10g에 물 3컵(600mL)을 넣고 달여서 복용하거나 환약으로 만들어 복용한다.

처방 보골지환(補骨脂丸): 보골지(補骨脂) 120g, 녹용(鹿茸)·육종용(肉蓯蓉)·파극천(巴戟天)·호도육(胡桃肉) 각 60g 「의방유취(醫方類聚)」. 신허(腎虛)로 허리와 무릎이 시리고 아프며 입맛이 없고 얼굴에 핏기가 없는 증상에 사용한다.

◐ 보골지(補骨脂, 수치하지 않은 것)

◐ 보골지(補骨脂, 수치한 것)

◐ 보골지

자단나무

두통　심복통　소변임통
오로부진　풍독옹종, 금창출혈

● 학명 : *Pterocarpus indicus* Willd.　● 한자명 : 紫檀香

1 2 3 4 5 6 7 8 9 10 11 12

교목. 높이 15~25m. 줄기는 적갈색이며 상처를 내면 수액이 흐른다. 잎은 어긋나고 홀수 깃꼴겹잎, 작은잎은 7~9개이다. 꽃은 황색, 5~7월에 잎겨드랑이에 총상화서로 달린다. 꼬투리는 적갈색의 납작한 원형이며, 가운데에 종자가 1개 들어 있다.

분포·생육지 중국 광시성(廣西省), 윈난성(雲南省), 광둥성(廣東省), 타이완, 인도. 산지에서 자란다.

약용 부위·수치 봄에 줄기의 껍질을 벗기고, 심재(心材) 부분을 적당한 크기로 자르고 쪼개서 말린다.

약물명 자단(紫檀). 적단(赤檀), 자단향(紫檀香), 승침향(勝沈香)이라고도 한다. 대한민국약전외한약(생약)규격집(KHP)에 수재되어 있다.

본초서 「명의별록(名醫別錄)」에 처음 수재되어 "악독(惡毒)과 풍독(風毒)을 치료한다."고 하였다. 「동의보감(東醫寶鑑)」에는 "악독(惡毒), 풍독(風毒), 구토와 설사가 계속되는 것, 명치 아래가 아픈 것, 중악(中惡), 헛것이 보이는 증상을 낫게 한다."고 하였다.

名醫別錄: 主惡毒 風毒.

東醫寶鑑: 主惡毒 風毒 霍亂 心腹痛 中惡 鬼氣.

성상 줄기의 심재(心材)로 변재(邊材)를 제거한 긴 네모 모양의 덩어리 또는 조각으로 표면은 적갈색이며, 횡단면은 층상이 있고 질은 단단하다. 냄새가 향기롭고 맛은 담담하다.

기미·귀경 평(平), 함(鹹)·간(肝)

약효 거어화영(祛瘀和營), 지혈정통(止血定痛), 해독소종(解毒消腫)의 효능이 있으므로 두통, 심복통(心腹痛), 오로부진(惡露不盡), 소변임통(小便淋痛), 풍독옹종(風毒癰腫), 금창출혈(金瘡出血)을 치료한다.

성분 angolensin, pterocarpin, homopterocarpin, formononetin, α−eudesmol, β−eudesmol 등이 함유되어 있다.

사용법 자단 5g에 물 2컵(400mL)을 넣고 달여서 복용하거나 환약으로 만들어 복용하고, 외용에는 짓찧어 붙이거나 즙액을 바른다.

처방 자단향탕(紫檀香湯): 자단(紫檀) 10g, 측백엽(側柏葉) 6g, 지유(地楡)·포황(蒲黃)·현호색(玄胡索)·목단피(牡丹皮)·당귀(當歸) 각 2g (『약전(藥典)』). 자궁출혈 및 통증이 심한 증상에 사용한다.

❍ 자단(紫檀)

❍ 자단(紫檀, 절편)

❍ 자단나무(열매)

❍ 자단나무

❍ 자단나무(줄기)

칡

 외감표증, 두통두훈　 열병구갈, 상주번열구갈　음허소갈

열사열리, 비허설사, 완복창만, 구역토산, 토혈, 장풍하혈

● 학명 : *Pueraria lobata* (Willd.) Ohwi [*P. thunbergiana*, *P. motana* var. *lobata*]
● 한자명 : 野葛　● 별명 : 츩, 칙덤불, 칙, 칡덤불

1 2 3 4 5 6 7 8 9 10 11 12

낙엽 덩굴나무. 줄기에 황갈색 털이 있다. 잎은 어긋나고 3출엽이다. 꽃은 홍자색, 8월에 잎겨드랑이에 총상화서로 피고, 꽃잎은 나비 모양이다. 꼬투리는 긴 타원형, 편평하며 길이 4~9cm, 너비 8~10mm로 길다. 열매는 9~10월에 익는다.

분포·생육지 우리나라 전역, 중국, 일본, 우수리. 산기슭 양지에서 자란다.

약용 부위·수치 뿌리를 채취하여 물에 씻은 후 적당한 크기로 썰어 말려서 사용하거나 화건(火乾)하여 사용한다. 꽃은 8월에 채취하여 말리고 잎, 열매, 덩굴도 여름에 채취하여 말린다.

약물명 뿌리를 갈근(葛根)이라고 하며, 판갈근(板葛根), 각갈근(角葛根), 분갈근(粉葛根), 분갈(粉葛), 건갈(乾葛), 외갈근(煨葛根)이라고도 한다. 꽃은 갈화(葛花), 열매는 갈각(葛殼), 잎은 갈엽(葛葉), 덩굴을 갈만(葛蔓)이라 한다. 갈근(葛根)은 대한민국약전(KP)에, 갈화(葛花)는 대한민국약전외한약(생약)규격집(KHP)에 수재되어 있다.

본초서 갈근(葛根)은 「신농본초경(神農本草經)」에 수재되어 있으며, "칡(葛)에는 야생품과 재배품이 있다. 뿌리의 외측은 자주색, 안쪽은 백색이다."라고 하였다. 중국에서는 갈(葛)은 혁(革, 가죽)과 발음이 비슷하며, 칡덩굴의 껍질로 짠 옷은 가죽같이 질기다는 뜻에서 유래한다고 한다. 「동의보감(東醫寶鑑)」에는 "바람과 찬 기운으로 오는 두통, 근육을 풀어 주며, 땀을 잘 나게 하며 술독을 풀어 주고 가슴이 답답한 것, 갈증을 치료한다."고 하였다. 대한민국약전(KP), 중국약전(JP)에 수재되어 있다. 갈화(葛花)는 「명의별록(名醫別錄)」의 중품(中品)에 수재되어 있으며 "소주독(消酒毒)의 효능이 있다."고 하였으며, 양(梁)나라 도홍경(陶弘景)의 「본초경집주(本草經集注)」에는 "갈화(葛花)를 소두구(小豆蔲)와 함께 가루로 만들어 한 숟갈씩 복용하면 술에 취하지 않는다."고 하였다. 이시진(李時珍)의 「본초강목(本草綱目)」에는 "갈화(葛花)는 장풍(腸風), 하혈(下血)을 치료한다."고 하였고, 「동의보감(東醫寶鑑)」에도 "술독을 치료한다."고 하였다.

神農本草經: 主消渴 身大熱 嘔吐 諸痺 起陰氣 解諸毒.

名醫別錄: 療傷寒 中風 頭痛 解肌發表 出汗 開腠理 生根汁 療消渴 傷寒壯熱.

藥性本草: 治天行上氣 嘔逆 開胃下食 主解酒毒 止煩渴.

東醫寶鑑: 主風寒頭痛 解肌發表 出汗 開腠理 解酒毒 止煩渴 開胃下食 治胸膈熱 通小腸 療金瘡.

名醫別錄: 主消酒毒.

本草綱目: 治腸風下血.

東醫寶鑑: 主消酒毒.

성상 외피는 담갈색으로 세로 주름이 엉성하게 있으며 까칠까칠하다. 횡단면은 황백색~회백색이며 동심성의 원이 나타나며, 질은 긴 섬유가 많아 쉽게 부러지지 않는다. 약간 향기가 있으며 맛은 달다. 갈화(葛花)는 고르지 않은 꽃봉오리이며 길이 10~15mm, 너비 4~6mm, 두께 2~3mm이다. 꽃받침은 암녹색으로 밑부분이 연결되어 있으며 끝은 6개로 갈라지고 2개는 합쳐진 것같이 보이며 뾰족하다. 표면은 황록색 털로 덮여 있다. 꽃잎은 5개이고 남자색을 띠며 꽃받침에 싸여 있고, 수술은 10개, 암술은 가늘고 길며 구부러져 있고 잔털이 붙어 있다. 이 약물은 풀 냄새가 나며 맛은 조금 달다.

기미·귀경 갈근(葛根): 평(平), 감(甘), 고(苦)·비(脾), 위(胃). 갈화(葛花): 양(凉), 감(甘)·비(脾), 위(胃)

약효 갈근(葛根)은 신량해표약(辛凉解表藥)으로 아래와 같은 효능이 있다.

• 외감표증(外感表症): 발한해표(發汗解表)하고 해기퇴열(解肌退熱)하는 효능이 있으므로 열이 심하게 나면서 가벼운 오한(惡寒)이 나는 증상을 치료한다. 머리가 아프고 코가 건조하며 설태(舌苔)가 약간 노랗게 되고 맥이 가볍게 뛰면 시호, 황금, 백지 등을 가하여 사용한다(시갈해기탕, 柴葛解肌湯).

• 열병구갈(熱病口渴)·음허소갈(陰虛消渴): 갈근(葛根)은 감량(甘凉)하므로 열을 내리고 위기(胃氣)를 자극하여 진액(津液)을 상승시켜 갈증을 멈추게 하는 효능이 있다. 따라서 열병으로 진액이 상하고 입안이 마를 때는 노근(蘆根), 천화분(天花粉), 지모(知母) 등을 가하여 사용하고, 내열(內熱)에 의하여 당뇨병이 나타날 때는 오매(烏梅), 천화분(天花粉), 맥문동(麥門冬), 당삼(黨蔘), 황기(黃耆)를 가하여 사용한다(옥천환, 玉泉丸).

• 열사열리(熱瀉熱痢)·비허설사(脾虛泄瀉): 소화기가 약해서 설사를 자주 하여 힘이 없는 증상을 치료한다.

• 갈화(葛花)는 해주성비(解酒醒脾), 지혈(止血)의 효능이 있으므로 상주번열구갈(傷酒煩熱口渴), 두통두훈(頭痛頭暈), 완복창만(脘腹脹滿), 구역토산(嘔逆吐酸), 불사음식(不思飮食), 토혈(吐血), 장풍하혈(腸風下血)을 치료한다.

성분 갈근(葛根)은 isoflavone인 daidzein 8-C-apiosyl (1→6) glucoside, daidzin, daidzein, morin, puerarin, 3′-hydroxypuerarin, puerarin-7-*O*-xyloside, genistein, genistin, formonetin, kakulide, irisolidone, pueroside, benzenoid인 ononin, triterpene인 lupeol, lupenone, glyceride인 glyceryl-1-tetracosanoate, 알칼로이드인 allantoin, coumain인 coumestrol, puerarol 등이 함유되어 있다. 갈화(葛花)는 1-octen-3-ol, eugenol, linalool, benzyl alcohol, isovaleric acid, capronic acid, flavonoid: irisoridone, irisoridone-7-*O*-glucoside, enistein, daidzein, quercetin, robinin, tectorigenine,

⊙ 갈근(葛根, 절편)

⊙ 갈근(葛根)

⊙ 갈화(葛花)

glycitin, tectoridine, glycitein, 6″-O-xylosyltectoridin, 6″-O-xylosylglycitin, kaempferol-3-O-rhamnoside, phenylpropanoid: p-coumaric acid 등이 함유되어 있다. 갈엽(葛葉)은 robinin, kaempferol-3-O-rhamnoside 등이 함유되어 있다.

약리 갈근(葛根): 물로 달인 액을 토끼에게 투여하면 체온이 내려간다. 에탄올추출물은 경련을 억제하는 작용이 있으며 daidzein의 양에 비례하고 papaverine과 비슷한 효능이 있다. 에탄올추출물은 부교감 신경 말초 자극 작용과 소화기관 부활 작용이 있다. morin은 사염화탄소로 처리하여 손상시킨 쥐의 간장을 회복시키는 작용이 있고, daidzein은 7,12-dimethylbenz[a]anthracene으로 처리하여 손상시킨 쥐의 간장을 회복시키는 작용이 있다. 메탄올추출물은 항산화 작용이 있다. puerarol은 advanced glycation end products(AGEs)의 생성을 억제한다. daidzin, daidzein, genistein 및 puerarin은 흰쥐의 1차 배양 간세포의 급성 간 독성에 보호 작용이 있다.

• 갈화(葛花): 물로 달인 액을 토끼에게 투여하면 체온이 내려간다. 에탄올추출물은 경련을 억제하는 작용이 있으며, daidzein의 양에 비례하고 papaverine과 비슷한 효능이 있다. 30%에탄올추출물은 항산화 작용이 있고, 멜라닌 합성 과정에 관여하는 tyrosinase 활성을 억제한다.

사용법 갈근 또는 갈화 10g에 물 3컵 (600mL)을 넣고 달여서 복용한다. 외용에는 짓찧어 바른다. 생즙을 내어 복용하면 주독(酒毒)과 초기 감기에 좋다.

주의 위한(胃寒) 또는 표허다한(表虛多汗)의 사람은 복용에 주의한다.

처방 갈근탕(葛根湯): 갈근(葛根) 4g, 마황(麻黃) 4g, 대추(大棗) 2g, 작약(芍藥) 2g, 감초(甘草) 2g, 건강(乾薑) 1g (『상한론(傷寒論)』). 땀이 나지 않으며 피부가 따갑고 코가 마르며 눈에 통증이 있고 목이 뻣뻣한 몸살감기에 사용한다.

• 갈근황련황금탕(葛根黃連黃芩湯): 갈근(葛根) 8g, 황련(黃連)·황금(黃芩) 각 4g, 감초(甘草) 2g (『상한론(傷寒論)』). 급성위장염, 구내염, 설염(舌炎), 어깨결림, 불면증에 사용한다.

• 갈근해기탕(葛根解肌湯): 갈근(葛根)·시호(柴胡)·황금(黃芩)·작약(芍藥)·강활(羌活)·석고(石膏)·승마(升麻)·백지(白芷)·길경(桔梗) 각 4g, 감초(甘草) 2g, 생강(生薑) 3쪽, 대추(大棗) 2개 (『상한론(傷寒論)』). 고혈압에 두통이 있고 목이 뻣뻣하며 이명(耳鳴)이 나고 산후에 살갗의 부기가 잘 빠지지 않는 증상에 사용한다.

• 승마갈근탕(升麻葛根湯): 갈근(葛根) 8g, 작약(芍藥)·승마(升麻)·감초(甘草) 각 4g, 생강(生薑) 3쪽, 총백(蔥白) 2개 (『동의보감(東醫寶鑑)』). 유행성감기로 오슬오슬 춥고 열이 나며 머리가 무겁고 허리와 뼈마디가 아프며 코가 막히면서 콧물이 나고 기침이 나는 증상에 사용한다.

• 갈화해정탕(葛花解酲湯): 갈화(葛花)·백두구(白荳蔲)·축사(縮砂) 각 20g, 모려(牡蠣) 12g, 백출(白朮)·건강(乾薑)·신국(神麴)·택사(澤瀉) 각 8g, 인삼(人蔘)·저령(豬苓)·백복령(白茯苓) 각 6g, 목향(木香) 2g (『동의보감(東醫寶鑑)』). 주독(酒毒)으로 인한 구토·설사, 감기에 사용한다.

○ 칡(열매)

○ 칡

○ 칡즙

○ 갈근(葛根)으로 만든 건강식품

○ 감기몸살약으로 시판되고 있는 갈근탕

[콩과]

감갈등

 외감표증, 두통두훈　 열병구갈, 상주번열구갈
음허소갈　　　　　 열사열리, 비허설사, 완복창만, 토혈

● 학명 : *Pueraria thomsonii* Benth. [*P. motana* var. *chinensis*]
● 한자명 : 甘葛藤, 粉葛　● 별명 : 가루칡

| 1 | 2 | 3 | 4 | 5 | 6 | 7 | 8 | 9 | 10 | 11 | 12 |

낙엽 덩굴나무. '칡'에 비하여 꽃부리 길이
가 1.5cm 이상이고, 꽃받침은 지름 1.2~
1.5cm, 뿌리에 가루질(전분)이 많다.

분포 · 생육지 중국 광둥성(廣東省), 광시성
(廣西省), 윈난성(雲南省), 티베트, 타이완,
인도, 라오스, 미얀마, 베트남. 산기슭 양지

● 감갈등

에서 자란다.
약용 부위 · 수치 뿌리를 채취하여 물에 씻은
후 적당한 크기로 썰어 말려서 사용한다.
약물명 분갈근(粉葛根). 갈근(葛根), 판갈근
(板葛根), 각갈근(角葛根), 분갈(粉葛), 건갈
(乾葛), 외갈근(煨葛根)이라고도 한다.
성상 판갈근(板葛根)은 길이 20~30cm, 너
비 5~6cm, 두께 약 1cm의 판자 모양이 되
도록 세로로 자른 것으로, 표면은 엷은 회황
색~회백색, 횡단면을 확대하여 보면 형성
층이 특이한 발육에 의하여 형성된 동심성
의 윤층의 일부가 보이고, 종단면은 섬유성
의 목부와 전분질의 유조직이 서로 엇갈리
어 세로무늬를 이룬다. 각갈근(角葛根)은 가
로, 세로, 높이 1~1.5cm로 자른 것을 말하
며, 비교적 전분이 많이 함유되어 있다.
＊기타 사항은 '칡 *P. lobata*'과 같다.

● 분갈근(粉葛根)

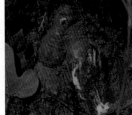

● 감갈등(뿌리)

[콩과]

여우콩

 풍습비통, 요척동통　　 두통
어혈복통

● 학명 : *Rhynchosia volubilis* Lour.　● 한자명 : 鹿藿　● 별명 : 덩굴돌콩

| 1 | 2 | 3 | 4 | 5 | 6 | 7 | 8 | 9 | 10 | 11 | 12 |

덩굴성 여러해살이풀. 잎은 어긋나고 3출
겹잎. 꽃은 황백색, 8~9월에 잎겨드랑이에
총상화서로 10~20개가 달린다. 열매는 편
평한 타원형, 길이 1.5cm 정도, 익으면 붉
은빛이 돌고 2개의 흑색 종자가 들어 있으
며 꼬투리가 터진 후에도 달려 있다.
분포 · 생육지 우리나라 중부 이남. 중국, 일
본. 산이나 들에서 자란다.
약용 부위 · 수치 줄기와 잎을 여름에 채취하
여 말린다.
약물명 녹곽(鹿藿). 야녹두(野綠豆)라고도
한다.
본초서 녹곽(鹿藿)은 「신농본초경(神農本草
經)」에 수재되어 있으며, 「본초강목(本草綱
目)」에서 "사슴(鹿)이 여우콩(藿)을 즐겨 먹
기 때문에 붙여진 이름이다."라고 하였다.
기미 · 귀경 평(平), 고(苦), 산(酸) · 위(胃),
비(脾), 간(肝)
약효 거풍제습(祛風除濕), 활혈(活血), 해
독의 효능이 있으므로 풍습비통(風濕痺痛),
두통, 요척동통(腰脊疼痛), 어혈복통을 치
료한다.

사용법 녹곽 10~20g에 물 2컵(400mL)을
넣고 달여서 복용한다.

● 녹곽(鹿藿)

● 여우콩(열매)

● 여우콩

[콩과]

아까시나무

| 대장하혈, 토혈, 변혈 | 객혈 |
| 타박상 | 혈붕 | 관절염 |

●학명 : *Robinia pseudoacacia* L.　●별명 : 아가시나무, 가시다릅나무, 아카시아나무

| 1 | 2 | 3 | 4 | 5 | 6 | 7 | 8 | 9 | 10 | 11 | 12 |

낙엽 교목. 높이 25m 정도. 줄기껍질은 황갈색, 턱잎이 변한 가시가 있다. 잎은 어긋나고 홀수 1회 깃꼴겹잎이다. 꽃은 백색, 5~6월에 총상화서로 달린다. 열매는 넓은 선형이며 길이 5~10cm, 5~10개의 종자가 들어 있다.

분포 · 생육지 북아메리카 원산. 우리나라 전역에서 재식한다.

약용 부위 · 수치 꽃은 6~7월에 채취하고, 뿌리는 봄부터 가을에 채취하여 물에 씻은 후 적당한 크기로 잘라서 말린다.

약물명 꽃을 자괴화(刺槐花), 뿌리를 자괴근(刺槐根)이라 한다.

약효 자괴화(刺槐花)는 지혈 효능이 있으므로 대장하혈, 객혈, 토혈, 혈붕(血崩)을 치료한다. 자괴근(刺槐根)은 양혈지혈(涼血止血), 서근활락(舒筋活絡)의 효능이 있으므로 변혈, 객혈, 토혈, 혈붕, 관절염, 타박상을 치료한다.

성분 자괴화(刺槐花)는 robinin, canaline, ricin 등이 함유되어 있다.

사용법 자괴화 또는 자괴근 10g에 물 2컵(400mL)을 넣고 달여서 복용한다.

❶ 아까시나무

❶ 아까시나무(줄기)

❶ 자괴화(刺槐花)

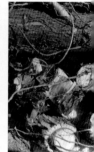
❶ 자괴근(刺槐根)

[콩과]

중국무우화

| 풍습골통 | 심위기통 |
| 통경 | 담음해수 |

●학명 : *Saraca dives* Pierre [*S. chinensis*]　●한자명 : 中國無憂花

| 1 | 2 | 3 | 4 | 5 | 6 | 7 | 8 | 9 | 10 | 11 | 12 |

상록 교목. 높이 20m 정도. 줄기껍질은 회갈색. 잎은 어긋나고 짝수 1회 깃꼴겹잎, 큰 것은 길이 1m에 이른다. 꽃은 황적색, 3~4월에 핀다. 열매는 넓은 선형이며 길이 20~30cm, 5~9개의 종자가 들어 있다.

분포 · 생육지 중국 광둥성(廣東省), 광시성(廣西省), 윈난성(雲南省). 해발 200~2,000m의 산골짜기에서 자란다.

약용 부위 · 수치 줄기껍질 또는 잎을 여름이나 가을에 채취하여 썰어서 말린다.

약물명 사방목(四方木)

약효 거풍지통(祛風止痛), 지해(止咳)의 효능이 있으므로 풍습골통(風濕骨痛), 심위기통(心胃氣痛), 통경(痛經), 담음해수(痰飮咳嗽)를 치료한다.

사용법 사방목 15g에 물 4컵(600mL)을 넣고 달여서 복용한다.

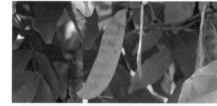
❶ 중국무우화(열매)

❶ 중국무우화

[콩과]

백자화

| | 인후염, 서열번갈 | | 폐열해수, 폐렴 |
| | 간염, 이질 |

● 학명 : *Sophora davidii* (Franch.) Kom. ex Pavol. [*S. vicifolia*] ● 한자명 : 白刺花

| 1 | 2 | 3 | 4 | 5 | 6 | 7 | 8 | 9 | 10 | 11 | 12 |

❍ 백자화

관목. 높이 1~2.5m. 잎은 어긋나고 짝수 1회 깃꼴겹잎, 작은잎은 11~21개이다. 꽃은 백색 또는 남백색으로 어린가지의 잎겨드랑이에 총상화서로 달린다. 열매는 원통형으로 길고 볼록볼록하다.

분포·생육지 중국, 타이완. 산지에서 자란다.

약용 부위·수치 뿌리는 봄부터 가을에 채취하여 물에 씻은 후 적당한 크기로 자르고, 꽃은 봄에 봉오리가 맺힐 때 또는 개화할 때 채취하여 말린다.

약물명 뿌리를 백자화근(白刺花根), 꽃을 백자화(白刺花)라 한다.

약효 백자화근(白刺花根)은 청열이인(清熱利咽), 양혈소종(凉血消腫)의 효능이 있으므로 인후염, 폐열해수(肺熱咳嗽), 간염, 폐렴, 이질을 치료한다. 백자화(白刺花)는 청열해서(清熱解暑)의 효능이 있으므로 서열번갈(暑熱煩渴)을 치료한다.

사용법 백자화근은 10g에 물 3컵(600mL)을 넣고 달여서 복용하고, 백자화는 1~3g을 뜨거운 물에 우려내어 복용한다.

[콩과]

산콩나무

| | 인후염, 치주염, 번갈 | | 황달, 열결변비 |
| | 폐열해수 | | 열종투창, 치창선개, 충독교상 |

● 학명 : *Sophora tonkinensis* Gagnep. [*S. subprostrata* Chun et T. Chen]
● 별명 : 월남괴(越南槐)

| 1 | 2 | 3 | 4 | 5 | 6 | 7 | 8 | 9 | 10 | 11 | 12 |

관목. 뿌리는 2~5개가 벋고 원주형으로 황갈색이다. 잎은 어긋나며 홀수 깃꼴겹잎, 작은잎은 11~17개이다. 꽃은 황백색, 총상화서로 가지 끝에서 피고, 꽃받침은 넓은 종 모양, 꽃잎은 나비 모양이다. 꼬투리는 염주 모양으로 긴 털이 빽빽이 난다.

분포·생육지 중국 광둥성(廣東省), 광시성(廣西省), 구이저우성(貴州省), 윈난성(雲南省). 석회암 산이나 바위틈에서 자란다.

약용 부위·수치 뿌리를 봄부터 가을에 채취하여 물에 씻은 후 그대로 또는 썰어서 말린다.

약물명 산두근(山豆根). 광두근(廣豆根), 고두근(苦豆根)이라고도 한다.

본초서 산두근(山豆根)은 송나라의 「개보본초(開寶本草)」에 처음 수재되었으며, "산두근(山豆根), 미감한(味甘寒), 무독(無毒), 해독제약(解毒諸藥), 지통, 살충의 효능이 있다."고 하였다. 중국약전(中國藥典) 및 우리나라의 생약규격집에 수재되어 있는 약물이다. 중국에서는 광둥성(廣東省)과 광시성(廣西省)에서 주로 산출되므로 광두근(廣豆根)이라고도 한다.

성상 불규칙한 매듭 모양으로 된 근두부와 그로부터 원주형의 뿌리가 갈라져 있고, 근두부 끝에는 줄기의 잔기가 남아 있다. 뿌리의 길이는 일정하지 않으나 30~50cm,

지름 7~15mm, 표면은 갈색~흑갈색이고 고르지 않은 세로 주름과 가로로 돌출된 피목이 있다. 질은 몹시 단단하여 꺾기 어렵다. 꺾은 면은 평탄하나 섬유성이며 피부는 엷은 갈색이고 목부는 엷은 황색이다. 콩 비린내가 있고 맛은 몹시 쓰다.

기미·귀경 한(寒), 고(苦), 유독(有毒)·심(心), 폐(肺), 위(胃)

약효 사화해독(瀉火解毒), 이인소종(利咽消腫), 지통살충(止痛殺蟲)의 효능이 있으므로 인후통, 치주염, 폐열해수(肺熱咳嗽), 번갈(煩渴), 황달, 열결변비(熱結便秘), 열종투창(熱腫禿瘡), 치창선개(痔瘡癬疥), 충독교상(蟲毒咬傷)을 치료한다.

성분 matrine, oxymatrine, pterocarpine, sophoranone, sophranochromene, anagyrine, maackiain, genistein, trifolirhizin 등이 함유되어 있다.

약리 동물 실험에서 자궁경부암 조직의 성장을 억제하고, pterocarpine은 곰팡이의 증식을 억제한다.

사용법 산두근 5g에 물 2컵(400mL)을 넣고 달여서 복용하고, 뱀이나 독충에 물린 상처에는 달인 액을 바르거나 가루 내어 뿌린다.

처방 산두근탕(山豆根湯): 산두근(山豆根), 형개(荊芥), 방풍(防風), 길경(桔梗), 백강잠(白殭蠶), 박하(薄荷), 작약(芍藥), 당귀(當

歸), 치자(梔子). 인후염, 치질에 사용한다.
* 중국에서는 암 치료약으로 이용하고 있으며, 뱀이나 독충에 물린 상처 치료에도 사용한다.

❍ 산콩나무

❍ 산두근(山豆根. 절편)

❍ 산두근(山豆根)

[콩과]

도둑놈의지팡이

🔥 열독혈리, 장풍하혈, 황달, 대변조결, 회충증
♀ 대하 👁 편도선염 🔥 화상

● 학명 : *Sophora flavescens* Aiton ● 별명 : 고삼, 너삼, 능암

| 1 | 2 | 3 | 4 | 5 | 6 | 7 | 8 | 9 | 10 | 11 | 12 |

여러해살이풀. 높이 1~1.2m. 뿌리는 굵다. 잎은 어긋나고 홀수 깃꼴겹잎이다. 꽃은 담황색, 6~8월에 총상화서로 달리며, 꽃받침은 5개로 얕게 갈라지고, 꽃잎은 기판(旗瓣)의 끝이 위로 구부러진다. 꼬투리는 좁은 원주형으로 길이 7~8cm, 잘록잘록하다.

분포·생육지 우리나라 전역. 중국, 일본, 타이완, 시베리아. 산과 들에서 자란다.

약용 부위·수치 뿌리를 수시로 채취하여 그대로 사용하지만 약한 불에 볶아서 사용한다. 종자는 여름에 채취하여 말린다.

약명 뿌리를 고삼(苦蔘)이라고 하며, 지괴(地槐), 수괴(水槐), 대괴(大槐), 교괴(驕槐), 야괴(野槐)라고도 한다. 종자를 고삼실(苦蔘實)이라고 하며, 고삼자(苦蔘子), 고두(苦豆)라고도 한다. 고삼(苦蔘)은 대한민국약전(KP)에 수재되어 있다.

본초서 고삼(苦蔘)은 「신농본초경(神農本草經)」의 중품(中品)에 수재되어 있다. 명나라 이시진(李時珍)의 「본초강목(本草綱目)」에는 "맛이 고(苦)하고 인삼처럼 약효가 뛰어나므로 고삼(苦蔘)이라 한다. 잎과 열매의 모양이 회화나무(槐)와 비슷하나 땅에서 높이 자라지 못하므로 지괴(地槐)라고도 한다."고 하였다. 「동의보감(東醫寶鑑)」에는 "열독풍으로 피부와 살에 헌데가 생기고, 적라(赤癩)로 눈썹이 빠지는 것, 열을 내리고 잠을 줄여 주며 눈을 밝게 하고 눈물이 많이 나는 것, 소변이 누렇고 붉은 것, 종기, 음부의 종기를 치료한다."고 하였다.

神農本草經: 主心腹結氣, 癥瘕積聚, 黃疸, 溺有餘瀝, 逐水, 除癰腫, 補中, 明目止淚.

本草圖經: 古今方用治瘡疹最多, 亦可治癩疾.

東醫寶鑑: 治熱毒風 皮肌生瘡 赤癩眉脫 除

大烈嗜睡 明目止淚 養肝膽氣 除腹熱腸澼 小便黃赤 療齒痛及惡瘡 下部䘌.

성상 긴 원주형, 가지가 있고 길이 5~20cm, 지름 2~3cm. 표면은 어두운 갈색~황갈색이며 세로 주름이 뚜렷하고 가로로 큰 피목이 있다. 주피를 벗긴 것은 표면이 황백색이며 섬유성이다. 약간 특이한 냄새가 있고 맛은 매우 쓰며 잔류성이다.

기미·귀경 한(寒), 고(苦)·심(心), 폐(肺), 신(腎), 대장(大腸)

약효 고삼(苦蔘)은 청열조습(淸熱燥濕), 거풍살충(袪風殺蟲)의 효능이 있으므로 열독혈리(熱毒血痢), 장풍하혈(腸風下血), 황달, 대하, 편도선염, 화상을 치료한다. 고삼실(苦蔘實)은 청열해독(淸熱解毒), 통변, 살충의 효능이 있으므로 급성균리(急性菌痢), 대변조결(大便燥結), 회충증을 치료한다.

성분 alkaloid: (+)-matrine, (+)-oxymatrine, (+)-sophoranol, (−)-anagyrine, allomatrine, (−)-baptifoline, (−)-methylxystine, flavonoid: kuraridinol, kurarinol, sophocarpine, trifolirhizine, luteolin-7-O-glucoside, sophoraflavanone G, 2(S)-2′-methoxykurarinone, leachianone A, kurarinone, xanthohumol, formonetin, kuraidin, genistein, 8-lavandulylkaempferol, 2(S)-3β,7,4′-trihydroxy-5-methoxy-8-(γ,γ-dimethylallyl)-flavanone, desmethylanhydroicaritin, triterpenoid: soyasapogenol B, soyasaponin B, soyasaponin I, β-sitosterol, daucosterol, lupenone, quinone: kushenquinone A, phenylpropanoid: *trans*-hexadecylferulic acid, *trans*-hexadecylsinapic acid, *cis*-octadecylferulic acid, coumarin: umbellif-

erone 등이 함유되어 있다.

약리 matrine, oxymatrine은 nicotine처럼 살충 작용이 있어서 가축의 피부에 기생하는 벌레를 구제한다. matrine을 토끼에게 주사하면 중추 신경을 마비시키고 경련을 일으켜 호흡을 정지시킨다. 물에 달인 액은 각종 피부진균의 성장을 억제한다. sophoraflavanone G, 2(S)-2′-methoxykurarinone, kurarinone은 항말라리아 작용이 있다. 열수추출물은 돼지 위장염 바이러스(TGEV, transmissible gastroenteritis virus)와 돼지 유행성설사 바이러스(PEDV, porcine epidemic diarrhea virus)에 효과적인 항바이러스 작용이 있다. kurarinol은 sortase A의 활성을 억제한다.

사용법 고삼 7g에 물 3컵(600mL)을 넣고 달여서 복용하고, 외용에는 달인 액으로 씻거나 짓찧어 붙인다. 고삼실은 가루 내어 1g씩 하루 4차례 복용한다.

주의 고한(苦寒)하고 독성이 있으므로 노인, 임산부, 허약체질, 내열(內熱)이 없는 사람은 사용하지 않는다.

처방 고삼환(苦蔘丸): 고삼(苦蔘)·차전자(車前子)·지실(枳實) 각 80g(「동의보감(東醫寶鑑)」). 간(肝)의 실열(實熱)로 시력이 좋지 못한 증상에 사용한다.

• 소풍산(消風散): 형개(荊芥)·방풍(防風)·당귀(當歸)·지황(地黃)·고삼(苦蔘)·창출(蒼朮)·선퇴(蟬退)·호마인(胡麻仁)·우방자(牛蒡子)·지모(知母)·석고(石膏) 각 12g, 목통(木通)·감초(甘草) 각 4g(「의종금감(醫宗金鑑)」). 풍증(風症)으로 두통이 나고 어지러우며 목과 등이 뻣뻣하고 귀에서 소리가 나고 피부가 가려우며 붓는 증상에 사용한다.

○ 고삼(苦蔘)

○ 도둑놈의지팡이(열매)

○ 도둑놈의지팡이(종자)

○ 도둑놈의지팡이

회화나무

 치창출혈, 혈뇨, 음낭습양　 장풍하혈, 혈리
봉루　 두훈목적　습진, 개선, 옹창정종

● 학명 : *Sophora japonica* L.　● 별명 : 회나무, 과나무

| 1 | 2 | 3 | 4 | 5 | 6 | 7 | 8 | 9 | 10 | 11 | 12 |

낙엽 교목. 높이 15~20m. 줄기껍질은 회흑색, 어린가지는 녹색으로 짧은 백색 털이 많고 자르면 냄새가 난다. 잎은 어긋나고 홀수 깃꼴겹잎이다. 꽃은 황백색, 8월에 핀다. 꼬투리는 잘록잘록하고 길이 5~8cm, 약간 육질이며, 열매는 10월에 익는다.

분포·생육지 중국 원산. 우리나라 전역에서 재식한다.

약용 부위·수치 꽃봉오리와 꽃을 봄에, 가지를 봄과 가을에, 잎을 여름이나 가을에, 열매를 가을에, 뿌리는 수시로 채취하여 말린다.

약물명 꽃봉오리를 괴화(槐花)라고 하며, 괴화미(槐花米), 괴예(槐蕊), 또는 괴미(槐米)라고도 한다. 뿌리를 괴근(槐根), 열매를 괴각(槐角)이라고 하며, 괴실(槐實), 괴자(槐子), 괴협(槐莢)이라고도 한다. 잎을 괴엽(槐葉), 가지를 괴지(槐枝)라 한다.

본초서 괴실(槐實)은 「신농본초경(神農本草經)」의 상품(上品)에 수재되어 있고, 「가우본초(嘉祐本草)」에 괴화(槐花)라는 이름이 처음 수재되어 "괴화(槐花)는 미고(味苦), 평(平), 무독(無毒)하고 오치(五痔), 화창(火瘡), 부인유옹(婦人乳癰)을 치료한다."고 기록되어 있다. 「동의보감(東醫寶鑑)」에는 "괴실(槐實)이 수재되어 치질과 불에 덴 상처에 주로 쓰며, 열을 내리고, 난산을 돕고, 풍증을 치료하며, 음부 습양을 치료하고,

출산을 촉진한다."고 하였다.
日華諸者本草: 治五痔 心痛 眼赤 腸風 瀉血 赤白痢.
珍珠囊: 涼大腸.
本草綱目: 炒香頻嚼 治失音及喉痺 又療吐血 喀血 崩中漏下.
東醫寶鑑: 主五痔 火瘡 除大熱 療難産 墮胎 殺蟲去風 治男女陰瘡濕痒 及腸風 能催生.

성상 괴화(槐花)는 황록색~황갈색의 꽃받침과 엷은 황색~엷은 황록색의 채 피지 않은 꽃잎으로 되고 길이 3~10mm이다. 꽃받침은 길이 3~4mm로 얕게 5개로 갈라지고, 주머니 모양의 꽃잎은 5개로 되고 각각 크기가 다르다. 냄새나 맛은 거의 없다. rutin의 함량이 20% 이상이어야 한다. 괴각(槐角)은 염주 모양의 꼬투리이며 길이 3~6cm, 너비 0.7~1cm, 표면은 녹갈색이고, 종자는 흑갈색이다. 냄새가 없고 맛은 쓰고 콩 비린내가 난다.

기미·귀경 괴화(槐花): 양(涼), 감(甘), 고(苦)·간(肝), 대장(大腸). 괴각(槐角): 한(寒), 고(苦)·간(肝), 대장(大腸). 괴엽(槐葉): 평(平), 고(苦)·간(肝), 위(胃)

약효 괴화(槐花)는 청열양혈(淸熱涼血), 지혈(止血), 청간(淸肝)의 효능이 있으므로 치창출혈(痔瘡出血), 장풍하혈(腸風下血), 혈리(血痢), 간열(肝熱)로 인한 두훈목적(頭暈目赤)을 치료한다. 괴각(槐角)은 청열윤

간(淸熱潤肝), 양혈지혈(涼血止血)의 효능이 있으므로 장풍사혈(腸風瀉血), 치질에 의한 출혈, 심흉번민(心胸煩悶)을 치료한다. 괴엽(槐葉)은 청간사화(淸肝瀉火), 양혈해독(涼血解毒), 조습살충(燥濕殺蟲)의 효능이 있으므로 장풍(腸風), 혈뇨, 치창(痔瘡), 습진, 개선(疥癬), 옹창정종(癰瘡疔腫)을 치료한다. 괴지(槐枝)는 산어지혈(散瘀止血), 청열조습(淸熱燥濕)의 효능이 있으므로 붕루(崩漏), 음낭습양(陰囊濕痒), 개선(疥癬)을 치료한다.

성분 괴화(槐花)는 rutin, quercetin, quercitrin, biochanin A, irisolidone, genistein, genistin, tectoridin, apigenin, sissotrin, sophorabioside, sophoradiol, sophoranol, sophorol, sophoricoside, maakinin, betulin, betulinic acid 등이 함유되어 있고, 괴각(槐角)은 genistein, sophoricoside, kaempferol 등이 함유되어 있다.

약리 rutin은 모세 혈관의 정상적인 저항력을 유지시켜 지혈 작용을 나타내고, quercetin은 평활근의 장력을 저하시켜 진경 작용을 나타낸다. biochanin A, genistein, tectoridin은 arachidonic acid와 U46619로 유도되는 혈전 형성을 저해하는 작용이 있으며, 그 효능은 aspirin의 2.5~6.5배이다.

사용법 괴화, 괴각 또는 괴엽 10g에 물 3컵(600mL)을 넣고 달여서 복용한다.

처방 괴화탕(槐花湯): 괴화(槐花)·생지황(生地黃)·유근피(楡根皮) 각 4g, 방풍(防風)·당귀(當歸)·작약(芍藥)·형개(荊芥)·천궁(川芎)·황련(黃連)·지실(枳實) 각 3.2g, 지유(地楡)·매실(梅實)·감초(甘草) 각 2g「동의보감(東醫寶鑑)」. 변혈, 치질 출혈에 사용한다.

❶ 괴각(槐角)

❶ 괴화(槐花)

❶ 괴엽(槐葉)

❶ 괴지(槐枝)

❶ 괴근(槐根, 절편)

❶ 괴근(槐根)

❶ 회화나무　❶ 꽃

[콩과]

금작

 히스테리, 불안증

●학명 : *Spartium junceum* L. [*Genista juncea*]　●영명 : Spanish broom

| 1 | 2 | 3 | 4 | 5 | 6 | 7 | 8 | 9 | 10 | 11 | 12 |

낙엽 관목. 높이 1~2m. 위에서 가지가 여러 개로 갈라진다. 잎은 어긋나고 깃꼴겹잎이며, 작은잎의 가장자리는 밋밋하고 잎자루가 짧다. 꽃은 황색, 잎겨드랑이에 총상화서로 핀다. 열매는 길고 가늘며 위를 향한다.

분포·생육지 유럽 지중해 연안. 산과 들에서 자란다.

약용 부위·수치 꽃을 여름에 채취하여 말린다.

약물명 Sparti Flos

약효 강심, 강장의 효능이 있으므로 히스테리, 불안증을 치료한다.

사용법 Sparti Flos 15~20g에 물 3컵(600mL)을 넣고 달여서 복용하거나 술에 담가서 복용한다.

○ 금작(열매)

○ 금작

[콩과]

호로차

 감기, 폐병해혈　 인후통　♀ 임신구토
↺ 장염, 황달, 구충병　풍습관절통　창개

●학명 : *Tadehagi triquetrum* (L.) Ohashi [*Desmodium triquetrum* (L.) DC.]
●한자명 : 葫蘆茶

| 1 | 2 | 3 | 4 | 5 | 6 | 7 | 8 | 9 | 10 | 11 | 12 |

○ 호로차(葫蘆茶)

○ 호로차(잎)

여러해살이풀. 높이 1~2m. 바로 서고 가지가 여러 개로 갈라진다. 잎은 어긋나고 홑잎이다. 꽃은 적자색, 7~10월에 줄기 끝에 총상화서로 달린다. 꼬투리는 길이 3~5cm, 5~6개의 마디가 있고 종자가 1개씩 들어 있으며 겉에 잔털이 있다.

분포·생육지 중국 광둥성(廣東省), 푸젠성(福建省), 윈난성(雲南省). 산과 들에서 자란다.

약용 부위·수치 잎을 꽃이 피기 전 여름에 채취하여 말린다.

약물명 호로차(葫蘆茶). 우충차(牛蟲茶), 백로설(百勞舌)이라고도 한다.

약효 청열이습(淸熱利濕), 소체살충(消滯殺蟲)의 효능이 있으므로 감기, 인후통, 폐병해혈(肺病咳血), 장염, 이질, 황달, 풍습관절통, 임신구토, 창개(瘡疥), 구충병(鉤蟲病)을 치료한다.

사용법 호로차 5g에 물 2컵(400mL)을 넣고 달여서 복용한다.

○ 호로차

밀화두나무

수족마목, 풍습비통 월경부조, 통경경폐

혈허위황 심계실면

●학명 : *Spatholobus suberectus* Dunn ●한자명 : 密花豆

1 2 3 4 5 6 7 8 9 10 11 12

덩굴나무. 오래된 줄기는 편평한 구형이며 절단하면 붉은 즙이 흐른다. 잎은 어긋나며, 꽃은 백색으로 원추화서에 모여나고, 꽃잎은 나비 모양이다. 열매는 꼬투리로 선모가 조밀하고 그물맥이 있으며 끝부분에 1개의 종자가 들어 있다.

분포·생육지 중국 광둥성(廣東省), 윈난성(雲南省), 광시성(廣西省). 산지에서 자란다.

약용 부위·수치 가을과 겨울에 덩굴줄기를 채취하여 적당한 크기로 잘라서 건조한다. 때로는 물에 끓여서 고약처럼 만들어 사용한다.

약물명 계혈등(鷄血藤), 계혈등교(鷄血藤膠), 혈풍등(血風藤), 혈절등(血節藤), 혈등(血藤), 혈근등(血筋藤)이라고도 한다. 대한민국약전외한약(생약)규격집(KHP)에 수재되어 있다.

본초서 계혈등(鷄血藤)은 「본초강목습유(本草綱目拾遺)」에 계혈등교(鷄血藤膠)라고 수재되어 있으며 기원 식물이 명확하지 않다. 「식물명실도고(植物名實圖考)」에는 혈분(血分)의 성약(聖藥)이라고 하였다. 덩굴성 줄기를 잘라 보면 계혈색(鷄血色)의 무늬가 확실하므로 계혈등(鷄血藤)이라는 이름이 붙은 것이다.

성상 타원형~긴 네모꼴 원형 또는 불규칙한 절편으로 두께 3~10mm이다. 코르크층은 회갈색이고 가끔 회백색의 반점이 보이며 코르크층이 떨어진 곳은 홍갈색을 나타낸다. 절단면의 목질부는 적갈색~갈색이며 많은 도관이 있고, 인피부에는 짙은 적갈색~흑갈색의 수지상 분비물이 있다. 목질부와 인피부가 상호 배열하여 3~8개의 편심성 반원형의 테를 이룬다. 수부(髓部)는 한쪽으로 치우쳐 있다. 질은 견실하고 단단하다. 냄새는 거의 없고 맛은 떫다. 적갈색의 편심성 환층이 명료하고 수지상 분비물이 많은 것이 좋다.

기미·귀경 온(溫), 고(苦), 감(甘)·간(肝), 신(腎)

약효 활혈서근(活血舒筋), 양혈조경(養血調經)의 효능이 있으므로 수족마목(手足麻木), 월경부조(月經不調), 통경경폐(通經經閉), 풍습비통(風濕痹痛), 혈허위황(血虛萎黃), 심계실면(心悸失眠), 설담맥세(舌淡脈細)를 치료한다.

성분 milletol, kadsurin, interiorin, heteroclitin A, B, C, E가 함유되어 있다.

약리 물로 달인 액은 항산화 작용이 나타나고, 포도상구균의 성장을 억제한다. 85%메탄올추출물은 사염화탄소로 손상시킨 쥐의 간을 이용한 실험에서 항산화 작용을 나타낸다.

사용법 계혈등 5g에 물 2컵(400mL)을 넣고 달여서 복용하거나 술에 담가서 복용한다. 가루로 만들어 3g을 물과 복용하기도 한다.

처방 계혈등고(鷄血藤膏): 계혈등(鷄血藤)·오미자(五味子)·유마(乳麋)·맥아(麥芽)·홍화(紅花)·속단(續斷)·우슬(牛膝)·흑두(黑豆) 동량. 몸이 허약한 사람들의 보신, 허리와 무릎이 시리고 아픈 증상에 사용한다.

• 혈등성유탕(血藤聖愈湯): 월경경폐(月經經閉) 또는 월경감소에 사용한다.

＊ '백화유마등(白花油麻藤) *Mucuna birdwoodiana*'의 줄기 및 '*Millettia nitida*', '향화암두등(香花暗豆藤) *M. dielsiana*', '*Kadsura heteroclita*'의 줄기도 계혈등(鷄血藤)이라는 이름으로 출하되고 있다.

❂ 계혈등(鷄血藤)

❂ 밀화두나무(줄기)

❂ 밀화두나무

산각

중서 | 식욕부진, 변비
임신구토

●학명 : *Tamarindus indica* L.　●영명 : Tamarind　●한자명 : 酸角

| 1 | 2 | 3 | 4 | 5 | 6 | 7 | 8 | 9 | 10 | 11 | 12 |

○ 산각(酸角)

상록 교목. 높이 10~20m. 줄기껍질은 암갈색이다. 잎은 어긋나고 짝수 깃꼴겹잎이며, 꽃은 잎겨드랑이에 총상화서 또는 원추화서로 피고, 화관은 황색, 적자색의 줄이 있다. 꼬투리는 원통형이고 군데군데 잘록하다.

분포 · 생육지 유럽, 아프리카, 인도, 중국 윈난성(雲南省), 하이난성(海南省), 타이완. 산지에서 자란다.

약용 부위 · 수치 열매를 봄에 채취하여 말린다.

약물명 산각(酸角). 산교(酸餃), 만모(曼姆)라고도 한다. 서양에서는 타마린드(Tamarind) 또는 인디언데이트(Indian date)라고 한다.

약효 청열해독(清熱解毒), 화위소적(和胃消積)의 효능이 있으므로 중서(中暑), 식욕부진, 임신구토, 변비를 치료한다.

사용법 산각 15~20g에 물 3컵(600mL)을 넣고 달여서 복용하거나 술에 담가서 복용한다.

○ 꽃　　　○ 산각

회엽

풍열감모 | 습진, 피부염

●학명 : *Tephrosia purpurea* (L.) Pers. [*Cracca purpurea*]　●한자명 : 灰葉　●별명 : 콩과

| 1 | 2 | 3 | 4 | 5 | 6 | 7 | 8 | 9 | 10 | 11 | 12 |

○ 회엽(꽃)

반관목. 높이 60cm 정도. 바로 서며 가지를 많이 낸다. 잎은 어긋나고 홀수 깃꼴겹잎, 작은잎은 7~17개이다. 꽃은 잎겨드랑이에 총상화서로 줄기 끝에 나며, 화관은 백색 바탕에 적자색의 큰 반점이 있다. 꼬투리는 납작한 원통형이다.

분포 · 생육지 중국, 인도네시아. 산지에서 자란다.

약용 부위 · 수치 전초를 여름에 채취하여 썰어서 말린다.

약물명 회엽(灰葉)

약효 청열해표(清熱解表), 조습해독(燥濕解毒)의 효능이 있으므로 풍열감모(風熱感冒), 습진, 피부염을 치료한다.

사용법 회엽 15~20g에 물 3컵(600mL)을 넣고 달여서 복용한다.

○ 회엽

[콩과]

갯활량나물

🗂 약창, 개선

●학명 : *Thermopsis lupinoides* (L.) Link [*Sophora lupinoides*]
●한자명 : 野決明　●별명 : 잠두싸리

| 1 | 2 | 3 | 4 | 5 | 6 | 7 | 8 | 9 | 10 | 11 | 12 |

여러해살이풀. 높이 40~80m. 잎은 3출겹잎, 꽃은 황색, 총상화서로 핀다. 꼬투리는 납작한 선형이고, 종자는 12~15개로 흑색이다.

분포·생육지 우리나라 강릉, 원산, 함북. 중국, 일본, 우수리, 북아메리카. 바닷가 모래땅에서 자란다.

약용 부위·수치 전초를 여름과 가을에 채취하여 썰어서 말린다.

약물명 야결명(野決明)

약효 청열소종(清熱消腫), 거담최토(祛痰催吐)의 효능이 있으므로 악창(惡瘡), 개선(疥癬)을 치료한다.

성분 thermopsine, cytisine, pachycarpine, anagyrine, *N*-methylcytisine, 17-oxolupanine, *N*-formylcytisine, baptifoline, ammodendrine 등이 함유되어 있다.

사용법 야결명 6g에 물 2컵(400mL)을 넣고 달여서 복용하고, 짓찧어 환부에 붙인다.

❍ 갯활량나물

[콩과]

달구지풀

🫁 해천　👥 치창
🗂 체선　💊 임파결핵

●학명 : *Trifolium lupinaster* L.　●한자명 : 野火球　●별명 : 굴대풀

| 1 | 2 | 3 | 4 | 5 | 6 | 7 | 8 | 9 | 10 | 11 | 12 |

여러해살이풀. 높이 30cm 정도. 줄기는 모여나고 비스듬히 자란다. 잎은 어긋나고 잎자루는 짧고 장상 복엽이며, 작은잎은 5~7개이고 긴 타원형, 잎맥이 뚜렷하다. 턱잎은 합쳐져서 통 모양이다. 꽃은 적자색, 6~9월에 핀다. 열매는 꼬투리이고 종자가 4~6개 들어 있다.

분포·생육지 우리나라 북부 지방(백두산, 함남북). 중국, 일본, 내몽골. 풀밭에서 흔하게 자란다.

약용 부위·수치 전초를 가을부터 겨울까지 채취하여 말린다.

약물명 야화구(野火球).야차축초(野車軸草), 두삼(豆蔘), 야화추(野火萩)라고도 한다.

약효 지해(止咳), 진통, 산결(散結)의 효능이 있으므로 해천(咳喘), 임파결핵, 치창(痔瘡), 체선(體癬)을 치료한다.

사용법 야화구 15g에 물 3컵(600mL)을 넣고 달여서 복용하거나 술에 담가서 복용하고, 외용에는 달인 액을 바른다.

＊본 종보다 키도 작고 잎의 길이가 짧은 '제주달구지풀 var. *alpinum*'도 약효가 같다.

❍ 달구지풀

❍ 제주달구지풀

❍ 야화구(野火球)

❍ 달구지풀(뿌리)

[콩과]

붉은토끼풀

🫁 감기, 해천   🔲 화상

●학명 : *Trifolium pratense* L.   ●한자명 : 紅車軸草

1	2	3	4	5	6	7	8	9	10	11	12

🌿 🍃 🌱 🌾 🌲 ✿ 🌰 ❄️ 🌾 💧

여러해살이풀. 높이 30~60cm. 목초로 많이 재배하고 있던 것이 논밭으로 퍼져 나가 있다. 잎은 어긋나고 잎자루가 길며 작은 잎은 3개, 달걀 모양, 둔두 또는 약간 파이고 길이 3~5cm. 표면에 백색 무늬가 있고 가장자리에 잔톱니가 있다. 꽃은 적자색, 6~7월에 핀다.

분포 · 생육지 유럽 원산. 우리나라 전역에서 자란다.

약용 부위 · 수치 전초를 가을부터 겨울까지 채취하여 말린다.

약물명 홍차축초(紅車軸草), 홍삼엽(紅三葉), 금화채(金花菜)라고도 한다.

약효 청열지해(淸熱止咳), 산결소종(散結消腫)의 효능이 있으므로 감기, 해천(咳喘), 경종(硬腫), 화상을 치료한다.

성분 formononetin, biochanin A, B, daidzein, pratensein, pratoletin, trifolirhizin, pectolinarin, trifolin, isorhamnetin, pratol 등이 함유되어 있다.

약리 쥐에게 열수추출물을 투여하면 성욕을 자극하는 작용이 있고, 정맥으로 투여하면 항암 작용이 나타나며 혈액 중의 지질을 저하시키는 효능이 있다.

사용법 홍차축초 15g에 물 3컵(600mL)을 넣고 달여서 복용한다.

❍ 붉은토끼풀

❍ 홍차축초(紅車軸草)

[콩과]

토끼풀

👥 치창출혈   🔲 경결종괴
🩸 전병

●학명 : *Trifolium repens* L.   ●한자명 : 白車軸草

1	2	3	4	5	6	7	8	9	10	11	12

🌿 🍃 🌱 🌾 🌲 ✿ 🌰 ❄️ 🌾 💧

❍ 삼소초(三消草)

여러해살이풀. 높이 20cm 정도. 전체에 털이 없다. 잎은 어긋나고 3출겹잎이다. 꽃은 백색, 4~7월에 잎겨드랑이에 둥글게 모여 달린다. 열매는 꼬투리이며, 종자는 4~5개로 선형이다.

분포 · 생육지 유럽 원산. 우리나라 전역에서 자란다.

약용 부위 · 수치 전초를 가을에 채취하여 말린다.

약물명 삼소초(三消草), 방해화(螃蟹花), 백삼엽(白三葉)이라고도 한다.

약효 청열양혈(淸熱凉血), 영심(寧心)의 효능이 있으므로 전병(癲病), 치창출혈(痔瘡出血), 경결종괴(硬結腫塊)를 치료한다.

성분 cloversaponin I~V, soyasaponin I methyl ester, soyasaponin II methyl ester, azukisaponin II methyl ester, linamarin 등이 함유되어 있다.

사용법 삼소초 15g에 물 3컵(600mL)을 넣고 달여서 복용한다.

❍ 토끼풀

호로파

한산, 양위유정 　　복협창만

한습각기, 신허요통

● 학명 : *Trigonella foenum-graecum* L. 　● 한자명 : 葫蘆巴

| 1 | 2 | 3 | 4 | 5 | 6 | 7 | 8 | 9 | 10 | 11 | 12 |

한해살이풀. 높이 50~80cm. 향기가 나고 줄기는 곧게 서며, 잎은 어긋난다. 꽃은 백색, 밑부분이 자주색을 띠고 나비 모양, 잎겨드랑이에 1~2개씩 달린다. 꼬투리는 가늘고 길이 7~11cm, 세로 그물맥이 뚜렷하고, 종자는 다갈색이다.

분포·생육지 중국 원산. 중국 신장성(新疆省), 칭하이성(青海省), 내몽골 등에서 생산되며 주로 재배한다.

약용 부위·수치 종자를 늦여름에 성숙하면 채취하여 물에 2~4시간 담갔다가 꺼내서 말렸다가 사용한다.

약물명 호로파(葫蘆巴). 지모구(地毛球), 쇄양(鎖陽), 양쇄불랍(羊鎖不拉)이라고도 한다. 대한민국약전외한약(생약)규격집(KHP)에 수재되어 있다.

본초서 호로파(葫蘆巴)는 원대(元代) 주진형(朱震亨)의 「본초연의보유(本草衍義補遺)」에 수재되어 "음기(陰氣)를 보익(補益)하며 정혈(精血)을 돕고 대변을 잘 나오게 한다. 몸이 허약하여 대변이 단단할 때 사용하며, 육종용(肉蓯蓉)이 없으면 이것을 죽으로 쑤어 먹으면 좋다."고 기록되어 있다. 이와 같은 기록으로 보아 육종용(肉蓯蓉)과 쇄양(鎖陽)은 예로부터 보익제로 사용되어 왔음을 알 수 있다. 「동의보감(東醫寶鑑)」에는 "신장의 기운이 허하여 배와 옆구리가 아프며 얼굴빛이 검푸른 것을 낫게 하고, 신장의 기운이 부족한 것을 돕는 데 가장 요긴한 약이다."라 하였다.

本草衍義補遺: 大補陰氣 益精血 虛人大便燥結者.

本草綱目: 潤燥養筋 治痿弱.

東醫寶鑑: 治腎虛冷 腹脇脹滿 面色靑黑 又云 治元臟虛冷氣 爲最藥.

성상 둥근 사방형이고 길이 3~5mm, 너비 2~3mm이다. 바깥 면은 엷은 갈색~황갈색이며 양쪽에 각 하나의 깊은 홈이 있다. 질은 단단하고 물에 담그면 점액이 묻어 나온다. 특이한 냄새가 조금 있고 맛은 점액성이며 쓰다.

품질 거칠고 적갈색이며 육질인 것이 좋다.

기미·귀경 온(溫), 고(苦)·간(肝), 신(腎)

약효 온신양(溫腎陽), 축한습(逐寒濕)의 효능이 있으므로 한산(寒疝), 복협창만(腹脇脹滿), 한습각기(寒濕脚氣), 신허요통(腎虛腰痛), 양위유정(陽痿遺精)을 치료한다.

성분 cynoterpene, acetylursolic acid, ursolic acid, β-sitosterol, β-sitosterol palmitate, campesterol, daucosterol 등이 함유되어 있다.

약리 열수추출물을 쥐에게 계속 투여하면 비장의 무게가 늘어나고 과산화 지질의 생성이 억제되며 혈소판 응집이 저해된다.

사용법 호로파 5g에 물 2컵(400mL)을 넣고 달여서 복용하거나 환약이나 가루약으로 만들어 복용한다.

처방 호로파원(葫蘆巴元): 회향(茴香) 120g, 견우자(牽牛子) 80g, 부자(附子)·파극천(巴戟天)·오수유(吳茱萸) 각 60g, 고련자(苦楝子)·호로파(葫蘆巴) 각 40g, 1일 3회, 1회 10g(「동의보감(東醫寶鑑)」). 분돈산기(奔豚疝氣)가 발작하여 위로 치밀어 참을 수 없이 아픈 증상에 사용한다.

❍ 호로파(열매)

❍ 호로파(葫蘆巴)

❍ 호로파

[콩과]

묘미사

폐열해수, 폐옹　　혈뇨

●학명 : *Uraria crinita* L.　●한자명 : 猫尾射, 千斤苪

1	2	3	4	5	6	7	8	9	10	11	12

✿ 묘미사

여러해살이풀. 길이 1~1.5m. 잎은 어긋나고 홀수 깃꼴겹잎, 작은잎은 3~4쌍, 가장자리는 밋밋하다. 꽃은 자주색, 5~6월에 잎겨드랑이에 총상화서로 핀다. 꼬투리는 길며 3~7개의 마디가 있다.

분포·생육지 중국, 베트남, 오스트레일리아. 산과 들의 양지에서 자란다.

약용 부위·수치 전초를 여름과 가을에 채취하여 적당한 크기로 썰어서 말린다.

약물명 호미륜(虎尾輪). 호리미(狐狸尾), 노호미(老虎尾)라고도 한다.

약효 청폐지해(清肺止咳), 산어지혈(散瘀止血)의 효능이 있으므로 폐열해수(肺熱咳嗽), 폐옹(肺癰), 혈뇨를 치료한다.

사용법 호미륜 15g에 물 3컵(600mL)을 넣고 달여서 복용한다.

✿ 묘미사(꽃)

[콩과]

갈퀴나물

풍습동통, 근맥구련　　음낭습진

●학명 : *Vicia amoena* Fischer　●한자명 : 山野豌豆　●별명 : 말굴레풀

1	2	3	4	5	6	7	8	9	10	11	12

✿ 갈퀴나물

여러해살이풀. 길이 1.5m 정도. 줄기는 모가 난다. 잎은 어긋나고 짝수 깃꼴겹잎, 끝에 덩굴손이 있다. 작은잎은 5~8쌍이 마주나거나 어긋나게 붙고 마르면 암갈색이 되며, 턱잎은 거치가 있다. 꽃은 적자색, 잎겨드랑이에 총상화서로 한쪽으로 치우쳐 핀다. 꼬투리는 긴 타원형이다.

분포·생육지 우리나라 전역. 중국, 일본, 몽골, 아무르, 사할린. 산과 들 양지에서 자란다.

약용 부위·수치 전초를 여름과 가을에 채취하여 적당한 크기로 썰어서 말린다.

약물명 산야완두(山野豌豆). 숙근소채(宿根巢菜), 낙두앙(落豆秧), 산완두(山豌豆)라고도 한다.

약효 거풍제습(祛風除濕), 활혈지통(活血止痛)의 효능이 있으므로 풍습동통(風濕疼痛), 근맥구련(筋脈拘攣), 음낭습진을 치료한다.

사용법 산야완두 15g에 물 3컵(600mL)을 넣고 달여서 복용하고, 음낭습진에는 약을 복용하면서 짓찧어 환부에 붙이거나 즙액을 바른다.

✿ 갈퀴나물(꼬투리)

벌완두

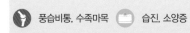

풍습비통, 수족마목　습진, 소양증

●학명 : *Vicia amurensis* Oett.　●한자명 : 黑龍江野豌豆　●별명 : 별완두, 섬갈키, 들말굴레

1	2	3	4	5	6	7	8	9	10	11	12

덩굴성 여러해살이풀. 길이 1.5m 정도. 능선이 있다. 잎은 어긋나고 짝수 깃꼴겹잎, 작은잎은 5~8쌍, 턱잎은 톱니가 있거나 2개로 갈라진다. 꽃은 남자색, 길이 8mm 정도, 6~8월에 잎겨드랑이에 총상화서로 한쪽으로 치우쳐서 달린다. 꼬투리는 편평한 긴 타원형이며, 길이 2.5cm 정도, 종자가 보통 4~5개씩 들어 있다.

분포 · 생육지 우리나라 중부 이북, 중국, 일본, 몽골, 아무르, 사할린. 산과 들의 양지에서 자란다.

약용 부위 · 수치 전초를 여름과 가을에 채취하여 적당한 크기로 썰어서 말린다.

약물명 흑룡강야완두(黑龍江野豌豆). 투골초(透骨草)라고도 한다.

약효 산풍거습(散風祛濕), 활혈지통(活血止痛)의 효능이 있으므로 풍습비통(風濕痺痛), 수족마목, 습진, 소양증을 치료한다.

성분 chloroindole-3-acetic acid, 4-chloroindole-3-acetic acid가 함유되어 있다.

사용법 흑룡강야완두 15g에 물 3컵(600mL)을 넣고 달여서 복용하고, 습진, 소양증에는 짓찧어서 환부에 붙이거나 즙액을 바른다.

○ 벌완두

○ 흑룡강야완두(黑龍江野豌豆)

살갈퀴

신허요통　유정　창독
황달　해수담다

●학명 : *Vicia angustiolia* L. var. *segetilis* K. Koch [*V. sativa*]
●한자명 : 大巢菜　●별명 : 살말굴레풀, 가는살갈퀴

1	2	3	4	5	6	7	8	9	10	11	12

덩굴성 두해살이풀. 길이 1.5m 정도. 원줄기는 네모진다. 잎은 어긋나고 짝수 깃꼴겹잎, 작은잎은 3~7쌍, 끝이 갈라지는 덩굴손이 된다. 꽃은 붉은색, 5월에 잎겨드랑이에 총상화서로 핀다. 꼬투리는 편평하며 길고 털이 없으며, 흑색 종자가 10개 정도 들어 있다.

분포 · 생육지 우리나라 전역, 중국, 일본, 유럽. 산기슭 이하의 양지에서 자란다.

약용 부위 · 수치 전초를 여름 또는 가을에 채취하여 썰어서 말린다.

약물명 대소채(大巢菜). 미(薇), 수수(垂水), 미채(薇菜)라고도 한다.

약효 익신(益腎), 이수(利水), 지혈(止血), 지해(止咳)의 효능이 있으므로 신허요통(腎虛腰痛), 유정(遺精), 황달, 해수담다(咳嗽痰多), 창독(瘡毒)을 치료한다.

성분 isoquercitrin, antoside, bioquercetin, cholesterol, β-sitosterol, xanthotoxin, zeaxanthin, umbelliferone, esculetin, lutein 등이 함유되어 있다.

사용법 대소채 20g에 물 3컵(600mL)을 넣고 달여서 복용하거나 가루로 만들어 복용한다. 창독에는 종자를 짓찧어 환부에 붙인다.

○ 살갈퀴

○ 대소채(大巢菜)

[콩과]

등갈퀴나물

 관절염, 근육통　 습진

●학명 : *Vicia cracca* L.　●한자명 : 廣布野豌豆　●별명 : 등갈키나물

| 1 | 2 | 3 | 4 | 5 | 6 | 7 | 8 | 9 | 10 | 11 | 12 |

❶ 낙두앙(落豆秧)

덩굴성 여러해살이풀. 길이 1.2m 정도. 능선이 있다. 잎은 어긋나고 1회 깃꼴겹잎, 작은잎은 8~12쌍, 위의 작은잎이 덩굴손으로 된다. 꽃은 남자색, 6~8월에 총상화서로 한쪽으로 치우쳐서 달린다. 꼬투리는 편평한 긴 타원형이며 길이 2.5cm 정도, 종자가 보통 5개씩 들어 있다.

분포·생육지 우리나라 전역. 중국, 일본, 몽골, 유럽, 아프리카. 산과 들에서 자란다.

약용 부위·수치 전초를 여름과 가을에 채취하여 적당한 크기로 썰어서 말린다.

약물명 낙두앙(落豆秧). 난화초(蘭花草)라고도 한다.

약효 거풍제습(袪風除濕), 해독지통의 효능이 있으므로 관절염, 근육통, 습진을 치료한다.

성분 cosmosiin, luteolin−7−*O*−glucoside, kaempferol 3−*O*−glucoside가 함유되어 있다.

사용법 낙두앙 15g에 물 3컵(600mL)을 넣고 달여서 복용한다.

❶ 등갈퀴나물

[콩과]

누에콩

 소화불량　 수종
창독

●학명 : *Vicia faba* L. for. *anacarpa* Makino　●영명 : Broad bean, Faba bean
●별명 : 잠두

| 1 | 2 | 3 | 4 | 5 | 6 | 7 | 8 | 9 | 10 | 11 | 12 |

두해살이풀. 높이 50~80cm. 줄기는 바로 서고 네모지며 속이 비어 있다. 잎은 어긋나고 짝수 깃꼴겹잎, 턱잎이 크다. 꽃은 백색 또는 남자색, 3~4월에 잎겨드랑이에 총상화서로 피며 익판에 흑색 반점이 있다. 꼬투리는 위를 향해 부풀어 있으며 잔털이 빽빽이 나고 흑색으로 익으며, 종자는 타원상 구형이다.

분포·생육지 서남아시아와 북아프리카. 세계 각처에서 재배한다.

약용 부위·수치 종자를 가을에 채취하여 말린다.

약물명 잠두(蠶豆). 불두(佛豆), 호두(胡豆), 남두(南豆)라고도 한다.

기미·귀경 평(平), 감(甘), 신(辛)·비(脾), 위(胃)

약효 건비이수(健脾利水), 해독소종(解毒消腫)의 효능이 있으므로 소화불량, 수종, 창독(瘡毒)을 치료한다.

성분 lecithin, phosphatidyl ethanolamine, phosphatidyl inositol, galactosyl diglyceride, putrescine, spermidine, spermine, norspermine, convicine 등이 함유되어 있다.

사용법 잠두 30g에 물 3컵(600mL)을 넣고 달여서 복용하거나 가루로 만들어 복용한다. 창독에는 종자를 짓찧어 환부에 붙인다.

❶ 누에콩

❶ 누에콩(열매)

[콩과]

새완두

황달 | 월경부조, 백대
비뉵

●학명 : *Vicia hirsuta* L. ●별명 : 털새완두

| 1 | 2 | 3 | 4 | 5 | 6 | 7 | 8 | 9 | 10 | 11 | 12 |

◐ 새완두

두해살이풀. 밑부분에서 가지가 갈라져 길이 30cm 정도 벋는다. 잎은 어긋나고 잎자루가 길며 6~8쌍의 작은잎으로 구성된 1회 깃꼴겹잎으로 위의 작은잎이 덩굴손으로 된다. 꽃은 적자색, 길이 5mm 정도, 5~6월에 총상화서로 3~7개씩 달린다. 꼬투리는 편평한 타원상 구형이다.

분포·생육지 우리나라 남부 지방. 중국, 일본, 몽골, 아무르, 사할린. 산과 들에서 자란다.

약용 부위·수치 전초를 여름과 가을에 채취하여 적당한 크기로 썰어서 말린다.

약물명 소소채(小巢菜). 주첨(主尖), 요차(搖車)라고도 한다.

약효 청열이습(淸熱利濕), 조경지혈(調經止血)의 효능이 있으므로 황달, 월경부조, 백대, 비뉵(鼻衄)을 치료한다.

성분 apiin, quercetin, thermospermine, aminopropyl homespermidine, putrescene, spermidine, spermine 등이 함유되어 있다.

사용법 소소채 20g에 물 3컵(600mL)을 넣고 달여서 복용한다.

[콩과]

넓은잎갈퀴

감모발열, 유뇌 | 비타민A결핍증

●학명 : *Vicia japonica* A. Gray ●한자명 : 東方野豌豆 ●별명 : 넓은잎말굴레풀

| 1 | 2 | 3 | 4 | 5 | 6 | 7 | 8 | 9 | 10 | 11 | 12 |

◐ 넓은잎갈퀴

두해살이풀. 밑부분에서 가지가 갈라져 길이 30cm 정도 벋는다. 잎은 어긋나고 1회 깃꼴겹잎, 작은잎은 5~7쌍, 덩굴손은 흔적만 있다. 꽃은 남자색, 길이 5mm 정도, 5~6월에 피고, 화서는 잎 길이보다 짧다. 꼬투리는 긴 타원형이며 종자가 4개씩 들어 있다.

분포·생육지 우리나라 전역. 중국, 일본, 몽골, 아무르, 사할린. 산과 들에서 자란다.

약용 부위·수치 전초를 여름과 가을에 채취하여 적당한 크기로 썰어서 말린다.

약물명 동방야완두(東方野豌豆)

약효 해표청열(解表淸熱), 양혈윤조(養血潤燥)의 효능이 있으므로 감모발열(感冒發熱), 유뇌(流腦), 비타민A결핍증을 치료한다.

성분 lysine, threonine, leucine, phenylalanine, methionine, cystine 등이 함유되어 있다.

사용법 동방야완두 20g에 물 4컵(800mL)을 넣고 달여서 복용한다.

◐ 동방야완두(東方野豌豆)

[콩과]

구주갈퀴덩굴

| 풍습성관절염, 요통 | 황달 |
| 음낭습진 | 해수담다 |

●학명 : *Vicia sepium* L. ●한자명 : 野豌豆 ●별명 : 등갈퀴

| 1 | 2 | 3 | 4 | 5 | 6 | 7 | 8 | 9 | 10 | 11 | 12 |

❍ 구주갈퀴덩굴

덩굴성 여러해살이풀. 길이 1.2cm 정도. 잎은 어긋나고 1회 깃꼴겹잎. 작은잎은 길이 4~7cm, 위의 작은잎이 덩굴손으로 된다. 꽃은 자주색, 길이 5mm 정도, 5~6월에 잎겨드랑이에 1~2개씩 달린다. 꼬투리는 길이 3~4cm이며 종자가 6~10개씩 들어 있다.

분포·생육지 유럽 원산. 세계 각처의 산과 들에서 자란다.

약용 부위·수치 전초를 여름과 가을에 채취하여 적당한 크기로 썰어서 말린다.

약물명 야완두(野豌豆)

약효 거풍제습(祛風除濕), 활혈조경(活血調經)의 효능이 있으므로 풍습성관절염, 황달, 음낭습진, 요통, 해수담다(咳嗽痰多)를 치료한다.

성분 kaempferol-3-glucoside-7-rhamnoside, kaempferol-3,7-diglucoside, quercetin-rhamnoglucoside 등이 함유되어 있다.

사용법 야완두 15g에 물 3컵(600mL)을 넣고 달여서 복용하고, 음낭습진에는 짓찧어 나오는 즙액을 바른다.

[콩과]

얼치기완두

| 정창 | 치창 |
| 월경부조 | 안목혼화, 이명 |

●학명 : *Vicia tetrasperma* Schrebb. ●한자명 : 四籽野豌豆 ●별명 : 새갈퀴

| 1 | 2 | 3 | 4 | 5 | 6 | 7 | 8 | 9 | 10 | 11 | 12 |

❍ 얼치기완두

덩굴성 두해살이풀. 길이 60cm 정도. 잎은 어긋나고 1회 깃꼴겹잎, 작은잎은 3~6쌍, 위의 작은잎이 덩굴손으로 된다. 꽃은 담적자색, 길이 5mm 정도, 6~8월에 총상화서로 핀다. 꼬투리는 길이 1cm 정도, 종자가 3~6개씩 들어 있다.

분포·생육지 우리나라 남부 지방. 중국, 일본, 유럽. 산과 들에서 자란다.

약용 부위·수치 전초를 여름과 가을에 채취하여 적당한 크기로 썰어서 말린다.

약물명 사자야완두(四籽野豌豆). 오훼두(烏喙豆)라고도 한다.

약효 해독료창(解毒療瘡), 활혈조경(活血調經), 명목정현(明目定眩)의 효능이 있으므로 정창(疔瘡), 치창(痔瘡), 월경부조, 안목혼화(眼目昏花), 이명을 치료한다.

사용법 사자야완두 20g에 물 3컵(600mL)을 넣고 달여서 복용한다.

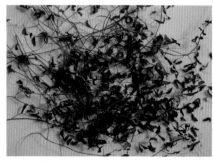

❍ 사자야완두(四籽野豌豆)

[콩과]

나비나물

| 노상 | 두훈 | 정창 |
| 위통 | 부종 | |

●학명 : *Vicia unijuga* A. Braun   ●한자명 : 歪頭菜   ●별명 : 참나비나물, 가지나비나물

| 1 | 2 | 3 | 4 | 5 | 6 | 7 | 8 | 9 | 10 | 11 | 12 |

여러해살이풀. 높이 30~100cm. 줄기는 모여난다. 잎은 어긋나고 1쌍의 작은잎으로 구성되며, 턱잎은 2개로 갈라지거나 톱니가 있다. 꽃은 적자색, 6~8월에 잎겨드랑이에 총상화서로 한쪽으로 치우쳐서 많이 달린다. 열매는 넓은 바늘 모양, 길이 3cm 정도로 털이 없다.

분포·생육지 우리나라 전역. 중국, 일본, 몽골, 아무르, 사할린. 산과 들에서 자란다.

약용 부위·수치 전초를 여름과 가을에 채취하여 적당한 크기로 썰어서 말린다.

약물명 왜두채(歪頭菜). 산고과(山苦瓜), 삼령자(三鈴子)라고도 한다.

약효 보허(補虛), 조간(調肝), 이뇨, 해독의 효능이 있으므로 노상(勞傷), 두훈(頭暈), 위통, 부종, 정창(疔瘡)을 치료한다.

성분 잎은 cosmosiin과 luteolin-7-glucoside 등이 함유되어 있다.

사용법 왜두채 15g에 물 3컵(600mL)을 넣고 달여서 복용한다.

＊ 잎이 가는 '애기나비나물 ssp. *minor*', 꽃이 흰 '흰꽃나비나물 var. *albiflora*'도 약효가 같다.

❁ 나비나물

❁ 왜두채(歪頭菜)

[콩과]

털갈퀴덩굴

| 월경부조, 경폐 | 수종 |

●학명 : *Vicia villosa* Roth   ●별명 : 베치

| 1 | 2 | 3 | 4 | 5 | 6 | 7 | 8 | 9 | 10 | 11 | 12 |

덩굴성 한두해살이풀. 길이 1~2m. 전체에 털이 있다. 잎은 어긋나고 1회 깃꼴겹잎, 작은잎은 6~10쌍, 위의 작은잎이 덩굴손으로 된다. 꽃은 보라색, 길이 8mm 정도, 5~6월에 총상화서로 달린다. 꼬투리는 길이 2.5cm 정도, 종자가 보통 2~8개씩 들어 있고 흑색이다.

분포·생육지 유럽 원산. 세계 각처의 산과 들에서 자란다.

약용 부위·수치 전초를 여름과 가을에 채취하여 적당한 크기로 썰어서 말린다.

약물명 모야완두(毛野豌豆). 모형야완두(毛型野豌豆)라고도 한다.

약효 조경통유(調經通乳), 소종지통(消腫止痛)의 효능이 있으므로 월경부조, 경폐(經閉), 수종(水腫)을 치료한다.

성분 carotene, violaxanthin, neoxanthin, zeaxanthin 등이 함유되어 있다.

사용법 모야완두 15g에 물 3컵(600mL)을 넣고 달여서 복용한다.

❁ 털갈퀴덩굴

[콩과]

긴동부

 식욕부진

● 학명 : *Vigna unguiculata* (L.) Walp. var. *sesquipedalis* (L.) Ohashi [*V. sesquipedalis*, *Dolichos sesquipedalis*]   ● 한자명 : 長豇豆

| 1 | 2 | 3 | 4 | 5 | 6 | 7 | 8 | 9 | 10 | 11 | 12 |

덩굴성 한해살이풀. 잎은 어긋나고 3출겹잎, 꽃은 담황색으로 7~8월에 피며, 꽃받침은 종형, 4개로 갈라진다. 기판은 넓고 젖혀지며 수술은 10개가 2체를 이루고, 암술은 1개, 씨방에 대가 없다. 꼬투리는 바늘 모양, 길이 30~90cm이다.

분포 · 생육지 중국 원산. 세계 각처에서 재배한다.

약용 부위 · 수치 종자를 가을에 채취하여 말린다.

약물명 장강두(長豇豆). 장두각(長豆角)이라고도 한다.

약효 건위보기(健胃補氣)의 효능이 있으므로 식욕부진을 치료한다.

사용법 장강두 30g에 물 4컵(800mL)을 넣고 달여서 복용한다.

❍ 장강두(長豇豆)

❍ 긴동부(열매)

❍ 긴동부

[콩과]

등나무

 수음병, 부종   복통설사, 구충구제
관절염, 근육통

● 학명 : *Wisteria floribunda* (Will.) DC.   ● 별명 : 등, 참등

| 1 | 2 | 3 | 4 | 5 | 6 | 7 | 8 | 9 | 10 | 11 | 12 |

덩굴나무. 길이 10m 정도. 잎은 어긋나고 홀수 1회 깃꼴겹잎, 작은잎은 13~19개이다. 꽃은 담자색, 길이 30~40cm, 5월에 잎과 같이 총상화서로 많이 달린다. 꼬투리는 길이 10~15cm, 털이 있고 기부로 갈수록 좁아지며, 열매는 9월에 익는다.

분포 · 생육지 동남아시아 원산. 우리나라 전역에서 재배한다.

약용 부위 · 수치 줄기, 열매를 가을에 채취하여 말린다.

약물명 줄기를 자등(紫藤), 열매를 자등자(紫藤子)라고 한다.

약효 자등(紫藤)은 이수(利水), 제비(除痹), 살충의 효능이 있으므로 수음병(水飮病), 부종, 복통설사, 관절염을 치료한다. 자등자(紫藤子)는 활혈, 통락(通絡), 해독, 살충의 효능이 있으므로 근육통, 관절염, 복통설사, 장내기생충병을 치료한다.

성분 protosterol B, kaempferol, rholifo-loside, luteol−7−*O*−rhamnoglucoside, luteol−7−*O*−glucorhamnoside, triaconta-nol, allantoin, allantoic acid 등이 함유되어 있다.

사용법 자등 또는 자등자 10g에 물 3컵(600mL)을 넣고 달여서 복용한다.

❍ 등나무

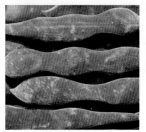
❍ 자등자(紫藤子)

❍ 등나무(종자)

자등(紫藤)

[괭이밥과]

양도

 풍열해수 인통, 번갈 옹저종독
석림, 소변불리 산후부종

● 학명 : *Averrhoa carambola* L. ● 한자명 : 陽桃

| 1 | 2 | 3 | 4 | 5 | 6 | 7 | 8 | 9 | 10 | 11 | 12 |

소교목. 5~12m. 잎은 홀수 깃꼴겹잎, 작은잎은 5~11개, 타원형이다. 꽃은 5~8월에 원추화서로 달리고 길이 3cm 정도, 꽃받침은 5개, 적자색, 화관은 종 모양으로 담자색을 띤다. 열매는 모서리가 있는 달걀 모양으로 황록색이다.

분포·생육지 인도, 중국, 타이완, 인도네시아. 열대 또는 아열대 지방에서 재식한다.

약용 부위·수치 잎을 봄부터 가을까지 채취하고, 열매를 여름에 채취하여 물에 씻어서 썰어 말린다.

약물명 열매를 양도(陽桃)라고 하며, 양도(楊桃), 삼렴(三廉), 오렴자(五斂子)라고도 한다. 잎을 양도엽(陽桃葉)이라 한다.

기미·귀경 양도(陽桃): 한(寒), 산(酸)·폐(肺), 위(胃), 소장(小腸)

약효 양도(陽桃)는 청열생진(清熱生津), 이뇨해독의 효능이 있으므로 풍열해수(風熱咳嗽), 인통(咽痛), 번갈(煩渴), 석림(石淋) 등을 치료한다. 양도엽(陽桃葉)은 거풍이습

(祛風利濕), 청열해독(清熱解毒)의 효능이 있으므로 풍열감모(風熱感冒), 소변불리, 산후부종, 옹저종독(癰疽腫毒)을 치료한다.

성분 β-cryptoflavine, mutaxanthine, lutein, megastigma-5,8-[E] and [Z]-diene-4-one, oxalic acid, malic acid, β-carotene 등이 함유되어 있다.

사용법 양도는 30~60g에 물 3컵(600mL)을 넣고 달여서 복용하거나, 생즙을 만들어서 복용한다. 양도엽은 15~30g에 물 3컵(600mL)을 넣고 달여서 복용한다.

❍ 양도(꽃)

❍ 양도

❍ 양도(陽桃)

[괭이밥과]

애기괭이밥

 노상동통   타박상, 종독, 개선
대하   요폐

● 학명 : *Oxalis acetosella* L. ● 한자명 : 白花酢漿草 ● 별명 : 애기괭이밥풀, 산괭이밥

| 1 | 2 | 3 | 4 | 5 | 6 | 7 | 8 | 9 | 10 | 11 | 12 |

여러해살이풀. 높이 5~10cm. 전체에 퍼진 흰색 털이 많다. 꽃은 백색, 5~8월에 꽃줄기 끝에 1개씩 피고, 꽃잎은 5개, 수술은

10개, 그 가운데 5개는 길고 5개는 짧다. 씨방은 5실, 암술대는 5개이다. 열매는 삭과로 달걀 모양, 길이 0.5cm 정도이다.

분포·생육지 우리나라 전역. 중국, 일본, 유럽, 오스트레일리아, 북아메리카. 들에서 흔하게 자란다.

약용 부위·수치 전초를 여름과 가을에 채취하여 물에 씻어서 말린다.

약물명 삼엽동전초(三葉銅錢草). 산작장초(山酢漿草)라고도 한다.

기미·귀경 평(平), 산(酸), 신(辛)·심(心), 간(肝), 방광(膀胱)

약효 활혈산어(活血散瘀), 청열해독(清熱解毒), 이뇨통림(利尿通淋)의 효능이 있으므로 노상동통(勞傷疼痛), 타박상, 종독(腫毒), 개선(疥癬), 대하, 요폐(尿閉)를 치료한다.

사용법 삼엽동전초 10g에 물 3컵(600mL)을 넣고 달여서 복용하고, 외용에는 생것을 짓찧어서 바른다.

※ 잎이 삼각형이고 끝이 오목한 '큰괭이밥 *O. obtriangulata*'도 약효가 같다.

❍ 삼엽동전초(三葉銅錢草)

❍ 애기괭이밥

[괭이밥과]
괭이밥

| | 습열설사, 이질, 황달, 토혈 |
| 인후통 | 혈뇨 |

●학명 : *Oxalis corniculata* L. ●한자명 : 酢漿草 ●별명 : 시금초, 괴싱아, 괭이밥풀

| 1 | 2 | 3 | 4 | 5 | 6 | 7 | 8 | 9 | 10 | 11 | 12 |

여러해살이풀. 높이 10~30cm. 전체에 퍼진 흰색 털이 많고, 줄기는 땅을 기거나 비스듬히 올라가고 가지가 많이 갈라진다. 꽃은 황색, 5~8월에 꽃줄기 끝에 산형화서로 피고, 씨방은 5실, 암술대는 5개이다. 열매는 삭과로 원기둥 모양, 길이 2cm 정도이다.

분포·생육지 우리나라 전역. 중국, 일본, 유럽, 오스트레일리아, 북아메리카. 들에서 흔하게 자란다.

약용 부위·수치 전초를 여름과 가을에 채취하여 물에 씻어서 말린다.

약물명 작장초(酢漿草). 산기(酸箕), 삼엽산초(三葉酸草)라고도 한다.

본초서 작장초(酢漿草)는 「신수본초(新修本草)」에 수재되어 "악창(惡瘡)과 과루(瘑瘻)에는 이것을 짓찧어 붙이고 소충(小蟲)을 죽이며 열갈(熱渴)을 없앤다."고 하였다. 「동의보감(東醫寶鑑)」에는 "종기가 벌겋게 부어오르고 곪는 것, 병으로 오랜 기간 누워 지내는 환자의 엉덩이와 등이 짓무른 것을 낫게 한다. 피부가 헐고 구멍이 나 고름이 흐르는 것을 낫게 하고, 여러 가지 벌레를 죽인다."고 하였다.

新修本草: 主惡瘡 瘑瘻 搗敷之, 殺諸小蟲 解熱渴.

東醫寶鑑: 主惡瘡 瘑瘻 殺諸小蟲.

기미·귀경 한(寒), 산(酸)·간(肝), 폐(肺), 방광(膀胱)

약효 청열이습(清熱利濕), 양혈산어(涼血散瘀), 해독소종(解毒消腫)의 효능이 있으므로 습열설사, 이질, 황달, 토혈, 혈뇨, 인후통을 치료한다.

성분 ascorbic acid, dehydroascorbic acid, pyruvic acid, glyoxalic acid, deoxyribonucleic acid, orientin, vitexin, isovitexin, vitexin$-2''-O-\beta-D-$glucoside, β-tocopherol 등이 함유되어 있다.

약리 물에 달인 액은 황색 포도상구균, 이질간균, 녹농간균, 대장간균에 항균 작용이 있다.

사용법 작장초 10g에 물 3컵(600mL)을 넣고 달여서 복용한다.

❍ 괭이밥

❍ 작장초(酢漿草)

[괭이밥과]
자주괭이밥

| | 타박상 | 월경부조, 백대 | 임탁, 치창 |
| 인후통 | 수사 | |

●학명 : *Oxalis corymbosa* DC. ●한자명 : 紅花酢漿草 ●별명 : 자주괭이밥풀

| 1 | 2 | 3 | 4 | 5 | 6 | 7 | 8 | 9 | 10 | 11 | 12 |

여러해살이풀. 높이 25~35cm. 잎은 기부에 나고 3출겹잎이다. 꽃은 자주색, 5~7월에 꽃줄기 끝에 6~10개씩 피고, 꽃잎은 5개, 수술은 10개, 그 가운데 5개는 길고 5개는 짧다. 씨방은 5실, 암술대는 5개이다. 열매는 각과이다.

분포·생육지 북아메리카. 우리나라에 귀화하여 밭가나 들에서 자란다.

약용 부위·수치 전초를 여름과 가을에 채취하여 물에 씻어서 말린다.

약물명 동추초(銅錘草). 대산미초(大酸味草)라고도 한다.

기미·귀경 한(寒), 산(酸)·간(肝), 소장(小腸)

약효 산어소종(散瘀消腫), 청열이습(清熱利濕), 해독의 효능이 있으므로 타박상, 월경부조, 인후통, 수사(水瀉), 백대(白帶), 임탁(淋濁), 치창(痔瘡)을 치료한다.

사용법 동추초 15g에 물 3컵(600mL)을 넣고 달여서 복용하고, 외용에는 생것을 짓찧어서 바른다.

❍ 자주괭이밥(잎)

❍ 자주괭이밥

[괭이밥과]

선괭이밥

습열설사, 이질, 황달, 토혈

인후통

혈뇨

●학명 : *Oxalis stricta* L. ●한자명 : 緊密酢漿草 ●별명 : 왕괭이밥풀

1 2 3 4 5 6 7 8 9 10 11 12

◐ 선괭이밥(꽃)

여러해살이풀. '괭이밥'에 비하여 줄기가 바로 서며, 턱잎이 분명하지 않고, 뿌리가 가늘다.

분포 · 생육지 우리나라 전역. 중국, 일본, 유럽, 오스트레일리아, 북아메리카. 들에서 흔하게 자란다.

약용 부위 · 수치 전초를 여름과 가을에 채취하여 물에 씻어서 말린다.

약물명 뉴근초(扭筋草). 노아산(老鴉酸), 산류류(酸流流), 산황과(酸黃瓜)라고도 한다.

약효 청열이습(淸熱利濕), 양혈산어(凉血散瘀), 해독소종(解毒消腫)의 효능이 있으므로 습열설사, 이질, 황달, 토혈, 혈뇨, 인후통을 치료한다.

성분 turgorin, 4−O−(3−hydroxybenzoic acid)−β−D−glucoside−6′−sulfate 등이 함유되어 있다.

사용법 뉴근초 10g에 물 3컵(600mL)을 넣고 달여서 복용한다.

◐ 선괭이밥

[괭이밥과]

괴근괭이밥

황달, 담석증

●학명 : *Oxalis tuberosa* Aliace ●한자명 : 塊根酢漿草

1 2 3 4 5 6 7 8 9 10 11 12

◐ 괴근괭이밥(뿌리줄기)

여러해살이풀. 뿌리줄기는 고구마 같으며 가로 주름이 여러 개 있다. 잎은 어긋나며 3출엽, 잎자루가 길고 삼각형이며 가장자리는 밋밋하다. 꽃은 황색, 잎겨드랑이에서 나오는 꽃대에 산방화서로 핀다. 삭과는 모서리가 있는 원통형이다.

분포 · 생육지 라틴 아메리카, 아프리카. 들이나 산지에서 자란다.

약용 부위 · 수치 잎을 여름과 가을에 채취하여 물에 씻어서 말린다.

약물명 Oxalis Foliium

약효 해독소종(解毒消腫)의 효능이 있으므로 황달, 담석증을 치료한다.

사용법 Oxalis Foliium 15g에 물 3컵(600mL)을 넣고 달여서 복용한다.

◐ 괴근괭이밥

[쥐손이풀과]

국화쥐손이

 풍습동통, 구련마목 　타박상

장염, 이질

● 학명 : *Erodium stephanianum* Willd.

| 1 | 2 | 3 | 4 | 5 | 6 | 7 | 8 | 9 | 10 | 11 | 12 |

여러해살이풀. 전체에 퍼진 흰색 털이 많고 높이 30~60cm. 뿌리는 땅속으로 깊이 들어간다. 꽃은 홍자색, 7~8월에 잎겨드랑이에서 나온 긴 꽃줄기 끝에 3개의 작은꽃줄기가 나와 그 끝에 1개씩 달린다. 열매는 5개로 갈라진다.

● 국화쥐손이

● 노관초(老鸛草, 분말)

● 노관초(老鸛草)

분포·생육지 우리나라 평북(낭림산), 함남(천불산), 함북(청진, 무산), 중국, 몽골, 아무르, 시베리아. 산지의 풀밭에서 자란다.

약용 부위·수치 전초를 여름과 가을에 채취하여 물에 씻은 뒤 썰어서 말린다.

약물명 노관초(老鸛草), 노관초(老官草), 오엽초(五葉草)라고도 한다.

성상 줄기와 잎으로 되고 줄기는 가늘고 길며 녹갈색을 띠고 잎과 줄기에 연한 털이 있다. 잎은 긴 잎자루가 있고 회황록색~회갈색을 띠고 손바닥 모양으로 3~5갈래로 갈라졌으며 길이 2~4cm, 열편은 긴 타원형 또는 도란형이며 둔한 거치가 있다. 냄새가 거의 없고 맛은 떫다.

기미·귀경 평(平), 고(苦), 신(辛)·간(肝), 대장(大腸)

약효 거풍(祛風), 활혈(活血), 청열해독(淸熱解毒)의 효능이 있으므로 풍습동통(風濕疼痛), 구련마목(拘攣麻木), 타박상, 장염, 이질을 치료한다.

성분 tannin이 50~70% 함유되고, 주성분은 geraniin이고, dehydrogeraniin, furosin이 소량 함유되어 있으며, flavonoid 성분으로 quercetin, kaempferol-7-*O*-rhamnoside, kaempferin 등이 함유되어 있다.

약리 물로 달인 액은 위 내 투여에서 분변량을 감소시키지만 피하 주사로는 효력이 없고, 다량 투여 시에는 사하 작용이 일어난다.

사용법 노관초 10g에 물 3컵(600mL)을 넣고 달여서 복용한다.

[쥐손이풀과]

산쥐손이

　풍습동통, 구련마목 　타박상

장염, 이질

● 학명 : *Geranium dahuricum* DC.　● 한자명 : 塊根老鸛草　● 별명 : 산손잎풀

| 1 | 2 | 3 | 4 | 5 | 6 | 7 | 8 | 9 | 10 | 11 | 12 |

여러해살이풀. 높이 60~90cm. 줄기는 바로 서거나 비스듬히 서고, 뿌리는 방추상이다. 잎은 마주나고, 턱잎은 바늘 모양으로 서로 떨어진다. 꽃은 적자색, 지름 2cm 정도, 7~8월에 잎겨드랑이의 긴 꽃대 끝에 2개의 작은꽃대가 나와 그 끝에 1개씩 달리고, 꽃이 핀 다음 작은꽃대는 뒤로 굽는다.

분포·생육지 우리나라 제주도, 경북(가야산), 강원 이북. 중국, 일본, 몽골, 아무르, 우수리. 깊은 산에서 자란다.

약용 부위·수치 전초를 여름과 가을에 채취하여 물에 씻은 뒤 썰어서 말린다.

약물명 조근노관초(粗根老鸛草)

약효 거풍활혈(祛風活血), 청열해독(淸熱解毒)의 효능이 있으므로 풍습동통(風濕疼痛), 구련마목(拘攣麻木), 타박상, 장염, 이질을 치료한다.

사용법 조근노관초 15g에 물 3컵(600mL)을 넣고 달여서 복용하거나 술에 담가서 복용한다.

● 조근노관초(粗根老鸛草)

● 산쥐손이

[쥐손이풀과]

털쥐손이

🦵 풍한습비, 관절동통   🫙 기부마목

🫚 장염, 이질

● 학명 : *Geranium eriostemon* Fischer
● 한자명 : 毛蕊老鸛草   ● 별명 : 낭림쥐손이, 털손잎풀

| 1 | 2 | 3 | 4 | 5 | 6 | 7 | 8 | 9 | 10 | 11 | 12 |

🌿 🍂 🌾 🏵 ⚘ 🍀 ❄ 🌾 💧

여러해살이풀. 높이 45~60cm. 줄기는 세로로 홈이 있다. 잎은 어긋나고 5~7개로 갈라지며, 턱잎은 타원형이다. 꽃은 담적자색, 지름 2~3cm, 7~8월에 줄기와 가지 끝에 3~8개가 달리며, 수술은 10개이다. 열매는 원통형으로 성숙하면 끝이 5개로 갈라져 위로 말린다.

분포 · 생육지 우리나라 제주도, 경남북, 경기, 강원, 평북, 함남북. 중국, 일본, 아무르, 우수리. 깊은 산에서 자란다.

약용 부위 · 수치 전초를 여름과 가을에 채취하여 물에 씻은 뒤 썰어서 말린다.

약물명 모예노관초(毛蕊老鸛草)
기미 · 귀경 미온(微溫), 신(辛) · 간(肝), 비(脾)
약효 소풍통락(消風通絡), 강근건골(强筋健骨)의 효능이 있으므로 풍한습비(風寒濕痺), 관절동통, 기부마목(肌膚麻木), 장염, 이질을 치료한다.
성분 geraniol, quercetin, geraniin, hyperin, scyllitol 등이 함유되어 있다.
약리 열수추출물은 황색 포도상구균 등 병원균에 항균 작용이 있다. 열수추출물을 쥐에게 투여하면 관절염 억제 작용이 나타나고, 간 보호 효능이 있으며, 항산화 작용이 있다.
사용법 모예노관초 20g에 물 4컵(800mL)을 넣고 달여서 복용하거나 술에 담가서 복용한다.
＊ 본 종에 비하여 잎이 깊게 갈라지고 열편 끝이 뾰족하며 털이 적은 '부전쥐손이 var. *glabrescens*'도 약효가 같다.

○ 털쥐손이

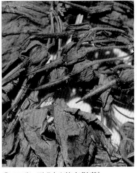

○ 모예노관초(毛蕊老鸛草)

○ 털쥐손이(뿌리)

[쥐손이풀과]

선이질풀

🦵 풍습관절통   🫙 타박상

● 학명 : *Geranium krameri* Fr. et Sav. [*G. japonicum*]
● 한자명 : 突節老鸛草   ● 별명 : 선손잎풀

| 1 | 2 | 3 | 4 | 5 | 6 | 7 | 8 | 9 | 10 | 11 | 12 |

🌿 🍂 🌾 🏵 ⚘ 🍀 ❄ 🌾 💧

여러해살이풀. 높이 60~70cm. 줄기는 네모지고 마디가 적다. 뿌리잎은 잎자루가 길고 5개로 얕게 갈라진다. 줄기잎은 마주나고 3~5개로 갈라지며, 양면 맥 위에 백색 털이 있다. 꽃은 붉은색, 지름 2~3cm, 6~7월에 핀다. 열매는 원통형으로 성숙하면 끝이 5개로 갈라져 위로 말린다.

분포 · 생육지 우리나라 전역. 중국, 일본, 아무르, 우수리. 깊은 산에서 자란다.

약용 부위 · 수치 전초를 여름과 가을에 채취하여 물에 씻은 뒤, 썰어서 말린다.

약물명 돌절노관초(突節老鸛草)

약효 거습(祛濕), 강골(强骨), 활혈(活血)의 효능이 있으므로 풍습관절통(風濕關節痛), 타박상을 치료한다.

사용법 돌절노관초 20g에 물 4컵(800mL)을 넣고 달여서 복용하거나, 술에 담가서 복용한다.

＊ 본 종에 비하여 전체에 털이 많고 꽃이 약간 작으며 열매의 길이가 짧은 '참이질풀 *G. koraiensis*'도 약효가 같다.

○ 돌절노관초(突節老鸛草)

○ 선이질풀

[쥐손이풀과]

서양이질풀

풍습동통 　마진, 타박상

● 학명 : *Geranium robertianum* DC. ● 영명 : Geranium

| 1 | 2 | 3 | 4 | 5 | 6 | 7 | 8 | 9 | 10 | 11 | 12 |

○ 서양이질풀

여러해살이풀. 높이 60cm 정도. 전체에 잔털이 조밀하고, 줄기는 바로 서거나 비스듬히 선다. 뿌리는 가지를 많이 치며 방추상으로 비후하고, 잎은 마주난다. 꽃은 분홍색, 7~8월에 잎겨드랑이에서 긴 꽃대가 나와 2개의 작은꽃대에 1개씩 달린다.

분포 · 생육지 유럽. 따뜻하고 습기가 많은 곳에서 자란다.

약용 부위 · 수치 전초를 여름과 가을에 채취하여 물에 씻은 뒤 썰어서 말린다.

약물명 묘각인(猫脚印). 수약(水藥)이라고도 한다.

약효 거풍제습(祛風除濕), 해독소종(解毒消腫)의 효능이 있으므로 풍습동통, 마진(麻疹), 타박상을 치료한다.

사용법 묘각인 15g에 물 3컵(600mL)을 넣고 달여서 복용하거나 술에 담가서 복용한다.

[쥐손이풀과]

쥐손이풀

좌골신경통, 풍습성관절염 　급성위장염 　월경불순

● 학명 : *Geranium sibiricum* L. ● 한자명 : 鼠掌老鸛草 ● 별명 : 손잎풀

| 1 | 2 | 3 | 4 | 5 | 6 | 7 | 8 | 9 | 10 | 11 | 12 |

여러해살이풀. 줄기는 밑을 향한 털이 있고 1개의 원뿌리가 있으며, 잎은 마주난다. 꽃은 담적자색, 지름 1cm 정도, 6~8월에 잎겨드랑이에서 꽃대가 나와 위쪽은 1개, 아래쪽은 2개씩 핀다. 열매는 원통형, 성숙하면 끝이 5개로 갈라져 위로 말린다.

분포 · 생육지 우리나라 지리산 이북. 중국, 일본, 아무르, 우수리. 산과 들에서 자란다.

약용 부위 · 수치 전초를 여름과 가을에 채취하여 물에 씻은 뒤 썰어서 말린다.

약물명 서장노관초(鼠掌老鸛草)

약효 거풍습(祛風濕), 통경활혈(通經活血), 청열지사(淸熱止瀉)의 효능이 있으므로 좌골신경통, 풍습성관절염, 급성위장염, 월경불순을 치료한다.

성분 geraniol, gallic acid, kaempferol 3-*O*-α-L-rhamnopyranoside, kaempferol-3-rutinoside, protochatechuic acid, quercetin 3-*O*-α-L-rhamnopyranoside, gallic acid methyl ester 등이 함유되어 있다.

약리 gallic acid 및 gallic acid methyl ester는 IL-6의 생성을 강력하게 억제한다.

사용법 서장노관초 20g에 물 4컵(800mL)을 넣고 달여서 복용하거나 술에 담가서 복용한다.

○ 서장노관초(鼠掌老鸛草)

○ 쥐손이풀(뿌리)

○ 쥐손이풀

[쥐손이풀과]

이질풀

 좌골신경통, 풍습성관절염

 급성위장염

월경불순

● 학명 : *Geranium thunbergii* S. et Z.　● 한자명 : 玄草　● 별명 : 개발초, 거십초, 민들이질풀

| 1 | 2 | 3 | 4 | 5 | 6 | 7 | 8 | 9 | 10 | 11 | 12 |

여러해살이풀. 줄기는 비스듬히 또는 옆으로 벋으며 잎자루와 더불어 옆으로 향한 털이 있다. 원뿌리는 없고 잔뿌리만 있으며, 잎은 마주난다. 열매는 원통형, 성숙하면 끝이 5개로 갈라져 위로 말린다.

분포 · 생육지 우리나라 전역. 중국, 일본, 아무르, 우수리. 산과 들에서 자란다.

약용 부위 · 수치 전초를 여름과 가을에 채취하여 물에 씻은 뒤 썰어서 말린다.

약물명 현초(玄草). 대한민국약전(KP)에 수재되어 있다.

성상 지상부로 줄기와 잎으로 되어 있다. 줄기는 가늘고 녹갈색을 띠며 부드러운 털이 있다. 잎은 손바닥 모양으로 갈라져 있다. 냄새는 없고 맛은 떫다.

약효 거풍습(祛風濕), 통경활혈(通經活血), 청열지사(淸熱止瀉)의 효능이 있으므로 좌골신경통, 풍습성관절염, 급성위장염, 월경불순을 치료한다.

성분 geraniol, gallic acid, kaempferol 3-*O*-α-L-rhamnopyranoside, kaempferol-3-rutinoside, protochatechuic acid, quercetin 3-*O*-α-L-rhamnopyranoside, gallic acid methyl ester 등이 함유되어 있다.

약리 gallic acid 및 gallic acid methyl ester는 IL-6의 생성을 강력하게 억제한다.

사용법 현초 20g에 물 4컵(800mL)을 넣고 달여서 복용하거나 술에 담가서 복용한다.

○ 이질풀

○ 현초(玄草)

[쥐손이풀과]

제라늄

 중이염

● 학명 : *Pelargonium inquinans* Ait.　● 별명 : 제라니움, 양아욱, 꽃아욱

| 1 | 2 | 3 | 4 | 5 | 6 | 7 | 8 | 9 | 10 | 11 | 12 |

여러해살이풀. 높이 30~50cm. 육질이다. 잎은 잎자루가 길며 심장상 원형이고 둔한 톱니가 있다. 꽃은 붉은색, 황색, 분홍색 등이며 여름철에 산형화서로 달린다. 꽃받침과 꽃잎은 각각 5개, 수술은 10개, 씨방은 1개이며 5실로 구성된다.

분포 · 생육지 아프리카 원산. 세계 각처에서 재배한다.

약용 부위 · 수치 꽃을 봄부터 가을까지 채취하여 말린다.

약물명 석사홍(石蠟紅). 월월홍(月月紅)이라고도 한다.

약효 청열해독(淸熱解毒)의 효능이 있으므로 중이염을 치료한다.

성분 stigmasterol, cholesterol, campesterol, α-amyrin, β-amyrin, isomultifluorenol, cylcloeucalenol, obtusifoliol, cycloartenol 등이 함유되어 있다.

사용법 신선한 석사홍을 짓찧어 즙액을 상처에 바른다.

＊ 잎에 무늬가 있는 '무늬제라늄 *P. zonale*' 도 약효가 같다.

○ 제라늄

○ 석사홍(石蠟紅)

○ 제라늄(꽃)

사과향쥐손이

장염　　　치질

신경통

●학명 : *Pelargonium odoratissimum* Ait.　●영명 : Apple geranium

| 1 | 2 | 3 | 4 | 5 | 6 | 7 | 8 | 9 | 10 | 11 | 12 |

여러해살이풀. 높이 30~60cm. 뿌리줄기
는 육질이다. 잎은 결각상 원형이고, 가장
자리는 밋밋하며 잎자루가 길다. 꽃은 잎
겨드랑이에 산형화서로 꽃봉오리가 밑으로
처졌다가 위를 향해 피고, 꽃잎은 백색으로
5개이며 위쪽 2개의 꽃잎에 붉은색 반점이
있다.

분포 · 생육지 남아프리카 원산. 여러 곳에
서 재배한다.

약용 부위 · 수치 잎을 봄부터 가을까지 채취
하여 물에 씻은 후 썰어서 말린다.

약물명 Pelargonii Folium. 일반적으로 Apple
geranium이라고 한다.

약효 강장, 지혈의 효능이 있으므로 장염,
치질, 신경통을 치료한다.

사용법 Pelargonii Folium 10g에 물 3컵
(600mL)을 넣고 달여서 복용한다.

❍ 사과향쥐손이

무늬쥐손이

소화불량, 이질, 설사

●학명 : *Pelargonium roseum* Ait.　●영명 : Rose geranium

| 1 | 2 | 3 | 4 | 5 | 6 | 7 | 8 | 9 | 10 | 11 | 12 |

여러해살이풀. 높이 50~60cm. 뿌리줄기
는 육질이고, 잎은 어긋난다. 꽃은 잎겨드
랑이에 산형화서로 꽃봉오리가 밑으로 처
졌다가 위를 향해 피고, 꽃잎은 백색, 5개
이며 위쪽 2개의 꽃잎에 적갈색 반점이 넓
게 퍼져 있다. 꽃받침 5개이다.

분포 · 생육지 이집트, 모로코, 카나리아 군
도, 브라질. 세계 각처에서 재배한다.

약용 부위 · 수치 잎을 봄부터 가을까지 채취
하여 물에 씻은 후 썰어서 말린다.

약물명 Pelargonii Folium. 일반적으로 Rose
geranium이라고 한다.

약효 강장의 효능이 있으므로 소화불량, 이
질, 설사를 치료한다.

사용법 Pelargonii Folium 10g에 물 3컵
(600mL)을 넣고 달여서 복용한다.

❍ 무늬쥐손이(꽃)

❍ Pelargonii Folium

❍ 무늬쥐손이

[코카나무과]

코카나무

국소마취, 동공확대　　진통

● 학명 : *Erythroxylon coca* Lamarck　● 영명 : Bolivian coca

| 1 | 2 | 3 | 4 | 5 | 6 | 7 | 8 | 9 | 10 | 11 | 12 |

○ 고가엽(古柯葉)

상록 관목. 높이 1~1.5m. 줄기껍질은 얇고 광택이 있고 매끄러우며 절단하면 붉은색을 나타낸다. 잎은 어긋나며 짙은 녹색, 길이 8~9cm, 너비 4cm 정도, 주걱 모양이다. 꽃은 작은가지에 모여나고, 화관은 백색, 꽃잎은 4개이다. 열매는 핵과로 달걀 모양, 붉은색이다.

분포 · 생육지 볼리비아. 높은 산지에서 자란다.

약용 부위 · 수치 새잎이 5~6개 붙은 가지 끝을 따서 처음에는 햇볕에 말리고 마른 뒤에는 50~60℃에서 화력으로 건조한다.

약물명 고가엽(古柯葉). 일반적으로 코카엽이라고 한다.

성상 수치를 한 잎은 녹갈색, 길이 8~9cm, 너비 4cm 정도, 주걱 모양이며 씹으면 혀끝이 아리다.

약효 국소 마취, 진통, 동공 확대의 목적에 사용된다.

성분 잎에는 (-)-cocaine, tropacocaine, cinnamoylcocaine, α-truxilline, β-truxilline, hygrine, cuscohygrine, benzoylecgonine, methylecgonine, cocacitrine, cocaflacine, cocatannic acid, methylsalicylate 등이 함유되어 있다. cocaine, cinnamoylcocaine, truxilline은 가수 분해하면 ecgonine을 생성한다. 자바산 코카잎에는 cocaine 함량은 적지만 ecgonine의 함량이 많으므로 일단 ecgonine으로 분해시켜 이것을 methyl화하고 benzoyl화하여 cocaine을 생산한다.

약리 cocaine은 국소 마취 작용 및 표면 마취 작용이 있는데, 이것은 cocaine이 신경 세포의 세포막에 있는 이온 채널을 막음으로써 신경 전달을 차단하는 것으로 일어난다. cocaine은 중추 신경에 강한 흥분을 나타내고 근육의 피로감을 일시적으로 감퇴시키며 계속 사용하면 약물 의존성이 생긴다. 다량을 복용하면 말이 많아지고 정신이 혼미해지며, 경련이나 호흡 촉박 및 순환 기능의 억제 현상이 일어나서 사망한다.

사용법 안과에서 눈을 수술할 때 국소 마취용으로 사용한다. 남아메리카 페루 사람들은 코카잎을 석회(石灰) 또는 목회(木灰)와 혼합하여 껌처럼 씹는다. 석회와 같은 알칼리 성분은 cocaine의 유리를 촉진한다.

＊볼리비아의 재배종 'var. *bolivianum*'은 잎이 크며 'Bolivian coca(Huanuco coca)'라고 하고, 페루의 재배종 'var. *spruceanum*'은 잎이 작고 둥글며 'Peruvian coca(Truxillo coca)'라고 하며, 자바의 재배종 'var. *novogranatense*'는 잎이 크며 'Java coca'라고 한다. 코카잎은 현재 마약으로 규제되어 판매와 사용을 엄격하게 규제하고 있다.

○ 코카나무(열매)

○ 코카나무

○ 코카나무(꽃)

[코카나무과]

자바코카나무

 국소마취, 동공확대　　진통

● 고가엽(古柯葉)

● 학명 : *Erythroxylon coca* Lamarck var. *novogranatense* Burck　● 영명 : Java coca

| 1 | 2 | 3 | 4 | 5 | 6 | 7 | 8 | 9 | 10 | 11 | 12 |

상록 관목. 높이 1.5~2m. 줄기껍질은 얇고 광택이 있고 매끄러우며 절단하면 붉은 색을 나타낸다. 잎은 어긋나며 짙은 녹색, 길이 9~11cm이다. 꽃은 작은가지에 모여나고, 화관은 백색, 꽃잎은 4개이다. 열매는 핵과로 붉은색이다.

분포 · 생육지 기본 종은 남아메리카 볼리비아에 분포하나, 인도네시아에서 재배되는 것은 잎이 크므로 Java coca로 불린다.

약용 부위 · 수치 잎을 여름에 채취하여 약용한다. 새잎이 5~6개 붙은 가지 끝을 따서 처음에는 햇볕에 말리고 마른 뒤에는 50~60℃에서 화력으로 건조한다.

약물명 고가엽(古柯葉). 일반적으로 코카엽이라고 한다.

약효 국소 마취, 진통, 동공 확대의 목적에 사용된다.

＊ 사용법은 '코카나무 *E. coca*'와 같다.

● 자바코카나무

[한련과]

한련

👁 목적종통　　📋 창절

🫁 토혈　　🫁 객혈

● 학명 : *Tropaeolum majus* L.　● 별명 : 한련화, 금련화

| 1 | 2 | 3 | 4 | 5 | 6 | 7 | 8 | 9 | 10 | 11 | 12 |

덩굴성 한해살이풀. 길이 1.5m 정도. 약간 육질이다. 잎은 어긋나며 둥근 방패 모양으로 9개의 맥이 있고, 잎자루는 길다. 꽃은 황색 또는 붉은색, 6~7월에 잎겨드랑이에 서 나오는 긴 꽃자루에 1개씩 달린다. 열매는 삭과로 종자가 1개 들어 있다.

분포 · 생육지 페루 원산. 우리나라에서 관상용으로 널리 재배하고 있다.

약용 부위 · 수치 여름철에 지상부를 채취하여 썰어서 말린다.

약물명 한련화(旱蓮花), 금련화(金蓮花), 대홍조(大紅鳥)라고도 한다.

약효 청열해독(淸熱解毒), 양혈지혈(凉血止血)의 효능이 있으므로 목적종통(目赤腫痛), 창절(瘡節), 토혈, 객혈을 치료한다.

성분 glucotropaeolin, α-phenylcinnamic acid nitrile, benzylisothiocynate, tropaeolin, isoquercitroside, quercetol-3-triglucoside, chlorogenic acid, kaempferol glucoside, lutein, zeaxanthin, α-carotene, β-carotene 등이 함유되어 있다.

약리 휘발성 성분을 고양이에게 정맥 주사하면 관상 동맥을 확장시켜 혈류량을 증가시킨다. 종자에 함유된 성분들은 20종의 곰팡이균과 10종의 병원균에 항균 작용을 나타낸다.

사용법 한련화 10g에 물 3컵(600mL)을 넣고 달여서 복용하고, 종기에는 가루 내어 참기름에 개어서 바른다.

● 한련(붉은색 꽃)

● 한련(황색 꽃)

● 한련(종자)

● 한련화(旱蓮花)

[남가새과]

유창목

 관절염　　 습진, 옴

●학명 : *Guaiacum officinale* L.　　●영명 : Lignum vitae　　●한자명 : 癒瘡木

| 1 | 2 | 3 | 4 | 5 | 6 | 7 | 8 | 9 | 10 | 11 | 12 |

상록 소교목. 높이 15m 정도. 줄기는 곧게 자라고 성장이 늦다. 잎은 마주나고 짝수 깃꼴겹잎, 작은잎은 2~3쌍, 가죽질, 가장자리가 밋밋하고 길이 3cm이다. 꽃은 담청색, 지름 1.5cm 정도, 가지 끝에 드문드문 달린다. 열매는 액과, 등황색으로 익는다.

분포 · 생육지 중앙아메리카, 남아메리카. 바닷가에서 자란다.

약용 부위 · 수치 줄기를 봄부터 가을에 채취하여 썰어서 말려 사용하거나, 껍질을 벗긴 심재(心材)를 열로 가하여 나오는 수지를 약용한다.

약물명 줄기를 유창목(癒瘡木)이라 한다. 수지를 Guaiac이라 하고, Lignum vitae라고도 한다.

약효 유창목(癒瘡木)은 소염, 항산화의 효능이 있으므로 관절염을 치료한다. Guaiac은 소염 작용이 있으므로 습진, 옴 등의 각종 피부병을 치료한다.

성분 α-guaiaconic acid, guaiaretic acid, dehydroguaiaretic acid, guaiacin, isoguaiacin, guaiazulene 등이 함유되어 있다.

약리 수지는 항류머티즘, 항염증, 완하의 효능을 나타낸다. 'guaiazulene'은 소염제로 사용하는 'chamazulene'과 약효가 같다.

사용법 유창목 15g에 물 3컵(600mL)을 넣고 달여서 복용하고, Guaiac은 연고로 만들어 환부에 붙이거나 바른다.

＊ 수지는 식료품 산업에서 항산화제로 널리 이용된다.

❍ 유창목

❍ 유창목(꽃)

[남가새과]

낙타봉

 해수기천　　관절염

습진, 피부소양증, 타박상

●학명 : *Peganum harmala* L.　　●영명 : Harmala, African rue　　●별명 : 하민

| 1 | 2 | 3 | 4 | 5 | 6 | 7 | 8 | 9 | 10 | 11 | 12 |

여러해살이풀. 높이 50~70cm. 전체에서 심한 냄새가 난다. 뿌리는 굵고 길다. 잎은 마주나고 육질, 3~5회로 깊이 갈라진다. 꽃은 잎과 마주나며 6월에 1개씩 핀다. 열매는 7~8월에 익으며 둥글고 갈색, 종자는 삼릉형이며 흑갈색이다.

분포 · 생육지 지중해 연안. 서아시아, 중국 신장성(新疆省). 건조한 지역에서 자란다.

약용 부위 · 수치 종자 또는 전초를 가을에 채취하여 말린다.

약물명 낙타봉(駱駝蓬). 고고채(苦苦菜), 취초(臭草)라고도 하고, 서양에서는 Harmala, African rue라고 한다.

약효 지해평천(止咳平喘), 거풍습(祛風濕), 소종독(消腫毒)의 효능이 있으므로 해수기천(咳嗽氣喘), 관절염, 습진, 피부소양증, 타박상을 치료한다.

성분 *dl*-peganine, deoxypeganine, vasisinone, deoxyvasisinone, peganol, pegamine, deoxypeganidine, harmin, harman, harmol, harmatol, norharman 등이 함유되어 있다.

약리 β-carboline 성분들은 serotonin과 구조가 유사하므로 serotonin 수용체에 작용한다. monoamine 산화 효소의 활성을 억제한다.

사용법 낙타봉 3g에 물 2컵(400mL)을 넣고 달여서 복용하고, 외용에는 종자를 짓찧어 환부에 붙인다. 순수 성분들은 파킨슨병에 이용한다.

＊ 종자를 태워서 나오는 연기는 마취성이 있고 성적 자극에 이용한다.

❍ 낙타봉

[남가새과]
서양남가새

👁 인후통, 구강염

🩹 주름살, 여드름, 종기

● 학명 : *Tribulus cistoides* L.   ● 영명 : Cistus like

1	2	3	4	5	6	7	8	9	10	11	12

한해살이풀. 밑에서 가지가 많이 갈라져 옆으로 자라고 털이 있다. 잎은 마주나고 7~9쌍의 작은잎으로 구성된 짝수 깃꼴겹잎이며, 작은잎은 타원형으로 좌우 모양이 다르다. 꽃은 황색이며 7월에 잎겨드랑이에 1개씩 피고 꽃잎이 크다. 열매에 뾰족한 돌기가 많다.

분포 · 생육지 쿠바, 브라질, 멕시코. 모래땅에서 자란다.

약용 부위 · 수치 열매는 8~9월 황백색으로 성숙할 때 채취하여 말린다.

약물명 Tribuli Fructus

약효 소염의 효능이 있으므로 인후통, 구강염, 주름살, 여드름, 종기를 치료한다.

사용법 Tribuli Fructus 10g에 물 3컵(600mL)을 넣고 달여서 복용한다.

❍ 서양남가새

❍ 서양남가새(꽃)

[남가새과]
낙타발굽풀

🫁 풍열감모, 해수담천

● 학명 : *Zygophyllum fabago* L.

1	2	3	4	5	6	7	8	9	10	11	12

여러해살이풀. 높이 50~80cm. 줄기 밑부분은 목질화하고 윗부분에서 가지가 많이 갈라진다. 뿌리는 굵고 길며, 잎은 마주나고 2개로 거의 갈라진다. 꽃은 잎겨드랑이에 2개씩 피고, 꽃잎의 안쪽은 붉은색, 바깥쪽은 분홍색을 띤다. 열매는 원주형으로 익는다.

분포 · 생육지 유럽, 중국. 건조한 지역에서 자란다.

약용 부위 · 수치 뿌리를 봄부터 가을에 채취하여 물에 씻은 후 신선한 것을 사용하거나 말린다.

약물명 낙타제판(駱駝蹄瓣). 제판근(蹄瓣根)이라고도 한다.

약효 선폐화담(宣肺化痰), 청열지통(淸熱止痛)의 효능이 있으므로 풍열감모(風熱感冒), 해수담천(咳嗽痰喘)을 치료한다.

성분 dihydromachaerinic acid lactone, oleanolic acid, zygophylloside A, B, C, D, E 등이 함유되어 있다.

사용법 낙타제판 10~15g에 물 3컵(600mL)을 넣고 달여서 복용하고, 분말로 1~3g을 복용한다.

❍ 낙타발굽풀

남가새

 두통 가려움증, 나력, 개선, 풍양

 구토설사 목적 유난

● 학명 : *Tribulus terrestris* L. ● 별명 : 백질려

| 1 | 2 | 3 | 4 | 5 | 6 | 7 | 8 | 9 | 10 | 11 | 12 |

한해살이풀. 밑에서 가지가 많이 갈라져 옆으로 길이 1m 정도 자라고 털이 있다. 잎은 마주나고 4~8쌍의 작은잎으로 구성된 짝수 깃꼴겹잎이다. 꽃은 황색, 7월에 잎겨드랑이에 1개씩 핀다. 열매는 5개로 갈라지며 각 조각에는 2개의 뾰족한 돌기가 있다.

분포 · 생육지 우리나라 제주도, 거제도, 함북, 중국, 일본, 시베리아, 유럽. 바닷가 모래땅에서 자란다.

약용 부위 · 수치 열매는 8~9월 황백색으로 익을 때 채취하여 햇볕에 말리고, 줄기와 잎은 여름에 채취하여 말린다.

약물명 열매를 자질려(刺蒺藜)라고 하며, 백질려(白蒺藜), 질려(蒺藜), 질려자(蒺藜子)라고도 한다. 줄기와 잎을 질려묘(蒺藜苗)라고 하며, 질려만(蒺藜蔓)이라고도 한다. 질려자(蒺藜子)는 대한민국약전(KP)에 수재되어 있다.

본초서 자질려(刺蒺藜)는 「신농본초경(神農本草經)」에 수재되어 있다. 종구석(宗寇奭)은 "질려(蒺藜)에는 자질려(刺蒺藜)와 백질려(白蒺藜)의 두 가지가 있다."고 하였으며, 「본초강목(本草綱目)」에는 "질려(蒺藜)의 잎은 초생(初生)의 조협(皂莢)의 잎과 비슷하다. 자질려(刺蒺藜)는 형태가 적근채(赤根菜)의 종자처럼 생겼으며 세릉(細菱)의 삼각에 4개의 가시가 있으며 열매에 속씨가 있다. 백질려(白蒺藜)는 길이 1촌(寸) 정도의 가시가 있으며 그 안에 콩팥처럼 생긴 종자가 있는데, 사완질려(沙菀蒺藜)라고도 한다."고 하였으며, 이것이 오늘날의 사완자(沙菀子)이다. 「동의보감(東醫寶鑑)」에는 "풍(風)으로 오는 가려움증, 두통, 폐열로 인한 피부병, 음낭이 부어 커진 것을 치료한다."고 하였다.

神農本草經: 主惡血, 破癥結積聚, 喉痺, 乳難, 久服長肌肉, 明目, 輕身.

本草圖經: 主痔漏, 陰汗, 婦人發乳, 帶下.

東醫寶鑑: 主諸風 身體風痒 頭痛 及肺痿吐膿 又治水臟冷 小便多 及奔豚腎氣 陰癀.

성상 자질려(刺蒺藜)는 5개의 분과가 방사상으로 배열한 별 모양이고 지름 1~1.2cm, 소분과는 도끼 모양이고 융기되었으며 가시가 있다. 냄새는 없고 맛은 쓰다.

기미 · 귀경 평(平), 고(苦), 신(辛) · 간(肝)

약효 자질려(刺蒺藜)는 산풍(散風), 명목(明目), 하기(下氣), 행혈(行血)의 효능이 있으므로 두통, 가려움증, 목적(目赤), 유난(乳難), 나력을 치료한다. 질려묘(蒺藜苗)는 거풍(祛風), 제습(除濕), 지양(止痒), 소옹(消癰)의 효능이 있으므로 서습상중(暑濕傷中), 구토설사, 개선(疥癬), 풍양(風痒)을 치료한다.

성분 백질려(白蒺藜)는 tribuloside, triliroside, kaempferol, kaempferol-3-*O*-glucoside, quercetin, furastanol bisglycoside, sapogenin은 diosgenin, gitogenin, chlorogenin, ruscogenin이며, 이외에 harman, harmarol 등이 함유되어 있다. 질려묘(蒺藜苗)는 rutin, quercetin-3-gentiobioside, quercetin-3-*O*-gentiotrioside, quercetin-3-*O*-rhamnogentiobioside-7-*O*-glucoside, kaempferol 등이 함유되어 있다.

약리 자질려(刺蒺藜)의 열수추출물을 마취한 개에게 투여하면 혈압이 떨어지고, 에탄올추출물 20mg/kg을 투여해도 혈압이 더욱 신속하게 떨어진다. 자질려의 사포닌은 항노화 작용을 나타내며, 늙은 쥐에게 투여하면 비장 내의 색소 과립의 침착을 저지한다. furastanol bisglycoside을 쥐에게 투여하면 강장 작용이 있다.

사용법 자질려 또는 질려묘 10g에 물 3컵(600mL)을 넣고 달여서 복용한다. 옹종(擁腫)에는 질려묘를 짓찧어 환부에 붙인다.

처방 백질려산(白蒺藜散): 자질려(刺蒺藜) · 백선피(白鮮皮) · 방풍(防風) · 대황(大黃) · 작약(芍藥) · 치자(梔子) · 황금(黃芩) · 맥문동(麥門冬) · 현삼(玄蔘) · 길경(桔梗) · 전호(前胡) · 감초(甘草) 각 40g(「동의보감(東醫寶鑑)」). 열독(熱毒)으로 열이 나며 가슴이 답답한 증상, 새벽에 눈이 잘 보이지 않고 눈이 붉으며 눈물이 나오는 증상에 사용한다.

❂ 남가새

❂ 자질려(刺蒺藜)

❂ 자질려(刺蒺藜)로 만든 혈액 순환 개선제

❂ 남가새(열매)

❂ 자질려(刺蒺藜, 신선품)

아마풀

정창종독

●학명 : *Linum stelleroides* Planchon ●한자명 : 野亞麻 ●별명 : 개아마, 들아마

| 1 | 2 | 3 | 4 | 5 | 6 | 7 | 8 | 9 | 10 | 11 | 12 |

○ 야아마(野亞麻)

두해살이풀. 높이 50~80cm. 줄기는 곧게 자라고, 윗부분에서 가지가 많이 갈라진다. 잎은 어긋나고 바늘 모양, 잎맥은 보통 3개이다. 꽃은 자주색, 6~7월에 피고 수술은 5개이다. 삭과는 둥글며 지름 7mm 정도, 종자는 편평한 긴 타원형, 갈색이다.

분포·생육지 우리나라 전역. 중국, 일본, 아무르, 우수리, 동시베리아. 건조한 풀밭에서 자란다.

약용 부위·수치 전초를 봄부터 가을에 신선한 것을 채취하여 사용한다.

약물명 야아마(野亞麻), 정독초(疔毒草), 정죽초(丁竹草)라고도 한다.

약효 해독소종(解毒消腫)의 효능이 있으므로 정창종독(疔瘡腫毒)을 치료한다.

사용법 신선한 야아마를 짓찧어 상처에 붙이거나 즙액을 바른다.

○ 아마풀

석해초

소변불리, 신장염   황달형간염

●학명 : *Reinwardtia indica* Dumort. [*R. trigyna*] ●한자명 : 石海椒

| 1 | 2 | 3 | 4 | 5 | 6 | 7 | 8 | 9 | 10 | 11 | 12 |

○ 석해초(꽃)

관목. 높이 1m 정도. 줄기는 곧게 자라고, 잎은 어긋나고 타원형, 가장자리에 작은 톱니가 있다. 꽃은 황색, 4~5월에 피고 씨방은 3실이다. 삭과는 달걀 모양, 종자는 신장형이다.

분포·생육지 인도, 중국 후베이성(湖北省), 광시성(廣西省), 윈난성(雲南省). 산지나 풀밭에서 자란다.

약용 부위·수치 전초를 봄부터 가을에 채취하여 말린다.

약물명 과산청(過山靑), 황화향초(黃花香草), 정죽초(丁竹草)라고도 한다.

약효 청열이뇨(淸熱利尿)의 효능이 있으므로 소변불리, 황달형간염, 신장염을 치료한다.

사용법 과산청 10g에 물 3컵(600mL)을 넣고 달여서 복용한다.

○ 석해초

아마

마풍, 피부양진, 탈모, 타박상

고환염

변비, 만성간염

● 학명 : *Linum usitatissimum* L.　● 한자명 : 亞麻

| 1 | 2 | 3 | 4 | 5 | 6 | 7 | 8 | 9 | 10 | 11 | 12 |

한해살이풀. 높이 70~100cm. 잎은 어긋나고 바늘 모양, 잎맥은 보통 3개이다. 꽃은 청자색, 6~7월에 피고 꽃잎은 끝이 다소 패어 있다. 삭과는 둥글며 지름 7mm 정도, 종자는 편평한 긴 타원형, 황갈색이다.

분포 · 생육지 중앙아시아 원산. 우리나라 전역에서 재배한다.

약용 부위 · 수치 전초와 종자를 가을에 채취하여 말린다.

약물명 종자를 아마자(亞麻子)라고 하며, 아마인(亞麻仁)이라고도 한다. 뿌리, 줄기, 잎을 아마(亞麻)라고 하며, 아마(鴉麻)라고도 한다. 아마인(亞麻仁)은 대한민국약전(KP)에 수재되어 있다.

본초서 송대(宋代)의 「도경본초(圖經本草)」에 수재되어 있으며, "아마자(亞麻子)는 산등성이에서 생산되고, 맛은 달고 약간 따뜻한 성질을 가지며, 잎은 푸르고, 꽃은 백색으로 8월 상순에 열매를 채취하여 풍질(風疾)을 치료한다."고 기록되어 있다.

성상 납작한 달걀 모양, 길이 0.4~0.6cm, 너비 0.2~0.3cm, 표면은 회갈색~적갈색, 매끈거리며 광택이 있다. 냄새는 없고 물에 담그면 점액이 생긴다.

기미 · 귀경 아마자(亞麻子): 평(平), 감(甘) · 간(肝), 폐(肺), 대장(大腸). 아마(亞麻): 평(平), 신(辛), 감(甘)

약효 아마자(亞麻子)는 양혈거풍(涼血祛風), 윤조통변(潤燥通便)의 효능이 있으므로 마풍(麻風), 피부양진(皮膚痒疹), 탈모,

변비를 치료한다. 아마(亞麻)는 평간(平肝), 보허(補虛), 활혈(活血)의 효능이 있으므로 만성간염, 고환염, 타박상을 치료한다.

성분 아마(亞麻)에는 orientin, isoorientin, vitexin, isovitexin, linamarin 등이 함유되어 있다.

약리 지방유 중 α-linoleic acid는 혈액 중의 지방 조성이 비정상적인 환자의 관상동맥 질환에 관계되는 여러 가지 염증 관련 수치를 낮춘다. 종자에는 지방(30~48%)과 점액성 물질(5~12%)이 많이 함유되어 있어서 윤활이나 자극 완화의 작용이 나타나고, 아마자유는 완하 작용이 있으며 불포화지방산이 많이 함유되어 있어서 고지혈증 혹은 동맥경화 예방 효과가 나타난다.

사용법 아마자 또는 아마 10g에 물 3컵(600 mL)을 넣고 달여서 복용한다.

주의 위가 약한 사람이나 임산부는 피한다.

* 아마자유(亞麻子油)는 불포화도가 높은 linoleic acid, linolenic acid가 많으므로 건조성이 크고 그림 물감, 페인트, 인쇄용 잉크 등에 사용되며, 연고, 카리비누의 원료로도 이용한다.

○ 아마

○ 아마 재배(중국)

○ 아마 수확(중국)

○ 아마자(亞麻子)

○ 아마(열매)

○ 아마자유(亞麻子油)

○ 아마자(亞麻子)로 만든 건강식품

깨풀

 세균성하리, 해수토혈, 변혈, 복창
자궁출혈 　피부염, 창상출혈

●학명 : *Acalypha australis* L.　●별명 : 들깨풀

1	2	3	4	5	6	7	8	9	10	11	12

한해살이풀. 높이 30~50cm. 잎은 어긋난다. 꽃은 갈색, 7~8월에 잎겨드랑이에서 나오는 짧은 꽃대에 달리며 수꽃은 윗부분에 달린다. 포엽은 톱니가 있으며 꽃차례 아래에 달리는 암꽃을 둘러싼다. 삭과는 지름 3mm 정도, 종자는 달걀 모양, 흑갈색이다.
분포 · 생육지 우리나라 전역. 중국, 일본, 타이완, 필리핀, 아무르. 밭이나 길가에서 자란다.

❍ 철현(鐵莧)

약용 부위 · 수치 전초를 5~6월에 채취하여 말린다.
약물명 철현(鐵莧). 대현(大莧), 반변주(半邊珠)라고도 한다.
기미 · 귀경 양(凉), 고(苦), 삽(澁) · 심(心), 폐(肺), 대장(大腸), 소장(小腸)
약효 청열(淸熱), 이수(利水), 살충, 지혈의 효능이 있으므로 세균성하리, 해수토혈(咳嗽吐血), 변혈(便血), 자궁출혈, 복창(腹

❍ 깨풀(열매)

脹), 피부염, 창상출혈을 치료한다.
성분 gallic acid, acalyphine 등이 함유되어 있다.
약리 물로 달인 액은 적리균, 황색 포도상구균, 콜레라균, 탄저균에 항균 작용이 있다.
사용법 철현 10g에 물 3컵(600mL)을 넣고 달여서 복용하고, 외용에는 짓찧어 붙인다.

❍ 깨풀

금변상

 치뉵　　빈혈

●학명 : *Acalypha wikesiana* Muell. Arg. var. *marginata* W. Miller　●한자명 : 金邊桑

1	2	3	4	5	6	7	8	9	10	11	12

❍ 금변상(꽃)

관목. 가지가 많이 갈라진다. 잎은 어긋나고 타원형, 가장자리에 불규칙한 톱니가 있으며 그 주변이 붉은색을 띤다. 꽃은 암수한그루, 꽃잎이 없으며 7~8월에 잎겨드랑이에서 나오는 짧은 꽃대에 달리고, 수꽃은 윗부분에 달린다.
분포 · 생육지 중국 푸젠성(福建省). 중국 각처에서 재배한다.
약용 부위 · 수치 잎을 여름과 가을에 채취하여 말린다.
약물명 금변상(金邊桑). 금변련(金邊蓮)이라고도 한다.
약효 양혈화반(凉血化斑), 청열소종(淸熱消腫)의 효능이 있으므로 치뉵(齒衄), 빈혈을 치료한다.
약리 열수추출물은 간균, 고초균, 대장균, 폐렴간균, 황색 포도상구균에 항균 작용이 있고, 자궁암에 항암 작용이 있다.
사용법 금변상 15g에 물 3컵(600mL)을 넣고 달여서 복용한다.

❍ 금변상

[대극과]

삼임구

 타박상　　 골절

●학명 : *Alchornea rugosa* (Lour.) Muell. [*Cladodes rugosa*]　●한자명 : 三稔蒟

| 1 | 2 | 3 | 4 | 5 | 6 | 7 | 8 | 9 | 10 | 11 | 12 |

소교목. 높이 3~8m. 잎은 어긋나고 끝이 뾰족한 타원형, 가장자리에 불규칙한 톱니가 있다. 꽃은 담녹색, 원추화서로 달린다. 삭과는 3개의 분과로 이루어지고, 종자는 구형이다.

분포·생육지 중국, 베트남. 산지에서 자란다.

약용 부위·수치 잎과 가지를 여름과 가을에 채취하여 말린다.

약물명 고차(苦茶). 다제화(多濟花)라고도 한다.

약효 접골생기(接骨生肌)의 효능이 있으므로 타박상, 골절을 치료한다.

사용법 고차 7g에 물 2컵(400mL)을 넣고 달여 복용하며, 외용에는 짓찧어 환부에 붙인다.

○ 삼임구

[대극과]

유동

 나력, 개선, 화상, 단독, 옹종, 독발창, 열독창, 화상

 풍담후비　　대소변불통　　이질

●학명 : *Aleurites fordii* Hemsl.　●한자명 : 油桐　●별명 : 기름오동나무

| 1 | 2 | 3 | 4 | 5 | 6 | 7 | 8 | 9 | 10 | 11 | 12 |

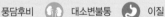

낙엽 교목. 높이 10m 정도. 원줄기에서 곧고 굵은 가지가 퍼진다. 잎은 어긋나고 심장형이다. 꽃은 암수딴그루, 5월에 잎보다 먼저 피며 붉은빛이 도는 흰색이다. 열매는 지름 3~4cm로 둥글고 4~5개의 종자가 들어 있으며, 종자는 달걀 모양이다.

분포·생육지 중국 양쯔강(揚子江) 원산. 우리나라 남부 지방에서 재식한다.

약용 부위·수치 종자는 가을에, 잎은 여름에, 꽃은 봄에 채취하여 말린다.

약물명 종자를 유동자(油桐子), 잎을 유동엽(油桐葉), 꽃을 동자화(桐子花)라 한다.

기미 유동자(油桐子): 한(寒), 감(甘), 소독(小毒). 유동엽(油桐葉): 한(寒), 미고(微苦), 소독(小毒)

약효 유동자(油桐子)는 용토풍담(涌吐風痰), 소종(消腫), 이대소변(利大小便)의 효능이 있으므로 풍담후비(風痰喉痺), 나력, 개선(疥癬), 화상, 단독, 대소변불통을 치료한다. 유동엽(油桐葉)은 소종(消腫), 해독의 효능이 있으므로 옹종(擁腫), 단독, 개선(疥癬), 이질을 치료하고, 동자화(桐子花)는 독발창(禿髮瘡), 열독창(熱毒瘡), 화상을 치료한다.

성분 열매와 종자에는 12-*O*-palmityl-13-*O*-acetyl-16-hydroxyphorbol, α-eleostearin, 잎에는 aleurinin A, B, C, coriglagin, geraniin, chebulagic acid 등이 함유되어 있다.

사용법 유동자, 유동엽 또는 동자화 10g에 물 3컵(600mL)을 넣고 달여서 복용하고, 외용에는 짓찧어 붙인다.

＊유동자(油桐子)에 열을 가하고 가압하여 짜낸 기름은 건성유로 가열하면 응집하여 젤이 되고 경우에 따라서는 고화한다. 이러한 성질은 주성분인 α-eleostearin에 의한 것인데, 다른 건성유에는 없는 특성이다. 과거에는 기름을 짜서 식용하였다.

○ 유동

○ 유동엽(油桐葉)

○ 유동(열매)

[대극과]

석률

 폐경
금창출혈
 장조변비

● 학명 : *Aleurites moluccana* (L.) Wild. [*Jatropha moluccana*]
● 영명 : Candleberry   ● 한자명 : 石栗

상록 교목. 높이 13m 정도. 어린가지와 꽃차례에는 갈색 털이 많다. 잎은 어긋나고 심장형, 잎자루가 길다. 꽃은 암수한그루, 백색, 5월에 잎보다 먼저 핀다. 열매는 구형, 지름 5~6cm, 1~2개의 종자가 들어 있다.
분포 · 생육지 중국 푸젠성(福建省), 광둥성(廣東省), 타이완. 산지에서 자라거나 재식한다.
약용 부위 · 수치 종자는 가을에, 잎은 여름에 채취하여 말린다.
약물명 종자를 석률자(石栗子), 잎을 석률엽(石栗葉)이라 한다.
약효 석률자는 활혈윤장(活血潤腸)의 효능이 있으므로 폐경(閉經), 장조변비(腸燥便秘)를 치료한다. 석률엽은 활혈통경(活血通經), 지혈의 효능이 있으므로 폐경(閉經), 금창출혈(金瘡出血)을 치료한다.
사용법 석률자 5g에 물 2컵(400mL), 석률엽은 15g에 물 3컵(600mL)을 넣고 달여서 복용한다.

❍ 석률

[대극과]

추풍목

 풍습골통
 열격, 반위, 이질, 전염성간염
 인후통   창양

● 학명 : *Bischofia javanica* Bl.   ● 한자명 : 秋楓木

상록 교목. 높이 20m 정도. 잎은 3출겹잎, 가죽질, 길이 8~20cm, 드문드문 둔한 톱니가 있다. 꽃은 암수딴그루, 작고 꽃잎이 없다. 열매는 구형으로 담갈색, 종자는 길이 5mm 정도이다.
분포 · 생육지 인도, 인도네시아, 중국 푸젠성(福建省), 윈난성(雲南省), 타이완. 산지에서 자라거나 재식한다.

약용 부위 · 수치 줄기껍질은 사시사철, 잎은 여름에 채취하여 말린다.
약물명 줄기껍질을 추풍목(秋楓木)이라 하며, 삼엽홍(三葉紅)이라고도 한다. 잎을 추풍목엽(秋楓木葉)이라 한다.
약효 추풍목(秋楓木)은 거풍제습(祛風除濕), 화어소적(化瘀消積)의 효능이 있으므로 풍습골통(風濕骨痛), 열격(噎膈), 반위(反胃), 이질을 치료한다. 추풍목엽(秋楓木葉)은 해독산결(解毒散結)의 효능이 있으므로 열격(噎膈), 반위(反胃), 전염성간염, 인후통, 창양(瘡瘍)을 치료한다.
성분 추풍목(秋楓木)은 β−sitosterol, β−sitosterol−β−glucoside, fridelin, epifriedelinol, friedelinol 등이 함유되어 있다.
사용법 추풍목은 10g에 물 3컵(600mL)을, 추풍목엽은 15g에 물 3컵(600mL)을 넣고 달여서 복용한다.

❍ 추풍목

❍ 추풍목(열매)

[대극과]

중양목

풍습비통　해수　창양
이질, 열격, 반위, 전염성간염　인후통

● 학명 : *Bischofia polycarpa* (Lévl.) Airy-Shaw　● 한자명 : 重陽木

| 1 | 2 | 3 | 4 | 5 | 6 | 7 | 8 | 9 | 10 | 11 | 12 |

낙엽 교목. 높이 20m 정도. 줄기껍질은 광활하고 회갈색이다. 잎은 3출겹잎, 잎자루가 길다. 꽃은 작고 암수딴그루이다. 열매는 구형으로 남자색, 종자는 작고 타원형, 끝이 뾰족하고 광택이 난다.
분포 · 생육지 중국 간쑤성(甘肅省), 저장성(浙江省), 쓰촨성(四川省), 푸젠성(福建省), 윈난성(雲南省). 평지 숲속에서 자라거나 재식한다.
약용 부위 · 수치 줄기껍질은 사시사철, 잎은 여름에 채취하여 말린다.
약물명 줄기껍질을 중양목(重陽木), 잎을 중양목엽(重陽木葉)이라 한다.
약효 중양목(重陽木)은 이기활혈(利氣活血), 해독소종(解毒消腫)의 효능이 있으므로 풍습비통(風濕痺痛), 이질을 치료한다. 중양목엽(重陽木葉)은 관중소적(寬中消積), 청열해독(淸熱解毒)의 효능이 있으므로 열격(噎膈), 반위(反胃), 전염성간염, 인후통, 해수(咳嗽), 창양(瘡瘍)을 치료한다.
사용법 중양목은 10g에 물 3컵(600mL)을, 중양목엽은 30g에 물 3컵(600mL)을 넣고 달여서 복용한다.

❍ 중양목

[대극과]

변엽목

질타종통　폐열해수

● 학명 : *Codiaeum variegatum* (L.) Bl. [*Croton variegatus*]　● 한자명 : 變葉木

| 1 | 2 | 3 | 4 | 5 | 6 | 7 | 8 | 9 | 10 | 11 | 12 |

상록 관목. 높이 1~5m. 어린가지는 회갈색이다. 잎은 어긋나고 타원형, 가죽질이고 가장자리가 밋밋하다. 꽃은 작고 담황색, 잎겨드랑이에 총상화서로 달린다. 열매는 구형, 능선이 있으며 흰색이다.
분포 · 생육지 인도, 중국 장쑤성(江蘇省), 저장성(浙江省), 쓰촨성(四川省), 푸젠성(福建省), 윈난성(雲南省)
약용 부위 · 수치 잎을 여름에 채취하여 물에 씻은 후 썰어서 말린다.
약물명 주금용(酒金榕)
약효 산어소종(散瘀消腫), 청열이폐(淸熱利肺)의 효능이 있으므로 질타종통(跌打腫痛), 폐열해수(肺熱咳嗽)를 치료한다.
성분 acethylcholine, choline, acethylcholinesterase, propinoylcholine, ferulic acid, coumaric acid, vanillic acid 등이 함유되어 있다.
사용법 주금용 5g에 물 2컵(400mL)을 넣고 달여서 복용한다.

❍ 주금용(酒金榕)

❍ 변엽목(꽃)

❍ 변엽목

[대극과]

파두나무

  흉복창만, 대변불통, 설사이질, 담음천만

수종복대 인후통 악창개선

● 학명 : *Croton tiglium* L.

| 1 | 2 | 3 | 4 | 5 | 6 | 7 | 8 | 9 | 10 | 11 | 12 |

상록 관목. 높이 5m 정도. 잎은 어긋나고 타원형, 길이 9~10cm, 광택이 난다. 꽃 피는 시기는 일정하지 않고 4~9월에 걸쳐 피며, 줄기 끝에 가늘고 긴 꽃차례에 황백색의 작은 홑꽃이 많이 붙는다. 열매는 도란형의 분과로 3개의 종자가 들어 있고, 종자는 길이 1.5~2cm, 회갈색의 편평한 타원형이다.

분포 · 생육지 말레이시아, 타이, 인도네시아, 동남아시아의 열대. 산지에서 자란다.

약용 부위 · 수치 종자를 가을에 채취하여 말린다.

약물명 파두(巴豆). 파두를 맷돌에 갈아서 여러 층의 종이로 싸서 약한 불을 가하면서 압착하여 유독한 성분이 많은 기름을 제거한다. 이 조작은 기름이 나오지 않을 때까지 되풀이하며, 기름이 제거된 것을 파두상(巴豆霜)이라 한다. 대한민국약전(KP)에 수재되어 있다.

본초서 파두(巴豆)는 「신농본초경(神農本草經)」의 하품(下品)에 수재되어 있으며, 도홍경(陶弘景)은 "파두는 약물 가운데 가장 잘 사(瀉)하며 독이 있다."라고 하였다. 「동의보감(東醫寶鑑)」에는 "오장육부를 씻어 내어 맑게 하고 막힌 것을 잘 통하게 하며 대소변을 잘 나오게 한다. 뱃속에 덩어리가 생겨 아픈 것과 담으로 인하여 옆구리가 아픈 것, 돌림병, 장내 기생충을 구제하고 반묘독을 치료한다."고 하였다.

神農本草經: 主傷寒溫瘧寒熱 破癥瘕結聚 堅積 留飲痰癖 大腹水脹.

本草綱目: 治瀉痢 驚癇 心腹痛 疝氣 風喎 耳聾 喉痺 牙痛 通利關竅.

東醫寶鑑: 蕩鍊五臟六腑 開通閉塞 利水穀道 破癥瘕 積聚 痰癖 留飲 治十種水兵 除鬼疰 去惡瘡息肉 墮胎殺蟲魚及斑猫毒 又殺腹藏蟲.

성상 약간 납작하게 구부러진 타원상 구형으로 길이 10~15mm, 너비 7~9mm, 두께 5~6mm. 종피는 적갈색~회갈색이며 군데군데 흑색 반점이 있다. 뒷면은 약간 구부러져 있으며, 배면에는 봉선이 두드러져 줄을 이룬다. 냄새가 있고 맛은 맵다.

기미 · 귀경 열(熱), 신(辛), 대독(大毒) · 위(胃), 대장(大腸), 폐(肺)

약효 사하한적(瀉下寒積), 축수퇴종(逐水退腫), 거담이인(祛痰利咽), 식창살충(蝕瘡殺蟲)의 효능이 있으므로 흉복창만(胸腹脹滿), 대변불통(大便不通), 설사이질(泄瀉痢疾), 수종복대(水腫腹大), 담음천만(痰飲喘滿), 인후통, 악창개선(惡瘡疥癬)을 치료한다.

성분 파두(巴豆)는 사하 작용이 강한 croton resin이 3% 함유되어 있는데, 이 물질은 tetracyclic diterpene alcohol인 phorbol의 diester이며 결합하는 산에 따라 phorbol ester A₁,₂,₃,₄, B₁,₂,₃,₄,₅,₆,₇, 13−*O*−acetylphorbol−20−linolate, 13−*O*−tigloylphorbol−20−linolate, 12−*O*−acetylphorbol−13−tigliate 등으로 나누며, 독성 단백질 crotin이 함유되어 있다. 파두유는 종자의 30~40%를 차지하며, croton resin 외에 oleic acid(37%), linolic acid(19%), eicosanic acid(1.5%), stearic acid(0.3%), palmitic acid, aluric acid의 glycerides, tiglic acid, crotonic acid 등의 지방산으로 구성되어 있다.

약리 croton oil은 소장의 평활근에 직접 작용하여 준하(峻下) 작용을 나타낸다. croton oil을 피부에 바르면 발적, 종창, 수포가 생기고 때로는 전신으로 퍼진다. croton oil은 동물 실험에서 자궁 출혈을 일으키고, crotin은 용혈 작용이 있다. phorbol ester류는 강력한 발암성을 나타내므로 실험적으로 염증 반응을 일으키거나 피부암을 발생시키는 데 이용된다.

사용법 종자에서 기름을 제거한 파두상을 만들어 1회 0.05g을 복용하고, 파두유를 하제로 사용할 때는 1회 0.01g을 복용한다. 외용에는 파두상을 참기름에 개어서 환부에 붙이며 잎은 짓찧어 사용한다.

주의 임부, 허약한 사람, 노인들은 복용하지 않는 것이 좋다.

처방 파두삼릉환(巴豆三稜丸): 파두상(巴豆霜) 2g, 삼릉(三稜) 60g, 신곡(神穀) 40g, 초두구(草豆蔲) 20g, 승마(升麻) · 시호(柴胡) 각 12g, 목향(木香) 8g (「동의보감(東醫寶鑑)」). 생것이나 찬 음식을 잘못 먹고 체하여 명치 밑이 그득하고 아픈 증상에 사용한다. 목향견현환(木香見睨丸)이라고도 한다.

○ 파두나무(꽃)

○ 파두나무(열매와 종자)

○ 파두(巴豆)

○ 파두상(巴豆霜)

○ 파두나무

[대극과]

좀굴거리나무

 감모발열 👁 인후통
 비장종대

- 학명 : *Daphniphyllum glaucescens* Bleme [*D. oldhami*]
- 한자명 : 虎皮楠 ● 별명 : 좀굴거리

| 1 | 2 | 3 | 4 | 5 | 6 | 7 | 8 | 9 | 10 | 11 | 12 |

상록 소교목. 높이 5~10m. 잎은 작은가지 끝에 모여서 어긋나며 길이 5~10cm, 잎맥이 조밀하며 그물처럼 융기한다. 꽃은 암수딴그루, 4~5월에 잎겨드랑이에 총상화서로 달리고, 꽃덮개가 없다. 핵과는 타원상 구형으로 암벽색으로 익는다.

분포 · 생육지 우리나라 제주, 전남(대둔산). 산기슭에서 자란다.

약용 부위 · 수치 잎과 열매를 여름이나 가을에 채취하여 말린다.

약물명 호피남(虎皮楠). 산황수(山黃樹)라고도 한다.

약효 청열해독(清熱解毒), 활혈산어(活血散瘀)의 효능이 있으므로 감모발열(感冒發熱), 인후통, 비장종대(脾臟腫大)를 치료한다.

사용법 호피남 15g에 물 3컵(600mL)을 넣고 달여서 복용한다.

❶ 좀굴거리나무

❶ 호피남(虎皮楠, 잎)   ❶ 호피남(虎皮楠, 열매)

[대극과]

굴거리나무

 창절종독

- 학명 : *Daphniphyllum macropodum* Miq. ● 한자명 : 交讓木 ● 별명 : 굴거리, 청대동

| 1 | 2 | 3 | 4 | 5 | 6 | 7 | 8 | 9 | 10 | 11 | 12 |

상록 소교목. 높이 5~10m. 줄기는 굵고 녹색이지만 어린 것은 붉은색을 띤다. 잎은 작은가지 끝에 모여서 어긋나며 길이 15~20cm이다. 꽃은 암수딴그루, 4~5월에 총상화서로 달리고, 꽃덮개가 없다. 수꽃은 수술 8~10개, 암꽃은 씨방 2개, 핵과는 타원상 구형, 암벽색이다.

분포 · 생육지 우리나라 제주, 전남, 내장산, 안면도. 산기슭에서 자란다.

약용 부위 · 수치 잎과 열매를 여름이나 가을에 채취하여 말린다.

약물명 교양목(交讓木). 산황수(山黃樹)라

고도 한다.

약효 청열해독(清熱解毒)의 효능이 있으므로 창절종독(瘡癤腫毒)을 치료한다.

성분 daphylloside, daphnephylline, neo-daphnephylline, neoyuzurimine, iridoid glycoside, geniposidic acid, delphini-dine−3−O−xyloglucoside, secodaphne-phylline, daphnilactone 등이 함유되어 있다.

사용법 교양목을 짓찧어 상처에 붙이거나, 즙액을 바른다.

❶ 굴거리나무(꽃)

❶ 교양목(交讓木, 열매)

❶ 교양목(交讓木, 잎)

❶ 굴거리나무

[대극과]

민대극

징가 | 나력, 옹저, 개창, 완선 | 음낭습양
결핵, 만성천해 | 유담

●학명 : *Euphorbia ebracteolata* Hayata　●한자명 : 月腺大戟　●별명 : 붉은대극

| 1 | 2 | 3 | 4 | 5 | 6 | 7 | 8 | 9 | 10 | 11 | 12 |

여러해살이풀. 높이 35~50cm. 땅속줄기는 굵고 방추형이며 황갈색을 띤다. 줄기는 바로 서며 끝에서 가지가 산형으로 퍼진다. 줄기잎은 어긋나고 어릴 때는 붉은색을 띤다. 꽃은 줄기 끝의 잎겨드랑이에 배상화서로 나온다. 수꽃에는 작은 포편이 없고, 씨방과 삭과 표면에는 사마귀 모양의 돌기가 없다.

분포·생육지 우리나라 울릉도, 강원도, 내장산, 백양산. 산골짜기 돌밭에서 자란다.

약용 부위·수치 봄이나 가을에 뿌리를 채취하여 흙을 털고 물에 씻은 뒤 썰어서 말린다.

약물명 백낭독(白狼毒), 여여(藘茹), 굴거(屈据), 낭독(狼毒), 황피낭독(黃皮狼毒)이라고도 한다. 대한민국약전외한약(생약)규격집(KHP)에 수재되어 있다.

기미·귀경 한(寒), 신(辛), 소독(小毒)·비(脾), 위(胃), 대장(大腸)

약효 파적살충(破積殺蟲), 발독거부(拔毒祛腐), 제습지양(除濕止痒)의 효능이 있으므로 징가(癥瘕), 나력(癩癧), 결핵, 옹저(癰疽), 유담(流痰), 개창(疥瘡), 완선(頑癬), 만성천해(慢性喘咳), 음낭습양(陰囊濕痒)을 치료한다.

성분 bis(5-formylfurfuryl)-ether, 2,4-dihydroxy-6-methoxy-3-methylace-tophenone, dacucosterol, 24-methylenecy-cloartanol 등이 함유되어 있다.

약리 열수추출물을 간암이 있는 쥐에게 정맥주사하면 항암 작용이 나타난다.

사용법 백낭독 1~2g에 물 2컵(400mL)을 넣고 달여서 복용하고, 외용에는 연고로 만들어 바른다.

❂ 민대극

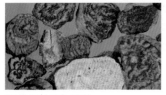
❂ 백낭독(白狼毒, 절편)

❂ 백낭독(白狼毒)

❂ 민대극(뿌리)

❂ 민대극(새순)

[대극과]

흰대극

수종 | 나력, 피부소양
결핵

●학명 : *Euphorbia esula* L.　●한자명 : 乳漿大戟　●별명 : 흰버들옻, 힌대극

| 1 | 2 | 3 | 4 | 5 | 6 | 7 | 8 | 9 | 10 | 11 | 12 |

여러해살이풀. 높이 20~40cm. 줄기 및 잎에 상처를 내면 유액이 흘러나온다. 전체에 털이 없으며 흰색이 돌고, 줄기는 밑에서 빽빽하게 모여난다. 잎은 어긋나지만 다닥다닥 붙고, 줄기 끝의 잎은 5개가 돌려나며 타원형, 길이 2~3cm, 가장자리는 밋밋하다. 꽃은 황록색으로 6~7월에 피고, 꽃줄기는 5개가 산형으로 2개씩 2회 갈라지며, 총포는 황색이다. 열매는 둥글고 밋밋하며 3개로 갈라진다.

분포·생육지 우리나라 전역. 일본, 중국, 몽골, 시베리아. 바닷가나 들에서 자란다.

약용 부위·수치 봄이나 여름에 전초를 채취하여 흙을 털고 물에 씻은 뒤 말린다.

약물명 유장대극(乳漿大戟). 유장초(乳漿草)라고도 한다.

기미·귀경 평(平), 고(苦), 유독(有毒)·대장(大腸), 방광(膀胱)

약효 이뇨소종(利尿消腫), 산결(散結), 살충의 효능이 있으므로 수종, 나력(癩癧), 결핵, 피부소양(皮膚瘙痒)을 치료한다.

성분 ingenol 3,20-dibenzoate, lupeol, methylene cycloartenol, α-amyrin, β-amyrin 등이 함유되어 있다.

약리 열수추출물을 간암이 있는 쥐에게 정맥주사하면 항암 작용이 나타난다.

사용법 유장대극 1~2g에 물 2컵(400mL)을 넣고 달여서 복용하고, 외용에는 연고로 만들어 바른다.

＊줄기 상부에 있는 잎이 3~5개가 돌려나는 '오독도기 *E. pallasii*'도 약효가 같다.

❂ 흰대극

❂ 유장대극(乳漿大戟)

[대극과]

등대풀

| 수기종만, 하리 | 담음해수 |
| 결핵성치루 | 골수염 | 말라리아 |

●학명 : *Euphorbia helioscopia* L. ●한자명 : 澤漆 ●별명 : 등대대극, 등대초

| 1 | 2 | 3 | 4 | 5 | 6 | 7 | 8 | 9 | 10 | 11 | 12 |

두해살이풀. 높이 25~30cm. 흔히 밑에서 가지가 갈라지며 윗부분에는 긴 털이 드문드문 나고 자르면 유액이 나온다. 잎은 어긋나고 주걱 모양, 길이 1~3cm, 너비 6~20mm, 총포엽은 넓은 달걀 모양으로 약간 작다. 꽃은 황록색, 5월에 꽃차례에 많이 달리고 소총포는 합쳐지며, 총포 안에 1개의 암꽃과 몇 개의 수꽃이 있다. 삭과는 밋밋하고 길이 3mm 정도, 3개로 갈라지며, 종자는 도란형, 갈색이다.

분포 · 생육지 우리나라 중부 이남. 중국, 일본, 타이완, 인도, 시베리아, 유럽. 들이나 산기슭 낮은 곳에서 자란다.

약용 부위 · 수치 전초를 여름이나 가을에 채취하여 흙을 털어서 말린다.

약물명 택칠(澤漆). 칠경(漆莖), 오풍초(五風草)라고도 한다.

본초서 택칠(澤漆)은 「신농본초경(神農本草經)」에 수재되어 "피부의 대복수기를 다스리고 부종을 낫게 하며, 남자의 음기 부족을 치료한다."고 하였다. 「동의보감(東醫寶鑑)」에는 택칠(澤漆)은 "주로 부종을 가라앉히고, 대소장을 잘 통하게 하고, 학질을 낫게 하며 이것은 대극(大戟)의 싹이다."라고 하였다. 오늘날 '등대풀'과는 다른 식물이다.

神農本草經: 主皮膚熱 大腹水氣 四肢面目浮腫 丈夫陰氣不足.

東醫寶鑑: 主浮腫 利大小腸 止瘧 此大戟苗也.

기미 · 귀경 미한(微寒), 신(辛), 고(苦) · 폐(肺), 대장(大腸), 소장(小腸)

약효 행수소종(行水消腫), 화담지해(化痰止咳), 해독살충(解毒殺蟲)의 효능이 있으므로 수기종만(水氣腫滿), 담음해수(痰飮喘咳), 말라리아, 하리(下痢), 골수염, 결핵성치루를 치료한다.

성분 quercetin, quercetin-3-O-galactoside, quercetin-3-O-digalactoside, gallic acid, euphonin A~K, euphoscopin A~L, epieucosphin A~F, euphoheliscopin A, B 등이 함유되어 있다.

약리 quercetin-3-O-digalactoside는 동물 실험에서 기침과 가래를 억제하고, 열수추출물은 결핵균의 성장을 억제하지만 streptomycin, isoniazid 등과의 상승 작용은 없다. 또 쥐의 고형암 또는 백혈병에 항암 작용이 있다.

사용법 택칠 10g에 물 3컵(600mL)을 넣고 달여서 복용하고, 외용에는 달인 액으로 씻는다.

◐ 등대풀

◐ 택칠(澤漆, 신선품)

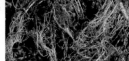

◐ 등대풀(뿌리)

[대극과]

성성초

| 월경과다 | 외상종통, 출혈 |
| 골절 |

●학명 : *Euphorbia heterophylla* L. ●한자명 : 猩猩草

| 1 | 2 | 3 | 4 | 5 | 6 | 7 | 8 | 9 | 10 | 11 | 12 |

한해살이풀. 높이 1m 정도. 줄기는 홀로 서며, 잎은 어긋나지만 꽃차례 밑은 마주나고 붉은색이다. 꽃은 8~9월에 배상 취산화서로 달리고, 꽃잎은 없으며, 소총포는 흰색, 총포 안에 1개의 암꽃과 몇 개의 수꽃이 있다. 삭과는 3개의 능선이 있고 평활하며 털이 없다.

분포 · 생육지 인도, 중국, 터키. 들이나 산기슭 낮은 곳에서 자란다.

약용 부위 · 수치 전초를 여름이나 가을에 채취하여 썰어서 말린다.

약물명 엽상화(葉象花), 일품홍(一品紅)이라고도 한다.

기미 · 귀경 고(苦), 삽(澁), 한(寒), 유독(有毒) · 간(肝)

약효 양혈조경(凉血調經), 산어소종(散瘀消腫)의 효능이 있으므로 월경과다, 외상종통(外傷腫痛), 출혈, 골절을 치료한다.

사용법 엽상화 7g에 물 2컵(400mL)을 넣고 달여서 복용하고, 외용에는 달인 액으로 씻는다.

◐ 성성초

◐ 성성초(열매)

비양초

| 폐옹 | 유옹 | 혈뇨 |
| 설사 | 습진 | |

●학명 : *Euphorbia hirta* L. ●한자명 : 飛揚草

| 1 | 2 | 3 | 4 | 5 | 6 | 7 | 8 | 9 | 10 | 11 | 12 |

● 비양초

한해살이풀. 전체에 거친 털이 있고, 줄기는 옆으로 기며 담자색이다. 잎은 마주나고 타원형이다. 꽃은 8~9월에 두상화서로 조밀하게 달린다. 삭과는 달걀 모양, 3개의 능선이 있고 털로 덮인다.

분포 · 생육지 인도, 중국, 터키. 들이나 산기슭 낮은 곳에서 자란다.

약용 부위 · 수치 전초를 여름이나 가을에 채취하여 물에 씻은 후 썰어서 말린다.

약물명 비양초(飛揚草). 대비양(大飛揚)이라고도 한다.

기미 · 귀경 고(苦), 삽(澁), 한(寒), 유독(有毒) · 간(肝)

성분 fridelin, β−amyrin, β−sitosterol, taraxerol, taraxenone, jambulol, quercetin, xanthorhamnide 등이 함유되어 있다.

약리 열수추출물을 쥐의 복강에 20~400 mg/kg을 주사하면 중추성 진통 작용이 나타난다. 그 외 항염 작용, 항균 작용, 자궁 흥분 작용이 있다.

약효 청열해독(淸熱解毒), 이습지양(利濕止痒), 통유(通乳)의 효능이 있으므로 폐옹(肺癰), 유옹(乳癰), 설사, 습진, 혈뇨를 치료한다.

사용법 비양초 7g에 물 2컵(400mL)을 넣고 달여서 복용하고, 외용에는 달인 액으로 씻는다.

땅빈대

| 이질, 설사, 황달, 토혈, 변혈 | 해혈 |
| 타박상 | 요혈 | 유즙불하 |

●학명 : *Euphorbia humifusa* Willd. ●한자명 : 地錦草 ●별명 : 점박이풀

| 1 | 2 | 3 | 4 | 5 | 6 | 7 | 8 | 9 | 10 | 11 | 12 |

한해살이풀. 높이 25~30cm. 잎은 마주나고 타원형이다. 꽃은 연한 적자색, 8~9월에 꽃차례에 많이 달리며, 소총포는 합쳐지고 총포 안에 1개의 암꽃과 몇 개의 수꽃이 있다. 삭과는 3개의 능선이 있고 평활하며 털이 없다.

분포 · 생육지 우리나라 전역. 중국, 일본, 동시베리아. 들이나 산기슭 낮은 곳에서 흔하게 자란다.

약용 부위 · 수치 전초를 여름이나 가을에 채취하여 흙을 털어서 말린다.

약물명 지금초(地錦草), 초혈갈(草血竭), 혈견수초(血見穗草), 혈견수(血見穗)라고도 한다.

기미 · 귀경 평(平), 신(辛) · 간(肝), 대장(大腸)

약효 청열해독(淸熱解毒), 이습퇴황(利濕退黃), 활혈지혈(活血止血)의 효능이 있으므로 이질, 설사, 황달, 해혈(咳血), 토혈(吐血), 요혈(尿血), 변혈(便血), 유즙불하(乳汁不下), 타박상을 치료한다.

성분 kaempferol, quercetin, scopoletin, umbelliferone, juglanin, avicularin, astragalin, isoquercitrin, hyperin, nicotiflorin 등이 함유되어 있다.

약리 에탄올추출물은 황색 포도상구균, 이질간균, 변형간균, 대장균 등에 항균 작용이 있다. 사염화탄소로 중독시킨 쥐에게 열수추출물을 투여하면 간장, 비장 및 신장의 기능이 활성화된다. avicularin, isoquercitrin, hyperin은 항산화 작용이 있다.

사용법 지금초 10g에 물 3컵(600mL)을 넣고 달여서 복용하고, 외용에는 달인 액으로 씻는다.

＊ 잎이 크고 줄기가 비스듬히 자라는 '큰땅빈대 *E. maculata*'도 약효가 같다.

● 지금초(地錦草)

● 땅빈대

● 큰땅빈대

감수

 수종   복수, 유음결흉, 징가적취

해천   대소변불통

● 학명 : *Euphorbia kansui* Liou   ● 한자명 : 甘遂

| 1 | 2 | 3 | 4 | 5 | 6 | 7 | 8 | 9 | 10 | 11 | 12 |

여러해살이풀. 높이 25~40cm. 뿌리는 가늘고 군데군데 둥근 뿌리줄기가 연결되어 있다. 꽃은 단성으로 꽃잎과 꽃받침이 없고, 6~9월에 취산화서로 5~9개가 줄기 끝에 나오며, 각 꽃줄기는 다시 차상으로 갈라진다. 수꽃은 8~13개, 삭과는 둥글다.

분포 · 생육지 중국 윈난성(雲南省), 산시성(陝西省). 들에서 자란다.

약용 부위 · 수치 뿌리를 가을에 채취하여 말린 후 초에 담갔다가 불에 볶아 사용한다.

약물명 감수(甘遂). 감택(甘澤), 중택(重澤), 황감수(黃甘遂), 고택(苦澤)이라고도 한다. 대한민국약전외한약(생약)규격집(KHP)에 수재되어 있다.

본초서 감수(甘遂)는 「신농본초경(神農本草經)」의 하품(下品)에 수재되어 있다. 소송(蘇頌)은 "감수(甘遂)는 지금 섬서(陝西), 강동(江東)에 자란다. 싹은 택칠(澤漆)과 비슷하며 줄기는 짧으며 잎에는 즙이 있고 뿌리의 껍질은 붉고 속살은 희다."고 한 것으로 보아 현재의 감수(甘遂)와 형태가 일치한다. 「동의보감(東醫寶鑑)」에는 "얼굴과 눈의 부종, 명치 밑과 배가 부풀어 오르고 그득한 것을 낮게 하고, 대소변을 잘 나오게 한다."고 하였다. 대한민국약전외한약(생약)규격집(KHP), 중국약전(CP)에 수재되어 있다.

神農本草經: 主大腹疝瘕 服滿 面目浮腫 留飮宿食 破癥堅積聚 利水穀道.

名醫別錄: 下五水 散膀胱留熱 皮中痺 熱氣腫滿.

本草綱目: 甘遂性陰毒, 雖善下水除濕, 泄水之聖藥.

東醫寶鑑: 治面目浮腫 心腹脹滿 利水穀道.

기미 · 귀경 한(寒), 고(苦), 유독(有毒) · 폐(肺), 신(辛), 대장(大腸)

성상 염주 모양을 한 방추형 또는 긴 타원형으로 길이 3~9cm, 지름 6~15cm, 간혹 엷은 황색 잔뿌리와 갈색 코르크층이 남아 있는 것도 있다. 질은 무르며 잘 꺾이고 꺾인 면은 백색 분질이다. 횡단면을 확대경으로 볼 때 수선이 방사상으로 무늬를 이룬 것이 뚜렷하다. 특이한 냄새가 조금 있고 맛은 조금 달고 아리다. 표면이 흰색이고 꺾인 면이 백색 분질인 것이 좋다.

약효 사수축음(瀉水逐飮), 파적통변(破積通便)의 효능이 있으므로 수종(水腫), 복수(復水), 유음결흉(留飮結胸), 징가적취(癥瘕積聚), 해천(咳喘), 대소변불통을 치료한다.

성분 α-euphol, α-euphobol, 20-deoxyingenol-3-benzoate, 20-deoxyingenol-5-benzoate, tirucallol, ingenol-3-(2,4-decadienoate)-20-acetate 등이 함유되어 있다.

약리 에탄올추출물을 쥐에게 투여하면 설사를 일으킨다.

사용법 감수 2g에 물 1.5컵(300mL)을 넣고 달여서 복용하고, 가루약은 1회 0.5g을 복용한다.

주의 유독한 약물이므로 신체가 허약한 사람이나 임산부는 복용하지 않아야 한다.

처방 감수산(甘遂散): 감수(甘遂) 80g, 꿀 2홉, 1회 20알 (「동의보감(東醫寶鑑)」). 대소변불통에 사용한다.

• 대함흉탕(大陷胸湯): 대황(大黃) 8g, 망초(芒硝) 8g, 감수(甘遂) 1g (「상한론(傷寒論)」). 가슴이 답답하고 입안과 혀가 마르고 대변이 시원하지 않은 증상에 사용한다.

• 대황감수탕(大黃甘遂湯): 대황(大黃) 8g, 감수(甘遂) 4g, 아교(阿膠) 8g (「금궤요략(金匱要略)」). 부종, 소화불량에 사용한다.

○ 감수(덩이뿌리)

○ 감수

○ 감수(甘遂)

속수

| 수종 | 📋 개선나창, 옹종, 독사교상, 백전, 갈석 |
| 🐍 복수, 징가어체 | 👁 면간 | 🫘 이변불리 | ♀ 경폐 |

● 학명 : *Euphorbia lathyris* L.

| 1 | 2 | 3 | 4 | 5 | 6 | 7 | 8 | 9 | 10 | 11 | 12 |

두해살이풀. 높이 1m 정도. 줄기는 곧게 자라며 가지가 많이 갈라진다. 뿌리는 굵고 잎, 줄기, 뿌리를 자르면 유액이 나온다. 잎은 마주나고, 꽃은 5~6월에 피며 꽃덮개는 없고, 꽃받침 같은 총포는 4~5개로 갈라진다. 수꽃은 수술이 1개, 암꽃은 꽃차례의 중간에 있으며 암술도 1개이다. 씨방은 3실, 암술대는 3개, 끝이 2개로 갈라진다. 삭과는 둥글며 7~8월에 익는다.

분포 · 생육지 중국 원산. 우리나라에서 약용으로 재배한다.

약용 부위 · 수치 종자와 잎을 여름에 채취하여 말린다.

약물명 종자를 천금자(千金子)라 하며, 속수자(續隨子), 천량금(千兩金), 거동(拒冬)이라고도 한다. 잎을 속수엽(續隨葉)이라 한다. 속수자(續隨子)는 대한민국약전외한약(생약)규격집(KHP)에 수재되어 있다.

본초서 천금자(千金子)는 송나라 때의 「개보본초(開寶本草)」에 처음 수재되었으며,

"약효가 탁월하여 천금(千金)보다 소중하다고 하여 천금자(千金子)라고 한다."고 하였으며, 「일화자본초(日華子本草)」에는 "천량금(千兩金)이라는 이름으로 수재되어, 유독하므로 주의해야 한다."고 하였다. 「동의보감(東醫寶鑑)」에는 "뱃속, 배꼽 주변, 늑골 아래에 생긴 덩어리를 없애고, 독충의 독을 제거하고, 명치 밑이 아픈 것을 낫게 한다."고 하였다.

성상 타원형~난원형으로 길이 5~6mm, 지름 3~4mm이다. 표면은 회갈색의 무늬가 있고 좀 거칠다. 등쪽 면에는 구용선(궁용선)이 있고, 그 한쪽 끝에 오목한 자국이 있으며, 배면은 평탄하다. 냄새가 없고, 맛은 처음에는 부드러운 기름기가 있으나 뒤에는 맵다.

기미 · 귀경 천금자(千金子): 온(溫), 신(辛), 유독(有毒) · 간(肝), 신(腎), 대장(大腸)

약효 천금자(千金子)는 축수퇴종(逐水退腫), 파혈소징(破血消癥), 해독살충(解毒殺

蟲)의 효능이 있으므로 수종(水腫), 복수(復水), 이변불리(二便不利), 징가어체(癥瘕瘀滯), 경폐(經閉), 개선나창(疥癬癩瘡), 옹종(癰腫), 독사교상(毒蛇咬傷)을 치료한다. 속수엽(續隨葉)은 거반(祛斑), 해독의 효능이 있으므로 백전(白癜), 면간(面皯), 갈석(蝎螫)을 치료한다.

성분 천금자(千金子)는 씨방이 40~50% 함유되어 있고, 유독 성분은 euphorbiasteroid이고, 그 외 daphnetin, euphorbetin, esculin 등이 함유되어 있다.

약리 천금자(千金子)에 들어 있는 기름은 신선할 때는 무색 무취이나, 시간이 지나면 악취와 매운맛을 가지며 위장을 자극하여 설사를 일으킨다.

사용법 천금자 3g에 물 2컵(400mL)을 넣고 달여서 복용하고, 외용에는 짓찧어 붙인다. 속수엽은 즙을 내서 상처에 바른다.

처방 자금정(紫金錠): 산자고(山慈姑) 80g, 오배자(五倍子) 120g, 대극(大戟) 60g, 천금자(千金子) 40g, 사향(麝香) 12g, 석웅황(石雄黃) 40g, 주사(朱砂) 20g(「편옥심서(片玉心書)」). 알약으로 만들어 1회 40g을 박하탕(薄荷湯)과 함께 복용한다. 외사(外邪)나 식중독으로 인한 오심구토, 복통, 설사 등에 사용한다. 최근에는 이하선염(耳下腺炎), 옹(癰), 정(疔), 절(癤) 등 주로 외용으로 사용한다.

❶ 속수엽(續隨葉)

❶ 천금자(千金子)

❶ 천금자(千金子, 신선품)

❶ 속수

❶ 속수(열매)

[대극과]

참대극

우피선

● 학명 : *Euphorbia lucorum* Rupr. et Maxim. ● 한자명 : 林大戟 ● 별명 : 참버들옻

| 1 | 2 | 3 | 4 | 5 | 6 | 7 | 8 | 9 | 10 | 11 | 12 |

한해살이풀. 높이 25cm 정도. 뿌리는 굵다. 줄기는 모여나며 바로 선다. 잎은 어긋나고 잎자루는 없다. 꽃은 녹황색, 5~7월에 줄기 끝이나 잎겨드랑이에 피며, 포는 달걀 모양이고 끝이 뾰족하다. 열매는 삭과로 둥글며 겉에 돌기가 빽빽하게 나고, 익으면 3개로 갈라진다.

분포·생육지 우리나라 강원도 이북. 중국, 아무르, 우수리, 산이나 들에서 자란다.

약용 부위·수치 전초를 봄과 여름에 채취하여 물에 씻은 후 바로 사용한다.

약물명 임대극(林大戟)

약효 거풍제습(祛風除濕), 해독살충(解讀殺蟲)의 효능이 있으므로 우피선(牛皮癬)을 치료한다.

사용법 임대극 적당량을 짓찧어 환부에 붙이고 붕대로 감싼다.

○ 참대극(꽃)

○ 참대극

[대극과]

묘안초

담음천해 수종

개선

● 학명 : *Euphorbia lunulata* Bunge ● 한자명 : 猫眼草

| 1 | 2 | 3 | 4 | 5 | 6 | 7 | 8 | 9 | 10 | 11 | 12 |

○ 묘안초(뿌리)

여러해살이풀. 높이 40cm 정도. 줄기는 분지하고 하부는 단단하다. 잎은 피침형이다. 꽃은 황색, 6~8월에 배상 취산화서로 4~9개의 산경에 핀다. 포엽은 1쌍으로 반월형, 삭과는 편구형이다.

분포·생육지 인도, 중국, 터키. 들이나 산기슭 낮은 곳에서 자란다.

약용 부위·수치 전초를 여름이나 가을에 채취하여 물에 씻은 후 썰어서 말린다.

약물 묘안초(猫眼草)

기미·귀경 고(苦), 미한(微寒), 유독(有毒)·폐(肺), 방광(膀胱), 간(肝)

성분 kaempferol, quercitrin, quercetin, kaempferol-3-L-rhamnoside 등이 함유되어 있다.

약리 열수추출물을 쥐의 복강에 200mg/kg을 주사하면 지해 작용, 거담 작용, 평천 작용이 나타난다.

약효 진해거담(鎭咳祛痰), 산결축수(散結逐水)의 효능이 있으므로 담음천해(痰飮喘咳), 수종(水腫), 개선(疥癬)을 치료한다.

사용법 묘안초 7g에 물 2컵(400mL)을 넣고 달여서 복용한다.

○ 묘안초

[대극과]

은변취

| ♀ 월경부조 | ☐ 종독, 타박상 |

❶ 은변취(열매)

●학명 : *Euphorbia marginata* Pursh　●한자명 : 銀邊翠　●별명 : 설악초

| 1 | 2 | 3 | 4 | 5 | 6 | 7 | 8 | 9 | 10 | 11 | 12 |

한해살이풀. 높이 90~120cm. 줄기 밑부분에 난 잎은 녹색이고, 윗부분에 난 잎은 녹색과 백색이 섞여 있다. 꽃은 흰색, 9월에 작은 꽃이 핀다. 열매는 삭과이고, 종자는 황백색이다.

분포 · 생육지 미국 미네소타, 다코타, 플로리다, 텍사스. 세계 각처에서 약용 또는 관상용으로 재배한다.

약용 부위 · 수치 전초를 여름에 채취하여 썰어서 말린다.

약물명 은변취(銀邊翠). 고산적설(高山積雪)이라고도 한다.

약효 활혈조경(活血調經), 소종발독(消腫撥毒)의 효능이 있으므로 월경부조, 종독, 타박상을 치료한다.

사용법 월경부조에는 은변취 7g에 물 2컵(400mL)을 넣고 달여서 복용하고, 종독, 타박상에는 짓찧어 붙인다.

❶ 은변취

[대극과]

꽃기린

| ☐ 옹창종독, 탕화상, 타박상 | 🤚 간염 |
| 💗 수종 | ♀ 붕루, 백대과다 |

●학명 : *Euphorbia milii* Ch. des Moulins　●별명 : 홍비수

| 1 | 2 | 3 | 4 | 5 | 6 | 7 | 8 | 9 | 10 | 11 | 12 |

가시가 많은 관목. 높이 1m 정도. 줄기는 곧게 자라거나 기울어지며 날카롭고 단단한 가시가 많고 길이 1~2.5cm이다. 잎은 어긋난다. 꽃은 붉은색, 5~9월에 가지 끝에 2~4개의 배상 취산화서로 핀다. 꽃덮개는 없고, 꽃받침 같은 총포는 4~5개로 갈라진다. 수술은 다수이고, 암술은 1개, 씨방상위, 삭과는 편구형이다.

분포 · 생육지 마다가스카르 원산. 세계 각처에서 약용 또는 관상용으로 재배한다.

약용 부위 · 수치 전초를 봄부터 가을에 채취하여 생것을 사용한다.

약물명 줄기, 잎, 뿌리 및 유즙(乳汁)을 철해당(鐵海棠)이라 하며, 옥기린(玉麒麟), 번귀자(番鬼刺)라고도 한다. 꽃을 철해당화(鐵海棠花)라 한다.

약효 철해당(鐵海棠)은 해독(解毒), 배농(排膿), 활혈(活血), 축수(逐水)의 효능이 있으므로 옹창종독(癰瘡腫毒), 탕화상(燙火傷), 타박상, 간염, 수종을 치료한다. 철해당화(鐵海棠花)는 양혈지혈(凉血止血)의 효능이 있으므로 붕루(崩漏), 백대과다(白帶過多)를 치료한다.

성분 줄기는 24-methylenecycloartenol, β-sitosterol, β-amyrin acetate, euphorbol, euphorbol hexacosanoate, ingenol triacetate, tiyatoxin, 12-deoxyphorbol-13,20-diacetate, milliamine A, B, C, D, E, F, G, H, I 등이 함유되어 있다. 잎은 24-methylenecycloartenol, β-sitosterol, euphol, euphorbol 등, 뿌리는 milliamine A, B, 유즙은 α-amyrin, 12-deoxy-4β-hydroxy-phorbol-13-dodecanoate-20-acetate 등이 함유되어 있다.

사용법 철해당 또는 철해당화 생것 10~15g에 물 2컵(400mL)을 넣고 달여서 복용하고, 외용에는 짓찧어 붙인다.

❶ 꽃기린

❶ 꽃기린(꽃)

대낭독

담, 만성기관지염, 해수, 천식, 결핵

복창, 식체, 심복동통 | 개선 | 치창

● 학명 : *Euphorbia nematocypha* Hand.-Mazz. ● 한자명 : 大狼毒

1 2 3 4 5 6 7 8 9 10 11 12

여러해살이풀. 높이 60cm 정도. 뿌리가 굵고, 줄기는 보통 1개, 잎의 밑부분은 어긋나고 윗부분은 5개씩 돌려난다. 가지는 5개가 산형으로 퍼지며 다시 2~3개로 갈라진다. 꽃은 녹황색, 5~6월에 포 위에 1개의 꽃 같은 작은 꽃차례에 핀다. 소총포 속에 1개의 암술로 된 1개의 암꽃과 1개의 수술로 된 여러 개의 수꽃이 있다. 삭과는 둥글며 지름 5mm 정도이다.

분포 · 생육지 중국 윈난성(雲南省). 낮은 산기슭이나 들에서 자란다.

약용 부위 · 수치 뿌리를 가을에 채취하여 말린다. 뿌리를 잘라 식초를 혼합하여 잠시 두어 식초가 흡수되면 불에 볶은 것을 초낭독(醋狼毒)이라 한다.

약물명 낭독(狼毒). 대낭독(大狼毒)이라고도 한다.

본초서 낭독(狼毒)은 「신농본초경(神農本草經)」의 하품(下品)에 수재되어 있으며, "해역상기(咳逆上氣)를 치료하며 날짐승, 달리는 짐승을 죽인다."고 하였다. 송나라의 「대관본초(大觀本草)」에 실린 석주낭독(石州狼毒)의 그림은 근두(根頭)에 줄기가 모여나므로 서북낭독(西北狼毒)이라고 생각되며, 명나라 이시진(李時珍)의 「본초강목(本草綱目)」에서의 그림과 설명으로 보아 *Euphorbia* 속 식물과 비슷하다.

성상 다육질로 비대하며, 표면은 약간 붉은 빛을 띠고 간혹 회백색을 띠는 것도 있다. 뿌리 윗부분에 남아 있는 줄기는 붉은색을 띤다. 맛은 쓰고 매우면서 아리다.

품질 굵고 고르며, 자르면 가루질이 많은 것이 좋다.

기미 · 귀경 온(溫), 고(苦), 대독(大毒) · 폐(肺), 신(腎), 대장(大腸)

약효 축수(逐水), 거담(祛痰), 파적(破積), 살충의 효능이 있으므로 수종으로 인한 복창(腹脹), 담(痰), 식체(食滯), 심복동통(心腹疼痛), 만성기관지염, 해수(咳嗽), 천식, 결핵, 개선(疥癬), 치창(痔瘡)을 치료한다.

성분 광낭독에는 jolkinolide A, B, 17-hydroxyjolkinolide A, B, langduin C 등, 서북낭독에는 gnidimacrine, isochamaejasmin, ruxianglangdusa A, B, (+)-matairesinol, (−)-eudesmin, 백낭독(白狼毒)에는 geraniin, isoquercitrin 등이 함유되어 있다.

약리 jolkinolide B는 전립선 암세포주의 분화를 유도하고 세포 사멸을 촉진하고, gnidimacrine은 protein kinase C를 활성화하며 사람의 백혈병 세포와 위암 세포, 폐암 세포의 성장을 억제한다. ruxianglangdusa A, B, (+)-matairesinol, (−)-eudesmin은 면역 조절 작용이 있다.

사용법 낭독 1~2g을 알약이나 가루약으로 만들어 복용하며, 외용에는 짓찧어 바른다.

처방 낭독(狼毒)이 주약인 처방은 드물고 대개는 낭독, 방풍, 소부자(燒附子) 등을 가루로 하여 오동나무 종자 크기로 밀환(蜜丸)하여 음산(陰疝, 음낭의 종통), 고환급축 등에 사용한다.

* 광낭독은 천남성과(Araceae)의 '*Alocasia odora*'의 뿌리줄기로 중국의 광둥성(廣東省)에서 생산되고, 서북낭독은 서향나무과(Thymelaeaceae)의 '*Stellera chamaejasme*'의 뿌리로 칭하이성(靑海省), 간쑤성(甘肅省), 쓰촨성(四川省)에서 생산된다.

❍ 대낭독

❍ 낭독(狼毒, 절편)

❍ 낭독(狼毒)

❍ 대낭독 자생지(중국 상그릴라)

[대극과]

낭독

| | 징가 | | 나력, 옹저, 개창, 완선 | | 음낭습양 |
| | 결핵, 만성천해 | | 유담 |

●학명 : *Euphorbia pallasii* Turcz. [*E. fischeriana, Gaarhoeus fischerianus*]
●한자명 : 狼毒大戟　●별명 : 랑독, 큰낭독, 오독도기

| 1 | 2 | 3 | 4 | 5 | 6 | 7 | 8 | 9 | 10 | 11 | 12 |

여러해살이풀. 높이 60cm 정도. 뿌리줄기는 굵고, 줄기도 굵으며 바로 선다. 줄기 밑부분의 잎은 어긋나고 윗부분은 5개씩 돌려난다. 꽃은 황색, 5~6월에 줄기 끝에 산형화서로 핀다. 총포는 3개씩 달리고, 작은 총포에 작은 꽃차례가 1개씩 달리며, 암꽃 1개와 수꽃 여러 개가 있다. 삭과는 구형이며 3개로 갈라진다.

분포 · 생육지 우리나라 경북, 충북, 평북, 백두산. 중국. 습지에서 자란다.

약용 부위 · 수치 뿌리를 가을에 채취하여 말린다. 뿌리를 잘라 식초를 혼합하여 잠시 두어 식초가 흡수되면 불에 볶은 것을 초낭독(醋狼毒)이라 한다.

약물명 낭독(狼毒), 여여(藘茹), 굴거(屈据), 황피낭독(黃皮狼毒)이라고도 한다. 대한민국약전외한약(생약)규격집(KHP)에 수재되어 있다.

본초서 낭독(狼毒)은 「신농본초경(神農本草經)」의 하품(下品)에 수재되어 있으며, "해역상기(咳逆上氣)를 치료하고 날짐승, 달리는 짐승을 죽인다."고 하였다. 송나라의

「대관본초(大觀本草)」에 실린 석주낭독(石州狼毒)의 그림은 근두(根頭)에 줄기가 모여나므로 서북낭독(西北狼毒)이라고 생각되며, 명나라 이시진(李時珍)의 「본초강목(本草綱目)」에서의 그림과 설명으로 보아 *Euphorbia* 속 식물과 비슷하다.

약효 파적살충(破積殺蟲), 발독거부(拔毒祛腐), 제습지양(除濕止痒)의 효능이 있으므로 징가(癥瘕), 나력(癩癧), 결핵, 옹저(癰疽), 유담(流痰), 개창(疥瘡), 완선(頑癬), 만성천해(慢性喘咳), 음낭습양(陰囊濕痒)을 치료한다.

성분 lupeol-3-acetate, *O*-acetyl-*N*-(*N*-benzoyl-L-phenylalanyl)-phenylalantol, lupeol, jolkinolide A, B, campesterol, 7-oxocampesterol, 7α-hydroxystigmasterol, 7β-hydroxystigmasterol, 7-oxositosterol 등이 함유되어 있다.

약리 열수추출물 10mL/kg을 쥐에게 8~9일간 정맥주사하면 간암 억제율이 43.8~52.4%로 나타난다.

사용법 낭독 1~2g에 물 2컵(400mL)을 넣

고 달여서 복용하고, 외용에는 연고로 만들어 바른다.

○ 낭독

○ 낭독(열매)

○ 낭독(뿌리)

[대극과]

일품홍

| | 월경과다 | | 타박상, 탈모 |
| | 골절 | | 만성장염, 궤양 |

●학명 : *Euphorbia pulcherrima* Will.　●영명 : Poinsettia
●한자명 : 一品紅　●별명 : 삼성목, 성탄수

| 1 | 2 | 3 | 4 | 5 | 6 | 7 | 8 | 9 | 10 | 11 | 12 |

상록 관목. 높이 2~3m. 잎은 어긋나고 타원형, 가장자리는 밋밋하며 끝은 뾰족하고 녹색이지만, 꽃 주변의 잎 8개는 돌려나며 붉은색이다. 꽃은 가지 끝에 복산형화서로 모여난다. 열매는 삭과이다.

분포 · 생육지 멕시코 원산. 전 세계에서 재식한다.

약용 부위 · 수치 잎과 가지를 봄부터 가을에 채취하여 물에 씻은 후 말려 사용한다.

약물명 일품홍(一品紅), 성탄수(聖誕樹), 장원홍(壯元紅)이라고도 한다.

약효 조경지혈(調經止血), 활혈정통(活血定痛)의 효능이 있으므로 월경과다, 타박상, 골절, 만성장염, 궤양, 탈모를 치료한다.

성분 phytosterol, cycloarenol, β-amyrin acetate, germanicol, germanicol acetate 등이 함유되어 있다.

사용법 만성장염, 궤양에는 일품홍 7g에 물 3컵(600mL)을 넣고 달여서 복용하고, 탈모에는 꽃의 유즙을 채취하여 바른다.

주의 유독 식물이므로 과량을 복용하거나 오랫동안 사용을 금한다.

○ 일품홍(一品紅)

○ 잎　　○ 일품홍

대극

| 수종 | 흉복적수, 담음적취 |
| 번갈 | 해천 | 대소변불통 |

● 학명 : *Euphorbia pekinensis* Rupr. ● 별명 : 들옻

| 1 | 2 | 3 | 4 | 5 | 6 | 7 | 8 | 9 | 10 | 11 | 12 |

여러해살이풀. 높이 80cm 정도. 줄기는 곧게 자라고, 뿌리는 굵다. 잎은 어긋나고 긴 타원형이다. 꽃은 6월에 원줄기 끝에 달리며 윗부분에서 5개의 잎이 돌려나고, 5개의 가지가 산형으로 갈라진다. 총포엽은 넓은 달걀 모양, 소총포 안에 수꽃은 수술 1개, 암꽃은 암술 1개가 들어 있으며, 암술대는 3개이다. 삭과는 사마귀 같은 돌기가 있다.

분포 · 생육지 우리나라 전역. 중국, 일본. 산지에서 자란다.

약용 부위 · 수치 뿌리를 가을에 채취하여 물에 씻은 후 말린다. 뿌리를 적당히 썰어서 식초에 담가 잘 섞은 다음 약한 불로 삶고 다시 불에 볶아서 말린 것을 초대극(醋大戟)이라 한다.

약물명 대극(大戟). 경대극(京大戟) 또는 하마선(下馬仙)이라고도 한다. 대한민국약전외한약(생약)규격집(KHP)에 수재되어 있다.

본초서 대극(大戟)은 「신농본초경(神農本草經)」의 하품(下品)에 수재되어 있다. 이시진(李時珍)의 「본초강목(本草綱目)」에는 "뿌리가 맵고 쓰며 인후를 크게 자극하므로 대극(大戟)이라 하며, 별명인 하마선(下馬仙)은 하리(下痢, 下馬)를 빨리 시키므로 붙여진 이름이다."라고 기록되어 있다. 「동의보감(東醫寶鑑)」에는 "기생충의 독을 없애고 부종을 제거하며 대소장의 기능을 높이며 황달과 열병을 치료하고 뭉친 것을 없애며, 유산될 수도 있다."고 하였다.

名醫別錄: 主女子赤白玉 安胎 止吐血鼻衄.
藥性本草: 搗根絞汁半升 主崩中血下.
東醫寶鑑: 主蠱毒 十二水腫滿 利大小腸 瀉毒藥 泄天行黃疸溫瘧 破癥結 墮胎.

성상 원기둥 모양에 가까우며 길이 15~20cm, 지름이 4cm에 달한다. 표면은 회갈색 또는 진한 갈색이고 굵은 곁뿌리가 있으며 끝이 대부분 평대하다. 질은 약간 단단하고 부서지지 않으며, 절단면은 섬유성이고 유백색 또는 회갈색이다. 냄새는 없으며 맛은 쓰고 떫다. 굵고 잔뿌리가 없는 것이 좋다.

기미 · 귀경 한(寒), 고(苦) · 간(肝), 비(脾)

약효 사수축음(瀉水逐飮), 소종산결(消腫散結)의 효능이 있으므로 수종(水腫), 흉복적수(胸復積水), 담음적취(痰飮積聚), 해천(咳喘), 대소변불통(大小便不通), 번갈(煩渴)을 치료한다.

성분 euphorbia A, B, C, ingol, ingol-12-acetate, euphekinensin, euphornin, euphornetin, quercetin, quercitrin, kaempferol, rutin, astragalin, afzelin, corilagin, geraniin 등이 함유되어 있다.

약리 고양이에게 에탄올추출물 또는 열수추출물을 경구 투여하면 설사 작용을 나타낸다. 사람에게 열수추출물을 투여하면 급 · 만성 신장염에 의한 수종을 제거한다. euphekinensin을 비롯한 diterpenoid 성분들은 KB cell에 세포 독성을 나타낸다. flavonoid 성분들은 HIV-1 integrase의 활성을 억제한다.

사용법 대극 3~5g에 물 2컵(400mL)을 넣고 달여서 또는 술에 담가서 복용한다. 가루약은 1g을 복용한다.

주의 독성이 있으므로 임신부, 허약 체질은 피하고, 독성을 줄이기 위하여 대추를 넣고 달여서 복용한다.

처방 십조탕(十棗湯): 대극(大戟), 감수(甘遂) 동량(「동의보감(東醫寶鑑)」). 현음으로 기침을 하고 가슴과 옆구리가 당기고 아프며 명치 아래가 그득하면서 구역질을 하는 증상에 사용한다.

● 공연단(控涎丹): 대극(大戟), 감수(甘遂), 백개자(白芥子) 동량(「동의보감(東醫寶鑑)」). 만성신장염에 의한 부종에 사용한다.

* 꼭두서니과(Rubiaceae)의 'Knoxia valerianoides'의 뿌리를 건조한 것을 '홍대극(紅大戟)'이라 하며, 중국의 광동성(廣東省)에서 생산된다. 우리나라에도 많이 유통되고 있다.

● 대극(열매)

● 대극

● 대극(大戟)

● 대극(뿌리)

[대극과]

패왕편

창양종독, 우피선

●학명 : *Euphorbia royleana* Boiss ●한자명 : 霸王鞭

| 1 | 2 | 3 | 4 | 5 | 6 | 7 | 8 | 9 | 10 | 11 | 12 |

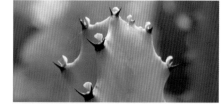

○ 패왕편(줄기 가시)

육질성 관목. 높이 3m 정도. 줄기의 하부는 원주형이고, 상부는 사각형으로 가시가 많다. 잎은 어긋나고 타원형이다. 꽃은 황색, 8~9월에 배상 취산화서로 핀다. 삭과는 구형, 지름 1cm 정도이다.

분포 · 생육지 인도, 중국. 들이나 산기슭 낮은 곳에서 자란다.

약용 부위 · 수치 3~10월에 지상부를 채취하여 잘라서 사용한다.

약물 패왕편(霸王鞭). 자금강(刺金剛)이라고도 한다.

약효 거풍해독(祛風解毒), 살충지양(殺蟲止痒)의 효능이 있으므로 창양종독(瘡瘍腫毒), 우피선(牛皮癬)을 치료한다.

성분 taraxerol, 2,3-dimethoxyellagic acid, succinic acid, euphol, ingenol 등이 함유되어 있다.

사용법 패왕편을 짓찧어 환부에 붙여 붕대로 싸매거나 즙액을 바른다.

○ 패왕편

[대극과]

애기땅빈대

황달, 설사, 혈리   유즙불통

●학명 : *Euphorbia supina* Rafin. ●별명 : 애기점박이풀

| 1 | 2 | 3 | 4 | 5 | 6 | 7 | 8 | 9 | 10 | 11 | 12 |

○ 반지금(斑地錦)

여러해살이풀. 높이 15~25cm. 줄기는 가늘고 담자색이다. 잎은 어긋나고 잎 가운데 흑자색 반점이 있다. 꽃은 붉은색, 잎겨드랑이에 배상화서로 핀다. 삭과는 둥글고 3개의 능선이 있다.

분포 · 생육지 북아메리카 원산. 세계 각처 들이나 밭에서 흔하게 자란다.

약용 부위 · 수치 전초를 여름이나 가을에 채취하여 흙을 털어서 말린다.

약물명 반지금(斑地錦)

약효 청열(淸熱), 통유(通乳), 지혈의 효능이 있으므로 황달, 설사, 유즙불통, 혈리(血痢)를 치료한다.

성분 quercetin, astragalin, juglanin, methyl gallate, corilagin 등이 함유되어 있다.

약리 corilagin은 NO 생성을 저지한다.

사용법 반지금 20g에 물 3컵(600mL)을 넣고 달여서 복용한다.

○ 애기땅빈대

초침향

 징가, 식적, 황달

● 학명 : *Excoecaria acerifolia* F. Didr. ● 한자명 : 草沈香

| 1 | 2 | 3 | 4 | 5 | 6 | 7 | 8 | 9 | 10 | 11 | 12 |

상록 관목. 높이 3m 정도. 작은가지는 회갈색, 원형의 피목이 있다. 잎은 어긋나며 타원형, 표면은 녹색이나 뒷면은 붉은색을 띤다. 꽃은 암수딴그루, 4~5월에 잎겨드랑이에 총상화서로 달리고, 꽃덮개가 없다. 수꽃은 수술이 8~10개, 암꽃은 씨방이 2개이다. 삭과는 구형으로 적자색으로 익는다.

분포 · 생육지 중국 산시성(陝西省), 후베이성(湖北省), 쓰촨성(四川省), 윈난성(雲南省). 해발 800~2,000m의 산지에서 자란다.

약용 부위 · 수치 잎과 가지를 여름이나 가을에 채취하여 썰어서 말린다.

약물명 괄근판(刮筋板). 괄근계(刮筋械), 주마태(走馬胎)라고도 한다.

약효 행기파혈(行氣破血), 소적(消積)의 효능이 있으므로 징가(癥瘕), 식적(食積), 황달을 치료한다.

사용법 괄근판 10g에 물 3컵(600mL)을 넣고 달여서 복용한다.

❶ 초침향

홍배계화

 풍습비통, 요기로손

❶ 홍배계(紅背桂)

● 학명 : *Excoecaria cochinchinensis* Lour. ● 한자명 : 紅背桂花

| 1 | 2 | 3 | 4 | 5 | 6 | 7 | 8 | 9 | 10 | 11 | 12 |

낙엽 관목. 높이 1m 정도. 작은가지는 회갈색, 원형의 피목이 있다. 잎은 작은가지 끝에 모여서 어긋나며 타원형, 잎자루는 붉은색을 띤다. 수꽃차례는 길이 1~2cm, 암꽃차례는 짧다. 삭과는 능각이 있는 구형으로 붉은색으로 익는다.

분포 · 생육지 중국 산시성(陝西省), 후베이성(湖北省), 쓰촨성(四川省), 윈난성(雲南省). 중국 각처에서 재식한다.

약용 부위 · 수치 잎과 가지를 여름이나 가을에 채취하여 썰어서 말린다.

약물명 홍배계(紅背桂). 괄근계(刮筋械), 주마태(走馬胎)라고도 한다.

약효 거풍습(祛風濕), 통경락(通經絡), 활혈지통(活血止痛)의 효능이 있으므로 풍습비통(風濕痺痛), 요기로손(腰肌勞損)을 치료한다.

사용법 홍배계 5g에 물 2컵(400mL)을 넣고 달여서 복용한다.

❶ 홍배계화

파라고무나무

치료용 반창고, 밴드에 이용, 고무 원료

●학명 : *Hevea brasiliensis* Muell. ●영명 : Para rubber tree

| 1 | 2 | 3 | 4 | 5 | 6 | 7 | 8 | 9 | 10 | 11 | 12 |

❶ 파라고무나무(열매)

상록 교목. 높이 25m 정도. 줄기껍질은 회백색, 가지가 많다. 잎은 마주나며 3출겹잎, 잎자루가 길다. 꽃은 황색, 잎겨드랑이에 총상화서로 핀다. 삭과는 둥글고 3개로 갈라지며 3개의 종자가 들어 있다.

분포 · 생육지 브라질, 아르헨티나, 스리랑카, 말레이시아, 인도. 열대 지방에서 재식한다.

약용 부위 · 수치 줄기껍질에 상처를 내고 삼출물을 채집하여 고무 원료로 이용한다.

사용법 치료용 반창고, 밴드 등 제약 산업에 이용되고, 고무 원료로 사용한다.

❶ 파라고무나무 삼출물 채집

❶ 파라고무나무

마풍수

질타어종, 개선, 습진, 하지궤양

골절동통, 관절좌상

●학명 : *Jatropha curcas* L. ●한자명 : 麻瘋樹

| 1 | 2 | 3 | 4 | 5 | 6 | 7 | 8 | 9 | 10 | 11 | 12 |

❶ 마풍수(잎)

관목. 높이 2~5m. 줄기는 바로 서고, 어린 가지는 녹색이다. 잎은 어긋나며 끝이 뾰족하고 밑은 심장형으로 잎자루가 길다. 꽃은 황록색, 줄기나 가지 끝에 취산화서로 핀다. 꽃잎은 5개, 암술대는 3개이다. 열매는 달걀 모양이며 황색으로 익는다.

분포 · 생육지 중국 푸젠성(福建省), 윈난성(雲南省), 하이난성(海南省), 광둥성(廣東省), 타이완. 평지나 산골짜기에서 자란다.

약용 부위 · 수치 잎을 사시사철 채취하여 물에 씻은 후 썰어서 말린다.

약물명 마풍수(麻瘋樹), 동자수(桐子樹), 소동자(小桐子)라고도 한다.

약효 산어소종(散瘀消腫), 지혈지통(止血止痛), 지양(止痒)의 효능이 있으므로 질타어종(跌打瘀腫), 골절동통(骨折疼痛), 관절좌상(關節挫傷), 개선(疥癬), 습진, 하지궤양(下肢潰瘍)을 치료한다.

사용법 마풍수 10g에 물 3컵(600mL)을 넣고 달여서 복용하고, 짓찧어 환부에 붙이거나 즙액을 바른다.

❶ 마풍수

[대극과]

불두수

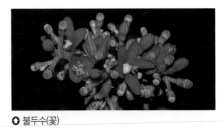

요급, 요통, 요혈

● 학명 : *Jatropha podagrica* Hook.　● 한자명 : 佛肚樹

| 1 | 2 | 3 | 4 | 5 | 6 | 7 | 8 | 9 | 10 | 11 | 12 |

낙엽 관목. 높이 1~1.5m. 줄기는 바로 서고 가지가 약간 갈라진다. 잎은 마주나며 줄기의 윗부분에 있고 잎자루가 길다. 꽃은 붉은색, 줄기나 가지 끝에 취산화서로 핀다. 꽃잎은 5개, 암술대는 3개, 열매는 달걀 모양이다.

분포 · 생육지 중국 윈난성(雲南省), 광시성(廣西省), 광둥성(廣東省), 타이완. 더운 지방의 산골짜기에서 자란다.

약용 부위 · 수치 지상부 또는 뿌리를 여름과 가을에 채취하여 물에 씻은 후 적당한 크기로 썰어서 말린다.

약물명 불두수(佛肚樹)

약효 청열해독(淸熱解毒), 소종지통(消腫止痛)의 효능이 있으므로 요급(尿急), 요통(尿痛), 요혈(尿血)을 치료한다.

사용법 불두수 10g에 물 3컵(600mL)을 넣고 달여서 복용한다.

○ 불두수(꽃)

○ 불두수

[대극과]

예덕나무

위 · 십이지장궤양, 간염

대하　　외상출혈　　혈뇨

● 학명 : *Mallotus japonicus* Muell.　● 별명 : 비닥나무, 꽤잎나무, 예닥나무

| 1 | 2 | 3 | 4 | 5 | 6 | 7 | 8 | 9 | 10 | 11 | 12 |

○ 예덕나무(꽃)

○ 예덕나무(열매)

낙엽 소교목. 높이 5~7m. 붉은빛이 돌지만 점차 회백색으로 되며, 가지가 굵고 어린 가지는 별 같은 비늘털이 많다. 잎은 어긋나고 잎자루가 길다. 꽃은 암수딴그루, 6월에 핀다. 수꽃은 50~80개의 수술이 있고, 암꽃은 적으며 각 포에 1개씩 달리고 씨방은 3실이다. 삭과는 삼각상 구형이며 황갈색의 선점(腺点)과 별 모양 털이 있고, 종자는 암갈색이다.

분포 · 생육지 우리나라 제주도, 경남, 전남북, 충남. 일본, 중국, 타이완. 바닷가 산골짜기에서 자란다.

약용 부위 · 수치 줄기껍질을 봄부터 가을까지 채취하여 적당한 크기로 썰어서 말린다.

약물명 야오동(野梧桐). 죽동(竹桐), 야동(野桐)이라고도 한다.

약효 청열해독(淸熱解毒), 수렴지혈(收斂止血)의 효능이 있으므로 위 · 십이지장궤양, 간염, 혈뇨, 대하, 외상출혈을 치료한다.

성분 bergenin, rutin, malloprenol, malloprenol과 linoleic acid의 ester 화합물이 함유되어 있다.

약리 rutin을 토끼에게 정맥주사하면 담즙 배출이 증가된다. 열수추출물은 위궤양을 억제하는 효과가 나타난다.

사용법 야오동 10g에 물 3컵(600mL)을 넣고 달여서 복용하거나 분말로 하여 가루약으로 복용한다.

＊ 위 · 십이지장궤양 치료용으로 정제, 환약, 또는 가루약으로 만들어져 우리나라를 비롯하여 일본, 중국에서 시판되고 있다.

○ 예덕나무

○ 야오동(野梧桐)

○ 야오동(野梧桐)으로 만든 위장약

박엽야동

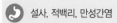
설사, 적백리, 만성간염

●학명 : *Mallotus tenuifolius* Pax　●한자명 : 薄葉野棟

| 1 | 2 | 3 | 4 | 5 | 6 | 7 | 8 | 9 | 10 | 11 | 12 |

관목. 높이 1.5~5m. 작은가지는 회갈색이고 굵은가지는 흑자색이다. 잎은 어긋나고 잎자루가 길며 삼각상 원형이다. 꽃은 암수 딴그루, 5~7월에 피며, 씨방은 3실이다. 삭과는 구형이며 3개의 모서리가 있고, 종자는 검은색이다.

분포·생육지 중국 장쑤성(江蘇省), 저장성(浙江省), 안후이성(安徽省), 푸젠성(福建省). 해발 300~1,700m의 산골짜기에서 자란다.

약용 부위·수치 줄기껍질을 봄부터 가을까지 채취하여 적당한 크기로 썰어서 말린다.

약물명 야동(野桐). 팔각추(八角楸), 백모동(白毛桐)이라고도 한다.

약효 청열거습(淸熱祛濕), 수렴고삽(收斂固澁)의 효능이 있으므로 설사, 적백리(赤白痢), 만성간염을 치료한다.

사용법 야동 10g에 물 3컵(600mL)을 넣고 달여서 복용한다.

❶ 박엽야동

목서

창양종독, 개선

●학명 : *Manihot esculenta* Crantz [*M. utilissima*]　●한자명 : 木薯

| 1 | 2 | 3 | 4 | 5 | 6 | 7 | 8 | 9 | 10 | 11 | 12 |

❶ 목서(木薯)

낙엽 관목. 높이 1.5~3m. 뿌리줄기는 원주형으로 굵고 육질이다. 줄기는 바로 서고 녹색이다. 잎은 마주나고 잎자루가 길며 붉은색이다. 꽃은 줄기나 가지 끝에 취산화서로 피며, 꽃잎은 5개, 암술대는 3개이다. 열매는 달걀 모양으로 길이 약 1.5cm이다.

분포·생육지 라틴 아메리카, 아프리카, 태평양 제도, 중국 윈난성(雲南省), 광시성(廣西省), 광둥성(廣東省), 싱가포르, 타이완. 더운 지방의 산골짜기나 들에서 자란다.

약용 부위·수치 뿌리는 사시사철, 잎은 여름에 채취하여 생것을 사용한다.

약물명 목서(木薯). 수서(樹薯), 취서(臭薯), 갈서(葛薯)라고도 한다.

약효 해독소종(解毒消腫)의 효능이 있으므로 창양종독(瘡瘍腫毒), 개선(疥癬)을 치료한다.

사용법 외용으로만 사용하며, 짓찧어 상처에 붙이거나 즙액을 바른다.

❶ 목서

[대극과]

여감자

 감모발열
 인통
해수

●학명 : *Phyllanthus emblica* L. [*Emblica officinalis*]   ●한자명 : 余甘子

| 1 | 2 | 3 | 4 | 5 | 6 | 7 | 8 | 9 | 10 | 11 | 12 |

낙엽 관목. 높이 3~8m. 줄기껍질은 회백색이며 얇고 쉽게 벗겨진다. 잎은 어긋나고 작은가지에 2열로 빽빽이 나며 깃꼴겹잎처럼 보인다. 꽃은 작으며 황색, 암수한그루, 4~5월에 잎겨드랑이에 모여 핀다. 열매는 구형, 육질이며 지름 1.5cm 정도이고, 적갈색이다.

분포·생육지 중국 하이난성(海南省), 타이완. 산기슭과 들의 음지에서 자란다.

약용 부위·수치 열매를 가을에 채취하여 말린다.

약물명 여감자(余甘子). 여감(余甘), 암마륵(菴摩勒)이라고도 한다.

본초서 여감자(余甘子)는 「신수본초(新修本草)」에 처음 수재되어, "풍허(風虛)로 오는 열기(熱氣)를 낫게 한다."고 하였다. 「동의보감(東醫寶鑑)」에는 "열매가 달기 때문에 감자(甘子)라고 하며 위와 대소장의 열독을 내리고 갈증을 풀어 주며 소변을 잘 나오게 하고 술독을 풀어 준다."고 하였다.

新修本草: 主風虛熱氣.

東醫寶鑑: 主腸胃中熱毒 止暴渴 利小便 解酒毒及酒渴.

기미·귀경 고(苦), 감(甘), 산(酸), 양(凉)·· 간(肝), 폐(肺), 비(脾), 위(胃)

약효 청열이인(淸熱利咽), 윤폐화담(潤肺化痰), 생진지사(生津止瀉)의 효능이 있으므로, 감모발열(感冒發熱), 해수(咳嗽), 인통(咽痛)을 치료한다.

성분 glucogallin, gallic acid, ellagic acid, corilagin, terchebin, chebulagic acid, chebulinic acid, phyllemblic acid 등이 함유되어 있다.

약리 고혈압을 가진 쥐에게 투여하면 혈중지질을 감소시킨다.

사용법 여감자 15~20g에 물 3컵(600mL)을 넣고 달여서 복용한다.

● 여감자

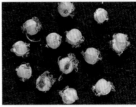
● 여감자(余甘子)

● 여감자(余甘子)로 만든 소화불량 치료제

● 여감자(열매)

● 여감자(잎과 열매)

[대극과]

소과엽하주

 풍습관절통
 신염
간염, 이질

●학명 : *Phyllanthus reticulatus* Poir.   ●한자명 : 小果葉下珠

| 1 | 2 | 3 | 4 | 5 | 6 | 7 | 8 | 9 | 10 | 11 | 12 |

관목. 높이 1.5~5m. 줄기는 곧게 서고 작은가지는 부드럽다. 잎은 어긋나고 긴 타원형, 꽃은 3~6월에 잎겨드랑이에 핀다. 삭과는 편구형, 붉은색으로 성숙하며 지름 6mm 정도이다.

분포·생육지 중국, 타이완. 해발 200~400m에서 자란다.

약용 부위·수치 줄기 및 잎을 여름과 가을에 채취하여 말린다.

약물명 산병두(山兵豆). 난두발(爛頭鉢), 용안정(龍眼睛)이라고도 한다.

약효 거풍(祛風), 이습(利濕), 활혈(活血)의 효능이 있으므로 풍습관절통(風濕關節痛), 간염, 신염(腎炎), 이질을 치료한다.

사용법 산병두 10g에 물 3컵(600mL)을 넣고 달여서 복용하고, 외용에는 짓찧어 바른다.

● 소과엽하주(열매)

● 소과엽하주

여우구슬

장염, 이질, 전염성간염 | 수종
요로감염

● 학명 : *Phyllanthus urinaria* L.

| 1 | 2 | 3 | 4 | 5 | 6 | 7 | 8 | 9 | 10 | 11 | 12 |

한해살이풀. 높이 15~40cm. 줄기는 곧게 서고 붉은빛이 돈다. 잎은 어긋나고 긴 타원형, 꽃은 적갈색, 7~8월에 잎겨드랑이에 핀다. 수꽃은 꽃받침잎이 6개, 수술이 3개, 암꽃에 6개의 꽃받침이 있다. 삭과는 편구형, 적갈색, 열매 자루가 짧다.

분포 · 생육지 우리나라 제주도, 지리산 및 남부 지방. 중국, 일본, 우수리. 산기슭과 들에서 자란다.

약용 부위 · 수치 전초를 가을에 채취하여 말린다.

약물명 엽하주(葉下珠). 진주초(珍珠草), 음양초(陰陽草)라고도 한다.

기미 · 귀경 양(涼), 미고(微苦) · 간(肝), 비(脾), 신(腎)

약효 청열해독(淸熱解毒), 이수소종(利水消腫), 해독의 효능이 있으므로 장염, 이질, 전염성간염, 신염(腎炎)으로 인한 수종(水腫), 요로감염을 치료한다.

성분 ellagic acid, 3,3′,4-tri-*O*-methylellagic acid, gallic acid, daucosterol, triancostanol, lupeol, stigmasterol 등이 함유되어 있다.

약리 간염에 걸린 동물에게 10g/kg을 1개월 연속 투여하면 효능이 나타난다.

사용법 엽하주 10g에 물 3컵(600mL)을 넣고 달여서 복용하고, 외용에는 짓찧어서 바른다.

○ 엽하주(葉下珠)

○ 여우구슬(전초)

○ 여우구슬

여우주머니

황달, 이질, 설사 | 수종
목적종통 | 치창

● 학명 : *Phyllanthus ussuriensis* Rupr. et Maxim. [*P. matsumurae*]
● 한자명 : 蜜柑草 ● 별명 : 좀여우구슬

| 1 | 2 | 3 | 4 | 5 | 6 | 7 | 8 | 9 | 10 | 11 | 12 |

한해살이풀. 높이 15~40cm. 원줄기와 가지에 잎이 어긋나게 달리고 타원형이다. 꽃은 황록색, 6~10월에 잎겨드랑이에 핀다. 삭과는 편구형, 지름 약 2.5mm, 황록색, 익으면 3개로 갈라지고, 종자는 황갈색이다.

분포 · 생육지 우리나라 전역. 중국, 일본, 우수리. 황무지나 밭에서 자란다.

약용 부위 · 수치 전초를 가을에 채취하여 말린다.

약물명 밀감초(蜜柑草). 야관문(夜關門), 지련자(地蓮子), 어린초(魚鱗草), 어안초(魚眼草)라고도 한다.

약효 청열이습(淸熱利濕), 청간명목(淸肝明目)의 효능이 있으므로 황달, 이질, 설사, 수종(水腫), 목적종통(目赤腫痛), 치창(痔瘡)을 치료한다.

사용법 밀감초 15g에 물 3컵(600mL)을 넣고 달여서 복용하고, 외용에는 짓찧어 바른다.

○ 밀감초(蜜柑草)

○ 여우주머니

[대극과]

아주까리

옹저종독, 나력, 진선나창, 파상풍, 창개, 화상 | 류머티즘, 각기
후비 | 음낭종통, 수종복만 | 해수담천 | 대변조결

● 학명 : *Ricinus communis* L. ● 별명 : 피마자, 피마주

| 1 | 2 | 3 | 4 | 5 | 6 | 7 | 8 | 9 | 10 | 11 | 12 |

한해살이풀. 높이 2~2.5m. 가지가 나무처럼 갈라진다. 잎은 어긋나며 방패 같고, 지름 30~100cm, 손바닥 모양으로 5~11개로 갈라진다. 꽃은 8~9월에 원줄기 끝에 길이 20cm 정도의 총상화서로 달리고 수꽃은 밑부분에 달린다. 암꽃은 윗부분에 모여 달리고 1개의 씨방이 있으며 3실, 3개의 암술대가 끝에서 다시 2개로 갈라진다. 삭과는 3실, 종자에는 반점이 있다.

분포 · 생육지 인도, 소아시아 원산. 우리나라 전역에서 재배한다.

약용 부위 · 수치 종자와 잎을 가을에 채취하여 말린다.

약물명 종자를 피마자(蓖麻子)라 하며 당호마(唐胡麻)라고도 한다. 뿌리를 피마근(蓖麻根), 잎을 피마엽(蓖麻葉), 종자에서 짜낸 기름을 피마유(蓖麻油)라 한다. 피마자(蓖麻子)는 대한민국약전외한약(생약)규격집(KHP)에 수재되어 있다.

본초서 피마자(蓖麻子)는 당나라 때의 「신수본초(新修本草)」에 비마(萆麻)로 수재되어 있으며, "잎이 대마(大麻)처럼 크고 또 종자가 사마귀알(蜱)처럼 생겼으므로 비마(蜱麻)라 하다가 비마(萆麻)로 바뀐 것이다."라고 하였으며, 「뇌공포자론(雷公炮炙論)」에는 비마자(萆麻子)로 수재되어 있다. 「동의보감(東醫寶鑑)」에는 "수창(水脹)과 복만(腹滿)을 낫게 하며, 아이를 잘 낳을 수 있도록 도우며, 부스럼과 상처, 옴 등을 낫게 하고, 수징(水癥), 부종, 시주(尸疰), 악기를 없앤다."고 하였다.

新修本草 : 主水癥.

東醫寶鑑 : 治水脹 服滿 催生瘡 疥癩 去水癥 浮腫 尸疰 惡氣.

기미 · 귀경 피마자(蓖麻子) : 평(平), 감(甘), 신(辛), 소독(小毒) · 간(肝), 비(脾), 폐(肺), 대장(大腸)

성상 편평한 난원형으로 그 한쪽은 비스듬히 길이 4~6mm, 너비 2~3mm, 두께 0.5~0.7mm이고, 표면은 어두운 갈색이며 광택이 있다. 내부에는 엷은 막상의 배젖 및 2개의 큰 떡잎이 있다. 이 약은 물에 담그면 점액이 생긴다. 맛은 부드러우며 기름 같고 미끈미끈한 느낌을 주나 패유성은 아니다.

약효 피마자(蓖麻子)는 소종(消腫), 발독(拔毒), 사하(瀉下)의 효능이 있으므로 옹저종독(癰疽腫毒), 나력, 후비(喉痹, 편도선염), 진선나창(疹癬瘰瘡), 수종복만(水腫腹滿), 대변조결(大便燥結)을 치료한다. 피마근(蓖麻根)은 진정해경(鎭靜解痙), 거풍산어(祛風散瘀)의 효능이 있으므로 파상풍, 류머티즘, 나력을 치료하고, 피마엽(蓖麻葉)은 각기(脚氣), 음낭종통, 해수담천을 치료하고, 피마유(蓖麻油)는 대변조결(大便燥結), 창개(瘡疥), 화상을 치료한다.

성분 ricinoleic acid의 glyceride를 주성분으로 하며, ricinoleic acid 87%, oleic acid 7%, linoleic acid 3%, palmitic acid 2%, stearic acid 1%로 구성된다. 독성 단백질 ricin, 알칼로이드인 α-ricinine 등이 함유되어 있다. ricinoleic acid는 피마자의 특수한 산으로 선광성이 있으며, 200℃ 이상으로 가열하면 향료의 원료인 oenanthol과 무좀 치료 성분인 undecylenic acid로 분해된다.

약리 피마유는 동물의 소장 안에서 lipase에 의하여 가수 분해되어 sodium ricinolate로 생성되어 소장 및 맹장을 수축시켜 사하 작용을 나타낸다. sodium ricinolate는 수분 및 전해질의 흡수를 방해한다.

사용법 피마자는 가루로 만들어 환약으로 복용하거나 날것을 갈거나 볶아서 복용하고, 외용에는 짓찧어 붙인다. 피마근은 고기와 함께 삶아서 복용하고, 외용에는 짓찧어 붙인다. 피마엽은 물로 달인 액으로 씻거나 뜨겁게 하여 찜질하고, 피마유는 1회 10mL를 복용한다.

✿ 피마자(蓖麻子)

✿ 아주까리 암꽃(위쪽)과 수꽃(아래쪽)

✿ 아주까리

✿ 아주까리(열매)

✿ 피마유(蓖麻油)

[대극과]

사람주나무

 요슬산통

● 학명 : *Sapium japonicum* Pax et Hoffm. ● 별명 : 신방나무, 쇠동백나무, 아구사리

| 1 | 2 | 3 | 4 | 5 | 6 | 7 | 8 | 9 | 10 | 11 | 12 |

낙엽 관목. 높이 5~6m. 잎은 어긋난다. 꽃은 암수한그루, 꽃차례는 길이 10cm 정도, 윗부분에 많은 수꽃이 달리며 밑부분에는 몇 개의 암꽃이 달린다. 삭과는 둥글고 3개의 과피로 되며, 3개의 종자가 들어 있다.

분포 · 생육지 우리나라 전역, 중국, 일본. 산골짜기와 산 중턱에서 자란다.

약용 부위 · 수치 잎을 여름에 채취하여 말려 사용한다.

약물명 백유목(白油木), 백목(白木), 은율자(銀栗子)라고도 한다.

성분 gallic acid, ellagic acid, 3,3′-di-*O*-methylellagic acid, 4-(*O*-β-D-xylopyranosyl)-3,3′-di-*O*-methylellagic acid, 4-(*O*-α-L-arabinofuranosyl)-3,3′-di-*O*-methylellagic acid, geraniin, isoquercitrin 등이 함유되어 있다.

약효 산어혈(散瘀血), 강요슬(强腰膝)의 효능이 있으므로 허리와 무릎이 시리고 아픈 증상을 치료한다.

사용법 백유목 15g에 물 3컵(600mL)을 넣고 달여서 복용하고, 신선한 잎이나 가지로 즙액을 만들어 바른다.

❍ 사람주나무

❍ 백유목(白油木)

❍ 사람주나무(열매와 종자)

❍ 사람주나무(줄기)

[대극과]

오구나무

 수종 · 복수, 변비, 적취
대소변불리, 이변불통 · 습진, 선창, 개선

● 학명 : *Sapium sebiferum* (L.) Roxb. ● 한자명 : 烏桕 ● 별명 : 기름나무, 조구나무, 오구목

| 1 | 2 | 3 | 4 | 5 | 6 | 7 | 8 | 9 | 10 | 11 | 12 |

낙엽 소교목. 높이 7~10m. 잎은 어긋난다. 꽃은 암수한그루, 6~7월에 가지 끝에 총상화서로 달리고, 윗부분에 10~15개의 수꽃이 달리며, 밑부분에는 2~3개의 암꽃이 달린다. 열매는 둥근 삭과로 지름 1cm 정도, 흑색, 3개의 종자가 들어 있다.

분포 · 생육지 중국 원산. 우리나라 남부 지방에서 재식한다.

약용 부위 · 수치 잎은 여름과 가을에, 종자는 가을에 채취하여 말리고, 뿌리껍질은 가을부터 겨울까지 채취하여 말린다.

약물명 잎을 오구엽(烏桕葉), 종자를 오구자(烏桕子), 뿌리껍질을 오구목근피(烏桕木根皮)라 하며, 권근백피(卷根白皮)라고도 한다.

기미 · 귀경 오구목근피(烏桕木根皮): 미온(微溫), 고(苦), 유독(有毒) · 폐(肺), 신(腎), 위(胃), 대장(大腸)

약효 오구엽(烏桕葉)은 사하축수(瀉下逐水), 소종산어(消腫散瘀)의 효능이 있으므로 수종(水腫), 복수, 대소변불리, 습진, 개선(疥癬)을 치료한다. 오구자(烏桕子)는 발독소종(拔毒消腫), 살충지양(殺蟲止痒)의 효능이 있으므로 습진, 선창(癬瘡), 수종, 변비를 치료한다. 오구목근피(烏桕木根皮)는 이수(利水), 소종(消積), 살충, 해독의 효능이 있으므로 수종(水腫), 적취(積聚), 이변불통(二便不通), 습독(濕毒)에 의한 개선(疥癬)을 치료한다.

성분 오구엽(烏桕葉)에는 methylgallate, β-sitosterol, *n*-dotriacontanol, fridelin, *N*-phenylalanine 등, 오구목근피(烏桕木根皮)에는 artelin, scopoletin, xanthoxylin, moretenone, moretenol, 3-epimoretenol, 3,3′-moretenol, 3,3′-methyl ellagic acid 등이 함유되어 있다.

약리 에탄올추출물을 쥐의 피부에 바르면 단순포진이 발생한다.

사용법 오구엽, 오구자 또는 오구목근피 10g에 물 3컵(600mL)을 넣고 달여서 복용하고, 외용에는 짓찧어 바른다.

❍ 오구엽(烏桕葉)

❍ 오구나무(열매)

❍ 열매　　　　❍ 오구나무

광대싸리

	요통, 사지마비, 반신불수
음위	안면신경마비

● 학명 : *Securinega suffruticosa* Rehder
● 별칭 : 구럭싸리, 맵쌀, 고리비아리, 공정싸리, 굴싸리

1	2	3	4	5	6	7	8	9	10	11	12

낙엽 관목. 높이 3~5m. 가지는 끝이 밑으로 처지고 갈색이 돈다. 잎은 어긋나고, 꽃은 암수딴그루, 잎겨드랑이에 총상화서로 달리며, 수꽃은 윗부분에, 암꽃은 밑부분에 핀다. 삭과는 편구형, 3줄의 홈이 있고 3조각으로 갈라져서 6개의 종자가 나온다.

분포 · 생육지 우리나라 전역. 중국, 일본, 몽골, 히말라야, 아무르. 산기슭과 산중턱에서 자란다.

약용 부위 · 수치 가지와 잎을 봄부터 가을에 걸쳐 채취하여 말린다.

약물명 일엽추(一葉萩). 소입호(小粒蒿), 횡자(橫子)라고도 한다.

약효 활혈(活血), 서근(舒筋), 건비(健脾), 익신(益腎)의 효능이 있으므로 류머티즘에 의한 요통, 사지마비, 반신불수, 음위, 안면신경마비를 치료한다.

성분 잎과 가지에는 securinine, rutin, allosecurinine, dihydrosecurinine, securinol, 뿌리에는 allosecurinine, securinine, secu-

ritinine 등이 함유되어 있다.

약리 securinine은 strychnine과 같은 작용이 있고, cholinesterase 및 monoamine oxidase의 작용을 억제하지 못한다.

사용법 일엽추 10g에 물 3컵(600mL)을 넣고 달여서 복용하고, 외용에는 짓찧어서 바른다.

주의 securinine은 척수성 경련을 일으키며, strychnine에 비하면 약하지만 독성이 있으므로 사용에 주의하여야 한다.

❍ 광대싸리

❍ 일엽추(一葉萩)

❍ 광대싸리(열매)

❍ 광대싸리(꽃)

[감람나무과]

유향나무

	심복동통		풍습비통
	경폐통경		타박상, 옹저종독, 창궤불렴

● 학명 : *Boswellia carterii* Birdw.

1	2	3	4	5	6	7	8	9	10	11	12

상록 관목. 높이 4~5m. 줄기는 장대하고, 껍질은 광택이 난다. 잎은 어긋나고 홀수 깃꼴겹잎이다. 꽃은 작고 담황색, 총상화서로 피고, 수술은 10개, 씨방상위, 3~4실이다. 열매는 핵과로 3개의 능이 있고, 열매 껍질은 육질이다.

분포 · 생육지 수단, 터키. 바닷가에서 자란다.

약용 부위 · 수치 줄기에서 유액이 흘러나와 굳은 수지를 채취하거나, 상처를 내어 얻은 수지를 응결 건조한다.

약물명 유향(乳香). 유두향(乳頭香), 천택향(天澤香)이라고도 한다. 대한민국약전외한약(생약)규격집(KHP)에 수재되어 있다.

본초서 유향(乳香)은 「도경본초(圖經本草)」의 침향(沈香) 항(項)에 처음 기록되었으며, 송나라 때의 「개보본초(開寶本草)」에 수재되어 있다. 이시진(李時珍)의 「본초강목(本草綱目)」에는 "줄기, 잎, 꽃 모두 약으로 사용한다."고 기록되어 있다. 「동의보감(東醫寶鑑)」에는 "풍수로 인한 종기, 명치 아래가 아픈 것과 주기(疰氣)를 낮게 한다. 중풍으

로 이를 악무는 것, 부인병, 설사와 이질을 그치게 한다."고 하였다.

名醫別錄: 療風水腫毒 去惡氣 療氣癮疹痒毒.
本草綱目: 消癰疽除毒 托里護心 活血定痛 伸筋 治婦人難産 折傷.
東醫寶鑑: 主風水腫毒 去惡氣 止心腹痛 疰氣 療耳聾 中風口噤 夫人血氣
治諸瘡 令內消 止大腸泄澼.

성상 구형 또는 고르지 않은 알맹이로 길이 5~30mm의 덩어리이다. 표면은 엷은 황색~황백색 또는 붉은색, 회색, 여러 가지 색을 띠며, 바깥에 백색의 고운 가루가 묻어 있고 반투명이다. 부서진 면은 황납 모양의 광택을 나타내며 수피 모양의 검은 점들이 섞여 있는 것도 있다. 질은 단단하나 부서지기 쉽다. 방향성의 냄새가 있고, 맛은 조금 쓰며 점액성이다.

품질 엷은 황색의 과립상으로 반투명성이고 이물이 없으며 가루를 만질 때 점착성이고 방향이 강한 것이 좋다.

기미 · 귀경 미온(微溫), 신(辛), 고(苦) · 간(肝), 비(脾)

약효 활혈행기(活血行氣), 통경지통(通經止痛), 소종생기(消腫生肌)의 효능이 있으므로 심복동통(心腹疼痛), 풍습비통(風濕痺痛), 경폐통경(經閉痛經), 타박상, 옹저종독(癰疽腫毒), 창궤불렴(瘡潰不斂)을 치료한다.

성분 triterpenoid: α−boswelic acid, β−boswelic acid, 11−keto−β−boswelic acid 등이 함유되어 있다.

약리 열수추출물을 동물에게 투여하면 소염 작용이 나타나며, 임상적으로는 골관절염에도 효과가 있다. 열수추출물은 carrageenan으로 유도한 부종을 억제한다. α−boswelic

❍ 유향나무(꽃)

acid 및 β-boswelic acid는 백혈병 세포주와 뇌종양 세포주의 성장을 억제하거나 세포 사멸을 유도한다. 11-keto-β-boswelic acid는 MAPK를 활성화시키고 세포 내 칼슘 농도를 변화시킴으로써 leukocyte를 활성화시킨다. 초임계추출물은 면역 증진 효과와 유방암 세포인 McF-7, 간암 세포인 Hep3B에 세포 독성이 있다.

사용법 유향 1g을 물에 달여서 복용하거나 술에 담가서 복용하고, 알약으로 만들어 사용한다. 외용으로 사용할 때는 가루 내어 뿌리거나 참기름에 개어서 붙인다.

처방 유향산(乳香散): 창출(蒼朮)·당귀(當歸)·백지(白芷)·계피(桂皮)·유향(乳香)·몰약(沒藥)·감초(甘草) 동량, 1회 5g 복용(『동의보감(東醫寶鑑)』). 타박상으로 어혈(瘀血)이 생겨 몹시 아픈 증상에 사용한다.

• 유향용골산(乳香龍骨散): 용골(龍骨)·석고(石膏)·오배자(五倍子) 각 10g, 백급(白芨)·유향(乳香)·황단(黃丹) 각 5g, 사향(麝香) 0.4g(『동의보감(東醫寶鑑)』). 음낭 밑이 축축하고 가려우며 해어지는 증상에 사용한다.

* 본 종의 나무 줄기에서 흘러나오는 삼출액(樹脂)이 젖(乳) 색깔이고 향(香)이 강하기 때문에 유향(乳香)이라고 한다.
* '포달유향수 B. bhaw-dajiana', '야유향수 B. neglecta'도 약효가 같다.

❂ 유향(乳香)으로 만든 관절통 치료제

❂ 심통, 흉통 치료제(소합향, 빙편, 유향, 단향, 토목향이 배합됨.)

❂ 유향(乳香)

❂ 줄기에서 채취한 수치되지 않은 유향(乳香)

❂ 줄기에서 흘러나온 유향(乳香)

❂ 유향나무(중동의 사막에서 자라는 모습)

[감람나무과]

감람나무

| 🫁 해수담혈 | 👁 인후통, 서열번갈 |
| 🔥 취주 | |

● 학명 : *Canarium album* (Lour.) Raeusch.

| 1 | 2 | 3 | 4 | 5 | 6 | 7 | 8 | 9 | 10 | 11 | 12 |

상록 교목. 높이 10~20m. 줄기껍질은 엷은 회색, 매끄럽다. 잎은 홀수 깃꼴겹잎으로 어긋나고, 작은잎은 11~15개, 길이 7~15cm, 너비 3~5cm이다. 꽃은 백색, 5~7월에 원추화서로 피며, 수술은 6개, 암술은 1개, 씨방상위이다. 핵과는 달걀 모양, 8~10월에 황백색으로 익는다.

분포·생육지 중국 푸젠성(福建省), 광둥성(廣東省), 하이난성(海南省), 구이저우성(貴州省), 쓰촨성(四川省), 타이완. 산지에서 자란다.

약용 부위·수치 가을에 열매를 채취하여 말린다.

약물명 감람(橄欖). 감람자(橄欖子), 여감자(余甘子), 청과(靑果)라고도 한다.

기미·귀경 평(平), 감(甘), 산(酸), 삽(澁)·폐(肺), 위(胃)

성분 정유 성분으로 thymol, carvacrol, palmitic acid, linolenic acid, arachidic acid, nerol, elemol 등이 함유되어 있고, vitamin C가 다량 함유되어 있다.

약리 정유 성분을 쥐에게 투여하면 부종을 억제하고, 이질간균, 황색 포도상구균 등에 항균 작용이 나타난다.

약효 청폐이인(淸肺利咽), 생진지갈(生津止渴), 해독의 효능이 있으므로 해수담혈(咳嗽痰血), 인후통, 서열번갈(暑熱煩渴), 취주(醉酒)를 치료한다.

사용법 감람 10g에 물 3컵(600mL)을 넣고 달여서 복용하거나 알약이나 가루약으로 만들어 복용한다.

❂ 감람나무

❂ 감람(橄欖)

❂ 감람(橄欖, 수지)

❂ 감람나무(잎)

❂ 감람나무 열매에서 얻은 감람유(橄欖油)

[감람나무과]

몰약나무

흉복동통
타박상, 옹저창양
경폐통경
목적종통

● 학명 : *Commiphora molmol* Engler

| 1 | 2 | 3 | 4 | 5 | 6 | 7 | 8 | 9 | 10 | 11 | 12 |

상록 관목. 높이 3m 정도. 줄기껍질은 얇고 광택이 있고 매끄러우며, 줄기에 가시 같은 가지가 있다. 꽃은 작고 짧은 가지에 모여나며, 꽃부리는 백색, 꽃잎은 4개이다. 열매는 핵과로 달걀 모양이다.

분포 · 생육지 아프리카, 아라비아 남부, 소말리아, 인도

약용 부위 · 수치 줄기에서 유액이 흘러나와 굳은 수지를 채취하거나, 줄기껍질에 상처를 내어 흘러나오는 삼출액을 모아 말린다.

약물명 몰약(沒藥). 대한민국약전외한약(생약)규격집(KHP)에 수재되어 있다.

본초서 몰약(沒藥)은 송나라 때의 「개보본초(開寶本草)」에 수재되었으며, "몰약(沒藥), 미고(味苦), 평(平), 무독(無毒), 어혈(瘀血)을 없애며, 금창(金瘡), 장창(杖瘡), 제악창(諸惡瘡), 치루(痔漏), 졸하혈(卒下血), 피적(皮赤)을 치료한다. 파사국(波斯國)에서 생산되며 안식향(安息香)과 모양이 비슷하고, 덩어리는 일정하지 않으며 흑색이다."라고 하였다. 「동의보감(東醫寶鑑)」에는 "몸속에 나쁜 기운이 몰려 있는 것과 피가 뭉친 것을 풀어 주고 통증을 낮게 한다.

타박상, 근골이 상하거나 부러져서 피가 몰리고 아픈 것, 쇠붙이에 다친 것, 종기, 치루, 시력이 흐린 것, 피부가 발갛게 부어오른 것을 낫게 한다."고 하였다.

日華子: 破癥結宿血 消腫毒.

開寶本草: 主破血止痛 療金瘡 杖瘡 諸惡瘡 痔漏 卒下血皮赤.

東醫寶鑑: 破癥結宿血 止痛 主打撲傷 折筋骨瘀痛 金瘡 杖瘡 諸惡瘡 痔漏 消腫毒 卒下血 去目中瞖 暈痛膚赤.

성상 담황색~암갈색의 고르지 않은 덩어리이다. 표면은 가끔 황백색의 가루로 덮여 있으며, 부서진 면은 조개껍질 같고 황색~적갈색이나 군데군데 얇은 황백색의 부분이 있고, 얇은 조각은 투명하다. 방향성의 냄새가 있고 씹으면 이에 붙고 맛은 쓰며 약간 떫고 맵다.

기미 · 귀경 고(苦), 평(平) · 심(心), 간(肝), 비(脾)

약효 활혈지통(活血止痛), 소종생기(消腫生肌)의 효능이 있으므로 흉복동통(胸腹疼痛), 경폐통경(經閉痛經), 타박상, 옹저창양(癰疽瘡瘍), 목적종통(目赤腫痛)을 치료한다.

성분 수지 약 20%: α-, β-, γ-commiphoric acid(수지산), heerabomyrrholic acid, α-, β-heerabomyrrhol, heeraboresene(페놀성 수지), 정유 약 9%: cinnamaldehyde, eugenol, *m*-cresol, pinene, formic acid, acetic acid, myrrholic acid, sesquiterpene: furanoelemene, furanoeudesmone, furanogermacrane, $1β,6α$-dihydroxyeudesm-4(15)-ene 등이 함유되어 있다.

약리 정유 성분은 사람 잇몸 부위의 섬유 아세포에 세포 독성과 항염증 효과를 나타낸다. 열수 현탁액은 흰쥐의 여러 약물에 의한 위궤양을 억제한다. $1β,6α$-dihydroxyeudesm-4(15)-ene은 LPS로 유도한 BV2 미세 아교 세포에서 전염 중매 개체인 NO와 PGE2의 생성을 억제한다.

사용법 몰약 2g에 물 1컵(200mL)을 넣고 달여서 복용하거나 알약이나 가루약으로 만들어 복용한다. 외용으로 사용할 때는 가루내어 참기름에 개어서 바른다.

처방 팔리산(八釐散): 소목(蘇木) 20g, 홍화(紅花) 80g, 마전자(馬錢子) 4g, 자연동(自然銅) · 유향(乳香) · 몰약(沒藥) · 혈갈(血竭) 각 12g, 사향(麝香) 0.4g, 정향(丁香) 2g을 가루로 만들어 3g씩 복용『의종금감(醫宗金鑑)』). 타박상, 근골절상(筋骨折傷)에 사용한다.

* 중국에서는 아라비아어 myrrha를 mu(沒)라고 발음하며 약(藥)을 붙여 몰약(沒藥)이라고 한다. 예로부터 몰약은 죽은 사람의 사체를 오랫동안 보존하기 위하여 미라로 만들 때 방부제로 사용하여 왔다.

○ 몰약(沒藥)

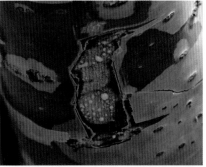
○ 몰약나무 줄기에서 흘러나오는 수지(몰약의 원료)

○ 몰약(沒藥)이 함유된 치주염 치료제

○ 몰약나무

○ 몰약(沒藥)

○ 몰약(沒藥)으로 만든 콜레스테롤 저하제

[운향과]

산유감

 풍습성요통   위통
산기통

● 학명 : *Acronychia pedunculata* (L.) Miq. [*Jambolifera pedunculata*] ● 한자명 : 山油柑

| 1 | 2 | 3 | 4 | 5 | 6 | 7 | 8 | 9 | 10 | 11 | 12 |

❍ 산유감(줄기)

상록 교목. 높이 10~20m. 줄기는 회흑색, 잎은 마주나고 타원형, 가장자리는 밋밋하다. 꽃은 청백색, 잎겨드랑이에서 나오고 꽃받침과 꽃잎은 각각 4개이다. 핵과는 구형으로 지름 1cm 정도, 황색으로 익는다.

분포 · 생육지 인도, 중국, 타이완, 베트남. 습지나 구릉지에서 자란다.

약용 부위 · 수치 목부의 심재(心材)를 봄부터 가을에 채취하여 물에 씻은 후 썰어서 말린다.

약물명 사당목(沙糖木). 사감목(沙柑木), 감병목(柑餅木)이라고도 한다.

약효 거풍지통(祛風止痛), 행기활혈(行氣活血), 지혈의 효능이 있으므로 풍습성요통, 위통, 산기통(疝氣痛) 등을 치료한다.

성분 skimmianine, dictamine, kokusaginine, acronylin, acrovestone 등이 함유되어 있다.

약리 skimmianine, dictamine을 쥐에게

투여하면 항종류(抗腫瘤) 작용이 나타난다.

사용법 사당목 15g에 물 3컵(600mL)을 넣고 달여서 복용한다.

❍ 산유감

[운향과]

목귤

 만성설사, 이질   인후염

● 학명 : *Aegle marmelos* (L.) Corr. ● 영명 : Bael ● 한자명 : 木橘

| 1 | 2 | 3 | 4 | 5 | 6 | 7 | 8 | 9 | 10 | 11 | 12 |

상록 관목. 높이 3~5m. 잎겨드랑이에 가시가 있다. 잎은 어긋나고 3출겹잎, 잎자루는 1.5~2.5cm이다. 꽃은 청백색~황백색, 잎겨드랑이에서 나오고 꽃받침과 꽃잎은 각각 5개이다. 열매는 구형으로 지름 10~11cm, 등황색으로 익는다.

분포 · 생육지 인도, 네팔, 중국, 타이완, 방글라데시. 해발 1,200m의 산지에서 자란다.

약용 부위 · 수치 성숙되기 전의 열매를 여름과 가을에 채취하여 썰어서 말린다.

약물명 경피귤(硬皮橘). 금호과(金胡果)라고도 한다.

약효 지사지리(止瀉止痢), 소종이인(消腫利咽)의 효능이 있으므로 만성설사, 이질, 인후염을 치료한다.

성분 marmeline, aegeline, imperatorin, *O*-methylhalfordinol, alloimperatorin, xanthotoxol, 3,7-dimethyl-1,5,7-octarien-3-ol 등이 함유되어 있다.

사용법 경피귤 10g에 물 3컵(600mL)을 넣고 달여서 복용한다.

❍ 경피귤(硬皮橘)

❍ 경피귤(硬皮橘)로 만든 설사 및 이질 치료제

❍ 목귤

라임

 소화불량, 설사

●학명 : *Citrus aurantifolia* Swingle ●영명 : Lime

| 1 | 2 | 3 | 4 | 5 | 6 | 7 | 8 | 9 | 10 | 11 | 12 |

상록 관목. 높이 3~5m. 가지가 무성하며 가시가 많다. 잎은 어긋나고 타원형이다. 꽃은 백색, 잎겨드랑이에서 나오고 꽃받침과 꽃잎은 각각 5개이다. 열매는 달걀 모양으로 끝이 뾰족하며 등황색으로 익는다.
분포·생육지 열대 아시아 원산. 서인도에 자생하고 멕시코에서 많이 재식한다.
약용 부위·수치 잎과 열매를 수시로 채취하여 썰어서 말린다.
약물명 잎을 Citri Aurantifoliae Folium, 열매를 Citri Aurantifoliae Fructus라고 한다.
약효 소화불량, 설사를 치료한다.
사용법 Citri Aurantifoliae Folium 10g에 물 3컵(600mL)을 넣고 달여서 복용하거나 열매의 즙액을 마신다.

❶ 라임(열매)

❶ 라임

당유자나무

 음식적체, 식욕부진, 식적, 사리, 완복냉통

취주 해천 산기

●학명 : *Citrus grandis* L. [*C. maxima*] ●한자명 : 柚 ●별명 : 큰귤나무

| 1 | 2 | 3 | 4 | 5 | 6 | 7 | 8 | 9 | 10 | 11 | 12 |

상록 소교목. 높이 5~10m. 작은가지는 납작하고 가끔 가시가 있다. 잎은 어긋나고, 꽃은 백색, 4~5월에 핀다. 열매는 둥글지만 끝이 약간 편평하고 지름 10~15cm, 10월에 담황색으로 익는다.
분포·생육지 중국 저장성(浙江省), 장시성(江西省), 푸젠성(福建省), 후베이성(湖北省), 후난성(湖南省), 타이완. 산지에서 자라지만 주로 재식한다.
약용 부위·수치 10월에 성숙한 열매를 채취하여 썰어서 말린다.
약물명 열매를 유(柚)라 하며, 유자(柚子), 취등(臭橙)이라고도 한다. 열매껍질을 유피(柚皮)라 하며, 유자피(柚子皮), 기감피(氣柑皮)라고도 한다.
기미·귀경 유피(柚皮): 온(溫), 고(苦), 신(辛)·비(脾), 폐(肺), 신(腎)
약효 유(柚)는 소식(消食), 화담(化痰), 성주(醒酒)의 효능이 있으므로 음식적체, 식욕부진, 취주(醉酒)를 치료한다. 유피(柚皮)는 관중이기(貫中利氣), 소식화담(消食化痰), 지해평천(止咳平喘)의 효능이 있으므로 기욱흉민(氣郁胸悶), 완복냉통(脘腹冷痛), 식적(食積), 사리(瀉痢), 해천(咳喘), 산기(疝氣)를 치료한다.
사용법 유(柚) 10g에 물 3컵(600mL)을 넣고 달여서 복용하거나 가루로 하여 복용한다.

❶ 유(柚)

❶ 당유자나무

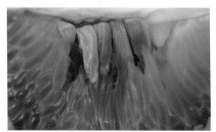
❶ 당유자나무(열매 내부)

[운향과]

광귤나무

흉복창만, 흉비, 변비, 위하수 | 비통 | 탈항 | 수종 | 자궁하수

● 학명 : *Citrus aurantium* L. ● 한자명 : 酸橙 ● 별명 : 광귤

1 2 3 4 5 6 7 8 9 10 11 12

상록 소교목. 높이 7m 정도. 가지에 가시가 있고, 잎은 어긋난다. 꽃은 백색, 5월에 잎겨드랑이에 1개 또는 몇 개씩 달린다. 꽃받침과 꽃잎은 각각 5개이다. 열매는 둥글지만 끝이 약간 편평하고 지름 6~8cm, 10월에 황적색으로 익고, 과피와 과육이 잘 떨어지지 않는다.

분포 · 생육지 중국 원산. 우리나라 제주도에서 재식한다.

약용 부위 · 수치 7~8월에 덜 익은 열매를 채취하여 반으로 쪼개어 말린다.

약물명 지각(枳殼). 구두등(枸頭橙), 취등(臭橙), 향등(香橙)이라고도 한다. 지각은 대한민국약전외한약(생약)규격집(KHP)에 수재되어 있다.

본초서 지각(枳殼)은 송나라 때의 「개보본초(開寶本草)」에 처음 수재된 생약이며, 지실(枳實)은 「신농본초경(神農本草經)」의 중품(中品)에 수재되어 있다. 현재 중국에서는 지각(枳殼)과 지실(枳實)의 기원과 약효에 뚜렷한 구분이 없다. 「동의보감(東醫寶鑑)」에는 "폐의 기능을 도와 기침을 낫게 하고, 가슴 속에 몰려 있는 담을 풀며, 대소장의 기능을 도우고, 배가 부풀어 오르는 것을 가라앉히고, 소변이 나오지 않는 것과 구토가 멎지 않는 것이 동시에 나타나 막힌 것을 열어 준다. 담을 삭이고 소변을 잘 나오게 하며 징벽(癥癖)과 나쁜 기운을 없앤다. 바람의 기운으로 몸이 가렵고 마비된 것, 치질로 인해 피가 나오는 것을 낫게 한다."고 하였다.

雷公炮炙論: 能消一切痲痺.

藥性論: 治遍身風疹 肌中如麻豆惡痒 主腸風痔疾 心腹結氣 兩脇脹虛 關隔壅塞.

東醫寶鑑: 主肺氣 咳嗽 散胸中痰滯 利大小腸 消脹滿 除關隔壅塞 消痰逐水 破癥癖結氣. 除風痒麻痺 去腸風痔腫.

성상 반구형으로 지름 3~5cm이고, 바깥면은 녹갈색~적갈색으로 과립상의 돌기가 있으며, 돌기마다 그 위에 들어간 점이 있고 꽃대와 과병이 떨어진 자국이 있다. 과피의 두께는 6~13mm로 황백색이며, 질은 단단하고 꺾기가 어렵다. 꺾은 면은 매끈하나 약간 돌기가 있으며 속에는 종자가 들어 있다. 방향이 있고 맛은 쓰고 조금 시다. 겉껍질은 녹색이고 과육이 두꺼우며 질이 단단하고 향기가 짙은 것이 좋다.

기미 · 귀경 미한(微寒), 고(苦), 신(辛) · 비(脾), 위(胃), 대장(大腸)

약효 파기(破氣), 산비(散痺), 사담(瀉痰), 소적(消積)의 효능이 있으므로 흉복창만(胸腹脹滿), 흉비(胸痺), 비통(痺痛), 수종(水腫), 변비, 위하수(胃下垂), 자궁하수(子宮下垂), 탈항(脫肛)을 치료한다.

성분 neohesperidin, hesperidin, naringin, rhoifolin, lonicerin, *N*-methylthramine, synephrine, limonine 등이 함유되어 있다.

약리 지각(枳殼)의 에탄올추출물을 쥐에게 투여하면 진통 작용이 나타난다. hesperidin은 항알레르기 작용, 모세 혈관 강화 작용, 거담 작용이 있으며, 혈중 지질 농도를 낮춘다. limonene은 진정 작용, 중추 억제 작용, 말초 혈관의 수축, 담즙 분비 촉진 작용이 있다.

사용법 지각 10g에 물 3컵(600mL)을 넣고 달여서 복용하거나 술에 담가 복용하고, 잘게 썰어서 뜨거운 물을 부어 약차로 이용한다.

처방 지각반하탕(枳殼半夏湯): 지각(枳殼) · 반하(半夏) · 황금(黃芩) · 길경(桔梗) 각각 40g, 감초 20g (「의림(醫林)」). 열담(熱痰)으로 가슴이 답답하고 숨이 차며 가래가 끓고 기침을 하면서 열이 나는 증상에 사용한다.

• 지각산(枳殼散): 향부자(香附子) 40g, 지각(枳殼) · 창출(蒼朮) 20g, 빈랑자(檳榔子) 8g (「동의보감(東醫寶鑑)」). 명치 밑에 멍울이 생겨서 더부룩하고 아프며 숨이 차고 가래와 기침이 심한 증상에 사용한다.

광귤나무(꽃)

광귤나무

광귤나무(열매)

지각(枳殼)

[운향과]

유자나무

○ 유자나무

🫄 구토, 숙취, 식적복창

🧍 산기, 임병, 요통

● 학명 : *Citrus junos* Sieb.

1	2	3	4	5	6	7	8	9	10	11	12

상록 관목. 높이 4m 정도. 가지에 길고 뾰족한 가시가 있고, 잎은 어긋난다. 꽃은 백색, 5월에 잎겨드랑이에 1~2개씩 달린다. 열매는 편구형, 황색, 익으면 지름이 4~7cm로 되고, 향기가 있는 외피와 신맛이 강한 내부가 잘 떨어지며 중심부가 비어 있다.

분포 · 생육지 중국 원산. 우리나라 남부 지방(진도, 해남, 고흥), 제주도에서 재식한다.

약용 부위 · 수치 열매, 열매껍질, 과핵을 가을에 채취하여 말린다.

약물명 열매를 등자(橙子)라 하고, 과피는 등자피(橙子皮), 과핵을 등자핵(橙子核) 또는 유핵(柚核)이라 한다.

본초서 「본초강목(本草綱目)」에는 "소화를 잘 시켜 막힌 것을 없애고 분(憤)을 분산하며 담(痰)을 삭인다."고 하였다. 「동의보감(東醫寶鑑)」에 "유자(柚子)의 피(皮)는 위장 속의 나쁜 기운을 없애고 술독을 풀어 주며 술을 자주 마시는 사람의 입에서 나는 냄새

를 없앤다."고 하였다.
本草綱目: 消食快膈 散憤之氣 化痰.
東醫寶鑑: 去胃中惡氣 解酒毒 治飮酒人口氣.

기미 · 귀경 양(凉), 감(甘), 고(苦) · 폐(肺), 비(脾)

약효 등자(橙子)는 구토, 숙취, 고기 먹고 체한 것을 치료한다. 등자피(橙子皮)는 등자와 효능이 같고, 등자핵(橙子核)은 산기(疝氣), 임병(淋病), 요통을 치료한다.

성분 열매에는 hesperidin, citric acid, tartaric acid, germacrene B, D, bicyclogermacrene 등이 함유되어 있고, 정유는 0.1~0.3% 함유되어 있으며, 주성분은 geranial, limonene 등으로 알려져 있다.

사용법 등자와 등자피 10g에 물 3컵(600mL)을 넣고 달여서 복용하거나 꿀에 재어 두었다가 뜨거운 물에 우려내어 복용한다. 등자핵은 5g에 물 2컵(400mL)을 넣고 달여서 복용하거나 가루 내어 복용한다.

○ 등자피(橙子皮)

○ 등자핵(橙子核)

○ 등자(橙子, 신선품)

[운향과]

레몬나무

○ 레몬나무

♀ 유즙불통

▭ 적종

⬜ 발한발열

● 학명 : *Citrus limonia* Osbeck

1	2	3	4	5	6	7	8	9	10	11	12

상록 관목. 높이 3~5m. 가지에 큰 가시가 있고, 잎은 어긋난다. 꽃은 백색으로 6월에 잎겨드랑이에 피며 꽃받침잎과 꽃잎은 각각 5개, 수술은 많다. 열매는 장과로 편구형, 길이 4~6cm, 너비 4cm 정도, 등황색으로 익는다.

분포 · 생육지 인도 동부, 히말라야 원산. 우리나라 제주도에서 재식한다.

약용 부위 · 수치 익은 열매를 여름과 가을에 채취하여 썰어서 말린다.

약물명 영몽(檸檬)

기미 · 귀경 양(凉), 산(酸), 감(甘) · 위(胃), 폐(肺)

약효 행기(行氣), 해울(解鬱), 지통(止痛), 하유즙(下乳汁)의 효능이 있으므로 산모의 젖분비 부족, 적종(赤腫), 발한발열(發汗發熱)을 치료한다.

성분 flavonoid인 hesperidin, neohesperidin, diosmin, naringin, obacunone, limonin, caffeic acid, vitamin C 등이 함유되어 있다.

약리 부종을 일으킨 쥐에게 diosmin을 투

여하면 항염증 작용이 관찰되고, caffeic acid는 항균 작용과 지혈 작용이 있다.

사용법 녕몽 10g에 물 3컵(600mL)을 넣고 달여서 복용하거나 6g을 가루 내어 물로 복용한다.

○ 영몽(檸檬)이 함유된 비타민제

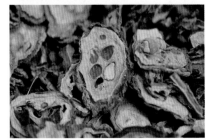
○ 영몽(檸檬)

○ 레몬나무(꽃)

○ 레몬나무(열매 내부)

불수귤나무

 유즙불통　　 적종
발한발열

● 학명 : *Citrus medica* L. var. *sarcodactylis* Swingle

| 1 | 2 | 3 | 4 | 5 | 6 | 7 | 8 | 9 | 10 | 11 | 12 |

상록 관목. 높이 3~5m. 날카로운 가시가 있다. 잎은 어긋나고 긴 타원형이다. 꽃은 백색, 4~5월에 잎겨드랑이에 피며 꽃받침 잎과 꽃잎은 각각 5개, 수술은 많다. 열매는 장과로 윗부분이 손가락처럼 갈라지며, 10월에 등황색으로 익는다.

분포 · 생육지 중국 저장성(浙江省), 광둥성(廣東省), 광시성(廣西省) 및 윈난성(雲南省). 산지에서 자란다.

약용 부위 · 수치 익은 열매를 가을에 채취하여 썰어서 말린다.

약물명 불수감(佛手柑). 불수(佛手), 불수향연(佛手香櫞)이라고도 한다.

기미 · 귀경 온(溫), 신(辛), 고(苦) · 간(肝), 폐(肺), 비(脾)

약효 행기(行氣), 해울(解鬱), 지통(止痛), 하유즙(下乳汁)의 효능이 있으므로 유즙불통, 적종(赤腫), 발한발열(發汗發熱)을 치료한다.

성분 citropten, limettin, 6,7-dimethoxy-coumarin, limonin, nomillin, hesperidin 등이 함유되어 있다.

약리 열수추출물을 쥐에게 투여하면 기관지를 수축시킨다. 에탄올추출물을 쥐에게 투여하면 중추 신경 억제 작용이 나타나고, 쥐의 적출 장관에 적하하면 근육을 이완시킨다.

사용법 불수감 10g에 물 3컵(600mL)을 넣고 달여서 복용하거나 6g을 가루 내어 물로 복용한다.

❶ 불수귤나무

❶ 불수귤나무(꽃)

❶ 불수감(佛手柑, 절편)

❶ 불수감(佛手柑, 신선품)

중국귤나무

소화불량, 복부창만, 구토　　대소변불리
젖몸살　　흉민, 협륵창통

● 학명 : *Citrus reticulata* Blanco　● 영명 : mandarin, tangerine
● 한자명 : 橘　● 별명 : 당귤나무

| 1 | 2 | 3 | 4 | 5 | 6 | 7 | 8 | 9 | 10 | 11 | 12 |

상록 관목. 높이 3~5m. 잎은 어긋나고 긴 타원형, 잎자루에 날개가 거의 없다. 꽃은 백색으로 5월에 잎겨드랑이에 핀다. 열매는 장과로 편구형이며 지름 3~4cm, 10월에 등황색으로 익고 무게는 150~200g이다.

분포 · 생육지 인도 동북부 원산. 중국과 타이완에서 대량으로 재배한다.

약용 부위 · 수치 익은 열매의 껍질을 가을에, 덜 익은 열매의 껍질을 초여름에 채취하여 말린다. 청피(靑皮) 500g에 식초 65g을 혼합하여 황색이 될 정도로 볶은 것을 초청피(醋靑皮)라 한다.

약물명 익은 열매의 껍질을 진피(陳皮)라 하며, 귤피(橘皮), 귀로(貴老), 황귤피(黃橘皮), 홍피(紅皮), 귤자피(橘子皮), 광귤피(廣橘皮)라고도 한다. 덜 익은 열매의 껍질을 청피(靑皮)라 하며, 청귤피(靑橘皮), 청감피(靑柑皮)라고도 한다. 청피(靑皮)는 대한민국약전(KP)에 수재되어 있다.

본초서 진피(陳皮)는 「신농본초경(神農本草經)」의 상품(上品)에 귤유(橘柚)로 수재되어 있으며, "일명 귤피(橘皮)라고 하며, 귤피(橘皮)의 오래된 것을 진귤피(陳橘皮) 또는 진피(陳皮)라고 한다."고 하였다. 도홍경(陶弘景)은 "귤(橘)은 북쪽의 사람도 사용하며 오래된 것이 좋다."고 하였으며, 「본초강목(本草綱目)」에는 진피(陳皮)는 "보약과 더불어 사용하면 보(補)의 효능이 더욱 커지고, 사약(瀉藥)과 함께 사용하면 사(瀉)의 작용이 더욱 증가되며, 승약(升藥)과 배합하면 더욱 승(升)한다."고 하였다. 사군자탕(四君子湯)에 진피(陳皮)를 가미한 이공산(異功散)은 익기(益氣) 작용이 더욱 강해진다. 「동의보감(東醫寶鑑)」에는 "가슴에 뭉친 기를 풀어 주고, 입맛을 돋우며 소화가 잘되게 한다. 이질을 멎게 하고 가래를 없앤다. 기운이 위쪽으로 치미는 것과 기침과 구역을 그치게 하며, 대소변을 잘 나오게 한다."고 하였다.

陳皮
神農本草經: 主胸中下熱 逆氣 利水穀 久服 去臭 下氣 通神.
藥性論: 治胸膈間氣 開胃 主止痢 消痰涎 治 上氣咳嗽.
東醫寶鑑: 能治胸膈間氣 開胃止痢 消痰涎 治上氣咳嗽 止嘔逆 利水穀道.
青皮
本草圖經: 主氣滯, 下食, 破積結及隔氣.
本草綱目: 治胸膈氣逆, 脇痛, 小腹疝氣, 消 乳腫, 疏肝膽, 瀉肺氣.

기미 · 귀경 진피(陳皮): 신(辛), 고(苦), 온(溫) · 비(脾), 위(胃), 폐(肺). 청피(靑皮): 고(苦), 신(辛), 온(溫) · 간(肝), 담(膽), 위(胃)

약효 진피(陳皮)는 행기강역(行氣降逆), 조중개위(調中開胃), 조습화담(燥濕化痰)의 효능이 있으므로 소화불량, 흉민(胸悶), 복부창만, 구토, 대소변불리를 치료한다. 청피(靑皮)는 소간파기(疏肝破氣), 소적화체(消積化滯)의 효능이 있으므로 협륵창통(脇肋脹痛), 젖몸살, 소화불량, 복부창만을 치료한다.

성분 진피(陳皮)는 정유가 2~3% 차지하며 주성분은 d-limonene이고, β-myrcene, α-, β-pinene, α-terpinene 등이 함유되어 있다. flavonoid 성분으로 hesperidin, tangeritin, naringin, neohesperidin, poncirin, nobiletin 등, 알칼로이드 성분으로 synephrine이 함유되어 있다.

약리 정유 성분은 위 · 장관벽을 자극하여 소화액 분비를 촉진하고, 열수추출물은 두꺼비의 심장에 수축력을 증가시키고, 정유 성분을 동물에게 투여하면 거담 작용이 나타나며 동물에게 염증을 일으키고, hesperidin을 투여하면 항염증 작용이 나타난다.

사용법 진피 또는 청피 각각 10g에 물 3컵 (600mL)을 넣고 달여서 복용하거나 가루약, 환약으로 하여 복용한다.

처방 귤피탕(橘皮湯): 진피(陳皮) 12g, 죽여(竹茹)·감초(甘草) 각 4g, 인삼(人蔘) 2g, 생강(生薑) 3쪽, 대추(大棗) 2개(「동의보감(東醫寶鑑)」). 허번(虛煩)으로 가슴이 답답하고 배꼽 아래가 불편하며 몸살이 나고 소화불량이 있는 증상에 사용한다.

• 귤피죽여탕(橘皮竹茹湯): 진피(陳皮)·죽여(竹茹)·생강(生薑) 각 12g, 감초(甘草) 8g, 인삼(人蔘) 4g, 대추(大棗) 5개(「금궤요략(金匱要略)」). 위허기역(胃虛氣逆)으로 구토가 나고 소화불량이 있는 증상에 사용한다.

• 이공산(異功散): 인삼(人蔘)·백출(白朮)·백복령(白茯苓)·감초(甘草)·진피(陳皮) 각 4g, 생강(生薑) 3쪽, 대추(大棗) 2개(「동의보감(東醫寶鑑)」). 비위가 허약하여 명치 밑이 뻐근하고 소화가 잘 안되고 설사를 자주하는 증상에 사용한다.

• 이진탕(二陳湯): 반하(半夏) 8g, 진피(陳皮)·적복령(赤茯苓) 각 4g, 구감초(炙甘草) 2g, 생강(生薑) 3쪽(「동의보감(東醫寶鑑)」). 담음(痰飮)으로 가슴과 명치 끝이 그득하고 부어오르며 기침을 하고 가래가 많은 증상에 사용한다.

• 청피괄루탕(靑皮括蔞湯): 청피(靑皮)·괄루자(括蔞子)·도인(桃仁)·연교(連翹)·천궁(川芎)·귤엽(橘葉)·조각자(皂角子)·감초(甘草) 동량, 가루로 만들어 1회 30g 복용(「의림(醫林)」). 젖몸이 아프며 멍울이 지고 부어오르는 증상에 사용한다.

※ 중국에서는 본 종이 귤피(橘皮) 또는 진피(陳皮)의 기원 식물이며, 한국과 일본에서는 'C. unshiu'가 기원 식물이다.

○ 중국귤나무

○ 진피(陳皮)

○ 진피(陳皮, 절편)

○ 청피(靑皮)

○ 중국귤나무(열매)

[운향과]

오렌지나무

늑막동통　완복창만　유즙불통

● 학명 : *Citrus sinensis* (L.) Osbeck　● 영명 : Orange tree, Sweet orange

| 1 | 2 | 3 | 4 | 5 | 6 | 7 | 8 | 9 | 10 | 11 | 12 |

○ 오렌지나무(꽃)

상록 관목. 높이 5~8m. 가지에 가시가 생기기도 한다. 잎은 어긋나고 긴 타원형이다. 꽃은 백색, 6월에 잎겨드랑이에 피며 꽃받침잎과 꽃잎은 각각 5개, 수술은 20개 정도이고, 암술은 1개이다. 열매는 장과로 구형이며 지름 7~8cm, 10월에 등황색으로 익는다.

분포·생육지 중국 원산. 세계 각처에서 재식한다.

약용 부위·수치 익은 열매의 껍질을 가을에 채취하여 물에 잘 씻은 뒤 썰어서 말린다.

약명 첨등(甛橙), 황과(黃果), 설감(雪柑), 등자(橙子)라고도 한다.

약효 소간행기(疏肝行氣), 산결통유(散結通乳), 해주(解酒)의 효능이 있으므로 늑막동통, 완복창만(脘腹脹滿), 유즙불통(乳汁不通)을 치료한다.

성분 hesperidin, narirutin, isosakuranetin-7-rutinoside, naringenin-4'-glucoside-7-rutinoside, limocitrin-3-β-D-glucoside, O-D-xylosylvitexin, limonin 등이 함유되어 있다.

약리 생체 실험에서 기침을 멎게 하는 작용이 있다.

사용법 첨등 5g을 뜨거운 물로 우려내어 복용하거나 신선한 과일을 껍질과 함께 먹는다.

○ 첨등(甛橙)

○ 첨등(甛橙, 신선품)

○ 오렌지나무

감귤나무

흉격번열, 협륵창통, 취주 | 구갈욕음, 상주구갈 | 음식실조
경행불창, 유옹 | 요통, 방광통, 소변불리 | 폐옹

● 학명 : *Citrus unshiu* Markovich

| 1 | 2 | 3 | 4 | 5 | 6 | 7 | 8 | 9 | 10 | 11 | 12 |

상록 관목. 높이 5m 정도. 가지에 가시가 없다. 잎은 어긋나고 긴 타원형이다. 꽃은 백색, 6월에 잎겨드랑이에 피며 꽃받침과 꽃잎은 각각 5개, 수술은 20개, 암술은 1개이다. 열매는 장과로 편구형이며 지름 3~4cm, 10월에 등황색으로 익으며, 외피가 평활하고 윤채가 돈다.

분포 · 생육지 중국 원산. 우리나라 제주도에서 재식한다.

약용 부위 · 수치 익은 열매의 껍질과 종자를 가을에 채취하여 말린다.

약물명 열매를 감(柑)이라 하고, 종자를 감핵(柑核)이라 하며, 귤핵(橘核), 귤자인(橘子仁), 귤인(橘仁)이라고도 한다. 열매 껍질은 감피(柑皮) 또는 진피(陳皮), 잎을 감엽(柑葉)이라 한다. 진피(陳皮)는 대한약전(KP)에, 귤핵(橘核)은 대한약전외한약(생약)규격집(KHP)에 수재되어 있다.

본초서 감피(柑皮)는 「식경(食經)」에 처음 수재되어 "기가 위로 치밀어 올라 가슴이 답답한 것을 낫게 한다."고 하였다. 「동의보감(東醫寶鑑)」에는 익은 열매껍질인 귤피(橘皮)와 종자인 귤핵(橘核), 덜 익은 열매껍질인 청귤피(靑橘皮)와 잎인 청귤엽(靑橘葉)이 수재되어 있고 감피(柑皮)라는 이름

은 없다. 귤피(橘皮)는 "가슴에 뭉친 기를 풀고 입맛을 돋우며 소화가 잘 되게 하며 이질을 그치게 하고 가래를 없앤다. 기운이 위쪽으로 치미는 것, 기침과 구역을 그치게 하며 대소변을 잘 나오게 한다."고 하였다. 귤핵(橘核)은 "허리가 아픈 증상과 아랫배가 아프고 소변이 잘 나오지 않는 증상을 낫게 하고 신장의 기운이 찬 것을 낫게 한다. 귤 씨를 볶아 가루로 만들어 술에 타 먹으면 좋다."고 하였다. 청귤피(靑橘皮)는 "기가 막혀 답답한 것을 풀어 주고 소화 기능을 도와주며 뱃속에 작은 덩어리가 뭉친 것과 가슴에 막힌 기를 풀어 준다."고 하였다. 청귤엽(靑橘葉)은 "가슴으로 치미는 기를 내려가게 하고 간의 기운을 조화롭게 한다. 젖이 부을 때와 옆구리 상처가 곪을 때 쓴다."고 하였다.

食經: 主上氣煩滿.

東醫寶鑑: 橘皮 能治胸膈間氣 開胃止痢 消痰涎 主上氣咳嗽 止嘔逆 利水穀道.

橘核 治腰痛 膀胱氣 腎冷 炒作末 酒服良.

靑橘皮 主氣滯 下食 破積結 及膈氣.

靑橘葉 導胸中逆氣 行肝氣 乳腫及脇癰 用之.

약효 감(柑)은 청열생진(淸熱生津), 성주이뇨(醒酒利尿)의 효능이 있으므로 흉격번열

(胸膈煩熱), 구갈욕음(口渴欲飮), 취주(醉酒), 소변불리를 치료한다. 감피(柑皮)는 하기조중(下氣調中), 화담(化痰), 성주(醒酒)의 효능이 있으므로 음식실조(飮食失調), 상기번만(上氣煩滿), 상주구갈(傷酒口渴)을 치료한다. 감핵(柑核)은 온신지통(溫腎止痛), 행기산결(行氣散結)의 효능이 있으므로 요통, 방광통을 치료한다. 감엽(柑葉)은 행기관흉(行氣寬胸), 소간화위(疏肝和胃), 해독소옹(解毒消癰)의 효능이 있으므로 협륵창통(脇肋脹痛), 경행불창(經行不脹), 폐옹(肺癰), 유옹(乳癰)을 치료한다.

성분 감피(柑皮)는 정유(주성분은 *d*-limonene), flavonoid 성분인 hesperidin, naringin, neohesperidin, poncirin, nobiletin 등, 알칼로이드 성분인 synephrine 등이 함유되어 있다.

약리 감(柑)의 열수추출물은 두꺼비의 심장에 수축력을 증가시키고, 쥐의 적출 장관의 연동 운동 억제 작용, 항염증 작용이 있다.

사용법 감 또는 감피 10g에 물 3컵(600mL)을 넣고 달여서 복용하거나, 6g을 가루 내어 물로 복용한다. 귤핵 또는 감엽은 7g에 물 2컵(400mL)을 넣고 달여서 복용하거나 가루로 만들어 복용한다.

* 본 종은 한국과 일본의 귤피(橘皮) 또는 진피(陳皮)의 기원 식물이며, 중국에서는 'C. reticulata'가 귤피(橘皮) 또는 진피(陳皮)의 기원 식물이다.

❍ 감(柑, 신선품)

❍ 감피(柑皮, 절편)

❍ 감피(柑皮)

❍ 진피(陳皮), 감초, 육계가 함유된 소화제

❍ 진피(陳皮), 계피가 주약으로 배합된 소화제

❍ 꽃

❍ 감귤나무

[운향과]

가황피

| 감모발열 | 해수기천 |

● 학명 : *Clausena excavata* Burm. f. ● 한자명 : 假黃皮

| 1 | 2 | 3 | 4 | 5 | 6 | 7 | 8 | 9 | 10 | 11 | 12 |

❍ 산황피(山黃皮)

관목. 높이 1~5m. 줄기, 가지, 잎에서 자극이 있는 냄새가 난다. 잎은 어긋나고 홀수 깃꼴겹잎이다. 꽃은 백색, 가지 끝에서 취산화서로 나오며, 꽃잎은 4개이다. 열매는 달걀 모양, 등황색으로 익는다.

분포 · 생육지 중국 장쑤성(江蘇省), 윈난성(雲南省), 하이난성(海南省), 타이완. 산지나 들에서 자란다.

약용 부위 · 수치 줄기나 굵은 가지의 껍질을 봄과 가을에 채취하여 말린다.

약물명 산황피(山黃皮). 과산향(過山香)이라고도 한다.

약효 소풍청열(疎風淸熱), 이습해독(利濕解毒)의 효능이 있으므로 감모발열, 해수기천(咳嗽氣喘)을 치료한다.

사용법 산황피 10g에 물 3컵(600mL)을 넣고 달여서 복용한다.

❍ 가황피

[운향과]

황피

| 식적창만, 완복동통 | 온병발열 |
| 해수담천 | |

● 학명 : *Clausena lansium* (Lour.) Skeels ● 한자명 : 黃皮

| 1 | 2 | 3 | 4 | 5 | 6 | 7 | 8 | 9 | 10 | 11 | 12 |

상록 소교목. 높이 12m 정도. 잎은 어긋나고 홀수 깃꼴겹잎, 작은잎은 5~13개이다. 꽃은 백색, 가지 끝이나 잎겨드랑이에 취산화서로 피며, 꽃잎은 4개이다. 열매는 구형~달걀 모양, 등황색으로 익는다.

분포 · 생육지 중국 푸젠성(福建省), 장시성(江西省), 윈난성(雲南省), 하이난성(海南省), 타이완, 싱가포르. 산지나 들에서 자란다.

약용 부위 · 수치 성숙한 열매를 채취하여 썰어서 말리고, 잎도 여름과 가을에 채취하여 썰어서 말린다.

약물명 열매를 황피과(黃皮果), 잎을 황피엽(黃皮葉)이라고 한다.

약효 황피과(黃皮果)는 행기(行氣), 소식(消食), 화담(化痰)의 효능이 있으므로 식적창만(食積脹滿), 완복동통(脘腹疼痛)을 치료한다. 황피엽(黃皮葉)은 해표산열(解表散熱), 행기화담(行氣化痰), 이뇨해독(利尿解毒)의 효능이 있으므로 온병발열(溫病發熱), 유뇌(流腦), 해수담천(咳嗽痰喘), 완복동통(脘腹疼痛)을 치료한다.

성분 황피과(黃皮果)는 lansiumamide A~D가 함유되어 있고, 황피엽(黃皮葉)은 neoclausenamide, isoneoclausenamide, clausenamide, homoclausenamide 등이 함유되어 있다.

약리 neoclausenamide, isoneoclausenamide, clausenamide, homoclausenamide는 보간 작용, 뇌 보호 작용이 있다.

사용법 황피과 또는 황피엽 15g에 물 3컵(600mL)을 넣고 달여서 복용한다.

❍ 황피

❍ 황피(열매)

서양백선

 통경   두통 구강염 황달 심계항진

● 학명 : *Dictamnus albus* L. ● 영명 : Burning bush

| 1 | 2 | 3 | 4 | 5 | 6 | 7 | 8 | 9 | 10 | 11 | 12 |

여러해살이풀. 높이 80~90cm. 줄기는 곧게 서고, 굵은 뿌리가 있다. 잎은 어긋나고 홀수 깃꼴겹잎이다. 꽃은 연한 홍색, 지름 2.5cm 정도, 5~6월에 원줄기 끝에 총상화서로 달리며, 꽃잎은 5개이다. 열매는 삭과, 5개로 갈라지며 털이 많고, 분과의 양쪽 끝이 '백선'에 비하여 두드러진다.

분포 · 생육지 유럽 중남부, 시베리아 동부, 브라질, 아르헨티나. 산기슭에서 자란다.

약용 부위 · 수치 5~6월에 꽃봉오리가 맺힐 때 채취하여 말린다.

약물명 Dictamni Flos

약효 통경, 두통, 황달, 심계항진, 구강염을 치료한다.

사용법 Dictamni Flos 10g에 물 2컵(400mL)을 넣고 달여서 복용하고, 외용에는 달인 액으로 환부를 세척한다.

○ 서양백선(열매)

○ 서양백선

백선

 옴, 피부습진 류머티즘 황달

● 학명 : *Dictamnus dasycarpus* Turcz. ● 별명 : 자래초, 검화

| 1 | 2 | 3 | 4 | 5 | 6 | 7 | 8 | 9 | 10 | 11 | 12 |

여러해살이풀. 높이 90cm 정도. 줄기는 곧게 서고 굵은 뿌리가 있다. 잎은 어긋나고 홀수 깃꼴겹잎이다. 꽃은 적자색, 5~6월에 피며 지름 2.5cm 정도, 꽃잎은 5개이다. 열매는 삭과로 5개로 갈라지며 털이 있다.

분포 · 생육지 우리나라 제주도를 제외한 전역. 중국, 몽골, 아무르, 우수리. 산기슭에서 자란다.

약용 부위 · 수치 뿌리껍질을 봄과 가을에 채취하여 물에 씻은 후 썰어서 말린다.

약물명 백선피(白鮮皮), 선피(蘚皮), 북선피(北鮮皮), 취근피(臭根皮)라고도 한다. 대한민국약전(KP)에 수재되어 있다.

본초서 「신농본초경(神農本草經)」의 상품(上品)에 수재되어 있으며, 도홍경(陶弘景)의 「신농본초경집주(神農本草經集注)」에는 "일반적으로 백양선(白羊鮮)이라고 하는 것은 양(羊)의 냄새가 나기 때문이다."라고 하였으며, 「본초강목(本草綱目)」에서도 "선(鮮)은 양(羊)의 냄새를 뜻한다."고 하였다. 「동의보감(東醫寶鑑)」에는 "열독풍, 악풍, 풍창을 낮게 하고, 옴과 버짐이 벌겋게 된 것, 눈썹과 머리카락이 빠지며 피부가 당기는 것을 낮게 하고, 열황, 주황, 급황, 곡황, 노황을 낮게 한다. 팔다리가 마비되고 감각과 동작이 둔해지며 근골이 약해진 것을 치료한다."고 하였다.

東醫寶鑑: 治一切熱毒風 惡風 風瘡 疥癬赤爛 眉髮脫 皮肌急解 熱黃 酒黃 急黃 穀黃 勞黃

主一切風痺 筋骨弱乏 不可屈伸.

성상 뿌리껍질로 관상으로 말려 있고, 표면은 회백색이며 세로 주름과 잔뿌리 흔적이 있다. 안쪽은 담황색이며 질은 약하여 잘 부러지고 가루질이다. 냄새가 특이하고 맛은 쓰다.

기미 · 귀경 한(寒), 고(苦), 함(鹹) · 비(脾), 위(胃)

약효 거풍제습(祛風除濕), 해열해독(解熱解毒), 지양(止痒)의 효능이 있으므로 옴, 피부습진, 류머티즘에 의한 통증, 황달을 치료한다.

성분 furoquinolone alkaloid로 dictamine, skimmianine, γ-fagarine, robustine, halopine, maculosidine, 그 외 limonin, trigonellin, fraxinellone, obakunone 등이 함유되어 있다.

약리 obakunone을 기존의 항암제와 병용 투여하면 암세포인 L1210에 세포 독성이 증강된다. 메탄올추출물은 NO 생성과 iNOS의 발현이 억제된다.

사용법 백선피 10g에 물 2컵(400mL)을 넣고 달여서 복용하고, 외용에는 달인 액으로 환부를 세척한다.

주의 체허한(體虛寒), 비위허한(脾胃虛寒)에는 사용하지 않는다.

처방 백선피탕(白鮮皮湯): 백선피(白鮮皮) · 금은화(金銀花) 각 12g, 연교(連翹) · 형개(荊芥) · 방풍(防風) · 창출(蒼朮) · 고삼(苦蔘) · 하수오(何首烏) · 목통(木通) 각 8g, 감초(甘草) 4g(「동의보감(東醫寶鑑)」). 전신에 농포(膿疱)가 있거나 피부궤란(皮膚潰爛)에 사용한다.

○ 백선(꽃)

○ 백선

○ 백선(열매)

○ 백선피(白鮮皮)

○ 백선피(白鮮皮, 절편)

○ 백선(뿌리)

○ 백선(뿌리를 소주에 담근 것)

[운향과]

쉬나무

위완동통, 복통   두통

● 학명 : *Euodia daniellii* (Bennet) Hemsl. [*Evodia daniellii*]

| 1 | 2 | 3 | 4 | 5 | 6 | 7 | 8 | 9 | 10 | 11 | 12 |

낙엽 관목. 높이 5~7m. 잎은 마주나고 깃꼴겹잎, 작은잎은 7~11개이다. 꽃은 8월에 피고 길이 4~5mm, 흰빛이 돌며 향기가 적다. 꽃받침 잎은 짧으며, 꽃잎은 길이 3mm 정도, 안쪽에 털이 있고 안으로 굽는다. 삭과는 길이 8mm 정도, 10월에 익으며, 종자는 타원상 구형, 흑색, 윤채가 돈다.

분포 · 생육지 중국 원산. 우리나라 중부 이남에서 재식한다.

약용 부위 · 수치 열매를 여름에 채취하여 말린다.

약물명 흑날자(黑辣子). 취단자(臭檀子)라고도 한다.

약효 행기지통(行氣止痛)의 효능이 있으므로 위완동통(胃脘疼痛), 복통, 두통을 치료한다.

성분 6,7−dimethoxyhydrastine, gandharamine, isocorydine, palmatine *p*−hydroxybenzoate, limonin 등이 함유되어 있다.

사용법 흑날자 10g에 물 3컵(600mL)을 넣고 달여서 복용한다.

○ 쉬나무(꽃)

○ 쉬나무(열매)

○ 쉬나무

오수유나무

| 구역, 토사 | 두통 | 치통 |
| 습진 | 각기 | 산기 |

●학명 : *Euodia officinalis* Dode [*Evodia officinalis*]

| 1 | 2 | 3 | 4 | 5 | 6 | 7 | 8 | 9 | 10 | 11 | 12 |

낙엽 관목. 높이 5m 정도. 잎은 마주나고 홀수 1회 깃꼴겹잎. 작은잎은 7~15개이다. 꽃은 녹황색, 5~6월에 핀다. 열매는 삭과로 붉은빛이 돌며 끝이 둥글고 길이 5~6mm로 거칠다. 종자는 거의 둥글고 윤채가 돌며 길이 4mm 정도, 하늘색이다.

분포·생육지 중국 원산. 우리나라 전역의 마을 근처에서 재식한다.

약용 부위·수치 덜 익은 열매를 가을에, 잎을 여름에 채취하여 말린다.

약물명 오수유(吳茱萸). 오수(吳茱), 식수유(食茱萸)라고도 한다. 대한민국약전(KP)에 수재되어 있다.

본초서「신농본초경(神農本草經)」의 중품(中品)에 수재되어 있고,「본초습유(本草拾遺)」에는 "수유(茱萸)는 남북의 전 지역에서 나지만 오(吳)에서 생산되는 것이 품질이 좋으므로 오수유(吳茱萸)라 하게 되었다."고 기록되어 있다.「동의보감(東醫寶鑑)」에는 "속을 따뜻하게 하고 기운을 내리며 통증을 멎게 한다. 명치 밑에 찬 기운이 몰려 비트는 듯이 아픈 것과 찬 기운이 뭉쳐서 삭지 않는 것, 중악으로 명치 밑이 아픈 것을 낫게 한다. 구토와 설사가 계속되는 것과 근육통을 낫게 하며 담을 삭이고 징벽을 없애고 습한 기운과 피가 뭉쳐 감각이 없는 것을 낫게 한다. 신장 기능이 허약하여 다리가 붓는 것을 낫게 하고, 위장 속의 찬 기운을 가라앉힌다."고 하였다.

神農本草經: 主溫中下氣 止痛 咳逆寒熱 除濕血痺 逐風邪 開腠理.

本草綱目: 開鬱化滯, 治呑酸, 厥陰痰涎頭痛, 陰毒腹痛, 疝氣, 血痢, 喉舌口瘡.

東醫寶鑑: 主溫中下氣 止痛 心腹內絞痛 諸冷實不消 中惡 心腹痛 治霍亂瀉轉筋 消痰 破癥癖 除濕血瘴痺 療腎氣 脚氣 胃中冷氣.

성상 편구형으로 지름 3~5mm, 표면은 암갈색이고 많은 유실(油實)이 있는 작은 점이 존재한다. 열매자루는 길이 3~5mm, 회녹색의 털이 조밀하고, 씨방은 5실로 나뉜다. 특이한 냄새가 있으며, 맛은 맵고 나중에는 쓴맛이 있다.

기미·귀경 열(熱), 신(辛), 고(苦), 유독(有毒)·간(肝), 비(脾), 위(胃)

약효 온중산한(溫中散寒), 이기지구(理氣止嘔)의 효능이 있으므로 구역(嘔逆), 음궐(厥陰)에 의한 두통, 토사, 각기, 산기(疝氣), 치통, 습진을 치료한다.

성분 오수유(吳茱萸)는 정유가 함유되어 있고, 성분은 evodene, evodine, ocimene, evodol 등, 알칼로이드로는 evodiamine, rutaecarpine, evocarpine, rhetisine, synephrine, higenamine, goshuyuamide Ⅱ, formyldihydrorutaecarpine, 1-methyl-2-undecyl-4-(1H) quinolone, 1-methyl-2-[(6Z,9Z)-6,9-pentadecadienyl]-4-(1H) quinolone, dihydroevocarpine, 1-methyl-2-nonyl-4-(1H) quinolone, 1-methyl-2-[(4Z,7Z)-4,7-tridecadienyl]-4-(1H) quinolone, triterpenoid인 limonin, rutaevine, evodol 등이 함유되어 있다.

약리 evodiamine, rutaecarpine은 antianoxic action이 있으며, rutaecarpine, dehydroevodine은 쥐의 자궁을 수축시키며, evodiamine은 열에 의하여 isoevodiamine이 되는데, 이 물질을 토끼의 정맥에 주입하면 진통 효과가 나타난다. rutaecarpine은 thioacetamide로 유도되는 간 섬유화를 억제하는 작용이 있다.

사용법 오수유 10g에 물 3컵(600mL)을 넣고 달여서 복용한다.

처방 오수유탕(吳茱萸湯): 부자(附子)·세신(細辛) 각 3g, 오수유(吳茱萸) 2g, 양강(良薑)·당귀(當歸)·건강(乾薑)·육계(肉桂) 각 1g (「동의보감(東醫寶鑑)」). 산증(疝症)으로 음낭이 수축되고 찬 증상에 사용한다.

• 오수유부자이중탕(吳茱萸附子理中湯): 인삼(人蔘)·백출(白朮)·건강(乾薑)·육계(肉桂) 각 8g, 작약(芍藥)·모려(牡蠣)·감초(甘草)·오수유(吳茱萸)·회향(茴香)·당귀(當歸)·보골지(補骨脂)·부자(附子) 각 4g (「동의보감(東醫寶鑑)」). 소음인이 장궐(腸厥)로 손발이 싸늘해지는 증상에 사용한다.

• 사신환(四神丸): 보골지(補骨脂) 160g, 오미자(五味子)·육두구(肉荳蔻) 각 80g, 오수유(吳茱萸) 40g, 대추(大棗) 240g을 가루로 만들고 생강즙(生薑汁) 160g을 넣어 환을 만든다. 1회 8g씩 복용(「내과적요(內科摘要)」). 노인 또는 허약한 사람의 설사, 소화불량에 사용한다.

＊오수유(吳茱萸)는 오래된 것이 좋다고 하며, 육진팔신(六陳八新)의 하나이다. 육진(六陳)은 낭독(狼毒), 오수유(吳茱萸), 반하(半夏), 진피(陳皮), 지실(枳實), 마황(麻黃)이며, 팔신(八新)은 소엽(蘇葉), 박하(薄荷), 국화(菊花), 도화(桃花), 적소두(赤小豆), 괴화(槐花), 택란(澤蘭), 관동화(款冬花)이다. '쉬나무 *E. danielii*'에 비하여 작은잎이 많고 뒷면에 털이 있으며 열매 끝이 둥근 점이 다르다.

❶ 오수유(吳茱萸)

❶ 오수유나무(꽃)

❶ 오수유(吳茱萸)가 배합된 소화불량 치료제

❶ 오수유나무(열매)

❶ 오수유나무

[운향과]

삼차고

 감모발열   위완동통

👁 인후염

● 학명 : *Euodia lepta* (Spreng.). Merr. [*I. lepta*]   ● 한자명 : 三叉苦

| 1 | 2 | 3 | 4 | 5 | 6 | 7 | 8 | 9 | 10 | 11 | 12 |

❂ 삼차고

낙엽 관목. 높이 2~5m. 줄기껍질은 회백색, 잎은 마주나고 3출엽, 끝이 가늘어진다. 꽃은 황백색, 3~5월에 취산화서로 피고 씨방상위이다. 골돌과는 2~3개, 적갈색으로 성숙하며, 종자는 달걀 모양이다.

분포 · 생육지 중국 저장성(浙江省), 푸젠성(福建省), 장시성(江西省), 타이완. 산골짜기에서 자란다.

약용 부위 · 수치 여름과 가을에 가지나 잎을 채취하여 말린다.

약물명 삼차호(三叉虎). 삼각간(三脚赶)이라고도 한다.

기미 · 귀경 신(辛), 고(苦), 양(涼) · 심(心), 간(肝), 담(膽)

약효 청열해독(淸熱解毒), 거풍제습(祛風除濕), 소종지통(消腫止痛)의 효능이 있으므로 감모발열(感冒發熱), 위완동통(胃脘疼痛), 인후염을 치료한다.

성분 ribalinine, isoplatydesmine 등이 함유되어 있다.

사용법 삼차호 10g에 물 3컵(600mL)을 넣고 달여서 복용한다.

[운향과]

금감나무

👁 구갈   위기능저하

나력

● 학명 : *Fortunella japonica* Swingle var. *margarita* (Lour.) Swingle   ● 별명 : 금감

| 1 | 2 | 3 | 4 | 5 | 6 | 7 | 8 | 9 | 10 | 11 | 12 |

상록 관목. 높이 4m 정도. 잎은 어긋나고 바늘 모양, 길이 4~9cm이다. 꽃은 백색, 잎겨드랑이에 1~2개의 암술이 있고, 씨방은 4~5실이다. 열매는 도란형 또는 긴 타원형이고 길이 2~3cm로 오렌지색이며 익으면 먹을 수 있다. 종자는 길이 10~12mm이다.

분포 · 생육지 중국 원산. 우리나라 남부 지방(진도, 해남, 고흥), 제주도에서 재식한다.

약용 부위 · 수치 열매가 성숙할 때 채취하여 썰어서 말리고, 잎은 여름철에 채취하여 말린다.

약물명 열매를 금귤(金橘), 잎을 금귤엽(金橘葉)이라 한다.

기미 · 귀경 온(溫), 신(辛), 감(甘) · 간(肝), 비(脾), 위(胃)

약효 금귤(金橘)은 이기해울(理氣解鬱), 소식화담(消食化痰), 성주(醒酒)의 효능이 있으므로 과음으로 인한 구갈, 위 기능 저하를 치료한다. 금귤엽(金橘葉)은 서간해울(舒肝解鬱), 이기산결(理氣散結)의 효능이 있으므로 나력(癩癧)을 치료한다.

성분 금귤(金橘)은 fortunellin, vitamin C, citric acid, isocitric acid, malic acid, cartenoid, proline, aspartic acid, coniferin, syringin, dehydroconiferyl alcohol-4-β-*O*-glucoside, cirusin A~D, 6,8-di-*C*-glucosyl apigenin 등이 함유되어 있다.

약리 coniferin을 쥐의 정맥에 주입하면 혈압이 상승하고, 6,8-di-*C*-glucosyl apigenin을 주입하면 혈압이 하강한다.

사용법 금귤 또는 금귤엽 7g에 물 2컵(400mL)을 넣고 달여서 복용한다.

＊ 중국 광둥성(廣東省)에 분포하는 '금탄목(金彈木) *F. crassifolia*'도 약효가 같다.

❂ 금귤(金橘)

❂ 금귤엽(金橘葉)

❂ 금감나무(열매)

❂ 꽃   ❂ 금감나무

커리나무

소화불량, 구역질, 구토   충교상, 자상

● 학명 : *Murraya koenigii* (L.) Sprengel   ● 영명 : Curry tree, Curry patta

| 1 | 2 | 3 | 4 | 5 | 6 | 7 | 8 | 9 | 10 | 11 | 12 |

❍ 커리나무(열매)

낙엽 관목. 높이 3∼6m. 가지가 많이 갈라진다. 잎은 어긋나고 홀수 깃꼴겹잎, 작은잎은 타원형이며 가장자리에 톱니가 있다. 꽃은 백색, 4∼6월에 취산화서로 핀다. 열매는 구형, 7∼9월에 적갈색으로 익는다.

분포 · 생육지 인도를 비롯한 남아시아. 아열대 지방에서 재식한다.

약용 부위 · 수치 잎은 여름에, 열매는 가을에 채취하여 말린다.

약물명 잎을 Murrayae Folium이라 하고, 열매를 Murrayae Fructus라 하며, 일반적으로는 Curry patta라고 한다.

약효 Murrayae Folium은 소화불량, 구역질, 구토, Murrayae Fructus는 벌레에 물린 상처, 자상(刺傷)을 치료한다.

사용법 Murrayae Folium은 2∼3g을 뜨거운 물로 우려내어 복용하고, Murrayae Fructus는 즙액을 환부에 바른다.

❍ 커리나무

구리향나무

위완동통   풍습비통

타박상, 창옹, 독사교상

● 학명 : *Murraya paniculata* (L.) Jack.

| 1 | 2 | 3 | 4 | 5 | 6 | 7 | 8 | 9 | 10 | 11 | 12 |

❍ 구리향나무(꽃)

❍ 구리향나무(열매)

상록 관목. 높이 3∼7m. 가지가 많이 갈라지며 광택이 난다. 잎은 어긋나고 홀수 깃꼴겹잎, 작은잎은 타원형이며 가장자리는 밋밋하다. 꽃은 백색, 4∼6월에 취산화서로 피며, 수술은 8∼10개, 씨방상위, 2실이다. 열매는 타원상 구형, 7∼9월에 붉은색으로 익고 지름 1cm 정도이다.

분포 · 생육지 중국 푸젠성(福建省), 하이난성(海南省), 광둥성(廣東省). 타이완. 산지에서 자란다.

약용 부위 · 수치 여름에 잎과 가지를 채취하여 썰어서 말린다.

약물명 구리향(九里香). 만산향(滿山香)이라고도 한다.

기미 · 귀경 온(溫), 신(辛), 미고(微苦), 소독(小毒) · 심(心), 간(肝), 위(胃)

약효 행기활혈(行氣活血), 산어지통(散瘀止痛), 해독소종(解毒消腫)의 효능이 있으므로 위완동통(胃脘疼痛), 풍습비통(風濕痺痛), 타박상, 창옹(瘡癰), 독사교상(毒蛇咬傷)을 치료한다.

성분 isomexoticin, hainanmurapidin murpanidin, murpanicin, murrangatin, murralongin, 등이 함유되어 있다.

약리 에탄올추출물은 국소 마취 작용이 있다. 에틸아세테이트추출물에는 장관의 경련을 억제하는 작용이 있다.

사용법 구리향 10g에 물 3컵(600mL)을 넣고 달여서 복용한다.

❍ 구리향(九里香)

❍ 구리향나무

[운향과]

상산나무

풍한감모, 해수 | 인후통
관절염 | 종독

●학명 : *Orixa japonica* Thunb. ●별명 : 상산, 송장나무

1	2	3	4	5	6	7	8	9	10	11	12

낙엽 관목. 높이 2m 정도. 잎은 어긋나고 타원형, 길이 5~12cm, 너비 3~7cm, 끝은 뾰족하며 밑은 둥글고 윤채가 돈다. 꽃은 암수딴그루로 4~5월에 피고, 잎은 어릴 때 황록색이다. 삭과는 4개로 갈라지며 흑색 종자가 들어 있다.

분포 · 생육지 우리나라 지리산, 덕유산, 경기. 중국, 일본. 산기슭에서 자란다.

약용 부위 · 수치 뿌리를 봄과 가을에 채취하여 물에 씻은 뒤 썰어서 말린다.

약물명 취산양(臭山羊). 취상산(臭常山)이라고도 한다.

약효 청열해표(淸熱解表), 행기지통(行氣止痛), 거풍이습(祛風利濕)의 효능이 있으므로 풍한감모(風寒感冒), 해수(咳嗽), 인후통, 관절염, 종독을 치료한다.

성분 취산양(臭山羊)은 orixine, kokusagine, kokusaginine, kokusaginoline, skinmianine, nororixine 등의 알칼로이드가 함유되어 있고, 열매에는 kokusagine, skinmianine, 잎에는 skinmianine, kokusagine, japonine, bergapten, xanthotoxin, fridelin, isoarborinol, spathulenol, carbomenthol 등이 함유되어 있다.

사용법 취산양 10g에 물 3컵(600mL)을 넣고 달여서 복용한다.

* '중국상산나무 *Dichroa febrifuga*'의 대용으로 사용하기도 하였다.

❍ 취산양(臭山羊, 절편)

❍ 상산나무

❍ 상산나무(꽃)

❍ 상산나무(열매)

[운향과]

중국황벽나무

설사, 황달, 혈변 | 당뇨병
창독 | 하반신마비 | 몽정

●학명 : *Phellodendron chinense* Schneid. ●별명 : 황피수

1	2	3	4	5	6	7	8	9	10	11	12

낙엽 소교목. 높이 10~12m. 줄기껍질은 암갈색 또는 흑갈색이고, 코르크층이 발달하여 깊이 갈라지며 코르크층을 벗긴 내피는 황색이다. 잎은 마주나고 홀수 1회 깃꼴겹잎, 작은잎은 5~15개이다. 꽃은 자주색, 5~6월에 피며, 꽃덮개는 5~8개이다. 열매는 둥글며 10~11월에 흑색으로 익는다.

분포 · 생육지 중국 산시성(陝西省) 남부, 저장성(浙江省), 장시성(江西省), 후베이성(湖北省), 쓰촨성(四川省), 구이저우성(貴州省), 윈난성(雲南省), 광시성(廣西省). 깊은 산 숲속에서 자란다.

약용 부위 · 수치 줄기껍질을 봄에 채취하여 말린다.

약물명 황백(黃柏). 벽목(蘗木), 벽피(蘗皮), 황벽(黃蘗)이라고도 한다. 대한민국약전(KP)에 수재되어 있다.

성상 황백(黃柏)은 판상~반관상이고 길이와 너비가 고르지 않으나 두께는 2~5mm 정도이다. 표면은 갈색~암갈색이며 평탄하거나 세로무늬가 있고, 마름모의 껍질눈은 흑갈색이다. 안쪽 면은 황갈색으로 가늘고 조밀한 세로줄이 있다. 질은 단단하고 가볍다. 냄새가 나고 맛은 매우 쓰며 씹으면 끈적거리고, 침을 황색으로 물들인다.

* 약효와 사용법은 '황벽나무'와 같다. '황벽나무 *P. amurense*'는 꽃이 황록색, 열매는 자흑색, 작은잎 길이 3~11cm, 너비 1.5~4cm로 본 종과 구분된다.

❍ 중국황벽나무

❍ 황백(黃柏, 절편)

❍ 황백(黃柏)

❍ 황백(黃柏)

[운항과]

황벽나무

● 학명 : *Phellodendron amurense* Rupr. ● 별명 : 황경피나무, 황경나무, 황병피나무

| 1 | 2 | 3 | 4 | 5 | 6 | 7 | 8 | 9 | 10 | 11 | 12 |

낙엽 소교목. 높이 7~10m. 줄기껍질은 회갈색, 코르크층이 발달하여 깊이 갈라지며 코르크층을 벗긴 내피는 황색이다. 잎은 마주나고 홀수 1회 깃꼴겹잎, 작은잎은 5~13개이다. 꽃은 암수딴꽃, 황록색, 5~6월에 원추화서로 달린다. 열매는 둥글며 9~10월에 흑자색으로 익는다.

분포 · 생육지 우리나라 제주도, 전남을 제외한 전역, 중국, 일본, 우수리. 깊은 산 숲 속에서 자란다.

약용 부위 · 수치 줄기껍질을 봄에 채취하여 말린다.

약물명 황백(黃柏). 벽목(蘗木), 벽피(蘗皮), 황벽(黃蘗)이라고도 한다. 대한민국약전(KP)에 수재되어 있다.

본초서 황백(黃柏)은 「신농본초경(神農本草經)」의 중품(中品)에 벽목(蘗木)의 이름으로 수재되었으며, 「신수본초도경(新修本草圖經)」에 처음 황벽(黃蘗)이라는 이름으로 나타난다. 요즘은 노란색 껍질을 가진 측백나무(柏)라는 뜻에서 황백(黃柏)이라고 한다. 「동의보감(東醫寶鑑)」에는 "오장, 위장에 몰린 열과 황달, 장치(腸痔)를 낫게 하고, 이질, 설사를 그치게 하며, 자궁에서 분비물이 나오는 것, 음부가 헌 것 등을 낫게 하고, 감충을 구제하며 옴과 버짐을 없앤다. 눈이 충혈되고 아픈 것, 구창(口瘡)을 치료하며, 몸이 허약하여 뼛속이 후끈후끈 달아오르는 것을 낫게 한다."고 하였다.

神農本草經: 主五臟腸胃中結熱 黃疸 腸痔 止瀉痢 女子漏下赤白 陰傷蝕瘡.

藥性論: 主男子陰痿. 治下血如雞鴨肝片, 及男子莖上瘡, 屑末敷之.

東醫寶鑑: 主五臟腸胃中結熱 黃疸 腸痔 療泄痢 女子漏下赤白 陰傷蝕瘡 殺疳蟲 疥癬 治目熱赤痛 口瘡 除骨蒸勞熱.

성상 판상~반관상의 조각으로 두께 2~4mm, 너비 5~15cm, 길이 20~40cm이다. 표면은 황갈색~회갈색이다. 안쪽 면은 황색~황갈색, 꺾은 면은 섬유질이며 담황색이다. 횡단면을 확대경으로 보면 피부의 바깥층은 황색으로 얇고, 피부의 안층은 두껍다. 갈색을 나타내는 체관부 섬유속이 층을 이루어 접선 방향으로 놓여서 방사 조직과 교차하여 격자상을 이루고 있다. 냄새는 특이하고 맛은 매우 쓰며 씹으면 끈적거리고 침을 황색으로 물들인다.

품질 피부가 고르게 두껍고 단면의 색이 황색이며 berberine의 양이 많은 것이 좋다.

기미 · 귀경 한(寒), 고(苦) · 신(腎), 방광(膀胱), 대장(大腸)

약효 황백(黃柏)은 청열조습(淸熱燥濕), 퇴허열(退虛熱), 사화해독(瀉火解毒)의 효능이 있으므로 서열(暑熱)로 인한 설사, 당뇨병, 황달, 하반신마비, 몽정, 혈변, 창독(瘡毒)을 치료한다.

성분 알칼로이드 berberine, jatrorrhizine, magnoflorine, phellodendrine, candicine, palmatine, menisperine, 그 외에 obacunone, obakulactone, dictamnolide, limonine, (+)-syringaresinol di-O-β-D-glucopyranoside, salvadoraside, citrusin B, osmanthside H, kelampayoside A 등이 함유되어 있다.

약리 에탄올추출물은 콜레라균, 티푸스균, 연쇄구균 등에 항균 작용이 있고, 종양 세포의 성장을 억제하고, limonine은 혈당 강하 작용이 있다. berberine은 여러 세균에 항균 작용이 있고, 경구 투여에 의하여 위액의 분비, 식욕 항진 작용이 있고, obacunone은 췌장액의 분비를 증진시킨다. obakulactone, limonine은 COX-2의 활성을 저해한다. berberine, palmatine은 암세포인 HL-60에 세포 독성이 있다.

사용법 황백 5g에 물 2컵(400mL)을 넣고 달여서 복용하거나 환약으로 하여 복용하고, 외용에는 가루로 만들어 붙이거나 달인 액에 아픈 부위를 담근다.

처방 황백탕(黃柏湯): 황백(黃柏) · 황련(黃連) · 백두옹(白頭翁) · 승마(升痲) · 당귀(當歸) · 모려(牡蠣) · 석류피(石榴皮) · 황금(黃芩) · 상기생(桑寄生) · 감초(甘草) 각 0.8g, 서각(犀角) · 애엽(艾葉) 각 0.4g「동의보감(東醫寶鑑)」. 어린아이가 여름철에 감기로 열과 두통이 있고 가슴이 답답하고 혈변(血便)이 있는 증상에 사용한다.

• 황련해독탕(黃連解毒湯): 황련(黃連) · 황금(黃芩) · 황백(黃柏) · 치자(梔子) 각 5g「동의보감(東醫寶鑑)」. 삼초(三焦)에 열이 심하여 가슴이 답답하고 입안과 목이 마르며 열이 나며 헛소리를 하고 잠을 이루지 못하는 증상에 사용한다.

• 대보음환(大補陰丸): 황백(黃柏) · 지모(知母) 각 160g, 숙지황(熟地黃) · 귀판(龜板) 각 240g. 오동자(梧桐子) 크기의 알약으로 만들어 1회 50알 복용「단계(丹溪)」. 위화항성(胃火亢盛)으로 인한 골증조열(骨蒸潮熱), 도한(盜汗), 유정(遺精)에 사용한다.

❶ 황백(黃柏)

❶ 황백(黃柏, 절편)

❶ 황백(黃柏, 가루)

❶ 황벽나무(열매)

❶ 황벽나무(줄기)

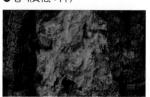
❶ 황벽나무 줄기의 코르크층을 벗기면 황색의 내피가 드러난다.

❶ 황벽나무(꽃)

❶ 멘톨, 황백(黃柏)이 배합된 습포제

❶ 황백(黃柏)이 주약으로 배합된 파스

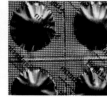
❶ 황백(黃柏)으로 만든 건위정장약

❶ 황벽나무

[운향과]

탱자나무

흉격담체, 식적, 구토, 하리후중, 반위, 변혈

탈항, 산기, 치창 ♀ 자궁탈수 👁 치통

● 학명 : *Poncirus trifoliata* Rafin. ● 별명 : 탱자, 지귤

| 1 | 2 | 3 | 4 | 5 | 6 | 7 | 8 | 9 | 10 | 11 | 12 |

낙엽 관목. 높이 3m 정도. 줄기와 가지는 약간 편평하며 녹색이고 길이 3~5cm의 가시가 어긋난다. 잎은 어긋나며 3출엽, 꽃은 백색, 5월에 잎겨드랑이에 피고 꽃받침과 꽃잎은 5개이다. 열매는 둥글고 지름 3~4cm이다.

분포·생육지 중국 원산. 우리나라 중부 이남에서 재식한다.

약용 부위·수치 덜 익은 열매를 가을에, 잎을 여름에 채취하여 말린다.

약물명 덜 익은 열매를 구귤(枸橘)이라 하며, 취귤(臭橘)이라고도 한다. 우리나라에서는 지실(枳實)이라 한다. 잎은 구귤엽(枸橘葉), 종자는 구귤핵(枸橘核), 뿌리껍질은 지근피(枳根皮)라 한다. 지실(枳實)은 대한민국약전(KP)에 수재되어 있다.

본초서 구귤(枸橘)은 「신농본초경(神農本草經)」의 중품(中品)에 수재되었으며, 지각(枳殼)은 송(宋)의 「개보본초(開寶本草)」에 처음 수재되었다. 지실(枳實)과 지각(枳殼)이 같은 것인지 다른 것인지는 논란이 많다. 구종석(寇宗奭)은 "지실(枳實)과 지각(枳殼)은 같은 것이다. 작은 것은 성질이 격렬하고 빠르며, 큰 것은 느리며 부드럽다."고 설명하였으며, 「도경본초(圖景本草)」에서 "성숙한 것을 지각(枳殼)이라고 하고, 작은 것은 지실(枳實)이다."라고 하였으며, 「본초강목(本草綱目)」에서도 이를 지지하고 있다. 「동의보감(東醫寶鑑)」에는 "피부가 심하게

가려운 것과 담이 옆구리로 가서 옆구리가 아픈 것을 낫게 하며, 배가 몹시 부풀어 오르며 속이 그득한 증상과 명치 밑이 답답하면서 아픈 것을 가시게 하고 체한 것을 내린다."고 하였다.

東醫寶鑑: 主皮膚苦痒 除痰癖 消脹滿心下痞痛 消宿食.

성상 구귤(枸橘)은 미성숙 열매로 잘라져 있다. 표면은 녹갈색, 지름 1.5~2cm, 유점(油點)에 의한 오목한 작은 점이 많다. 냄새가 향기롭고 맛은 쓰다.

기미·귀경 구귤(枸橘): 온(溫), 신(辛), 고(苦)·간(肝), 위(胃)

약효 구귤(枸橘)은 파기(破氣), 행담(行痰), 소적(消積), 산결(散結)의 효능이 있으므로 흉격담체(胸隔痰滯), 식적(食積), 구토(嘔吐), 하리후중(下痢後重), 탈항, 자궁탈수를 치료한다. 구귤엽(枸橘葉)은 이기(理氣), 거풍(祛風), 소독(消毒), 산결(散結)의 효능이 있으므로 반위(反胃), 구토, 산기(疝氣)를 치료한다. 구귤핵(枸橘核)은 지혈(止血)의 효능이 있으므로 장풍하혈(腸風下血)을 치료한다. 지근피(枳根皮)는 염혈(斂血), 지통(止痛)의 효능이 있으므로 치창(痔瘡), 변혈(便血), 치통을 치료한다.

성분 구귤(枸橘)에는 poncirin, hesperidin, rhoifolin, naringin, neohesperidin, aurapten, *d*-limonene, linalool, α-cymene, α-pinene, caryophyllene, cam-

phene 등, 구귤엽(枸橘葉)에는 poncirin, neoponcirin, naringin, rhoifolin 등이 함유되어 있다. 지근피(枳根皮)에는 poncitrin, marmesin, nordentatin, 5-hydroxynora-cronycine, xanthyletin, clausarin, ponfolin, sesline 등이 함유되어 있다.

약리 구귤(枸橘)의 에탄올추출물은 여러 암세포의 성장을 억제하고, 두꺼비의 적출 심장에 수축 작용이 있고, 마취한 개에게 투여하면 이뇨 작용이 있다.

사용법 구귤, 구귤엽 또는 구귤핵 10g에 물 3컵(600mL)을 넣고 달여서 복용하거나 가루약 또는 환약으로 복용하고, 외용에는 달인 액으로 씻거나 볶아서 환부를 찜질한다.

처방 지실소비환(枳實消痞丸): 지실(枳實)·황련(黃連) 각 20g, 후박(厚朴) 16g, 반하(半夏)·인삼(人蔘) 각 12g, 감초(甘草)·맥아(麥芽)·복령(茯苓)·백출(白朮) 각 8g, 건강(乾薑) 4g「난실비장(蘭室秘藏)」. 완복비만(脘腹痞滿), 창통(脹痛), 소화불량의 증상에 사용한다.

• 지실산(枳實散): 지실(枳實) 40g, 작약(芍藥)·천궁(川芎)·인삼(人蔘) 각 20g을 가루로 만들어 1회 8g 복용「본사방(本事方)」. 간기(肝氣) 부족으로 옆구리와 가슴이 아픈 증상에 사용한다.

❶ 구귤(枸橘, 신선품)

❶ 구귤(枸橘)

❶ 탱자나무(꽃)

❶ 탱자나무(미성숙 열매)

❶ 탱자나무(성숙한 열매)

❶ 지실(枳實), 대추, 감초 등이 배합된 화농증 치료제

❶ 탱자나무

[운향과]

홉나무

소화불량　　감기

● 학명 : *Ptelea trifoliata* L.　● 영명 : Hop tree

1 2 **3 4** 5 **6** 7 8 9 10 11 12

○ 홉나무(열매)

낙엽 관목. 높이 4~7m. 줄기껍질은 방향성이 강하다. 잎은 어긋나며 3출엽이다. 꽃은 녹황색, 5월에 잎겨드랑이에 피고, 꽃받침과 꽃잎은 5개이다. 열매는 시과로 원형이고 끝이 움푹 파이며 가운데 종자가 들어 있다.

분포 · 생육지 북아메리카 온타리오, 플로리다, 멕시코 원산. 세계 각처에서 재식한다.

약용 부위 · 수치 줄기껍질을 봄에 채취하여 썰어서 말린다.

약물명 Pteleae Cortex

약효 해열, 건위의 효능이 있으므로 소화불량, 감기, 가슴앓이를 치료한다.

사용법 Pteleae Cortex 10g에 물 3컵(600mL)을 넣고 달여서 복용한다.

○ 홉나무

[운향과]

운향풀

감기몸살　　류머티즘, 소아경련

탈장, 소변불리　　하리

● 학명 : *Ruta graveolens* L.

1 2 3 4 5 6 7 **8 9 10** 11 12

○ 취초(臭草)

여러해살이풀. 높이 1m 정도. 줄기의 밑부분은 목질화한다. 잎은 어긋나고 2~3회 깃꼴로 갈라진다. 꽃은 황색, 5~6월에 줄기 끝이나 잎겨드랑이에 취산화서로 달리며, 꽃잎과 꽃받침은 4~5개, 수술은 8~10개이다. 삭과는 4~5실, 성숙하면 열개된다. 종자는 신장형이며 흑색이다.

분포 · 생육지 중국 원산. 우리나라 전역에서 재배한다.

약용 부위 · 수치 전초를 가을에 채취하여 말린다.

약물명 취초(臭草), 취애(臭艾), 소향초(小香草)라고도 한다.

약효 거풍퇴열(祛風退熱), 활혈산어(活血散瘀)의 효능이 있으므로 감기몸살, 류머티즘, 소아경련, 소변불리, 하리(下痢), 탈장, 습진을 치료한다.

성분 향기가 강한 정유가 많이 함유되어 있으며, 주성분은 methyl-*n*-nonylketone, methylhepthylketone, nonan-2-ol, cineole, linalool 등, 알칼로이드 성분으로는 graveoline, kokusagine, skimmianine, edulinine, arborinine 등이 함유되어 있다.

약리 열수추출물을 토끼에게 투여하면 혈압이 하강하고, 병원균에 항균 작용이 있다.

사용법 취초 10g에 물 3컵(600mL)을 넣고 달여서 복용하고, 외용에는 짓찧어 붙이거나 즙액을 바른다.

○ 열매　　　　○ 운향풀

[운향과]

머귀나무

 산후관절통 　 독사교상, 타박상, 개선
 심복냉통, 설사 　👁 치통

● 학명 : *Zanthoxylum ailanthoides* S. et Z.
● 한자명 : 樗葉花椒 　● 별명 : 민머귀나무, 매오동나무

1	2	3	4	5	6	7	8	9	10	11	12

낙엽 교목. 높이 15m 정도. 줄기껍질은 회색, 가시는 길이 1.5~3mm이다. 잎은 어긋나고 홀수 1회 깃꼴겹잎이다. 꽃은 암수딴그루, 황색, 8월에 가지 끝에 산형상 원추화서로 달린다. 열매는 11월에 익고 매운 맛이 있으며 향기가 적고 돌기가 많다.

분포 · 생육지 우리나라 제주도, 울릉도와 남쪽 섬, 전남. 중국, 일본, 타이완, 필리핀. 산기슭에서 자란다.

약용 부위 · 수치 줄기껍질을 봄에 채취하여 적당한 크기로 썰어서 말린다.

약물명 줄기껍질을 절동피(浙桐皮)라 하며, 저엽화초피(樗葉花椒皮)라고도 한다. 또 열매를 저엽화초과(樗葉花椒果)라 하며, 식수유(食茱萸)라고도 한다. 잎은 저엽화초엽(樗葉花椒葉)이라 한다.

본초서 「동의보감(東醫寶鑑)」에 열매는 식수유(食茱萸)라는 이름으로 수재되어, "찬 기운으로 손발의 감각이 없어지고 저리며 다리에 힘이 없고 약한 것을 낫게 하며, 성 기

능을 활발하게 하고, 충치통을 낫게 하며, 장 속에 있는 촌백충과 회충을 구제하고 충독을 없앤다. 치질, 몸의 기운이 허하고 몸이 붓는 것을 치료한다."고 하였다. 절동피(浙桐皮)는 "치통을 없앤다."고 하였다.

東醫寶鑑: 食茱萸 主冷痹 腰脚軟弱 起陽殺 齒蟲痛 及腹中三蟲 惡蟲毒 療腸風 痔疾 去虛冷 療水氣.
浙桐皮 殺牙齒蟲 止痛.

기미 · 귀경 절동피(浙桐皮): 평(平), 신(辛), 고(苦), 소독(小毒) · 간(肝), 비(脾). 저엽화초과(樗葉花椒果): 고(苦), 신(辛), 온(溫). 저엽화초엽(樗葉花椒葉): 고(苦), 신(辛), 평(平)

약효 절동피(浙桐皮)는 거풍습(祛風濕), 살충(殺蟲)의 효능이 있으므로 산후관절통, 독사교상(毒蛇咬傷), 타박상, 개선(疥癬)을 치료한다. 저엽화초과(樗葉花椒果)는 온중조습(溫中燥濕), 살충(殺蟲), 지통(止痛)의 효능이 있으므로 심복냉통(心腹冷痛), 한음

(寒飮), 설사, 치통을 치료한다.

성분 절동피(浙桐皮)에는 skimmianine, magnoflorine, laurifoline, 뿌리에는 dict-amine, xanthyletin, skimmianine, laurifo-line, nitidine 등이 함유되어 있다.

사용법 절동피 또는 저엽화초과 10g에 물 3컵(600mL)을 넣고 달여서 복용하거나, 환약, 가루약으로 하여 복용한다. 외용에는 짓찧어 바른다.

✿ 저엽화초과(樗葉花椒果)

✿ 머귀나무(줄기)

✿ 머귀나무(열매)

✿ 머귀나무

✿ 머귀나무의 줄기껍질을 벗긴 모습

[운향과]

화초나무

| 소화불량, 심복냉통, 구토, 설사 | 생식기가려움증 |
| 탈항, 수종창만 | 각기 | 효천 |

● 학명 : *Zanthoxylum bungeanum* Maxim. ● 별명 : 화초, 중국산초나무

| 1 | 2 | 3 | 4 | 5 | 6 | 7 | 8 | 9 | 10 | 11 | 12 |

낙엽 관목. 높이 3~7m. 어린가지는 적갈색이고 가시가 있으며 어긋난다. 잎은 어긋나고 홀수 1회 깃꼴겹잎, 작은잎은 5~11개이다. 꽃은 암수딴그루, 9월에 피며, 열매는 붉은색~적자색, 지름 4~5mm, 흑색 종자가 들어 있다.

분포·생육지 우리나라 전역. 일본, 중국 둥베이(東北) 지방, 타이완. 산기슭 양지에서 자란다.

약용 부위·수치 열매껍질과 종자는 가을에 채취하여 말리고, 잎은 여름철에 채취한다.

약물명 열매껍질을 화초(花椒)라고 하며, 산초(山椒), 대초(大椒), 촉초(蜀椒)라고도 한다. 종자를 초목(椒目), 잎을 화초엽(花椒葉)이라 한다.

본초서 화초(花椒)는 「신농본초경(神農本草經)」의 하품(下品)에 촉초(蜀椒)라는 이름으로 수재되었고, 「중품(中品)」에 진초(秦椒)라는 이름으로 수재되었으며 "사기궐역(邪氣厥逆)을 치료하며, 골절, 피부의 사기(死肌), 한습비통(寒濕痺痛)을 제거하고, 하기(下氣), 중초(中焦)를 따뜻하게 하고 한비(寒痺)를 몰아낸다."고 하였다. 「동의보감(東醫寶鑑)」에는 "한센병으로 몸에 감각이 없는 것을 낫게 하고, 치아를 튼튼하게 하며, 머리카락이 빠지지 않게 하며, 눈을 밝게 하고 찬 기운으로 인한 복통, 이질을 낫게 한다."고 하였다.

神農本草經: 秦椒, 主風邪氣, 溫中, 除寒痺, 堅齒髮, 明目.

本草綱目: 散寒除濕, 解郁結, 通三焦, 補右腎命門, 殺蛔蟲, 止泄瀉.

東醫寶鑑: 主大風癩痺 堅齒髮 明目 療腹中冷痛 止痢.

성상 화초(花椒)는 열매껍질로 지름 4~5mm, 표면은 적자색이며 사마귀 모양으로 돌기된 유점(油點)이 많고, 안쪽 면은 담황색이다. 냄새는 강한 방향성이며, 맛은 맵고 혀를 마비시킨다.

기미·귀경 온(溫), 신(辛), 소독(小毒)·비(脾), 위(胃), 신(腎)

약효 화초(花椒)는 온중산한(溫中散寒), 제습지통(除濕止痛), 살충, 해어성독(解魚腥毒)의 효능이 있으므로 소화불량, 뱃속이 그득한 증상, 심복냉통(心腹冷痛), 구토, 설사, 생식기가려움증을 치료한다. 초목(椒目)은 이수소종(利水消腫), 거담평천(祛痰平喘)의 효능이 있으므로 수종창만(水腫脹滿), 효천(哮喘)을 치료한다. 화초엽(花椒葉)은 온중산한(溫中散寒), 조습건비(燥濕健脾)의 효능이 있으므로 탈항, 각기(脚氣), 소화불량을 치료한다.

성분 화초(花椒)는 limonene, myrcene, 1,8-cineole, pinene, sabinene, β-phellendrene, *p*-cymene 등이 함유되어 있다.

약리 열수추출물은 항궤양 작용이 있고, 평활근 수축 작용이 있다.

사용법 화초, 초목 또는 화초엽 각각 5g에 물 2컵(400mL)을 넣고 달여서 복용하거나 환약 또는 가루약으로 복용한다. 외용에는 가루로 하여 붙이거나 달인 액으로 씻는다.

처방 대건중탕(大健中湯): 산초(山椒)·인삼(人蔘)·건강(乾薑)·교이(餃飴)(「금궤요략(金匱要略)」). 허로(虛勞)로 온몸이 나른하고 쉽게 피곤해지며 아랫배가 당기며 아픈 증상에 사용한다.

• 초목환(椒目丸): 창출(蒼朮) 80g, 산초(山椒) 40g(「동의보감(東醫寶鑑)」). 간신허(肝腎虛)로 눈앞이 침침해지고 시력이 좋지 못한 증상에 사용한다.

❶ 화초나무

❶ 화초나무(가시가 크고 작은잎의 수가 적고 큰 편이다.)

❶ 화초나무 열매로부터 얻은 화초유(花椒油)

❶ 화초나무(열매)

❶ 화초(花椒, 중국 성도)

❶ 화초(花椒)

[운향과]

양면침

 풍한습비, 근골동통　　인후염

- 학명 : *Zanthoxylum nitidum* (Roxb.) DC.　● 한자명 : 兩面針

1 2 3 4 5 6 7 8 9 10 11 12

상록 관목. 높이 2m 정도. 가지에 턱잎이 변한 납작한 가시가 있다. 잎은 어긋나고 홀수 1회 깃꼴겹잎, 작은잎 양면의 주맥에는 가시가 있다. 꽃은 암수딴그루, 3~4월에 산방상 원추화서로 핀다. 열매는 둥글며 적자색으로 익고, 종자는 흑색이다.

분포 · 생육지 중국 저장성(浙江省), 푸젠성(福建省), 쓰촨성(四川省), 윈난성(雲南省), 타이완. 산지에서 자란다.

약용 부위 · 수치 뿌리를 여름에 채취하여 물에 씻은 후 썰어서 말린다.

약물명 입지금우(入地金牛), 만초(蔓椒), 시초(豕椒), 양면침(兩面針)이라고도 한다.

약효 거풍통락(祛風通絡), 승습지통(勝濕止痛), 소종해독(消腫解毒)의 효능이 있으므로 풍한습비(風寒濕痹), 근골동통(筋骨疼痛), 인후염을 치료한다.

성분 nitidine, oxynitidine, 6-methoxy-5,6-dihydrochelerythrine, chelerythrine, oxychelerythrine 등이 함유되어 있다.

약리 열수추출물은 동물 실험에서 진통, 진정, 강심 작용이 나타난다.

사용법 입지금우 7g에 물 2컵(400mL)을 넣고 달여서 복용한다.

○ 양면침(줄기)

○ 양면침

[운향과]

초피나무

소화불량, 심복냉통, 구토, 설사　　생식기가려움증
탈항, 수종창만　　각기　　효천

- 학명 : *Zanthoxylum piperitum* A. P. DC.
- 별명 : 전피, 제피나무, 상초나무, 좀피나무, 조피나무

1 2 3 4 5 6 7 8 9 10 11 12

낙엽 관목. 높이 2.5~3m. '산초나무'에 비하여 꽃잎이 없고 가시가 마주난다. 작은잎은 타원형이고 물결 모양의 톱니가 있다. 열매는 적갈색으로 익는다.

분포 · 생육지 우리나라 전역. 중국, 일본, 타이완. 산기슭 양지에서 자란다.

약용 부위 · 수치 열매껍질과 종자는 가을에 채취하여 말리고, 잎은 여름철에 채취한다.

약물명 열매껍질을 산초(山椒), 종자를 초목(椒目), 잎을 화초엽(花椒葉)이라 한다.

본초서 「동의보감(東醫寶鑑)」에는 산초(山椒)와 초목(椒目), 초엽(椒葉)이 수재되어 있다. 산초(山椒)는 "속을 따뜻하게 하고 피부의 죽은 살을 없애며 한습비로 아픈 것을 낫게 한다. 육부에 있는 찬 기운을 없애고 귀주를 낫게 하며 독충의 독을 풀고 벌레 독이나 생선 독을 없앤다. 치통을 낫게 하고 성 기능을 활발하게 하며 음낭에서 땀이 나는 것을 멎게 한다. 허리와 무릎을 따뜻하게 하고 소변을 자주 보는 것을 줄이며 기운을 내려가게 한다."고 하였다. 초목(椒目)은 "몸이 붓는 것을 가라앉히고 몸속의 수분을 잘 빠지게 하며 소변을 잘 나오게 하고 수고(水蠱)를 낫게 한다."고 하였다. 초엽(椒葉)은 "장의 경련으로 배가 아픈 것과 복량(伏梁) 및 신장과 음낭이 당기면서 아픈 것을 낫게 하며 구토와 설사가 계속되어 근육통이 생길 때에는 초엽을 쪄서 찜질하면 좋다."고 하였다

東醫寶鑑: 山椒 溫中 主皮膚死氣 寒熱痺痛 除六腑寒冷 鬼疰蟲毒 殺蟲魚毒 除齒痛 壯陽 止陰寒 暖腰膝 縮小便 下氣.
椒目 治十二種水氣 能行水 利小便 治水蠱.
椒葉 治奔豚 伏梁及內外腎鈎痛 并霍亂轉筋 蒸熨之.

성상 열매껍질은 지름 3~4mm, 표면은 적갈색~암적색이며 사마귀 모양으로 돌기된 유점(油點)이 많고, 내면은 황백색이다. 냄새는 향기롭고, 맛은 맵고 혀가 아리다.

성분 열매는 estragaole, (*E*)-β-ocimene, germacrene-d, β-caryophyllene, α-humulene 등, 잎에는 estragaole, α-pinene, (*E*)-2-hexenal, hexanal, β-phellandrene, germacrene-d 등이 함유되어 있다.

사용법 산초, 초목 또는 화초엽 각각 5g에 물 2컵(400mL)을 넣고 달여서 복용하거나 환약 또는 가루약으로 복용한다. 외용에는 가루로 하여 붙이거나 달인 액으로 씻는다.
＊ 약효는 '화초나무'와 같다.

○ 초피나무

○ 산초(山椒)

○ 초피나무(꽃)

개산초나무

완복냉통, 한습토사   개선창양

◐ 죽엽초(竹葉椒)

● 학명 : *Zanthoxylum planispinum* S. et Z.
● 한자명 : 竹葉椒   ● 별명 : 개산초, 겨울사리좀피나무, 사철초피나무

| 1 | 2 | 3 | 4 | 5 | 6 | 7 | 8 | 9 | 10 | 11 | 12 |

상록 관목. 높이 4m 정도. 가지에 턱잎이 변한 납작한 가시가 있다. 잎은 어긋나고 홀수 1회 깃꼴겹잎, 작은잎은 3~7개이다. 꽃은 암수딴그루, 5~6월에 핀다. 열매는 둥글며 붉은색으로 익고, 종자는 흑색이다.

분포 · 생육지 우리나라 남부 지방. 중국, 일본. 산 중턱이나 산골짜기에서 자란다.

약용 부위 · 수치 열매를 여름에 채취하여 종자를 버리고 열매껍질을 말려 사용한다.

약물명 죽엽초(竹葉椒), 산초(山椒), 구화초(狗花椒)라고도 한다.

기미 · 귀경 온(溫), 신(辛), 미고(微苦), 소독(小毒) · 비(脾), 위(胃)

약효 온중조습(溫中燥濕), 산한지통(散寒止痛), 구충지양(驅蟲止痒)의 효능이 있으므로 완복냉통(脘腹冷痛), 한습토사(寒濕吐瀉), 개선창양(疥癬瘡瘍)을 치료한다.

사용법 죽엽초 7g에 물 2컵(400mL)을 넣고 달여서 복용하거나 환약 또는 가루약으로 복용한다. 외용에는 가루로 하여 붙이거나 달인 액으로 씻는다.

◐ 개산초나무

산초나무

소화불량, 심복냉통, 구토, 설사   생식기가려움증
탈항, 수종창만   각기   효천

● 학명 : *Zanthoxylum schinifolium* S. et Z.
● 한자명 : 靑椒   ● 별명 : 분지나무, 산추나무, 상초나무

| 1 | 2 | 3 | 4 | 5 | 6 | 7 | 8 | 9 | 10 | 11 | 12 |

낙엽 관목. 높이 2.5~3m. 어린가지는 적갈색이고 가시가 있으며 어긋난다. 잎은 어긋나고 홀수 1회 깃꼴겹잎이다. 꽃은 암수딴그루, 황록색, 8월에 핀다. 열매는 녹갈색, 지름 4mm, 흑색 종자가 들어 있다.

분포 · 생육지 우리나라 전역. 중국, 일본, 타이완. 산기슭 양지에서 자란다.

약용 부위 · 수치 열매껍질과 종자는 가을에 채취하여 말리고, 잎은 여름철에 채취한다.

약물명 열매껍질을 산초(山椒), 종자를 초목(椒目), 잎을 화초엽(花椒葉)이라 한다. 산초(山椒)는 대한민국약전(KP)에 수재되어 있다.

본초서 「동의보감(東醫寶鑑)」에 산초(山椒)는 촉초(蜀椒)라는 이름으로 수재되어 "한센병으로 몸에 감각이 없는 것을 낫게 하고, 치아를 튼튼하게 하며, 머리카락이 빠지지 않게 하며, 눈을 밝게 하고 찬 기운으로 인한 복통, 이질을 낫게 한다."고 하였다.

東醫寶鑑: 主大風癧痺 堅齒髮 明目 療腹中冷痛 止痢.

성상 열매껍질로 2~3개가 상부에서 이생

하는 골돌과이다. 지름 3~4mm, 표면은 회녹색~암녹색이며 사마귀 모양으로 돌기된 유점(油點)이 많고, 안쪽 면은 황백색이다. 냄새는 강한 방향성이며 맛은 맵고 혀를 마비시킨다.

성분 산초(山椒)에는 β-caryophyllene, estragaole, (E)-β-ocimene, germacrene-d, α-humulenegeraniol, limonene, cumic alcohol, α-sanshool, β-sanshool, hydroxy-α-sanshool, hydroxy-β-sanshool, γ-sanshool, hydroxy-γ-sanshool, bergapten, kokusaginine, skimmianine, haplopine, schnifoline 등이 함유되어 있다. 잎은 collinin, 8-methoxyanisocoumarin, 7-(6R-hydroxy-3′,7′-dimethylocta-2′,7′-dienyloxy)-coumarin, (E)-4-methyl-6-(coumarin-7′-yloxy)hex-4-enal, lupeol, epi-lupeol, phytol, hexadec-3-enoic acid, palmitic acid, estragaole, (E)-2-hexenal, α-pinene, β-phellandrene, germacrene-d 등이 함유되어 있다.

약리 산초(山椒)의 핵산추출물은 그람 음성

균인 *Acineobacter baumannii*에 항균 작용이 있다. 줄기의 열수추출물은 돼지 위장염 바이러스(TGEV, transmissible gastroenteritis virus)와 돼지 유행성설사 바이러스(PEDV, porcine epidemic diarrhea virus)에 효과적인 항바이러스 작용이 있다. collinin과 phytol은 Jurkat T 세포에 세포독성이 있다.

사용법 산초 5g에 물 2컵(400mL)을 넣고 달여서 복용하거나 환약 또는 가루약으로 복용한다. 외용에는 가루로 하여 붙이거나 달인 액으로 씻는다.

＊ 약효는 '화초나무 Z. bungeanum'와 같다.

◐ 산초나무(열매)

○ 산초나무

○ 산초(山椒)

○ 화초엽(花椒葉)

[소태나무과]

가중나무

만성하리, 혈변 대하, 백대하
유정, 혈뇨 창개, 수포진

● 학명 : *Ailanthus altissima* (Mill.) Swingle ● 별명 : 가죽나무

| 1 | 2 | 3 | 4 | 5 | 6 | 7 | 8 | 9 | 10 | 11 | 12 |

낙엽 교목. 높이 20m 정도. 잎은 홀수 1회 깃꼴겹잎이다. 꽃은 암수딴그루, 지름 7~8mm, 녹색이 도는 백색이다. 꽃받침은 5개로 갈라지며, 5개의 꽃잎은 끝이 안으로 꼬부라지고, 수술은 10개, 씨방은 5심피이다. 열매는 시과로 적갈색, 얇은 바늘 모양, 길이 3~4cm, 1개의 종자가 들어 있다.

분포 · 생육지 중국 원산. 우리나라 마을 근처에서 흔히 재식하고 있다.

약용 부위 · 수치 뿌리껍질, 잎, 열매를 여름부터 가을까지 채취하여 말린다.

약물명 뿌리껍질 또는 줄기껍질을 저백피(樗白皮)라 하며, 저근피(樗根皮), 저근백피(樗根白皮), 저피(樗皮), 춘백피(椿白皮)라고도 한다. 잎을 저엽(樗葉), 열매를 봉안초(鳳眼草)라 한다. 저백피(樗白皮)는 대한민국약전외한약(생약)규격집(KHP)에 수재되어 있다.

본초서 저백피(樗白皮)는 「약성론(藥性論)」에 수재되어 "적백리(赤白痢), 장활(腸滑), 치질(痔疾)에 의한 사혈(瀉血)이 멈추지 않을 때 사용한다."고 하였으며, 「본초습유(本草拾遺)」에는 "만성(慢性)적인 적백리(赤白痢), 살충(殺蟲), 하혈(下血)을 치료한다."고 하였다. 「동의보감(東醫寶鑑)」에는 "피고름이 섞인 대변을 보는 것이 오래된 것, 치질로 피를 계속 쏟는 것을 낫게 한다. 입과 코의 감충(疳蟲), 옴, 악창의 벌레를 죽이며

귀주(鬼疰), 전시(傳尸), 독충의 독으로 하혈하는 것을 그치게 하고, 소변 횟수를 줄인다."고 하였다.

藥性論: 治赤白痢, 腸滑, 痔疾, 瀉血不住.
本草綱目: 制硫黃, 砒石, 黃金.
東醫寶鑑: 主赤白久痢 腸滑及痔疾 腸風瀉血 不住 殺口鼻中疳蟲 去疥癬 主鬼疰 傳尸 能縮小便.

성상 고르지 않은 모양으로 관상~반관상이며, 길이 3~10cm, 너비 1~5cm, 두께 2~5mm이다. 표면은 회백색~담갈색으로 엉성하며 때로는 코르크층이 떨어져 황색을 나타내기도 한다. 안쪽은 매끄럽고 점 모양의 혹이 많이 배열되어 있다. 질은 단단하면서도 연하며, 꺾은 면은 매끈하지 않고 섬유상이다. 냄새가 강하며 맛은 매우 쓰다.

품질 표면은 회백색~엷은 갈색을 나타내고, 안쪽은 엷은 황색이 매끄럽고 점 모양의 혹이 많으며 꺾을 때 강렬한 냄새가 있는 것이 좋다.

기미 · 귀경 한(寒), 고(苦), 삽(澁) · 대장(大腸), 소장(小腸)

약효 저백피(樗白皮)는 청열조습(淸熱燥濕), 지혈(止血), 살충(殺蟲)의 효능이 있으므로 만성하리, 혈변(血便), 대하(帶下), 유정(遺精)을 치료한다. 저엽(樗葉)은 창개(瘡疥), 수포진(水疱疹)을 치료하며, 봉안초(鳳

眼草)는 이질, 장풍에 의한 혈변, 혈뇨, 백대하를 치료한다.

성분 quassinoid인 chapparinone, amarolide, ailanthone, shinjulactone A–N, 13,18–dihydroglaucarubinone, 13,18–dihydroglaucarubolone, ailantinol A, B, D, E, F, G, 6α–tigloxychaparrinone, indole 알칼로이드인 canthin–6–one, 1–methoxycanthin–6–one, 5–methoxycanthin–6–one, canthin–6–one–3–N–oxide, merosin 등이 함유되어 있다.

약리 에탄올추출물은 소염 작용이 있으며, canthin–6–one, 1–methoxycanthin–6–one, 5–methoxycanthin–6–one, canthin–6–one–3–N–oxide, merosin 등이 약효의 주성분이다. ailanthone은 '아메바 *Entamoeba histolytica*'의 생장을 억제하고, 'chloroquinine에 내성을 가진 원충 *Plasmodium falciparum*'의 생장을 억제한다. shinjulactone K와 ailanthone에는 항결핵 작용이 있다. chapparinone을 비롯한 quassinoid계 성분들은 Epstein–Bar virus에 의한 종양의 발생을 억제한다.

사용법 저백피 5g에 물 2컵(400mL)을 넣고 달여서 또는 술에 담가서 복용하고, 알약이나 가루약으로 만들어 복용한다. 잎을 따서 말렸다가 뜨거운 물로 우려내어 마셔도 좋다.

처방 저백환(樗白丸): 황백(黃柏) 120g, 저백피(樗白皮) 400g, 활석(滑石) · 모려(牡蠣) · 신국(神麴) 각 20g, 청대(靑黛) · 건강(乾薑) 각 12g(「동의보감(東醫寶鑑)」). 하초(下焦)에 담화(痰火)로 인하여 오줌이 뿌옇게 나오고 아랫배가 아픈 증상에 사용한다.

※ 중국에서는 본 종의 뿌리껍질을 저근피(樗根皮), 줄기껍질을 춘백피(椿白皮)로 구분하기도 한다.

○ 가중나무

○ 저백피(樗白皮)

○ 저백피(樗白皮, 절편)

○ 저엽(樗葉)

[소태나무과]

아담나무

열독혈리, 냉리　　치창

● 학명 : *Brucea javanica* (L.) Merr. [*B. amarissima*]　● 영명 : Java brucea

| 1 | 2 | 3 | 4 | 5 | 6 | 7 | 8 | 9 | 10 | 11 | 12 |

상록 관목. 높이 2~3(8)m. 잎은 어긋나고 홀수 깃꼴겹잎, 작은잎은 5~11개, 타원형으로 가장자리에 톱니가 있다. 꽃은 적황색, 잎겨드랑이에 취산상 원추화서로 달리며, 꽃잎과 꽃받침은 4개씩이다. 핵과는 달걀 모양으로 적자색을 거쳐서 흑색으로 익는다.

분포 · 생육지 인도네시아, 인도, 스리랑카, 말레이시아, 중국 푸젠성(福建省), 타이완. 해발 1,000m에서 자란다.

약용 부위 · 수치 열매를 가을에 채취하여 말린다.

약물명 아담자(鴉膽子), 노아담(老鴉膽), 아담(鴉膽)이라고도 한다.

기미 · 귀경 한(寒), 고(苦), 소독(小毒) · 대장(大腸), 간장(肝臟)

약효 청열(淸熱), 해독(解毒), 살충(殺蟲)의 효능이 있으므로, 열독혈리(熱毒血痢), 냉리(冷痢), 치창(痔瘡) 등을 치료한다.

성분 quassinoid인 bruceine A~I, brusatol, dehydrobrusatol, dehydrobruceantinol, dehydrobruceine A~B, dihydrobruceine, bruceantin, bruceantinol, bruceaketolic acid, yadanzigan, yadanziolide A~D, (20*R*)-*O*-(3)-β-D-glucopyranosyl-(1→2)-α-L-arabinopyra-nosyl-pregn-5-en-3β,20-diol, 그 외에 cleomiseosin A, vanillic acid, hyperin, daucosterol 등이 함유되어 있다.

약리 정유 성분을 암세포를 이식한 쥐에게 정맥주사하면 항암 작용이 나타난다. 정유를 쥐의 복강에 주사하면 면역 증강 작용이 있다. 20(*R*)-*O*-(3)-β-D-glucopyranosyl-(1→2)-α-L-arabinopyranosyl-pregn-5-en-3β,20-diol은 유방암 세포인 MCF-7, 간암 세포인 SMMC7721, 백혈병 암세포인 HL-60 등에 세포 독성이 있다.

사용법 아담자 10개에 물 2컵(400mL)을 넣고 달여서 복용한다.

○ 아담나무(줄기)

○ 아담나무

○ 아담자(鴉膽子, 신선품)

○ 아담자(鴉膽子)

○ 아담나무(열매)

[소태나무과]

소태나무

호흡기감염, 폐렴 / 급성위장염, 이질, 담도감염 / 종기, 개선, 습진, 화상, 외상출혈

● 학명 : *Picrasma quassioides* (D. Don) Benn.　● 별명 : 쇠태

| 1 | 2 | 3 | 4 | 5 | 6 | 7 | 8 | 9 | 10 | 11 | 12 |

낙엽 소교목. 줄기껍질은 흑자색이고 쓴맛이 있다. 잎은 어긋나고 홀수 1회 깃꼴겹잎이며, 작은잎은 9~15개이다. 꽃은 암수딴그루, 6월에 잎겨드랑이에 산방화서로 달리며 녹색이 돈다. 열매는 핵과이고 달걀모양, 길이 6~7mm, 9월에 붉은색으로 익는다.

분포 · 생육지 우리나라 전역. 중국, 일본, 타이완, 인도. 산기슭에서 자란다.

약용 부위 · 수치 목부를 수시로 채취하여 말려 그대로 사용하거나 초황(炒黃)하여 사용한다.

약물명 목부를 고목(苦木)이라고 하며 고수(苦樹), 고피수(苦皮樹), 황련수(黃楝樹), 고담목(苦膽木)이라고도 한다. 잎은 고목엽(苦木葉)이라 한다. 고목(苦木)은 대한민국약전(KP)에 수재되어 있다.

성상 가지는 원기둥 모양, 지름 1~2cm, 표면은 녹갈색이며 가늘고 조밀한 가로주름 및 피목이 많다. 질은 단단하지 않고 쉽게 부러진다. 횡단면은 담황색이다. 냄새가 약간 나고 맛은 매우 쓰다.

약효 고목(苦木)은 청열해독(淸熱解毒), 조습살충(燥濕殺蟲)의 효능이 있으므로 호흡기감염, 폐렴, 급성위장염, 담도(膽道) 감염,

이질, 종기, 개선(疥癬), 습진, 화상을 치료한다. 고목엽(苦木葉)은 청열해독(淸熱解毒), 조습살충(燥濕殺蟲)의 효능이 있으므로 종기, 개선(疥癬), 습진, 외상출혈을 치료한다.

성분 limonoid인 toosendanin, nimbolin A, B, gedumin, fraxinellon, kulinone, kaulactone, santonum, meliantriol, sandolactone, ochinalol, ochinine acetate, sandanol, melianone, meldenin, melianol, lipomelianol 등, 알칼로이드인 3-methyl-canthin-5,6-dione, 기타 ascarol, vanillic acid, catechin, triacontane 등이 함유되어 있다.

약리 에탄올추출물과 중성 수지(樹脂) 성분은 가축의 기생충에 구충 작용이 있으며, 약효 성분은 ascarol, vanillic acid와 coumarin 성분들이다. toosendanin은 피부 기생충에 살충 작용이 있다. 3-methylcanthin-5,6-dione은 소염 작용, 항산화 작용, 암세포 증식을 억제하는 작용이 있다. 뿌리껍질에서 분리한 trichilin-type limonoid와 azadirachtin-type limonoid 성분들, nortriterpenoid류 성분들은 백혈병 세포의 성장을 억제한다. 줄기껍질의 에

탄올추출물에는 광범위한 항균 작용이 있으며 dichloromethane 분획의 활성이 더 크다. 메탄올추출물은 항산화 작용이 있으며, 암세포의 apoptosis를 유도한다.

사용법 고목 또는 고목엽 5g에 물 2컵(400mL)을 넣고 달여서 복용하거나 환약으로 복용한다. 술에 담가서 복용하고, 외용에는 짓찧어 바른다.

○ 소태나무

○ 고목(苦木)

○ 고목(苦木, 절편)

○ 소태나무(수꽃)

[소태나무과]

서양소태나무

소화불량, 기생충병   해충구제

●학명 : *Quassia amara* L.   ●영명 : Quassia, Surinam quassia   ●별명 : 아메리카소태나무

| 1 | 2 | 3 | 4 | 5 | 6 | 7 | 8 | 9 | 10 | 11 | 12 |

상록 관목. 줄기껍질은 흑자색이고 쓴맛이 강하다. 잎은 어긋나고 홀수 1회 깃꼴겹잎, 중축에 날개가 있으며 작은잎은 5개, 타원형, 가장자리가 밋밋하다. 꽃은 붉은색, 6월에 잎겨드랑이에 산방화서로 달리며, 꽃받침과 꽃잎은 각각 4~5개이고, 암술머리가 4개로 갈라진다. 열매는 핵과이고 흑색, 달걀 모양이다.

분포 · 생육지 남아메리카. 산기슭에서 자라고, 세계 각처에서 재식한다.

약용 부위 · 수치 목부(木部)를 수시로 채취하여 썰어서 말린다.

약물명 Quassiae Lignum. 일반적으로는 쿼시아(Quassia)라고 한다.

약효 고미강장(苦味强壯), 이담(利膽), 살균(殺菌)의 효능이 있으므로 소화불량, 장내 기생충병을 치료하고, 파리, 모기 등 해충을 구제한다.

성분 quassin, neoquassin, 18-hydroxy-quassin, canthin-6-one, 4-methoxy-5-hydroxycanthin-6-one 등이 함유되어 있다.

약리 quassin, neoquassin, 18-hydroxy-quassin, canthin-6-one은 항균, 항진균, 항바이러스, 항곰팡이 작용이 있다.

사용법 Quassiae Lignum 5g에 물 2컵(400mL)을 넣고 달여서 복용하거나 환약으로 복용한다. 술에 담가서 복용하면 편리하고, 외용에는 짓찧어 바른다.

❍ 서양소태나무(열매)

❍ 서양소태나무(꽃)

❍ 서양소태나무

[멀구슬나무과]

미자란

관절염   종독

●학명 : *Aglaia odorata* Lour.   ●한자명 : 米仔蘭

| 1 | 2 | 3 | 4 | 5 | 6 | 7 | 8 | 9 | 10 | 11 | 12 |

❍ 미자란(꽃)

상록 관목. 높이 4~7m. 잎은 어긋나고 홀수 깃꼴겹잎, 작은잎은 3~5쌍이다. 꽃은 황색, 잎겨드랑이에 원추화서로 달린다. 장과는 구형 또는 달걀 모양이고, 종자에는 육질의 가종피가 있다.

분포 · 생육지 중국, 인도. 산지에서 자란다.

약용 부위 · 수치 잎과 가지를 봄부터 가을에 채취하여 말린다.

약물명 미자란(米仔蘭). 수란(樹蘭)이라고도 한다.

약효 거풍습(祛風濕), 산어종(散瘀腫)의 효능이 있으므로 관절염, 종독을 치료한다.

성분 aglaiol, aglaiondiol, aglaitriol 등이 함유되어 있다.

사용법 미자란 10g에 물 3컵(600mL)을 넣고 달여서 복용한다.

❍ 미자란

[멀구슬나무과]

인도멀구슬나무

🫘 치질　　📖 피부병, 개선

🪷 말라리아　　🌀 기생충병

● 학명 : *Azadirachta indica* A. Juss.　● 영명 : Neem tree, Neem, Nim

| 1 | 2 | 3 | 4 | 5 | 6 | 7 | 8 | 9 | 10 | 11 | 12 |

🌿 🍂 📛 🌾 🔆 🌸 🌼 ❄ 🌾 💧

상록 교목. 높이 15~20m. 줄기껍질은 회흑색이고, 잎은 짝수 깃꼴겹잎, 작은잎은 10~14개이다. 꽃은 백색, 양성, 6~7월에 가지 끝에 원추화서로 달리며 꽃차례의 끝이 밑으로 처진다. 꽃받침과 꽃잎은 각각 5개, 열매는 달걀 모양, 10월에 익는다.

분포·생육지 인도, 스리랑카, 미얀마 원산. 북아메리카, 인도네시아, 아프리카. 산지에서 자란다.

약용 부위·수치 줄기껍질, 잎, 가지는 봄과 여름에, 종자는 가을에 채취하여 말린다.

약물명 Neem, Nim이라고도 한다.

약효 치질, 말라리아, 기생충병, 피부병, 개선(疥癬)을 치료한다.

성분 주성분은 azadirachtin이며, flavonoids, limonoids 등이 함유되어 있다.

약리 azadirachtin은 낮은 농도에서 나방 유충의 변태를 저지하는 작용이 있고, 곤충의 성장을 저해한다. 잎과 종자 추출물은 항균 및 항진균 작용이 있다.

사용법 Neem 1~3g을 뜨거운 물에 우려내어 복용하며, 외용에는 달인 액으로 씻는다.

● 인도멀구슬나무(열매)

● 인도멀구슬나무(잎)

● Neem으로 만든 약용 치약

● 인도멀구슬나무

[멀구슬나무과]

참중나무

🫘 설사, 이질, 회충병　　♀ 대하

📖 개선

● 학명 : *Cedrela sinensis* Jussieu. [*Toona sinensis*]　● 별명 : 참죽나무, 충나무, 쭉나무

| 1 | 2 | 3 | 4 | 5 | 6 | 7 | 8 | 9 | 10 | 11 | 12 |

🌿 🍂 📛 🌾 🔆 🌸 🌼 ❄ 🌾 💧

낙엽 교목. 높이 15m 정도. 줄기껍질은 회흑색, 잎은 어긋나고 깃꼴겹잎, 작은잎은 10~22개이다. 꽃은 백색, 양성, 6월에 가지 끝에 원추화서로 달리며, 꽃받침과 꽃잎은 각각 5개, 수술은 5개이다. 열매는 달걀 모양, 10월에 익으며 5개로 갈라진다.

분포·생육지 중국 원산. 우리나라 중부 이남에서 재식한다.

약용 부위·수치 줄기껍질 또는 뿌리껍질을 수시로 채취하여 적당한 크기로 썰어서 말린다.

약물명 줄기껍질 또는 뿌리껍질을 춘백피(椿白皮)라 하며 향춘피(香椿皮), 춘피(椿皮)라고도 한다. 잎을 춘목엽(椿木葉)이라 한다.

본초서 춘백피(椿白皮)는 「뇌공포자론(雷公炮炙論)」에 처음 수재되어 "일삽(溢澁)을 이

롭게 한다."고 하였다. 「동의보감(東醫寶鑑)」에는 잎인 춘목엽(椿木葉)과 뿌리껍질인 고목창(苦木瘡)만이 수재되어 "춘목엽은 헌데와 옴, 풍저(風疽)를 치료한다."고 하였으며, "고목창은 경련이 일어나 몸을 펴지도 굽히지도 못하는 증상을 낫게 하고, 설사를 멎게 하고, 정기(精氣)가 빠져나가지 못하게 한다."고 하였다.
東醫寶鑑: 椿木葉 主洗瘡疥 風疽.
苦木瘡 主疳䘌 又止瀉 澁精氣.

기미·귀경 미한(微寒), 고(苦), 삽(澁)·대장(大腸), 위(胃)

약효 청열조습(淸熱燥濕), 삽장(澁腸), 지혈(止血), 지대(止帶), 살충(殺蟲)의 효능이 있으므로 설사, 이질, 대하(帶下), 회충병, 개선(疥癬)을 치료한다.

성분 stigmasterol, scopoletin, methyl gal-late, cedrelin, (+)-catechin, kaempferol-3-*O*-α-L-rhamnopyranoside, quercetin, quercetin-3-*O*-α-L-rhamnopyranoside, quercetin-3-*O*-β-D-glucopyranoside 등이 함유되어 있다.

약리 춘백피(椿白皮)의 에탄올추출물 및 kaempferol-3-*O*-α-L-rhamnopyranoside, quercetin, quercetin-3-*O*-α-L-rhamnopyranoside, quercetin-3-*O*-β-D-glucopyranoside는 항산화 작용이 있다. 춘목엽(椿木葉)의 에탄올추출물은 과산화 수소로 유도된 배양 신경 세포 손상에 보호 효과가 있다.

● 참중나무(줄기)

사용법 춘백피 10g에 물 3컵(600mL)을 넣고 달여서 복용하거나 환약, 가루약으로 복용하고, 외용에는 달인 액으로 씻는다.

처방 춘근산(椿根散): 춘피(椿皮) · 지유(地榆) · 황기(黃耆) · 복룡간(伏龍肝) 각 40g, 당귀(當歸) 1.2g, 가루로 만들어 8g 복용(『성혜방(聖惠方)』). 복통, 이급후중(裏急後重)에 사용한다.

○ 춘목엽(椿木葉)

○ 참죽나무(열매)

○ 참죽나무(잎)

○ 참죽나무

[멀구슬나무과]

마련

감모발열

●학명 : *Chukrasia tabularis* A. Juss. ●한자명 : 麻楝

1 2 3 4 5 6 7 8 9 10 11 12

낙엽 교목. 높이 30m 정도. 가지는 적갈색, 잎은 어긋나고 깃꼴겹잎, 작은잎은 10~16개로 가장자리가 밋밋하다. 꽃은 양성, 4~5월에 황색~황자색으로 핀다. 열매는 적갈색의 타원상 구형이며, 조그마한 반점이 많다.

분포 · 생육지 중국 광둥성(廣東省), 광시성(廣西省), 윈난성(雲南省). 해발 500~1,000m에서 자란다.

약용 부위 · 수치 뿌리껍질을 수시로 채취하여 물에 씻은 후 썰어서 말린다.

약물명 마련(麻楝)

약효 소풍청열(疎風淸熱)의 효능이 있으므로 감모발열(感冒發熱)을 치료한다.

사용법 마련 10g에 물 3컵(600mL)을 넣고 달여서 복용한다.

○ 마련

멀구슬나무

🌀 기생충병, 복통, 설사

📁 풍진, 버짐, 습진소양, 개선, 독사교상, 타박상

● 학명 : *Melia azedarach* L.

| 1 | 2 | 3 | 4 | 5 | 6 | 7 | 8 | 9 | 10 | 11 | 12 |

낙엽 교목. 높이 15m 정도. 줄기껍질은 회흑색, 잎은 어긋나고 2~3회 홀수 깃꼴겹잎이다. 꽃은 자주색, 5월에 잎겨드랑이에 원추화서로 달리며, 꽃받침잎과 꽃잎이 5개씩 있고, 수술은 10개이다. 열매는 구형, 지름 1.5cm, 9월에 황색으로 익으며, 종자에 날개가 없다.

분포 · 생육지 우리나라 제주도, 전남북. 중국, 일본, 타이완, 히말라야. 산지에 자란다.

약용 부위 · 수치 봄과 여름에 줄기껍질 또는 뿌리껍질을 벗기거나, 열매의 껍질과 과육을 벗기고 종자를 채취, 물에 깨끗이 씻어서 말린다. 물에 달일 때에는 부수어 사용한다.

약물명 줄기껍질 또는 뿌리껍질을 고련피(苦楝皮)라 하며, 연목피(楝木皮), 연수지피(楝樹枝皮), 연피(楝皮)라고도 한다. 열매를 고련자(苦楝子)라 하며, 토연실(土楝實), 고심자(苦心子), 연과자(楝果子)라고도 한다. 잎은 고련엽(苦楝葉)이라 한다. 고련피(苦楝皮)는 대한민국약전외한약(생약)규격집(KHP)에 수재되어 있다.

본초서 고련피(苦楝皮)는 「명의별록(名醫別錄)」에 연근(楝根)으로 수재되어 있고, 「일화제자본초(日華諸子本草)」에 처음 고련피(苦楝皮)라는 이름으로 수재되어 오늘에 이르고 있다. 「동의보감(東醫寶鑑)」에는 연실(楝實)이라는 이름으로 수재되어 "온병으로 열이 몹시 나고 답답하여 미칠 듯한 것을

낮게 하며, 소변을 잘 나오게 한다. 뱃속의 촌백충과 회충을 구제하고 옴과 헌데를 낫게 한다."고 하였다.
東醫寶鑑: 主溫病傷寒 大熱煩狂 利水道 殺三蟲 疥瘍.

성상 고련자(苦楝子)는 구형~난형으로 지름 10~15mm이다. 표면은 황갈색이며 광택이 있고 주름이 나 있다. 가로로 자른 면은 얇은 황색이며 4~5실로 나뉘고, 그 안에 종자가 1개씩 들어 있다. 특이한 냄새가 있으며 맛은 시고 쓰다. 크고 살이 두꺼우나 연하고 바깥이 황금색이고, 살은 황백색인 것이 좋다.

기미 · 귀경 고련피(苦楝皮): 한(寒), 고(苦), 유독(有毒) · 비(脾), 위(胃), 간(肝). 고련자(苦楝子): 한(寒), 고(苦), 소독(小毒) · 위(胃), 간(肝)

약효 고련피(苦楝皮)는 살충(殺蟲), 요선(療癬)의 효능이 있으므로 기생충병, 풍진(風疹), 개선(疥癬)을 치료한다. 고련자(苦楝子)는 행기지통(行氣止痛), 살충의 효능이 있으므로 배와 옆구리가 아픈 증상, 상한 음식을 먹은 뒤 오는 복통, 설사, 음낭이 싸늘하고 아픈 증상, 버짐을 치료한다. 고련엽(苦楝葉)은 청열조습(淸熱燥濕), 살충지양(殺蟲止痒), 행기지통(行氣止痛)의 효능이 있으므로 습진소양(濕疹瘙痒), 개선(疥癬), 독사교상, 타박상을 치료한다.

성분 limonoid: toosendanin, nimbolin

A, B, gedumin, fraxinellon, kulinone, kaulactone, santonum, meliantriol, sandolactone, ochinalol, ochinine acetate, sandanol, melianone, meldenin, melianol, lipomelianol 등, 기타: ascarol, vanillic acid, catechin, triacontane 등이 함유되어 있다.

약리 에탄올추출물과 중성 수지(樹脂) 성분은 가축의 기생충에 구충 작용이 있으며, 약효 성분은 ascarol, vanillic acid와 coumarin 등이다. toosendanin은 피부 기생충에 살충 작용이 있다. 뿌리껍질에서 분리한 trichilin−type limonoid와 azadirachtin−type limonoid 성분들, nortriterpenoid류 성분들은 백혈병 세포의 성장을 억제한다. 줄기껍질의 에탄올추출물에는 광범위한 항균 작용이 있으며 dichloromethane 분획의 활성이 더 크다.

사용법 고련피, 고련자 또는 고련엽 각각 5g에 물 2컵(400mL)을 넣고 달여서 복용하거나 환약으로 복용한다. 술에 담가서 복용하면 편리하고, 외용에는 짓찧어 바른다.

주의 비위가 허약한 사람은 복용을 금한다.

처방 담도회충탕(膽道蛔蟲湯): 고련피(苦楝皮), 빈랑자(檳榔子), 사군자(使君子), 지각(枳殼), 목향(木香)(「경험방(經驗方)」). 장내 기생충 구제 및 기생충에 의한 위통을 치료한다.

• 고련자고(苦楝子膏): 고련자(苦楝子) 40g, 돈지(豚脂) 60g. 머리카락이 빠지거나 비듬이 많은 증상에 고약으로 만들어 사용한다.

● 고련피(苦楝皮)

● 멀구슬나무(줄기)

● 고련엽(苦楝葉)

● 고련자(苦楝子)

● 고련자(苦楝子, 신선품)

● 멀구슬나무

중국멀구슬나무

완복동통, 기생충병 | 산기동통

풍진, 개선

● 학명 : *Melia toosendan* S. et Z. ● 별명 : 천련

| 1 | 2 | 3 | 4 | 5 | 6 | 7 | 8 | 9 | 10 | 11 | 12 |

❂ 중국멀구슬나무(열매)

'멀구슬나무'와 비슷하지만 열매의 지름이 2.5~3cm로 보다 크다.

분포·생육지 중국 쓰촨성(四川省), 간쑤성(甘肅省), 허난성(河南省). 산지에서 자란다.

약용 부위·수치 열매를 가을에 채취하여 물에 씻어서 말리거나 홍건(烘乾)한다.

약물명 천련자(川楝子). 연실(楝實)이라고도 한다. 대한민국약전외한약(생약)규격집(KHP)에 수재되어 있다.

성상 구형~난형으로 지름 2.5~3cm이다. 나머지는 고련자(苦楝子)와 비슷하다.

약효 소간설열(疏肝泄熱), 행기지통(行氣止痛), 살충(殺蟲)의 효능이 있으므로 완복동통(脘腹疼痛), 산기동통(疝氣疼痛), 기생충병, 풍진(風疹), 개선(疥癬)을 치료한다.

성분 toosendanin, melianone, lipomelianol, 21-*O*-acetyltoosendantriol, 21-*O*-methyltoosendanpentanol 등이 함유되어 있다.

약리 에탄올추출물과 중성 수지(樹脂) 성분은 가축의 기생충에 구충 작용이 있고, 광범위한 항균 작용이 있다.

사용법 천련자 5g에 물 2컵(400mL)을 넣고 달여서 복용하거나 환약으로 복용한다. 술에 담가서 복용하면 편리하고, 외용에는 짓찧어 바른다.

주의 비위가 허약한 사람은 복용을 금한다.

❂ 천련자(川楝子)

❂ 천련자(川楝子, 홍건한 것)

❂ 중국멀구슬나무

하포산계화

해수다담 | 풍습비통, 각기

간염 | 소변임통 | 수종

● 학명 : *Polygala arillata* Buch. ● 한자명 : 荷包山桂花

| 1 | 2 | 3 | 4 | 5 | 6 | 7 | 8 | 9 | 10 | 11 | 12 |

관목. 높이 1~3m. 뿌리는 목질이고, 줄기 껍질은 부드럽고 담갈색이다. 잎은 어긋나고, 꽃은 황적색, 5~10월에 짧은 총상화서로 달린다. 꽃받침은 5개, 꽃잎처럼 생긴 양쪽 2개가 날개 같고, 꽃잎들은 나비 모양이다. 삭과는 둥글며 7~11월에 익는다.

분포·생육지 중국 산시성(陝西省), 윈난성(雲南省). 산과 들에서 자란다.

약용 부위·수치 뿌리를 여름과 가을에 채취하여 흙을 제거하고 물에 씻은 뒤 썰어서 말린다.

약물명 계근(鷄根). 황금란(黃金卵), 황화원지(黃花遠志)라고도 한다.

약효 거담제습(祛痰除濕), 보허건비(補虛健脾), 영심활혈(寧心活血)의 효능이 있으므로 해수다담(咳嗽多痰), 풍습비통(風濕痺痛), 소변임통(小便淋痛), 수종(水腫), 각기(脚氣), 간염(肝炎) 등을 치료한다.

사용법 계근 10g에 물 3컵(600mL)을 넣고 달여서 복용하거나 생즙을 내어 복용한다.

❂ 하포산계화(열매)

❂ 하포산계화

[원지과]

애기풀

해수다담　토혈, 혈변　사교상, 타박상
불면　인후종통

● 학명 : *Polygala japonica* Houtt.　● 한자명 : 瓜子金, 地蒔草　● 별명 : 아기풀, 영신초

| 1 | 2 | 3 | 4 | 5 | 6 | 7 | 8 | 9 | 10 | 11 | 12 |

여러해살이풀. 높이 15~20cm. 줄기는 단단하며 밑부분에서 여러 가지가 나와 비스듬히 자란다. 잎은 어긋나고 타원형이다. 꽃은 연한 붉은색, 4~5월에 짧은 총상화서로 달린다. 삭과는 편평하고 두 조각으로 갈라지며 9월에 익는다.

분포 · 생육지 우리나라 전역. 일본, 중국 둥베이(東北) 지방, 타이완, 인도차이나, 필리핀. 산과 들에서 자란다.

약용 부위 · 수치 전초를 여름과 가을에 채취하여 물에 씻은 후 말린다.

약물명 과자금(瓜子金). 정호(丁蒿), 고원지(苦遠志), 영신초(靈神草)라고도 한다.

기미 · 귀경 평(平), 신(辛), 고(苦) · 폐(肺), 간(肝), 신(腎)

약효 지해화담(止咳化痰), 활혈지혈(活血止血), 안신(安神), 해독(解毒)의 효능이 있으므로 해수다담(咳嗽多痰), 토혈(吐血), 혈변(血便), 불면, 인후종통, 사교상(蛇咬傷), 타박상을 치료한다.

성분 polygalosaponin I~XIX, kaempferol 3,7-*O*-diglucoside, astragalin 등이 함유되어 있다.

약리 열수추출물을 쥐의 복강에 주사하면 진정 및 최면 작용이 관찰되고, 용혈 작용이 나타난다.

사용법 과자금 10g에 물 3컵(600mL)을 넣고 달여서 복용하거나 생즙을 복용한다.

○ 애기풀

○ 애기풀(열매와 꽃)

○ 과자금(瓜子金)

[원지과]

세네가

가래, 기침　부종

● 학명 : *Polygala senega* L.　● 영명 : Senega

| 1 | 2 | 3 | 4 | 5 | 6 | 7 | 8 | 9 | 10 | 11 | 12 |

여러해살이풀. 높이 25~30cm. 뿌리는 목질로 윗부분은 굵고 밑으로 갈수록 가늘고 길게 달린다. 짧은 뿌리줄기에서 밋밋한 줄기가 여러 개 나오며, 잎은 어긋나고 긴 타원형이다. 꽃은 백색 또는 엷은 붉은색, 6월에 줄기 끝에 작은 꽃이 수상화서로 달린다. 열매는 납작하고 날개가 있다.

분포 · 생육지 미국, 영국, 독일, 유럽. 산기슭의 건조하고 모래나 작은 돌들이 많이 있는 곳에서 자란다. 일본, 중국에서는 약용 식물원이나 식물원에서 재배한다.

약용 부위 · 수치 뿌리를 채취하여 흙을 털고 적당한 크기로 썰어서 말린다.

약물명 Senegae Radix. 일반적으로 세네가(Senega)라 한다. 대한민국약전(KP)에 수재되어 있다.

성상 가늘고 긴 원주형으로 약간 구부러져 있다. 원뿌리는 길이 3~10cm, 지름 0.5~1.5cm이다. 표면은 회갈색이고 대개는 분지되고 가는 뿌리가 붙어 있는 것도 있다. 표면은 세로 주름이 많고 때로는 꼬인 융기선이 있다. 살리실산 메틸 냄새가

나고, 맛은 처음에는 달지만 나중에는 아린 맛이 있다.

약효 가래 및 기침에 효과가 있고, 부종을 치료하며 소변을 잘 보게 한다.

성분 triterpenoid saponin이 6~10% 함유되어 있는데, 주성분은 senegin I, II, III, IV이고, 그 외에 coumaric acid, sinapic acid, salicylic acid methyl ether 등이 함유되어 있다.

약리 senegin I, II, III, IV는 위 점막을 자극하여 위액 분비를 증가시키고, 스트레스에 의해 유발된 궤양 억제 효과가 있다.

사용법 세네가 3g에 물 2컵(400mL)을 넣고 달여서 복용하고, 술에 담가서 복용한다. 가루약 또는 알약으로 만들어 사용한다.

＊예로부터 미국 원주민들의 민간약으로, 원주민 중의 Senega족이 뱀에 물렸을 때 구급약으로 사용하였다. 1736년 J. Tennet 이라는 의사가 늑막염에 효력이 있다고 의학회지에 투고함으로써 사회에 알려지게 되었다. 1937년 이후 미국의약품집(N.F)에 수재되었고, 유럽의 여러 나라에서도 약

전 의약품으로 취급하고 있다. *Polygala* 속에 속하는 식물은 여러해살이풀 또는 관목으로 구성되고 온대부터 열대에 걸쳐 450종이 자생하고 있으며, 20여 종은 관상용으로 이용되고 있고 2~3종이 약용으로 이용되고 있다. 현재 시장에 출하되는 생약은 본 종과 '넓은잎세네가 *P. senega* var. *latifolia*'의 뿌리이다.

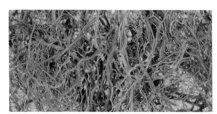
○ Senegae Radix

○ 세네가

병아리풀

 풍습골통   타박상

● 학명 : *Polygala tatarinowii* Regel [*P. triphylla*]
● 한자명 : 小扁豆, 小遠志   ● 별명 : 좀영신초

| 1 | 2 | 3 | 4 | 5 | 6 | 7 | 8 | 9 | 10 | 11 | 12 |

한해살이풀. 높이 10~15cm. 밑에서 가지가 갈라진다. 잎은 어긋나고 타원형, 꽃은 자주색, 7~8월에 짧은 총상화서로 달린다. 삭과는 편원형이고 날개가 없으며, 종자는 타원형으로 흑색이다.

분포·생육지 우리나라 전남, 중부 이북. 일본, 중국 둥베이(東北) 지방, 타이완, 인도차이나, 필리핀. 산과 들에서 자란다.

약용 부위·수치 뿌리를 여름과 가을에 채취하여 물에 씻은 후 말린다.

약물명 소편두근(小扁豆根). 저대장(猪大腸)이라고도 한다.

약효 거풍(祛風), 활혈지통(活血止痛)의 효능이 있으므로 풍습골통(風濕骨痛), 타박상을 치료한다.

사용법 소편두근 10g에 물 3컵(600mL)을 넣고 달여서 복용하고, 타박상에는 짓찧어 환부에 붙이고 붕대로 싸맨다.

❍ 병아리풀

원지

 경계, 건망증, 불면   몽정
해수다담

● 학명 : *Polygala tenuifolia* Willd.   ● 한자명 : 遠志

| 1 | 2 | 3 | 4 | 5 | 6 | 7 | 8 | 9 | 10 | 11 | 12 |

여러해살이풀. 높이 30cm 정도. 뿌리는 굵고, 여러 개의 줄기가 모여난다. 잎은 어긋나고 바늘 모양이다. 꽃은 자주색, 7~8월에 드문드문 달린다. 삭과는 편평하고 2개로 갈라지며, 종자에 털이 많다.

분포·생육지 우리나라 중부 이북. 중국 둥베이(東北) 지방, 몽골, 아무르, 우수리, 시베리아. 산에서 자란다.

약용 부위·수치 뿌리를 가을에 채취하여 물에 씻은 후 감초 끓인 물에 담갔다가 목부를 제거하고 햇볕에 말린다. 줄기와 잎은 여름에 채취하여 말린다.

약물명 원지(遠志). 거심(去心)한 것을 육원지(肉遠志) 또는 원지육(遠志肉)이라고도 한다. 대한민국약전(KP)에 수재되어 있다.

본초서 원지(遠志)는 「신농본초경(神農本草經)」의 상품(上品)에 수재되어 있고, 「본초강목(本草綱目)」에는 "이것을 복용하면 능히 지(智)를 도우며, 지(志)를 강하게 하므로 붙여진 이름이다."라고 하였다. 도홍경(陶弘景)은 "형상은 마황(麻黃)과 비슷하며 푸르다."라고 기록하였으며, 마지(馬志)는 "줄기와 잎은 대청(大靑)과 비슷하지만 작다. 이것을 마황에 비교하는 것은 실물을

모르기 때문이다."라고 반박하였다. 「동의보감(東醫寶鑑)」에는 "지혜를 갖게 하며 눈과 귀를 밝게 한다. 건망증을 없애고 의지를 강하게 하며, 심장의 기운을 내리고 가슴이 두근거리는 것을 가라앉히며 정신을 안정시키는 동시에 정신이 흐려지지 않도록 한다."고 하였다.

神農本草經: 主咳逆傷中 補不足 除邪氣 利九竅 益智慧 耳目聰明 不忘 强志倍力 久服輕身不老.

名醫別錄: 利丈夫 定心氣 止驚悸 益精 去心下隔氣 皮膚中熱 面目黃 好顏色延年.

東醫寶鑑: 益智慧 令耳目聰明 不忘强志 定心氣 止驚悸 療健忘 安魂魄 令人不迷惑.

성상 가늘고 긴 원주형으로 약간 굴곡이 있다. 표면은 담갈색이며 곁뿌리가 붙은 것도 있다. 원뿌리는 길이 10~20cm, 지름 0.5~1cm이고, 표면에 긴 주름이 있으며 냄새가 약간 나고 맛은 조금 아리다.

기미·귀경 미온(微溫), 신(辛), 고(苦)·심(心), 폐(肺), 신(腎)

약효 안신(安神), 익지(益智), 거담(祛痰) 및 해울(解鬱)의 효능이 있으므로 경계(警悸), 건망증, 몽정, 불면, 해수다담(咳嗽多痰)을

치료한다.

성분 onjisaponin A–G, tenuifolin, 2,6,7,8-tetramethoxyxanthone, polygalytol 등이 함유되어 있다.

약리 *c*-AMP phosphodiesterase 억제 작용이 있고, 울혈성 부종에 이뇨 작용이 있으며, 기도 분비물의 분비 촉진 작용이 알려져 있다. 70%메탄올추출물은 kainic acid로 유도되는 뇌신경 세포의 손상을 보호하는 효능이 있다.

사용법 원지 10g에 물 3컵(600mL)을 넣고 달여서 복용하거나 술에 담가 조금씩 복용한다.

처방 원지환(遠志丸): 원지(遠志)·천남성(天南星)·인삼(人蔘)·부자(附子)·복신(茯神)·산조인(酸棗仁) 각 20g, 주사(朱砂) 12g, 사향(麝香) 4g「동의보감(東醫寶鑑)」. 몹시 놀란 것이 원인이 되어 헛소리를 하는 데 사용한다.

• 귀비탕(歸脾湯): 당귀(當歸)·용안육(龍眼肉)·산조인(酸棗仁)·원지(遠志)·인삼(人蔘)·황기(黃耆)·백출(白朮)·복신(茯神) 각 4g, 목향(木香) 2g, 감초(甘草) 1.2g, 생강(生薑) 5쪽, 대추(大棗) 2개「동의보감(東醫寶鑑)」. 심비(心脾)가 허하여 입맛이 없고 온몸이 나른하며 가슴이 두근거리고 마음이 불안한 증상, 건망증, 정신불안에 사용한다.

• 가미온담탕(加味溫膽湯): 반하(半夏) 14g, 모려(牡蠣) 8g, 죽여(竹茹)·지실(枳實) 각 6g, 산조인(酸棗仁)·원지(遠志)·오미자(五味子)·인삼(人蔘)·숙지황(熟地黃)·복령(茯苓)·감초(甘草) 각 4g「동의보감(東醫寶鑑)」.

심담(心膽)이 허하여 잘 놀라고 꿈이 많으며 잠을 잘 자지 못하는 증상에 사용한다.

• 천왕보심단(天王補心丹): 건지황(乾地黃) 160g, 황련(黃連) 80g, 석창포(石菖蒲) 40g, 인삼(人蔘)·당귀(當歸)·오미자(五味子)·천문동(天門冬)·맥문동(麥門冬)·백자인(柏子仁)·산조인(酸棗仁)·현삼(玄蔘)·복신(茯神)·단삼(丹蔘)·원지(遠志)·길경(桔梗) 각 20g (『동의보감(東醫寶鑑)』). 심음(心飮)이 부족하여 가슴이 두근거리고 마음이 불안하며 잘 놀라고 잠을 잘 자지 못하고 건망증이 심한 증상에 사용한다.

＊ 본 종보다 잎이 넓고 뿌리가 굵은 '두메애기풀(시베리아원지) P. sibirica'도 약효가 같다.

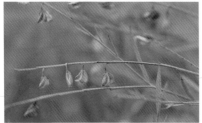
◑ 원지(열매)

◑ 원지(뿌리)

◑ 원지(遠志)

◑ 육원지(肉遠志, 목부를 제거한 것)

◑ 원지 재배지(중국 안국)

◑ 원지(遠志)가 함유된 신경안정제

◑ 원지

[마상과]

마상

옹저종독, 개선, 황수창, 타박상

치창　　풍습골통, 골절

●학명 : *Coriaria nepalensis* Wall. ●한자명 : 馬桑

| 1 | 2 | 3 | 4 | 5 | 6 | 7 | 8 | 9 | 10 | 11 | 12 |

낙엽 관목. 높이 6m 정도. 가지는 네모지고 날개가 약간 있다. 잎은 마주나고 타원형이며 가장자리가 밋밋하고, 잎자루는 짧다. 꽃은 자주색, 가지 끝에 총상화서로 달린다. 장과는 흑자색이다.

분포·생육지 인도, 중국 간쑤성(甘肅省), 산시성(陝西省), 광시성(廣西省), 티베트, 네팔, 베트남. 해발 400~3,200m의 산속에서 자란다.

약용 부위·수치 잎을 여름과 가을에 채취하여 생것을 사용하거나 말린다.

약물명 마상엽(馬桑葉)

약효 청열해독(淸熱解毒), 소종지통(消腫止痛)의 효능이 있으므로 옹저종독(癰疽腫毒), 개선(疥癬), 황수창(黃水瘡), 치창(痔瘡), 풍습골통(風濕骨痛), 골절, 타박상을 치료한다.

사용법 마상엽 적당량을 짓찧어 환부에 붙이거나 즙액을 바른다.

◑ 마상

[옻나무과]

요과

해역 | 구갈 | 심번

●학명 : *Anacardium occidentale* L. ●한자명 : 腰果, 都咸樹, 鷄腰果

| 1 | 2 | 3 | 4 | 5 | 6 | 7 | 8 | 9 | 10 | 11 | 12 |

상록 소교목. 높이 4~10m. 줄기는 회색, 작은가지에는 황색 털이 있다. 잎은 어긋나고 깃꼴겹잎, 작은잎은 4~9쌍이다. 꽃은 3~4월에 원추화서로 작은 꽃이 많이 달린다. 열매는 육질이며 적자색의 가과 위에 핵과가 있고, 종자는 신장형이다.

분포 · 생육지 인도, 중국 원난성(雲南省), 광시성(廣西省), 티베트. 산비탈에서 자란다.

약용 부위 · 수치 열매를 가을에 성숙할 때 채취하여 가과를 제거하고 핵과 또는 종자를 약한 불에 볶아 두었다가 사용한다.

약물명 도함자(都咸子)

약효 윤폐화담(潤肺化痰), 지갈(止渴), 제번(除煩)의 효능이 있으므로 해역(咳逆), 구갈(口渴), 심번(心煩)을 치료한다.

사용법 도함자 15~20g에 물 3컵(600mL)을 넣고 달여서 복용한다.

❂ 요과

❂ 도함자(都咸子)

❂ 요과(열매)

❂ 요과(꽃)

❂ 요과(잎)

[옻나무과]

안개꽃나무

황달, 간염 | 적안 | 칠창

●학명 : *Cotinus coggygria* Scop. var. *cinerea* Engl.

| 1 | 2 | 3 | 4 | 5 | 6 | 7 | 8 | 9 | 10 | 11 | 12 |

낙엽 관목. 높이 2~4m. 줄기는 암회색이고 비늘조각 같은 것이 많다. 잎은 어긋나고 타원형, 가장자리가 밋밋하다. 꽃은 3~4월에 원추화서로 작은 꽃이 많이 달리고, 꽃잎은 5개, 수술 5개이다. 열매는 신장형이다.

분포 · 생육지 중국, 유럽, 남아메리카. 해발 700~1,600m의 산지에서 자란다.

약용 부위 · 수치 뿌리를 채취하여 물에 씻은 후 썰어서 말린다.

약물명 황로근(黃櫨根)

약효 청열이습(淸熱利濕), 산어해독(散瘀解毒)의 효능이 있으므로 황달, 간염, 적안(赤眼), 칠창(漆瘡)을 치료한다.

사용법 황로근 15~20g에 물 3컵(600mL)을 넣고 달여서 복용한다.

❂ 안개꽃나무(꽃)

❂ 황로근(黃櫨根)

❂ 안개꽃나무

[옻나무과]

후피수

🧎 골절상   🧴 복어독, 목서독

● 학명 : *Lannea coromandelica* (Houtt.) Merr. [*L. grandis, Dialium coromandelica*]
● 한자명 : 厚皮樹

| 1 | 2 | 3 | 4 | 5 | 6 | 7 | 8 | 9 | 10 | 11 | 12 |

🌿 🍃 🌾 🌱 🌼 💧 ❄ 🌾 💧

● 후피수(꽃)

낙엽 소교목. 높이 7~10m. 줄기는 회백색이고 두껍다. 잎은 어긋나고 홀수 1회 깃꼴겹잎, 가지 끝에 모여난다. 꽃은 3~4월에 총상화서로 작은 꽃이 많이 달리고, 꽃잎은 5개, 수술 8~10개이다. 핵과는 달걀 모양이다.

분포 · 생육지 중국 광둥성(廣東省), 윈난성(雲南省), 하이난성(海南省). 해발 250~1,800m의 산지에서 자란다.

약용 부위 · 수치 줄기껍질을 봄에 채취하여 물에 씻은 후 썰어서 말린다.

약물명 후피수(厚皮樹)

약효 접골해독(接骨解毒)의 효능이 있으므로 골절상, 복어독, 목서독(木署毒)을 치료한다.

사용법 후피수 30g에 물 4컵(800mL)을 넣고 달여서 복용한다.

● 후피수

[옻나무과]

망고

🤰 소화불량, 구토, 감적   👁 갈증
🛏 습진소양   🫁 오래된 가래, 기침   🏃 당뇨병

● 학명 : *Mangifera indica* L.   ● 별명 : 망고나무

| 1 | 2 | 3 | 4 | 5 | 6 | 7 | 8 | 9 | 10 | 11 | 12 |

🌿 🍃 🌾 🌱 🌼 💧 ❄ 🌾 💧

● 망과(杧果)

● 망과엽(杧果葉)

낙엽 소교목. 높이 10~20m. 줄기는 회갈색, 작은가지는 갈색이다. 어린가지, 잎자루, 잎 뒤에 털이 없다. 잎은 어긋나고 깃꼴겹잎, 길이 12~30cm, 너비 5~7cm, 얇은 가죽질, 끝은 뾰족하고 표면은 광택이 난다. 꽃은 3~5월에 원추화서로 작은 꽃이 많이 달린다. 핵과는 타원상 구형 또는 신장형이며 7~8월에 익는다.

분포 · 생육지 우리나라 제주도. 중국, 타이완, 타이, 인도차이나, 말레이시아, 인도, 열대 지방. 산과 들에서 자란다.

약용 부위 · 수치 열매를 7~8월에, 잎은 수시로 채취하여 적당한 크기로 잘라서 말린다.

약물명 열매를 망과(杧果), 잎을 망과엽(杧果葉)이라 한다.

본초서 송대(宋代)의 「개보본초(開寶本草)」에는 "이 열매를 먹으면 갈증을 해소하고 기

침과 가래를 멎게 한다."고 기록되어 있다.

약효 망과(杧果)는 익위생진(益胃生津), 지구지해(止嘔止咳)의 효능이 있으므로 소화불량, 구토, 갈증, 오래된 가래나 기침을 치료한다. 망과엽(杧果葉)은 지사(止瀉), 화체(化滯), 지양(止痒)의 효능이 있으므로 당뇨병, 감적(疳積), 습진소양(濕疹瘙痒)을 치료한다.

성분 망과(杧果)에는 monoolein, diolein, stearic acid, palmitic acid, arachidic acid, myristic acid 등이 함유되어 있다.

약리 망과(杧果)의 열수추출물은 쥐에게 이식한 암 조직의 성장을 저지하며, 토끼에게 투여하면 면역 증강 작용이 나타난다.

사용법 망과 또는 망과엽 10g에 물 3컵(600mL)을 넣고 달여서 복용하거나 가루로 하여 복용한다.

● 망고(꽃)

● 망고(열매)

● 망고

[옻나무과]

황련목

소화불량, 구토 | 갈증
오래된 가래, 기침

○ 황련목(열매)

● 학명 : *Pistacia chinensis* Bunge

| 1 | 2 | 3 | 4 | 5 | 6 | 7 | 8 | 9 | 10 | 11 | 12 |

낙엽 교목. 높이 20~25m. 줄기는 암갈색이고 비늘처럼 탈락한다. 잎은 어긋나고 깃꼴겹잎, 작은잎은 5~7쌍이다. 꽃은 3~4월에 원추화서로 작은 꽃이 많이 달린다. 핵과는 타원상 구형 또는 신장형이며, 9~10월에 익는다.

분포 · 생육지 중국, 타이완. 산비탈에서 자란다.

약용 부위 · 수치 잎은 여름에, 줄기껍질은 수시로 채취하여 물에 씻은 후 썰어서 말린다.

약물명 황련수(黃楝樹)

약효 청서(淸暑), 생진(生津), 해독(解毒), 이습(利濕)의 효능이 있으므로 소화불량, 구토, 갈증, 오래된 가래나 기침을 치료한다.

사용법 황련수 15~20g에 물 3컵(600mL)을 넣고 달여서 복용한다.

○ 황련목

[옻나무과]

피스타치오

음위, 신허양위 | 비허냉리
음낭습양

○ 아월혼자(阿月渾子)

● 학명 : *Pistacia vera* L. ● 영명 : Pistacio ● 한자명 : 阿月渾子

| 1 | 2 | 3 | 4 | 5 | 6 | 7 | 8 | 9 | 10 | 11 | 12 |

낙엽 교목. 높이 20~25m. 줄기는 암갈색이고 비늘처럼 탈락한다. 잎은 어긋나고 깃꼴겹잎, 작은잎은 5~7쌍이다. 꽃은 3~4월에 원추화서로 작은 꽃이 많이 달린다. 핵과는 타원상 구형 또는 신장형이며, 9~10월에 익는다.

분포 · 생육지 이란, 이라크, 러시아, 남유럽. 산비탈이나 들에서 자란다.

약용 부위 · 수치 열매를 7~8월에 채취하여 말리고, 줄기껍질은 봄에 채취하여 물에 씻은 후 썰어서 말린다.

약물명 열매를 아월혼자(阿月渾子)라 하며, 호진자(胡榛子), 무명자(無名子)라고도 한다. 줄기껍질을 무명목피(無名木皮)라 한다.

약효 아월혼자(阿月渾子)는 온신(溫腎), 난비(暖脾)의 효능이 있으므로 신허요냉(腎虛腰冷), 음위(陰痿), 비허냉리(脾虛冷痢)를 치료한다. 무명목피(無名木皮)는 온신거습(溫腎祛濕)의 효능이 있으므로 신허양위(腎虛陽痿), 음낭습양(陰囊濕痒)을 치료한다.

사용법 아월혼자는 10g에 물 3컵(600mL)을 넣고 달여서 복용하고, 무명목피는 적당량에 물을 넣고 달여서 환부를 씻거나 환부에 바른다.

○ 피스타치오

[옻나무과]

청향목

이질, 설사, 소화불량 | 습진, 풍진

● 학명 : *Pistacia weinmannifolia* J. Poison ex Frach. [*P. coccinea*] ● 한자명 : 清香木

| 1 | 2 | 3 | 4 | 5 | 6 | 7 | 8 | 9 | 10 | 11 | 12 |

상록 소교목. 높이 3~8m. 줄기는 회색, 작은가지에는 황색 털이 있다. 잎은 어긋나고 깃꼴겹잎, 작은잎은 4~9쌍이다. 꽃은 3~4월에 원추화서로 작은 꽃이 많이 달린다. 핵과는 타원상 구형 또는 신장형이며, 9~10월에 익는다.

분포 · 생육지 중국 윈난성(雲南省), 광시성(廣西省), 티베트. 산비탈에서 자란다.

약용 부위 · 수치 잎을 수시로 채취하여 물에 씻은 후 썰어서 말린다.

약물명 자유목엽(紫油木葉)

약효 청열(清熱), 거습(祛濕), 도체(導滯)의 효능이 있으므로 이질, 설사, 소화불량, 습진, 풍진(風疹)을 치료한다.

사용법 자유목엽 15~20g에 물 3컵(600mL)을 넣고 달여서 복용하고, 습진과 풍진에는 잎을 짓찧어 붙이거나 즙액을 바른다.

❖ 청향목

[옻나무과]

붉나무

담수 | 후비 | 황달, 이질, 혈리, 변혈
완선, 두풍백설, 옹저, 창양, 종독, 창개 | 도한

● 학명 : *Rhus javanica* L. [*R. chinensis* Mill.] ● 별명 : 오배자나무

| 1 | 2 | 3 | 4 | 5 | 6 | 7 | 8 | 9 | 10 | 11 | 12 |

낙엽 소교목. 높이 7m 정도. 잎은 어긋나고 깃꼴겹잎, 잎줄기에 날개가 있고, 작은잎은 7~13개이다. 꽃은 암수딴그루, 황백색, 8~9월에 피고, 꽃받침잎, 꽃잎 및 수술은 각각 5개이다. 핵과는 10월에 익고 편구형, 황적색, 황갈색의 잔털과 백색 껍질로 덮여 있다.

분포 · 생육지 우리나라 전역. 일본, 중국 둥베이(東北) 지방, 타이완, 히말라야, 인도차이나. 산지에서 자란다.

약용 부위 · 수치 열매를 가을에, 잎을 여름에, 줄기껍질을 수시로 채취하여 말린다.

본초서 「동의보감(東醫寶鑑)」에는 "치선(齒宣)과 어린아이의 잇몸이 허는 것, 폐에 풍독이 있어 피부가 헐거나 버짐이 생겨 가렵고 고름 또는 진물이 흐르는 것을 낫게 한다. 치질로 인해 하혈이 그치지 않는 것과 어린아이의 얼굴과 코에 부스럼이 생긴 것, 어른의 구내염을 낫게 한다."고 하였다.

東醫寶鑑 : 主齒宣 疳䘌 肺藏風毒 作皮膚瘡癬 瘙痒膿水 五痔下血不止 小兒面鼻疳瘡 大人口瘡

약물명 열매를 염부자(鹽麩子)라 하고 판노염(叛奴鹽), 염매자(鹽梅子)라고도 한다. 잎은 염부엽(鹽麩葉), 껍질은 염부목피(鹽麩木皮)라 한다.

기미 염부자(鹽麩子) : 양(凉), 산(酸), 함(鹹)

약효 염부자(鹽麩子)는 생진윤폐(生津潤肺), 강화화담(降火化痰), 염한지리(斂汗止痢)의 효능이 있으므로 담수(痰嗽), 후비(喉痺), 황달, 도한(盜汗), 이질, 완선(頑癬), 두풍백설(頭風白屑)을 치료한다. 염부엽(鹽麩葉)은 지해지혈(止咳止血), 수렴해독(收斂解毒)의 효능이 있으므로 담수(痰嗽), 변혈(便血), 혈리(血痢), 도한(盜汗), 옹저(癰疽), 창양(瘡瘍)을 치료한다. 염부목피(鹽麩木皮)는 청열해독(清熱解毒), 활혈지리(活血止痢)의 효능이 있으므로 혈리(血痢), 종독(腫毒), 창개(瘡疥), 사견교상(蛇犬咬傷)을 치료한다.

성분 염부자(鹽麩子)는 bruceine A~I, brusatol, dehydrobrusatol, dehydrobruceatinol, dehydrobruceine A~B, bruceatin, yadanzigan, brucein, yadanzinoside A~P, bruceoside A~B, javanicin, vanillic acid, hyperin, penta−m−digalloyl−β−D−glucose 등이 함유되어 있고, 뿌리에는 scopoletin, fisten, 3,7,4´~trihydroxyflavone 등이 함유되어 있다.

약리 열매의 열수추출물은 쥐에게 이식한 암 조직의 성장을 저지하며, 토끼에게 투여하면 면역 증강 작용이 나타난다. 잎의 메탄올추출물은 황색 포도상구균, 대장균에 항균 작용이 있다.

사용법 염부자, 염부엽 또는 염부목피 각각 10g에 물 3컵(600mL)을 넣고 달여서 복용하거나 가루로 하여 복용한다.

＊ 본 종에 '오배자진딧물 *Melaphis chinensis*'이 알을 까서 생긴 벌레집을 오배자(五倍子)라 하고, 수렴지사제로 널리 사용하고 있으며, 공업적으로는 잉크, 물감, 색소 제조의 원료로 이용한다. 옛날에는 열매에서 흘러나와 표면에 붙은 지질을 두부를 만들 때나 촛불용으로 사용하였다.

❖ 붉나무(소금이 붙어 있는 열매)

❶ 붉나무

❶ 염부자(鹽麩子)

❶ 염부엽(鹽麩葉)

❶ 염부목피(鹽麩木皮)

❶ 오배자(五倍子)

[옻나무과]

검양옻나무

❶ 해혈 ❶ 토혈 ❶ 혈붕
❶ 외상출혈, 독사교상, 창독개선

●학명 : *Rhus succedanea* L. ●별명 : 검양옻나무

| 1 | 2 | 3 | 4 | 5 | 6 | 7 | 8 | 9 | 10 | 11 | 12 |

❶ 검양옻나무(열매)

낙엽 소교목. 높이 7~10m. 잎은 어긋나고 1회 깃꼴겹잎, 길이 30cm 정도, 작은잎은 7~15개이다. 꽃은 잡성화로 황록색, 잎겨드랑이에 원추화서로 달린다. 꽃받침, 꽃잎 및 수술은 각각 5개이며 암술대는 3개이다. 핵과는 편구형이며 황색으로 익고 털이 없다.

분포 · 생육지 우리나라 남부 지방. 중국, 일본, 타이완, 말레이시아. 산지의 낮은 지대에서 자란다.

약용 부위 · 수치 잎을 여름에 채취하여 말린다.

약물명 잎을 야칠수(野漆樹)라 하며, 산칠(山漆)이라고도 한다. 뿌리 또는 뿌리껍질을 야칠수근(野漆樹根)이라 한다.

약효 야칠수(野漆樹)는 산어지혈(散瘀止血), 해독(解毒)의 효능이 있으므로 해혈(咳血), 토혈(吐血), 혈붕(血崩), 외상출혈, 독사교상(毒蛇咬傷)을 치료한다. 야칠수근은 산어지혈(散瘀止血), 해독(解毒)의 효능이 있으므로 해혈(咳血), 토혈(吐血), 외상출

혈, 창독개선(瘡毒疥癬), 독사교상(毒蛇咬傷)을 치료한다.

성분 야칠수(野漆樹)는 fisetin, fustin, gallic acid 등이 함유되어 있다.

약리 적출한 쥐의 소장에 야칠수(野漆樹)의 에탄올추출물을 투여하면 경련을 억제하는 작용이 나타난다.

사용법 야칠수는 10g에 물 3컵(600mL)을 넣고 달여서 복용하고, 외용에는 생잎을 짓찧어 붙이거나 즙액을 바른다. 야칠수근은 15g에 물 3컵(600mL)을 넣고 달여서 복용한다.

❶ 야칠수(野漆樹)

❶ 검양옻나무

[옻나무과]

옻나무

부녀어혈조체, 월경폐지 | 골절, 요통, 근육통
징가, 충적 | 자운풍, 외상어종출혈, 창양궤란, 개선

● 학명 : *Rhus verniciflua* Stokes ● 한자명 : 漆樹 ● 별명 : 옻나무, 참옻나무

| 1 | 2 | 3 | 4 | 5 | 6 | 7 | 8 | 9 | 10 | 11 | 12 |

낙엽 교목. 높이 20m 정도. 줄기껍질은 회색, 잎은 어긋나고 홀수 1회 깃꼴겹잎, 작은잎은 9~11개이다. 꽃은 황록색, 6월에 핀다. 열매는 납작한 구형이며 지름 6~8mm, 연한 황색이고 털이 없으며 윤채가 돈다.

분포 · 생육지 중국, 인도 원산. 우리나라 전역에서 재식한다.

약용 부위 · 수치 수지(樹脂)는 4~5월경에 채취하여 말린다. 옹기나 돌솥에 한지를 깔고 말린 수지를 넣고 그 위에 다시 한지를 덮어서 가열하다 한지가 노릇노릇해지면 꺼내어 사용한다. 잎은 여름에, 껍질은 봄에 채취하여 말린다.

약물명 수지를 건칠(乾漆)이라 하며, 줄기껍질 또는 뿌리껍질을 칠수피(漆樹皮), 잎을 칠엽(漆葉)이라 한다. 건칠(乾漆)과 칠수피(漆樹皮)는 대한민국약전외한약(생약)규격집(KHP)에 수재되어 있다.

본초서 건칠(乾漆)은 「신농본초경(神農本草經)」의 상품(上品)에 건칠(乾漆)과 생칠(生漆)의 이름으로 수재되어 있다. 「명의별록(名醫別錄)」에는 "건칠(乾漆)은 해수(咳嗽)를 치료하고, 생칠(生漆)은 어혈(瘀血)을 푼다. 여자의 산벽(疝癖)을 치료하며, 소장(小腸)을 이롭게 하고 충(蟲)을 제거한다."고 하였다. 「본초강목(本草綱目)」에는 "옻나무의 부작용은 자소탕(紫蘇湯)이나 칠고초탕(漆姑草湯)으로 치료한다."고 하였다. 「동의보감(東醫寶鑑)」에는 "어혈을 풀어 주고 생리가 중단된 것과 산후통을 낫게 한다. 소

장을 잘 통하게 하고 회충을 구제하며 뱃속의 덩어리를 삭인다. 출혈이 심하여 정신이 혼미한 것을 없애고 촌백충과 회충을 구제하며, 돌림병을 낫게 한다."고 하였다.

神農本草經: 主折傷 補中 續筋骨 塡髓腦 安五臟 五緩六急 風寒濕痺.

名醫別錄: 療咳嗽 消瘀血痞結腰痛 女子疝瘕 利小腸 去蚘蟲.

東醫寶鑑: 消瘀血 主女人經脈不通 及疝瘕 利小腸 去蚘蟲 破堅積 止血暈 殺三蟲 治傳尸勞.

성상 건칠(乾漆)은 줄기에 상처를 내어 흘러나온 수액을 건조시킨 덩어리로 모양과 크기가 고르지 않다. 표면은 흑갈색이고 거칠며 작은 구멍이 있기도 하다. 질은 단단하여 쉽게 부서지지 않는다. 불에 태우면 검은 연기가 나면서 강한 냄새가 난다. 냄새가 특이하고 맛은 맵다. 칠수피(漆樹皮)는 줄기껍질로 관상 또는 판상이고 표면은 회갈색, 군데군데 껍질눈이 있으며, 안쪽은 회황색이고 세로 주름이 있다. 횡단면에는 흑갈색의 분비물이 보이기도 한다. 냄새는 특이하고 맛은 맵다.

기미 · 귀경 건칠(乾漆): 온(溫), 신(辛), 소독(小毒) · 간(肝), 비(脾)

약효 건칠(乾漆)은 파어(破瘀), 소적(消積), 살충(殺蟲)의 효능이 있으므로 부녀어혈조체(婦女瘀血阻滯), 월경폐지(月經閉止), 징가(癥瘕), 충적(蟲積)을 치료한다. 칠수피(漆樹皮)는 접골의 효능이 있으므로 골절, 요통, 근육통을 치료한다. 칠엽(漆葉)은 활

혈해독(活血解毒), 살충염창(殺蟲斂瘡)의 효능이 있으므로 자운풍(紫雲風), 면부자종(面部紫腫), 외상어종출혈(外傷瘀腫出血), 창양궤란(瘡瘍潰爛), 개선(疥癬), 칠중독(漆中毒)을 치료한다.

성분 건칠(乾漆)은 urushiol, epigallocatechin gallate, 3-pentadecylcatechol, 3-[8′(Z)-pentadecyl]catechol, 3-[8′(Z), 11′(Z)-pentadecadienyl]catechol, 3-[8′(Z),11′(Z),14′-pentadecatrienyl]catechol, 칠엽(漆葉)은 robinin이 함유되어 있고, 칠수피(漆樹皮)는 protocatechuic acid, fustin, fisetin, sulfuretin, butein 등이 함유되어 있다.

약리 건칠(乾漆)은 평활근의 경련을 풀어 주고, 혈압을 내리며 출혈을 멎게 하는 작용이 있다. 아세톤추출물은 쥐의 간암 세포를 apoptosis로 유도하여 성장을 멈추게 한다. 메탄올추출물은 AIDS의 역전사효소(reverse transcriptase)의 활성을 억제하는 효능이 있다. sulfuretin은 H_2O_2로 유도되는 세포 사멸을 막아 준다.

사용법 건칠 5g에 물 2컵(400mL)을 넣고 끓여서 복용하거나 환약으로 하여 복용한다. 칠수피와 칠엽은 10g에 물 3컵(600mL)을 넣고 달여서 복용하고, 타박상에는 짓찧어 상처에 붙인다.

처방 건칠환(乾漆丸): 건칠(乾漆) · 백자인(柏子仁) · 건지황(乾地黃) · 숙지황(熟地黃) 각 40g (「향약집성방(鄕藥集成方)」). 신기(腎氣)와 혈(血)이 부족하여 머리카락이 희어지는 데 사용한다.

＊민간에서는 속이 차거나 소화가 잘 안되는 경우 닭과 옻나무 껍질을 배합하여 물에 달여서 복용한다. 소위 옻닭이라고 하며, 사람에 따라서는 알레르기가 일어나는데, urushiol이나 robinin 등이 원인 물질이다.

● 건칠(乾漆)

● 칠수피(漆樹皮, 절편)

● 칠수피(漆樹皮)

● 칠엽(漆葉)

● 옻나무

[옻나무과]

빈랑청

결장염   비뇨기염, 치질
심장비대증   후두염

●학명 : *Spondias pinnata* (L.) Kurz ●영명 : Wild mango ●한자명 : 檳榔靑

| 1 | 2 | 3 | 4 | 5 | 6 | 7 | 8 | 9 | 10 | 11 | 12 |

상록 교목. 높이 16m 정도. 줄기껍질은 적 갈색이며 파인 세로줄이 있다. 잎은 어긋나고 1회 깃꼴겹잎, 작은잎은 9~11개, 긴 타원형, 가장자리가 밋밋하다. 꽃은 잡성화로 황록색, 잎겨드랑이에 원추화서로 달린다. 열매는 핵과로 달걀 모양이다.

분포·생육지 중국 윈난성(雲南省), 광시성(廣西省). 타이완. 산지의 낮은 지대에서 자란다.

약용 부위·수치 줄기껍질을 봄에 채취하여 썰어서 말린다.

약물명 Spondias Cortex

약효 청열해독(淸熱解毒), 정혈(淨血), 수렴(收斂)의 효능이 있으므로 결장염(結腸炎), 비뇨기염, 심장비대증, 후두염, 치질을 치료한다.

사용법 Spondias Cortex 10g에 물 3컵(600mL)을 넣고 달여서 복용한다.

❍ 빈랑청

❍ 빈랑청(줄기)

[단풍나무과]

청시닥나무

풍습골통, 골절   타박상

●학명 : *Acer barbinerve* Max. ●별명 : 푸른시닥나무, 청여장

| 1 | 2 | 3 | 4 | 5 | 6 | 7 | 8 | 9 | 10 | 11 | 12 |

❍ 모맥척(毛脈槭)

낙엽 소교목. 높이 10m 정도. 잎은 마주나고 5개로 갈라지며 가장자리에 겹톱니가 있다. 꽃은 암수딴그루, 6월에 가지 끝에 총상화서로 4~7개가 달린다. 시과는 둔각 또는 직각으로 벌어지며 길이 3~3.5cm, 너비 8~12mm로 주름이 많다.

분포·생육지 우리나라 전역. 일본, 중국, 우수리. 산속에서 자란다.

약용 부위·수치 줄기껍질을 봄부터 가을까지 채취하여 적당한 크기로 잘라서 말린다.

약물명 모맥척(毛脈槭)

약효 거풍제습(祛風除濕), 활혈축어(活血逐瘀)의 효능이 있으므로 풍습골통(風濕骨痛), 골절, 타박상을 치료한다.

사용법 모맥척 10g에 물 3컵(600mL)을 넣고 달여서 복용하고, 외용에는 짓찧어 바른다.

＊수술이 8개, 잎의 갈라진 조각 끝에 톱니가 있고 잎자루에 홍색을 띠는 '시닥나무 *A. tschonoskii* var. *rubripes*'도 약효가 같다.

❍ 청시닥나무

[단풍나무과]

계림척

●학명 : *Acer fabri* Hance　●한자명 : 桂林槭

| 1 | 2 | 3 | 4 | 5 | 6 | 7 | 8 | 9 | 10 | 11 | 12 |

낙엽 소교목. 높이 10m 정도. 줄기껍질은
회흑색. 잎은 마주나고 홑잎, 가장자리에
톱니가 있다. 꽃은 암수딴그루, 6월에 가지
끝에 총상화서로 달리고, 꽃받침은 자주색
이다. 시과는 둔각으로 벌어진다.

분포·생육지 중국 광시성(廣西省), 구이저
우성(貴州省). 티베트. 산속에서 자란다.

약용 부위·수치 열매를 가을에 채취하여 말
린다.

약물명 호접과(胡蝶果)

약효 청열해독(淸熱解毒)의 효능이 있으므
로 인후통, 간염, 폐결핵을 치료한다.

사용법 호접과 15g에 물 3컵(600mL)을 넣
고 달여서 복용한다.

○ 계림척

[단풍나무과]

신나무

●학명 : *Acer ginnala* Max.　●별명 : 사다기나무

| 1 | 2 | 3 | 4 | 5 | 6 | 7 | 8 | 9 | 10 | 11 | 12 |

낙엽 소교목. 높이 8m 정도. 작은가지에
털이 없다. 잎은 마주나고, 꽃은 황백색, 잡
성으로 5월에 핀다. 수꽃은 지름 4.5mm,
5개씩의 꽃받침잎과 꽃잎 및 8개의 수술이
있고, 양성화는 5개씩의 꽃받침잎과 꽃잎
및 8~9개의 수술이 있다. 암술은 1개이고
백색 털이 빽빽이 난다. 시과는 9월에 익으
며 길이 3.5cm 정도, 날개는 거의 평행하
거나 서로 합쳐진다.

분포·생육지 우리나라 전역. 중국, 일본,
몽골, 아무르. 산골짜기나 들의 습한 곳에
서 자란다.

약용 부위·수치 잎과 열매를 봄에 채취하여
적당한 크기로 잘라서 말린다.

약물명 차조아(茶條芽). 상아(桑芽)라고도

한다.

기미·귀경 한(寒), 미고(微苦), 감(甘)·간
(肝)

약효 청간명목(淸肝明目)의 효능이 있으므
로 풍열두통(風熱頭痛), 간열목적(肝熱目
赤), 시물혼화(視物昏花)를 치료한다.

성분 잎에는 acertannin(2,6-di-O-gal-
loyl-1,5-anhydro-D-glucitol), polygal-
lin, gallic acid, polygalitol(1,5-anhy-
dro-D-sorbitol) 등이 함유되어 있다.

약리 줄기껍질과 잎의 메탄올추출물은 수
정란법에 의한 실험에서 소염 작용이 나타
난다.

사용법 차조아 10g에 물 3컵(600mL)을 넣
고 달여서 복용한다.

○ 차조아(茶條芽)

○ 신나무(잎)

○ 신나무

[단풍나무과]

고로쇠나무

편두통　　풍한습비, 골절
타박상, 습진, 개선

●학명 : *Acer mono* Max.　●별명 : 참고리실나무, 개고리실나무

| 1 | 2 | 3 | 4 | 5 | 6 | 7 | 8 | 9 | 10 | 11 | 12 |

낙엽 교목. 높이 20m 정도. 잎은 마주나고 5~7개로 얕게 갈라진다. 꽃은 황록색, 5월에 새 가지 끝에서 산방화서로 잎과 같이 나온다. 꽃받침과 꽃잎은 각각 5개이며 8개의 수술과 1개의 암술이 있다. 시과는 예각으로 벌어지며 10월에 익는다.

분포·생육지 우리나라 전역. 중국, 일본, 아무르, 우수리. 산에서 자란다.

약용 부위·수치 가지와 잎을 봄에 채취하여 적당한 크기로 썰어서 말린다.

약물명 지금척(地錦槭). 홍풍엽(紅楓葉)이라고도 한다.

약효 거풍제습(祛風除濕), 활혈지통(活血止痛)의 효능이 있으므로 편두통, 풍한습비(風寒濕痺), 골절, 타박상, 습진, 개선(疥癬)을 치료한다.

성분 잎과 가지는 chrysanthemin, canin, karacyanin, lycoricyanin, paeonin, acertannin(2,6-di-*O*-galloyl-1,5-anhydro-D-glucitol), polygallin, gallic acid, meth-yl gallate, ethyl gallate, *trans*-resveratrol-3-*O*-β-D-glucopyranoside, acertannin, nikoenoside, fraxin, polygalitol(1,5-anhydro-D-sorbitol) 등이 함유되어 있다.

약리 껍질과 잎의 메탄올추출물은 소염 작용이 있다. 줄기의 초음파추출물은 폐암 세포인 A549, 위암 세포인 AGS, 간암 세포인 Hep3B, 유방암 세포인 MCF-7 등에 세포 독성이 있고, NK 세포에 면역 증진 효과가 있다. gallic acid, methyl gallate, ethyl gallate 및 acertannin은 암세포인 L1210, HL60, K562, B16F10에 세포 독성이 있다. 열수추출물은 항산화 작용이 있다.

사용법 지금척 10g에 물 3컵(600mL)을 넣고 달여서 복용하고, 외용에는 짓찧어 바른다.
＊민간에서는 봄에 수액을 채취하여 위장병 치료에 이용하고 있다. 울릉도에서 자라고 열매의 날개가 겹치는 '우산고로쇠 *A. okamotoanum*'도 약효가 같다.

❶ 고로쇠나무

❶ 지금척(地錦槭)

❶ 고로쇠나무(수액)

[단풍나무과]

단풍나무

기체복통　　옹종발배

●학명 : *Acer palmatum* Thunb.　●별명 : 산단풍나무, 붉은단풍나무, 내장단풍, 색단풍나무

| 1 | 2 | 3 | 4 | 5 | 6 | 7 | 8 | 9 | 10 | 11 | 12 |

낙엽 소교목. 높이 10m 정도. 잎은 마주나고 5~7개로 갈라진다. 꽃은 털이 없고 잡성 또는 암수한그루로 5월에 산방화서로 핀다. 암꽃은 꽃잎이 없거나 2~5개의 흔적이 있지만, 수꽃은 없고 수술은 8개, 꽃받침잎은 5개이다. 시과는 길이 1cm 정도, 털이 없으며 9~10월에 익고, 날개는 긴 타원형이다.

분포·생육지 우리나라 전역. 중국, 일본. 산 속에서 자란다.

약용 부위·수치 가지와 잎을 여름에 채취하여 적당한 크기로 잘라서 말린다.

약물명 계과척(鷄瓜槭). 유엽풍(柳葉楓)이라고도 한다.

약효 행기지통(行氣止痛), 해독소옹(解毒消癰)의 효능이 있으므로 기체복통(氣滯腹痛), 옹종발배(癰腫發背)를 치료한다.

성분 vitexin, saponaretin, homoorientin, orientin, delphinidin monoglycoside, cyanindin monoglycoside 등이 함유되어 있다.

사용법 계과척 6g에 물 2컵(400mL)을 넣고 달여서 복용하고, 외용에는 짓찧어 환부에 붙인다. 근육통이나 골절에는 오가피와 배합하여 달여서 복용한다.

❶ 단풍나무

❶ 계과척(鷄瓜槭)

694　약용 식물 Ⅰ

[단풍나무과]

산겨릅나무

종독, 외상출혈

●학명 : *Acer tegmentosum* Maxim. ●별명 : 산저릅, 참산겨릅나무

| 1 | 2 | 3 | 4 | 5 | 6 | 7 | 8 | 9 | 10 | 11 | 12 |

낙엽 소교목. 높이 10~15m. 작은가지는 녹색이고 줄이 있다. 잎은 마주나고, 꽃은 암수한그루, 5월에 핀다. 암꽃은 꽃잎이 없거나 2~5개의 흔적이 있지만, 수꽃은 없고 수술은 8개, 꽃받침잎은 5개이다. 시과는 길이 3cm 정도, 9~10월에 익고 넓게 벌어진다.
분포·생육지 우리나라 전역. 중국, 일본. 높은 산의 산골짜기에서 자란다.
약용 부위·수치 봄에 줄기껍질 또는 굵은 가지를 채취하여 적당한 크기로 잘라서 말린다.
약물명 청개척(靑楷槭). 유엽풍(柳葉楓)이라고도 한다.

약효 소종(消腫), 화독(化毒), 지혈(止血)의 효능이 있으므로 종독(腫毒), 외상출혈을 치료한다.
성분 quercitrin, kaempferol-3-rhamnoside, hyperin, myricetin, dihydromyricetin, 6-hydroxy-quercetin-3-O-galactoside, (+)-catechin, (+)-catechin-3-O-(3,4-dihydroxybenzoyl), 4-hydroxy-phenylethyl-O-β-glucopyranoside, gallocatechin, 3'-O-galloylsalidroside, erigeside B, feniculin, avicularin, (+)-catechin, (−)-epicatechin, salidroside, 6'-galloylsalidroside 등이 함유되어 있다.

약리 quercitrin, 6-hydroxy-quercetin-3-O-galactoside, (+)-catechin은 항산화제인 Trolox보다 강한 활성을 보인다. (+)-catechin은 preadipocyte의 증식을 억제한다.
사용법 청개척 6g에 물 2컵(400mL)을 넣고 달여서 복용하고, 외용에는 짓찧어 환부에 붙인다. 근육통이나 골절에는 오가피와 배합하여 달여서 복용한다.

❍ 산겨릅나무

❍ 청개척(靑楷槭)

❍ 산겨릅나무(열매)

[무환자나무과]

풍선덩굴

황달　　임병

개선, 독사교상

●학명 : *Cardiospermum halicacabum* L. ●별명 : 풍경덩굴, 풍선초, 방울초롱아재비

| 1 | 2 | 3 | 4 | 5 | 6 | 7 | 8 | 9 | 10 | 11 | 12 |

덩굴성 한해살이풀. 길이 2~3m. 잎은 어긋나고 2회 3출겹잎이다. 꽃은 백색, 8~9월에 취산화서로 달린다. 꽃받침은 4개, 꽃잎도 4개, 수술 8개, 씨방 3실이다. 열매는 꽈리 같고 각 실에 흑색 종자가 들어 있으며, 한쪽에 심장상의 백색 점이 있다.
분포·생육지 북아메리카 원산. 우리나라 전역에서 재배한다.
약용 부위·수치 전초를 여름에 채취하여 적당한 크기로 썰어서 말린다.
약물명 삼각포(三角泡). 가고과(假苦瓜), 가포달(假蒲達)이라고도 한다.

약효 청열(淸熱), 이수(利水), 양혈(凉血), 해독(解毒)의 효능이 있으므로 황달(黃疸), 임병(淋病), 개선(疥癬), 독사교상(毒蛇咬傷)을 치료한다.
성분 종자에 들어 있는 정유의 주성분은 1-cyano-2-hydroxymethlylprop-2-en-1-ol의 diglyceride이다.
약리 종자에 들어 있는 정유를 개에 투여하면 혈압 하강이 일어나고, 에탄올추출물을 개에게 투여하면 3~4시간 동안 혈압 강하가 나타난다.
사용법 삼각포 10g에 물 3컵(600mL)을 넣고 달여서 복용하고, 외용에는 짓찧어 바른다.

❍ 풍선덩굴(꽃)

❍ 풍선덩굴(종자)

❍ 삼각포(三角泡)

❍ 풍선덩굴

[무환자나무과]

차상자

👥 임증　　📖 피부소양, 옹종창절

● 학명 : *Dodonaea viscosa* L. [*Ptelea viscosa*]　● 영명 : Chamisa
● 한자명 : 車桑子, 溪柳, 山楊梅

| 1 | 2 | 3 | 4 | 5 | 6 | 7 | 8 | 9 | 10 | 11 | 12 |

✪ 차상자엽(車桑子葉)

관목. 높이 2~3m. 잎은 어긋나고 잎자루가 없다. 꽃은 암수딴그루, 황색, 10~11월에 가지 끝 또는 잎겨드랑이에 핀다. 삭과는 편구형으로 양쪽에 날개가 있다.

분포 · 생육지 라틴 아메리카, 중국 남부. 바닷가 산지에서 자란다.

약용 부위 · 수치 잎을 여름에 채취하여 적당한 크기로 썰어서 말린다.

약물명 차상자엽(車桑子葉)

약효 청열이습(淸熱利濕), 해독소종(解毒消腫)의 효능이 있으므로 임증(淋症), 피부소양(皮膚瘙痒), 옹종창절(癰腫瘡癤)을 치료한다.

성분 *ent*-labdane, sakuranetin, hautriwaic acid, 6-hydroxykaempferyl-3,7-dimethyl ether, 5-hydroxy-3,6,7,4'-tetramethoxyflavone 등이 함유되어 있다.

사용법 차상자엽 10g에 물 3컵(600mL)을 넣고 달여서 복용하고, 외용에는 짓찧어 바른다.

✪ 차상자

[무환자나무과]

용안나무

🌙 심신쇠약, 불면증　　🧴 건망증

● 학명 : *Euphoria longan* (Lour.) Steud. [*Dimocarpus longan* Lour.]

| 1 | 2 | 3 | 4 | 5 | 6 | 7 | 8 | 9 | 10 | 11 | 12 |

상록 교목. 높이 10m 정도. 어린가지는 부드러운 털이 있다. 잎은 어긋나고 짝수 깃꼴겹잎, 작은잎은 2~5쌍이다. 꽃은 황백색, 단성 또는 단성화와 양성화가 같이 있고 작다. 꽃받침은 5개로 깊게 갈라지고, 꽃잎도 5개로 안쪽에 털이 있으며, 수술은 8개, 씨방은 2~3실이다. 핵과는 둥글고 외피는 황갈색, 가종피는 백색으로 다육질이고, 흑갈색의 종자가 1개 들어 있다.

분포 · 생육지 중국, 타이완, 타이, 베트남. 산지에서 자란다. 우리나라에서는 온실에서 재식한다.

약용 부위 · 수치 가을에 열매를 채취하고, 외과피를 벗겨서 말린다.

약물명 열매의 외과피를 벗긴 가종피를 용안육(龍眼肉)이라 하며, 용안(龍眼), 익지(益智), 비목(比目)이라고도 한다. 대한민국약전(KP)에 수재되어 있다.

본초서 용안육(龍眼肉)은 「신농본초경(神農本草經)」의 상품(上品)에 용안(龍眼)이라는 이름으로 수재되었으며, 별명으로 익지(益智)라고도 한다. 송나라의 「개보본초(開寶本草)」에 "본경(本經)에 별명으로 익지(益智)라고 한 것은 감미(甘味)는 오직 비(脾)에 작용하므로 능히 사람의 지(智)를 돕기 때문이다. 지금의 익지인(益智仁)은 아니다."라고 하였다. 이 식물의 열매가 용(龍)의 눈(眼)과 닮았다고 하여 용안(龍眼)이라고 한다. 「동의보감(東醫寶鑑)」에는 "오장의 사기(邪氣)를 없애고 마음을 안정시키며, 독충의 독을 없애고 촌충과 회충을 구제한다."고 하였다.

神農本草經: 主五臟邪氣 安志厭食 久服强魂魄 聰明 輕身不老 通神明.

開寶本草: 歸脾而能益智.

東醫寶鑑: 主五臟邪氣 安志 除蟲毒 去三蟲.

성상 세로로 파열된 몇 개의 불규칙한 얇은 조각으로 여러 개가 끈끈하게 붙어 있다. 표면은 짙은 적갈색으로 반투명하고 윤기가 돈다. 물에 담가 두면 3~4조각의 꽃잎 모양을 이루고 엷은 황갈색으로 육질을 나타낸다. 특이한 냄새가 있고 맛은 매우 달다.

기미 · 귀경 온(溫), 감(甘) · 심(心), 비(脾)

✪ 용안나무

약효 보익심비(補益心脾), 보기혈(補氣血), 안신(安神)의 효능이 있으므로 심신쇠약, 불면증, 건망증, 가슴이 뛰는 증상을 치료한다.

성분 신선품은 수분 77.1%, 회분 0.61%, 지방 0.13%, 단백질 1.47%, 가용성 질소 화합물 20.55%, 설탕 12.25%, 건조한 것은 포도당 26.91%, 설탕 0.22%, 유기산류 1.26%, 질소 화합물 6.31%로 이루어지며, 질소 화합물에는 2-amino-4-methylhex-5-ynoic acid, 2-amino-4-hydroxymethylhex-5-ynoic acid, (2S,4R)2-amino-

4-methylhex-5-ynoic acid가 함유되어 있다. 잎에는 sitosterol, stigmasterol, quercetin, quercitrin 등이 함유되어 있다.

약리 열수추출물은 각종 세균에 성장 억제 작용이 있고, 동물 실험에서 건위 및 자양 작용이 있다. 2-amino-4-methylhex-5-ynoic acid에는 돌연변이 억제 작용이 관찰된다.

사용법 용안육 10g에 물 3컵(600mL)을 넣고 달여서 복용하거나 술에 담가서 복용한다.

처방 귀비탕(歸脾湯): 당귀(當歸)·용안육

(龍眼肉)·산조인(酸棗仁)·원지(遠志)·인삼(人蔘)·황기(黃耆)·백출(白朮)·복신(茯神) 각 4g, 목향(木香) 2g, 감초(甘草) 1.2g, 생강(生薑) 5쪽, 대추(大棗) 2개 (『동의보감(東醫寶鑑)』). 심비(心脾)가 허하여 입맛이 없고 온몸이 나른하며 가슴이 두근거리고 마음이 불안한 증상, 건망증, 정신불안에 사용한다.

• 용안탕(龍眼湯): 용안육(龍眼肉), 생강(生薑), 대추(大棗). 노인의 허약체질, 산후 기혈 부족에 사용한다.

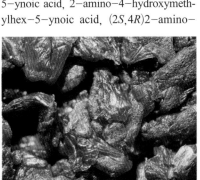
❶ 용안육(龍眼肉)

❶ 용안나무(열매)

❶ 용안나무(열매의 내부)

[무환자나무과]

모감주나무

🤟 간염, 장염   🫘 요도염   👁 안염

● 학명 : *Koelreuteria paniculata* Laxm.   ● 한자명 : 欒樹

| 1 | 2 | 3 | 4 | 5 | 6 | 7 | 8 | 9 | 10 | 11 | 12 |

❶ 모감주나무(열매)

❶ 모감주나무(종자)

낙엽 소교목. 잎은 어긋나고 1회 홀수 깃꼴겹잎, 작은잎은 7~15개이다. 꽃은 7월에 피며 지름 1cm 정도, 황색이지만 중심부는 붉은색. 꽃받침은 5개로 갈라지며 꽃잎은 4개이다. 열매는 꽈리 같으며 길이 4~5cm, 3개로 갈라지고 3개의 종자가 들어 있다. 종자는 둥글며 흑색 윤채가 돈다.

분포·생육지 우리나라 황해도, 강원도 이남. 중국. 바닷가 산기슭에서 자란다.

약용 부위·수치 꽃을 6~7월 꽃이 필 때 채취하여 말린다.

약물명 난화(欒華)

약효 청간명목(淸肝明目)의 효능이 있으므로 안염(眼炎), 간염, 요도염, 장염을 치료한다.

성분 quercitrin-2″-gallate 등 flavonoid 성분들이 함유되어 있다.

사용법 난화 10g에 물 3컵(600mL)을 넣고 달여서 복용한다. 황련(黃連)과 같이 달여서 복용하면 눈이 침침하고 붉은 증상이 치료된다.

❶ 난화(欒華)

❶ 모감주나무(꽃)

❶ 모감주나무

[무환자나무과]

여지나무

👁 번갈
🫁 애역, 위통, 창통
📦 외상출혈
🫘 산기통, 고환종통

● 학명 : *Litchi chinensis* Sonn.

| 1 | 2 | 3 | 4 | 5 | 6 | 7 | 8 | 9 | 10 | 11 | 12 |

상록 교목. 높이 10m 정도. 잎은 어긋나고 짝수 깃꼴겹잎, 작은잎은 2~4개가 마주난다. 꽃은 작고 청백색 또는 황백색이다. 꽃받침은 술잔 모양으로 4개, 꽃잎은 없고, 수술은 6~10개, 씨방상위이다. 핵과는 둥글고, 외과피는 가죽질이며 익으면 붉은색이다.

분포 · 생육지 동남아시아의 열대(중국, 타이완, 말레이시아, 타이, 베트남, 인도, 방글라데시). 산지에서 자란다.

약용 부위 · 수치 가을에 열매를 채취하여 과육과 과피를 제거한 종자를 건조시킨 후 질그릇에 약한 불로 볶아서 사용한다.

약물명 열매를 여지(荔枝), 가종피를 벗긴 종자를 여지핵(荔枝核)이라 한다. 여지핵은 대한민국약전외한약(생약)규격집(KHP)에 수재되어 있다.

본초서 여지(荔枝)는 송나라의 「개보본초(開寶本草)」에 처음 수재되었으며, 한(漢)나라 때 널리 재식하였다. 「본초강목(本草綱目)」에는 "나력, 적종(赤腫), 창종(瘡腫)을 치료하는 것은 한(寒)과 울체(鬱滯)를 물리치기 때문이다."라고 기록되어 있다. 당나라 현종의 비 양귀비(楊貴妃)가 이 열매를 즐겨 먹었으므로 멀리 남쪽 지방으로부터 말을 갈아타면서 장안(長安)까지 실어 날랐다고 한다. 「동의보감(東醫寶鑑)」에는 "여지(荔枝)는 정신을 맑게 하고 지혜를 더하여 주며, 가슴이 답답하고 입이 마르며 갈증이 나는 것을 풀어 주고 얼굴빛을 윤택하게 하며, 여지핵(荔枝核)은 심장과 명치 부위의 통증과 소장산기(小腸疝氣)를 낫게 하는데, 태워서 가루로 하여 따뜻한 술에 타서 먹는다."고 하였다.

本草綱目: 治瘰癧 療腫 發小兒頭瘡.
東醫寶鑑: 荔枝 通神益智 止煩渴 好顏色, 荔枝核 治心痛及小腸疝氣 燒爲末 溫酒調下.

성상 여지핵(荔枝核)은 타원상 구형이고 한쪽이 쭈그러져서 납작하고 길이 2~2.5cm, 지름 1~1.5cm이다. 표면은 적갈색으로 매끈매끈하고 광택이 있으며 세로로 쭈그러진 주름이 있고 한쪽 끝은 둔한 구형이며 질은 단단하다. 냄새가 없고 맛은 처음에는 약간 달고 나중에는 조금 쓰다.

품질 종자가 크고 충실하며 적갈색이고 윤기가 있는 것이 좋다.

기미 · 귀경 여지(荔枝): 온(溫), 감(甘), 산(酸) · 간(肝), 비(脾). 여지핵(荔枝核): 온(溫), 감(甘), 고(苦) · 간(肝), 신(腎), 위(胃)

약효 여지(荔枝)는 생진(生津), 양혈(養血), 이기(理氣), 지통(止痛)의 효능이 있으므로 번갈(煩渴), 애역(吃逆), 위통, 외상출혈을 치료한다. 여지핵(荔枝核)은 이기지통(理氣止痛), 거한산체(祛寒散滯)하는 효능이 있으므로 산기통(疝氣痛), 고환종통(睾丸腫痛), 위한(胃寒)으로 인한 창통(脹痛)을 치료한다.

성분 amino acid: α-methylenecyclopropyl glycine, lectin: agglutinin, 그 외에 saponin, tannin 등이 함유되어 있다.

사용법 여지 또는 여지핵 각각 10g에 물 3컵(600mL)을 넣고 달여서 또는 술에 담가서 복용하고, 알약으로 만들어 복용하기도 한다. 여지핵은 단단하므로 잘게 부수어 사용한다.

처방 여지산(荔枝散): 여지핵(荔枝核), 팔각회향(八角茴香), 침향(沈香), 목향(木香), 청염(靑鹽), 식염(食鹽), 천련자(川楝子), 회향(茴香)(「증치준승(症治準繩)」). 소화불량, 심통(心痛), 위통(胃痛)을 치료한다.

• 여지귤핵탕(荔枝橘核湯): 여지(荔枝), 귤핵(橘核), 도인(桃仁), 감초(甘草), 복령(茯苓), 백출(白朮), 지각(枳殼), 산사자(山査子), 연호색(延胡索)(「심씨존생서(沈氏尊生書)」). 심통(心痛), 위통(胃痛)에 사용한다.

❍ 여지나무

❍ 여지(荔枝, 신선품)

❍ 여지(荔枝)

❍ 여지핵(荔枝核)

[무환자나무과]

소자

이질, 심복냉통 창양

● 학명 : *Nephelium chryseum* Bl. ● 한자명 : 韶子

| 1 | 2 | 3 | 4 | 5 | 6 | 7 | 8 | 9 | 10 | 11 | 12 |

○ 소자(韶子)

상록 교목. 높이 10~20m. 잎은 어긋나고 짝수 깃꼴겹잎, 작은잎은 보통 4쌍, 가장자리는 밋밋하며, 길이 6~18cm, 너비 2.5~7.5cm이다. 꽃은 암수한그루 또는 암수딴그루이며, 꽃차례는 분지하고, 꽃받침은 5개로 갈라지며 털이 많다. 열매는 구형, 붉은색이고, 딱딱한 긴 털로 덮여 있다.

분포 · 생육지 중국 광둥성(廣東省), 광시성(廣西省), 윈난성(雲南省). 해발 500~1,500m의 밀림에서 자란다.

약용 부위 · 수치 열매를 여름철에 채취하여 말린다.

약물명 소자(韶子). 산소자(山韶子), 모여지(毛荔枝)라고도 한다.

약효 산한(散寒), 지리(止痢), 해독의 효능이 있으므로 이질, 심복냉통(心腹冷痛), 창양(瘡瘍)을 치료한다.

사용법 소자 10~15에 물 2컵(400mL)을 넣고 달여서 복용한다.

＊본 종에 비하여 잎의 너비가 넓은 '람부탄(rambutan) *N. lappaceum*'은 말레이시아 원산으로 식용한다.

○ 소자

[무환자나무과]

과라나

무력증 변비 비만증

● 학명 : *Paullinia cupana* Kunth ● 영명 : Guarana

| 1 | 2 | 3 | 4 | 5 | 6 | 7 | 8 | 9 | 10 | 11 | 12 |

덩굴나무. 잎은 어긋나고 홀수 1회 깃꼴겹잎, 작은잎은 5개, 톱니가 있다. 꽃은 7~8월에 잎겨드랑이에서 수상화서로 달리며, 꽃받침잎과 꽃잎은 각각 4~5개이다. 열매는 10~11월에 방추형으로 성숙하며, 종자는 둥글고 지름 8mm 정도이며 암갈색으로 광택이 난다.

분포 · 생육지 남아메리카. 숲속에서 자라고, 브라질에서 대량으로 재식한다.

약용 부위 · 수치 종자를 가을에 채취하여 말린다.

약물명 Paulliniae Semen. 일반적으로 과라나(Guarana) 또는 Brasilian cocoa라 한다.

약효 강장(强壯)의 효능이 있으므로 무력증, 변비, 비만증을 치료한다.

성분 caffeine, catechin, epicatechin, proanthocyanidins 등이 함유되어 있다.

약리 caffeine은 중추 신경을 자극하여 이뇨의 효능이 있으므로 강장, 체중 감소에 도움을 준다.

사용법 Paulliniae Semen 분말 2g을 뜨거운 물로 우려내어 복용하거나, 제품화된 청량음료를 이용한다.

○ 과라나로 만든 강장약

○ 과라나

[무환자나무과]

무환자나무

 인후마비   종통, 독사교상   류머티즘
감모발열   백대   해천   식체, 위통

●학명 : *Sapindus mukorossi* Gaertner   ●한자명 : 無患子

| 1 | 2 | 3 | 4 | 5 | 6 | 7 | 8 | 9 | 10 | 11 | 12 |

낙엽 교목. 높이 20m 정도. 잎은 어긋나고 홀수 1회 깃꼴겹잎, 작은잎은 9~13개, 길이 7~14cm, 너비 3~4cm이다. 꽃은 단성 또는 잡성으로 5월에 피며 지름 4~5mm, 적갈색이다. 꽃받침잎과 꽃잎은 각각 4~5개이며, 수꽃에 8~10개의 수술이 있고 암꽃에 1개의 암술이 있다. 열매는 둥글고 황갈색으로 흑색 종자가 1개 들어 있다.

분포·생육지 우리나라 남부 지방 및 제주도. 중국, 일본, 타이완, 인도. 마을 부근에서 자란다.

약용 부위·수치 열매를 가을에 채취하여 종자와 과피를 분리하고, 잎은 초여름에 채취하여 말린다.

약물명 종자를 무환자(無患子), 과피를 무환자피(無患子皮), 잎을 무환자엽(無患子葉)이라 한다.

본초서 「동의보감(東醫寶鑑)」에는 무환자피(無患子皮)는 "때를 지우고 얼굴의 주근깨를 없애며, 목 안이 벌겋게 붓고 아프며 막힌 감이 있는 증상을 낫게 한다."고 하였다. 東醫寶鑑: 主澣垢 去面黯 喉痺.

기미·귀경 무환자(無患子): 한(寒), 고(苦),

신(辛), 소독(小毒)·간(肝)·비(脾)

약효 무환자(無患子)는 청열(淸熱), 거담(祛痰), 소적(消積), 살충의 효능이 있으므로 인후마비, 종통(腫痛), 해천(咳喘), 식체(食滯), 백대(白帶), 감모발열(感冒發熱)을 치료한다. 무환자피(無患子皮)는 청열(淸熱), 화담(化痰), 지통(止痛), 소적(消積)의 효능이 있으므로 후두(喉頭)의 마비와 통증, 위통, 류머티즘을 치료한다. 무환자엽(無患子葉)은 독사교상(毒蛇咬傷)을 치료한다.

성분 무환자엽(無患子葉)에는 sapindoside A, apigenin, kaempferol, rutin, 열매에는 sapindoside A, B, C, D, E, rutin 등이 함유되어 있다.

약리 sapindoside A, B, C, D, E를 쥐에게 피하주사하면 혈압이 하강하고, 혈중 콜레스테롤의 함량이 떨어진다.

사용법 무환자, 무환자피 10g에 물 3컵(600mL)을 넣고 달여서 복용한다. 독사교상에는 무환자엽 10g에 물 3컵(600mL)을 넣고 달여서 복용하면서 짓찧어 환부에 붙이고 붕대로 싸맨다.

● 꽃   ● 무환자나무

● 무환자피(無患子皮)   ● 무환자엽(無患子葉)

[칠엽수과]

중국칠엽수

흉협통   유방창통, 통경
위완통

●학명 : *Aesculus chinensis* L.   ●별명 : 칠엽나무

| 1 | 2 | 3 | 4 | 5 | 6 | 7 | 8 | 9 | 10 | 11 | 12 |

낙엽 교목. 높이 25m 정도. 잎은 손바닥 모양이고, 작은잎은 5~7개, 중앙의 것이 가장 크고 가장자리가 밋밋하다. 꽃은 잡성으로 6월에 피고 7개의 수술과 1개의 암술이 있다. 꽃받침은 종형, 꽃잎은 4개로 갈라진다. 열매는 구형, 지름 6cm 정도, 가시가 없고, 적갈색 종자가 들어 있다.

분포·생육지 인도, 중국 허베이성(河北省), 산시성(山西省), 장쑤성(江蘇省). 산지나 들에서 자란다.

약용 부위·수치 종자를 가을에 채취하여 썰어서 말린다.

약물명 사라자(娑羅子), 천사율(天師栗), 파파자(婆婆子)라고도 한다.

기미·귀경 온(溫), 감(甘)·간(肝), 위(胃)

약효 소간이기(疎肝利氣), 관중지통(寬中止痛)의 효능이 있으므로 흉협(胸脇) 및 유방창통(乳房脹痛), 통경(痛經), 위완통(胃脘痛)을 치료한다.

성분 aesculin(aesculetin-6-*O*-glucoside), aescin, aescigenin, barringtogenol, 16-desoxybarringtogenol C 등이 함유되어 있다.

약리 aescin은 aescigenin과 barringtogenol에 당이 결합한 배당체로서 소염 작용이 있다.

사용법 사라자 10g에 물 3컵(600mL)을 넣고 달여서 복용한다.

● 사라자(娑羅子)

● 중국칠엽수

가시칠엽수

 정맥순환장애, 정맥염, 정맥류

 치질

● 학명 : *Aesculus hippocastanum* L. ● 별명 : 서양칠엽수, 마로니에

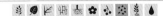

낙엽 교목. 높이 25m 정도. 줄기는 곧게 자란다. 잎은 손바닥 모양. 작은잎은 5~7개, 가장자리에 겹톱니가 있다. 열매는 달걀 모양으로 긴 가시가 많고 10월에 익으며 적갈색 종자가 들어 있다.

분포 · 생육지 인도 원산. 16세기 유럽과 북아메리카에 전파되었으며, 세계 각처에서 재식한다.

약용 부위 · 수치 종자를 가을에 채취하여 썰어서 말린다.

약물명 Aesculi Fructus

약효 혈액 순환을 돕는 효능이 있으므로 정맥순환장애, 정맥염, 정맥류, 치질을 치료한다.

성분 aesculin(aesculetin-6-*O*-glucoside), aescin, aescigenin, barringtogenol, 16-desoxybarringtogenol C 등이 함유되어 있다.

약리 aescin은 aescigenin과 barringtogenol에 당들이 결합한 배당체로 소염 작용이 있다.

사용법 Aesculi Fructus 10g에 물 3컵(600mL)을 넣고 달여서 복용한다.

※ 열매의 에탄올추출물은 saponin이 다량 함유되어 있으며, 소염제로 환약이나 캡슐제로 제제화되어 시판되고 있다.

✪ 가시칠엽수(열매)

✪ Aesculi Fructus

✪ 열매의 알코올팅크

✪ 가시칠엽수

나도밤나무

 변비

● 학명 : *Meliosma myriantha* S. et Z. ● 별명 : 나도합다리나무

낙엽 교목. 잎은 어긋나고 타원형이다. 꽃은 백색, 6월에 가지 끝에 원추화서로 달린다. 꽃잎 가운데 3개는 원형이고, 나머지 2~3개는 선형이며, 수술도 3개는 비늘 같고 2~3개는 완전하며, 암술은 1개이다. 열매는 둥글고 지름 7mm 정도, 붉은색으로 익는다.

분포 · 생육지 우리나라 제주도, 전남북, 경남, 충남, 황해도. 일본, 타이완. 산지에서 자란다.

약용 부위 · 수치 가지 또는 잎을 여름부터 가을까지 채취하여 적당한 크기로 썰어서 말린다.

약물명 향피수(香皮樹)

약효 윤장통변(潤腸通便)의 효능이 있으므로 변비를 치료한다.

사용법 향피수 7g에 물 2컵(400mL)을 넣고 달여서 복용한다.

※ 잎이 깃꼴겹잎이며 작은잎의 가장자리에 톱니가 드문드문 있는 '합다리나무 *M. oldhami*'도 약효가 같다.

✪ 향피수(香皮樹)

✪ 나도밤나무(줄기)

✪ 나도밤나무

봉선화

| | 산후복통, 월경폐지, 부녀경폐복통, 백대 | | 간염 | | 수종 |
| 류머티즘성관절염, 요륵동통, 풍습골통 | | 타박상, 종창 |

●학명 : *Impatiens balsamina* L. ●한자명 : 鳳仙花 ●별명 : 봉숭아, 금봉화

1 2 3 4 5 6 7 8 9 10 11 12

한해살이풀. 높이 60cm 정도. 줄기는 곧게 자라고 육질이며, 잎은 어긋난다. 꽃은 여러 색이고 7~8월에 2~3개씩 잎겨드랑이에 달린다. 꽃은 좌우 상칭으로 넓은 꽃잎이 퍼져 있고 밑의 꽃잎은 거(距)로 된다. 삭과는 타원형, 익으면 터지면서 황갈색 종자가 튀어나온다.

분포·생육지 인도, 말레이시아, 중국. 들에서 자란다. 우리나라에서는 관상용으로 재배하는 귀화 식물이다.

약용 부위·수치 전초와 종자를 가을에, 꽃은 꽃이 필 때 채취하여 말린다.

약물명 종자를 급성자(急性子)라 하며, 금봉화자(金鳳花子), 봉선자(鳳仙子)라고도 한다. 전초를 봉선(鳳仙), 꽃을 봉선화(鳳仙花), 뿌리를 봉선근(鳳仙根)이라 한다.

본초서 「동의보감(東醫寶鑑)」에 봉선화(鳳仙花)는 "매 맞아서 생긴 상처에 뿌리와 잎을 함께 짓찧어 붙이면 아물게 된다. 일명 금봉화라고도 한다."고 하였다.

東醫寶鑑: 治杖瘡 連根葉搗塗之 一名金鳳花.

기미·귀경 급성자(急性子): 온(溫), 신(辛), 미고(微苦)·간(肝), 비(脾)

약효 급성자(急性子)는 파혈(破血), 소적(消積), 청간(淸肝), 연견(軟堅)의 효능이 있으므로 산후복통, 월경폐지, 간염, 어독(魚毒)을 치료한다. 봉선(鳳仙)은 거풍(祛風), 활혈(活血), 소종(消腫), 지통(止痛)의 효능이 있으므로 류머티즘성관절염, 타박상, 종창(腫瘡)을 치료한다. 봉선화(鳳仙花)는 거풍제습(祛風除濕), 활혈지통(活血止痛)의 효능이 있으므로 풍습지체위폐(風濕肢體痿廢), 요륵동통(腰肋疼痛), 부녀경폐복통(婦女經閉腹痛)을 치료한다. 봉선근(鳳仙根)은 활혈지통(活血止痛), 이습소종(利濕消腫)의 효능이 있으므로 타박상, 풍습골통(風濕骨痛), 백대(白帶), 수종(水腫)을 치료한다.

성분 봉선화(鳳仙花)는 cyanidin, delphinidin, pelargonidin, malvidin, kaempferol, quercetin 등, 급성자(急性子)는 balsaminasterol, parinarinic acid, quercetin과 kaempferol 유도체 등, 봉선근(鳳仙根)은 scopoletin, lawsone, 2-methoxy-1,4-naphthoquinone, scopoletin, isofraxidin, spinasterol 등이 함유되어 있다.

약리 봉선(鳳仙)의 메탄올추출물은 APP의 대사 과정 중 α-secretase 효소 활성을 증가시킨다. 종자의 에탄올추출물은 토끼, 쥐의 자궁에 흥분 작용이 있고, 2-methoxynaphthoquinone은 그람 양성균 및 음성균에 항균 작용이 있고 진균의 하나인 *Epidermophyton floccusom*에 항진균 작용이 있다.

사용법 급성자는 5g에 물 2컵(400mL)을, 봉선은 10g에 물 3컵(600mL)을 넣고 달여서 복용하고, 외용에는 짓찧어 바른다.

＊ 열매는 성숙하면 5개로 갈라지며 종자가 튀어나가므로 급성자(急性子)라 한다.

❍ 봉선화

❍ 봉선화(열매와 종자)

❍ 급성자(急性子)

❍ 봉선(鳳仙)

❍ 봉선근(鳳仙根)

[봉선화과]

노랑물봉선

 월경부조, 통경, 경폐 풍습비통

● 학명 : *Impatiens noli-tangere* L.
● 한자명 : 水金鳳 ● 별명 : 노랑물봉선화, 노랑물봉숭, 노랑물봉숭아

| 1 | 2 | 3 | 4 | 5 | 6 | 7 | 8 | 9 | 10 | 11 | 12 |

한해살이풀. 높이 60~100cm. 잎은 어긋 난다. 꽃은 황색, 8~9월에 가지 윗부분에 총상화서로 달리며, 양쪽에 있는 꽃잎은 크고 거(距)는 넓다. 열매는 바늘 모양이다.

○ 노랑물봉선

분포 · 생육지 우리나라 전역. 중국, 일본, 우수리, 동아시아. 산골짜기에서 자란다.
약용 부위 · 수치 전초를 여름에 채취하여 물에 씻은 후 썰어서 말린다.
약물명 수금봉(水金鳳). 야봉선(野鳳仙)이라고도 한다.
약효 활혈조경(活血調經), 거풍제습(祛風除濕)의 효능이 있으므로 월경부조, 통경(痛經), 경폐(經廢), 풍습비통(風濕痺痛)을 치료한다.
성분 neoxanthin, taraxanthin, lutein epoxide, violaxanthin, flavoxanthin, chrysanthemaxanthin, luteroxanthin 등이 함유되어 있다.
사용법 수금봉 10g에 물 3컵(600mL)을 넣고 달여서 복용한다.

○ 노랑물봉선 군락지(백두산)

[봉선화과]

물봉선

 악창궤양

● 학명 : *Impatiens textori* Miq. ● 한자명 : 野鳳仙花 ● 별명 : 물봉숭, 물봉숭아

| 1 | 2 | 3 | 4 | 5 | 6 | 7 | 8 | 9 | 10 | 11 | 12 |

한해살이풀. 높이 60~80cm. 잎은 어긋난다. 꽃은 적자색, 8~9월에 가지 윗부분에 총상화서로 달린다. 양쪽에 있는 꽃잎은 크고 거(距)는 넓으며 자주색 반점이 있고 끝이 안으로 말린다. 수술은 5개, 꽃밥이 서로 합쳐지고, 암술은 1개이다. 열매는 바늘 모양이다.
분포 · 생육지 우리나라 전역. 중국, 일본, 우수리, 동아시아. 산골짜기에서 자란다.
약용 부위 · 수치 전초를 여름에 채취하여 물에 씻은 후 썰어서 말린다.
약물명 야봉선화(野鳳仙花)
약효 청량(清涼), 해독(解毒), 거부(祛腐)의 효능이 있으므로 악창궤양(惡瘡潰瘍)을 치료한다.
사용법 야봉선화를 짓찧어 바르거나 달인 액으로 씻는다.
＊ 꽃이 백색인 '흰물봉선 for. *pallescens*', 꽃이 백색을 띠고 거(距)가 말리지 않는 '산물봉선 *I. furcillata*'도 약효가 같다.

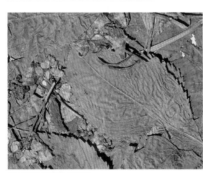
○ 야봉선화(野鳳仙花)

○ 물봉선(꽃)

○ 물봉선

○ 물봉선(열매)

○ 물봉선(종자)

[감탕나무과]

호랑가시나무

  음허노열, 두풍 | 해수객혈 | 적안, 두훈목현
설사 | 붕루, 대하 | 요슬산연, 풍습비통, 관절동통

● 학명 : *Ilex cornuta* Lindl. ● 별명 : 묘아자나무, 묘아자, 호랑이가시나무

| 1 | 2 | 3 | 4 | 5 | 6 | 7 | 8 | 9 | 10 | 11 | 12 |

상록 관목. 높이 2~3m. 잎은 어긋나고 가죽질, 타원상 6각형이고 끝이 가시로 된다. 꽃은 백색, 4~5월에 산형화서로 5~6개씩 달리고, 암술은 암술머리가 4개로 갈라지며 흑색으로 된다. 열매는 둥글며 지름 8~10mm, 붉은색, 종자는 황록색으로 4개씩 들어 있다.

분포 · 생육지 우리나라 남부 지방, 중국, 일본. 산기슭 양지에서 자란다.

약용 부위 · 수치 잎은 여름에, 열매는 늦여름과 가을에 채취하여 말려서 사용한다.

약물명 잎을 공로엽(功勞葉)이라 하며, 구골엽(枸骨葉)이라고도 한다. 열매를 구골자(枸骨子), 줄기껍질을 구골수피(枸骨樹皮), 뿌리를 공로근(功勞根)이라 한다.

기미 · 귀경 공로엽(功勞葉): 양(凉), 고(苦) · 간(肝), 신(腎). 구골자(枸骨子): 미온(微溫), 고(苦), 삽(澀) · 간(肝), 신(腎), 비(脾)

약효 공로엽(功勞葉)은 청허열(淸虛熱), 익간신(益肝腎), 거풍습(祛風濕)의 효능이 있으므로 음허노열(陰虛勞熱), 해수객혈(咳嗽喀血), 두훈목현(頭暈目眩), 요슬산연(腰膝酸軟), 풍습비통(風濕痺痛)을 치료한다. 구골자(枸骨子)는 자음(慈陰), 익정(益精), 활락(活絡)의 효능이 있으므로 체허저열(體虛低熱), 근골동통(筋骨疼痛), 붕루(崩漏), 대하(帶下), 설사를 치료한다. 구골수피(枸骨樹皮)는 보간신(補肝腎)의 효능이 있으므로 요각위약(腰脚痿弱)을 치료한다. 공로근(功勞根)은 보간익신(補肝益腎), 소풍청열(疏風淸熱)의 효능이 있으므로 요슬위약(腰膝痿弱), 관절동통(關節疼痛), 두풍(頭風), 적안(赤眼) 등을 치료한다.

성분 공로엽(功勞葉)은 caffeine, saponin, tannin 등이 함유되어 있다.

약리 기니피그 심장에 에탄올추출물을 투여하면 혈류량이 증가하며, 심근이 수축된다. 쥐에게 에탄올추출물을 투여하면 임신이 감소된다.

사용법 공로엽 또는 구골자 10g에 물 3컵(600mL)을 넣고 달여서 복용한다.

◐ 호랑가시나무

◐ 공로엽(功勞葉)

◐ 구골자(枸骨子)

'대엽동청 *I. latifolia*', '구골(枸骨) *I. cornuta*'도 사용된다.

[감탕나무과]

고정차나무

 풍열두통 | 설사, 이질
 치통, 목적, 정이, 구창, 열병번갈

● 학명 : *Ilex kudingcha* C. J. Cheng

| 1 | 2 | 3 | 4 | 5 | 6 | 7 | 8 | 9 | 10 | 11 | 12 |

상록 교목. 높이 20m 정도. 줄기껍질은 흑색~회흑색이다. 잎은 가죽질이며 길이 10~25cm, 너비 5~8cm이고 가장자리에 잔톱니가 있다. 꽃은 백색, 4~6월에 원추화서로 달린다. 꽃받침과 꽃잎은 각각 5개, 수술은 20개, 암술대는 2개이다. 이과는 둥글며 흑색으로 익는다.

분포 · 생육지 인도, 인도네시아, 베트남, 중국 광둥성(廣東省), 푸젠성(福建省). 산지에서 자란다.

약용 부위 · 수치 4월 초에 잎을 채취하여 바람이 잘 통하는 곳에서 말린다.

약물명 고정차(苦丁茶)

본초서 고정차(苦丁茶)는 「본초강목습유(本草綱目拾遺)」에 처음 수재되어 약용 또는 음료용으로 널리 이용되어 왔다.

기미 · 귀경 한(寒), 감(甘), 고(苦) · 간(肝), 폐(肺), 위(胃)

약효 소풍청열(疏風淸熱), 명목생진(明目生津)의 효능이 있으므로 풍열두통(風熱頭痛), 치통, 목적(目赤), 정이(聤耳), 구창(口瘡), 열병번갈(熱病煩渴), 설사, 이질을 치료한다.

성분 ursolic acid, lupeol, uvaol, pelargonidin 3–*O*–xylosylglucoside, 3,5–di–*O*–caffeoyl *epi*–quinic acid, 3–CQA, 4–CQA, caffeic acid, 4–CQA methyl ester, 3,4–diCQA, 3,5–diCQA, 4,5–diCQA, 4,5–diCQA methyl ester, 3,4–diCQA methyl ester, 3,5–diCQA methyl ester, CA methyl ester, quercetin, rutin, kaempferol 등이 함유되어 있다.

약리 열수추출물을 쥐에게 투여하면 관상 동맥이 확장되어 혈류량이 증가하고 자궁 수축 작용이 나타나며, 4g/kg을 투여하면 혈압이 내려간다. 3,5–diCQA, 4,5–diCQA는 강한 항산화 작용이 있다. 열수추출물은 심장과 간 질환을 치료하며, 뇌 기능을 개선하는 효과가 있다.

사용법 고정차 10g에 물 3컵(600mL)을 넣고 달여서 복용하고, 외용에는 짓찧어 바른다.
※ 고정차(苦丁茶)의 기원 식물은 본 종이나,

◐ 고정차나무

◐ 고정차(苦丁茶)

◐ 고정차(苦丁茶) 제품

[감탕나무과]

대엽동청

| 두통 | 치통, 목적, 이명, 열병번갈 |

● 학명 : *Ilex latifolia* Thunb. ● 한자명 : 大葉冬靑

| 1 | 2 | 3 | 4 | 5 | 6 | 7 | 8 | 9 | 10 | 11 | 12 |

● 대엽동청(大葉冬靑) ● 대엽동청(잎)

상록 교목. 높이 15m 정도. 줄기는 회흑색, 작은가지는 능각이 있다. 잎은 어긋나고 긴 타원형, 가죽질로 끝은 뾰족하고 가장자리에 톱니가 있다. 꽃은 황백색, 잎겨드랑이에 모여난다. 열매는 둥글고 작으며 붉은색으로 익는다.

분포 · 생육지 인도, 중국 화둥(華東) 및 중남(中南)의 각 성(省), 일본. 산지에서 자란다.

약용 부위 · 수치 잎을 여름에 채취하여 물에 씻어서 그대로 또는 적당한 크기로 썰어서 말린다.

약물명 대엽동청(大葉冬靑)

약효 진통, 진경의 효능이 있으므로 두통, 치통, 목적(目赤), 이명(耳鳴), 열병번갈(熱病煩渴)을 치료한다.

사용법 대엽동청 10g에 물 3컵(600mL)을 넣고 달여서 복용한다.

● 대엽동청

[감탕나무과]

마테차

| 두통 | 피로 |
| 류머티즘 | 우울증 |

● 학명 : *Ilex paraguariensis* A. St.–Hil.

| 1 | 2 | 3 | 4 | 5 | 6 | 7 | 8 | 9 | 10 | 11 | 12 |

상록 관목. 높이 5~6m. 약간 덩굴성이다. 잎은 어긋나고 타원형, 가죽질로 끝은 뾰족하고 밑은 둥글며 가장자리에 희미한 톱니가 있다. 꽃은 백색으로 잎겨드랑이에 모여난다. 열매는 둥글고 작으며 붉은색으로 익는다.

분포 · 생육지 브라질, 파라과이, 아르헨티나. 산에서 자란다.

약용 부위 · 수치 잎을 여름에 채취하여 물에 씻어서 그대로 또는 적당한 크기로 썰어서 말린다.

약물명 Mate Folium. 일반적으로 mate라고 한다.

약효 진통, 진경, 강장의 효능이 있으므로 두통, 피로, 류머티즘, 우울증을 치료한다.

성분 1.5%의 caffeine, 0.4%의 theobromine, theophylline, 16%의 tannin(주성분 chlorogenic acid) 등이 함유되어 있다.

약리 caffeine은 중추 신경을 흥분시킨다. 열수추출물을 쥐에게 투여하면 비만을 억제하는 효능이 있다.

사용법 Mate Folium 3g을 뜨거운 물에 우려내어 복용한다.

● Mate Folium(절편)

● 마테차 제품

● 마테차

[감탕나무과]

모동청

 풍열감모, 폐열해수   인후통, 중심성망막염
단독, 옹저, 탕화상 혈전폐색성맥관염

●학명 : *Ilex pubescens* Hook et Arn. ●한자명 : 毛冬靑

| 1 | 2 | 3 | 4 | 5 | 6 | 7 | 8 | 9 | 10 | 11 | 12 |

상록 관목. 높이 3~4m. 작은가지는 회갈색, 털이 빽빽이 난다. 잎은 어긋나고 타원형, 길이 3~6cm, 너비 1.5~2.5cm, 가장자리는 톱니가 약간 있거나 없다. 꽃은 잎겨드랑이에 모여난다. 열매는 둥글고 지름 3~4mm, 붉은색으로 익는다.

분포·생육지 중국 광둥성(廣東省), 푸젠성(福建省). 숲속에서 자란다.

약용 부위·수치 뿌리를 여름과 가을에 채취하여 흙과 먼지를 털고 물에 씻어서 적당한 크기로 썰어서 말린다.

약물명 모동청(毛冬靑). 조미정(鳥尾丁)이라고도 한다.

기미·귀경 한(寒), 고(苦), 삽(澁)·심(心), 폐(肺)

약효 청열해독(淸熱解毒), 활혈통락(活血通絡)의 효능이 있으므로 풍열감모(風熱感冒), 폐열해수(肺熱咳嗽), 인후통, 흉비심(胸痺心), 중풍편탄(中風偏癱), 혈전폐색성

맥관염(血栓閉塞性脈管炎), 단독(丹毒), 옹저(癰疽), 탕화상(燙火傷), 중심성망막염(中心性網膜炎)을 치료한다.

성분 3,4-dihydroxyacetophenone, hydroquinone, scopoletin, esculetin, homovanillic acid, glaberide, ilexsaponin A_1, ilexonin A, ilexgenin A, B_1, B_2, B_3, ilexoside A, D, E, J, K, O, pubescenic acid 등이 함유되어 있다.

약리 열수추출물을 쥐에게 투여하면 관상동맥이 확장되어 혈류량이 증가하며, 혈전 형성이 억제되고, 4g/kg 투여하면 혈압이 내려간다. ilexonin A 12mg/kg을 정맥주사하면 심장근 수축력이 증강한다. 그 외 동물 실험에서 항염증 작용, 기침과 가래제거 작용이 나타난다.

사용법 모동청 10g에 물 3컵(600mL)을 넣고 달여서 복용하고, 외용에는 짓찧어 바른다.

❶ 모동청(毛冬靑)

❶ 모동청

[감탕나무과]

먼나무

 풍열감모   인후통 풍습비통
위통, 서습설사, 황달, 이질 습진, 창절

●학명 : *Ilex rotunda* Thunb. ●별명 : 좀감탕나무

| 1 | 2 | 3 | 4 | 5 | 6 | 7 | 8 | 9 | 10 | 11 | 12 |

상록 교목. 높이 10m 정도. 잎은 어긋나고 두껍다. 꽃은 암수딴그루, 황록색, 5~6월에 핀다. 꽃받침과 꽃잎, 수술은 각각 4~5개, 꽃잎은 꽃받침보다 길며 뒤로 젖혀진다. 핵과는 달걀 모양, 10월에 붉은색으로 익고, 지름 5~8mm이다.

분포·생육지 우리나라 제주도, 남쪽 섬, 보길도. 중국, 일본, 인도차이나. 산에서 자란다.

약용 부위·수치 줄기껍질을 봄에 채취하여 적당한 크기로 잘라서 말린다.

약물명 구필응(救必應). 백은향(白銀香)이라고도 한다.

약효 청열해독(淸熱解毒), 이습(利濕)의 효능이 있으므로 풍열감모(風熱感冒), 인후통, 위통, 서습설사(暑濕泄瀉), 황달, 이질, 풍습비통(風濕痺痛), 습진, 창절(瘡癤)을 치

료한다.

성분 구필응(救必應)은 flavonoid 배당체, phenol류, tannin류, triterpenoid 화합물인 ilexoside, ilexsapogenin, rotundioic acid, siaresinic acid, pomolic acid, pomolic acid 3-O-sulfate 및 phenylpropanoid 화합물인 syringin(ilexin A) 등이 함유되어 있다.

약리 syringin(ilexin A)은 지혈 작용이 있다.

사용법 구필응 10g에 물 3컵(600mL)을 넣고 달여서 복용하고, 외용에는 짓찧어 바른다.

＊본 종에 비하여 잎자루가 짧고 가끔 잎 가장자리에 2~3개의 톱니가 있는 '감탕나무 *I. integra*'도 약효가 같다.

❶ 구필응(救必應)

❶ 먼나무

❶ 먼나무(꽃)

❶ 먼나무(줄기)

[감탕나무과]

낙상홍

 탕상, 창양궤란, 외상출혈 치통

● 학명 : *Ilex serrata* Thunb. var. *sieboldii* Loesn.

| 1 | 2 | 3 | 4 | 5 | 6 | 7 | 8 | 9 | 10 | 11 | 12 |

낙엽 관목. 높이 5m 정도. 잎은 어긋나고 타원형, 가장자리에 예리한 톱니가 있다. 꽃은 암수딴그루, 백색, 6월에 작은꽃이 모여 달리며 지름 5mm 정도이다.

분포·생육지 중국, 일본. 우리나라에서는 관상용으로 재식한다.

약용 부위·수치 잎을 여름과 가을에 채취하여 말려서 사용하거나 신선한 것을 사용한다.

약물명 낙상홍(落霜紅). 창초(瘡草)라고도 한다.

약효 청열해독(淸熱解毒), 양혈지혈(凉血止血)의 효능이 있으므로 탕상(湯傷), 치통, 창양궤란(瘡瘍潰爛), 외상출혈을 치료한다.

성분 열매는 pelargonidin-3-xylosylglucoside가 함유되어 있다.

사용법 주로 외용에 사용하며, 가루로 하여 환부에 뿌리거나 연고 기초제와 섞어서 바른다.

* 우리나라 충청 이남의 산에서 자라며 잎이 크고 넓은 '대팻집나무 *I. macropoda*'도 약효가 같다.

❶ 낙상홍(落霜紅)

❶ 낙상홍

[노박덩굴과]

푼지나무

 류머티즘, 관절통   좌상, 종독

● 학명 : *Celastrus flagellaris* Rupr. ● 별명 : 청다래년출, 분지나무

| 1 | 2 | 3 | 4 | 5 | 6 | 7 | 8 | 9 | 10 | 11 | 12 |

낙엽 덩굴나무. 기근(氣根)으로 바위나 큰 나무를 기어올라간다. 잎은 어긋나고 타원형, 턱잎은 가시로 된다. 꽃은 녹황색, 5월에 잎겨드랑이에 1~3개씩 달린다. 열매는 둥글고 10월에 담황색으로 익으며, 종자는 황적색의 껍데기에 싸여 있다.

분포·생육지 우리나라 전역. 중국, 일본, 아무르. 산기슭 숲속에서 자란다.

약용 부위·수치 줄기를 가을에 채취하여 말린다.

약물명 자남사등(刺南蛇藤)

약효 거풍습(祛風濕), 강근골(强筋骨)의 효능이 있으므로 류머티즘, 관절통, 좌상(挫傷), 종독(腫毒)을 치료한다.

성분 열매와 종자에는 celaxanthin, zeaxanthin 등이 함유되어 있다.

사용법 자남사등 10g에 물 3컵(600mL)을 넣고 달여서 복용하거나 술에 담가서 복용한다.

❶ 자남사등(刺南蛇藤)

❶ 푼지나무(열매)

❶ 푼지나무

노박덩굴

근골동통, 사지마비, 풍습비통	타박상, 창양절종, 포진, 독사교상
두통	탈항, 치루	치통	구토, 복통

● 학명 : *Celastrus orbiculatus* Thunb. ● 별명 : 놉박구덩굴, 노방패너울, 노파위나무, 노박따위나무, 노방덩굴

1 2 3 4 5 6 7 8 9 10 11 12

낙엽 덩굴나무. 길이 10m 정도. 잎은 어긋나고, 꽃은 암수딴그루 또는 잡성화로 황록색, 5~6월에 핀다. 꽃받침잎과 꽃잎은 각각 5개이고, 수꽃에 5개의 긴 수술이 있으며, 암꽃에 5개의 짧은 수술과 1개의 암술이 있다. 열매는 10월에 황색으로 익고 구형, 지름 8mm 정도, 3개로 갈라진다. 종자는 황적색의 껍질로 싸여 있다.

분포·생육지 우리나라 전역. 중국, 일본, 우수리. 산과 들의 숲속에서 자란다.

약용 부위·수치 줄기와 뿌리를 가을에, 잎을 여름에 채취하여 말린다.

약물명 줄기를 남사등(南蛇藤), 뿌리를 남사등근(南蛇藤根), 잎을 남사등엽(南蛇藤葉)이라 한다.

기미·귀경 남사등(南蛇藤): 미온(微溫), 고(苦), 신(辛)·간(肝), 비(脾), 대장(大腸). 남사등근(南蛇藤根): 평(平), 고(苦), 신(辛)·간(肝), 비(脾)

약효 남사등(南蛇藤)은 거풍습(祛風濕), 활혈맥(活血脈)의 효능이 있으므로 근골동통(筋骨疼痛), 사지마비, 소아경기, 두통, 치통, 구토, 탈항(脫肛), 치루를 치료한다. 남사등근(南蛇藤根)은 거풍(祛風), 행기(行氣), 소종(消腫)의 효능이 있으므로 근골통(筋骨痛), 타박상, 구토, 복통을 치료한다. 남사등엽(南蛇藤葉)은 거풍제습(祛風除濕), 해독소종(解毒消腫), 활혈지통(活血止痛)의 효능이 있으므로 풍습비통(風濕痺痛), 창양절종(瘡瘍癤腫), 포진(疱疹), 타박상, 독사교상(毒蛇咬傷)을 치료한다.

성분 남사등엽(南蛇藤葉)은 kaempferol-7-O-rhamnoside, kaempferol-3,7-O-dirhamnoside, kaempferol-3-O-glucopyranosyl-7-O-rhamnoside, quercetin-3-O-glucopyranosyl-7-O-rhamnoside, quercetin-3,7-O-dirhamnoside 등이 함유되어 있다.

약리 남사등근(南蛇藤根)에서 분리한 붉은색 결정은 고초균, 황색 포도상구균, 대장균에 항균 작용이 있다.

사용법 남사등, 남사등근은 각각 10g에 물 3컵(600mL)을 넣고 달여서 복용하고, 남사등엽은 20g에 물 4컵(800mL)을 넣고 달여서 복용한다. 외용에는 생즙을 내어 상처에 바른다.

❶ 남사등근(南蛇藤根)

❶ 노박덩굴(줄기)

❶ 남사등엽(南蛇藤葉)

❶ 남사등(南蛇藤)

❶ 노박덩굴

❶ 노박덩굴(꽃)

❶ 노박덩굴(열매)

[노박덩굴과]

화살나무

징가결괴, 심복동통 / 타박상
폐경, 통경, 붕중루하, 산후어체복통

● 학명 : *Euonymus alatus* (Thunb.) Sieb. ● 별명 : 홋잎나무, 챔빗나무

| 1 | 2 | 3 | 4 | 5 | 6 | 7 | 8 | 9 | 10 | 11 | 12 |

낙엽 관목. 높이 3m 정도. 가지가 오래되면 코르크질 날개가 생긴다. 잎은 마주나고, 꽃은 황록색, 5~6월에 피고, 꽃받침, 꽃잎 및 수술은 각각 4개이며, 씨방은 1~2실이다. 열매는 삭과로 10월에 붉은색으로 익으며, 종자는 백색, 황적색 종의(種衣)에 싸여 있다.

분포 · 생육지 우리나라 전역. 중국, 일본. 산기슭에서 자란다.

약용 부위 · 수치 날개가 달린 가지를 수시로 채취하여 적당한 크기로 잘라서 말렸다가 사용할 때는 연유(煉乳)를 가하여 볶는다.

약물명 귀전우(鬼箭羽). 위모(衛矛), 귀전(鬼箭)이라고도 한다. 대한민국약전외한약(생약)규격집(KHP)에 수재되어 있다.

본초서 귀전우(鬼箭羽)는 「신농본초경(神農本草經)」에 수재되어 있으며, 「약성본초(藥性本草)」에는 "오래된 어혈을 없애고 요통과 복통을 치료한다."고 한 것으로 보아 예로부터 오늘날까지 근육통에 사용하여 왔음을 알 수 있다. 「동의보감(東醫寶鑑)」에는 위모(衛矛)라는 이름으로 수재되어 "독충의

독을 풀고 시주(尸疰), 중악(中惡)에 의한 복통을 낮게 하며, 나쁜 기운이나 헛것에 들린 것, 가위에 눌린 것 등을 낮게 하며, 뱃속에 있는 기생충을 구제한다. 생리를 순조롭게 하며 몸속에 나쁜 기운이 몰려 자궁에서 분비물이 나오는 것을 그치게 한다. 산후에 피가 뭉쳐 아픈 것을 낮게 하고 풍독종을 삭인다. 유산될 수 있다."고 하였다.

神農本草經: 主女子崩中下血 服滿汗出 除邪殺鬼毒蠱疰.

東醫寶鑑: 主蠱疰 中惡腹痛 除邪 殺鬼及百邪鬼魅 殺腹藏蟲 通月經 破癥結 止血崩 帶下 産後瘀痛 消風毒腫 能落胎.

성상 납작하고 얇은 조각으로 길이 4cm 정도, 너비 4~10mm, 가지에 붙어 있는 가장자리의 두께는 2mm 정도에 이르고 밖으로 갈수록 점점 얇아져 칼날과 같다. 표면은 엷은 회갈색으로 가지에서 떨어진 면은 비교적 꺾기 쉽고 꺾은 면은 고르지 않으며 회갈색이다. 냄새가 없고 맛은 덤덤하다.

기미 · 귀경 한(寒), 고(苦), 신(辛) · 간(肝), 비(脾)

약효 파혈통경(破血通經), 해독소종(解毒消腫), 살충(殺蟲)의 효능이 있으므로 징가결괴(癥瘕結壞), 심복동통(心腹疼痛), 폐경(閉經), 통경(痛經), 붕중루하(崩中漏下), 산후어체복통(産後瘀滯腹痛), 타박상을 치료한다. 민간에서는 암 치료제로 널리 사용되고 있다.

성분 flavonoid: leucocyanin, leucodelphinidin, quercetin, kaempferol-3-rutinoside, kaempferol, dulcitol 등. 열매는 알칼로이드인 alatamine, alatolim, alatusamine, alatusinine, euonymine, euolalin, evonine, neoevonine, evorine, neoalatamine, wilfordine 등이 함유되어 있다.

약리 부탄올 분획물은 암세포의 침입과 전이 과정에 관여하며, matrix metalloproteinase-9의 활성을 억제한다. acovenosigenin A, 3-*O*-α-L-rhamnopyranoside, euonymoside A는 여러 종류의 암세포 성장을 억제한다. sodium oxalate는 토끼에게 alloxan으로 유도한 당뇨 혈당이나 요당을 낮추며 체중 증가를 나타낸다. 열수추출물은 TGEV의 숙주 세포인 ST 세포 농도에 따라 20~50% 세포 독성을 나타낸다.

사용법 귀전우 5g에 물 2컵(400mL)을 넣고 달여서 또는 술에 담가서 복용한다.

주의 임신부와 기허붕루(氣虛崩漏)에는 사용하지 않는다.

＊ 가지에 사마귀 같은 돌기가 있는 '회목나무 *E. pauciflorus*'도 약효가 같다.

✿ 화살나무

✿ 귀전우(鬼箭羽, 국내산)

✿ 귀전우(鬼箭羽, 중국산)

✿ 화살나무(열매)

좀참빗살나무

 풍습성관절염, 요통

●학명 : *Euonymus bungeanus* Maxim. [*E. maackii*] ●한자명 : 絲棉木

1 2 3 4 5 6 7 8 9 10 11 12

○ 좀참빗살나무(열매)

낙엽 관목. 잎은 마주나고 타원형, 끝이 뾰족하고 잔톱니가 있다. 꽃은 황색, 녹색, 5~6월에 잎겨드랑이에 취산화서로 3~7개씩 핀다. 꽃받침, 꽃잎 및 수술은 각각 4개이다. 삭과는 4개의 깊은 홈이 있고, 4개로 갈라지며 황갈색으로 익는다. 종자는 황색 가종피에 싸여 있다.

분포·생육지 우리나라 제주도, 경남 함양, 백양산, 지리산. 중국, 몽골. 산기슭의 숲속에서 자란다.

약용 부위·수치 뿌리와 줄기껍질을 봄과 여름에 채취하여 물에 씻어 썰어서 말린다.

약물명 사면목(絲棉木), 계혈란(鷄血蘭), 백도수(白桃樹), 야두중(野杜仲)이라고도 한다.

약효 거풍제습(祛風除濕), 활혈통락(活血通絡), 해독지혈(解毒止血)의 효능이 있으므로 풍습성관절염, 요통을 치료한다.

성분 wilforlide A, B, gallic acid, oleanolic acid, moronic acid, benulin, bungeanoic acid 등이 함유되어 있다.

사용법 사면목 15g에 물 4컵(800mL)을 넣고 달여서 또는 술에 담가서 복용한다.

○ 좀참빗살나무

줄사철나무

풍습비통, 질타골절   객혈

월경불순   창상출혈

●학명 : *Euonymus fortunei* (Turcz.) Handel-Mazzetti   ●별명 : 덩굴사철나무, 줄사철

1 2 3 4 5 6 7 8 9 10 11 12

○ 줄사철나무(꽃)

상록 덩굴나무. 기근(氣根)으로 기어오르며, 작은가지는 약간 모가 지며 뚜렷하지 않은 날개가 있다. 잎은 마주난다. 꽃은 담녹색, 취산화서로 15개 정도 달리고, 꽃받침, 꽃잎 및 수술은 각각 4개이다. 삭과는 연한 붉은색으로 익으며, 황적색 가종피에 싸인 종자가 들어 있다.

분포·생육지 우리나라 남부 지방 및 울릉도. 중국, 일본, 타이완. 산기슭 숲속에서 자란다.

약용 부위·수치 줄기와 잎을 여름에 채취하여 말린다.

약물명 부방등(扶芳藤). 암청등(岩靑藤)이라고도 한다.

기미·귀경 한(寒), 감(甘), 고(苦), 미신(微辛)·간(肝), 신(腎), 위(胃)

약효 서근활락(舒筋活絡), 지혈소어(止血消瘀)의 효능이 있으므로 풍습비통(風濕痹痛), 객혈(喀血), 월경불순, 질타골절(跌打骨折), 창상출혈(瘡傷出血)을 치료한다.

성분 dulcitol, prolycopene 등이 함유되어 있다.

사용법 부방등 15g에 물 4컵(800mL)을 넣고 달여서 또는 술에 담가서 복용한다. 외용에는 짓찧어 바른다.

○ 열매   ○ 줄사철나무

[노박덩굴과]

사철나무

 월경불순, 월경통   풍습비통, 요슬산통

창양종독

● 학명 : *Euonymus japonicus* Thunb.   ● 별명 : 무룬나무, 동청목, 듬축나무, 푸른나무

| 1 | 2 | 3 | 4 | 5 | 6 | 7 | 8 | 9 | 10 | 11 | 12 |

상록 관목. 높이 3m 정도. 잎은 마주나고 윤이 나는 가죽질이다. 꽃은 황록색, 양성으로 6~7월에 피며 수술은 4개, 암술은 1개이다. 삭과는 둥글고 붉은색으로 익으며 4개로 갈라지고, 황적색 가종피에 싸인 종자가 들어 있다.

분포 · 생육지 우리나라 황해도 이남. 중국, 일본. 바닷가 산기슭이나 마을 근처에서 자란다.

약용 부위 · 수치 뿌리, 줄기, 잎을 수시로 채취하여 말린다.

약물명 뿌리를 대엽황양근(大葉黃楊根) 또는 조경초(調經草)라 하며, 줄기를 대엽황양(大葉黃楊)이라 하고, 잎을 대엽황양엽(大葉黃楊葉)이라 한다.

기미 · 귀경 대엽황양근(大葉黃楊根): 온(溫), 신(辛), 고(苦) · 간(肝)

약효 대엽황양근(大葉黃楊根)은 조경(調經), 화담(化痰)의 효능이 있으므로 월경불순, 월경통을 치료하고, 대엽황양(大葉黃楊)은 거풍습(祛風濕), 강근골(强筋骨), 활혈지혈(活血止血)의 효능이 있으므로 풍습비통(風濕痺痛), 요슬산통(腰膝酸痛)을 치료하며, 대엽황양엽(大葉黃楊葉)은 해독소종(解毒消腫)의 효능이 있으므로 창양종독

(瘡瘍腫毒)을 치료한다.

성분 대엽황양근(大葉黃楊根)은 euojaponin A~M 등, 잎에는 fridelin, epifriedelanol, friedelanol, quercetin-3-*O*-glucopyranosyl-7-*O*-rhamnoside 등이 함유되어 있다.

약리 대엽황양(大葉黃楊)의 에탄올추출물을 토끼에게 정맥주사하면 혈압이 하강한다. 대엽황양엽(大葉黃楊葉)의 메탄올추출물은 황색 포도상구균, 대장균에 항균 작용이 있다.

사용법 대엽황양근, 대엽황양 또는 대엽황양엽 각각 15g에 물 3컵(600mL)을 넣고 달여서 복용한다.

❶ 사철나무

❶ 대엽황양(大葉黃楊)

❶ 대엽황양엽(大葉黃楊葉)

❶ 사철나무(열매)

[노박덩굴과]

왜위모

 풍한습비, 관절통

● 학명 : *Euonymus nanus* Thunb.   ● 한자명 : 矮衛矛

| 1 | 2 | 3 | 4 | 5 | 6 | 7 | 8 | 9 | 10 | 11 | 12 |

상록 관목. 높이 3m 정도. 잎은 마주나고 윤이 나는 가죽질이다. 꽃은 황록색, 양성으로 6~7월에 피며 암술은 1개이다. 삭과는 둥글고 붉은색으로 익으며 4개로 갈라지고, 황적색 가종피에 싸인 종자가 있다.

분포 · 생육지 중국 간쑤성(甘肅省), 산시성(陝西省), 내몽골, 유럽. 산지에서 자란다.

약용 부위 · 수치 뿌리, 줄기껍질을 봄과 여름에 채취하여 물에 씻은 후 썰어서 말린다.

약물명 왜위모(矮衛矛)

약효 거풍산한(祛風散寒), 제습통락(除濕通絡)의 효능이 있으므로 풍한습비(風寒濕痺), 관절통을 치료한다.

사용법 왜위모 15g에 물 3컵(600mL)을 넣고 달여서 복용한다.

❶ 왜위모(꽃)

❶ 왜위모

[노박덩굴과]

참회나무

 이질, 복통후중　 골절손상, 관절산통
음낭습양

●학명 : *Euonymus oxyphyllus* Miq.　●별명 : 회둑나무, 회뚝이나무

| 1 | 2 | 3 | 4 | 5 | 6 | 7 | 8 | 9 | 10 | 11 | 12 |

낙엽 관목. 잎은 마주난다. 꽃은 백자색, 5~6월에 잎겨드랑이에 취산화서로 달리며, 꽃받침, 꽃잎 및 수술은 각각 5개이다. 열매는 암적색으로 익고 구형, 지름 1cm 정도, 마르면 5개의 능선이 나타나 5개로 갈라지고, 붉은색 종자가 들어 있다.

분포·생육지 우리나라 전역. 중국, 일본, 타이완. 산골짜기에서 자란다.

약용 부위·수치 줄기껍질을 봄철에 채취하여 적당한 크기로 썰어서 말리고, 열매는 초가을에 채취하여 말린다.

약물명 줄기껍질을 수사위모(垂絲衛矛), 열매를 수사위모과(垂絲衛矛果)라 한다.

약효 수사위모(垂絲衛矛)는 활혈(活血), 행어체(行瘀滯), 통경(通經), 축수(逐水)의 효능이 있으므로 이질, 골절손상, 관절산통(關節酸痛), 음낭습양(陰囊濕痒)을 치료한다. 수사위모과(垂絲衛矛果)는 청열해독(淸熱解毒)의 효능이 있으므로 이질, 복통후중(腹痛後重)을 치료한다.

사용법 수사위모는 20g에 물 4컵(800mL)을, 수사위모과는 15g에 물 3컵(600mL)을 넣고 달여서 복용한다.

성분 잎에는 *o*-coumaric acid가 함유되어 있다.

＊ '나래회나무 *E. macroptera*', '회나무 *E. sachalinensis*', '참빗살나무 *E. sieboldiana*'도 약효가 같다.

♠ 참회나무

♠ 수사위모(垂絲衛矛)

♠ 참회나무(열매)

♠ 참회나무(꽃)

[노박덩굴과]

운남미등목

 조기암증

●학명 : *Maytenus hookeri* Loes.　●한자명 : 雲南美登木

| 1 | 2 | 3 | 4 | 5 | 6 | 7 | 8 | 9 | 10 | 11 | 12 |

관목. 높이 4m 정도. 잎은 어긋나고 홑잎, 길이 10~20cm, 가장자리는 밋밋하다. 꽃은 백색, 지름 3~4mm, 6~7월에 잎겨드랑이 또는 가지 끝에 원추화서로 많은 꽃이 달린다. 꽃받침잎, 꽃잎 및 수술은 각각 5개이며, 씨방은 3실이고 삼각형이며 1개이다. 열매는 달걀 모양이다.

분포·생육지 중국 윈난성(雲南省). 깊은 산에서 자란다.

약용 부위·수치 잎을 봄과 여름에 채취하여 적당한 크기로 썰어서 말린다.

약물명 운남미등목(雲南美登木)

약효 화어소징(化瘀消癥)의 효능이 있으므로 조기암증(早期癌症)을 치료한다.

약리 메탄올추출물을 쥐에게 주사하면 다발성골수암, 림프선암, 복수암에 치료 효과가 나타난다.

사용법 운남미등목 30g에 물 4컵(800mL)을 넣고 달여서 복용한다.

♠ 운남미등목(꽃)

♠ 운남미등목

[노박덩굴과]

메역순나무

 풍습성관절염 ● 팽창수종 ● 황달, 비적
타박상, 창양종통, 피부소양, 두선, 독사교상

● 학명 : *Tripterygium regelii* Sprague et Takeda ● 별명 : 미역줄나무

1 2 3 4 5 6 7 8 9 10 11 12

낙엽 덩굴나무. 길이 2m 정도. 가지는 적갈색이다. 잎은 어긋나고, 꽃은 녹백색, 지름 5~6mm, 6~7월에 잎겨드랑이 또는 가지 끝에 원추화서로 많은 수가 달린다. 꽃받침잎, 꽃잎 및 수술은 각각 5개이며, 씨방은 3실이고 삼각형이며 1개이다. 열매는 익과로 연한 녹색이지만 흔히 붉은빛이 돌고 9~10월에 익으며 3개의 날개가 있다.

분포·생육지 우리나라 전역. 중국, 일본. 깊은 산에서 자란다.

약용 부위·수치 뿌리 또는 전주(줄기, 잎, 가지)를 여름과 가을에 채취하여 적당한 크기로 썰어서 말린다.

약물명 동북뇌공등(東北雷公藤)

기미·귀경 양(涼), 고(苦), 신(辛)·간(肝), 담(膽), 비(脾)

약효 거풍제습(祛風除濕), 이수소종(利水消腫), 살충해독(殺蟲解毒)의 효능이 있으므로 풍습성관절염(風濕性關節炎), 팽창수종(膨脹水腫), 황달, 비적(痞積), 타박상, 창양종통(瘡瘍腫痛), 피부소양(皮膚瘙痒), 두선

(頭癬), 독사교상(毒蛇咬傷)을 치료한다.

성분 뿌리에는 triptolide, tripdiolide, triptonide, celacinnine, celabenzine, celafurine, wilfordine, wilforine, wilforgine, wilfortrine, wilforzine 등이 함유되어 있다.

약리 쥐에게 열수추출물을 주사하면 항염증 작용이 있고, 면역 증강 작용이 관찰된다. triptolide, tripdiolide, triptonide는 항백혈병 작용이 있고, 에탄올추출물은 살충 작용이 있다.

사용법 동북뇌공등 10g에 물 3컵(600mL)을 넣고 달여서 복용한다. 류머티즘성관절염에는 짓찧어 환부에 바른다. 피부발양에는 잎을 짓찧어 바르고, 종독에는 꽃과 오약(烏藥)을 합하여 달인 액을 환부에 바른다. 과량 복용이나 자주 사용하는 것은 좋지 못하다.

＊중국에서는 'T. wilfordii'를 뇌공등(雷公藤)이라 하며 약효가 같다.

○ 메역순나무

○ 동북뇌공등(東北雷公藤)

○ 메역순나무(꽃)

[고추나무과]

말오줌때

● 위통 ● 한산, 탈항
월경불순, 부녀음양

● 학명 : *Euscaphis japonica* (Thunb.) Kanitz ● 별명 : 말오좀때, 나도딱총나무

1 2 3 4 5 6 7 8 9 10 11 12

낙엽 관목. 높이 3m 정도. 잎은 마주나고 홀수 1회 깃꼴겹잎, 작은잎은 5~11개이다. 꽃은 황록색, 5월에 핀다. 꽃받침과 꽃잎은 각각 5개, 수술은 3개, 씨방은 3실이다. 열매는 1~3개씩 달리고 8~9월에 익으며 겉은 붉은색이 돌고 안쪽은 연한 붉은색이다. 종자는 흑색이다.

분포·생육지 우리나라 제주도, 전남, 경남, 황해. 중국, 일본, 타이완. 산기슭 물가에서 자란다.

약용 부위·수치 열매를 가을에, 잎을 여름에 채취하여 말린다.

약물명 열매를 야아춘자(野鴉椿子), 잎을 야아춘엽(野鴉椿葉)이라 한다.

약효 야아춘자(野鴉椿子)는 온중이기(溫中理氣), 소종(消腫), 지통(止痛)의 효능이 있으므로 위통, 한산(寒疝), 탈항(脫肛), 월경불순을 치료한다. 야아춘엽(野鴉椿葉)은 거풍지양(祛風止痒)의 효능이 있으므로 부녀음양(婦女陰痒)을 치료한다.

성분 야아춘자(野鴉椿子)는 isoquercitrin,

cyanidin-3-xylosylglucoside, astragalin 등이 함유되어 있다.

사용법 야아춘자 10g에 물 3컵(600mL)을 넣고 달여서 복용한다. 야아춘엽은 물에 달인 액으로 씻는다.

○ 야아춘자(野鴉椿子)

○ 야아춘엽(野鴉椿葉)

○ 말오줌때(열매)

○ 말오줌때

고추나무

🫁 기침, 가래

- 학명 : *Staphylea bumalda* (Thunb.) DC.
- 별명 : 개철초나무, 매대나무, 고치띠나무, 까자귀나무, 미영꽃나무, 쇠열나무

| 1 | 2 | 3 | 4 | 5 | 6 | 7 | 8 | 9 | 10 | 11 | 12 |

낙엽 관목. 높이 3~5m. 잎은 마주나고 3출엽이다. 꽃은 백색, 5~6월에 원추화서로 달리며, 꽃받침잎, 꽃잎 및 수술은 각각 5개이다. 삭과는 반원형으로 윗부분이 2개로 갈라지고 9~10월에 익으며, 2실 씨방에 각각 1~2개의 종자가 들어 있다.

분포 · 생육지 우리나라 전역. 일본, 중국 둥베이(東北) 지방. 산골짜기에서 자란다.

약용 부위 · 수치 열매를 가을에 채취하여 말린다.

약물명 성고유(省沽油). 진주화(珍珠花), 마령자(馬鈴紫)라고도 한다.

약효 윤폐지해(潤肺止咳)의 효능이 있으므로 기침과 가래를 치료한다.

성분 staphylin이 함유되어 있다.

사용법 성고유 10g에 물 3컵(600mL)을 넣고 달여서 복용한다.

◎ 성고유(省沽油)

◎ 고추나무(열매)

◎ 고추나무

시로미

🔵 병구체허   🏃 요슬산련

🧍 양위

- 학명 : *Empetrum nigrum* L. var. *japonicum* K. Koch
- 별명 : 회양나무, 도장나무, 고양나무

| 1 | 2 | 3 | 4 | 5 | 6 | 7 | 8 | 9 | 10 | 11 | 12 |

상록 관목. 높이 10~20cm. 잎은 빽빽이 나며 두껍고 길이 5~6mm, 광택이 난다. 꽃은 암수딴그루, 단성화, 자주색으로 잎겨드랑이에 핀다. 열매는 핵과로 흑색, 구형이다.

분포 · 생육지 우리나라 한라산, 백두산. 중국, 일본. 고산 지대에서 자란다.

약용 부위 · 수치 열매를 가을에 채취하여 말린다.

약물명 암고란(岩高蘭)

약효 보신첨정(補腎添精), 강요건골(强腰健骨)의 효능이 있으므로 병구체허(病久體虛), 요슬산련(腰膝酸攣), 양위(陽痿)를 치료한다.

사용법 암고란 10g에 물 3컵(600mL)을 넣고 달여서 복용하거나 술에 담가 복용한다.

◎ 시로미(열매)

◎ 시로미

[회양목과]

회양목

 류머티즘동통 | 치통, 잇몸병 | 산통, 적백리
종독, 타박상 | 풍습두통

● 학명 : *Buxus microphylla* S. et Z. var. *koreana* Nakai
● 별명 : 회양나무, 도장나무, 고양나무

| 1 | 2 | 3 | 4 | 5 | 6 | 7 | 8 | 9 | 10 | 11 | 12 |

상록 소교목. 높이 7m 정도. 잎은 가죽질이다. 꽃은 4~5월에 피고 암수꽃이 몇 개씩 한군데에 달리며 중앙부에 암꽃이 있다. 수꽃은 1~4개의 수술과 씨방의 흔적이 있으며, 암꽃은 3개의 암술머리가 있는 삼각형의 씨방이 있다. 열매는 달걀 모양, 길이 10mm 정도, 6~7월에 갈색으로 익는다.
분포·생육지 우리나라 전북, 평북, 함북을 제외한 전역. 중국, 일본. 석회암 지대에서 자란다.
약용 부위·수치 줄기와 잎을 수시로 채취하여 말린다.
약물명 줄기를 황양목(黃楊木), 잎을 황양엽(黃楊葉)이라 한다.
약효 황양목(黃楊木)은 거풍습(祛風濕), 이기(利氣), 지통(止痛)의 효능이 있으므로 류머티즘동통, 흉복기창(胸腹氣脹), 치통, 산통, 풍습두통(風濕頭痛), 적백리(赤白痢)를 치료한다. 황양엽(黃楊葉)은 청열해독(淸熱解毒), 소종산결(消腫散決)의 효능이 있으므

로 종독(腫毒), 잇몸병, 타박상을 치료한다.
성분 황양목(黃楊木)에는 cyclovirobuxine C, D, cycloprotobuxine A, C, cyclokoreanine B가 함유되어 있다.
약리 cyclovirobuxine D는 토끼의 심근경색 범위를 축소하고 허열에 의한 심전도의 변화를 개선하며, 토끼, 쥐의 심장에 강심 작용이 있고, 항부정맥 작용이 있다.
사용법 황양목 또는 황양엽 10g에 물 3컵(600mL)을 넣고 달여서 복용하거나 술에 담가 복용하고, 외용에는 짓찧어 바른다.
* 높이 60cm 정도, 작은가지와 잎자루에 털

이 없고 잎 가장자리는 뒤로 젖혀지지 않는 '좀회양목 *B. microphylla*'도 약효가 같다.

❍ 회양목

❍ 황양목(黃楊木, 절편)

❍ 황양목(黃楊木)

❍ 황양엽(黃楊葉)

[회양목과]

수호초

 풍습근골통 | 월경부조
 번조불안

● 학명 : *Pachysandra terminalis* S. et Z. ● 한자명 : 秀好草

| 1 | 2 | 3 | 4 | 5 | 6 | 7 | 8 | 9 | 10 | 11 | 12 |

상록 여러해살이풀. 원줄기는 옆으로 기다가 끝이 곧게 선다. 잎은 어긋나고, 꽃은 4~5월에 줄기 끝에 수상화서로 달리며 밑부분에 암꽃이 달린다. 포와 꽃받침은 넓은 달걀 모양, 꽃잎은 없고 수술은 3~5개, 암술대는 2개로 젖혀진다. 핵과는 달걀 모양이다.
분포·생육지 중국, 일본. 우리나라 전역에서 재배하거나 야생화하여 산속 나무 그늘에서 자라는 귀화 식물이다.
약용 부위·수치 전초를 여름에 채취하여 적당한 크기로 썰어서 말린다.
약물명 설산림(雪山林), 황앙련(黃秧連), 장청초(長靑草), 삼각미(三角咪)라고도 한다.
약효 거풍제습(祛風除濕), 조경활혈(調經活血)의 효능이 있으므로 풍습근골통(風濕筋骨痛), 월경부조, 번조불안(煩燥不安)을 치료한다.
성분 pachysandiol A, B, pachysonol 등이 함유되어 있다.
사용법 설산림 10g에 물 3컵(600mL)을 넣고 달여서 복용한다.

❍ 설산림(雪山林)

❍ 수호초

야선화

위완동통　풍한습비　타박상

●학명 : *Sarcococca ruscifolia* Stapf　●한자명 : 野扇花

1 2 3 4 5 6 7 8 9 10 11 12

❶ 야선화(꽃)

상록 관목. 높이 1~4m. 가지를 많이 친다. 잎은 어긋나고 타원형, 길이 2~7cm, 너비 1~3cm, 가장자리는 밋밋하다. 꽃은 암수한그루, 줄기 끝에 수상화서로 달린다. 열매는 구형이며 적갈색을 띤다.

분포 · 생육지 인도, 중국 산시성(陝西省), 간쑤성(甘肅省), 후난성(湖南省), 후베이성(湖北省), 광시성(廣西省). 산비탈에서 자란다.

약용 부위 · 수치 뿌리를 수시로 채취하여 물에 씻은 후 썰어서 말린다.

약물명 위우(胃友). 청향계(清香桂), 엽상화(葉上花)라고도 한다.

약효 행기활혈(行氣活血), 거풍지통(祛風止痛)의 효능이 있으므로 위완동통(胃脘疼痛), 풍한습비(風寒濕痹), 타박상을 치료한다.

사용법 위우 10g에 물 3컵(600mL)을 넣고 달여서 복용한다.

❶ 야선화

호호바

로션, 크림, 약용비누, 립스틱 원료

●학명 : *Simmondsia chinensis* (Link) C. Schnider　●영명 : Jojoba

1 2 3 4 5 6 7 8 9 10 11 12

❶ 호호바(꽃)

상록 관목. 높이 1~4m. 가지를 많이 친다. 잎은 마주나고 타원형, 가죽질, 가장자리는 밋밋하다. 꽃은 암수딴그루, 3~5월에 줄기 끝에 수상화서로 달리고, 수꽃은 잎겨드랑이에서 모여나며, 암꽃은 잎겨드랑이에 1개씩 핀다. 열매는 타원상 구형이다.

분포 · 생육지 인도, 중국 산시성(陝西省), 간쑤성(甘肅省), 후난성(湖南省), 후베이성(湖北省), 광시성(廣西省). 산비탈에서 자란다.

약용 부위 · 수치 종자를 채취하여 기름(油)을 뽑는다. 피부 용품으로 사용할 때는 가수 분해하여 사용한다.

약물명 Oleum Simmondsia. 일반적으로는 Jojoba라고 한다.

약효 피부의 상피 세포 투과력이 높아 머리카락과 피부를 윤기 나게 한다.

사용법 로션, 크림, 약용비누, 립스틱 원료로 만들어 사용한다.

❶ Oleum Simmondsia(호호바유)

❶ 호호바(종자)

❶ 호호바

[차수유과]

미화등

 풍한습비 신장염

노상

● 학명 : *Iodes vitiginea* (Hance) Hemsl. [*I. ovalis, Erythrostaphyle vitiginea*]
● 한자명 : 微花藤

| 1 | 2 | 3 | 4 | 5 | 6 | 7 | 8 | 9 | 10 | 11 | 12 |

덩굴나무. 작은가지는 약간 납작하다. 잎은 타원형, 가장자리가 밋밋하다. 꽃은 잎겨드랑이에 산방상 원추화서로 달리고, 꽃잎은 5개로 황록색이다. 핵과는 달걀 모양, 길이 17cm 정도, 붉은색으로 익는다.

분포 · 생육지 인도, 중국 윈난성(雲南省), 구이저우성(貴州省), 하이난성(海南省). 산골짜기에서 자란다.

약용 부위 · 수치 덩굴성 줄기를 수시로 채취하여 썰어서 말린다.

약물명 취풍등(吹風藤), 구파(構芭), 우내등(牛奶藤)이라고도 한다.

약효 거풍산한(祛風散寒), 제습통락(除濕通絡)의 효능이 있으므로 풍한습비(風寒濕痹), 신장염, 노상(勞傷)을 치료한다.

사용법 취풍등 10g에 물 3컵(600mL)을 넣고 달여서 복용하거나 술에 담가 복용한다.

✪ 미화등

[갈매나무과]

망개나무

황달 풍습요통

생리통 종기

● 학명 : *Berchemia berchemiaefolia* (Makino) Koidzumi
● 별명 : 살배나무, 메답싸리, 멥대싸리, 모이대싸리

| 1 | 2 | 3 | 4 | 5 | 6 | 7 | 8 | 9 | 10 | 11 | 12 |

낙엽 교목. 높이 10~15m. 가지는 적갈색이다. 잎은 어긋난다. 꽃은 담녹색, 6월에 가지 끝의 잎겨드랑이에 달리며, 포와 소포는 작다. 열매는 좁고 긴 타원형으로 길이 7~8mm이다.

분포 · 생육지 우리나라 충북(속리산, 군자산) 및 경북(주왕산). 중국, 일본. 산골짜기에서 자란다.

약용 부위 · 수치 잎을 여름과 가을에 채취하여 말린다.

약물명 Berchemiae Folium

약효 청열해독(淸熱解毒)의 효능이 있으므로 황달, 풍습요통(風濕腰痛), 생리통, 상처 후의 종기를 치료한다.

사용법 Berchemiae Folium 10g에 물 3컵(600mL)을 넣고 달여서 복용한다.

✪ Berchemiae Folium

✪ 망개나무(열매)

✪ 망개나무

[갈매나무과]

청사조

풍습비통, 골수염 · 위통 · 산후복통

●학명 : *Berchemia racemosa* S. et Z. [*B. floribunda*] ●별명 : 둥근잎망개나무

| 1 | 2 | 3 | 4 | 5 | 6 | 7 | 8 | 9 | 10 | 11 | 12 |

● 황선등(黃鱔藤)

낙엽 덩굴나무. 잎은 어긋나고 잎맥은 7~8개, 가장자리는 밋밋하고, 잎자루는 붉은색이다. 꽃은 담녹색, 8월에 가지 끝에 총상화서로 달린다. 열매는 타원상 구형, 흑색으로 익으며 길이 5mm 정도이다.

분포·생육지 우리나라 군산, 남부 지방 섬. 중국, 일본. 물가에서 자란다.

약용 부위·수치 줄기를 여름과 가을에 채취하여 썰어서 말린다.

약물명 황선등(黃鱔藤), 자라화(紫羅花), 사등(蛇藤)이라고도 한다.

약효 거풍제습(祛風除濕), 활혈지통(活血止痛)의 효능이 있으므로 풍습비통(風濕痺痛), 위통, 산후복통, 골수염을 치료한다.

사용법 황선등 15g에 물 3컵(600mL)을 넣고 달여서 복용한다.

＊본 종보다 잎이 크고 꽃받침 조각이 약간 작으며 끝이 뾰족한 '먹넌출 *B. racemosa* var. *magna*'도 약효가 같다.

● 꽃   ● 청사조

[갈매나무과]

헛개나무

번열 · 구갈 · 풍열감모 · 구토, 변비, 식적 · 대소변불통, 치창 · 사지마비, 류머티즘, 근맥구련

●학명 : *Hovenia dulcis* Thunb. ●별명 : 홋개나무, 호리깨나무, 볼게나무

| 1 | 2 | 3 | 4 | 5 | 6 | 7 | 8 | 9 | 10 | 11 | 12 |

낙엽 교목. 높이 10m 정도. 잎은 어긋나고 타원형, 가장자리에 둔한 톱니가 있다. 꽃은 양성, 5수, 지름 7mm 정도로 녹색이다. 열매는 둥글고 갈색이 돌며 지름 8mm, 3실에 각각 1개의 씨가 들어 있다. 열매줄기는 불규칙하게 울툭불툭한 것이 특징이다.

분포·생육지 우리나라 중부 이남. 중국, 일본. 산속에서 자란다.

약용 부위·수치 열매를 가을에, 잎은 여름에, 줄기껍질은 수시로 채취하여 말린다.

약물명 열매를 지구자(枳椇子)라 하며, 목밀(木蜜), 수밀(樹蜜)이라고도 한다. 잎을 지구엽(枳椇葉), 줄기껍질을 지구목피(枳椇木皮)라 한다. 지구자(枳椇子)는 대한민국약전외한약(생약)규격집(KHP)에 수재되어 있다.

성상 지구자(枳椇子)는 열매자루가 달린 열매로 열매자루는 비대하며 꼬여 있고 열매보다 지름이 크다. 열매는 구형이고 적갈색이며 냄새가 약간 있고 맛은 달다.

약효 지구자(枳椇子)는 해주독(解酒毒), 지갈제번(止渴除煩), 지구(止嘔), 이대소변(利大小便)의 효능이 있으므로 번열(煩熱), 구갈(口渴), 구토, 대소변불통, 사지마비, 류머티즘을 치료한다. 지구엽(枳椇葉)은 청열해독(淸熱解毒), 제번지갈(除煩止渴)의 효능이 있으므로 풍열감모(風熱感冒), 취주번갈(醉酒煩渴), 구토, 변비를 치료한다. 지구목피(枳椇木皮)는 활혈(活血), 서근(舒筋), 소식(消食), 요치(療痔)의 효능이 있으므로 근맥구련(筋脈拘攣), 식적(食積), 치창(痔瘡)을 치료한다.

성분 지구목피(枳椇木皮)는 vanillic acid, methyl vanilline, ferulic acid, 3,5-dihydroxystilbene, 2,3,4-trihydroxybenzoic acid, (+)-aromadendrin, (−)-catechin, (+)-afzelechin, 뿌리는 peptide 알칼로이드인 frangulanine, hovenine, hovenoside I이 함유되어 있다. 지구엽(枳椇葉)은 saponin C_2, D, G, E, H, hoduloside I~IV, quercetin, isoquercetin, rutin 등, 지구자(枳椇子)는 hovenidulcioside A_1, A_2, B_1, B_2, hoduloside III, hovenidulcigenin, dihydrokaempferol, quercetin, apigenin, myricetin,

● 헛개나무

hovenitin I~III 등이 함유되어 있다.

약리 지구자(枳椇子)의 메탄올추출물은 기생충을 박멸하는 작용이 있고, 알코올 중독증을 개선하는 효능이 있다. 간 손상을 일으키는 물질에 방어 작용이 있으며, 항당뇨 효능이 보고되었다. 메탄올추출물은 황색 포도상구균, 대장균에 항균 작용이 있다. 또, 지구목피(枳椇木皮)에 함유된 vanillic acid, methyl vanilline, ferulic acid, 3,5-dihydroxystilbene, 2,3,4-trihy-droxybenzoic acid 등은 세포의 노화를 억제하는 작용이 있다. 에탄올추출물은 흰쥐의 학습 능력을 제고한다. 열수추출물은 생쥐의 지구력 운동을 향상시키고 피로를 개선한다.

사용법 지구자, 지구엽 또는 지구목피 10g에 물 3컵(600mL)을 넣고 달여서 복용한다.

처방 지구자환(枳椇子丸): 지구자(枳椇子) 75g, 사향(麝香) 4g을 가루를 내어 오동자(梧桐子) 크기로 만들어 1회 30알 복용(『세의득효방(世醫得效方)』). 과도한 음주로 인한 번열(煩熱), 갈증과 구토 증상에 사용한다.
＊잎에 3개의 주맥이 있고 꽃대는 열매가 성숙할 때 이상한 모양으로 비후하므로 헛개나무라고 한다.

❍ 지구자(枳椇子)

❍ 지구엽(枳椇葉)

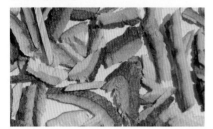
❍ 지구목피(枳椇木皮)

❍ 지구자(枳椇子)로 만든 건강식품

❍ 지구자(枳椇子)로 만든 건강식품

[갈매나무과]

갯대추나무

풍습비통　　인후통
타박상, 옹저, 옹종, 하지궤양, 종창

● 학명 : *Paliurus ramosissimus* (Lour.) Poiret　● 별명 : 갯대추, 개대추나무

| 1 | 2 | 3 | 4 | 5 | 6 | 7 | 8 | 9 | 10 | 11 | 12 |

낙엽 관목. 높이 2~3m. 잎은 어긋나고 가죽질이다. 꽃은 암수한그루, 담녹색, 6월에 작은가지 윗부분 잎겨드랑이에 취산화서로 달린다. 꽃받침잎과 꽃잎은 각각 5개, 암술은 1개이다. 열매는 반구형이며 끝이 3개로 갈라져서 날개로 되고 9~10월에 성숙한다.

분포 · 생육지 우리나라 제주도. 중국, 일본, 타이완. 바닷가 산지에서 자란다.

약용 부위 · 수치 뿌리는 수시로, 잎은 가을에 채취하여 말린다.

약물명 뿌리를 마갑자근(馬甲子根), 잎을 마갑자엽(馬甲子葉)이라 한다.

약효 마갑자근(馬甲子根)은 거풍산어(祛風散瘀), 해독소종(解毒消腫)의 효능이 있으므로 풍습비통(風濕痺痛), 타박상, 인후통, 옹저(癰疽)를 치료한다. 마갑자엽(馬甲子葉)은 청열해독(清熱解毒)의 효능이 있으므로 옹종(癰腫), 하지궤양(下肢潰瘍), 피부의 종창(腫瘡)을 치료한다.

성분 마갑자근(馬甲子根)은 24-hydroxy-ceanothic acid dimethylester, 27-hydroxy-ceanothic acid dimethylester, ceanothic acid, ceanothic acid 28β-glucosyl ester, isoceanothic acid 28β-glucosyl ester, paliurine B 등이 함유되어 있다.

사용법 마갑자근 또는 마갑자엽 10g에 물 3컵(600mL)을 넣고 달여서 복용하고, 외용에는 짓찧어 낸 즙액이나 달인 액을 바른다.

❍ 갯대추나무

❍ 마갑자근(馬甲子根)

❍ 마갑자엽(馬甲子葉)

❍ 갯대추나무(열매)

❍ 갯대추나무(잎)

[갈매나무과]

까마귀베개

체질허약, 노상핍력 | 개창

● 학명 : *Rhamnella franguloides* (Maxim.) Weberb.
● 별명 : 푸대추나무, 가마귀마개, 헛갈매나무

| 1 | 2 | 3 | 4 | 5 | 6 | 7 | 8 | 9 | 10 | 11 | 12 |

낙엽 소교목. 높이 7m 정도. 잎은 어긋나고 긴 타원형이다. 꽃은 녹황색, 5~6월에 잎겨드랑이에 취산화서로 2~15개가 달리며, 꽃잎과 꽃받침은 5개, 씨방은 불완전한 2실이다. 열매는 핵과로 타원상 구형, 붉은색이고, 종자는 백색이며 잔줄이 있다.

분포·생육지 우리나라 충남 이남. 중국, 일본. 산기슭에서 자란다.

약용 부위·수치 열매를 가을에 채취하여 말린다.

약물명 서시조(鼠矢棗). 서장묘유(西藏貓乳)라고도 한다.

약효 보비익신(補脾益腎), 요창(療瘡)의 효능이 있으므로 체질허약, 노상핍력(勞傷乏力), 개창(疥瘡)을 치료한다.

사용법 서시조 10g에 물 3컵(600mL)을 넣고 달여서 복용한다.

○ 까마귀베개(꽃)

○ 까마귀베개(열매)

○ 까마귀베개

[갈매나무과]

산황나무

개창, 완선, 창절, 습진, 담마진

● 학명 : *Rhamnus crenata* (Maxim.) Weberb. ● 별명 : 산황

| 1 | 2 | 3 | 4 | 5 | 6 | 7 | 8 | 9 | 10 | 11 | 12 |

낙엽 관목. 높이 3m 정도. 잎은 어긋나고 타원형, 끝이 뾰족하고 표면은 연녹색, 주맥에 털이 있고 뒷면에는 맥 위에만 털이 남아 있으며, 가장자리에는 잔물결 같은 톱니가 있다. 꽃은 암수한그루, 황록색, 양성화로 잎겨드랑이에 취산화서로 5~10개씩 달린다. 씨방은 3실, 열매는 장과 같은 핵과이고 구형, 흑색으로 익고, 2~3개의 종자가 들어 있다.

분포·생육지 우리나라 제주도, 전남, 인천. 중국, 일본. 바닷가 산기슭에서 자란다.

약용 부위·수치 뿌리를 수시로 채취하여 씻은 후 썰어서 말린다.

약물명 여랄근(黎辣根). 이라근(梨羅根), 일소광(一掃光)이라고도 한다.

약효 청열해독(淸熱解毒), 살충이습(殺蟲利濕)의 효능이 있으므로 개창(疥瘡), 완선(頑癬), 창절(瘡癤), 습진, 담마진(蕁麻疹)을 치료한다.

사용법 여랄근 5g에 물 2컵(400mL)을 넣고 달여서 복용하거나 술에 담가서 복용한다.

○ 산황나무

[갈매나무과]

갈매나무

💧 수종복창   📋 나력, 개선, 열독창옹
👁 치통   🦵 풍습열비

● 학명 : *Rhamnus davurica* Pall.

| 1 | 2 | 3 | 4 | 5 | 6 | 7 | 8 | 9 | 10 | 11 | 12 |

낙엽 소교목. 높이 5m 정도. 가지 끝이 가시로 변한다. 잎은 마주나고, 꽃은 암수딴그루, 황록색, 5~6월에 잎겨드랑이에 1~2개씩 달린다. 열매는 둥글고 9~10월에 흑색으로 익으며, 1~2개의 종자가 들어 있고 종자 뒷면에 홈이 진다.

분포 · 생육지 우리나라 전역, 중국, 일본, 몽골, 다후리아, 아무르. 산골짜기에서 자란다.

약용 부위 · 수치 열매를 가을에, 뿌리와 줄기껍질은 수시로 채취하여 말린다.

약물명 열매를 서이자(鼠李子)라 하며, 우리자(牛李子)라고도 한다. 줄기껍질을 서이피(鼠李皮)라 한다.

본초서 서이자(鼠李子)는 「신농본초경(神農本草經)」에 수재되어, "한열(寒熱)과 나력을 치료한다."고 하였다. 「동의보감(東醫寶鑑)」에는 우리자(牛李子)라는 이름으로 수재되어, "한열(寒熱)과 나력을 치료하고 피가 뭉친 것을 풀어 주며, 아랫배가 아픈 것을 낫

게 하고 냉기를 없애며 몸이 붓고 배가 부풀어 오르는 것을 가라앉힌다."고 하였다.
神農本草經: 主寒熱瘰癧瘡.
東醫寶鑑: 主寒熱瘰癧 能下血 除疝瘕冷氣 治水腫脹滿.

약효 서이자(鼠李子)는 청열(淸熱), 이습(利濕), 소적(消積), 살충(殺蟲)의 효능이 있으므로 수종복창(水腫腹脹), 나력(瘰癧), 개선(疥癬), 치통을 치료한다. 서이피(鼠李皮)는 청열해독(淸熱解毒), 사하통변(瀉下通便)의 효능이 있으므로 풍습열비(風濕熱痺), 열독창옹(熱毒瘡癰), 변비를 치료한다.

성분 서이자(鼠李子)는 anthraquinone류 화합물인 emodin, chrysophanol, anthranol, kaempferol, 서이피(鼠李皮)는 emodin, aloeemodin, chrysophanol이 함유되어 있다.

사용법 서이자는 3g에 물 2컵(400mL)을, 서이피는 10g에 물 3컵(600mL)을 넣고 달여서 복용한다.

※ 중국에서는 '동록(凍綠) *R. utilis*'을 서이자(鼠李子) 및 서이피(鼠李皮)의 기원으로 하고 있다.

🔼 서이자(鼠李子)

🔼 갈매나무

[갈매나무과]

서양갈매나무

🤰 습관성변비, 복통

● 학명 : *Rhamnus frangula* L.   ● 영명 : Alder buckthorn   ● 별명 : 프랑굴라

| 1 | 2 | 3 | 4 | 5 | 6 | 7 | 8 | 9 | 10 | 11 | 12 |

낙엽 소교목. 높이 7m 정도. 작은가지는 자갈색이다. 잎은 어긋나고 타원형, 끝은 뾰족하고 표면은 연한 녹색, 가장자리는 밋밋하다. 꽃은 암수한그루, 황록색, 잎겨드랑이에 1~2개씩 취산화서를 이룬다. 씨방은 3실, 열매는 장과 같은 핵과이고 구형, 흑색으로 익고, 1개의 종자가 들어 있다.

분포 · 생육지 유럽, 지중해 연안, 북아프리카, 중국 신장성(新疆省). 숲 언저리에서 자란다.

약용 부위 · 수치 가지나 줄기의 껍질을 봄에 채취하여 썰어서 말린다.

약물명 약록시(藥綠柴). 서양에서는 프랑굴라(Frangula)라 하고, Alder buckthorn, Frangulae Cortex라고도 한다.

약효 윤장통변(潤腸通便)의 효능이 있으므로 습관성변비, 복통을 치료한다.

성분 glucofrangulin A, B, frangulin A, B, frangulaemodin-8-*O*-glucoside, emodin, chrysophanol, frangulamin 등이 함유되어 있다.

약리 frangulaemodin-8-*O*-glucoside,

emodin, chrysophanol, frangulamin 등은 장내 세균에 의하여 anthranone과 anthranol로 변환, 대장 운동을 활발하게 하여 배변을 촉진한다.

사용법 약록시 10g에 물 3컵(600mL)을 넣고 달여서 복용하거나 술에 담가서 복용한다.

🔼 약록시(藥綠柴)

🔼 약록시(藥綠柴, 절편)

🔼 서양갈매나무

[갈매나무과]

월남서이

 풍습관절통　 만성간염, 간경화복수

●학명 : *Rhamnus nepalensis* (Wall.) M. A. Lawson　●한자명 : 越南鼠李

| 1 | 2 | 3 | 4 | 5 | 6 | 7 | 8 | 9 | 10 | 11 | 12 |

● 월남서이

덩굴성 관목. 높이 5m 정도. 가지 끝이 가시로 변한다. 잎은 마주나고 타원형, 가장자리에 작은 톱니가 있다. 꽃은 암수딴그루, 황록색, 5~9월에 잎겨드랑이에 1~2개씩 취산화서를 이룬다. 씨방은 3실, 열매는 장과 같은 핵과이고 구형, 흑색으로 익고, 1개의 종자가 들어 있다.

분포·생육지 중국, 베트남, 캄보디아. 해발 1,800m 이하의 산골짜기에서 자란다.

약용 부위·수치 줄기를 여름과 가을에 채취하여 썰어서 말린다.

약물명 대풍약(大風藥). 엽청(葉靑)이라고도 한다.

약효 거풍제습(祛風除濕), 이수소창(利水消脹)의 효능이 있으므로 풍습관절통(風濕關節痛), 만성간염, 간경화복수(肝硬化腹水)를 치료한다.

성분 emodin, physcion, rhamnetin, rhamnocitrin, lupeole, β-sitosterol, β-sitosterol-β-D-glucoside 등이 함유되어 있다.

사용법 대풍약 15g에 물 3컵(600mL)을 넣고 달여서 복용한다.

[갈매나무과]

카스카라나무

 변비　 비만증

●학명 : *Rhamnus purshianus* DC.　●영명 : Cascara buckthorn, Cascara sagrada tree

| 1 | 2 | 3 | 4 | 5 | 6 | 7 | 8 | 9 | 10 | 11 | 12 |

낙엽 교목. 높이 15m 정도. 잎은 어긋나고 타원형, 끝은 뾰족하고 표면은 연한 녹색, 주맥에 털이 있고 가장자리는 잔톱니가 있다. 꽃은 암수한그루, 양성화, 황록색, 잎겨드랑이에 5~10개씩 취산화서로 달린다. 씨방은 3실, 열매는 장과 같은 핵과이고 구형, 붉은색으로 익는다.

분포·생육지 북아메리카 서해안. 바닷가 산기슭에서 자란다.

약용 부위·수치 가지와 줄기껍질을 수시로 채취하여 썰어서 말린다.

약물명 Cascara sagrada. Cascara buckthorn이라고도 한다.

약효 통변(通便)의 효능이 있으므로 변비, 비만증을 치료한다.

성분 glucofrangulin A, B, frangulin A, B, frangulaemodin-8-O-glucoside, emodin, chrysophanol, frangulamin 등이 함유되어 있다.

약리 frangulaemodin-8-O-glucoside, emodin, chrysophanol, frangulamin 등은 장내 세균에 의하여 anthranone과 anthranol로 변환, 대장 운동을 활발하게 하여 배변을 촉진한다.

사용법 Cascara sagrada 2g을 뜨거운 물에 우려내어 복용한다.

● 카스카라나무

● Cascara sagrada

● Cascara sagrada(절편)

● Cascara sagrada가 함유된 변비 치료제

[갈매나무과]

상동나무

기침, 가래 / 위통 / 탕화상, 개창, 칠창 / 무릎통증 / 수종

● 학명 : *Sageretia theezans* (L.) Brongn.　● 한자명 : 生冬木　● 별명 : 상동목

1	2	3	4	5	6	7	8	9	10	11	12

상록 관목. 높이 2m 정도. 잎은 어긋난다. 꽃은 황색, 10~11월에 가지 끝의 잎겨드랑이에 달리고, 씨방은 3실, 암술머리는 3개로 갈라진다. 열매는 다음 해 4~5월에 흑자색으로 익으며 구형이다.

분포·생육지 우리나라 제주도 및 남쪽 섬. 중국, 일본, 타이완, 인도. 해변가의 산에서 자란다.

약용 부위·수치 줄기는 수시로, 잎은 여름에 채취하여 깨끗이 씻어서 썰어서 말린다.

약물명 줄기를 작매등(雀梅藤), 잎을 작매등엽(雀梅藤葉)이라 한다.

약효 작매등(雀梅藤)은 강기(降氣), 화담(化痰), 거풍이습(祛風利濕)의 효능이 있으므로 기침과 가래, 위통, 무릎이 아프고 시린 증상, 수종을 치료한다. 작매등엽(雀梅藤葉)은 청열해독(淸熱解毒)의 효능이 있으므로 탕화상(湯火傷), 개창(疥瘡), 칠창(漆瘡), 수종(水腫)을 치료한다.

성분 작매등(雀梅藤)에는 hordenine, friedeline, *epi*-friedelinol, emodin, physcion, daucosterol 등이 함유되어 있다.

❶ 작매등(雀梅藤)

❶ 작매등엽(雀梅藤葉)

약리 열수추출액을 쥐에게 투여하면 간 보호 작용이 나타난다.

사용법 작매등 또는 작매등엽 10g에 물 3컵(600mL)을 넣고 달여서 복용한다.

❶ 상동나무

[갈매나무과]

묏대추나무

허번불면, 경계정충 / 번갈 / 사지산동 / 허한 / 심복한열

● 학명 : *Zizyphus jujuba* Miller　● 별명 : 묏대추, 산대추나무, 살매나무

1	2	3	4	5	6	7	8	9	10	11	12

낙엽 관목. 잎은 어긋나고 턱잎은 흔히 가시로 변한다. 꽃은 연한 녹색, 양성, 5~6월에 잎겨드랑이에 취산화서로 2~3개씩 피며 지름 5~6mm이다. 핵과는 구형, 9~10월에 적갈색 또는 암갈색으로 익는다.

분포·생육지 우리나라 전역. 중국. 산기슭이나 마을 근처에서 자란다.

약용 부위·수치 껍질을 벗긴 종자를 가을에, 가시는 수시로 채취하여 말린다.

약물명 산조인(酸棗仁), 조인(棗仁), 산조핵(酸棗核)이라고도 한다. 산조인(酸棗仁)은 대한민국약전(KP)에 수재되어 있다.

본초서 「신농본초경(神農本草經)」의 상품(上品)에 산조(酸棗)라는 이름으로 수재되어 있으며, 「명의별록(名醫別錄)」에는 "번심(煩心)으로 잠을 못 자는 것을 치료한다."고 기록되어 있다. 소경(蘇敬) 및 구종석(寇宗奭)은 "본경(本經)에는 열매를 사용하며, 종자를 사용하지 않았지만 지금은 모두 종자를 사용한다."고 하였다. 「동의보감(東醫寶鑑)」에는 "속이 답답하여 잠이 오지 않거나 배꼽 주변이 아픈 것, 피가 섞인 설사를 하

고 식은땀을 흘리는 것을 낫게 한다. 간의 기운을 도우며 근골을 튼튼하게 하고 살이 찌게 하며 건강하게 한다. 또한 근골의 힘줄에 바람의 기운을 없앤다."고 하였다.

神農本草經: 主心腹寒熱 邪結氣聚 四肢酸疼 濕痺 久服安五臟 輕身延年.

藥性論: 主筋骨, 助陰氣, 令人肥健.

東醫寶鑑: 主煩心不得眠 臍上下痛 血泄 虛汗 益肝氣 堅筋骨 令人肥健 又主筋骨風.

성상 편원형으로 길이 6~9mm, 너비 4~6mm, 두께 2~3mm, 표면은 황갈색~적갈색으로 윤택이 있다. 한쪽에 배꼽이 있으며, 다른 쪽에 합점이 있다. 종피는 약간 부드럽고 내부는 담황색이며 내유는 회색으로 맛은 시다.

기미·귀경 평(平), 감(甘)·심(心), 간(肝)

약효 양간(養肝), 영심(寧心), 안신(安神), 수렴(收斂)의 효능이 있으므로 허번불면(虛煩不眠), 경계정충(驚悸怔忡), 번갈(煩渴), 허한(虛汗), 심복한열(心腹寒熱), 사지산동(四肢酸疼)을 치료한다.

성분 cyclopeptide 알칼로이드인 sanjoinine

A~K, tetrahydroisoquinoline 알칼로이드인 (+)-coclaurine, aporphine 알칼로이드인 nuciferine, *N*-methylasilmilobine, nornuciferine, caaverine, norisocorydine, zizyphusine, betulin, betulinic acid, jujuboside, canaverine, methylasimilobine 등, triterpenoid인 colubrinic acid, alphitolic acid, 3-*O*-*cis*-*p*-coumaroyl alphitolic acid, 3-*O*-*trans*-*p*-coumaroyl alphitolic acid, 3-*O*-*cis*-*p*-coumaroyl maslinic acid, 3-*O*-*trans*-*p*-coumaroyl maslinic acid, betulinic acid, oleanolic acid, betulonic acid, zizyberenalic acid 등이 함유되어 있다.

약리 물에 달인 액을 쥐에 투여하면 진정 및 최면 작용이 있고, 쥐의 복강에 5g/kg을 주사하면 진통, 항경련 작용이 있으며 혈압을 하강시킨다.

사용법 산조인 10g에 물 3컵(600mL)을 넣고 달여서 복용한다.

처방 산조인탕(酸棗仁湯): 석고(石膏) 10g, 산조인(酸棗仁)·인삼(人蔘) 각 6g, 지모(知母)·복령(茯苓)·감초(甘草) 각 4g, 계심(桂心) 2g, 생강(生薑) 3쪽「동의보감(東醫寶鑑)」. 허번(虛煩)으로 잠을 못 자면서 가슴이 답답하고 두근거리며 식은땀이 나고 어지러운 증상에 사용한다.

• 귀비탕(歸脾湯): 당귀(當歸)·용안육(龍眼肉)·산조인(酸棗仁)·원지(遠志)·인삼(人蔘)·황기(黃芪)·백출(白朮)·복신(茯神) 각 4g,

목향(木香) 2g, 감초(甘草) 1.2g, 생강(生薑) 5쪽, 대추(大棗) 2개『동의보감(東醫寶鑑)』). 심비(心脾)가 허하여 입맛이 없고 온몸이 나른하며 가슴이 두근거리고 마음이 불안한 증상, 건망증, 정신불안에 사용한다.
• 산조인환(酸棗仁丸): 복신(茯神) · 산조인

(酸棗仁) · 원지(遠志) · 백자인(柏子仁) · 방풍(防風) 각 40g, 생지황(生地黃) · 지실(枳實) 각 20g, 죽여(竹茹) 4g『향약집성방(鄉藥集成方)』). 담실열(膽實熱)로 가슴이 답답하고 두근거리며 마음이 조급하면서 잠을 이루지 못하는 증상에 사용한다.

❖ 묏대추나무(꽃)

❖ 산조인(酸棗仁) 수치한 것(왼쪽)과 하지 않은 것(오른쪽)

❖ 묏대추나무

❖ 묏대추나무(익은 열매)

❖ 묏대추나무(열매)

[갈매나무과]

대추나무

 위허식욕부진, 비약연변   타액부족
심계정충

●학명 : *Zizyphus jujuba* Miller var. *inermis* Rehder. ●별명 : 대추, 녀목

| 1 | 2 | 3 | 4 | 5 | 6 | 7 | 8 | 9 | 10 | 11 | 12 |

낙엽 교목. 높이 10m 정도. 잎은 어긋나고 턱잎은 흔히 가시로 변하거나 흔적만 있다. 꽃은 양성, 연한 황록색, 5~6월에 잎겨드랑이에 취산화서로 2~3개씩 핀다. 열매는 핵과로 타원상 구형, 길이 3~4cm, 9~10월에 적갈색 또는 암갈색으로 익는다.

분포 · 생육지 유럽 남부와 서남아시아 원산. 우리나라 전역에서 식재한다.

약용 부위 · 수치 열매를 가을에 채취하여 말린다.

약물명 대조(大棗). 건조(乾棗), 생조(生棗), 미조(美棗), 양조(良棗), 흑조(黑棗)라고도 한다. 대한민국약전(KP)에 수재되어 있다.

본초서 「신농본초경(神農本草經)」의 상품(上品)에 수재되어 있으며 "모든 약물을 조화시킨다."고 하였으며, 도홍경(陶弘景) 및 소경(蘇敬)은 "대추는 여러 가지가 있으나, 산동성 청주(靑州)산이 좋다."고 하였다. 「동의보감(東醫寶鑑)」에는 "속을 편안하게 하고 비장을 튼튼하게 하며 오장의 기운을 돕는다. 기와 혈액의 순환을 도우며 체액 분비를 돕는다. 구규(九竅)의 소통을 잘하

게 한다. 의지를 강하게 하며 모든 약과 조화시킨다."고 하였다.
神農本草經: 主心腹邪氣 安中養脾 助十二經 平胃氣 通九竅 補少氣 少津液 身中不足 大驚 四肢重 和百藥 久服輕身長年.
名醫別錄: 補中益氣, 强力, 除煩悶, 療心下懸, 腸澼.
東醫寶鑑: 安中養脾 補五臟 助十二經脈 補津液 通九竅 强志 和百藥.

성상 타원상 구형이며 길이 3~4cm, 너비 2~3cm. 표면은 적갈색으로 쭈글쭈글하고 잔주름이 있고 외과피는 얇고 광택이 나며, 중과피는 두껍고 딱딱하다. 냄새가 조금 나고 맛은 달다.

기미 · 귀경 감(甘), 온(溫) · 심(心), 비(脾), 위(胃).

약효 완화(緩和), 강장(强壯), 진경(鎭痙), 보비(補脾), 생진(生津)의 효능이 있으므로 위허식욕부진(胃虛食慾不振), 비약연변(脾弱軟便), 타액부족(唾液不足), 심계정충(心悸怔忡)을 치료한다.

성분 betulic acid, alphitolic acid, zizyphus

❖ 대추나무

saponin I~Ⅲ, jujuboside B, vomifoliol, zizybeoside I, Ⅱ, zizyvoside I, Ⅱ 등이 함유되어 있다.

약리 에탄올추출물은 항알레르기 작용이 있고 위궤양을 예방하며 혈압을 하강시키고 체중을 증가시킨다.

사용법 대조 10g에 물 3컵(600mL)을 넣고 달여서 복용한다.

처방 십조탕(十棗湯): 대조(大棗)・원화(芫

花)・감수(甘遂)・대극(大戟) 각 4g(「동의보감(東醫寶鑑)」). 기침을 하면서 가슴과 옆구리가 당기고 아프며 명치 아래가 그득한 증상에 사용한다.

• 감맥대조탕(甘麥大棗湯): 감초(甘草) 40g, 소맥(小麥) 3홉, 대조(大棗) 7개(「동의보감(東醫寶鑑)」). 부인이 심허(心虛) 또는 간기(肝氣) 장애로 슬퍼하거나 고민하며 잠을 이루지 못하는 증상에 사용한다.

○ 대추나무(꽃)

○ 대조(大棗)

○ 대조(大棗, 신선품)

○ 대추 시장(중국 성도)

[갈매나무과]

전자조

👁 인후통　　📞 복사

● 학명 : *Zizyphus mauritiana* Lam.　　● 한자명 : 滇刺棗

| 1 | 2 | 3 | 4 | 5 | 6 | 7 | 8 | 9 | 10 | 11 | 12 |

낙엽 관목. 높이 3~6m. 줄기껍질은 적회색, 가지에 마주 보거나 어긋나는 가시가 있다. 잎은 어긋나고 타원형으로 가장자리가 밋밋하다. 꽃은 양성, 연한 황록색, 5~6월에 잎겨드랑이에 취산화서로 2~3개씩 피며 5수성이다. 열매는 핵과로 구형이다.

분포・생육지 중국 쓰촨성(四川省), 윈난성(雲南省), 푸젠성(福建省). 타이완. 마을 근처에서 자란다.

약용 부위・수치 열매를 가을에 채취하여 말린다.

약물명 면조(緬棗). 서서과(西西果), 산조(酸棗)라고도 한다.

약효 청열지통(淸熱止痛), 수렴지사(收斂止瀉)의 효능이 있으므로 인후통, 복사(腹瀉)를 치료한다.

사용법 면조 10g에 물 3컵(600mL)을 넣고 달여서 복용한다.

○ 전자조(열매)

○ 전자조

○ 면조(緬棗)

[포도과]

개머루

	폐농양		장농양, 위궤양
	류머티즘, 풍습성관절염		화상, 타박상, 단독

●학명 : *Ampelopsis brevipendunculata* (Maxim.) Trautv. ●별명 : 돌머루

1	2	3	4	5	6	7	8	9	10	11	12

낙엽 덩굴나무. 줄기껍질은 갈색이고 마디는 굵다. 잎은 어긋나고 심장형, 덩굴손은 잎과 마주나며 2개로 갈라진다. 꽃은 녹색, 6~7월에 취산화서로 피며 잎과 마주난다. 꽃대는 길이 3~4cm, 꽃받침과 꽃잎은 5개씩이다. 열매는 장과로 둥글고, 벽색으로 익는다.

분포 · 생육지 우리나라 전역. 중국, 일본, 타이완, 우수리, 사할린. 산골짜기에서 흔하게 자란다.

약용 부위 · 수치 줄기와 잎을 여름과 가을에 채취하여 썰어서 말린다.

약물명 줄기와 잎을 사포도(蛇葡萄)라 하고, 뿌리껍질을 사백렴(蛇白蘞)이라 하며

사포도근(蛇葡萄根)이라고도 한다.

약효 사포도(蛇葡萄)는 이소변(利小便), 소종지혈(消腫止血)의 효능이 있으므로 폐농양(肺膿瘍), 장농양(腸膿瘍), 류머티즘, 화상을 치료한다. 사백렴(蛇白蘞)은 거풍제습(祛風除濕), 해독(解毒), 염창(斂瘡)의 효능이 있으므로 풍습성관절염(風濕性關節炎), 위궤양, 타박상, 단독(丹毒)을 치료한다.

성분 ampelopsisionoside, ampelopsis-rhanoside, tachioside, isotachioside, lyoniside, 2-phenylethyl-D-rutinoside, juglanin, afzelin, kaempferol-3-O-arabinopyranoside, astragalin, nicotiflorin, hyperin 등이 함유되어 있다.

약리 메탄올추출물은 황색 포도상구균, 대장균에 항균 작용이 있다.

사용법 사포도 또는 사백렴 10g에 물 3컵(600mL)을 넣고 달여서 복용하고, 외용에는 짓찧어 바른다.

❍ 개머루

  ❍ 꽃

❍ 사포도(蛇葡萄)

[포도과]

가회톱

	창양종독, 나력, 화상, 습창, 열독옹종
	장풍출혈
	온학

●학명 : *Ampelopsis japonica* (Thunb.) Makino ●별명 : 가위톱

1	2	3	4	5	6	7	8	9	10	11	12

낙엽 덩굴나무. 길이 2m 정도. 뿌리는 덩이처럼 굵다. 잎은 어긋나고 덩굴손은 잎과 마주난다. 꽃은 양성, 담황색, 7월에 취산화서로 핀다. 꽃받침, 꽃잎, 수술은 각각 5개, 암술은 1개이다. 열매는 둥글며 백색, 자주색 또는 청색으로 익으며 반점이 있고, 1~2개의 종자가 들어 있다.

분포 · 생육지 우리나라 황해도 이북. 중국, 일본, 몽골. 들이나 산기슭에서 자란다.

약용 부위 · 수치 뿌리를 수시로 채취하여 물에 씻은 후 썰어서 말린다.

약물명 뿌리를 백렴(白蘞)이라 하고 백초(白草), 토핵(菟核), 곤륜(崑崙)이라고도 한다. 열매를 백렴자(白蘞子)라 한다. 백렴(白蘞)은 대한민국약전외한약(생약)규격집(KHP)에 수재되어 있다.

본초서 「신농본초경(神農本草經)」의 하품(下品)에 수재되어 "백초(白草)라고도 한다."고 하였으며, 「명의별록(名醫別錄)」에는 토핵(菟核), 곤륜(崑崙)이라는 별명으로 기록되어 있다. 구종석(寇宗奭)은 "뿌리가 희고 염창(斂瘡)에 많이 사용하는 풀이므

로 백렴(白蘞)이라고 한다."고 하였다. 「동의보감(東醫寶鑑)」에는 "상처가 깊어 잘 낫지 않는 것, 피부가 헐고 부은 것, 등에 난 종기, 나력(瘰癧), 치루(痔漏), 얼굴이 부르터서 허는 것과 다쳐서 난 상처, 칼이나 화살 등에 의한 상처를 낫게 한다. 새살이 돋아나게 하고 종독, 탕화상으로 생긴 상처에 바르면 낫는다."고 하였다.

神農本草經: 主癰腫直瘡 散結氣 止痛 除熱 目中赤 小兒驚癇 溫瘧 女子崩中腫痛.

名醫別錄: 下赤白 殺火毒.

東醫寶鑑: 主癰直 瘡腫 發背 瘰癧 腸風 痔漏 面上疱瘡 撲損傷 刀箭傷 生肌止痛 塗腫毒及湯火瘡.

기미 · 귀경 백렴(白蘞): 미한(微寒), 고(苦), 신(辛) · 심(心), 간(肝), 비(脾). 백렴자(白蘞子): 한(寒), 고(苦).

약효 백렴(白蘞)은 청열해독(淸熱解毒), 산결지통(散結止痛), 생기염창(生肌斂瘡)의 효능이 있으므로 창양종독(瘡瘍腫毒), 나력(瘰癧), 화상, 습창(濕瘡), 장풍출혈(腸風出血)을 치료한다. 백렴자(白蘞子)는 청열(淸

熱), 소옹(消癰)의 효능이 있으므로 온학(溫瘧), 열독옹종(熱毒癰腫)을 치료한다.

성분 백렴(白蘞)은 daucosterol, β-sitosterol, digallic acid, 1,2,6-tri-O-galloyl-β-D-glucoside, 1,2,3,6-tetra-O-galloyl-β-D-glucoside, quercetin-3-O-α-L-rhamnoside 등이 함유되어 있다.

약리 물에 달인 액은 피부진균에 항진균 작용이 있다.

사용법 백렴 또는 백렴자 7g에 물 2컵(400mL)을 넣고 달여서 복용하고, 외용에는 분말로 하여 뿌리거나 바른다.

처방 백렴산(白蘞散): 황백(黃柏) · 백렴(白蘞) 각 20g 「동의보감(東醫寶鑑)」. 손발의 동상에 사용한다.

• 백렴원(白蘞元): 녹용(鹿茸) 80g, 백렴(白蘞), 구척(狗脊) 각 40g 「동의보감(東醫寶鑑)」. 여성들의 충임맥이 허약하고 차서 백대(白帶)가 나오는 증상에 사용한다.

❍ 백렴(白蘞)

❶ 가회톱

❶ 가회톱(열매)

❶ 가회톱(뿌리)

[포도과]

거지덩굴

열독옹종, 정창, 단독 　이하선염
풍습비통 　황달 　요혈

● 학명 : *Cayratia japonica* (Thunb.) Gagn.
● 별명 : 풀덩굴, 울타리덩굴, 새발덩굴, 풀머루덩굴

| 1 | 2 | 3 | 4 | 5 | 6 | 7 | 8 | 9 | 10 | 11 | 12 |

덩굴성 여러해살이풀. 잎은 어긋나고 꽃차례가 있는 마디에서는 마주난다. 겹잎, 작은잎은 5개로 길이 4~8cm, 너비 2~3cm이고 잎은 5개이다. 꽃은 연녹색, 7~8월에 피며 꽃잎과 수술은 각각 4개이고 1개의 암술이 있다. 장과는 둥글고 흑색으로 익으며 지름 6~8mm, 상반부에 옆으로 달린 1개의 줄이 있고, 종자는 길이 4mm 정도이다.

분포 · 생육지 우리나라 제주도, 울릉도, 남부 지방. 중국, 일본, 인도차이나, 필리핀. 산기슭이나 들에서 자란다.

약용 부위 · 수치 잎과 줄기를 여름부터 가을에 걸쳐서 채취하여 적당한 크기로 잘라서 말린다.

약물명 오렴매(烏蘞莓), 발(拔), 용미(龍尾)라고도 한다.

본초서 오렴매(烏蘞莓)는 당나라의 「신수본초(新修本草)」에 처음 수재되었으며 "풍독(風毒)과 열독(熱毒), 뱀에 물린 상처를 치료한다."고 기록되어 있다. 이시진(李時珍)의 「본초강목(本草綱目)」에는 "피를 맑게 하고 소변을 잘 보게 하며 부종을 치료한다."

고 기록되어 있다.

기미 · 귀경 한(寒), 고(苦), 산(酸) · 심(心), 간(肝), 위(胃)

약효 청열이습(淸熱利濕), 해독소종(解毒消腫)의 효능이 있으므로 열독옹종(熱毒癰腫), 정창(疔瘡), 단독(丹毒), 이하선염(耳下腺炎), 풍습비통(風濕痹痛), 황달, 요혈(尿血)을 치료한다.

성분 오렴매(烏蘞莓)에는 camphor, santalol, cadinene, 4,8-dimethyl quinoline, bornyl acetate, piperitone, α-phellandrene, 1-eicosyne, apigenin, luteoline, luteoline-7-*O*-glycoside, 열매껍질에는 cayratinin 등이 함유되어 있다.

약리 물에 달인 액은 여러 가지 병원성 세균에 항균 작용이 있고, 동물 실험에서 항염증 작용이 나타나며, 혈액 응고 저지 작용과 면역력 증강 작용이 있다.

사용법 오렴매 15g에 물 3컵(600mL)을 넣고 달여서 복용하고, 외용에는 짓찧어 바른다.

❶ 오렴매(烏蘞莓)

❶ 거지덩굴(열매)

❶ 거지덩굴(꽃)

❶ 거지덩굴

[포도과]

백분등

 신염　　　이질

● 학명 : *Cissus repens* (Wight et Arn.) Lan.　● 한자명 : 白粉藤

| 1 | 2 | 3 | 4 | 5 | 6 | 7 | 8 | 9 | 10 | 11 | 12 |

덩굴성 여러해살이풀. 뿌리줄기는 굵고, 줄기는 백색을 띤다. 잎은 어긋나고 꽃차례가 있는 마디에서는 마주나며 길이 5~13cm, 너비 4~9cm이다. 꽃은 담녹색, 7~9월에 피며 꽃잎과 수술은 각각 4개이고 1개의 암술이 있다.

분포 · 생육지 인도, 중국 윈난성(雲南省), 싱가포르. 산기슭이나 들에서 자란다.

약용 부위 · 수치 줄기와 잎을 여름부터 가을에 걸쳐서 채취하여 적당한 크기로 잘라서 말린다.

약물명 백분등(白粉藤)

약효 청열이습(淸熱利濕), 해독소종(解毒消腫), 강장보혈(强壯補血)의 효능이 있으므로 신염(腎炎), 이질을 치료한다.

사용법 백분등 15g에 물 3컵(600mL)을 넣고 달여서 복용한다.

○ 백분등

[포도과]

화통수

감모발열　　　풍습비통
창양종독

● 학명 : *Leea indica* (Burm. f.) Merr. [*Staphylea indica*]　● 한자명 : 火筒樹

| 1 | 2 | 3 | 4 | 5 | 6 | 7 | 8 | 9 | 10 | 11 | 12 |

○ 화통수(꽃)

관목. 높이 4m 정도. 잎은 2회 깃꼴겹잎, 작은잎은 달걀 모양으로 가장자리에 톱니가 있다. 꽃은 담녹색, 5~8월에 산방상 취산화서로 핀다. 장과는 편구형으로 흑색으로 익는다.

분포 · 생육지 인도, 중국 윈난성(雲南省), 베트남. 산기슭이나 하천가에서 자란다.

약용 부위 · 수치 가을과 겨울에 뿌리를 채취하여 물에 씻은 후 적당한 크기로 잘라서 말린다.

약물명 홍취풍(紅吹風)

약효 거풍제습(祛風除濕), 청열해독(淸熱解毒)의 효능이 있으므로 감모발열, 풍습비통(風濕痺痛), 창양종독(瘡瘍腫毒)을 치료한다.

사용법 홍취풍 15g에 물 3컵(600mL)을 넣고 달여서 복용한다.

○ 화통수

[포도과]

대엽화통수

유방종통   창양종절, 타박상

● 학명 : *Leea macrophylla* Roxb. ex Hornem.   ● 한자명 : 大葉火筒樹

1 2 3 4 5 6 7 8 9 10 11 12

❍ 대엽화통수(잎과 가지)

관목. 높이 1~2m. 잎은 어긋나고 작은잎은 길이 15~25cm, 가장자리에 톱니가 있다. 꽃은 담녹색, 5~8월에 산방상 취산화서로 핀다. 장과는 편구형으로 흑자색으로 익는다.

분포·생육지 인도, 중국 윈난성(雲南省), 베트남. 산기슭이나 하천가에서 자란다.

약용 부위·수치 잎을 채취하여 바로 사용한다.

약물명 천순(喘唇)

약효 활혈산어(活血散瘀), 유궤생기(愈潰生肌), 청열해독(淸熱解毒)의 효능이 있으므로 유방종통(乳房腫痛), 창양종절(瘡瘍腫節), 타박상을 치료한다.

사용법 천순 적당량을 짓찧어 환부에 바르거나 붙여서 헝겊으로 싸맨다.

❍ 대엽화통수

[포도과]

담쟁이덩굴

풍습비통, 중풍반신불수   편정두통
산후혈어, 산후출혈, 적백대하   타박상

● 학명 : *Parthenocissus tricuspidata* (S. et Z.) Planchon
● 별명 : 돌담장이, 담장넝쿨, 담장이덩쿨

1 2 3 4 5 6 7 8 9 10 11 12

❍ 지금(地錦)

낙엽 덩굴나무. 길이 10m 정도. 덩굴손은 잎과 마주나고 갈라져서 끝에 둥근 흡착근이 생기며 잎은 어긋난다. 꽃은 황록색, 6~7월에 잎겨드랑이나 짧은 가지 끝에 취산화서로 달리며, 꽃잎과 수술은 각각 5개, 암술은 1개이다. 열매는 8~10월에 흑색으로 익는다.

분포·생육지 우리나라 전역. 인도, 중국, 일본, 우수리. 산과 들에서 자란다.

약용 부위·수치 줄기 또는 뿌리를 수시로 채취하여 적당한 크기로 잘라서 물에 씻어서 말린다.

약물명 지금(地錦), 지금(地喋), 상춘등(常春藤)이라고도 한다.

약효 거풍지통(祛風止痛), 활혈통락(活血通絡)의 효능이 있으므로 풍습비통, 중풍반신불수, 편정두통(偏正頭痛), 산후혈어(産後血瘀), 복생결괴(腹生結塊), 타박상, 산후출혈, 적백대하(赤白帶下)를 치료한다.

사용법 지금 10g에 물 3컵(600mL)을 넣고 달여서 복용한다.

＊ 잎이 5개의 작은잎으로 된 장상 복엽인 '미국담쟁이덩굴 *P. quinquefolia*'도 약효가 같다.

❍ 담쟁이덩굴

편담등

 풍습비통, 요통

●학명 : *Tetrastigma planicaule* (Hook. f.) Gagnep. ●한자명 : 扁擔藤

| 1 | 2 | 3 | 4 | 5 | 6 | 7 | 8 | 9 | 10 | 11 | 12 |

덩굴나무. 길이 10m 정도. 덩굴손은 잎과 마주나며, 잎은 어긋나고 손바닥 모양이다. 꽃은 백록색, 6~7월에 잎겨드랑이나 짧은 가지 끝에 취산화서로 달리며, 꽃잎과 수술은 각각 5개, 암술은 1개이다. 취과는 구형이다.

분포 · 생육지 중국, 베트남. 산지에서 자란다.

약용 부위 · 수치 줄기 또는 뿌리를 수시로 채취하여 적당한 크기로 잘라서 물에 씻어서 말린다.

약물명 편등(扁藤). 요대등(腰帶藤)이라고도 한다.

약효 거풍화습(祛風化濕), 서근활락(舒筋活絡)의 효능이 있으므로 풍습비통(風濕痺痛), 요통을 치료한다.

사용법 편등 15g에 물 3컵(600mL)을 넣고 달여서 복용한다.

❶ 편담등(잎)

❶ 편담등

왕머루

외상통　위장동통
신경성두통　고혈압

●학명 : *Vitis amurensis* Rupr. ●별명 : 멀구넝굴, 머래순, 잔털왕머루, 털새머루

| 1 | 2 | 3 | 4 | 5 | 6 | 7 | 8 | 9 | 10 | 11 | 12 |

낙엽 덩굴나무. 길이 10m 정도. 잎은 어긋난다. 꽃은 황록색, 6월에 피며, 꽃잎은 5개로 끝부분에서 합쳐지고 밑부분이 갈라져 꽃턱에서 떨어진다. 꽃받침은 돌려나며, 수술은 5개, 수술대 사이에 꿀샘이 있다. 장과는 지름 8mm 정도, 9월에 흑색으로 익는다.

분포 · 생육지 우리나라 전역. 중국, 일본, 아무르, 우수리, 산의 숲속에서 자란다.

약용 부위 · 수치 줄기 또는 뿌리를 수시로 채취하여 말리고, 열매는 늦여름과 가을에 채취하여 사용한다.

약물명 줄기 또는 뿌리를 산등등앙(山藤藤秧)이라 하며, 야포도(野葡萄), 흑수포도(黑水葡萄)라고도 한다. 열매를 영욱(蘡薁)이라 한다.

약효 산등등앙(山藤藤秧)은 거풍지통(祛風止痛)의 효능이 있으므로 외상통(外傷痛), 위장동통(胃腸疼痛), 신경성두통, 수술 후 동통(疼痛)을 치료한다. 영욱(蘡薁)은 고혈압을 치료한다.

성분 산등등앙(山藤藤秧)에는 *r*-2-viniferin, *trans*-amurensin B, *trans*-ε-viniferin, gentin H, amurensin G, (+)-amplop-

sin A, amurensin, catechin, epicatechin gallate, epigallocatechin gallate, gallic acid, rutin, ellagic acid, *trans*-resveratrol 등이 함유되어 있다.

약리 catechin, epicatechin gallate, epigallocatechin gallate, gallic acid, rutin, ellagic acid, *trans*-resveratrol은 항산화 작용이 있고, 잎의 에탄올추출물은 과산화수소로 유도된 뇌신경 세포 손상을 보호하는 효과가 있다.

사용법 산등등앙 5g에 물 2컵(400mL)을 넣고 달여서 복용한다.

＊ 잎 뒷면에 적갈색 털이 있는 '머루 var. *coignetiae* [*V. coignetiae*]'도 약효가 같다.

❶ 왕머루

❶ 산등등앙(山藤藤秧)

❶ 왕머루(열매)

[포도과]

새머루

 비증 　 식적, 이질
습진, 탕화상

● 학명 : *Vitis flexuosa* Thunb.

| 1 | 2 | 3 | 4 | 5 | 6 | 7 | 8 | 9 | 10 | 11 | 12 |

낙엽 덩굴나무. 길이 3m 정도. 잎은 덩굴손과 마주나고 가장자리에 톱니가 있으며, 잎자루는 길이 3~5cm이다. 꽃은 연한 황록색, 6월에 원추화서로 잎과 마주나고 때로는 꽃대에서 덩굴손이 발달한다. 꽃받침은 돌려나며 꽃잎은 윗부분에서 합쳐지고, 수술은 5개이다. 열매는 지름 8mm 정도, 9월에 흑색으로 익는다.

분포 · 생육지 우리나라 중부 이남. 중국, 일본. 산기슭에서 자란다.

약용 부위 · 수치 수액은 봄에 줄기에 상처를 내서 받고, 잎은 가을에 채취하여 말린다.

약물명 수액을 갈류즙(葛藟汁), 잎을 갈류엽(葛藟葉)이라 한다.

약효 갈류즙(葛藟汁)은 익기(益氣), 지갈(止渴) 및 속근골(續筋骨)의 효능이 있으므로 모든 비증(痺症)을 치료한다. 갈류엽(葛藟葉)은 소적(消積), 해독(解毒), 염창(斂瘡)의 효능이 있으므로 식적(食積), 이질, 습진, 탕화상(湯火傷)을 치료한다.

성분 갈류엽(葛藟葉)에는 catechin, epicatechin gallate, epigallocatechin gallate, gallic acid, rutin, ellagic acid, resveratrol 등이 함유되어 있다.

약리 catechin, epicatechin gallate, epigallocatechin gallate, gallic acid, rutin, ellagic acid, resveratrol은 항산화 작용이 있다.

사용법 갈류즙은 10mL를 복용하고, 갈류엽은 10g에 물 3컵(600mL)을 넣고 달여서 복용하고, 외용에는 짓찧어 환부에 붙인다.

❂ 새머루

❂ 새머루(꽃)

❂ 갈류엽(葛藟葉)

[포도과]

까마귀머루

 서월상진구건

● 학명 : *Vitis thunbergii* S. et Z. var. *sinuata* (Regel) Rehder [*V. adstricta*]
● 별명 : 모래나무, 새밀구, 참밀구

| 1 | 2 | 3 | 4 | 5 | 6 | 7 | 8 | 9 | 10 | 11 | 12 |

낙엽 덩굴나무. 길이 2m 정도. 잎은 어긋나고 3~5개로 깊게 갈라진다. 꽃은 황록색, 6월에 핀다. 꽃받침은 돌려나며, 꽃잎은 5개로 끝부분에서 합쳐지고 밑부분이 갈라져 꽃턱에서 떨어진다. 수술은 5개, 수술대 사이에 꿀샘이 있다. 장과는 9월에 흑자색으로 익는다.

분포 · 생육지 우리나라 전역. 중국, 일본, 아무르, 우수리. 산과 들의 양지에서 자란다.

약용 부위 · 수치 줄기를 수시로 채취하여 말린다.

약물명 영욱(蘡薁). 영설(蘡舌)이라고도 한다.

약효 생진지갈(生津止渴)의 효능이 있으므로 서월상진구건(暑月傷津口乾)을 치료한다.

사용법 영욱 10g에 물 3컵(600mL)을 넣고 달여서 복용한다.

❂ 까마귀머루

[포도과]

포도

기혈허약　폐허해수　수종　두진불투
풍습비통　임탁　설사　심계도한　번갈

●학명 : *Vitis vinifera* L.

| 1 | 2 | 3 | 4 | 5 | 6 | 7 | 8 | 9 | 10 | 11 | 12 |

낙엽 덩굴나무. 덩굴손이 있다. 잎은 어긋나고 길이 4~6cm, 너비 2~2.5cm로 가장자리에 톱니가 있다. 꽃은 황록색, 원추화서를 이루고 잎과 마주나며 작은꽃이 많이 달린다. 꽃잎은 5개가 끝에서 서로 붙어 있으며 밑부분이 갈라져서 떨어진다. 수술은 5개이고, 수술대 사이에 꿀샘이 있다. 장과는 둥글고 갈자색으로 익으며 2~3개의 종자가 들어 있다.

분포 · 생육지 서아시아 원산. 우리나라 중부 이남에서 재배하는 귀화 식물이다.

약용 부위 · 수치 열매는 가을에, 뿌리는 수시로 채취한다.

약물명 열매를 포도(葡萄), 줄기와 잎을 포도등엽(葡萄藤葉)이라고 한다.

본초서 「동의보감(東醫寶鑑)」에는 열매와 뿌리가 약용으로 수재되어 있다. 열매인 포도(葡萄)는 "습한 기운으로 인해 뼈마디가 저리고 쑤시는 증상과 소변을 자주 보려고 하나 잘 나오지 않고 방울방울 떨어지는 것을 낫게 하며 잘 나오게 한다. 기운을 돕고

의지를 강하게 하며 살이 찌고 몸을 튼튼하게 한다."고 하였다. 뿌리를 포도근(葡萄根)이라 하며 "뿌리를 달인 물을 마시면 구역과 딸꾹질이 그치게 된다. 임신 중 태아의 움직임으로 인해 명치 부위가 치밀 때 마시면 곧 내려간다."고 하였다.

東醫寶鑑: 葡萄 主濕痺 治淋 通小便 益氣强志 令人肥健.

葡萄根 煮汁飮 止嘔噦 又主妊婦子上衝心即下.

기미 · 귀경 포도(葡萄): 평(平), 감(甘), 산(酸) · 폐(肺), 비(脾), 신(腎). 포도등엽(葡萄藤葉): 평(平), 감(甘).

약효 포도(葡萄)는 보기혈(補氣血), 강근골(强筋骨), 이소변(利小便)의 효능이 있으므로 기혈허약(氣血虛弱), 폐허해수(肺虛咳嗽), 심계도한(心悸盜汗), 번갈(煩渴), 풍습비통(風濕痺痛), 수종(水腫), 임탁(淋濁), 두진불투(痘疹不透)를 치료한다. 포도등엽(葡萄藤葉)은 거풍제습(祛風除濕), 이수소종(利水消腫), 해독(解毒)의 효능이 있으므

로 풍습비통(風濕痺痛), 수종(水腫), 설사, 풍열목적(風熱目赤)을 치료한다.

성분 열매는 anthocyanidin의 monoglycoside와 diglycoside, 그 외에 cyanidin, paeonidin, delphinidin, petundin, malvidin, oenin, resveratol 등, 잎은 isoquercitrin, rutin 등이 함유되어 있다.

약리 에탄올추출물 및 resveratol은 항산화 작용이 있다.

사용법 포도 또는 포도등엽 15g에 물 3컵(600mL)을 넣고 달여서 복용하고, 외용에는 짓찧어 바른다.

○ 포도(꽃)

○ 포도(열매)

○ 포도등엽(葡萄藤葉)으로 만든 부종 치료제

○ 포도

○ 포도(葡萄)

○ 포도등엽(葡萄藤葉)

○ 포도(종자)

중국담팔수

어종동통, 타박상

● 학명 : *Elaeocarpus chinensis* (Gardn. et Champ.) Hook. f. ex Benth. [*Friesia chinensis*]
● 별명 : 산두영

| 1 | 2 | 3 | 4 | 5 | 6 | 7 | 8 | 9 | 10 | 11 | 12 |

상록 관목. 높이 3~7m. 잎은 어긋나고 타원형이다. 꽃은 백색, 7월에 피고, 꽃받침은 황백색이다. 꽃잎은 중앙부까지 잘게 갈라지고, 수술은 20개이다. 핵과는 달걀 모양이다.

분포 · 생육지 중국 저장성(浙江省), 장시성(江西省), 푸젠성(福建省), 윈난성(雲南省). 바닷가의 산기슭에서 자란다.

약용 부위 · 수치 잎 또는 가지를 수시로 채취하여 말린다.

약물명 고산망(高山望). 산두영(山杜英)이라고도 한다.

약효 산어혈(散瘀血), 소종(消腫)의 효능이 있으므로 어종동통(瘀腫疼痛), 타박상을 치료한다.

사용법 고산망 7g에 물 2컵(400mL)을 넣고 달여서 복용하고, 타박상에는 신선한 잎이나 가지를 짓찧어 환부에 붙이거나 즙액을 바른다.

＊ 우리나라 남부 지방의 바닷가에서 자라

며 열매가 흑벽색으로 익고 종자가 크고 겉에 주름이 지는 '담팔수 *E. sylvestris* var. *ellipticus*'도 약효가 같다.

○ 고산망(高山望)

○ 담팔수

○ 중국담팔수

황마

객혈, 구해　토혈　석림
혈붕, 대하, 혈고경폐, 생리불순　습진

● 학명 : *Corchorus capsularis* L.　● 별명 : 청마

| 1 | 2 | 3 | 4 | 5 | 6 | 7 | 8 | 9 | 10 | 11 | 12 |

여러해살이풀. 높이 1~2m. 잎은 어긋나고 긴 타원형, 잎자루는 길이 2cm이고 가장자리에 잔톱니가 있다. 꽃은 양성, 담황색, 여름철에 잎겨드랑이에 취산화서로 핀다. 꽃잎과 꽃받침은 5개, 수술은 20개 정도이다.

삭과는 구형으로 털이 많다.

분포 · 생육지 인도, 중국. 세계 각처에서 재배한다.

약용 부위 · 수치 잎과 뿌리는 여름에, 종자는 가을에 채취하여 말린다.

약물명 잎을 황마엽(黃麻葉)이라 하며, 고마엽(苦麻葉)이라고도 한다. 뿌리를 황마근(黃麻根), 종자를 황마자(黃麻子)라 한다.

약효 황마엽(黃麻葉)은 이기지혈(理氣止血), 배농해독(排膿解毒)의 효능이 있으므로 객혈(喀血), 토혈(吐血), 혈붕(血崩), 습진을 치료한다. 황마근(黃麻根)은 이습통림(利濕通淋), 지혈지사(止血止瀉)의 효능이 있으므로 석림(石淋), 대하(帶下)를 치료한다. 황마자(黃麻子)는 활혈조경(活血調經), 지해(止咳)의 효능이 있으므로 혈고경폐(血枯經閉), 생리불순, 구해(久咳)를 치료한다.

성분 황마엽(黃麻葉)에는 capsularone, corchorol, capsularol, capsugenin 등, 황마자(黃麻子)에는 olitoroside, corchorside A, B, erysimoside, helveticoside, corchorol A 등이 함유되어 있다.

사용법 황마엽, 황마근, 황마자 각각 10g에 물 3컵(600mL)을 넣고 달여서 복용하고, 외용에는 짓찧어 바른다.

○ 황마

○ 황마(열매)

[피나무과]

장삭황마

감모해수　이질　습진

●학명 : *Corchorus olitorius* L.　●한자명 : 長朔黃麻

1 2 3 4 5 6 7 8 9 10 11 12

❀ 산마(山麻)

나무 같은 풀. 높이 1~3m. 잎은 어긋나고 긴 타원형, 잎자루는 길이 2~3.5cm이고 가장자리에 잔톱니가 있다. 꽃은 양성, 담황색, 여름철에 잎겨드랑이에 취산화서로 핀다. 꽃잎과 꽃받침은 5개, 수술은 많고, 삭과는 원통형이다.

분포 · 생육지 인도, 중국, 인도네시아. 세계 각처에서 재배한다.

약용 부위 · 수치 전초를 여름부터 가을에 채취하여 말린다.

약물명 산마(山麻)

약효 소풍(疏風), 지해(止咳), 이습(利濕)의 효능이 있으므로 감모해수(感冒咳嗽), 이질, 습진을 치료한다.

성분 뿌리는 ursolic acid, corosolic acid, oxo−corosin이, 종자에는 coroloside, olitoriside, erysimoside, corchoroside, helveticoside 등이 함유되어 있다.

사용법 산마 10g에 물 3컵(600mL)을 넣고 달여서 복용한다.

❀ 장삭황마

[피나무과]

장구밤나무

소아감적, 완복창만　탈항
부녀붕루, 대하　풍습비통

●학명 : *Grewia parviflora* Bunge　●별명 : 잘먹기나무, 장구밥나무

1 2 3 4 5 6 7 8 9 10 11 12

❀ 길리자수(吉利子樹)

낙엽 관목. 높이 2m 정도. 잎은 어긋난다. 꽃은 담황색, 7월에 잎겨드랑이에 취산화서로 5~8개가 달리며 지름 1cm 정도이다. 꽃받침잎은 바늘 모양, 겉에 별 모양 털이 있다. 열매는 10월에 익으며, 1개의 종자가 들어 있다.

분포 · 생육지 우리나라 전역. 중국. 바닷가 산기슭에서 자란다.

약용 부위 · 수치 가지와 잎을 봄과 여름에 채취하여 적당한 크기로 잘라서 말린다.

약물명 길리자수(吉利子樹). 편담목(扁擔木)이라고도 한다.

약효 건비익기(健脾益氣), 거풍제습(祛風除濕)의 효능이 있으므로 소아감적(小兒疳積), 완복창만(脘腹脹滿), 탈항(脫肛), 부녀붕루(婦女崩漏), 대하(帶下), 풍습비통(風濕痺痛)을 치료한다.

사용법 길리자수 10g에 물 3컵(600mL)을 넣고 달여서 복용하고, 외용에는 짓찧어 바른다.

❀ 꽃　　❀ 장구밤나무

[피나무과]

파포엽

 감모발열　 소화불량, 황달

● 학명 : *Microcos paniculatus* L. [*Grewia paniculatus*]
● 한자명 : 破布葉, 布渣, 瓜布木, 火布麻

| 1 | 2 | 3 | 4 | 5 | 6 | 7 | 8 | 9 | 10 | 11 | 12 |

소교목. 높이 3~12m. 줄기껍질이 두껍다. 잎은 어긋나고 타원형, 가장자리에 잔톱니가 있다. 꽃은 양성, 담황색, 6~7월에 가지 끝에 취산화서로 핀다. 꽃잎과 꽃받침은 5개, 수술은 매우 많다. 삭과는 구형이다.
분포 · 생육지 인도, 중국. 산지에서 자란다.
약용 부위 · 수치 잎을 여름에 채취하여 말린다.
약물명 파포엽(破布葉). 포사엽(布渣葉)이라고도 한다.
약효 청열이습(淸熱利濕), 건위소체(健胃消滯)의 효능이 있으므로 감모발열(感冒發熱), 소화불량, 황달을 치료한다.
사용법 파포엽 10g에 물 3컵(600mL)을 넣고 달여서 복용한다.

❍ 파포엽

[피나무과]

피나무

 감모발열　 신우신염

 구강염, 인후염

● 학명 : *Tilia amurensis* Rupr.　● 별명 : 달피나무, 참피나무

| 1 | 2 | 3 | 4 | 5 | 6 | 7 | 8 | 9 | 10 | 11 | 12 |

낙엽 교목. 높이 20m 정도. 줄기껍질은 회갈색, 잎은 어긋나고 뒷면 맥에 털이 있다. 꽃은 6월에 피며 3~20개씩 달린다. 포는 바늘 모양, 꽃잎은 꽃받침보다 길고, 수술은 꽃잎보다 길다. 암술대는 길이 4mm 정도, 씨방에 백색 털이 있고, 열매는 구형, 털이 빽빽이 난다.
분포 · 생육지 우리나라 지리산 이북. 중국, 일본, 아무르, 우수리. 숲속에서 자란다.
약용 부위 · 수치 봄에 꽃 부분을 채취하여 말린다.
약물명 자단(紫椴), 자단(籽椴)이라고 한다.
약효 해표(解表), 청열(淸熱)의 효능이 있으므로 감모발열(感冒發熱), 신우신염, 구강염 및 인후염을 치료한다.
성분 줄기껍질에는 squalene, fridelin, β-sitosterol, β-sitosterol-3-*O*-glucoside, α-tocopherol, betulinic acid, trilinolein, scopoletin, (−)-epicatechin, 9*S*,12*S*,13*S*-trihydroxy-10*E*-octadecanoic acid, lyoniside, nudiposide, 6-methoxy-7,8-methylenedioxycoumarin 등이 함유되어 있다.
약리 (−)-epicatechin과 9*S*,12*S*,13*S*-trihydroxy-10*E*-octadecanoic acid는 topoisomerase I과 II의 활성을 저해한다. betulinic acid는 암세포인 HT-29, MCF-7 등에 세포 독성을 나타낸다.
사용법 자단 5g에 물 2컵(400mL)을 넣고 달여서 복용한다.
＊ 잎 뒷면 전체에 털이 있는 '찰피나무 *T. manshurica*'도 약효가 같다.

❍ 피나무(줄기)

❍ 피나무

[피나무과]

유럽피나무

| 가래 | 정신불안 |
| 인후염 | 소화불량 |

● Lime이 함유된 감기 및 인후염 치료제

● 학명 : *Tilia europaea* Linden　● 영명 : Tilia　● 별명 : 서양피나무

| 1 | 2 | 3 | 4 | 5 | 6 | 7 | 8 | 9 | 10 | 11 | 12 |

낙엽 교목. 높이 30m 정도. 줄기껍질은 회갈색이다. 잎은 어긋나고 심장형, 끝이 뾰족하며 가장자리에 거친 톱니가 있다. 꽃은 황색, 산방화서로 피며, 꽃대 중앙부에 있는 포는 타원형이고, 꽃잎은 가늘며 꽃받침보다 길다. 열매는 구형, 갈색, 털이 빽빽이 난다.

분포·생육지 유럽, 동남아시아, 북아메리카. 숲속에서 자란다.

약용 부위·수치 꽃과 잎을 봄에 채취하여 말린다.

약물명 Lime. Tiliae Flos et Folium, Linden, Small−leaved lime이라고도 한다.

약효 발한, 진정(鎭靜)의 효능이 있으므로 가래, 정신불안, 인후염, 소화불량을 치료한다.

사용법 Lime 10g에 물 3컵(600mL)을 넣고 달여서 복용한다.

● Lime　　　　　● 유럽피나무

[피나무과]

보리자나무

| 풍한감모, 구해 | 두신동통 |
| 노상핍력 | 타박상 |

● 학명 : *Tilia miqueliana* Max.　● 별명 : 보리수나무

| 1 | 2 | 3 | 4 | 5 | 6 | 7 | 8 | 9 | 10 | 11 | 12 |

낙엽 교목. 높이 25m 정도. 줄기껍질은 회갈색이다. 잎은 어긋나고 넓은 심장형, 잎자루에 회백색 별 모양 털이 빽빽이 나며 가장자리에 날카로운 톱니가 있다. 꽃은 담황색, 6월에 피며, 꽃받침과 꽃잎은 5개씩이고, 수술은 45~60개이다. 열매는 구형이고 회갈색 털이 있으며 5개의 능선이 있다.

분포·생육지 중국 원산. 우리나라 법주사 등 사찰 지역에서 흔히 재식한다.

약용 부위·수치 봄에 꽃 부분을 채취하여 말리고, 줄기껍질은 수시로 채취하여 적당한 크기로 잘라서 말린다.

약물명 꽃 부분을 보리수화(菩提樹花), 줄기껍질을 보리수피(菩提樹皮)라고 한다.

약효 보리수화(菩提樹花)는 발한해표(發汗解表), 지통진경(止痛鎭痙)의 효능이 있으므로 풍한감모(風寒感冒), 두신동통(頭身疼痛)을 치료한다. 보리수피(菩提樹皮)는 보허지해(補虛止咳), 활혈산어(活血散瘀)의 효능이 있으므로 노상핍력(勞傷乏力), 구해(久咳), 타박상을 치료한다.

성분 꽃에는 farnsol 등 정유가 함유되어 있다.

사용법 보리수화 또는 보리수피 10g에 물 3

컵(600mL)을 넣고 달여서 복용한다.
* 부처님이 득도한 보리수나무는 원래 '고무나무(*Ficus* spp.)'이며 이 식물은 인도 등 열대에서 자란다. 우리나라에서 자랄 수 있는 보리자나무를 중국에서 가져와 보리수나무라고 하며, 열매를 염주 만드는 데 이용한다.

● 보리수화(菩提樹花)

● 보리자나무(줄기)　　　● 보리자나무

[피나무과]

고슴도치풀

징적동통 월경부조
타박상

● 학명 : *Triumfetta japonica* Makino　● 별명 : 피나무풀

| 1 | 2 | 3 | 4 | 5 | 6 | 7 | 8 | 9 | 10 | 11 | 12 |

한해살이풀. 높이 60~130cm. 잎은 어긋난다. 꽃은 황색, 8~9월에 잎겨드랑이에 취산화서로 많이 모여 핀다. 꽃받침 조각은 5개로 끝에 가시털이 있고, 꽃잎은 5개, 수술은 10개이다. 열매는 삭과로 구형이고 갈고리 모양의 가시가 있으며 작은 견과로 갈라진다.

분포 · 생육지 인도 원산. 우리나라 강원, 경기 이남의 빈터나 들에서 자란다.

약용 부위 · 수치 전초를 수시로 채취하여 말린다.

약물명 금납향(金納香). 우슬자(牛蝨子), 경마(梗麻)라고도 한다.

약효 활혈행기(活血行氣), 산어소종(散瘀消腫), 조경(調經)의 효능이 있으므로 징적동통(癥積疼痛), 월경부조(月經不調), 타박상을 치료한다.

사용법 금납향 5g에 물 2컵(400mL)을 넣고 달여서 복용하고 외상에는 짓찧어 바른다.

* 섬유 식물로 재배하던 것이 마을 근처로 퍼져 나가 자라고 있다.

❍ 고슴도치풀(열매)

❍ 고슴도치풀

[아욱과]

추규

소변임삽 유즙부족, 월경부조

● 학명 : *Abelmoschus esculentus* (L.) Moench [*Hibiscus esculentus*]
● 영명 : Okra, Mallow　● 별명 : 커피황규

| 1 | 2 | 3 | 4 | 5 | 6 | 7 | 8 | 9 | 10 | 11 | 12 |

한해살이풀. 높이 0.7~1m. 줄기는 녹색으로 털이 있으며 원주형이고 바로 선다. 잎은 어긋나고 깃꼴로 갈라지며, 우편은 4~6쌍으로 가장자리에는 톱니가 있다. 꽃은 담황색, 6월에 잎겨드랑이의 짧은 꽃줄기에서 피며 꽃잎은 5개, 암술대는 1개이다. 접시 같은 열매가 달린다.

분포 · 생육지 인도 원산. 세계 각처에서 재배한다.

약용 부위 · 수치 뿌리, 잎, 꽃 또는 종자를 봄부터 가을까지 채취하여 물에 씻은 뒤 썰어서 말린다.

약물명 추규(秋葵). 모가(毛茄)라고도 한다.

약효 이인(利咽), 통림(通淋), 하유(下乳), 조경(調經)의 효능이 있으므로 소변임삽(小便淋澁), 유즙부족, 월경부조를 치료한다.

사용법 추규 10g에 물 3컵(600mL)을 넣고 달여서 복용한다.

❍ 추규(꽃)　❍ 추규(秋葵)

❍ 추규

[아욱과]

붉은촉규

 열감기, 폐열해수   유즙불통

● 학명 : *Abelmoschus moschatus* Medic.　● 영명 : Native rosella　● 별명 : 붉은촉규화

| 1 | 2 | 3 | 4 | 5 | 6 | 7 | 8 | 9 | 10 | 11 | 12 |

○ 붉은촉규(종자)

여러해살이풀. 높이 1~2m. 줄기는 바로 선다. 잎은 어긋나고 5~7개로 갈라진다. 꽃은 6월에 붉은색, 황색, 적자색 등으로 피며, 소포편은 8~10개, 꽃받침은 불염포 같다. 삭과는 원통형, 길이 5~6cm이다.

분포 · 생육지 인도 원산. 세계 각처에서 재배한다.

약용 부위 · 수치 전초를 여름에 채취하여 물에 씻은 뒤 썰어서 말린다.

약물명 황규(黃葵). 나군박(羅裙博)이라고도 한다.

약효 청열해독(淸熱解毒), 하유통변(下乳通便)의 효능이 있으므로 열감기, 폐열해수(肺熱咳嗽), 유즙불통(乳汁不通)을 치료한다.

성분 β–sitosterol, β–sitosterol–β–D–glucoside, myricetin, myricetin–glucoside 등이 함유되어 있다.

사용법 황규 10g에 물 3컵(600mL)을 넣고 달여서 복용한다.

○ 붉은촉규

[아욱과]

어저귀

 이질   중이염, 이명, 편도선염   유선염

　　　고환염, 소변임통   종독

● 학명 : *Abutilon avicennae* Gaertner　● 별명 : 오작이, 청마

| 1 | 2 | 3 | 4 | 5 | 6 | 7 | 8 | 9 | 10 | 11 | 12 |

○ 어저귀

한해살이풀. 높이 1.5m 정도. 전체에 뭉쳐 나는 털이 많다. 잎은 어긋나고, 꽃은 황색, 7~8월에 피며, 꽃받침과 꽃잎은 각각 5개이며 단체 수술이 있다. 열매는 분과이고, 심피가 윤상(輪狀)으로 나열되고, 종자는 겉에 털이 있다.

분포 · 생육지 인도 원산. 우리나라 전역의 들판에서 자란다.

약용 부위 · 수치 전초, 열매, 종자를 가을에 채취하여 말린다.

약물명 전초를 경마(苘麻), 종자를 경마자(苘麻子), 뿌리를 경마근(苘麻根)이라 한다.

본초서 경마(苘麻)는 「당본초(唐本草)」에 처음 수재되었으며, 소송(蘇頌)은 "잎이 쐐기풀의 잎과 닮아 있고 꽃은 노랗고 열매는 촉규(蜀葵)와 혼돈되어 거래되며 종자는 검다."고 하였다. 「동의보감(東醫寶鑑)」에는 경실(苘實)이라는 이름으로 수재되어, "차거

○ 어저귀(열매)

나 뜨거운 기운으로 인해 혈액이 대변에 섞여 나오는 것을 낫게 하고 종기를 삭인다."고 하였다.

東醫寶鑑: 主赤白冷熱痢 破癥腫.

성상 삼각상 콩팥 모양이고 길이 0.4~0.6cm, 지름 0.4~0.5cm, 두께 0.2cm 정도, 표면은 흑갈색이다. 냄새는 없고 맛은 담담하다.

약효 경마(苘麻)는 청열이습(淸熱利濕), 해독개규(解毒開竅)의 효능이 있으므로 이질,

중이염(中耳炎), 이명(耳鳴), 고환염(睾丸炎), 편도선염, 종독(腫毒)을 치료한다. 경마자(苘麻子)는 청리습열(淸利濕熱), 해독소창(解毒消瘡)의 효능이 있으므로 적백이질(赤白痢疾), 소변임통(小便淋痛), 유선염(乳腺炎)을 치료한다. 경마근(苘麻根)은 이습해독(利濕解毒)의 효능이 있으므로 소변임탁(小便淋濁), 이질, 중이염, 고환염을 치료한다.

성분 지상부에는 rutin, lupenone, lupeol,

stigmasterol, β-sitosterol, isopropyl-β-D-glucopyranoside, hibicuslide 등이 함유되어 있다.

사용법 경마, 경마자 또는 경마근 10g에 물 3컵(600mL)을 넣고 달여서 복용한다.

＊ 섬유 식물로 재배하던 것이 마을 근처로 퍼져나가 자라고 있다. 현재 본 종의 종자는 '당아욱'의 종자와 비슷하므로 동규자(冬葵子)로 많이 이용된다.

◐ 경마(苘麻)

◐ 경마근(苘麻根)

◐ 경마자(苘麻子)

[아욱과]

약촉규

 기침 　 소화성궤양
구강점막염증 　 타박상, 피부괴사

● 학명 : *Althaea officinalis* L. 　 ● 영명 : Marshmallow, White mallow 　 ● 별명 : 아루테아

| 1 | 2 | 3 | 4 | 5 | 6 | 7 | 8 | 9 | 10 | 11 | 12 |

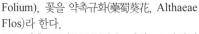

여러해살이풀. 높이 1m 정도. 줄기는 녹색으로 털이 있다. 잎은 어긋나고 심장형이다. 꽃은 분홍색, 6월에 잎겨드랑이의 짧은 꽃줄기에서 피기 시작하여 위로 올라가며 끝에서 긴 꽃차례로 된다. 암술대는 1개, 접시 같은 열매가 달린다.

분포 · 생육지 지중해 연안, 서아시아 원산. 세계 각처에서 재배한다.

약용 부위 · 수치 뿌리는 사시사철, 잎과 꽃은 여름에 채취하여 물에 씻은 뒤 말린다.

약물명 뿌리를 약촉규근(藥蜀葵根, Althaeae Radix), 잎을 약촉규엽(藥蜀葵葉, Althaeae

Folium), 꽃을 약촉규화(藥蜀葵花, Althaeae Flos)라 한다.

약효 약촉규근(藥蜀葵根)은 기침, 소화성궤양, 구강점막염증을 치료한다. 약촉규엽(藥蜀葵葉)은 호흡기계염증과 관계되는 건성기침, 약촉규화(藥蜀葵花)는 타박상, 피부괴사를 치료한다.

성분 전초는 점액질(다당류)이 많고, galacturonic acid, glucuronic acid 등이 함유되어 있다.

약리 점액질은 염증 점막에 접촉하여 얇은 피막을 형성함으로써 자극을 감소시킨다. 점액질을 쥐에게 투여하면 혈당이 저하한다.

사용법 약촉규근과 약촉규엽은 1회 2g을 따뜻한 물(50~60℃)에 우려내어 복용한다. 약촉규화는 짓찧어 상처에 바른다.

◑ 약촉규

◑ 약촉규(꽃)

◑ 약촉규근(藥蜀葵根)

◑ 약촉규근(藥蜀葵根, 절편)

접시꽃

이질, 토혈, 열독하리
혈붕, 대하, 백대
이변불통, 임병, 요혈
소아풍진, 창종, 금창

●학명 : *Althaea rosea* (L.) Cav.   ●별명 : 촉규화, 떡두화, 접중화

| 1 | 2 | 3 | 4 | 5 | 6 | 7 | 8 | 9 | 10 | 11 | 12 |

두해살이풀. 높이 2.5m 정도. 잎은 어긋난다. 꽃은 백색, 붉은색, 분홍색, 흑갈색 등으로 6월에 피고, 소포는 7~8개가 밑부분에서 서로 붙어 있으며 녹색이다. 꽃받침은 5개로 갈라지고, 꽃잎도 5개가 겹쳐지며, 암술대는 1개이다. 접시 모양의 열매가 달린다.

분포 · 생육지 중국 원산. 우리나라 전역의 집이나 마을 근처에서 흔하게 자란다.

약용 부위 · 수치 뿌리, 줄기와 잎은 가을에, 꽃은 여름에 채취하여 말린다.

약물명 꽃을 촉규화(蜀葵花), 줄기와 잎을 촉규묘(蜀葵苗), 뿌리를 촉규근(蜀葵根)이라 한다. 촉규화(蜀葵花)는 대한민국약전외한약(생약)규격집(KHP)에 수재되어 있다.

본초서 「동의보감(東醫寶鑑)」에는 홍촉규(紅蜀葵)라는 이름으로 수재되어 "뿌리와 줄기는 외부의 안 좋은 기운으로 생긴 열을 내리고, 소변을 잘 나오게 하며, 농혈과 악즙을 흘러나오게 한다."고 하였다.

東醫寶鑑: 紅蜀葵 根莖 並主客熱 利小便 散膿血惡汁.

성상 촉규화(蜀葵花)는 꽃봉오리로 불규칙한 구형이고 지름 3~5cm, 적황색이다. 꽃자루는 길이 약 2.5cm, 포편은 7~8개, 꽃받침은 술잔처럼 생겼고 5갈래, 톱니가 있다. 냄새가 나고 맛은 담담하다.

약효 촉규화(蜀葵花)는 화혈윤조(和血潤燥), 통리이변(通利二便)의 효능이 있으므로 이질, 토혈(吐血), 혈붕(血崩), 대하(帶下), 이변불통(二便不通), 소아풍진(小兒風疹)을 치료한다. 촉규묘(蜀葵苗)는 청열이습(淸熱利濕), 해독의 효능이 있으므로 열독하리(熱毒下痢), 임병(淋病), 금창(金瘡)을 치료한다. 촉규근(蜀葵根)은 청열양혈(淸熱凉血), 이뇨배농(利尿排膿)의 효능이 있으므로 임병(淋病), 백대(白帶), 요혈(尿血), 토혈(吐血), 창종(瘡腫)을 치료한다.

성분 촉규화(蜀葵花)는 dihydrokaempferol, herbacin, herbacetin 등이 함유되어 있다.

약리 촉규화(蜀葵花)의 에탄올추출물은 초산을 꼬리정맥에 주사한 쥐에 대해 항염증 및 진통 작용을 나타낸다.

사용법 촉규화, 촉규묘 또는 촉규근 10g에 물 3컵(600mL)을 넣고 달여서 복용한다.

주의 비위가 허약한 사람과 임산부는 복용을 금한다.

❍ 접시꽃

❍ 접시꽃(꽃)

❍ 촉규근(蜀葵根, 절편)

❍ 촉규묘(蜀葵苗)

❍ 촉규화(蜀葵花)

❍ 촉규근(蜀葵根)

[아욱과]

목화

토혈, 위통
해수, 기천
양위, 유뇨
요슬냉통
백대, 유즙불통, 월경부조, 붕루

● 학명 : *Gossypium indicum* Lam. ● 별명 : 면화, 미영, 재래면

| 1 | 2 | 3 | 4 | 5 | 6 | 7 | 8 | 9 | 10 | 11 | 12 |

한해살이풀. 높이 60cm 정도. 잎은 어긋나고 잎자루가 길다. 꽃은 8~9월에 잎겨드랑이에 1개씩 달리고 꽃 밑에 엽상의 소포가 3개 있다. 꽃받침은 술잔 모양이며 꽃잎은 5개로 담황색 바탕에 밑부분이 흑적색이다. 삭과는 포로 싸여 있고 익으면 3개로 갈라진다.

분포·생육지 동아시아 원산. 우리나라 전역에서 섬유 자원으로 재배한다.

약용 부위·수치 종자와 솜은 여름에, 뿌리는 수시로 채취하여 말린다.

약물명 종자를 감싸는 솜을 면(綿), 뿌리를 면화근(綿花根), 종자를 면화자(綿花子)라 하며, 면실자(綿實子)라고도 한다. 면실자는 대한민국약전외한약(생약)규격집(KHP)에 수재되어 있다.

본초서 면화자(綿花子)는 「백초경(百草鏡)」에 처음 수재되었으며, 별명을 목면자(木棉子), 면실자(棉實子), 면화핵(棉花核)이라고 하며, 「본초경소(本草經疏)」에는 풍습(風濕)과 한습(寒濕), 즉 근육통이나 류머티즘에 좋다고 하였다.

성상 면화자(綿花子)는 한쪽이 약간 뾰족한 타원상 구형이고 길이 0.7~0.8cm, 너비 0.4~0.5cm이며, 표면은 갈색이고 솜털이 붙어 있다. 냄새가 있고 맛은 맵다.

기미·귀경 면화자(綿花子): 열(熱), 신(辛), 유독(有毒)·간(肝), 신(腎), 비위(脾胃). 면화근(綿花根): 온(溫), 감(甘)·폐(肺)

약효 면(綿)은 지혈의 효능이 있으므로 토혈, 하혈을 치료하는 데 사용한다. 면화자(綿花子)는 온신(溫身), 통유(通乳), 활혈지혈(活血止血)의 효능이 있으므로 양위(陽痿), 요슬냉통(腰膝冷痛), 백대(白帶), 유뇨(遺尿), 위통(胃痛), 유즙불통(乳汁不通)을 치료한다. 면화근(綿花根)은 지해평천(止咳平喘), 통경지통(通經止痛)의 효능이 있으므로 해수(咳嗽), 기천(氣喘), 월경부조(月經不調), 붕루(崩漏)를 치료한다.

성분 면화근(綿花根)에는 saponin, flavonoid, phenol, 종자에는 gossypol, 6-methoxygos-sypol, 6,6′-dimethoxygossypol, hemigos-sypol 등이 함유되어 있다.

약리 쥐에게 뿌리의 열수추출액을 투여하면 지해(止咳), 거담 작용이 있고, 또 폐렴구균, 황색 포도상구균, 적리균에 항균력이 있으며, gossypol은 Ehrlich 복수암에 항암 작용이 있다. 남성이 2개월 정도 면실유를 복용하면 이것에 함유된 gossypol에 의하여 현저하게 정자 감소증을 일으키며 정자의 운동성을 비정상적으로 변화시키고, 여성의 경우에도 임신율을 저하시킨다.

사용법 면화자는 5g에 물 2컵(400mL)을 넣고 달여서 복용하고, 면화근은 10g에 물 3컵(600mL)을 넣고 달여서 복용한다.

＊ gossypol은 단백질의 말단 아민기와 반응하여 독성을 나타내지만, 열에 약하기 때문에 가열하면 독성이 약해진다.

● 목화

● 면(綿)

● 목화 재배지(인도 라지코트)

● 면화근(綿花根)

● 면화자(綿花子)

닥풀

| 임증 | 토혈, 변비 | 유즙불통, 붕루 |
| 수종 | 육혈 | 옹종창독, 타박상 |

●학명 : *Hibiscus manihot* L. [*Abelomoschus manihot* (L.) Medic.]　●별명 : 황촉규

| 1 | 2 | 3 | 4 | 5 | 6 | 7 | 8 | 9 | 10 | 11 | 12 |

한해살이풀. 높이 1.5m 정도. 잎은 어긋나고 손바닥 모양이다. 꽃은 8~9월에 피며 황백색이고 중심부는 흑자색이다. 꽃잎은 5개, 기와 모양으로 포개지고, 수술은 단체(單體), 암술대는 5개로 갈라진다. 열매는 삭과로 타원상 구형, 5개의 둔한 능선과 더불어 굳센 털이 있다.

분포·생육지 중국 원산. 우리나라 전역의 마을 근처에서 재배한다.

약용 부위·수치 꽃, 잎, 줄기를 여름에 채취하여 말려 사용하고, 뿌리와 종자는 가을에 채취하여 말려 사용한다.

약물명 꽃을 황촉규화(黃蜀葵花), 종자를 황촉규자(黃蜀葵子), 뿌리를 황촉규근(黃蜀葵根)이라 한다.

본초서 황촉규화(黃蜀葵花)는 송나라의 「가우본초(嘉祐本草)」에 처음 수재되었고, 장우석은 "황촉규(黃蜀葵)는 집 근처에서 자라며 봄에 싹을 내고 촉규와 모양이 비슷하며 잎은 좁고 길며 날카로운 털이 있으며, 꽃이 노랗고 촉규(蜀葵, 접시꽃)와 닮았다. 소변을 잘 보게 하며 토혈(吐血)을 멎게 하고 창독(瘡毒, 상처로 인한 독)을 치료한다."고 하였다. 이러한 기록으로 보아 송나라 이전 또는 송나라 시대부터 이 식물을 황촉규(黃蜀葵)라고 한 것 같으며, 독을 푸는 약으로 이용된 것 같다. 「동의보감(東醫寶鑑)에는 "황촉규화(黃蜀葵花)는 소변을 잘 나오게 하며 순산하게 한다. 고름과 진물이 나오면서 오랫동안 낫지 않는 상처를 다스린다."고 하였다.

東醫寶鑑: 治小便淋及難産 又主諸惡瘡膿水久不差.

약효 황촉규화(黃蜀葵花)는 이뇨통림(利尿通淋), 활혈지혈(活血止血), 소종해독(消腫解毒)의 효능이 있으므로 임증(淋症), 토혈(吐血), 옹종창독(癰腫瘡毒), 타박상을 치료한다. 황촉규자(黃蜀葵子)는 이수(利水), 통경(通經), 소종해독(消腫解毒)의 효능이 있으므로 임증(淋症), 수종(水腫), 변비, 유즙불통(乳汁不通), 옹종창독(癰腫瘡毒), 타박상을 치료한다. 황촉규근(黃蜀葵根)은 이수(利水), 통경(通經), 해독(解毒)의 효능이 있으므로 임증(淋症), 토혈(吐血), 육혈(衄血), 붕루(崩漏), 옹종창독(癰腫瘡毒)을 치료한다.

성분 황촉규화(黃蜀葵花)는 quercetin-3-robinobioside, quercetin-3-glucoside, hyperin, myricetin, quercetin 등이 함유되어 있고, 황촉규근(黃蜀葵根)은 점액질이 약 16% 함유되어 있다.

약리 지상부의 에틸아세테이트 분획물은 i-NOS 및 COX-2의 활성을 저해하여 항염증 작용을 나타낸다.

사용법 황촉규화, 황촉규자 또는 황촉규근 10g에 물 3컵(600mL)을 넣고 달여서 복용하고, 피부병에는 짓찧어 바른다.

● 닥풀(꽃)

● 닥풀(열매)

● 닥풀

● 황촉규근(黃蜀葵根)

● 황촉규자(黃蜀葵子)

● 황촉규화(黃蜀葵花)

부용화

옹종, 화상	폐열해수, 해수기천
토혈	백대

● 학명 : *Hibiscus mutabilis* L.   ● 별명 : 부용

1	2	3	4	5	6	7	8	9	10	11	12

낙엽 관목. 높이 2~3m. 가지에 별 모양 털이 덮여 있다. 잎은 어긋나고 둥글며 3~7개로 갈라진다. 꽃은 연한 붉은색, 지름 10~13cm, 8~10월에 윗부분의 잎겨드랑이에 1개씩 달린다. 꽃받침은 보통 중앙까지 5개로 갈라지고 선모가 섞여 있으며, 소포가 꽃받침통보다 길다. 열매는 삭과로 구형, 지름 2.5cm 정도이며, 종자는 많고 신장형이다.

분포·생육지 중국 원산. 우리나라 전역에서 재배하는 귀화 식물이다.

약용 부위·수치 전초를 가을부터 겨울까지 채취하여 말린다.

약물명 꽃을 부용화(芙蓉花), 잎을 부용엽(芙蓉葉), 뿌리를 부용근(芙蓉根)이라 한다.

기미·귀경 부용화(芙蓉花): 양(凉), 신(辛), 고(苦)·폐(肺), 심(心), 간(肝)

약효 부용화(芙蓉花)는 청열(淸熱), 양혈(凉血), 소종(消腫), 해독의 효능이 있으므로 옹종(癰腫), 화상, 폐열(肺熱)에서 오는 해수(咳嗽), 토혈(吐血), 백대(白帶)를 치료한다. 부용엽(芙蓉葉)은 청폐양혈(淸肺凉血), 소종(消腫)의 효능이 있으므로 폐열에 의한 해수, 눈이 벌겋고 아픈 증상을 치료한다. 부용근(芙蓉根)은 옹종(癰腫), 해수기천(咳嗽氣喘), 백대(白帶)를 치료한다.

성분 부용화(芙蓉花)에는 hyperoside, iso-quercitrin, hyperin, rutin, spiraeoside, quercimeritrin 등, 부용엽(芙蓉葉)에는 fumaric acid와 rutin 등이 함유되어 있다.

약리 잎의 열수추출물을 쥐에게 투여하면 항염증 작용이 있고, 황색 포도상구균 등 병원성 세균에 항균 작용이 있다.

사용법 부용화, 부용엽 또는 부용근 10~15g에 물 3컵(600mL)을 넣고 달여서 복용하고, 외용에는 짓찧어 붙인다.

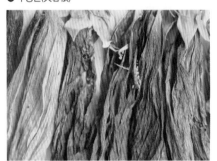
❶ 부용근(芙蓉根)

❶ 부용화(열매)

❶ 부용화(종자)

❶ 부용화(芙蓉花)

❶ 부용화

하와이무궁화

폐열해수, 객혈 | 붕루, 백대, 유선염
정창종독

●학명 : *Hibiscus rosa-sinensis* L.　●한자명 : 朱槿, 赤槿　●별명 : 부상화

`1 2 3 4 5 6 7 8 9 10 11 12`

상록 관목. 높이 1~3m. 잎은 어긋나고 타원형, 가장자리에 톱니가 있으며 잎자루가 길다. 꽃은 수시로 피고 붉은색, 윗부분의 잎겨드랑이에 1개씩 달리며 옆 또는 밑을 향한다. 꽃받침은 보통 중앙까지 5개로 갈라지고 선모가 섞여 있다. 열매는 삭과로 구형이다.

분포·생육지 중국 푸젠성(福建省), 쓰촨성(四川省), 하이난성(海南省). 세계 각처에서 재배한다.

약용 부위·수치 꽃과 잎을 사시사철 채취하여 말린다.

약물명 꽃을 부상화(扶桑花)라 하며, 화상화(花上花), 대홍화(大紅花)라고도 한다. 잎을 부상엽(扶桑葉)이라 한다.

약효 부상화(扶桑花)는 청폐양혈(清肺凉血), 화습해독(化濕解毒)의 효능이 있으므로 폐열해수(肺熱咳嗽), 객혈(喀血), 붕루(崩漏)를 치료한다. 부상엽(扶桑葉)은 청열이습(清熱利濕), 해독의 효능이 있으므로 백대(白帶), 정창종독(疔瘡腫毒), 유선염(乳腺炎)을 치료한다.

성분 부상화(扶桑花)에는 quercetin-3-diglucoside, quercetin-3,7-diglucoside, cyanidin-3,5-diglucoside, cyanidin-3-sophoroside-5-glucoside, quercetin, cyanidin, kaempferol-3-xylosylglucoside 등이 함유되어 있다.

약리 quercetin-3-diglucoside는 혈압을 내리고 평활근을 수축시킨다.

사용법 부상화 또는 부상엽 15g에 물 3컵(600mL)을 넣고 달여서 복용하고, 외용에는 짓찧어 붙인다.

❶ 부상화(扶桑花)

❶ 하와이무궁화

미국부용

폐허해수 | 고혈압
숙취

●학명 : *Hibiscus sabdariffa* L.　●영명 : Red sorrel, Roselle, Jamaica sorrel
●별명 : 로젤

`1 2 3 4 5 6 7 8 9 10 11 12`

한해살이풀. 높이 2m 정도. 잎은 어긋나고 둥글며 3개로 깊게 갈라지고 길이 3~8cm, 너비 0.5~1.5cm, 가장자리에 톱니가 있다. 꽃은 연한 붉은색, 7~8월에 윗부분의 잎겨드랑이에 1개씩 달린다. 꽃받침은 보통 중앙까지 5개로 갈라지고 선모가 섞여 있으며, 소포가 꽃받침통보다 길다. 열매는 삭과로 구형, 지름 2.5cm 정도이고, 종자는 많고 신장형이다.

분포·생육지 아프리카 원산. 세계 각처에서 재배한다.

약용 부위·수치 꽃받침을 가을에 잎이 시들 때 채취하여 말린다.

약물명 매괴가(玫瑰茄). 홍금매(紅金梅)라고도 한다.

약효 염폐지해(斂肺止咳), 강혈압(降血壓), 해주(解酒)의 효능이 있으므로 폐허해수(肺虛咳嗽), 고혈압, 숙취를 치료한다.

성분 열수추출액은 mucilage polysaccharide 15%와 펙틴 2%가 함유되어 있으며, hibiscus acid, ascorbic acid, citric acid, malic acid, tartaric acid 등이 함유되어 있고, 다당류는 주로 arabinan과 arabinogalactan형이며, 암적색을 나타내는 물질은 anthocyanin 때문이고 delphinidin과 cyanidin의 3-sambubioside가 함유되어 있다.

약리 다당류는 면역 조절 활동을 하며 염증 점막 조직에 보호막을 형성한다. anthocyanin은 항산화 효능이 있다.

사용법 매괴가 1~2g을 뜨거운 물로 우려내어 복용한다.

❶ 매괴가(玫瑰茄)

❶ 미국부용(열매)

❶ 미국부용

[아욱과]

조등화

 소화불량

● 학명 : *Hibiscus schizopetalus* Hook. f. [*H. rosa-sinensis* var. *schizopetalus*]
● 영명 : Fringed hibiscus, Coral hibiscus　● 한자명 : 弔燈花

| 1 | 2 | 3 | 4 | 5 | 6 | 7 | 8 | 9 | 10 | 11 | 12 |

○ 조등화(꽃)

상록 관목. 높이 3~5m. 가지는 늘어진다. 잎은 어긋나고 타원형, 가장자리에 톱니가 있다. 꽃은 붉은색, 7~8월에 윗부분의 잎 겨드랑이에 1개씩 달린다. 꽃받침은 보통 중앙까지 5개로 갈라진 후 다시 깊게 갈라진다.

분포·생육지 아프리카, 인도양의 잔지바르. 세계 각처에서 재식한다.

약용 부위·수치 뿌리를 봄부터 가을까지 채취하여 물에 씻은 후 썰어서 말린다.

약물명 조등화(弔燈花). 열판주근(裂瓣朱槿), 열판근(裂瓣槿)이라고도 한다.

약효 소식행체(消食行滯)의 효능이 있으므로 소화불량을 치료한다.

사용법 조등화 10g에 물 3컵(600mL)을 넣고 달여서 복용한다.

○ 조등화

[아욱과]

무궁화

 혈변, 설사, 적체, 적백리　 치창출혈, 탈항, 치질　 담천해수, 기관지염

심번불면　편두통　개선, 황수창, 습진　당뇨병

● 학명 : *Hibiscus syriacus* L.　● 별명 : 무궁화나무

| 1 | 2 | 3 | 4 | 5 | 6 | 7 | 8 | 9 | 10 | 11 | 12 |

낙엽 관목. 높이 3m 정도. 잎은 어긋난다. 꽃은 8~9월에 1개씩 달리고 보통 분홍색이며 내부에 짙은 붉은색이 돈다. 꽃받침은 바늘 모양, 꽃잎은 도란형, 5개가 밑부분에서 서로 붙어 있고, 수술은 단체(單體), 암술대가 수술통을 뚫고 나오고 암술머리는 5개이다. 열매는 삭과로 타원상 구형이며 5개로 갈라진다. 종자는 편평하며 긴 털이 있다.

분포·생육지 중국 원산. 우리나라 평남 및 강원도 이남에서 재식하는 귀화 식물이다.

약용 부위·수치 꽃은 피기 직전에, 줄기껍질 또는 뿌리껍질은 수시로, 잎은 여름에 채취하여 말린다.

약물명 꽃을 목근화(木槿花), 줄기껍질과 뿌리껍질을 목근피(木槿皮) 또는 토근피(土根皮), 잎을 목근엽(木槿葉), 열매를 목근자(木槿子)라 한다. 목근피(木槿皮)는 대한민국약전외한약(생약)규격집(KHP)에 수재되어 있다.

본초서 「일화자본초(日華子本草)」에 "목근(木槿)은 평(平), 무독(無毒)하고, 장풍(腸風)과 사혈(瀉血)을 멈추게 하며, 또한 하리(下痢) 후의 열(熱), 갈증에 복용하면 수기(睡氣)를 재촉하며, 이것을 구워서 나오는 즙을 사용한다."고 하였다. 「동의보감(東醫寶鑑)」에는 목근(木槿)이라는 항에 목근피(木槿皮)와 목근화(木槿花)가 수재되어 있다. 목근피는 "장풍사혈(腸風瀉血)과 이질을 앓은 뒤의 갈증을 낫게 한다."고 하였고, 목근화는 "이질과 장풍사혈을 낫게 하고 볶아서 쓰는 것이 좋다."고 하였다.

東醫寶鑑 : 木槿皮 止腸風瀉血 及痢後渴. 木槿花 治赤白痢 及腸風瀉血 宜炒用.

성상 목근피(木槿皮)는 줄기껍질 및 뿌리껍질로 반원통 모양이고, 표면은 거칠며 세로 주름이 많고 작은 돌기가 있으며 회갈색이고 잘 꺾이지 않고, 횡단면은 섬유질이다. 냄새는 없고 맛은 담담하나 씹으면 끈적거린다.

기미·귀경 목근화(木槿花): 양(涼), 감(甘)·고(苦)·비(脾), 폐(肺), 간(肝). 목근피(木槿皮): 미한(微寒), 감(甘), 고(苦)·대장(大腸), 간(肝), 비(脾)

약효 목근화(木槿花)는 청열이습(淸熱利濕), 양혈해독(涼血解毒)의 효능이 있으므로 장풍(腸風)에 의하여 오는 혈변(血便), 설사, 치창(痔瘡)에 의한 출혈을 치료한다. 목근피(木槿皮)는 청열(淸熱), 이습(利濕), 해독(解毒), 지양(止痒)의 효능이 있으므로 탈항(脫肛), 개선(疥癬), 치질, 당뇨병, 심번불면(心煩不眠)을 치료한다. 목근엽(木槿葉)은 해열해독(解熱解毒)의 효능이 있으므로 적체(積滯), 적백리(赤白痢)를 치료한다. 목근자(木槿子)는 청폐화담(淸肺化痰), 지두통(止頭痛), 해독의 효능이 있으므로 담천해수(痰喘咳嗽), 기관지염, 편두통, 황수창(黃水瘡), 습진을 치료한다.

성분 목근화(木槿花)는 lutein-5,6-oxide, cryptoxanthin, chrysanthemaxanthin, taxifolin-3-O-β-D-glucopyranoside, herbacetin-7-O-β-D-glucopyranoside, delphinidin-3-O-glucoside, cyanidin-3-O-glucoside, petunidin-3-O-glucoside 등이 함유되어 있다. 목근피(木槿皮)는 malvalic acid, sterculic acid, saponarin, apigenin-7-O-glucoside, taxifolin-3-O-glucoside, betulin, canthin-6-one, lauric acid, myristic acid, palmitic acid, syringaresinol, *E*-N-feruloyltyramine, *Z*-N-feruloyltyramine, gossypin 등이 함유되어 있다.

약리 뿌리와 줄기의 에탄올추출물은 적리균, 티푸스균 등에 항균 작용이 있고, lauric acid, myristic acid, palmitic acid는 항진균 작용이 있으며, syringaresinol, *E*-N-feruloyltyramine, *Z*-N-feruloyltyramine은 세균인 *Bacillus subtilis*, *Escherichia coli*,

Salmonella typhimurium, *Staphylococcus aureus*, 곰팡이 *Trichophyton mentagrophytes*, *Fusarium oxysporium*, 효모인 *Candida albicans*에 항균 작용이 있다. gossypin은 암세포에 대한 세포 독성과 황색 포도상구균, 대장균 등에 항균 작용이 있다.

사용법 목근화, 목근피, 목근엽 또는 목근자 10g에 물 3컵(600mL)을 넣고 달여서 복용하고, 외용에는 에탄올로 추출한 액을 바른다.
※ 목근피(木槿皮)의 에탄올추출물과 benzoic acid를 배합한 무좀 치료약이 시판되고 있다.

❍ 목근엽(木槿葉)

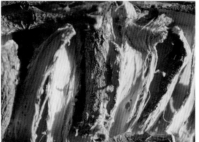
❍ 목근화(木槿花)

❍ 무궁화

❍ 목근자(木槿子)

❍ 목근피(木槿皮)

❍ 목근피(木槿皮, 절편, 중국산)   ❍ 목근피(木槿皮)로 만든 무좀 치료제

[아욱과]

황근

🫁 폐열해수   🪣 창절종통

● 학명 : *Hibiscus tiliaceus* L.   ● 한자명 : 黃槿

| 1 | 2 | 3 | 4 | 5 | 6 | 7 | 8 | 9 | 10 | 11 | 12 |

상록 소교목. 높이 4~10m. 줄기껍질은 회백색이다. 잎은 어긋나고 원형, 끝이 뾰족하고 밑은 심장형이며 가장자리가 밋밋하다. 꽃은 황색, 윗부분의 잎겨드랑이에 1개씩 달린다. 열매는 삭과로 달걀 모양이다.
분포 · 생육지 중국 푸젠성(福建省), 하이난성(海南省), 타이완. 세계 각처에서 재식한다.
약용 부위 · 수치 꽃은 봄에, 열매는 가을에 채취하여 말린다.
약물명 황근(黃槿)
약효 청폐지해(清肺止咳), 해독소종(解毒消腫)의 효능이 있으므로 폐열해수(肺熱咳嗽), 창절종통(瘡節腫痛)을 치료한다.

사용법 황근 20g에 물 3컵(600mL)을 넣고 달여서 복용하고, 외용에는 짓찧어 붙인다.

❍ 황근(黃槿, 꽃)

❍ 황근(黃槿, 열매)

❍ 황근

[아욱과]

수박풀

기침, 가래　관절염
화상

● 학명 : *Hibiscus trionum* L.

| 1 | 2 | 3 | 4 | 5 | 6 | 7 | 8 | 9 | 10 | 11 | 12 |

한해살이풀. 높이 60cm 정도. 전체에 흰털이 있고, 잎은 어긋난다. 꽃은 담황색, 7~8월에 잎겨드랑이에 1개씩 달린다. 꽃밑의 소포(小苞)는 11개로 바늘 모양이며 털이 있다. 꽃받침잎은 5개, 꽃잎은 5개로 밑부분이 합쳐지고, 단체 수술의 축은 짧으며 암술대는 끝이 5개로 갈라진다. 열매는 삭과로 꽃받침 속에 들어 있다.

분포 · 생육지 중부 아프리카 원산. 우리나라 전역의 들에서 자라는 귀화 식물이다.

약용 부위 · 수치 전초를 여름에 채취하여 썰어서 말린다.

약물명 야서과묘(野西瓜苗). 야지마(野芝麻)라고도 한다.

약효 청열(清熱), 거습(祛濕), 지해(止咳)의 효능이 있으므로 풍열(風熱)에 의한 기침과 가래, 관절염, 화상을 치료한다.

약리 야서과묘(野西瓜苗)의 열수추출액은 동물에 이뇨 작용이 있는데, K⁺, Na⁺, Cl⁻의 배출량은 theophylline의 효능보다 앞선다.

사용법 야서과묘 10g에 물 3컵(600mL)을 넣고 달여서 복용한다.

○ 야서과묘(野西瓜苗)

○ 수박풀(열매)

○ 수박풀

[아욱과]

당아욱

변비　소변불리
유즙불통

● 학명 : *Malva sylvestris* L. var. *mauritiana* Mill.　● 별명 : 당아옥

| 1 | 2 | 3 | 4 | 5 | 6 | 7 | 8 | 9 | 10 | 11 | 12 |

두해살이풀. 높이 90cm 정도. 잎은 어긋나고 5~9개로 얕게 갈라지며, 밑부분이 심장형이고 잎자루가 길다. 꽃은 연한 분홍색, 5~6월에 잎겨드랑이에 모여 달리며, 소포엽은 3개이다. 꽃받침은 녹색, 5개로 갈라지며 꽃잎은 5개, 자주색, 단체 수술은 중앙부에 서며, 암술대는 실처럼 가늘고 많다. 심피는 윤상으로 배열되며 꽃받침으로 싸여 있다.

분포 · 생육지 중국 원산. 우리나라 전역에서 관상용으로 재배하는 귀화 식물이다.

약용 부위 · 수치 지상부(꽃 · 줄기 · 잎)를 여름과 가을에 채취하여 썰어서 말린다.

약물명 금규(錦葵)

약효 이수통변(利尿通便), 하유(下乳)의 효능이 있으므로 변비, 소변불리(小便不利), 유즙불통(乳汁不通)을 치료한다.

사용법 금규 7g에 물 2컵(400mL)을 넣고 달여서 복용하거나 가루로 만들어 1g씩 복용한다.

○ 금규(錦葵)

○ 당아욱(열매)

○ 당아욱

○ 당아욱 재배(울릉도)

아욱

이변불통, 임병	유즙불행, 유방종통	허해, 폐열해수, 폐로
열독하리, 황달	독사교상	당뇨병	도한

●학명 : *Malva verticillata* L.　●별명 : 들아욱, 아옥

| 1 | 2 | 3 | 4 | 5 | 6 | 7 | 8 | 9 | 10 | 11 | 12 |

한해살이풀. 높이 90cm 정도. 잎은 어긋나고 3~7개로 얕게 갈라진다. 꽃은 연한 분홍색, 봄~가을에 잎겨드랑이에서 나오는 작은 꽃줄기에 모여 달리며, 소포엽은 3개, 넓은 바늘 모양이다. 꽃받침은 5개로 갈라지고, 꽃잎은 5개이며 끝이 파인다. 단체수술의 대는 짧고 수술대는 백색, 실같이 가늘고 10개이며 심피가 윤상으로 배열된다. 열매는 꽃받침으로 싸여 있다.

분포·생육지 아열대 지방 원산. 우리나라 전역의 밭에서 재배한다.

약용 부위·수치 종자는 가을에, 뿌리와 잎은 늦여름에 채취하여 흙을 털고 썰어서 말린다.

약물명 종자를 동규자(冬葵子), 뿌리를 동규근(冬葵根), 잎을 동규엽(冬葵葉)이라 한다. 동규자(冬葵子)는 대한민국약전외한약(생약)규격집(KHP)에 수재되어 있다.

본초서 동규자(冬葵子)는 「신농본초경(神農本草經)」의 상품(上品)에 규(葵)라는 이름으로 수재되었으며, 도홍경(陶弘景)은 "가을에 파종하여 봄이 되면 싹이 자란다. 이것을 동규(冬葵)라고 한다."고 하였다. 소송(蘇頌)은 "규(葵)는 곳곳에 있다. 묘(苗)와 엽(葉)을 먹으면 감미(甘味)가 있다. 동규자는 고방(古方)의 약으로 사용되는 경우가 많으며, 규(葵)에는 촉규(蜀葵), 금규(錦葵), 황규(黃葵) 등이 있으며 모두 약으로 쓴다."고 하였다. 「신농본초경(神農本草經)」에 "오장육부의 한열(寒熱), 허약 체질을 개선하며, 소변을 잘 나오게 한다."고 하였으며,

「명의별록(名醫別錄)」에 "활리(滑利)하므로 능히 돌(石)을 제거한다."고 하였으며, 「본초강목(本草綱目)」에는 "규(竅)를 잘 통하게 하며, 종기를 제거하고 안태시킨다."고 하였다. 「동의보감(東醫寶鑑)」에는 "소변을 잘 나오게 하며 오장육부에 열기가 번갈아 일어나는 증상과 부인의 젖샘이 막혀 아픈 것을 낫게 한다."고 하였다.

神農本草經: 主五臟六腑寒熱羸瘦 五癃 利小便 久服堅骨長肌肉 輕身延年.

本草綱目: 通大便 消水氣 滑胎 治痢.

東醫寶鑑: 治五淋 利小便 除五臟六腑寒熱 婦人乳難內閉.

성상 구부러진 콩팥 모양이고 길이 0.5cm, 지름 0.2cm 정도이다. 표면은 회갈색, 방사상의 돌출이 있다. 냄새는 없고 맛은 담담하며 기름지다.

기미·귀경 동규자(冬葵子): 한(寒), 감(甘)·대장(大腸), 소장(小腸), 방광(膀胱)

약효 동규자(冬葵子)는 이수통림(利水通淋), 활장통변(滑腸通便), 최유(催乳)의 효능이 있으므로 이변불통(二便不通), 임병(淋病), 유즙불행(乳汁不行), 유방종통(乳房腫痛)를 치료한다. 동규근(冬葵根)은 청열(清熱), 진통(鎭痛), 이규(利竅)의 효능이 있으므로 당뇨병, 대소변불리(大小便不利), 허해(虛咳), 도한(盜汗), 독사교상(毒蛇咬傷)을 치료한다. 동규엽(冬葵葉)은 청열(清熱), 행수(行水), 활장(滑腸)의 효능이 있으므로 폐열해수(肺熱咳嗽), 열독하리(熱毒下痢), 폐로(肺勞), 허해(虛咳), 도한(盜汗),

황달을 치료한다.

성분 동규자(冬葵子)는 verticilloside, daucosterol, β-sitosterol, sucrose, raffinose, 중성 다당체인 MVS-I, MVS-IIA, MVS-IIIA, 산성 다당체인 MVS-IVA, MVS-V 등이 함유되어 있다.

약리 중성 다당체인 MVS-I, MVS-IIA, MVS-IIIA, 산성 다당체인 MVS-IVA, MVS-V는 면역 기능을 증강시키고 식균 작용을 활성화한다.

사용법 동규자, 동규근 또는 동규엽 10g에 물 3컵(600mL)을 넣고 달여서 복용한다.

주의 비허양활(脾虛陽滑)한 사람은 복용을 피하고 임산부는 주의하여야 한다.

처방 동규자탕(冬葵子湯): 동규자(冬葵子)·활석(滑石)·향유(香薷) 각 80g, 모과(木瓜) 1개 (「향약집성방(鄕藥集成方)」). 대소변이 잘 나오지 않고 손과 발바닥이 달아오르며 가슴이 답답한 증상에 사용한다.

• 규자탕(葵子湯): 동규자(冬葵子)·복령(茯苓)·저령(豬苓)·지실(枳實)·구맥(瞿麥)·활석(滑石)·목통(木通)·황금(黃芩)·차전자(車前子)·감초(甘草) 각 4g, 생강(生薑) 5쪽 (「동의보감(東醫寶鑑)」). 방광의 실열로 오줌이 잘 나오지 않고 입과 혀가 마르는 증상에 사용한다.

• 규자복령환(葵子茯苓丸): 동규자(冬葵子)·복령(茯苓)을 등분하여 1회 5g씩 복용 (「동의보감(東醫寶鑑)」). 임신부가 습(濕)으로 몸이 무겁고 오줌을 잘 누지 못하며 오싹오싹 춥고 어지럼증이 나는 증상에 사용한다.

❶ 동규엽(冬葵葉)

❶ 동규근(冬葵根)

❶ 아욱

❶ 아욱(열매)

❶ 동규자(冬葵子)

[아욱과]

순애초

열감기　인후종통　치혈
창종　황달　대하

●학명 : *Sida rhombifolia* L. ●별명 : 가시아욱

| 1 | 2 | 3 | 4 | 5 | 6 | 7 | 8 | 9 | 10 | 11 | 12 |

○ 순애초(잎)

풀 같은 관목. 높이 1m 정도. 가지를 많이 낸다. 잎은 어긋나고 가장자리에 톱니가 있다. 꽃은 담황색, 5~6월에 잎겨드랑이에 1개씩 핀다. 꽃받침은 녹색, 5개로 갈라지며, 꽃잎은 5개이다. 열매는 반구형이다.

분포 · 생육지 중국 원산. 우리나라 전역의 빈터 또는 들에서 자란다.

약용 부위 · 수치 전초를 여름에 채취하여 썰어서 말린다.

약물명 황화모(黃花母). 대지지정(大地地丁), 황화곡발(黃花谷撥)이라고도 한다.

약효 청열이습(清熱利濕), 해독소종(解毒消腫)의 효능이 있으므로 열감기, 인후종통, 황달, 대하, 치혈(痔血), 창종(瘡腫)을 치료한다.

성분 β-phenetylamine, N-methyl-β-phenetylamine, ephedrine, φ-ephedrine, sterculic acid 등이 함유되어 있다.

약리 열수추출물은 쥐의 소장을 수축시키고, 점액질은 거담 작용이 있다.

사용법 황화모 15g에 물 3컵(600mL)을 넣고 달여서 복용하거나, 짓찧어 환부에 붙이거나 즙액을 바른다.

○ 순애초

[아욱과]

발독산

유즙불하, 유옹

●학명 : *Sida szechuensis* Matsuda ●한자명 : 拔毒散

| 1 | 2 | 3 | 4 | 5 | 6 | 7 | 8 | 9 | 10 | 11 | 12 |

풀 같은 관목. 높이 1m 정도. 가지를 많이 내며 부드러운 털이 많다. 잎은 어긋나고 끝과 중간에 톱니가 있다. 꽃은 담황색, 6~11월에 잎겨드랑이에 1개씩 핀다. 꽃받침은 녹색, 5개로 갈라지며 꽃잎은 5개이다. 열매는 구형이다.

분포 · 생육지 인도, 중국 시난(西南) 및 광시성(廣西省) 지방. 빈터 또는 들에서 자란다.

약용 부위 · 수치 가지와 잎을 여름에 채취하여 썰어서 말린다.

약물명 발독산(拔毒散). 파장엽(巴掌葉)이라고도 한다.

약효 하유(下乳), 활혈(活血), 해독소종(解毒消腫)의 효능이 있으므로 유즙불하(乳汁不下), 유옹(乳癰)을 치료한다.

사용법 발독산 15g에 물 3컵(600mL)을 넣고 달여서 복용한다.

○ 발독산(拔毒散)

○ 발독산

[아욱과]

동면

뇌막염　　이질

치창, 고환종통

●학명 : *Thespesia populnea* (L.) Soland. ex Corr. [*Hibiscus populneus*]　●한자명 : 桐棉

○ 동면(꽃)

상록 소교목. 높이 6m 정도. 가지를 많이 낸다. 잎은 어긋나고 가장자리에 톱니가 없고 잎자루가 있다. 꽃은 황색, 잎겨드랑이에 종 모양으로 1개씩 피지만 빨리 떨어진다. 꽃받침은 녹색, 5개로 갈라지며 꽃잎은 5개이다. 열매는 배(梨) 모양이다.

분포 · 생육지 인도, 중국. 숲속에서 자란다.

약용 부위 · 수치 잎, 가지를 여름에 채취하여 썰어서 말린다.

약물명 산양(傘楊). 항춘황근(恒春黃槿)이라고도 한다.

약효 청열해독(淸熱解毒), 소종지통(消腫止痛)의 효능이 있으므로 뇌막염, 이질, 치창, 고환종통(睾丸腫痛)을 치료한다.

성분 lupeol, β-sitosterol, lupenone, gossypol 등이 함유되어 있다.

사용법 산양 5g에 물 2컵(400mL)을 넣고 달여서 복용하거나, 짓찧어 환부에 붙이거나 즙액을 바른다.

○ 동면

[아욱과]

지도화

감기　　풍습비통

후비　　창절

●학명 : *Urena lobata* (L.) Soland. ex Corr.　●한자명 : 地桃花

여러해살이풀. 뿌리는 굵고 방추형이며 갈색~갈자색이다. 줄기는 바로 서며, 줄기 기부 잎은 겹잎이고 줄기 상부의 잎은 홑잎이며 가장자리에 굵은 톱니가 있다. 꽃은 연한 붉은색, 잎겨드랑이에 종 모양으로 1개씩 핀다.

분포 · 생육지 인도, 캄보디아, 중국. 숲속에서 자란다.

약용 부위 · 수치 전초를 여름에 채취하여 물에 씻은 후 썰어서 말린다.

약물명 지도화(地桃花). 천하추(天下搥), 야면화(野棉花)라고도 한다.

약효 거풍이습(祛風利濕), 활혈소종(活血消腫), 청열해독의 효능이 있으므로 감기, 풍습비통(風濕痹痛), 후비(喉痹), 창절(瘡癤)을 치료한다.

성분 mangiferin, quercetin 등이 함유되어 있다.

사용법 지도화 30g에 물 4컵(800mL)을 넣고 달여서 복용한다.

○ 지도화

바오밥나무

🫁 기침   🫘 방광염, 신장염

● 학명 : *Adansonia digitata* L. ● 영명 : Baobab, Monkey bread tree

| 1 | 2 | 3 | 4 | 5 | 6 | 7 | 8 | 9 | 10 | 11 | 12 |

낙엽 교목. 높이 20~30m. 지름 7m 정도. 가지를 많이 쳐서 넓은 수관을 이룬다. 잎은 5개로 된 윤생엽으로 작은잎의 가장자리는 둔한 톱니가 있다. 꽃은 백색, 잎겨드랑이에 두상화서로 1개씩 핀다. 열매는 타원상 구형, 흑갈색으로 익는다.

분포 · 생육지 열대 아프리카, 남아메리카, 유럽, 싱가포르. 세계 각처에서 재식한다.

약용 부위 · 수치 꽃 또는 잎을 여름에 채취하여 물에 씻은 뒤 썰어서 말린다.

약물명 꽃을 Adansoniae Flos라 하고, 잎을 Adansoniae Folium이라 한다.

약효 Adansoniae Flos는 청열해독(淸熱解毒)의 효능이 있으므로 기침을 치료하고, Adansoniae Folium은 방광염, 신장염을 치료한다.

사용법 Adansoniae Flos 또는 Adansoniae Folium 10g에 물 3컵(600mL)을 넣고 달여서 복용한다.

➊ 바오밥나무(열매)

➊ Adansoniae Flos

➊ 바오밥나무

목면

🫃 장염, 이질, 설사, 만성위염
🫁 객혈   🚶 풍습비통

● 학명 : *Bombax malabaricum* DC. [*B. ceiba, Gossampinus malabarica*]
● 한자명 : 木棉

| 1 | 2 | 3 | 4 | 5 | 6 | 7 | 8 | 9 | 10 | 11 | 12 |

낙엽 교목. 높이 25m 정도. 줄기껍질은 흑회색, 가지는 수평으로 갈라진다. 잎은 장상 복엽이다. 꽃은 연한 붉은색, 가지 끝 근처의 잎겨드랑이에 여러 개씩 달린다. 꽃잎은 5개, 수술은 매우 많다. 열매는 삭과로 긴 달걀 모양, 종자가 많고 흑색이다.

분포 · 생육지 중국 장시성(江西省), 윈난성(雲南省), 푸젠성(福建省). 타이완. 세계 열대 또는 아열대에서 재식한다.

약용 부위 · 수치 꽃은 활짝 피기 전에, 잎은 봄부터 가을에 채취하여 썰어서 말린다.

약물명 꽃을 목면화(木棉花), 줄기껍질을 목면피(木棉皮)라 한다.

약효 목면화(木棉花)는 청열이습(淸熱利濕), 해독지혈(解毒止血)의 효능이 있으므로 장염(腸炎), 이질, 객혈을 치료하고, 목면피(木棉皮)는 청열해독(淸熱解毒), 산어지혈(散瘀止血)의 효능이 있으므로 풍습비통(風濕痺痛), 설사, 이질, 만성위염을 치료한다.

사용법 목면화 또는 목면피 15g에 물 3컵(600mL)을 넣고 달여서 복용한다.

➊ 목면화(木棉花)

➊ 목면

파키라

🔵 가슴앓이   🫁 감기

● 학명 : *Pachira aquatica* Juss.   ● 영명 : Lasser calolinea   ● 별명 : 들코코아

| 1 | 2 | 3 | 4 | 5 | 6 | 7 | 8 | 9 | 10 | 11 | 12 |

상록 소교목. 높이 12m 정도. 잎은 장상 복엽, 가장자리는 밋밋하다. 꽃은 연한 붉은색, 7~8월에 가지 끝 근처의 잎겨드랑이에 달리며 꽃잎은 5개, 수술은 매우 많다. 열매는 삭과로 밤 같은 종자가 들어 있다.

분포·생육지 멕시코, 브라질, 아르헨티나. 들이나 산지에서 자란다.

약용 부위·수치 꽃을 채취하여 말린다.

약물명 Pachirae Flos

약효 청열이습(淸熱利濕), 해독의 효능이 있으므로 가슴앓이, 감기를 치료한다.

사용법 Pachirae Flos 15g에 물 3컵(600 mL)을 넣고 달여서 복용한다.

❂ 파키라(꽃)

❂ Pachirae Flos

❂ 파키라

앙천련

♀ 월경부조   🗂 창양절종

● 학명 : *Abroma angusta* (L.) L. f. [*Theobroma augusta*]   ● 한자명 : 昴天蓮

| 1 | 2 | 3 | 4 | 5 | 6 | 7 | 8 | 9 | 10 | 11 | 12 |

관목. 높이 1~4m. 줄기는 바로 서고, 어린 가지에 별 모양의 털이 빽빽이 난다. 잎은 어긋나고 타원형, 때로는 결각이 지기도 하고 가장자리에 작은 톱니가 있다. 꽃은 붉은 자주색, 가지 끝에 취산화서로 피며, 꽃잎은 5개, 수술은 15개, 씨방에 털이 조밀하게 난다. 열매는 삭과로 거꿀원추형이며, 종자가 다수 들어 있다.

분포·생육지 중국 광둥성(廣東省), 하이난성(海南省), 광시성(廣西省), 구이저우성(貴州省). 산골짜기나 숲속에서 자란다.

약용 부위·수치 뿌리를 수시로 채취하여 물에 씻은 후 썰어서 말린다.

약물명 앙천련(昴天蓮)

약효 통경활락(通經活絡), 소종지통(消腫止痛)의 효능이 있으므로 월경부조, 창양절종(瘡瘍癤腫)을 치료한다.

사용법 앙천련 10g에 물 3컵(600mL)을 넣고 달여서 복용한다.

❂ 앙천련(미성숙 열매)

❂ 앙천련(성숙한 열매)

❂ 앙천련

콜라나무

 만성설사, 소화불량   정신불안

- 학명 : *Cola nitida* Vent. - 영명 : Cola

1	2	3	4	5	6	7	8	9	10	11	12

상록 교목. 높이 17~20m. 줄기는 바로 선다. 잎은 어긋나고 타원형, 잎자루는 길고 가장자리가 밋밋하다. 꽃은 연한 붉은색, 가지 끝 근처의 잎겨드랑이에 여러 개씩 달리며 꽃잎은 5개, 수술은 15개, 씨방에 털이 조밀하게 난다. 열매는 삭과로 달걀 모양이고 10개의 종자가 들어 있다.

분포·생육지 서부 아프리카 원산. 세계 열대 또는 아열대에서 재식한다.

약용 부위·수치 여름과 가을에 열매가 성숙하면 종자를 채취하여 말린다.

약물명 Colae Semen

약효 만성설사, 소화불량, 히스테리, 정신불안을 치료한다.

사용법 Colae Semen을 술에 담갔다가 소주잔으로 식후 1잔씩 복용한다.

＊ 본 종에 비하여 잎이 좁고 끝이 뾰족한 'C. acuminata'도 약효가 같다. Coca-Cola 음료는 Coca 잎과 Cola속 열매를 추출한 물질에 향료를 가하여 만든 것이다.

❶ 콜라나무(열매)

❶ 콜라나무

수까치깨

옹절종독, 개창, 외상출혈   인후염

소아감적   백대과다

- 학명 : *Corchoropsis tomentosa* (Thunb.) Makino - 별명 : 참까치깨, 푸른까치깨, 민까치깨

1	2	3	4	5	6	7	8	9	10	11	12

한해살이풀. 높이 60cm 정도. 줄기는 바로 선다. 잎은 어긋나고, 꽃은 황색, 8~9월에 피며 잎겨드랑이에 1개씩 달린다. 꽃잎은 5개, 수술은 15개, 씨방에 털이 조밀하게 난다. 열매는 삭과로 길고 별 모양의 털로 덮이고 3개로 갈라지며, 종자는 다수이다.

분포·생육지 우리나라 전역. 중국, 일본. 산이나 들에서 자란다.

약용 부위·수치 전초를 여름과 가을에 채취하여 썰어서 말린다.

약물명 전마(田麻). 황화후초(黃花喉草)라고도 한다.

약효 청열이습(淸熱利濕), 해독지혈(解毒止血)의 효능이 있으므로 옹절종독(癰癤腫毒), 인후염, 개창(疥瘡), 소아감적(小兒疳積), 백대과다(白帶過多), 외상출혈을 치료한다.

사용법 전마 10g에 물 3컵(600mL)을 넣고 달여서 복용하고, 외용에는 짓찧어 붙이거나 즙액을 바른다.

＊ 본 종에 비하여 열매에 털이 없고 꽃은 작으며 잎 표면의 털이 긴 '까치깨 C. psilocarpa'도 약효가 같다.

❶ 수까치깨

❶ 전마(田麻)

❶ 수까치깨(꽃)

❶ 까치깨

벽오동

♀ 월경부조	위완동통, 상식복사, 토혈	산기, 소변불리, 치창탈항
고혈압	류머티즘동통, 마비, 풍습비통	수종 · 창상홍종, 두선, 타박상

● 학명 : *Firmiana simplex* (L.) W. F. Wight ● 별명 : 벽오동나무, 청오동나무

| 1 | 2 | 3 | 4 | 5 | 6 | 7 | 8 | 9 | 10 | 11 | 12 |

낙엽 교목. 높이 15m 정도. 줄기껍질은 푸른색이고, 잎은 길이와 너비가 각각 17~25cm이다. 꽃은 6~7월에 수꽃과 암꽃이 함께 달린다. 꽃받침잎은 5개, 꽃잎은 없으며 수술은 수술대가 합쳐져서 만들어진 1개의 통 끝에 10~15개의 꽃밥이 있다. 암술은 수술통 끝에서 서고 암술머리가 넓다. 열매는 5개의 분과로 되어 익기 전에 벌어져서 완두콩 같은 종자가 보인다.

분포 · 생육지 중국 원산. 우리나라 중부 지방 이남에서 재식한다.

약용 부위 · 수치 종자는 성숙하면 채취하고, 잎은 여름에 채취하여 썰어서 말린다. 뿌리는 수시로 채취하여 물에 씻은 후 썰어서 말린다.

약물명 종자를 오동자(梧桐子), 꽃을 오동화(梧桐花), 잎을 오동엽(梧桐葉), 줄기껍질을 오동백피(梧桐白皮), 뿌리를 오동근(梧桐根)이라 한다.

기미 · 귀경 오동자(梧桐子): 감(甘), 평(平) · 심(心), 폐(肺), 신(腎)

약효 오동자(梧桐子)는 순기화위(順氣和胃), 건비소식(健脾消食), 지혈(止血)의 효능이 있으므로 위완동통(胃脘疼痛), 상식복사(傷食腹瀉), 산기(疝氣), 위통(胃痛)을 치료한다. 오동화(梧桐花)는 이습소종(利濕消腫), 청열해독(淸熱解毒)의 효능이 있으므로 수종(水種), 소변불리, 창상홍종(創傷紅腫), 두선(頭癬)을 치료한다. 오동엽(梧桐葉)은 거풍(祛風), 제습(除濕), 청열(淸熱), 해독(解毒)의 효능이 있으므로 류머티즘에 의한 동통(疼痛), 마비, 고혈압을 치료한다. 오동백피(梧桐白皮)는 거풍제습(祛風除濕), 활혈통경(活血通經)의 효능이 있으므로 풍습비통(風濕痺痛), 월경부조, 치창탈항(痔瘡脫肛)을 치료한다. 오동근(梧桐根)은 거풍제습(祛風除濕), 조경지혈(調經止血), 해독료창(解毒療瘡)의 효능이 있으므로 풍습관절통(風濕關節疼痛), 토혈(吐血), 월경부조, 타박상을 치료한다.

성분 오동화(梧桐花)에는 oleanolic acid, β-sitosterol, apigenin 등, 오동엽(梧桐葉)에는 rutin, β-amyrin, β-amyrin acetate, betaine, choline 등이 함유되어 있다. 오동백피(梧桐白皮)는 kaempferol, kaempferol-3-O-β-D-neohesperidoside, hyperoside 등이 함유되어 있다.

약리 오동엽(梧桐葉)의 열수추출물을 마취시킨 개에게 정맥주사하면 혈압이 강하하고, 쥐에게 복강으로 주사하면 진정 작용이 나타난다.

사용법 오동자, 오동화, 오동엽, 오동백피 또는 오동근 10g에 물 3컵(600mL)을 넣고 달여서 복용한다.

● 오동자(梧桐子)

● 벽오동(꽃)

● 벽오동(열매)

● 오동엽(梧桐葉)

● 오동자(梧桐子, 신선품)

● 벽오동

산지마

 감모발열   폐열해수

●학명 : *Helicteres angustifolia* L.   ●한자명 : 山之麻

| 1 | 2 | 3 | 4 | 5 | 6 | 7 | 8 | 9 | 10 | 11 | 12 |

풀 같은 관목. 높이 1m 정도. 작은 가지에는 부드러운 털이 많다. 잎은 어긋나고 타원형이다. 꽃은 연한 붉은색, 취산화서로 달린다. 삭과는 달걀 모양, 종자는 작고 갈색이다.

분포 · 생육지 중국 광둥성(廣東省), 하이난성(海南省), 광시성(廣西省). 타이완. 산비탈이나 구릉지에서 자란다.

약용 부위 · 수치 전초를 여름철에 채취하여 썰어서 말린다.

약물명 산지마(山之麻). 전유마(田油麻)라고도 한다.

약효 청열해독(淸熱解毒)의 효능이 있으므로 감모발열(感冒發熱), 폐열해수(肺熱咳嗽)를 치료한다.

사용법 산지마 10g에 물 3컵(600mL)을 넣고 달여서 복용한다.

✿ 산지마

시자수

🗔 타박상, 창상출혈

●학명 : *Pterospermum acerifolium* Willd.   ●한자명 : 翅子樹

| 1 | 2 | 3 | 4 | 5 | 6 | 7 | 8 | 9 | 10 | 11 | 12 |

교목. 높이 25m 정도. 줄기껍질은 광택이 난다. 잎은 둥글고 연잎처럼 잎몸 가운데에 잎자루가 달린다. 꽃은 백색, 4~6월에 수꽃과 암꽃이 함께 달린다. 삭과는 목질이고 원통형이다.

분포 · 생육지 중국 광둥성(廣東省), 하이난성(海南省), 광시성(廣西省). 싱가포르. 산골짜기에서 자란다.

약용 부위 · 수치 잎을 여름철에 채취하여 썰어서 말린다.

약물명 시자목(翅子木)

약효 산어지혈(散瘀止血)의 효능이 있으므로 타박상, 창상출혈(創傷出血)을 치료한다.

성분 trifolin, luteolin-7-*O*-glucoside, luteolin, luteolin-7-*O*-glucuronide 등이 함유되어 있다.

사용법 시자목 10g에 물 3컵(600mL)을 넣고 달여서 복용한다.

✿ 시자수(꽃)

✿ 시자수

[벽오동과]

가평파

●학명 : *Sterculia lanceolata* Cav. ●한자명 : 假苹婆

| 1 | 2 | 3 | 4 | 5 | 6 | 7 | 8 | 9 | 10 | 11 | 12 |

❍ 가평파(꽃)

관목. 높이 5~7m. 잎은 어긋나고 긴 타원형, 가장자리는 밋밋하다. 꽃은 붉은색, 4~6월에 수꽃과 암꽃이 함께 달린다. 꽃받침잎은 5개, 꽃잎은 없으며, 수술은 수술대가 합쳐져서 만들어진 1개의 통 끝에 여러 개의 꽃밥이 있다.

분포·생육지 중국 광둥성(廣東省), 하이난성(海南省), 광시성(廣西省). 산골짜기에서 자란다.

약용 부위·수치 잎을 여름철에 채취하여 썰어서 말린다.

약물명 홍랑산(紅郎傘). 개즉왕(個則王)이라고도 한다.

약효 산어지통(散瘀止痛)의 효능이 있으므로 타박상을 치료한다.

사용법 홍랑산 10g에 물 3컵(600mL)을 넣고 달여서 복용한다.

❍ 가평파

[벽오동과]

반대해

●학명 : *Sterculia lychnophora* Hance [*S. scaphigera*] ●한자명 : 半大海

| 1 | 2 | 3 | 4 | 5 | 6 | 7 | 8 | 9 | 10 | 11 | 12 |

낙엽 교목. 높이 35~40m. 잎은 어긋나고 3개의 결각이 있다. 꽃은 6~7월에 수꽃과 암꽃이 함께 달린다. 꽃받침잎은 5개, 꽃잎은 없으며 수술은 수술대가 합쳐서 만들어진 1개의 통 끝에 여러 개의 꽃밥이 있다. 열매는 골돌과로 타원상 구형, 1개의 종자가 들어 있다.

분포·생육지 중국, 베트남, 인도, 말레이시아. 밀림 속에서 자란다.

약용 부위·수치 4~6월 열매가 성숙하면 종자를 채취하여 말린다.

약물명 반대해(半大海), 안남자(安南子), 대동과(大洞果), 호대해(胡大海)라고도 한다. 대한민국약전외한약(생약)규격집(KHP)에 수재되어 있다.

성상 달걀 모양으로 한쪽은 약간 뾰족하다. 표면은 암갈색이고 불규칙한 주름이 많다. 냄새는 없고, 맛은 담담하며 점성이 있다.

기미·귀경 양(凉), 감(甘), 담(淡)·폐(肺), 대장(大腸)

약효 청열윤폐(淸熱潤肺), 이인(利咽), 청장통변(淸腸通便)의 효능이 있으므로 마른기침, 인후종통, 열결변비(熱結便秘)를 치료한다.

성분 sterculin, bassorin 등이 함유되어 있다.

사용법 반대해 4개에 물 2컵(400mL)을 넣고 달여서 복용한다.

❍ 반대해(半大海)

❍ 반대해

[벽오동과]

카카오나무

 좌약   부종

● 학명 : *Theobroma cacao simplex* L.

| 1 | 2 | 3 | 4 | 5 | 6 | 7 | 8 | 9 | 10 | 11 | 12 |

상록 교목. 높이 5~10m. 잎은 어긋나고 긴 타원형, 길이 20~30cm이다. 꽃은 줄기에서 피고 지름 1.5cm이다. 꽃받침은 연한 붉은색, 꽃잎은 황색이고 5개, 수술은 10개이다. 열매는 방추형으로 적황색으로 익는다.

분포 · 생육지 라틴 아메리카 원산. 18세기에 유럽으로 전파되었으며, 남아메리카의 에콰도르, 콜롬비아, 브라질, 중국에서 재식하고 있다.

약용 부위 · 수치 여름과 가을에 열매를 채취하여 종자에서 얻은 지방이다. 열매를 짧은 기간에 숙성시키면 종자가 빠져나오는데, 종자를 40~45℃를 유지하는 실내에서 일주일간 쌓아 두면 발효가 되고 쓴맛이 없어지며 백색에서 적갈색으로 된다. 이때 종자에서 수분이 제거된다. 발효 후의 종자는 물에 씻어서는 안 되며 120~130℃에서 가열한 뒤 냉각시켜 껍질을 제거하면 50% 정도의 코코아기름을 얻을 수 있다. 코코아기름을 건조시켜 가루로 만들어서 설탕, 우유, 향료를 넣어 초콜릿(chocolate)을 만든다. 가루를 압착하여 기름을 제거한 것을 코코아(cocoa)라 하며, 이때 나오는 기름을 카카오 유지(cacao butter)라 한다. 카카오 유지는 실내 온도에서는 딱딱하지만 체온에 의하여 액체로 변하므로 좌약의 기초제로 이용한다. 열매를 깨고 종자를 모은 후 여러 방법으로 발효하는데, 발효 온도는

40~45℃로 하고 흔들어 섞으면서 발효를 조절한 뒤 물로 잘 씻고 햇볕에 말리거나 화건하면 광택이 있고 적갈색인 카카오 종자가 얻어진다. 카카오 종자를 120~150℃로 하여 종자 껍질을 벗겨서 온압하면 약 50% 수량의 카카오 유지를 얻을 수 있다.

약물명 카카오 유지(cacao butter)

성상 황백색의 단단하나 부서지기 쉬운 덩어리로 약간의 초콜릿과 같은 냄새가 있고 패유성의 냄새는 없다. 에테르 또는 클로로포름에 잘 녹으며, 에탄올이나 메탄올에는 녹기 어렵다.

약효 좌약의 기초제로 널리 사용하며, 이뇨의 효능이 있으므로 부종을 치료한다.

성분 theobromine, caffeine이 함유되어 있으며, 초콜릿의 원료로도 널리 이용한다.

약리 theobromine, caffeine을 동물에게 주사하면 이뇨 작용이 나타난다.

사용법 해열제를 cacao butter와 배합하여 만든 좌약은 어린아이나 약을 복용할 수 없는 노인을 위하여 널리 사용되고 있다.

◐ 카카오나무

◐ 카카오나무(열매 단면)

◐ 카카오나무(열매)

◐ 카카오나무 열매로 만든 초콜릿

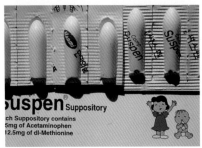
◐ 카카오 유지를 이용한 좌약

◐ 과피를 제거하고 발효 과정을 거친 카카오닙스

침향나무

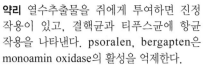

완복냉통, 위한구토애역, 대장허비

요슬허랭　소변기림　기역천식

● 학명 : *Aquilaria agallocha* (Lour.) Roxb.

 1 2 3 4 5 6 7 8 9 10 11 12　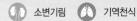

상록 교목. 줄기는 회갈색, 잎은 어긋나고 두껍다. 꽃은 황록색, 부드러운 털이 있고, 꽃덮개는 종 모양이며 5개로 갈라진다. 수술은 10개, 열매는 달걀 모양이고 딱딱하며, 종자는 흑갈색으로 달걀 모양이다.

분포 · 생육지 인도, 미얀마, 캄보디아, 베트남. 숲속에서 자란다.

약용 부위 · 수치 진액이 함유되어 있는 줄기를 봄부터 가을에 채취하여 심재(心材)를 약용한다.

약물명 침향(沈香). 청계(靑桂), 계골(鷄骨), 침수향(沈水香)이라고도 한다. 대한민국약전외한약(생약)규격집(KHP)에 수재되어 있다.

본초서 「명의별록(名醫別錄)」의 상품(上品)에 수재되어 있으며, 소경(蘇敬)은 "침향(沈香), 청계(靑桂), 계골(鷄骨), 마제전향(馬蹄煎香)은 같은 나무이며, 천축(天竺)의 여러 나라에서 생산된다."라고 기록한 것으로 보아 여러 종류의 침향이 있음을 알 수 있다. 「동의보감(東醫寶鑑)」에는 "풍수로 인한 독종을 낫게 하며, 악기(惡氣)를 없애고 명치 끝이 아픈 것을 낫게 한다. 신장 기능을 도와 성 기능을 활발하게 하며 냉풍(冷風)으로 오는 마비, 토사곽란과 근육통을 치료한다."고 하였다.

名醫別錄: 療風水毒腫 去惡氣.

本草綱目: 治上熱下寒 氣逆喘急 大腸虛閉 小便氣淋 男子精冷.

東醫寶鑑: 主風水毒腫 去惡氣 止心腹痛 益精壯陽 治冷風麻痺 霍亂吐瀉轉筋.

성상 흑갈색을 띠며 수지가 함유되어 있고 많은 평행 섬유질로 되어 있다. 이것을 불속에 넣으면 상쾌한 향기를 내며 탄다. 특이한 향기가 있고 맛은 쓰다. 흑갈색을 띠고 맛은 달고 쓰며 수지가 뚜렷하고 무거우며 물에 가라앉는 것이 좋다.

기미 · 귀경 온(溫), 신(辛), 고(苦) · 신(腎), 비(脾), 위(胃)

약효 행기지통(行氣止痛), 온중강역(溫中降逆), 납기평천(納氣平喘)의 효능이 있으므로 완복냉통(脘腹冷痛), 기역천식(氣逆喘息), 위한구토애역(胃寒嘔吐呃逆), 요슬허랭(腰膝虛冷), 대장허비(大腸虛秘), 소변기림(小便氣淋)을 치료한다.

성분 sesquiterpene: α-agarofuran, (−)-*epi*-γ-eudesmol, oxoagarospirol, (−)-guaia-1, (10), 11-dien-15-ol, (−)-rotundone, gmelofuran, agarol, agarospirol, dihydroagarofuran, norketoagarofuran, chromone: flindersiachromene, AH₃, AH₄, AH₅, AH₆, coumarinolignan: aquillochin, coumarin: psoralen, bergapten, triterpenoid: α-amyrin acetate, furfural: 5-hydroxymethylfurfural 등이 함유되어 있다.

약리 열수추출물을 쥐에게 투여하면 진정작용이 있고, 결핵균과 티푸스균에 항균작용을 나타낸다. psoralen, bergapten은 monoamin oxidase의 활성을 억제한다.

사용법 침향을 잘게 썰어서 5g에 물 2컵(400mL)을 넣고 달여서 또는 술에 담가서 복용한다.

처방 침향강기탕(沈香降氣湯): 향부자(香附子) · 감초(甘草) 각 48g, 축사인(縮砂仁) 20g, 침향(沈香) 16g(「동의보감(東醫寶鑑)」). 기(氣)가 잘 오르내리지 못하거나 위로 치밀어서 온몸이 붓고 가슴이 답답하며 숨이 차고 배가 불러오면서 헛구역과 기침이 나는 증상에 사용한다.

• 침향천마탕(沈香天麻湯): 강활(羌活) 2g, 독활(獨活) 1.6g, 방풍(防風) · 천마(天麻) · 반하(半夏) · 부자(附子) 각 1.2g, 침향(沈香) · 익지인(益智仁) · 오두(烏頭) 각 0.8g, 건강(乾薑) · 당귀(當歸) · 감초(甘草) 각 0.6g, 생강(生薑) 3쪽(「동의보감(東醫寶鑑)」). 어린아이가 놀라서 목구멍에서 가래 끓는 소리가 나고 손발에 경련이 일고 정신이 흐린 증상에 사용한다.

• 침향반하탕(沈香半夏湯): 인삼(人蔘) 20g, 부자(附子) · 천마(天麻) · 침향(沈香) 각 16g, 반하(半夏) 8g, 천남성(天南星) 4g(「동의보감(東醫寶鑑)」). 중풍으로 담(痰)이 성하여 가래 끓는 소리가 나고 손발이 차고 어지러우며 말이 잘 나오지 않는 증상에 사용한다.

＊'*A. bailloni*'는 캄보디아, '*A. bancana*'는 말레이시아, '*A. crasna*'는 캄보디아, 베트남에서 생산된다. 인도네시아에서 자라는 '말레이시아침향 *A. malaccensis*'도 약용한다. 현재 중국 약전품은 '중국침향나무 *A. sinensis*'라고 하지만, 시장에 출하되는 침향은 형태, 냄새, 색깔 등이 다양하여 그 기원 식물이 어느 것인지 분간하기 어렵다.

◎ 침향(沈香)

◎ 침향나무(열매껍질과 종자)

◎ 침향 전문점(중국)

◎ 말레이시아침향(줄기)

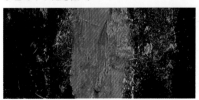
◎ 말레이시아침향(코르크층을 벗긴 줄기)

◎ 말레이시아침향

◎ 침향나무

[팥꽃나무과]

중국침향나무

 완복냉통, 위한구토애역, 대장허비

 요슬허랭 　소변기림 　기역천식

●학명 : *Aquilaria sinensis* (Lour.) Gilg. ●한자명 : 白木香

| 1 | 2 | 3 | 4 | 5 | 6 | 7 | 8 | 9 | 10 | 11 | 12 |

상록 교목. 줄기는 회갈색이고, 잎은 어긋나며 두껍다. 꽃은 황록색, 부드러운 털이 있고, 꽃덮개는 종 모양이며 5개로 갈라지고, 수술은 10개이다. 열매는 달걀 모양이고 딱딱하며, 종자는 흑갈색으로 달걀 모양이다.

분포 · 생육지 중국 광둥성(廣東省), 하이난성(海南省), 광시성(廣西省). 타이완. 깊은 산지에서 자란다.

약용 부위 · 수치 진액이 함유되어 있는 줄기를 봄부터 가을에 채취하여 심재(心材)를 약용한다.

약물명 침향(沈香). 백침향(白沈香)이라고도 한다.

성상 수지가 함유되어 있는 심재(心材)로 고르지 않은 덩어리, 움푹 파인 곳과 오목한 조각 등 불규칙한 모양이다. 흑갈색의 수지와 황백색의 목부 사이에는 반점이 있다. 질은 비교적 단단하다. 꺾어 보면 바늘 같은 모양이 보인다. 냄새는 향기롭고 맛은 쓰다.

약효 행기지통(行氣止痛), 온중강역(溫中降逆), 납기평천(納氣平喘)의 효능이 있으므로 완복냉통(脘腹冷痛), 기역천식(氣逆喘息), 위한구토애역(胃寒嘔吐呃逆), 요슬허랭(腰膝虛冷), 대장허비(大腸虛秘), 소변기림(小便氣淋)을 치료한다.

성분 baimuxinal, baimuxinol, baimuxinic acid, dehydrobaimuxinol, sinenofuranal, sinenofuranol, isomuxinol, anisic acid, 6-hydroxy-2-(2-phenylethyl) chromone, 6,7-dimethoxy-2-(2-phenylethyl) chromone 등이 함유되어 있다.

사용법 침향을 잘게 썰어서 2g에 물 1컵(200mL)을 넣고 달여서 또는 술에 담가서 복용한다.

* 중국의 약재 시장에서 출하되는 대부분의 침향은 본 종을 기원으로 한다.

❍ 중국침향나무(꽃)

❍ 중국침향나무(열매)

❍ 침향(沈香, 분말)

❍ 침향(沈香)

❍ 중국침향나무

❍ 중국침향나무(줄기)

[팥꽃나무과]

팥꽃나무

| 수종 | 고창 | 풍습비통 | 치루 |
| 유옹 | 천해, 담음흉수 | 옹절창선, 나력 |

●학명 : *Daphne genkwa* S. et Z.　●별명 : 팟꽃나무, 니팝나무, 조기꽃나무

`1` `2` `3` `4` `5` `6` `7` `8` `9` `10` `11` `12`

낙엽 관목. 높이 1m 정도. 잎은 마주나고 길이 3~6cm이다. 꽃은 4월에 잎보다 먼저 피고, 꽃덮개는 통형으로 적자색, 수술은 4~8개, 꽃밥은 황색이고, 암술은 길이 3mm 정도이며 씨방에 털이 있다. 열매는 7월에 익고 둥글고 백색이다.

분포·생육지 우리나라 평남에서 전남에 이르는 바닷가. 중국, 타이완. 바닷가 산기슭에서 자란다.

약용 부위·수치 봄에 꽃이 피기 전에 꽃봉오리를 채취하고, 뿌리는 수시로 채취하여 말린다. 이것을 약한 불에 볶거나 식초를 가하여 약하게 볶아서 사용한다.

약명 꽃봉오리를 원화(芫花) 또는 거수(去水), 독어(毒魚)라 하며, 뿌리를 원화근(芫花根) 또는 황대극(黃大戟)이라 한다. 원화(芫花)는 대한민국약전외한약(생약)규격집(KHP)에 수재되어 있다.

본초서 원화(芫花)는 「신농본초경(神農本草經)」의 하품(下品)에 수재되어 있으며, 거수(去水), 독어(毒魚) 등의 별명을 가지며, 뿌리는 황대극(黃大戟)이라고 한다. 명대(明代) 이시진(李時珍)은 "냄새가 나쁘고 이것을 맡으면 머리가 아프기 때문에 두통화(頭痛花)라고 한다."고 하였다. 이당지(李當之)는 "원화(芫花)는 독성이 강하며 많이 복용하면 설사를 일으킨다."고 기록한 것으로 보아, 축수(逐水)의 효능이 있으나 사용에 주의하여야 한다. 「동의보감(東醫寶鑑)」에는 "배가 부풀어 오르고 몸이 붓는 것을 가라앉히고 한담으로 자주 침을 뱉는 것을 없애며, 기침, 장학(瘴瘧), 독충에 쏘인 독을 낮게 한다. 종기가 벌겋게 부어오르고 곪는 것, 몸과 팔다리가 마비되고 감각이 둔해지는 증상을 낮게 하며 벌레나 생선의 독을 풀어 준다."고 하였다.

神農本草經 : 主咳逆上氣 喉鳴喘 咽腫短氣 蠱毒 鬼瘧 疝瘕 癰腫 殺蟲魚.

名醫別錄 : 消胸中痰水 喜睡 水腫 五水在五臟 皮膚及腰痛 下寒毒 肉毒.

東醫寶鑑 : 治心腹脹滿 去水腫 寒痰喜睡 療咳嗽癰瘧 蠱毒 治癰腫 惡瘡 風濕 殺蟲魚肉毒.

❂ 원화(芫花)

성상 원화(花花)는 짧은 꽃대에 3~7개의 꽃봉오리가 달려 있고, 꽃봉오리는 길이 1~3mm, 지름 약 2mm이다. 표면은 황갈색이고 비단 같은 잔털이 네 줄로 나 있다. 냄새가 조금 있고 맛은 맵고 아리다. 건조가 잘 되고 신선한 것이 좋다.

기미·귀경 온(溫), 신(辛), 고(苦), 유독(有毒)·폐(肺), 비(脾), 신(腎)

약효 원화(芫花)는 사수축음(瀉水逐飮), 거담지해(祛痰止咳), 해독살충(解毒殺蟲)의 효능이 있으므로 수종(水腫), 고창(臌脹), 담음흉수(痰飮胸水), 천해(喘咳), 옹절창선(癰癤瘡癬)을 치료한다. 원화근(芫花根)은 축수(逐水), 해독(解毒), 산결(散結)의 효능이 있으므로 수종(水種), 나력(瘰癧), 유옹(乳癰), 치루(痔瘻), 풍습비통(風濕痺痛)을 치료한다.

성분 원화(芫花)에는 flavonoid 성분으로 genkwanin, 3′-hydroxygenkwanin, genkwanin 5-*O*-β-D-primeveroside, genkwanin 5-*O*-β-D-glucopyranoside, apigenin 7-*O*-β-D-glucuronopyranoside, apigenin 5-*O*-β-D-glucuronopyranoside, apigenin, verutin, 7,4′-di-*O*-methylapigenin, luteolin, luteolin 7-methyl ether, biflavonoid: genkwanol A~C, diterpenoid: genkwadaphnin, yuanhuacine 등, lignan 성분으로 lariciresinol, (−)-pinoresinol dimethyl ether, (+)-medioresinol, (−)-syringaresinol, (−)-pinoresinol monomethyl ether, sesamin, (8*S*,7*R*,8′*R*,7′*R*)-(−)-aptosimon, (−)-aptosimol 등, coumarin 성분으로 daphnoretin, furolactone: salicifoliol, dibenzobutyrolactone: (+)-matairesinol, (+)-arctigenin, triterpenoid 성분으로 β-sitosterol, stigmasterol, 알칼로이드: aurantiamide acetate 등이 함유되어 있다. 원화근(芫花根)에는 yuanhuacin, yuanhuadin, genkwadaphnin, genkwanol A~C, syringin 등이 함유되어 있다.

약리 열수추출물을 쥐에게 투여하면 소변

❂ 원화(芫花, 신선품)

양이 증가한다. 에탄올추출물은 폐렴구균, 연쇄상구균, 인플루엔자 간균의 성장을 억제한다. (+)-matairesinol, (−)-syringaresinol, (+)-arctigenin, genkwadaphnin, yuanhuacin은 암세포 사멸을 촉진한다. 3′-hydroxygenkwanin은 항산화 작용이 있다.

사용법 원화 또는 원화근 5g에 물 2컵(400mL)을 넣고 달여서 복용하고, 외용에는 짓찧어 바른다.

주의 독성이 있고 약성(藥性)이 맹렬하기 때문에 포제하여 사용하여야 한다. 과량을 사용하면 설사와 복통을 일으키므로 신체가 허약한 사람이나 임산부는 금한다.

처방 십조탕(十棗湯): 대조(大棗)·원화(芫花)·감수(甘遂)·대극(大戟) 각 4g「동의보감(東醫寶鑑)」. 기침을 하면서 가슴과 옆구리가 당기고 아프며 명치 아래가 그득한 증상에 사용한다.

❂ 팥꽃나무(꽃)

❂ 팥꽃나무

760　약용 식물 I

두메닥나무

 관심병, 심교통　 관절염

 동상

●학명 : *Daphne koreana* Nakai　●한자명 : 長白瑞香　●별명 : 조선닥나무

| 1 | 2 | 3 | 4 | 5 | 6 | 7 | 8 | 9 | 10 | 11 | 12 |

❶ 두메닥나무(열매)

낙엽 관목. 높이 30~40cm. 잎은 어긋나고 긴 도란형, 가장자리가 밋밋하다. 꽃은 암수딴그루, 황색, 4~5월에 가지 끝 잎겨드랑이에 산형화서로 달린다. 장과는 구형이며 붉은색으로 익는다.

분포 · 생육지 우리나라 전역. 중국, 일본. 깊은 산 숲속에서 자란다.

약용 부위 · 수치 뿌리 및 줄기를 봄 또는 여름에 채취하여 물에 씻은 후 썰어서 말린다.

약물명 날근초(辣根草)

약효 온경통맥(溫經通脈), 활혈지통(活血止痛)의 효능이 있으므로 관심병(冠心病), 심교통(心絞痛), 관절염, 동상을 치료한다.

사용법 날근초 5g에 물 2컵(400mL)을 넣고 달여서 복용하고, 외용에는 짓찧어 바른다.

❶ 두메닥나무

서양팥꽃나무

 류머티즘관절염

●학명 : *Daphne mezereum* L.　●영명 : Mezereon　●별명 : 서양팥꽃

| 1 | 2 | 3 | 4 | 5 | 6 | 7 | 8 | 9 | 10 | 11 | 12 |

❶ 서양팥꽃나무(꽃)

낙엽 관목. 높이 1~1.5m. 가지가 많이 갈라진다. 잎은 어긋나고 주걱형, 가장자리가 밋밋하다. 꽃은 분홍색, 잎겨드랑이에 산형화서로 달린다. 열매는 핵과이다.

분포 · 생육지 유럽, 아프리카. 들이나 정원에서 재식한다.

약용 부위 · 수치 봄 또는 여름에 줄기껍질을 채취하여 썰어서 말린다.

약물명 Daphne Cortex. 일반적으로 Mezeron이라 한다.

약효 혈액 순환을 좋게 하므로 류머티즘관절염을 치료한다.

성분 daphnetoxin, mezerein 등이 함유되어 있다.

사용법 연고로 만들어 환부에 바른다.

주의 유독 식물이므로 경구 복용은 금한다.

❶ 서양팥꽃나무

[팥꽃나무과]

서향나무

 두통　 인후종통　유옹

류머티즘, 통풍　창양

● 학명 : *Daphne odora* Thunb.　● 별명 : 서향, 천리향

| 1 | 2 | 3 | 4 | 5 | 6 | 7 | 8 | 9 | 10 | 11 | 12 |

상록 관목. 높이 1m 정도. 줄기는 곧으며 가지가 많이 갈라지고, 잎은 어긋난다. 꽃은 암수딴그루, 백색 또는 홍자색, 3~4월에 핀다. 꽃받침은 통 같고 끝이 4개로 갈라진다. 암꽃나무가 많으므로 결실되는 것

이 드물다.

분포 · 생육지 중국 원산. 우리나라 남부 지방에서 재식하는 귀화 식물이다.

약용 부위 · 수치 꽃은 꽃이 활짝 필 때, 잎은 여름에 채취하여 말린다.

❍ 서향나무

약물명 꽃을 서향화(瑞香花), 잎을 서향엽(瑞香葉)이라 한다.

약효 서향화(瑞香花)는 활혈지통(活血止痛), 해독산결(解毒散結)의 효능이 있으므로 두통, 인후종통(咽喉腫痛), 치통(痔痛), 류머티즘을 치료한다. 서향엽(瑞香葉)은 해독(解毒), 소종지통(消腫止痛)의 효능이 있으므로 창양(瘡瘍), 유옹(乳癰), 통풍(痛風)을 치료한다.

성분 전초는 daphnin, daphnetin-8-*O*-glucoside, umbelliferone, 뿌리는 daphnelone이 함유되어 있다.

약리 daphnin 30~50mg/kg을 토끼에게 투여하면 혈액 응고를 저지시킨다.

사용법 서향화 또는 서향엽 5g에 물 2컵(400mL)을 넣고 달여서 복용한다.

＊ 작은가지가 암자갈색이며 꽃이 백색인 '백서향나무 *D. kiusiana*'도 약효가 같다.

❍ 서향화(瑞香花)　❍ 서향엽(瑞香葉)

[팥꽃나무과]

삼지닥나무

 색맹, 각막장애, 다루, 실음

몽정, 백탁　 백대

● 학명 : *Edgeworthia papyrifera* S. et Z.　● 별명 : 삼아나무, 황서향나무, 매듭삼지닥나무

| 1 | 2 | 3 | 4 | 5 | 6 | 7 | 8 | 9 | 10 | 11 | 12 |

낙엽 관목. 높이 2~3m. 잎은 어긋나고, 가을에 가지 끝에 1~2개의 꽃봉오리가 생긴다. 꽃은 황색, 잎이 나오기 전인 3~4월에 피며 꽃받침통은 4개로 갈라지고, 8개의 수술과 1개의 암술이 있다. 열매는 삭과이고 8월에 익는다.

분포 · 생육지 중국 원산. 우리나라 제주도 및 남부 지방에서 자란다.

약용 부위 · 수치 전초를 가을부터 겨울까지 채취하여 말린다.

약물명 꽃봉오리를 몽화(夢花)라 하며, 결향(結香)이라고도 한다. 뿌리를 몽화근(夢花根)이라 한다.

성상 몽화(夢花)는 꽃봉오리 여러 개가 모여서 원형의 두상화서를 이루고 지름 1.5~2cm이다. 꽃의 표면은 황록색이고 광택이 나는 솜털로 조밀하게 덮여 있다. 총포편은 6~8개이고 대부분 갈고리 모양으로 구부러져 있다. 냄새는 없고 맛은 담담하다.

약효 몽화(夢花)는 자양간신(滋養肝腎), 명목소예(明目消翳)의 효능이 있으므로 색맹,

각막장애, 다루(多淚), 몽정(夢精), 실음(失音)을 치료한다. 몽화근(夢花根)은 거풍활락(祛風活絡), 자양간신(滋養肝腎)의 효능이 있으므로 몽정(夢精), 백탁(白濁), 백대(白帶)를 치료한다.

성분 몽화(夢花)에는 daphnoretin, grasshoperketone 등, 몽화근(夢花根)은 edgearesin, limettin, umbelliferone, daphnoretin이 함유되어 있다.

사용법 몽화 또는 몽화근 10g에 물 3컵(600mL)을 넣고 달여서 복용한다.

＊ 중국에서 자라는 '결향(結香) *E. chrysantha*'도 약효가 같다.

❍ 삼지닥나무

❍ 삼지닥나무(꽃)

❍ 몽화(夢花)　❍ 몽화(夢花, 중국산)

[팥꽃나무과]

피뿌리풀

| 수종복만 | 변비, 심복동통, 징가적취 |
| 결핵 | 개선 |

● 학명 : *Stellera chamaejasme* L. ● 별명 : 피뿌리꽃, 처녀뿔

| 1 | 2 | 3 | 4 | 5 | 6 | 7 | 8 | 9 | 10 | 11 | 12 |

여러해살이풀. 높이 20~40m. 줄기는 모여 나고, 뿌리는 원추형으로 굵으며, 잎은 어 긋난다. 꽃은 담황색, 5~6월에 줄기 끝에 모여나고, 꽃통 끝은 5개로 갈라진다. 수술 은 10개로 2줄로 배열되고 씨방상위이며 1 실이다. 열매는 원추형이고 꽃받침이 숙존 한다.

분포·생육지 우리나라 제주도, 황해도 이 북. 중국 둥베이(東北) 지방, 시난(西南) 지 방 및 신장성(新疆省). 몽골. 산지나 들에서 자란다.

약용 부위·수치 전초를 가을부터 겨울까지 채취하여 말린다.

약물명 낭독(狼毒). 서북낭독(西北狼毒), 속 독(續毒), 면대극(綿大戟)이라고도 한다.

본초서 낭독(狼毒)은 「신농본초경(神農本 草經)」의 하품(下品)에 수재되어 "해역상기

(咳逆上氣)를 치료하며, 적취(積聚), 음식 (飮食), 한열수기(寒熱水氣)를 제거하고, 악 창(惡瘡), 귀정(鬼精), 고독(蠱毒)을 치료하 며, 날짐승을 죽인다."고 기록되어 있다.
神農本草經: 主咳逆上氣, 破積聚, 飮食, 寒 熱水氣, 惡瘡, 鬼精, 蠱毒, 殺飛鳥走獸.
名醫別錄: 療脇下積澼.
藥性論: 治痰飮, 癥瘕, 亦殺鼠.

기미·귀경 고(苦), 신(辛), 평(平), 유독(有 毒)·폐(肺), 비(脾), 간(肝)

약효 사수축음(瀉水逐飮), 파적살충(破積 殺蟲)의 효능이 있으므로 수종복만(水腫腹 滿), 변비, 심복동통(心腹疼痛), 징가적취 (癥瘕積聚), 결핵(結核), 개선(疥癬)을 치료 한다.

성분 gnidimacrin, simplexin, stellamac-rin A, B, pimeleafactor P$_2$, subtoxin A,

huratoxin이 함유되어 있다.

약리 물에 달인 액을 쥐에게 투여하면 진통 작용이 나타나고, 암세포를 이식한 쥐에게 주사하면 암 조직의 성장이 억제된다.

사용법 낭독 3g에 물 2컵(400mL)을 넣고 달여서 복용한다.

처방 낭독조(狼毒棗): 낭독(狼毒), 대조(大 棗), 낭독이 주약인 처방은 드물고 대개는 낭독, 방풍, 소부자(燒附子) 등을 가루로 하 여 오동나무 종자 크기로 밀환(蜜丸)하여 음 산(陰疝, 음낭의 종통), 고환급축 등에 사용 한다.

＊ 광낭독(廣狼毒)은 천남성과의 ‘*Alocasia odora*’의 뿌리줄기이고, 백낭독(白狼毒)은 ‘오독도기 *Euphorbia pallasii*’ 및 ‘붉은대극 *E. ebracteolata*’의 뿌리줄기이다.

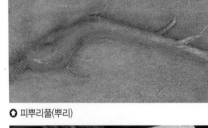

❍ 피뿌리풀(뿌리)

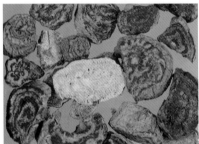

❍ 낭독(狼毒)   ❍ 낭독(狼毒, 절편)

❍ 피뿌리풀(뿌리 단면)

❍ 피뿌리풀

[팥꽃나무과]

인도산닥나무

- 옹종창독, 나력
- 풍습통, 풍습성관절염
- 유선염, 폐경
- 폐렴, 기관지염
- 인후염

●학명 : *Wikstroemia indica* (L.) C. A. Mey. [*Daphne indica* L.]

| 1 | 2 | 3 | 4 | 5 | 6 | 7 | 8 | 9 | 10 | 11 | 12 |

상록 관목. 높이 1m 정도. 전체가 매끈하고 털이 없다. 잎은 어긋나고 길이 2~5cm, 너비 1~1.5cm, 가장자리는 밋밋하다. 꽃은 황색, 여름에 취산화서로 핀다. 꽃덮개는 관상이며 끝이 4개로 갈라지고, 수술은 8개, 핵과는 달걀 모양으로 붉은색으로 익는다.

분포·생육지 인도 원산. 인도, 중국, 열대 아시아에서 재식한다.

약용 부위·수치 잎과 가지를 여름에 채취하여 말리고, 뿌리는 수시로 채취하여 물에 씻은 후 썰어서 말린다.

약물명 잎과 가지를 요가왕(了哥王)이라 하며, 구신엽(九信葉), 구신약(九信藥)이라고

도 한다. 뿌리를 요가왕근(了哥王根)이라 하며, 독제근(毒除根), 지면근(地綿根)이라고도 한다.

기미 요가왕(了哥王): 한(寒), 고(苦), 신(辛), 유독(有毒). 요가왕근(了哥王根): 한(寒), 고(苦), 신(辛), 유독(有毒)

약효 요가왕(了哥王)은 청열해독(淸熱解毒), 화담산결(化痰散結), 소종지통(消腫止痛)의 효능이 있으므로 옹종창독(癰腫瘡毒), 나력(瘰癧), 풍습통(風濕痛)을 치료한다. 요가왕근(了哥王根)은 청열해독(淸熱解毒), 산결축어(散結逐瘀), 이수살충(利水殺蟲)의 효능이 있으므로 폐렴, 기관지염, 인후염,

유선염, 풍습성관절염, 폐경을 치료한다.

성분 요가왕(了哥王)은 tricin, kaempferol-3-O-β-D-glucoside, daphnoretin, wikstromol, nortrachelogenin, matairesinol, pinoresinol 등이 함유되어 있다. 요가왕근(了哥王根)은 daphnoretin, genkwanin, wikstroemin, arctigenin, matairesinol, wikstrosin, tricin 등이 함유되어 있다.

약리 요가왕의 메탄올추출물은 진정 작용과 항염증 작용이 있고, 요가왕근의 열수추출물은 항종양 작용이 있다.

사용법 요가왕은 7g, 요가왕근은 10g에 물 2컵(400mL)을 넣고 달여서 복용한다.

❶ 인도산닥나무

❶ 요가왕근(了哥王根)

❶ 요가왕근(了哥王根, 절편)

❶ 인도산닥나무(열매)

❶ 인도산닥나무(꽃)

[보리수나무과]

사조

- 간허목현
- 신허요통, 급만성신염
- 비허복사, 소화불량, 위통, 장염
- 대하, 월경부조
- 구해, 기천, 만성기관지염

●학명 : *Elaeagnus angustifolia* L. ●한자명 : 沙棗

| 1 | 2 | 3 | 4 | 5 | 6 | 7 | 8 | 9 | 10 | 11 | 12 |

낙엽 관목. 높이 5~10m. 가지에는 긴 가시가 있고 상처를 주면 투명한 갈색 액이 유출되며, 어린가지는 백색의 비늘조각이 덮여 있다. 잎은 어긋나며 타원형으로 길이 2.5~8.5cm, 너비 0.5~2cm, 가장자리는 밋밋하다. 꽃은 5~6월에 잎겨드랑이에 몇

개씩 모여 피며, 바깥면은 은백색, 안쪽은 황색, 열매는 달걀형이며 9월에 분홍색으로 익는다.

분포·생육지 중국 화베이(華北), 시베이(西北), 랴오닝성(遼寧省). 사막 지대에서 자란다.

약용 부위·수치 열매를 가을에, 꽃은 봄에, 줄기껍질은 봄과 여름에 채취하여 말린다.

약물명 열매를 사조(沙棗), 꽃을 사조화(沙棗花), 줄기껍질을 사조수피(沙棗樹皮)라 한다.

기미·귀경 사조화(沙棗花): 감(甘), 삽(澁), 온(溫)·폐(肺)

약효 사조(沙棗)는 양간익신(養肝益腎), 건비조경(健脾調經)의 효능이 있으므로, 간허목현(肝虛目眩), 신허요통(腎虛腰痛), 비허복사(脾虛腹瀉), 소화불량, 대하, 월경부조를 치료한다. 사조화(沙棗花)는 지해평천(止咳平喘)의 효능이 있으므로 구해(久咳), 기천(氣喘)을 치료한다. 사조수피(沙棗樹皮)는 청열지해(淸熱止咳), 이습지통(利濕止痛), 해독지혈(解毒止血)의 효능이 있으므로 만성기관지염, 위통, 장염, 급만성신염, 황달형간염, 백대, 외상출혈을 치료한다.

성분 사조(沙棗)에는 palmitoleic acid, stearic acid, oleic acid, linoleic acid, linolenic acid, cartenone, tocopherol, isorhamnetin-3-O-β-D-glactopyranoside, caffeic acid, β-sitosterol, nonacosane 등, 사조화(沙棗花)에는 ethyl cinnamate, dibutyl 1,2-phthalate, phenylethyl alcohol, 6,10,14-trimethyl-2-pentadecanone, phenyl ethyl benzoate, kaempferol, leucoanthocyanin 등, 사조수피(沙棗樹皮)에는 eleagnine, tetrahydroharman, tetrahydroharmol, N-methyltetrahydroharmol, harman, dihydroharman, harmine, 2-methyl-1,2,3,4-tetrahydro-β-carboline, catechin, epicatechin 등이 함유되어 있다.

약리 기니피그에 잎 달인 액을 투여하면 평천(平喘) 작용이 있다.

사용법 사조는 15g을 물 3컵(600mL)에, 사조화는 5g을 물 2컵(400mL)에, 사조수피는 10g을 물 3컵(600mL)에 달여서 복용한다.

❂ 사조

❂ 사조(沙棗)

❂ 사조(열매)

❂ 사조(줄기)

[보리수나무과]

보리장나무

😋 장염, 복사, 이질　🫁 해수
🫀 임병　　　　　　♀ 붕대

● 학명 : *Elaeagnus glabra* Thunb.　● 별명 : 덩굴볼레나무, 볼레나무

1	2	3	4	5	6	7	8	9	10	11	12

상록 덩굴나무. 작은가지는 어릴 때 적갈색의 비늘조각이 많다. 잎은 어긋나고, 꽃은 담황색, 10~12월에 잎겨드랑이에 몇 개씩 모여 핀다. 꽃받침은 끝이 4개로 갈라지고 수술은 4개, 암술은 1개, 열매는 둥글고 비늘털로 덮여 있으며 다음 해 4~5월에 붉은색으로 익는다.

분포 · 생육지 우리나라 제주도, 전남. 일본, 중국. 바닷가에서 자란다.

약용 부위 · 수치 열매를 봄에, 잎은 여름에 채취하여 말린다.

약물명 열매를 만호퇴자(蔓胡頹子), 잎을 만호퇴자엽(蔓胡頹子葉)이라 한다.

기미 · 귀경 만호퇴자엽(蔓胡頹子葉): 평(平), 신(辛), 삽(澁) · 폐(肺).

약효 만호퇴자(蔓胡頹子)는 수렴지사(收斂止瀉), 지리(止痢)의 효능이 있으므로 장염(腸炎), 복사(腹瀉), 이질을 치료한다. 만호퇴자엽(蔓胡頹子葉)은 청열이습(淸熱利濕), 지혈(止血)의 효능이 있으므로 해수(咳嗽), 이질, 임병(淋病), 붕대(崩帶)를 치료한다.

성분 만호퇴자엽(蔓胡頹子葉)은 알칼로이드, flavonoid, coumarin이 함유되어 있다.

약리 기니피그에 잎 달인 액을 투여하면 평천(平喘) 작용이 있다.

사용법 만호퇴자 또는 만호퇴자엽 10g에 물 3컵(600mL)을 넣고 달여서 복용한다.

* '보리밥나무 *E. macrophylla*'에 비하여 잎이 긴 타원형이고 뒷면은 작은가지와 더불어 적갈색을 띠고 꽃통은 가늘며 원통형으로서 꽃잎의 갈라진 조각보다 길다.

❂ 보리장나무

❂ 만호퇴자(蔓胡頹子)

❂ 만호퇴자엽(蔓胡頹子葉)

❂ 보리장나무(잎 뒷면)

[보리수나무과]

뜰보리수

| 타박상 | 천식 |
| 이질 | 치질 |

● 학명 : *Elaeagnus multiflora* Thunb. ● 별명 : 뜰보리수나무

| 1 | 2 | 3 | 4 | 5 | 6 | 7 | 8 | 9 | 10 | 11 | 12 |

낙엽 관목. 높이 2~3m. 가지가 넓게 퍼지고, 작은가지는 비늘조각이 많다. 잎은 어긋난다. 꽃은 담황색, 잎겨드랑이에 1~2개씩 핀다. 꽃받침은 기부가 급히 좁아져서 씨방을 둘러싸며, 수술 4개, 암술 1개이다. 열매는 원통형이고 밑으로 처지며 7월에 붉은색으로 익는다.

분포 · 생육지 일본 원산. 우리나라 전역에서 재식하는 귀화 식물이다.

약용 부위 · 수치 잎과 열매를 여름에, 뿌리를 가을에 채취하여 말린다.

약물명 열매를 목반하(木半夏), 잎을 목반하엽(木半夏葉), 뿌리를 목반하근(木半夏根)이라 한다.

기미 목반하(木半夏): 담(淡), 삽(澁), 온(溫). 목반하엽(木半夏葉): 삽(澁), 감(甘), 온(溫)

약효 목반하(木半夏)는 수렴(收斂), 소종(消腫), 활혈(活血), 행기(行氣)의 효능이 있으므로 타박상, 천식, 이질, 치질을 치료한다. 목반하엽(木半夏葉)은 활혈(活血), 행기(行氣)의 효능이 있으므로 타박상, 치질을 치료하며, 목반하근(木半夏根)은 활혈(活血), 행기(行氣)의 효능이 있으므로 타박상, 치창(痔瘡)을 치료한다.

성분 목반하엽(木半夏葉)은 kaempferol-3-O-rhamnoside, kaempferol-3-O-sophoroside, kaempferol-3,7-O-diglucoside, kaempferol-3-O-glucopyranosyl-7-O-sophoroside 등이 함유되어 있다.

사용법 목반하 또는 목반하엽, 목반하근 10g에 물 3컵(600mL)을 넣고 달여서 복용하고, 외용에는 짓찧어 바른다.

● 뜰보리수

● 목반하(木半夏)

● 목반하엽(木半夏葉)

● 목반하근(木半夏根)

● 꽃

[보리수나무과]

보리수나무

| 해수 | 이질 |
| 임병 | 붕대 |

● 학명 : *Elaeagnus umbellata* Thunb. ● 별명 : 볼네나무

| 1 | 2 | 3 | 4 | 5 | 6 | 7 | 8 | 9 | 10 | 11 | 12 |

낙엽 관목. 높이 3~4m. 흔히 가시가 있으며, 잎은 어긋난다. 꽃은 연한 황색으로 5~6월에 새 가지의 잎겨드랑이에 1~7개가 우산 모양으로 달린다. 꽃받침통은 끝이 4개로 갈라지고 수술은 4개, 암술은 1개이다. 열매는 둥글고 비늘털로 덮여 있으며 10월에 붉은색으로 익는다.

분포 · 생육지 우리나라 평남 이남. 중국, 일본. 산기슭에서 자란다.

약용 부위 · 수치 잎과 열매를 여름에 채취하여 말린다.

약물명 우내자(牛奶子). 감조(甘棗)라고도 한다.

약효 청열이습(淸熱利濕), 지혈(止血)의 효능이 있으므로 해수(咳嗽), 이질, 임병(淋病), 붕대(崩帶)를 치료한다.

성분 우내자에 serotonine이 함유되어 있다.

사용법 우내자 10g에 물 3컵(600mL)을 넣고 달여서 복용한다.

● 우내자(牛奶子)

● 보리수나무(꽃)

● 보리수나무

[보리수나무과]

비타민나무

🫁 해수담다, 폐농종	🧍 타박상
♀ 폐경	✋ 소화불량, 식적복통, 위통, 장염

● 학명 : *Hippophae rhamnoides* L. subsp. *sinensis* R.　● 한자명 : 沙棘　● 별명 : 산자나무

1	2	3	4	5	6	7	8	9	10	11	12

낙엽 관목. 높이 1~5m. 높은 산골짜기에는 높이 18m까지도 자란다. 줄기와 가지에는 가시가 많다. 잎은 마주난 것 같으나 어긋나고, 꽃은 4~5월에 잎겨드랑이에 핀다. 열매는 9~10월에 등황색으로 성숙하며, 구형, 지름 4~6mm, 종자는 흑자색으로 광택이 있다.

분포 · 생육지 내몽골 등 사막지. 우리나라 강원도를 비롯하여 전역에서 재식한다.

약용 부위 · 수치 열매를 가을에 채취하여 생으로 사용하거나 말린다.

약물명 사극(沙棘). 사조(沙棗), 초류과(醋柳果), 산자자(酸刺子)라고도 한다.

기미 · 귀경 온(溫), 산(酸), 삽(澀) · 폐(肺),

간(肝), 위(胃)

약효 지해화담(止咳化痰), 건위소식(健胃消食), 활혈산어(活血散瘀)의 효능이 있으므로 해수담다(咳嗽痰多), 폐농종(肺膿腫), 소화불량, 식적복통(食積腹痛), 위통, 장염, 폐경(閉經), 타박상을 치료한다.

성분 isorhamnetin, isorhamnetin-*O*-rutinoside, rutin, astragalin, quercetin, kaempferol, vitamin A, B₁, B₂, C, E, dehydroascorbic acid, folic acid, carotene, carotenoid, catechin, anthocyanin 등이 함유되어 있다.

약리 에틸 아세테이트 분획물은 α-glucosidase의 활성을 억제하며, 면역 기능을 활성화시키고 항산화 작용 등이 있다.

사용법 사극 7~8g에 물 2컵(400mL)을 넣고 달여서 복용하고, 외용에는 짓찧어 환부에 바른다.

＊잎을 이용한 건강식품이 널리 시판되고 있으며, 성분, 약효, 안전성 등의 연구가 진행되고 있다.

❍ 비타민나무

❍ 비타민나무 잎으로 만든 건강식품

[산유자나무과]

해남대풍자

🗂 마풍, 개선, 창독, 나병

● 학명 : *Hydnocarpus hainanensis* Sleum

1	2	3	4	5	6	7	8	9	10	11	12

소교목. 높이 6~9m. 잎은 어긋나고 길이 8~14cm, 너비 3~6cm이다. 열매는 구형이고 지름 4~7cm, 갈색 털이 조밀하게 붙어 있다.

분포 · 생육지 중국 하이난성(海南省), 광시성(廣西省). 산지에서 자란다.

약용 부위 · 수치 열매를 여름에 채취하여 종자를 말린 후 기름을 짜서 사용하기도 한다.

약물명 대풍자(大風子). 마풍자(麻風子), 구충대풍자(驅蟲大風子)라고도 한다.

약효 대풍자(大風子)는 거풍조습(祛風燥濕), 공독살충(攻毒殺蟲)의 효능이 있으므로 마풍(麻風), 개선(疥癬), 창독(瘡毒), 나병 치료에 사용한다.

성상 대풍자(大風子)는 고르지 않은 사면체로 한 면은 융기되고 다른 면들은 평탄하며 길이 1~2cm, 지름 0.5~1cm이다. 표면은 회황색~회갈색, 융기된 세로 맥이 여러 개이다. 배꼽점은 씨의 한 끝에 있고 다른 쪽에는 주공이 있다. 종피는 부서지기 쉽고 속씨는 불규칙한 달걀 모양이며 갈색의 얇은 막으로 싸여 있다. 냄새는 없고 맛도 거의 없다.

사용법 대풍자 2g에 물 2컵(400mL)을 넣고 달여서 복용하거나 알약으로 만들어 복용하고, 외용에는 짓찧어 즙을 내어 상처에 바른다.

❍ 해남대풍자

❍ 해남대풍자(종자)

❍ 해남대풍자(열매)

[산유자나무과]

대풍자나무

🌳 마풍, 개선, 창독, 나병

● 학명 : *Hydnocarpus anthelminticus* Pierre.

| 1 | 2 | 3 | 4 | 5 | 6 | 7 | 8 | 9 | 10 | 11 | 12 |

상록 교목. 잎은 어긋나고 긴 타원형, 길이 10~30cm, 가장자리는 밋밋하고 측맥은 8~10쌍이다. 꽃은 붉은색~연한 붉은색, 1~3월에 피며 꽃잎은 5개, 달걀 모양, 암술은 퇴화하여 바늘 같다. 열매는 구형이고 지름 6~8mm, 과피는 단단하며, 30~40개의 종자가 들어 있다.

분포·생육지 베트남, 타이, 타이완, 중국 남부. 산지에서 자란다.

약용 부위·수치 열매를 여름에 채취하여 종자를 말린 후 껍질을 제거하고 압착하여 거유(去油)하고 대풍자상(大風子霜)으로 만들어 사용한다.

약물명 대풍자(大風子), 마풍자(麻風子), 구충대풍자(驅蟲大風子)라고도 한다. 대한민국약전외한약(생약)규격집(KHP)에 수재되어 있다.

본초서 대풍자(大風子)는 주진향(朱震亨)의 「본초연의보유(本草衍義補遺)」에 처음 수재되어 있으며, 명대(明代)에 많이 사용하였고, 주헌왕(周憲王)의 「보제방(普濟方)」에 "대풍제라(大風諸癩)를 치료한다."고 하였으며, 「본초강목(本草綱目)」에도 "대풍질(大風疾)을 낫게 하므로 대풍자(大風子)라고 한다."고 하였다. 「동의보감(東醫寶鑑)」에는 "나병, 옴, 헌데, 버짐 등을 낫게 하며, 촌충과 회충을 구제하고, 많이 먹으면 가래가 마르고 피를 상하게 한다."고 하였다.

本草綱目: 主治風濕疥癩 楊梅諸瘡 攻毒殺蟲
東醫寶鑑: 主癩風 疥癩 瘡癬 殺蟲 多腹燥痰 傷血.

성상 대풍자(大風子)는 고르지 않은 사면체 또는 달걀 모양으로, 해남산은 길이 1.5~2.5cm, 지름 1.5~2.5cm이다. 표면은 회흑색~회갈색, 융기된 세로 맥이 여러 개이다. 씨의 한 끝에 배꼽점이 있고 다른 쪽에는 주공이 있다. 종피는 부서지기 쉽고, 속씨는 불규칙한 달걀 모양이고 적갈색의 얇은 막으로 싸여 있다. 냄새는 특이하고 맛은 떫다.

기미·귀경 열(熱), 신(辛), 유독(有毒)·간(肝), 비(脾)

약효 대풍자(大風子)는 거풍조습(祛風燥濕), 공독살충(攻毒殺蟲)의 효능이 있으므로 마풍(麻風), 개선(疥癬), 창독(瘡毒), 나병 치료에 사용한다.

성분 대풍자유는 chaulmoogric acid, hydnocarpic acid, goric acid, hydnowightin, hydnocarpin, methoxyhydnocarpin 등이 함유되어 있다.

약리 열수추출물은 백선균의 성장을 억제하고, chaulmoogric acid, hydnocarpic acid는 내산성균인 나병균(*Bacillus leprae*)의 성장을 억제한다. sulfone계 나병 치료제인 dapsone과 대풍자유를 같이 투여할 경우 dapsone에 내성을 보이는 나병균의 성장을 억제한다.

사용법 대풍자 2g에 물 2컵(400mL)을 넣고 달여서 복용하거나 알약으로 만들어 복용하고, 외용에는 짓찧어 즙을 내어 상처에 바른다.

주의 대풍자유는 구토, 현기증, 두통, 식욕부진, 불면, 전신발열을 나타내고 신장을 자극하여 단백뇨를 일으킬 수 있다. 근육주사하면 심한 자극과 동통을 수반하며 괴사가 발생하는 등 유독하므로 함부로 사용해서는 안 된다.

❍ 대풍자(大風子)

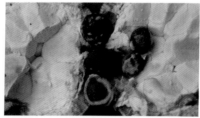

❍ 대풍자나무(종자)

❍ 대풍자나무

산유자나무

 만성설사, 이질　　타박상

● 학명 : *Xylosma congestum* (Lour.) Merr.

| 1 | 2 | 3 | 4 | 5 | 6 | 7 | 8 | 9 | 10 | 11 | 12 |

상록 소교목. 높이 7m 정도. 어린나무는 잎겨드랑이에 가시가 있으며, 가지는 적갈색이다. 잎은 어긋나고 긴 타원형, 길이 4~8cm, 너비 3~5cm이며, 가장자리에 톱니가 있다. 꽃은 암수딴꽃, 황백색, 8월에 잎겨드랑이에 총상화서로 달린다. 열매는 장과로 11월에 흑색으로 익으며 구형이고, 3~4개의 종자가 들어 있다.

분포·생육지 우리나라 제주도, 전남. 중국, 일본, 인도네시아, 필리핀. 바닷가에서 자란다.

약용 부위·수치 여름에 줄기껍질과 잎을 채취하여 말린다.

약물명 작목엽(柞木葉)

약효 작목엽은 청열조습(淸熱燥濕), 해독, 산어소종(散瘀消腫)의 효능이 있으므로 만성설사, 이질, 타박상을 치료한다.

사용법 작목엽 10g에 물 3컵(600mL)을 넣고 달여서 복용하고, 외용에는 짓찧어 즙을 내어 바른다.

● 작목엽(柞木葉)

● 산유자나무(가시가 많은 가지)

● 산유자나무

시계꽃

 감기몸살　　👁 비염　　♀ 월경통
🌙 실면증　　복통, 하리

● 학명 : *Passiflora caerulea* L.　● 별명 : 시계초

| 1 | 2 | 3 | 4 | 5 | 6 | 7 | 8 | 9 | 10 | 11 | 12 |

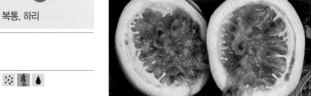
● 시계꽃(열매)

상록 여러해살이풀. 덩굴식물. 잎은 어긋나고 손바닥 모양이다. 꽃은 지름 8cm, 여름철에 태양을 향하여 피고 잎겨드랑이에 1개씩 달린다. 꽃잎은 안쪽이 연한 붉은색 또는 담청색이고, 수술 같은 꽃부리는 수평으로 퍼지며, 수술은 5개, 암술대는 3개이다. 열매는 참외 모양이다.

분포·생육지 브라질 원산. 우리나라 전역에서 재배하는 귀화 식물이다.

약용 부위·수치 전초를 가을부터 겨울까지 채취하여 흙과 먼지를 없애고 썰어서 말린다.

약물명 서번련(西番蓮). 왕예화(王蕊花)라고도 한다.

약효 거풍(祛風), 제습(除濕), 활혈(活血), 지통(止痛)의 효능이 있으므로 감기몸살, 비염, 복통, 실면증(失眠症), 월경통, 하리(下痢)를 치료한다.

성분 chrysin, tetraphyllin B4-sulfate, vitexin, isovitexin, orientin, isoorientin 등이 함유되어 있다.

사용법 서번련 10g에 물 3컵(600mL)을 넣고 달여서 복용하고, 외용에는 짓찧어 바른다.

● 시계꽃

용주과

| 폐열해수 | 소변혼탁 |
| 림프샘염 | 옹종창독 |

●학명 : *Passiflora foetida* L. ●한자명 : 龍珠果

| 1 | 2 | 3 | 4 | 5 | 6 | 7 | 8 | 9 | 10 | 11 | 12 |

○ 용주과(열매)

상록 여러해살이풀. 덩굴식물. 전체에 털이 많다. 잎은 어긋나고 심장형, 약간 갈라진다. 꽃은 잎겨드랑이에 1개씩 달리고, 열매는 둥글다.

분포 · 생육지 인도, 중국 윈난성(雲南省), 푸젠성(福建省), 타이완. 해발 70∼150m의 풀밭이나 산비탈에서 자란다.

약용 부위 · 수치 전초 또는 열매를 여름에 채취하여 물에 씻은 후 썰어서 말린다.

약물명 용주과(龍珠果), 용탄주(龍呑珠), 봉우화(鳳雨花)라고도 한다.

약효 청폐지해(淸肺止咳), 해독소종(解毒消腫)의 효능이 있으므로 폐열해수(肺熱咳嗽), 소변혼탁(小便混濁), 림프샘염, 옹종창독(癰腫瘡毒)을 치료한다.

성분 vitexin, isovitexin, saponarin, orientin, isoorientin, apigenin-8-C-diglucoside, pachypodol 등이 함유되어 있다.

사용법 용주과 10g에 물 3컵(600mL)을 넣고 달여서 복용하고, 외용에는 짓찧어 바른다.

○ 용주과

큰열매시계꽃

| 주독, 건망증 | 천식, 경련성기침 |
| 신경성두통 | |

●학명 : *Passiflora quadrangularis* L. ●한자명 : 大果西番蓮

| 1 | 2 | 3 | 4 | 5 | 6 | 7 | 8 | 9 | 10 | 11 | 12 |

○ 큰열매시계꽃(꽃)

상록 여러해살이풀. 덩굴식물. 잎은 어긋나고 타원형, 가장자리가 밋밋하다. 열매는 타원상 구형, 길이 5∼8cm이며, 다른 종보다 크다.

분포 · 생육지 중국 윈난성(雲南省), 남아메리카, 오스트레일리아. 숲속이나 들에서 자란다.

약용 부위 · 수치 잎과 꽃을 여름에 채취하여 물에 씻은 후 썰어서 말린다.

약물명 Passiflorae Folium et Flos

약효 주독(酒毒), 천식, 경련성기침, 건망증, 신경성두통을 치료한다.

사용법 Passiflorae Folium et Flos 10g에 물 3컵(600mL)을 넣고 달여서 복용한다.

○ 큰열매시계꽃(열매)

○ 큰열매시계꽃

붉은시계꽃

청량제, 마취제

●학명 : *Passiflora rubra* L.

| 1 | 2 | 3 | 4 | 5 | 6 | 7 | 8 | 9 | 10 | 11 | 12 |

상록 여러해살이풀. 덩굴식물. 잎은 어긋나고 3개로 깊이 갈라지고 가장자리가 밋밋하다. 꽃은 꽃잎 10개 가운데 5개는 길고 5개는 짧은 것이 특징이다. 열매는 타원상 구형이다.

분포·생육지 남아메리카의 아르헨티나, 브라질. 숲속이나 들에서 자란다.

약용 부위·수치 전초를 여름에 채취하여 물에 씻은 후 썰어서 말린다.

약물명 Passiflorae Herba

약효 청량제 및 마취제로 사용한다.

사용법 Passiflorae Herba 5g에 물 2컵(400mL)을 넣고 달여서 복용한다.

주의 아편처럼 마취성이 있으므로 장기간 복용은 금한다.

❍ 붉은시계꽃

낫잎시계꽃

풍습골통, 요산배통   간염

월경부조

●학명 : *Passiflora wilsonii* Hemsl.   ●한자명 : 鎌葉西番蓮

❍ 반재엽(半載葉)

| 1 | 2 | 3 | 4 | 5 | 6 | 7 | 8 | 9 | 10 | 11 | 12 |

상록 여러해살이풀. 덩굴식물. 잎은 어긋나고 끝이 낫으로 자른 것 같다. 열매는 둥글고 지름 2~3cm, 다른 종보다 훨씬 작다.

분포·생육지 중국 윈난성(雲南省), 티베트. 해발 1700~2500m의 숲속에서 자란다.

약용 부위·수치 전초를 여름과 가을에 채취하여 물에 씻은 후 썰어서 말린다.

약물명 반재엽(半載葉). 금변련(金邊蓮), 반절엽(半節葉)이라고도 한다.

약효 거풍습(祛風濕), 보간신(補肝腎), 활혈조경(活血調經)의 효능이 있으므로 풍습골통(風濕骨痛), 요산배통(腰酸背痛), 간염, 월경부조를 치료한다.

사용법 반재엽 15g에 물 3컵(600mL)을 넣고 달여서 복용한다.

❍ 낫잎시계꽃

졸방제비꽃

폐열해수   타박종통, 종독

● 홍화두초(紅鏵頭草)

● 학명 : *Viola acuminata* Ledeb. ● 별명 : 졸방오랑캐, 졸방나물

| 1 | 2 | 3 | 4 | 5 | 6 | 7 | 8 | 9 | 10 | 11 | 12 |

여러해살이풀. 높이 30cm 정도. 줄기가 있고 잎은 어긋난다. 꽃은 담자색, 5~6월에 잎겨드랑이에 1개씩 달리며, 턱잎은 거치가 많다. 꽃잎은 측판 안쪽에 털이 있으며, 거(距)는 길이 3~4mm이다. 삭과는 익으면 3개로 갈라진다.

분포 · 생육지 우리나라 전역. 중국, 일본, 아무르, 동부 시베리아. 산과 들에서 자란다.

약용 부위 · 수치 여름부터 가을까지 전초를 채취하여 흙을 털어서 말린다.

약물명 홍화두초(紅鏵頭草). 주변강(走邊疆), 계퇴채(鷄腿菜)라고도 한다.

약효 청열해독(淸熱解毒), 소종지통(消腫止痛)의 효능이 있으므로 폐열(肺熱)로 인한 해수(咳嗽), 타박종통(打撲腫痛), 종독(腫毒)을 치료한다.

사용법 홍화두초 10g에 물 3컵(600mL)을 넣고 달여서 복용한다.

● 졸방제비꽃

장백제비꽃

질타손상   토혈

● 쌍화황근채(雙花黃菫菜)

● 학명 : *Viola biflora* L. ● 별명 : 장백오랑캐, 장백노랑제비꽃

| 1 | 2 | 3 | 4 | 5 | 6 | 7 | 8 | 9 | 10 | 11 | 12 |

여러해살이풀. 높이 10~20cm. 잎은 3~4개로 둥근 심장형이며 방사맥으로 가다 다시 갈라진다. 턱잎은 난형, 끝에 톱니가 있다. 꽃은 황색, 7월에 원줄기 끝에 피고, 꽃받침은 바늘 모양, 꽃잎과 수술은 5개, 입술꽃잎은 털이 없고, 측판에 갈색 줄이 있다. 삭과는 달걀 모양이고 털이 없다.

분포 · 생육지 우리나라 백두산, 평남북, 함남북. 일본, 타이완, 아시아, 유럽, 북아메리카. 높은 산의 습기가 있는 곳에서 자란다.

약용 부위 · 수치 전초를 여름에 채취하여 물에 씻어서 말린다.

약물명 쌍화황근채(雙花黃菫菜)

약효 거어소종(祛瘀消腫), 지혈(止血)의 효능이 있으므로 질타손상, 토혈(吐血) 등을 치료한다.

사용법 쌍화황근채 10g에 물 3컵(600mL)을 넣고 달여서 복용하고, 외용에는 짓찧어 즙을 내어 바르거나 씻는다.

● 장백제비꽃

둥근털제비꽃

창양종독, 타박상, 외상

폐양, 기침, 가래

● 학명 : *Viola collina* Besser   ● 별명 : 둥근제비꽃

| 1 | 2 | 3 | 4 | 5 | 6 | 7 | 8 | 9 | 10 | 11 | 12 |

● 둥근털제비꽃

여러해살이풀. 전체에 털이 많고 땅속줄기가 짧다. 잎은 심장형, 열매가 익을 때는 길이 5~6cm, 잎자루도 길이 20cm에 달한다. 꽃은 담자색, 4~5월에 잎 사이에서 길이 4~6cm의 꽃줄기가 나와 1개씩 달린다. 삭과는 구형이며 털이 빽빽이 난다.

분포 · 생육지 우리나라 전역. 일본, 타이완, 아시아, 유럽, 북아메리카. 산지에서 자란다.

약용 부위 · 수치 전초를 가을에 채취하여 흙을 털어서 말린다.

약물명 지핵도(地核桃), 산핵도(山核桃), 전두초(箭頭草)라고도 한다.

기미 · 귀경 한(寒), 고(苦), 신(辛) · 폐(肺), 간(肝)

약효 청열해독(清熱解毒), 산어소종(散瘀消腫)의 효능이 있으므로 창양종독(瘡瘍腫毒), 폐양(肺瘍), 타박상, 외상, 감기로 인한 기침과 가래를 치료한다.

사용법 지핵도 10g에 물 3컵(600mL)을 넣고 달여서 복용하거나 술에 담가서 복용한다.

남산제비꽃

정창종독, 마진열독   폐렴, 흉막염

신염

● 학명 : *Viola chaerophylloides* (Regel) W. Becker [*V. dissecta* var. *chaerophylloides*]
● 한자명 : 裂葉菫菜   ● 별명 : 남산오랑캐

| 1 | 2 | 3 | 4 | 5 | 6 | 7 | 8 | 9 | 10 | 11 | 12 |

여러해살이풀. 줄기는 없고, 뿌리는 여러 개로 갈라진다. 잎은 깊이 갈라졌다가 다시 갈라진다. 꽃은 백색, 4~5월에 잎 사이에서 길이 4~6cm의 꽃줄기가 나와 1개씩 달린다. 거(距)는 기둥 모양, 삭과는 세모지며 익으면 벌어진다.

분포 · 생육지 우리나라 전역. 중국, 일본, 타이완, 우수리. 산지에서 자란다.

약용 부위 · 수치 전초를 여름에 채취하여 물에 씻어서 말린다.

약물명 정독초(疔毒草)

약효 청열해독(清熱解毒), 이습소종(利濕消腫)의 효능이 있으므로 정창종독(疔瘡腫毒), 마진열독(麻疹熱毒), 폐렴, 흉막염, 신염(腎炎)을 치료한다.

사용법 정독초 10g에 물 3컵(600mL)을 넣고 달여서 복용한다.

● 정독초(疔毒草)

● 남산제비꽃(열매)

● 남산제비꽃

[제비꽃과]

낚시제비꽃

인후홍종　　종독, 절상출혈, 타박상

●학명 : *Viola grypoceras* A. Gray　　●별명 : 낚시오랑캐, 낙시제비꽃

| 1 | 2 | 3 | 4 | 5 | 6 | 7 | 8 | 9 | 10 | 11 | 12 |

여러해살이풀. 줄기는 높이 10~20cm, 모여난다. 뿌리잎은 모여나고 줄기잎은 어긋난다. 꽃은 담자색, 4~5월에 뿌리와 잎겨드랑이에서 나오는 꽃줄기에 1개씩 핀다. 위쪽에 포가 있고, 거(距)는 가늘고 길다. 삭과는 달걀 모양이다.

분포 · 생육지 우리나라 제주도, 경남, 전남, 충남. 중국, 일본. 산기슭이나 들에서 흔히 자란다.

약용 부위 · 수치 전초를 가을에 채취하여 흙을 털어서 말린다.

약물명 지황과(地黃瓜). 신기초(腎氣草), 황과향(黃瓜香)이라고도 한다.

약효 청열해독(淸熱解毒), 지혈(止血), 화어(化瘀)의 효능이 있으므로 인후홍종(咽喉紅腫), 종독(腫毒), 절상출혈(切傷出血), 타박상을 치료한다.

사용법 지황과 10g에 물 3컵(600mL)을 넣고 달여서 복용하고, 외용에는 짓찧어 즙을 내어 바른다.

 지황과(地黃瓜)

❍ 낚시제비꽃

[제비꽃과]

제비꽃

단독, 독사교상　　목적종통, 인후염
황달성간염, 장염

●학명 : *Viola mandshurica* W. Becker　　●별명 : 오랑캐꽃, 장수꽃, 씨름꽃, 앉은뱅이꽃

| 1 | 2 | 3 | 4 | 5 | 6 | 7 | 8 | 9 | 10 | 11 | 12 |

여러해살이풀. 뿌리줄기는 짧고, 뿌리는 몇 개로 갈라지며 잎자루가 긴 잎이 돋는다. 잎은 바늘 모양, 꽃은 자주색, 4~5월에 잎 사이에서 높이 5~20cm의 꽃줄기가 나와 달린다. 꽃받침잎은 바늘 모양, 길이 5~8mm, 꽃잎은 길이 12~17mm, 거(距)는 짧은 원주형이며 길이 5~7mm이다. 열매는 삭과로 원통형이다.

분포 · 생육지 우리나라 전역. 중국, 일본, 아무르. 들이나 길가에서 흔하게 자란다.

약용 부위 · 수치 전초를 봄부터 가을에 걸쳐 채취하여 흙을 털어서 말린다.

약물명 동북근채(東北菫菜). 근근채(菫菫菜)라고도 한다.

약효 청열해독(淸熱解毒), 양혈소종(凉血消腫)의 효능이 있으므로 단독(丹毒), 목적종통(目赤腫痛), 인후염, 황달성간염, 장염, 독사교상(毒蛇咬傷)을 치료한다.

사용법 동북근채 10g에 물 3컵(600mL)을 넣고 달여서 복용하고, 외용에는 짓찧어 바른다.

❍ 동북근채(東北菫菜)

❍ 제비꽃

[제비꽃과]

삼색제비꽃

 창양종독   해수

●학명 : *Viola tricolor* L.   ●별명 : 팬지, 삼색오랑캐, 삼색오랑캐꽃

| 1 | 2 | 3 | 4 | 5 | 6 | 7 | 8 | 9 | 10 | 11 | 12 |

○ 삼색근(三色菫)

한두해살이풀. 높이 15~25cm. 줄기는 바로 선다. 잎은 어긋나고, 꽃은 자주색, 백색, 황색으로 잎겨드랑이에서 나온 꽃줄기 끝에 1개씩 달린다. 꽃잎과 꽃받침은 각각 5개, 열매는 삭과로 달걀 모양이다.

분포 · 생육지 유럽 원산. 우리나라 전역에서 관상용으로 재배한다.

약용 부위 · 수치 전초를 여름에 채취하여 말려 사용하거나 생으로 사용한다.

약물명 삼색근(三色菫). 호접화(蝴蝶花), 유접화(游蝶花)라고도 한다.

약효 청열해독(淸熱解毒), 지해(止咳)의 효능이 있으므로 창양종독(瘡瘍腫毒), 해수(咳嗽)를 치료한다.

사용법 삼색근 10g에 물 3컵(600mL)을 넣고 달여서 복용한다.

＊ 꽃잎이 흰 바탕에 자주색이 돌고 짙은 줄이 있는 '종지나물 *V. papilionea*'도 약효가 같다.

○ 삼색제비꽃

[제비꽃과]

자화지정

 황달, 이질, 심한 설사   목적종통, 인후염

 창종, 나력, 단독, 독사교상

●학명 : *Viola philipica* Cav.

| 1 | 2 | 3 | 4 | 5 | 6 | 7 | 8 | 9 | 10 | 11 | 12 |

○ 자화지정

여러해살이풀. 높이 10~14cm, 열매가 성숙할 때는 높이 20cm에 이른다. 잎은 주걱형, 뿌리줄기는 짧고 수직으로 뻗으며, 뿌리에서 잎자루가 긴 잎이 돋는다. 꽃은 자주색, 4~5월에 잎 사이에서 꽃줄기가 나와 달린다. 열매는 삭과로 원통형이고, 종자는 구형이다.

분포, 생육지 중국 각처. 산지, 들, 길가에서 자란다.

약용 부위 · 수치 전초를 여름부터 가을에 채취하여 물에 씻은 후 말린다.

약물명 자화지정(紫花地丁). 지정(地丁)이라고도 한다. 대한민국약전외한약(생약)규격집(KHP)에 수재되어 있다.

성상 전초로 줄기가 없고 뿌리잎과 뿌리로 되어 있고 서로 엉켜져 있다. 질은 부서지기 쉬우며 냄새가 있고 맛은 자극성이다.

기미 · 귀경 한(寒), 고(苦), 신(辛) · 심(心), 간(肝)

약효 청열해독(淸熱解毒), 양혈소종(涼血消腫)의 효능이 있으므로 창종(瘡腫), 나력, 황달(黃疸), 이질, 심한 설사, 단독(丹毒), 목적종통(目赤腫痛), 인후염, 독사교상(毒蛇咬傷)을 치료한다.

성분 palmitic acid, *p*-hydroxybenzoic acid, *trans*-*p*-hydroxycinnamic acid, succinic acid, violyedoenamide, tetracosanoyl-*p*-hydroxyphenthylamine, kaempferol-3-*O*-rhamnopyranoside 등이 함유되어 있다.

약리 열수추출물은 황색 포도상구균, 대장간균, 유행성간균의 성장을 억제한다.

사용법 자화지정 10g에 물 3컵(600mL)을 넣고 달여서 복용하고, 외용에는 짓찧어 바른다.

＊ 중국약전에는 본 종을 '자화지정(紫花地丁)'의 기원으로 수재하고 있다.

○ 자화지정(종자)

○ 자화지정(열매)

○ 자화지정 재배지(감숙중의약대학 화정약초원)

○ 자화지정(紫花地丁)

○ 자화지정(紫花地丁)

[제비꽃과]

알록제비꽃

🔲 창상출혈

- 학명 : *Viola variegata* Fisch. ex Link
- 별명 : 청자오랑캐, 청알록제비꽃, 알록오랑캐, 얼룩오랑캐

| 1 | 2 | 3 | 4 | 5 | 6 | 7 | 8 | 9 | 10 | 11 | 12 |

❂ 알록제비꽃

여러해살이풀. 줄기는 없고 뿌리에서 잎이 나온다. 잎은 둥근 심장형, 앞면은 암녹색이지만 잎맥을 따라서 백색 무늬가 있으며 뒷면은 자주색이다. 꽃은 자주색, 5월에 핀다. 열매는 달걀 모양이며 익으면 3개로 갈라지고 잔털이 있다.

분포 · 생육지 우리나라 전역. 중국, 일본, 타이완, 사할린. 산지의 양지바른 곳에서 자란다.

약용 부위 · 수치 전초를 여름에 채취하여 물에 씻은 후 말려 사용하거나 생으로 사용한다.

약물명 반엽근채(斑葉菫菜). 천제(天蹄)라고도 한다.

약효 청열해독(清熱解毒), 양혈지혈(凉血止血)의 효능이 있으므로 창상출혈을 치료한다.

사용법 반엽근채 10g에 물 3컵(600mL)을 넣고 달여서 복용하고, 외용에는 생것을 짓찧어 환부에 바른다.

❂ 반엽근채(斑葉菫菜)

[제비꽃과]

콩제비꽃

🫁 폐열해수 👁 유아, 안결막염, 편도선염

🔲 악성종창

- 학명 : *Viola verecunda* A. Gray ● 별명 : 콩오랑캐, 조갑지나물, 좀턱제비꽃

| 1 | 2 | 3 | 4 | 5 | 6 | 7 | 8 | 9 | 10 | 11 | 12 |

❂ 소독약(消毒藥)

여러해살이풀. 높이 7~20cm. 줄기는 모여난다. 잎은 콩팥 모양이며, 잎자루는 잎보다 2~4배 길다. 꽃은 백색, 4~6월에 원줄기 윗부분에 나오는 긴 꽃대에 1개씩 달린다. 꽃잎의 측판에 털이 있고 입술꽃잎에 자주색 줄이 있다. 열매는 삭과로 달걀 모양, 3개로 갈라진다.

분포 · 생육지 우리나라 전역. 중국, 일본, 타이완, 사할린. 산과 들의 습지에서 자란다.

약용 부위 · 수치 전초를 여름에 채취하여 물에 씻은 후 말려 사용하거나 생으로 사용한다.

약물명 소독약(消毒藥), 여의초(如意草), 소독초(消毒草)라고도 한다.

약효 청열해독(清熱解毒), 지해(止咳), 지혈(止血)의 효능이 있으므로 폐열해수(肺熱咳嗽), 유아(乳蛾), 안결막염(眼結膜炎), 악성종창, 편도선염을 치료한다.

사용법 소독약 10g에 물 3컵(600mL)을 넣고 달여서 복용하고, 외용에는 햇볕에 말려서 가루로 하여 바르거나 생것을 짓찧어 바른다.

❂ 콩제비꽃

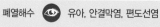

호제비꽃

창종, 나력, 단독, 독사교상

황달, 이질, 설사 　목적종통, 인후염

● 학명 : *Viola yedoensis* Makino [*V. philipica, V. confusa*]
● 한자명 : 紫花地丁　● 별명 : 들오랑캐, 들제비꽃

| 1 | 2 | 3 | 4 | 5 | 6 | 7 | 8 | 9 | 10 | 11 | 12 |

여러해살이풀. 뿌리줄기는 짧고, 잎은 모여 나고, 꽃줄기는 잎과 길이가 비슷하다. 꽃은 자주색, 꽃받침잎은 바늘 모양이며 부속체는 둥글고, 꽃잎의 측판에 털이 없으며 거(距)는 둥글다. 열매는 삭과로 달걀 모양이며 털이 없다.

분포·생육지 우리나라 전남, 충북, 경기, 황해, 함남북. 중국, 일본. 들이나 밭에서 자란다.

약용 부위·수치 전초를 가을에 채취하여 흙을 털어서 말린다.

약물명 자화지정(紫花地丁). 지정(地丁)이라고도 한다. 대한민국약전외한약(생약)규격집(KHP)에 수재되어 있다.

성상 전초로 줄기가 없고 뿌리잎과 뿌리로 되어 있으며 서로 엉켜 있다. 질은 부서지기 쉬우며 냄새가 있고 맛은 자극성이다.

기미·귀경 한(寒), 고(苦), 신(辛)·심(心), 간(肝)

약효 청열해독(淸熱解毒), 양혈소종(凉血消腫)의 효능이 있으므로 창종(瘡腫), 나력, 황달(黃疸), 이질, 심한 설사, 단독(丹毒), 목적종통(目赤腫痛), 인후염, 독사교상(毒蛇咬傷)을 치료한다.

성분 배당체, flavonoid, wax 등이 함유되어 있다.

약리 에탄올추출물은 결핵균의 성장을 억제하고, Leprospira 30mg/mL에서 성장을 억제한다.

사용법 자화지정 10g에 물 3컵(600mL)을 넣고 달여서 복용하고, 외용에는 짓찧어 바른다.

＊중국 사람들은 이 식물이 키가 작아서 땅에 깔린 것 같고 꽃이나 잎 모양이 정(丁)이라는 글자와 닮았으므로 '지정(地丁)'이라고 한다. 자주색 꽃이 피는 제비꽃을 '자화지정(紫花地丁)', 황색 꽃이 피는 제비꽃을 '황화지정(黃花地丁)'이라고 한다.

● 자화지정(紫花地丁)

● 호제비꽃

노랑제비꽃

정창종독　　폐열해수

● 학명 : *Viola xanthopetala* Nakai　● 영명 : Golden violet　● 한자명 : 黃花菫菜

| 1 | 2 | 3 | 4 | 5 | 6 | 7 | 8 | 9 | 10 | 11 | 12 |

여러해살이풀. 높이 10~18cm. 뿌리줄기가 발달하고, 통통한 수염뿌리가 많이 달린다. 줄기는 빽빽이 나고 곧게 선다. 뿌리잎은 2~3개, 잎자루는 길고, 줄기잎은 3~4개로 잎자루가 없이 마주난 듯 붙는다. 꽃은 황색, 꽃잎은 5개, 꽃줄기는 길다. 열매는 삭과로 세모진 달걀 모양이다.

분포·생육지 우리 나라 전역. 중국, 일본. 산골짜기 근처에서 자란다.

약용 부위·수치 전초를 여름에 채취하여 물에 씻은 후 말린다.

약물명 황화근채(黃花菫菜)

약효 청열해독(淸熱解毒), 소종지통(消腫止痛)의 효능이 있으므로 정창종독(疔瘡腫毒), 폐열해수(肺熱咳嗽)를 치료한다.

사용법 황화근채 10g에 물 3컵(600mL)을 넣고 달여서 복용한다.

● 노랑제비꽃

● 산골짜기에 핀 노랑제비꽃

● 황화근채(黃花菫菜)

홍목

 열감기 인후염
황달

● 학명 : *Bixa orellana* L. ● 영명 : Annato tree, Lipstick tree ● 한자명 : 紅木

| 1 | 2 | 3 | 4 | 5 | 6 | 7 | 8 | 9 | 10 | 11 | 12 |

✪ 홍목(열매)

상록 관목. 높이 3~7m. 어린가지는 갈색, 잎은 어긋난다. 꽃은 분홍색, 가지 끝에 원추화서로 달리며, 꽃받침과 꽃잎은 5개이다. 열매는 달걀 모양, 적갈색으로 익으며 가시 같은 털이 많고, 종자는 흑갈색이다.

분포·생육지 열대 라틴 아메리카 원산. 세계 각처에서 재식한다.

약용 부위·수치 잎과 열매를 여름과 가을에 채취하여 물에 씻어서 말린다.

약물명 연지목(胭脂木)

약효 해열해독의 효능이 있으므로 열감기, 인후염, 황달을 치료한다.

성분 gallic acid, pyrogallol, isoscutellarein, bixin 등이 함유되어 있다.

사용법 연지목 10g에 물 3컵(600mL)을 넣고 달여서 복용한다.

＊종자의 물 또는 에탄올추출물은 비누, 화장품 등의 색소로 이용된다.

✪ 홍목

번목과

 소화불량, 위장의 궤양성 통증
 지체마목 젖분비 부족

● 학명 : *Carica papaya* L. ● 별명 : 파파야 ● 한자명 : 番木瓜

| 1 | 2 | 3 | 4 | 5 | 6 | 7 | 8 | 9 | 10 | 11 | 12 |

상록 소교목. 높이 3~8m. 줄기는 갈라지지 않고 잎의 흔적이 군데군데 남아 있다. 잎은 크고 원형에 가까우며 손바닥 모양으로 갈라진다. 꽃은 단성화 혹은 양성화, 꽃덮개는 모세관형으로 취산화서를 이룬다. 열매는 장과로 타원상 구형이며 등황색으로 익는다.

분포·생육지 열대 아메리카 원산. 아시아 열대 및 아열대. 우리나라에서는 온실에서 재식한다.

약용 부위·수치 열매를 여름부터 가을에 채취하여 생으로 사용하거나 썰어서 말린다.

약물명 번목과(番木瓜). 석과(石瓜), 만수과(萬壽瓜)라고도 한다.

약효 소식하유(消食下乳), 제습통락(除濕通絡), 해독구충(解毒驅蟲)의 효능이 있으므로 소화불량, 위장의 궤양성 통증, 지체마목(肢體麻木), 젖 분비 부족을 치료한다.

성분 papain, chymopapain, benzyl β-D-glucoside, 2-phenylethyl β-D-glucoside 등이 함유되어 있다.

약리 소화불량 환자에게 투여하면 단백질 분해 능력이 높아진다. 종자로부터 추출한 물질은 항산화 작용이 나타나고, 열매의 열수추출물은 림프성 백혈병 암세포인 L1210 및 P388에 세포 독성을 나타낸다.

사용법 번목과 10g에 물 3컵(600mL)을 넣고 달여서 복용한다.

✪ 번목과(番木瓜)

✪ 번목과 ✪ 꽃

✪ 번목과(番木瓜)로 만든 소화불량 치료제

✪ 번목과(番木瓜, 절편)

나도위성류

마진, 풍진소양　해수

●학명 : *Myricaria germanica* L. [*M. paniculata*]　●한자명 : 三春水柏枝

| 1 | 2 | 3 | 4 | 5 | 6 | 7 | 8 | 9 | 10 | 11 | 12 |

○ 나도위성류(꽃)

관목. 높이 1~3m. 오래된 가지는 적갈색이다. 잎은 달걀 모양, 잎겨드랑이는 늘 푸른색이다. 꽃은 적자색, 가지 끝에 원추화서로 달리며, 꽃받침과 꽃잎은 5개, 수술은 6~8개이다. 열매는 긴 원추형으로 길이 1cm 정도이다.

분포 · 생육지 중국, 티베트, 유럽. 하천가에서 자란다.

약용 부위 · 수치 잎과 가지를 여름부터 가을에 채취하여 물에 씻은 후 썰어서 말린다.

약물명 수백지(水柏枝). 사류(砂柳), 취홍류(臭紅柳)라고도 한다.

약효 해표투진(解表透疹), 거풍지양(祛風止癢)의 효능이 있으므로 마진(痲疹), 해수(咳嗽), 풍진소양(風疹瘙癢)을 치료한다.

사용법 수백지 7g에 물 2컵(400mL)을 넣고 달여서 복용하거나, 짓찧어 환부에 붙이거나 즙액을 바른다.

○ 나도위성류

홍사

습진, 피부염

●학명 : *Reaumuria songarica* (Pall.) Maxim. [*Tamarix songarica*]　●한자명 : 紅砂

| 1 | 2 | 3 | 4 | 5 | 6 | 7 | 8 | 9 | 10 | 11 | 12 |

○ 홍사(열매)

관목. 높이 70cm 정도. 가지가 많이 갈라지며 옆으로 눕기도 한다. 잎은 4~6개가 모여나고 육질이다. 꽃은 연한 붉은색, 가지 끝에 원추화서로 달리며, 꽃받침과 꽃잎은 5개, 수술은 6~8개이다. 열매는 방추형이다.

분포 · 생육지 중국, 티베트. 하천가에서 자란다.

약용 부위 · 수치 잎과 가지를 여름부터 가을에 채취하여 물에 씻은 후 썰어서 말린다.

약물명 홍사(紅沙). 홍슬(紅蝨), 삼류(杉柳)라고도 한다.

약효 거습지양(祛濕止癢)의 효능이 있으므로 습진과 피부염을 치료한다.

사용법 홍사 적당량을 짓찧어 환부에 붙이거나 즙액을 바른다.

○ 홍사(꽃)

○ 홍사

[위성류과]

위성류

🫁 풍열감모, 해수　　▤ 마진, 피부소양
🚶 풍습비통

● 학명 : *Tamarix juniperina* Bunge [*T. chinensis* Lour.]
● 한자명 : 渭城柳　● 별명 : 향성류

| 1 | 2 | 3 | 4 | 5 | 6 | 7 | 8 | 9 | 10 | 11 | 12 |

낙엽 소교목. 높이 5m 정도. 잎은 어긋나고 바늘 모양이다. 꽃은 1년에 두 차례 연한 붉은색으로 피는데, 봄철 꽃은 오래된 가지에서 나오며 크지만 열매를 맺지 않고, 여름철 꽃은 새 가지에 달리며 작고 열매를 맺는다. 꽃받침, 꽃잎 및 수술이 각각 5개이다.

분포 · 생육지 중국. 우리나라 전역에서 재식하는 귀화 식물이다.

약용 부위 · 수치 어린가지와 잎을 여름에 채취하여 썰어서 말린다.

약물명 정류(檉柳), 정(檉), 하류(河柳), 은정(殷檉)이라고도 한다. 대한민국약전외한약(생약)규격집(KHP)에 수재되어 있다.

본초서 정류(檉柳)는 「시경(詩經)」에 정(檉)이라는 이름으로 처음 수재되어 있고, 송나라의 「개보본초(開寶本草)」에는 "혈액에 병사(病邪)가 침입한 증상에 사용한다."고 하였으며, 이시진(李時珍)의 「본초강목(本草綱目)」에는 "답답한 것을 제거하며 주독(酒毒)을 풀고 소변을 잘 보게 한다."고 하였다.

성상 어린가지 및 잎으로, 굵은 가지의 표면은 회녹색이고 작은 가지에는 바늘 모양

의 작은 잎이 어긋난다. 굵은 가지의 횡단면은 피층은 적갈색이고 목부는 황백색이 대부분이다. 냄새가 나고 맛은 담담하다.

기미 · 귀경 평(平), 감(甘), 신(辛) · 폐(肺), 위(胃), 심(心)

약효 소풍(疏風), 해표(解表), 투진(透疹), 해독의 효능이 있으므로 풍열감모(風熱感冒), 마진(麻疹), 풍습비통(風濕痺痛), 피부소양(皮膚瘙痒), 해수(咳嗽)를 치료한다.

성분 tamarixinol, tamarixon, tamarixol, isorhamnetin, gallic acid, quercetin, quercetin-3′-methylether 등이 함유되어 있다.

약리 달인 액을 쥐에게 투여하면 지해 작용(ammonia수 분무인해법)은 있으나 거담 작용(phenol red법)은 없다. 폐렴구균, 연쇄구균, 백색 포도상구균 등에 항균 작용이 있다. 인공적으로 발열시킨 토끼에게 투여하면 해열 작용이 있다.

사용법 정류 5g에 물 2컵(400mL)을 넣고 달여서 복용한다. 피부가려움증에는 물에 달인 액을 바른다.

◑ 정류(檉柳)

◐ 위성류

[박과]

뚜껑덩굴

🫀 수종　　🕐 고창, 감적
▤ 습진, 창양, 독사교상

● 학명 : *Actinostemma tenerum* Griff.　● 별명 : 뚝겅덩굴, 합자초, 개뚜껑덩굴

| 1 | 2 | 3 | 4 | 5 | 6 | 7 | 8 | 9 | 10 | 11 | 12 |

덩굴성 한해살이풀. 길이 1m 정도. 덩굴손은 잎과 마주난다. 잎은 어긋나고, 꽃은 암수한그루, 백색, 총상화서로 달리고 암꽃의 꽃자루는 실 같고 길이 1cm 정도이다. 열매는 밑으로 처지고 상반부는 뚜껑 모양이며 하반부는 돌기가 있고 성숙하면 옆으로 갈라진다.

분포 · 생육지 우리나라 전역. 중국, 일본, 우수리, 인도차이나. 산지의 도랑이나 물가에서 흔하게 자란다.

약용 부위 · 수치 늦여름에 전초를 채취하여 썰어서 말린다.

약물명 합자초(盒子草). 합아등(盒兒藤)이라고도 한다.

기미 · 귀경 한(寒), 고(寒) · 신(腎), 방광(膀胱)

약효 이수소종(利水消腫), 청열해독(清熱解毒)의 효능이 있으므로 수종(水腫), 고창(臌脹), 감적(疳積), 습진(濕疹), 창양(瘡瘍),

독사교상(毒蛇咬傷)을 치료한다.

성분 rutin 등 flavonoid가 함유되어 있다.

약리 collagen으로 유도된 인체의 혈소판응집을 저해하는 작용이 있다.

사용법 합자초 15g에 물 3컵(600mL)을 넣고 달여서 복용하고, 외용에는 짓찧어 상처에 붙이거나 즙액을 바른다.

◑ 합자초(盒子草)

◐ 꽃과 열매　　◐ 뚜껑덩굴

[박과]

동과

| 수종창만, 소변불리 | 각기 | 설사 |
| 창종 | 담열해수, 폐옹 | 주독 |

● 학명 : *Benincasa hispida* (Thunb.) Cogn.　● 별명 : 동아, 동박　● 한자명 : 冬瓜

| 1 | 2 | 3 | 4 | 5 | 6 | 7 | 8 | 9 | 10 | 11 | 12 |

덩굴성 한해살이풀. 길이 6m 정도. 잎은 어긋나고 5~7개로 얕게 갈라진다. 꽃은 단성으로 암수한그루, 황색, 5~6월에 핀다. 장과는 타원상 구형, 길이 25~60cm, 너비 15~25cm로 대형이며, 과육은 수분이 많고 달며 보통 백색이다. 종자는 달걀 모양으로 많이 들어 있다.

분포 · 생육지 중국. 우리나라 전역에서 재배하는 귀화 식물이다.

약용 부위 · 수치 늦여름이나 초가을에 열매를 채취하여 썰어서 말리고, 겉껍질을 취하여 말려 사용한다.

약물명 말린 열매를 동과(冬瓜)라 하며, 백과(白瓜)라고도 한다. 겉껍질을 말린 것을 동과피(冬瓜皮)라 하며, 백과피(白瓜皮), 수지피(水芝皮)라고도 한다. 종자를 동과자(冬瓜子)라 한다. 동과피(冬瓜皮)와 동과자(冬瓜子)는 대한민국약전외한약(생약)규격집(KHP)에 수재되어 있다.

본초서 「동의보감(東醫寶鑑)」에는 백동과(白冬瓜)라는 이름으로 수재되어 "갈증을 풀어 주고 열을 내리며, 대소변을 잘 나오게 한다. 단석(丹石)의 독을 없애고 몸이 붓는 것과 가슴이 답답한 것을 낫게 한다."고 하였다. 종자는 "피부를 윤택하게 하며 얼굴빛을 곱게 하고 주근깨를 없앤다. 종자로 얼굴에 바르는 기름을 만들어 쓸 수 있다."고 하였다.

東醫寶鑑: 白冬瓜 主三消渴痰 解積熱 利大小腸 壓丹石毒 除水脹 止心煩子 卽冬瓜子 潤肌膚 好顏色 剝黑黖 可作面脂.

성상 동과피(冬瓜皮)는 겉껍질로 한쪽이 말려 두루마리 같고 표면은 회녹색, 흰 가루로 덮여 있다. 질은 물러서 쉽게 부서진다. 냄새는 없고 맛은 담담하다. 동과자(冬瓜子)는 납작한 주걱형, 길이 1~1.3cm, 너비 0.6~0.8cm, 두께 0.2cm 정도이다. 표면은 황백색을 띠고 한쪽은 뾰족하며 다른 한쪽은 둥글다. 냄새가 약간 나고 맛은 달고 기름지다.

기미 · 귀경 동과(冬瓜): 미한(微寒), 감(甘), 담(淡) · 폐(肺), 대소장(大小腸), 방광(膀胱). 동과피(冬瓜皮): 미한(微寒), 감(甘) · 폐(肺), 비(脾), 소장(小腸)

약효 동과는 이뇨(利尿), 청열(清熱), 화담(化痰), 생진(生津)의 효능이 있으므로 수종창만(水腫脹滿), 각기(脚氣), 주독(酒毒)을 치료한다. 동과피(冬瓜皮)는 청열이수(清熱利水), 소종(消腫)의 효능이 있으므로 수종(水腫), 소변불리(小便不利), 설사, 창종(瘡腫)을 치료한다. 동과자(冬瓜子)는 청폐화담(清肺化痰), 소옹배농(消癰排膿), 이습(利濕)의 효능이 있으므로 담열해수(痰熱咳嗽), 폐옹(肺癰), 각기(脚氣)를 치료한다.

성분 2,5-dimethylpyrazine, 2,3,5-trimethylpyrazine, isomultiflorenyl acetate, glutinol, carotene, thiamine, riboflvine, nicotinic acid, vitamin C 등이 함유되어 있다.

사용법 동과, 동과피 또는 동과자 각각 15g에 물 3컵(600mL)을 넣고 달여서 복용한다.

❍ 동과(冬瓜)

❍ 동과피(冬瓜皮, 신선품)

❍ 동과자(冬瓜子)

❍ 동과

❍ 동과피(冬瓜皮)

❍ 동과(열매 내부)

❍ 동과(열매)

동과재(冬瓜子, 수치품)

[박과]

토패모

 유옹

나력담핵, 창양종독, 독사교상

● 학명 : *Bolbostemma paniculatum* (Maxim.) Franquet ● 한자명 : 土貝母

| 1 | 2 | 3 | 4 | 5 | 6 | 7 | 8 | 9 | 10 | 11 | 12 |

덩굴성 한해살이풀. 길이 10m 정도. 줄기는 5개의 능선이 있다. 잎은 어긋나고 심장형, 5개로 갈라진다. 꽃은 암수한그루, 황색, 여름부터 가을까지 핀다. 암꽃은 꽃줄기가 짧고 밑부분에 긴 씨방이 있다. 열매는 크고 황갈색으로 익으며, 많은 종자가 들어 있다.

분포 · 생육지 중국 원산. 우리나라에서 소량 재배한다.
약용 부위 · 수치 뿌리줄기를 가을에 채취하여 씻어서 말린다.
약물명 토패모(土貝母). 토패(土貝), 대패모(大貝母)라고도 한다.
기미 · 귀경 양(涼), 고(苦) · 폐(肺), 비(脾)

약효 청열화담, 산결발독(散結拔毒)의 효능이 있으므로 유옹(乳癰), 나력담핵(瘰癧痰核), 창양종독(瘡瘍腫毒), 독사교상(毒蛇咬傷)을 치료한다.
성분 tubeimoside I, II, maltol 등이 함유되어 있다.
약리 쥐의 귀에 부종을 일으킨 뒤 tubeimoside I을 주사하면 부종이 줄어든다. 암세포를 쥐에게 이식한 뒤 tubeimoside I을 주사하면 암 조직의 성장이 둔화된다.
사용법 토패모 10g에 물 3컵(600mL)을 넣고 달여서 복용한다.

❍ 토패모(土貝母)

❍ 토패모

❍ 토패모(뿌리줄기)

[박과]

브리오니아

 류머티즘   변비, 구토

가래

● 학명 : *Bryonia dioica* Jacq. ● 영명 : Red bryony

| 1 | 2 | 3 | 4 | 5 | 6 | 7 | 8 | 9 | 10 | 11 | 12 |

덩굴성 여러해살이풀. 길이 2~3m. 뿌리줄기는 덩이줄기이고, 잎은 어긋난다. 꽃은 황백색, 여름부터 가을까지 핀다. 꽃받침통이 얕고 갈라진 조각의 기부가 꽃통에 붙어 있으며, 암꽃은 꽃줄기가 짧고 밑부분에 긴 씨방이 있다. 열매는 크고 붉은색으로 익으며, 많은 종자가 들어 있다.
분포 · 생육지 중부 유럽, 지중해 연안 원산. 산과 들의 양지에서 자란다.
약용 부위 · 수치 뿌리를 이른 봄에 채취하여 씻어서 말린다.
약물명 Brioniae Radix. 일반적으로 Red bryony라고 한다.
약효 류머티즘, 변비, 구토, 가래를 치료한다.
성분 cucurbitacin B, D, E, I, J, K, tetrahydrocucurbitacin 등이 함유되어 있다.
약리 cucurbitacin은 구토, 완하, 암세포에 독성이 나타난다.
사용법 Brioniae Radix 1~3g을 뜨거운 물에 우려내어 복용한다.

❍ 브리오니아(꽃)

❍ 브리오니아

수박

👁 구갈심번, 서열번갈, 구설생창   👤 소변불리, 소변단소

🫁 구해, 객혈   👅 변비   🧍 상주   🫀 수종

● 학명 : *Citrullus vulgaris* Schrad. [*C. battich, C. lanatus*]   ● 별명 : 물박, 서과   ● 한자명 : 西瓜

1 2 3 4 5 6 7 8 9 10 11 12

덩굴성 한해살이풀. 꽃은 암수한그루, 담황색으로 5~6월에 피며, 꽃통은 지름 3.5cm 정도로 꽃받침과 더불어 5개씩 갈라진다. 수꽃은 3개의 수술이 있고, 암꽃은 1개의 암술이 있으며 암술머리가 3개로 갈라진다.

분포 · 생육지 아프리카 원산. 우리나라 전역에서 재배하는 귀화 식물이다.

약용 부위 · 수치 열매를 여름에 채취하여 사용하고, 겉껍질은 벗겨서 말려 사용한다. 신선한 수박을 잘라 초벌구이 항아리에 망초(芒硝)와 함께 켜켜이 넣고 밀봉하여 통풍이 잘 되는 그늘에 둔다. 며칠 후 항아리 바깥에 흰 결정(結晶)이 석출(析出)되면 수시로 취하고, 나오지 않을 때까지 계속하여

긁어 낸 것을 서과상(西瓜霜)이라 한다.

약물명 열매를 서과(西瓜), 열매껍질을 서과피(西瓜皮), 종자의 껍질을 벗긴 알갱이를 서과자인(西瓜子仁)이라 한다.

본초서 「동의보감(東醫寶鑑)」에 서과(西瓜)는 "가슴이 답답하여 입이 마르고 갈증이 나는 것과 더위로 인한 독을 풀어 주며 속을 시원하게 하고 기운을 내린다. 또 소변을 잘 나오게 하고 피가 섞인 대변을 다스리며 입안이 헌 것을 낫게 한다."고 하였다. 東醫寶鑑: 壓煩渴 清暑毒 寬中下氣 利小便 治血痢 療口瘡.

기미 · 귀경 서과(西瓜): 한(寒), 감(甘) · 심(心), 위(胃), 방광(膀胱). 서과피(西瓜皮): 양(凉), 감(甘) · 심(心), 위(胃), 방광(膀胱).

약효 서과(西瓜)는 해서제번(解暑除煩), 지갈(止渴), 이소변(利小便)의 효능이 있으므로 서습(暑濕) 및 온열병(溫熱病)에 의한 구갈심번(口渴心煩), 소변불리, 상주(傷酒)를 치료한다. 서과피(西瓜皮)는 청열(清熱), 해갈(解渴), 이뇨(利尿)의 효능이 있으므로 서열번갈(暑熱煩渴), 소변단소(小便短少), 수종(水腫), 구설생창(口舌生瘡)을 치료한다. 서과상(西瓜霜)은 청열사화 작용이 더욱 강화되어 인후종통(咽喉腫痛), 유아(乳蛾), 구설열창(口舌熱瘡)을 치료한다. 서과자인(西瓜子仁)은 청폐화담(清肺化痰), 화중윤장(和中潤腸)의 효능이 있으므로 구해(久咳), 객혈(喀血), 변비를 치료한다.

성분 과육에는 citrulline, arginine, carotene 등이, 꽃에는 ricin이 함유되어 있다.

약리 과육에 들어 있는 citrulline, arginine은 쥐의 간장 중의 요소 형성을 증진시켜 이뇨 작용을 촉진한다.

사용법 서과는 생것을 적당량 복용하고, 서과피는 15g에 물 3컵(600mL)을 넣고 달여서 복용한다. 서과상은 1g을 뜨거운 물로 우려내어 복용한다. 서과자인은 10g에 물 2컵(400mL)을 넣고 달여서 복용한다.

❶ 수박

❶ 수박(꽃)

❶ 서과(西瓜)

❶ 서과피(西瓜皮)

❶ 서과상(西瓜霜)이 함유된 감기약

[박과]

참외

| 🦵 서열하리복통, 상복부폐색, 황달 | 👁 서열번갈, 아통, 비색, 후비 |
| 🫘 소변불리 | 🫁 폐열해수, 폐농종 | 🦵 마비, 사지동통 |

●학명 : *Cucumis melo* L. var. *makuwa* Makino　●별명 : 백사과

덩굴성 한해살이풀. 원줄기는 길게 옆으로 벋고, 덩굴손으로 다른 물체를 감아 오른다. 잎은 어긋나고, 꽃은 암수한그루, 6~7월에 잎겨드랑이에 달리며, 꽃통은 5개로 갈라지고 황색이다. 열매는 장과로 원주형이고 황록색, 황색 및 여러 색으로 익는다.

분포 · 생육지 인도 원산. 우리나라 전역에서 재배하는 귀화 식물이다.

약용 부위 · 수치 열매, 열매꼭지, 잎, 줄기를 여름에 채취하여 말린다.

약물명 열매의 꼭지를 첨과체(甛瓜蒂)라 하며, 과체(瓜蒂)라고도 한다. 열매를 첨과(甛瓜), 열매껍질을 첨과피(甛瓜皮), 줄기를 첨과경(甛瓜莖)이라 한다. 종자를 첨과자(甛瓜子) 또는 과자(瓜子), 잎을 과엽(瓜葉), 꽃을 과화(瓜花)라 한다. 과체(瓜蒂)는 대한민국약전외한약(생약)규격집(KHP)에 수재되어 있다.

본초서 첨과체(甛瓜蒂)는 「신농본초경(神農本草經)」에 수재되어, "얼굴과 사지가 부은 것을 가라앉히고 소변을 잘 나오게 하며 몸에 해로운 독을 없앤다. 기침을 없애고 가슴에 있는 병을 다스리며, 체했을 때 토하거나 설사하게 한다."고 하였다. 「동의

보감(東醫寶鑑)」에는 과체(瓜蒂)는 "온몸이 부은 것을 가라앉히고 소변을 잘 나오게 하며 몸에 해로운 독을 없앤다. 콧속에 생긴 군살을 없애고 황달을 낫게 하며 체했을 때 토하거나 설사하게 한다.", 첨과(甛瓜)는 "갈증을 풀어 주며 가슴이 답답하고 열이 나는 것을 없애며 소변을 잘 나오게 한다. 삼초(三焦)에 기운이 막힌 것을 통하게 하고 입과 코에 생긴 상처를 낫게 한다.", 과자(瓜子)는 "뱃속의 작은 덩어리를 없애고 피고름이 고인 것을 풀어 주므로 대장이나 소장, 위장이 헐거나 부은 데 쓰면 효과가 있다. 또 부인의 생리 양이 지나치게 많은 것을 조절한다.", 과엽(瓜葉)은 "머리카락이 자라지 않는 부위에 즙을 내어 바르면 효과를 볼 수 있다.", 과화(瓜花)는 "가슴앓이와 기침을 하며 기운이 치밀어 오르는 것을 낫게 한다."고 하였다.

神農本草經: 主大水, 身面四肢浮腫 下水 殺蠱毒 咳逆上氣及食諸果 病在胸中者 皆吐下之.

東醫寶鑑: 瓜蒂 主通身浮腫 下水殺蠱 去鼻中瘜肉 療黃疸及諸物過多 病在胸中者 皆吐下之.

甛瓜 止渴 除煩熱 利小便 通三焦間壅 寒氣

◐ 첨과체(甛瓜蒂)

◐ 첨과피(甛瓜皮)

◐ 꽃　　◐ 참외

兼主口鼻瘡.

瓜子 主腹內結聚 破潰膿血 最爲腸胃癰 要藥.

瓜葉 主無髮 取汁塗之.

瓜花 主心痛咳逆.

성상 과체(瓜蒂)는 꼭지로 길이 2~3cm, 지름 3~5cm, 열매껍질과 열매 자루가 붙어 있는 경우도 있으며, 질은 단단하고 질기다. 표면은 황갈색으로 주름이 있다. 냄새는 없고 맛은 몹시 쓰다.

기미 · 귀경 첨과체(甛瓜蒂): 한(寒), 고(苦) · 비(脾), 위(胃), 간(肝). 첨과경(甛瓜莖): 한(寒), 고(苦), 감(甘) · 폐(肺), 간(肝)

약효 첨과(甛瓜)는 청서열(淸暑熱), 해번갈(解煩渴), 이소변의 효능이 있으므로 소변불리, 서열하리복통(暑熱下痢腹痛)을 치료한다. 첨과피(甛瓜皮)는 청서열(淸暑熱), 해번갈(解煩渴)의 효능이 있으므로 서열번갈(暑熱煩渴)과 아통(牙痛)을 치료한다. 첨과체(甛瓜蒂)는 풍담(風痰), 숙식(宿食)을 토하게 하는 효능이 있으므로 상복부폐색(上腹部閉塞), 풍담(風痰), 황달, 비색(鼻塞), 후비(喉痺)를 치료한다. 첨과경(甛瓜莖)은 비용(鼻茸), 비폐색(鼻閉塞)을 치료하고, 청서열(淸暑熱), 해번갈(解煩渴), 이뇨(利尿)의 효능이 있으므로 풍습(風濕)에 의한 마비와 사지동통을 치료한다. 첨과자(甛瓜子)는 산결소어(散結消瘀), 청폐윤장(淸肺潤腸)의 효능이 있으므로 복내결취(腹內結聚), 폐열해수(肺熱咳嗽), 폐농종(肺膿腫), 장옹(腸癰)을 치료한다.

성분 첨과체(甛瓜蒂)에는 elaterin, cucurbitacin B, D, isocucurbitacin B, melotoxin 등이 함유되어 있다.

약리 melotoxin을 동물에 투여하면 구토와 하리를 일으킨다.

사용법 첨과체, 첨과경 또는 첨과자 각각 10g에 물 3컵(600mL)을 넣고 달여서 복용한다. 민간에서는 첨과체 가루를 코에 불어 넣어서 축농증 치료에 이용한다.

◐ 첨과자(甛瓜子)

◐ 첨과(甛瓜)

[박과]

오이

| 👁 번갈, 인후종통, 목적동통 | ✋ 이질, 하리 |
| 🟦 창종 | 🦵 골절근상, 풍습비통 |

● 학명 : *Cucumis sativus* L.　●별명 : 물외, 외　●한자명 : 黃瓜

| 1 | 2 | 3 | 4 | 5 | 6 | 7 | 8 | 9 | 10 | 11 | 12 |

덩굴성 한해살이풀. 잎은 어긋나고 손바닥 모양으로 3~5개로 갈라진다. 꽃은 황색, 5~6월에 핀다. 장과는 원주형, 길이 15~30cm, 짙은 녹색에서 황갈색으로 익으며, 종자는 황백색이고 편평한 달걀 모양이다.

분포·생육지 인도 원산. 우리나라 전역에서 재배하는 귀화 식물이다.

약용 부위·수치 열매, 줄기를 여름에 채취하여 말린다.

약물명 열매를 황과(黃瓜), 줄기를 황과등(黃瓜藤), 열매꼭지를 과체(瓜蔕), 종자를 황과자(黃瓜子)라 한다.

기미·귀경 황과(黃瓜): 양(凉), 감(甘)·폐(肺), 비(脾), 위(胃). 황과등(黃瓜藤): 양(凉), 고(苦)·심(心), 폐(肺)

약효 황과(黃瓜)는 제열(除熱), 이수(利水), 해독의 효능이 있으므로 번갈(煩渴), 인후종통(咽喉腫痛), 목적동통(目赤疼痛)을 치료한다. 황과등(黃瓜藤)은 이수(利水), 해독의 효능이 있으므로 이질, 하리(下痢), 창종(瘡腫)을 치료한다. 황과자(黃瓜子)는 속근접골(續筋接骨), 거풍(祛風), 소담(消痰)의 효능이 있으므로 골절근상(骨折筋傷), 풍습비통(風濕痺痛), 노년담천(老年痰喘)을 치료한다.

성분 cucurbitacin A, B, C, D가 함유되어 있다.

약리 cucurbitacin C는 실험 동물에 대하여 항종양 작용이 있고, cucurbitacin B는 간염에 유효하게 사용되고 있다.

사용법 황과, 황과등, 과체 또는 황과자 각각 10g에 물 3컵(600mL)을 넣고 달여서 복용한다. 축농증에는 과체 가루를 코 안에 불어 넣는다.

❶ 오이

❶ 황과등(黃瓜藤)

❶ 황과자(黃瓜子)

❶ 황과(黃瓜)

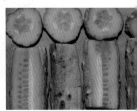
❶ 황과(黃瓜, 절편)

[박과]

호박

| 🫁 폐옹, 늑막염 | 🐛 구충구제, 황달, 이질 |
| ♀ 유즙불통 | 🫀 경풍 | 🫁 감기 |

● 학명 : *Cucurbita moschata* Duchesne　●별명 : 당호박　●한자명 : 南瓜

| 1 | 2 | 3 | 4 | 5 | 6 | 7 | 8 | 9 | 10 | 11 | 12 |

덩굴성 한해살이풀. 덩굴손이 있어서 다른 물체를 감아 올라가고 길이 10m 정도이다. 잎은 어긋나고 심장형이다. 꽃은 암수한그루, 황색, 여름부터 가을까지 피며, 꽃받침통이 얕다. 열매는 크고 황갈색으로 익으며 많은 종자가 들어 있다.

분포·생육지 열대 아메리카 원산. 우리나라 전역에서 재배하는 귀화 식물이다.

약용 부위·수치 열매와 종자를 가을에, 뿌리는 수시로 채취하여 말린다.

약물명 열매를 남과(南瓜)라 하며, 맥과(麥瓜), 번과(番瓜)라고도 한다. 뿌리를 남과근(南瓜根), 종자를 남과자(南瓜子)라 한다.

기미·귀경 남과(南瓜): 평(平), 감(甘)·폐(肺), 위(胃). 남과자(南瓜根): 평(平), 감(甘)·대장(大腸). 남과근(南瓜根): 평(平), 감(甘), 담(淡)·간(肝), 방광(膀胱)

약효 남과(南瓜)는 해독소종(解毒消腫)의 효능이 있으므로 폐옹(肺癰), 늑막염(肋膜炎), 늑간신경통(肋間神經痛)을 치료한다. 남과자(南瓜根)는 살충, 하유(下乳), 이수소종(利水消腫)의 효능이 있으므로 장내 기생충병, 경풍(驚風), 감기, 풍습열(風濕熱)을 치료한다. 남과근(南瓜根)은 이습열(利濕熱), 통유즙(通乳汁)의 효능이 있으므로 황달, 이질, 유즙불통(乳汁不通)을 치료한다.

성분 남과(南瓜)에는 citrulline, arginine, asparagine, adenine 등이 함유되어 있고, 남과자(南瓜子)에는 cucurbitine이 함유되어 있다.

약리 남과자(南瓜根)의 에탄올추출물은 지렁이에 구충 작용이 있고, 주혈흡충에 살충 작용이 있다.

사용법 남과, 남과자 또는 남과근 각 15g에 물 3컵(600mL)을 넣고 달여서 복용한다.

❶ 남과(南瓜, 내부)　❶ 남과(南瓜)

❶ 남과근(南瓜根)

❶ 남과자(南瓜子)

❶ 호박

[박과]

색동호박

<table>
<tr><td>🫁</td><td>해수기천</td></tr>
<tr><td>🫘</td><td>전립선증식증, 전립선비대증, 소변불리</td></tr>
</table>

● 학명 : *Cucurbita pepo* L. ● 영명 : Pumpkin ● 별명 : 서양호박, 페포호박

1	2	3	4	5	6	7	8	9	10	11	12

덩굴성 한해살이풀. 덩굴손이 있어서 다른 물체를 감아 올라가고 길이 3m 정도이다. 줄기는 능선이 있고 속이 비어 있으며, 잎은 어긋난다. 꽃은 암수한그루, 담황색, 암꽃은 꽃줄기가 짧고 밑부분에 긴 씨방이 있다. 열매는 크고 황적색으로 익으며 많은 종자가 들어 있다.

분포 · 생육지 열대 아메리카 원산. 우리나라 전역에서 재배하는 귀화 식물이다.

약용 부위 · 수치 열매를 가을에 채취하여 썰어서 말린다. 종자는 그대로 사용하거나 기름을 짜서 사용한다.

약물명 열매를 도남과(桃南瓜)라 하며, 금과(金瓜)라고도 한다. 종자를 도남과자(桃南瓜子)라고 한다.

기미 · 귀경 도남과(桃南瓜): 평(平), 감(甘), 미고(微苦) · 폐(肺)

약효 도남과(桃南瓜)는 지해(止咳), 평천(平喘)의 효능이 있으므로 해수기천(咳嗽氣喘)을 치료한다. 도남과자(桃南瓜子)는 전립선증식증, 전립선비대증, 소변불리를 치료한다.

성분 도남과자(桃南瓜子)는 linoleic acid, tocopherols, cucurbitine 등이 함유되어 있다.

약리 도남과자(桃南瓜子)의 에탄올추출물은 전립선 내에서 dihydrosterone의 결합을 억제시킨다. cucurbitine은 촌충에 살충 작용이 있다.

사용법 도남과 또는 도남과자 100~200g에 꿀을 약간 넣어 푹 고아서 복용한다.

◑ 도남과(桃南瓜)

◑ 색동호박(열매와 꽃)

◑ 색동호박

[박과]

돌외

<table>
<tr><td>체허핍력, 허로실정</td><td>고혈압</td></tr>
<tr><td>만성위장염, 간염</td><td>만성기관지염</td></tr>
</table>

● 학명 : *Gynostemma pentaphyllum* (Thunb.) Makino ● 별명 : 덩굴차

1	2	3	4	5	6	7	8	9	10	11	12

덩굴성 여러해살이풀. 뿌리줄기는 옆으로 벋고, 잎은 어긋나고 겹잎이다. 꽃은 암수딴그루, 황록색, 8~9월에 원추 또는 총상화서로 달린다. 열매는 장과로 둥글며 지름 6~8mm, 흑녹색, 종자는 길이 4mm 정도이다.

분포 · 생육지 우리나라 제주도, 울릉도 및 남쪽 섬. 중국, 일본, 타이완, 인도, 말레이시아. 숲 가장자리에서 자란다.

약용 부위 · 수치 전초를 여름과 가을에 채취하여 썰어서 말린다.

약물명 교고남(絞股藍). 칠엽담(七葉膽)이라고도 한다.

기미 · 귀경 양(凉), 고(苦), 감(甘) · 폐(肺), 비(脾), 신(腎)

약효 청열(淸熱), 보허(補虛), 해독(解毒), 지해(止咳), 거담(祛痰)의 효능이 있으므로 체허핍력(體虛乏力), 허로실정(虛勞失精), 고혈압, 만성위장염, 간염, 만성기관지염을 치료한다.

성분 gynosaponin TN-1, TN-2, gynoside I~LXXIX, ginsenoside Rb₁, Rb₃, Rd, 6″-malonylginsenoside V, panaxadiol, 2α-hydroxypanaxadiol, gilongiposide I, LXIX, gypenoside XLVIII, allantoin, vitexin 등이 함유되어 있다.

약리 열수추출물을 쥐에게 투여하면 면역 증강 작용이 나타나고, 암에 걸린 쥐에게 투여하면 암조직의 성장이 둔화된다. 열수추출물은 항노화 작용이 있으며, 지질 대사를 촉진시킨다. 에탄올추출물을 스트레스를 준 쥐에게 투여하면 스트레스를 감소시킨다.

사용법 교고남 15g에 물 4컵(800mL)을 넣고 달여서 복용하거나, 가루로 만들어 1일 3회 2~3g씩 복용한다.

◑ 돌외

◑ 교고남(絞股藍)

◑ 교고남(絞股藍)

◑ 교고남(絞股藍)으로 만든 기침, 가래약

◑ 돌외(꽃)

◑ 돌외(열매)

[박과]

박

수종 복창, 황달
치은화농, 치은동통

●학명 : *Lagenaria leucantha* Rusby [*L. siceraria*] ●별명 : 바가지, 바가지박

| 1 | 2 | 3 | 4 | 5 | 6 | 7 | 8 | 9 | 10 | 11 | 12 |

덩굴성 한해살이풀. 잎은 어긋나고 심장형이다. 꽃은 암수한그루, 백색, 7~9월에 핀다. 수꽃의 수술은 3개이고 다소 붙어 있으며, 암꽃의 씨방은 하위로 털이 있다. 장과는 구형이며 지름 30cm 정도이다.

분포·생육지 아프리카 원산. 우리나라 전역에서 재배하는 귀화 식물이다.

약용 부위·수치 열매를 가을에 채취하여 썰어서 말리고, 종자를 채취하여 말린다.

약물명 열매를 호로(壺蘆), 종자를 호로자(壺蘆子)라 한다.

본초서 「동의보감(東醫寶鑑)」에 호로(壺蘆)는 첨호(恬瓠)라는 이름으로 수재되어 "소변을 잘 나오게 하고 가슴이 답답하여 입이 마르고 갈증이 나는 것을 풀어 주며 심장의 열을 없앤다. 소장을 튼튼하게 하고 심장과 폐를 윤택하게 하며 소변에 모래 같은 것이 섞여 나오는 것을 낫게 한다."고 하였다.
東醫寶鑑: 通利水道 除煩止渴 治心熱 利小腸 潤心肺 治五淋.

기미·귀경 호로(壺蘆): 평(平), 감(甘), 담(淡)·폐(肺), 비(脾), 신(腎). 호로자(壺蘆子): 평(平), 감(甘)

약효 호로(壺蘆)는 이수(利水), 통림(通淋)의 효능이 있으므로 수종(水腫), 복창(腹脹), 황달을 치료한다. 호로자(壺蘆子)는 치은화농(齒齦化膿), 치은동통(齒牙疼痛)을 치료한다.

성분 cucurbitacin A, B, C, D, fucosterol, racemosol, stigmasterol, stigmasta−7,22−dien−3β,4β−diol 등이 함유되어 있다.

약리 fucosterol, racemosol, stigmasterol, stigmasta−7,22−dien−3β,4β−diol은 혈액 중의 cholesterol, triglycerides, LDL 및 VLDL의 농도를 감소시킨다.

사용법 호로 또는 호로자 각각 10g에 물 3컵(600mL)을 넣고 달여서 복용하거나 가루로 만들어 복용한다.

＊열매의 중앙부가 잘록한 '표주박 var. *gourda*'도 약효가 같다.

● 호로(壺蘆)

● 박(꽃)

● 박(종자)

● 박

● 표주박

수세미오이

아이콘	아이콘	아이콘	아이콘
수종	신열번갈, 인후통, 편도선염	담천해수, 폐옹	옹종창독, 금창, 옹저
장풍하혈, 변비	유즙불통, 유옹, 월경불순	치루, 석림	풍습비통, 경맥구련, 사지마비

●학명 : *Luffa cylindrica* Roem. ●별명 : 수세미외

| 1 | 2 | 3 | 4 | 5 | 6 | 7 | 8 | 9 | 10 | 11 | 12 |

덩굴성 한해살이풀. 덩굴손으로 다른 물체를 감아 올라가며, 잎은 어긋난다. 꽃은 암수한그루, 황색, 8~9월에 핀다. 열매는 원통형이며 녹색, 섬유질이 발달해 있다.

분포·생육지 열대 아시아 원산. 우리나라 전역에서 재배하는 귀화 식물이다.

약용 부위·수치 전초를 가을부터 겨울까지 채취하여 말린다.

약물명 열매를 사과(絲瓜)라 하며, 천사과(天絲瓜), 천라(天羅), 면과(綿瓜)라고도 한다. 성숙한 열매의 유관속을 사과락(絲瓜絡)이라 하며, 천라근(天羅筋), 사과망(絲瓜網)이라고도 한다. 종자를 사과자(絲瓜子), 과피를 사과피(絲瓜皮), 잎을 사과엽(絲瓜葉), 덩굴성 줄기를 사과등(絲瓜藤), 줄기에서 흘러나온 즙을 천라수(天羅水)라 한다. 사과락(絲瓜絡)은 대한민국약전외한약(생약)규격집(KHP)에 수재되어 있다.

본초서 「동의보감(東醫寶鑑)」에는 "사과(絲瓜)는 독을 풀어 주며 악창과 어린아이의 마마를 치료하며, 유방이 곪는 병, 부스럼, 다리의 종기를 낫게 한다."고 하였다.
東醫寶鑑: 治一切惡瘡 小兒痘疹 并乳疽 疔瘡 脚癰.

성상 사과락(絲瓜絡)은 섬유질의 망상 조직으로 원통형~마름형이고 길이 25~40cm이며, 표면은 황백색이다. 냄새는 없고 맛은 담담하다.

기미·귀경 사과(絲瓜): 양(凉), 감(甘)·폐(肺), 간(肝), 위(胃), 대장(大腸). 사과락(絲瓜絡): 양(凉), 감(甘)·폐(肺), 간(肝), 위(胃)

약효 사과(絲瓜)는 청열(淸熱), 화담(化痰), 양혈(凉血), 해독의 효능이 있으므로 신열번갈(身熱煩渴), 담천해수(痰喘咳嗽), 치루(痔瘻)를 치료한다. 사과락(絲瓜絡)은 통경활락(通經活絡), 해독소종(解毒消腫)의 효능이 있으므로 흉륵동통(胸肋疼痛), 풍습비통(風濕痺痛), 경맥구련(經脈拘攣), 유즙불통(乳汁不通), 폐열해수(肺熱咳嗽), 옹종창독(癰腫瘡毒), 유옹(乳癰)을 치료한다. 사과자(絲瓜子)는 청열이수(淸熱利水), 통변구충(通便驅蟲)의 효능이 있으므로 수종(水腫), 석림(石淋), 폐열해수(肺熱咳嗽), 장풍하혈(腸風下血), 치루(痔漏), 변비, 회충병을 치료한다. 사과피(絲瓜皮)는 청열해독(淸熱解毒)의 효능이 있으므로 금창(金瘡), 옹종(癰腫), 정창(疔瘡), 좌판창(坐板瘡)을 치료한다. 사과엽(絲瓜葉)은 청열해독(淸熱解毒), 지혈, 거서(去暑)의 효능이 있으므로 옹저(癰疽), 정종(疔腫), 창선(瘡癬), 사교상(蛇咬傷), 인후통, 서열번갈(暑熱煩渴)을 치료한다. 사과등(絲瓜藤)은 서근(舒筋), 활혈(活血)의 효능이 있으므로 사지마비, 수종(水腫), 월경불순을 치료한다. 천라수(天羅水)는 화담(化痰), 해독의 효능이 있으므로, 편도선염, 폐옹(肺癰), 폐위(肺痿)를 치료한다.

성분 사과자(絲瓜子)는 citrulline, cucurbitacin 등이 함유되어 있다.

약리 사과자(絲瓜子)의 에탄올추출물은 항균 작용이 있다.

사용법 사과, 사과락, 사과자, 사과피 또는 사과엽 각각 10g에 물 3컵(600mL)을 넣고 달여서 복용한다. 사과등은 30g에 물 4컵(800mL)을 넣고 달여서 복용하고, 천라수는 1회 50mL씩 복용한다.

❍ 수세미오이

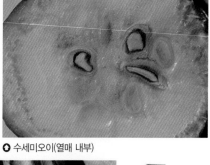

❍ 수세미오이(열매 내부)

❍ 사과자(絲瓜子)

❍ 사과(絲瓜, 절편)

❍ 사과(絲瓜)

❍ 수세미오이 수액은 화장품 원료로 이용된다.

여주

 당뇨병 열사병 소변빈삭, 유뇨, 유정, 양위
신양부족 이질 적안동통 옹종, 단독

●학명 : *Momordica charantia* L. ●별명 : 긴여주, 여지, 여자 ●한자명 : 苦果

| 1 | 2 | 3 | 4 | 5 | 6 | 7 | 8 | 9 | 10 | 11 | 12 |

덩굴성 한해살이풀. 잎은 덩굴손과 마주난다. 꽃은 암수한그루, 황색, 잎겨드랑이에 1개씩 달리고, 꽃받침은 종형, 꽃통은 5개로 갈라진다. 수술은 3개이고 떨어져 있으며, 씨방은 3실, 암술대는 보통 3개로 갈라진다. 열매는 타원형, 혹 같은 돌기로 덮여 있다.

분포·생육지 열대 아시아 원산. 우리나라 전역에서 재배하는 귀화 식물이다.

약용 부위·수치 열매와 잎을 가을에 채취하여 말린다.

약물명 열매를 고과(苦瓜)라 하며, 금여지(錦荔枝), 홍고랑(紅姑娘), 양과(凉瓜)라고도 한다. 종자를 고과자(苦瓜子), 잎을 고과엽(苦瓜葉)이라 한다.

기미·귀경 고과(苦瓜): 한(寒), 고(苦)·심(心), 비(脾), 폐(肺). 고과자(苦瓜子): 온(溫), 고(苦), 감(甘). 고과엽(苦瓜葉): 양(凉), 고(苦)

약효 고과(苦瓜)는 청서척열(淸暑滌熱), 명목(明目), 해독의 효능이 있으므로 당뇨병, 열사병, 적안동통(赤眼疼痛), 옹종(癰腫), 단독(丹毒), 악창(惡瘡)을 치료한다. 고과자(苦瓜子)는 온보신양(溫補腎陽)의 효능이 있으므로 신양부족(腎陽不足), 소변빈삭(小便頻數), 유뇨(遺尿), 유정(遺精), 양위(陽痿)를 치료한다. 고과엽(苦瓜葉)은 청열해독(淸熱解毒)의 효능이 있으므로 창옹종독(瘡癰腫毒), 매독, 이질을 치료한다.

성분 고과(苦瓜)에는 citrulline, 5,25-stigmastadien-3-ol 등, 고과엽(苦瓜葉)에는 momordicine 등이 함유되어 있다.

약리 정상적인 토끼와 당뇨병을 일으킨 토끼에게 열매즙을 먹이면 혈당이 하강한다. 메탄올추출물은 TBA법에 의하여 측정한 결과 항산화 작용이 나타난다. 플라보노이드를 다량으로 함유하는 추출물도 항산화 작용이 나타난다.

사용법 고과, 고과자 또는 고과엽 각각 10g에 물 3컵(600mL)을 넣고 달여서 복용한다.

● 여주(꽃)

● 여주

● 고과(苦瓜, 절편)

● 고과(苦瓜)

● 여주(종자)

● 고과(苦瓜)로 만든 건강식품

[박과]

목별

 옹종, 정창, 종독, 선창　　치창

●학명 : *Momordica cochinchinensis* (Lour.) Spreng.　●한자명 : 木鼈

| 1 | 2 | 3 | 4 | 5 | 6 | 7 | 8 | 9 | 10 | 11 | 12 |

덩굴성 여러해살이풀. 길이 15m 정도. 뿌리는 납작하다. 잎은 덩굴손과 마주나며 4~5개로 갈라지고, 갈라진 조각은 끝이 뾰족하고 가장자리에는 둔한 톱니가 있으며, 잎자루는 길다. 꽃은 암수딴그루, 황색, 잎겨드랑이에 1개씩 달리고, 꽃받침은 종형이다. 열매는 달걀 모양으로 육질이며, 종자는 흑갈색으로 돌기가 있다.

분포 · 생육지 인도, 중국 윈난성(雲南省), 광둥성(廣東省). 숲 가장자리에서 자란다.

약용 부위 · 수치 종자를 가을에 채취하여 말린다. 그대로 사용하거나 껍질을 제거하고 속씨만 사용한다.

약물명 목별자(木鼈子). 목별(木鼈), 토목별(土木鼈), 지동자(地桐子), 등동자(藤桐子)라고도 한다. 속씨를 목별자인(木鼈子仁)이라 한다. 대한민국약전외한약(생약)규격집(KHP)에 수재되어 있다.

본초서 「동의보감(東醫寶鑑)」에는 "멍울이 지고 부은 것, 종기가 벌겋게 부어오르고 곪은 것을 삭이며 치질로 항문이 부은 것과 부인의 젖이 곪은 것을 낫게 한다."고 하였다.

東醫寶鑑: 消結腫 惡瘡 肛門痔腫 婦人乳癰.

성상 납작한 원판 또는 자라 등딱지 모양이며 지름 2~3cm, 두께 0.5cm 정도, 표면은 적갈색이며 가장자리에 돌기가 10여 개가 있다. 냄새는 방향성이고 맛은 쓰다.

기미 · 귀경 온(溫), 고(苦), 감(甘), 유독(有毒) · 간(肝), 비(脾), 위(胃)

약효 소종산결(消腫散結), 해독, 추풍지통(追風止痛)의 효능이 있으므로 옹종(癰腫), 정창(疔瘡), 종독(腫毒), 치창(痔瘡), 선창(癬瘡)을 치료한다.

성분 momordica saponin I, II, gypsogenin, quillaic acid, momordic acid, momorchochin, cochinchinin 등이 함유되어 있다.

약리 momorchochin은 암세포의 성장을 억제한다.

사용법 목별자 1g을 뜨거운 물로 우려내어 복용하고, 외용에는 짓찧어 붙이거나 즙액을 바른다.

❶ 목별(꽃)

❶ 목별(열매)

❶ 목별

❶ 목별자(木鼈子)

❶ 목별자인(木鼈子仁)

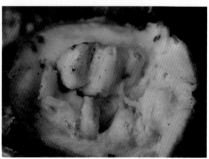
❶ 목별(열매 내부)

[박과]

나한과

폐열담화해수　　인후염, 편도선염
급성위염, 변비

●학명 : *Siraitia grosvenorii* Jeffery ex Lu et Zhang　●한자명 : 羅漢果

1 2 3 4 5 6 7 8 9 10 11 12

덩굴성 여러해살이풀. 나무나 다른 물체를 타고 오르며, 뿌리는 방추형으로 굵다. 잎은 덩굴손과 마주나고 심장형, 가장자리는 밋밋하고 잎자루는 길이 15~20cm이다. 꽃은 암수딴그루, 백색, 총상화서로 달리고, 수술은 5개, 암술머리는 3개이다. 열매는 둥글고 지름 7~10cm로 크며, 담황색의 종자가 다수 들어 있다.

분포·생육지 중국 광시성(廣西省), 쿤밍성(昆明城) 등 남부. 산지에서 자란다.

약용 부위·수치 열매를 9~10월에 익었을 때 채취하여 말린다.

약물명 나한과(羅漢果), 납한과(拉漢果), 금불환(金不換)이라고도 한다.

기미·귀경 감(甘), 양(凉)·폐(肺), 비(脾)

약효 청폐이인(淸肺利咽), 화담지해(化痰止咳), 윤장통변(潤腸通便)의 효능이 있으므로 폐열담화해수(肺熱痰火咳嗽), 인후염, 편도선염, 급성위염, 변비를 치료한다.

사용법 나한과 15g에 물 3컵(600mL)을 넣고 달여서 복용한다.

● 나한과(열매)

● 나한과(羅漢果)

● 나한과(종자)

● 나한과

[박과]

왕과

반위토산, 황달　　폐로해혈

●학명 : *Thladiantha dubia* Bunge　●별명 : 큰새박

1 2 3 4 5 6 7 8 9 10 11 12

덩굴성 여러해살이풀. 줄기는 가늘고 길며, 덩이뿌리는 비대하다. 잎은 어긋나고 손바닥처럼 5~7개로 갈라지며 잎자루가 있다. 꽃은 암수딴그루, 7~8월에 피며, 암꽃은 1개의 꽃이 달리고 꽃받침과 꽃잎은 각각 5개로 갈라지며 수술은 3개이다. 열매는 둥글고 지름 7cm 정도로 오렌지색으로 익으며 많은 회갈색 종자가 들어 있다.

분포·생육지 우리나라 북부 지방. 중국. 산과 들에서 자란다.

약용 부위·수치 열매, 종자는 가을에, 뿌리는 수시로 채취하여 말린다.

약물명 열매를 적박(赤瓟)이라 하며, 기포(氣包)라고도 한다. 종자를 적박자(赤瓟子)라 한다.

본초서 「동의보감(東醫寶鑑)」에는 왕과(王瓜)라는 이름으로 수재되어, "혈액 순환이 잘 되게 하며 돌림병과 주황병(酒黃病)으로 열이 몹시 나고 가슴이 답답한 것을 낫게 한다. 갈증을 풀어 주고 피가 뭉친 것을 없애며 종기를 삭이고 젖을 잘 돌게 한다. 유산될 수 있다."고 하였다.

東醫寶鑑: 通血脈 治天行熱疾 酒黃病 壯熱心煩 止消渴 散癰腫 落胎 下乳汁.

약효 적박(赤瓟)은 이기활혈(理氣活血), 거담이습(祛痰利濕)의 효능이 있으므로 반위토산(反胃吐酸), 폐로해혈(肺癆咳血), 황달을 치료한다.

사용법 적박 10g에 물 3컵(600mL)을 넣고 달여서 복용한다.

● 왕과

● 적박(赤瓟)

[박과]

하늘타리

| 👁 구갈 | 🏃 당뇨병 | 🚽 변비 |
| ♀ 젖몸살 | 🫁 폐허해혈 | 🧺 창양, 옹종 |

● 학명 : *Trichosanthes kirilowii* Max. ● 별명 : 쥐참외, 하눌타리, 하늘수박, 하눌수박

| 1 | 2 | 3 | 4 | 5 | 6 | 7 | 8 | 9 | 10 | 11 | 12 |

덩굴성 여러해살이풀. 잎은 어긋나고 손바닥처럼 5~7개로 갈라지며 거친 톱니가 있고 양면에 털이 있으며 잎자루가 있다. 꽃은 암수딴그루, 7~8월에 피며, 암꽃은 1개가 달리고, 꽃받침과 꽃잎은 각각 5개로 갈라지며, 수술은 3개이다. 열매는 둥글고 지름 7cm 정도, 오렌지색으로 익으며 많은 회갈색 종자가 들어 있다.

분포 · 생육지 우리나라 황해 이남. 중국 둥베이(東北) 지방, 몽골, 타이완, 인도차이나. 산기슭이나 들에서 자란다.

약용 부위 · 수치 뿌리는 가을에 채취하여 물에 씻은 뒤 썰어서 말린다. 뿌리는 그대로 사용하지만 지혈(止血)에는 약한 불에 볶아서 사용한다. 열매는 가을에 채취하여 썰어서 바람이 통하는 곳에서 말리고, 종자는 가을에 채취하여 말린다. 뿌리를 짓찧어 체에 걸러서 찌꺼기는 버리고 즙을 받아 침전시켜 햇볕에 말린 것을 천화분(天花粉)이라 한다.

약물명 뿌리를 괄루근(栝樓根)이라 하며, 천화분(天花粉), 과려근(瓜呂根)이라고도 한다. 열매는 괄루(栝樓), 종자는 괄루자(栝樓子) 또는 괄루인(栝樓仁)이라 한다. 괄루근(栝樓根)과 괄루인(栝樓仁)은 대한민국약전(KP)에 수재되어 있다.

본초서 괄루근(栝樓根)은 「신농본초경(神農本草經)」의 중품(中品)에 수재되어 별명이 과려근(瓜呂根)이라 기록되어 있다. 「도경본초(圖經本草)」에는 "뿌리를 분말로 만들면 결백하고 눈(雪)과 같아서 천화분(天花紛)이라 한다."고 하였다. 「명의별록(名醫別錄)」에는 2월, 8월에 뿌리를 채취하여 폭건한다고 하였으므로 뿌리를 약으로 사용한 것이 분명하다. 남조(南朝) 뇌효(雷斅)의 「포자론(炮炙論)」에는 둥근 것은 괄(栝)로 하고, 긴 것을 루(樓)로 한다고 하였는데, 이 말은 괄루(栝蔞)라는 열매를 묘사한 것이다. 「동의보감(東醫寶鑑)」에는 괄루근(栝樓根)은 "갈증으로 열이 나고 가슴이 답답하면서 그득한 감이 드는 것을 낮게 하고 위와 대소장 속에 오래된 열과 황달로 몸과 얼굴이 누렇게 되고 입술과 입안이 마르는 것을 낮게 한다. 소장의 기운을 잘 통하게 하고 고름을 빨아 내며 독성이 있는 종기를 삭인다. 유방에 생긴 종기와 등에 난 종기, 항문 주변에 구멍이 생긴 것, 피부 부스럼 등을 낮게 한다. 생리를 순조롭게 하며 다쳐서 피가 뭉친 것을 치료한다."고 하였다. 괄루(栝樓)는 "숨이 찬 것, 가슴에 기운이 몰려 뭉쳐진 것, 기침 등을 낮게 한다."고 하였다. 괄루자(栝樓子)는 "폐의 기운을 돕고 기운을 내린다. 가슴 속에 담과 열이 있어 답답할 때 담을 삭이며 기침을 낮게 하

는 데 중요한 약이다."라고 하였다.

栝樓根
神農本草經: 主消渴 身熱 煩滿 大熱補虛安中 續折傷.
日華子: 治熱狂時疾 通小腸 消腫毒 乳癰 發背 痔漏瘡癤 排膿 生肌長肉.
本草綱目: 止渴潤枯 微苦降火.
東醫寶鑑: 主消渴 身熱 煩滿 除腸胃中痼熱 八疸身面黃 脣乾口燥 通小腸 排膿消腫毒 療乳癰 發背 痔漏 瘡癤 通月水 消撲損瘀血.
栝樓
東醫寶鑑: 主胸痺 潤心肺 療手面皺 治吐血 瀉血腸風 赤白痢竝炒用.
栝樓子
東醫寶鑑: 能補肺 潤能降氣 胸有痰火者 得甘緩潤下之 助мо, 痰自降 宜爲治嗽 要藥也.

성상 괄루근(栝樓根)은 고르지 않은 원주형~방추형 덩어리로 길이 8~16cm, 지름 3~5cm이며, 때로는 세로로 쪼갠 것도 있다. 표면은 엷은 황백색이며, 불규칙하게 배열된 황갈색의 유관속을 볼 수 있다. 횡단면은 약간 섬유성이며 엷은 황색이다. 냄새는 없고 맛은 조금 쓰다. 비대하고 충실하며 색이 하얗고 섬유와 쓴맛이 적은 것이 좋다. 괄루자(栝樓子)는 납작한 타원형으로 길이 1.2~1.5cm, 너비 0.7~1cm, 두께 0.3~0.35cm이다. 표면은 갈색~흑갈색, 껍질은 질기고 단단하다. 냄새가 특이하며 맛은 약간 쓰다.

기미 · 귀경 괄루근(栝樓根): 미한(微寒), 감(甘), 고(苦) · 폐(肺), 위(胃). 괄루(栝樓): 감(甘), 고(苦), 한(寒) · 폐(肺), 위(胃), 대장(大腸). 괄루자(栝樓子): 한(寒), 감(甘), 고(苦) · 폐(肺), 위(胃), 대장(大腸)

약효 괄루근(栝樓根)은 청열생진(淸熱生津),

● 괄루(栝樓)

● 괄루(栝樓, 절편)

● 괄루근(栝樓根)

● 하늘타리(열매)

● 하늘타리(종자)

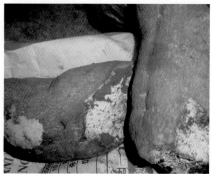
● 하늘타리(뿌리)

청폐화담(淸肺化痰), 소종배농(消腫排膿)의 효능이 있으므로 구갈(口渴), 당뇨병, 폐허해혈(肺虛咳血), 창양(瘡瘍), 옹종(癰腫)을 치료한다. 괄루(栝樓)는 청폐화담(淸肺化痰)의 효능이 있으므로 폐열(肺熱)에 의한 기침과 가래, 젖몸살을 치료한다. 괄루자(栝樓子)는 청폐화담(淸肺化痰), 활장통변(滑腸通便)의 효능이 있으므로 담열(痰熱)에 의한 기침과 가래, 변비 등을 치료한다.

성분 괄루근(栝樓根)은 trichosanthin, cucurbitacin B, D 등이 함유되어 있다.

약리 열수추출물은 쥐의 스트레스궤양을 억제하고, 에탄올추출물은 토끼의 혈당을 하강시킨다. 괄루근(栝樓根), 괄루(栝樓), 괄루자(栝樓子)의 메탄올추출물은 항산화 및 항염증 효과가 있다.

사용법 괄루근, 괄루 또는 괄루자 각각 10g에 물 3컵(600mL)을 넣고 달여서 복용하고, 외용에는 짓찧어 낸 즙을 바른다.

처방 괄루근산(栝樓根散): 괄루근(栝樓根)·구기자(枸杞子)·복령(茯苓)·별갑(鱉甲) 각 40g, 지실(枳實) 20g, 시호(柴胡) 12g(『향약집성방(鄕藥集成方)』). 돌림병을 앓은 뒤 열이 내리지 않는 증상에 사용한다.

• 괄루환(栝樓丸): 괄루(栝樓)·지실(枳實)·반하(半夏)·길경(桔梗) 각 40g(『동의보감(東醫寶鑑)』). 먹은 것이 잘 내려가지 않으면서 가슴이 답답하고 숨이 차면서 아픈 증상에 사용한다.

• 괄루행련환(栝樓杏連丸): 괄루인(栝樓仁)·행인(杏仁)·황련(黃連) 각 동량(『동의보감(東醫寶鑑)』). 술을 많이 마신 것이 원인이 되어 가래와 기침이 끊이지 않는 증상에 사용한다.

• 소함흉탕(小陷胸湯): 반하(半夏)·황련(黃連) 각 12g, 괄루인(栝樓仁) 40g(『상한론(傷寒論)』). 소결흉으로 명치 밑이 그득하고 누르면 아프고 설태가 있는 증상, 상한(傷寒)에 땀을 잘못 내서 결흉증이 되어 가슴과 명치 밑이 그득하고 아픈 증상에 사용한다.

＊잎이 얕게 갈라지고 열매가 황색으로 익으며 종자는 연한 흑갈색인 '노랑하늘타리 *T. kirilowii* var. *japonica*'도 약효가 같다.

🔴 괄루근(栝樓根, 절편)

🔴 괄루자(栝樓子, 파쇄한 것)

🔴 괄루자(栝樓子)

🔺 노랑하늘타리(열매)

🔴 하늘타리

🔴 노랑하늘타리

[베고니아과]

추해당

👁 인후종통

🗄 창옹궤양, 독사교상, 타박상, 피선

●학명 : *Begonia evansiana* Andr. ●한자명 : 秋海棠

1 2 3 4 5 6 7 8 9 10 11 12

🌿 🍃 ⚘ 🎋 🌾 ✿ ❀ ⁝ 🌾 💧

❍ 추해당(꽃)

여러해살이풀. 높이 60~80cm. 줄기는 바로 서며 굵고 둥근 덩이줄기가 있다. 잎은 어긋나고 다육질이며 달걀 모양이나 비대칭이다. 꽃은 암수한그루, 분홍색, 단성화로 잎겨드랑이에 피고, 수술은 황색, 암꽃은 꽃잎이 5개이다.

분포·생육지 중국, 인도, 타이완, 인도네시아. 산속 습지에서 자란다.

약용 부위·수치 줄기와 잎을 봄부터 가을에 채취하여 짓찧어 사용한다.

약물명 추해당경엽(秋海棠莖葉)

기미 온(溫), 신(辛), 미고(微苦)

약효 해독소종(解毒消腫), 산어지통(散瘀止痛), 살충의 효능이 있으므로 인후종통(咽喉腫痛), 창옹궤양(瘡癰潰瘍), 독사교상(毒蛇咬傷), 타박상, 피선(皮癬)을 치료한다.

성분 indole-3-acetic acid, oxalic acid 등이 함유되어 있다.

사용법 추해당경엽 생것을 짓찧어 상처에 바른다. 인후종통에는 짓찧어 낸 즙액으로 목 안을 헹군다.

❍ 추해당

[베고니아과]

죽절추해당

🗄 타박상   👤 반신불수   👁 인후염

👤 소변불리   ❤ 수종

●학명 : *Begonia maculata* Raddi ●한자명 : 竹節秋海棠

1 2 3 4 5 6 7 8 9 10 11 12

🌿 🍃 ⚘ 🎋 🌾 ✿ ❀ ⁝ 🌾 💧

❍ 죽절추해당(꽃)

여러해살이풀. 높이 0.7~1.5m. 줄기는 대나무 줄기처럼 마디가 뚜렷하다. 잎은 어긋나고 다육질이며 표면은 녹색이고 뒷면은 흑자색이다. 꽃은 암수한그루, 연한 붉은색, 단성화, 잎겨드랑이에 피고 수술은 황색, 암꽃은 꽃잎이 4개이다.

분포·생육지 타이완, 인도네시아. 산속 습지에서 자란다.

약용 부위·수치 전초를 봄부터 가을에 채취하여 썰어서 말린다.

약물명 죽절해당(竹節海棠)

약효 산어이수(散瘀利水), 해독의 효능이 있으므로 타박상, 반신불수, 소변불리, 수종, 인후염을 치료한다.

사용법 죽절해당 15g에 물 3컵(600mL)을 넣고 달여서 복용한다.

❍ 죽절추해당

열엽추해당

토혈	경폐
풍습열비	

●학명 : *Begonia palmata* D. Don. [*B. laciniata*] ● 한자명 : 裂葉秋海棠

1	2	3	4	5	6	7	8	9	10	11	12

여러해살이풀. 높이 15~60cm. 뿌리줄기
는 옆으로 기고 마디가 굵다. 잎은 어긋나
고 다육질이며 5~7개로 갈라진다. 꽃은 암
수한그루로 분홍색, 단성화로 잎겨드랑이
에 피고, 수술은 황색, 암꽃은 꽃잎이 4개
이다.

분포 · 생육지 중국, 남아메리카, 인도네시
아. 해발 500~1,900m의 습지에서 자란다.

약용 부위 · 수치 전초를 봄부터 가을에 채취
하여 썰어서 말린다.

약물명 홍해아(紅孩兒). 홍천규(紅天葵), 호
반해당(虎班海棠), 구치련(九齒蓮)이라고도
한다.

약효 청열해독(淸熱解毒), 산어소종(散瘀消
腫)의 효능이 있으므로 토혈, 경폐(經閉),
풍습열비(風濕熱痺)를 치료한다.

사용법 홍해아 10g에 물 3컵(600mL)을 넣
고 달여서 복용한다.

❶ 열엽추해당

장열엽추해당

토혈	요혈
수종	

●학명 : *Begonia pedatifida* Lévl. ● 한자명 : 掌裂葉秋海棠

1	2	3	4	5	6	7	8	9	10	11	12

여러해살이풀. 높이 35~40cm. 전체에 털
이 없고 밑에서 가지가 많이 갈라진다. 잎
은 어긋나고 다육질이며 손바닥 모양으로
심하게 갈라진다. 꽃은 암수한그루, 연한
붉은색, 단성화로 꽃덮개는 4개이며 가운
데 2개는 크고 2개는 작다.

분포 · 생육지 중국, 브라질, 싱가포르. 숲속
음습지에서 자란다.

약용 부위 · 수치 뿌리줄기를 봄부터 가을에
채취하여 물에 씻은 후 썰어서 말린다.

약물명 수팔각(水八角). 화계공(花鷄公), 일
구혈(一口血)이라고도 한다.

약효 활혈지혈(活血止血), 이습소종(利濕消
腫)의 효능이 있으므로 토혈, 요혈(尿血),
수종을 치료한다.

사용법 수팔각 10g에 물 3컵(600mL)을 넣
고 달여서 복용한다.

❶ 장열엽추해당

사철베고니아

창절

● 학명 : *Begonia semperflorens* Link et Otto

| 1 | 2 | 3 | 4 | 5 | 6 | 7 | 8 | 9 | 10 | 11 | 12 |

○ 사계해당(四季海棠)

여러해살이풀. 높이 15~30cm. 전체에 털이 없고 밑에서 가지가 많이 갈라진다. 잎은 어긋나고 다육질이며 좌우 모양이 같지 않다. 햇볕에 강하게 쪼이면 녹색이 붉은색으로 변하고 표면에 잔돌기가 있으며 광택이 난다. 꽃은 붉은색, 암수한그루, 단성화, 잎겨드랑이에 핀다. 수술은 황색, 암꽃은 꽃잎이 4개이다.

분포 · 생육지 브라질 원산. 우리나라 전역에서 재배한다.

약용 부위 · 수치 어린가지와 잎을 사용할 때 채취한다.

약물명 사계해당(四季海棠). 현육해당(蜆肉海棠)이라고도 한다.

약효 청열해독(淸熱解毒)의 효능이 있으므로 창절(瘡癤)을 치료한다.

성분 oxalic acid, fumaric acid, succinic acid, malic acid 등이 함유되어 있다.

사용법 사계해당 신선한 것을 적당량 짓찧어 붙이거나 즙액을 바른다.

○ 사철베고니아

배롱나무

창절옹저, 개선, 옹창종독, 습진, 창상출혈

대하, 유옹   폐로해혈

● 학명 : *Lagerstroemia indica* L.   ● 별명 : 백일홍, 백일홍나무

| 1 | 2 | 3 | 4 | 5 | 6 | 7 | 8 | 9 | 10 | 11 | 12 |

낙엽 교목. 높이 5m 정도. 줄기는 미끄럽고 껍질이 많이 벗겨진다. 잎은 마주나고 잎자루는 거의 없다. 꽃은 붉은색, 양성, 7~9월에 가지 끝에 원추화서로 달린다. 꽃잎은 6개, 수술은 30~40개, 암술은 1개이고 암술대가 수술 밖으로 나온다. 열매는 넓은 구형이다.

분포 · 생육지 인도 원산. 우리나라 중부 이남에서 재식하는 귀화 식물이다.

약용 부위 · 수치 꽃과 잎을 여름에, 뿌리는 수시로 채취하여 말린다.

약물명 꽃을 자미화(紫薇花), 잎을 자미엽(紫薇葉)이라 한다.

기미 자미화(紫薇花): 한(寒), 고(苦), 산(酸). 자미엽(紫薇葉): 한(寒), 미고(微苦)

약효 자미화(紫薇花)는 청열해독(淸熱解毒), 활혈지혈(活血止血)의 효능이 있으므로 창절옹저(瘡癤癰疽), 개선(疥癬), 대하(帶下), 폐로해혈(肺癆咳血)을 치료한다. 자미엽(紫薇葉)은 청열해독(淸熱解毒), 이습지혈(利濕止血)의 효능이 있으므로 옹창종독(癰瘡腫毒), 유옹(乳癰), 습진, 창상출

혈(創傷出血)을 치료한다.

성분 자미화(紫薇花)에는 delphinidin-3-*O*-arabinoside, petunidin-3-*O*-arabinoside, malvidin-3-*O*-arabinoside, 자미엽(紫薇葉)에는 decinine, decamine, lagerstroemine, lagerine, dihydroverticillatine, decodine 등의 알칼로이드가 함유되어 있다. 자미엽(紫薇葉)에는 dihydrolyfoline, lagerostroemine *N*-oxide, lagerine *N*-oxide, decamine *N*-oxide, 5-*epi*-dihydrofoline *N*-oxide, 5-*epi*-dihydrofoline, lagerine 등이 함유되어 있다.

약리 decamine은 항진균 작용이 있으며, Candida 및 Diphteria의 최소 저지 농도는 각각 8μg/mL, 4μg/mL이다.

사용법 자미화 또는 자미엽 10g에 물 3컵(600mL)을 넣고 달여서 복용한다.

○ 꽃   **○ 배롱나무**

○ 배롱나무(열매)

큰잎배롱나무

옹창종독

●학명 : *Lagerstroemia speciosa* L. [*Munchausia speciosa*]

| 1 | 2 | 3 | 4 | 5 | 6 | 7 | 8 | 9 | 10 | 11 | 12 |

교목. 높이 10~25m. 줄기는 회색, 미끄럽고 껍질이 벗겨진 자리가 백색이다. 잎은 어긋나지만 마주난 것처럼 보이고 길이 10~25cm이다. 꽃잎은 6개, 열매는 넓은 구형으로 회갈색이다.

분포·생육지 인도, 중국. 세계 각처에서 재식한다.

약용 부위·수치 잎을 사용할 때 채취한다.

약물명 대엽자미(大葉紫薇)

약효 염창해독(斂瘡解毒)의 효능이 있으므로 옹창종독(癰瘡腫毒)을 치료한다.

성분 대엽자미(大葉紫薇)에는 lageracetal, amylalcohol, lagerstannin A, B, C, puni-gluconin 등이 함유되어 있다.

사용법 대엽자미 적당량을 짓찧어 환부에 붙인다.

❶ 큰잎배롱나무(열매)

❶ 큰잎배롱나무

지갑화

치질   창상출혈

●학명 : *Lawsonia inermis* L.   ●영명 : Henna   ●한자명 : 指甲花   ●별명 : 헤나

| 1 | 2 | 3 | 4 | 5 | 6 | 7 | 8 | 9 | 10 | 11 | 12 |

상록 관목. 높이 5m 정도. 가지는 네모지며, 잎은 마주나고 타원형이다. 꽃은 가지 끝에 원추화서로 백색, 붉은색 또는 분홍색으로 피고 잎겨드랑이에 3~5개가 취산상으로 달린다. 꽃잎은 6개, 꽃받침통 끝에 달리며 수술은 8개이다. 삭과는 흑색으로 익는다.

분포·생육지 인도, 중앙아시아, 오스트레일리아, 지중해 연안, 이집트. 인도와 이집트, 중국 남부에서 재배한다.

약용 부위·수치 잎을 여름에 채취하여 썰어서 말린다.

약물명 지갑화엽(指甲花葉). 지갑엽(指甲葉)이라고도 한다. 서양에서는 Henna 또는 Hennae Folium이라고 한다.

약효 수렴지혈(收斂止血)의 효능이 있으므로 치질, 창상출혈(創傷出血)을 치료한다.

성분 lawsone, laxathone I~Ⅲ, 1,3–dihydroxyxanthone, 1–hydroxy–3,6–diace-toxyxanthone, lacoumarin, luteolin–7–*O*–glucoside, acacetin–7–*O*–glucoside, 1,4–naphthaquinone, 1,3–dihydroxynaph-thalene, isoplumbagin 등이 함유되어 있다.

약리 lawsone, laxathone 등은 항산화 작용이 강하게 나타난다. 항균, 항진균, 항아메바 등 구충 작용이 있다.

사용법 지갑화엽을 가루로 만들거나 연고로 만들어서 환부에 바른다.

＊지갑화엽(指甲花葉) 가루는 샴푸, 머리 염료, 손톱 착색제로 이용하고, Indigofera와 혼합하여 자연 갈색이나 흑색을 얻는다.

❶ 지갑화

❶ 지갑화(열매)

❶ 지갑화엽(指甲花葉)이 배합된 치질, 창상출혈 치료 연고

❶ 지갑화엽(指甲花葉)이 배합된 샴푸

[부처꽃과]

부처꽃

● 이질, 소화성궤양, 세균성하리

♀ 혈붕

● 학명 : *Lythrum anceps* (Koehne) Makino ● 별명 : 두렁꽃

| 1 | 2 | 3 | 4 | 5 | 6 | 7 | 8 | 9 | 10 | 11 | 12 |

여러해살이풀. 높이 1m 정도. 잎은 마주나고 바늘 모양이다. 꽃은 적자색, 7~8월에 잎겨드랑이에 3~5개가 취산화서로 달린다. 꽃받침은 능선이 있는 원주형으로 윗부분이 6개로 얕게 갈라지며, 꽃잎은 6개로 꽃받침통 끝에 달린다. 삭과는 꽃받침통 안에 들어 있다.

분포 · 생육지 우리나라 전역. 일본. 습지 및 냇가에서 자란다.

약용 부위 · 수치 전초를 여름과 가을에 채취

❶ 천굴채(千屈菜)

하여 썰어서 말린다.

약물명 천굴채(千屈菜). 대엽련(對葉蓮)이라고도 한다.

약효 청열해독(淸熱解毒), 수렴지혈(收斂止血)의 효능이 있으므로 이질, 혈붕(血崩), 소화성궤양, 세균성하리를 치료한다.

성분 꽃에는 vitexin, orientin, malvin, cyanidin-3-*O*-monogalactoside, ellagic acid 등이 함유되어 있다.

약리 물로 달인 액은 포도상구균, 대장균,

❶ 부처꽃(꽃)

티푸스균에 항균 작용이 있고, 메탄올추출물은 항산화 및 간장 보호 작용이 있다.

사용법 천굴채 10g에 물 3컵(600mL)을 넣고 달여서 복용하며, 외용에는 분말을 만들어서 환부에 바른다.

＊ 전체에 털이 많은 '털부처꽃 *L. salicaria*'도 약효가 같다.

❶ 부처꽃

[부처꽃과]

마디꽃

🗋 창절종독

● 학명 : *Rotala indica* (Willd.) Koehne   ● 별명 : 참마디꽃

| 1 | 2 | 3 | 4 | 5 | 6 | 7 | 8 | 9 | 10 | 11 | 12 |

한해살이풀. 높이 15cm 정도. 밑부분이 옆으로 자라다가 비스듬히 서며 짧은 가지가 갈라진다. 잎은 마주나고 달걀 모양이다. 꽃은 담적자색, 7~8월에 잎겨드랑이에 1개씩 달리며, 꽃잎은 작고 수술은 4개이다. 삭과는 달걀 모양이다.

분포 · 생육지 우리나라 전역. 인도, 인도네시아, 중국, 일본. 습지 및 논밭에서 자란다.

약용 부위 · 수치 전초를 여름과 가을에 채취하여 물에 씻은 후 바로 사용한다.

약물명 수마치현(水馬齒莧), 녹이초(碌耳草), 수천(水泉)이라고도 한다.

약효 청열해독(淸熱解毒)의 효능이 있으므로 창절종독(瘡癤腫毒)을 치료한다.

사용법 수마치현 적당량을 짓찧어 환부에 붙이고 붕대로 감싼다.

❶ 수마치현(水馬齒莧)

❶ 마디꽃

[부처꽃과]

하자화

 통경, 폐경, 혈붕   장풍하혈

● 학명 : *Woodfordia fruticosa* (L.) Kurz [*Lythrum fruticosum*]   ● 한자명 : 蝦子花

| 1 | 2 | 3 | 4 | 5 | 6 | 7 | 8 | 9 | 10 | 11 | 12 |

관목. 높이 3~5m. 가지를 많이 친다. 잎은 마주나며 긴 타원형, 가죽질이고 잎자루가 없다. 꽃은 붉은색, 잎겨드랑이에 취산화서로 피며, 꽃잎은 6개, 수술은 12개이다. 삭과는 원통형, 종자가 많이 들어 있다.

분포·생육지 인도, 인도네시아, 중국. 강가나 산비탈에서 자란다.

약용 부위·수치 꽃을 봄에 채취하여 말린다.

약물명 하자화(蝦子花). 홍하화(紅蝦花)라고도 한다.

약효 활혈지혈(活血止血), 서근활락(舒根活絡)의 효능이 있으므로 통경(痛經), 폐경(閉經), 혈붕(血崩), 장풍하혈(腸風下血)을 치료한다.

성분 하자화(蝦子花)에는 woodfordin A~I, isoschimawallin A, oenothein A~B, gemin D, heterophyllin A 등이 함유되어 있다.

사용법 하자화 20g에 물 3컵(600mL)을 넣고 달여서 복용한다.

● 하자화(꽃)

● 하자화

[마름과]

마름

요통, 근육통   열독   다발성사마귀
탈항, 치창   주독   위궤양, 설사

● 학명 : *Trapa bispinosa* Roxburgh var. *inumai* Nakai   ● 별명 : 골뱅이

| 1 | 2 | 3 | 4 | 5 | 6 | 7 | 8 | 9 | 10 | 11 | 12 |

한해살이풀. 잎은 마름모꼴 비슷한 삼각형, 잎자루는 길이 10~20cm, 중앙부는 부풀어 있다. 꽃은 흰색, 7~8월에 피며 지름 1cm 정도이다. 열매는 딱딱하고 원추형이며 윗부분의 중앙부가 두드러지고 양 끝은 가시처럼 생겼으며 가시 끝 부근에 밑을 향한 가시가 있다.

분포·생육지 우리나라 전역. 중국, 일본, 우수리. 연못에서 자란다.

약용 부위·수치 열매, 줄기를 가을에 채취하여 말린다.

약물명 과육을 능(菱)이라 하며, 수율(水栗)이라고도 한다. 줄기를 능경(菱莖), 열매껍질을 능각(菱殼)이라 한다.

본초서 「동의보감(東醫寶鑑)」에 능(菱)은 "속을 편안하게 하고 오장을 윤택하게 한다."고 하였다.

東醫寶鑑: 主安中 補五臟.

기미·귀경 능(菱): 양(凉), 감(甘)·비(脾), 위(胃). 능경(菱莖): 양(凉), 감(甘). 능각(菱殼): 평(平), 삽(澁)

약효 능(菱)은 해열, 지갈(止渴)의 효능이 있으므로 요통, 근육통, 열독(熱毒), 주독(酒毒)을 치료한다. 능경(菱莖)은 청열해독(淸熱解毒)의 효능이 있으므로 위궤양 및 다발성의 사마귀를 치료한다. 능각(菱殼)은 삽장지사(澁腸止瀉), 지혈, 염창(斂瘡), 해독의 효능이 있으므로 설사, 탈항, 치창(痔瘡)을 치료한다.

성분 능(菱)에는 ergosta-4,6,8(14),22-tetraen-3-one, 22-dihydrostigmast-4-en-3,6-dione 등이 함유되어 있다.

약리 열매의 에탄올추출물은 Ehrlich 복수암에 항암 작용이 있다.

사용법 능, 능경 또는 능각 20g에 물 3컵(600mL)을 넣고 달여서 복용한다.

※ 본 종에 비하여 전체가 작고 꽃받침에 털이 없으며 잎의 지름이 1~2cm이고 열매에 4개의 뿔이 있는 '애기마름 *T. pseudo-incisa*'도 약효가 같다.

● 마름

● 능(菱)

● 능경(菱莖)

● 마름(열매)

● 애기마름

[사군자나무과]

풍차자

 회충병, 편충병

●학명 : *Combretum alfredii* Hance　●한자명 : 風車子

1 2 3 4 5 6 7 8 9 10 11 12

덩굴성 관목. 작은 가지는 모가 나고 회갈색이다. 잎은 마주나며 타원형으로 가장자리가 밋밋하고 비늘조각이 많다. 꽃은 황백색, 수상화서에 달린다. 시과는 적자색으로 익는다.

분포 · 생육지 인도, 캄보디아, 중국, 말레이시아. 산지에서 자란다.

약용 부위 · 수치 잎을 여름에 채취하여 썰어서 말린다.

약물명 화풍차자엽(華風車子葉). 사각풍(四角風), 수번도(水番挑)라고도 한다. 라틴 생약명은 Combreti Folium이다.

약효 구충건위(驅蟲健胃), 해독의 효능이 있으므로 회충병, 편충병(鞭蟲病)을 치료한다.

사용법 화풍차자엽 10g에 물 3컵(600mL)을 넣고 달여서 복용한다.

◎ 풍차자

[사군자나무과]

남이

 아구창　 습진, 피부소양증

●학명 : *Lumnitzera racemosa* Willd.　●한자명 : 欖李

1 2 3 4 5 6 7 8 9 10 11 12

소교목. 높이 8m 정도. 줄기껍질은 갈색~회흑색. 잎은 마주나며 타원형으로 끝이 오목하고 가장자리가 밋밋하다. 꽃은 백색, 총상화서로 잎겨드랑이에 달린다. 열매는 방추형으로 흑갈색으로 익는다.

분포 · 생육지 인도, 베트남, 캄보디아, 중국, 말레이시아. 산지에서 자란다.

약용 부위 · 수치 봄부터 여름에 줄기에 상처를 내어 흘러나오는 삼출물을 사용한다.

약물명 남이수즙(欖李樹汁). 라틴 생약명은 Lumnizerae Resina이다.

약효 해독조습(解毒燥濕), 지양(止痒)의 효능이 있으므로 아구창(鵝口瘡), 습진, 피부소양증을 치료한다.

사용법 남이수즙 적당량을 환부에 바른다.

◎ 남이(잎과 꽃)

◎ 남이

[사군자나무과]

사군자나무

 회충병, 소아감적, 하리

● 학명 : *Quisqualis indica* L.

| 1 | 2 | 3 | 4 | 5 | 6 | 7 | 8 | 9 | 10 | 11 | 12 |

덩굴성 관목. 높이 2~8m. 잎은 마주나며, 꽃은 가지 끝에 수상화서로 달리고, 꽃잎은 5개로 백색이나 점차 붉은색으로 변한다. 수술은 10개, 암술은 1개, 암술대의 밑부분은 꽃받침통과 합생한다. 열매는 5줄의 모서리가 있고 1개의 종자가 들어 있다.

분포 · 생육지 타이완, 중국 남부, 인도. 산이나 들에서 자란다.

약용 부위 · 수치 늦여름과 초가을 사이에 잎, 열매를 채취하여 말린다. 열매는 껍질을 제거하고 종자를 말린다.

약물명 열매를 채취하여 껍질을 제거한 종자를 사군자(使君子), 잎을 사군자엽(使君子葉)이라고 한다. 사군자(使君子)는 대한민국약전외한약(생약)규격집(KHP)에 수재되어 있다.

본초서 사군자(使君子)는 송나라 때의 「개보본초(開寶本草)」에 처음 수재되었으며 구자(求子)라고도 한다. 중국의 마지(馬志)라

는 한의사가 곽사군(郭四君)이란 어린아이의 질병을 이 식물의 종자로 치료하였기 때문에 사군자(四君子)라는 이름을 붙이게 되었다. 「동의보감(東醫寶鑑)」에는 "어린아이의 오감(五疳)을 낫게 하고, 촌백충과 회충을 구제하며, 설사와 이질을 그치게 한다." 고 하였다.

東醫寶鑑 : 主小兒五疳 殺蟲 止泄瀉.

성상 타원형~난원형으로 4~6개의 세로줄이 있고 길이 2~4cm, 지름 약 2cm이다. 바깥 면은 흑갈색~자흑색으로 약간 매끈하고, 윗부분은 좁고 뾰족하며 밑부분은 둔한 원형으로 과병의 자국이 있다. 질은 단단하고 횡단면은 여러 개의 5각 별 모양을 나타내며, 능각 부분은 조금 두껍고 중간은 둥글고 비어 있다. 종피는 얇고 쉽게 벗겨진다. 약간 향기가 있고 맛은 조금 달다. 자흑색으로 광택이 있고 인(仁)은 충실하며 황백색인 것이 좋다.

기미 · 귀경 사군자(使君子): 온(溫), 감(甘), 소독(小毒) · 비(脾), 위(胃). 사군자엽(使君子葉): 평(平), 신(辛) · 비(脾), 위(胃)

약효 사군자(使君子)는 살충, 소적(消積), 건비(健脾)의 효능이 있으므로 회충으로 인한 복통, 소아감적(小兒疳積), 어린아이 소화불량, 하리(下痢)를 치료한다. 사군자엽(使君子葉)은 살충, 소적(消積), 개위(開胃)의 효능이 있으므로 소아감적(小兒疳積)을 비롯한 오감(五疳)을 치료한다.

성분 사군자(使君子)는 betaine, chrysanthemin, proline 등, 사군자엽(使君子葉)은 trigonelline, proline, asparagin 등이 함유되어 있다.

약리 사군자(使君子)의 에탄올추출물은 회충, 지렁이, 메뚜기 등을 살충시키는 작용이 있다.

사용법 사군자는 7g에 물 3컵(600mL)을 넣고 달여서 복용하고, 사군자엽은 10g에 물 3컵(600mL)을 넣고 달여서 복용한다.

처방 사군자환(使君子丸): 사군자(使君子) 40g, 후박(厚朴) · 가자(訶子) · 구감초(炙甘草) 각 20g, 모려(牡蠣) 10g 「동의보감(東醫寶鑑)」). 어린아이가 냉감(冷疳)으로 눈이 붓고 얼굴이 거무스레하며 배가 그득하고 흰 곱 같은 설사를 하는 증상에 사용한다.

❶ 사군자나무

❶ 사군자나무(열매)

❶ 사군자나무(꽃)

❶ 사군자(使君子)

❶ 사군자(使君子, 절편)

❶ 사군자나무(잎)

[사군자나무과]

삼과목

체허핍력, 심계기단   창양

●학명 : *Terminalia arjuna* (Roxb.) Bedd. [*Pentaptera arjuna*]
●한자명 : 三果木

1 2 3 4 5 6 7 8 9 10 11 12   ※ ✿ ⼕ 🌾 🔥 ✿ ·: ⁑ 🌱 ⬧

◐ 삼과목(줄기)

◐ 삼과목피(三果木皮)
로 만든 강장제

교목. 줄기껍질은 두껍고 매끈하며 녹색 또는 연한 붉은색이다. 잎은 마주나며 긴 타원형으로 가장자리가 밋밋하다. 꽃은 녹백색, 수상화서로 달린다. 핵과는 달걀 모양, 흑갈색으로 익는다.

분포·생육지 인도, 타이완, 말레이시아. 산지에서 자란다.

약용 부위·수치 줄기껍질을 봄에 채취하여 썰어서 말린다.

약물명 삼과목피(三果木皮). 라틴 생약명은 Terminaliae Arjunae Cortex이다.

약효 보기활혈(補氣活血), 해독렴창(解毒斂瘡)의 효능이 있으므로 체허핍력(體虛乏力), 심계기단(心悸氣短), 창양(瘡瘍)을 치료한다.

성분 삼과목피(三果木皮)에는 arjunic acid, arjunoic acid 등이 함유되어 있다.

사용법 삼과목피 7g에 물 2컵(400mL)을 넣고 달여서 복용하거나 술에 담가서 복용하고, 창양(瘡瘍)에는 가루로 만들어 환부에 붙이고 붕대로 싸맨다.

◐ 삼과목

[사군자나무과]

남인수

이질   담열해수   감모발열
창양   관절염

●학명 : *Terminalia catappa* L.   ●한자명 : 欖仁樹   ●별명 : 열대 아몬드

1 2 3 4 5 6 7 8 9 10 11 12   ※ ✿ ⼕ 🌾 🔥 ✿ ·: ⁑ 🌱 ⬧

◐ 남인수(열매)

교목. 높이 15m 정도. 줄기껍질은 두껍고 흑갈색이다. 잎은 어긋나며 타원형, 가장자리가 밋밋하다. 꽃은 백색~녹백색, 수상화서로 달린다. 핵과는 달걀 모양, 흑청색으로 익고, 종자는 1개이다.

분포·생육지 인도, 중국, 타이완, 말레이시아, 베트남. 산지에서 자란다.

약용 부위·수치 줄기껍질을 봄에, 잎을 여름에 채취하여 썰어서 말린다.

약물명 줄기껍질을 남인수피(欖仁樹皮), 잎을 남인수엽(欖仁樹葉), Terminaliae Folium 이라 한다.

약효 남인수피(欖仁樹皮)는 해독지리(解毒止痢), 화담지해(化痰止咳)의 효능이 있으므로 이질, 담열해수(痰熱咳嗽), 창양(瘡瘍)을 치료한다. 남인수엽(欖仁樹葉)은 거풍청열(祛風淸熱), 지해지통(止咳止痛)의 효능이 있으므로 감모발열, 담열해수(痰熱咳嗽), 관절염을 치료한다.

사용법 남인수피 또는 남인수엽 10g에 물 3컵(600mL)을 넣고 달여서 복용하고, 창양(瘡瘍)에는 가루로 만들어 환부에 붙이고 붕대로 싸맨다.

◐ 남인수

[사군자나무과]

가자나무

구사, 구리
탈항
천해담수, 구해실음

● 학명 : *Terminalia chebula* Retz.　● 별명 : 가려, 가려륵

| 1 | 2 | 3 | 4 | 5 | 6 | 7 | 8 | 9 | 10 | 11 | 12 |

낙엽 교목. 높이 25m 정도. 새 가지는 황갈색으로 갈색 털이 있고, 잎은 어긋나며 두껍다. 꽃은 황록색, 원추화서로 가지 끝에 핀다. 꽃받침은 끝이 5개로 갈라지고 수술 10개가 꽃받침 밖으로 나와 있다. 열매는 핵과이다.

분포·생육지 인도, 미얀마 원산. 말레이시아, 타이, 베트남, 중국 윈난성(雲南省), 광둥성(廣東省), 광시성(廣西省). 산지에서 자란다.

약용 부위·수치 8~10월에 성숙한 열매를 채취하여 사용하는데, 굵고 질이 단단하며 무겁고 과육이 두꺼운 것이 좋다. 살짝 빻아서 그대로 사용하지만 삽장지사(澁腸止瀉)에는 반죽한 밀가루로 싸서 회(灰)에 묻어 구워서(麩皮煨) 사용한다.

약물명 가자(訶子), 가리륵(訶梨勒), 수풍자(隨風子)라고도 한다. 대한약전(KP)에 수재되어 있다.

본초서 당나라 소경(蘇敬) 등의 「신수본초(新修本草)」에 가리륵(訶梨勒)이라는 이름으로 수재되어 있으며 「본초강목(本草綱目)」에는 "가리륵(訶梨勒)은 범어(梵語)에서 하늘을 가리키는 것으로 나무의 높은 가지에서 달린다."는 뜻이라고 하였다. 소송(蘇頌)의 「도경본초(圖經本草)」에는 "광둥(廣東)에서 많이 생산되고, 꽃은 희고 열매는 산치자(山梔子)나 감람(橄欖)과 비슷하며 껍질과 과육이 두껍다. 여름에 열매가 익을 때 채집하며 열매에 6개의 능선이 있는 것이 양품(良品)이다."라고 하였다. 「동의보감(東醫寶鑑)」에는 "담을 삭이고 기운을 내리며, 폐의 기능을 도와 숨이 찬 것을 낫게 한다. 구토와 설사, 장의 경련으로 오는 복통, 신장 기능을 도와 설사와 이질을 낫게 한다. 치질로 피가 나오는 것, 자궁에서 분비물이 나오는 것, 기운이 몰린 것을 풀어 주고 명치 밑이 부풀어 오르며 그득한 기분을 풀어 준다. 음식을 잘 소화시키며 입맛을 돋운다. 열격을 낫게 하며 안태시킨다."고 하였다.

藥性論: 能通利津液, 主破胸膈結氣, 止水道, 黑髭髮.

新修本草: 主冷氣心腹脹滿, 下食.

東醫寶鑑: 消痰下氣 治肺氣喘急 霍亂奔豚 腎氣 止瀉痢 腸風瀉血崩中帶下 破結氣 心腹脹滿消食開胃 療隔氣 安胎.

성상 긴 달걀 모양으로 길이 2.5~3.0cm, 지름 1.5~2.0cm, 표면은 황갈색~갈색으로 광택이 있고, 세로로 5~6개의 돌출한 능선과 불규칙한 주름이 있다. 이 능선은 윗부분과 밑부분에서 모아진다. 밑부분에는 과병이 붙어 있던 자리가 있고 과육은 두께 3~4mm로 단단하고 그 속에 종자 1개가 들어 있다. 냄새는 거의 없고 맛은 약간 쓰고 시며 떫다.

기미·귀경 평(平), 고(苦), 산(酸)·폐(肺), 대장(大腸), 위(胃)

약효 삽장수렴(澁腸收斂), 하기이인(下氣利咽)의 효능이 있으므로 구사(久瀉), 구리(久痢), 탈항(脫肛), 천해담수(喘咳痰嗽), 구해실음(久咳失音)을 치료한다.

성분 tannin 20%(ellagic acid, gallic acid, luteoic acid, chebulic acid 등)가 함유되어 있다.

약리 물로 달인 액은 적리균, 포도상구균, 연쇄구균의 성장을 억제한다.

사용법 가자 3g에 물 2컵(400mL)을 넣고 달여서 복용하거나 술에 담가서 복용하고, 알약이나 가루약으로 복용하여도 좋다.

주의 본 약물은 산삽(酸澁)으로 수렴(收斂) 작용을 하기 때문에 외사미해(外邪未解), 습열화사(濕熱火邪)가 있을 때는 복용을 금한다.

처방 가자산(訶子散): 가자(訶子)·백출(白朮) 각 6g, 모려(牡蠣)·고량강(高良薑)·목향(木香)·작약(芍藥)·육두구(肉荳蔲)·구감초(炙甘草) 각 4g, 생강(生薑) 5쪽「동의보감(東醫寶鑑)」. 임신 때 찬것이나 날것을 먹고 복통이 일어난 증상에 사용한다.

• 가려륵환(訶黎勒丸): 가자(訶子)·모려(牡蠣)·과루인(瓜蔞仁)·청대(靑黛)·행인(杏仁)·패모(貝母)·향부자(香附子) 각 10g「동의보감(東醫寶鑑)」. 춥다가 열이 나면서 식은땀이 나고 기침이 나는 증상에 사용한다.

❁ 가자(訶子)

❁ 가자(訶子, 절편)

❁ 가자나무(열매)

❁ 가자나무(꽃)

❁ 가자(訶子)가 배합된 감기약

❁ 가자나무(잎)

❁ 가자나무

[정향나무과]

홍천층

감모발열　해천
습진

●학명 : *Callistemon rigidus* L.　●한자명 : 紅千層

| 1 | 2 | 3 | 4 | 5 | 6 | 7 | 8 | 9 | 10 | 11 | 12 |

○ 홍천층(열매)

상록 소교목. 높이 10m 정도. 줄기껍질은 회백색, 두껍고 부드럽다. 잎은 어긋나고 긴 타원형, 가장자리는 밋밋하다. 꽃은 녹색, 수상화서로 달리고, 열매는 구형으로 적갈색이며 다닥다닥 붙어 있다.

분포 · 생육지 중국 광둥성(廣東省), 광시성(廣西省), 타이완. 산지의 모래땅에서 자란다.

약용 부위 · 수치 잎과 가지를 여름에 채취하여 음지에서 말린다.

약물명 홍천층(紅千層)

약효 거풍화어(祛風化瘀), 소종(消腫)의 효능이 있으므로 감모발열, 해천(咳喘), 습진을 치료한다.

사용법 홍천층 9g에 물 3컵(600mL)을 넣고 달여서 복용한다.

○ 홍천층

[정향나무과]

적안

소아감적

●학명 : *Eucalyptus camaldulensis* Dehnh.　●한자명 : 赤桉

| 1 | 2 | 3 | 4 | 5 | 6 | 7 | 8 | 9 | 10 | 11 | 12 |

○ 적안(꽃)

상록 교목. 높이 25m 정도. 줄기껍질은 암회색으로 두껍고 부드럽다. 잎은 어긋나고 긴 타원형, 가장자리는 밋밋하다. 꽃은 녹색으로 수상화서로 달리고, 열매는 구형으로 지름 5~6mm이다.

분포 · 생육지 중국, 인도, 오스트레일리아. 산지의 모래땅에서 자란다.

약용 부위 · 수치 열매를 가을에 채취하여 음지에서 말린다.

약물명 양초과(洋草果)

약효 소적제감(消積除疳)의 효능이 있으므로 소아감적(小兒疳積)을 치료한다.

사용법 양초과 3g을 뜨거운 물로 우려내어 복용한다.

○ 적안

[정향나무과]

녕몽안

풍한감모 | 풍습골통 | 위기통 | 풍진

● 학명 : *Eucalyptus citriodora* Hook. f. [*E. maculata* var. *citriodora*]
● 한자명 : 檸檬桉

1	2	3	4	5	6	7	8	9	10	11	12

○ 녕몽안

상록 교목. 높이 25~30m. 줄기껍질은 회색 또는 분홍색으로 거칠고 벗겨진다. 잎은 어긋나고 긴 타원형, 가장자리는 밋밋하다. 꽃은 담황색, 잎겨드랑이에 수상화서로 달리고, 열매는 달걀 모양이다.

분포 · 생육지 오스트레일리아 원산. 중국, 타이완, 북아메리카, 남아메리카. 산지의 모래땅에서 자란다.

약용 부위 · 수치 잎을 수시로 채취하여 음지에서 말린다.

약물명 녕몽안엽(檸檬桉葉)

약효 산풍제습(散風除濕), 건위지통(健胃止痛), 해독지양(解毒止痒)의 효능이 있으므로 풍한감모(風寒感冒), 풍습골통(風濕骨痛), 위기통(胃氣痛), 풍진을 치료한다.

사용법 녕몽안엽 3g을 뜨거운 물로 우려내어 복용한다.

[정향나무과]

유칼리나무

풍열감모, 폐열해수, 가래 | 고열두통, 말라리아 | 이질, 식적, 복창 | 습진, 개선, 피부염, 선창

● 학명 : *Eucalyptus globulus* Labill.

1	2	3	4	5	6	7	8	9	10	11	12

상록 교목. 줄기는 회남색. 종종 코르크층이 떨어져 있다. 잎은 어긋나고 긴 타원형, 길이 15~30cm, 너비 1~2cm이다. 꽃은 크고 백색, 지름 4cm 정도, 수술이 많다. 열매는 반구형, 4개의 모서리가 있고 가을에서 겨울에 걸쳐 익는다.

분포 · 생육지 중국 광둥성(廣東省), 광시성(廣西省), 푸젠성(福建省), 타이완, 오스트레일리아. 산지에서 자란다.

약용 부위 · 수치 잎을 수시로 채취하여 말린다.

약물명 안엽(按葉). 안수엽(按樹葉)이라고도 한다. 열매를 안수과(按樹果)라 하며, 양초과(洋草果), 남안과(楠桉果)라고도 한다.

기미 · 귀경 안엽(按葉): 한(寒), 신(辛), 고(苦) · 폐(肺), 위(胃), 비(脾), 간(肝)

약효 안엽(按葉)은 소풍해표(消風解表), 청열해독(淸熱解毒), 화담이기(化痰理氣)의 효능이 있으므로 풍열감모(風熱感冒), 고열두통(高熱頭痛), 폐열해수(肺熱咳嗽), 가래, 이질, 습진, 개선(疥癬)을 치료한다. 안수과(按樹果)는 이기건위(理氣健胃), 절학지양(截瘧止痒)의 효능이 있으므로 식적(食積), 복창(腹脹), 말라리아, 피부염, 선창(癬瘡)을 치료한다.

성분 macrocarpal A~E, euglobal Ia₁, Ia₂, Ic, IIa~c, quercetin, rutin, hyperoside, caffeic acid 등이 함유되어 있다.

약리 열수추출물은 포도상구균 등 병원 미생물에 항균 작용이 있다. 침제(浸劑) 및 정유는 기침과 가래를 감소시키고 혈당을 낮추는 효능이 있다.

사용법 안엽 또는 안수과 10g에 물 3컵(600mL)을 넣고 달여서 복용하고, 외상에는 짓찧어 바른다.

○ 안수과(按樹果)

○ 안엽(按葉)

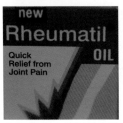

○ 안엽(按葉)이 배합된 류머티즘 치료제

○ 안엽(按葉)이 배합된 구강청결제

○ 기침과 가래에 사용하는 정유

○ 유칼리나무

직간남안

 감기, 유행성감기　　인후염
풍진, 습진

● 학명 : *Eucalyptus maidenii* F. V. Muell.　　● 한자명 : 直杆藍按

1 2 3 4 5 6 7 8 9 10 11 12

상록 교목. 높이 20m 정도. 줄기껍질은 회남색, 종종 코르크층이 떨어져 있다. 잎은 어긋나고 긴 타원형, 길이 4~12cm, 양면이 흰 가루색을 띠는 녹색이다. 꽃은 백색, 산형화서로 5~7개가 달린다. 삭과는 종 모양 또는 원추형이다.

분포 · 생육지 이탈리아 원산. 세계 각처에서 재식한다.

약용 부위 · 수치 잎을 수시로 채취하여 말린다.

약물명 직간남안엽(直杆藍按葉)

약효 소풍해표(消風解表), 청열지양(淸熱止痒)의 효능이 있으므로 감기, 유행성감기, 인후염, 풍진, 습진을 치료한다.

사용법 직간남안엽 10g에 물 3컵(600mL)을 넣고 달여서 복용하고, 외상에는 짓찧어 바른다.

◘ 직간남안엽(直杆藍按葉)

◘ 직간남안

[정향나무과]

좁은잎유칼리

감모발열　　후천담수
완복창통

● 학명 : *Eucalyptus tereticornis* F. V. Muell.　　● 한자명 : 細葉按

1 2 3 4 5 6 7 8 9 10 11 12

◘ 좁은잎유칼리(잎과 열매)

상록 교목. 높이 25m 정도. 줄기껍질은 회백색, 평활하다. 잎은 어긋나고 긴 타원형, 길이 10~25cm로 약간 구부러진다. 꽃은 백색, 산형화서로 5~8개가 달린다. 삭과는 구형이다.

분포 · 생육지 오스트레일리아 원산. 세계 각처에서 재식한다.

약용 부위 · 수치 잎을 수시로 채취하여 말린다.

약물명 세엽안엽(細葉按葉)

약효 선폐발표(宣肺發表), 이기활혈(理氣活血)의 효능이 있으므로 감모발열, 후천담수(喉喘痰嗽), 완복창통(脘腹脹痛)을 치료한다.

사용법 세엽안엽 10g에 물 3컵(600mL)을 넣고 달여서 복용한다.

◘ 좁은잎유칼리

[정향나무과]

로즈애플

위한애역, 비허설사 　 폐허한수
설생창 　 창양, 두창

● 학명 : *Syzygium jambos* (L.) Alston [*Eugenia jambos*]　● 한자명 : 蒲桃

| 1 | 2 | 3 | 4 | 5 | 6 | 7 | 8 | 9 | 10 | 11 | 12 |

상록 소교목. 높이 10m 정도. 줄기는 비교적 낮고 가지가 많이 갈라진다. 잎은 마주나며 타원형, 가장자리가 밋밋하다. 꽃은 백색, 줄기 끝에 취산화서로 피고, 수술이 길고 많다.

분포 · 생육지 중국 푸젠성(福建省), 광둥성(廣東省), 윈난성(雲南省), 타이완, 말레이시아. 강가나 습지에서 자란다.

약용 부위 · 수치 열매껍질과 잎을 여름에 채취하여 물에 씻은 후 말린다.

약물명 열매껍질을 포도각(蒲桃殼), 잎을 포도엽(蒲桃葉)이라 한다.

약효 포도각(蒲桃殼)은 난위건비(暖胃健脾), 보폐지해(補肺止咳), 파혈소종(破血消腫)의 효능이 있으므로 위한애역(胃寒呃逆), 비허설사(脾虛泄瀉), 폐허한수(肺虛寒嗽)를 치료한다. 포도엽(蒲桃葉)은 청열해독의 효능이 있으므로 설생창(舌生瘡), 창양(瘡瘍), 두창(痘瘡)을 치료한다.

사용법 포도각은 10g에 물 3컵(600mL)을 넣고 달여서 복용한다. 포도엽은 설생창(舌生瘡)에는 달인 액으로 입안에 머금다가 뱉

고, 창양(瘡瘍), 두창(痘瘡)에는 짓찧어 환부에 붙인다.

✪ 로즈애플(열매)

✪ 로즈애플

[정향나무과]

양포도

구설생창, 아구창

● 학명 : *Syzygium samarangense* (Blume) Merr. et Perry [*Eugenia javanica*]
● 영명 : Java wax apple, Wax jambu, Java rose apple　● 한자명 : 洋蒲桃　● 별명 : 왁스잠부

| 1 | 2 | 3 | 4 | 5 | 6 | 7 | 8 | 9 | 10 | 11 | 12 |

상록 소교목. 줄기는 매끈하고, 잎은 타원형, 가죽질, 어린잎은 다소 홍자색을 띠며 광택이 있다. 꽃은 줄기 끝에서 피고, 꽃봉오리는 길이 1.5cm 내외, 4개의 꽃받침과 꽃잎이 있다.

분포 · 생육지 말레이시아 원산. 열대, 아열대에서 재배한다.

약용 부위 · 수치 줄기껍질을 수시로 채취하여 말린다.

약물명 연무(蓮霧)

약효 사화해독(瀉火解毒), 조습지양(燥濕止痒)의 효능이 있으므로 구설생창(口舌生瘡), 아구창(鵝口瘡)을 치료한다.

사용법 연무 5g에 물 2컵(400mL)을 넣고 달여서 복용한다.

✪ 양포도(열매, 신선품)

✪ 양포도(꽃)

✪ 양포도

[야목단과]

금화수

● 학명 : *Blastus dunnianus* Level. ● 한자명 : 金花樹

| 1 | 2 | 3 | 4 | 5 | 6 | 7 | 8 | 9 | 10 | 11 | 12 |

○ 금화수(열매)

관목. 높이 1m 정도. 줄기는 둥글고 가지가 많다. 잎은 마주나며 타원형, 끝이 점차 뾰족해지고 가장자리는 밋밋하다. 꽃은 붉은색, 가지 끝에 두상화서로 핀다. 삭과는 달걀 모양이다.

분포 · 생육지 중국 푸젠성(福建省), 광둥성(廣東省), 구이저우성(貴州省). 산골짜기에서 자란다.

약용 부위 · 수치 잎과 가지를 여름에 채취하여 썰어서 말린다.

약물명 금화수(金花樹). 산암적(山暗赤)이라고도 한다.

약효 거풍이습(祛風利濕), 지혈해독(止血解毒)의 효능이 있으므로 풍습비통(風濕痺痛), 대하(帶下), 타박상을 치료한다.

사용법 금화수 10g에 물 3컵(600mL)을 넣고 달여서 복용한다.

○ 금화수

[야목단과]

홍모야해당

● 학명 : *Bredia tuberculata* (Guill.) Diels [*B. omeiensis, Fordiophyton tuberculatum*]
● 한자명 : 紅毛野海棠

| 1 | 2 | 3 | 4 | 5 | 6 | 7 | 8 | 9 | 10 | 11 | 12 |

풀 또는 아관목. 높이 30~60cm. 보통 분지하지 않고 전체에 붉은색 털이 많다. 잎은 마주나고 타원형, 끝이 점차 뾰족해지고 가장자리는 밋밋하다. 꽃은 붉은색, 가지 끝에 산형상 취산화서로 피며 4수성이다. 삭과는 구형이다.

분포 · 생육지 인도, 중국 푸젠성(福建省), 광둥성(廣東省), 구이저우성(貴州省). 산골짜기에서 자란다.

약용 부위 · 수치 전초를 여름이나 가을에 채취하여 썰어서 말린다.

약물명 홍모야해당(紅毛野海棠)

약효 거풍제습(祛風除濕), 활혈지혈(活血止血)의 효능이 있으므로 풍습비통(風濕痺痛), 요통, 토혈(吐血)을 치료한다.

사용법 홍모야해당 10g에 물 3컵(600mL)을 넣고 달여서 복용한다.

○ 홍모야해당

[야목단과]

다화야목단

 장염, 이질, 간염 객혈
편두통

●학명 : *Melastoma affine* D. Don. [*M. polyantheum*] ●한자명 : 多花野牡丹

1 2 3 4 5 6 7 8 9 10 11 12

○ 파완장각수(破碗掌脚樹)

관목. 높이 1m 정도. 줄기는 네모지고 가지가 많다. 잎은 마주나며 두껍고 타원형이며 가장자리는 밋밋하다. 꽃은 붉은색 또는 적자색, 2~5월에 가지 끝에 두상화서로 피고, 수술은 5개는 길고 5개는 짧다. 열매는 구형이며 지름 6~8mm이고, 종자는 육질 태좌 안에 있다.

분포·생육지 인도, 중국 남부, 타이완. 산비탈에서 자란다.

약용 부위·수치 전주(全株)를 여름부터 가을에 채취하여 썰어서 말린다.

약물명 파완장각수(破碗掌脚樹). 야광석류(野廣石榴), 작요과(炸腰果), 수다니(水多尼)라고도 한다.

약효 청열이습(淸熱利濕), 화어지혈(化瘀止血), 해독의 효능이 있으므로 장염, 이질, 간염, 객혈, 편두통을 치료한다.

사용법 파완장각수 10g에 물 3컵(600mL)을 넣고 달여서 복용한다.

 ○ 열매   **○ 다화야목단**

[야목단과]

야목단

소화불량, 간염, 설사 유즙불하
혈전성맥관염

●학명 : *Melastoma candidum* D. Don. ●한자명 : 野牡丹

1 2 3 4 5 6 7 8 9 10 11 12

○ 야목단(열매)

상록 관목. 줄기는 둥글고 가지는 세모진다. 잎은 마주나며 두껍고 타원형, 가장자리는 밋밋하다. 꽃은 담자색, 가지 끝에 두상화서로 피며 지름 8cm 정도, 꽃잎은 5개이다. 열매는 삭과이다.

분포·생육지 중국 남부, 타이완. 산비탈에서 자란다.

약용 부위·수치 전주(全株)를 여름부터 가을에 채취하여 썰어서 말린다.

약물명 야목단(野牡丹). 저모초(猪母草), 산석류(山石榴)라고도 한다.

기미·귀경 양(凉), 산(酸), 삽(澁)·비(脾), 위(胃), 신(腎), 간(肝)

약효 소적이습(消積利濕), 활혈지혈(活血止血), 청열해독(淸熱解毒)의 효능이 있으므로 소화불량, 간염, 설사, 유즙불하(乳汁不下), 혈전성맥관염을 치료한다.

사용법 야목단 10g에 물 3컵(600mL)을 넣고 달여서 복용한다.

○ 야목단

브라질야목단

 소화불량, 설사

● 학명 : *Tibouchina quaresmeira* Cogn. [*T. granulosa*]

| 1 | 2 | 3 | 4 | 5 | 6 | 7 | 8 | 9 | 10 | 11 | 12 |

상록 관목. 높이 1.5m 정도. 줄기는 둥글고 가지는 세모진다. 잎은 마주나며 두껍고 타원형, 가장자리는 밋밋하다. 꽃은 자주색, 가지 끝에 두상화서로 피며 지름 8cm 정도, 꽃잎은 5개이다. 열매는 삭과이다.

분포 · 생육지 브라질, 멕시코, 아르헨티나. 산지에서 자란다.

약용 부위 · 수치 잎을 여름에 채취하여 썰어서 말린다.

약물명 Tibouchinae Folium

약효 수렴지사(收斂止瀉)의 효능이 있으므로 소화불량, 설사를 치료한다.

사용법 Tibouchinae Folium 10g에 물 3컵 (600mL)을 넣고 달여서 복용한다.

○ 브라질야목단

옥예

열병발열　산통　피부소양
해수　목적종통　황달, 복통

● 학명 : *Barringtonia racemosa* (L.) Spreng. [*Eugenia racemosa*]　● 한자명 : 玉蕊

| 1 | 2 | 3 | 4 | 5 | 6 | 7 | 8 | 9 | 10 | 11 | 12 |

상록 교목. 높이 20m 정도. 잎은 가지 끝에 모여나고 타원형, 가장자리가 밋밋하며 잎자루가 짧다. 꽃은 총상화서로 피며 꽃잎은 4개, 수술은 6층으로 배열한다. 열매는 달걀 모양으로 4개의 모서리가 있다.

분포 · 생육지 중국 광둥성(廣東省), 하이난성(海南省), 타이완. 해안가 숲속에서 자란다.

약용 부위 · 수치 뿌리는 수시로 채취하여 물에 씻은 후 썰어서 말리고, 잎은 여름에, 열매와 종자는 가을에 채취하여 말린다.

약물명 뿌리를 수가동(水茄苳), 열매를 수가동과(水茄苳果), 종자를 수가동자(水茄苳子), 잎을 수가동엽(水茄苳葉)이라고 한다.

약효 수가동(水茄苳)은 청열(淸熱)의 효능이 있으므로 열병발열(熱病發熱)을 치료한다. 수가동과(水茄苳果)는 지해평천(止咳平喘), 지사(止瀉)의 효능이 있으므로 해수(咳嗽)를 치료하며, 수가동자(水茄苳子)는 청열이습(淸熱利濕), 퇴황(退黃), 지통(止痛)의 효능이 있으므로 목적종통(目赤腫痛), 황달, 복통, 산통(疝痛)을 치료한다.

수가동엽(水茄苳葉)은 거습지양(祛濕止痒)의 효능이 있으므로 피부소양(皮膚瘙痒)을 치료한다.

사용법 수가동, 수가동과, 수가동자는 각각 10g에 물 3컵(600mL)을 넣고 달여서 복용하거나 환약으로 만들어 복용하고, 수가동엽은 짓찧어 환부에 붙이거나 즙액을 바른다.

○ 옥예(열매)

○ 옥예

[석류나무과]

석류나무

| 만성설사, 이질, 장풍하혈, 혈변 | 개선, 외상출혈 |
| 중이염 | 탈항 | 붕루, 대하, 구리, 월경불순 |

● 학명 : *Punica granatum* L.   ● 별명 : 석누나무, 석류

| 1 | 2 | 3 | 4 | 5 | 6 | 7 | 8 | 9 | 10 | 11 | 12 |

낙엽 소교목. 짧은가지의 끝은 보통 가시로 되고 털은 없다. 잎은 마주나고 타원형, 잎자루는 짧다. 꽃은 붉은색, 5~6월에 피며, 꽃받침은 통형, 육질, 6개로 갈라지며 붉은 빛이 돌고, 꽃잎도 6개, 붉은색이다. 열매는 9~10월에 익는다.

분포·생육지 유럽 동남부~히말라야. 우리나라 전역에서 재식한다.

약용 부위·수치 열매는 가을에 익어서 벌어질 때 껍질을 채취하여 썰어서 말리고, 뿌리껍질은 수시로 채취하여 물에 씻은 후 썰어서 말린다.

약물명 열매껍질을 석류피(石榴皮)라 하며, 석류각(石榴殼)이라고도 한다. 열매를 석류(石榴) 또는 산석류(酸石榴), 꽃을 석류화(石榴花), 잎을 석류엽(石榴葉), 뿌리껍질을 석류근(石榴根)이라 한다. 석류피(石榴皮)와 석류(石榴)는 대한약전외한약(생약)규격집(KHP)에 수재되어 있다.

본초서 석류피(石榴皮)는 「명의별록(名醫別錄)」에 안석류(安石榴)라는 이름으로 처음 수재되어 있다. 송대(宋代)의 「증류본초(證類本草)」에는 이 약물 그림과 함께 약효와 용도가 상세하게 기록되어 있으며, 오늘날의 석류나무와 일치한다. 「동의보감(東醫寶鑑)」에 석류(石榴)는 "목 안이 마르고 갈증이 나는 것을 풀어 준다. 많이 먹을 경우 폐를 상하게 하기 때문에 주의하여야 한다."고 하였다. 석류피(石榴皮)는 "정액이 저절로 나오는 것을 그치게 하고 수렴약으로 설사를 그치게 하며 피가 섞여 나오는 것을 낮게 한다."고 하였고, 석류화(石榴花)는 "심장의 열로 피를 토하는 것과 코피가 나는 것을 그치게 한다. 겹꽃이 좋다."고 하였다. 석류근(石榴根)은 "회충과 촌백충을 구제한다."고 하였다.

東醫寶鑑: 石榴 主咽燥渴 損人肺 不可多食. 石榴皮 止漏精 澁腸 止赤白痢. 石榴花 主心熱吐血及衄血 百葉尤良. 石榴根 療蚘蟲 寸白蟲.

성상 석류피(石榴皮)는 열매껍질을 자른 것으로 표면은 적갈색이며 백색의 작은 돌기가 있다. 두께는 2~3mm이고 안쪽은 여러 개의 방이 있고, 각 방에는 씨앗주머니가 있으며, 종자는 붉은색의 과육으로 둘러싸여 있다. 냄새가 나고 맛은 시다.

기미·귀경 석류피(石榴皮): 온(溫), 산(酸), 삽(澁), 소독(小毒)·대장(大腸). 석류근(石榴根): 온(溫), 산(酸), 삽(澁)

약효 석류피(石榴皮)는 삽장지사(澁腸止瀉), 지혈, 구충의 효능이 있으므로 만성적인 설사, 이질, 장풍하혈(腸風下血), 붕루(崩漏), 대하, 혈변, 탈항(脫肛), 충적복통(蟲積腹痛), 개선(疥癬)을 치료한다. 석류(石榴)는 지갈(止渴), 삽장(澁腸), 지혈의 효능이 있으므로 진상조갈(津傷燥渴), 활사(滑瀉), 구리(久痢), 붕루(崩漏), 대하를 치료한다. 석류화(石榴花)는 양혈(凉血), 지혈의 효능이 있으므로 육혈(衄血), 토혈(吐血), 월경불순, 외상출혈, 중이염을 치료한다. 석류엽(石榴葉)은 수렴지사(收斂止瀉), 해독살충의 효능이 있으므로 설사, 두풍창(痘風瘡), 나창(癩瘡), 타박상을 치료한다. 석류근(石榴根)은 구충, 삽장(澁腸), 지대(止帶)의 효능이 있으므로 장내 기생충을 구제하고 만성적인 설사, 적백대하를 치료한다.

성분 석류피(石榴皮)에는 cyanidin-3-O-glucoside, cyanidin-3,5-O-diglucoside, pelargonidin-3-O-glucoside, pelargonidin-3,5-O-diglucoside, tetrameric gallic acid, pelletierine, isopelletierine 등, 석류근(石榴根)에는 촌충 구제 효능이 있는 pelletierine, isopelletierine, pseudopelletierine 등의 알칼로이드가 함유되어 있다.

약리 pelletierine, isopelletierine은 촌충에 대한 살충력이 매우 강하고 적리균, 콜레라균, 대장균에 항균 작용이 있다.

사용법 석류피, 석류, 석류화 7g에 물 2컵(400mL)을 넣고 달여서 복용하거나 알약으로 만들어 복용한다. 석류엽은 20g에 물 3컵(600mL)을 넣고 달여서 복용한다.

처방 석류피탕(石榴皮湯): 석류피(石榴皮)·아교(阿膠)·지유(地楡)·황백(黃柏)·당귀(當歸) 각 40g, 천궁(川芎) 12g을 가루로 만들어 1회 4g 복용 「향약집성방(鄕藥集成方)」). 임신부가 적백리(赤白痢)로 피곱이 섞인 설사를 하면서 배가 몹시 아픈 증상에 사용한다.

＊ 꽃이 백색인 '흰꽃석류나무 cv. *albescens*'도 약효가 같다.

○ 석류피(石榴皮)

○ 석류화(石榴花)

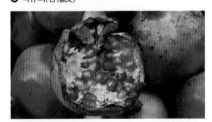
○ 석류(石榴)

○ 석류근(石榴根)

○ 석류나무 열매추출물

○ 석류피(石榴皮)가 함유된 건위제

○ 흰꽃석류나무

○ 석류나무

쥐털이슬

개창, 농창, 도상

● 학명 : *Circaea alpina* L.   ● 별명 : 두메털이슬

| 1 | 2 | 3 | 4 | 5 | 6 | 7 | 8 | 9 | 10 | 11 | 12 |

여러해살이풀. 붉은빛이 돌며 높이 10~15cm. 잎은 마주나고, 잎자루는 붉은빛이 돈다. 꽃은 적백색, 7~8월에 핀다. 꽃받침은 2개, 붉은빛이 돌며, 꽃잎도 2개로 끝이 파이고 수술은 2개, 암술대는 1개이다. 삭과는 곤봉형이고 갈고리 같은 털로 덮여 있으며 길이 8~10cm이다.

분포 · 생육지 우리나라 전역. 아시아, 유럽, 북아메리카. 깊은 산 그늘진 곳에서 자란다.

약용 부위 · 수치 전초를 가을에 채취하여 흙과 먼지를 털어서 말린다.

약물명 고산로주초(高山露珠草), 심산로주초(深山露珠草)라고도 한다.

약효 청열해독(淸熱解毒)의 효능이 있으므로 개창(疥瘡), 농창(膿瘡), 도상(刀傷)을 치료한다.

사용법 고산로주초 10g에 물 3컵(600mL)을 넣고 달여서 복용하거나 알약으로 만들어 복용한다.

＊ 다른 종에 비하여 가늘고 작으며 꽃잎은

꽃받침과 길이가 같고, 열매는 곤봉 같고 1실이며 종자는 1개이다.

● 쥐털이슬(꽃)

● 쥐털이슬

쇠털이슬

창옹종독, 옴, 농포, 외상

● 학명 : *Circaea cordata* Royle   ● 별명 : 소털이슬

| 1 | 2 | 3 | 4 | 5 | 6 | 7 | 8 | 9 | 10 | 11 | 12 |

여러해살이풀. 높이 40~50cm. 줄기는 곧게 자라며 붉은빛이 돌고 전체에 짧은 털이 있다. 잎은 마주나고 길이 7~12cm, 너비 5~8cm, 가장자리에 물결 모양의 톱니가 있다. 꽃은 7~8월에 원줄기 끝에 총상화서로 달리고, 꽃받침잎은 2개, 꽃잎도 2개이고 백색, 수술은 2개, 암술대는 1개이다. 삭과는 둥글며 홈이 파이고 굽은 털이 있다.

분포 · 생육지 우리나라 전역. 일본, 타이완, 중국 둥베이(東北) 지방, 히말라야. 깊은 산 그늘진 곳에서 자란다.

약용 부위 · 수치 전초를 가을에 채취하여 흙과 먼지를 털어서 말린다.

약물명 우롱초(牛瀧草), 야말광(夜抹光), 삼각엽(三角葉)이라고도 한다.

약효 청열해독(淸熱解毒), 지혈생기(止血生肌)의 효능이 있으므로 창옹종독(瘡癰腫毒), 옴, 농포(膿疱), 외상을 치료한다.

사용법 우롱초 10g에 물 3컵(600mL)을 넣고 달여서 복용하고, 외용에는 짓찧어 붙이거나 즙액을 바른다.

● 쇠털이슬

[바늘꽃과]

털이슬

풍습비통　　혈열반진

월경부조

● 학명 : *Circaea mollis* S. et Z.

| 1 | 2 | 3 | 4 | 5 | 6 | 7 | 8 | 9 | 10 | 11 | 12 |

여러해살이풀. 높이 40~60cm. 잎은 마주나고, 꽃은 7~8월에 피며 총상화서는 꽃이 핀 다음 자라서 길이가 15cm 정도 된다. 꽃받침잎은 2개, 꽃잎도 2개이고 백색, 도란형이다. 삭과는 넓은 도란형, 4개의 홈이 파이고 굽은 털이 있다.

분포·생육지 우리나라 황해도 이남. 중국, 일본, 인도차이나. 산과 들의 그늘진 곳에서 자란다.

약용 부위·수치 전초를 가을에 채취하여 흙과 먼지를 털어서 말린다.

약물명 남방로주초(南方露珠草). 날추초(辣椒草)라고도 한다.

약효 거풍제습(祛風除濕), 청열해독(淸熱解毒), 활혈소종(活血消腫)의 효능이 있으므로 풍습비통(風濕痹痛), 혈열반진(血熱癍疹), 월경부조(月經不調)를 치료한다.

사용법 남방로주초 10g에 물 3컵(600mL)을 넣고 달여서 복용하거나 알약으로 만들어 복용한다.

❂ 털이슬

[바늘꽃과]

말털이슬

외감해수　　완복창통, 설사

생리통　　수종　　습진

● 학명 : *Circaea quadrisulcata* (Max.) Fr. et Sav.　　● 별명 : 산털이슬

| 1 | 2 | 3 | 4 | 5 | 6 | 7 | 8 | 9 | 10 | 11 | 12 |

여러해살이풀. 높이 30~40cm. 잎은 마주나고, 꽃은 7~8월에 피며 총상화서는 꽃이 진 다음 길게 자란다. 꽃받침잎은 2개, 꽃잎도 2개이고, 홍백색, 도란형, 수술은 2개, 암술대는 1개이다. 삭과는 넓은 도란형, 세로로 홈이 파이고 굽은 털이 있다.

분포·생육지 우리나라 강원도 이북. 중국, 일본, 아무르, 우수리. 산에서 자란다.

약용 부위·수치 전초를 가을에 채취하여 흙과 먼지를 털어서 말린다.

약물명 수주초(水珠草). 산적혈(散積血)이라고도 한다.

약효 선폐지해(宣肺止咳), 이기활혈(理氣活血), 이뇨해독(利尿解毒)의 효능이 있으므로 외감해수(外感咳嗽), 완복창통(脘腹脹痛), 생리통, 수종, 설사, 습진을 치료한다.

사용법 수주초 10g에 물 3컵(600mL)을 넣고 달여서 복용하고, 외상에는 짓찧어 붙이거나 달인 액을 바른다.

❂ 말털이슬

❂ 말털이슬(잎)

[바늘꽃과]

분홍바늘꽃

| 수종 | 설사, 식적창만 |
| 유즙불통 | 음낭종대 |

●학명 : *Epilobium angustifolium* L. ●한자명 : 柳蘭 ●별명 : 버들잎바늘꽃

| 1 | 2 | 3 | 4 | 5 | 6 | 7 | 8 | 9 | 10 | 11 | 12 |

여러해살이풀. 높이 1~1.5m. 땅속줄기가 옆으로 벋으면서 줄기가 모여난다. 잎은 어긋나고, 꽃은 분홍색, 6~8월에 원줄기 끝에 총상으로 피며 지름 2~3cm이다. 꽃받침과 꽃잎은 4개, 수술은 8개, 암술대는 1개, 씨방하위이다. 삭과는 길이 8~10cm, 굽은 털이 있고, 종자에는 관모가 있다.

분포·생육지 우리나라 강원도 이북. 아시아, 유럽, 북아메리카. 산과 들에서 자란다.

약용 부위·수치 전초를 여름과 가을에 채취하여 썰어서 말린다.

약물명 홍쾌자(紅筷子). 산마조(山麻條), 유엽채(柳葉菜)라고도 한다.

약효 이수삼습(利水滲濕), 이기소창(理氣消脹), 활혈조경(活血調經)의 효능이 있으므로 수종(水腫), 설사, 식적창만(食積脹滿), 유즙불통(乳汁不通), 음낭종대(陰囊腫大)를 치료한다.

성분 잎에는 ursolic acid, oleanolic acid, nonacosane, hexacosanol 등이 함유되어 있다.

사용법 홍쾌자 10g에 물 3컵(600mL)을 넣고 달여서 복용하거나 알약으로 만들어 복용하고, 젖이 잘 나오지 않을 때는 돼지 발굽과 함께 삶아 먹는다.

● 홍쾌자(紅筷子)

● 분홍바늘꽃(꽃)　　● 분홍바늘꽃(열매)

● 분홍바늘꽃

[바늘꽃과]

돌바늘꽃

| 풍열성시, 인후통 | 수종 |
| 객혈 | 변혈 | 월경과다 |

●학명 : *Epilobium cephalostigma* Haussknecht [*E. amurense* subsp. *cephalostigma*]
●한자명 : 岩生柳葉菜 ●별명 : 참바늘꽃, 금강바늘꽃

| 1 | 2 | 3 | 4 | 5 | 6 | 7 | 8 | 9 | 10 | 11 | 12 |

여러해살이풀. 높이 70cm 정도. 줄기는 바로 서며 전체에 가는 털이 있다. 잎은 마주나고 타원형이다. 꽃은 분홍색, 7~8월에 원줄기 끝이나 잎겨드랑이에 1개씩 핀다. 삭과는 길이 4~8cm이다.

분포·생육지 우리나라 전역. 중국, 일본, 우수리, 사할린. 산지의 습지에서 자란다.

약용 부위·수치 전초를 여름에 채취하여 썰어서 말린다.

약물명 하벌초(蝦筏草). 수관초(水串草)라고도 한다.

약효 소풍청열(疎風清熱), 양혈지혈(凉血止血)의 효능이 있으므로 풍열성시(風熱聲嘶), 인후통, 수종(水腫), 객혈, 변혈, 월경과다를 치료한다.

사용법 하벌초 10g에 물 3컵(600mL)을 넣고 달여서 복용한다.

● 하벌초(蝦筏草)

● 돌바늘꽃

[바늘꽃과]

큰바늘꽃

월경과다   골절   타박상, 화상

● 학명 : *Epilobium hirsutum* L. var. *villosum* Haussknecht
● 한자명 : 柳葉菜 ● 별명 : 산바늘꽃

| 1 | 2 | 3 | 4 | 5 | 6 | 7 | 8 | 9 | 10 | 11 | 12 |

여러해살이풀. 높이 70cm 정도. 뿌리줄기는 굵다. 줄기잎은 마주나고, 꽃은 연한 붉은색, 8월에 윗부분의 잎겨드랑이에 1개씩 달린다. 꽃받침과 꽃잎은 각각 4개, 수술은 긴 것이 4개, 짧은 것이 4개로 8개이며, 암술머리는 4갈래이다. 삭과는 길이 5~8cm이다.

분포 · 생육지 우리나라 울릉도, 중부 이북. 중국, 일본, 시베리아, 인도, 유럽. 산골짜기에서 자란다.

약용 부위 · 수치 전초를 여름부터 가을까지 채취하여 말린다.

약물명 유엽채(柳葉菜). 수접골단(水接骨丹)이라고도 한다.

기미 · 귀경 평(平), 고(苦) · 간(肝), 위(胃)

약효 활혈(活血), 지혈(止血), 소종(消腫), 지통(止痛), 거부생기(祛腐生肌)의 효능이 있으므로 월경과다, 골절, 타박상, 화상을 치료한다.

성분 3-methoxygallic acid, protocatechuic acid, hyperoside, myricetin, myricetin rubinoside, crategolic acid, tormentic acid, 23-hydroxytormentic acid, arjunolic acid 등이 함유되어 있다.

약리 에탄올추출물은 황색 포도상구균에 항균 작용이 있다.

사용법 유엽채 5g에 물 2컵(400mL)을 넣고 달여서 복용하고, 타박상이나 화상에는 생것을 짓찧어 낸 즙액을 바른다.

✿ 큰바늘꽃

✿ 유엽채(柳葉菜)

[바늘꽃과]

바늘꽃

이질, 토혈, 변혈   타박상, 화상
해혈   월경과다   골절

● 학명 : *Epilobium pyrricholophum* French. ● 별명 : 북바늘꽃

| 1 | 2 | 3 | 4 | 5 | 6 | 7 | 8 | 9 | 10 | 11 | 12 |

여러해살이풀. 높이 30~80cm. 뿌리줄기는 옆으로 벋고, 원줄기는 바로 선다. 잎은 마주나고, 꽃은 적자색, 8월에 피며 꽃받침잎은 4개, 꽃잎도 4개, 끝이 2개로 갈라지고, 수술은 8개, 암술대는 1개, 씨방하위이다. 삭과는 길이 3~8cm, 적갈색 털이 있다.

분포 · 생육지 우리나라 전역. 중국, 일본. 산골짜기에서 자란다.

약용 부위 · 수치 전초를 여름부터 가을까지 채취하여 말린다.

약물명 심담초(心膽草), 수조양화(水朝陽花), 침전통(針錢筒)이라고도 한다.

약효 청열이습(淸熱利濕), 지혈안태(止血安胎), 해독소종(解毒消腫)의 효능이 있으므로 이질, 토혈(吐血), 해혈(咳血), 변혈(便血), 월경과다, 골절, 타박상, 화상을 치료한다.

사용법 심담초 10g에 물 3컵(600mL)을 넣고 달여서 복용하고, 타박상이나 화상에는 생것을 짓찧어 낸 즙액을 바른다.

✿ 바늘꽃(꽃)

✿ 바늘꽃

여뀌바늘

 폐열해수 인후통, 목적종통

●학명 : *Ludwigia prostrata* Roxburgh ●한자명 : 丁香蓼 ●별명 : 여뀌바늘꽃

| 1 | 2 | 3 | 4 | 5 | 6 | 7 | 8 | 9 | 10 | 11 | 12 |

여러해살이풀. 높이 30~60cm. 줄기는 바로 서고, 잎은 어긋나며 전체에 붉은색이 돈다. 꽃은 적자색, 8~9월에 잎겨드랑이에 피며 작다. 꽃받침과 꽃잎은 4개, 달걀 모양, 수술은 8개이다. 삭과는 긴 원통형이다.

분포 · 생육지 우리나라 전역. 중국, 일본, 아무르, 우수리. 저지대 또는 습지에서 자란다.

약용 부위 · 수치 전초를 여름과 가을에 채취하여 물에 씻은 후 썰어서 말린다.

약물명 정향료(丁香蓼). 정자초(丁子草), 홍강두(紅豇豆)라고도 한다.

약효 청열해독(淸熱解毒), 이뇨통림(利尿通淋), 화어지혈(化瘀止血)의 효능이 있으므로 폐열해수(肺熱咳嗽), 인후통, 목적종통 (目赤腫痛)을 치료한다.

성분 gallic acid, triethylchebulate 등이 함유되어 있다.

사용법 정향료 10g에 물 3컵(600mL)을 넣고 달여서 복용한다.

❍ 정향료(丁香蓼)

❍ 여뀌바늘

달맞이꽃

 풍한습비, 근골동통, 풍습마통 흉비심통
 습진, 창양 복통설사 통경

●학명 : *Oenothera odorata* Jacq. [*O. stricta*] ●한자명 : 月見草 ●별명 : 금달맞이꽃

| 1 | 2 | 3 | 4 | 5 | 6 | 7 | 8 | 9 | 10 | 11 | 12 |

두해살이풀. 높이 50~90cm. 뿌리잎은 로제트형, 줄기잎은 어긋난다. 꽃은 황색, 7월에 피며, 꽃받침은 4개로 2개씩 합쳐지고 꽃이 피면 뒤로 젖혀진다. 꽃잎은 4개로 끝이 파이고 수술은 8개, 암술대는 4개로 갈라진다. 삭과는 4개로 갈라져서 종자가 나온다.

분포 · 생육지 칠레 원산. 우리나라 전역에서 흔히 자라는 귀화 식물이다.

약용 부위 · 수치 뿌리를 수시로 채취하여 물에 씻어 말리고, 종자를 가을에 채취하여 기름을 얻는다.

약물명 뿌리를 월견초(月見草)라 하며, 야래향(夜來香), 산지마(山芝麻), 대소초(待宵草)라고도 한다. 기름을 월견초유(月見草油)라 한다.

기미 월견초(月見草): 온(溫), 감(甘), 고(苦). 월견초유(月見草油): 평(平), 고(苦), 신(辛), 미감(微甘)

약효 월견초(月見草)는 거풍습(祛風濕), 강근골(强筋骨)의 효능이 있으므로 풍한습비(風寒濕痺), 근골동통(筋骨疼痛)을 치료한다. 월견초유(月見草油)는 활혈통락(活血通絡), 식풍평간(息風平肝), 소종렴창(消腫斂瘡)의 효능이 있으므로 흉비심통(胸痺心痛), 중풍편탄(中風偏癱), 허풍내동(虛風內動), 풍습마통(風濕麻痛), 복통설사, 통경(痛經), 습진, 창양(瘡瘍)을 치료한다.

성분 월견초유(月見草油)에는 linoleic acid, linolenic acid, *cis*-6,9,12-octadecatrienoic acid, *cis*-9,12,15-octadecatrienoic acid 등이 함유되어 있다.

약리 월견초유(月見草油)는 혈중 지질 성분을 낮추고, 동맥을 강화시키는 작용이 있다. 또 비만 억제 효능이 있으며, 심장을 강화시키고, 항염증 작용이 있다.

사용법 월견초는 10g에 물 3컵(600mL)을 넣고 달여서 복용하고, 월견초유는 1회 1~2mL를 복용한다.

＊종자에서 뽑은 기름을 민간에서는 당뇨병, 고혈압 등 만성병에 이용한다.

＊본 종에 비하여 잎이 넓고 연한 녹색이며 꽃의 지름이 6~7cm인 '큰달맞이꽃 *O. lamarckiana*'도 약효가 같다.

❍ 달맞이꽃

❍ 월견초(月見草)

❍ 월견초유(月見草油)

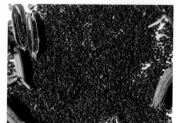
❍ 달맞이꽃(종자)

❍ 달맞이꽃(열매)

홍화월견초

 열독창종　 관심병, 고혈압

● 학명 : *Oenothera rosea* L'Herr. ex Ait.　● 한자명 : 紅花月見草

1	2	3	4	5	6	7	8	9	10	11	12

❂ 홍화월견초(꽃봉오리와 열매)

여러해살이풀. 높이 50cm 정도. 원뿌리는 목질, 줄기잎은 어긋난다. 꽃은 붉은색, 7월에 잎겨드랑이에 1개씩 달린다. 꽃받침은 4개로 2개씩 합쳐지며 꽃이 피면 뒤로 젖혀진다. 삭과는 곤봉형, 길이 1cm 정도, 익으면 과피가 갈라져서 많은 종자가 나온다.

분포 · 생육지 라틴 아메리카 원산. 해발 600~1,100m에서 자라지만 세계 각처에서 재배한다.

약용 부위 · 수치 전초를 수시로 채취하여 말린다.

약물명 분화월견초(粉花月見草)

약효 해독, 화어(化瘀), 강압(降壓)의 효능이 있으므로 열독창종(熱毒瘡腫), 관심병(冠心病), 고혈압을 치료한다.

사용법 분화월견초 10g에 물 3컵(600mL)을 넣고 달여서 복용한다.

❂ 홍화월견초

개미탑

 대소변불통　 적리

 월경불순　 질타손상

● 학명 : *Haloragis micrantha* R. Br.　● 별명 : 개미탑풀

1	2	3	4	5	6	7	8	9	10	11	12

여러해살이풀. 높이 10~25cm. 밑부분이 기면서 가지가 갈라지고 적갈색을 띤다. 잎은 마주나지만 위쪽 일부가 어긋나고 달걀 모양, 가장자리에 둔한 톱니가 있고, 잎자루는 길이 1mm 정도로 짧다. 꽃은 황갈색, 7월에 줄기 끝에 총상화서로 피며 밑을 향한다. 꽃받침통은 끝이 4개로 갈라지고 꽃잎은 4개, 홍색이고, 수술은 8개이다. 핵과는 둥글다.

분포 · 생육지 우리나라 제주도 및 남부 해안. 일본, 중국, 타이완, 오스트레일리아. 산과 들의 양지에서 자란다.

약용 부위 · 수치 꽃이 필 때 전초를 채취하여 말린다.

약물명 소이선초(小二仙草). 사생초(沙生草)라고도 한다.

기미 · 귀경 양(涼), 고(苦), 삽(澁) · 폐(肺), 대장(大腸), 방광(膀胱), 간(肝)

약효 해열, 통변(通便), 활혈(活血), 해독의 효능이 있으므로 대소변불통(大小便不通), 적리(赤痢), 월경불순, 질타손상(跌打損傷)을 치료한다.

사용법 소이선초 10g에 물 3컵(600mL)을 넣고 달여 복용하고 외용에는 가루 내어 뿌린다.

❂ 개미탑

[개미탑과]

이삭물수세미

👁 열병번갈　　🌀 적리

🍵 단독, 창절

●학명 : *Myriophyllum spicatum* L.　●별명 : 붕어마름, 금붕어마름

| 1 | 2 | 3 | 4 | 5 | 6 | 7 | 8 | 9 | 10 | 11 | 12 |

❍ 취조(聚藻)

여러해살이풀. 물의 깊이에 따라 크고 작은 것이 있으며 길이 1m 이상 자라는 것도 있다. 잎은 4개씩 돌려나고 가는 깃 모양, 잎자루는 없다. 꽃은 담갈색, 6~10월에 줄기 끝에 수상화서로 피며, 수꽃은 위쪽에, 암꽃은 아래에 달린다. 열매는 분과로 달걀 모양이다.

분포·생육지 우리나라 전역. 중국, 일본, 타이완, 오스트레일리아. 연못, 늪 등 물속에서 자란다.

약용 부위·수치 전초를 봄부터 가을에 채취하여 말린다.

약물명 취조(聚藻). 수조(水藻), 새초(鰓草), 초사(草紗)라고도 한다.

약효 청열(淸熱), 양혈(涼血), 해독의 효능이 있으므로 열병번갈(熱病煩渴), 적리(赤痢), 단독(丹毒), 창절(瘡癤)을 치료한다.

사용법 취조 15g에 물 3컵(600mL)을 넣고 달여서 복용한다.

❍ 이삭물수세미

[공동과]

손수건나무

💧 다종출혈　　🌀 설사　　🍵 창독

●학명 : *Davidia involucrata* Baill.　●한자명 : 珙棟

| 1 | 2 | 3 | 4 | 5 | 6 | 7 | 8 | 9 | 10 | 11 | 12 |

❍ 손수건나무(열매)

교목. 높이 15~20m. 줄기는 회갈색, 껍질이 불규칙하게 탈락한다. 잎은 어긋나고 긴 타원형, 종이질, 톱니가 있다. 포편은 백색이고 크다. 꽃은 양성화, 두상화서로 달리며, 수술은 매우 많고 씨방하위이다. 열매는 핵과로 구형이며 갈색으로 익는다.

분포·생육지 인도, 중국 쓰촨성(四川省), 후베이성(湖北省), 티베트. 산지에서 자란다.

약용 부위·수치 뿌리를 수시로 채취하여 물에 씻은 후 썰어서 말리고, 열매는 가을에 채취하여 말린다.

약물명 뿌리를 산백과근(山白果根), 열매를 산백과(山白果)라고 한다.

약효 산백과근(山白果根)은 수렴지혈(收斂止血), 지사(止瀉)의 효능이 있으므로 다종출혈(多種出血), 설사를 치료한다. 산백과(山白果)는 청열해독(淸熱解毒)의 효능이 있으므로 창독(瘡毒)을 치료한다.

사용법 산백과근 7g에 물 2컵(400mL)을 넣고 달여서 복용한다. 산백과는 외용으로 사용하며 짓찧어 환부에 붙이고 붕대로 싸맨다.

❍ 손수건나무

[쇄양과]

쇄양

 양위, 유정조설, 대소변불통

하지위연

● 학명 : *Cynomorium songaricum* L. [*C. coccineum*]　● 한자명 : 鎖陽

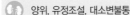

여러해살이풀. 높이 50~95cm. 잎이 퇴화되어 없고 전체가 암자색~붉은색을 띤다. 뿌리줄기는 짧고, 줄기는 육질이고 원주형이며 기부가 땅속에 묻혀 있다. 꽃은 암자색, 5~6월에 줄기 끝에 수상화서로 피며 작은 꽃이 밀집하고, 수술은 1개, 씨방하위이다. 열매는 구형이다.

분포 · 생육지 중국 내몽골, 영하, 신장성(新疆省), 간쑤성(甘肅省), 칭하이성(青海省). 사막 지대에서 자라는 '백자나무(白刺, *Nitraria sibirica*)'의 뿌리에 기생한다.

약용 부위 · 수치 전초를 봄과 가을에 걸쳐 2번 채취하며, 꽃을 제거하고 썰어서 햇볕에 말린다.

약물명 쇄양(鎖陽). 불로약(不老藥), 지모구(地毛球)라고도 한다. 대한민국약전외한약(생약)규격집(KHP)에 수재되어 있다.

본초서 「본초연의보유(本草衍義補遺)」에 수재되어 "음기(陰氣)를 보하며, 정혈(精血)을 이롭게 하고, 대변을 잘 나오게 한다. 몸이 허약하여 대변조결(大便燥結)에 이것을 복용한다. 육종용(肉蓯蓉) 대신 이것을 죽으로 쑤어 먹으면 좋다."고 기록되어 있다. 「본초강목(本草綱目)」에는 "조(燥)를 윤택하게 하고 근(筋)을 만들며, 위약(痿弱)을 치료하며, 양기(陽氣)를 원활히 통하게 하므로 쇄양(鎖陽)이라고 한다."고 하였다. 「동의보감(東醫寶鑑)」에는 "유정과 몽정을 낫게 하고 음기를 돕는다. 기가 허하여 오는 변비에는 쇄양을 죽으로 쑤어 먹는다. 쇄양은 육종용의 뿌리이다."라고 하였다. 쇄양과 육종용은 다른 식물인데, 당시에는 혼용하거나 오용된 것으로 생각된다.

本草衍義補遺: 補陰氣 治虛而大便燥結.

本草綱目: 潤燥養筋 治痿弱.

東醫寶鑑: 閉精 補陰氣 虛而大便燥結者 煮粥食之 肉蓯蓉根也.

성상 꽃대를 제거한 전초로 납작한 원기둥 모양이고 약간 구부러져 있으며 길이 10~20cm, 지름 3~5cm, 표면은 적갈색, 세로 홈이 있고 삼각형 모양의 흑갈색 비늘조각이 있기도 하다. 질은 단단하여 쉽게 부러지지 않는다. 냄새는 향기롭고 맛은 쓰고 떫다.

기미 · 귀경 온(溫), 감(甘) · 신(腎), 간(肝), 대장(大腸)

약효 보신장양(補身將陽), 익정혈(益精血), 윤장통변(潤腸通便)의 효능이 있으므로 신허(腎虛)로 인한 양위(陽痿), 유정조설(遺精早泄), 하지위연(下肢痿軟), 대소변불통(大小便不通)을 치료한다.

성분 cynoterpene, acetylursolic acid, ursolic acid, daucosterol 등이 함유되어 있다.

약리 쥐에게 매일 열수추출물을 투여하면 면역 증강 작용이 나타나고, 체내에 생성되는 활성 산소를 소거하면 항산화 작용이 나타난다. 에탄올추출물은 혈소판 응집을 억제하는 작용이 있다.

사용법 쇄양 10g에 물 3컵(600mL)을 넣고 달여서 복용하거나 알약으로 만들어 복용한다.

처방 쇄양단(鎖陽丹): 상표초(桑螵蛸) 120g, 용골(龍骨) · 복령(茯苓) 각 40g(「동의보감(東醫寶鑑)」). 정액이 저절로 흘러나오는 증상에 사용한다.

❶ 쇄양(백자나무의 뿌리에 기생한다.)

❶ 쇄양이 기생하는 백자나무 생육지(내몽골 은천)

❶ 쇄양(鎖陽)

❶ 쇄양(鎖陽)

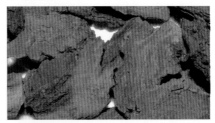

❶ 쇄양(鎖陽, 절편)

❶ 수치한 쇄양(鎖陽, 절편)

[남과수과]

희수

🔆 식도암　　🔆 위암, 장암, 간암
🔆 백혈병　　🔆 창양, 습진

● 학명 : *Camptotheca acuminata* Decne.　● 한자명 : 喜樹

| 1 | 2 | 3 | 4 | 5 | 6 | 7 | 8 | 9 | 10 | 11 | 12 |

🌿 🍃 🌾 🪴 🌱 🌸 💧 ❄️ 🌾 💧 毒

낙엽 교목. 높이 20~25m. 줄기는 회색, 잎은 어긋나고 긴 타원형, 길이 15~25cm, 너비 6~12cm이다. 꽃은 단성화로 같은 그루에 달리고 다수가 모여 구형을 이루는 두상화서이다. 암꽃은 가지 끝에, 수꽃은 잎겨드랑이에 달리고 4~7월에 핀다. 열매는 가을에 익고 수과이다.

분포·생육지 중국 장쑤성(江蘇省), 저장성(浙江省), 장시성(江西省), 푸젠성(福建省), 후베이성(湖北省), 타이완. 산지에서 자란다.

약용 부위·수치 열매는 가을에, 잎은 여름부터 가을에 채취하여 말린다.

약물명 열매를 희수(喜樹)라 하며, 수동수(水桐樹), 천재수(天梓樹)라고도 한다. 잎을 희수엽(喜樹葉)이라고 한다.

기미·귀경 희수(喜樹): 한(寒), 고(苦), 신(辛), 유독(有毒)·비(脾), 위(胃), 간(肝). 희수엽(喜樹葉): 한(寒), 고(苦), 유독(有毒)

약효 희수(喜樹)는 청열해독(清熱解毒), 산결소징(散結消癥)의 효능이 있으므로 식도암, 위암, 장암, 간암, 백혈병을 치료한다. 희수엽(喜樹葉)은 청열해독(清熱解毒), 거풍지양(祛風止痒)의 효능이 있으므로 창양(瘡瘍), 습진을 치료한다.

성분 희수(喜樹)에는 camptothecine, 10-hydroxycamptothecine, 11-methoxy-camptothecine, deoxycamptothecine, venoterpine, betulic acid 등이 함유되어 있다.

약리 희수(喜樹)의 에탄올추출물을 암에 걸린 동물에게 투여하면 생명이 연장된다. 에탄올추출물 1mg/kg을 쥐의 복강에 주사하면 면역 억제 작용이 나타난다.

사용법 희수 10g에 물 3컵(600mL)을 넣고 달여서 복용하고, 희수엽은 물로 달인 액으로 상처 부위를 씻거나 바른다.

＊camptothecine은 항암제로 임상에서 사용하고 있다.

🔾 희수(喜樹)

🔾 희수(열매)

🔾 희수(喜樹)에서 분리한 camptothecine

🔾 꽃

🔾 희수

[박쥐나무과]

소화팔각풍

🔆 풍습비통　　🔆 위완통
🔆 타박상

● 학명 : *Alangium faberi* Oliv.　● 한자명 : 小花八角楓

| 1 | 2 | 3 | 4 | 5 | 6 | 7 | 8 | 9 | 10 | 11 | 12 |

🌿 🍃 🌾 🪴 🌱 🌸 💧 ❄️ 🌾 💧

관목. 높이 1~4m. 잎은 어긋나고 타원형, 끝이 뾰족하고 가장자리는 밋밋하다. 꽃은 양성, 담황색, 5~7월에 잎겨드랑이에 취산화서로 5~10개가 핀다. 핵과는 달걀 모양, 담자색으로 익는다.

분포·생육지 중국 후베이성(湖北省), 후난성(湖南省), 광둥성(廣東省), 쓰촨성(四川省). 산지에서 자란다.

약용 부위·수치 잎을 여름철에 채취하여 말린다.

약물명 소화팔각풍(小花八角楓)

기미·귀경 신(辛), 고(苦), 미온(微溫)·위(胃), 간(肝)

약효 거풍제습(祛風除濕), 활혈지통(活血止痛)의 효능이 있으므로 풍습비통(風濕痺痛), 위완통(胃脘痛), 타박상을 치료한다.

사용법 소화팔각풍 10g에 물 3컵(600mL)을 넣고 달여서 복용한다.

🔾 소화팔각풍

[박쥐나무과]

단풍박쥐나무

풍습비통, 사지마목, 골절

타박상, 개선, 습진

● 학명 : *Alangium platanifolium* (S. et Z.) Harms ● 별명 : 단풍잎박쥐나무, 개박쥐나무

| 1 | 2 | 3 | 4 | 5 | 6 | 7 | 8 | 9 | 10 | 11 | 12 |

낙엽 관목. 잎은 어긋나고 손바닥 모양으로 얕게 갈라진다. 꽃은 양성, 5~7월에 잎겨드랑이에 1~4개가 달린다. 꽃받침은 4~10개의 얕은 톱니가 있고, 꽃잎은 바늘 모양, 6개, 황색이고 수술은 12개, 암술은 1개이다. 핵과는 달걀 모양, 벽색으로 익는다.

분포·생육지 우리나라 전역. 중국, 일본. 산지에서 자란다.

약용 부위·수치 뿌리는 수시로 채취하여 적당한 크기로 잘라서 말리고, 잎은 여름철에 채취하여 햇볕에 말린다.

약물명 뿌리를 팔각풍근(八角楓根), 잎을 팔각풍엽(八角楓葉)이라고 한다.

기미·귀경 팔각풍근(八角楓根): 신(辛), 고(苦), 미온(微溫), 소독(小毒)·신(腎), 간(肝), 심(心). 팔각풍엽(八角楓葉): 평(平), 신(辛), 고(苦), 소독(小毒)·신(腎), 간(肝)

약효 팔각풍근(八角楓根)은 거풍제습(祛風除濕), 서근활락(舒筋活絡), 산어지통(散瘀止痛)의 효능이 있으므로 풍습비통(風濕痺痛), 사지마목(四肢麻木), 타박상을 치료한다. 팔각풍엽(八角楓葉)은 화어접골(化瘀接骨), 해독살충(解毒殺蟲)의 효능이 있으므로 타박상, 골절, 개선(疥癬), 습진을 치료

한다.

성분 팔각풍근(八角楓根)에는 venoterpene, anabasine, β-sitosterol, β-amyrin acetate, triacontanol 등이 함유되어 있다.

약리 쥐에게 열수추출물을 투여하면 근육 이완 작용과 호흡 중추 억제 작용이 나타나고, 에탄올추출물을 투여하면 심장 운동 억제 효능이 있다.

사용법 팔각풍근 3g에 물 2컵(400mL)을 넣고 달여서 복용하거나 알약으로 만들어 복용하고, 팔각풍엽은 달인 액을 상처에 바른다.

＊ 잎이 갈라지지 않는 '박쥐나무 var. *trilobum*', 중국에 분포하는 '팔각풍나무 *A. chinense*'도 약효가 같다.

● 단풍박쥐나무

● 팔각풍근(八角楓根)

● 팔각풍엽(八角楓葉)

● 박쥐나무

● 단풍박쥐나무(잎)

● 단풍박쥐나무(꽃)

[층층나무과]

식나무

종독, 찰과상, 동상, 화상, 타박상, 옹저

치질, 치창

골절

● 학명 : *Aucuba japonica* Thunb. ● 별명 : 넓적나무, 청목, 넙적나무

| 1 | 2 | 3 | 4 | 5 | 6 | 7 | 8 | 9 | 10 | 11 | 12 |

상록 관목. 높이 3m 정도. 잎은 마주나고, 잎자루는 길이 2~5cm, 표면에 얕은 홈이 있다. 꽃은 암수딴그루, 3~4월에 피고 지름 8mm 정도이다. 열매는 핵과로 원주형, 12월에 붉은색으로 익는다.

분포·생육지 우리나라 제주도, 울릉도, 전남, 경남. 일본. 산의 낮은 지대에서 자란다.

약용 부위·수치 잎은 여름에 채취하여 말리거나 사용할 때 채취하고, 열매는 가을에 채취하여 말린다.

약물명 잎을 천각판(天脚板), 열매를 천각판과(天脚板果)라고 한다.

약효 천각판(天脚板)은 청열해독(淸熱解毒), 소종지통(消腫止痛)의 효능이 있으므로 종독(腫毒), 찰과상, 동상, 화상 및 치질을 치료한다. 천각판과(天脚板果)는 활혈정통(活血定痛), 해독소종(解毒消腫)의 효능이 있으므로 타박상, 골절, 옹저(癰疽), 치

창(痔瘡)을 치료한다.

성분 aucubin, aucubigenin이 함유되어 있다.

약리 aucubin, aucubigenin은 요산의 배출을 촉진하므로 통풍을 치료한다.

사용법 천각판 또는 천각판과 10g에 물 3컵(600mL)을 넣고 달여서 복용하고, 외용에는 생잎을 짓찧어 환부에 붙인다.

＊ 중국에 분포하는 '도엽산호(桃葉珊瑚) *A. chinensis*'도 약효가 같다.

● 식나무

● 식나무(꽃)

● 천각판(天脚板)

● 천각판과(天脚板果)

흰말채나무

 풍습마목, 사지관절통, 신허요통

●학명 : *Cornus alba* L. ●별명 : 붉은말채, 아라사말채나무

| 1 | 2 | 3 | 4 | 5 | 6 | 7 | 8 | 9 | 10 | 11 | 12 |

낙엽 관목. 가지는 가을부터 붉은빛이 돈다. 잎은 마주나고 측맥은 6쌍, 꽃은 황백색, 5~6월에 피며 꽃잎은 바늘 모양, 길이 3mm 정도, 수술대는 꽃잎과 길이가 거의 같다. 열매는 8~9월에 익고 타원형, 백색이며, 종자는 양 끝이 좁고 편평하다.

분포 · 생육지 우리나라 북부 지방. 중국, 아무르, 일본, 유럽. 산지에서 자란다.

약용 부위 · 수치 가지를 여름과 가을에 채취하여 썰어서 말리고, 열매도 여름과 가을에 채취하여 말린다.

약물명 가지를 홍서목(紅瑞木), 열매를 홍서목과(紅瑞木果)라 한다.

약효 홍서목(紅瑞木)은 거풍활락(祛風活絡)의 효능이 있으므로 풍습마목(風濕麻木), 사지관절통(四肢關節痛), 요통을 치료한다. 홍서목과(紅瑞木果)는 자양강장의 효능이 있으므로 신허요통(腎虛腰痛)을 치료한다.

사용법 홍서목 또는 홍서목과 10g에 물 3컵(600mL)을 넣고 달여서 복용한다.

❂ 흰말채나무(꽃)

❂ 흰말채나무

❂ 홍서목(紅瑞木)

❂ 홍서목과(紅瑞木果)

층층나무

 해수   요퇴통

●학명 : *Cornus controversa* Hemsley ●별명 : 물깨금나무, 꺼그렁나무

| 1 | 2 | 3 | 4 | 5 | 6 | 7 | 8 | 9 | 10 | 11 | 12 |

낙엽 교목. 높이 20m 정도. 잎은 어긋나고 측맥은 5~8쌍, 가장자리는 물결 모양으로 밋밋하며 잎자루는 길이 3~5cm, 붉은빛이 돈다. 꽃은 백색, 5월에 가지 끝에 취산화서로 달린다. 열매는 둥글며 지름 6~7mm, 9월에 벽흑색으로 익는다.

분포 · 생육지 우리나라 전역. 중국, 일본, 인도차이나. 산골짜기에서 자란다.

약용 부위 · 수치 열매와 가지를 가을에 채취하여 말린다.

약물명 열매를 등일수과(燈壹樹果), 가지를 등일수지(燈壹樹枝)라 한다.

약효 등일수과(燈壹樹果)는 지해(止咳)의 효능이 있으므로 해수를 치료한다. 등일수지(燈壹樹枝)는 거풍(祛風), 활락(活絡)의 효능이 있으므로 요퇴통을 치료한다.

약리 잎의 메탄올추출물은 황색 포도상구균, 대장균에 항균 작용이 있다.

사용법 등일수과 또는 등일수지 10g에 물 3컵(600mL)을 넣고 달여서 복용한다.

❂ 층층나무(꽃)

❂ 층층나무(열매)

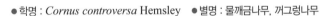

❂ 등일수과(燈壹樹果)

❂ 등일수지(燈壹樹枝)

❂ 층층나무

[층층나무과]

산딸나무

 이질, 간염, 황달 　 수화탕상, 외상출혈

● 학명 : *Cornus kousa* Buerger　● 별명 : 들매나무, 쇠박달나무, 미영꽃나무, 준딸나무

| 1 | 2 | 3 | 4 | 5 | 6 | 7 | 8 | 9 | 10 | 11 | 12 |

낙엽 교목. 높이 10m 정도. 가지는 층을 이루어 수평으로 퍼지고 갈색이며 피목이 있다. 잎은 마주나고 측맥은 4~5쌍이다. 꽃은 연한 황색, 6월에 가지 끝에 두상화서로 20~30개가 모여 달린다. 총포편은 4개, 꽃잎과 수술은 각각 4개, 암술은 1개이다. 열매는 취과로 둥글며 지름 1.5~2.5cm, 10월에 붉은색으로 익는다.

분포·생육지 우리나라 황해도, 경기 이남. 중국, 일본. 산의 숲속에서 자란다.

약용 부위·수치 꽃과 잎을 여름에, 열매를 늦은 여름이나 초가을에 채취하여 말린다.

약물명 꽃과 잎을 야려지(野荔枝)라 하며, 사조화(四照花)라고도 한다. 열매를 야려지과(野荔枝果)라고 한다.

약효 야려지(野荔枝)는 청열해독(淸熱解毒), 수렴지혈(收斂止血)의 효능이 있으므로 이질, 간염, 수화탕상(水火湯傷), 외상출혈을 치료한다. 야려지과(野荔枝果)는 청열이습(淸熱利濕), 지혈의 효능이 있으므로 황달, 외상출혈을 치료한다.

성분 야려지(野荔枝)는 isoquercitrin, gallic acid 등, 야려지과(野荔枝果)는 cornuskoside A, (−)-balanophonin, (7*S*,8′*R*)-dihydrodehydrodiconiferyl alcohol 등이 함유되어 있다.

약리 (−)-balanophonin, (7*S*,8′*R*)-dihydrodehydrodiconiferyl alcohol은 HeLa, MCF-7, SK-MEL-5, SK-OV-3 등의 암세포에 세포 독성을 나타낸다.

사용법 야려지는 10g에 물 3컵(600mL)을 넣고 달여서 복용하며, 야려지과는 30g에 물 3컵(600mL)을 넣고 달여서 복용한다.

❍ 산딸나무

❍ 야려지(野荔枝)

❍ 야려지과(野荔枝果)

❍ 산딸나무(꽃)

[층층나무과]

곰의말채

 종통 　 황달
 태동불안

● 학명 : *Cornus macrophylla* Wallich　● 별명 : 곰말채나무

| 1 | 2 | 3 | 4 | 5 | 6 | 7 | 8 | 9 | 10 | 11 | 12 |

낙엽 교목. 잎은 마주나고 측맥은 6~10쌍이다. 꽃은 7~8월에 피고, 꽃잎은 넓은 바늘 모양 또는 긴 타원형, 길이 5mm 정도, 황백색, 수술대는 꽃잎과 길이가 같다. 열매는 둥글며 지름 6mm 정도, 10월에 벽흑색으로 익는다.

분포·생육지 우리나라 중부 이남. 히말라야. 산골짜기나 숲속에서 자란다.

약용 부위·수치 줄기를 여름부터 가을에 채취하여 껍질은 벗기고 속의 심재(心材)를 채취하여 적당한 크기로 잘라서 말린다.

약물명 경자목(椋子木)

약효 파어(破瘀), 양혈(養血), 안태(安胎), 지통(止痛)의 효능이 있으므로 어혈(瘀血)에 의한 종통(腫痛), 황달, 태동불안을 치료한다.

약리 줄기껍질은 폐암 세포인 A549와 유방암 세포인 MCF-7의 증식을 억제하며, 면역 세포인 B세포와 T세포의 생육을 촉진한다.

사용법 경자목 10g에 물 3컵(600mL)을 넣고 달여서 복용한다.

＊ 잎맥이 4~5개인 '말채나무 *C. walteri*'도 약효가 같다.

❍ 곰의말채

❍ 경자목(椋子木)

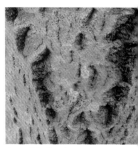
❍ 곰의말채(줄기)

[층층나무과]

서양산수유

 임신구토

●학명 : *Cornus mascula* L. ●영명 : Comerian cherry ●별명 : 서양산수유나무, 유럽산수유

`1` `2` `3` `4` `5` `6` `7` `8` `9` `10` `11` `12`

낙엽 소교목, 높이 5~7m. 잎은 마주나고 타원형, 가장자리가 밋밋하다. 꽃은 황색, 양성, 3~4월에 잎보다 먼저 산형화서로 20~30개가 달린다. 열매는 타원상 구형이고 길이 1.2~1.5cm이다.

분포·생육지 중국 원산. 우리나라 중부 이남에서 재식하는 귀화 식물이다.

약용 부위·수치 봄에 줄기나 굵은 가지 껍질을 벗겨서 썰어서 말린다.

약물명 Corni Cortex

약효 수렴, 강장의 효능이 있으므로 임신구토를 치료한다.

사용법 Corni Cortex 70g에 물 5컵(1L)을 넣고 달여서 하루에 3차례 나누어 복용한다.

❍ 서양산수유

[층층나무과]

산수유나무

요통 / 현훈 / 이명 / 유정, 빈뇨 / 구사

●학명 : *Cornus officinalis* S. et Z. ●별명 : 산시유나무, 산수유

`1` `2` `3` `4` `5` `6` `7` `8` `9` `10` `11` `12`

낙엽 소교목, 높이 5~7m. 잎은 마주나고, 꽃은 황색, 양성, 3~4월에 잎보다 먼저 피며 지름 4~5mm이다. 총포편은 4개, 꽃받침과 꽃잎은 각각 4개이다. 열매는 원통형이고 길이 1.5~2cm, 8월에 익는다.

분포·생육지 중국 원산. 우리나라 중부 이남에서 재식하는 귀화 식물이다.

약용 부위·수치 가을에 열매가 적자색이 되어 충분히 성숙하였을때 채취하여 종자를 제거하고 말린다. 주침(酒浸)하거나 주증(酒蒸)하여 사용하기도 한다.

약물명 산수유(山茱萸), 촉산조(蜀酸棗)라고도 한다. 대한민국약전(KP)에 수재되어 있다.

본초서 산수유는 「신농본초경(神農本草經)」의 중품(中品)에 수재되어 있으며, 구종석(寇宗奭)은 "산수유(山茱萸)와 오수유(吳茱萸)는 이름으로 혼동될 수 있으나 형태는 다르다."라고 하였으며, 「본초강목(本草綱目)」에는 "본초경(本草經)에도 일명 촉산조(蜀酸棗)라고도 하며 육조(肉棗)라고도 하는데, 그것은 대추(大棗)와 모양이 비슷하기 때문이다."라고 하였으며 또 "산수유(山茱萸)는 산에서 자라고 열매가 주색(朱色)이며 비윤(肥潤)하므로 붙여진 이름이다."라고 하였다. 「동의보감(東醫寶鑑)」에는 "음기를 왕성하게 하며 신장 기능을 도와 성기능을 활발하게 하고 음경을 단단하고 크게 만든다. 정액을 채워 주고 허리와 무릎을 따뜻하게 한다. 소변이 잦은 것을 줄이며 노인이 자주 소변을 보는 것을 낫게 하고 두통과 코가 막히는 것, 귀가 잘 들리지 않는 것을 낫게 한다."고 하였다.

神農本草經: 主心下邪氣, 寒熱, 溫中, 逐寒濕痺, 去三蟲, 久服輕身.

藥性論: 治腦骨痛, 止月水不定, 補腎氣, 興陽道, 添精髓, 止小便利, 明目, 強力長年.

東醫寶鑑: 強陰益精 補腎氣 與陽道 堅長陰莖 添精髓 暖腰膝 助水藏 止小便利 老人尿不節 除頭風 鼻塞 耳聾.

성상 종자를 제거한 열매로 불규칙한 조각 또는 주머니 모양, 길이 1~1.2cm, 너비 약 1cm이다. 표면은 어두운 적자색이며 윤이 나고 거친 주름이 있으며 질은 부드럽다. 냄새가 나며 신맛이 있고 약간 달다.

기미·귀경 온(溫), 산(酸), 삽(澀)·간(肝)·신(腎)

약효 보익간신(補益肝腎), 수렴고탈(收斂固脫)의 효능이 있으므로 요통, 현훈(眩暈), 이명, 유정(遺精), 빈뇨, 구사(久瀉)를 치료한다.

성분 cornustannin 1~3, isoterchebin, trapain, telimagrandin I, cornusin A, B, C, G, 2,3-di-*O*-galloyl-β-D-glucose, 1,2,3-tri-*O*-galloyl-β-D-glucose, 1,2,6-tri-*O*-galloyl-β-D-glucose, cornuside, morroniside, loganin, sweroside, cornin, gallic acid, chlorogenic acid, lognin, caffeic acid 등이 함유되어 있다.

약리 열매의 열수추출물은 황색 포도상구균에 항균 작용이 있고, 개에게 투여하면 이뇨 작용과 혈압 강하 작용이 있다. 열매의 에테르추출물은 혈당을 강하시킨다. cornin은 독성이 매우 낮고 용혈 작용이 없으며, 약하지만 부교감 신경 흥분 작용이 있다. 산수유 종자의 80%에탄올추출물은 최종 당화 산물 생성을 저해한다. 열수추출물을 유산균인 *Lactobacillus rhamnosus*로 발효시킨 물질군은 모발 성장을 촉진시킨다. 50%열수추출물 및 80%에탄올추출물을 쥐에게 투여하면 testosteron의 분비를 증가시키며 항산화 작용이 나타난다. gallic acid, chlorogenic acid, lognin, caffeic acid는 DPPH radical 소거능이 관찰되므로 항산화 작용이 있다.

사용법 산수유 10g에 물 3컵(600mL)을 넣고 달여서 복용하거나, 환약으로 만들어 복용한다.

처방 팔미환(八味丸): 숙지황(熟地黃) 320g, 산약(山藥)·산수유(山茱萸) 각 160g, 작약(芍藥)·복령(茯苓)·택사(澤瀉) 각 120g, 육계(肉桂)·부자(附子) 각 40g (「동의보감(東醫寶鑑)」). 신양(腎陽) 부족으로 허리와 무릎이 시리고 아프며 다리에 힘이 없고 아랫배가 늘 차며 소변이 시원하지 않은 증상에 사용한다.

• 우귀환(右歸丸): 숙지황(熟地黃) 320g, 구기자(拘杞子)·산약(山藥)·녹각교(鹿角膠)·토사자(菟絲子)·두충(杜仲)·계피(桂皮) 각 160g, 산수유(山茱萸)·당귀(當歸) 각 120g, 포부자(炮附子) 80g (「보양처방집(補陽處方集)」). 신양(腎陽) 부족으로 온몸이 무겁고 가슴이 두근거리며 불안하고 허리와 팔다리를 제대로 움직이지 못하거나 성 기능이 저하된 증상에 사용한다.

❍ 국내 최대 산수유나무 재배지(경북 의성군 사곡면)

○ 산수유나무

○ 열매가 무르익은 가을의 산수유나무

○ 산수유나무(종자)

○ 산수유(山茱萸)로 만든 건강식품

○ 산수유(山茱萸)로 만든 건강식품

○ 산수유(山茱萸)로 만든 건강 음료

[층층나무과]

엽상화

감모해수　　풍습비통

● 학명 : *Helwingia chinensis* Batal.　● 한자명 : 葉上花, 中華青莢葉

| 1 | 2 | 3 | 4 | 5 | 6 | 7 | 8 | 9 | 10 | 11 | 12 |

낙엽 관목. 높이 1~2m. 잎은 마주나고 가장자리에 톱니가 있다. 턱잎은 가늘게 갈라진다. 꽃은 황백색, 4~5월에 피고, 꽃잎은 3~5개이다. 열매는 핵과로 둥글고 3~5개의 능이 있으며 흑색으로 익는다.

분포·생육지 인도, 중국 산시성(陝西省), 윈난성(雲南省), 후베이성(湖北省), 간쑤성(甘肅省). 해발 1,000~2,000m의 산골짜기나 숲속에서 자란다.

약용 부위·수치 잎을 여름에 채취하여 물에 씻은 후 말린다.

약물명 엽상주(葉上珠). 음증약(陰症藥), 엽상화(葉上花)라고도 한다.

약효 거풍제습(祛風除濕), 활혈해독(活血解毒)의 효능이 있으므로 감모해수(感冒咳嗽), 풍습비통(風濕痺痛)을 치료한다.

사용법 엽상주 10g에 물 3컵(600mL)을 넣고 달여서 복용한다.

○ 엽상화

[층층나무과]

각엽초병목

| 만성관절통, 골절 | 폐경 |
| 설사 | 인후염 | 폐열해천 |

●학명 : *Toricellia angulata* Oliv.　●한자명 : 角葉鞘柄木

| 1 | 2 | 3 | 4 | 5 | 6 | 7 | 8 | 9 | 10 | 11 | 12 |

◐ 각엽초병목

낙엽 관목. 높이 3~7m. 줄기껍질은 회색, 잎은 마주나고 가장자리에 톱니가 있다. 턱잎은 가늘게 갈라진다. 꽃은 4~5월에 피고, 꽃잎은 드물게 나거나 없다. 열매는 핵과로 달걀 모양, 지름 4mm 정도이다.

분포·생육지 중국 후베이성(湖北省), 쓰촨성(四川省), 티베트. 해발 1,000~2,000m의 산골짜기나 숲속에서 자란다.

약용 부위·수치 뿌리와 잎을 여름에 채취하여 물에 씻은 후 말린다.

약물명 뿌리를 수동과근(水冬瓜根)이라 하며, 접골단근(接骨丹根)이라고도 한다. 잎을 수동과엽(水冬瓜葉)이라 한다.

약효 수동과근(水冬瓜根)은 거풍제습(祛風除濕), 활혈접골(活血接骨)의 효능이 있으므로 만성관절통, 골절, 폐경을 치료한다. 수동과엽(水冬瓜葉)은 청열해독(淸熱解毒), 이습(利濕)의 효능이 있으므로 인후염, 폐열해천(肺熱咳喘), 설사를 치료한다.

사용법 수동과근 또는 수동과엽 10g에 물 3컵(600mL)을 넣고 달여서 복용한다.

[두릅나무과]

지리산오갈피나무

| 산통, 음위 | 허약체질, 간신허약 | 타박상, 피부풍습, 단독 |
| 수종 | 풍한습비, 요슬동통, 근골위연, 소아행지, 골절, 각기 |

●학명 : *Acanthopanax chiisanensis* Nakai　●별명 : 지리오갈피, 지이오갈피

| 1 | 2 | 3 | 4 | 5 | 6 | 7 | 8 | 9 | 10 | 11 | 12 |

낙엽 관목. 높이 3m 정도. 가지에는 3각형의 큰 가시가 드문드문 있다. 잎은 어긋나고 장상 복엽, 잎자루와 잎 뒷면에 잔가시가 빽빽이 난다. 꽃은 녹황색, 6~7월에 핀다. 핵과는 편구형, 10월에 흑색으로 익는다.

분포·생육지 우리나라 지리산 이북. 산지에서 자란다.

성분 줄기껍질에는 eleutheroside E, helioxanthin, taiwanin B, C, sesamin, methylbetulin, chiisanogenin, 24-hydroxychiisanogenin 등, 열매에는 β-sitosterol, daucosterol, sesamin, chiisanogenin, 22α-hyrdoxychiisanogenin 등이 함유되어 있다.

약리 에탄올추출물은 소염 작용, 암세포 성장 억제 작용을 나타낸다.

＊기타 사항은 '오갈피나무 *A. sessiliflorus*'와 같다.

◐ 오가피(五加皮)

◐ 지리산오갈피나무(잎자루와 잎 뒷면 주맥에 가시가 있다.)

◐ 지리산오갈피나무

[두릅나무과]

홍모오가

풍한습비, 구련동통, 근골위연

심복동통

● 학명 : *Acanthopanax giraldii* Harms ● 한자명 : 紅毛五加

| 1 | 2 | 3 | 4 | 5 | 6 | 7 | 8 | 9 | 10 | 11 | 12 |

낙엽 관목. 높이 2~3m. 줄기와 가지에는 적갈색의 가시가 많이 있다. 잎은 어긋나고 작은잎은 5개이다. 꽃은 6~7월에 피고 새 가지 끝에 달린다. 핵과는 둥글며 6~10월에 흑색으로 익는다.

분포 · 생육지 중국 허베이성(河北省), 산시성(山西省), 칭하이성(靑海省), 후베이성(湖北省). 산골짜기에서 자란다.

약용 부위 · 수치 줄기껍질 또는 뿌리껍질을 수시로 채취하여 잘라서 말린다.

약물명 홍모오가피(紅毛五加皮). 오조자(五爪刺), 천가피(川加皮)라고도 한다.

성상 홍모오가피는 관상으로 말려져 있으며

표면은 황갈색이고 가시가 조밀하게 덮여 있다. 가시는 길이 0.3~0.5cm로 비스듬히 나와 있다. 냄새는 없고 맛은 담담하다.

기미 · 귀경 온(溫), 미고(微苦), 신(辛) · 비(脾), 신(腎), 심(心)

약효 거풍습(祛風濕), 강근골(强筋骨), 활혈이수(活血利水)의 효능이 있으므로 풍한습비(風寒濕痺), 구련동통(拘攣疼痛), 근골위연(筋骨痿軟), 심복동통(心腹疼痛)을 치료한다.

성분 syringaresinol, daucosterol, syringol glucoside, liriodendrin, allantoin 등이 함유되어 있다.

약리 열수추출물을 쥐에게 투여하면 관상

동맥의 혈류량이 증가한다. 에탄올추출물을 쥐의 복강에 주사하면 중추 신경 흥분 작용과 소염 작용이 나타난다.

사용법 홍모오가피 10g에 물 3컵(600mL)을 넣고 달여서 복용하거나 술에 담가서 복용한다.

❂ 홍모오가피(紅毛五加皮)

❂ 홍모오가(열매)

❂ 홍모오가

[두릅나무과]

세주오가

산통, 음위 허약체질, 간신허약 타박상, 피부풍습, 단독

수종 풍한습비, 요슬동통, 근골위연, 소아행지, 골절, 각기

● 학명 : *Acanthopanax gracilistylus* W. W. Smith ● 한자명 : 細柱五加

| 1 | 2 | 3 | 4 | 5 | 6 | 7 | 8 | 9 | 10 | 11 | 12 |

낙엽 관목. 높이 2~3m. 가지는 회갈색, 가시가 드문드문 있다. 잎은 어긋나고 장상복엽이며 잎의 기부와 잎자루 밑에 가시가 있다. 꽃은 녹황색, 7월에 핀다. 수술은 5개, 암술대는 합쳐지며 암술머리가 2개로 갈라지고 암술대가 길다. 열매는 둥글며 흑색으로 익는다.

분포 · 생육지 중국 쓰촨성(四川省), 후난성(湖南省), 장쑤성(江蘇省). 해발 200~1,600m의 산골짜기에서 자란다.

성분 kaurenoic acid, syringin, isofraxedinoside, impressic acid, acathokoreanoside A, B, C, D, acantrifoside A, sesamin 등이 함유되어 있다.

* 기타 사항은 '오갈피나무 *A. sessiliflorus*'와 같다.

❂ 오가피(五加皮)

❂ 세주오가

가시오갈피나무

신허체약 음위
요슬산연, 소아행지, 풍한습비, 요통, 관절염

●학명 : *Acanthopanax senticosus* (Rupr. et Max.) Harms ●별명 : 가시오갈피

1 2 3 4 5 6 7 8 9 10 11 12

낙엽 관목. 높이 2~3m. 가지는 회갈색이며 전체에 가늘고 긴 가시가 빽빽이 나고 특히 잎자루 밑에 가시가 많다. 잎은 어긋나고, 꽃은 자황색이 돌며, 수술은 5개, 암술대는 합쳐지며 암술머리가 5개로 약간 갈라진다. 열매는 둥글며 지름 8~10mm, 10월에 익는다.

분포 · 생육지 우리나라 추풍령, 광릉 및 강원도 이북. 일본, 중국 둥베이(東北) 지방, 아무르, 우수리, 사할린. 산골짜기에서 자란다.

약용 부위 · 수치 뿌리껍질을 수시로 채취하여 말린다.

약물명 자오가(刺五加). 자오가피(刺五加皮), 자괴봉(刺拐棒), 노호료자(老虎鐐子)라고도 한다. 대한민국약전외한약(생약)규격집(KHP)에 수재되어 있다.

성상 표면이 흑갈색이고 거칠며 세로 홈과 주름이 있다. 껍질은 비교적 얇고 코르크층이 쉽게 탈락한다. 냄새는 강하고 맛은 맵고 쓰며 떫다.

기미 · 귀경 온(溫), 미고(微苦), 신(辛) · 비(脾), 신(腎), 심(心)

약효 보신강요(補腎強腰), 익기안신(益氣安神), 활혈통락(活血通絡), 보간신(補肝腎), 거어(祛瘀)의 효능이 있으므로 신허체약(腎虛體弱), 요슬산연(腰膝酸軟), 소아행지(小兒行遲), 풍한습비(風寒濕痺), 요통, 음위(陰痿), 관절염을 치료한다.

성분 자오가(刺五加)는 lignan계의 acanthoside B(syringaresinol monoglucoside), syringaresinol, eleutheroside A, C, E (syringaresinol diglucoside, acanthoside D, liriodendrin), (−)−sesamin, triterpenoid계의 eleutheroside I(mussenin B), eleutheroside K, eleutheroside L, eleutheroside M(hederasaponin B), coumarin계의 eleutheroside B₁(isofraxidin−7−α−glucoside), flavonoid계의 antoside, kaempferitin, kaempferol−7−O−rhamnoside, quercetin−7−O−rhamnoside, isoquercitrin, phenylpropanoid계의 syringin(eleutheroside B), chlorogenic acid, coniferin, coniferyl alcohol, caffeic acid 등, 잎은 eleutheroside I(musenin B), eleutheroside K, eleutheroside L, eleutheroside M, senticoside A~F 등이 함유되어 있다. 줄기는 eleutheroside E, sesamin, eleutheran A~G 등이 함유되어 있다.

약리 eleutheroside A~E는 자양 강장 효능이 있고, eleutheroside C는 성선 자극 작용이 있고, eleutheran A~G는 혈당 강하 작용이 있다. eleutheroside E는 쥐의 수영 시간을 연장시킨다. 사포닌 성분은 심근 경색을 예방하며 고혈당증 동물에서 혈당을 내린다. eleutheroside A, B, B₁, C, E는 adaptogenic activity와 gonadotropic activity가 있다. eleutheroside B는 alloxan에 의해 유도된 당뇨로 분비되는 hexokinase의 활성을 억제하여 혈당을 낮추며, 동물 실험에서 체력 및 번식력을 증강한다. 메탄올추출물은 항산화 작용이 있다. 열매의 부탄올 분획물은 streptozotocin으로 처리하여 당뇨를 유발한 쥐에게 투여하면 혈중 glucose의 함량을 감소시킨다.

사용법 자오가 10g에 물 3컵(600mL)을 넣고 달여서 복용하거나 알약이나 가루약으로 만들어 복용한다.

※ 러시아에서는 우리나라의 인삼처럼 자양 강장제로 널리 이용하고 있다. 잎자루 밑에 가시가 많은 '왕가시오갈피나무 var. *subinermis*'도 약효가 같다.

○ 가시오갈피나무

○ 자오가(刺五加)

○ 가시오갈피나무(꽃)

○ 가시오갈피나무(열매)

○ 자오가(刺五加)로 만든 음료

○ 가시오갈피나무(뿌리)

[두릅나무과]

오갈피나무

 산통, 음위 허약체질, 간신허약 타박상, 피부풍습, 단독
수종 풍한습비, 요슬동통, 근골위연, 소아행지, 골절, 각기

- 학명 : *Acanthopanax sessiliflorus* (Rupr. et Max.) Seem.
- 한자명 : 無梗五加 ● 별명 : 오갈피, 참오갈피나무

| 1 | 2 | 3 | 4 | 5 | 6 | 7 | 8 | 9 | 10 | 11 | 12 |

낙엽 관목. 높이 3~4m. 줄기껍질은 회색, 가시는 있거나 없고, 뿌리 근처에서 가지가 갈라져서 사방으로 퍼진다. 잎은 어긋나고 손바닥 모양이다. 꽃은 자주색, 8~9월에 피고 꽃차례는 가지 끝에 달리며, 작은 꽃줄기는 짧다. 장과는 구형, 10월에 익는다.

분포 · 생육지 우리나라 전역. 중국, 아무르, 우수리. 산에서 자란다.

약용 부위 · 수치 뿌리껍질을 수시로 채취하여 물에 씻은 후 썰어서 말린다. 잎은 여름에, 열매는 가을에 채취하여 말린다.

약물명 오가피(五加皮). 남오가피(南五加皮), 오곡피(五谷皮), 홍오가피(紅五加皮)라고도 한다. 잎을 오가엽(五加葉)이라 하며, 열매를 오가과(五加果)라 한다. 오가피는 대한민국약전(KP)에 수재되어 있다.

본초서 오가피(五加皮)는 「신농본초경(神農本草經)」의 상품(上品)에 수재되어 있다. 「본초강목(本草綱目)」에는 "오엽(五葉)이 교가(交加)한 것이 약효가 좋으므로 오가(五加)라고 하며, 뿌리껍질을 약으로 사용하므로 오가피(五加皮)라 한다."고 하였다. 「동의보감(東醫寶鑑)」에 "오로칠상을 보하고 기운을 도우며 정수를 채워 준다. 근골을 튼튼하게 하고 의지를 굳게 한다. 남자의 음경이 제대로 발기되지 않는 증상, 여자의 음부 가려움증을 낫게 한다. 허리와 등, 다리가 아프고 저리며 뼈마디가 조여드는 증상, 다리에 힘이 없는 것을 낫게 한다. 어린 아이가 3살이 되어도 걷지 못할 때 복용하면 걸을 수 있다."고 하였다.

神農本草經: 主心腹疝氣 腹痛 益氣療躄 小兒不能行 疽瘡陰蝕.

日華子: 明目 下氣 治中風骨節攣急 補五勞七傷.

本草綱目: 治風濕痿痺, 壯筋骨.

東醫寶鑑: 補五勞七傷 益氣添精 堅筋骨 强志意 男子陰痿 女子陰痒 療腰脊痛 兩脚疼痺 骨折攣急 胃躄 小兒三歲不能行 腹此便行步.

성상 오가피(五加皮)는 관상 또는 반관상으로 길이 5~10cm, 지름 5~8mm, 두께 1mm 정도이다. 표면은 황갈색~어두운 회색으로 평탄하며 군데군데 가시가 있거나 또는 그 자국이 있고 비교적 어린가지의 껍질에는 회백색 반점이 있다. 안쪽 면은 황백색이며 섬유성이므로 자르기 어렵다. 특이한 냄새가 있고 맛은 약간 쓰다.

품질 껍질이 두껍고 길며 향기가 좋고 단면이 회백색으로 목심(木心)이 없는 것이 좋다.

기미 · 귀경 온(溫), 신(辛), 고(苦) · 간(肝), 신(腎)

약효 오가피(五加皮)는 거풍습(祛風濕), 장근골(壯筋骨), 활혈(活血), 보간신(補肝腎), 거어(祛瘀)의 효능이 있으므로 풍한습비(風寒濕痺), 요슬동통(腰膝疼痛), 근골위연(筋骨痿軟), 소아행지(小兒行遲), 허약체질, 타박상, 골절, 수종(水腫), 각기, 음위(陰痿)를 치료한다. 오가엽(五加葉)은 산풍제습(散風除濕), 활혈지통(活血止痛), 청열해독(淸熱解毒)의 효능이 있으므로 피부풍습(皮膚風濕), 타박상, 산통(疝痛), 단독(丹毒)을 치료한다. 오가과(五加果)는 보간신(補肝腎), 강근골(强筋骨)의 효능이 있으므로 간신허약(肝腎虛弱), 소아행지(小兒行遲), 근골위연(筋骨痿軟)을 치료한다.

성분 오가피(五加皮)에는 lignan계 성분으로 ariensin, sesamin, syringaresinol, savin, acanthoside A, B, C, D, eleutheroside B, I, K, L, M 등, flavonoid계 성분으로 antoside, kaempferitrin, kaempferol-7-rhamnoside, isoquercitrin, quercetin-7-rhamnoside 등, phenylpropanoid계 성분으로 coniferin, coniferylalcohol, caffeic acid 등이 함유되어 있다. 오가과(五加果)에는 protocatechuic acid, eleutheroside B, eleutheroside E, scopolin, rutin, hyperoside, chiisanoside, oleanolic acid 등이 함유되어 있다.

약리 acanthoside A, B, C, D는 중추 신경 흥분 작용이 있고, syringaresinol 배당체는 간장애를 개선시키며, 에탄올추출물은 관절염 치료 효과, 진통, 해열 작용이 있고, 혈당 저하 · 혈압 강하 작용이 있다. 두꺼비의 적출 심장에 syringaresinol을 투여하면 심장 박동이 늦어진다. 70%메탄올추출물은 혈압에 관여하는 angiotensin converting enzyme의 활성을 저해한다. 열수추출물은 TGEV의 숙주 세포인 ST 세포에 75.8%의 세포 독성을 보인다.

사용법 오가피, 오가엽 또는 오가과 10g에 물 3컵(600mL)을 넣고 달여서 복용한다.

처방 오가피산(五加皮散): 대황(大黃) 80g, 오가피(五加皮) · 작약(芍藥) 각 40g 「향약집성방(鄕藥集成方)」). 풍습(風濕)으로 허리가 무겁고 아픈 증상, 또는 아랫몸이 물 안에 잠겨 있는 것 같으면서 허리가 아픈 증상에 사용한다.

• 오가피주(五加皮酒): 오가피(五加皮) · 우슬(牛膝) · 당귀(當歸) 동량. 요슬동통(腰膝疼痛)에 사용한다.

○ 오가과(五加果)

○ 오가엽(五加葉)

○ 오가피(五加皮, 절편)

○ 오가피(五加皮)

○ 오가피(五加皮)가 배합된 신경통 치료제

○ 오가피(五加皮)로 만든 오가피차

○ 오갈피나무

[두릅나무과]

섬오갈피나무

 산통, 음위　허약체질, 간신허약　타박상, 피부풍습, 단독
수종　풍한습비, 요슬동통, 근골위연, 소아행지, 골절, 각기

●학명 : *Acanthopanax koreanum* Nakai　●별명 : 섬오갈피

| 1 | 2 | 3 | 4 | 5 | 6 | 7 | 8 | 9 | 10 | 11 | 12 |

낙엽 관목. 높이 1~2m. 가지에는 3각형의 큰 가시가 드문드문 있다. 잎은 어긋나고 장상 복엽이다. 꽃은 녹황색, 6~7월에 핀다. 핵과는 편구형, 10월에 흑색으로 익는다.

분포·생육지 우리나라 제주도. 산지에서 자란다.
약용 부위·수치 뿌리껍질을 수시로 채취하여 물에 씻은 후 썰어서 말린다. 잎은 여름에, 열매는 가을에 채취하여 말린다.
약물명 Acanthopanax koreani Cortex
성분 뿌리에 impressic acid, acanthoic acid, 잎에 3α,11α–dihydroxy–20,23–dioxo–30–norlupane–28–oic acid, acanthotrifoside A, acanthokoreoside A, D, F, I, J, K, L, M, N, O 등이 함유되어 있다.
약리 impressic acid는 NFAT transcription factor activity를 저해한다. 3α,11α–dihydroxy–20,23–dioxo–30–norlupane–28–oic acid는 TNF–α, IL–6, IL–12의 생성을 억제하여 소염 작용을 나타낸다.
＊ 기타 사항은 '오갈피나무 *A. sessiliflorus*'와 같다.

○ 섬오갈피나무(열매)

○ 섬오갈피나무(줄기에 있는 가시)

○ 섬오갈피나무(뿌리)

○ 섬오갈피나무

[두릅나무과]

삼엽오가

감모발열, 두통　인후통
풍습비통　해수흉통　완복동통

●학명 : *Acanthopanax trifoliatus* (L.) Merr. [*Zanthoxylum trifoliatum*]
●한자명 : 三葉五加, 白簕, 白簕花, 三加

| 1 | 2 | 3 | 4 | 5 | 6 | 7 | 8 | 9 | 10 | 11 | 12 |

낙엽 관목. 높이 2~7m. 가시는 가지와 잎자루 밑에 있다. 잎은 어긋나고 3출엽, 작은잎은 타원형, 잔톱니가 있다. 꽃은 황록색, 8~11월에 가지 끝에 3~10개가 산형화서로 달린다. 열매는 편구형이며 지름 5mm 정도, 9~12월에 흑색으로 익는다.
분포·생육지 중국 허베이성(河北省), 산시성(山西省), 칭하이성(靑海省), 후베이성(湖北省). 산골짜기에서 자란다.
약용 부위·수치 줄기껍질 또는 뿌리껍질을 수시로 채취하여 잘라서 말린다.
약물명 삼가피(三加皮), 삼엽오가(三葉五加), 백륵근(白艻根), 자삼갑(刺三甲), 자삼가(刺三加)라고도 한다.
약효 청열해독(淸熱解毒), 거풍이습(祛風利濕), 활혈서근(活血舒筋)의 효능이 있으므로 감모발열, 두통, 인후통, 해수흉통(咳嗽胸痛), 완복동통(脘腹疼痛), 풍습비통(風濕痺痛)을 치료한다.
성분 3α,11α–dihydroxy–lup–20(29)–en–28–oic acid, 3α,11α,23–trihydroxy–lup–20(29)–en–28–oic acid, 24–nor–3α,11α–dihydroxy–lup–20(29)–en–28–oic acid, 24–nor–11α–hydroxy–3–oxo–lup–20(29)–en–28–oic acid, nevadensin, kaur–16–en–19–oic acid, taraxerol 등이 함유되어 있다.
사용법 삼가피 15g에 물 3컵(600mL)을 넣고 달여서 복용하거나 술에 담가서 복용한다.

○ 삼엽오가

○ 삼가피(三加皮)

[두릅나무과]

독활

감기　　두통
류머티즘, 신경통

● 학명 : *Aralia cordata* Thunb. [*A. continentalis* Kitagawa]
● 별명 : 땃두릅, 땅두릅, 뫼두릅나무

| 1 | 2 | 3 | 4 | 5 | 6 | 7 | 8 | 9 | 10 | 11 | 12 |

여러해살이풀. 높이 1.5m 정도. 잎은 어긋나고 2회 깃꼴겹잎이다. 꽃은 암수한그루, 7~8월에 가지와 원줄기 끝 또는 윗부분의 잎겨드랑이에 핀다. 꽃잎은 연녹색, 지름 3mm 정도, 수술과 암술대는 각각 5개이다. 열매는 9~10월에 익는다.

분포·생육지 우리나라 전역. 중국, 일본, 사할린. 산에서 자란다.

약용 부위·수치 뿌리를 가을에 채취하여 흙을 털고 썰어서 말린다.

약물명 독활(獨活). 한독활(韓獨活)이라고도 한다. 대한민국약전(KP)에 수재되어 있다.

본초서 중국에서는 미나리과의 '중치모당귀(중국독활) *Angelica biserrata*' 뿌리를 독활의 기원으로 하나, 우리나라에서는 독활의 뿌리를 사용하고 있다. 「동의보감(東醫寶鑑)」에는 "적풍(賊風)을 몰아내고 오래되었거나 새로운 백절풍을 낫게 한다. 중풍으로 말을 못하거나 입과 눈이 비뚤어지며 팔다리를 쓰지 못하고 근골이 저리면서 아픈 것을 낫게 한다."고 하였다.

東醫寶鑑: 療諸賊風 百節痛風無久新者 治中風失音 喎斜癱瘓 遍身癙瘼 及筋骨攣痛.

기미·귀경 신(辛), 고(苦), 평(平)·간(肝), 위(胃), 신(腎)

약효 거풍활혈(祛風活血), 발한지통(發汗止痛), 소종(消腫)의 효능이 있으므로 감기, 두통, 류머티즘, 신경통을 치료한다.

성분 diterpene인 continetalic acid, epi-continetalic acid, kaurenoic acid(*ent*-kaur-16-en-19-oic acid), 7β-hydroxy-*ent*-pimara-8(14),15-dien-19-oic acid, 7-oxo-*ent*-pimara-8(14),15-dien-19-oic acid, 16α-methoxy-17-hydroxy-*ent*-kauran-19-oic acid, 15α,16α-epoxy-17-hydroxy-*ent*-kauran-19-oic acid, 16α,17-dihydroxy-*ent*-kauran-19-oic acid, 7-dihydroxyabietanone, 4-epiruilopezol, 4β-hydroxy-19-nor(−)-pimara-8(14),15-dien-7-dehydroabietanone, 16α-hydroxy-17-isovaleryl-oxy-*ent*-kauran-19-oic acid, *ent*-pimarol, 4β-hydroxy-19-(−)-norpimara-8(14),15-diene, 4-epiruilopezol, triterpene인 β-sitosterol, stigmasterol, dau-costerol 등, phenylpropanoid인 chlorogen-

ic acid, 3,5-di-*O*-caffeoylquinic acid, neochlorogenic acid, caffeic acid, cryp-tochlorogenic acid, 기타 methyl-α-D-fructofuranose, prtocatechuic acid, thy-midine, angelicone, angelical, lignoceric acid, (+)-spathulenol 등이 함유되어 있다. 정유(0.07%)의 주성분은 limonene, sabinene, myrcene, humulene 등이다.

약리 열수추출물은 관절통에 진통 작용을 나타내며, 혈관을 수축시키고, 메틸렌클로라이드 분획물은 LPS로 유도한 interleu-kin-8의 생산을 억제하여 항염증 작용을 나타낸다.

사용법 독활 10g에 물 3컵(600mL)을 넣고 달여서 복용하거나 술에 담가서 복용한다.

처방 '중치모당귀'항 참조

○ 독활(獨活)

○ 독활(獨活, 절편)

○ 독활(열매)

○ 독활

○ 독활(꽃)

○ 독활(뿌리)

○ 국내 최대 독활 재배지(경북 의성)

두릅나무

 기허핍력, 신허양위   위완통, 만성간염, 습열설사, 이질 당뇨병
소변불리 풍습골비, 류머티즘성관절염 실면다몽 수종

● 학명 : *Aralia elata* Seem. ● 별명 : 드릅나무, 참두릅, 참드릅

| 1 | 2 | 3 | 4 | 5 | 6 | 7 | 8 | 9 | 10 | 11 | 12 |

낙엽 관목. 높이 3~4m. 굳센 가시가 많다. 잎은 가지 끝에 모여 어긋나고 2회 깃꼴겹잎이다. 꽃은 백색, 양성이거나 수꽃이 섞여 있으며 8~9월에 핀다. 수술 및 암술대는 각각 5개, 장과는 둥글며 흑색으로 익는다.

분포 · 생육지 우리나라 전역. 일본, 중국 둥베이(東北) 지방, 아무르, 우수리, 사할린. 숲 가장자리에서 자란다.

약용 부위 뿌리껍질 또는 줄기껍질, 잎을 봄에 채취하여 적당한 크기로 썰어서 말린다.

약물명 자룡아(刺龍牙), 자로아(刺老牙), 총목피(楤木皮)라고도 한다. 잎을 자룡아엽(刺龍牙葉) 또는 자로아엽(刺老牙葉)이라 한다.

기미 자룡아(刺龍牙): 평(平), 신(辛), 고(苦), 감(甘). 자룡아엽(刺龍牙葉): 양(涼), 미고(微苦), 감(甘)

약효 자룡아(刺龍牙)는 보기(補氣), 안신(安神), 강정자신(強精滋腎), 거풍(祛風), 활혈(活血)의 효능이 있으므로 기허핍력(氣虛乏力), 신허양위(腎虛陽痿), 위완통(胃脘痛), 당뇨병, 실면다몽(失眠多夢), 풍습골비(風濕骨痺), 소변불리, 신경쇠약, 류머티즘성관절염, 만성간염, 음위(陰痿)를 치료한다. 자룡아엽(刺龍牙葉)은 청열이습(清熱利濕)의 효능이 있으므로 습열설사(濕熱泄瀉), 이질, 수종(水腫)을 치료한다.

성분 자룡아(刺龍牙)에는 강심배당체, saponin, 정유 및 미량의 알칼로이드가 함유되어 있고, oleanolic acid의 배당체인 araloside A, B, C, D, E, araloside A methylester, acanthoside D, chikusetsusaponin Ib, stipuleneside R$_1$, R$_2$, elatoside A~E, continentalic acid 등이 함유되어 있다.

약리 continentalic acid는 HepG2 세포의 apoptosis를 유도한다. araloside A~E를 쥐에 주사하면 심혈관 보호 작용이 나타나고 항산화 작용이 있다. 가지와 잎의 메탄올 추출물은 황색 포도상구균, 대장균에 항균 작용이 있다.

사용법 자룡아는 10g에 물 3컵(600mL)을 넣고 달여서 복용하거나 즙을 내어 마신다. 자룡아엽은 적당량을 나물로 만들어 먹는다.

❍ 두릅나무

❍ 자룡아(刺龍牙, 절편)

❍ 자룡아(刺龍牙)

❍ 자룡아엽(刺龍牙葉)

❍ 열매

중국황칠나무

풍습비통 편두통
월경부조

● 학명 : *Dendropanax dentiger* (Harms ex Diels) Merr. [*D. chevalieri*]
● 한자명 : 樹蔘

| 1 | 2 | 3 | 4 | 5 | 6 | 7 | 8 | 9 | 10 | 11 | 12 |

관목. 높이 2~8m. 줄기껍질은 회갈색, 가지에 세로무늬가 있다. 잎은 어긋나고 타원형, 간혹 3~5개로 갈라진다. 꽃은 황록색, 8~10월에 산형화서로 가지 끝에 1개씩 달린다. 핵과는 구형이며 지름 5~6mm, 길이 2mm 정도의 암술대가 남아 있다.

분포 · 생육지 중국, 타이완. 해발 1,800m 이하의 산기슭 숲속에서 자란다.

약용 부위 · 수치 줄기껍질 또는 뿌리껍질을 가을부터 겨울까지 채취하여 말린다.

약물명 풍하리(楓荷梨)

약효 거풍습(祛風濕), 활혈맥(活血脈)의 효능이 있으므로 풍습비통(風濕痺痛), 편두통, 월경부조(月經不調)를 치료한다.

성분 1-tetradecanol, α-cubebene, β-elemene, β-selinene, α-muurolene, β-sitosterol 등이 함유되어 있다.

약리 당뇨 질환 개선, 면역 활성 증진, 항혈전 및 신장 보호 효과 등이 있다.

사용법 풍하리 10g에 물 3컵(600mL)을 넣고 달여서 복용한다.

❍ 풍하리(楓荷梨)

❍ 중국황칠나무 줄기에서 흘러나오는 수지

❍ 중국황칠나무

[두릅나무과]

황칠나무

 풍습비통 편두통
월경부조

● 학명 : *Dendropanax morbifera* Lev. ● 별명 : 노란옻나무

| 1 | 2 | 3 | 4 | 5 | 6 | 7 | 8 | 9 | 10 | 11 | 12 |

상록 교목. 높이 15m 정도. 잎은 어긋나고 타원형, 3~5개로 갈라진다. 꽃은 황록색, 6월에 산형화서로 가지 끝에 1개씩 달린다. 핵과는 원통형이며, 길이 7~10mm, 10월에 흑색으로 익고 암술대가 남아 있다.

분포 · 생육지 우리나라 제주도, 전남(완도, 흑산도, 거문도), 전북(어청도). 산기슭 숲속에서 자란다.

약용 부위 · 수치 줄기껍질 또는 뿌리껍질을 가을부터 겨울까지 채취하여 말린다.

※ 약효 및 사용법은 '중국황칠나무 *D. dentiger*'와 같다.

❂ 풍하리(楓荷梨, 국내산)

❂ 황칠나무 잎으로 만든 건강식품

❂ 황칠나무

❂ 황칠나무 줄기에서 흘러나오는 수지

❂ 황칠나무(열매) ❂ 황칠나무(꽃)

[두릅나무과]

팔손이나무

기침, 가래 근육통, 통풍
타박상

● 학명 : *Fatsia japonica* (Thunb.) Decne. et Planch. ● 별명 : 팔손이, 팔각금반

| 1 | 2 | 3 | 4 | 5 | 6 | 7 | 8 | 9 | 10 | 11 | 12 |

상록 관목. 높이 2~3m. 줄기는 밑에서 몇 개씩 모여난다. 잎은 줄기 끝에 모여서 어긋나고 7~9개로 갈라져서 손바닥 모양이다. 열매는 거의 둥글고 지름 5mm 정도, 다음 해에 흑색으로 익는다.

분포 · 생육지 우리나라 남부 지방, 제주도, 울릉도, 중국, 일본. 산기슭이나 골짜기에서 자란다.

약용 부위 · 수치 잎과 가지를 수시로 채취하여 썰어서 말린다.

약물명 팔각금반(八角金盤). 수수(手樹)라고도 한다.

약효 화담지해(化痰止咳), 산풍제습(散風除濕), 화어지통(化瘀止痛)의 효능이 있으므로 기침과 가래, 풍습(風濕)으로 오는 근육통, 통풍(痛風), 타박상을 치료한다.

성분 fatsiaside A₁, B₁, C₁, D, E, F, G 등이 함유되어 있다.

사용법 팔각금반 3g에 물 2컵(400mL)을 넣고 달여서 복용한다.

❂ 팔각금반(八角金盤)

❂ 팔손이나무(열매)

❂ 팔손이나무(꽃)

❂ 팔손이나무

[두릅나무과]

서양송악

기침, 기관지경련, 만성카타르

●학명 : *Hedera helix* L. ●영명 : ivy ●별명 : 아이비, 양담쟁이

| 1 | 2 | 3 | 4 | 5 | 6 | 7 | 8 | 9 | 10 | 11 | 12 |

상록 덩굴식물. 잎은 어긋나고 가죽질, 3~5개로 갈라지고 가장자리가 밋밋하며 잎자루가 있다. 꽃은 녹황색, 양성, 10월에 피며 지름 4~5mm이다. 열매는 둥글고 흑색으로 익는다.

분포 · 생육지 지중해 연안, 서아시아, 유럽. 산기슭 숲속에서 자라고, 세계 각처에서 재배한다.

약용 부위 · 수치 잎과 가지를 여름에 채취하여 썰어서 말린다.

약물명 Hederae Folium et Ramulus

약효 거담(祛痰), 진경(鎭痙), 항진균(抗眞菌) 효능이 있으므로 기침, 기관지경련, 만성카타르를 치료한다.

성분 oleanolic acid, hederagenin, bayogenin, hederasaponins, hederacosides B~I, hederasaponin C, falcarinol, falcarinone, 11-dehydrofalcarinol 등이 함유

되어 있다.

약리 거담 작용은 위장에서 사포닌에 의한 미주 신경의 자극 때문이다.

사용법 Hederae Folium et Ramulus 0.5~1g을 뜨거운 물로 우려내어 복용한다.

＊줄기의 추출물은 연고, 샴푸의 원료로 사용되며, 피부 연화제 및 가려움 치료에 응용한다.

❶ Hederae Folium et Ramulus

❶ 서양송악(열매)

❶ 서양송악

[두릅나무과]

송악

류머티즘성관절염, 요슬산연 간염, 냉복

허약체질 구안와사 빈혈

●학명 : *Hedera rhombea* Bean ●별명 : 담장나무, 소밥, 큰잎담장나무

| 1 | 2 | 3 | 4 | 5 | 6 | 7 | 8 | 9 | 10 | 11 | 12 |

상록 덩굴식물. 길이 10m 이상. 기근(氣根)이 나와 다른 물체에 붙는다. 잎은 어긋나고, 꽃은 녹황색, 양성, 지름 4~5mm, 가지 끝에 취산상 산형화서로 달리고, 작은 꽃대는 길이 1~1.5cm이다. 열매는 둥글고 지름 8~10mm, 다음 해 5월에 흑색으로 익는다.

분포 · 생육지 우리나라 제주도, 전남북, 경남북, 충남. 중국, 일본, 타이완. 산기슭 숲속에서 자란다.

약용 부위 · 수치 줄기와 잎은 여름과 가을에, 열매는 가을에 채취하여 말린다.

약물명 줄기와 잎을 상춘등(常春藤), 열매를 상춘등자(常春藤子)라 한다.

기미 · 귀경 상춘등(常春藤): 신(辛), 고(苦), 평(平) · 간(肝), 비(脾). 상춘등자(常春藤子): 감(甘), 고(苦), 온(溫).

약효 상춘등(常春藤)은 거풍(祛風), 이습(利濕), 평간(平肝), 해독의 효능이 있으므로 류머티즘성관절염, 간염, 구안와사를 치료한다. 상춘등자(常春藤子)는 보간신(補肝腎), 강요슬(强腰膝), 행기지통(行氣止痛)의 효능이 있으므로 빈혈, 냉복(冷腹), 허약체질, 요슬산연(腰膝酸軟), 혈비(血痺), 완복냉통(脘腹冷痛)을 치료한다.

성분 상춘등자(常春藤子)에는 rutin, caffeic acid, kizutasaponin K5, 상춘등(常春藤)에는 hederagenin-3-*O*-arabinoside, hederagenin-3-*O*-rhamnoarabinoside 등이 함유되어 있다.

약리 잎의 메탄올추출물을 ether, ethylacetate, buthanol로 분획하여 얻은 분획물의 쥐에 대한 실험 결과 항경련 작용, 진통 작용, 혈액 응고 억제 작용, 부종 억제 작용, 항염증 작용이 나타났다.

사용법 상춘등 또는 상춘등자 10g에 물 3컵(600mL)을 넣고 달여서 복용한다.

❶ 송악

❶ 상춘등(常春藤)

❶ 상춘등자(常春藤子)

❶ 송악(꽃)

❶ 송악(열매)

[두릅나무과]

엄나무

풍습비통, 지체마목, 골절, 풍습통 / 치통, 구창

타박상, 옹저창종, 개선, 창양종통, 풍진소양 / 위완통

● 학명 : *Kalopanax pictus* (Thunb.) Nakai　● 별명 : 개두릅나무, 개두릅, 음나무

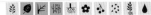

낙엽 교목. 높이 25m 이상. 넓은 가시가 많다. 잎은 가지 끝에 모여 어긋나고 5~9개로 갈라진다. 꽃은 황록색, 양성, 7~8월에 새 가지 끝에 산형화서로 피고, 꽃잎과 수술은 각각 4~5개이다. 삭과는 흑색으로 익는다.

분포·생육지 우리나라 전역. 중국, 일본, 우수리. 산지에서 자란다.

약용 부위·수치 줄기껍질 또는 가지, 잎을 봄부터 가을에 채취하여 썰어서 말린다.

약물명 자추수피(刺楸樹皮). 정동피(丁棟皮), 자추피(刺楸皮), 해동피(海桐皮), 야해동피(野海桐皮)라고도 한다. 우리나라에서는 해동피(海桐皮)라고 한다. 가지를 자추경(刺楸莖), 잎을 자추수엽(刺楸樹葉)이라 한다. 해동피(海桐皮)는 대한민국약전(KP)에 수재되어 있다.

본초서 자추수피(刺楸樹皮)는 「동의보감(東醫寶鑑)」에 해동피(海桐皮)라는 이름으로 수재되어, "허리나 다리를 쓰지 못하는 것과 마비되고 아픈 것을 낫게 한다. 대변에 피가 섞여 나오는 것, 속이 불편하고 구토와 설사가 계속되는 것을 그치게 하며, 치

통과 잇몸이 허는 것, 옴과 버짐을 낫게 한다."고 하였다.

東醫寶鑑: 主腰脚不遂 麻痺疼痛 赤白瀉痢 治中惡霍亂 療疳䘌疥癬 牙齒痛及目赤 諸風氣.

성상 자추수피(刺楸樹皮)는 줄기껍질로 반관상 또는 판상이고 표면은 회백색~회갈색이며 못처럼 생긴 가시가 있고 가시가 탈락한 곳은 황색이다. 안쪽은 암갈색이고 매끄러우며 세로무늬가 있다. 질은 단단하며 질겨서 자르기 힘들다. 냄새는 향기롭고 맛은 쓰다.

약효 자추수피(刺楸樹皮)는 거풍제습(祛風除濕), 활혈지통(活血止痛), 살충지양(殺蟲止痒)의 효능이 있으므로 풍습비통(風濕痺痛), 지체마목(肢體麻木), 치통, 타박상, 골절, 옹저창종(癰疽瘡腫), 구창(口瘡), 개선(疥癬), 치종(痔腫)을 치료한다. 자추경(刺楸莖)은 거풍제습(祛風除濕), 활혈지통(活血止痛)의 효능이 있으므로 풍습비통(風濕痺痛), 위완통(胃脘痛)을 치료한다. 자추수엽(刺楸樹葉)은 해독소종(解毒消腫), 거풍지양(祛風止痒)의 효능이 있으므로 창양종통(瘡瘍腫痛), 풍진소양(風疹瘙痒), 풍습통(風濕痛), 타박상을 치료한다.

성분 자추수피(刺楸樹皮)에는 kalopanaxsaponin A, B, kalopanaxin A, B, C, D, H, K, hederasaponin A, B, syringin, protocatechuic acid, coniferin, liriodendrin, (−)−7*R*,8*S*−dehydrodiconiferyl alcohol, (−)−simulanol, (−)−secoisolariciresinol, (±)−liriodendron 등이 함유되어 있다. 자추수엽(刺楸樹葉)에는 3,4−di−*O*−caffeoylquinic acid, 5−*O*−caffeoylquinic acid, 3−*O*−*p*−coumaroyl−caffeoylquinic acid 등이 함유되어 있다.

약리 열수추출물 또는 사포닌 성분을 쥐에 투여하면 항산화, 소염 진통 작용이 나타난다. kalopanaxsaponin은 장내 세균에 의하여 hederagenin이나 kalopanaxsaponin A로 분해되어 진통 작용과 소염 작용을 나타낸다. 3,4−di−*O*−caffeoylquinic acid, 5−*O*−caffeoylquinic acid, 3−*O*−*p*−coumaroyl−caffeoylquinic acid는 체내 peroxynirite의 소거 작용이 있다.

사용법 자추수피 또는 자추경은 10g에 물 3컵(600mL)을 넣고 달여서 복용한다. 자추수엽은 짓찧어 상처에 붙이거나 즙액을 바른다.

＊ 잎이 깊이 갈라지고 뒷면에 털이 많은 '가는잎엄나무 var. *maximowiczii*'도 약효가 같다. 중국에서는 해동피의 기원으로 '송곳오동나무', 우리나라에서는 '엄나무'를 사용하고 있다. 이는 우리나라에 '송곳오동나무'가 없으므로 그 대용으로 사용해 오는 것으로 생각된다.

처방 '송곳오동나무 *Erythrina variegata*' 항 참조(Ⅰ, 560쪽)

❶ 자추수피(刺楸樹皮)

❶ 자추수피(刺楸樹皮, 절편)

❶ 자추수엽(刺楸樹葉)

❶ 자추경(刺楸莖)

❶ 가는잎엄나무

❶ 껍질을 채취한 엄나무 줄기

❶ 엄나무(줄기)

❶ 엄나무

땃두릅나무

허약체질　신경과민증　양위

- 학명 : *Oplopanax elatus* Nakai [*Echinopanax elatum*]
- 별명 : 따드릅나무, 따두릅나무, 바늘두릅나무

| 1 | 2 | 3 | 4 | 5 | 6 | 7 | 8 | 9 | 10 | 11 | 12 |

낙엽 관목. 높이 2~3m. 잎은 어긋나고 가장자리가 5~7개로 갈라진다. 꽃은 7~8월에 가지 끝에 달린다. 꽃잎은 청백색의 수술과 더불어 각각 5개, 암술대는 2개이다. 열매는 타원상 원형으로 8~9월에 붉은색으로 익는다.

분포 · 생육지 우리나라 전역. 중국, 일본, 우수리. 산지에서 드물게 자란다.

약용 부위 · 수치 뿌리줄기와 뿌리를 수시로 채취하여 흙과 먼지를 털고 썰어서 말린다.

약물명 자인삼(刺人蔘). 동북자인삼(東北刺人蔘)이라고도 한다.

약효 보기조양(補氣助陽), 지해(止咳), 통락(通絡)의 효능이 있으므로 허약체질, 신경과민증, 양위(陽痿)를 치료한다.

성분 sesamin, syringin, oleanolic acid, elentheroside A~G 등이 함유되어 있다.

약리 열수추출물 또는 사포닌 성분들을 쥐에 투여하면 중추 신경 억제 작용이 나타나고, 항염증 작용이 있다. 에탄올추출물을 쥐의 위에 관류시키면 염증성 육종의 형성을 억제하고 뇌하수체의 기능을 항진시킨다. 메탄올추출물은 DPPH assay와 ferric thocynate method에 의하여 항산화 작용을 보인다.

사용법 자인삼 10g에 물 3컵(600mL)을 넣고 달여서 복용한다.

● 자인삼(刺人蔘)

● 자인삼(刺人蔘)으로 만든 건강식품

● 열매　● 땃두릅나무

인삼

위허구역, 위음부족　노상허손, 권태, 기혈부족　빈뇨　구갈, 허화아통
열병상진　당뇨병　해수토혈, 폐조간해　두훈핍력　흉민기단

- 학명 : *Panax ginseng* C. A. Meyer

| 1 | 2 | 3 | 4 | 5 | 6 | 7 | 8 | 9 | 10 | 11 | 12 |

여러해살이풀. 높이 50~60cm. 뿌리줄기(뇌두)는 짧으며 마디가 있고 뿌리줄기 밑에 큰 뿌리가 자라며, 줄기는 1개이고 끝에서 3~4개의 잎이 나온다. 잎은 돌려나고 장상 복엽이며 작은잎은 5개이다. 꽃은 담녹색, 4월에 피고, 꽃받침, 꽃잎 및 수술은 각각 5개, 암술대는 2개이다. 열매는 편구형으로 붉은색으로 익는다.

분포 · 생육지 우리나라 전역(지리산, 설악산 등). 중국, 일본, 우수리. 깊은 산 숲속에서 드물게 자란다.

약용 부위 · 수치 뿌리를 가을에 채취하여 작은 뿌리는 떼어 내고 겉껍질을 칼로 긁어내어 말린다.

약물명 뿌리를 인삼(人蔘)이라 하며, 인함(人銜), 귀개(鬼蓋), 황삼(黃蔘), 옥정(玉精), 혈삼(血蔘), 토정(土精), 지정(地精), 금정옥란(金井玉蘭), 봉추(棒錘)라고도 한다. 가는 뿌리를 삼수(蔘須)라 하며, 인삼수(人蔘鬚), 삼발(蔘髮), 미삼(尾蔘)이라고도 한다. 잎을 인삼엽(人蔘葉), 꽃봉오리를 인삼화(人蔘花)라 하며, 6년근을 찐 것을 홍삼(紅蔘)이라 한다. 인삼(人蔘)과 홍삼(紅蔘)은 대한민국약전(KP)에, 미삼(尾蔘)은

대한민국약전외한약(생약)규격집(KHP)에 수재되어 있다.

본초서 「신농본초경(神農本草經)」의 상품(上品)에 수재되어 있으며 "옛 이름은 인침(人浸)이며 그 뿌리의 모양이 사람의 모습과 닮았기 때문이다."라고 하였다. 송나라의 「증류본초(證類本草)」에는 "인삼은 상당(上黨, 山西省 潞安)에서 나는 것이 양품(良品)이며 요동(遼東, 遼寧省 瀋陽)에서 나는 것이 차품(次品)이라고 말하지만 현재는 동북제성(東北諸省), 특히 길림성(吉林省)에서 소량 야생할 뿐이고, 한반도, 중국, 일본에서 많이 재배된다."고 기록되어 있다. 소송(蘇頌)은 인삼의 형태학적 특징을 상세하게 기술하고 있다. 조선 시대 태종(太宗) 때 일본으로 인삼이 전래되었다는 기록이 남아 있다. 「동의보감(東醫寶鑑)」에는 "주로 오장의 기운이 부족할 때 쓰인다. 정신을 안정시키고 눈을 밝게 하며 마음을 편안하게 하고 기억력을 좋게 한다. 몸이 허약할 때 기운을 돕고 구토와 딸꾹질을 그치게 한다. 폐열로 진액이 소모되어 폐가 거칠고 위축되어 고름이 생기는 것을 낫게 하며 담을 없앤다."고 하였다.

神農本草經: 主補五臟 安精神 定魂魄 止驚悸 除邪氣 明目 開心益智 久服輕身延年.

日華子: 殺金石藥毒 調中治氣 消食開胃 食之無忌.

本草綱目: 治男婦一切虛症 發熱自汗 眩暈頭痛 反胃吐食 瘧疾 滑瀉久痢 小便頻數淋瀝 勞倦內傷 中風中暑 胃痹 吐血 嗽血 下血 血淋 血崩 胎前産後諸病.

東醫寶鑑: 主五臟氣不足 安精神 定魂魄 明目 開心益智 療虛損 止霍亂 嘔噦 治肺痿 吐膿 消痰.

성상 긴 원주형으로 때때로 중간에 2~5개의 곁뿌리가 나 있고 길이 15~20cm이며 원뿌리는 지름 1~3cm이다. 표면은 황갈색으로 세로 주름과 가는 뿌리의 자극이 있다. 근두부에는 줄기의 잔기가 붙어 있던 뇌두가 있다. 꺾인 면은 거의 평탄하며 엷은 황갈색이고 형성층 부근에서는 갈색을 띤다. 횡단면을 검경하면 전분립이 가득 찬 박막성의 유세포로 되어 있고 여러 곳에 황색~황적색의 분비물이 들어 있는 수지도가 있다. 특이한 냄새가 있고 맛은 달고 쓰다.

기미 · 귀경 인삼(人蔘): 미온(微溫), 감(甘), 미고(微苦) · 폐(肺), 비(脾). 삼수(蔘須): 평(平), 감(甘), 고(苦) · 폐(肺), 위(胃). 인삼엽(人蔘葉): 한(寒), 고(苦), 감(甘) · 폐(肺), 위(胃)

약효 인삼(人蔘)은 대보원기(大補元氣), 고탈생진(固脫生津), 안신(安神)의 효능이 있

으로므로 노상허손(勞傷虛損), 권태, 건망증, 빈뇨, 당뇨병, 기혈부족을 치료한다. 삼수(蔘鬚)는 익기(益氣), 생진(生津), 지갈(止渴)의 효능이 있으므로 해수토혈(咳嗽吐血), 구갈(口渴), 위허구역(胃虛嘔逆)을 치료한다. 인삼엽(人蔘葉)은 해서청열(解暑淸熱), 생진지갈(生津止渴)의 효능이 있으므로 서열구갈(暑熱口渴), 열병상진(熱病傷津), 위음부족(胃陰不足), 당뇨병, 폐조간해(肺燥干咳), 허화아통(虛火牙痛)을 치료한다. 인삼화(人蔘花)는 보기강신(補氣强身), 연완쇠로(延緩衰老)의 효능이 있으므로 두혼핍력(頭昏乏力), 흉민기단(胸悶氣短)을 치료한다.

성분 saponin 성분으로 ginsenoside-Ra₁, Ra₂, Rb₁, Rb₂, Rb₃, Rc, Rd, Re, Rf, Rg₁, Rg₂, Rh₁, Rh₂, polyacetylene 성분으로 panaxynol, panaxydol, protopanaxatriol, ginsnoyne K, 페놀성 성분인 maltol, slicylic acid, cinnamic acid, *p*-hydroxybenzoic acid, vanillic acid, gentisic acid, protocatechuic acid, syringic acid, *p*-coumaic acid, esculetin, ferulic acid, caffeic acid, esculetin 등이 함유되어 있다. 인삼에 *Leuconostoc fallax* LH3 균주를 가하여 배양시키면 인삼에 함유된 ginsenoside Rd는 거의 ginsenoside F₂로 변환된다.

약리 면역 증강 작용: 열수추출물은 IgM, IgG와 같은 항체와 인터페론(interferon)의 생산을 증가시키며 natural killer cell의 활성을 증가시킨다. 다당류는 세망내피 세포의 식세포 작용을 증가시키며, cyclophosphamide에 의한 면역 기능 저하를 정상으로 회복시킨다. 산삼의 열탕추출물은 인삼의 열탕추출물에 비하여 림프구 증식 작용(mitogenic activity)이 강하며, pan T cell과 helper T cell, cytotoxic T cell의 수치를 상대적으로 증가시킨다.

• 중추 신경: 열수추출물은 낮은 용량에서는 정신을 안정시키며 구토 중추와 호흡 중추를 항진시키지만, 높은 용량에서는 반대의 효과를 나타낸다. ginsenoside Rb를 주로 하는 diol계 성분들은 진정 작용이 있고, ginsenoside Rg를 주로 하는 triol계 성분들은 중추 신경 흥분 작용이 있다.

• 강장 작용: 열수추출물은 신장의 핵 내에 존재하는 RNA의 합성을 촉진시킨 뒤에 세포질 내의 RNA의 합성을 촉진하며 단백질 합성을 증가시킨다. ginsenoside Rb₂, Rc, Rg₁은 골수 세포의 DNA, RNA, 단백질, 지질의 생성을 증가시킨다. ginsenoside Rb₂, Rc, Rg₁은 cAMP는 감소시키지만 cGMP는 증가시킨다. 열수추출물은 세포 내 단백질의 분해를 억제하고 단백질 합성을 촉진한다. 토끼의 음경해면체의 내피 세포로부터 NO 유리를 촉진하여 음경해면체를 이완시킴으로써 발기 촉진 작용이 있다.

• 심혈관: 에테르추출물은 심장 박동 수와 중심 정맥압을 낮추며, 에탄올추출물은 중심 정맥압에는 관계없이 심장 박동 수를 낮춘다. 열수추출물의 경우에는 심장 박출량과 중심 정맥압을 현저하게 낮추지만 말초 저항을 증가시킨다. 열수추출물과 배당체류는 허혈성 심근 세포에서의 효소 활성을 정상화시키며, 노화에 따른 심근 세포의 퇴행성 변화를 감소시킨다.

• saponin 성분: 항궤양 작용, 항암 작용, 혈압 하강 작용, 단백질 생합성 촉진 작용 등이 있다.

• 항암 작용: protopanaxatriol은 동물(쥐)의 소장에서 흡수되어 에스테르화된 후에 natural killer 세포에 의한 암 조직 분해를 촉진한다. ginsenoside Rh₂는 B16 melanoma 세포의 성장을 억제하고 ginsenoside Rg₁은 sarcoma 180에 의한 종양을 억제한다. 열수추출물은 5-fluorouracil이나 motomycin과 같은 항암제 복용으로 인한 부작용을 줄여 준다.

• 혈당 강하: 총 사포닌은 당뇨를 유발한 실험 동물에 혈당 강하 작용을 나타내며 인슐린 주사로 인하여 갑자기 혈당이 크게 떨어지는 증상을 막아 준다. 인삼의 사포닌이나 다당류는 당질 대사를 촉진하여 혈당 강하 작용을 나타내며, 인슐린의 분비를 증가시키는 화합물도 있다.

• 지질 대사: 인삼 사포닌은 혈청 중의 콜레스테롤 수치를 용량 의존적으로 줄여 준다. ginsenoside Rb₂는 lipoprotein lipase의 지질 분해 작용을 증가시킨다.

• 뇌하수체-부신피질계: 인삼 사포닌은 혈장 중의 ACTH와 corticosterone의 수치를 올려 줌으로써 피로와 스트레스에 저항성이 증가하고 동화 작용이 촉진되는 것으로 보고 있다.

• 간세포 보호 작용: 에탄올의 배설 속도가 빨라지고 aldehyde dehydronase의 활성이 증가하며, 간에서의 에탄올 산화를 촉진하며 에탄올에 의한 간 손상을 보호한다.

• 발모 촉진: 열수추출물은 동물(쥐) 실험에서 모낭의 세포 사멸을 억제하고 모낭의 재생을 촉진한다.

확인 시험 가루 2g에 메탄올 20mL를 넣고 환류 냉각기를 달고 수욕상에서 15분간 가온하여 끓여서 식힌 다음 여과한 액을 검액으로 한다. 따로 TLC용 ginsenoside Rg₁ 1mg을 메탄올 1mL에 녹여 표준액으로 한다. 검액 및 표준액 10μL씩을 TLC용 실리카젤 박층판에 점적한다. CHCl₃-MeOH-H₂O(13:7:2)을 전개 용매로 하여 약 10cm 전개한 다음 바람에 말리고, 묽은 황산을 뿌리고 110℃에서 5분간 가열할 때 검액에서 얻은 여러 개의 반점 가운데 1개의 반점은 표준액에서 얻은 적자색 반점과 색상 및 Rf값이 같다.

사용법 인삼은 10~20g에 물 4컵(800mL)을 넣고 달여서 또는 알약으로 만들어 복용하고 술에 담가서 복용한다. 삼수 또는 인삼엽은 10g에 물 3컵(600mL)을 넣고 달여서 복용하고, 인삼화는 5g에 물 2컵(400mL)을 넣고 달여서 복용한다.

주의 장기간 복용은 부신 피질 호르몬과 유사한 효과를 낼 수 있으므로 하루 2g 이하로 복용하며 3개월 이상 연속하여 복용하지 않도록 하고, 음허화왕(陰虛火旺), 습열내성(濕熱內盛) 등의 실증(實症)과 열증은 피한다.

○ 인삼(종자)

○ 인삼(열매)

○ 인삼

처방 인삼탕(人蔘湯): 인삼(人蔘)·아교(阿膠)·천궁(川芎) 각 40g, 당귀(當歸)·두충(杜仲) 각 80g(『향약집성방(鄕藥集成方)』). 태동 불안으로 하혈을 하면서 아랫배와 허리가 아픈 데 사용한다.

·인삼백호탕(人蔘白虎湯): 석고(石膏) 20g, 지모(知母) 8g, 인삼(人蔘) 4g, 감초(甘草) 2.8g, 쌀 반 홉(『동의보감(東醫寶鑑)』). 양명병 때 열이 몹시 나고 땀을 많이 흘리며 번갈이 심하고 맥이 홍대한 데 사용한다.

·인삼패독산(人蔘敗毒散): 인삼(人蔘)·시호(柴胡)·전호(前胡)·강활(羌活)·독활(獨活)·지각(枳殼)·길경(桔梗)·천궁(川芎)·복령(茯苓)·감초(甘草) 각 4g, 생강(生薑) 3쪽, 박하(薄荷) 약간(『동의보감(東醫寶鑑)』). 풍한으로 열이 나며 목덜미가 뻣뻣하고 머리와 온몸이 아프며 코가 막히고 기침이 나는 증상에 사용한다.

·보중익기탕(補中益氣湯): 황기(黃耆) 6g, 인삼(人蔘)·백출(白朮)·감초(甘草) 각 4g, 당귀(當歸)·모려(牡蠣) 각 2g, 승마(升麻)·시호(柴胡) 각 1.2g(『동의보감(東醫寶鑑)』). 기허 발열로 온몸이 노곤하고 오후마다 미열이 나며 식은땀이 나고 머리가 아프며 입맛이 없고 목이 몹시 타며 때로는 이러한 증상과 함께 설사나 탈항의 경우에 사용한다.

·십전대보탕(十全大補湯): 인삼(人蔘)·백출(白朮)·복령(茯苓)·감초(甘草)·숙지황(熟地黃)·당귀(當歸)·작약(芍藥)·천궁(川芎)·황기(黃耆)·육계(肉桂) 각 4g, 생강(生薑) 3쪽, 대추(大棗) 2개(『동의보감(東醫寶鑑)』). 기혈의 부족으로 몸이 허약하고 기운이 없으며 때로 기침을 하고 땀을 흘리며 입맛이 없고 소화가 안 되는 증상에 사용한다.

* 잔뿌리 말린 것을 미삼(尾蔘), 일년생의 것을 춘미(春尾)라 한다.

홍삼(紅蔘)

홍삼이란 수삼을 장기간 저장할 목적으로 증숙(蒸熟)하여 인삼의 전분을 호화시켜 건조한 것을 말하며, 이때 캐러멜화에 의해서 적갈색을 나타낸다. 그러나 가열에 의한 화학 성분의 변화 및 약리 효과의 차이가 있을 것으로 기대되었는데, 1980년대 이후에 홍삼 사포닌의 화학 구조나 약리 작용이 밝혀지기 시작하였다. 홍삼은 수삼이나 백삼에 비하여 색깔이 곱고 습기나 벌레에 강한 장점이 있다.

성상 홍삼은 홍삼본삼(紅蔘本蔘), 원형홍삼(原形紅蔘), 홍미삼(紅尾蔘) 및 기타 홍삼류로 구분한다. 홍삼본삼(紅蔘本蔘)은 원뿌리와 굵은 지근(枝根)을 증숙한 것이고, 원형홍삼(原形紅蔘)은 원뿌리와 굵은 지근(枝根) 및 세근(細根)이 붙어 있는 것이며, 홍미삼(紅尾蔘)은 세근으로 제조된 것이고, 기타 홍삼류는 절삼홍삼(切蔘紅蔘), 절편홍삼(切片紅蔘) 및 분쇄홍삼(粉碎紅蔘)을 말한다. 홍삼 가운데 직삼(直蔘)은 천삼(天蔘)을 1등급, 지삼(地蔘)을 2등급, 양삼(良蔘)을 3등급으로 나누고 있다. 판별 기준은 모양, 수분, 조직, 색, 표피 등이다.

성분 백삼 및 홍삼에 있는 사포닌 성분은 거의 비슷하다. 홍삼 특유의 성분은 ginsenoside Rh2(0.001%), 20(R)-ginsenoside Rg2(0.01%), 20(R)-ginsenoside Rg3(0.015%),

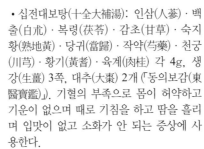

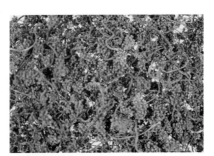

◑ 홍삼(紅蔘)

◑ 인삼(人蔘, 절편)

◑ 삼수(蔘鬚, 신선품)

◑ 인삼엽(人蔘葉)

◑ 인삼화(人蔘花)

◑ 인삼(人蔘)으로 만든 항암 치료제

◑ 6년근 수삼　　◑ 삼수(蔘鬚)

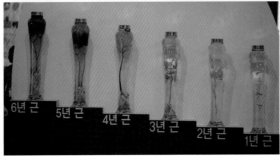

◑ 12년생 인삼으로 담근 인삼주　◑ 1~6년근 인삼, 해마다 잎이 1개씩 늘어난다.　◑ 홍삼이 배합된 어린이용 영양제

20(R)-ginsenoside Rh$_1$(0.007%), 20(R)-ginsenoside Rs$_1$(0.001%), 20(R)-ginsenoside Rs$_2$(0.0015%)이다. 수삼이나 백삼 특유의 사포닌 성분은 malonylginsenodie류로 이들은 홍삼 제조 과정에서 열에 의하여 다른 성분으로 바뀐다.

약리 사포닌 분획은 실험 동물의 수영 시간을 현저하게 연장하며, 스트레스에 의한 위궤양의 발생을 억제하고 치유 과정을 촉진한다. 홍삼의 열수추출물은 절제한 간의 재생을 촉진하고 발기 부전에 효력을 나타낸다. 홍삼 특유 성분인 20(R)-ginsenoside Rh$_1$은 여러 암세포에 증식 억제 작용과 동물 실험을 통한 종양 증식 억제 효과가 있다. 20(R)-ginsenoside Rg$_3$는 암세포가 정상 세포를 공격하여 전이되는 과정을 억제한다. 홍삼은 위암 3기 환자의 수술 후 면역 기능을 높여 주고, 생존 기간을 연장한다. 20(R)-ginsenoside Rg$_3$는 암 치료에서 문제가 되는 P-glycoprotein에 의한 다제내

성을 감소시키는 효능이 있다. 사포닌 성분의 비당부인 panaxytriol은 종양 세포의 증식을 억제한다. 홍삼은 적혈구의 변형을 개선하고 말초 순환을 개선시키며, 난소 조직 내로의 혈류를 증가시켜 난소 기능이 부활한다. 홍삼은 난소 제거로 골다공증을 유도한 실험 동물의 골 형성과 골 밀도를 증가시킨다. 홍삼의 사포닌 성분은 혈압을 낮춘다. 홍삼의 열수추출물은 항경련 작용이 있다. 흰쥐에게 열수추출물을 노년기까지 장기간 투여해도 간 손상이 일어나지 않으며 이물질 대사 기능을 완화시킨다. 홍삼의 열수추출물을 흰쥐에 투여하면 간에서 이물질 대사에 관여하는 cytochrome P-450에 의존성인 ECOD와 BPDM, cytochrome P-450 reductase와 GST의 활성도가 증가한다.

산삼(山蔘)

우리나라를 비롯하여 중국 지린성(吉林省),

러시아 우랄 지방에 드물게 산속에서 자라는 인삼이다. 중국에서는 이것을 야삼(野蔘) 또는 야인삼(野人蔘)이라고 한다. 산삼은 분포하는 곳이나 형태 등으로 다음과 같이 구분하기도 한다.

• 천종산삼(天種山蔘): 해발 800m 이상에서 주로 발견되며, 재배종의 원종(原種)으로 표현하고자 할 때 흔히 쓴다.
• 양각삼(羊角蔘): 30~50° 사이의 경사면 중 7부 이상의 위치에 자연 산삼이 자생하는 경우 뿌리가 특이한 형태로 발달하여 양의 뿔처럼 생긴 모습의 산삼을 말한다.
• 직삼(直蔘): 뿌리가 일직선으로 벋어 있는 산삼을 말한다. 자연 산삼의 경우 직삼은 가끔 발견되나 장뇌삼의 경우에는 직삼이 많다.
• 장삼(長蔘)·단삼(短蔘): 원뿌리(主根)가 지표면을 따라 옆으로 길게 벋은 산삼을 말하며 노두(蘆頭)가 거의 없다. 이것에 비하여 짧게 옆으로 벋는 산삼을 단삼이라고 한다.

성분 재배한 산삼에는 ginsenoside Rg$_1$, ginsenoside Re, ginsenoside Rd, ginsenoside Rb$_1$, ginsenoside Rb$_2$, ginsenoside Rb$_3$, ginsenoside Rd$_2$, ginsenoside Rg$_3$, ginsenoside F$_2$ 등이 함유되어 있다. 조직 배양한 산삼은 polyacetylene계 성분인 (Z)-1-methoxyheptadeca-9-en-4,6-diyne-3-one, panaxydol, panaxydiol, (E)-heptadeca-8-en-4,6-diyne-3,10-diol 등이 함유되어 있다.

❶ 홍삼(紅蔘, 절편)

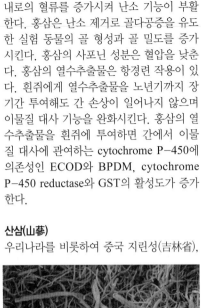
❶ 홍미삼(紅尾蔘)

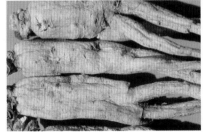
❶ 직삼(直蔘)

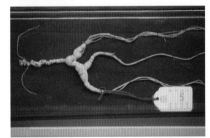
❶ 산삼(山蔘, 중국산, 상해중의약대학 소장)

❶ 산삼(山蔘, 백두산 채취품)

❶ 곡삼(曲蔘)

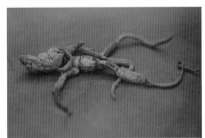
❶ 산삼(山蔘, 천성산 관음사 목조관음보살상에 보관되었던 것으로 1000년 전의 것)

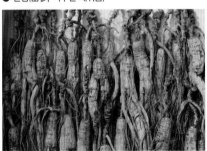
❶ 산양삼(山養蔘)

❶ 홍삼주

❶ 조직 배양한 산삼(山蔘)

❶ 조직 배양한 산삼(山蔘) 제품

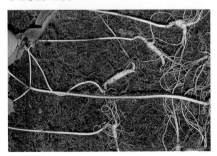
❶ 산양삼(山養蔘, 2~3년생)

[두릅나무과]

죽절인삼

병후체약, 기혈부족 · 식욕부진 · 당뇨병 · 허로해수 · 빈뇨

● 학명 : *Panax japonica* C. A. Meyer

| 1 | 2 | 3 | 4 | 5 | 6 | 7 | 8 | 9 | 10 | 11 | 12 |

여러해살이풀. 높이 50~60cm. 뿌리줄기는 대나무의 뿌리줄기와 모양이 비슷하다. 줄기는 1개로 끝에서 3~4개의 잎이 돌려나며 장상 복엽이다. 꽃은 담녹색, 4월에 핀다. 열매는 둥글며 여러 개가 산형화서로 모여 달리고 붉은색으로 익는다.

분포 · 생육지 중국 산시성(陝西省), 간쑤성(甘肅省), 안후이성(安徽省), 푸젠성(福建省). 일본. 산속 음지에서 자란다.

약용 부위 · 수치 뿌리줄기를 봄부터 가을에 채취하여 잔뿌리는 제거하고 물에 씻어서 말린다.

약물명 죽절삼(竹節蔘). 죽절인삼(竹節人蔘), 토삼(土蔘), 토정(土精)이라고도 한다.

기미 · 귀경 미온(微溫), 감(甘), 고(苦) · 폐(肺), 비(脾), 간(肝)

약효 보허강장(補虛强壯), 지해거담(止咳祛痰), 산어지혈(散瘀止血), 소종지통(消腫止痛)의 효능이 있으므로 병후체약(病後體弱), 식욕부진, 허로해수(虛勞咳嗽), 빈뇨, 당뇨병, 기혈부족(氣血不足)을 치료한다. 발모 촉진제로도 사용하고 있다.

성분 chikusetsu saponin III, IV, V 등이 함유되어 있다.

약리 부종을 일으킨 쥐에게 열수추출물을 투여하면 항염증 작용이 나타난다. 사포닌 성분들은 과산화 지질을 억제한다. 열수추출물을 실험 동물에게 투여하면 혈당이 강하한다.

사용법 죽절삼 10g에 물 3컵(600mL)을 넣고 달여서 복용하거나 알약으로 만들어 복용한다.

✿ 죽절삼(竹節蔘)

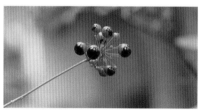

✿ 죽절인삼(열매)

✿ 죽절인삼

[두릅나무과]

주아삼

열병번갈, 인후종통 · 음허폐열해수, 해혈 · 창옹종독 · 토혈, 변혈 · 풍습비통

● 학명 : *Panax japonica* C. A. Meyer var. *major* Wu et Feing. ● 한자명 : 珠兒蔘

| 1 | 2 | 3 | 4 | 5 | 6 | 7 | 8 | 9 | 10 | 11 | 12 |

여러해살이풀. 높이 70~80cm. 뿌리줄기는 옆으로 벋으며 마디는 둥글게 부풀어 있고 뿌리는 가늘다. 꽃은 담녹색, 4월에 산형화서로 달리고, 꽃차례는 잎의 중앙부에서 1개가 나온다. 열매는 둥글며 여러 개가 산형화서로 모여 달리고 붉은색으로 익는다.

분포 · 생육지 중국 윈난성(雲南省), 간쑤성(甘肅省), 산시성(陝西省). 산속 음지에서 자란다.

약용 부위 · 수치 뿌리줄기의 부푼 마디를 봄부터 가을에 채취하여 잔뿌리는 제거하고 물에 씻어서 말린다.

약물명 주아삼(珠兒蔘). 주삼(珠蔘), 구자칠(扣子七)이라고도 한다.

약효 청열양음(清熱養陰), 산어지혈(散瘀止血), 소종지통(消腫止痛)의 효능이 있으므로 열병번갈(熱病煩渴), 음허폐열해수(陰虛肺熱咳嗽), 해혈(咳血), 토혈, 변혈, 풍습비통(風濕痺痛), 인후종통, 창옹종독(瘡癰腫毒)을 치료한다.

성분 ginsenoside Ro, ginsenoside Rd, Re, Rg₂, oleanolic acid$-28-O-\beta-D-$glucopyranoside, chikusetsu saponin IVa methyl ester 등이 함유되어 있다.

약리 사포닌 성분들은 인삼처럼 면역력 증강 작용이 있다. 총 사포닌 성분을 쥐의 복강에 주사하면 진통 및 진정 작용이 나타난다. 사포닌 성분들은 과산화 지질의 형성을 억제한다.

사용법 주아삼 10g에 물 3컵(600mL)을 넣고 달여서 복용하거나 알약으로 만들어 복용한다.

✿ 주아삼(珠兒蔘)

✿ 주아삼(뿌리줄기)

✿ 주아삼(열매)

✿ 주아삼(표본)

✿ 주아삼

[두릅나무과]

삼칠

| 타박상 | 각종 출혈증 | 혈어경폐, 산후복통 |
| 징가 | 진상구갈, 인통음아 | 고혈압 |

●학명 : *Panax notoginseng* (Burck.) F. H. Chen ●한자명 : 三七

| 1 | 2 | 3 | 4 | 5 | 6 | 7 | 8 | 9 | 10 | 11 | 12 |

여러해살이풀. 원뿌리는 육질의 원추형 또는 짧은 방추형이고 혹 같은 돌기의 가지가 있으며 뿌리줄기는 짧다. 줄기는 1개, 잎은 장상 복엽이며 겹잎 3~6개가 줄기 끝에서 돌려난다. 꽃은 담황록색으로 작으며 산형화서로 달린다. 열매는 장과로 둥근 신장형, 붉은색으로 익는다.

분포 · 생육지 중국 장시성(江西省), 후베이성(湖北省), 광시성(廣西省), 쓰촨성(四川省), 윈난성(雲南省). 산기슭 나무숲에서 자란다.

약용 부위 · 수치 뿌리를 8~9월 또는 11월에 채취하여 물에 씻어서 건조하여 사용하거나 밀자(蜜炙)하여 사용한다. 꽃봉오리는 봄에 채취한다.

약물명 삼칠(三七), 산칠(山漆), 금불환(金不換), 장불로(長不老), 인삼삼칠(人蔘三七), 인삼칠(人三七)이라고도 한다. 8~9월에 수확한 것을 춘칠(春七), 11월에 수확

한 것을 동칠(冬七)이라 하기도 한다. 꽃봉오리를 삼칠화(三七花)라 하며, 전칠화(田七花)라고도 한다. 삼칠(三七)은 대한민국약전외한약(생약)규격집(KHP)에 수재되어 있다.

본초서 삼칠(三七)은 명대(明代) 이시진(李時珍)의 「본초강목(本草綱目)」에 처음 수재되었으며, "파종하여 삼년(三年)에서 칠년(七年) 사이에 채취할 수 있고 인삼의 형태와 유사하므로 삼칠인삼(三七人蔘)이라고 한다."고 하였다.

성상 원추형으로 길이 3~6cm, 지름 2~4cm이고, 근두부에 줄기가 붙었던 자국이 있고 주위에는 작은 혹 모양의 돌기가 있다. 표면은 회갈색~회황색이며 세로로 주름과 가는 뿌리가 붙었던 자국이 있다. 절단면은 회녹색~황록색 및 회백색으로 방사상의 무늬가 나타나며 질은 무겁고 단단하다. 냄새는 없고 맛은 쓰고 달다.

기미 · 귀경 삼칠(三七): 미온(微溫), 감(甘), 미고(微苦) · 심(心), 간(肝), 비(脾).
삼칠화(三七花): 양(凉), 감(甘), 미고(微苦)

약효 삼칠(三七)은 지혈산어(止血散瘀), 소종정통(消腫定痛)의 효능이 있으므로 각종 출혈증, 타박상, 가슴이 아프고 조여드는 증상, 징가(癥瘕), 혈어경폐(血瘀經閉), 산후복통을 치료한다. 삼칠화는 청열생진(清熱生津), 평간강압(平肝降壓)의 효능이 있으므로 진상구갈(津傷口渴), 인통음아(咽痛音啞), 고혈압을 치료한다.

성분 saponin 성분으로 ginsenoside-Rb$_1$, Rd, Re, Rg$_1$, Rg$_2$, Rh$_1$, Rh$_2$, notoginsenoside R$_1$, R$_2$, R$_3$, R$_4$, R$_5$, R$_6$, R$_7$ 등이 함유되어 있다.

약리 물에 달인 액을 토끼에게 투여하면 처음에는 혈당이 올라가다가 나중에는 떨어지는데, 이것은 glucose 이용률을 높임으로써 혈당 강하 작용이 나타나는 것이다. 물에 달인 액을 토끼에게 투여하면 혈압이 내려간다.

사용법 삼칠은 3g에 물 2컵(400mL)을 넣고 달여서 복용하거나 술에 담가서 복용하고, 알약이나 가루약으로 만들어 복용한다. 삼칠화는 7g에 물 3컵(600mL)을 넣고 달여서 복용한다.

처방 안혈음(安血飲): 삼칠(三七) 4g, 백급(白芨) 20g, 우즙(藕汁) 4g, 백모근(白茅根) 40g, 용골(龍骨) · 모려(牡蠣) 각 20g, 대황(大黃) 4g. 놀라서 잠을 못자거나 전간(癲癇)에 사용한다.

❶ 삼칠(三七)

❶ 삼칠(三七, 절편)

❶ 삼칠(三七) 전문점

❶ 삼칠화(三七花)

❶ 삼칠(뿌리)

❶ 삼칠(三七) 건조(삼칠 최대 생산지인 중국 쿤밍)

❶ 삼칠

[두릅나무과]

광동인삼

 기허음휴화왕, 허열번권   해천담혈
내열소갈 구조인간

● 학명 : *Panax quinquefolia* L. ● 별명 : 서양삼, 미국인삼 ● 영명 : American ginseng

1 2 3 4 5 6 7 8 9 10 11 12

여러해살이풀. 높이 25~30cm. 뿌리는 육질이며 방추형으로 갈라진다. 줄기는 원주형으로 바로 서고 끝에서 3~4개의 잎이 나온다. 잎은 돌려나고 장상 복엽이다. 꽃은 담녹색, 4월에 잎의 중앙부에서 나오는 1개의 산형화서로 달린다. 열매는 편구형이며 붉은색으로 익는다.

분포 · 생육지 북아메리카 원산. 중국 둥베이(東北) 지방, 베이징(北京), 시안(西安), 장시성(江西省)

약용 부위 · 수치 9월 하순에 뿌리를 채취하여 잔뿌리는 떼어 내고 겉껍질을 칼로 긁어 버린 뒤 말린다.

약물명 서양삼(西洋蔘), 서양인삼(西洋人蔘), 양삼(洋蔘), 서삼(西蔘), 화기삼(花旗蔘), 광동인삼(廣東人蔘)이라고도 한다.

기미 · 귀경 한(寒), 감(甘), 미고(微苦) · 폐(肺), 위(胃), 심(心), 신(腎)

약효 보기양음(補氣養陰), 청화생진(淸火生津), 안신(安神)의 효능이 있으므로 기허음휴화왕(氣虛陰虧火旺), 해천담혈(咳喘痰血), 허열번권(虛熱煩倦), 내열소갈(內熱消渴), 구조인간(口燥咽干)을 치료한다.

성분 saponin 성분으로 quinquenoside I, II, III, IV, V, ginsenoside Rg_1, Re, Rd, Rc, Rb_1, Rb_2, Rg_3, Rg_8, 24(R)-pseudoginsenoside RT_5, F_{11}, notoginsenoside K, gypenoside XI, X, VII, ginsenoside-Ra_1, Ra_2, Rb_1, Rb_2, Rb_3, Rc, Rd 등이 함유되어 있다.

약리 쥐에게 사포닌 성분을 주사하면 중추 신경 억제 작용이 있다. 총 사포닌 성분 60mg/kg을 정맥주사하면 혈류량을 증대시킨다. 열수추출물은 IgM, IgG와 같은 항체와 인터페론의 생산을 증가시키는 등 면역 증강 작용이 있다.

사용법 서양삼 10g에 물 3컵(600mL)을 넣고 달여서 복용하거나 알약으로 만들어 복용한다.

● 광동인삼

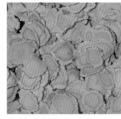
● 서양삼(西洋蔘, 절편)

● 서양삼(西洋蔘)

● 서양삼(西洋蔘, 자른 면)

● 서양삼(西洋蔘, 재배품)

● 서양삼(西洋蔘) 전문점(중국 광둥)

● 서양삼(西洋蔘)으로 만든 건강식품

[두릅나무과]

밀맥아장시

 풍습비통 두통
완복동통

● 학명 : *Schefflera venulosa* (Wight et Arn.) Harms [*S. elliptica, Paratropia venulosa*]
● 한자명 : 密脈鵝掌柴

1 2 3 4 5 6 7 8 9 10 11 12

소교목. 높이 2~10m. 줄기껍질은 회백색, 잎은 어긋나고 장상 복엽, 작은잎은 5~7개이다. 꽃잎은 5개로 연한 붉은색, 가지에는 불규칙한 무늬가 있다. 장과는 둥글며 붉은색으로 익는다.

분포 · 생육지 중국, 베트남. 해발 900~1,500m 숲속에서 자란다.

약용 부위 · 수치 줄기 또는 뿌리를 여름과 가을에 채취하여 물에 씻은 후 썰어서 말린다.

약물명 밀맥아장시(密脈鵝掌柴), 칠엽련(七葉蓮), 오가풍(五加風)이라고도 한다.

약효 거풍지통(祛風止痛), 활혈소종(活血消腫)의 효능이 있으므로 풍습비통(風濕痺痛), 두통, 완복동통(脘腹疼痛)을 치료한다.

성분 β-amyrin, β-sitosterol, oleanolic acid, betulinic acid, daucosterol 등이 함유되어 있다.

사용법 밀맥아장시 10g에 물 3컵(600mL)을 넣고 달여서 복용한다.

● 밀맥아장시(密脈鵝掌柴)

● 밀맥아장시(열매)

● 밀맥아장시

[두릅나무과]

통탈목

소변불리	수종
유즙불통	목현, 비색

● 학명 : *Tetrapanax papyriferus* K. Koch ● 별명 : 통초

1	2	3	4	5	6	7	8	9	10	11	12

상록 관목. 높이 3~4m. 줄기는 목질이지만 단단하지 않고 줄기 속은 해면질로 가득 차 있다. 잎은 가지 끝이나 원줄기 끝에서 모여나고, 잎몸은 손바닥 모양이다. 꽃은 10월에 피고 산형화서가 모여 큰 원추화서가 된다. 열매는 둥글고 흑색으로 익는다.

분포·생육지 중국 남부, 타이완 원산. 우리나라 제주도에서 재식하는 귀화 식물이다.

약용 부위·수치 뿌리와 줄기는 수시로, 꽃은 꽃이 피는 9월에 채취한다. 줄기는 줄기 껍질을 벗기고 골속을 취하여 말린다.

약물명 대통초(大通草): 두릅나무과(Araliaceae)의 '통탈목 *Tetrapanax papyriferus*'의 줄기 속을 건조한 것이다. 통초(通草)라고 하는 것은 대부분 이것으로 시난(西南), 화난(華南)에서 생산한다. 통초(通草)는 대한민국약전외한약(생약)규격집(KHP)에 수재되어 있다. 중국에서는 대통초(大通草), 소통초(小通草), 경통초(梗通草), 관목통(關木通), 회통(淮通) 등의 이름으로 시판되고 있다.

• 소통초(小通草): 통조화과(Stachyuraceae)의 '*Stachyurus himalacius*'의 줄기 속을 건조한 것으로 쓰촨성(四川省), 윈난성(雲南省)에서 생산한다.

• 경통초(梗通草): 콩과(Leguminosae)의 '*Aeschynomene indica*'의 줄기 속을 건조한 것으로 화둥(華東)에서 생산한다.

• 관목통(關木通, 東北木通): 쥐방울덩굴과(Aristolochiaceae)의 '*Hocquarita mandshuriensis*'의 줄기 속을 건조한 것으로 둥베이(東北) 지방에서 생산한다.

• 회통(淮通): 쥐방울덩굴과(Aristolochiaceae)의 '*Aristolochia kaempferi*'의 줄기 속을 건조한 것으로 쓰촨성(四川省), 산시성(陝西省)에서 생산한다.

• 천목통(川木通): 미나리아재비과(Ranunculaceae)의 '*Clematis armandi*'의 줄기 속을 건조한 것으로 쓰촨성(四川省), 광시성(廣西省)에서 생산한다.

본초서 통초는 「신농본초경(神農本草經)」의 중품(中品)에 수재되어 있다. 통초(通草)에는 많은 설(說)이 있다. 명대(明代) 이시진(李時珍)의 「본초강목(本草綱目)」에 매우 작은 구멍이 많으므로 통초(通草)라고 하며, 오늘날의 목통(木通)이다. 현재 중국 약재 시장에서 거래되는 통초는 통탈목(通脫木)이다.

성상 원형 또는 타원형으로 자른 조각으로 두께 2~3mm, 지름은 1~3cm이다. 바깥쪽의 코르크층은 회갈색이며 원형 또는 가로로 긴 타원형의 피목이 있다. 피부는 어두운 회갈색이며, 목부는 엷은 갈색의 도관부와 회백색의 방사 조직이 엇갈려서 방사상으로 배열되어 있다. 수(髓)는 엷은 회황색으로 뚜렷하다. 냄새가 없고 맛은 아리다.

기미·귀경 양(涼), 감(甘), 담(淡)·폐(肺), 위(胃)

약효 사폐(瀉肺), 이소변(利小便), 하유즙(下乳汁)의 효능이 있으므로 소변불리(小便不利), 수종(水腫), 유즙불통(乳汁不通), 목현(目眩), 비색(鼻塞)을 치료한다.

성분 papyriogenin A–G, papyrioside LIIa~d, quercetin 등이 함유되어 있다.

약리 물에 달인 액을 토끼에게 투여하면 소변의 양이 증가한다. 30%에탄올추출물을 동물에게 투여하면 혈청 중에 존재하는 콜레스테롤의 함량을 저하시킨다.

사용법 통초 10g에 물 3컵(600mL)을 넣고 달여서 복용한다.

처방 통유탕(通乳湯): 통초(通草)·천궁(川芎) 각 40g, 천산갑(穿山甲) 14개, 감초(甘草) 4g, 돈제(豚蹄) 4개(「동의보감(東醫寶鑑)」). 산후 기혈 부족으로 젖이 잘 나오지 않는 증상에 사용한다.

❍ 통초(通草, 절편, 국내산)

❍ 통초(通草, 절편, 중국산)

❍ 통탈목(새순)

❍ 통초(通草)

❍ 통탈목

❍ 통탈목 줄기의 횡단면

피자식물 847

[두릅나무과]

자통초

 요통

● 학명 : *Trevesia palmata* (Roxb.) Vis. [*Gastonia palmata*] ● 한자명 : 刺通草

| 1 | 2 | 3 | 4 | 5 | 6 | 7 | 8 | 9 | 10 | 11 | 12 |

○ 자통초(꽃)

상록 소교목. 높이 5~8m. 줄기껍질은 회황색, 가시가 있거나 없다. 잎은 가지 끝이나 원줄기 끝에서 모여나고, 잎몸은 원형, 5~9개로 깊게 갈라지며 갈라진 조각은 다시 잘게 갈라진다. 꽃은 황색, 10월에 산형화서가 모여 큰 원추화서로 핀다. 열매는 팽이와 모양이 비슷하다.

분포 · 생육지 인도, 베트남, 방글라데시, 중국 남부. 숲속에서 자란다.

약용 부위 · 수치 잎을 여름부터 가을에 채취하여 말린다.

약물명 자통초(刺通草). 당남(棠楠), 열엽목통(裂葉木通)이라고도 한다.

약효 화어지통(化瘀止痛)의 효능이 있으므로 요통을 치료한다.

사용법 자통초 10g에 물 3컵(600mL)을 넣고 달여서 복용한다.

○ 자통초

[두릅나무과]

다예목

 감기 풍습골통, 신경통

간염황달

● 학명 : *Tupidanthus calyptratus* Hook. f. et Thoms. ● 한자명 : 多蕊木

| 1 | 2 | 3 | 4 | 5 | 6 | 7 | 8 | 9 | 10 | 11 | 12 |

상록 관목. 줄기는 처음에는 바로 자라지만 차츰 덩굴성이 된다. 줄기껍질은 황갈색, 잎은 가지 끝이나 원줄기 끝에서 모여나고 7~9개의 작은잎으로 구성된 겹잎이다. 꽃은 6~7월에 피며 수술이 50~70개이다. 열매는 편구형, 황록색이다.

분포 · 생육지 인도, 베트남, 미얀마, 방글라데시, 중국 남부. 해발 900~1,700m에서 자란다.

약용 부위 · 수치 잎을 여름부터 가을에 채취하여 말린다.

약물명 용조엽(龍爪葉). 칠엽련(七葉蓮)이라고도 한다.

약효 거풍활락(祛風活絡), 산어지통(散瘀止痛), 이습퇴황(利濕退黃)의 효능이 있으므로 감기, 풍습골통(風濕骨痛), 신경통, 간염황달을 치료한다.

사용법 용조엽 10g에 물 3컵(600mL)을 넣고 달여서 복용한다.

○ 다예목

○ 용조엽(龍爪葉)

[미나리과]

왜방풍

유감　풍습비통　현훈증

● 학명 : *Aegopodium alpestre* Ledeb. ● 별명 : 개미나리, 개방풍, 북방풍
● 한자명 : 東北羊角芹

| 1 | 2 | 3 | 4 | 5 | 6 | 7 | 8 | 9 | 10 | 11 | 12 |

여러해살이풀. 높이 30~60cm. 줄기는 곧게 자라며 속이 비어 있다. 뿌리잎과 줄기 기부 잎은 2~3회 깃꼴겹잎이다. 꽃은 백색, 8월에 원줄기 끝과 윗부분의 잎겨드랑이에서 겹산형화서로 피며, 소산경은 10~12개이다. 분과에는 8개의 능선이 있고, 유관과 날개가 없다.

분포 · 생육지 우리나라 강원도, 백두산을 비롯한 북부 지방. 중국, 몽골, 일본, 인도, 러시아. 숲속에서 자란다.

약용 부위 · 수치 지상부를 여름과 가을에 채취하여 적당한 크기로 썰어서 말린다.

약물명 동북양각근(東北羊角芹)

약효 거풍지통(祛風止痛)의 효능이 있으므로 유감(流感), 풍습비통(風濕痺痛), 현훈증(眩暈症)을 치료한다.

사용법 동북양각근 10g에 물 3컵(600mL)을 넣고 달여서 복용하고, 줄기와 잎으로 관절염 부위를 찜질한다.

● 동북양각근(東北羊角芹)

● 왜방풍(뿌리)

● 왜방풍

[미나리과]

암미

천식, 경련성기관지염　협심증　산통, 신결석증

● 학명 : *Ammi visnaga* (L.) Lam. ● 영명 : Visnaga, Khella, Bishop's weed

| 1 | 2 | 3 | 4 | 5 | 6 | 7 | 8 | 9 | 10 | 11 | 12 |

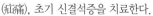

한해살이풀~여러해살이풀. 높이 50~90cm. 강한 향기가 난다. 잎은 가늘게 갈라진다. 꽃은 백색, 여름철에 복산형화서로 조밀하게 달리고 작다. 열매는 분생과로 타원상 구형, 길이 2mm 정도, 쓴맛이 강하다.

분포 · 생육지 유럽, 지중해, 서아시아. 식물

원이나 농가에서 재배한다.

약용 부위 · 수치 가을에 열매를 채취하여 말린다.

약물명 암미실. Ammi Fructus라고도 한다.

약효 경련, 혈관 확장, 천식에 효능이 있으므로 천식, 경련성기관지염, 협심증, 산통(疝痛), 초기 신결석증을 치료한다.

성분 khellin, visnagin, khellol, visnadin, samidin, dihydrosamidin 등이 함유되어 있다.

약리 visnadin은 칼슘의 경로를 저해하여 혈관을 확장시킨다. khellin과 visnagin은 항경련 효과가 있다.

사용법 암미실 0.5g을 뜨거운 물에 우려내어 복용한다.

＊ 본 종에 비하여 전체적으로 식물체가 대형인 '큰암미 *A. majus*'도 약효가 같다.

● 암미실

● 암미

● 암미(꽃)

● 암미실로 만든 천식 치료제

[미나리과]

시라

복중냉통, 구역식소 / 협륵창만 / 한산

●학명 : *Anethum graveolens* L. ●영명 : dill ●한자명 : 蒔蘿 ●별명 : 딜

| 1 | 2 | 3 | 4 | 5 | 6 | 7 | 8 | 9 | 10 | 11 | 12 |

여러해살이풀. 높이 70~90cm. 줄기는 곧게 서며, 잎은 어긋나고 2~3회 깃꼴겹잎이다. 꽃은 황색, 6~8월에 겹산형화서로 가지 끝에 달리고 총포와 소총포는 없다. 열매는 편원형, 배릉(背稜)은 약간 튀어나오고, 양측 능은 납작한 띠 모양이다.

분포·생육지 유럽 원산. 세계 각처에서 재배하며, 중국 장쑤성(江蘇省), 안후이성(安徽省)에서 많이 재배한다. 우리나라의 농가, 약초원이나 식물원에서도 재배한다.

약용 부위·수치 늦여름에 종자를 채취하여 말린다.

약물명 시라자(蒔蘿子). 시미중(時美中), 자모륵(慈謨勒), 토회향(土茴香)이라고도 한다. 대한민국약전외한약(생약)규격집(KHP)에 수재되어 있다.

본초서 시라자(蒔蘿子)는 「개보본초(開寶本草)」에 처음 수재되어 있으며 「본초강목(本草綱目)」에는 "시라자 또는 자모륵(慈謨勒)이라 하는 것은 외국어"라고 하였으며, 진장기(陳藏器)는 "시라(蒔蘿)는 인도네시아에 자생하며, 열매는 마근자(馬芹子)처럼 맵고 향기롭다."고 하였다.

日華子 : 健脾, 開胃氣, 溫臟, 殺魚肉毒, 補水臟及壯筋骨, 治腎氣.

開寶本草 : 主小兒氣脹, 癨亂嘔逆, 腹冷, 食不下, 兩肋痞滿.

本草蒙筌 : 散氣除胕肋膨, 消食開胃, 溫中健脾.

성상 작고 납작하며 타원상 구형으로 쌍현과이다. 분과는 구부러져 있으며 길이 3~5mm, 너비 2~3mm, 때로는 짧은 과병이 붙어 있다. 표면은 황갈색~녹갈색이고 가장자리의 색깔은 엷으며 등 쪽에 3개의 능선이 두드러진다. 특이한 향기가 있으며 조금 맵다.

기미·귀경 온(溫), 신(辛)·비(脾), 위(胃), 간(肝), 신(腎)

약효 온비개위(溫脾開胃), 산한난간(散寒暖肝), 이기지통(理氣止痛)의 효능이 있으므로 복중냉통(腹中冷痛), 협륵창만(脇肋脹滿), 구역식소(嘔逆食少), 한산(寒疝)을 치료한다.

성분 carvone, limonene, bergapten, umbelliferone, scopoletin 등이 함유되어 있다.

약리 carvone은 포도상구균, 대장균 등에 살균 작용과 여러 진균에 항진균 작용이 있다.

사용법 시라자 3g에 물 2컵(400mL)을 넣고 달여서 복용하거나 가루 내어 복용한다.

＊시라자(蒔蘿子)는 '회향(茴香, *Foeniculum vulgare*)'의 열매 모양과 비슷하나 길이가 짧고 너비는 넓다. 열매를 수증기 증류하여 얻은 정유 성분을 물에 현탁시킨 것을 시라수(蒔蘿水, Aqua Anethi Destilata)라 하며, 어린아이의 과식으로 인한 소화불량에 사용한다.

○ 시라자(蒔蘿子)

○ 시라(열매)

○ 시라자(蒔蘿子)로 만든 소화제

○ 시라

[미나리과]

개구릿대

풍한감모 / 두통 / 창종 / 축농증, 치주염 / 대하

●학명 : *Angelica anomala* L. ●한자명 : 狹葉當歸 ●별명 : 좁은잎구릿대

| 1 | 2 | 3 | 4 | 5 | 6 | 7 | 8 | 9 | 10 | 11 | 12 |

여러해살이풀. 높이 1~2m. 속이 비어 있으며 자줏빛이 돈다. 잎은 2~3회 깃꼴겹잎, 엽초는 도란형으로 거센 잔털이 있다. 꽃은 백색, 겹산형화서이며, 소산경은 30~60개, 총포와 소총포는 없다. 분과는 달걀 모양, 좁은 날개가 있고 끝과 밑이 편평하다.

분포·생육지 우리나라 전역. 중국, 일본, 다후리아, 우수리, 동시베리아. 산골짜기에서 자란다.

약용 부위·수치 뿌리를 가을에 채취하여 물에 씻은 후 말린다.

약물명 협엽당귀(狹葉當歸). 수대활(水大活)이라고도 한다.

약효 거풍제습(祛風除濕), 소종지통(消腫止痛)의 효능이 있으므로 풍한감모(風寒感冒), 두통, 축농증, 창종(瘡腫), 치주염, 대하를 치료한다.

사용법 협엽당귀 10g에 물 3컵(600mL)을 넣고 달여서 복용한다. 축농증에는 협엽당귀 10g, 신이(辛夷) 10g, 생강(生薑) 3쪽을 물을 넣고 달여서 복용한다.

○ 협엽당귀(狹葉當歸)

○ 뿌리   ○ 개구릿대

왜당귀

혈허증　　월경부조, 통경, 산후복통
장조변비

● 학명 : *Angelica acutiloba* Kitagawa [*Ligusticum acutilobum*]
● 한자명 : 東當歸　● 별명 : 일당귀

| 1 | 2 | 3 | 4 | 5 | 6 | 7 | 8 | 9 | 10 | 11 | 12 |

여러해살이풀. 높이 60~90cm. 뿌리는 굵으며, 전체에 털이 없고 자줏빛이 돈다. 잎은 2~3회 깃꼴겹잎이다. 꽃은 백색, 겹산형화서로 피며, 소산경은 30~40개, 소총포는 바늘 모양이다. 분과는 편평한 달걀 모양으로 가장자리에 날개가 있고, 유관은 8개이다.

분포 · 생육지 일본 원산. 우리나라 전역에서 재배한다.

약용 부위 · 수치 뿌리를 가을에 채취하여 물에 씻어서 말린다.

약물명 일당귀(日當歸), 동당귀(東當歸), 조선당귀(朝鮮當歸), 대화당귀(大和當歸)라고 도 한다. 대한민국약전외한약(생약)규격집(KHP)에 수재되어 있다.

성상 굵고 짧은 원뿌리로부터 많은 가지뿌리가 분지되어 거의 방추형을 이루고 길이 10~25cm이다. 표면은 암갈색~적갈색이고 세로 주름과 옆으로 돌출한 잔뿌리의 자국이 있다. 절단면은 어두운 갈색~황갈색이며 평탄하다. 특이한 냄새가 있고 맛은 약간 달지만 뒤에는 좀 맵다.

약효 보혈활혈(補血活血), 통경지통(通經止痛), 윤조활장(潤燥滑腸)의 효능이 있으므로 혈허증(血虛證), 월경부조, 통경(痛經), 산후복통, 장조변비(腸燥便秘)를 치료한다.

성분 *Z*-ligustilide, buthylidenephthalide, cnidilide, isocnidilide, sedanolide, falcarindiol, falcarinol 등이 함유되어 있다.

약리 에탄올추출물은 쥐와 토끼의 자궁에 수축 작용과 흥분 작용이 있다. 정유 성분은 진정 작용이 있으며, *Z*-ligustilide, buthylidenephthalide는 적리균, 티푸스균, 대장균에 항균 작용이 있고 항천식 작용, 진경 작용도 있다. falcarindiol은 진통 작용이 있다.

사용법 일당귀 10g에 물 3컵(600mL)을 넣고 달여서 복용한다.

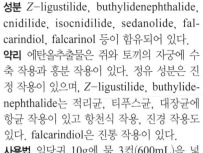
● 왜당귀(잎)

● 일당귀(日當歸)

● 일당귀(日當歸, 절편)

● 왜당귀(뿌리)

● 왜당귀(열매)

● 왜당귀

● 왜당귀 재배(일본 토야마현 약초원)

[미나리과]

안젤리카

| 거담 | 해열, 발한 |
| 경련 | 방향제 |

●학명 : *Angelica archangelica* L. [*Archangelica officinalis*]
●영명 : Angelica, Garden angelica

| 1 | 2 | 3 | 4 | 5 | 6 | 7 | 8 | 9 | 10 | 11 | 12 |

❁ 안젤리카로
만든 해열제　❁ 안젤리카(꽃)

두해살이풀. 높이 1.5~2.5m. 줄기는 굵고 구릿빛이며 방향성이고 속이 비어 있다. 잎은 길이 60~70cm, 2~3회 깃꼴겹잎이며 작은잎은 다시 갈라진다. 꽃은 녹백색, 소산경은 30~60개이다. 열매는 달걀 모양의 타원형, 양쪽 가장자리에 날개가 있다.

분포 · 생육지 유럽 동북부, 그린란드, 중앙 아시아. 산골짜기에서 자란다.

약용 부위 · 수치 뿌리, 잎, 줄기, 종자를 여름부터 가을에 채취하여 물에 씻은 후 말린다.

약물명 Angelicae Herba

약효 거담, 해열, 경련, 발한, 방향제로 사용한다.

사용법 뿌리, 잎, 줄기는 각각 10g에 물 3컵(600mL), 종자는 5g에 물 2컵(400mL)을 넣고 달여서 복용한다.

❁ 안젤리카

[미나리과]

중치모당귀

| 풍한습비, 요슬동통, 류머티즘, 신경통 |
| 치통 | 감기 | 두통 |

●학명 : *Angelica biserrata* Yuan et Shan [*A. pubescens* for. *biserrata*]
●별명 : 중국독활

| 1 | 2 | 3 | 4 | 5 | 6 | 7 | 8 | 9 | 10 | 11 | 12 |

여러해살이풀. 높이 1.5m 정도. 뿌리는 굵고 원추형이며 갈색을 띤다. 잎은 2회 3출 깃꼴겹잎이다. 꽃은 암수한그루, 8~9월에 산형화서로 달린다. 총포편은 1개, 소총포편은 5~10개이다. 열매는 달걀 모양으로 길이 6~8mm, 너비 3~5mm이다.

분포 · 생육지 중국 안후이성(安徽省), 장시성(江西省), 후베이성(湖北省), 쓰촨성(四川省). 높은 산에서 자란다.

약용 부위 · 수치 뿌리를 가을에 채취하여 흙을 털고 썰어서 말린다.

약물명 독활(獨活). 호왕사자(胡王使者), 독요초(獨搖草), 장생초(長生草), 천독활(川獨活), 육독활(肉獨活), 향독활(香獨活), 속독활(續獨活), 옥활(玉活)이라고도 한다.

본초서 독활은 「신농본초경(神農本草經)」에 수재되어 "풍한을 다스리는 약으로 사용된다."고 하였으며 「약성론(藥性論)」에서도 이를 뒷받침하고 있다. 우리나라에서는 '땅두릅 *A. cordata*'의 뿌리를 사용하고 있다. 「동의보감(東醫寶鑑)」에는 "적풍(賊風)을 몰아내고 오래되었거나 새로운 백절통풍을 낫게 한다. 중풍으로 말을 못하거나 입과 눈이 비뚤어지며 팔다리를 쓰지 못하고 근골이 저리며 아픈 것을 낫게 한다."고 하였다.

神農本草經: 主風寒所擊 金瘡止痛 奔豚 癇痙 女子疝瘕 久腹輕身耐老.

藥性論: 能治中諸風濕冷 奔喘逆氣 皮膚苦痒 手足攣痛 勞損 主風毒齒痛.

東醫寶鑑: 療諸賊風 百節痛風無久新者 治中風失音 喎斜癱瘓 遍身瘴痺 及筋骨攣痛.

성상 방추형의 원뿌리로부터 길이 10~20cm의 가지뿌리가 2~3개, 더러는 더 많이 분지되고, 원뿌리의 지름은 15~30mm이다. 표면은 회갈색~암갈색이다. 뿌리 두부에는 촘촘히 돌출된 윤절(輪節)이 있고 줄기의 잔기와 엽초의 일부가 남아 있는 것도 있다. 질은 유연하고 그 횡단면의 피부는 회백색이며 갈색 수지도가 거의 동심성으로 배열되어 있고, 목부는 회황색~황갈색이고 갈색 형성층의 환(環)이 뚜렷하다. 특이한 방향이 있고 맛은 쓰고 맵다.

기미 · 귀경 고(苦), 신(辛), 미한(微寒) · 신(腎), 방광(膀胱)

약효 거풍승습(祛風勝濕), 산한지통(散寒止痛), 거풍활혈(祛風活血), 발한지통(發汗止痛), 소종(消腫)의 효능이 있으므로 풍한습비(風寒濕痺), 요슬동통(腰膝疼痛), 치통, 감기, 두통, 류머티즘, 신경통을 치료한다.

성분 columbianetin, columbianetin acetate, osthol, isoimperatorin, bergapten, xanthotoxin, columbianadin, columbianetin-*O*-β-D-glucopranoside, anpubesol, angelol B, D, G, eremophilene, thymol 등이 함유되어 있다.

약리 열수추출물을 마취한 개나 고양이에게 정맥주사하면 혈압이 내려가고, 쥐에게 투여하면 대조군에 비하여 진통 및 항염증 작용이 관찰된다. 에탄올추출물을 쥐에게 투여하면 혈소판 응집 작용이 나타난다. columbianetin, columbianetin acetate, osthol, isoimperatorin은 자외선을 조사한 쥐에게 투여하면 대조군에 비하여 피부 보호 작용을 나타내고, 이들 성분들은 암세포를 이식한 암 조직에 항암 작용이 있다.

사용법 독활 10g에 물 3컵(600mL)을 넣고 달여서 복용하거나 술에 담가서 복용한다. 꽃이 필 때 부드러운 잎을 따서 건조시켰다가 삼베주머니에 넣어 욕탕제로 사용하면 여성의 냉증, 신경통, 요통, 관절염에 좋다.

처방 독활탕(獨活湯): 독활(獨活) · 강활(羌活) · 인삼(人蔘) · 전호(前胡) · 세신(細辛) · 반하(半夏) · 양유근(羊乳根) · 오미자(五味子) · 복령(茯苓) · 산조인(酸棗仁) · 감초(甘

草) 각 3g, 생강(生薑) 3쪽, 매실(梅實) 1개 (『동의보감(東醫寶鑑)』). 정신을 안정할 수 없고 불안하며 가슴이 두근거리고 잠을 잘 자지 못하는 증상에 사용한다.

• 독활기생탕(獨活寄生湯): 독활(獨活) · 당귀(當歸) · 작약(芍藥) · 상기생(桑寄生) 각 3g, 천궁(川芎) · 인삼(人蔘) · 복령(茯苓) · 우슬(牛膝) · 두충(杜仲) · 진교(蓁艽) · 방풍(防風) · 세신(細辛) · 육계(肉桂) 각 2g, 감초(甘草) 1.2g, 생강(生薑) 3쪽 (『동의보감

(東醫寶鑑)』). 풍습(風濕)으로 허리와 다리, 무릎의 힘줄이 당기고 아프며 힘이 없고 차며 저린 증상에 사용한다.

• 형방패독산(荊防敗毒散): 강활(光活) · 독활(獨活) · 시호(柴胡) · 전호(前胡) · 복령(茯苓) · 인삼(人蔘) · 지실(枳實) · 길경(桔梗) · 천궁(川芎) · 형개(荊芥) · 방풍(防風) 각 4g, 감초(甘草) 2g (『동의보감(東醫寶鑑)』). 피부 질환 초기나 급성 열병 초기에 사용한다.

• 연교패독산(連翹敗毒散): 연교(連翹) · 강활(光活) · 독활(獨活) · 시호(柴胡) · 전호(前胡) · 길경(桔梗) · 천궁(川芎) · 복령(茯苓) · 금은화(金銀花) · 지실(枳實) · 방풍(防風) · 형개(荊芥) · 박하(薄荷) · 감초(甘草) 각 3g, 생강(生薑) 3쪽 (『동의보감(東醫寶鑑)』). 오슬오슬 춥고 열이 날 뿐만 아니라 두통이 있는 증상에 사용한다.

❶ 독활(獨活, 절편)

❶ 독활(獨活)

❶ 중치모당귀(뿌리)

❶ 중치모당귀(열매)

❶ 독활(獨活)

❶ 독활(獨活)이 배합된 요통 치료제

❶ 중치모당귀

항백지

감두통, 미릉골통 | 습승구사 | 부녀백대
치통, 비색, 비연 | 옹저창양, 독사교상

● 학명 : *Angelica dahurica* (Fisch.) Benth. et Hooker var. *formosana* Shan et Yuan

`1 2 3 4 5 6 7 8 9 10 11 12`

두해살이풀~여러해살이풀. 높이 1~1.5m. 뿌리는 굵고 긴 원추형, 줄기는 곧게 서고, 잎은 2~3회 깃꼴겹잎이다. 꽃은 백색, 7~8월에 산형화서로 피며 지름 10~30cm로 크고, 총포는 1~2개이지만 보통 탈락한다. 소총포는 5~10개이다. 열매는 긴 편구형으로 자주색을 띠고 길이 4~7mm, 너비 4~6mm이다.

분포 · 생육지 산골짜기에서 자란다.

약용 부위 · 수치 늦여름부터 초가을에 뿌리를 채취하여 잔뿌리는 제거하고 물에 씻은 뒤 말려서 사용하거나 약한 불에 쬐어서 사용한다.

약물명 백지(白芷), 지(芷), 방향(芳香), 택분(澤芬), 백거(白茝), 다골(多骨), 백두구(白豆久)라고도 한다. 대한민국약전(KP)에 수재되어 있다.

본초서 백지(白芷)는 「신농본초경(神農本草經)」의 중품(中品)에 수재되어 있으며 별명을 방향(芳香)이라고 하였고, 「명의별록(名醫別錄)」에는 백거(白茝)라고 하였다. 명대(明代) 이시진(李時珍)의 「본초강목(本草綱目)」에는 「처음에 생긴 뿌리가 희고(白) 통증을 멈추게 하는 풀(芷)이라 하여 백지(白芷)라고 한다.」고 하였다. 송대(宋代) 소송(蘇頌)의 「도경본초(圖經本草)」에는 「뿌리의 길이는 한 척(一尺) 정도이며 백색이고 굵은 것도 있고 가는 것도 있으며 가지는 위에서 뻗고 춘엽(春葉)은 자주색을 띠며 꽃은 백색이고 입추를 지나면 지상부가 마른다.」고 하였다. 이러한 기록 및 본초서의 그림에 따라 오늘날의 항백지와 비슷하다.

「동의보감(東醫寶鑑)」에는 「바람의 기운으로 머리가 아프고 현기증이 나며 눈물이 자주 나오는 것을 낫게 한다. 자궁에서 나오는 분비물, 생리불순, 음부가 붓는 증상, 피가 뭉쳐 오래된 것을 풀어 준다. 새로운 피를 만들고 임신 중 하혈로 인해 유산되는 것을 막아 주고, 젖이 곪는 것, 등에 종기가 난 것, 나력, 치질, 치루, 피부병을 낫게 하고, 통증을 멎게 하고 새살이 돋아나게 하며 고름을 삭여 준다. 백지로 기름을 만들어 얼굴에 바르면 얼굴빛이 윤택해지고 기미와 주근깨, 흉터를 없앤다.」고 하였다.

神農本草經 : 主女人漏下赤白 血閉陰腫 寒熱 頭風侵目淚出.

名醫別錄 : 療風邪久瀉 嘔吐 兩脇滿 風痛頭眩 目痒.

東醫寶鑑 : 中風邪頭痛 目眩淚出 主婦人漏下赤白 血閉陰腫 破宿 血補新血 安胎漏滑落 治乳癰 發背 瘰癧 腸風痔漏 瘡痍 疥癬 止痛 生肌 能排膿蝕膿 可作面脂 潤顔色 去面皯疵瘕.

성상 백지는 짧은 원뿌리로부터 많은 긴 뿌리가 갈라져서 대체로 방추형을 이루고 길이 10~25cm이며, 표면은 회갈색~암갈색을 띤다. 뿌리 두부에 약간의 엽초가 남아 있고 좁게 두드러진 돌림마디가 있다. 뿌리에는 세로 주름과 세로로 두드러진 여러 개의 가는 뿌리 자국이 있다. 횡단면의 주변은 회백색으로 빈틈이 많고, 중앙부는 어두운 갈색을 띤다. 특이한 냄새가 있고 맛은 약간 쓰다. 굵고 윤기가 있으며 방향이 강한 것이 좋다.

기미 · 귀경 온(溫), 신(辛) · 폐(肺), 비(脾), 위(胃)

약효 거풍제습(祛風除濕), 통규지통(通竅止痛), 소종배농(消腫排膿)의 효능이 있으므로 감두통(感頭痛), 미릉골통(眉稜骨痛), 치통, 비색(鼻塞), 비연(鼻淵), 습승구사(濕勝久瀉), 부녀백대(婦女白帶), 옹저창양(癰疽瘡瘍), 독사교상(毒蛇咬傷)을 치료한다.

성분 coumarin: byakangelicin, byakangelicol, oxypeucedanin, imperatorin, phellopterin, xanthotoxin, marmesin, scopoletin, anhydrobyakangelicin, neobyakangelicol, isoimperatorin, bergapten 등이 함유되어 있다.

약리 메탄올추출물은 해열 작용이 있고, 국소 진통 및 마비 작용이 있으며, coumarin류들은 항진균 작용과 지방 분해 촉진 작용이 있다.

사용법 백지 5g에 물 2컵(400mL)을 넣고 달여서 복용하거나 알약, 가루약으로 만들어 복용한다. 피부병에는 짓이겨 즙을 내어 바른다.

처방 백지탕(白芷湯): 방풍(防風) · 형개(荊芥) · 연교(連翹) · 백지(白芷) · 박하(薄荷) · 작약(芍藥) · 석고(石膏) 각 4g 「동의보감(東醫寶鑑)」). 허열(虛熱)과 풍(風)으로 잇몸과 치아가 아픈 것을 치료한다.

• 백지승마탕(白芷升麻湯): 황기(黃耆) · 황금(黃芩) 각 16g, 백지(白芷) 6g, 승마(升麻) · 길경(桔梗) · 연교(連翹) 각 4g, 홍화(紅花) · 감초(甘草) 각 2g 「동의보감(東醫寶鑑)」). 종기가 생겨 벌겋게 부으면서 열이 나고 화끈 달아오르는 증상에 사용한다.

＊ 중국 허난성(河南省) 위현(禹縣), 창거(長葛)에서 생산되는 것을 우백지(禹白芷), 허베이성(河北省) 안궈(安局), 딩셴(定縣)에서 생산되는 것을 기백지(祈白芷), 안후이성(安徽省) 보현(亳縣)에서 생산되는 것을 박백지(亳白芷)라 한다. 허베이성(河北省)에서는 '*Heracleum lanatum*'의 뿌리를, 윈난성(雲南省)에서는 '*H. scabridium*'의 뿌리를 백지라 하여 사용하기도 한다.

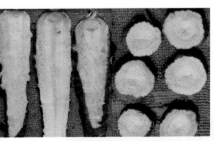

● 백지(白芷, 종단면과 횡단면)

● 항백지(열매)

● 항백지(꽃)

● 백지(白芷)

● 항백지(뿌리)

● 백지(白芷)로 만든 진통해열제

● 항백지

● 항백지 재배(중국 서안)

[미나리과]

구릿대

감기　　　　두통
치통　　　　풍습비통

●학명 : *Angelica dahurica* (Fisch.) Benth. et Hooker.　●별명 : 구리때, 구릿때, 구리대

| 1 | 2 | 3 | 4 | 5 | 6 | 7 | 8 | 9 | 10 | 11 | 12 |

두해살이풀~여러해살이풀. 높이 1~2m. 뿌리는 굵고, 잎은 2~3회 깃꼴겹잎이다. 꽃은 백색, 6~8월에 산형화서로 달린다. 소산경은 20~40개로 총포는 없으며, 소총포는 몇 개가 있고 넓은 바늘 모양이다. 분과는 편평한 달걀 모양, 길이 8~9mm, 가장자리에는 날개가 있고, 끝과 밑은 안으로 들어간다.

분포·생육지 우리나라 전역. 중국, 일본, 아무르, 동시베리아. 산골짜기에서 자란다.

약용 부위·수치 가을에 뿌리를 채취하여 작은 뿌리는 제거하고 물에 씻은 후 썰어서 말린다.

약물명 대활(大活). 향대활(香大活), 주마근(走馬芹)이라고도 한다.

약효 신온해표(辛溫解表), 제습지통(除濕止痛)의 효능이 있으므로 감기, 두통, 치통, 풍습비통(風濕痺痛)을 치료한다.

성분 coumarin 성분인 byakangelicin, byakangelicol, oxypeucedanin, imperatorin, phellopterin, xanthotoxin, marmesin, scopoletin, anhydrobyakangelicin, neobyakangelicol, isoimperatorin, bergapten 등과 triterpenoid 성분인 α-hederin이 함유되어 있다.

약리 메탄올추출물은 해열 작용이 있고, 국소 진통 및 마비 작용이 있으며, coumarin류들은 항진균 작용과 지방 분해 촉진 작용이 있다. α-hederin은 cyclooxygenase-2와 5-lipoxygenase의 활성을 억제한다. 에탄올추출물은 아토피 동물 모델에서 항아토피 효과가 있으며, IgE 및 히스타민 유리 억제 효과가 있다.

사용법 대활 5g에 물 2컵(400mL)을 넣고 달여서 복용하거나 알약, 가루약으로 만들어 복용한다. 피부병에는 짓찧어 붙이거나 달인 액을 바른다.

❍ 대활(大活, 절편)

❍ 대활(大活, 절편, 신선품)

❍ 구릿대(꽃)

❍ 구릿대(열매)

❍ 구릿대(뿌리)

❍ 구릿대

[미나리과]

참당귀

 변비

● 학명 : *Angelica gigas* Nakai　● 별명 : 조선당귀, 토당귀, 한당귀

| 1 | 2 | 3 | 4 | 5 | 6 | 7 | 8 | 9 | 10 | 11 | 12 |

여러해살이풀. 높이 1~2m. 뿌리는 굵고, 줄기는 자줏빛이 돈다. 잎은 어긋나고 아래쪽 것은 1~2회 3출겹잎으로 잎자루가 길며, 위쪽 것은 잎자루가 짧다. 꽃은 자주색, 8~9월에 겹산형화서로 소산경이 15~20개, 20~40개의 꽃이 달린다. 총포는 1~2개, 엽초처럼 커지며, 소총포는 5~7개, 열매는 달걀 모양, 넓은 날개가 있다.

분포·생육지 우리나라 경상도, 강원 이북. 중국, 일본. 깊은 산골짜기에서 자란다.

약용 부위·수치 가을에 뿌리를 채취하여 말려서 그대로 사용하거나, 치료 목적에 따라 주초(酒炒), 주증(酒蒸), 초초(醋炒), 강제(薑製)하여 사용한다.

약물명 한당귀(韓當歸), 토당귀(土當歸), 조선당귀(朝鮮當歸)라고도 한다. 대한민국약전(KP)에 수재되어 있다.

성상 굵고 짧은 원뿌리의 윗부분에 줄기 및 잎의 잔기가 남아 있다. 원뿌리는 길이 3~7cm, 지름 2~5cm, 가지뿌리의 길이는 15~20cm이다. 표면은 엷은 황갈색~흑갈색으로 원뿌리 및 가지뿌리에는 세로 주름이 많으며 원뿌리에는 가로 주름이 있는 것도 있다. 꺾은 면은 평탄하고 형성층에 의하여 목부와 피부의 구별이 뚜렷하며, 목부와 형성층 부근의 피부는 어두운 황색이나 나머지 부분은 백색이다. 특이한 냄새가 있고 맛은 약간 쓰면서 달다.

약효 보혈화혈(補血和血), 조경지통(調經止痛), 윤장통변(潤腸通便)의 효능이 있으므로 위장 기능이 약하여 오는 변비 치료에 효과가 있다.

성분 coumarin인 decursin, decursinol, decursinol angelate, nodakenin, nodakenetin, umbelliferone, imperatorin, isoimperatorin, bergapten, demethylsuberosine, marmesin, peucedanone, 그 외에 uracil, diosmin, anglein(pectic polysaccharide) 등이 함유되어 있다.

약리 에테르추출물은 토끼의 경동맥의 혈류를 항진시킨다. 열수추출액을 토끼의 정맥에 주사하면 혈압이 강하하고 자궁, 소장, 방광, 동맥 등의 평활근을 흥분시킨다. decursin, decursinol angelate는 acine hepatic microsome에서 cytochrome P-450의 활성을 억제한다. B16F1 세포를 이용하여 tyrosinase와 관련 단백질 및 유전자에 미치는 영향을 조사한 결과 demethylsuberosine은 세포 내 멜라닌 생성을 억제한다.

사용법 한당귀 5g에 물 2컵(400mL)을 넣고 달여서 또는 술에 담가서 복용한다.

처방 '당귀(當歸)' 항 참고(Ⅰ, 858쪽)

❶ 참당귀

❶ 한당귀(韓當歸)

❶ 한당귀(韓當歸, 절편)

❶ 참당귀(열매)

[미나리과]

갯강활

고혈압　변비　유즙불통

● 학명 : *Angelica japonica* A. Gray

| 1 | 2 | 3 | 4 | 5 | 6 | 7 | 8 | 9 | 10 | 11 | 12 |

여러해살이풀. 높이 1m 정도. 줄기는 바로 서고 꺾으면 황색 즙액이 나온다. 잎은 크며 2회 깃꼴겹잎이다. 꽃은 백색, 작은 꽃이 복산형화서로 빽빽하게 달리며, 꽃잎은 5개, 수술 5개, 씨방하위이다.

분포 · 생육지 우리나라 제주도 및 남쪽 바닷가에 분포한다.

약용 부위 · 수치 지상부를 5~10월에 채취하여 말리거나 생으로 사용한다.

약물명 Angelicae japonicae Herba

* 약효 및 사용법은 '신선초'와 같다. 꽃이 백색이며 정소엽이 갈라지므로 신선초와 구분된다.

○ 갯강활(뿌리 절편)

○ 갯강활(열매)

○ 갯강활

[미나리과]

신선초

고혈압　변비　유즙불통

● 학명 : *Angelica keiskei* (Miq.) Koidz.　● 한자명 : 神仙草, 明日葉

| 1 | 2 | 3 | 4 | 5 | 6 | 7 | 8 | 9 | 10 | 11 | 12 |

여러해살이풀. 높이 1m 정도. 줄기는 바로 서고 가지가 갈라진다. 잎은 크며 2회 깃꼴겹잎이다. 꽃은 담황색, 가을에 작은 꽃이 복산형화서로 빽빽하게 달린다. 꽃잎은 5개, 수술 5개, 씨방하위이며, 가을에 납작한 원통형의 열매를 맺는다. 줄기나 잎을 자르면 황색 즙액이 나온다.

분포 · 생육지 일본 원산. 우리나라 전역에서 재배한다.

약용 부위 · 수치 지상부를 여름에 채취하여 말리거나 생으로 사용한다.

약물명 신선초(神仙草). 명일엽(明日葉)이라고도 한다.

약효 모세혈관 강화 작용이 있으므로 고혈압 예방에 좋고, 변비를 치료하며 산모에게는 젖이 잘 나오게 한다.

성분 잎에는 2′, 4′, 4−trihydroxy−3′−(2−hydroxy−7−methyl−3−methylene−6−octenyl) chalcone (1), 2′, 4′, 4−trihydroxy−3′−geranylchalcone (2), 2′, 4′, 4−trihydroxy−3′−(6−hydroxy−3,7−dimethyl−2,7−octdienyl) chalcone (3), 2′, 4−dihydroxy−4′−methoxy−3′−(2−hydroxyperoxy−3−methyl−3−butenyl) chalcone, 2′, 4−dihydroxy−4′−methoxy−3′−geranyl-chalcone, 2′, 4−dihydroxy−4′−methoxy−3′−(3−methyl−3−butenyl) chalcone 등이 함유되어 있다.

약리 열수추출물 또는 에탄올추출물은 모세혈관 강화 작용이 있다. compound (1)~(3)은 MG−63 cell에서 TNF−α로 유도되는 IL−6 생성을 억제한다.

사용법 고혈압 예방에는 신선초 어린잎을 따서 말렸다가 10g에 물 3컵(600mL)을 넣고 달여 먹거나 생으로 먹는다. 말린 잎을 뜨거운 물로 우려내어 마셔도 좋다.

* 잎이나 작은 가지를 잘라도 다음날 다시 순이 나오므로 명일엽(明日葉)이라고도 한다.

○ 신선초

○ 신선초(神仙草)로 만든 건강식품

○ 신선초(神仙草)로 만든 건강식품

[미나리과]

궁궁이

풍한표증　풍습비통
완복　흉협동통　타박상

● 학명 : *Angelica polymorpha* Maxim.　● 별명 : 토천궁, 심산천궁, 백봉천궁

| 1 | 2 | 3 | 4 | 5 | 6 | 7 | 8 | 9 | 10 | 11 | 12 |

여러해살이풀. 높이 90~150cm. 잎은 3~4회 3출겹잎이다. 꽃은 백색, 8~9월에 원줄기와 가지 끝에 복산형화서로 달리고, 소신경은 20~40개, 총포는 5개이다. 분과는 납작한 원통형, 양 끝이 오목하고 털이 없으며, 유관은 3개이다.

분포 · 생육지 우리나라 전역. 중국, 일본.

산골짜기에서 자란다.

약용 부위 · 수치 뿌리를 가을에 채취하여 흙과 먼지를 털어서 말린다.

약물명 괴근(拐芹). 자금사(紫金砂)라고도 한다.

약효 발표거풍(發表祛風), 온중산한(溫中散寒), 이기지통(利氣止痛)의 효능이 있으므로

풍한표증(風寒表證), 풍습비통, 완복(脘腹), 흉협동통(胸脇疼痛), 타박상을 치료한다.

성분 isoimperatorin, phellopterin, bergapten, xanthiletin, geijerine, hamaudol-3′-acetate, oxypeucedanin, oxypeucedanin hydrate, osthol, imperatorin, byakangelicin, angeliticin A, saxalin 등이 함유되어 있다.

약리 isoimperatorin, phellopterin, bergapten, xanthiletin, hamaudol-3′-acetate 등은 acetylcholinesterase의 활성을 억제한다.

사용법 괴근 7g에 물 2컵(400mL)을 넣고 달여서 복용하거나 가루로 만들어 복용하고, 타박상에는 달인 액으로 씻는다.

❖ 궁궁이

❖ 괴근(拐芹)

❖ 괴근(拐芹, 절편)

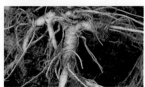
❖ 궁궁이(뿌리)

❖ 궁궁이(열매)

[미나리과]

당귀

혈허제증　월경부조, 경폐, 통경, 붕루
징가결취, 위비, 허한복통　피부마목, 타박상

● 학명 : *Angelica sinensis* (Oliv.) Diels [*A. polymorpha* Max. var. *sinensis* Oliv.]
● 별명 : 중국당귀

| 1 | 2 | 3 | 4 | 5 | 6 | 7 | 8 | 9 | 10 | 11 | 12 |

여러해살이풀. 높이 1m 정도. 뿌리는 원주형으로 분지하며 다육질의 수염뿌리가 있고 황갈색으로 향기가 강하다. 줄기는 곧게 서며 자주색을 띠고 세로 홈이 있다. 잎은 3출엽, 2~3회 깃꼴겹잎이다. 꽃은 6~7월에 복산형화서로 달리며, 꽃줄기는 4~7cm, 꽃차례의 지름은 10~30cm, 총포편은 2개이다. 열매는 타원형~달걀 모양, 길이 4~6mm, 지름 3~4mm이다.

분포 · 생육지 중국 산시성(陝西省), 간쑤성(甘肅省), 후베이성(湖北省), 구이저우성(貴州省), 윈난성(雲南省). 깊은 산골짜기에서 자란다.

약용 부위 · 수치 가을에 뿌리를 채취하여 말려서 그대로 사용하거나 주초(酒炒)하여 사용한다.

약물명 당귀(當歸), 간귀(干歸), 마미당귀(馬尾當歸), 진귀(秦歸), 마미귀(馬尾歸), 운귀(雲歸), 서당귀(西當歸)라고도 한다.

본초서 당귀(當歸)는 「신농본초경(神農本草經)」의 중품(中品)에 수재되어 있다. 진승(陣承)은 "당귀는 임신부, 산후의 악혈상충

(惡血上衝)을 치료하며 기혈혼란(氣血混亂)에 사용하면 즉시 안정된다."고 하였고, 명대(明代)의 「본초강목(本草綱目)」에는 "피(血)를 조정하는 효능이 있어서 부인(婦人)의 요약(要藥)이다. 그래서 지아비를 생각하는 의미가 있으므로 당귀(當歸)라고 한다."고 하였다. 당귀(當歸)는 송대(宋代)로부터 재배되어 왔으며, 구종석(寇宗奭)의 「본초연의(本草衍義)」에 "천촉(川蜀) 지방에서 재배하는 것이 품질이 좋다."고 기록된 것으로 보아 쓰촨성(四川省)에서 천년 이상 재배되어 왔음을 알 수 있다. 쓰촨성(四川省)에서 생산되는 것을 천귀(川歸), 간쑤성(甘肅省)의 것을 진귀(秦歸)라 하여 품질이 좋은 것으로 평가된다. 한방에서는 당귀의 굵은 뿌리를 당귀신(當歸身)이라 하여 보혈(補血)에 사용하고, 잔뿌리를 당귀미(當歸尾)라 하여 활혈(活血)의 목적으로 구분하여 사용하기도 한다. 「동의보감(東醫寶鑑)」에는 "바람과 관련된 모든 병, 피와 관련된 병을 낫게 하고, 몸이 허약하고 피로한 것을 낫게 하며 피가 몰린 것을 풀어 주고 새

피를 생겨나게 한다. 징벽이나 부인 자궁에서 나오는 분비물을 낫게 하고, 임신이 잘 안 될 때 사용한다. 악성 피부 질환과 쇠붙이에 다쳐서 피가 뭉친 것을 풀어 주며, 이질로 오는 복통, 열과 오한이 드는 것을 낫게 하며, 오장을 튼튼하게 하고 새살이 돋아나게 한다."고 하였다.

神農本草經: 主婦人漏下絶子 諸惡瘡瘍 金瘡.

珍珠囊: 頭破血 身行血 尾止血.

湯液本草: 頭止血 身和血 梢破血.

本草綱目: 治頭痛 心腹諸痛 潤腸胃筋骨皮膚 治癰疽 排膿止痛 補血和血.

東醫寶鑑: 治一切風 一切血 一切勞 破惡血 養新血 及主癥癖 婦人崩漏 絶子 療諸惡瘡瘍 金瘡喀血內塞 止痢疾腹痛 治溫瘧 補五臟生肌肉.

성상 원주형을 이루고 그 아래에 2~5개 혹은 그 이상의 가지 뿌리를 가지고 있고 길이는 15~25cm이다. 표면은 황갈색~적갈색이고 세로 주름과 옆으로 긴 피목이 있다. 근두(根頭)는 지름 1.5~4cm이고 환문이 있으며 상단에는 줄기와 엽초의 잔기가 남아 있다. 지근(枝根)은 지름 0.5~1cm, 윗부분은 굵고 아래로 내려갈수록 가늘어지면서 꼬인다. 정유가 다량 함유되어 있으므로 질은 유연하고 횡단면은 황백색~황갈색, 피층은 목부보다 두껍다. 방향이 강하고 맛은 달고 매우며 좀 쓰다. 기름기가 없고 단면이 녹갈색인 것은 약용으로 쓸 수 없다. 중국에서는 뿌리 전체를 원지귀(原枝歸)라 하고,

원뿌리 가운데 윗부분을 귀두(歸頭)라고 하며, 지근부(枝根部)를 적당한 크기로 절단한 것을 귀미(歸尾)라고 한다.

품질 질이 부드럽고 곁뿌리가 많이 붙어 있으며 냄새가 강하고 황갈색인 것이 좋다.

기미·귀경 감(甘), 신(辛), 고(苦), 온(溫)·간(肝), 심(心), 비(脾)

약효 보혈화혈(補血和血), 조경지통(調經止痛), 윤조활장(潤燥滑腸)의 효능이 있으므로 혈허제증(血虛諸症), 월경부조(月經不調), 경폐(經閉), 통경(痛經), 징가결취(癥瘕結聚), 위비(痿痹), 붕루(崩漏), 허한복통(虛寒腹痛), 피부마목(皮膚麻木), 윤조변난(潤燥便難), 적리후중(赤痢後重), 옹저창양(癰疽瘡瘍), 타박상을 치료한다.

성분 carvacrol, phenol, o-cresol, p-cresol, guaiacol, 2,3-dimethylphenol, p-ethylphenol, m-ethylphenol, 2,4-dihydroxyacetophenone, isoeugenol, vanillin, ligustilide, 6-butyl-1,4-cycloheptadiene, bicycloelemene, acetophenone, acoradiene, senkyunolide, acoradiene, isoacoradiene, n-buthylphthalide, n-buthylidnephthalide, angelic ketone, camphoric acid, anisic acid, phthalic anhydride, bergamotene, angelicide, vanillic acid 등이 함유되어 있다.

약리 열수추출물 100~500mg/mL를 시험관 내에 투여하면 쥐의 혈소판을 응집시킨다. 시험관 내에서 적출한 개구리 심장에 열수추출물을 적하시키면 심장의 수축력이 증대된다. 당귀 가루 1.5g/kg을 쥐에게 먹이면 혈중 콜레스테롤 함량이 저하된다. 열수추출물은 항산화 작용과 면역력 증대 작용이 있다.

사용법 당귀 10g에 물 3컵(600mL)을 넣고 달여서 또는 술에 담가서 복용한다.

처방 당귀건중탕(當歸建中湯): 당귀(當歸) 40g, 작약(芍藥) 20g, 계지(桂枝) 12g, 교이(膠飴) 40g 『동의보감(東醫寶鑑)』. 중기(中氣)가 허하고 차서 배가 아프고 입맛이 없으며 식은땀이 나는 증상, 여성들의 생리가 고르지 못하고 생리 때 아프며 가슴이 두근거리는 증상에 사용한다.

• 당귀작약산(當歸芍藥散): 작약(芍藥) 10g, 택사(澤瀉)·천궁(川芎) 각 6g, 당귀(當歸)·복령(茯苓)·백출(白朮) 각 3g 『동의보감(東醫寶鑑)』. 생리불순, 생리통, 어지럼증, 두통, 어깨가 결리고 아픈 증상, 부종, 요통, 기미가 끼고 피부가 거칠어지는 증상에 사용한다.

• 당귀산(當歸散): 당귀(當歸)·천궁(川芎)· 작약(芍藥)·황금(黃芩) 각 40g, 백출(白朮) 20g 『동의보감(東醫寶鑑)』. 여성의 생리가 없어질 나이가 지났으나 무질서하게 있으면서 요통과 복통이 있는 증상에 사용한다.

• 당귀사역탕(當歸四逆湯): 당귀(當歸)· 작약(芍藥) 각 8g, 계지(桂枝) 6g, 세신(細辛)·목통(木通)·감초(甘草) 각 4g 『동의보감(東醫寶鑑)』. 상한궐음병으로 손발이 차고 맥이 미약한 증상이나 생리가 고르지 못하면서 배가 몹시 아픈 증상에 사용한다.

• 사물탕(四物湯): 당귀(當歸)·작약(芍藥)·천궁(川芎)·숙지황(熟地黃) 각 4g 『화제국방(和劑局方)』. 빈혈증, 피부가 거칠고 건조한 증상, 생리불순에 사용한다.

이외에 당귀육황탕(當歸六黃湯), 보중익기탕(補中益氣湯), 당귀사역가오수유생강탕(當歸四逆加吳茱萸生薑湯), 소풍산(消風散), 소풍활혈산(消風活血散), 속명탕(續命湯), 시호청간탕(柴胡淸肝湯), 십전대보탕(十全大補湯), 쌍화탕(雙和湯), 온경탕(溫經湯), 용담사간탕(龍膽射干湯), 형개연교탕(荊芥連翹湯), 방풍통성산(防風通聖散), 귀비탕(歸脾湯), 녹용대보탕(鹿茸大補湯), 대방풍탕(大防風湯), 소요산(逍遙散), 계지작약지모탕(桂枝芍藥知母湯), 대청룡탕(大靑龍湯) 등이 있다.

❏ 당귀(當歸, 절편)

❏ 당귀(當歸, 최상품)

❏ 당귀(當歸, 왼쪽은 탈색한 것, 중국 약재 시장)

❏ 당귀신(當歸身)

❏ 당귀미(當歸尾)

❏ 당귀(當歸, 왼쪽), 일당귀(日當歸, 가운데), 한당귀(韓當歸, 오른쪽)

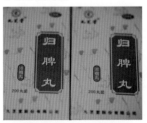
❏ 당귀(當歸)가 주약인 보혈약

❏ 당귀(열매)

❏ 당귀(뿌리)

❏ 당귀

❏ 당귀 재배(중국 민현)

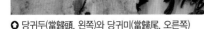
❏ 당귀두(當歸頭, 왼쪽)와 당귀미(當歸尾, 오른쪽)

[미나리과]

소엽전호

당뇨병 　방광염, 치질 　통풍 　유방염

● 학명 : *Anthriscus cerefolium* (L.) Hoffm.　● 한자명 : 小葉前胡

| 1 | 2 | 3 | 4 | 5 | 6 | 7 | 8 | 9 | 10 | 11 | 12 |

● 소엽전호(꽃)

여러해살이풀. 높이 1m 정도. 줄기는 곧게 자라고, 잎은 2회 3출겹잎이다. 꽃은 백색, 5~6월에 피고 소산경은 5~12개, 꽃잎은 5개, 도란형이다. 열매는 긴 원통형으로 광택이 난다.

분포 · 생육지 유럽, 서아시아, 브라질, 아르헨티나. 산지 숲 가장자리에서 자란다.

약용 부위 · 수치 뿌리를 가을에 채취하여 물에 씻은 후 썰어서 말린다.

약물명 Kerbel

약효 정혈(淨血)의 효능이 있으므로 당뇨병, 방광염, 통풍, 치질, 유방염을 치료한다.

사용법 Kerbel 20g에 물 3컵(600mL)을 넣고 달여서 복용하고, 유방염에는 생잎을 따서 짓찧어 환부에 붙인다.

● 소엽전호

[미나리과]

전호

복창, 위병 　천해 　야뇨 　타박상, 창상출혈, 종통

● 학명 : *Anthriscus sylvestris* (L.) Hoffm.
● 영명 : Cow parsley　● 한자명 : 峨蔘　● 별명 : 동지, 사양채, 반들전호, 큰전호, 생치나물

| 1 | 2 | 3 | 4 | 5 | 6 | 7 | 8 | 9 | 10 | 11 | 12 |

여러해살이풀. 높이 1m 정도. 뿌리가 굵고, 줄기 속은 비어 있으며, 잎은 2~3회 깃꼴겹잎이다. 꽃은 백색, 5~6월에 피고 소산경은 5~12개, 꽃잎은 5개로 바깥 것 1개가 특히 크며, 수술은 5개, 암술대는 2개로 갈라진다. 분과는 바늘 모양, 흑록색, 길이 5~8mm이다.

분포 · 생육지 우리나라 전역. 중국, 일본, 시베리아, 동유럽. 산지 숲 가장자리에서 자란다.

약용 부위 · 수치 뿌리를 가을에 채취하여 물에 씻은 후 썰어서 말린다.

약물명 아삼(峨蔘). 토백지(土白芷)라고도 한다. 잎을 아삼엽(峨蔘葉)이라 한다.

기미 · 귀경 아삼(峨蔘): 미온(微溫), 감(甘), 신(辛) · 비(脾), 위(胃), 폐(肺). 아삼엽(峨蔘葉): 평(平), 감(甘), 신(辛)

약효 아삼(峨蔘)은 보중익기(補中益氣), 활혈지통(活血止痛)의 효능이 있으므로 비허(脾虛)로 인한 복창(腹脹), 천해(喘咳), 야뇨, 위병, 타박상을 치료한다. 아삼엽(峨蔘葉)은 지혈(止血)과 소종(消腫)의 효능이 있으므로 창상출혈(創傷出血)과 종통(腫痛)을 치료한다.

성분 아삼에는 anthricin, isoanthricin, luteolin-7-*O*-β-D-glucoppyranoside, (*Z*)-2-angeloyloxymethyl-2-butenoic acid, nodakenin, scopolin, scopoletin, quercetin, rutin, imperatorin, ostruthol, oxypeucedanin, bisabolangenone, archangelon 등이 함유되어 있다.

사용법 아삼 10g에 물 3컵(600mL)을 넣고 달여서 복용하고, 아삼엽은 짓찧어 상처에 붙이고 붕대로 싸매거나 즙액을 바른다.

● 아삼(峨蔘, 절편)

● 아삼(峨蔘)

● 아삼엽(峨蔘葉)

● 전호(열매)

● 전호(뿌리)

● 전호(꽃)

● 전호

[미나리과]

시호

	외감발열, 한열왕래, 말라리아, 두통두현		간울협통유창
	월경부조, 자궁탈수		기허탈항
			위하수

●학명 : *Bupleurum chinense* DC.
●한자명 : 螞蚱腿, 山柴胡, 山根菜, 狗頭柴胡, 硬苗柴胡   ●별명 : 중국시호

| 1 | 2 | 3 | 4 | 5 | 6 | 7 | 8 | 9 | 10 | 11 | 12 |

여러해살이풀. 높이 45~85cm. 뿌리줄기는 굵고 단단하며, 줄기는 한 개 또는 여러 개가 모여나고, 잎은 어긋난다. 꽃은 황색, 8~9월에 원줄기 끝과 가지 끝에 겹산형화서로 핀다. 소산경은 2~7개, 꽃잎은 5개로 안쪽으로 굽으며 수술도 5개, 씨방하위이다. 열매는 9월에 익고 타원상 구형, 길이 2.5~3.5mm이다.

분포·생육지 중국 둥베이(東北) 지방, 시베이(西北) 지방, 화둥(華東) 및 화중(華中) 지방. 산비탈에서 자란다.

약용 부위·수치 뿌리를 봄과 가을에 채취하여 말려서 그대로 사용하거나 초에 담갔다가 불에 볶아 사용한다.

약물명 시호(柴胡), 북시호(北柴胡), 자호(茈胡), 지훈(地薰), 산채(山菜), 여초(茹草), 자초(茈草), 구두시호(狗頭柴胡), 경엽시호(硬葉柴胡)라고도 한다. 대한민국약전(KP)에 수재되어 있다.

본초서 시호(柴胡)는 「신농본초경(神農本草經)」의 상품(上品)에 자호(茈胡)라는 이름으로 수재되어 "자(茈)라는 글자는 시(柴)와 자(紫)의 음이 있으나 자호(茈胡)의 자(茈)는 자(紫)로 읽으므로 시호(柴胡)라는 이름으로 바뀌었다."고 하였다. 「동의보감(東醫

寶鑑)」에는 "주로 찬 기운으로 더웠다 추웠다 하는 증상, 유행성 열병으로 열이 내리지 않을 때 쓴다. 열로 인해 심신이 허약하고 피로하며 뼈마디가 아프며 열이 났다 추웠다 하는 것을 낫게 한다. 몸살로 열이 있는 것과 이른 새벽에 나는 열을 내리게 하며, 간의 기운이 몹시 왕성하여 생긴 화를 내리게 하고 추웠다 열이 났다 하는 학질과 가슴과 옆구리가 답답하면서 아픈 것을 낫게 한다."고 하였다.

神農本草經: 主婦人漏下絕子 諸惡瘡瘍 金瘡.
珍珠囊: 頭破血 身行血 尾止血.
湯液本草: 頭止血 身和血 梢破血.
本草綱目: 治頭痛 心腹諸痛 潤腸胃筋骨皮膚 治癰疽 排膿止痛 補血和血.
東醫寶鑑: 治一切風一切血一切勞 破惡血 養新血 及主癥癖 婦人崩漏 絕子 療諸惡瘡瘍 金瘡喀血內塞 止痢疾腹痛 治溫瘧 補五臟生肌肉.

성상 긴 원뿔 모양이고 길이 10~15cm, 지름 0.5~0.8cm이다. 근두(根頭)가 팽대해 있고, 근두 끝에는 여러 개의 줄기나 잎의 흔적이 있다. 표면은 흑갈색~갈색이고 세로로 쭈글쭈글한 무늬와 곁뿌리의 흔적이 있다. 질은 단단하고 질겨서 자르기 힘들

며, 횡단면은 섬유질이다. 냄새가 약간 나고 맛은 쓰다.

기미·귀경 미한(微寒), 신(辛), 고(苦)·간(肝), 담(膽)

약효 해표퇴열(解表退熱), 소간해울(疏肝解鬱), 승거양기(升擧陽氣)의 효능이 있으므로 외감발열(外感發熱), 한열왕래(寒熱往來), 말라리아, 간울협통유창(肝鬱脇痛乳脹), 두통두현(頭痛頭眩), 월경부조, 기허탈항(氣虛脫肛), 자궁탈수, 위하수(胃下垂)를 치료한다.

성분 saikosaponin A, B₁, B₂, B₃, B₄, C, D, E, F, G, H, I, α-spinasterol, stigmasterol 등이 함유되어 있다.

약리 열수추출물을 토끼에게 투여하면 체온이 내려간다. saikoside A, D 등은 항염 및 해열 활성을 갖는 saikosaponin B₁, B₂로 변화되면서 효과가 증대된다. 사염화탄소에 의하여 유도된 간장이 손상된 상태에서 열수추출물 또는 saikosaponin을 투여하면 대조군에 비하여 GPT의 상승을 억제한다.

사용법 시호 7g에 물 2컵(400mL)을 넣고 달여서 또는 술에 담가서 복용한다. 가루약은 1~1.5g을 복용한다.

＊중국에서 시판되는 시호(柴胡)는 본 종의 뿌리가 대부분이고, 다음으로는 '참시호 *B. scorzoneraefolium*'의 뿌리가 많이 출하되며, '죽엽시호(竹葉柴胡) *B. marginatum*'도 이용한다.

❍ 죽엽시호

❍ 시호(뿌리)

❍ 시호

❍ 참시호

❍ 시호(柴胡)가 배합된 여러 가지 한방 제제

❍ 시호(柴胡)

❍ 시호(柴胡, 절편)

[미나리과]

셀러리

간양현훈　풍열두통　해수　황달
소변임통, 요혈　붕루, 대하　창양종독

● 학명 : *Apium graveolense* L. var. *dulce* DC.　● 한자명 : 旱芹

| 1 | 2 | 3 | 4 | 5 | 6 | 7 | 8 | 9 | 10 | 11 | 12 |

여러해살이풀. 높이 50~150cm. 뿌리는 가는 원추형, 가는 뿌리가 몇 개 달려 있다. 줄기는 바로 서고, 뿌리잎은 크고 줄기잎은 작으며 잎자루도 짧다. 꽃은 봄부터 여름에 걸쳐 산형화서로 7~29개가 달리며, 꽃잎은 황백색이다. 분생과는 달걀 모양이다.

분포 · 생육지 미국, 영국, 독일, 유럽. 우리나라 약용 식물원이나 식물원 또는 농가에서 재배한다.

약용 부위 · 수치 봄부터 가을에 걸쳐 전초를 채취하여 썰어서 말린다.

약물명 한근(旱芹). 근채(芹菜), 향근(香芹), 운궁(云芎)이라고도 한다.

기미 · 귀경 양(凉), 감(甘), 신(辛), 고(苦) · 간(肝), 위(胃), 폐(肺)

약효 평간청열(平肝清熱), 거풍이수(祛風利水), 지혈해독(止血解毒)의 효능이 있으므로 간양현훈(肝陽眩暈), 풍열두통(風熱頭痛), 해수(咳嗽), 황달, 소변임통(小便淋痛), 요혈(尿血), 붕루(崩漏), 대하, 창양종독(瘡瘍腫毒)을 치료한다.

성분 한근(旱芹)에는 psoralen, xanthotoxin, bergapten, isopimpinellin, isoquercitrin 등이 함유되어 있으며, 향기 성분은 *d*-limonene, myrcene, isobutyric acid, valeric acid, buthylphthalide, ligustilide, neocnidilide 등이다.

약리 쥐에게 열수추출물을 투여하면 진정 작용이 나타나고 학습 기억력이 향상되며, 혈압이 하강하고, 경련 억제 작용이 나타난다.

사용법 한근 10g에 물 3컵(600mL)을 넣고 달여서 복용한다. 신선한 것은 깨끗이 씻어서 믹서기로 갈아 복용하기도 한다.

❍ 한근(旱芹)

❍ 셀러리

[미나리과]

등대시호

위염　감기, 기관지염

● 학명 : *Bupleurum euphorbioides* Nakai　● 한자명 : 大苞柴胡

| 1 | 2 | 3 | 4 | 5 | 6 | 7 | 8 | 9 | 10 | 11 | 12 |

한해살이풀~두해살이풀. 높이 10~15cm. 뿌리는 가늘고 길다. 뿌리잎은 선형, 줄기잎은 좁고, 포엽은 3개이다. 꽃은 황색~적자색, 7~8월에 산형화서로 피며, 소산경은 7~8개, 소포엽은 5개, 꽃줄기가 거의 없다. 암술대는 뒤로 말리고, 씨방은 긴 타원형이며 자주색이다.

분포 · 생육지 우리나라 설악산 이북. 중국 둥베이(東北) 지방, 우수리. 높은 산 초원에서 자란다.

약용 부위 · 수치 뿌리를 가을에 채취하여 흙과 먼지를 털어서 말린다.

약물명 대포시호(大苞柴胡)

약효 해표화리(解表和裏), 거풍해독(祛風解毒)의 효능이 있으므로 위염, 감기, 기관지염을 치료한다.

사용법 대포시호 10g에 물 3컵(600mL)을 넣고 달여서 복용한다.

❍ 대포시호(大苞柴胡)

❍ 등대시호(열매)

❍ 등대시호

[미나리과]

일시호

외감발열, 한열왕래, 말라리아, 두통두현 / 간울협통유창
월경부조, 자궁탈수 / 기허탈항 / 위하수

●학명 : *Bupleurum falcatum* L. ●한자명 : 日柴胡, 三島柴胡

| 1 | 2 | 3 | 4 | 5 | 6 | 7 | 8 | 9 | 10 | 11 | 12 |

여러해살이풀. 높이 40~70cm. 뿌리는 약간 굵고 길며 윗부분에서 가지가 다소 갈라진다. 뿌리잎은 밑부분이 좁아져서 잎자루처럼 되며, 줄기잎은 바늘 모양, 맥은 평행하다. 꽃은 황색, 8~9월에 원줄기 끝과 가지 끝에서 겹산형화서로 핀다. 소산경은 2~7개, 꽃잎은 5개로 안쪽으로 굽으며 수술은 5개, 씨방하위이다. 열매는 타원형이다.

분포 · 생육지 우리나라 전역. 중국, 일본, 몽골, 시베리아. 산과 들에서 드물게 자란다. 약용으로 출하되는 것은 대부분 재배한 것이다.

약용 부위 · 수치 뿌리를 봄과 가을에 채취하여 말려서 그대로 사용하거나 초에 담갔다가 불에 볶아 사용한다.

약물명 시호(柴胡). 대한민국약전(KP)에 수재되어 있다.

성상 뿌리로 윗부분은 굵고 지름 5~15mm, 아랫부분은 가늘고 길이 10~20cm이며, 표면은 담갈색~갈색이고 깊은 세로 주름이

있으며 잔뿌리와 피목의 흔적이 있다. 뿌리 두부에는 섬유질의 줄기와 잎자루의 흔적이 남아 있고, 아래쪽에는 뿌리가 갈라진다. 질은 단단하며 꺾기 쉽고 꺾은 면은 섬유질이며, 피층은 담갈색, 목부는 황백색이다. 냄새가 특이하고 맛은 약간 쓰다.

＊ 우리나라와 일본은 본 종의 뿌리를 시호(柴胡)로 많이 사용하고 있으며, 농가에서 재배하므로 식시호(植柴胡)라고도 한다.

＊ 기타 사항은 '시호(중국시호) *B. chinense*'와 같다.

● 일시호(뿌리)

● 시호(柴胡)

● 시호(柴胡)로 만든 간염 치료제

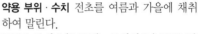
● 일시호

[미나리과]

개시호

호흡기감염증 / 간염 / 월경불순

●학명 : *Bupleurum longiradiatum* Turcz. ●별명 : 큰시호

| 1 | 2 | 3 | 4 | 5 | 6 | 7 | 8 | 9 | 10 | 11 | 12 |

여러해살이풀. 높이 40~100cm. 곧게 자라고 윗부분에서 가지가 갈라진다. 뿌리잎은 잎자루가 길고, 줄기잎은 잎자루가 없고 원줄기를 감싸 안으며 가장자리가 밋밋하다. 꽃은 황색 윗부분의 잎겨드랑이와 원줄기 끝에 복산형화서를 이루며, 5~10개의 작은 꽃대가 갈라지고 10~15개가 달린다. 열매는 긴 타원형, 길이 3.5~4mm이다.

분포 · 생육지 우리나라 전역. 중국, 일본. 깊은 산속에서 자란다.

약용 부위 · 수치 전초를 여름과 가을에 채취하여 말린다.

약물명 죽시호(竹柴胡). 죽엽시호(竹葉柴胡)라고도 한다.

약효 발표해열(發表解熱), 소간해울(疎肝解鬱), 승양(昇陽)의 효능이 있으므로 호흡기감염증, 간염, 월경불순을 치료한다.

사용법 죽시호 7g에 물 2컵(400mL)을 넣고 달여서 복용한다.

＊ 우리나라 울릉도에서 자라며 잎이 넓은 '섬시호 *B. latissimum*'도 약효가 같다.

● 죽시호(竹柴胡)

● 개시호(열매)

● 개시호

[미나리과]

캐러웨이

완복냉통, 구역, 소화불량 / 산기통
한체요통

●학명 : *Carum carvi* L. ●영명 : Caraway ●한자명 : 葛縷子 ●별명 : 갈루자

1	2	3	4	5	6	7	8	9	10	11	12

두해살이풀. 높이 50~80cm. 전체에 털이 없다. 뿌리는 원주형으로 육질이다. 줄기는 바로 서고 상부에서 가지를 많이 친다. 잎은 2~3회 깃꼴겹잎으로 심하게 갈라진다. 꽃은 담홍색, 5~6월에 줄기 끝이나 가지 끝에 핀다. 열매는 원통형으로 흑갈색을 띠고 길이 4~5mm, 지름 2~2.5mm이다.

분포 · 생육지 유럽, 지중해, 서아시아. 산과 들에서 자란다. 우리나라에서는 향료 식물로 재배한다.

약용 부위 · 수치 열매를 늦여름이나 가을에 채취하여 말린다.

약물명 장회향(藏茴香)

약효 이기개위(利氣開胃), 산한지통(散寒止痛)의 효능이 있으므로 완복냉통(脘腹冷痛), 구역(嘔逆), 소화불량, 산기통(疝氣痛), 한체요통(寒滯腰痛)을 치료한다.

성분 (+)-carvone, limonene, dihydrocarvone, (+)-dihydrocarveol, (−)-isodihydrocarveol, (+)-perillaldehyde, (+)-dihydropropinol, quercetin, isoquercetin, bergapten 등이 함유되어 있다.

약리 (+)-carvone을 쥐에게 투여하면 기침과 가래를 감소시키는 작용이 있고, 담즙 분비가 촉진된다.

사용법 장회향 5g에 물 2컵(400mL)을 넣고 달여서 복용한다.

＊ 본 종은 유명한 향신료이며 건위제, 구풍제로 많이 이용하고 있다.

❍ 장회향(藏茴香)

❍ 캐러웨이(열매)

❍ 캐러웨이로 만든 소화불량 치료제

❍ 캐러웨이

[미나리과]

병풀

발열 / 해수 / 인후통
장염, 이질, 습열황달 / 수종 / 요혈

●학명 : *Centella asiatica* (L.) Urban ●별명 : 말굽풀, 조개풀

1	2	3	4	5	6	7	8	9	10	11	12

여러해살이풀. 줄기는 옆으로 벋고 마디에서 뿌리가 내린다. 잎은 마디에서 2~3개씩 모여 난다. 꽃은 적자색, 7~8월에 2~5개가 달린다. 총포편은 2개로 꽃차례를 둘러싸며, 꽃잎은 5개, 수술 5개, 씨방하위, 암술대는 2개이다. 열매는 길이 3mm 정도이다.

분포 · 생육지 우리나라 제주도 및 남쪽 섬. 중국, 일본, 타이완, 인도. 산과 들에서 자란다.

약용 부위 · 수치 전초를 여름과 가을에 채취하여 말린다.

약물명 적설초(積雪草). 연전초(連錢草), 지전초(地錢草), 마제초(馬蹄草)라고도 한다.

본초서 「신농본초경(神農本草經)」에 수재되어 있으며, "적설초(積雪草)라는 이름은 이 식물이 사시사철 푸르고 눈이 쌓인 곳에서도 죽지 않는 것에 유래한다."고 하였다.

神農本草經: 主大熱 惡瘡 癰疽浸陰 赤㿉 皮膚赤 身熱.

藥性論: 治療瘰癧鼠瘻 寒熱時節往來.

기미 · 귀경 고(苦), 신(辛), 한(寒) · 폐(肺), 비(脾), 신(腎), 방광(膀胱).

약효 청열이습(淸熱利濕), 활혈지혈(活血止血), 소종해독(消腫解毒)의 효능이 있으므로 발열, 해수(咳嗽), 인후통, 장염, 이질, 습열황달(濕熱黃疸), 수종(水腫), 요혈(尿血)을 치료한다.

성분 asiaticoside, thankuniside, isothankuniside, madecassoside, brahmoside, brahminoside, brahmic acid, madasiatic acid 등이 함유되어 있다.

약리 배당체들은 쥐에 진정 작용이 있고, 손상된 피부 조직 재생력이 있으며, 항균 작용이 있다.

사용법 적설초 10g에 물 3컵(600mL)을 넣고 달여서 복용하고, 외용에는 짓찧어 붙이거나 즙액을 바른다.

＊ 본 종의 saponin 성분은 소염제로 개발되어 병원이나 약국에서 이용한다.

❍ 병풀

❍ 적설초(積雪草)

❍ 병풀(뿌리)

❍ 적설초(積雪草)와 은행잎이 배합된 혈액순환 개선제

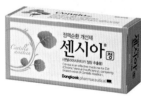
❍ 적설초(積雪草)로 만든 정맥류 치료제

❍ 적설초(積雪草)로 만든 피부 연고제

[미나리과]

명당삼

 폐열해수　　 구토반위

부녀백대　　빈혈, 현훈

●학명 : *Changium smyrnioides* Wolff.　●한자명 : 明黨蔘

1	2	3	4	5	6	7	8	9	10	11	12

여러해살이풀. 높이 50~100cm. 전체에 털이 없다. 뿌리는 원통형으로 밑으로 바로 벋고 백색을 띤다. 잎은 3출 또는 2~3회 깃꼴로 깊이 갈라진다. 꽃은 백색, 4~5월에 복산형화서로 피며, 없거나 1~3개이다. 소산경은 10~20개, 꽃잎은 5개, 수술도 5개이다. 열매는 융기선이 8~12개, 길이 3~4mm, 지름 2.5~3mm이다.

분포·생육지 중국 장쑤성(江蘇省), 저장성(浙江省), 안후이성(安徽省), 후베이성(湖北省). 산비탈이나 토양이 비옥한 곳에서 자란다.

약용 부위·수치 뿌리를 여름과 가을에 채취하여 물에 씻어서 말린다.

약물명 명당삼(明黨蔘). 토인삼(土人蔘), 백장광(白丈光)이라고도 한다.

기미·귀경 감(甘), 고(苦), 미한(微寒)·폐(肺), 위(胃), 간(肝)

약효 윤폐화담(潤肺化痰), 양음화위(養陰化胃), 해독의 효능이 있으므로 폐열해수(肺熱咳嗽), 구토반위(嘔吐反胃), 식소구간(食少口干), 빈혈, 현훈(眩暈), 부녀백대(婦女白帶), 정독창양(疔毒瘡瘍)을 치료한다.

성분 methyl-6,9-octadecadienoate, changium nerylpropionate, 9,11-octadecadienoic acid, 2-methylhexadecanoic acid 등이 함유되어 있다.

약리 열수추출물을 쥐에 주사하면 NK 세포가 활성화됨으로써 면역 기능이 증강된다. 에탄올추출물은 과산화 지질을 억제하는 작용이 있다. 열수추출물을 적출한 쥐의 소장에 적하하면 수축력이 증가된다.

사용법 명당삼 10g에 물 3컵(600mL)을 넣고 달여서 복용하고, 외용에는 짓찧어 붙이거나 즙액을 바른다.

○ 명당삼(明黨蔘)

○ 명당삼

[미나리과]

독미나리

 골수염, 통풍, 관절염

●학명 : *Cicuta virosa* L.　●별명 : 개발나물아재비

1	2	3	4	5	6	7	8	9	10	11	12

여러해살이풀. 높이 1m 정도. 전체에 털이 없고, 땅속줄기는 굵으며 마디가 있고 마디 사이는 비어 있다. 줄기도 속이 비고 가지가 많이 갈라지고, 잎은 2~3회 깃꼴겹잎이다. 꽃은 백색, 6~8월에 피고, 대산경 끝에는 20개 정도의 소산경이 있으며, 총포는 없고 소총포가 있으며 가늘다. 꽃잎과 수술은 각각 5개이다. 분과는 길이 2.5mm 정도이다.

분포·생육지 우리나라 대관령 이북. 중국, 일본, 사할린, 시베리아, 유럽, 북아메리카. 물가 습지에서 자란다.

약용 부위·수치 뿌리와 뿌리줄기를 여름부터 가을에 채취하여 물에 씻은 뒤 썰어서 말린다.

약물명 독근근(毒芹根). 주마근(走馬芹), 야근(野芹)이라고도 한다.

약효 발독(拔毒), 거어(祛瘀), 지통(止痛)의 효능이 있으므로 골수염, 통풍, 관절염을 치료한다.

성분 전초에는 유독 성분인 cicutoxin과 독성이 없는 cicutol 등이 함유되어 있다.

약리 cicutoxin은 중성 수지와 같은 물질이며, 에탄올이나 알칼리 용액에 잘 녹고, 주로 뿌리에 함유되어 있지만 지상부에도 함유되어 있다. 이 물질은 인체에 잘 흡수되며, 사람이 이것을 먹으면 몇 분 후에 중독 증상이 나타나서 입에서 거품이 나오고 구토, 경련, 피부 발적이 일어나며 최후에는 얼굴이 창백해지고 호흡이 마비되어 사망에 이른다.

사용법 짓찧어 햇볕에 말린 뒤 분말로 하여 달걀 흰자위로 개어 골수염이 있는 곳에 도포한다.

주의 유독한 식물이므로 내복해서는 안된다.

○ 독근근(毒芹根)

○ 독미나리(꽃)

○ 독미나리

[미나리과]

벌사상자

남자양위, 음낭습양 | 궁한불잉, 한습대하
풍습비통 | 습창개선

● 학명 : *Cnidium monnieri* (L.) Cusson ● 별명 : 산미나리, 돌사상자

1 2 3 4 5 6 7 8 9 10 11 12

두해살이풀. 높이 1m 정도. 잎은 어긋나고 3회 깃꼴겹잎이다. 꽃은 백색, 5~6월에 피고, 소산경은 20개 정도로 10개 정도의 꽃이 달리고, 소화경은 능선이 있고 소총포보다 길거나 짧다. 수술은 1~7개, 씨방 끝에 3개의 암술대가 있다. 삭과는 달걀 모양, 날개 같은 백색 능선이 10개 있다.

분포 · 생육지 우리나라 전역. 중국, 일본, 세계 각처. 산지에서 흔하게 자란다.

약용 부위 · 수치 늦은 여름이나 초가을에 열매를 채취하여 말린다.

약물명 사상자(蛇床子). 사미(蛇米), 사율(蛇栗)이라고도 한다. 대한민국약전외한약(생약)규격집(KHP)에 수재되어 있다.

본초서 사상자(蛇床子)는 「신농본초경(神農本草經)」의 상품(上品)에 사상자(蛇牀子)로 수재되어 있으며, 「본초강목(本草綱目)」에는 "이 식물이 자라는 곳 주변에서 뱀들이 먹이를 잡는 일이 많으므로 사상자(蛇床子)라고 한다."고 하였다. 「동의보감(東醫寶鑑)」에는 "여성의 음부가 부어서 아픈 것, 남자의 성기가 발기되지 않거나 발기력이 약해지는 증상, 사타구니가 축축하고 가려운 증상을 낫게 한다. 속을 따뜻하게 하고 기운을 내리며, 자궁의 기운을 따뜻하게 하고 양기를 돋운다. 사상자로 남녀의 생식기를 씻으면 바람의 기운과 찬 기운이 없어진다. 성욕을 강하게 하고 요통, 사타구니에

땀이 나는 증상, 버짐을 낫게 한다. 소변량을 줄이고 여성의 자궁에서 분비물을 그치게 한다."고 하였다.

神農本草經: 主婦人陰中腫痛 男子陽痿濕痒 除痺氣 利關節 癲癇 惡瘡 久服輕身.

名醫別錄: 溫中下氣 令婦人子壯熱 男子陰强 好顏色 令人有子.

東醫寶鑑: 主婦人陰中腫痛 男子陰痿濕痒 溫中下氣 令婦人子壯熱 男子陰强 浴男女陰 去風冷 大益陽事 腰痛 陰寒 濕癬蓄小便 療赤白帶下.

성상 사상자(蛇床子)는 타원상 구형으로 쌍현과이나 대부분 나누어져 있다. 각각의 분과는 납작하며 길이 0.3~0.4cm, 너비 0.2~0.25cm, 표면은 황갈색이며, 등 쪽은 2개가 융기하고 깊은 골이 있다. 냄새가 향기롭고 맛은 맵다.

기미 · 귀경 온(溫), 신(辛), 고(苦) · 비(脾), 신(腎)

약효 온신장양(溫腎壯陽), 조습살충(燥濕殺蟲), 거풍지양(祛風止痒)의 효능이 있으므로 남자양위(男子陽痿), 음낭습양(陰囊濕痒), 궁한불잉(宮寒不孕), 한습대하(寒濕帶下), 음양종통(陰痒腫痛), 풍습비통(風濕痺痛), 습창개선(濕瘡疥癬)을 치료한다.

성분 사상자(蛇床子)에는 정유가 많이 함유되어 있으며 그 주성분은 cyclofenchene, cmaphene, myrcene, limonene 등이며,

umtatin, auraptenol, demethyl auraptenol, bergapten, imperatorin 등이 함유되어 있다.

약리 열수추출물은 심장을 튼튼히 하고, 정력을 강화시키는 작용이 나타나며, 항진균 작용이 있다.

사용법 사상자 5g에 물 2컵(400mL)을 넣고 달여서 또는 술에 담가 두었다가 조금씩 복용한다.

처방 찬육단(贊肉丹): 숙지황(熟地黃) · 백출(白朮) 각 300g, 당귀(當歸) · 구기자(枸杞子) 각 220g, 두충(杜仲) · 선모(仙茅) · 파극(巴戟) · 산수유(山茱萸) · 음양곽(淫羊藿) · 육종용(肉蓯蓉) · 구자(韭子) 각 175g, 사상자(蛇床子) · 부자(附子) · 육계(肉桂) 각 75g(「동의노년보양처방집(東醫老年補陽處方集)」). 신허양위(腎虛陽痿), 요슬산연(腰膝酸軟), 빈뇨(頻尿)에 사용한다.

＊ 중국에서는 '어수리'와 형태가 비슷한 '조엽독활(糙葉獨活) *Heracleum scabridum*'의 열매도 사상자(蛇床子)로 쓴다.

❍ 벌사상자

❍ 사상자(蛇床子)

❍ 벌사상자(열매)

[미나리과]

독당근

요로염, 방광염 | 수포진, 습진, 피부소양증

● 학명 : *Conium maculatum* L. ● 영명 : Hemlock

1 2 3 4 5 6 7 8 9 10 11 12

한해살이풀. 높이 1.5m 정도. 줄기는 곧게 서고 가지가 많다. 잎은 2회 3출 깃꼴겹잎, 열편은 끝이 날카롭고 톱니가 있다. 꽃은 백색, 6~8월에 겹산형화서로 핀다. 분과는 달걀 모양, 줄무늬가 있다.

분포 · 생육지 유라시아 원산. 아프리카, 북아메리카, 뉴질랜드, 남아메리카. 들과 산에서 자란다.

약용 부위 · 수치 뿌리줄기 또는 전초를 여름부터 가을에 채취하여 물에 씻은 뒤 썰어서

말린다.

약물명 Conii Herba. 일반적으로 Hemlock이라 한다.

약효 소염발독(消炎拔毒), 지통(止痛)의 효능이 있으므로 뿌리는 요로염, 방광염, 전초

는 부종의 수포진, 습진, 피부소양증을 치료한다.

사용법 Conii Herba 적당량을 짓찧어 환부에 붙이거나, 에탄올로 추출하여 추출액을 환부에 바른다.

주의 유독한 식물이므로 내복해서는 안된다.

❶ Conii Herba(에탄올추출액)

❶ 독당근

[미나리과]

고수

 소화불량, 이질　　천연두

치창

●학명 : *Coriandrum sativum* L.　●한자명 : 胡荽, 香茱　●별명 : 고수나물

| 1 | 2 | 3 | 4 | 5 | 6 | 7 | 8 | 9 | 10 | 11 | 12 |

한해살이풀. 높이 30~60cm. 줄기는 곧게 자라고, 뿌리는 가늘며 보통 방추형에 몇 개의 옆뿌리가 있다. 뿌리잎과 밑부분의 잎은 1~2회 깃꼴겹잎이다. 꽃은 백색, 6~7월에 원줄기와 가지 끝에 달린다. 꽃잎은 5개, 수술은 5개, 씨방하위이다. 열매는 둥글며 10개의 능선이 있다.

분포·생육지 지중해 원산. 우리나라 남부지방에서 재배하는 귀화 식물이다.

약용 부위·수치 전초 또는 열매를 늦여름에 채취하여 말린다.

약물명 전초를 호유(胡荽), 열매를 호유자(胡荽子)라 한다. 호유(胡荽)라는 이름은 오랑캐가 사는 곳에서 생산되며 냄새가 고약한 것에서 유래한다.

본초서 「동의보감(東醫寶鑑)」에 "음식을 잘 소화시키고 대소장의 활동을 도우며 심장의 혈액을 잘 순환시킨다. 홍역을 앓을 때 열꽃을 잘 피게 한다."고 기록되어 있다.

東醫寶鑑: 消穀 通小腸氣 通心竅 療沙疹 豌豆瘡 不出.

기미·귀경 호유(胡荽): 온(溫), 신(辛)·폐(肺), 비(脾), 간(肝). 호유자(胡荽子): 평(平), 신(辛)·폐(肺), 위(胃), 대장(大腸)

약효 호유(胡荽)는 발한투진(發汗透疹), 소식(消食), 하기(下氣)의 효능이 있으므로 마진(痲疹)에 걸려 발진(發疹)이 안되는 증상, 소화불량을 치료한다. 호유자(胡荽子)는 투진(透疹), 건위(健胃)의 효능이 있으므로 천연두, 소화불량, 이질, 치창(痔瘡)을 치료한다.

성분 지상부에는 decanal, *trans*-2-dodecenal, nonylaldehyde, linalool, 호유자(胡荽子)에는 camphor, geraniol 등이 함유되어 있다. *trans*-2-dodecenal은 *Penicillium chrysogenum*에 의하여 *trans*-2-dodecenol과 *trans*-3-docenoic acid로 변환된다.

약리 호유자(胡荽子)의 에탄올추출물은 위장의 소화 효소 및 담즙 분비를 촉진하고, 정유에는 항진균 작용이 있다. 호유자(胡荽子)의 정유는 *Candida albicans*, *C. utilis* 및 *Trichophyton tonsurans*, *T. mentagrophytes* 등에 항진균 작용을 나타내며 최소 저지 농도(MIC)는 0.03~2mg/mL이다.

사용법 호유 또는 호유자 10g에 물 3컵(600mL)을 넣고 달여서 복용하거나 생즙을 내어 복용한다.

❶ 고수

❶ 호유(胡荽)

❶ 호유자(胡荽子)

❶ 고수(열매)

❶ 고수(어린 싹)

❶ 고수에서 추출한 정유, 피부병 치료에 사용된다.

[미나리과]

반디나물

폐렴, 폐농양, 풍한감모, 해수 / 산기 / 풍화치통 / 대상포진, 피부소양, 타박상

●학명 : *Cryptotaenia japonica* Hassk. ●한자명 : 鴨兒芹 ●별명 : 파드득나물, 참나물

| 1 | 2 | 3 | 4 | 5 | 6 | 7 | 8 | 9 | 10 | 11 | 12 |

여러해살이풀. 높이 30~60cm. 뿌리잎은 잎자루가 길고, 줄기잎은 점차 짧아져서 엽초로 되며 3출엽이다. 꽃은 6~7월에 복산형화서로 발달하고, 작은 꽃줄기는 1~4개로 백색 꽃이 피며, 소총포는 짧고 선형이다. 열매는 털이 없으며 타원형, 단면이 둥근 오각형이다.

분포 · 생육지 우리나라 전역. 중국, 일본, 타이완. 산에서 자란다.

약용 부위 · 수치 지상부와 뿌리를 6~7월에 꽃이 필 때 채취하여 말린다.

약물명 지상부를 압아근(鴨兒芹)이라 하며, 삼엽(三葉), 당전(當田)이라고도 한다. 뿌리를 압아근근(鴨兒芹根)이라 한다.

기미 · 귀경 압아근(鴨兒芹): 평(平), 신(辛), 고(苦). 압아근근(鴨兒芹根): 온(溫), 신(辛)

약효 압아근(鴨兒芹)은 소염, 활혈(活血), 해독, 소종(消腫)의 효능이 있으므로 폐렴, 폐농양(肺膿腫), 산기(疝氣), 풍화치통(風火齒痛), 대상포진, 피부소양(皮膚瘙痒)을 치

료한다. 압아근근(鴨兒芹根)은 발표산한(發表散寒), 지해, 화담(化痰)의 효능이 있으므로 풍한감모(風寒感冒), 해수(咳嗽), 타박상을 치료한다.

사용법 압아근 또는 압아근근 10g에 물 3컵(600mL)을 넣고 달여서 복용하고, 외용에는 짓찧어 바른다.

❍ 압아근(鴨兒芹)

❍ 반디나물

[미나리과]

당근

만성설사, 기생충병, 궁냉복통, 소화불량 / 부종 / 기침, 가래

●학명 : *Daucus carota* L. var. *sativa* DC. ●별명 : 홍당무

| 1 | 2 | 3 | 4 | 5 | 6 | 7 | 8 | 9 | 10 | 11 | 12 |

두해살이풀. 높이 1m 정도. 꽃은 백색, 7~8월에 원줄기 끝과 가지 끝에 큰 산형화서로 달리고, 총포는 잎 같으며 뒤로 젖혀지고 갈라진다. 꽃받침잎, 꽃잎 및 수술은 각각 5개이며 1개의 암술이 있고 씨방하위이다. 열매는 긴 타원형이고 가시 같은 털이 있다.

분포 · 생육지 지중해 원산. 우리나라 전역에서 재배한다.

약용 부위 · 수치 열매 또는 뿌리를 가을에 채취하여 물에 씻은 후 말린다.

약물명 열매를 남학슬(南鶴虱)이라 하고, 학슬(鶴虱), 호라포자(胡蘿蔔子)라고도 한다. 뿌리를 호라포(胡蘿蔔)라 한다.

성상 남학슬(南鶴虱)은 쌍현과로서 넓은 타원형이나 대부분은 분과이며, 길이 0.3~0.4cm, 너비 0.2~0.25cm이다. 분과는 배면이 융기되고 4줄의 돌기된 능선이 있고 능선 위에는 갈고리 모양의 가시가 조밀하다. 표면은 황갈색이고 속씨는 무색이다. 냄새가 있고 맛은 맵고 쓰다.

기미 · 귀경 남학슬(南鶴虱): 평(平), 고(苦), 신(辛) · 비(脾), 위(胃), 대장(大腸). 호라포(胡蘿蔔): 평(平), 감(甘), 신(辛) · 비(脾), 간(肝), 폐(肺)

약효 남학슬(南鶴虱)은 조습산한(燥濕散寒), 이수살충(利水殺蟲)의 효능이 있으므로 만성설사, 기생충병, 부종, 궁냉복통(宮冷腹痛)을 치료한다. 호라포(胡蘿蔔)는 건비화중(健脾和中), 자간명목(滋肝明目), 화담지해(化痰止咳), 청열해독의 효능이 있으므로 비허식소(脾虛食少), 소화불량, 하리(下痢), 기침과 가래를 치료한다.

성분 남학슬(南鶴虱)은 정유가 약 2% 함유되어 있으며, 주성분은 asarone, biasabolene, tiglic acid, asarylaldehyde이다. 호라포(胡蘿蔔)에는 α,β,γ-carotene, lycopene, phytofluene, umbelliferone, cmaphene, myrcene, α-pycene, α-phellandrene 등이 함유되어 있다.

사용법 남학슬은 7g에 물 2컵(400mL)을, 호라포는 20g에 물 3컵(600mL)을 넣고 달여서 복용하거나 믹서기로 갈아서 복용한다.

❍ 남학슬(南鶴虱)

❍ 호라포(胡蘿蔔)

❶ 당근

❶ 당근(꽃)

❶ 당근(열매)

[미나리과]

도레마

가래, 기침, 호흡곤란

● 학명 : *Dorema ammoniacum* D. Don　● 영명 : Ammoniacum, Dorema
● 별명 : 암모니아쿰, 암모니아고무

1	2	3	4	5	6	7	8	9	10	11	12

여러해살이풀. 높이 2.5~3m. 줄기, 잎, 꽃모두 크고 강한 향기가 난다. 꽃은 백색, 7~8월에 원줄기 끝과 가지 끝에 큰 산형화서로 달리고, 총포는 잎 같으며 뒤로 젖혀지고 갈라진다. 꽃받침잎, 꽃잎 및 수술은 각각 5개이다. 열매는 납작한 타원상 구형으로 날개가 있다.

분포·생육지 이란, 터키, 아프가니스탄, 파키스탄, 인도. 들에서 자란다.

약용 부위·수치 줄기와 잎을 여름에 절개하여 삼출된 수지를 사용한다.

약물명 Ammoniacum, Dorema라고도 한다.

약효 거담, 항경련, 흥분 조절의 효능이 있으므로 가래, 기침, 호흡곤란을 치료한다.

성분 linaloolacetate, citronellylacetate, ammoresinol, doremon A, salicylic acid, methylsalicylate 등이 함유되어 있다.

사용법 Ammoniacum 0.3~1g을 복용한다.

❶ 도레마

❶ 도레마(열매)

❶ 암모니아쿰으로 만든 기침, 가래, 천식 치료제

[미나리과]

에린지움

방광염　　통풍

황달, 간장염, 비장염

●학명 : *Eryngium maritimum* L.　●영명 : Sea holly　●별명 : 에린기움

| 1 | 2 | 3 | 4 | 5 | 6 | 7 | 8 | 9 | 10 | 11 | 12 |

상록 여러해살이풀. 높이 60cm 정도. 가시가 있으며 흰색을 띤다. 꽃은 6~7월에 줄기 끝과 가지에 총상화서로 피며, 열매는 수과이다.

분포·생육지 유럽. 해안가 모래땅에서 자란다.

약용 부위·수치 뿌리를 봄부터 가을에 채취하여 물에 씻은 후 적당한 크기로 잘라서 말린다.

약물명 Eryngii Radix

약효 이뇨, 소염의 효능이 있으므로 방광염, 통풍, 황달, 간장염, 비장염을 치료한다.

사용법 Eryngii Radix 10g에 물 3컵(600 mL)을 넣고 달여서 복용한다.

○ 에린지움(꽃)

○ 에린지움

[미나리과]

아위

징가비괴, 충적, 식적, 흉복창만, 냉통, 이질

말라리아

●학명 : *Ferula assafoetida* L.

| 1 | 2 | 3 | 4 | 5 | 6 | 7 | 8 | 9 | 10 | 11 | 12 |

여러해살이풀. 높이 2~3m. 처음에는 뿌리잎만 있고 5년이 지나면 줄기잎이 난다. 꽃은 복산형화서로 작은 꽃이 많이 달린다. 열매는 납작한 타원 모양의 구형이고 늦여름에 익는다.

분포·생육지 북아메리카, 유럽 원산. 우리나라 약초원에서 재배한다.

약용 부위·수치 꽃이 피기 전인 봄에 뿌리 끝 부근을 절단하면 유액이 나오며 이를 10일 정도 헝겊으로 덮어 두면 수지상으로 굳는데, 이것을 채취하여 사용한다.

약물명 아위(阿魏), 훈거(熏渠), 위거질(魏去疾)이라고도 한다. 대한민국약전외한약(생약)규격집(KHP)에 수재되어 있다.

본초서 아위(阿魏)는 당나라의 「신수본초(新修本草)」에 수재되어 "맛은 쓰고, 독이 없다. 모든 벌레를 죽이며 냄새를 제거하고 쌓인 것을 몰아내고 병독을 물리친다."고 하였다. 이시진(李時珍)은 "아위에는 풀과 나무의 2가지가 있으며, 풀은 서쪽에서 생산되고, 나무는 남번(南番)에서 생산되며 그 수액을 채취하여 약으로 쓴다."고 하였다. 「동의보감(東醫寶鑑)」에는 "전염병을 낫게 하고, 나쁜 기운을 없앤다. 뱃속에 덩어리가 생긴 것을 삭이고 학질을 낫게 하며 여러 가지 벌레를 구제한다. 아위(阿魏)는 자체에서 냄새가 몹시 나면서 나쁜 냄새를 없애 주는 묘한 약이다."라고 하였다.

新修本草: 主殺諸小蟲, 去臭氣, 破癥積, 下惡氣, 除蟲毒.

海藥本草: 善主于風邪鬼注, 并心腹中冷.

東醫寶鑑: 治傳尸 諸邪鬼 破癥積 治瘧 殺諸小蟲 體性極臭而能 止臭 奇物也.

성상 아위(阿魏)는 반투명의 수지로 불규칙한 덩어리이며 표면은 황갈색~적갈색, 왁스와 비슷하다. 질은 가볍고 자른 면은 구멍이 약간 있다. 신선한 것은 황백색이나 공기 중에 방치하면 색이 짙어진다. 물에 넣으면 황등색의 유액이 된다. 냄새는 마늘처럼 강렬하며 맛은 맵다.

기미·귀경 온(溫), 신(辛), 고(苦)·간(肝), 비(脾), 위(胃)

약효 화징소적(化癥消積), 살충, 절학(截瘧)의 효능이 있으므로 징가비괴(癥瘕痞

○ 아위(阿魏)

○ 아위(꽃)

○ 아위(일본 토야마대학 약초원)

塊), 충적(蟲積), 식적(食積), 흉복창만(胸腹脹滿), 냉통(冷痛), 말라리아, 이질을 치료한다.

성분 종자에는 정유가 20% 함유되어 있으며 주성분은 (R)-2-butyl-1-propendidulfide, 1(1-methylthiopropyl)-propenyl disulfide, di-2-butyl disulfide, dimethyl trisulfide이고, ferulic acid ester, farnesiferol A, B, C 등이다.

약리 아위(阿魏)의 불쾌한 냄새가 취각 신경을 자극하고 반사적으로 신경계를 안정시킴으로써 신경 안정 효과를 나타낸다. 또한 위에서 흡수되어 구풍제(驅風劑)가 되며 완만하게 변비를 치료한다. 향기 성분들은 폐에서 배출되므로 기관지염, 백일해, 천식 환자에게 사용하면 자극성 거담제가 된다. 열수추출물은 결핵균의 증식을 억제하고, 개의 실험에서 혈액 응고를 저지시키는 결과가 나왔고, 쥐의 적출 자궁에 수축 작용이 나타난다.

사용법 아위 3g에 물 2컵(400mL)을 넣고 달여서 복용하거나 가루 내어 복용하고, 술에 담가 복용하기도 한다.

처방 아위원(阿魏元): 아위(阿魏)·계피(桂皮)·봉출(蓬朮)·맥아(麥芽)·신국(神麴)·내복자(萊菔子)·청피(靑皮)·백출(白朮)·건강(乾薑) 각 20g, 백초상(百草霜) 12g, 파두(巴豆) 21알(「동의보감(東醫寶鑑)」). 식체로 명치 밑이 그득하고 아프며 입맛이 없고 소화가 안되며 메스꺼운 증상에 사용한다. 1알이 0.3g 되도록 만들어 1회 2~3알씩 생강 달인 물로 복용한다.

• 아위환(阿魏丸): 산사자(山査子)·내복자(萊菔子)·신국(神麴)·맥아(麥芽)·진피(陳皮)·청피(靑皮)·향부자(香附子) 각 80g, 아위(阿魏) 40g(「동의보감(東醫寶鑑)」). 식체로 명치 밑이 그득하고 입맛이 없고 소화가 안되며 메스꺼운 증상에 사용

한다. 1알이 0.3g 되도록 만들어 1회 20알씩 생강 달인 물로 복용한다.

＊ Ferula속 식물은 유럽 및 북아메리카에 약 50종이 분포하며, '신강아위(新疆阿魏)' F. sinkiangensis', '부강아위(阜康阿魏)' F. fukanensis', '거센털아위 F. hispida'에서도 아위가 채취된다. 이란, 이라크 등 중동에서는 음식 및 가공식품의 조미료로, 유럽에서는 향료로 널리 이용한다.

○ 아위(줄기)

○ 아위(열매)

○ 아위(잎)

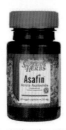
○ 아위(阿魏)로 만든 소화불량 치료제

[미나리과]

신강아위

 징가비괴, 충적, 식적, 흉복창만, 냉통, 이질
말라리아

● 학명 : *Ferula sinkiangensis* K. M. Shen ● 한자명 : 新疆阿魏

| 1 | 2 | 3 | 4 | 5 | 6 | 7 | 8 | 9 | 10 | 11 | 12 |

여러해살이풀. 높이 1m 정도. 마늘 냄새가 강렬하다. 뿌리는 비대하고 방추형 또는 원추형이다. 줄기는 굵고 통상 1개이지만 드물게 2~5개로 분지한다. 잎은 부드럽고 삼출엽으로 3~4회 갈라진다. 꽃은 줄기 끝에 복산형화서로 피며, 지름 8~12cm, 총포는 없다. 소산경은 10~20개, 꽃잎은 황색이다. 분과는 타원상 편구형이다.

분포·생육지 중국 신장성(新疆省) 이닝(伊寧), 해발 850m 이상의 초원 또는 암석지에서 자란다.

＊ 기타 사항은 '아위 *Ferula assafoetida* L.'와 같다. 중국에서는 '아위'의 종 보존을 위하여 무단 채취를 엄격히 규제하고 있다.

○ 아위(阿魏)

○ 아위(阿魏, 가루)

○ 신강아위(잎 뒷면)

○ 신강아위(뿌리에 상처를 내면 유액이 흘러나온다.)

❂ 신강아위

❂ 신강아위(뿌리, 절편)

❂ 신강아위(뿌리, 자양강장제로 사용된다.)

❂ 당국의 허가 없이 채취할 수 없음을 알리는 경고문
（중국 이닝)

[미나리과]

회향

한산복통, 완복창통　고환편추
협통　통경　신허요통

● 학명 : *Foeniculum vulgare* Gaertner　● 한자명 : 茴香

| 1 | 2 | 3 | 4 | 5 | 6 | 7 | 8 | 9 | 10 | 11 | 12 |

여러해살이풀. 높이 2m 정도. 줄기는 곧게 자라고 위에서 가지가 갈라진다. 잎은 어긋나고 3~4회 깃꼴겹잎, 뿌리잎과 줄기잎의 형태가 같다. 꽃은 7~8월에 피고, 꽃받침과 꽃잎이 황색, 꽃잎은 5개, 안쪽으로 굽고, 수술 5개, 하위씨방 1개이다. 분과는 달걀 모양으로 향기가 강하다.

분포 · 생육지 유럽 남부 원산. 우리나라 전역에서 재배한다.

약용 부위 · 수치 가을에 종자를 채취하여 말린다.

약물명 소회향(小茴香). 회향(茴香), 토회향(土茴香), 회향(蘹香), 회향자(茴香子), 회향자(蘹香子), 각주(角珠)라고도 한다. 대한민국약전(KP)에 수재되어 있다.

본초서 소회향(小茴香)은 당대(唐代)의 「신수본초(新修本草)」에 처음 회향(蘹香)이라는 이름으로 수재되어 있으며, 제루(諸瘻), 곽란(癨亂) 및 사상(蛇傷)을 치료하는 약물로 기록되어 있다. 송대(宋代) 소송(蘇頌)의 「도경본초(圖經本草)」에는 "북방에서는 일반적으로 회향(茴香)이라고 한다. 회향(蘹香)과 회향(茴香)이 발음이 같으므로 쓰기 쉬운 것으로 바뀐 것이다."라고 하였다. 「동의보감(東醫寶鑑)」에는 "식욕을 돋우어 소화를 잘 시키며 곽란을 그치게 하고 속이 메스껍고 편하지 못한 것을 낫게 한다. 신장이 허약하여 몸과 마음이 피로한 것, 음낭이 부어오르는 것, 방광과 음부의 통증을 낫게 하고, 중초의 기운을 조화시키며 위장을 따뜻하게 한다."고 하였다.

新修本草: 主諸瘻 癨亂及蛇傷.

開寶本草: 主膀胱 腎間冷氣及盲腸氣 調中止痛.

東醫寶鑑: 開胃下食 治癨亂及惡心 服中不安 療腎勞 癩疝及膀胱痛 陰㿉 又調中煖胃.

성상 긴 원주상의 쌍현과로 길이 3~8mm, 너비 1~3mm, 때로는 2~10mm의 열매자루가 붙어 있다. 표면은 회황록색~회황색이며, 서로 밀착되어 있는 2개의 분과에는 각각 5개의 융기선이 있다. 특이한 냄새가 있고 맛은 처음에는 달고 나중에는 쓰다.

❂ 소회향(小茴香)

❂ 독일에서 시판되는 소회향(小茴香)

❂ 회향(열매)

포제 그대로 사용하거나 소금물을 약간 가하여 약한 불에 볶아서 사용한다.

기미·귀경 온(溫), 신(辛)·간(肝), 신(腎), 비(脾), 위(胃)

약효 온신난간(溫腎暖肝), 행기지통(行氣止痛), 화위(和胃)의 효능이 있으므로 한산복통(寒疝腹痛), 고환편추(睾丸偏墜), 완복창통(脘腹脹痛), 구토식소(嘔吐食少), 협통(脇痛), 신허요통(腎虛腰痛), 통경(痛經)을 치료한다.

성분 정유 3~8%, 주성분은 anethole(50~85%), estragole, d-limonene, l-limonene, d-fenchone, d-pinene, dipentene, anisaldehyde, β-pinene, camphor 등이다.

약리 정유는 구풍의 효능이 있고, 토끼의 적출 장관의 긴장 및 유동을 촉진하여 장내 가스를 배출시킨다. anethole은 개구리에 투여하면 중추 신경 억제 작용이 나타나고, 개구리의 심근을 흥분시킨 뒤 마비시킨다. 에탄올추출물은 진경 작용, 위운동 항진 작용이 있다.

사용법 소회향 5g에 물 2컵(400mL)을 넣고 달여서 복용한다. 본 약물은 신온(辛溫)하여 화(火)를 도우므로 음허화왕(陰虛火旺)의 증상에는 사용하지 않는다.

처방 안중산(安中散): 계지(桂枝)·모려(牡蠣) 각 9g, 현호색(玄胡索) 6g, 소회향(小茴香)·축사(縮砂)·감초(甘草) 각 3g, 양강(良薑) 2g, 1일 3회, 1회 3g(『화제국방(和劑局方)』). 비위(脾胃)가 허약하여 기혈(氣血)이 울체되어 오는 복통, 배꼽 주변에서 박동이 있고 물 흐르는 소리가 들리는 증상이 나거나 위경련, 만성위염, 위무력증에 사용한다.

• 난간전(暖肝煎): 구기자(枸杞子) 12g, 당귀(當歸)·복령(茯苓)·소회향(小茴香)·오약(烏藥)·육계(肉桂) 각 8g, 침향(沈香) 4g(『방약합편(方藥合編)』). 간신(肝腎)의 음한(陰寒)으로 아랫배와 음낭 부위가 차고 아픈 증상에 사용한다.

* 붓순나무과(Illiciaceae)의 '팔각회향나무 Illicium verum'의 열매를 대회향(大茴香), 회향의 열매를 소회향(小茴香)이라 한다.

❍ 회향

❍ 소회향(小茴香)이 함유된 소화제

❍ 소회향(小茴香), 현호색, 창출, 육계 등으로 만든 소화제

❍ 소회향(小茴香)이 함유된 소화제

[미나리과]

갯방풍

폐열조해, 허로구해 | 음상인건, 구갈

●학명 : *Glehnia littoralis* Fr. Schm. ●별명 : 갯향미나리, 방풍나물

| 1 | 2 | 3 | 4 | 5 | 6 | 7 | 8 | 9 | 10 | 11 | 12 |

여러해살이풀. 높이 10~20cm. 뿌리가 굵고 땅속 깊이 들어가며, 줄기는 바로 선다. 뿌리잎과 줄기 기부의 잎은 잎자루가 길고 땅 위에 퍼지며 1~2회 3출겹잎이다. 꽃은 백색, 6~7월에 피며 꽃받침, 꽃잎 및 수술은 각각 5개, 하위씨방이다. 열매는 둥글며 털이 있다.

분포·생육지 우리나라 전역, 중국, 일본, 타이완, 사할린. 바닷가의 모래땅에서 자란다.

약용 부위·수치 뿌리를 가을에 채취하여 말린다.

약물명 북사삼(北沙蔘), 해방풍(海防風), 빈방풍(濱防風), 화방풍(和防風)이라고도 한다. 대한민국약전외한약(생약)규격집(KHP)에 수재되어 있다.

성상 거의 원주형이고 길이 10~20cm, 지름 5~15mm이며 때로는 세로로 쪼개진다. 표면은 황갈색~적갈색을 띠고 측근의 자국이 남아 있다. 뿌리줄기는 짧고 서서히 가늘어진 직근이며 가로 주름의 돌림 마디가 있다. 점차 뿌리 쪽으로 가면서 곳곳에 두꺼운 적갈색의 작은 혹 또는 가로로 두드러진 입상 돌기 및 둥글게 패인 오목한 점과 거친 세로 주름이 나타나며 때로는 코르크층이 벗겨져서 백색으로 보이는 것도 있다. 이 약의 질은 굳으나 매우 꺾기 쉬우며, 꺾은 면은 분질이다. 약간의 특이한 냄새가 있고 맛은 약간 달다.

기미·귀경 양(凉), 감(甘)·폐(肺), 위(胃)

약효 양음(養陰), 청폐(淸肺), 거담(祛痰), 지해(止咳)의 효능이 있으므로 폐열조해(肺熱燥咳), 허로구해(虛勞久咳), 음상인건(陰傷咽乾), 구갈(口渴)을 치료한다.

성분 bergapten, psoralen, xanthotoxin, xanthotoxol, imperatorin, alloisoimperatorin, isoimperatorin, cnidiline 등이 함유되어 있다.

약리 에탄올추출물은 토끼의 체온을 저하시키고 진통 작용을 나타낸다. 뿌리에서 분리한 다당체는 면역 억제 작용이 있다. 50%에탄올추출물은 264.7 세포의 실험 결과 항염증 작용이 있으며, 암세포인 HL60의 증식을 억제한다.

사용법 북사삼 10g에 물 3컵(600mL)을 넣고 달여서 복용하거나 환약으로 만들어 복용한다.

주의 풍한(風寒)에 의한 해수(咳嗽), 폐위허한의 사람은 복용을 금한다. 방기(防己)와는 상오(相惡), 여로(藜蘆)와는 상반(相反) 작용이 있다.

❍ 갯방풍

❍ 갯방풍(뿌리)

❍ 갯방풍(열매)

❍ 북사삼(北沙蔘)
으로 만든 거담제

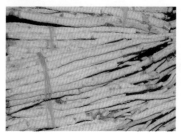

❍ 북사삼(北沙蔘)

❍ 북사삼(北沙蔘, 절편)

❍ 갯방풍 재배(중국 안국)

[미나리과]

천독활

| 감기 | 두통 | 치통 |

풍한습비, 요슬동통, 학슬풍

● 학명 : *Heracleum hemsleyanum* Diels　● 한자명 : 川獨活, 假羌活

| 1 | 2 | 3 | 4 | 5 | 6 | 7 | 8 | 9 | 10 | 11 | 12 |

여러해살이풀. 높이 1~1.5m. 뿌리는 원주
형, 분지하며 표면은 회청색이다. 줄기는 1개
로 굵고 원통형이며 속이 비어 있다. 꽃은 백
색, 5~7월에 핀다. 열매는 납작한 구형으로
능선이 있다. 어수리에 비하여 털이 적고, 열
매가 길이 6~7mm, 너비 5mm 정도로 작다.
분포·생육지 중국 후베이성(湖北省), 쓰촨
성(四川省). 산지 음습지에서 자란다.
약물명 우미독활(牛尾獨活)
약효 산풍지해(散風止咳), 제습지통(除濕止
痛)의 효능이 있으므로 감기, 두통, 치통,
풍한습비(風寒濕痹), 요슬동통(腰膝疼痛),
학슬풍(鶴膝風) 및 옹양만종(癰瘍漫腫)을
치료한다.
* 기타 사항은 '어수리 *H. moellendorffii*'
와 같다.

❍ 우미독활(牛尾獨活)

❍ 천독활

❍ 우미독활(牛尾獨活)이 배합된
뼈 질환 치료제

[미나리과]

어수리

 감기　 두통　👁 치통
🧍 풍한습비, 요슬동통, 학슬풍

- 학명 : *Heracleum moellendorffii* Hance
- 한자명 : 短毛獨活　● 별명 : 개독활, 에누리

| 1 | 2 | 3 | 4 | 5 | 6 | 7 | 8 | 9 | 10 | 11 | 12 |

🌱 🍃 🌿 🌾 🏕 ❀ 🌰 ❄ 🌿 💧

여러해살이풀. 높이 70~150cm. 원줄기는 속이 빈 원주형이다. 뿌리잎과 밑부분의 잎은 깃꼴이며 3~5개의 작은잎으로 구성되어 있다. 꽃은 백색, 겹산형화서로 달리고 꽃차례 주위의 꽃잎은 안쪽 것보다 크다. 열매는 길이 7~9mm, 너비 5~7mm이다.
분포 · 생육지 우리나라 전역. 중국. 산골짜기에서 흔히 자란다.

약용 부위 · 수치 뿌리를 가을에 채취하여 물에 씻은 후 썰어서 말린다.
약물명 우미독활(牛尾獨活)
기미 · 귀경 미온(微溫), 신(辛), 고(苦) · 폐(肺), 간(肝)
약효 산풍지해(散風止咳), 제습지통(除濕止痛)의 효능이 있으므로 감기, 두통, 치통, 풍한습비(風寒濕痺), 요슬동통(腰膝疼痛),

학슬풍(鶴膝風) 및 옹양만종(癰瘍漫腫)을 치료한다.

성분 isopimpinellin, pimpinellin, bergapten, isobergapten, oxypeucedanin, imperatorin, isoimperatorin, pimpinellin, isopimpinellin, angelicin, sphondin, 6-pentenyloxyisobergapten, heraclenin, stearic acid, mellisic acid 등이 함유되어 있다.
사용법 우미독활 7g에 물 2컵(400mL)을 넣고 달여서 복용하거나 환약이나 가루약으로 만들어 복용한다.

❶ 어수리(꽃)

❶ 어수리(잎)

❶ 우미독활(牛尾獨活)

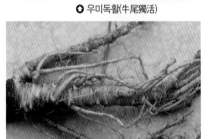
❶ 어수리(열매)

❶ 어수리(뿌리)

❶ 어수리

[미나리과]

아메리카피막이

🖐 타박상　❤ 부종
🧍 소변불리, 임질　🤰 간염

- 학명 : *Hydrocotyle bonariensis* L.

| 1 | 2 | 3 | 4 | 5 | 6 | 7 | 8 | 9 | 10 | 11 | 12 |

🌱 🍃 🌿 🌾 🏕 ❀ 🌰 ❄ 🌿 💧

여러해살이풀. 높이 25cm 정도. 약간 덩굴성이고, 잎은 둥글며 지름 2~3cm로 가장자리는 결각이 많다. 잎자루는 잎 가운데에 붙는다. 꽃은 황백색, 6~8월에 피며 지름 1.5mm 정도로, 꽃줄기는 잎자루보다 짧다.
분포 · 생육지 북아메리카 및 남아메리카. 습한 응달에서 자란다.
약용 부위 · 수치 전초를 수시로 채취하여 물에 씻은 후 말린다.
약물명 Hydrocotyle Herba
약효 소염의 효능이 있으므로 타박상, 부종, 소변불리, 임질, 간염을 치료한다.
사용법 Hydrocotyle Herba 10g에 물 3컵(600mL)을 넣고 달여서 복용한다.

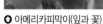
❶ Hydrocotyle Herba

❶ 아메리카피막이(잎과 꽃)

❶ 아메리카피막이

[미나리과]

큰잎피막이풀

❍ 홍마제초(紅馬蹄草)로 만든 건강식품

| 감기, 해수 | 이질, 설사 |
| 생리통 | 외상출혈, 타박상 |

● 학명 : *Hydrocotyle javanica* Thunb. [*H. nepalenis* Hooker]
● 한자명 : 紅馬蹄草　● 별명 : 큰잎피막이, 단풍잎피막이풀

| 1 | 2 | 3 | 4 | 5 | 6 | 7 | 8 | 9 | 10 | 11 | 12 |

여러해살이풀. 높이 10~25cm. 원줄기가 옆으로 기면서 비스듬히 서고, 잎은 둥글며 지름 3~5cm로 가장자리가 얕게 갈라지고 둔한 톱니가 있다. 꽃은 백색, 6~8월에 피며 지름 1.5mm 정도, 꽃대는 잎자루보다 훨씬 짧다. 분과는 15~40개씩 모여 달리고 편구형이다.

분포 · 생육지 우리나라 제주도. 중국, 인도, 네팔. 습한 응달에서 자란다.

약용 부위 · 수치 전초를 가을부터 겨울까지 채취하여 말린다.

약물명 홍마제초(紅馬蹄草), 접골초(接骨草), 대엽지혈초(大葉止血草), 수전초(水錢草)라고도 한다.

약효 청열이습(淸熱利濕), 화어지혈(化瘀止血)의 효능이 있으므로 감기, 해수(咳嗽), 이질, 설사, 생리통, 외상출혈, 타박상을 치료한다.

사용법 홍마제초 10g에 물 3컵(600mL)을 넣고 달여서 복용하고, 타박상이나 외상출혈에는 짓찧어 바르거나 붙인다.

❍ 홍마제초(紅馬蹄草)

❍ 큰잎피막이풀

[미나리과]

피막이풀

❍ 천호유(天胡荽)로 만든 건강식품

| 황달, 적백리 | 후종 | 어혈 |

● 학명 : *Hydrocotyle sibthorpioides* Lam.　● 한자명 : 天胡荽　● 별명 : 피마기풀, 피막이

| 1 | 2 | 3 | 4 | 5 | 6 | 7 | 8 | 9 | 10 | 11 | 12 |

여러해살이풀. 높이 10~15cm. 줄기는 땅 위로 기고, 잎은 어긋나며 지름 2~3cm이다. 꽃은 백색, 산형화서로 달리고 잎과 마주나며, 잎과 길이가 거의 같고 3~5개가 핀다. 꽃잎과 수술은 각각 5개, 암술은 1개이다. 열매는 편원형, 10여 개가 한 군데에 모여 달린다.

분포 · 생육지 우리나라 경기 이남. 일본, 타이완. 산과 들의 길가에서 자란다.

약용 부위 · 수치 전초를 여름과 가을에 채취하여 말린다.

약물명 천호유(天胡荽), 계장채(鷄腸菜), 파전초(破錢草)라고도 한다.

약효 청열(淸熱), 소종(消腫), 해독의 효능이 있으므로 황달, 적백리(赤白痢), 후종(喉腫), 어혈(瘀血)을 치료한다. 민간에서는 지혈제로 널리 이용한다.

성분 flavonoid류, coumarin류 등이 함유되어 있다.

사용법 천호유 10g에 물 3컵(600mL)을 넣고 달여서 복용하고, 타박상이나 외상출혈에는 짓찧어 바르거나 붙인다.

* 줄기 끝이 비스듬히 서며 뿌리에서 꽃차례가 나오는 '선피막이 *H. maritima*'도 약효가 같다.

❍ 천호유(天胡荽)

❍ 피막이풀

[미나리과]

구당귀

♀	경폐, 통경		두훈, 수종
	두통		지마

● 학명 : *Levisticum officinale* Koch. ● 영명 : Lovage, Love parsley
● 한자명 : 歐當歸 ● 별명 : 라베지, 큰향세르리

| 1 | 2 | 3 | 4 | 5 | 6 | 7 | 8 | 9 | 10 | 11 | 12 |

여러해살이풀. 높이 1~2.5m. 뿌리줄기는 굵고, 줄기는 광택이 나며 능선이 있고 자주색을 띤다. 잎은 어긋나고 깃꼴겹잎이다. 꽃은 황백색, 7~9월에 피고 가지와 줄기 끝에 복산형화서를 이루며 총포는 7~11개, 소총포는 8~12개가 있다. 분과는 편구형이다.

분포 · 생육지 지중해 연안, 유럽, 북아메리카. 세계 각처에서 재배한다.

약용 부위 · 수치 뿌리를 여름과 가을에 채취하여 물에 씻어서 말린다.

약물명 구당귀(歐當歸). 서양에서는 Lovage 라고 한다.

약효 활혈조경(活血調經), 이뇨의 효능이 있으므로 경폐(經閉), 통경(痛經), 두훈(頭暈), 두통, 지마(肢麻), 수종(水腫)을 치료한다.

성분 3-butylphtalide, *cis*-ligustilide, *trans*-ligustilide, sedanenolide, angeolide, falcarindol, falcarinone 등이 함유되어 있다.

약리 3-butylphtalide, *cis*-ligustilide, *trans*-ligustilide 등은 경련을 억제하며, 침과 위액의 분비를 증가시킨다.

사용법 구당귀 10g에 물 3컵(600mL)을 넣고 달여서 복용하고, 알약이나 가루약으로 만들어 복용한다.

○ 구당귀

○ 열매

○ 구당귀로 만든 활혈조경제

○ 구당귀(뿌리)

○ 구당귀(歐當歸)

[미나리과]

털기름나물

	풍한감모		두통
	풍습비통, 근골마목		타박상

● 학명 : *Libanotis coreana* (Wolff) Kitagawa [*Seseli coreana* Wolff]
● 별명 : 제주방풍

| 1 | 2 | 3 | 4 | 5 | 6 | 7 | 8 | 9 | 10 | 11 | 12 |

여러해살이풀. 높이 30~90cm. 전체에 잔털이 있다. 뿌리줄기는 굵고 줄기는 바로 서며 능선이 있다. 잎은 어긋나고 2회 깃꼴겹잎이다. 꽃은 백색, 7~9월에 가지와 줄기 끝에 복산형화서로 달리며, 총포는 있거나 없고 소총포는 있다. 분과는 달걀 모양, 털 같은 돌기가 있어서 거칠다.

분포 · 생육지 우리나라 한라산, 함북(백두산). 중국, 일본. 높은 산 바위틈에서 자란다.

약용 부위 · 수치 뿌리를 여름과 가을에 채취하여 물에 씻어서 말린다.

약물명 장춘칠(長春七). 석장춘(石長春), 장충칠(長蟲七)이라고도 한다.

약효 발표산한(發表散寒), 거풍제습(祛風除濕), 소종지통(消腫止痛)의 효능이 있으므로 풍한감모(風寒感冒), 두통, 풍습비통(風濕痺痛), 근골마목(筋骨麻木), 타박상을 치료한다.

성분 falcarinone, isoimperatorin, xanthotoxin, xanthogarin, xanthogalol, bergapten, bergaptol, buchtormin, osthol, sesibiricin, libanotin A, *trans*-*p*-hydroxy-cinnamic acid 등이 함유되어 있다.

사용법 장춘칠 7g에 물 2컵(400mL)을 넣고 달여서 복용하고, 타박상이나 외상출혈에는 짓찧어 바르거나 붙인다.

○ 털기름나물

○ 털기름나물(열매)

[미나리과]

천궁

♀ 월경부조, 경폐통경, 산후어체복통	🛏 타박상
☾ 징가종괴	♥ 두통현훈
	🚶 풍한습비

● 학명 : *Ligusticum chuanxiong* Hort. [*L. wallichi*] ● 한자명 : 川芎

1	2	3	4	5	6	7	8	9	10	11	12

여러해살이풀. 높이 40~70cm. 뿌리줄기는 굵고, 줄기는 곧게 선다. 잎은 어긋나고 3~4회 깃꼴겹잎, 잎자루의 기부가 줄기를 감싸는데 끝이 주머니 모양으로 넓어져 밑으로 처진다. 꽃은 백색, 7~8월에 산형화서로 달리며 꽃잎은 5개, 수술도 5개, 암술은 1개, 총포편과 소총포편은 백색의 막질이다. 산경은 10~20개, 소산경은 10~24개이다. 분과는 달걀 모양, 털이 없고 능선이 있다.

분포·생육지 중국 쓰촨성(四川省), 장시성(江西省), 후베이성(湖北省). 산골짜기에서 자란다. 시장에 출하되는 것은 거의 농가에서 재배한 것이다.

약용 부위·수치 뿌리줄기를 가을에 채취하여 잔뿌리와 흙을 제거한 뒤 물에 씻은 후 말린다. 때로는 끓는 물에 살짝 데치거나 물에 오랫동안 담갔다가 정유를 제거한 뒤 썰어서 말린다.

약물명 천궁(川芎), 산국궁(山鞠藭), 궁궁(芎藭), 향과(香果), 호궁(胡藭)이라고도 한다. 대한민국약전(KP)에 수재되어 있다.

본초서 천궁(川芎)은 「신농본초경(神農本草經)」의 상품(上品)에 수재되어 있으며 궁궁(芎藭)이라고 하였다. 송대(宋代)의 소송(蘇頌)은 "관협(關陜), 천촉(川蜀), 강동(江東)의 산중에 많지만 촉(蜀), 즉 쓰촨성(四川省)에서 재배하는 것이 품질이 좋고 유명하므로 천궁(川芎)이라 한다. 예로부터 당귀(當歸)와 더불어 부인들의 요약(要藥)으로 사용되어 왔다."고 하였다. 산지에 따라서 다르게 부르기도 하는데, 중국에서 산출되는 것을 천궁(川芎), 일본에서 생산되는 것을 일천궁(日川芎), 한국에서 생산되는 것을 토천궁(土川芎)이라고 한다. 「동의보감(東醫寶鑑)」에 "모든 풍병, 기병, 노손(勞損), 혈병 등을 낫게 한다. 피가 뭉친 것, 코피, 요혈, 혈변을 멎게 하며 새로운 피를 만든다. 풍한이 뇌에 들어 두통이 온 것, 눈물, 명치와 옆구리가 찬 기운으로 아픈 것을 치료한다."고 하였다.

神農本草經: 主中風入腦 頭痛 寒脾 筋攣緩急 金瘡 婦人血閉無子.

藥性論: 治腰脚軟弱 半身不隨 主胞衣不出 治腹內冷痛.

本草綱目: 燥濕 止瀉痢 行氣開郁.

東醫寶鑑: 治一切風 一切氣 一切勞損 一切血 破蓄血 養新血 止吐衄血 及尿血便血 諸風濕入腦頭痛 目漏出 療心腹脇冷痛.

성상 불규칙한 덩어리가 원기둥으로 연결된 형태, 때로는 세로로 잘라져 있으며 길이 5~10cm, 지름 3~5cm이다. 표면은 회갈색~암갈색이고 겹친 결절이 있으며 그 표면에는 혹 같은 융기가 있다. 종단면의 가장자리는 고르지 않게 갈라지고 안쪽 면은 회백색으로 반투명이며 때로는 비어 있기도 하다. 횡단면은 황백색으로 피층 및 수(隨)에는 유실(油室)이 산재하며, 목부는 목부 섬유가 무리를 지어 있고, 전분립은 호화되어 있다. 특이한 냄새가 나고 맛은 약간 쓰다.

기미·귀경 미한(微寒), 신(辛), 고(苦)·간(肝), 담(膽), 심포(心包)

약효 활혈거어(活血祛瘀), 행기개울(行氣開鬱), 거풍지통(祛風止痛)의 효능이 있으므로 월경부조(月經不調), 경폐통경(經閉痛經), 산후어체복통(産後瘀滯腹痛), 징가종괴(癥瘕腫塊), 협륵동통(脇肋疼痛), 두통현훈(頭痛眩暈), 풍한습비(風寒濕痺), 타박상, 옹저창양(癰疽瘡瘍)을 치료한다.

성분 cnidilide, (Z)-ligustilide, neocnidilide, buthylphthalide, butylidenphthalide, sedanoic acid, cnidirhan AG, cnidirhan SI, cnidirhan SIIA, (Z)-senkyunolide A, falcarindiol 등이 함유되어 있다.

약리 cnidilide, ligustilide, neocnidilide, buthylphthalide는 중추 신경에 작용하여 근육의 긴장을 완화한다(진정 작용). 심장에 억제 작용이 있고, 말초 혈관 확장 작용이 있어서 혈압을 하강하고 자궁을 수축하는 작용이 있다. 열수추출물은 angiotensin II와 suture로 유도한 신생 혈관을 억제하는 것으로 보아 항암 작용이 있다. buthylphthalide는 진드기를 살멸시키는 효능이 있다. cnidirhan AG, cnidirhan SI, cnidirhan SIIA는 세망내피세포계(phagocytosis)를 활성화하며 항보체 활성을 나타내어 면역 증강 작용이 있다. butylidenphthalide, falcarindiol은 NFAF Transcription Factor에 저해 작용이 있다. (Z)-ligustilide, (Z)-senkyunolide A는 NO의 생성을 저지하고 PEG_2의 활성을 억제한다.

사용법 천궁 7g에 물 3컵(600mL)을 넣고 달여서 복용하거나 환약이나 가루약으로 하여 복용하고, 외용에는 분말을 산포하거나 조합하여 바른다.

* 일본에서는 중국의 쓰촨성(四川省)에서 주로 재배되는 본 종을 가져와 재배하고 있다. 일본의 천궁은 '*Cnidium officinale*'라고

○ 천궁(川芎)

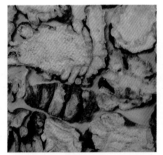

○ 천궁(川芎, 절편)

○ 천궁(열매)

○ 천궁(뿌리줄기와 뿌리)

○ 천궁(파종 1개월 후)

○ 천궁(파종 2개월 후)

○ 천궁(잎)

○ 천궁(川芎)과 빙편으로 만든 심질환 치료제

하나 본 종과 같은 식물로 일본의 동북(東北) 지방 및 홋카이도에서 주로 재배되는 것을 일천궁(日川芎) 또는 일궁(日芎)이라 한다. 우리나라에서 한때 재배하였던 토천궁(궁궁이)은 일본 또는 중국에서 건너온 것으로, 역시 본 종으로 생각된다.

처방 궁귀교애탕(芎歸膠艾湯): 천궁(川芎)·아교(阿膠)·애엽(艾葉)·감초(甘草) 각 4g, 당귀(當歸)·작약(芍藥) 각 6g, 건지황(乾地黃) 8g (『금궤요략(金匱要略)』). 산전산후(産前産後)의 출혈, 빈혈증, 하복부의 출혈에 사용한다.

• 궁귀탕(芎歸湯, 佛手散): 천궁(川芎)·당귀(當歸) 각 20g (『동의보감(東醫寶鑑)』). 아기를 낳기 전이나 후에 생길 수 있는 여러 가지 병에 사용한다. 아기 낳는 달에 사용하면 아기를 쉽게 낳을 수 있다.

• 사물탕(四物湯): 당귀(當歸)·작약(芍藥)·천궁(川芎)·숙지황(熟地黃) 각 4g (『화제국방(和劑局方)』). 빈혈증, 피부가 거칠고 건조한 증상, 생리불순에 사용한다.

• 당귀작약산(當歸芍藥散): 작약(芍藥) 10g, 택사(澤瀉)·천궁(川芎) 각 6g, 당귀(當歸)·복령(茯苓)·백출(白朮) 각 3g (『동의보감(東醫寶鑑)』). 생리불순, 생리통, 어지럼증, 두통, 어깨가 결리고 아픈 증상, 부종, 요통, 기미가 끼고 피부가 거칠어지는 증상에 사용한다.

◑ 천궁

◑ 천궁 재배 단지(중국 청두)

[미나리과]

토천궁

⚥ 월경부조, 경폐통경, 산후어체복통　　▭ 타박상

🜨 징가종괴　　👁 두통현훈　　🦵 풍한습비

● 학명 : *Ligusticum officinale* (Makino) Kitagawa [*Cnidium officinale*]
● 한자명 : 東芎, 日川芎　　● 별명 : 궁궁이

| 1 | 2 | 3 | 4 | 5 | 6 | 7 | 8 | 9 | 10 | 11 | 12 |

여러해살이풀. 높이 30~60cm. 곧게 자라며 가지가 갈라진다. 잎은 어긋나며 2회 깃꼴겹잎, 잎자루의 기부가 줄기를 감싸며 끝부분이 뾰족해져 원추형을 이룬다. 열매는 잘 영글지 않는다.

분포·생육지 우리나라 백두산을 비롯하여 중국 지린성(吉林省), 옌볜(延邊), 룽징(龍井). 높은 산 습지에서 자라며, 우리나라와 일본에서 재배한다.

약용 부위·수치 뿌리줄기를 여름과 가을에 채취하여 물에 씻은 후 썰어서 말린다. 때로는 끓는 물에 살짝 데치거나 물에 오랫동안 담갔다가 정유를 제거하여 썰어서 말린다.

약물명 토천궁(土川芎), 일천궁(日川芎)이라고도 한다.

성상 토천궁(土川芎)은 결절성 덩어리 모양이고 길이 5~10cm, 지름 3~5cm이다. 표면은 갈색~암갈색이고 거칠며 쭈글쭈글하고 돌기된 부분이 많다. 뿌리줄기 위쪽에는 줄기의 흔적이 있고, 아래쪽에는 뿌리 자국이 많고 질은 단단하다. 냄새가 강하고 맛은 약간 쓰다. 천궁에 비하여 황갈색의 유실(油室)이 적고 횡단면의 색깔이 밝다.

※ 약효와 사용법은 '천궁 *L. chuanxiong*'과 같다.

◑ 토천궁

◑ 토천궁(土川芎)

◑ 토천궁(꽃)

[미나리과]

요고본

| 풍한두통, 전정동통 | 풍습비통 |
| 개선 | 한습설사, 복통 | 산가 |

● 학명 : *Ligusticum jeholense* Nakai et Kitagawa [*Cnidium jeholense* Nakai et Kitagawa]
● 한자명 : 遼藁本, 寧藁本, 北藁本

| 1 | 2 | 3 | 4 | 5 | 6 | 7 | 8 | 9 | 10 | 11 | 12 |

여러해살이풀. 높이 30~80cm. 뿌리줄기는 짧고 굵으며, 줄기는 바로 선다. 잎은 어긋나고 2~3회 3출겹잎이다. 꽃은 7~9월에 원줄기 끝과 가지 끝에 복산형화서로 달리고, 소총포는 8~10개, 꽃잎은 백색이다. 열매는 도란형, 길이 3~4mm, 지름 2~2.5mm이다.

분포 · 생육지 중국 랴오닝성(遼寧省). 산지에서 자란다.

약용 부위 · 수치 뿌리줄기를 채취하여 물에 씻은 후 말려서 사용하지만, 약한 불에 볶아서 사용하기도 한다.

약물명 고본(藁本), 요고본(遼藁本), 영고본(寧藁本), 북고본(北藁本)이라고도 한다. 대한민국약전(KP)에 수재되어 있다.

성상 뿌리줄기는 불규칙하게 결절된 원주형을 이루고 구부러져 있으며 가지가 갈라지고 길이 3~10cm, 지름 1~2cm이다. 표면은 회갈색 또는 암갈색이며 조잡하며 세로로 주름 무늬가 있다. 위편에는 줄기가 붙었던 몇 개의 자국이 둥글게 패어 있고, 아래

편에는 뿌리가 붙었던 여러 개의 자국이 점 모양으로 돌기되어 있다. 무게는 가볍고 질은 비교적 딱딱하며 부러지기 쉽다. 꺾은 면은 황색~황백색이고 섬유상이다. 향기는 짙으며 맛은 맵고 쓰며 약간 마비감이 있다.

약효 거풍승습(祛風勝濕), 산한지통(散寒止痛)의 효능이 있으므로 풍한두통(風寒頭痛), 전정동통(巓頂疼痛), 풍습비통(風濕痹痛), 개선(疥癬), 한습설사(寒濕泄瀉), 복통, 산가(疝瘕)를 치료한다. 특히 앞머리가 아플 때 효과적이다.

성분 정유 0.5%에 butylidenephthalide, 3-butylphthalide, cnidilide, anethole, estragole, osmorhizole, isoosmorhizole, anisaldehyde 등이 함유되어 있다.

약리 3-butylphthalide, cnidilide는 진경, 통경, 항염증 작용이 있고, 물로 달인 액은 피부 진균에 항진균 작용이 있다.

사용법 고본 5g에 물 2컵(400mL)을 넣고 달여서 복용하고, 외용에는 물에 달인 액으로 씻는다.

● 요고본

● 고본(藁本)

● 고본(藁本, 절편)

● 요고본(열매)

● 요고본(뿌리)

[미나리과]

중국고본

| 풍한두통, 전정동통 | 풍습비통 |
| 개선 | 한습설사, 복통 | 산가 |

● 학명 : *Ligusticum sinense* Oliver

| 1 | 2 | 3 | 4 | 5 | 6 | 7 | 8 | 9 | 10 | 11 | 12 |

여러해살이풀. 높이 1m 정도. 뿌리줄기는 굵고 팽대하며 결절이 있다. 줄기는 곧게 서고 원주형, 속이 비어 있다. 잎은 어긋나고 2회 3출겹잎, 꽃은 8~9월에 큰 산형화서로 달리고 총포편은 6~10개, 꽃잎은 백색이다. 분과는 편평한 타원형, 합생면에 유관이 4~6개 있다.

분포 · 생육지 우리나라 제주도와 울릉도를 제외한 전역. 중국 둥베이(東北) 지방. 깊은 산 산기슭에서 자란다.

약용 부위 · 수치 뿌리줄기와 뿌리를 가을에 지상부가 시들면 채취하여 물에 씻어서 그대로 사용하거나 약한 불에 볶아서 사용한다.

약물명 고본(藁本). 서궁(西芎), 서궁고본(西芎藁本)이라고도 한다. 대한민국약전(KP)에 수재되어 있다.

본초서 고본(藁本)은 「신농본초경(神農本草經)」의 중품(中品)에 수재되어 "부인의 산통(疝痛), 음중한종통(陰中寒腫痛), 복통, 풍두통(風頭痛)을 치료하며 피부를 곱게 하고 얼굴을 예쁘게 하는 약물이다."라고 기록되

어 있다. 당대(唐代) 소경(蘇敬)의 「신수본초(新修本草)」에는 "뿌리의 상부와 하부가 화고(禾藁, 볏짚)와 비슷하므로 고본(藁本)이라고 하며, 본(本)은 근(根)과 같다."고 하였다. 양대(梁代) 도홍경(陶弘景)의 「본초경집주(本草經集注)」에는 "고본(藁本)은 궁궁(芎藭, 궁궁이)의 발근(髮根)과 모양과 향기가 비슷하지만 꽃과 열매는 다르고 산지도 같지 않다."고 하였다. 송대(宋代) 소송(蘇頌)의 「도경본초(圖經本草)」에는 "고본의 잎은 냄새는 백지(白芷)와 같고 모양은 궁궁(芎藭)과 비슷하다. 궁궁은 수근(水芹, 미나리)과 비슷하고 크며 고본은 잎이 가늘다. 5월에 흰 꽃이 피고 7~8월에 열매를 맺는다. 뿌리는 자주색이다."라는 기록으로 보아 오늘날의 고본과 일치한다. 「동의보감(東醫寶鑑)」에는 "약풍을 낮게 하고 바람으로 생긴 두통을 없애며 안개와 이슬 독을 받지 않게 한다. 바람의 기운으로 손발의 움직임이 둔해진 것, 쇠붙이에 입은 상처를 낫게 한다. 새살을 돋아나게 하고 얼

굴빛을 윤택하게 하며 주근깨와 코끝이 빨갛게 된 것, 여드름을 없앤다. 목욕할 때 쓰는 약과 얼굴에 바르는 기름을 만들 수 있다."고 하였다.

神農本草經: 主婦人疝瘕 陰中寒 腫痛 腹中急痛 除風頭痛.

名醫別錄: 辟霧露潤澤 療風邪 金瘡.

珍珠囊: 治太陽頭痛 巓頂頭痛 大寒犯腦 痛連齒頰.

東醫寶鑑: 治一百六十種惡風 除風頭痛 辟霧露 療風邪曳 療金瘡 長肌膚 悅顏色 去面皯 酒瘡 粉刺 可作沐藥面脂.

성상 고본(藁本)은 뿌리줄기 및 뿌리로 되어 있으나, 뿌리줄기가 대부분이고 가볍고 부스러지기 쉽다. 뿌리줄기는 불규칙한 결절상의 원주형으로 약간 꼬였으며 분지된 것도 있고 길이 5~10cm, 지름 2.5~4cm이며 마디는 고르지 않은 구형이다. 표면은 갈색~암갈색이며 거칠고 세로 주름 및 고리 무늬가 있다. 위쪽 끝에는 여러 개의 오목하면서 둥근 줄기의 흔적이 있다. 아래쪽에는 점모양으로 돌기된 뿌리 자국이 있고, 뿌리는 꼬여 있다. 횡단면은 황갈색~흑갈색, 섬유질이고, 틈새가 있고 반점이 보인다. 특이한 냄새가 나고 맛은 맵고 쓰다.

품질 모양이 고르며 겉껍질이 벗겨지지 않고 방향이 강한 것이 좋다.

기미 · 귀경 온(溫), 신(辛) · 방광(膀胱)

약효 거풍승습(祛風勝濕), 산한지통(散寒止

痛)의 효능이 있으므로 풍한두통(風寒頭痛), 전정동통(巓頂疼痛), 풍습비통(風濕痺痛), 개선(疥癬), 한습설사(寒濕泄瀉), 복통, 산가(疝瘕)를 치료한다. 특히 앞머리가 아플 때 효과적이다.

성분 정유 성분인 (Z)-butylidenephthalide, (Z)-ligustilide, 3-butylphthalide, cnidilide, anethole, estragole, osmorhizole, isoosmorhizole, anisaldehyde, α-thujene, α-pinene, β-pinene, camphene, sabinene, bergapten, myrcene, limo-

nene, isoborneol, (Z)-senkyunolide, 3-butylidene-4-hydroxyphthalide, coumarin인 isoimperatorin, prangolarin, decursinol tiglate, decursin 등, 기타 ferulic acid, docosanoic acid, succinic acid, marmesin 등이 함유되어 있다.

약리 3-butylphthalide, cnidilide는 진경, 통경, 항염증 작용이 있고, 물로 달인 액은 피부 진균에 항진균 작용이 있다. (Z)-ligustilide는 NO의 생성을 저지하고 PEG$_2$의 활성을 억제한다.

사용법 고본 5g에 물 2컵(400mL)을 넣고 달여서 복용하고, 외용에는 달인 액으로 씻는다. 류머티즘성관절염에는 강활(羌活), 방풍(防風), 위령선(威靈仙)과 같은 양으로 배합하여 물에 달여서 복용한다. 두통의 증세가 혈허(血虛)에 속하면서 풍한(風寒)으로 온 것이 아닐 때에는 복용을 금한다.

주의 혈허(血虛), 간양상항(肝陽上亢), 내열(內熱)로 인한 두통에는 사용하지 않는다.
* 중국에서는 고본으로 본 종의 뿌리와 '요고본(遼藁本) L. jeholense'의 뿌리를 사용하고 있다.

○ 고본(藁本)

○ 고본(藁本, 절편)

○ 중국고본(꽃)

○ 중국고본(열매)

○ 중국고본

[미나리과]

고본

 풍한두통, 전정동통   풍습비통
개선 한습설사, 복통 산가

● 학명 : *Ligusticum tenuissimum* (Nakai) Kitagawa [*Angelica tenuissimum* Nakai]
● 한자명 : 韓藁本, 土藁本 ● 별명 : 고번

| 1 | 2 | 3 | 4 | 5 | 6 | 7 | 8 | 9 | 10 | 11 | 12 |

여러해살이풀. 높이 30~80cm. 줄기는 곧게 선다. 잎은 어긋나고 3회 깃꼴겹잎이다. 꽃은 8~9월에 큰 산형화서로 달리고, 총산경은 15~20개, 소산경은 20~22개이다. 꽃잎은 5개, 도란형이며 안으로 굽고 백색, 씨방은 타원형, 수술은 5개이다. 분과는 편평한 타원형이다.

분포·생육지 제주도와 울릉도를 제외한 우리나라 전역. 중국 후베이성(湖北省), 쓰촨성(四川省). 깊은 산 산기슭에서 자란다.

약용 부위·수치 뿌리줄기와 뿌리를 가을에 지상부가 시들면 채취하여 물에 씻어서 그대로 사용하거나 약한 불에 볶아서 사용한다.

약물명 세엽고본(細葉藁本). 우리나라에서는 한고본(韓藁本), 토고본(土藁本)이라고 한다. 대한민국약전(KP)에 수재되어 있다.

성상 세엽고본(細葉藁本)은 뿌리줄기 및 뿌리로 불규칙한 원주형으로 분지된 것도 있으며, 길이 5~10cm, 지름 0.7~2cm이다. 뿌리줄기는 덩어리 모양으로 위쪽에는 여러 개가 주먹 모양으로 감겨 있고 옆으로 튀어나온 것도 있으며 질이 약하여 부러지기 쉽

다. 횡단면은 황백색이고 까칠까칠하며 틈새가 보인다. 특유의 냄새가 있고 맛은 맵고 떫다.

약효 거풍승습(祛風勝濕), 산한지통(散寒止痛)의 효능이 있으므로 풍한두통(風寒頭痛), 전정동통(巓頂疼痛), 풍습비통(風濕痺痛), 개선(疥癬), 한습설사(寒濕泄瀉), 복통, 산가(疝瘕)를 치료한다.

사용법 세엽고본 5g에 물 2컵(400mL)을 넣고 달여서 복용하고, 외용에는 달인 액으로 씻는다. 류머티즘성관절염에는 강활(羌活), 방풍(防風), 위령선(威靈仙)과 같은 양으로 배합하여 물에 달여서 복용한다. 두통의 증세가 혈허(血虛)에 속하면서 풍한(風寒)으로 온 것이 아닐 때는 복용을 금한다.

○ 고본 재배지(경북 영양)

○ 고본

○ 세엽고본(細葉藁本)

○ 세엽고본(細葉藁本, 절편)

○ 고본(열매)

○ 수확 직후의 세엽고본(細葉藁本)

[미나리과]

곰뿌리

 난소염, 생리불순   신장염

●학명 : *Meum athamanticum* Jacq.   ●영명 : Spiguel baldmoney   ●별명 : 메움

❍ 곰뿌리(꽃)

여러해살이풀. 높이 1m 정도. 잎은 마주나고 깃꼴겹잎, 최종 열편은 바늘 모양, 잎자루는 위로 갈수록 짧아지고 밑부분이 엽초로 된다. 꽃은 백색, 7~9월에 가지와 줄기 끝에 복산형화서를 이룬다. 분과는 편압된 타원상 구형이다.

분포 · 생육지 유라시아, 남아메리카. 들에서 자란다.

약용 부위 · 수치 뿌리를 여름과 가을에 채취하여 물에 씻어서 말린다.

약물명 Mei Radix

약효 소염의 효능이 있으므로 난소염, 생리불순, 신장염을 치료한다.

사용법 Mei Radix 10g에 물 3컵(600mL)을 넣고 달여서 복용한다.

❍ 곰뿌리

[미나리과]

관엽강활

외감풍한, 두통무한   풍한습비
풍수부종   창양종독

●학명 : *Notopterygium forbesii* Boissier [*N. franchetii*]   ●별명 : 넓은잎강활

여러해살이풀. 높이 0.8~1.8m. 뿌리줄기는 굵고 암갈색~적갈색을 띤다. 잎은 2~3회 3출 깃꼴겹잎이다. 꽃은 담황색, 복산형화서를 이룬다. 분과는 납작한 구형이며 길이 5mm, 너비 4mm 정도, 골마다 유관이 3~4개 있고, 합생면에 유관이 4개 있다.

분포 · 생육지 중국 내몽골, 산시성(山西省), 산시성(陝西省), 간쑤성(甘肅省), 칭하이성(靑海省), 쓰촨성(四川省), 후베이성(湖北省). 해발 1,700~4,500m의 산에서 자란다.

약용 부위 · 수치 뿌리를 가을에 채취하여 외피를 벗겨 내고 볕에 말린 후 초에 담갔다가 불에 볶거나 외(煨)하여 사용한다.

약물명 강활(羌活). 관엽강활(寬葉羌活)이라고도 한다. 대한민국약전(KP)에 수재되어 있다.

성상 강활(羌活)은 뿌리줄기 및 뿌리로 구성된다. 뿌리줄기는 원기둥 모양이며 위쪽 끝에는 줄기 및 엽초가 조금 남아 있다. 뿌리는 원뿔 같으며 세로로 주름 무늬와 피목이 있다. 표면은 암갈색이고 뿌리줄기 가까운 곳에 치밀한 무늬가 있는 것을 조강(條羌)이라 하고, 뿌리줄기가 굵으며 불규칙한 결절상이고 위쪽 끝에 여러 개의 줄기 자국이 있으며 뿌리가 가는 것을 대두강(大頭羌)이라고 한다. 질은 치밀하지 않고 자르기 쉽고, 횡단면은 평탄하며, 피층은 담갈색이고 목부는 황백색이다. 냄새가 있고 맛은 담담하다.

＊ 약효와 사용법은 '강활 *N. incisum*'과 같다.

❍ 강활(羌活)

❍ 관엽강활(열매)

❍ 관엽강활(꽃봉오리)

❍ 관엽강활(잎)

❍ 관엽강활(뿌리)

❍ 관엽강활

강활

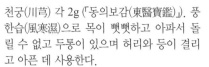

외감풍한, 두통무한 | 풍한습비
풍수부종 | 창양종독

●학명 : *Notopterygium incisum* Ting ex H. T. Chang　●별명 : 중국강활

| 1 | 2 | 3 | 4 | 5 | 6 | 7 | 8 | 9 | 10 | 11 | 12 |

여러해살이풀. 높이 1.5m 정도. 뿌리줄기는 굵고 암갈색~적갈색을 띤다. 잎은 어긋나고 2회 3출 깃꼴겹잎이며, 잎자루가 길고 밑부분이 줄기를 감싼다. 꽃은 7~9월에 복산형화서를 이룬다. 꽃잎은 5개, 백색, 소산경은 10~18개, 총포는 3~6개이나 빨리 떨어지고 소총포는 6~10개로 바늘 모양이다. 열매는 타원상 구형, 길이 4~6mm, 너비 3mm, 날개는 길이 1mm 정도이다.

분포·생육지 중국 내몽골, 산시성(山西省), 산시성(陝西省), 간쑤성(甘肅省), 칭하이성(靑海省), 쓰촨성(四川省), 후베이성(湖北省). 해발 2,000~4,200m의 산에서 자란다.

약용 부위·수치 뿌리를 가을에 채취하여 외피를 벗겨 내고 볕에 말린 후 초에 담갔다가 불에 볶거나 외(煨)하여 사용한다.

약물명 강활(羌活). 죽절강(竹節羌), 잠강(蠶羌), 강청(羌靑), 강활(羌滑), 독요초(獨搖草)라고도 한다. 쓰촨성(四川省)에서 생산되는 것을 천강(川羌) 또는 잠강(蠶羌)이라고 하는데 품질이 좋으며, 칭하이성(靑海省)과 간쑤성(甘肅省)에서 생산되는 서강(西羌)은 품질이 다소 떨어진다. 대한민국약전(KP)에 수재되어 있다.

본초서 강활(羌活)은 「신농본초경(神農本草經)」의 상품(上品)에 독활(獨活)의 별명으로 수재되어 있다. 송(宋)나라의 본초서인 「일화자본초(日華子本草)」에는 "독활(獨活)은 강활(羌活)의 어머니이다."라고 하였으며 명(明)나라 이시진(李時珍)의 「본초강목(本草綱目)」에는 "독활(獨活)은 강중(羌中, 山西省~陝西省)이라는 곳에서 생산되는 것이 품질이 좋으므로 강활(羌活)이라고 한다."라고 하였다.

藥性論 : 治賊風, 失音不語, 多痒血癩, 手足不遂 遍身頑痺.

日華諸家本草 : 治一切風幷氣, 筋骨卷攣, 五勞七傷 虛損冷氣, 骨節酸疼 通利五臟.

本草備要 : 瀉肝氣, 搜肝風 治風濕相搏 本經(太陽)頭痛 督脈爲病 脊强而厥 剛痙柔痙 中風不語 頭旋目赤.

성상 약간 휘어진 뿌리줄기로 길이 4~13cm, 지름 6~25cm이고 윗부분에 줄기가 붙어 있던 자국이 있다. 표면은 황갈색~어두운 갈색이고 외피가 떨어진 곳은 황색을 띤다. 마디 사이는 매우 짧고, 돌출된 환절은 밀착하여 잠상(蠶狀)을 이루거나 마디 사이가 길어 죽절상(竹節狀)을 이루는 것도 있다. 질은 가볍고 꺾기 쉬우며 횡단면은 평탄하지 않으며 빈틈이 많다. 피부는 황갈색~어두운 갈색이며 윤기가 나고 홍적색의 유점(油點)이 있으며, 목부는 황백색이고 방사선이 명료하다. 특이한 냄새가 있고 맛은 약간 쓰나 후에는 맵다.

기미·귀경 온(溫), 신(辛), 고(苦)·신(腎), 방광(膀胱)

약효 산표한(散表寒), 거풍습(祛風濕), 이관절(利關節), 지통(止痛)의 효능이 있으므로 외감풍한(外感風寒), 두통무한(頭痛無汗), 풍한습비(風寒濕痺), 풍수부종(風水浮腫), 창양종독(瘡瘍腫毒)을 치료한다.

성분 isoimperatorin 0.38%, cnidilin 0.34%, notopterol 1.2%, bergapten 0.01%, demethylfuropinnarin, bergaptol 0.09%, columbianetin, columbiananine, impertorin, osthol, marmesin, ferulic acid 등이 함유되어 있다.

약리 2% 정유 10mL/kg을 체온을 높인 토끼의 복강에 주사하면 해열 작용이 나타난다. 2% 정유 10mL/kg을 주사한 쥐는 대조군에 비하여 뜨거운 열판 위에서 견디는 시간이 오래 간다(진통 작용). 열수추출물을 염증을 유발시킨 쥐에게 투여하면 염증 치료 효과가 나타난다.

사용법 강활 10g에 물 3컵(600mL)을 넣고 달여서 복용하거나 술에 담가서 복용한다.

주의 본 약물은 기미(氣味)가 농열(濃烈)하여 과량을 응용하면 구토가 발생하므로 주의하고 혈허비통(血虛痺痛)한 사람은 복용하지 말아야 한다.

처방 강활승습탕(羌活勝濕湯) : 강활(羌活)·독활(獨活) 각 8g, 고본(藁本)·방풍(防風)·감초(甘草) 각 4g, 만형자(蔓荊子)·천궁(川芎) 각 2g(「동의보감(東醫寶鑑)」). 풍한습(風寒濕)으로 목이 뻣뻣하고 아파서 돌릴 수 없고 두통이 있으며 허리와 등이 결리고 아픈 데 사용한다.

• 구미강활탕(九味羌活湯) : 강활(羌活)·방풍(防風) 각 6g, 창출(蒼朮)·천궁(川芎)·백지(白芷)·황금(黃芩)·생지황(生地黃) 각 4g, 세신(細辛)·감초(甘草) 각 2g, 생강(生薑) 3쪽, 대추 2개(「동의보감(東醫寶鑑)」). 풍한(風寒)이나 풍습(風濕)으로 두통이 나고 목이 아프며, 팔다리가 쑤시고 한기가 나는 증상에 사용한다.

• 강활유풍탕(羌活愈風湯) : 창출(蒼朮)·석고(石膏)·생지황(生地黃) 각 2.4g, 강활(羌活)·방풍(防風)·당귀(當歸)·만형자(蔓荊子)·천궁(川芎), 세신(細辛)·황기(黃芪)·지실(枳實)·인삼(人蔘)·마황(麻黃)·백지(白芷)·감국(甘菊)·박하(薄荷)·구기자(枸杞子)·시호(柴胡)·지모(知母)·독활(獨活)·두충(杜仲)·진교(秦艽)·황금(黃芩)·작약(芍藥)·감초(甘草) 각 1.6g, 육계(肉桂) 0.8g, 생강(生薑) 3쪽(「동의보감(東醫寶鑑)」). 손발이 뻣뻣하고 감각이 둔해지며 팔다리에 힘이 없고 가슴이 답답하며 가래가 끓는 증상에 사용한다.

• 연교패독산(連翹敗毒散) : 연교(連翹)·강활(羌活)·독활(獨活)·시호(柴胡)·전호(前胡)·길경(桔梗)·천궁(川芎)·복령(茯苓)·금은화(金銀花)·지실(枳實)·방풍(防風)·형개(荊芥)·박하(薄荷)·감초(甘草) 각 3g, 생강(生薑) 3쪽(「동의보감(東醫寶鑑)」). 오슬오슬 춥고 열이 날 뿐만 아니라 두통이 있는 증상에 사용한다.

＊ 중국약전(CP)에는 본 종 이외에 '관엽강활(寬葉羌活) *N. forbesii*'의 뿌리도 강활(羌活)의 기원 식물로 수재되어 있다.

❶ 강활

❶ 강활(羌活)

❶ 강활(뿌리)

❶ 강활(羌活) 분말. 두통, 근육통에 사용된다.

[미나리과]

미나리

감기 · 번갈 · 황달 · 수종 · 대하 · 나력 · 류머티즘, 신경통

●학명 : *Oenanthe javanica* (Bl.) DC. ●별명 : 잔잎미나리

1 2 3 4 5 6 7 8 9 10 11 12

❶ 미나리

여러해살이풀. 높이 30cm 정도. 잎은 어긋난다. 꽃은 백색, 7~9월에 원줄기 끝에서 겹산형화서로 잎과 마주나고, 5~15개의 소산경으로 갈라지며, 각각 10~25개가 달린다. 소총포는 6개 정도, 선형이며 길이 2mm 정도, 작은 꽃줄기는 길이 2~5mm이다. 열매는 타원상 구형이다.

분포 · 생육지 우리나라 전역. 습지 또는 냇가에서 자라며, 논에서 재배한다.

약용 부위 · 수치 전초를 가을부터 겨울까지 채취하여 씻은 뒤 썰어서 말린다.

약물명 수근(水芹), 초규(楚葵), 수영(水英), 근채(芹菜), 수근채(水芹菜)라고도 한다.

본초서 「동의보감(東醫寶鑑)」에 수근(水芹)은 "가슴이 답답하고 입이 마르며 갈증이 나는 것을 풀어 준다. 정신을 맑게 하고 정기를 보하며 살을 찌게 하고 건강하게 한다. 술을 마신 뒤에 생긴 주독을 풀어 주고 대소변을 잘 나오게 한다. 여자들의 자궁에서 분비물이 나오는 것과 어린아이가 갑자기 열이 나는 것을 낫게 한다."고 하였다.

東醫寶鑑: 止煩渴 養神益精 令人肥健 治酒後熱毒 利大小腸 療女子崩中帶下 小兒暴熱.

성분 coumarin, umbelliferone, behenic acid, lignoceric acid, montanic acid, camphene, isorhamnetin, eugenol, cavacrol, persicarin 등이 함유되어 있다.

약리 쥐에게 사염화탄소로 간 독성을 일으킨 뒤 열수추출물을 주사하면 보간(保肝) 작용이 나타난다. 쥐에게 열수추출물을 주사하면 강심 작용이 있고, 토끼에게 주사하면 혈중 콜레스테롤 함량을 낮추어 준다. isorhamnetin과 persicarin은 항산화 작용이 있다. isorhamnetin은 쥐의 hepatic stellate cell(HSC)의 증가로 간 보호 작용이 있고, 콜라겐(collagen)의 생산을 억제하는 작용이 있다.

기미 · 귀경 양(凉), 신(辛), 감(甘) · 폐(肺), 간(肝), 방광(膀胱).

약효 청열해독(淸熱解毒), 이수(利水), 지혈의 효능이 있으므로 감기, 번갈(煩渴), 황달, 수종(水腫), 대하, 나력(瘰癧), 류머티즘, 신경통을 치료한다.

사용법 수근 30g에 물 4컵(800mL)을 넣고 달여서 복용하거나 생것의 즙액을 복용한다.

❶ 수근(水芹)

❶ 수근(水芹, 신선품)

❶ 미나리(열매)

❶ 미나리(종자)

[미나리과]

긴사상자

만성이질, 소화불량 · 신염수종 · 야맹증

●학명 : *Osmorhiza aristata* (Thunb.) Makino et Yabe [*O. amurensis*, *Chaerophyllum aristatum*] ●한자명 : 香根芹, 野胡蘿蔔

1 2 3 4 5 6 7 8 9 10 11 12

여러해살이풀. 높이 40~60cm. 뿌리잎은 2~3회 깃꼴겹잎, 줄기잎은 잎자루가 없다. 꽃은 백색, 5~6월에 산형화서로 피며, 화서는 2~3개이다. 총포편은 바늘 모양, 소산경은 3~6개, 5~10개의 꽃이 달리며, 소총포는 5~6개이다. 열매는 바늘 모양, 굳센 복모가 있다.

분포 · 생육지 우리나라 전역. 중국, 일본, 타이완, 시베리아, 인도. 산 숲속에서 자란다.

약용 부위 · 수치 열매를 여름에, 뿌리는 가을에 채취하여 잔뿌리는 제거하고 씻어서 말린다.

약물명 열매를 향근근과(香根芹果), 뿌리를 향근근근(香根芹根)이라 한다.

약효 향근근과(香根芹果)는 지리(止痢), 이뇨의 효능이 있으므로 만성이질, 신염수종(腎炎水腫)을 치료한다. 향근근근(香根芹根)은 건비소식(健脾消食), 양간명목(養肝明目)의 효능이 있으므로 소화불량, 야맹증을 치료한다.

사용법 향근근과는 7g에 물 2컵(400mL)을, 향근근근은 15g에 물 3컵(600mL)을 넣고 달여서 복용한다.

❶ 긴사상자

❶ 향근근근(香根芹根)

❶ 긴사상자(지하부)

[미나리과]

신감채

 비허설사　　 허한해수

● 학명 : *Ostericum grosseserratum* (Maxim.) Kitagawa [*Angelica grosseratum, A. mongolica, A. koreana*]　● 한자명 : 大齒山芹

| 1 | 2 | 3 | 4 | 5 | 6 | 7 | 8 | 9 | 10 | 11 | 12 |

여러해살이풀. 높이 1.3m 정도. 줄기는 곧게 서고 위에서 가지가 갈라진다. 뿌리잎과 줄기 밑부분의 잎은 잎자루가 길고 3출겹잎이다. 꽃은 8월에 줄기 끝이나 가지 끝에 달리며, 꽃잎은 백색이다. 소산경은 10개 정도, 총포편은 선형이다. 분과는 5개의 능선과 날개가 있다.

분포 · 생육지 우리나라 전역. 중국, 우수리. 산골짜기에서 자란다.

약용 부위 · 수치 뿌리를 가을에 채취하여 물에 씻은 후 썰어서 말린다.

약물명 산수근채(山水芹菜)

약효 보중건비(補中健脾), 온폐지해(溫肺止咳)의 효능이 있으므로 비허설사(脾虛泄瀉), 허한해수(虛寒咳嗽)를 치료한다.

성분 isoscopoletin, imperatorin, isoimperatorin, angelikoreanol, osthol, ferulic acid, myristic acid, palmitic acid, octoic aicid 등이 함유되어 있다.

약리 isoimperatorin, osthol, imperatorin 등은 cytochrome P-450 활성을 억제함으로써 과산화 지질을 방지한다.

사용법 산수근채 5g에 물 2컵(400mL)을 넣고 달여서 복용한다.

✿ 신감채(열매)

✿ 신감채

[미나리과]

묏미나리

 유옹　　 창종

감모두통　　풍습비통, 요슬산통

● 학명 : *Ostericum sieboldii* (Miq.) Nakai [*Peucedanum sieboldii, Angelica miqueliana*]
● 한자명 : 山芹　● 별명 : 멧미나리

| 1 | 2 | 3 | 4 | 5 | 6 | 7 | 8 | 9 | 10 | 11 | 12 |

여러해살이풀. 높이 1m 정도. 줄기는 곧게 서고, 뿌리잎과 줄기 밑부분의 잎은 잎자루가 길고 3출겹잎이다. 꽃은 백색, 8월에 겹산형화서로 달린다. 소산경은 5~8개 정도, 총포편은 없거나 1~2개이다. 분과는 능선과 날개가 있고 끝은 튀어나오고 밑은 들어간다.

분포 · 생육지 우리나라 전역. 중국, 우수리. 산골짜기에서 자란다.

약용 부위 · 수치 지상부는 채취하여 물에 씻어서 사용하고, 뿌리는 여름부터 가을에 채취하여 물에 씻은 후 썰어서 말린다.

약물명 지상부를 산근(山芹), 뿌리를 산근근(山芹根)이라 한다.

약효 산근(山芹)은 해독소종(解毒消腫)의 효능이 있으므로 유옹(乳癰), 창종(瘡腫)을 치료한다. 산근근(山芹根)은 발표산풍(發表散風), 거습지통(祛濕止痛)의 효능이 있으므로 감모두통, 풍습비통, 요슬산통(腰膝酸痛)을 치료한다.

사용법 산근은 짓찧어 환부에 붙이고 붕대로 싸맨다. 산근근은 7g에 물 2컵(400mL)을 넣고 달여서 복용한다.

✿ 산근근(山芹根)

✿ 묏미나리

[미나리과]

한강활

 외감풍한, 두통무한　 풍한습비

풍수부종　창양종독

● 학명 : *Ostericum praeteritum* Kitagawa [*O. koreanum, Angelica reflexa*]
● 별명 : 토강활

1	2	3	4	5	6	7	8	9	10	11	12

여러해살이풀. 높이 2m 정도. 줄기는 곧게 서고 전체에 털이 없다. 잎은 어긋나고 2회 3출 깃꼴겹잎이다. 꽃은 백색, 8~9월에 10~30개의 소산경에 많은 수가 달리며 총포는 1~2개, 바늘 모양이고, 소총포는 5~7개, 선형이다. 분과에 날개가 있다.

분포·생육지 우리나라 강원도 설악산, 태기산, 오대산, 계방산, 경북 팔공산, 전남 지리산. 산골짜기에서 자란다. 약용하는 것은 연천, 삼척, 홍천 등지에서 재배한 것이다.

약용 부위·수치 뿌리를 가을에 채취하여 외피를 벗겨 내고 물에 가볍게 적신 뒤 썰어서 향기가 날아가지 않도록 그늘에서 말려 사용하거나, 초에 담갔다가 불에 볶거나 또는 외(煨)하여 사용한다.

약물명 한강활(韓羌活). 강활(羌活)이라고 도 한다. 대한민국약전(KP)에 수재되어 있다.

본초서 「동의보감(東醫寶鑑)」에 한강활은 "수족태양과 족궐음 또는 족소음경과 표리가 되며, 약 기운을 들어가게 하는 약이다. 몸속의 기운이 어지러운 것을 바로잡아 원기를 회복하는 데 주로 쓴다. 강활은 통하지 않는 곳이 없고 들어가지 못하는 곳이 없다. 따라서 온몸의 뼈마디가 아플 때는 강활만한 것이 없다."고 하였다.

東醫寶鑑 「羌活乃手足太陽足厥陰 少陰表裏 引經之藥也. 撥亂反正之主 大無不通 小無 不入 故一身百節痛 非此不能治.

성상 방추형의 원뿌리에 여러 개의 곁뿌리가 붙어 있으며 길이 15~25cm, 지름 2~3cm이다. 표면은 황갈색~갈색이며 세로 주름이 많고 군데군데 잔뿌리 자국이 있다. 횡단면의 피부는 엷은 황색이고, 목부는 황색이며 갈색의 형성층이 뚜렷하다. 특이한 냄새가 있고, 맛은 처음에는 달고 시원하며 후에는 조금 쓰다.

기미·귀경 신(辛), 고(苦), 온(溫)·신(腎), 방광(膀胱).

약효 산표한(散表寒), 거풍습(祛風濕), 이관절(利關節), 지통(止痛)의 효능이 있으므로 외감풍한(外感風寒), 두통무한(頭痛無汗), 풍한습비(風寒濕痺), 풍수부종(風水浮腫), 창양종독(瘡瘍腫毒)을 치료한다.

성분 isoimperatorin, osthol, imperatorin, oxypeucedanin, prangolarine, bergapten 등이 함유되어 있다.

약리 isoimperatorin, osthol, imperatorin, oxypeucedanin 등은 cytochrome P-450 활성을 억제함으로써 과산화 지질을 방지한다. 벤젠추출물은 항균 효과, 진통, 항염증 효과가 있다.

사용법 한강활 5g에 물 2컵(400mL)을 넣고 달여서 복용하거나 술에 담가서 복용한다.

주의 본 약물은 기미(氣味)가 농열(濃烈)하여 과량을 응용하면 구토가 발생하므로 주의하고, 혈허비통(血虛痺痛)한 사람은 복용하지 말아야 한다.

＊ 한강활(韓羌活)에는 북강활(北羌活)과 남강활(南羌活)이 있으나 염색체 수가 다른 것으로 보아 기원 식물이 다른 것으로 생각된다. 중국에서는 강활(羌活)의 기원 식물이 'Notopterygium incisum(羌活, 細葉羌活)'과, 'N. forbesii(寬葉羌活)'이다.

❶ 한강활

❶ 한강활, 강활, 천궁, 인삼 등이 배합된 백치산(百治散)

❶ 한강활(韓羌活)

❶ 한강활(뿌리)

❶ 한강활(열매)

❶ 한강활(韓羌活, 절편)

[미나리과]

파슬리

소화불량, 변비　소변불리
피부가려움증, 두드러기

● 학명 : *Petroselinum crispum* Nym ex Hill [*Apium petroselinum* L.]　● 영명 : Parsley

| 1 | 2 | 3 | 4 | 5 | 6 | 7 | 8 | 9 | 10 | 11 | 12 |

두해살이풀. 높이 70~100cm. 전체가 녹색을 띠며 뿌리는 굵고, 뿌리잎은 3출겹잎으로 잎자루가 있다. 작은 잎몸은 2~3회 깊게 갈라지고, 열편은 입체적으로 배치된다. 줄기잎은 위로 갈수록 작아지며 봄에 줄기가 곧게 자란다. 꽃은 황색, 복산형화서로 작은 꽃이 핀다. 열매는 달걀 모양으로 작다.

분포 · 생육지 유럽과 서아시아 원산. 우리나라 전역에서 재배한다.

약용 부위 · 수치 전초를 여름에 채취하여 말리거나 생것을 사용한다.

약물명 Petriselini Herba

약효 위장병과 세뇨관 질환, 피부 질환에 효능이 있으므로 소화불량, 소변불리, 피부가려움증, 두드러기를 치료한다. 최근에는 변비, 이뇨장애, 비만 치료에도 많이 이용한다.

성분 apiol, myristicin, allyltetramethoxybenzol, apiin, bergapten, oxypeucedanin, psoralen 등이 함유되어 있다.

약리 에탄올추출물은 동물 실험에서 이뇨 작용이 있다. myristicin을 과량 복용하면

흥분 작용과 환각 작용이 있다.

사용법 Petriselini Herba 3g을 뜨거운 물에 우려내어 복용하거나 물 3컵(600mL)을 넣고 달여서 복용한다.

❍ 파슬리(열매)

❍ 파슬리

[미나리과]

바디나물

외감풍열　폐열담욱
구역　흉격만민

● 학명 : *Peucedanum decursivum* Max. [*Angelica decursiva*]
● 한자명 : 紫花前胡　● 별명 : 사약채

| 1 | 2 | 3 | 4 | 5 | 6 | 7 | 8 | 9 | 10 | 11 | 12 |

여러해살이풀. 높이 80~150cm. 뿌리줄기는 짧고 뿌리는 굵다. 줄기는 곧게 서고, 잎은 어긋나고 깃꼴, 작은잎은 3~5개이고 다시 갈라진다. 꽃은 짙은 자주색, 8~9월에 긴 꽃줄기 끝에 복산형화서로 20~30개가 달린다. 열매는 타원형, 길이 5mm 정도, 4~6개의 유관이 있다.

분포 · 생육지 우리나라 전역. 일본, 중국 둥베이(東北) 지방, 중국, 타이완, 인도차이나. 산과 들에서 자란다.

약용 부위 · 수치 뿌리를 가을에 채취하여 흙과 먼지를 털어서 말린다.

약물명 전호(前胡). 자화전호(紫花前胡)라고도 한다. 대한민국약전외한약(생약)규격집(KHP)에 수재되어 있다.

본초서 전호(前胡)는 「명의별록(名醫別錄)」의 중품(中品)에 "상한(傷寒)의 한열(寒熱)을 치료하고 신진대사를 왕성하게 하며 눈을 밝게 하고 정(精)을 돕는 약물이다."라고 기록되어 있다. 「본초강목(本草綱目)」에는

"전호(前胡)는 시호(柴胡)보다 싹이 먼저 나오므로 붙인 이름이며 여러 종이 있다."고 하였다.
名醫別錄 : 主療痰滿, 胸脇中痞, 心腹結氣, 風頭痛, 祛痰實, 下氣, 治傷寒風熱, 推陳致新, 明目益精.
藥性論 : 能去熱實, 下氣, 主時氣, 內外俱熱.
本草綱目 : 淸肺熱, 化痰熱, 散風邪.

성상 뿌리는 방추형으로 근두부(根頭部)에는 줄기와 엽초가 남아 있는 것도 있다. 길이 3~10cm, 지름 7~15mm로 표면은 회흑색~흑갈색이며, 위쪽에는 가로 주름 및 뿌리 자국이 있다. 꺾은 면은 회백색이며 평탄하나 속이 엉성한 것도 있다. 특이한 방향이 있고 맛은 조금 쓰다. 표면이 흑갈색이고 안쪽은 유백색으로 충실하며 유점(油點)이 많고 길이 5cm, 지름 10mm 이상인 것이 좋다.

기미 · 귀경 미한(微寒), 고(苦), 신(辛) · 폐(肺), 비(脾), 간(肝)

약효 소산풍열(疎散風熱), 강기화담(降氣化痰)의 효능이 있으므로 외감풍열(外感風熱), 폐열담욱(肺熱痰郁), 구역(嘔逆), 흉격만민(胸隔滿悶)을 치료한다.

성분 podophyllotoxin, angeloylpodophyllotoxin, deoxypodophyllotoxin, morelensin, yatein, 7-phydroxyyatein, anhydropodorhizol, 7-hydroxyanhydropodorhizol, arctigenin, dimethylmatariresinol, bursehernin, dimethylthujaplicatin, falcarindiol, amomalin, praeruptorin A, B, C, E, acetylangeloylkhellactone, acetyltigloylkhellactone, 3′-angeloyl-4-acetoxy-*cis*-khellactone, 3′-angleoyloxy-4′-acetoxy-3′, 4′-dihydroseselin, puepraerin I, II, nodakenin, nodakenetin, umbelliferone, umbelliferone 6-carboxylic acid 등이 함유되어 있다.

약리 angeloylpodophyllotoxin, deoxypodophyllotoxin, morelensin, falcarindiol은 여러 종의 암세포에 세포 독성이 있다. 3′-angeloyl-4-acetoxy-*cis*-khellactone은 항암제에 다제내성(MDR)을 보이는 세포주 항암제의 감수성을 회복시키며, human leukemic HL60의 세포 분화를 유도한다. 3′-angeloyloxy-4′-acetoxy-3′, 4′-dihydroseselin은 마취한 개의 일시적인 허혈로 인한 심근 기능 이상을 호전시킨

다. acetylangeloylkhellactone, acetyltigloylkhellactone은 평활근의 수축을 억제하고 동맥으로 혈류량을 증가시킨다. praeruptorin C는 돼지의 관상 동맥을 이완하고, 기니피그의 왼쪽 심방의 수축력을 줄인다. praeruptorin A, B와 같은 khellactone 성분들은 혈소판 응집 인자에 의한 혈소판 응집을 억제하며, histamine이나 leukotriene D에 의한 회장(回腸)의 수축을 억제한다. 기타 작용으로는 백화전호(白花前胡)와 자화전호(紫花前胡)에서 분리한 coumarin 성분들은 칼슘 이온의 유입을 저해함으로써 concanavalin A로 유도한 mast cell로부터 과민 반응 매개 인자의 유리를 억제한다. deoxypodophyllotoxin은 UV에 의한 피부 색소 침착을 억제한다. 열수추출물은 만성위염 환자의 증상을 개선하며, 위기능 저하에 의한 흉협고만(胸脇苦滿)이나 심하비경(心下痞硬)과 같은 증상에 효과가 있다. 70%에탄올추출물은 ICR 수컷 흰쥐의 위장관 운동을 촉진한다. umbelliferone 6-carboxylic acid는 항산화 작용과 소염 작용이 있다.

사용법 전호 10g에 물 3컵(600mL)을 넣고 달여서 복용하거나 환약으로 복용한다. 술에 담가서 복용하면 편리하고, 외용에는 짓찧어 바른다.

처방 전호탕(前胡湯): 전호(前胡)·맥문동(麥門冬)·인삼(人蔘)·죽여(竹茹)·작약(芍藥)·모려(牡蠣)·반하(半夏) 각 4g (「향약집성방(鄕藥集成方)」). 위기(胃氣)가 치밀어 게우면서 음식을 먹지 못하는 데 사용한다.

•전호반하탕(前胡半夏湯): 전호(前胡)·반하(半夏)·복령(茯苓) 각 4g, 모려(牡蠣)·소엽(蘇葉)·지실(枳實) 각 2.8g, 목향(木香)·감초(甘草) 각 2g, 생강(生薑) 5쪽, 매실(梅實) 1개 (「동의보감(東醫寶鑑)」). 열이 나면서 기침을 하고 기침할 때 가슴이 아프며 가래가 끓고 가슴이 답답하면서 숨이 차며 메스꺼운 데 사용한다.

•인삼패독산(人蔘敗毒散): 인삼(人蔘)·시호(柴胡)·전호(前胡)·강활(羌活)·독활(獨活)·지각(枳殼)·길경(桔梗)·천궁(川芎)·복령(茯苓)·감초(甘草) 각 4g, 생강(生薑) 3쪽, 박하(薄荷) 약간 (「동의보감(東醫寶鑑)」). 풍한으로 열이 나며 목덜미가 뻣뻣하고 머리와 온몸이 아프며 코가 막히고 기침이 나는 증상에 사용한다.

•궁소산(芎蘇散): 전호(前胡)·황금(黃芩)·맥문동(麥門冬) 각 4g, 천궁(川芎)·진피(陳皮)·작약(芍藥)·백출(白朮) 각 3.2g, 소엽(蘇葉) 2.4g, 갈근(葛根) 2g, 감초(甘草) 1.2g (「동의보감(東醫寶鑑)」). 임신부가 감기로 두통이 있으며 춥고 열이 나면서 기침을 하는 증상에 사용한다.

※ 중국에서는 '백화전호(白花前胡) *P. praeruptorum*'와 본 종의 뿌리를 전호(前胡)의 기원으로 하고 있다. '백화전호'는 중국 쓰촨성(四川省), 저장성(浙江省), 후난성(湖南省), 후베이성(湖北省) 등에서 생산된다.

◐ 전호(前胡, 신선품)

◐ 바디나물(열매)

◐ 전호(前胡)

◐ 전호(前胡, 절편)

◐ 바디나물(개화기)

◐ 바디나물(과숙기)

◐ 바디나물(꽃)

◐ 바디나물(뿌리)

◐ 전호(前胡), 인삼, 반하 등이 배합된 삼소음(蔘蘇飮)

[미나리과]

갯기름나물

외감풍한, 두통　파상풍
수근경직, 풍한습비, 골절산통

● 학명 : *Peucedanum japonicum* Thunb.
● 한자명 : 伏地卷柏　● 별명 : 미역방풍, 목단방풍, 개기름나물

| 1 | 2 | 3 | 4 | 5 | 6 | 7 | 8 | 9 | 10 | 11 | 12 |

여러해살이풀. 높이 60~100cm. 뿌리는 굵고 줄기는 곧게 서며 가지가 갈라진다. 잎은 어긋나고 2~3회 깃꼴겹잎이다. 꽃은 백색, 6~8월에 피며 화서는 10~20개의 소산경으로 갈라져서 끝에 각각 20~30개가 달린다. 분과는 납작한 달걀 모양, 유관은 8개이다.

분포 · 생육지 우리나라 제주도, 전남북, 경남북. 일본, 타이완, 필리핀. 바닷가에서 자란다.

약용 부위 · 수치 뿌리를 봄, 가을에 채취하여 물에 씻은 후 썰어서 말린다.

약물명 식방풍(植防風). 목방풍(牧防風), 또는 모방풍(牡防風)이라고도 한다. 중국에서는 빈해전호(濱海前胡)라 한다. 대한민국약전외한약(생약)규격집(KHP)에 수재되어 있다.

성상 원추형~방추형을 이루고 곁뿌리가 2~4개 달려 있고 길이 5~15cm, 지름 1~3cm이다. 표면은 회황색~회갈색이며 드문드문 길이 3~5mm의 적갈색 피목이 세로로 있고 근두부(根頭部)에 오목한 줄기 자국이 있으며 거친 세로 주름과 잔뿌리 자국이 있다. 특이한 향기가 있고 맛은 부드

럽고 조금 쓰다.

기미 · 귀경 한(寒), 신(辛), 소독(小毒) · 폐(肺), 방광(膀胱)

약효 발표(發表), 거풍(祛風), 승습(勝濕), 지통(止痛)의 효능이 있으므로 외감풍한(外感風寒), 두통, 수근경직(首筋硬直), 풍한습비(風寒濕痺), 골절산통(骨節酸痛), 사지급통련급(四肢急痛攣急), 파상풍(破傷風)을 치료한다.

성분 peucedanum, umbelliferone, samidin, peujaponicin, visnadin, khellactone, diosmine, bergapton 등이 함유되어 있다.

사용법 식방풍 10g에 물 3컵(600mL)을 넣고 달여서 복용하고, 외용에는 가루 내어 바른다.

❍ 꽃　❍ 갯기름나물

❍ 갯기름나물(2년생)　❍ 갯기름나물(4년생)

❍ 갯기름나물(열매)

❍ 식방풍(植防風)으로 만든 건강 음료

❍ 식방풍(植防風, 절편)　❍ 식방풍(植防風)

[미나리과]

약기름나물

소변불리　열감기
괴혈병　생리불순

● 학명 : *Peucedanum officinale* L. [*P. stenocarpum*]　● 영명 : Hog's fennel, Sulphurweed

| 1 | 2 | 3 | 4 | 5 | 6 | 7 | 8 | 9 | 10 | 11 | 12 |

❍ 약기름나물(잎)

여러해살이풀. 높이 2m 정도. 줄기는 곧게 서고 희미한 능선이 있으며 털이 없고 위에서 가지가 갈라진다. 잎은 어긋나고 깃꼴겹잎, 열편은 매우 가늘다. 잎자루는 길고 붉은색이 돈다. 꽃은 녹황색, 6~7월에 긴 꽃줄기 끝에 겹산형화서에 핀다.

분포 · 생육지 독일, 영국, 프랑스, 지중해 연안. 산과 들에서 자란다.

약용 부위 · 수치 뿌리를 가을에 채취하여 물에 씻어서 적당한 크기로 잘라서 말린다.

약물명 Hog's fennel, Sulphurweed라고도 한다.

약효 이뇨, 발한, 소염의 효능이 있으므로 소변불리, 열감기, 괴혈병, 생리불순을 치료한다.

사용법 Hog's fennel 10g에 물 3컵(600mL)을 넣고 달여서 복용하고, 외용에는 가루 내어 바른다.

❍ 약기름나물

[미나리과]
백화전호

외감풍열　폐열담욱
구역　흉격만민

● 학명 : *Peucedanum praeruptorum* Max.　● 한자명 : 白花前胡

| 1 | 2 | 3 | 4 | 5 | 6 | 7 | 8 | 9 | 10 | 11 | 12 |

여러해살이풀. 높이 60~100cm. 뿌리줄기는 원추형이고, 약간의 곁뿌리가 있다. 줄기는 곧게 서고 능선이 있으며 위에서 가지가 갈라진다. 잎은 어긋나고 깃 모양, 작은잎은 3출엽이나 2~3회 깃꼴로 갈라진다. 꽃은 백색, 7~9월에 긴 꽃줄기 끝에 복산형화서로 달린다. 열매는 타원형, 길이 4mm 정도, 6~10개의 유관이 있다.
분포 · 생육지 중국 쓰촨성(四川省), 저장성

(浙江省), 후난성(湖南省), 후베이성(湖北省). 산과 들에서 자란다.
약용 부위 · 수치 뿌리를 가을에 채취하여 흙과 먼지를 털어서 말린다.
약물명 전호(前胡). 백화전호(白花前胡)라고도 한다.
성분 *dl*-praeruptorin A, angeloyloxy-4′-isovaleryloxy-3′,4′-dihydroseselin, pteryxin, peucedanocoumarin I~III,

quanhucoumarin A, psoralen, 8-methoxy-psoralen, 5-methoxypsoralen, nodakenin, hamaudol, peucedanol, marmesinin, skimmin, rutarin, isorutarin, apiosylskimmin, decuroside, daucosterol 등이 함유되어 있다.
약리 에탄올추출물을 기니피그, 토끼에 투여하면 소장이나 심근의 수축을 억제한다. psoralen은 COX-1, hamaudol은 COX-1과 COX-2의 활성을 억제한다.
* 기타 사항은 '바디나물 *P. decursivum*'과 같다.

♠ 전호(前胡, 절편)

♠ 전호(前胡)

♠ 백화전호(뿌리)

♠ 백화전호(꽃)

♠ 백화전호(잎)

♠ 백화전호(열매)

♠ 백화전호

[미나리과]
기름나물

감기, 해수, 천식　두풍현통
흉협창만

● 학명 : *Peucedanum terebinthaceum* Fisch.
● 한자명 : 石防風　● 별명 : 두메기름나물, 참기름나물, 두메방풍, 산기름나물

| 1 | 2 | 3 | 4 | 5 | 6 | 7 | 8 | 9 | 10 | 11 | 12 |

세해살이풀. 높이 30~90cm. 뿌리줄기가 짧고, 줄기는 곧게 서며 적자색이 돈다. 잎은 어긋나며 2회 3출겹잎이다. 꽃은 백색, 7~9월에 피며 소산경은 10~15개, 길이 1~2.5cm, 20~30개가 달린다. 열매는 편평한 달걀 모양, 뒷면의 능선이 가늘며 가장자리가 좁은 날개 모양이다.
분포 · 생육지 우리나라 전역. 일본, 중국 둥베이(東北) 지방, 아무르, 동시베리아. 산골짜기에서 자란다.
약용 부위 · 수치 뿌리를 가을에 채취하여 물에 씻어서 적당한 크기로 잘라서 말린다.
약물명 석방풍(石防風)
기미 · 귀경 미한(微寒), 고(苦), 신(辛) · 폐(肺), 간(肝)
약효 산풍청열(散風淸熱), 강기거담(降氣祛痰)의 효능이 있으므로 감기, 해수(咳嗽),

두풍현통(頭風眩痛), 흉협창만(胸脇脹滿), 천식을 치료한다.
성분 뿌리와 열매에는 marmesin과 nodakenin 등이 함유되어 있다.
사용법 석방풍 10g에 물 3컵(600mL)을 넣고 달여서 복용한다.

♠ 석방풍(石防風)

♠ 기름나물(열매)

♠ 기름나물

[미나리과]

아니스

 감기, 해수　　 소화불량

●학명 : *Pimpinella anisum* L.　●영명 : Anis

| 1 | 2 | 3 | 4 | 5 | 6 | 7 | 8 | 9 | 10 | 11 | 12 |

여러해살이풀. 높이 30~50cm. 뿌리줄기는 짧고, 줄기는 곧게 선다. 뿌리잎은 약간 둥근 삼각형이고, 줄기잎은 가늘게 많이 갈라진다. 꽃은 백색, 줄기 끝이 몇 개로 나누어져 복산형화서를 이루며 작은 꽃이 달린다. 열매는 편평한 타원상 구형, 길이 5mm 정도, 갈색으로 익는다.

분포·생육지 지중해, 이집트 원산. 우리나라 식물원이나 약초원에서 재배한다.

약용 부위·수치 열매를 가을에 채취하여 말린다.

약물명 Pimpinellae Fructus. 일반적으로 Anis라 한다.

약효 거담(祛痰), 구풍(驅風)의 효능이 있으므로 감기, 해수(咳嗽), 소화불량을 치료한다.

성분 anethol, methylchavicol, anisaldehyde, anisic acid 등이 함유되어 있다.

약리 anethol은 기관지 상피의 섬모 운동을 촉진시켜 거담 작용을 나타내고, 항경련, 항균 작용이 있다.

사용법 Pimpinellae Fructus 2~3g을 뜨거운 물에 우려내어 복용한다.

❶ Pimpinellae Fructus

❶ 아니스 정유. 거담, 해수 등에 사용된다.

❶ 아니스(열매)　　❶ 아니스

[미나리과]

왜우산풀

 외감발열　　 대하

 독사교상

●학명 : *Pleurospermum camtschaticum* Hoffman　●별명 : 누룩치, 누리대, 왜우산나물

| 1 | 2 | 3 | 4 | 5 | 6 | 7 | 8 | 9 | 10 | 11 | 12 |

여러해살이풀. 높이 1m 정도. 뿌리줄기가 짧고, 줄기는 곧게 선다. 잎은 어긋나며 2회 3출겹잎이다. 꽃은 백색, 7~9월에 겹산형화서로 달리며, 총포편과 소총포편이 매우 크다. 소산경은 10~15개, 20~30개의 꽃이 달린다. 분과는 달걀 모양, 능선에 작은 톱니가 있다.

분포·생육지 우리나라 전역. 중국, 일본, 아무르, 동시베리아. 산과 들에서 자란다.

약용 부위·수치 지상부(잎과 줄기)와 뿌리를 여름에 채취하여 적당한 크기로 잘라서 말린다.

약물명 지상부를 능자근(棱子芹), 뿌리를 능자근근(棱子芹根)이라 한다.

약효 능자근(棱子芹)은 청열해독(淸熱解毒)의 효능이 있으므로 외감발열(外感發熱), 약물과 음식물 중독을 치료한다. 능자근근(棱子芹根)은 조습지대(燥濕止帶)의 효능이 있으므로 대하, 독사교상(毒蛇咬傷)을 치료한다.

사용법 능자근 또는 능자근근 10g에 물 3컵(600mL)을 넣고 달여서 복용한다.

❶ 왜우산풀(열매)

❶ 왜우산풀(뿌리)

❶ 왜우산풀

[미나리과]

참반디

인후통　해수　월경과다
요혈　창옹종독

●학명 : *Sanicula chinensis* Bunge　●한자명 : 變豆菜　●별명 : 참바디, 참바디

1　2　3　4　5　6　7　8　9　10　11　12

여러해살이풀. 50~100cm. 줄기는 곧게 자라며 뿌리가 짧다. 뿌리잎은 밑부분까지 3개로 갈라지며 옆의 것은 다시 2개로 갈라진다. 줄기잎은 어긋나고, 잎자루가 짧다. 꽃은 녹황색, 7월에 피고 복산형화서로 달린다. 분과는 2~4개씩 달리고 달걀 모양, 겉에 가시가 있다.

분포 · 생육지 우리나라 전역. 중국, 일본. 산지의 나무 그늘에서 자란다.

약용 부위 · 수치 뿌리를 여름이나 가을에 채취하여 물에 씻은 후 썰어서 말린다.

약물명 변두채(變豆菜), 산근채(山芹菜), 산근(山芹), 압각판(鴨脚板), 남포정(藍布正)이라고도 한다.

약효 해독, 지혈의 효능이 있으므로 인후통, 해수(咳嗽), 월경과다, 요혈(尿血), 창옹종독(瘡癰腫毒)을 치료한다.

사용법 변두채 10g에 물 3컵(600mL)을 넣고 달여서 복용하고, 창옹종독에는 짓찧어 환부에 붙이고 붕대로 싸맨다.

○ 참반디

[미나리과]

유럽반디

인후통, 치은염　설사
치질　화상

●학명 : *Sanicula europaea* L.　●영명 : Sanicle, Wood sanicle

1　2　3　4　5　6　7　8　9　10　11　12

○ 유럽반디(전초)

여러해살이풀. 줄기는 곧게 자라며 뿌리가 짧다. 뿌리잎은 원형이나 5개로 깊게 갈라진다. 꽃은 백색, 7월에 줄기 끝에 산형화서로 달린다. 분과는 달걀 모양, 겉에 가시가 있다.

분포 · 생육지 유럽, 아시아, 아프리카. 산지의 나무 그늘에서 자란다.

약용 부위 · 수치 여름이나 가을에 전초를 채취하여 물에 씻은 후 썰어서 말린다.

약물명 Saniculae Herba. 일반적으로 Sanicle 이라 한다.

약효 소염의 효능이 있으므로 인후통, 치은염, 설사, 치질, 화상을 치료한다.

사용법 Saniculae Herba 1g을 뜨거운 물로 우려내어 복용한다.

○ 유럽반디로 만든 인후통,
　치은염, 치질 치료제

○ 유럽반디

[미나리과]

붉은참반디

○ 소변불리

- ●학명 : *Sanicula rubriflora* Fr. Schmidt
- ●한자명 : 紅花變豆菜 ●별명 : 붉은참바딕, 붉은참바디

| 1 | 2 | 3 | 4 | 5 | 6 | 7 | 8 | 9 | 10 | 11 | 12 |

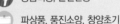

○ 계조근(鷄爪芹)

여러해살이풀. 50~100cm. 곧게 자라며 뿌리가 짧고 굵다. 뿌리잎은 밑부분까지 3개로 갈라지며, 줄기잎은 마주나고, 잎자루 밑부분이 넓어져서 원줄기를 감싼다. 꽃은 붉은색, 7월에 핀다. 열매는 달걀 모양으로 갈고리 같은 가시가 있다.

분포·생육지 우리나라 전역. 중국, 일본. 산지의 나무 그늘에서 자란다.

약용 부위·수치 뿌리를 여름이나 가을에 채취하여 물에 씻은 후 썰어서 말린다.

약물명 계조근(鷄爪芹)

약효 이뇨의 효능이 있으므로 소변불리를 치료한다.

사용법 계조근 10g에 물 3컵(600mL)을 넣고 달여서 복용한다.

○ 붉은참반디

[미나리과]

방풍

○ 외감풍한, 두통신통 · 풍습비통, 골절산통
○ 복통설사, 장풍하혈 · 파상풍, 풍진소양, 창양초기

- ●학명 : *Saposhnikovia divaricata* (Turcz.) Schischk. [*Ledebouriella seseloides*]
- ●별명 : 원방풍 ●영명 : Siler

| 1 | 2 | 3 | 4 | 5 | 6 | 7 | 8 | 9 | 10 | 11 | 12 |

여러해살이풀. 높이 1m 정도. 줄기는 곧게 서며, 잎은 어긋나고 3회 깃꼴겹잎이다. 꽃은 백색, 7~8월에 원줄기 끝과 가지 끝에 복산형화서로 달리고, 소산경은 5개 정도로 각각 작은 꽃이 많이 달린다. 5개의 꽃잎은 안쪽으로 굽고 수술은 5개로 황색 꽃밥이 달린다. 분과는 편평한 넓은 타원형이다.

분포·생육지 우리나라 경북, 평북, 함북. 중국, 몽골, 시베리아. 건조한 초원이나 산 기슭에서 자란다.

약용 부위·수치 뿌리를 봄, 가을에 채취하여 물에 씻은 후 말린다. 말린 것을 그대로 사용하거나 초황(炒黃: 解表, 緩和, 止瀉), 초탄(炒炭: 止血)하여 사용한다.

약물명 방풍(防風). 방풍근(防風根), 동운(銅芸), 회운(回芸), 회초(回草), 병풍(屏風), 원방풍(元防風)이라고도 한다. 대한민국약전(KP)에 수재되어 있다.

본초서 방풍은 「신농본초경(神農本草經)」의 하품(下品)에 수재되어 있고, 명대(明代) 이시진(李時珍)의 「본초강목(本草綱目)」에 "이 약물은 풍(風: 頭痛, 眩暈 등)을 방지하므로 방풍(防風)이라고 한다."고 하였다. 「동의보감(東醫寶鑑)」에 "바람으로 발생하는 모든 질병을 낫게 하고 오장을 튼튼하게 하며

혈액 속에 병을 일으키는 바람의 기운이 오래 머무는 것을 몰아낸다. 어지럼증을 낫게 하며 관절이 붓고 통증이 극심하며 구부리고 펴기를 잘 못하는 것, 눈이 충혈되고 눈물이 나는 것, 온몸의 뼈마디가 아프고 저린 것을 낫게 한다. 식은땀을 멈추고 정신을 안정시킨다."고 하였다.

神農本草經: 主大風頭眩痛 惡風 風邪 目盲無所見 風行周身 骨節疼痛.

名醫別錄: 煩滿脇痛 風頭面去來 四肢攣急.

東醫寶鑑: 治三十六般風 通利五臟關脈 風頭眩 頭風 赤眼出淚 周身骨節疼痺 止盜汗安神 定志.

성상 원주상을 이루고 길이 15~20cm, 지름 7~15mm이고 아래쪽은 약간 가늘다. 표면은 엷은 갈색을 띠며 뿌리줄기의 윗부분에는 돌림마디 모양의 세로 주름이 촘촘히 있고, 털 모양으로 된 갈색 엽초의 잔기가 붙어 있는 것도 있다. 뿌리에는 많은 세로 주름과 가는 뿌리의 자국이 있다. 횡단면을 확대경으로 보면 가장자리는 회갈색이고 빈틈이 여러 개 보이며, 중앙은 둥글고 황색을 띤다. 특이한 냄새가 있고 맛은 약간 달다.

기미·귀경 신(辛), 감(甘), 온(溫)·폐(肺),

비(脾), 방광(膀胱)

약효 거풍산표(祛風散表), 승습지통(勝濕止痛), 해경지양(解痙止痒)의 효능이 있으므로 외감풍한(外感風寒), 두통신통(頭痛身痛), 풍습비통, 골절산통, 복통설사, 장풍하혈(腸風下血), 파상풍, 풍진소양, 창양초기(瘡瘍初起)를 치료한다.

성분 coumarin인 psoralen, bergapten, imperatorin, phellopterin, deltoin, (3′S)-hydroxydeltoin, chromone인 hamaudam, 3′-O-acetymhamaudam, 3′-O-angltoymhamaudam, 5-O-methymvisamminam, ledebouriellol, prim-O-glucosymcimifugin, falcarindiol, falcarinol, panaxynol 3′-O-angltoymhamaudam, anomalin, cimifugin, prim-O-glucocimicifugin, 4′-O-glucosym-5-O-methymvisamminam, nadakenin, sec-O-glucosymhamaudam, divaricatom, 8′-lpicleomiscosin A, xanthoarnam, nadakenin, pamyacetylene인 panaxynol, triterpene인 β-sitosterol, stigmasterol, daucosterol 등이 함유되어 있다.

약리 falcarindiol, falcarinol, panaxynol은 HHT, thromboxane B_2의 형성을 억제하여 혈액 응고를 저지한다.

사용법 방풍 7g에 물 3컵(600mL)을 넣고 달여서 복용하고, 외용에는 가루 내어 바른다.

주의 임신부, 풍한두통(風寒頭痛), 음허화왕(陰虛火旺), 도한자한(盜汗自汗)의 경우는 피한다.

처방 방풍산(防風散): 방풍(防風)·지룡(地龍)·누로(漏蘆) 각 80g「향약집성방(鄕藥集成方)」. 역절풍(歷節風)으로 뼈마디가 아

프고 무릎이 부으면서 화끈 달아오르는 증상에 사용한다.

· 방풍탕(防風湯): 방풍(防風)·강활(羌活)·독활(獨活)·천궁(川芎) 각 5g (『동의보감(東醫寶鑑)』). 몸에 열이 나고 발이 차며 목이 뻣뻣하고 이를 악물고 뒤로 젖히는 등 발작을 일으키는 증상에 사용한다.

· 대방풍탕(大防風湯): 숙지황(熟地黃) 6g, 백출(白朮)·방풍(防風)·당귀(當歸)·두충(杜仲)·황기(黃芪) 각 4g, 부자(附子)·

천궁(川芎)·우슬(牛膝)·강활(羌活)·인삼(人蔘)·감초(甘草) 각 2g, 생강(生薑) 5쪽, 대추(大棗) 2개 (『동의보감(東醫寶鑑)』). 학슬풍이나 허벅지와 무릎이 아픈 증상, 뼛속이 저리고 아픈 증상, 이질을 앓고 난 뒤에 정강이와 무릎이 아프고 잘 걷지 못하는 증상에 사용한다.

· 방풍통성산(防風通聖散): 활석(滑石) 6.8g, 감초(甘草) 4.8g, 석고(石膏)·황금(黃芩)·길경(桔梗) 각 2.8g, 방풍(防風)·천궁(川

芎)·당귀(當歸)·작약(芍藥)·대황(大黃)·마황(麻黃)·박하(薄荷)·연교(連翹)·망초(芒硝) 각 1.8g, 형개(荊芥)·백출(白朮)·치자(梔子) 각 1.4g, 생강(生薑) 5쪽 (『동의보감(東醫寶鑑)』). 중풍 또는 풍열로 말을 못하거나 목이 쉬는 증상에 사용한다.

* 중국에서는 'Libanotis laticalycina'의 뿌리를 수방풍(水防風)이라 하여 사용한다.

❂ 방풍

❂ 방풍(防風)

❂ 방풍(防風, 절편)

❂ 방풍(뿌리)

❂ 방풍(종자)

❂ 방풍(잎)

❂ 방풍(防風)으로 만든 감기약

❂ 방풍(防風), 연교(連翹) 등이 배합된 편도선염 치료제

[미나리과]

개발나물

 풍한두통   한습복통, 설사

개선, 풍습통양

● 학명 : Sium suave Walter   ● 별명 : 개발풀, 가랑잎풀

| 1 | 2 | 3 | 4 | 5 | 6 | 7 | 8 | 9 | 10 | 11 | 12 |

여러해살이풀. 높이 1m 정도. 뿌리잎과 밑부분의 잎은 홀수 1회 깃꼴겹잎. 잎자루에 날개가 없다. 꽃은 8월에 겹산형화서를 이루며, 총포는 5~6개, 총산경은 10~20개의 소산경으로 갈라지며 각각 10여 개의 꽃이 끝에 달린다. 소총포는 작은 꽃줄기보다 짧고 젖혀진다. 분과는 달걀 모양이다.

분포·생육지 우리나라 전역, 중국, 일본. 연못이나 습지에서 자란다.

약용 부위·수치 전초를 여름과 가을에 채취하여 적당한 크기로 썰어서 말린다.

약물명 소토고본(蘇土藁本). 산고본(山藁本)이라고도 한다.

기미·귀경 평(平), 감(甘)·폐(肺), 간(肝)

약효 발표산한(發表散寒), 거풍지통(祛風止痛)의 효능이 있으므로 풍한두통(風寒頭痛), 한습복통(寒濕腹痛), 설사, 풍습통양(風濕痛痒), 개선(疥癬)을 치료한다.

사용법 소토고본 6g에 물 2컵(400mL)을 넣고 달여서 복용하고 외용에는 달인 액으로 씻는다.

* 뿌리가 감자처럼 굵은 '감자개발나물 S. ninsi'도 약효가 같다.

❂ 개발나물

❂ 소토고본(蘇土藁本)

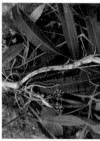
❂ 개발나물(뿌리)

[미나리과]

흑당귀

 소화불량

● 학명 : *Smyrnium olusatrum* L. ● 한자명 : 黑當歸

| 1 | 2 | 3 | 4 | 5 | 6 | 7 | 8 | 9 | 10 | 11 | 12 |

◐ 흑당귀(열매)

여러해살이풀. 높이 1~1.5m. 줄기는 굵고 단단하며 능선이 있다. 잎은 결각이 깊고 광택이 나며 길이 30cm 정도이다. 꽃은 황록색, 4~5월에 핀다. 열매는 길이 7mm 정도로 흑색으로 익는다.

분포 · 생육지 유럽 원산. 남아메리카, 아프리카의 산과 들에서 자란다.

약용 부위 · 수치 뿌리를 채취하여 물에 씻은 후 썰어서 말린다. 잎은 여름에 채취하여 말린다.

약물명 흑당귀(黑當歸). Alenxanders' black lovage라고도 한다.

약효 소적(消積)의 효능이 있으므로 소화불량을 치료한다.

사용법 흑당귀 5g을 뜨거운 물로 우려내어 복용한다.

◐ 흑당귀

[미나리과]

사상자

 충적복통, 설리   창양궤란, 풍습진

음양대하

● 학명 : *Torilis japonica* (Houtt.) DC.
● 한자명 : 小竊衣   ● 별명 : 뱀도랏, 진들개미나리

| 1 | 2 | 3 | 4 | 5 | 6 | 7 | 8 | 9 | 10 | 11 | 12 |

두해살이풀. 높이 30~70cm. 줄기는 곧게 선다. 잎은 어긋나고 2~3회 깃꼴겹잎이다. 꽃은 백색, 6~8월에 복산형화서로 달리고, 소산경은 5~9개, 6~20개의 꽃이 달린다. 열매는 4~10개씩 달리며, 달걀 모양, 길이 3mm 정도, 가시 같은 털이 있어 다른 물체에 붙는다.

분포 · 생육지 우리나라 전역. 중국, 일본, 타이완, 인도, 미얀마. 산과 들에서 흔하게 자란다.

약용 부위 · 수치 열매 또는 전초를 늦여름이나 가을에 채취하여 말린다.

약물명 절의(竊衣). 화남학슬(華南鶴蝨), 수방풍(水防風)이라고도 한다.

성상 열매는 타원상 구형으로 쌍현과이나 대부분 나누어져 있다. 각 분과는 납작하며 길이 0.3~0.4cm, 너비 0.15~0.2cm, 표면은 황갈색이며 등 쪽은 융기하고 갈고리 같은 가시가 많다. 냄새가 향기롭고 맛은 쓰다.

기미 · 귀경 평(平), 고(苦), 신(辛) · 비(脾), 대장(大腸)

약효 살충지사(殺蟲止瀉), 수습지양(收濕止痒)의 효능이 있으므로 충적복통(蟲積腹痛), 설리(泄痢), 창양궤란(瘡瘍潰爛), 음양대하(陰痒帶下), 풍습진(風濕疹)을 치료한다.

성분 정유는 약 1.4%, 주성분인 α-thujene, α-pinene, camphene, limonene, β-caryophyllene, bornyl acetate, geranyl acetate, torilin, humulene 등이 함유되어 있다.

약리 물로 달인 액은 피부진균의 성장을 억제한다. 사상자 및 음양곽의 에탄올추출물은 쥐의 성호르몬과 비슷한 작용을 한다.

사용법 절의 10g에 물 3컵(600mL)을 넣고 달여서 복용하고, 외용에는 달인 액으로 씻는다.

＊ 열매에 가시 같은 돌기가 있고 작은 열매자루가 더 긴 '개사상자 *T. scabra*'도 약효가 같다.

◐ 사상자

◐ 절의(竊衣)

◐ 개사상자

[매화오리나무과]

매화오리나무

열독창절, 옹창

●학명 : *Clethra barbinervis* S. et Z.　●별명 : 매화오리, 수염꽃나무, 까치수염꽃나무

| 1 | 2 | 3 | 4 | 5 | 6 | 7 | 8 | 9 | 10 | 11 | 12 |

낙엽 관목. 잎은 어긋나고 넓은 타원형, 양 끝이 좁고 가장자리에 뾰족한 톱니가 있으며, 뿌리와 원줄기 밑부분에서 돋는다. 꽃은 백색, 6~9월에 총상화서로 피며 지름 6~8cm, 꽃잎은 끝이 5갈래이다. 열매는 삭과로 납작한 구형이다.

분포·생육지 우리나라 제주도 한라산. 중국, 일본. 산지에서 자란다.

약용 부위·수치 뿌리를 수시로 채취하여 흙을 털고 물에 씻은 후 짓찧어 사용한다.

약물명 산류(山柳)

약효 청열해독(淸熱解毒)의 효능이 있으므로 열독창절(熱毒瘡節), 옹창(癰瘡)을 치료한다.

사용법 산류 적당량을 짓찧어 환부에 즙액을 바르거나 그대로 붙여서 붕대로 싸맨다.

＊유럽에서 자라는 'C. alnifolia' 또는 'C. arborea'도 약효가 같다.

❂ 매화오리나무

❂ 매화오리나무(열매)

[노루발과]

매화노루발

소변임삽동통, 부종　설사, 위통, 복통

●학명 : *Chimaphila japonica* Miq.　●별명 : 풀차, 매화노루발풀

| 1 | 2 | 3 | 4 | 5 | 6 | 7 | 8 | 9 | 10 | 11 | 12 |

상록 여러해살이풀, 높이 5~10cm. 잎은 뿌리와 원줄기 밑부분에서 돋는다. 꽃은 5~6월에 원줄기 끝에서 피며 지름 1cm, 반 정도 벌어지고 1~2개가 밑을 향한다. 꽃받침과 꽃잎은 각각 5개이다. 삭과는 편평한 원형으로 대가 없는 암술머리가 붙어 있다.

분포·생육지 우리나라 전역. 중국, 일본, 타이완, 우수리. 산과 들에서 자란다.

약용 부위·수치 전초를 여름과 가을에 채취하여 흙을 털어서 말린다.

약물명 산형매립초(傘形梅笠草)

약효 청열이습(淸熱利濕), 이기지통(理氣止痛)의 효능이 있으므로 소변임삽동통(小便淋澁疼痛), 부종, 설사, 위통, 복통을 치료한다.

성분 전초는 암세포 성장을 저해하는 chimaphilin이 함유되어 있다.

사용법 산형매립초 7g에 물 2컵(400mL)을 넣고 달여서 복용한다.

❂ 매화노루발

❂ 매화노루발(꽃)

[노루발과]

구상란풀

경련성해수, 기관지염 / 허약증 / 소변불리

● 학명 : *Monotropa hypopithys* L. ● 별명 : 석장풀, 석장초

| 1 | 2 | 3 | 4 | 5 | 6 | 7 | 8 | 9 | 10 | 11 | 12 |

부생 식물. 높이 20cm 정도. 지상부는 황색, 줄기는 원기둥 모양, 잎은 어긋나고 비늘 같으며 길이 1~1.5cm이다. 꽃은 5~6월에 총상화서로 밑을 향해 달리고 길이 1~1.5cm이다. 꽃받침은 바늘 모양, 꽃잎은 4갈래, 수술은 8개, 꽃밥은 붉은색이다. 열매는 삭과로 타원상 구형이다.

분포 · 생육지 우리나라 제주도, 강원도. 중국, 일본, 타이완, 시베리아. 구상나무나 소나무 숲에서 자란다.

약용 부위 · 수치 전초를 6~8월에 채취하여 잡질을 제거하여 말린다.

약물명 송하란(松下蘭), 토화(土花), 지화(地花)라고도 한다.

약효 진해(鎭咳), 보허(補虛)의 효능이 있으므로 경련성해수(痙攣性咳嗽), 기관지염, 허약증, 소변불리(小便不利)를 치료한다.

사용법 송하란 10g에 물 3컵(600mL)을 넣고 달여서 복용한다.

○ 구상란풀

[노루발과]

수정란풀

경련성해수, 기관지염 / 허약증

● 학명 : *Monotropa uniflora* L. ● 별명 : 수정초, 수정란

| 1 | 2 | 3 | 4 | 5 | 6 | 7 | 8 | 9 | 10 | 11 | 12 |

부생 식물. 높이 10~20cm. 지상부는 백색, 뿌리는 덩어리 같고 갈색이 돈다. 줄기는 육질이며 원주형이고, 잎은 비늘 같으며 퇴화되어 있다. 꽃은 5~6월에 줄기 끝에서 1개씩 밑을 향해 달리고 길이 1.5~2.5cm이다. 꽃받침잎은 1~3개, 비늘잎과 비슷하고, 꽃잎은 3~5개로 긴 타원형이다.

분포 · 생육지 우리나라 전역. 동아시아, 인도, 북아메리카. 깊은 산에서 자란다.

약용 부위 · 수치 전초를 6~8월에 채취하여 잡질을 제거하여 말린다.

약물명 수정란(水晶蘭), 몽란화(夢蘭花), 수란초(水蘭草), 은쇄초(銀鎖草)라고도 한다.

약효 진해보허(鎭咳補虛)의 효능이 있으므로 경련성해수(痙攣性咳嗽), 기관지염, 허약증을 치료한다.

사용법 수정란 10g에 물 3컵(600mL)을 넣고 달여서 복용한다.

○ 수정란풀(꽃)

○ 수정란풀

[노루발과]

노루발풀

허약해수 | 노상토혈 | 외상출혈
류머티즘성관절염 | 음허, 백대

●학명 : *Pyrola japonica* Klenze　●별명 : 노루발

| 1 | 2 | 3 | 4 | 5 | 6 | 7 | 8 | 9 | 10 | 11 | 12 |

여러해살이풀. 높이 20~30cm. 뿌리줄기가 옆으로 벋으며, 꽃대는 능각이 있다. 잎은 3~8개가 뿌리에서 모여나고, 꽃은 6~7월에 총상화서로 5~12개가 밑을 향해 달린다. 꽃줄기에 비늘 같은 잎이 1~2개 있고, 꽃잎은 5개, 백색, 꽃받침잎은 5개, 수술은 10개, 암술은 길게 나와 끝이 굽는다. 삭과는 편평한 구형이다.

분포·생육지 우리나라 전역. 중국, 일본, 타이완, 우수리. 산에서 자란다.

약용 부위·수치 전초를 가을부터 겨울까지 채취하여 말린다.

약물명 녹제초(鹿蹄草), 녹수초(鹿壽草), 녹안차(鹿安茶), 녹함차(鹿含茶)라고도 한다. 대한민국약전외한약(생약)규격집(KHP)에 수재되어 있다.

성상 전초로 자갈색이다. 꽃대는 가늘고 원기둥 모양이거나 모서리가 있고 길이 10~20cm이며, 잎은 원형, 뿌리는 수염처럼 가늘다. 냄새가 약간 있고 맛은 쓰다.

기미·귀경 평(平), 감(甘), 고(苦)·간(肝), 신(腎)

약효 보허(補虛), 익신(益腎), 거풍(祛風) 및 조경(調經)의 효능이 있으므로 허약해수(虛弱咳嗽), 노상토혈(勞傷吐血), 류머티즘성관절염, 외상출혈을 치료한다. 부인의 음허(陰虛), 백대(白帶)를 치료한다.

성분 arbutin, chimaphilin, monotropein, pirolatin, quercetin, ursolic acid, oleanolic acid, hentriacontane 등이 함유되어 있다.

약리 chimaphilin은 L1210, HL60 등의 암세포 성장을 억제하고, pirolatin은 이뇨작용이 있으며 폐결핵균에 항균력이 있다.

사용법 녹제초 15g에 물 3컵(600mL)을 넣고 달여서 복용하거나 술에 담가서 복용한다. 조경(調經) 치료에는 녹차처럼 마신다.

※ 꽃이 분홍색인 '분홍노루발 *P. incarnata*', 잎이 콩팥처럼 생긴 '콩팥노루발 *P. renifolia*', 포엽이 타원형이고 꽃받침이 주걱형인 '호노루발 *P. dahurica*'도 약효가 같다.

❶ 노루발풀

❶ 분홍노루발

❶ 녹제초(鹿蹄草)

❶ 노루발풀(열매)　　　❶ 노루발풀(꽃이 피기 전)

[노루발과]

백두노루발풀

풍습동통, 요퇴통

●학명 : *Pyrola tchanbaischanica* Chou et Y. L. Chang　●별명 : 장백노루발풀

| 1 | 2 | 3 | 4 | 5 | 6 | 7 | 8 | 9 | 10 | 11 | 12 |

여러해살이풀. 높이 10~13cm. 뿌리줄기가 옆으로 벋으며 가늘다. 꽃대는 능각이 있다. 잎은 3~5개가 뿌리에서 모여나고 가죽질, 원형이다. 꽃은 백색, 6~7월에 총상화서로 5~12개가 밑을 향해 핀다.

분포·생육지 우리나라 백두산 주변. 산지에서 자란다.

약용 부위·수치 전초를 가을부터 겨울까지 채취하여 말린다.

약물명 장백산녹제초(長白山鹿蹄草)

약효 강근골(强筋骨), 지혈(止血)의 효능이 있으므로 풍습동통(風濕疼痛), 요퇴통(腰腿痛)을 치료한다.

사용법 장백산녹제초 15g에 물 3컵(600mL)을 넣고 달여서 복용한다.

❶ 백두노루발풀

우바우르시

요도염, 방광염　급성류머티즘

● 학명 : *Arctostaphylos uvae-ursi* Spreng.
● 영명 : Bearberry, Uva-ursi, Upland cranberry

| 1 | 2 | 3 | 4 | 5 | 6 | 7 | 8 | 9 | 10 | 11 | 12 |

상록 관목. 줄기는 땅을 따라 평평하게 자라고 매끄러우며 적갈색을 띤다. 잎은 어긋나고 두껍고 달걀 모양, 양면에 털이 많으며 가장자리는 밋밋하다. 꽃은 연한 홍색, 6~7월에 가지 윗부분 잎겨드랑이에 총상화서를 이루어 2~3개씩 달린다. 꽃받침은 끝이 4개로 갈라지며, 꽃통은 종 모양이고, 수술은 10개이다. 열매는 둥글고 붉은색으로 익는다.

분포 · 생육지 북아메리카, 에스파냐, 노르웨이, 스위스. 산지에서 자란다.

약용 부위 · 수치 잎을 여름에 채취하여 말린다.

약물명 우바우르시엽

약효 이뇨, 해독의 효능이 있으므로 요도염, 방광염 및 급성류머티즘을 치료한다.

성분 arbutin, methylarbutin, (+)-catechol, (−)-epicatechol, gallic acid, *p*-methoxyphenol, tannic acid, caffeic acid, chlorogenic acid, *p*-coumaroylquinic acid, quercetin, myricetin, piceoside, unedoside, oleanolic acid, ursolic acid 등이 함유되어 있다.

약리 arbutin은 위에서 분해되어 hydroquinone이 된다. 이 물질은 황색 포도상구균, 대장균 등에 발육 저지 작용이 있고, 달인 액을 복용할 경우에는 오줌의 pH를 조절하는

효과가 있다. 달인 액을 복용할 때 오줌 양이 증가하는데, flavonoid 성분에 의한 것이다.

사용법 우바우르시엽 5g에 물 2컵(400mL)을 넣고 달여서 복용한다.

＊ 잎의 에탄올추출물은 요로 방부제로 제제화되어 시판되고 있다. 서양에서는 17세기부터 우바우르시가 월귤과 같은 효능으로 사용되어 왔으며, 미국약전에는 1820년부터 1936년까지 수재되었고, 그 후부터는 국제약전(NF)에 수재되어 있다. 에탄올추출물은 요로 방부제로 제품화되어 시판되고 있다.

❍ 우바우르시

❍ 우바우르시엽

❍ 우바우르시로 만든 요도염 치료제
❍ 우바우르시엽으로 만든 신장염 치료제

가울테리아

류머티즘성관절염

● 학명 : *Gaultheria procumbens* L.　● 영명 : Wintergreen, Checkerberry

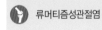

| 1 | 2 | 3 | 4 | 5 | 6 | 7 | 8 | 9 | 10 | 11 | 12 |

상록 관목. 높이 1m 정도. 줄기는 적갈색이다. 잎은 어긋나고 타원형, 잎자루는 짧고 가장자리에 톱니가 있으며 광택이 난다. 꽃은 7월에 가지 끝에 달린다. 꽃줄기에 털이 있으며, 꽃받침은 짧고 5개로 갈라지며, 꽃통은 깔때기 모양, 백색이다. 삭과는 붉은색으로 9월에 익는다.

분포 · 생육지 북아메리카(미국, 캐나다). 약용으로 재배한다.

약용 부위 · 수치 잎을 여름에 채취하여 말린다. 잎에서 정유를 뽑아 사용하기도 한다.

약물명 Gaultheriae Folium. 일반적으로는 Wintergreen 또는 Checkerberry라고 한다. 잎에서 뽑은 정유를 Oleum Gaultheriae라 하며, 일반적으로 Wintergreen Oil이라 한다.

약효 소염, 진통의 효능이 있으므로 류머티즘성관절염을 치료한다.

성분 정유의 주성분은 methylsalicylate이며 gautherin, arbutin 등이 함유되어 있다.

약리 methylsalicylate는 cyclooxygenase를 억제해서 불포화지방산을 형성하고 염증과 통증을 완화시킨다. arbutin은 항산화 작용이 있다.

사용법 Gaultheriae Folium 2~3g을 뜨거운 물에 우려내어 복용한다.

주의 아스피린에 알레르기를 일으키는 사람은 복용을 피해야 한다.

❍ Oleum Gaultheriae(Wintergreen Oil)

❍ 가울테리아

[진달래과]

좁은잎백산차

 해수   관절염

●학명 : *Ledum palustre* L. [*Rhododendron tomentosum*]   ●별명 : 애기백산차

| 1 | 2 | 3 | 4 | 5 | 6 | 7 | 8 | 9 | 10 | 11 | 12 |

상록 관목. 높이 30~70cm. 뿌리에서 맹아가 많이 나오며 가지에 털이 많다. 잎은 어긋나고 바늘 모양, 길이 3~7cm, 너비 0.5~1.2cm이며, 가장자리는 밋밋하고 적갈색 털이 빽빽이 난다. 꽃은 백색, 5~6월에 피며, 꽃받침과 꽃잎은 각각 5개, 수술은 10개이다. 열매는 삭과로 긴 원주형이다.

분포·생육지 북유럽, 북아시아, 북아메리카. 산지 양지바른 곳에서 자란다.

약용 부위·수치 잎을 여름에 채취하여 말린다.

약물명 마쉬차(Marsh tea). Crystal tea라고도 한다.

약효 소염(消炎), 거담(祛痰)의 효능이 있으므로 해수(咳嗽), 관절염을 치료한다.

성분 palustrol, ledol, fraxin, esculin, carvacrol, thymol 등이 함유되어 있다.

약리 열수 또는 에탄올추출물은 피부와 점막 조직의 손상을 회복하고, ledol은 마취와 의존성을 나타낸다.

사용법 마쉬차 1~2g을 뜨거운 물로 우려내어 복용한다.

❍ 좁은잎백산차   ❍ 꽃봉오리

❍ 마쉬차(Marsh tea)

[진달래과]

백산차

 월경부조   위궤양
해수담다

●학명 : *Ledum palustre* L. var. *diversipilosum* Nakai   ●영명 : Marsh tea
●별명 : 털백산차, 북백산차

| 1 | 2 | 3 | 4 | 5 | 6 | 7 | 8 | 9 | 10 | 11 | 12 |

상록 관목. 높이 30~70cm. 뿌리에서 맹아가 많이 나오며 가지에 털이 많다. 잎은 어긋나고 바늘 모양, 길이 3~7cm, 너비 0.5~1.2cm, 가장자리는 밋밋하고 적갈색 털이 빽빽이 난다. 꽃은 백색, 5~6월에 피며, 꽃받침과 꽃잎은 각각 5개, 수술은 10개이다. 열매는 삭과로 긴 원주형이다.

분포·생육지 우리나라 함남북, 백두산. 중국, 사할린, 동시베리아. 높은 산 숲속에서 자란다.

약용 부위·수치 가지와 잎을 여름철에 채취하여 말린다.

약물명 백산태(白山苔)

약효 활혈조경(活血調經), 화담지해(化痰止咳)의 효능이 있으므로 월경부조(月經不調), 위궤양(胃潰瘍), 해수담다(咳嗽痰多)를 치료한다.

사용법 백산태 5g에 물 2컵(400mL)을 넣고 달여서 복용하거나 환약 또는 가루약으로 복용한다.

❍ 백산태(白山苔)

❍ 백산차

[진달래과]

소과진주화

 비허복사　　 요각무력
타박상

● 학명 : *Lyonia ovalifolia* (Wall.) Drude var. *elliptica* (S. et Z.) Nakai [*Andromeda elliptica, Pieris elliptica*]　● 한자명 : 小果珍珠花

| 1 | 2 | 3 | 4 | 5 | 6 | 7 | 8 | 9 | 10 | 11 | 12 |

❶ 소과진주화(잎과 열매)

소교목. 높이 4~10m. 가지는 담갈색이다. 잎은 어긋나고 타원형, 측맥은 6~8개, 가장자리는 밋밋하다. 꽃은 백색, 5~7월에 피며, 꽃받침과 꽃잎은 각각 5개, 수술은 10개이다. 열매는 삭과로 구형이다.

분포 · 생육지 중국, 일본. 해발 700~2,800m에서 자란다.

약용 부위 · 수치 가지와 잎을 여름철에 채취하여 짓찧어 사용한다.

약물명 여목(櫚木)

약효 보비익신(補脾益腎), 활혈강근(活血強筋)의 효능이 있으므로 비허복사(脾虛腹瀉), 요각무력(腰脚無力), 타박상을 치료한다.

성분 urosolic acid, daucosterol, β-sitosterol, lyopolic acid, deacetyllyopolic acid, myoinositol 등이 함유되어 있다.

사용법 여목 15g에 물 3컵(600mL)을 넣고 달여서 복용한다.

❶ 소과진주화

[진달래과]

마취목

 개창

● 학명 : *Pieris japonica* (Thunb.) D. Don ex G. Don　● 영명 : Marsh tea
● 별명 : 털백산차, 북백산차

| 1 | 2 | 3 | 4 | 5 | 6 | 7 | 8 | 9 | 10 | 11 | 12 |

❶ 마취목(馬醉木)

상록 관목. 높이 2~4m. 줄기껍질은 갈색, 겨울눈은 달걀 모양이다. 잎은 가지 끝에 다닥다닥 붙으며 타원형, 가장자리에 작은 톱니가 있다. 꽃은 백색, 총상화서로 많이 달린다. 열매는 둥글지만 몇 개의 주름이 있다.

분포 · 생육지 중국 안후이성(安徽省), 장시성(江西省), 푸젠성(福建省), 타이완, 일본. 해발 800~1,200m의 숲속에서 자란다. 우리나라 남부 지방에서 재식한다.

약용 부위 · 수치 잎을 봄부터 가을까지 채취하여 생것 또는 말려서 사용한다.

약물명 마취목(馬醉木)

약효 살충의 효능이 있으므로 개창(疥瘡)을 치료한다.

성분 asebotoxin, asebotin, aseboquercitrin, taraxerol 등이 함유되어 있다.

사용법 마취목 적당량을 짓찧어 상처에 바르거나 붙인다.

❶ 마취목(열매)

❶ 마취목(잎)

❶ 마취목

[진달래과]

노랑만병초

 이질　　　요퇴동통

● 학명 : *Rhododendron aureum* Georgi [*R. chrysanthum* Pall.]
● 별명 : 노랑뚝갈나무

| 1 | 2 | 3 | 4 | 5 | 6 | 7 | 8 | 9 | 10 | 11 | 12 |

상록 관목. 줄기는 밑부분이 땅으로 눕고 가지는 위를 향한다. 잎은 어긋나고 타원형, 길이 3~8cm, 너비 1.5~2.5cm로 가장자리는 밋밋하다. 꽃은 6~7월에 피며, 꽃통은 깔때기 모양, 담황색, 수술은 10개이다. 열매는 삭과로 원주형이다.

분포 · 생육지 우리나라 태백산, 평북, 함남북. 중국, 일본, 아무르. 높은 산 숲속에서 자란다.

약용 부위 · 수치 잎을 여름철에 채취하여 말린다.

약물명 우피차(牛皮茶)

약효 수렴지통(收斂止痛), 발한(發汗)의 효능이 있으므로 이질, 요퇴동통(腰腿疼痛)을 치료한다.

성분 (−)-rhododendrol, rhododendrin, avicularin, hyperoside 등이 함유되어 있다.

약리 rhododendrin을 쥐에게 투여하면 진통 작용과 소염 작용이 나타난다.

사용법 우피차 5g에 물 2컵(400mL)을 넣고 달여서 복용하거나 환약 또는 가루약으로 복용한다.

✪ 노랑만병초

✪ 우피차(牛皮茶)

[진달래과]

만병초

요배산통, 관절염　　　두통　　　양위
불임증, 월경불순, 생리통　　　당뇨병

● 학명 : *Rhododendron brachycarpum* D. Don　　● 별명 : 뚝갈나무, 붉은꽃만병초, 홍뚝갈나무

| 1 | 2 | 3 | 4 | 5 | 6 | 7 | 8 | 9 | 10 | 11 | 12 |

상록 관목. 잎은 어긋나지만 가지 끝에서 5~7개가 모여나고 가죽질, 뒤로 말린다. 꽃은 7월에 10~20개가 가지 끝에 달리고, 꽃통은 깔때기 모양, 연한 붉은색, 안쪽 윗면에 녹색 반점이 있고, 수술은 10개이다. 열매는 삭과로 원주형이다.

분포 · 생육지 우리나라 지리산, 울릉도, 강원도 및 북부 지방. 중국, 일본. 높은 산 숲속에서 자란다.

약용 부위 · 수치 잎을 여름철에 채취하여 말린다.

약물명 단과두견(短果杜鵑). 만병초(萬病草)라고도 한다.

약효 거풍(祛風), 지통, 강장, 이뇨의 효능이 있으므로 요배산통(腰背酸痛), 두통, 관절염, 양위(陽痿), 불임증, 월경불순을 치료한다. 우리나라에서는 잎을 만병초(萬病草)라고도 하며 신경통, 생리통, 당뇨병 등에 널리 사용하고 있다.

성분 campanulin, α-amyrin, β-amyrin, uvaol, simiarenol, ursolic acid, oleanolic acid, rhododendrin, grayanotoxin I, guaijaverin, quercetin, avicularin, quercitrin, hyperin 등이 함유되어 있다.

사용법 단과두견 7g에 물 3컵(600mL)을 넣고 달여서 복용하거나 환약 또는 가루약으로 복용한다.

＊ 본 종의 변종으로 꽃이 붉은색인 '홍만병초 var. *roseum*'도 약효가 같다.

✪ 만병초

✪ 단과두견(短果杜鵑)

[진달래과]

영산홍

| 토혈 | 월경불순 |
| 해수 | 풍습비통 |

● 학명 : *Rhododendron indicum* (L.) Sweet ● 별명 : 오월철쭉, 왜철쭉, 일본철쭉

| 1 | 2 | 3 | 4 | 5 | 6 | 7 | 8 | 9 | 10 | 11 | 12 |

상록 관목. 높이 1m 정도. 잎은 어긋나지만 가지 끝에서 모여나며 가죽질, 표면과 뒷면의 맥 위에 눌린 털이 있다. 꽃은 홍자색, 7월에 피며 넓은 깔때기 모양이고 지름 3.5~5cm이다.

분포 · 생육지 일본. 우리나라에서 널리 재식한다.

약용 부위 · 수치 꽃을 여름철에 채취하여 말린다.

약물명 두견화(杜鵑花). 산석류(山石榴)라고도 한다.

약효 화혈조경(和血調經), 지해(止咳), 거풍습(祛風濕)의 효능이 있으므로 토혈(吐血), 월경불순, 해수(咳嗽), 풍습비통(風濕痺痛)을 치료한다.

성분 cyanidin-3-*O*-glucoside, cyanidin-3-*O*-galactoside, guercetin, azaleatin 등이 함유되어 있다.

약리 쥐의 복강에 열수추출물을 주사하면 기침과 가래를 줄여 준다. 당뇨병 환자가 열수추출물을 복용하면 백내장이 완화된다.

사용법 두견화 10g에 물 3컵(600mL)을 넣고 달여서 복용하거나 환약 또는 가루약으로 복용한다.

❂ 영산홍

❂ 두견화(杜鵑花)

[진달래과]

참꽃나무겨우사리

| 기관지염 | 이질 | 관절통 |
| 산후통, 월경불순, 불임증 | | 양위 |

● 학명 : *Rhododendron micranthum* Turcz. ● 별명 : 꼬리진달래

| 1 | 2 | 3 | 4 | 5 | 6 | 7 | 8 | 9 | 10 | 11 | 12 |

상록 관목. 높이 1~2m. 잎은 어긋나지만 가지 끝에서 3~4개가 모여나고 타원형, 길이 3~4cm, 너비 1~1.5cm이다. 꽃은 7월에 15~20개가 가지 끝에 달린다. 삭과는 긴 타원형이고 길이 0.5~0.8cm로 9월에 익는다.

분포 · 생육지 우리나라 강원도, 경북 및 충북 지방. 중국, 몽골. 산기슭 양지에서 자란다.

약용 부위 · 수치 가지와 잎을 여름철에 채취하여 말린다.

약물명 조산백(照山白). 만경나(萬經裸), 철석차(鐵石茶), 달자향(達子香)이라고도 한다.

약효 거풍(祛風), 지통, 강장, 이뇨의 효능이 있으므로 기관지염, 이질, 산후통, 관절통, 신허요통, 양위(陽痿), 월경불순, 불임증을 치료한다.

성분 *p*-hydroxybenzoic acid, protocate-chuic acid, vanillic acid, syringic acid, scopoletin, hyperin, quercetin, astragalin, andromedotoxin 등이 함유되어 있다.

약리 scopoletin과 astragalin은 거담 작용, hyperin과 quercetin은 지해(止咳) 작용, andromedotoxin은 혈압 강하 작용이 있다.

사용법 조산백 7g에 물 3컵(600mL)을 넣고 달여서 복용하고, 외용에는 달인 액으로 씻는다.

＊'황산차 *R. pariviflorum*'에 비하여 꽃이 총상화서로 많이 달리고 백색이다.

❂ 참꽃나무겨우사리

❂ 조산백(照山白)

❂ 참꽃나무겨우사리(꽃)

[진달래과]

진달래

감기, 해수기천, 담다

● 학명 : *Rhododendron mucronulatum* Turcz. ● 별명 : 진달래나무, 참꽃나무, 두견화

| 1 | 2 | 3 | 4 | 5 | 6 | 7 | 8 | 9 | 10 | 11 | 12 |

낙엽 관목. 높이 2~3m. 잎은 어긋나고 좁은 타원형이다. 꽃은 자홍색, 4월에 잎보다 먼저 가지 끝의 옆눈(側芽)에서 1개씩 나오며 2~5개가 모여 달린다. 꽃잎은 깔때기 모양이며 겉에 털이 있다. 열매는 삭과로 원통형이고 길이 2cm 정도이다.

분포 · 생육지 우리나라 전역. 우수리, 몽골. 산에서 자란다.

약용 부위 · 수치 가지와 잎을 여름에 채취하여 말린다.

약물명 영산홍(迎山紅). 만산홍(滿山紅), 영산홍(映山紅)이라고도 한다.

약효 해표(解表), 지해화담(止咳化痰)의 효능이 있으므로 감기, 해수기천(咳嗽氣喘), 담다(痰多)를 치료한다.

성분 꽃은 azalein, azaleatin, 잎은 quercetin, gossypetin, kaempferol, myricetin, azaleatin, dihydroquercetin, *p*−hydroxybenzoic acid, protocatechuic acid, vanillic acid, syringic acid 등이 함유되어 있다.

약리 quercetin은 지해(止咳) 작용과 모세혈관 강화 작용이 있다.

사용법 영산홍 10g에 물 3컵(600mL)을 넣고 달여서 복용하고, 외용에는 달인 액으로 씻는다.

* 꽃이 백색인 '흰진달래나무 for. *albiflorum*', 잎이 늘 푸르고 작으며 끝이 뾰족하지 않은 '산진달래나무 *R. dauricum*'도 약효가 같다.

❍ 진달래

❍ 영산홍(迎山紅)

[진달래과]

황산차

만성기관지염

● 학명 : *Rhododendron parviflorum* Adams ● 별명 : 황산참꽃

| 1 | 2 | 3 | 4 | 5 | 6 | 7 | 8 | 9 | 10 | 11 | 12 |

상록 관목. 높이 1~1.5m. 가지가 잘 갈라지며 전체에 비늘조각이 있다. 잎은 어긋나지만 가지 끝에서는 모여난다. 꽃은 적자색, 5~6월에 가지 끝에 산형화서로 3~5개가 달린다. 삭과는 달걀 모양이다.

분포 · 생육지 우리나라 평북, 함남북, 백두산. 중국, 몽골. 높은 산 풀숲에서 자란다.

약용 부위 · 수치 잎을 여름철에 채취하여 말린다.

약물명 소엽두견(小葉杜鵑)

약효 해열, 발한(發汗), 진해(鎭咳)의 효능이 있으므로 만성기관지염을 치료한다.

사용법 소엽두견 10g에 물 3컵(600mL)을 넣고 달여서 복용한다.

* '담자리꽃나무 var. *alpinum*', '좀참꽃나무 *R. redowskianum*'도 약효가 같다.

❍ 소엽두견(小葉杜鵑)

❍ 황산차

[진달래과]

철쭉나무

기관지염, 폐기종, 해수천식

● 학명 : *Rhododendron schlippenbachii* Maxim.　● 별명 : 철쭉, 철쭉꽃, 개꽃나무, 척촉, 철죽

| 1 | 2 | 3 | 4 | 5 | 6 | 7 | 8 | 9 | 10 | 11 | 12 |

상록 관목. 높이 1~5m. 잎은 어긋나며 좁고 긴 타원형, 길이 3~8cm, 너비 1~3cm. 꽃은 4~5월에 가지 끝에 2~3개씩 달리며 꽃받침은 5개로 갈라진다. 화관은 담자색, 지름 5~6cm, 깔때기 모양, 수술은 10개, 꽃밥은 자줏빛이 돌며 암술대는 털이 없으나 기부에 복모가 있다. 삭과는 달걀 모양, 길이 8~10mm, 긴 털이 있다.

분포 · 생육지 우리나라 전역. 중국, 일본. 산지 양지바른 곳에서 자란다.

약용 부위 · 수치 잎을 여름에 채취하여 말려 사용한다.

약물명 대자두견(大字杜鵑)

본초서 「동의보감(東醫寶鑑)」에는 양척촉(洋躑躅)이라는 이름으로 수재되어, "열이 난 다음 오한이 나는 증상과 귀주(鬼疰, 노채충이 폐에 침입하여 생기는 전염병)를 낫게 하고 독충의 독을 풀어 준다."고 하였다.
東醫寶鑑: 主溫瘧 鬼疰 蠱毒

약효 지해평천(止咳平喘), 거담(祛痰)의 효

능이 있으므로 기관지염, 폐기종(肺氣腫), 해수천식(咳嗽喘息)을 치료한다.

성분 잎은 quercetin, juglanin, avicularin, quercitrin, afzelin, hirsutrin, kaempferol, gossypetin 등이 함유되어 있고, 꽃은 azalein, azaleatin 등이 함유되어 있다.

사용법 대자두견 7g에 물 2컵(400mL)을 넣고 달여서 복용한다.

* 꽃이 백색인 '흰철쭉 for. *albiflorum*', 본종에 비하여 잎이 좁고 광택이 없으며 끝이 뾰족한 '산철쭉 R. yedoense var. *poukhanense*'도 약효가 같다.

♦ 철쭉나무

♦ 대자두견(大字杜鵑)

♦ 철쭉나무(열매)　　♦ 철쭉나무(꽃)

[진달래과]

모새나무

간신부족　수발조백, 타박상　근골무력
구설몽유　구사구리　대하증　치통

● 학명 : *Vaccinium bracteatum* Thunb.　● 별명 : 다선목

| 1 | 2 | 3 | 4 | 5 | 6 | 7 | 8 | 9 | 10 | 11 | 12 |

상록 관목. 높이 3m 정도. 잎은 어긋나고 가장자리의 윗부분에 톱니가 있고, 잎자루는 길이 4~6mm이다. 꽃은 5~6월에 총상화서로 10여 개가 달리고 밑으로 처진다. 화관은 홍백색이 돌며, 수술은 10개, 수술대에 털이 있으며, 장과는 둥글다.

분포 · 생육지 우리나라 제주도 및 남쪽. 중

국, 일본, 타이완. 산기슭 양지에서 자란다.

약용 부위 · 수치 열매는 가을에, 잎은 여름에 채취하여 말리고, 뿌리는 수시로 채취하여 물에 씻은 후 썰어서 말린다.

약물명 열매를 남촉자(南燭子), 잎을 남촉엽(南燭葉), 뿌리를 남촉근(南燭根)이라고 한다.

기미 · 귀경 남촉자(南燭子): 평(平), 산(酸), 감(甘) · 간(肝), 신(腎), 비(脾). 남촉엽(南燭葉): 평(平), 산(酸), 삽(澁) · 심(心), 신(腎), 비(脾)

약효 남촉자(南燭子)는 보간신(補肝腎), 강근골(强筋骨), 고정기(固精氣), 지사리(止瀉痢)의 효능이 있으므로 간신부족(肝腎不足), 수발조백(鬚髮早白), 근골무력(筋骨無力), 구설몽유(久泄夢遺), 구사구리(久瀉久痢), 대하증(帶下症)을 치료한다. 남촉엽(南燭葉)은 익장위(益腸胃), 양간신(養肝腎)의 효능이 있으므로 비위기허(脾胃氣虛), 구사(久瀉), 소식(少食), 간신부족(肝腎不足), 요슬핍력(腰膝乏力), 수발조백(鬚髮早白)을 치료한다. 남촉근(南燭根)은 산어지통(散瘀止痛)의 효능이 있으므로 타박상, 치통을 치료한다.

성분 잎에는 hentriacontane, fridelin, epifriedelanol, quercetin, isoorientin, myoinositol, *p*-hydroxycinnamic acid 등이 함유되어 있다.

사용법 남촉자, 남촉엽 또는 남촉근 10g에 물 3컵(600mL)을 넣고 달여서 복용한다.

♦ 모새나무

♦ 남촉근(南燭根)

[진달래과]

크랜베리

요도염, 방광염 / 급성류머티즘

● 학명 : *Vaccinium macrocarpon* (Koehne) Rehd. ● 영명 : Cranberry
● 별명 : 그린베리

| 1 | 2 | 3 | 4 | 5 | 6 | 7 | 8 | 9 | 10 | 11 | 12 |

○ 크랜베리로 만든 건강식품

상록 관목. 높이 15~20cm. 작은가지에 털이 있다. 잎은 어긋나고 타원형, 가장자리는 밋밋하고 뒤로 약간 젖혀지고 약간 두껍다. 꽃은 백색, 4~5월에 가지 끝에 조밀하게 달리며, 꽃받침은 5개로 갈라진다. 삭과는 적갈색으로 익는다.

분포·생육지 북아메리카. 세계 각처에서 재식한다.

약용 부위·수치 잎을 여름에 채취하여 말린다.

약물명 Vaccinii Folium. 일반적으로 Cranberry라고 한다.

약효 이뇨, 해독의 효능이 있으므로 요도염, 방광염 및 급성류머티즘을 치료한다.

사용법 Vaccinii Folium 5g에 물 2컵(400mL)을 넣고 달여서 복용한다.

○ 크랜베리

[진달래과]

블루베리

구강염 / 심장병 / 당뇨병
관절염, 통풍 / 피부염 / 치질

● 학명 : *Vaccinium myrtillus* L. ● 영명 : Blueberry, Bilberry ● 별명 : 빌베리
● 한자명 : 藍莓

| 1 | 2 | 3 | 4 | 5 | 6 | 7 | 8 | 9 | 10 | 11 | 12 |

상록 관목. 높이 3m 정도. 가지가 많으며 회백색이다. 잎은 어긋나고 긴 타원형, 길이 4~6cm, 너비 1~2.5cm, 두껍고 양끝이 뾰족하며 가장자리에 톱니가 있다. 꽃은 백색, 5~6월에 피고 밑으로 처진다. 장과는 둥글고 10월에 암청색으로 익는다.

분포·생육지 북유럽, 서아시아, 북아메리카. 산기슭 양지에서 자란다.

약용 부위·수치 열매를 가을에 채취하여 말린다.

약물명 남매(藍莓). 일반적으로 Blueberry 또는 Bilberry라고 한다.

약효 지사(止瀉), 소염(消炎)의 효능이 있으므로 구강염, 심장병, 당뇨병, 관절염, 통풍, 피부염, 치질을 치료한다.

성분 catechol 타닌(12% 정도), proanthocyanidin, anthocyanins, flavonoids, iridoid 배당체인 asperuloside, monotropein이 함유되어 있다. 잎은 알칼로이드인 epimyritin, 기타 arbutin, hydroquinone이 함유되어 있다.

사용법 남매 20g에 물 3컵(600mL)을 넣고 달여서 복용하거나 술에 담가서 복용한다.

○ 블루베리(수확한 열매)

○ 블루베리(꽃)

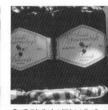

○ 유럽에서 시력 보호에 사용되는 건강식품

○ 블루베리

○ 블루베리가 함유된 눈 영양제

○ 블루베리로 만든 건강식품

[진달래과]

넌출월귤

 요도염　　괴혈병

●학명 : *Vaccinium oxycoccum* L.　●영명 : European cranberry, Small cranberry
●별명 : 덩굴월귤

| 1 | 2 | 3 | 4 | 5 | 6 | 7 | 8 | 9 | 10 | 11 | 12 |

○ Vaccini Fructus

상록 관목. 가지가 많으며 옆으로 기어 퍼진다. 잎은 어긋나고 긴 타원형, 두껍고 양끝이 뾰족하며 가장자리에 톱니가 없다. 꽃은 백색, 5~6월에 피며 밑으로 처진다. 화관은 적백색이 돌며, 장과는 둥글고, 10월에 적갈색으로 익는다.

분포·생육지 북유럽, 서아시아, 북아메리카. 산기슭 양지에서 자란다.

약용 부위·수치 열매를 가을에 채취하여 말린다.

약물명 Vaccini Fructus. 일반적으로 European cranberry 또는 Small cranberry라고도 한다.

약효 소염(消炎)의 효능이 있으므로 요도염, 괴혈병을 치료한다.

사용법 Vaccini Fructus 20g에 물 3컵(600 mL)을 넣고 달여서 복용하거나 술에 담가서 복용하고, 추출물로 만든 정제 또는 캡슐제를 복용한다.

○ 열매　　　　　　○ 넌출월귤

[진달래과]

들쭉나무

 복사, 장염, 위염

●학명 : *Vaccinium uliginosum* L.　●별명 : 흑두목, 수홍화

| 1 | 2 | 3 | 4 | 5 | 6 | 7 | 8 | 9 | 10 | 11 | 12 |

낙엽 관목. 높이 1m 정도. 잎은 어긋나고 타원형, 길이 1.5~2.5cm, 너비 1~2cm, 뒷면은 백색을 띠며 가장자리는 밋밋하다. 꽃은 5~6월에 피며 종 모양이고 수술은 10개이다. 열매는 구형, 지름 6~7mm, 8~9월에 자흑색으로 익으며 흰 가루로 덮여 있다.

분포·생육지 우리나라 한라산, 강원도 이북, 특히 백두산 부근. 양지바른 곳에서 자란다.

약용 부위·수치 열매를 여름과 가을에 채취하여 말린다.

약물명 전과(甸果)

약효 수렴(收斂), 청열(淸熱)의 효능이 있으므로 복사(腹瀉), 장염, 위염을 치료한다.

사용법 전과 7g에 물 2컵(400mL)을 넣고 달여서 복용하거나 술에 담가서 복용한다.

○ 들쭉나무

○ 전과(甸果)로 만든 약술

[진달래과]

월귤

 요도염, 방광염　　 급성류머티즘

 전염성설사

● 학명 : *Vaccinium vitis-idaea* L.　● 별명 : 월귤나무, 땃들쭉, 당들쭉나무, 땅들쭉

1	2	3	4	5	6	7	8	9	10	11	12

상록 관목. 높이 15~30cm. 밑부분은 길게 땅속으로 벋는다. 잎은 어긋나며 두껍고 가장자리는 밋밋하다. 꽃은 백색 또는 연한 홍색, 6~7월에 가지 윗부분의 잎겨드랑이에 총상화서를 이루어 2~3개씩 달린다. 열매는 지름 8~10mm, 8~9월에 붉은색으로 익는다.

분포 · 생육지 우리나라 백두산, 북반구. 높은 산지 바위나 습지에서 자란다.

약용 부위 · 수치 잎은 6월, 열매는 여름과 가을에 채취하여 말린다.

약물명 잎을 월귤엽(越橘葉), 열매를 월귤과(越橘果)라 한다.

약효 월귤엽(越橘葉)은 이뇨, 해독의 효능이 있으므로 요도염, 방광염 및 급성류머티즘을 치료한다. 월귤과(越橘果)는 지통의 효능이 있으므로 전염성설사를 치료한다.

성분 월귤엽(越橘葉)은 arbutin, ursolic acid, salidroside, hyperin, avicularin, isoquercitrin 등이 함유되어 있다.

약리 arbutin은 위에서 분해되어 hydroquinone이 된다. 이 물질은 황색 포도상구균, 대장균 등에 발육 저지 작용이 있고, 달인 액을 복용할 경우에는 오줌의 pH를 조절하는 효과가 있다. 달인 액을 복용할 때 요량이 증가하는데, flavonoid 성분에 의한 것이다.

사용법 월귤엽이나 월귤과 5g에 물 2컵(400mL)을 넣고 달여서 복용한다.

＊ 월귤은 요로 방부제로 제제화되어 시판되고 있는 우바우르시(Uvae Ursi)의 성분과 효능이 비슷하다.

❶ 월귤엽(越橘葉)

❶ 월귤(꽃)

❶ 월귤엽(越橘葉)으로 만든 요도염 치료제

❶ 월귤

[자금우과]

백량금

 편도선염, 급성인후염　　 단독, 종독　　 림프샘염

 토혈, 위통　　 류머티즘　　 해혈

● 학명 : *Ardisia crenata* Sims　● 별명 : 탱자아재비, 선꽃나무

1	2	3	4	5	6	7	8	9	10	11	12

상록 관목. 높이 1m 정도. 잎은 어긋나고 타원형, 길이 7~12cm, 너비 2~4cm, 가장자리에 물결 같은 톱니가 있다. 꽃은 백색, 양성, 6~7월에 핀다. 꽃받침은 5개로 갈라지며, 꽃잎은 끝이 갈라지고 흑색 점이 있다. 핵과는 둥글다.

분포 · 생육지 우리나라 제주도 및 남부 지방의 섬. 일본, 중국, 타이완, 인도. 숲속에서 자란다.

약용 부위 · 수치 잎은 여름과 가을, 뿌리는 늦가을에 채취하여 말린다.

약물명 뿌리를 주사근(朱砂根), 잎을 주사엽(朱砂葉)이라 한다.

약효 주사근(朱砂根)은 해열, 해독, 소염의 효능이 있으므로 편도선염, 급성인후염, 단독, 림프샘염, 토혈, 위통, 류머티즘을 치료한다. 주사엽(朱砂葉)은 활혈(活血), 행어(行瘀)의 효능이 있으므로 해혈(咳血), 종독(腫毒), 타박상을 치료한다.

약리 물로 달인 액은 황색 포도상구균, 대장균, 녹농균에 항균 작용이 있고, 에탄올 추출물을 쥐에게 투여한 결과 피임 작용이 있었다.

사용법 주사근 또는 주사엽 10g에 물 3컵(600mL)을 넣고 달여서 복용하고, 외용에는 짓찧어 붙인다.

＊ '자금우'와 '산호수'에 비하여 줄기는 곧게 서고 잎에 물결 같은 톱니가 있다.

❶ 주사근(朱砂根)

❶ 주사엽(朱砂葉)

❶ 꽃　　　　❶ 백량금

자금우

기관지염, 해수　고혈압
토혈, 간염

●학명 : *Ardisia japonica* Bl.　●한자명 : 紫金牛

| 1 | 2 | 3 | 4 | 5 | 6 | 7 | 8 | 9 | 10 | 11 | 12 |

○ 자금우(꽃)

상록 관목. 높이 15~20cm. 잎은 돌려나거나 마주나고 가장자리에 톱니가 드문드문 있으며, 잎자루는 길이 0.7~1.2cm이다. 꽃은 백색, 양성, 7~8월에 잎겨드랑이에 산형화서로 달려 밑으로 처진다. 열매는 9월에 붉은색으로 익는다.

분포·생육지 우리나라 제주도 및 남부 해안 지방. 중국, 일본, 타이완. 산지 숲속에서 자란다.

약용 부위·수치 줄기와 잎을 여름에 채취하여 말린다.

약물명 자금우(紫金牛). 평지목(平地木)이라고도 한다.

기미·귀경 평(平), 고(苦), 신(辛)·폐(肺), 간(肝)

약효 진해(鎭咳), 거담(祛痰), 이뇨(利尿), 활혈(活血), 해독의 효능이 있으므로 기관지염, 폐결핵에 의한 해수(咳嗽), 토혈(吐血), 간염, 고혈압을 치료한다.

성분 지상부에는 bergenin, norbergenin,

tri-*O*-methylnorbergenin, 2-hydroxy-5-methoxy-3-pentadecenylbenzoquinone, ardisin A, B, I, ardimerin, 잎은 quercitrin, myricitrin, bergenin, ilexol (bauerenol) 등이 함유되어 있다.

약리 쥐로 실험한 결과 bergenin은 기침을 억제하는 작용, ardisin A, B는 항결핵 작용이 있었다. ardimerin은 DPPH 소거법에 의하여 항산화 작용이 있다.

사용법 자금우 10g에 물 3컵(600mL)을 넣고 달여 복용하거나 짓찧어 즙액을 내어 복용한다.

○ 자금우(紫金牛)

○ 자금우

산호수

풍습비통　황달, 혈리복통
통경　타박상, 옹창종독, 독사교상

●학명 : *Ardisia pusilla* DC.　●별명 : 털자금우

| 1 | 2 | 3 | 4 | 5 | 6 | 7 | 8 | 9 | 10 | 11 | 12 |

상록 관목. 높이 10~15cm. 땅속줄기가 길게 옆으로 벋고 그 끝에서 줄기가 나오며, 잎은 돌려나거나 모여난다. 꽃은 백색, 양성으로 7~8월에 잎겨드랑이에 산형화서로

2~4개가 달린다. 꽃받침 조각은 달걀 모양으로 털이 있으며, 꽃잎은 5개로 갈라진다. 열매는 9월에 붉은색으로 익는다.

분포·생육지 우리나라 제주도 및 남부 해

안 지방. 인도, 중국, 일본, 타이완. 산지 숲속에서 자란다.

약용 부위·수치 지상부를 여름에 채취하여 말린다.

약물명 소청(小靑). 등탁초(燈托草), 모청강(毛靑杠)이라고도 한다.

약효 청열이습(淸熱利濕), 활혈소종(活血消腫)의 효능이 있으므로 풍습비통(風濕痺痛), 황달, 혈리복통(血痢腹痛), 통경(痛經), 타박상, 옹창종독(癰瘡腫毒), 독사교상(毒蛇咬傷)을 치료한다.

성분 gallic acid, naringenin-6-*C*-glucoside, kaempferol-3-*O*-β-D-galactopyranoside 등이 함유되어 있다.

약리 백혈병 암세포인 S180을 이식한 쥐에게 사포닌 성분을 투여하면 항암 작용이 나타난다. gallic acid는 수종의 병원성 균에 항균 작용이 있다.

사용법 소청 7g에 물 2컵(400mL)을 넣고 복용하고, 외용에는 짓찧어 붙이거나 즙액을 바른다.

○ 산호수

○ 소청(小靑)

○ 산호수(열매)

[자금우과]

설하홍

풍습비통　해수토혈
타박상, 옹창종독　한기복통

●학명 : *Ardisia villosa* Roxb.　●한자명 : 雪下紅

| 1 | 2 | 3 | 4 | 5 | 6 | 7 | 8 | 9 | 10 | 11 | 12 |

○ 설하홍

관목. 높이 50~100cm. 줄기는 바로 서고 가지와 더불어 털이 많다. 뿌리줄기는 옆으로 벋는다. 잎은 어긋나고 타원형, 가장자리에 작은 톱니가 있다. 꽃은 양성, 가지 끝에 달리고, 꽃잎은 분홍색이다. 열매는 둥글고 붉은색 또는 흑자색으로 익는다.

분포 · 생육지 인도, 중국 광둥성(廣東省), 광시성(廣西省), 윈난성(雲南省), 타이완, 인도네시아. 산지 숲속에서 자란다.

약용 부위 · 수치 줄기와 잎을 여름에 채취하여 말린다.

약물명 왜각라산(矮脚羅傘), 소라산(小羅傘), 왜다풍(矮多風), 모경자금우(毛莖紫金牛)라고도 한다.

약효 거풍습(祛風濕), 활혈지통(活血止痛)의 효능이 있으므로 풍습비통(風濕痺痛), 해수토혈(咳嗽吐血), 한기복통(寒氣腹痛), 타박상, 옹창종독(癰瘡腫毒)을 치료한다.

사용법 왜각라산 7g에 물 2컵(400mL)을 넣고 달여서 복용하고, 외용에는 짓찧어 붙이거나 즙액을 바른다.

[자금우과]

유자과

감모발열　인후통
풍습열비

●학명 : *Ardisia virens* Kurz　●한자명 : 紐子果

| 1 | 2 | 3 | 4 | 5 | 6 | 7 | 8 | 9 | 10 | 11 | 12 |

관목. 높이 2~3m. 가지를 치지 않는다. 잎은 어긋나고 긴 타원형, 가장자리는 밋밋하다. 꽃은 양성, 가지 끝에 달리고, 꽃잎은 처음에는 백색이나 분홍색으로 변한다. 열매는 둥글고 붉은색이며, 열매자루는 붉은색이다.

분포 · 생육지 인도, 중국, 타이완, 인도네시아. 산지 숲속에서 자란다.

약용 부위 · 수치 뿌리를 수시로 채취하여 물에 씻은 후 썰어서 말린다.

약물명 표자안청과(豹子眼晴果), 대라산(大羅傘)이라고도 한다.

약효 청열해독, 산어지통(散瘀止痛)의 효능이 있으므로 감모발열, 인후통, 풍습열비(風濕熱痺)를 치료한다.

사용법 표자안청과 15g에 물 3컵(600mL)을 넣고 달여서 복용한다.

○ 유자과

[자금우과]

오폐엽

 근련골통　　 폐로해수

● 학명 : *Embelia scandens* (Lour.) Mez [*E. hainanensis, Calispermum scandens*]
● 한자명 : 烏肺葉

| 1 | 2 | 3 | 4 | 5 | 6 | 7 | 8 | 9 | 10 | 11 | 12 |

❖ 오폐엽(꽃)

관목. 높이 2~5m. 가지에는 피목이 조밀하다. 잎은 어긋나고 타원형, 가죽질이며 가장자리는 밋밋하다. 꽃은 양성, 가지 끝에 달리고, 꽃잎은 백색이며 끝이 갈라지지 않는다. 열매는 둥글고 붉은색, 지름 5mm 정도이다.

분포 · 생육지 인도, 중국 광둥성(廣東省), 하이난성(海南省), 타이완, 싱가포르, 인도네시아. 해발 200~850m의 산지에서 자란다.

약용 부위 · 수치 뿌리를 수시로 채취하여 물에 씻은 후 썰어서 말린다.

약물명 가자등(假刺藤). 오폐엽(烏肺葉)이라고도 한다.

약효 서근활락(舒筋活絡), 염폐지해(斂肺止咳)의 효능이 있으므로 근련골통(筋攣骨痛), 폐로해수(肺癆咳嗽)를 치료한다.

사용법 가자등 10g에 물 3컵(600mL)을 넣고 달여서 복용한다.

❖ 오폐엽

[자금우과]

포창엽

 간염, 복사　　 마진

 고혈압

● 학명 : *Maesa indica* (Roxb.) A. DC.　● 한자명 : 包瘡葉

| 1 | 2 | 3 | 4 | 5 | 6 | 7 | 8 | 9 | 10 | 11 | 12 |

상록 관목. 높이 2~3m. 줄기는 바로 서고 피공이 돌출한다. 잎은 어긋나고 타원형, 길이 8~17cm, 너비 5~9cm이며 가장자리에 작은 톱니가 있다. 꽃은 양성, 가지 끝에 달리고 백색 또는 황록색이다. 열매는 둥글고 지름 3mm 정도이다.

분포 · 생육지 인도, 중국 광시성(廣西省), 윈난성(雲南省), 타이완. 해발 500~2,000m의 산비탈에서 자란다.

약용 부위 · 수치 잎을 여름에 채취하여 말린다.

약물명 양면청(兩面靑). 소고낭차(小姑娘茶)라고도 한다.

약효 청열이습(淸熱利濕), 강압(降壓)의 효능이 있으므로 간염, 복사(腹瀉), 마진(麻疹), 고혈압을 치료한다.

사용법 양면청 15g에 물 3컵(600mL)을 넣고 달여서 복용한다.

❖ 포창엽

[앵초과]

별봄맞이꽃

🧍 학슬풍
📁 음증창양, 독사교상, 광견교상

● 학명 : *Anagallis arvensis* L. ● 별명 : 뚜껑별꽃, 보라별꽃, 별봄맞이

| 1 | 2 | 3 | 4 | 5 | 6 | 7 | 8 | 9 | 10 | 11 | 12 |

한해~두해살이풀. 줄기는 옆으로 벋다가 비스듬히 선다. 잎은 마주난다. 꽃은 보라색, 4~5월에 잎겨드랑이에 꽃줄기가 나와 1개씩 달린다. 꽃받침은 5개로 깊게 갈라지고, 꽃잎도 5개로 갈라지며 통부가 짧고 수술은 5개이다. 삭과는 거의 둥글고 중앙부에서 옆으로 갈라져 뚜껑처럼 열린다.

분포 · 생육지 우리나라 전역. 중국, 일본, 타이완, 인도. 들에서 자란다.

약용 부위 · 수치 전초를 여름에 채취하여 물에 씻어서 말린다.

약물명 사념황(四念癀). 해록(海祿), 용토주(龍吐酒)라고도 한다.

약효 거풍산한(祛風散寒), 활혈해독(活血解毒)의 효능이 있으므로 학슬풍(鶴膝風), 음증창양(陰症瘡瘍), 독사 및 광견교상(狂犬咬傷)을 치료한다.

사용법 사념황 10g에 물 3컵(600mL)을 넣고 달여서 복용하거나 술에 담가 복용한다. 독사 및 광견교상에는 신선한 것을 짓찧어 상처에 붙이고 붕대로 감싸거나 즙액을 바른다.

🔵 별봄맞이꽃

🔼 사념황(四念癀)

[앵초과]

봄맞이꽃

👁 인후종통, 구창, 적안   🔲 편두통
🦵 류머티즘

● 학명 : *Androsace umbellata* (Lour.) Merr. ● 별명 : 봄마지꽃, 봄맞이

| 1 | 2 | 3 | 4 | 5 | 6 | 7 | 8 | 9 | 10 | 11 | 12 |

한해~두해살이풀. 잎은 뿌리에서 모여나고 땅바닥으로 퍼진다. 꽃은 백색, 4~5월에 줄기 끝에 4~10개가 달린다. 꽃받침은 5개로 깊게 갈라지고, 꽃잎도 5개로 갈라지며, 통부가 짧고, 수술은 5개이다. 삭과는 둥글고 윗부분이 5개로 갈라진다.

분포 · 생육지 우리나라 전역. 중국, 일본, 타이완, 인도. 들에서 자란다.

약용 부위 · 수치 전초를 봄에 채취하여 물에 씻어서 말린다.

약물명 후롱초(喉嚨草), 불정주(佛頂珠), 지호초(地胡椒)라고도 한다.

약효 거풍(祛風), 해열(解熱), 소종(消腫), 해독의 효능이 있으므로 인후종통(咽喉腫痛), 구창(口瘡), 적안(赤眼), 편두통, 류머티즘을 치료한다.

사용법 후롱초 7g에 물 3컵(600mL)을 넣고 달여서 복용하거나 술에 담가 복용한다.
＊잎이 둥글고 전체에 큰 거치가 있는 '금강봄맞이 A. cortusaefolia', 잎이 주걱형이고 잎의 윗부분에만 거치가 있는 '명천봄맞이 A. septentrionalis', 식물체가 작고 잎이 숟가락 모양인 '애기봄맞이 A. filiformis'도 약효가 같다.

🔼 후롱초(喉嚨草)

🔵 봄맞이꽃

[앵초과]

시클라멘

나력　응혈　유방염

● 학명 : *Cyclamen europaeum* L.　● 영명 : Cyclamen, Snowbread

| 1 | 2 | 3 | 4 | 5 | 6 | 7 | 8 | 9 | 10 | 11 | 12 |

여러해살이풀. 높이 30cm 정도. 뿌리줄기는 납작하게 둥글며 잔뿌리가 나온다. 잎은 심장형이다. 꽃은 봄에 뿌리줄기에서 나오는 여러 개의 꽃대 위에 1개씩 피며, 꽃잎은 붉은색, 분홍색, 보라색 등 다양하고 방향성이 강하다.
분포·생육지 영국, 독일, 프랑스, 폴란드, 유럽. 세계 각처에서 재배한다.

약용 부위·수치 뿌리를 봄과 여름에 채취하여 물에 씻어서 사용한다.
약물명 Cyclamen Radix
약효 소염, 진통의 효능이 있으므로 나력, 산모의 유방염, 응혈(凝血)을 치료한다.
사용법 뿌리를 짓찧어 상처에 붙이고 붕대로 감싸거나 즙액을 바른다.

◑ Cyclamen Radix

◐ 시클라멘(뿌리)

◑ 시클라멘으로 만든 소염제

◑ 시클라멘

[앵초과]

까치수염

월경불순, 월경통, 화농성유선염　인후종통　감모풍열

● 학명 : *Lysimachia barystachys* Bunge　● 별명 : 까치수영, 꽃꼬리풀

| 1 | 2 | 3 | 4 | 5 | 6 | 7 | 8 | 9 | 10 | 11 | 12 |

여러해살이풀. 높이 50~100cm. 줄기는 곧게 서고 잎은 어긋난다. 꽃은 백색, 지름 7~12mm, 6~8월에 원줄기 끝에 꼬리처럼 옆으로 굽은 꽃차례가 달린다. 꽃차례는 꽃이 밀착하여 짧지만 열매가 성숙하면 길이가 30cm에 달한다. 꽃받침은 타원형, 끝이 둔하고 꽃잎은 긴 타원형이다. 삭과는 둥글

며 지름 2.5mm 정도, 적갈색으로 익는다.
분포·생육지 우리나라 전역. 인도, 중국, 일본, 아무르. 산과 들의 습지에서 자란다.
약용 부위·수치 전초를 여름에 채취하여 물에 씻어서 말린다.
약물명 낭미파화(狼尾巴花). 활혈련(活血蓮), 낭파초(狼巴草)라고도 한다.

약효 조경(調經), 산어혈(散瘀血), 해열, 소종(消腫)의 효능이 있으므로 월경불순, 월경통, 감모풍열(感冒風熱), 인후종통(咽喉腫痛), 화농성유선염(化膿性乳腺炎)을 치료한다.
성분 salicylic acid, hyperin, rutin, kaempferol-3-rutinoside, kaempferol-3-2,6-dirhamnoglucoside, camelliagine A 등이 함유되어 있다.
약리 camelliagine A는 $Na^+-K^+ATPase$ 저해 작용이 있다.
사용법 낭미파화 10g에 물 3컵(600mL)을 넣고 달여서 복용하거나 술에 담가서 복용한다.

◑ 까치수염(꽃)

◑ 까치수염

◑ 낭미파화(狼尾巴花, 신선품)

[앵초과]

금전초

요로결석　　습열황달

열독옹종, 독사교상

● 학명 : *Lysimachia christinae* Hance　● 별명 : 전풀, 큰가지풀

| 1 | 2 | 3 | 4 | 5 | 6 | 7 | 8 | 9 | 10 | 11 | 12 |

덩굴성 여러해살이풀. 줄기는 30~60cm, 회녹색~적자색을 띤다. 잎은 마주나며 둥글고 길이 3~6cm, 너비 2~4cm, 잎자루는 길이 1~3cm이다. 꽃은 황색, 잎겨드랑이에서 한 쌍의 꽃차례가 달리고, 꽃잎과 꽃받침은 각각 5개, 수술은 5개이다. 삭과는 둥글며 지름 3~5mm로 적갈색으로 익는다.

분포 · 생육지 중국. 산과 들의 습지에서 자란다.

약용 부위 · 수치 전초를 여름에 채취하여 물에 씻어서 말린다.

약물명 금전초(金錢草). 지오공(地蜈蚣), 동전초(銅錢草)라고도 한다. 대한민국약전외한약(생약)규격집(KHP)에 수재되어 있다.

성상 전초로 엉켜서 뭉쳐 있고, 줄기 표면은 적갈색으로 세로무늬가 있으며 줄기 밑부분에는 마디마다 수염뿌리가 있다. 잎은 마주나고 심장형이다. 냄새가 약간 나고 맛은 담담하다.

약효 이습배석(利濕排石), 청열해독(清熱解毒)의 효능이 있으므로 요로결석(尿路結石), 습열황달(濕熱黃疸), 열독옹종(熱毒癰腫), 독사교상(毒蛇咬傷)을 치료한다.

성분 quercetin, isoquercitrin, kaempferol, trifolin, kaempferol-3-O-glucoside, rhamnocitrin-3,4′-diglucoside, *p*-hydroxybenzoic acid 등이 함유되어 있다.

약리 열수추출물을 신장 결석이 있는 실험쥐에 투여하면 결석이 없어진다. 귀에 염증을 유발한 쥐에 열수추출물을 바르고 투여하면 소염 작용이 나타난다.

사용법 금전초 15~20g에 물 4컵(800mL)을 넣고 달여서 복용하거나 술에 담가서 복용한다.

❶ 꽃　　❶ 금전초

❶ 금전초(金錢草)로 만든 요로결석, 황달 치료제　❶ 금전초(金錢草)

[앵초과]

큰까치수염

수종　　열림　　황달, 이질

풍습열비, 골절　대하, 경폐, 유옹　인후통

● 학명 : *Lysimachia clethroides* Duby　● 별명 : 큰까치수영, 홀아빗대, 큰꽃꼬리풀

| 1 | 2 | 3 | 4 | 5 | 6 | 7 | 8 | 9 | 10 | 11 | 12 |

여러해살이풀. 높이 50~100cm. 줄기는 곧게 서며, 잎은 어긋난다. 꽃은 백색, 6~8월에 원줄기 끝에서 한쪽으로 굽은 총상화서로 빽빽이 달리며 길이 10~20cm이지만 열매가 달릴 때는 길이가 40cm에 달한다. 삭과는 지름 2.5mm 정도, 꽃받침으로 싸여 있다.

분포 · 생육지 우리나라 전역. 중국, 일본, 우수리. 산과 들에서 자란다.

약용 부위 · 수치 전초를 가을과 겨울에 채취하여 말린다.

약물명 진주채(珍珠菜). 차근채(扯根菜), 산지매(山地梅)라고도 한다.

본초서 진주채(珍珠菜)는 「식물명실도고(植物名實圖考)」에 처음 수재되었고, "어혈(瘀血)을 풀어 준다."고 하였으며, 「귀양민간약초(貴陽民間藥草)」에는 "혈액 순환을 좋게 하여 여성 생리를 순조롭게 하고 염증에는 즙액으로 씻는다."고 하였다. 이 약물은 예로부터 식용해 왔으나 약으로 이용한 지는 오래되지 않았다.

약효 청열이습(清熱利濕), 활혈산어(活血散瘀), 해독소옹(解毒消癰)의 효능이 있으므로 수종(水腫), 열림(熱淋), 황달, 이질, 풍습열비(風濕熱痺), 대하(帶下), 경폐(經閉), 골절, 유옹(乳癰), 인후통을 치료한다.

성분 뿌리에는 astragalin, isoquercitrin, kaempferol-3-O-rutinoside, primulagenin A, dihydropriverogenin A, camellagenin A 등이 함유되어 있다.

약리 camellagenin A는 Na$^+$-K$^+$ATPase 저해 작용이 있다. 암세포를 이식한 쥐에게 열수추출물을 투여하면 대조군에 비하여 암 조직의 크기가 45% 정도 억제된다. 열수추출물은 황색 포도상구균에 항균 작용이 있다.

사용법 진주채 15~20g에 물 4컵(800mL)을 넣고 달여서 복용하거나 술에 담가서 복용한다.

＊'까치수염 *L. barystachys*'에 비하여 잎이 넓으며 끝이 뾰족하고 전체에 털이 거의 없다.

❶ 큰까치수염

❶ 진주채(珍珠菜)　　❶ 큰까치수염(열매)

[앵초과]

황화주

● 학명 : *Lysimachia congestiflora* Hemsl. ● 한자명 : 黃花珠

| 풍한두통 | 해수담다 |
| 요로결석 | 습열황달 |

| 1 | 2 | 3 | 4 | 5 | 6 | 7 | 8 | 9 | 10 | 11 | 12 |

○ 풍한초(風寒草)

덩굴성 여러해살이풀. 원줄기는 땅으로 기면서 군데군데 분지하며 높이 10~50cm, 적자색을 띤다. 잎은 마주나며 둥글고 길이 3~6cm, 너비 2~4.5cm, 잎자루는 길이 1~1.5cm이다. 꽃은 황색, 가지 끝에 2~4개가 달리고, 꽃잎과 꽃받침은 각각 5개, 수술은 5개이다. 삭과는 둥글다.

분포·생육지 중국, 인도. 산과 들의 습지에서 자란다.

약용 부위·수치 전초를 여름에 채취하여 물에 씻어서 말린다.

약물명 풍한초(風寒草)

약효 거풍산한(祛風散寒), 화담지해(化痰止咳), 해독이습(解毒利濕), 소적배석(消積排石)의 효능이 있으므로 풍한두통(風寒頭痛), 해수담다(咳嗽痰多), 요로결석(尿路結石), 습열황달(濕熱黃疸)을 치료한다.

사용법 풍한초 10g에 물 3컵(600mL)을 넣고 달여서 복용하거나 술에 담가서 복용한다.

○ 황화주

[앵초과]

영향초

● 학명 : *Lysimachia foenum-graecum* Hance ● 한자명 : 靈香草

| 혈열 | 타박상 |
| 골절 | |

| 1 | 2 | 3 | 4 | 5 | 6 | 7 | 8 | 9 | 10 | 11 | 12 |

한해살이풀. 높이 10~20cm. 줄기는 원기둥 모양, 길이 50cm 정도로 세로무늬가 있고 3~5줄의 뾰족한 날개 같은 조직이 능선에 붙어 있다. 잎은 넓은 타원형이다. 꽃은 5~6월에 피며, 화관은 황색, 끝이 5개로 갈라진다. 삭과는 둥글며, 종자는 가늘고 작다.

분포·생육지 중국 후난성(湖南省) 서남부, 광둥성(廣東省) 북부, 광시성(廣西省), 쓰촨성(四川省), 윈난성(雲南省). 해발 800~1,700m의 산골짜기에서 자란다.

약용 부위·수치 겨울에 전초를 채취하여 물에 씻은 후 말린다.

약물명 영향초(靈香草). 영릉향(零陵香), 몽주영릉향(蒙州零陵香), 배초(排草), 향초(香草)라고도 한다. 대한민국약전외한약(생약)규격집(KHP)에 수재되어 있다.

본초서 영향초(靈香草)는 「동의보감(東醫寶鑑)」에 "나쁜 기운을 없애고 시주(尸疰, 결핵균이 폐에 침입하여 생긴 전염성 질병)로 명치 아래와 배가 아픈 것을 낫게 하며 몸에서 향기를 풍기게 한다."고 하였다.

東醫寶鑑: 主惡氣 主心腹痛 令體香.

성상 전초로 줄기는 원기둥 모양이며 길이 50cm 정도, 세로무늬가 있고 3~5줄의 뾰족한 날개 같은 조직이 능선에 붙어 있다. 잎은 넓은 달걀 모양이며, 잎 끝은 뾰족하고 아래쪽은 잎자루를 따라 아래로 흘러 날개로 된다. 냄새는 강하고, 맛은 달고 쓰다.

약효 거어(祛瘀), 소종(消腫)의 효능이 있으므로 혈열(血熱), 타박상, 골절을 치료한다.

성분 rutin, hyperin, kaempferol-3-*O*-rutinoside, salicylic acid, 6-tridecyl-resorcylic acid, kaempferol, quercetin, daucosterol 등이 함유되어 있다.

약리 메탄올추출물은 암세포의 하나인 KB 세포의 성장을 91% 정도 억제시킨다.

사용법 영향초 10g에 물 3컵(600mL)을 넣고 달여서 복용하거나 술에 담가 복용하고, 외용에는 짓찧어 환부에 붙인다.

○ 영향초

○ 영향초(靈香草)

○ 영향초(잎)

진퍼리까치수염

 황달, 사리, 토혈   목적종통, 인후통

●학명 : *Lysimachia fortunei* Max.   ●별명 : 진퍼리까치수영

| 1 | 2 | 3 | 4 | 5 | 6 | 7 | 8 | 9 | 10 | 11 | 12 |

여러해살이풀. 높이 40~70cm. 밑부분에 붉은빛이 돌고, 잎은 어긋난다. 꽃은 백색, 지름 5~6mm, 7~8월에 핀다. 포는 선형, 꽃받침잎은 녹색, 5개이며, 화관의 끝은 5개로 갈라지고, 수술은 5개이다. 삭과는 둥글며 지름 2~2.5mm이다.

분포 · 생육지 우리나라 남부 지방. 중국, 일본, 인도차이나. 습지에서 자란다.

약용 부위 · 수치 전초를 가을과 겨울에 채취하여 말린다.

약물명 대전기황(大田基黃). 성숙채(星宿菜)라고도 한다.

약효 청열이습(清熱利濕), 양혈활혈(凉血活血), 해독소종(解毒消腫)의 효능이 있으므로 황달, 사리(瀉痢), 목적종통(目赤腫痛), 토혈(吐血), 인후통을 치료한다.

성분 rapainone, triacontanol, trifolin, hyperin, mauritannin 등이 함유되어 있다.

약리 사염화탄소(CCl₄)로 간염을 일으킨 쥐에게 열수추출물을 투여하면 간장의 기능이 좋아진다. 급성임파관염을 앓는 환자에게 열수추출물을 투여하면 67% 정도가 정상으로 회복된다.

사용법 대전기황 15g에 물 4컵(800mL)을 넣고 달여서 복용한다.

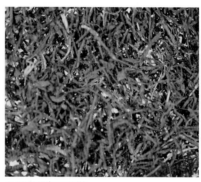

○ 대전기황(大田基黃)

○ 진퍼리까치수염

좀가지풀

혈열   타박상

골절

●학명 : *Lysimachia japonica* Thunb.   ●별명 : 돌좁쌀풀, 금좁쌀풀, 좀가지꽃

| 1 | 2 | 3 | 4 | 5 | 6 | 7 | 8 | 9 | 10 | 11 | 12 |

한해살이풀. 높이 10~20cm. 줄기는 비스듬히 서지만 나중에는 옆으로 길게 벋고, 잎은 마주난다. 꽃은 황색, 5~6월에 잎겨드랑이에 1개씩 달리고, 수술은 5개, 꽃받침은 5개로 갈라진다. 삭과는 둥글며 윗부분에 긴 털이 산생한다.

분포 · 생육지 우리나라 전역. 중국, 일본, 타이완, 말레이시아. 산과 들의 습지에서 자란다.

약용 부위 · 수치 전초를 봄과 여름에 채취하여 물에 씻은 후 말린다.

약물명 대산혈(大散血). 만도배(蠻刀背)라고도 한다.

약효 거어(祛瘀), 소종(消腫)의 효능이 있으므로 혈열(血熱), 타박상, 골절을 치료한다.

성분 rutin, hyperin, kaempferol-3-O-rutinoside, salicylic acid, 6-tridecyl-resorcylic acid, kaempferol, quercetin, daucosterol 등이 함유되어 있다.

약리 메탄올추출물은 암세포의 하나인 KB세포의 성장을 91% 정도 억제시킨다.

사용법 대산혈 10g에 물 3컵(600mL)을 넣고 달여서 복용하거나 술에 담가 복용하고, 외용에는 짓찧어 환부에 붙인다.

○ 대산혈(大散血)

○ 좀가지풀

가배초

🫁 감기, 해수, 효천

● 학명 : *Lysimachia sikokiana* Miq. [*L. garretii*]　● 한자명 : 假排草

1 2 3 4 5 6 7 8 9 10 11 12

여러해살이풀. 높이 20~40cm. 줄기는 바로 서고, 식물체가 시들고 나면 향기가 난다. 잎은 어긋난다. 꽃은 황색, 5~6월에 잎겨드랑이에 2~3개씩 달리고, 수술은 5개, 꽃받침은 5개로 갈라진다. 삭과는 둥글다.

분포 · 생육지 중국, 인도, 일본, 타이완. 산과 들의 습지에서 자란다.

약용 부위 · 수치 전초를 여름에 채취하여 물에 씻은 후 말린다.

약물명 합혈향(合血香). 배초(排草)라고도 한다.

약효 소풍선폐(疎風宣肺), 지해평천(止咳平喘)의 효능이 있으므로 감기, 해수(咳嗽), 효천(哮喘)을 치료한다.

사용법 합혈향 10g에 물 3컵(600mL)을 넣고 달여서 복용한다.

❖ 가배초(꽃)

❖ 가배초

좁쌀풀

🏃 고혈압　　🌀 두통
💤 불면증

● 학명 : *Lysimachia vulgaris* Led. [*L. vulgaris* var. *davurica*]　● 별명 : 선좁쌀풀, 기생깨풀

1 2 3 4 5 6 7 8 9 10 11 12

여러해살이풀. 높이 40~80cm. 뿌리줄기는 옆으로 길게 벋는다. 잎은 마주나거나 간혹 3~4개씩 돌려나며 바늘 모양, 뒷면에 선모(腺毛)가 있다. 꽃은 황색, 6~8월에 원줄기 끝에 많이 달린다. 열매는 둥글고 지름 4mm 정도로 끝에 암술대가 남아 있다.

분포 · 생육지 우리나라 전역. 중국, 일본, 시베리아. 산과 들의 습지에서 자란다.

약용 부위 · 수치 전초를 여름에 채취하여 물에 씻은 후 말린다.

약물명 황련화(黃連花). 황련화(黃蓮花)라고도 한다.

약효 진정(鎭靜), 강압(降壓)의 효능이 있으므로 고혈압, 두통, 불면증을 치료한다.

성분 astragalin, hyperin, rutin, isoquercitrin 등이 함유되어 있다.

사용법 황련화 10g에 물 3컵(600mL)을 넣고 달여서 복용한다.

＊ 꽃잎의 끝이 뾰족하고 잎이 타원형인 '참좁쌀풀 *L. coreana*'도 약효가 같다.

❖ 좁쌀풀

❖ 좁쌀풀(열매)

❖ 좁쌀풀(뿌리)

❖ 황련화(黃連花)

[앵초과]

앵초

🫁 해천담다

●학명 : *Primula sieboldii* E. Morr. ●별명 : 취란화, 깨풀, 연앵초

| 1 | 2 | 3 | 4 | 5 | 6 | 7 | 8 | 9 | 10 | 11 | 12 |

여러해살이풀. 뿌리줄기는 짧고 옆으로 비스듬히 서며 잔뿌리를 내리고, 잎은 뿌리에서 모여난다. 꽃은 적자색, 4~5월에 피고, 삭과는 원추상 편구형, 지름 5mm 정도이다.
분포 · 생육지 우리나라 전역. 중국, 일본, 동시베리아. 산속 습지에서 자란다.
약용 부위 · 수치 뿌리와 뿌리줄기를 가을에 채취하여 말린다.
약물명 앵초근(櫻草根). 야백채근(野白茱根)이라고도 한다.

약효 지해(止咳), 화담(化痰)의 효능이 있으므로 해천담다(咳喘痰多)를 치료한다.
성분 sakuraso-saponin, primulagenin A, dihydropriverogenin A(camellanin A) 등이 함유되어 있다.
사용법 앵초근 10g에 물 3컵(600mL)을 넣고 달여서 복용한다.
＊잎이 크고 꽃차례가 돌려나는 '큰앵초 *P. jesoana*', 꽃대에 털이 없고 잎의 거치만 있는 '설앵초 *P. modesta*'도 약효가 같다.

○ 앵초

○ 앵초(꽃이 피기 전)

○ 앵초가 배합된 기침가래약

○ 앵초근(櫻草根)

[앵초과]

서양앵초

🫁 기관지천식　👁 인후염

●학명 : *Primula veris* L. [*P. officinalis* (L.) Hill.] ●별명 : 양앵초, 황화구륜초

| 1 | 2 | 3 | 4 | 5 | 6 | 7 | 8 | 9 | 10 | 11 | 12 |

여러해살이풀. 뿌리줄기는 짧고, 잎은 뿌리에서 모여나며 앞면에 주름이 있다. 꽃은 담황색이고, 4~5월에 잎 사이에서 높이 15~40cm의 꽃대가 나와 그 끝에 여러 개의 꽃이 산형화서를 이룬다. 삭과는 원추상 편구형이다.
분포 · 생육지 유럽과 서아시아. 산속 습지에서 자란다.
약용 부위 · 수치 뿌리는 가을에, 꽃은 꽃이 필 때 채취하여 말린다.
약물명 뿌리는 Primulae Radix라 하며 일반적으로 Cowslip이라 한다. 꽃은 Primulae Flos라 한다.
약효 지해(止咳), 거담(祛痰)의 효능이 있으므로 기관지천식, 인후염을 치료한다.
성분 protoprimulagenin A, B, primverin, primulaverin 등이 함유되어 있다.
약리 뿌리에 함유된 사포닌은 가래의 제거와 분비선을 자극한다. 위의 점막에 있는 미주 신경을 자극한다.
사용법 Primulae Radix는 0.3g, Primulae Flos는 3g을 뜨거운 물로 우려내어 복용한다.
＊Primulae Radix는 독일약전(GP)에 수재되어 있다.

○ 서양앵초

○ Primulae Flos

[갯질경이과]

남설화

타박상　완복협통　골절

● 학명 : *Ceratostigma plumbaginoides* Bunge　● 한자명 : 藍雪花　● 영명 : Blue leadwood

1	2	3	4	5	6	7	8	9	10	11	12

○ 남설화(꽃)

반관목. 높이 35cm 정도. 줄기는 약간 구불구불하고 전체에 털이 있다. 잎은 타원형, 밑부분이 좁아져 잎자루처럼 된다. 꽃은 남자색, 7~9월에 잎겨드랑이에 두상화서로 피고, 씨방상위이다. 삭과는 터져서 열린다.

분포 · 생육지 중국 허베이성(河北省), 산시성(山西省), 장쑤성(江蘇省), 유럽. 산비탈에서 자란다.

약용 부위 · 수치 뿌리를 여름과 가을에 채취하여 물에 씻고 썰어서 말린다.

약물명 자금련(紫金蓮). 전자련(轉子蓮)이라고도 한다.

약효 행기활혈지통(行氣活血止痛)의 효능이 있으므로 완복협통(脘腹脇痛), 타박상, 골절을 치료한다.

성분 2-methyl-5-hydroxy-1,4-naphthoquinone 등이 함유되어 있다.

약리 장관 운동 억제 작용, 지혈 작용, 항균 작용이 있다.

사용법 자금련 3g을 뜨거운 물로 우려내어 복용한다.

○ 남설화

[갯질경이과]

대엽보혈초

♀ 어혈붕루, 자궁암

● 학명 : *Limonium gmelinii* (Willd.) O. Kuntze [*Statice gmelinii*]　● 한자명 : 大葉補血草

1	2	3	4	5	6	7	8	9	10	11	12

여러해살이풀. 높이 20~70cm. 꽃받침을 제외하면 털이 없고, 뿌리는 굵다. 잎은 뿌리잎이고 주걱 모양이다. 꽃은 자주색, 산방상 원추화서로 많이 달린다. 화관은 5개로 깊게 갈라지고 꽃받침보다 길며, 수술은 5개이다. 열매는 포과로 방추형이다.

분포 · 생육지 중국 신장성(新疆省), 유럽. 소금기가 있는 산지에서 자란다.

약용 부위 · 수치 전초를 여름에 채취하여 물에 씻은 후 썰어서 말린다.

약물명 대엽기송(大葉磯松). 보혈초(補血草)라고도 한다.

약효 산어지혈(散瘀止血)의 효능이 있으므로 어혈붕루(瘀血崩漏), 자궁암을 치료한다.

성분 myricetrin, rutin, myricetin, myricetin rhamnoglucoside, isorhamnetin, quercetin, myricetin monomethyl ether, cyanidol, tetrahydroxyflavone, cyanidol rhamnoside 등이 함유되어 있다.

사용법 대엽기송 15g에 물 3컵(600mL)을 넣고 달여서 복용하거나 술에 담가서 복용한다.

○ 대엽보혈초

○ 대엽보혈초(꽃)

[갯질경이과]

갯질경이

 자궁출혈, 월경감소, 유즙불통

 이명   신경통

● 학명 : *Limonium tetragonum* (Thunb.) A. A. Bullock
● 별명 : 갯질경, 갯길경, 갯질겡이, 근대아재비

| 1 | 2 | 3 | 4 | 5 | 6 | 7 | 8 | 9 | 10 | 11 | 12 |

두해살이풀. 높이 30~60cm. 뿌리는 굵고 곧게 자라며, 잎은 뿌리에서 모여난다. 꽃은 황색, 9~10월에 핀다. 열매는 포과로 방추형이다.

분포·생육지 우리나라 전역. 인도, 중국, 일본. 바닷가에서 자란다.

약용 부위·수치 전초를 여름과 가을에 채취하여 물에 씻고 썰어서 말린다.

약물명 보혈초(補血草). 금시엽초(金匙葉草)라고도 한다.

약효 지혈산어(止血散瘀), 지통(止痛), 소염, 보혈(補血)의 효능이 있으므로 자궁출혈, 신경통, 월경감소, 유즙불통(乳汁不通), 이명을 치료한다.

성분 뿌리에는 myricetrin, isorhamnetin, tetrahydroxyflavone, 꽃은 cyanidol이 함유되어 있다.

약리 메탄올추출물은 알코올에 의한 간 손상을 방어하는 효과가 있다.

사용법 보혈초 10g에 물 3컵(600mL)을 넣고 달여서 복용하거나 술에 담가서 복용한다.

❶ 갯질경이(꽃이 피기 전)

❶ 갯질경이(꽃)

❶ 갯질경이

❶ 보혈초(補血草)

[갯질경이과]

자화단

 통경, 경폐   풍습비통

● 학명 : *Plumbago indica* L. [*P. rosea*]   ● 한자명 : 紫花丹

| 1 | 2 | 3 | 4 | 5 | 6 | 7 | 8 | 9 | 10 | 11 | 12 |

여러해살이풀. 높이 1~2m. 바로 서거나 비스듬히 서고, 잎은 어긋나며 잎자루가 짧고 가장자리가 밋밋하다. 꽃은 붉은색, 적자색으로 11월부터 다음 해 4월에 걸쳐 핀다. 열매는 포과로 원통형이며 선모가 많다.

분포·생육지 인도, 인도네시아, 말레이시아, 중국. 산과 들에서 자란다.

약용 부위·수치 전초를 여름과 가을에 채취하여 물에 씻고 썰어서 말린다.

약물명 자설화(紫雪花)

약효 파혈통경(破血通經), 소종지통(消腫止痛)의 효능이 있으므로 통경(痛經), 경폐(經廢), 풍습비통(風濕痺痛)을 치료한다.

성분 plumbagin, 6-hydroxyplumbagin, β-sitosterol, campesterol, stigmasterol 등이 함유되어 있다.

약리 plumbagin은 결핵간균에 항균 작용이 있으며, 혈압 강하 작용이 있다.

사용법 자설화 10g에 물 2컵(400mL)을 넣고 달여서 복용한다.

❶ 자화단(열매)

❶ 자화단

[갯질경이과]

백화단

 풍습비통   심위기통

● 학명 : *Plumbago zeylanica* L. ● 한자명 : 白花丹

| 1 | 2 | 3 | 4 | 5 | 6 | 7 | 8 | 9 | 10 | 11 | 12 |

● 백화단

두해살이풀. 뿌리는 굵고 곧게 자란다. 잎은 난형, 뿌리에서 모여난다. 꽃은 백색, 길이 3~15cm이고 9~10월에 핀다. 열매는 포과로 방추형이다.

분포 · 생육지 인도, 인도네시아, 말레이시아, 중국. 바닷가에서 자란다.

약용 부위 · 수치 지상부 및 뿌리를 여름과 가을에 채취하여 물에 씻고 썰어서 말린다.

약물명 백화단(白花丹). 산파령(山坡岺)이라고도 한다.

약효 거풍제습(祛風除濕), 행기활혈(行氣活血), 해독소종(解毒消腫)의 효능이 있으므로 풍습비통(風濕痺痛), 심위기통(心胃氣痛)을 치료한다.

성분 plumbagin, 3-chloroplumbagin, 3,3′-biplumbagin, droserone, zeylanone, isozeylanone 등이 함유되어 있다.

약리 3-chloroplumbagin을 쥐에서 분리한 소장과 자궁에 투여하면 소량에서는 흥분 작용이, 대량에서는 마비 작용이 나타난다.

사용법 백화단 15g에 물 3컵(600mL)을 넣고 달여서 복용한다.

[감나무과]

고욤나무

 번열   당뇨병

불면증   야뇨증

● 학명 : *Diospyros lotus* L. ● 별명 : 고양나무, 민고욤나무

| 1 | 2 | 3 | 4 | 5 | 6 | 7 | 8 | 9 | 10 | 11 | 12 |

낙엽 소교목. 높이 10m 정도. 잎은 어긋난다. 꽃은 황백색, 양성 또는 단성으로 5~6월에 잎겨드랑이에 달리며, 수술은 8개, 암술은 1개이다. 열매는 둥글고 10월에 황색에서 흑색으로 익으며 지름 1.5~2cm이다.

분포 · 생육지 중국 원산. 우리나라 중부 이남에서 과수로 재식하는 귀화 식물이다.

약용 부위 · 수치 가을에 열매를 채취하여 말린다.

약물명 군천자(君遷子). 소시(小柿)라고도 한다.

본초서 「동의보감(東醫寶鑑)」에는 열매꼭지를 소시체(小柿蒂)라 하며, "기침하면서 기운이 치미는 것을 그치게 하며 수렴하는 성질이 있다."고 하였다.

東醫寶鑑: 止咳逆 性澁.

약효 청열지갈(淸熱止渴)의 효능이 있으므로 번열(煩熱), 당뇨병, 불면증, 야뇨증을 치료한다.

성분 군천자(君遷子)는 gallic acid, methyl gallate, ellagic acid, kaempferol, quercetin, myricetin, myricetin-3-*O*-β-D-glucuronide, myricetin-3-*O*-α-rhamnoside 등이, 잎은 rutin, myricetin, astragalin, kaempferol, myricitrin 등이 함유되어 있다.

약리 잎의 에탄올추출물은 위암 치료 작용이 있으며, 염색체 손상 방어 작용이 있다. 잎의 ethyl acetate 분획물은 TYR, TRP-1, TRP-2 및 MITE 등 단백질 발현을 억제하여 미백 효과를 나타낸다. 잎의 열수추출물은 PMA와 A2317 처리에 의한 세포 손상을 방지하며, histamine 방출을 억제한다. 잎의 메탄올추출물은 황색 포도상구균, 대장균에 항균 작용이 있다.

사용법 군천자 15g에 물 4컵(800mL)을 넣고 달여서 복용한다.

● 고욤나무

● 군천자(君遷子)

● 고욤나무(꽃)

감나무

애역, 애기, 반위 / 야뇨증
해천, 폐기종 / 당뇨병

●학명 : *Diospyros kaki* Thunb. ●별명 : 돌감나무, 산감나무, 똘감나무

1 2 3 4 5 6 7 8 9 10 11 12

낙엽 교목. 높이 15m 정도. 잎은 어긋나고 가장자리가 밋밋하며, 잎자루는 길이 1~1.5cm이고 털이 있다. 꽃은 황백색, 양성 또는 단성으로 5~6월에 핀다. 열매는 9~10월에 붉게 익는다.

분포 · 생육지 중국 원산. 우리나라 중부 이남에서 과수로 재식하고 있다.

약용 부위 · 수치 열매꼭지와 잎을 가을에 채취하여 말린다.

약물명 성숙한 꽃받침을 시체(柿蒂)라 하며, 시전(柿錢), 시정(柿丁)이라고도 한다. 잎을 시엽(柿葉)이라 한다. 시체는 대한민국약전외한약(생약)규격집(KHP)에 수재되어 있다.

본초서 「동의보감(東醫寶鑑)」에 홍시(紅柿)는 "심장과 폐를 부드럽게 하며, 갈증을 풀어 주고, 폐열로 진액이 소모되어 피모가 거칠고 위축되며 가슴에 열이 나는 것을 낮게 한다. 입맛을 돋우고 술독과 열독을 풀어 주며 위장의 열을 내린다. 입안이 마르는 것을 치료하고 토혈을 그치게 한다."고 하였다.

東醫寶鑑: 潤心肺 止渴療肺痿心熱 開胃 解酒解毒 壓胃間熱 止口乾 亦治吐血.

성상 시체(柿蒂)는 꽃받침으로 가장자리가 4개로 갈라진 넓적한 모양, 지름 2~3cm, 질은 얇고 가볍다. 냄새는 없고 맛은 약간 떫다.

기미 · 귀경 시체(柿蒂): 평(平), 고(苦), 삽(澁) · 위(胃). 시엽(柿葉): 한(寒), 고(苦) · 폐(肺)

약효 시체(柿蒂)는 강역하기(降逆下氣)의 효능이 있으므로 애역(呃逆), 애기(噫氣), 반위(反胃), 야뇨증을 치료한다. 시엽(柿葉)은 지해정천(止咳定喘), 생진지갈(生津止渴), 활혈지혈(活血止血)의 효능이 있으므로 해천(咳喘), 당뇨병, 폐기종, 내출혈을 치료한다.

성분 시체(柿蒂)는 oleanolic acid, betulic acid, ursolic acid, daucosterol 등, 뿌리에는 plumbagin, diospyrol, 7-methyl-juglone, 3-methoxy-7-methyljuglone, diospyrin, neodiospyrin 등, 시엽(柿葉)은 astragalin, myricitrin 등이 함유되어 있다.

약리 시엽(柿葉)에서 추출한 flavonoid 성분들을 개의 정맥에 주사하면 혈압이 내려가고, 관상 동맥의 혈류량을 증가시킨다. 또 황색 포도상구균, Katarrh균에 항균 작용이 있다. 구토, 딸꾹질에 물로 달인 액을 환자에게 투여하면 구토와 딸꾹질을 멈추게 한다. 덜 익은 감을 가공하여 교질상의 액체(柿漆)를 토끼에게 투여하면 혈압을 내리며, 약효 성분은 shibuol이다. ursolic acid, daucosterol은 tyrosinase와 elastase의 활성을 억제하여 미백 효과와 주름 개선 효과가 있다.

사용법 시체 또는 시엽 7g에 물 3컵(600 mL)을 넣고 달여서 복용한다. 잎은 차(茶)로도 사용하고 있으며, 자궁출혈, 폐결핵출혈, 월경과다에도 이용되고 있다.

처방 시체탕(柿蒂湯): 시체(柿蒂) 10g, 생강(生薑) 8g, 정향(丁香) 2g (「제생방(濟生方)」). 위한증(胃寒症)으로 명치 밑이 불편하고 딸꾹질을 자주 하는 증상에 사용한다.

• 정향시체산(丁香柿蒂散): 정향(丁香) · 시체(柿蒂) · 인삼(人蔘) · 복령(茯苓) · 진피(陳皮) · 양강(良薑) · 반하(半夏) 각 20g, 감초(甘草) 10g, 생강(生薑) 30g (「동의보감(東醫寶鑑)」). 병을 앓고 난 뒤 입맛이 없고 가슴이 그득하며 위경련이나 딸꾹질을 자주 하는 데 사용한다.

❶ 감나무

❶ 감나무(꽃)

❶ 감나무(곶감)

❶ 시엽(柿葉)

❶ 시엽(柿葉)으로 만든 건강식품

❶ 시체(柿蒂)

[감나무과]

노아시

  급성황달형간염, 간경화

●학명 : *Diospyros rhombifolia* Hemsl. ●한자명 : 老鴉柿

| 1 | 2 | 3 | 4 | 5 | 6 | 7 | 8 | 9 | 10 | 11 | 12 |

낙엽 소교목. 높이 5~8m. 잎은 어긋나고 길이 4~8cm, 너비 2~3.5cm로 끝이 뾰족하고 밑은 둥글며, 잎자루는 길이 2~4mm이다. 꽃은 황백색, 양성 또는 단성으로 5~6월에 잎겨드랑이에 달린다. 열매는 타원상 구형이다.

분포·생육지 중국 원산. 우리나라 중부 이남에서 과수로 재식하는 귀화 식물이다.

약용 부위·수치 가지를 봄부터 가을까지 채취하여 썰어서 말린다.

약물명 노아시(老鴉柿). 우내시(牛奶柿), 정향시(丁香柿)라고도 한다.

약효 청습열(淸濕熱), 이간담(利肝膽), 활혈화어(活血化瘀)의 효능이 있으므로 급성황달형간염, 간경화를 치료한다.

사용법 노아시 15g에 물 4컵(800mL)을 넣고 달여서 복용한다.

○ 노아시

[때죽나무과]

안식향나무

중풍담궐, 경간혼미 · 산후혈훈 · 심복동통 · 풍비지절통

●학명 : *Styrax benzoin* Dryander

| 1 | 2 | 3 | 4 | 5 | 6 | 7 | 8 | 9 | 10 | 11 | 12 |

상록 교목. 높이 15m 정도. 줄기껍질은 갈색, 잎은 어긋나고 타원형, 잎자루가 있고 가장자리에 가는 톱니가 있다. 꽃은 여름에 잎이 달린 뿌리에서 붉은색을 띤 백색의 작은 꽃이 다닥다닥 핀다. 열매는 구형으로 지름 1cm 정도, 백색 털이 있다.

분포·생육지 중국, 인도네시아, 수마트라, 타이, 말레이시아, 필리핀. 숲속에서 자라며, 최근에는 그 주변에서 재식한다.

약용 부위·수치 10년 이상 된 나무줄기에 상처를 내어 흘러나오는 수지를 채취하여 건조시킨다. 이것을 12시간 정도 주침(酒浸)하여 정제한 후 음건시켜 분말로 만들어 사용한다.

약물명 안식향(安息香). 졸패라향(拙貝羅香)이라고도 한다. 대한민국약전외한약(생약)규격집(KHP)에 수재되어 있다.

본초서 안식향(安息香)은 「신수본초(新修本草)」에 수재되어 있으며, "맛은 맵고 독이 없고 뱃속의 여러 질병을 치료한다."고 기록되어 있다. 「범서(梵書)」에는 졸패라향(拙貝羅香)이라고 하며 산스크리트에서는 luban이라고 한다. 현재 안식향은 수마트라 안식향과 타이 안식향이 있고 예로부터 후자가 약효가 좋다고 알려져 있으며, 우리나라에 들어오는 것은 대부분 전자이다.

「동의보감(東醫寶鑑)」에는 "명치 밑에 있는 악기(惡氣)와 귀주(鬼疰, 나쁜 기운에 의해 가슴이 답답하고 발작도 하는 증상), 나쁜 기운이나 헛것에 들려 귀태(鬼胎)가 된 것을 낮게 한다. 독충의 독을 풀고 급성전염병을 낮게 하며 신장 기능이 허약하여 구토와 설사가 계속되는 것, 생리가 중단된 것, 산후 출혈이 심하여 정신이 혼미해지는 증상 등을 낮게 한다."고 하였다.

東醫寶鑑: 主心腹 惡氣 鬼疰 治邪氣 鬼胎 辟蠱毒 溫疫 療腎氣霍亂 治婦人血噤 産後血暈.

성상 수지로 회갈색~적갈색의 고르지 않은 덩어리이다. 덩어리 속에는 백색~회백색의 알갱이가 박혀 있다. 실온에서 단단하면서도 무르고 가열하면 연기와 소리를 내며 탄다. 냄새가 특이하고 맛은 맵다.

기미·귀경 신(辛), 고(苦), 평(平) · 심(心), 간(肝), 비(脾)

약효 개규성신(開竅醒神), 활담벽예(豁痰辟穢), 행기활혈(行氣活血), 지통(止痛)의 효능이 있으므로 중풍담궐(中風痰厥), 경간혼미(驚癎昏迷), 산후혈훈(産後血暈), 심복동통, 풍비지절통(風痺肢節痛)을 치료한다.

성분 수지(樹脂)는 cinnamic acid 또는 benzoic acid와 coniferyl alcohol, phen-ylpropyl alcohol의 ester이고 sumaresinol, vanillin 등이 함유되어 있다.

약리 에탄올추출물의 향기는 점막을 직접 자극하여 자극성 거담 작용을 나타내며, 여러 세균에 대한 항균 작용이 있고, 타박상으로 생긴 상처에 바르면 방부 효과가 있다.

사용법 옛날에는 흡입약으로서 자극에 의한 거담약으로 사용하였으나 현재는 향료, 방부제로 널리 이용하고 있다. 타박상으로 생긴 상처에 에탄올추출물을 바른다.

※ 베트남, 인도네시아 등에 분포하는 '백화수(白花樹, 베트남안식향) *S. tonkinensis*'의 수지도 안식향(安息香)으로 사용된다.

○ 안식향나무

○ 안식향나무(줄기)

○ 안식향나무(잎)

○ 안식향(安息香, 신선한 것)

○ 안식향(安息香, 오래된 것)

○ 안식향(安息香)에서 추출한 정유

[때죽나무과]

때죽나무

 풍습비통

●학명 : *Styrax japonica* S. et Z.　●별명 : 노각나무, 족나무, 왕때죽나무, 때쭉나무

| 1 | 2 | 3 | 4 | 5 | 6 | 7 | 8 | 9 | 10 | 11 | 12 |

낙엽 소교목. 높이 7~8m. 어린가지는 녹색이며, 표피가 벗겨지면서 흑갈색이 되고, 줄기는 연한 흑색이다. 잎은 어긋난다. 꽃은 백색, 지름 2~3.5cm, 5~6월에 짧은 새 가지 끝에 1~4개가 밑을 향하여 달리며, 수술은 10개이다. 열매는 달걀 모양, 길이 1.2~1.4cm, 9월에 익고 껍질이 불규칙하게 갈라진다.

분포 · 생육지 우리나라 중부 이남. 중국, 일본, 타이완. 양지바른 산골짜기에서 자란다.

약용 부위 · 수치 잎은 봄에, 열매는 여름에 채취하여 말린다.

약물명 후풍등(候風藤)

약효 거풍제습(祛風除濕), 서근통락(舒筋通絡)의 효능이 있으므로 풍습비통(風濕痺痛)을 치료한다.

성분 egonol, egonol acetate, egonol-2-methylbutanoate, demethoxyegonol, jeo-saponin, barringtogenol C, D, jeosapo-genin, desacyljeosapogenin, 3β-acetoxy-28-hydroxyolean-12-ene, 3β-acetoxy-28-hydroxyolean-12-en-28-acid, 3β-acetoxy-28-hydroxyolean-28-aldehyde, 3β-acetoxy-17-β-hydroxy-28-norolean-12-ene, taraxerol, stigmasterol 등이 함유되어 있다.

약리 면역 세포 생육 증진 효과, cytokine 분비 촉진, NK 세포의 면역 증진 효과가 있으며, 폐암 세포인 A549, 유방암 세포인 MCF-7의 증식을 억제한다. 3β-acetoxy-28-hydroxyolean-12-en-28-acid, 3β-acetoxy-28-hydroxyolean-28-aldehyde는 protein tyrosine phosphatase 1B의 활성을 저해한다.

사용법 후풍등 10g에 물 3컵(600mL)을 넣고 달여서 복용한다.

❶ 때죽나무

❶ 때죽나무(줄기)

❶ 후풍등(候風藤, 열매)

❶ 후풍등(候風藤, 잎)

❶ 때죽나무(열매)

❶ 때죽나무(잎)

[때죽나무과]

쪽동백

 장내충적

●학명 : *Styrax obassia* S. et Z.　●별명 : 쪽동백나무, 정나무, 산아즈까리나무, 왕때죽나무

| 1 | 2 | 3 | 4 | 5 | 6 | 7 | 8 | 9 | 10 | 11 | 12 |

낙엽 소교목. 높이 10m 정도. 수피는 다갈색이고, 잎은 어긋난다. 꽃은 백색, 5~6월에 피고 처진다. 꽃받침은 5~9개로 갈라지고, 화관은 지름 2cm 정도, 5개로 깊게 갈라지며, 수술대와 암술대에 털이 없다. 열매가 익으면 열매껍질이 불규칙하게 갈라진다.

분포 · 생육지 우리나라 중부 이남. 중국, 일본, 타이완. 양지바른 산골짜기에서 자란다.

약용 부위 · 수치 열매를 여름철에 채취하여 말린다.

약물명 산진자(山榛子). 옥령화(玉鈴花)라고도 한다.

약효 구충(驅蟲)의 효능이 있으므로 장내충적(腸內蟲積)을 치료한다.

성분 egonol acetate, 5-[3-(2-methyl-butanoyloxy) propyl]-7-methoxy-2-(3',4'-methylenedioxyphenyl) benzofuran 등이 함유되어 있다.

약리 잎의 메탄올추출물은 황색 포도상구균, 대장균에 항균 작용이 있다.

사용법 산진자 7g에 물 2컵(400mL)을 넣고 달여서 복용한다.

＊ 일본 원산이고 총상화서가 모인 원추화서에 꽃이 달리며 열매 끝에 암술대가 남는 '나래쪽동백 *Pterostyrax hispida*'도 약효가 같다.

❶ 산진자(山榛子)

❶ 쪽동백(꽃)

❶ 쪽동백

노린재나무

사리, 궤양 · 창양종독, 창상출혈, 종창
감모발열 · 근골동통

● 학명 : *Symplocos chinensis* (Lour.) Druce for. *pilosa* (Nakai) Ohwi　●별명 : 노린재

1	2	3	4	5	6	7	8	9	10	11	12

낙엽 관목. 높이 3~5m. 줄기껍질은 세로로 갈라지고, 잎은 어긋난다. 꽃은 백색, 지름 8~10mm, 5월에 새 가지 끝에 길이 4~8cm의 원추화서로 달린다. 열매는 달걀 모양, 벽색으로 익는다.

분포 · 생육지 우리나라 전역. 중국, 일본. 양지바른 산에서 자란다.

약용 부위 · 수치 가지와 잎은 여름에, 뿌리는 수시로, 열매는 가을에 채취하여 말린다.

약물명 가지와 잎을 화산반(華山礬), 뿌리를 화산반근(華山礬根), 열매를 화산반과(華山礬果)라 한다.

기미 화산반(華山礬): 양(凉), 고(苦), 소독(小毒) · 위(胃), 대장(大腸). 화산반근(華山礬根): 양(凉), 고(苦), 소독(小毒) · 위(胃), 대장(大腸)

약효 화산반(華山礬)은 청열이습(淸熱利濕), 해독의 효능이 있으므로 사리(瀉痢), 창양종독(瘡瘍腫毒), 창상출혈(創傷出血), 궤양을 치료한다. 화산반근(華山礬根)은 청열(淸熱), 이습(利濕), 화담(化痰)의 효능이 있으므로 감모발열, 근골동통을 치료한다. 화산반과(華山礬果)는 종창(腫脹)을 치료한다.

사용법 화산반 또는 화산반근 10g에 물 3컵(600mL)을 넣고 달여서 복용하고, 화산반과는 짓찧어 바른다.
＊ 잎의 거치가 뚜렷한 '섬노린재 *S. coreana*', 잎이 상록인 '검은재나무 *S. prunifolia*'도 약효가 같다.

● 노린재나무

● 화산반(華山礬)

● 화산반근(華山礬根)

● 화산반과(華山礬果)

● 노린재나무(꽃)

양설수

감모두통, 신열 · 구폭

● 학명 : *Symplocos glauca* (Thunb.) Koidz.　●한자명 : 羊舌樹

1	2	3	4	5	6	7	8	9	10	11	12

교목. 잎은 가지 끝에 모여나며 어긋나고 피침형, 잎자루가 길다. 꽃은 백색, 4~8월에 작은가지에 수상화서로 조밀하게 피고, 화관은 5개로 깊이 갈라진다. 핵과는 가운데가 약간 들어간 달걀 모양으로 길이 1.5~2cm이다.

분포 · 생육지 중국, 인도. 산지에서 자란다.

약용 부위 · 수치 줄기껍질을 채취하여 물에 씻은 후 썰어서 말린다.

약물명 양설수(羊舌樹)

약효 청열해표(淸熱解表)의 효능이 있으므로 감모두통(感冒頭痛), 구폭(口爆), 신열(身熱)을 치료한다.

사용법 양설수 10g에 물 2컵(400mL)을 넣고 달여서 복용한다.

● 양설수(잎과 꽃봉오리)

● 양설수

[노린재나무과]

검노린재나무

♀ 유선염　　🫀 림프샘염
🌀 장옹

● 학명 : *Symplocos paniculata* (Thunb.) Miq.　● 별명 : 검노린재

| 1 | 2 | 3 | 4 | 5 | 6 | 7 | 8 | 9 | 10 | 11 | 12 |

낙엽 관목. 높이 3~5m. 잎은 어긋나고 타원형이다. 꽃은 백색, 지름 8~10mm, 5월에 새 가지 끝에 원추화서로 달린다. 꽃줄기에 털이 있고, 꽃잎은 긴 타원형이며 옆으로 퍼진다. 열매는 달걀 모양, 흑색으로 익는다.

분포·생육지 우리나라 전남북, 경남북. 중국, 일본. 산지의 양지바른 곳에서 자란다.

약용 부위·수치 줄기와 잎을 채취하여 물에 씻은 후 썰어서 말린다.

약물명 백단(白檀), 백화차(白花茶), 우근엽(牛筋葉)이라고도 한다.

약효 청열해독(淸熱解毒), 조기산결(調氣散結), 거풍지양(祛風止痒)의 효능이 있으므로 유선염(乳腺炎), 림프샘염, 장옹(腸癰)을 치료한다.

사용법 백단 10g에 물 2컵(400mL)을 넣고 달여서 복용한다.

❂ 꽃　　　　　❂ 검노린재나무

❂ 백단(白檀)

❂ 검노린재나무(잎)

[적철과]

껌나무

🧵 열감기　　🫘 소변불리

● 학명 : *Achras sapota* L. [*Manikara zapota*]　● 별명 : 사포타

| 1 | 2 | 3 | 4 | 5 | 6 | 7 | 8 | 9 | 10 | 11 | 12 |

낙엽 교목. 높이 20m 정도. 잎은 가지 끝에 모여나고 타원형, 가장자리는 밋밋하다. 꽃은 백색, 통상, 잎겨드랑이에서 핀다. 열매는 둥글고 갈색으로 익으며 종자는 흑색, 맛은 배와 비슷하다. 줄기껍질에서 나오는 유액으로 껌을 만든다.

분포·생육지 멕시코, 라틴 아메리카 원산. 들이나 산기슭에서 자란다.

약용 부위·수치 줄기껍질을 벗겨서 적당한 크기로 썰어서 말린다.

약물명 Achras Cortex

약효 강장, 수렴, 해열의 효능이 있으므로 열감기, 소변불리를 치료한다.

사용법 Achras Cortex 10g에 물 3컵(600 mL)을 넣고 달여서 복용한다.

❂ 껌나무

❂ 껌나무(종자)

❂ 껌나무(열매)

[적철과]

별사과

 류머티즘, 신경통   설사, 궤양
피부염

●학명 : *Chrysophyllum cainito* L.   ●영명 : Star apple

| 1 | 2 | 3 | 4 | 5 | 6 | 7 | 8 | 9 | 10 | 11 | 12 |

상록 관목. 높이 5~8m. 잎은 가지 끝에 모여나고 긴 타원형, 가장자리는 밋밋하며 솜털이 많다. 꽃은 황백색, 통 모양, 잎겨드랑이에서 핀다. 열매는 달걀 모양, 점액질이 많아 끈적거린다.

분포 · 생육지 멕시코, 브라질, 말레이시아. 바닷가 숲속에서 자란다.

약용 부위 · 수치 줄기껍질을 벗겨서 적당한 크기로 썰어서 말린다.

약물명 Chrysophylli Cortex

약효 혈액 순환을 잘 시키고 거담(袪痰), 지사(止瀉)의 효능이 있으므로 류머티즘, 신경통, 설사, 궤양, 피부염을 치료한다.

사용법 Chrysophylli Cortex 10g에 물 3컵(600mL)을 넣고 달여서 복용한다.

✿ 별사과

✿ 별사과(줄기)

[물푸레나무과]

이팝나무

 담낭염, 황달   허약체질
간열목적   타박상

●학명 : *Chionanthus retusus* Lindly et Paxton   ●별명 : 니암나무, 뻣나무

| 1 | 2 | 3 | 4 | 5 | 6 | 7 | 8 | 9 | 10 | 11 | 12 |

낙엽 교목. 높이 20~30m. 가지는 회갈색이다. 잎은 마주나고 긴 타원형, 길이 10~15cm, 너비 3~6cm, 가장자리는 밋밋하다. 꽃은 백색, 5월에 핀다. 열매는 핵과로 타원상 구형이며 9~10월에 흑색으로 익는다.

분포 · 생육지 우리나라 제주, 전남북, 경남북. 중국, 일본, 타이완. 산기슭에서 자란다.

약용 부위 · 수치 봄과 여름에 뿌리껍질을 벗겨서 적당한 크기로 썰어서 말린다.

약물명 Chionanthi Radicis Cortex, Fringe tree, Old man's beard라고도 한다.

약효 청열조습(淸熱燥濕), 청간명목(淸肝明目)의 효능이 있으므로 담낭염(膽囊炎), 허약체질, 간열목적(肝熱目赤), 황달, 타박상을 치료한다.

성분 chionanthin(phyllirin), ligustrolide 등이 함유되어 있다.

사용법 Chionanthi Radicis Cortex 1~2g을 뜨거운 물에 우려내어 복용하고, 외용에는 짓찧어 바른다.

＊ 북아메리카에서는 '서양이팝나무 *C. virginicus*'의 뿌리껍질을 사용하고 있다.

✿ 이팝나무

✿ 이팝나무(꽃)

✿ 이팝나무(열매)

✿ Chionanthi Radicis Cortex

✿ 이팝나무(뿌리)

[물푸레나무과]

당개나리

 온열, 발열　 단독, 반진, 옹창종독, 나력
 소변임폐　 황달

● 학명 : *Forsythia suspensa* (Thunb.) Vahl. ● 별명 : 중국개나리

낙엽 관목. 높이 3m 정도. 가지 끝이 밑으로 처지며, 잎은 마주난다. 꽃은 황색, 4월에 잎겨드랑이에 1~3개씩 달린다. 꽃받침은 4개로 갈라지고, 화관은 깊게 4개로 갈라지며, 수술은 화관에 달리고 2개이다. 열매는 달걀 모양, 끝이 뾰족하며 사마귀 같은 돌기가 있고, 종자는 갈색이다. 화관 열편이 서로 겹치며 잎자루가 긴 것이 특징이다.

분포·생육지 중국 원산. 마을 근처에서 재식한다.

약용 부위·수치 열매를 가을에, 줄기와 잎, 뿌리를 수시로 채취하여 말린다.

약물명 열매를 연교(連翹), 줄기와 잎을 연교경엽(連翹莖葉), 뿌리를 연교근(連翹根)이라 한다. 연교(連翹)는 대한민국약전(KP)에 수재되어 있다.

본초서 연교(連翹)는 「신농본초경(神農本草經)」의 하품(下品)에 수재되어 있다. 소경(蘇敬)은 "그 열매가 연(蓮)과 비슷하게 방(房)이 있으며 수많은 풀 가운데 교출(翹出, 뛰어남.)하므로 연교(連翹)라고 하게 되었다."고 하였다. 연교(連翹)에는 대교(大翹)와 소교(小翹)가 있다. 소경(蘇敬)의 「신수본초(新修本草)」나 소송(蘇頌)의 「도경본초(圖經本草)」의 설명과 그림으로 보아, 대교(大翹)는 오늘날의 개나리의 열매인 연교(連翹)이고, 소교(小翹)는 물레나물과에 속하는 고추나물의 열매와 비슷하다. 「동의보감(東醫寶鑑)」에 "나력, 종기가 벌겋게 부어올라 아프고 가려우며 곪는 것, 영류(癭瘤)와 열이 뭉친 것을 낫게 한다. 독충의 독을 풀어 주고 고름을 빨아내며 피부에 생긴 헌데를 낫게 하고 통증을 멎게 한다. 오림과 오줌이 막힌 것을 낫게 하고 심장에 열이 있는 것을 없애 준다."고 하였다.

神農本草經: 主寒熱 鼠瘻瘰癧 癰腫惡瘡 癭瘤 結熱 蠱毒.

藥性論: 主通利五淋 小便不通 除心家客熱.

日華子: 通小腸 排膿 治瘡癤 止痛, 通月經.

東醫寶鑑: 主瘰癧 癰腫惡瘡 結熱 蠱毒 排膿 治瘡癤 止痛 療五淋 小便不通 除心家客熱.

성상 달걀 모양의 삭과로 길이 2~2.5cm, 지름 0.7~1cm이며, 양 끝이 뾰족하고 기부에 꼭지가 남아 있는 것이 있다. 표면은 갈색~암갈색을 띠고 회색의 작은 융기점이 있으며 2개의 세로 홈이 있다. 잘 익은 것은 홈에 따라 갈라지고 끝 쪽은 뒤틀려 있다. 종자는 길이 5~7mm이며 날개가 있다. 특이한 냄새가 나고 맛은 약간 쓰다.

기미·귀경 연교(連翹): 미한(微寒), 고(苦)·폐(肺), 심(心), 담(膽). 연교경엽(連翹莖葉): 고(苦), 한(寒). 연교근(連翹根): 한(寒), 고(苦)

약효 연교(連翹)는 청열(淸熱), 해독, 산결(散結), 소종(消腫)의 효능이 있으므로 온열(溫熱), 단독(丹毒), 반진(斑疹), 옹창종독(癰瘡腫毒), 나력(瘰癧), 소변임폐(小便淋閉)를 치료한다. 연교경엽(連翹莖葉)은 청열해독(淸熱解毒)의 효능이 있으므로 심폐(心肺)의 적열(積熱)을 치료한다. 연교근(連翹根)은 청열해독(淸熱解毒), 퇴황(退黃)의 효능이 있으므로 황달, 발열을 치료한다.

성분 연교(連翹)에는 triterpenoid 성분인 betulinic acid, 3β-acetylbetulinic acid, oleanolic acid, oleanolic acid 3-acetate, ursolic acid, 3β-acetyl-20,25-epoxy-dammarane-24α-ol, dammaenediol II 3-acetate, lignan 성분인 arctiin, isorengiol, arctigenin, forsythol, matairesinol, phyllirin, pinoresinol, pinoresinolglucoside, lariciresinol, phillyrin, phillygenin, phenylpropanoid 배당체인 suspensaside, β-hydroxyacteoside, forsythiaside, acteoside, flavonoid 성분인 rutin, iridoid인 adoxosidic acid, monoterpene인 rengyol 등이 함유되어 있다. 연교경엽(連翹莖葉)은 forsythoside A, forsythin, forsythigenin, forsythiaside, suspensaside, acteoside, pinoresinol, rutin 등이 함유되어 있다.

약리 phenylpropanoid 배당체인 suspensaside, β-hydroxyacteoside, forsythiaside, acteoside는 항균 작용이 있고, betulinic acid, 3β-acetylbetulinic acid는 암세포인 L1210, HL60의 성장을 억제한다. lariciresinol은 항염증 활성이 있다. phillygenin과 pinoresinol은 COX-2의 활성을 저해하고, 부종을 유발시킨 쥐에게 투여하면 소염 작용이 나타난다.

사용법 연교 또는 연교경엽 10g에 물 3컵(600mL)을 넣고 달여서 복용하고, 외용에는 짓찧어 바른다. 연교근은 15g에 물 4컵(800mL)을 넣고 달여서 복용한다.

처방 연교산(連翹散): 연교(連翹)·천궁(川芎)·백지(白芷)·황금(黃芩)·황련(黃連)·사삼(沙蔘)·형개(荊芥)·상백피(桑白皮)·백렴(白蘞)·치자(梔子)·패모(貝母)·감초(甘草) 각 3g 「동의보감(東醫寶鑑)」. 얼굴과 코에 좁쌀알 같은 구진이 돋아 벌겋게 되면서 아픈 증상에 사용한다.

• 연교패독산(連翹敗毒散): 연교(連翹)·강활(羌活)·독활(獨活)·시호(柴胡)·전호(前胡)·길경(桔梗)·천궁(川芎)·복령(茯苓)·금은화(金銀花)·지실(枳實)·방풍(防風)·형개(荊芥)·박하(薄荷)·감초(甘草) 각 3g, 생강(生薑) 3쪽 「동의보감(東醫寶鑑)」. 오슬오슬 춥고 열이 나며 두통이 있는 증상에 사용한다.

• 양격산(凉膈散): 연교(連翹) 8g, 대황(大黃)·망초(芒硝)·감초(甘草)·죽엽(竹葉) 각 4g, 박하(薄荷)·황금(黃芩)·치자(梔子)·봉밀(蜂蜜) 각 2g 「화제국방(和劑局方)」, 「동의보감(東醫寶鑑)」. 장(腸)에 열이 몰려 목과 입술이 타고 입과 혀가 헐며 눈과 얼굴이 벌겋고 가슴이 답답하며 때로 코피가 나고 대소변이 시원하지 않은 증상에 사용한다.

• 형개연교탕(荊芥連翹湯): 형개(荊芥)·연교(連翹)·방풍(防風)·당귀(當歸)·천궁(川芎)·작약(芍藥)·시호(柴胡)·지실(枳實)·황금(黃芩)·치자(梔子)·백지(白芷)·길경(桔梗) 각 2.8g, 감초(甘草) 2g 「동의보감(東醫寶鑑)」. 풍열(風熱)이 신경맥에 침입하여 양쪽 귀가 붓고 아픈 데 사용한다.

• 은교산(銀翹散): 연교(連翹)·금은화(金銀花) 각 40g, 우방자(牛蒡子)·박하(薄荷)·길경(桔梗) 각 24g, 죽엽(竹葉)·형개(荊芥) 각 16g, 대두황권(大豆黃卷)·감초(甘草) 각 20g 「동의보감(東醫寶鑑)」. 풍열감기로 춥고 열이 나며 두통, 인후통과 기침이 나는 증상에 사용한다.

※ 중국에서 수입되어 시판되는 연교는 본종과 '의성개나리 *F. viridissima*'의 열매이다.

◑ 당개나리

◑ 연교(連翹)

◑ 당개나리(열매)

[물푸레나무과]

개나리

● 온열, 발열 ● 단독, 반진, 옹창종독, 나력
● 소변임폐 ● 황달

● 학명 : *Forsythia koreana* (Rehder) Nakai　● 별명 : 개나리나무, 신리화, 어사리, 개나리꽃나무

| 1 | 2 | 3 | 4 | 5 | 6 | 7 | 8 | 9 | 10 | 11 | 12 |

낙엽 관목. 높이 3m 정도. 가지 끝이 밑으로 처지며, 잎은 마주난다. 꽃은 황색, 4월에 잎겨드랑이에 1～3개씩 달린다. 꽃받침은 4개로 갈라지고, 화관은 깊게 4개로 갈라지며, 수술은 화관에 달리고 2개이다. 열매는 달걀 모양, 편평하고 끝이 뾰족하며 9월에 익고 사마귀 같은 돌기가 있으며, 종자는 갈색이고 길이 5～6mm로 날개가 있다.

분포 · 생육지 우리나라 전역. 마을 근처나 산기슭에서 자란다.

약용 부위 · 수치 열매를 가을에, 줄기와 잎, 뿌리를 수시로 채취하여 말린다.

약물명 열매를 연교(連翹), 줄기와 잎을 연교경엽(連翹莖葉), 뿌리를 연교근(連翹根)이라 한다. 연교(連翹)는 대한민국약전(KP)에 수재되어 있다.

＊ 약효와 사용법은 '당개나리'와 같다.

＊ 본 종은 열매가 잘 맺히지 않으므로 '당개나리 *F. suspensa*'와 '의성개나리 *F. viridissima*'의 열매를 연교로 사용한다.

● 연교경엽(連翹莖葉)

● 연교근(連翹根)

● 개나리

[물푸레나무과]

의성개나리

● 온열, 발열 ● 단독, 반진, 옹창종독, 나력
● 소변임폐 ● 황달

● 학명 : *Forsythia viridissima* Lindley　● 별명 : 약개나리

| 1 | 2 | 3 | 4 | 5 | 6 | 7 | 8 | 9 | 10 | 11 | 12 |

낙엽 관목. 높이 3m 정도. '개나리'에 비하여 작은가지는 녹색이 돌고 꽃이 보다 작으며, 열매는 넓은 달걀 모양, 종자는 황갈색이다.

분포 · 생육지 중국 원산. 우리나라에서는 의성에서 처음 재배하였으며, 지금은 전역에서 자란다.

약용 부위 · 수치 열매를 가을에, 줄기와 잎, 뿌리를 수시로 채취하여 말린다.

약물명 열매를 연교(連翹), 줄기와 잎을 연교경엽(連翹莖葉), 뿌리를 연교근(連翹根)이라 한다. 연교(連翹)는 대한민국약전(KP)에 수재되어 있다.

＊ 약효와 사용법은 '당개나리'와 같다.

● 의성개나리(잎)

● 연교(連翹)

● 의성개나리

[물푸레나무과]

구주물푸레나무

 통풍, 류머티즘

●학명 : *Fraxinus excelsior* L. ●영명 : Common ash, European ash

1	2	3	4	5	6	7	8	9	10	11	12

○ 구주물푸레나무

낙엽 교목. 높이 30m 정도. 잎은 마주나고 홀수 1회 깃꼴겹잎, 작은잎은 7~9개, 긴 타원형이다. 꽃은 암수딴그루, 5월에 새 가지 끝이나 잎겨드랑이에 달리며, 수꽃은 2개의 수술과 꽃받침, 암꽃은 2~4개의 꽃잎과 수술 및 암술이 있다. 열매는 시과이다.

분포 · 생육지 유럽. 세계 각처에서 재식한다.

약용 부위 · 수치 잎을 수시로 채취하여 말린다.

약물명 Fraxini Folium

약효 청열(淸熱), 수렴(收斂)의 효능이 있으므로 통풍, 류머티즘을 치료한다.

사용법 Fraxini Folium 20g에 물 3컵(600 mL)을 넣고 달여서 복용한다.

○ 구주물푸레나무 잎으로 만든 통풍, 류머티즘 치료제

○ 구주물푸레나무(꽃)

[물푸레나무과]

들메나무

 습열사리   대하

간열목적, 목생예막 우피선

●학명 : *Fraxinus mandshurica* Rupr. ●별명 : 들매나무, 떡물푸레

1	2	3	4	5	6	7	8	9	10	11	12

상록 교목. 높이 30m 정도. 줄기껍질은 두껍고 회갈색이며, 잎은 마주나고 깃꼴겹잎, 작은잎은 7~11개이다. 꽃은 암수딴그루, 5월에 피며, 수꽃에는 2개로 갈라지는 수술이 있고, 암꽃은 암술머리가 2개로 갈라진다. 열매는 시과로 긴 타원형, 9~10월에 익는다.

분포 · 생육지 우리나라 전역. 중국, 일본, 아무르, 사할린. 산지에서 흔하게 자란다.

약용 부위 · 수치 봄과 여름에 줄기껍질을 벗겨서 적당한 크기로 썰어서 말린다.

약물명 수곡류피(水曲柳皮)

약효 청열조습(淸熱燥濕), 청간명목(淸肝明目)의 효능이 있으므로 습열사리(濕熱瀉痢), 대하(帶下), 간열목적(肝熱目赤), 목생예막(目生翳膜), 우피선(牛皮癬)을 치료한다.

성분 esculentin, isofraxetin, fraxin, fraxenol 등이 함유되어 있다.

사용법 수곡류피 7g에 물 3컵(600mL)을 넣고 달여서 복용하고, 외용에는 짓찧어 바른다.

○ 들메나무

○ 들메나무(열매)

○ 수곡류피(水曲柳皮)

물푸레나무

	세균성이질, 장염		백대하		통풍
	만성기관지염		목적종통		

● 학명 : *Fraxinus rhynchophylla* Hance ● 별명 : 쉬청나무, 떡물푸레나무

| 1 | 2 | 3 | 4 | 5 | 6 | 7 | 8 | 9 | 10 | 11 | 12 |

상록 교목. 높이 10m 정도. 잎은 마주나고 홀수 1회 깃꼴겹잎, 작은잎은 5~7개이다. 꽃은 암수딴그루, 5월에 새 가지 끝이나 잎 겨드랑이에 달린다. 수꽃은 2개의 수술과 꽃받침, 암꽃은 2~4개의 꽃잎과 수술 및 암술이 있다. 열매는 시과로 길이 2~4cm, 9월에 익고 날개는 바늘 모양이다.

분포 · 생육지 우리나라 전역. 중국, 일본. 산에서 흔하게 자란다.

약용 부위 · 수치 줄기껍질을 수시로 채취하여 말린다.

약물명 진피(秦皮). 석단(石檀), 분계(盆桂),

진백피(秦白皮)라고도 한다. 대한민국약전외한약(생약)규격집(KHP)에 수재되어 있다.

본초서 진피(秦皮)는 「신농본초경(神農本草經)」에 수재되어 "풍한으로 몸이 시리고 아프며 한기를 제거하고 열을 내리며 파란 예막과 흰 예막을 없앤다. 오래 복용하면 머리카락이 희어지지 않고 몸이 튼튼해진다."고 하였다. 「동의보감(東醫寶鑑)」에는 "간의 열기로 눈이 충혈되며 붓고 아픈 것과 바람을 맞아 눈물이 계속 흐르는 것을 낫게 하고, 눈에 생기는 파란 예막과 흰 예막을 없앤다. 물에 달인 액으로 눈을 씻으면 정기를 돕고 눈이 밝아진다. 대장에 열이 몰려 생긴 이질과 자궁에서 분비물이 나오는 것, 그리고 어린아이의 열과 간질(癎疾)을 낫게 한다."고 하였다.

神農本草經: 主風寒濕痹 洗洗寒氣 除熱 目中青瞖白膜 久服頭不白 輕身.

東醫寶鑑: 主肝中久熱 兩目赤腫疼痛 風淚不止 除目中青瞖白膜 洗眼益精明目 療熱痢 婦人帶下 小兒癎熱.

기미 · 귀경 한(寒), 고(苦), 삽(澁) · 간(肝), 담(膽), 대장(大腸)

성상 줄기 또는 굵은 가지의 껍질로 원통 모양이나 불규칙한 조각으로 되어 있다. 표면은 흑갈색이고 안쪽은 회갈색으로 매끈하다. 질은 단단하고 횡단면은 섬유질이고 황백색이다. 냄새는 없고 맛은 쓰다.

약효 청열(清熱), 조습(燥濕), 평천(平喘), 지해(止咳), 명목(明目)의 효능이 있으므로 세균성이질, 장염, 백대하(白帶下), 만성기관지염, 통풍, 목적종통(目赤腫痛)을 치료한다.

성분 aesculin(esculin), aesculetin(esculetin) 등이 함유되어 있다.

약리 lignan 화합물과 coumarin 화합물은 c-AMP phosphodiesterase에 억제 작용이 있다.

사용법 진피 10g에 물 3컵(600mL)을 넣고 달여서 복용하고, 목적종통에는 달인 액으로 씻는다.

처방 진피고삼탕(秦皮苦蔘湯): 진피(秦皮) 16g, 백두옹(白頭翁) 12g, 고삼(苦蔘) · 황금(黃芩) · 황백(黃柏) 각 10g(「경험방(經驗方)」). 세균성 적리(赤痢), 급성 및 만성대장염으로 열이 나며 설사하는 증상에 사용한다.

❶ 물푸레나무

❶ 물푸레나무(열매)

❶ 진피(秦皮)

❶ 진피(秦皮, 절편)

❶ 물푸레나무(줄기 횡단면)

[물푸레나무과]

영춘화

발열, 두통 | 소변열통
종독악창, 타박상, 창상출혈

●학명 : *Jasminum nudiflorum* Lindl. ●한자명 : 迎春花

| 1 | 2 | 3 | 4 | 5 | 6 | 7 | 8 | 9 | 10 | 11 | 12 |

● 영춘화(迎春花)

● 영춘화엽(迎春花葉)

낙엽 관목. 높이 1~2m. 가지는 가늘고 길며 약간 늘어지고, 잎은 마주나고 겹잎이다. 꽃덮개는 가늘고 긴 녹색의 소포가 있고, 꽃받침은 종 모양, 끝이 6개로 갈라진다. 화관은 술잔 같고, 수술은 2개로 화관 안에 붙으며, 씨방은 2개이다.

분포 · 생육지 중국 원산. 우리나라 남부 지방에서 재배한다.

약용 부위 · 수치 꽃은 3월 하순 꽃이 필 때, 잎은 봄과 여름에 채취하여 말린다.

약물명 꽃을 영춘화(迎春花), 잎을 영춘화엽(迎春花葉)이라 한다.

약효 영춘화(迎春花)는 해열(解熱), 이뇨(利尿)의 효능이 있으므로 발열, 두통, 소변열통(小便熱痛)을 치료한다. 영춘화엽(迎春花葉)은 종독악창(腫毒惡瘡), 타박상, 창상출혈(創傷出血)을 치료한다.

성분 잎과 가지에는 syringin, jasmiflorin, jasmipicrin, rutin, verbascoside, poliumoside, forsythoside B 등이 함유되어 있다.

사용법 영춘화 또는 영춘화엽 10g에 물 3컵(600mL)을 넣고 달여서 복용하고, 외용에는 분말로 하여 상처에 뿌린다.

● 영춘화

[물푸레나무과]

자스민

늑막통 | 하리복통

●학명 : *Jasminum officinale* L. ●영명 : Royal jasmin ●별명 : 재스민

| 1 | 2 | 3 | 4 | 5 | 6 | 7 | 8 | 9 | 10 | 11 | 12 |

● 자스민

상록 관목. 높이 2m 정도. 잎은 마주나고 긴 타원형, 양 끝이 뾰족하며 가장자리가 밋밋하다. 꽃은 백색, 가지 끝에 취산화서로 핀다. 꽃받침 끝은 8~10개로 갈라지고, 수술은 2개, 씨방은 2실이다. 열매는 시과이다.

분포 · 생육지 인도, 중국 남부, 말레이시아, 필리핀, 열대 지방. 낮은 산이나 들에서 자란다.

약용 부위 · 수치 꽃은 여름철에 꽃이 피려고 할 때 채취하여 말린다.

약물명 소형화(素馨花). 옥부용(玉芙蓉)이라고도 한다.

약효 서간해울(舒肝解鬱), 행기지통(行氣止痛)의 효능이 있으므로 간염으로 인한 늑막통, 하리복통을 치료한다.

성분 *cis*-jasmone, methyljasmonate, indole, jasmine lactone 등이 함유되어 있다.

사용법 소형화 5~10g에 물 3컵(600mL)을 넣고 달여서 복용한다.

● 자스민꽃에서 추출한 정유

● 소형화(素馨花)로 만든 차

[물푸레나무과]

말리화

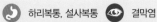

하리복통, 설사복통　결막염
창독　감기몸살　각기

● 말리엽(茉莉葉)으로 만든 차

● 학명 : *Jasminum sambac* (L.) Ait.　● 한자명 : 茉莉花

1	2	3	4	5	6	7	8	9	10	11	12

관상용으로 재식하는 상록 관목. 높이 1~2m. 잎은 마주나고 뒷면에는 황색 털이 있다. 꽃은 백색, 6~11월에 취산화서로 핀다. 꽃받침의 끝은 8~10개로 갈라지고, 수술은 2개, 씨방은 2실이다.

분포·생육지 인도, 인도네시아, 중국 남부, 말레이시아, 필리핀, 열대 지방. 낮은 산이나 들에서 자란다.

약용 부위·수치 꽃은 여름철에 꽃이 피려고 할 때 채취하고, 잎은 여름과 가을에 채취한다.

약물명 꽃을 말리화(茉莉花), 잎을 말리엽(茉莉葉)이라 한다.

기미·귀경 말리화(茉莉花): 온(溫), 신(辛), 미감(微甘)·비(脾), 위(胃), 간(肝). 말리엽(茉莉葉): 온(溫), 신(辛), 미고(微苦)

약효 말리화(茉莉花)는 이기(利氣), 화중(和中)의 효능이 있으므로 하리복통(下痢腹痛), 결막염, 창독(瘡毒)을 치료한다. 말리엽(茉莉葉)은 소풍해표(疏風解表), 소종지통(消腫止痛)의 효능이 있으므로 감기몸살, 설사복통, 각기를 치료한다.

성분 말리화(茉莉花)에는 jasmone, jasminin, linalool, indole, benzyl acetate, methyl-jasmonate 등이 함유되어 있다. 말리엽(茉莉葉)에는 friedelin, lupeol, betulin, betulinic acid, oleanolic acid, sambawside 등이 함유되어 있다.

사용법 말리화 또는 말리엽 10g에 물 3컵(600mL)을 넣고 달여서 복용하고, 외용에는 분말로 하여 상처에 뿌린다.

● 말리화(茉莉花)

● 말리화

[물푸레나무과]

자약여정

습열뇨림　간염, 소화불량

● 학명 : *Ligustrum delavayanum* Hariot　● 한자명 : 紫藥女貞

1	2	3	4	5	6	7	8	9	10	11	12

관목. 높이 2~4m. 줄기껍질은 회갈색, 잎은 마주난다. 꽃은 백색, 5~6월에 가지 끝에 많이 달리며, 수술머리가 자주색이다. 장과는 달걀 모양, 흑색으로 익는다.

분포·생육지 중국 후베이성(湖北省), 윈난성(雲南省), 구이저우성(貴州省). 산지에서 자란다.

약용 부위·수치 뿌리를 봄부터 가을까지 채취하여 물에 씻은 후 썰어서 말린다.

약물명 지령근(地靈根)

약효 청열이뇨(淸熱利尿), 소식건위(消食健胃)의 효능이 있으므로 습열뇨림(濕熱尿淋), 간염, 소화불량을 치료한다.

사용법 지령근 10g에 물 3컵(600mL)을 넣고 달여서 복용한다.

● 자약여정

[물푸레나무과]

당광나무

두혼목현, 이명, 목암불명 | 요슬산연, 골증조열
유정 | 수발조백 | 폐열해수

● 학명 : *Ligustrum lucidum* Aiton   ● 별명 : 제주광나무

| 1 | 2 | 3 | 4 | 5 | 6 | 7 | 8 | 9 | 10 | 11 | 12 |

상록 소교목. 높이 5~10m. 잎은 마주나고 가죽질, 가장자리는 밋밋하고, 잎자루는 길이 1~2cm로 붉은빛이 돈다. 꽃은 백색, 7~8월에 핀다. 화관은 길이 3~4mm, 갈라진 조각은 화관 길이의 절반이고, 수술은 2개이다. 열매는 달걀 모양, 길이 10mm 정도, 10월에 흑자색으로 익는다.

분포 · 생육지 우리나라 제주도. 중국. 산기슭에서 자란다.

약용 부위 · 수치 열매를 채취하여 과육과 과피를 제거한 후 얻은 종자를 건조시킨 다음 약한 불로 질그릇에서 볶아서 사용한다. 잎은 여름에 채취하여 말린다. 개각충과(介殼蟲科) 곤충인 백랍충(白蠟蟲) 수컷의 무리가 '당광나무', '광나무', '쥐똥나무' 등의 가지 위에 분비한 밀랍(蜜蠟)을 정제한 것을 약용한다.

약용명 열매를 여정실(女貞實), 여정자(女貞子), 잎을 여정엽(女貞葉)이라 한다. 가지에 분비된 밀랍(蜜蠟)을 백랍(白蠟)이라 한다. 여정실(女貞實)은 대한민국약전외한약(생약)규격집(KHP)에 수재되어 있다.

본초서 여정실(女貞實)은 「신농본초경(神農本草經)」의 상품(上品)에 수재되어 있다. 이시진(李時珍)의 「본초강목(本草綱目)」에는 "이 나무는 혹독한 겨울을 이겨 내어 봄에 청순한 새싹을 내므로 여인네들의 수정(守貞)을 뜻하여 붙여진 이름이다."라고 하였다. 「동의보감(東醫寶鑑)」에 백랍(白蠟)은 "새살을 돋아나게 하며 피가 계속 날 때 피를 멈추게 하고 통증을 낮게 한다. 근골을 이어 주고 몸이 허약한 것을 보하며, 설사와 기침을 그치게 한다. 폐를 윤택하게 하고 위장과 대소장을 튼튼하게 하며 노채충(勞瘵蟲)을 구제한다."고 하였다.

神農本草經: 主補中, 安五臟, 養精神, 除百疾, 久服肥健, 輕身不老.
本草蒙筌: 黑髮黑鬚, 强筋强力 多服補血祛風.
本草綱目: 强陰, 健腰膝, 變白髮, 明目.
東醫寶鑑: 白蠟 生肌止血 定痛 接骨續筋 補虛 止咳止瀉 潤肺臟 厚腸胃 殺勞瘵蟲

성상 열매는 달걀 모양이고 길이 5~10mm, 지름 3~5mm이다. 표면은 흑자색~흑색이고 조금 쭈그러졌으며 한쪽 밑부분에 과병의 자국이 있고 질은 굳으나 가볍다. 열매 속에 양쪽 끝이 뾰족하고 흑자색이며 타원형인 종자가 1~2개 들어 있다. 씨의 단면은 회백색이다. 특이한 냄새가 있고 맛은 달며 쓰고 떫다.

품질 열매가 크고 충실하며 밝은 회흑색을 띠고 질은 단단하며 성숙한 것이 좋다.

기미 · 귀경 여정실(女貞實): 양(凉), 감(甘), 고(苦) · 간(肝), 신(腎). 여정엽(女貞葉): 양(凉), 고(苦)

약효 여정실(女貞實)은 보익간신(補益肝腎), 청허열(淸虛熱), 명목(明目)의 효능이 있으므로 두혼목현(頭昏目眩), 요슬산연(腰膝酸軟), 유정(遺精), 이명(耳鳴), 수발조백(鬚髮早白), 골증조열(骨烝潮熱), 목암불명(目暗不明)을 치료한다. 여정엽(女貞葉)은 청열명목(淸熱明目), 해독산어(解毒散瘀), 소종지해(消腫止咳)의 효능이 있으므로 두목혼통(頭目昏痛), 풍열적안(風熱赤眼), 구설생창(口舌生瘡), 치주염, 폐열해수(肺熱咳嗽)를 치료한다.

성분 여정실(女貞實)에는 ursolic acid, oleanolic acid, betulic acid, secoiridoid glycoside: oleoside dimethyl ester, nuezhenide, isonuezhenide, neonuezhenide, specnuezhenide, ligustroside, oleuropein, lucidumoside A, B, C, phenylene glycoside: salidroside 등이 함유되어 있다.

약리 쥐에게 oleanolic acid를 투여하면 강심 작용이 나타난다. oleanolic acid를 다량으로 함유하는 분획물을 쥐에게 투여하면 간 조직 내 glutathione의 재생력을 높여 줌으로써 사염화탄소에 의한 간 독성으로부터 간세포를 보호한다. oleuropein, lucidumoside A, B, C는 호흡기 바이러스(RSV)와 인플루엔자 바이러스(para 3)에 대한 항바이러스 작용을 나타낸다. secoiridoid glycoside는 free radical로 유도한 적혈구의 용혈에 대한 항산화 작용을 강하게 나타낸다. ursolic acid와 oleanolic acid는 benzo[α]pyrene에 의한 돌연변이를 억제한다.

사용법 여정실이나 여정엽 7g에 물 2컵(400 mL)을 넣고 달여서 복용하고, 어린아이의 야뇨증에는 3g에 물을 넣고 달여 조금씩 먹인다.

처방 이지환(二至丸): 여정실(女貞實) · 묵한련(墨旱蓮) 동량, 환을 만들어 12g씩 복용(「증치준승(證治準繩)」). 간신음허(肝腎陰虛)로 인해 입이 쓰고 건조하며 불면증이 있고 꿈을 자주 꾸며 머리카락이 빨리 희어지는 데 사용한다.

＊잎 길이가 4~7cm이고 화관의 열편이 화통과 길이가 비슷한 '광나무 *L. japonicum*'도 약효가 같다.

◐ 여정실(女貞實)

◐ 여정엽(女貞葉)

◐ 당광나무(열매)

◐ 당광나무   ◐ 꽃

쥐똥나무

신체허약, 자한　　신허, 유정
토혈, 혈변

● 학명 : *Ligustrum obtusifolium* S. et Z.　● 별명 : 백당나무, 싸리버들, 검정알나무, 귀똥나무

| 1 | 2 | 3 | 4 | 5 | 6 | 7 | 8 | 9 | 10 | 11 | 12 |

낙엽 관목. 가지가 가늘고 회백색이고 많이 갈라지며 어린가지는 털이 있다. 잎은 마주 난다. 꽃은 백색, 종 모양, 5~6월에 가지 끝에 많이 달리며 잔털이 많다. 꽃받침은 녹색으로 4개의 톱니와 잔털이 있다. 열매는 달걀 모양, 흑색으로 익는다.
분포 · 생육지 우리나라 황해도 이남. 일본. 산골짜기에서 자란다.
약용 부위 · 수치 열매를 가을에 채취하여 말린다.
약물명 수납과(水蠟果)
약효 강장(强壯), 지혈(止血), 지행(止行)의 효능이 있으므로 신체허약, 신허(腎虛), 유정(遺精), 자한(自汗), 토혈(吐血), 혈변(血便)을 치료한다.
사용법 수납과 10g에 물 3컵(600mL)을 넣고 달여서 복용한다.

◆ 수납과(水蠟果)

◆ 쥐똥나무(꽃)

◆ 쥐똥나무(열매)

◆ 쥐똥나무

올리브나무

장조변비　　수화탕상　　소변불리
고혈압, 고지혈증　　협심증

● 학명 : *Olea europaea* L.

| 1 | 2 | 3 | 4 | 5 | 6 | 7 | 8 | 9 | 10 | 11 | 12 |

상록 관목. 높이 10m 정도. 잎은 마주난다. 꽃은 백색, 잎겨드랑이나 가지 끝에 원추화서로 달린다. 꽃받침은 녹색이며 4개로 갈라지고, 화관도 4개로 깊게 갈라지며, 2개의 수술과 1개의 암술이 있다. 열매는 달걀 모양, 6~9월에 적갈색으로 익는다.
분포 · 생육지 지중해 연안 원산. 유럽에서 널리 재식하고 있다.
약용 부위 · 수치 늦여름이나 가을에 열매가 익으면 채취하여 압착하여 기름을 뽑는다.
약물명 열매를 제돈과(齊墩果), 잎을 제돈엽(齊墩葉)이라 한다.
약효 제돈과(齊墩果)는 윤장통변(潤腸通便), 해독염창(解毒斂瘡)의 효능이 있으므로 장조변비(腸燥便秘), 수화탕상(水火燙傷), 고혈압, 협심증을 치료한다. 제돈엽(齊墩葉)은 고혈압, 고지혈증, 소변불리를 치료한다.
성분 제돈과(齊墩果)는 기름이 30%이고, oleic acid와 linoleic acid가 주성분이며, 이 외에 caffeic acid, syringic acid, *p*-coumaric acid, geranylgeraniol, uvaol, phytol, vanillic acid, lanosterol, 3,5-sitosta-

dien-7-one, elenolide 등이 함유되어 있다. 제돈엽(齊墩葉)은 oleuropein, liqustroside, leacein, oleanolic acid, uvaol, chrysoeriol, apigenin, luteolin 등이 함유되어 있다.
약리 elenolide, oleuropein은 관상 동맥의 흐름을 증가시킴으로써 혈압 강하 작용이 있다. 사염화탄소로 간을 손상시킨 쥐에게 올리브유를 투여하면 간 보호 작용이 나타난다. 올리브유는 동물 실험에서 항염증 작용, 면역 증강 작용, 강혈지(降血脂) 작용, 강혈당(降血糖) 작용, 항혈소판 응집 작용 등이 나타난다.
사용법 올리브유는 1회 10mL를 복용하고, 수화탕상에는 상처에 적당량을 바른다. 제돈엽은 1g을 물에 우려내어 복용한다.

◆ 올리브나무

◆ 제돈엽(齊墩葉)

◆ 제돈과(齊墩果)

◆ 올리브나무(열매)

◆ 올리브유가 함유된 제품들

◆ 올리브유

[물푸레나무과]

목서

1	2	3	4	5	6	7	8	9	10	11	12

🫁 담음천해, 풍한감모　🤰 장풍혈리　🧍 산가
👁 아통, 구취　　　　📖 피부소양, 칠창

●학명 : *Osmanthus fragrans* Lour.　●별명 : 목서나무

상록 관목. 잎은 마주나고 가장자리에 잔톱니가 있거나 거의 밋밋하다. 꽃은 백색, 암수딴그루, 지름 5mm 정도이다. 꽃받침은 녹색, 4개로 갈라지고, 화관도 4개로 깊게 갈라지며, 열편은 타원형으로 끝이 둔하고, 2개의 수술과 1개의 암술이 있다.

분포 · 생육지 중국 원산. 우리나라 전역에서 재식한다.

약용 부위 · 수치 꽃은 꽃이 피는 9~10월에 채취하여 말린다.

약물명 꽃을 계화(桂花)라 하고 목서화(木犀花)라고도 하며, 가지를 계지화(桂花枝)라고 한다.

기미 · 귀경 계화(桂花): 온(溫), 신(辛) · 폐(肺), 비(脾), 신(腎). 계화지(桂花枝): 온(溫), 신(辛), 감(甘).

약효 계화(桂花)는 화담(化痰), 산어(散瘀)의 효능이 있으므로 담음천해(痰飮喘咳), 장풍혈리(腸風血痢), 산가(散瘕), 아통(牙痛), 구취를 치료한다. 계화지(桂花枝)는 발표산한(發表散寒), 거풍지양(祛風止痒)의 효능이 있으므로 풍한감모(風寒感冒), 피부소양(皮膚瘙痒), 칠창(漆瘡)을 치료한다.

성분 decanolactone, ionone, linalool oxide, linalool, pelargonaldehyde, phelladrene, nerol, geraniol 등이 함유되어 있다.

사용법 계화 또는 계화지 3~5g을 물에 우려내어 복용한다.

◆ 계화(桂花)

◆ 계화지(桂花枝)

◆ 목서

[물푸레나무과]

금목서

🫁 담음천해, 풍한감모　🤰 장풍혈리　🧍 산가
👁 아통, 구취　　　　📖 피부소양, 칠창

●학명 : *Osmanthus fragrans* Lour. var. *aurantiacus* Makino

1	2	3	4	5	6	7	8	9	10	11	12

상록 관목. '목서'에 비해 잎의 가장자리가 밋밋하고 꽃 색깔이 등황색이다.

분포 · 생육지 중국 원산. 우리나라 전역에서 재식한다.

약물명 꽃을 계화(桂花)라 하고 목서화(木犀花)라고도 하며, 가지를 계화지(桂花枝)라고 한다.

약효 계화(桂花)는 화담(化痰), 산어(散瘀)의 효능이 있으므로 담음천해(痰飮喘咳), 장풍혈리(腸風血痢), 산가(散瘕), 아통(牙痛), 구취를 치료한다. 계화지(桂花枝)는 발표산한(發表散寒), 거풍지양(祛風止痒)의 효능이 있으므로 풍한감모(風寒感冒), 피부소양(皮膚瘙痒), 칠창(漆瘡)을 치료한다.

성분 (+)-phyllygenin, phyllyrin, (−)-phyllygenin, (−)-epipinoresinol−β−D−glucoside, taraxiresinol, (−)-olivil 등이 함유되어 있다.

약리 (+)-phyllygenin, phyllyrin, (−)-phyllygenin은 NO 생성을 억제한다.

사용법 계화 또는 계화지 3~5g을 물에 우려내어 복용한다.

＊기타 사항은 '목서'와 같다.

◆ 계화(桂花)

◆ 금목서

[물푸레나무과]

구골나무

 요슬무력   옹종정독
 백일해

●학명 : *Osmanthus heterophyllus* P. S. Green ●별명 : 참가시은계목, 털구골나무

| 1 | 2 | 3 | 4 | 5 | 6 | 7 | 8 | 9 | 10 | 11 | 12 |

낙엽 관목. 잎은 모양이 다양하고 마주나고 타원형, 가장자리와 끝은 날카로운 가시로 된다. 꽃은 암수딴그루, 백색, 잎겨드랑이에서 모여난다. 꽃받침은 4개로 갈라지고, 화관도 끝이 4개로 갈라지고 수술은 2개이다. 열매는 타원형, 9~10월에 흑자색으로 익는다.

분포 · 생육지 우리나라 남부. 중국, 일본. 바닷가에서 자란다.

약용 부위 · 수치 가지와 잎을 여름에 채취하여 적당한 크기로 썰어서 말린다.

약물명 향목균계(香木菌桂)

약효 보간신(補肝腎), 건요슬(健腰膝)의 효능이 있으므로 요슬무력(腰膝無力), 옹종정독(癰腫疔毒), 백일해(百日咳)를 치료한다.

사용법 향목균계 10g에 물 3컵(600mL)을 넣고 달여서 복용하거나 술에 담가서 복용한다.

❶ 향목균계(香木菌桂)

❶ 구골나무(꽃)

❶ 구골나무

[물푸레나무과]

수수꽃다리

 급성설사, 황달형간염

●학명 : *Syringa dilatata* Nakai ●별명 : 개똥나무, 넓은잎정향나무

| 1 | 2 | 3 | 4 | 5 | 6 | 7 | 8 | 9 | 10 | 11 | 12 |

낙엽 관목. 높이 2~3m. 잎은 마주난다. 꽃은 연한 자주색, 지름 2cm 정도, 4~5월에 핀다. 꽃받침은 4개로 갈라지며 수술은 2개, 꽃밥은 황색, 암술머리는 2개로 깊게 갈라진다. 씨방은 녹색, 삭과는 달걀 모양이다.

분포 · 생육지 우리나라 황해도, 평남 및 함남. 중국, 일본. 석회암 지대에서 자란다.

약용 부위 · 수치 가지와 잎을 여름에 채취하여 적당한 크기로 썰어서 말린다.

약물명 자정향(紫丁香)

약효 청열(淸熱), 해독, 이습(利濕)의 효능이 있으므로 급성설사, 황달형간염을 치료한다.

성분 잎에는 tyrosol, D−mannitol, *p*−hydroxycinnamic acid, 3,4−dihydroxyphenethyl alcohol, 3,4−dihydroxybenzoic acid, syringopicroside 등이 함유되어 있다.

약리 잎의 에탄올추출물을 쥐에게 정맥주사하면 심장 박동 횟수가 줄어든다.

사용법 자정향 5g에 물 2컵(400mL)을 넣고 달여서 복용하거나 술에 담가서 복용한다.

❶ 자정향(紫丁香)

❶ 수수꽃다리

[물푸레나무과]

개회나무

 기관지염, 효천   심장성부종

●학명 : *Syringa reticulata* Blume var. *mandshurica* Hara   ●별명 : 시계나무, 개구름나무

| 1 | 2 | 3 | 4 | 5 | 6 | 7 | 8 | 9 | 10 | 11 | 12 |

낙엽 관목. 높이 4m 정도. 잎은 마주나고 타원형, 길이 5~12cm, 너비 3~9cm, 끝은 뾰족하고 가장자리는 밋밋하다. 꽃은 지름 5~6mm, 6~7월에 묵은 가지 끝에 원추화서로 달린다. 열매는 삭과로 타원상 구형, 9~10월에 익고 피목이 뚜렷하다.

분포 · 생육지 우리나라 중부 이북. 중국, 일본, 아무르, 우수리, 사할린. 산골짜기에서 자란다.

약용 부위 · 수치 잎 또는 줄기껍질을 봄과 여름에 채취하여 적당한 크기로 썰어서 말린다.

약물명 폭마자(暴馬子)

기미 · 귀경 미온(微溫), 고(苦), 신(辛) · 폐(肺)

약효 선폐화담(宣肺化痰), 지해평천(止咳平喘), 이수(利水)의 효능이 있으므로 기관지염, 효천(哮喘), 심장성부종을 치료한다.

사용법 폭마자 15g에 물 4컵(800mL)을 넣고 달여서 복용하거나 알약이나 가루약으로 만들어서 복용한다.

◆ 개회나무(열매)

◆ 꽃   ◆ 개회나무

[물푸레나무과]

털개회나무

기관지염, 효천

●학명 : *Syringa velutina* Kom.   ●별명 : 정향나무, 암개회나무, 가는잎정향나무

| 1 | 2 | 3 | 4 | 5 | 6 | 7 | 8 | 9 | 10 | 11 | 12 |

낙엽 관목. 잎은 마주나고 타원형, 뒷면에 털이 빽빽하다. 꽃은 적자색, 6~7월에 묵은 가지에 원추화서로 피고 지름 7~9mm이다. 화관은 4개로 갈라지며 화통이 갈라진 조각보다 길고, 수술은 길이 4mm 정도로 화관 밖으로 나온다. 열매는 삭과로 타원상 구형, 9~10월에 익는다.

분포 · 생육지 우리나라 전역. 중국, 일본. 산골짜기에서 자란다.

약용 부위 · 수치 잎을 봄과 여름에 채취하여 적당한 크기로 썰어서 말린다.

약물명 폭마자(暴馬子)

약효 선폐화담(宣肺化痰), 지해평천(止咳平喘)의 효능이 있으므로 기관지염, 효천(哮喘)을 치료한다.

사용법 폭마자 15g에 물 4컵(800mL)을 넣고 달여서 복용하거나 알약이나 가루약으로 만들어서 복용한다.

◆ 털개회나무(꽃)

◆ 털개회나무

꽃개회나무

기관지염, 효천

●학명 : *Syringa wolfii* Schneider ●별명 : 꽃정향나무

| 1 | 2 | 3 | 4 | 5 | 6 | 7 | 8 | 9 | 10 | 11 | 12 |

낙엽 관목. 높이 4~6m. 잎은 마주나고 타원형이다. 꽃은 적자색, 향기가 강하고 지름 5~6mm로 6~7월에 새 가지에 원추화서로 달린다. 화관은 지름 10mm 정도, 길이 15~18mm이며, 수술은 길이 4mm 정도로 화관 밖으로 나온다. 열매는 삭과로 타원상 구형, 9~10월에 익는다.

분포·생육지 우리나라 중부 이북. 중국. 산골짜기에서 자란다.

약용 부위·수치 잎을 봄과 여름에 채취하여 적당한 크기로 썰어서 말린다.

약물명 폭마자(暴馬子)

약효 선폐화담(宣肺化痰), 지해평천(止咳平喘)의 효능이 있으므로 기관지염, 효천(哮喘)을 치료한다.

사용법 폭마자 15g에 물 4컵(800mL)을 넣고 달여서 복용하거나 알약이나 가루약으로 만들어서 복용한다.

○ 꽃개회나무(꽃)

○ 꽃개회나무

대엽취어초

풍한해수　비통
타박상, 마풍　부녀음양

●학명 : *Buddleja davidii* Franch. ●한자명 : 大葉醉魚草 ●별명 : 부들레야

| 1 | 2 | 3 | 4 | 5 | 6 | 7 | 8 | 9 | 10 | 11 | 12 |

낙엽 관목. 높이 1~3m. 줄기껍질은 갈색으로 작은 가지가 많다. 잎은 마주나며 타원형, 길이 8~25cm, 너비 3~4cm이다. 꽃은 가지 끝이나 잎겨드랑이에 모여나고 통 모양이다. 삭과는 달걀 모양, 길이 6~8mm, 종자는 작고 갈색이다.

분포·생육지 인도, 인도네시아, 중국의 간쑤성(甘肅省), 후베이성(湖北省), 광시성(廣西省). 해발 80~2,700m의 산비탈에서 자란다.

약용 부위·수치 가지와 잎을 여름과 가을에 채취하여 말린다.

약물명 주약화(酒藥花). 주곡화(酒曲花), 대몽화(大蒙花)라고도 한다.

약효 거풍산한(祛風散寒), 활혈지통(活血止痛)의 효능이 있으므로 풍한해수(風寒咳嗽), 비통(痺痛), 타박상, 부녀음양(婦女陰癢), 마풍(痲風)을 치료한다.

성분 buddledin A~D, cosxtanoside, conif-eraldehyde, balanophonin, syringaresinol, buddlenol A~F, acteoside, biridoside 등이 함유되어 있다.

사용법 주약화 10g에 물 3컵(600mL)을 넣고 달여서 복용한다.

○ 주약화(酒藥花)

○ 대엽취어초(잎)

○ 대엽취어초

취어초

| 자시, 옹종, 나력, 탕상 | 어골경 |
| 담천 | 감적 |

●학명 : *Buddleja lindleyana* Fort. ●한자명 : 醉魚草

| 1 | 2 | 3 | 4 | 5 | 6 | 7 | 8 | 9 | 10 | 11 | 12 |

낙엽 관목. 높이 1~2.5m. 줄기껍질은 갈색으로 작은 가지가 많다. 잎은 마주나며 타원형이다. 꽃은 가지 끝이나 잎겨드랑이에 취산형 원추화서로 모여나고 통 모양, 선단부가 약간 갈라지고 수술은 4개이다. 열매는 삭과로 달걀 모양, 길이 5mm 정도, 종자는 작고 갈색이다.

분포 · 생육지 중국 윈난성(雲南省), 광시성(廣西省). 해발 200~2,700m의 산비탈에서 자란다.

약용 부위 · 수치 줄기와 잎을 여름과 가을에, 꽃을 4~7월에 채취하여 말린다.

약물명 줄기와 잎을 취어초(醉魚草)라고 하며, 어미초(魚尾草)라고도 한다. 꽃을 취어초화(醉魚草花), 어미초화(魚尾草花)라고도 한다.

약효 취어초(醉魚草)는 거풍해독(祛風解毒), 화골경(化骨髓)의 효능이 있으므로 자

시(疿腮), 옹종(癰腫), 나력(瘰癧), 어골경(魚骨髓)을 치료한다. 취어초화(醉魚草花)는 거담(祛痰), 해독의 효능이 있으므로 담천(痰喘), 감적(疳積), 탕상(燙傷)을 치료한다.

사용법 취어초 또는 취어초화 10g에 물 3컵(600mL)을 넣고 달여서 복용한다.

● 취어초화(醉魚草花)

● 취어초

밀몽화

| 두풍통 | 풍습비통, 질타골절 |
| 완복통, 이질 | 종독, 습진, 피부소양 |

●학명 : *Buddleja officinalis* Max. ●한자명 : 密蒙花

| 1 | 2 | 3 | 4 | 5 | 6 | 7 | 8 | 9 | 10 | 11 | 12 |

낙엽 관목. 작은가지는 약간 네모지고, 잎은 마주나며 타원형이다. 꽃은 통 모양, 선단부가 약간 갈라지고 가지 끝이나 잎겨드랑이에 취산형 원추화서로 모여나며, 수술은 4개이다. 삭과는 달걀 모양, 종자가 많이 들어 있다.

분포 · 생육지 중국 윈난성(雲南省), 광시성(廣西省). 산과 들에서 자란다.

약용 부위 · 수치 꽃을 2~3월에 채취하여 말린다.

약물명 밀몽화(密蒙花). 몽화(蒙花), 소금화(小金花)라고도 한다. 대한민국약전외한약(생약)규격집(KHP)에 수재되어 있다.

본초서 밀몽화(密蒙花)는 송대(宋代)의 「개보본초(開寶本草)」에 수재되어 있으며, "꽃자루에 꽃이 다닥다닥 붙어 있으므로 밀몽화라고 한다."고 하였다. 「동의보감(東醫寶鑑)」에는 "눈이 보이지 않는 것과 눈에 예막(瞖膜, 이물질의 막이 눈자위를 덮는 눈병)이 생기는 것, 눈이 충혈되고 눈물이 많이 나는 것 등을 낫게 한다. 어린아이의 마마, 홍역 및 감질(疳疾, 비위의 기능 장애로 몸이 여위는 병증)의 독이 눈에 침범한 것을 낫게 한다."고 하였다.

東醫寶鑑: 主靑盲 膚瞖赤脈 多淚 小兒痘疹及疳氣功眼.

성상 꽃봉오리로 불규칙한 원뿔 모양이며 길이 2~3cm이다. 표면은 황갈색이고 털로 싸여 있으며, 꽃자루는 짧은 막대 같다. 냄새는 향기롭고 맛은 맵고 약간 쓰다.

기미 · 귀경 미한(微寒), 감(甘) · 간(肝)

약효 거풍화습(祛風化濕), 행기활혈(行氣活血)의 효능이 있으므로 두풍통(頭風痛), 풍습비통(風濕痺痛), 완복통(脘腹痛), 이질, 질타골절(跌打骨折), 종독(腫毒), 습진, 피부소양(皮膚瘙痒)을 치료한다.

성분 crocusatin, crocusatin C, acacetin, lariciresinol, pinoresinol, syringaresinol, mimengosides C~G, songaroside A, acteoside, phenylethyl 2-glucoside, echinacoside 등이 함유되어 있다.

약리 사포닌 성분인 mimengosides C~G는 백혈병 세포 HL60의 세포 분열을 억제하는 작용이 있다. crocusatin, crocusatin C, acacetin, lariciresinol, pinoresinol은 NO 생성을 저해한다.

사용법 밀몽화 10g에 물 3컵(600mL)을 넣고 달여서 복용하며, 외용에는 짓찧어 붙이

거나 즙액을 바른다.

처방 밀몽화산(密蒙花散): 밀몽화(密蒙花) · 청상자(靑箱子) · 결명자(決明子) · 차전자(車前子) 동량 (「동의보감(東醫寶鑑)」). 풍(風)으로 눈이 가렵고 눈물이 흐르면서 잘 보이지 않는 증상, 바람을 맞으면 눈물이 나고 눈이 붓는 증상에 사용한다.

● 밀몽화(密蒙花)

● 밀몽화(密蒙花)로 만든 풍습비통, 피소양 치료제

● 밀몽화

[마전과]

호만등

 개선, 습진, 나력, 정창　신경통

● 학명 : *Gelsemium elegans* (Gardn. et Champ.) Benth. [*Medicia elegans*]
● 한자명 : 胡蔓藤　● 영명 : Heartbreak grass

| 1 | 2 | 3 | 4 | 5 | 6 | 7 | 8 | 9 | 10 | 11 | 12 |

❍ 호만등

상록 덩굴나무. 길이 12m 정도. 가지는 윤택이 있고, 잎은 마주나며 타원형, 가장자리가 밋밋하다. 꽃은 황색, 가지 끝에 취산화서로 모여나고 통 모양이다. 삭과는 달걀 모양, 종자는 타원형으로 돌기가 있다.

분포 · 생육지 중국 저장성(浙江省), 장시성(江西省), 후난성(湖南省), 광둥성(廣東省), 윈난성(雲南省), 광시성(廣西省). 해발 500~2,000m의 산비탈에서 자란다.

약용 부위 · 수치 가지와 잎 또는 줄기껍질을 봄부터 가을까지 채취하여 짓찧어서 사용한다.

약물명 구문(鉤吻). 야갈(野葛), 진구문(秦鉤吻), 독근(毒根)이라고도 한다.

약효 거풍공독(祛風攻毒), 산결소종(散結消腫), 지통(止痛)의 효능이 있으므로 개선(疥癬), 습진, 나력(瘰癘), 정창(疔瘡), 신경통을 치료한다.

성분 koumine, kouminine, gelsemine, kouminicine, kouminidine, sempervirine 등이 함유되어 있다.

약리 동물 실험에서 진통 작용, 진정 작용, 소염 작용, 산동(散瞳) 작용, 항암 작용 등이 나타난다.

사용법 구문 적당량을 짓찧어 환부에 바르거나 붙인다.

[마전과]

여송과나무

 복통사리, 소아회충　말라리아
 도상출혈, 두창, 독사교상　치창

● 학명 : *Strychnos ignatii* Berg. [*S. hainanensis* Merr. et Chun]
● 한자명 : 呂宋果, 寶豆　● 별명 : 보두나무

| 1 | 2 | 3 | 4 | 5 | 6 | 7 | 8 | 9 | 10 | 11 | 12 |

덩굴나무. 길이 5~12m. 줄기는 흑갈색이며, 작은가지는 가끔 달팽이관처럼 구부러진다. 잎은 마주나고, 꽃은 담황색, 잎겨드랑이에 달리고 씨방은 2실이다. 열매는 구형, 큰 것은 지름 10cm에 이르고, 종자는 다수, 청록색을 띠며 길이 2~2.5cm이다.

분포 · 생육지 인도, 베트남, 말레이시아, 중국 윈난성(雲南省), 광둥성(廣東省), 하이난성(海南省) 들과 산에서 자란다.

약용 부위 · 수치 가을과 겨울에 열매가 저절로 떨어지면 과육을 벗기고 종자를 꺼내 말린다.

약물명 여송과(呂宋果). 보두(寶豆)라고도 한다.

성상 열매는 달걀 모양, 길이 2~3cm, 너비 1.5~2cm, 두께 2cm 정도, 표면은 회갈색, 질은 단단하여 부수기 어렵다. 냄새는 없고 맛은 매우 쓰다.

약효 해독, 소종(消腫), 살충, 지통(止痛)의 효능이 있으므로 복통사리(腹痛瀉痢), 말라리아, 소아회충(小兒蛔蟲), 도상출혈(刀傷出血), 두창(頭瘡), 치창(痔瘡), 독사교상(毒蛇咬傷)을 치료한다.

성분 strychnine, pseudostrychnine, 4-hydroxystrychnine, 16-methoxystrychnine, strychnine *N*-oxide, brucine, icajine, pseudobrucine, brucine *N*-oxide, vomicine, novacine 등이 함유되어 있다.

약리 strychnine은 중추 신경계에 작용하여 척수의 반사 흥분성을 항진시킨다. 위장의 기능을 항진시켜 위액의 분비를 촉진한다 (strychnine, brucine). brucine과 brucine *N*-oxide는 진통 작용과 항염증 작용이 있다.

확인 시험 '마전자나무'와 동일한 방법이다.

사용법 여송과를 가루로 만들어 0.05g을 복용한다. 식초와 갈아서 즙을 만들어 바르거나 연고로 하여 바른다.

주의 경구로 흡수가 잘 되며 strychnine 중독 시 지속적인 경련 발작 후에 오는 질식과 피로 때문에 사망한다. 과량을 복용하면 혈압 상승, 호흡 곤란, 혼수 상태가 올 수 있으므로 주의한다.

❍ 여송과(呂宋果)로 만든　❍ 여송과(呂宋果)
복통사리, 치창 치료제

❍ 여송과나무(표본)

마전자나무

- 풍습비통, 골절종통
- 후비, 치통
- 기부마목, 타박상, 옹저창독, 완선

●학명 : *Strychnos nux-vomica* L.

| 1 | 2 | 3 | 4 | 5 | 6 | 7 | 8 | 9 | 10 | 11 | 12 |

상록 교목. 높이 10~15m. 잎은 마주나고 가죽질, 잎맥은 3개, 가장자리는 밋밋하다. 꽃은 4~6월에 가지 끝에 취산화서로 달린다. 꽃받침은 5개로 갈라지고, 화관은 황백색, 끝이 5개로 갈라지며, 수술은 5개이다. 열매는 둥글고 등색, 지름 4~6cm이고, 3~5개의 종자가 들어 있다.

분포·생육지 인도, 베트남, 말레이시아, 중국 남부 지방. 산에서 자란다.

약용 부위·수치 가을과 겨울에 열매가 저절로 떨어지면 과육을 벗기고 종자를 꺼내 말린다. 이것을 심황색이 될 때까지 초(炒)하여 털을 긁어내고 분쇄하여 사용한다.

약물명 마전자(馬錢子). 번목별(番木鼈), 고실(苦實), 우은(牛銀)이라고도 한다.

본초서 「본초강목(本草綱目)」에 번목별(番木鼈)의 별명으로 마전자(馬錢子)가 처음 등재되어 있다. 이시진은 "모양이 말(馬)의 목에 다는 납작한 동전(銅錢)과 비슷하므로 마전자라는 이름이 붙었다."고 하였다.
本草綱目: 治傷寒熱病, 咽喉痺痛, 消痞塊.
萬病回春: 治癲狗咬傷.

성상 원판상을 이루고 때로는 약간 휜 것도 있으나 지름 2~3cm, 두께 3~5mm이며 엷은 회녹색~회갈색을 띤다. 표면은 중앙에서 주변으로 향하여 광택이 있는 부드러운 털로 덮이며 주변의 한쪽에 점 모양의 주공(珠孔)이 있고 한쪽 면의 중심점과의 사이에 때로는 선이 나타난다. 질은 단단하다. 물에 담갔다가 쪼개면 종피는 얇고 안쪽은 회황색으로 각질(角質)의 내유(內乳) 2개로 되고 중앙부는 좁고 비어 있다. 내유

안쪽에 길이 7mm 정도의 배(胚)가 있다. 맛은 쓰고 냄새는 거의 없다.

품질 strychnine 1.15% 이상이 함유되어야 한다.

기미·귀경 한(寒), 고(苦), 대독(大毒)·간(肝), 비(脾)

약효 통락(通絡), 강근(强筋), 산결(散結), 지통(止痛), 해독, 소종(消腫)의 효능이 있으므로 풍습비통(風濕痺痛), 기부마목(肌膚麻木), 타박상, 골절종통(骨折腫痛), 옹저창독(癰疽瘡毒), 후비(喉痺), 치통, 완선(頑癬), 악성종류(惡性腫瘤)를 치료한다.

성분 strychnine, pseudostrychnine, 4-hydroxystrychnine, strychnine *N*-oxide, brucine, pseudobrucine, brucine *N*-oxide, icajine, vomicine, novacine 등이 함유되어 있다. 마전자(馬錢子)를 냄비에 넣고 볶으면 strychnine, brucine 등의 알칼로이드는 감소하고, isostrychnine, isobrucine, strychnine *N*-oxide, brucine *N*-oxide는 함량이 증가한다.

약리 strychnine은 중추 신경계에 작용하여 척수의 반사 흥분성을 항진시킨다. 위장의 기능을 항진시켜 위액의 분비를 촉진한다 (strychnine, brucine). brucine과 brucine *N*-oxide는 진통 작용과 항염증 작용이 있다.

확인 시험 가루 3g에 NH₄OH 시액 3mL 및 CHCl₃ 20mL를 넣고 흔들어 섞으면서 30분간 냉침한 다음 여과한다. 여액을 수욕상(水浴上)에서 가온하여 CHCl₃ 대부분을 증류하여 제거한다. 여기에 희석시킨 H₂SO₄ (1→10) 5mL를 넣고 잘 흔들어 섞으면서

CHCl₃의 냄새가 나지 않을 때까지 수욕상에서 가열한 다음 식히고 탈지면으로 여과한다. 여액 1mL에 HNO₃ 2mL를 넣을 때 액은 붉은색을 나타낸다. 이것은 brucine에 의한 것이다. 위의 남은 여액에 K₂Cr₂O₇ 시액 1mL를 넣고 1시간 방치할 때 침전이 생긴다. 이 침전을 여취하고 물 1mL로 씻은 다음 그 침전물 일부를 시험관에 넣고 물 1mL를 넣어 가온하여 녹이고 식힌 다음 H₂SO₄ 5방울을 시험관 벽을 따라 흘려 넣으면 황산층은 자주색으로 되다가 곧 붉은색~적갈색으로 변한다. 이는 strychnine에 의한 것이다.

사용법 마전자를 가루로 만들어 0.05g을 복용한다. 외용에는 식초를 넣고 갈아서 즙을 만들어 바르거나 연고로 하여 바른다.

주의 경구로 흡수가 잘 되며 strychnine 중독 시 지속적인 경련 발작 후에 오는 질식과 피로 때문에 사망한다. 과량을 복용하면 혈압 상승, 호흡곤란, 혼수 상태가 올 수 있다.

처방 팔리산(八釐散): 소목(蘇木) 20g, 홍화(紅花) 80g, 마전자(馬錢子) 4g, 자연동(自然銅)·유향(乳香)·몰약(沒藥)·혈갈(血竭) 각 12g, 사향(麝香) 0.4g, 정향(丁香) 2g, 가루로 만들어 3g씩 복용(『의종금감(醫宗金鑑)』). 타박상, 근골절상(筋骨折傷)에 사용한다.

● 마전자(馬錢子)로 만든 풍습비통 치료제   ● 마전자나무(새싹)

● 마전자나무

● 마전자(馬錢子)

● 마전자나무(열매와 종자)

● 마전자(馬錢子, 신선품)

● 마전자(馬錢子)가 배합된 근육통 치료제

센토리

소화불량, 담즙부족증 | 방광염, 요도염

●학명 : *Centaurium erythraea* Rafin. ●영명 : Common centaury

| 1 | 2 | 3 | 4 | 5 | 6 | 7 | 8 | 9 | 10 | 11 | 12 |

두해살이풀. 높이 50cm 정도. 잎은 마주나고 타원형, 끝이 뾰족하고 가장자리가 밋밋하며 잎자루가 없다. 꽃은 분홍색, 화관은 종 모양, 화관 갈래는 수평으로 열리며, 안쪽에 부화관 조각이 있다. 열매는 삭과로 좁고 길며 2개로 갈라진다.

분포·생육지 유럽과 지중해. 산과 들의 양지에서 자란다.

약용 부위·수치 전초를 여름에 채취하여 말린다.

약물명 Centauri Herba. 일반적으로 Common centaury라 한다.

약효 소화불량, 방광염, 요도염, 담즙부족증을 치료한다.

사용법 Centauri Herba 2~3g을 뜨거운 물에 우려내어 복용한다.

○ 센토리(꽃이 피기 전)

○ 센토리

산용담

뇌척수막염 | 배뇨통 | 폐열해수
위염 | 결막염, 인후통 | 음낭습진

●학명 : *Gentiana algida* Pall. ●별명 : 당약용담, 산룡담

| 1 | 2 | 3 | 4 | 5 | 6 | 7 | 8 | 9 | 10 | 11 | 12 |

여러해살이풀. 높이 25cm 정도. 뿌리잎은 바늘 모양, 끝이 둔하고 길이 8~15cm, 밑부분이 합쳐져서 엽초로 된다. 줄기잎은 바늘 모양, 길이 3~5cm, 엽초가 있다. 꽃은 연한 황백색 바탕에 청록색 점이 있고, 화관은 종 모양, 화관 갈래는 비스듬히 열리며 안쪽에 부화관 조각이 있다. 열매는 삭과로 좁고 길며 2개로 갈라진다.

분포·생육지 우리나라 강원 이북. 중국, 일본, 아무르, 우수리, 캄차카, 북아메리카. 높은 산에서 자란다.

약용 부위·수치 전초를 여름에 채취하여 말린다.

약물명 고산용담(高山龍膽). 백화용담(白花龍膽)이라고도 한다.

약효 청간담(淸肝膽), 제습열(除濕熱), 건위(健胃)의 효능이 있으므로 뇌척수막염(腦脊髓膜炎), 결막염, 인후통, 폐열해수(肺熱咳嗽), 위염, 배뇨통, 음낭습진(陰囊濕疹)을 치료한다.

사용법 고산용담 7g에 물 3컵(600mL)을 넣고 달여서 복용하고, 외용에는 짓찧어 붙이거나 즙액을 바른다.

○ 산용담

○ 산용담(꽃의 내부)

○ 고산용담(高山龍膽)

[용담과]

조경용담

  풍습비통, 근골구련, 수족불수, 골증조열
소아감열   습열황달

●학명 : *Gentiana crassicaulis* Duthie ex Burk. ●한자명 : 粗莖龍膽

| 1 | 2 | 3 | 4 | 5 | 6 | 7 | 8 | 9 | 10 | 11 | 12 |

여러해살이풀. 높이 20~40cm. 원뿌리는 굵고 길며 원기둥 모양이고 위는 굵고 아래는 가늘다. 줄기는 1개로 바로 서고, 줄기잎은 마주난다. 꽃은 자주색, 6~9월에 줄기 끝과 윗부분의 잎겨드랑이에 달리며 수술은 5개, 암술은 1개이다. 삭과는 2개로 갈라진다.

분포 · 생육지 중국 간쑤성(甘肅省), 윈난성(雲南省), 쓰촨성(四川省), 티베트. 해발 2,000~5,000m의 산에서 자란다.

약용 부위 · 수치 뿌리를 채취하여 물에 씻은 후 말린다.

약물명 진교(秦艽), 진규(秦糾), 진례(秦禮)라고도 한다. 대한민국약전외한약(생약)규격집(KHP)에 수재되어 있다.

＊약효와 사용법은 '큰잎용담'과 같다. 진교(秦艽)의 기원 식물은 본 종과 '큰잎용담 *G. macrophylla*'이 대부분이다.

❍ 조경용담(뿌리)

❍ 조경용담 재배지(중국 여강)

❍ 진교(秦艽)

❍ 조경용담

[용담과]

달오리진교

풍습비통, 근골구련, 수족불수, 골증조열
소아감열   습열황달

●학명 : *Gentiana dahurica* Fisch. ●한자명 : 達烏里秦艽, 小秦艽, 狗尾艽

| 1 | 2 | 3 | 4 | 5 | 6 | 7 | 8 | 9 | 10 | 11 | 12 |

여러해살이풀. 높이 10~25cm. 뿌리는 1개이나 가끔 갈라진다. 줄기는 여러 개가 나오고, 뿌리잎은 모여나며, 줄기잎은 마주난다. 꽃은 남색, 7~9월에 핀다. 열매는 원주형, 종자는 담갈색이며 광택이 난다.

분포 · 생육지 중국 내몽골, 산시성(山西省), 윈난성(雲南省), 쓰촨성(四川省), 러시아. 산에서 자란다.

약용 부위 · 수치 뿌리를 채취하여 흙을 털고 물에 씻어서 말린다.

약물명 진교(秦艽), 소진교(小秦艽)라고도 한다.

성상 원뿌리는 원추형이고 1개, 표면이 다갈색이며, 아랫부분에서 많이 분지하고, 줄기의 흔적과 섬유 같은 엽초가 남아 있다. 횡단면은 갈색이고 가끔 빈틈이 있다.

약효 거풍습(祛風濕), 서근락(舒筋絡), 청허열(淸虛熱), 이습퇴황(利濕退黃)의 효능이 있으므로 풍습비통(風濕痺痛), 근골구련(筋骨拘攣), 수족불수(手足不遂), 골증조열(骨症燥熱), 소아감열(小兒疳熱), 습열황달(濕熱黃疸)을 치료한다.

사용법 진교 10g에 물 3컵(600mL)을 넣고 달여서 복용하거나 술에 담가서 복용한다.
＊약효와 사용법은 '큰잎용담 *G. macrophylla*'과 같다.

❍ 진교(秦艽)

❍ 달오리진교

[용담과]

비로용담

위염, 담낭염　신경쇠약

● 학명 : *Gentiana jamesii* Hemsl.　● 별명 : 비로봉용담, 비로룡담, 비로과남풀

1	2	3	4	5	6	7	8	9	10	11	12

여러해살이풀. 높이 10~15cm. 줄기의 밑부분에서 실 같은 가는 줄기가 옆으로 벋으며, 작은잎이 나고 잎은 어긋난다. 꽃은 짙은 남자색, 7~8월에 가지 끝에 1개씩 달린다. 화관은 좁고 갈라진 조각 사이에 있는 부화관 조각은 가장자리에 톱니가 있으며 삼각형으로 안쪽을 향한다. 삭과는 열매꼭지가 밖으로 나오고, 종자는 방추형이다.

분포 · 생육지 우리나라 강원도(대암산), 평북, 함남북, 백두산. 중국, 일본(홋카이도), 사할린. 높은 산에서 자란다.

약용 부위 · 수치 뿌리와 뿌리줄기를 가을에 채취하여 말린다.

약물명 백산용담(白山龍膽)

약효 건위(健胃)의 효능이 있으므로 신경쇠약, 위염, 담낭염을 치료한다.

성분 gentiopicrin, swertiamarin, gentianine, gentisin, gentisic acid 등이 함유되어 있다.

약리 에탄올추출물과 gentiopicrin은 위액 분비 촉진 작용이 있다.

사용법 백산용담 7g에 물 3컵(600mL)을 넣고 달여서 복용한다.

○ 비로용담

[용담과]

노랑용담

위염, 담낭염, 식욕감퇴, 소화불량　신경쇠약증

● 학명 : *Gentiana lutea* L.　● 영명 : Yellow gentiana　● 별명 : 겐티아나

1	2	3	4	5	6	7	8	9	10	11	12

여러해살이풀. 높이 1~2m. 줄기는 바로 서고 전체가 분백색을 띤다. 뿌리줄기와 뿌리는 굵다. 잎은 마주나고 타원형, 3맥이며 가장자리는 밋밋하다. 꽃은 황색, 7~8월에 잎겨드랑이에 조밀하게 달린다. 꽃받침은 5개로 갈라지고, 화관은 종 모양이다. 열매는 삭과이다.

분포 · 생육지 독일, 이탈리아, 프랑스, 유럽. 높은 지대의 풀밭에서 자란다.

약용 부위 · 수치 뿌리와 뿌리줄기를 여름이나 가을에 채취하여 물에 씻은 후 말린다.

약물명 겐티아나. 황용담(黃龍膽)이라고도 한다. 대한민국약전(KP)에 수재되어 있다.

성상 깊은 세로 주름이 있고 약간 비틀린 모양이며 단단하다. 꺾은 면은 평탄하고 황갈색을 띠며, 피층과 목부는 형성층 부근이 암갈색을 띤다.

약효 건위(健胃), 이담(利膽), 강장(强壯)의 효능이 있으므로 위염, 담낭염, 식욕감퇴, 소화불량, 신경쇠약증을 치료한다.

성분 swertiamarin, sweroside, swertiamarin, amarogentin, gentiopicrin, gentianine, gentisin, gentisic acid 등이 함유되어 있다.

약리 swertiamarin, sweroside 등은 혀의 미각 기관을 자극하여 타액, 위액, 담즙의 분비를 촉진시킨다. 열수추출물은 항균 작용과 면역 조절 기능이 있다.

사용법 겐티아나 2~4g에 물 2컵(400mL)을 넣고 달여서 복용하고, 유동추출물은 1~2g을 뜨거운 물에 풀어서 복용한다.

＊ 대한약전에는 겐티아나 가루, 겐티아나 중조산이 수재되어 있다.

○ 겐티아나

○ 노랑용담(열매)

○ 겐티아나가 배합된 축농증 및 비염 치료제

○ 노랑용담

[용담과]

큰잎용담

풍습비통, 근골구련, 수족불수, 골증조열

소아감열   습열황달

●학명 : *Gentiana macrophylla* Pall.   ●한자명 : 秦艽

| 1 | 2 | 3 | 4 | 5 | 6 | 7 | 8 | 9 | 10 | 11 | 12 |

여러해살이풀. 높이 20~60cm. 원줄기는 1개, 굵은 수염뿌리가 있고, 줄기잎은 마주난다. 꽃은 자주색, 8~9월에 핀다. 꽃받침은 종형이고 끝이 5개로 갈라지며, 화관은 끝이 7개로 갈라지고 각 갈라진 조각 사이의 안쪽에 부화관 조각이 있다. 삭과는 2개로 갈라진다.

분포·생육지 중국 윈난성(雲南省), 광둥성(廣東省), 쓰촨성(四川省). 산에서 자란다.

약용 부위·수치 파종한 뒤 3~5년이 되면 뿌리를 채취하여 흙을 털어서 말린다.

약물명 진교(秦艽), 진규(秦糾), 진례(秦禮)라고도 한다. 대한민국약전외한약(생약)규격집(KHP)에 수재되어 있다.

본초서 「신농본초경(神農本草經)」의 중품(中品)에 수재되어 "한열(寒熱)의 사기(邪氣), 한습풍비(寒濕風痺), 지절(肢節)의 통증을 치료하며, 수(水)를 내리고 소변을 잘 나오게 하는 약이다."라고 기록되어 있다. 「본초강목(本草綱目)」에는 "진교(秦艽)는 진(秦)이라는 곳에서 생산되며, 뿌리는 나문(羅紋)으로 교규(交糾)된 것이 품질이 좋으므로 진규(秦糾) 또는 진교(秦艽)라고 한다."고 하였다. 「동의보감(東醫寶鑑)」에는 "바람, 차고 습한 기운으로 뼈마디가 아프고 저린 증상에 주로 쓴다. 바람의 기운으로 온몸이 오그라들면서 팔다리, 뼈마디가 아픈 것을 낫게 한다. 주황(酒黃), 황달, 몸이 허약하여 뼛속이 후끈 달아오르는 증상을 낫게 하고 대소변을 잘 나오게 한다."고 하였다.

神農本草經: 主寒熱邪氣, 寒濕風痺, 肢節痛, 下水, 利小便.

名醫別錄: 療風, 無問久新, 通身攣急.

本草綱目: 治胃熱, 虛勞發熱.

東醫寶鑑: 主風寒濕痺 療風無問久新 通身攣急肢節痛 療酒黃黃疸骨蒸 利大小便.

성상 말린 뿌리는 원뿔형에 가깝고 상부는 굵고 하부는 가늘며, 길이는 10~20cm이다. 표면은 황갈색이고, 뿌리의 두부는 한 개 또는 여러 개가 합생하고 가장 윗부분에는 줄기의 기부와 황색 섬유상의 잎이 남아 있다. 질은 약하고 꺾기 쉬우며 기름 성분이 많다. 냄새는 특이하고 맛은 쓰고 떫다.

기미·귀경 미한(微寒), 고(苦), 신(辛)·간(肝), 담(膽).

약효 거풍습(祛風濕), 서근락(舒筋絡), 청허열(清虛熱), 이습퇴황(利濕退黃)의 효능이 있으므로 풍습비통(風濕痺痛), 근골구련(筋骨拘攣), 수족불수(手足不遂), 골증조열(骨症燥熱), 소아감열(小兒疳熱), 습열황달(濕熱黃疸)을 치료한다.

성분 gentianine, gentianidine, gentianal, getiopicroside, swertiamarin, montanic acid, methyl montanate, roburic acid, α-amyrin, β-sitosterol, daucosterol, kushenol I, kurarinone, trifloside, rindoside, macrophylloside A~B 등이 함유되어 있다.

약리 gentianine은 관절염에 항염증 작용을 나타내고, 부신 피질의 기능을 항진시켜 피질 호르몬의 분비를 증가시킨다. gentio-picroside는 사염화탄소나 LPS로 유도한 간독성으로부터 간세포를 보호한다.

사용법 진교 10g에 물 3컵(600mL)을 넣고 달여서 복용하거나 술에 담가서 복용한다.

처방 진교강활탕(秦艽羌活湯): 진교(秦艽)·강활(羌活)·황기(黃耆) 각 6g, 방풍(防風) 2.8g, 승마(升麻)·마황(麻黃)·시호(柴胡)·감초(甘草) 각 2g, 고본(藁本) 1.2g, 세신(細辛)·홍화(紅花) 각 0.8g (「동의보감(東醫寶鑑)」). 치루(痔漏)로 멍울이 생겨 처지고 몹시 가려운 증상에 사용한다.

• 진교당귀탕(秦艽當歸湯): 대황(大黃) 16g, 진교(秦艽)·지실(枳實) 각 4g, 택사(澤瀉)·당귀(當歸)·조각자(皁角子)·백출(白朮) 각 2g, 홍화(紅花) 0.8g, 도인(桃仁) 20알 (「동의보감(東醫寶鑑)」). 치질이나 치루(痔漏) 때, 대변에 피곱이 섞이면서 뒤가 몹시 굳고 아픈 증상에 사용한다.

• 진교백출환(秦艽白朮丸): 진교(秦艽)·도인(桃仁)·조각자(皁角子) 각 40g, 택사(澤瀉)·당귀(當歸)·지실(枳實)·백출(白朮) 각 20g, 지유(地楡) 12g (「동의보감(東醫寶鑑)」). 치질이나 치루(痔漏) 때, 대변에 피곱이 섞이면서 몹시 아픈 증상에 사용한다.

＊'달오리진교 G. dahurica', '마화교 G. straminea', '조경용담 G. crassicaulis'도 약효가 같다.

❍ 큰잎용담(뿌리)

❍ 진교(秦艽, 절편)

❍ 진교(秦艽)

❍ 큰잎용담

[용담과]

용담

| 습열황달 | 소변임통, 음종음양 |
| 습열대하 | 목적종통, 이농이종 |

● 학명 : *Gentiana scabra* Bunge ● 별명 : 초룡담, 선용담, 초용담

| 1 | 2 | 3 | 4 | 5 | 6 | 7 | 8 | 9 | 10 | 11 | 12 |

여러해살이풀. 높이 20~60cm. 뿌리줄기는 짧고 굵은 수염뿌리가 있으며, 줄기는 곧게 서고 4개의 가는 줄이 있다. 잎은 마주난다. 꽃은 자주색, 8~10월에 핀다. 수술은 5개로 화관에 붙고, 암술은 1개이다. 삭과는 시든 화관과 꽃받침이 달려 있다.

분포 · 생육지 우리나라 전역. 중국 둥베이(東北) 지방, 우수리, 동시베리아. 산과 들에서 자란다.

약용 부위 · 수치 뿌리를 가을에 채취하여 흙을 털어서 말린다.

약물명 용담(龍膽). 초룡담(草龍膽)이라고도 한다. 대한민국약전(KP)에 수재되어 있다.

본초서 「신농본초경(神農本草經)」의 상품(上品)에 수재되어 있으며, "골간(骨間)의 한열(寒熱), 경간(驚癎), 사기(邪氣)를 치료하며 오장(五臟)을 안정시키고 독충을 죽인다."고 하였다. 송나라의 「개보본초(開寶本草)」에는 "이 식물은 맛이 매우 쓰며, 쓴맛의 대표인 웅담(熊膽)보다 더 쓰므로 가장 쓰다는 의미로 용(龍)을 붙여 용담(龍膽)이라고 한다."고 하였다. 「동의보감(東醫寶鑑)」에는 "위장 속에 있는 열을 내리고 유행성열병, 더위로 인해 배가 아프며 붉은빛의 설사를 하고 설사 후에도 뒤가 묵직한 증상과 피고름이 섞인 대변을 낫게 한다. 간담의 기운을 보충하고 놀라서 가슴이 두근거

리는 증상을 진정시키고 몸이 허약하여 뼛속이 후끈후끈 달아오르는 것을 낮게 한다. 창자 속에 있는 작은 벌레를 구제하며 눈을 밝게 한다."고 하였다.

神農本草經: 主骨間寒熱, 驚癎邪氣, 續折傷, 定五臟, 殺蠱毒, 久服益智不忘, 輕身耐勞.

藥性論: 主小兒驚癎入心, 壯熱骨熱, 擁腫, 治時疾熱黃, 口瘡.

本草綱目: 療咽喉痛, 風熱盜汗.

東醫寶鑑: 除胃中伏熱時氣溫熱 熱泄下痢 益肝膽氣 止驚揚 除骨熱 去腸中小蟲 明目.

성상 짧은 뿌리줄기는 많은 뿌리로 이루어져 있고 길이 약 2cm, 지름 약 7mm이고, 뿌리는 길이 10~15cm, 지름 약 3mm로 거친 세로 주름이 있으며 질은 유연하다. 표면은 황갈색~회황갈색이다. 횡단면은 평탄하고 회갈색이다. 약간 특이한 냄새가 있고 맛은 매우 쓰며 잔류성이다.

기미 · 귀경 한(寒), 고(苦) · 간(肝), 담(膽), 방광(膀胱)

약효 청열조습(淸熱燥濕), 사간정경(瀉肝定驚)의 효능이 있으므로 습열황달(濕熱黃疸), 소변임통(小便淋痛), 음종음양(陰腫陰痒), 습열대하(濕熱帶下), 간담실화지두창두통(肝膽實火之頭脹頭痛), 목적종통(目赤腫痛), 이농이종(耳聾耳腫), 협통구고(脇痛口苦), 열병경풍(熱病驚風)을 치료한다. 일

반적으로는 건위제로 사용한다.

성분 gentiopicrin, swertiamarin, gentianine, gentisin, gentisic acid 등이 함유되어 있다.

약리 에탄올추출물과 gentiopicrin을 개에게 투여하면 위액 분비 촉진 작용이 있다. 에탄올추출물은 피부 과민성 항체 생산을 억제한다.

사용법 용담 10g에 물 3컵(600mL)을 넣고 달여서 복용하거나 환약으로 만들어 복용한다.

처방 용담사간탕(龍膽瀉肝湯): 용담(龍膽) · 시호(柴胡) · 택사(澤瀉) 각 4g, 목통(木通) · 차전자(車前子) · 복령(茯苓) · 생지황(生地黃) · 당귀(當歸) · 치자(梔子) · 황금(黃芩) · 감초(甘草) 각 2g「동의보감(東醫寶鑑)」). 간경습열(肝經濕熱)로 옆구리가 아프고 입안이 쓰며 귀 안이 붓고 잘 들리지 않는 증상, 음부가 붓고 몹시 아픈 증상, 배가 아프고 소변이 잘 나오지 않는 증상에 사용한다.

• 용담탕(龍膽湯): 황련(黃連) · 황금(黃芩) · 치자(梔子) · 당귀(當歸) · 진피(陳皮) · 천남성(天南星) 각 4g, 용담(龍膽) · 향부자(香附子) 각 3.2g, 현삼(玄蔘) 2.8g, 청대(靑黛) · 목향(木香) 각 2g, 포건강(炮乾薑) 1.2g, 생강(生薑) 3쪽「동의보감(東醫寶鑑)」). 간담(肝膽)의 화(火)가 성하여 귀가 들리지 않는 증상에 사용한다.

＊ 잎이 가늘고 잎맥이 1개인 '진퍼리용담 for. *stenophylla*', 잎의 길이 10~12cm이고 끝이 길게 뾰족한 '칼잎용담 *G. uchiyamai*'도 약효가 같다.

● 용담(龍膽)

● 용담(龍膽, 절편)

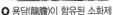

● 용담(龍膽)이 함유된 소화제

● 용담(龍膽)이 주약으로 배합된 용담사간환

● 용담(꽃의 내부)

● 용담(뿌리)

● 용담

[용담과]

구슬붕이

  창절종, 나력, 종독, 독사교상
장옹, 황달　　목적종통　　백대

● 학명 : *Gentiana squarrosa* Ledeb.　● 별명 : 구실붕이, 구실봉이, 구슬봉이

| 1 | 2 | 3 | 4 | 5 | 6 | 7 | 8 | 9 | 10 | 11 | 12 |

❍ 구슬붕이

두해살이풀. 높이 5~7cm. 줄기는 빽빽이 나고 가지가 많이 갈라진다. 뿌리잎은 2~3쌍이고 길이 2~4cm, 끝이 뾰족하고 잎자루는 없다. 줄기잎은 마주나며 길이 0.5~1cm이다. 꽃은 연한 보라색, 5~6월에 피고, 꽃받침은 5개로 갈라지며, 화관은 종 모양, 부화관이 있다.

분포 · 생육지 우리나라 전역. 중국, 일본, 아무르, 우수리, 사할린. 산이나 들에서 자란다.

약용 부위 · 수치 전초를 가을에 채취하여 흙을 털어서 말린다.

약물명 석용담(石龍膽)

약효 해독소옹(解毒消癰), 청열이습(淸熱利濕)의 효능이 있으므로 창절종(瘡癤腫), 나력(瘰癧), 종독(腫毒), 독사교상(毒蛇咬傷), 장옹(腸癰), 목적종통(目赤腫痛), 황달, 백대(白帶)를 치료한다.

사용법 석용담 10g에 물 3컵(600mL)을 넣고 달여서 복용하고, 외용에는 짓찧어 붙이거나 즙액을 바른다.

＊뿌리잎이 로제트형이 아니고 꽃받침의 길이가 화관의 반인 '큰구슬붕이 *G. zollingeri*'도 약효가 같다.

❍ 석용담(石龍膽)

[용담과]

마화교

 풍습비통, 근골구련, 수족불수, 골증조열
 소아감열　　 습열황달

● 학명 : *Gentiana straminea* Maxim.　● 한자명 : 麻花艽

| 1 | 2 | 3 | 4 | 5 | 6 | 7 | 8 | 9 | 10 | 11 | 12 |

여러해살이풀. 높이 10~20cm. 원뿌리는 굵고 길며 원추형으로 위는 굵고 아래는 가늘다. 줄기는 1개로 바로 선다. 뿌리잎은 모여나고, 줄기잎은 마주난다. 꽃은 황백색, 6~9월에 줄기 끝과 윗부분의 잎겨드랑이에 달린다.

분포 · 생육지 중국 간쑤성(甘肅省), 칭하이성(靑海省), 후베이성(湖北省), 쓰촨성(四川省), 티베트. 해발 2,000~5,000m의 산에서 자란다.

약용 부위 · 수치 뿌리를 채취하여 물에 씻은 후 말린다.

약물명 진교(秦艽). 마화진교(麻花秦艽)라고도 한다. 대한민국약전외한약(생약)규격집(KHP)에 수재되어 있다.

약효 거풍습(祛風濕), 서근락(舒筋絡), 청허열(淸虛熱), 이습퇴황(利濕退黃)의 효능이 있으므로 풍습비통(風濕痺痛), 근골구련(筋骨拘攣), 수족불수(手足不遂), 골증조열(骨症燥熱), 소아감열(小兒疳熱), 습열황달(濕熱黃疸)을 치료한다.

사용법 진교 10g에 물 3컵(600mL)을 넣고 달여서 복용하거나 술에 담가서 복용한다.

❍ 진교(秦艽)

❍ 마화교

[용담과]

티벳용담

 풍습비통, 근골구련, 수족불수, 골증조열

소아감열 습열황달

○ 티벳용담(꽃)

●학명 : *Gentiana tibetica* King et Hook f. ●한자명 : 西藏龍膽

1	2	3	4	5	6	7	8	9	10	11	12

여러해살이풀. 높이 25cm 정도. 뿌리잎은 바늘 모양으로 끝이 둔하다. 줄기잎은 바늘 모양으로 길고 엽초가 있다. 꽃은 백색으로 자주색의 작은 점들이 있다.

분포·생육지 중국, 티베트. 해발 2,000~3,000m에서 자란다.

약용 부위·수치 뿌리를 여름과 가을에 채취하여 말린다.

약물명 진교(秦艽), 진규(秦糺), 진례(秦禮)라고도 한다. 대한민국약전외한약(생약)규격집(KHP)에 수재되어 있다.

약효 거풍습(祛風濕), 서근락(舒筋絡), 청허열(淸虛熱), 이습퇴황(利濕退黃)의 효능이 있으므로 풍습비통(風濕痺痛), 근골구련(筋骨拘攣), 수족불수(手足不遂), 골증조열(骨症燥熱), 소아감열(小兒疳熱), 습열황달(濕熱黃疸)을 치료한다.

사용법 진교 10g에 물 3컵(600mL)을 넣고 달여서 복용하거나 술에 담가서 복용한다.

○ 티벳용담

[용담과]

과남풀

 습열황달 소변임통, 음종음양

습열대하 목적종통, 이농이종

●학명 : *Gentiana triflora* Pallas ●별명 : 관음풀, 관음초

1	2	3	4	5	6	7	8	9	10	11	12

여러해살이풀. 높이 35~80cm. 줄기는 바로 서고 전체가 분백색을 띤다. 뿌리줄기와 뿌리는 약간 굵다. 잎은 마주나고 타원형, 3맥이며, 가장자리는 밋밋하다. 꽃은 하늘색, 7~8월에 잎겨드랑이에 1~5개씩 달린다. 꽃받침은 5개로 갈라지고 화관은 종 모양, 열편은 끝이 둥글고, 부화관 갈래는 작다. 수술은 5개, 암술은 1개, 열매는 삭과이다.

분포·생육지 우리나라 함남북(백두산). 아무르, 우수리, 시베리아. 높은 지대의 풀밭에서 자란다.

약용 부위·수치 뿌리와 뿌리줄기를 여름이나 가을에 채취하여 물에 씻은 후 말린다.

약물명 용담(龍膽). 초룡담(草龍膽)이라고도 한다. 대한민국약전(KP)에 수재되어 있다.

사용법 용담 10g에 물 3컵(600mL)을 넣고 달여서 복용하거나 환약으로 만들어 복용한다.

* 약효는 '용담 *G. scabra*'과 같다.

○ 용담(龍膽)

○ 과남풀(뿌리)

○ 과남풀

닻꽃

간염	맥관염
외상감염에 의한 발열	외상출혈

● 학명 : *Halenia corniculata* (L.) Cornaz ● 별명 : 닻꽃용담, 닻꽃풀

1	2	3	4	5	6	7	8	9	10	11	12

○ 화묘(花錨, 신선품)

두해살이풀. 높이 30~60cm. 줄기는 곧게 서고 4개의 능선이 있다. 잎은 마주나고 3맥이 있으며 긴 타원형이다. 꽃은 연한 황록색, 7~8월에 잎겨드랑이에 달린다. 꽃받침과 화관은 4개로 갈라지고, 거(距)가 있다.

분포·생육지 우리나라 경기(화악산), 강원 이북. 중국, 일본, 몽골, 시베리아, 유럽. 산기슭 풀밭에서 자란다.

약용 부위·수치 전초를 여름과 가을에 채취하여 흙을 털어서 말린다.

약물명 화묘(花錨)

약효 청열해독(淸熱解毒), 양혈지혈(凉血止血)의 효능이 있으므로 간염, 맥관염(脈管炎), 외상감염에 의한 발열, 외상에 의한 출혈을 치료한다.

성분 haleniaside, swertiamarin, sweroside, vogeloside, epivogeloside, 7-*O*-primeverosylluteolin, apigenin, luteolin, 1-hydroxy-2,3,4,7-tetramethoxyxanthone,

1-hydroxy-2,3,4,6-tetramethoxyxanthone, 1-hydroxy-2,3,4,5,7-pentamethoxyxanthone, 1-hydroxy-2,3,5,7-tetramethoxyxanthone, 1,3-dihydroxy-4,5-dimethoxyxanthone, 1,8-dihydroxy-3,5-dimethoxyxanthone, cinaroside, (7*S*)-caffeoyloxysweroside, epivogeloside, secologanic acid 등이 함유되어 있다.

약리 1-hydroxy-2,3,4,7-tetramethoxyxanthone, 1-hydroxy-2,3,4,5,7-pentamethoxyxanthone, 1-hydroxy-2,3,5,7-tetramethoxyxanthone, 1,8-dihydroxy-3,5-dimethoxyxanthone, luteolin은 골조직 파괴를 억제하는 효능이 있다.

사용법 화묘 10g에 물 3컵(600mL)을 넣고 달여서 복용하고, 외용에는 분말로 하여 상처에 뿌린다.

○ 닻꽃

두점쓴풀

급·만성간염, 담낭염	인후염
요로감염증	

● 학명 : *Swertia bimaculata* (S. et Z.) Hook f. et Thomas ex C. B. Clarke
[*Ophelia bimaculata*] ● 한자명 : 雙點獐牙草

1	2	3	4	5	6	7	8	9	10	11	12

○ 장아초(獐牙草)

한해살이풀. 높이 50~100cm. 줄기는 곧게 서며 둥글다. 잎은 마주나고 바늘 모양, 잎자루가 없다. 꽃은 황백색, 6~10월에 피고 꽃잎에 황색의 둥근 반점이 2개 있다.

분포·생육지 중국 화둥(華東), 허베이성(河北省), 산시성(陝西省). 산비탈에서 자란다.

약용 부위·수치 전초를 여름과 가을에 채취하여 물에 씻은 후 말린다.

약물명 장아초(獐牙草)

약효 청열해독(淸熱解毒), 이습(利濕), 소간이담(疏肝利膽)의 효능이 있으므로 급·만성간염, 담낭염, 인후염, 요로감염증을 치료한다.

성분 homoorientin, swertiamarin, sweroside 등이 함유되어 있다.

사용법 장아초 10g에 물 3컵(600mL)을 넣고 달여서 복용한다.

○ 두점쓴풀

개쓴풀

	골수염		후염, 편도선염, 결막염
	개선		식욕부진, 설사, 소화불량

●학명 : *Swertia diluta* (Turcz.) Benth. et Hook. f. ●별명 : 나도쓴풀, 좀쓴풀

| 1 | 2 | 3 | 4 | 5 | 6 | 7 | 8 | 9 | 10 | 11 | 12 |

🔿 담화당약(淡花當藥)

한해~두해살이풀. 높이 10~25cm. 줄기는 곧게 서며 네모지고 자줏빛이 약간 돌고 전체에 털이 없다. 잎은 마주나고, 꽃은 백색, 9~10월에 피며 꽃잎에 자주색 맥이 있다. 열매는 삭과로 화관보다 길다.

분포·생육지 우리나라 제주도, 충남, 경기, 황해. 중국, 일본. 햇볕이 잘 드는 메마른 산에서 자란다.

약용 부위·수치 전초를 가을에 채취하여 물에 씻은 후 말린다.

약물명 담화당약(淡花當藥). 장아채(獐牙菜)라고도 한다.

기미·귀경 한(寒), 고(苦)·간(肝), 위(胃), 대장(大腸)

약효 청열해독(淸熱解毒)의 효능이 있으므로 골수염(骨髓炎), 후염(喉炎), 편도선염, 결막염, 개선(疥癬)을 치료하며 고미건위약으로 식욕부진, 설사 및 소화불량에 사용한다.

사용법 담화당약 10g에 물 3컵(600mL)을 넣고 달여서 복용한다.

🔿 개쓴풀

쓴풀

	소화불량, 간염		골수염
	인후염, 편도선염, 결막염		개선

●학명 : *Swertia japonica* (Schult) Makino

| 1 | 2 | 3 | 4 | 5 | 6 | 7 | 8 | 9 | 10 | 11 | 12 |

한해~두해살이풀. 높이 10~25cm. 줄기는 곧게 서며 네모지고 자줏빛이 약간 돈다. 잎은 마주나고 바늘 모양, 길이 2~3.5cm, 너비 2~3mm, 끝은 둔하고 가장자리는 약간 뒤로 말리며, 잎자루는 없다. 꽃은 백색, 9~10월에 피고 꽃잎에 자주색 맥이 있다. 꽃받침은 끝이 5갈래이고 꽃잎보다 훨씬 짧다. 열매는 삭과로 화관보다 길다.

분포·생육지 우리나라 충남북, 황해, 평남. 중국, 일본. 햇볕이 잘 드는 메마른 산에서 자란다.

약용 부위·수치 전초를 여름과 가을에 채취하여 물에 씻은 후 말린다.

약물명 당약(當藥). 대한민국약전(KP)에 수재되어 있다.

성상 전초로 황갈색~황백색, 줄기는 원기둥 모양이고 잎은 긴 타원형이며, 뿌리는 수염 같다. 냄새는 약간 있고 맛은 매우 쓰다.

기미·귀경 평(平), 고(苦), 신(辛)·비(脾), 대장(大腸)

약효 청열해독(淸熱解毒), 이습건위(利濕健胃)의 효능이 있으므로 소화불량, 인후염, 편도선염, 결막염, 간염, 골수염(骨髓炎), 개선(疥癬)을 치료한다.

성분 swertiamarin, sweroside, gentiopicroside, amarogentin, amaroswerin, swertianin, norswertianin, belidiforin, swertisin, swertiajaponin, isovixetin 등이 함유되어 있다.

약리 물로 달인 액은 위액 분비 항진, 산도 상승, 펩신 작용 저하, lipase 작용을 항진시키고, swertiamarin을 십이지장에 투여하면 담즙, 췌액 분비가 증가하고, 정맥 내에 투여하면 담즙이 분비된다. amarogentin은 실험 쥐에서 손상된 간장을 회복시키는 작용이 있다.

사용법 당약 10g에 물 3컵(600mL)을 넣고 달여서 복용하거나 술에 담가서 복용한다.
＊꽃잎이 4개이고 자주색 반점이 있는 '네귀쓴풀 *S. tetrapetala*', 꽃이 짙은 청색인 '큰잎쓴풀 *S. wilfordii*'도 약효가 같다.

🔿 당약(當藥)

🔿 당약(當藥)으로 만든 건위제

🔿 쓴풀(일본 도야마대학 약초원)

[용담과]

자주쓴풀

- 습열황달, 이질, 위염, 소화불량
- 화안, 치통, 구창
- 창독종통

●학명 : *Swertia pseudochinensis* Hara ●별명 : 자지쓴풀, 털쓴풀

| 1 | 2 | 3 | 4 | 5 | 6 | 7 | 8 | 9 | 10 | 11 | 12 |

한해~두해살이풀. 높이 15~30cm. 줄기는 곧게 서며 네모지고 자줏빛이 돈다. 잎은 마주나고 잎자루는 없다. 꽃은 자주색, 9~10월에 줄기와 가지 끝부분의 잎겨드랑이에 원추화서로 달린다. 꽃받침은 끝이 5갈래이고, 화관도 5개로 깊게 갈라진다.

분포·생육지 우리나라 전역. 중국, 일본. 햇볕이 잘 드는 메마른 산에서 자란다.

약용 부위·수치 전초를 여름과 가을에 채취하여 물에 씻은 후 말린다.

약물명 유모장아채(瘤毛獐牙菜). 자화당약(紫花當藥)이라고도 한다.

기미·귀경 한(寒), 고(苦)·간(肝), 비(脾), 대장(大腸)

약효 사수해독(瀉水解毒), 이습건비(利濕健脾)의 효능이 있으므로 습열황달(濕熱黃疸), 이질, 위염, 소화불량, 화안(火眼), 치통, 구창(口瘡), 창독종통(瘡毒腫痛)을 치료한다.

성분 swertiamarin, sweroside, gentiopicroside, amarogentin, amaroswerin, swertianin, norswertianin, belidiforin, swertisin, swertiajaponin, isovixetin 등이 함유되어 있다.

약리 물로 달인 액은 위액 분비 항진, 산도 상승, 펩신 작용 저하, lipase 작용을 항진시키고, swertiamarin을 십이지장에 투여하면 담즙, 췌액 분비가 증가하고, 정맥내에 투여하면 담즙이 분비된다. amarogentin은 실험 쥐에서 손상된 간장을 회복시키는 작용이 있다.

사용법 유모장아채 10g에 물 3컵(600mL)을 넣고 달여서 복용하고, 외용에는 짓찧어 붙이거나 즙액을 바른다.

❶ 유모장아채(瘤毛獐牙菜)

❶ 자주쓴풀

[용담과]

네귀쓴풀

- 소화불량, 간염
- 인후염, 편도선염, 결막염
- 골수염
- 개선

●학명 : *Swertia tetrapetala* Pall. ●별명 : 자지쓴풀, 털쓴풀

| 1 | 2 | 3 | 4 | 5 | 6 | 7 | 8 | 9 | 10 | 11 | 12 |

한해살이풀. 높이 30cm 정도. 줄기는 곧게 서며 가늘다. 잎은 마주나고, 잎자루는 없다. 꽃은 백색이나 청색 또는 자주색 반점이 있고 7~8월에 핀다. 꽃잎은 4개이다.

분포·생육지 우리나라 전역. 중국, 일본. 햇볕이 잘 드는 메마른 산에서 자란다.

약용 부위·수치 전초를 여름과 가을에 채취하여 물에 씻은 후 말린다.

약물명 당약(當藥). 대한민국약전(KP)에 수재되어 있다.

＊약효와 사용법은 '쓴풀 *S. japonica*'과 같다. 민간에서 '쓴풀'과 같은 용도로 사용하고 있다.

❶ 당약(當藥)

❶ 네귀쓴풀

덩굴용담

풍열해수　　황달　　풍습비통

● 학명 : *Tripterospermum japonicum* (S. et Z.) Max.　● 별명 : 덩굴룡담

1	2	3	4	5	6	7	8	9	10	11	12

덩굴성 여러해살이풀. 뿌리는 길며 가늘고, 잎은 마주난다. 꽃은 적자색, 9~10월에 피고 꽃받침통은 5개의 좁은 날개가 있다. 화관은 길이 3cm 정도로 밑부분이 점차 좁아지고 갈라진 조각은 좁은 삼각형, 수술은 5개이다. 장과는 홍자색, 긴 구형이며, 지름 8mm 정도로 남아 있는 화관 밖으로 나온다.

분포·생육지 우리나라 울릉도와 제주도. 중국, 일본, 타이완. 산속 그늘진 곳에서 자란다.

약용 부위·수치 뿌리를 가을에 채취하여 물에 씻은 후 말린다.

약물명 청어담초(靑魚膽草)

기미·귀경 양(凉), 고(苦), 신(辛)·간(肝), 비(脾)

약효 소풍청열(消風淸熱), 건비이습(健脾利濕), 살충의 효능이 있으므로 풍열해수(風熱咳嗽), 황달, 풍습비통(風濕痺痛)을 치료한다.

사용법 황달에는 청어담초 30g에 물 5컵(1L)을 넣고 달여서 복용하고, 해수에는 청어담초 20g에 물 4컵(800mL)을 넣고 달여서 복용한다. 풍습비통에는 적당량을 술에 담가 복용한다.

○ 덩굴용담(꽃)

○ 덩굴용담(열매)

조름나물

심격사열　　위염, 위통, 소화불량
심계, 정신불안

● 학명 : *Menyanthes trifoliata* L.　● 별명 : 조름풀

1	2	3	4	5	6	7	8	9	10	11	12

여러해살이풀. 뿌리줄기는 굵고 길게 옆으로 자라고 지름 0.7~1cm, 녹색이며, 그 끝에서 잎자루가 긴 3출엽이 5~6개씩 나온다. 꽃은 백색, 7~8월에 핀다. 꽃받침은 5개로 깊게 갈라지고, 화관은 5개로 갈라지며, 수술은 5개로 화관에 붙는다. 열매는 구형이다.

분포·생육지 우리나라 울진 및 대관령, 대암산, 평북, 함남북. 북반구. 습지나 얕은 물에서 자란다.

약용 부위·수치 전초를 여름에 채취하여 말린다.

약물명 수채(睡菜). 명채(暝菜), 취채(醉菜)라고도 한다.

약효 건비(健脾), 소식(消食), 양심(養心), 안신(安神)의 효능이 있으므로 심격사열(心隔邪熱), 위염, 위통, 소화불량, 심계(心悸)와 정신불안을 치료한다.

성분 잎에는 loganin(meliatin), gentianine, gentianidine, gentialutine, gentiatibetine, 수채(睡菜)에는 rutin, hyperin, trifolioside, loganin, foliamenthin, dihydrofoliamenthin, menthiafolin, secologanin 등이 함유되어 있다.

사용법 수채 10g에 물 3컵(600mL)을 넣고 달여서 복용한다.

＊ '어리연꽃속 *Nymphoides*'에 비하여 잎이 뿌리에서 나오고 잎자루가 길며, 꽃은 총상화서로 달리고, 삭과는 갈라진다.

○ 수채(睡菜)

○ 조름나물(꽃)

○ 조름나물

[조름나물과]

어리연꽃

소변단적불리 · 구간, 구갈

●학명 : *Nymphoides indica* (L.) O. Kuntze

| 1 | 2 | 3 | 4 | 5 | 6 | 7 | 8 | 9 | 10 | 11 | 12 |

물속에서 사는 여러해살이풀. 수염 같은 뿌리줄기가 진흙 속으로 벋으며, 줄기는 비스듬히 자란다. 잎은 잎자루가 길고 물 위에 뜨며 둥근 심장형이다. 꽃은 백색, 7~9월에 핀다. 꽃받침 조각은 끝이 둔하고, 화관은 털이 있으며 끝이 파지고, 수술은 5개이다.

분포·생육지 우리나라 중부 이남. 인도, 인도네시아, 타이, 중국, 일본, 몽골, 유럽. 연못이나 개울에서 자란다.

약용 부위·수치 전초를 여름에 채취하여 물에 깨끗이 씻어서 말린다.

약물명 동현채(銅莧菜)

약효 청열이습(淸熱利濕), 생진양위(生津養胃)의 효능이 있으므로 소변단적불리(小便短赤不利), 구간(口干), 구갈(口渴)을 치료한다.

사용법 동현채 10g에 물 3컵(600mL)을 넣고 달여서 복용하거나, 짓찧어 낸 즙을 복용한다.

＊우리나라 강원(철원), 경기(가평, 수원) 이남의 못에서 자라며, 꽃이 백색이고 화관 속에 긴 털이 있는 '좀어리연꽃 *N. coreana*'도 약효가 같다.

❶ 어리연꽃

❶ 동현채(銅莧菜)

[조름나물과]

노랑어리연꽃

감모발열무한 · 마진투발불창, 종독 · 수종 · 소변불리, 열림

●학명 : *Nymphoides peltata* (Gmell.) O. Kuntze

| 1 | 2 | 3 | 4 | 5 | 6 | 7 | 8 | 9 | 10 | 11 | 12 |

물속에서 사는 여러해살이풀. 수염 같은 뿌리줄기가 물속 진흙 속으로 벋으며, 줄기는 물속에서 비스듬히 자란다. 잎은 둥근 심장형이다. 꽃은 밝은 황색, 7~9월에 핀다. 꽃받침 조각은 끝이 둔하고, 화관은 지름 3~4cm로 가장자리에 털이 있으며 끝이 파지고, 수술은 5개이다. 삭과는 타원형, 종자는 편평한 달걀 모양, 날개가 있다.

분포·생육지 우리나라 중부 이남. 인도, 인도네시아, 타이, 말레이시아, 중국, 일본, 몽골, 유럽. 연못이나 개울에서 자란다.

약용 부위·수치 전초를 여름에 채취하여 물에 깨끗이 씻어서 말린다.

약물명 행채(莕菜). 행채(荇菜), 접여(接余)라고도 한다.

약효 발한투진(發汗透疹), 이뇨통림(利尿通淋), 청열해독(淸熱解毒)의 효능이 있으므로 감모발열무한(感冒發熱無汗), 마진투발불창(麻疹透發不暢), 수종(水腫), 소변불리(小便不利), 열림(熱淋), 종독(腫毒)을 치료한다.

성분 rutin, β−vicianosyl−3−*O*−quercetin, ursolic acid, oleanolic acid, betulinic acid, quercetin 등이 함유되어 있다.

사용법 행채 10g에 물 3컵(600mL)을 넣고 달여서 복용하거나, 짓찧어 낸 즙을 복용한다.

❶ 노랑어리연꽃

❶ 행채(莕菜, 신선품)

[협죽도과]

쿠바자스민

간장비대증, 비장염 | 아연독

●학명 : *Allamanda cathartica* L. ●영명 : William's allamanda

| 1 | 2 | 3 | 4 | 5 | 6 | 7 | 8 | 9 | 10 | 11 | 12 |

❶ 쿠바자스민(꽃)

상록 덩굴나무. 덩굴손을 가지며 상처를 내면 유액이 나온다. 잎은 마주나고 타원형으로 양 끝이 뾰족하며 가장자리는 밋밋하다. 꽃은 황색~황백색, 잎겨드랑이에서 피며 종 모양이다. 열매는 삭과이다.

분포·생육지 브라질, 페루, 쿠바, 아르헨티나. 습기가 많은 곳에서 자란다.

약용 부위·수치 줄기껍질을 봄과 여름에 채취하여 썰어서 말린다.

약물명 Allamandae Cortex. 일반적으로는 William's allamanda라 한다.

약효 소염해독(消炎解毒)의 효능이 있으므로 간장비대증, 비장염, 아연독을 치료한다.

사용법 Allamandae Cortex 10g에 물 3컵(600mL)을 넣고 달여서 복용한다.

❶ 쿠바자스민

[협죽도과]

당교수

감기 | 말라리아

이질, 설사, 장염

●학명 : *Alstonia scholaris* (L.) R. Br. [*Echites scholaris*] ●영명 : Devil tree
●한자명 : 糖膠樹 ●별명 : 알스토니아

| 1 | 2 | 3 | 4 | 5 | 6 | 7 | 8 | 9 | 10 | 11 | 12 |

상록 교목. 높이 15~18m. 줄기껍질은 거칠고 회색이며 가지가 많다. 잎은 가지 끝에서 9개가 돌려나며 타원형으로 끝이 둥글고 녹색, 가장자리는 밋밋하다. 꽃은 황백색, 가지 끝에 산형화서로 조밀하게 핀다. 삭과는 긴 원통형이다.

분포·생육지 열대, 아열대. 우리나라에는 제주도 및 남부 지방에서 재식한다.

약용 부위·수치 줄기껍질을 봄과 여름에 채취하여 썰어서 말린다.

약물명 상피목(象皮木). 영태목(英台木), 구도엽(九度葉)이라고도 한다.

약효 청열해독(淸熱解毒)의 효능이 있으므로 감기, 말라리아, 이질, 설사, 장염을 치료한다.

성분 echitamine, 17-*O*-acetylechitamine, losbamine 등이 함유되어 있다.

약리 열수추출물은 거담, 진해 작용이 있고 경련을 막아 주는 작용이 있다.

사용법 상피목 10g에 물 3컵(600mL)을 넣고 달여서 복용한다.

❶ 당교수(줄기)

❶ 당교수

[협죽도과]

정향풀

소아풍열　단독, 창독

● 학명 : *Amsonia elliptica* (Thunb.) Roem et. Schult.　● 별명 : 수감초

| 1 | 2 | 3 | 4 | 5 | 6 | 7 | 8 | 9 | 10 | 11 | 12 |

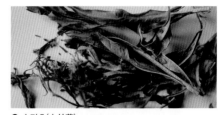

○ 수감초(水甘草)

여러해살이풀. 높이 40~80cm. 줄기는 바로 서고 윗부분에서 가지가 다소 갈라진다. 잎은 원줄기에서는 어긋나지만 가지에서는 마주난다. 꽃은 남자주색, 5월에 줄기 끝에 취산화서로 달린다. 열매는 골돌, 길이 5~6cm이며, 종자는 털이 없다.

분포·생육지 우리나라 전남(완도, 나로도), 인천(대청도), 황해(구월산). 중국, 일본. 냇가의 풀밭에서 자란다.

약용 부위·수치 전초를 여름과 가을에 채취하여 말린다.

약물명 수감초(水甘草)

약효 청열해독(淸熱解毒)의 효능이 있으므로 소아풍열(小兒風熱), 단독(丹毒), 창독(瘡毒)을 치료한다.

사용법 수감초 10g에 물 3컵(600mL)을 넣고 달여서 복용하고, 외용에는 생것을 짓찧어 붙이거나 즙액을 바른다.

＊ 중국에서는 '수감초(水甘草) *A. sinensis*'의 잎을 사용한다.

○ 정향풀

[협죽도과]

개정향풀

고혈압　현훈, 수종뇨소
두통　심계, 실면

● 학명 : *Apocynum lancifolium* Russanov [*A. venetum*]　● 별명 : 갯정향풀, 다엽초

| 1 | 2 | 3 | 4 | 5 | 6 | 7 | 8 | 9 | 10 | 11 | 12 |

여러해살이풀. 잎은 원줄기에서는 어긋나지만 가지에서는 마주난다. 꽃은 자주색, 6~7월에 핀다. 꽃받침은 5개로 깊게 갈라지며 꽃은 종 모양, 윗부분이 5개로 갈라진다. 열매는 골돌이고, 종자에는 머리카락 같은 털이 있다.

분포·생육지 우리나라 충북(단양), 황해, 평남. 중국, 일본, 몽골, 시베리아. 산과 들에서 자란다.

약용 부위·수치 잎을 여름에 채취하여 말린다.

약물명 나포마(羅布麻). 길길마(吉吉麻), 홍화초(紅花草), 야초(野草)라고도 한다.

약효 청열평간(淸熱平肝), 이수소종(利水消腫)의 효능이 있으므로 고혈압, 현훈(眩暈), 두통, 심계(心悸), 실면(失眠), 수종뇨소(水腫尿少)를 치료한다.

성분 quercetin, isoquercitrin, hyperoside, rutin, catechin, lupeol, isofraxidin, scopoletin 등이 함유되어 있다.

약리 열수추출물은 마취시킨 고양이에게 투여하면 심장을 수축시키는 작용이 있다. 열수추출물을 고양이에게 정맥주사하면 혈압이 내려간다. 쥐에게 열수추출물을 투여하면 혈중 콜레스테롤 함량이 내려간다.

사용법 나포마 10g에 물 3컵(600mL)을 넣고 달여서 복용한다.

○ 개정향풀

○ 나포마(羅布麻)

○ 개정향풀(꽃)

[협죽도과]

도그반

비뇨기염, 신장염 호흡곤란증
구토 종기

● 학명 : *Apocynum cannabinum* L. ● 영명 : Dogbane

1 2 3 4 5 6 7 8 9 10 11 12

덩굴성 관목. 높이 60~120cm, 잎은 타원형으로 가장자리가 밋밋하며 잎자루가 짧다. 꽃은 연한 붉은색, 가지 끝에서 피며 종 모양이다.

분포·생육지 북아메리카, 남아메리카, 유럽. 습기가 있는 곳에서 자란다.

약용 부위·수치 뿌리를 여름과 가을에 채취하여 말린다.

약물명 Apocyni Radix. 일반적으로는 Dogbane이라 한다.

약효 소염, 해독의 효능이 있으므로 비뇨기염, 신장염, 호흡곤란증, 구토, 종기를 치료한다.

성분 cymarin, *k*−strophantoside, apocanoside, cynocannoside 등의 강심 배당체가 함유되어 있다.

약리 강심 배당체는 Na$^+$−K$^+$ATPase를 억제한다.

사용법 Apocyni Radix 1g을 뜨거운 물로 우려내어 복용한다.

주의 과량 복용하면 고혈압, 혼수 상태, 심장마비, 부정맥을 초래한다.

○ 도그반(꽃)

○ 도그반으로 만든 비뇨기염, 신장염 치료제

○ 도그반

[협죽도과]

청명화

풍습비통, 요기로손

● 학명 : *Beaumontia grandiflora* Wall. [*Echites grandiflora*] ● 한자명 : 淸明花
● 영명 : Herald's Trumpet

1 2 3 4 5 6 7 8 9 10 11 12

○ 청명화(줄기)

덩굴나무. 가지나 잎에 유액이 많이 함유되어 있다. 잎은 마주나고 타원형, 가장자리가 밋밋하며 끝이 뾰족하고 잎자루가 짧다. 꽃은 백색, 가지 끝에 취산화서로 피며 종 모양이다. 골돌과는 원통형으로 길이 15~18cm이다.

분포·생육지 중국, 인도, 인도네시아. 산이나 들의 습기가 있는 곳에서 자란다.

약용 부위·수치 잎을 여름과 가을에 채취하여 말린다.

약물명 포탄과(砲彈果). 등두충(藤杜仲)이라고도 한다.

약효 거풍제습(祛風除濕), 활혈지통(活血止痛)의 효능이 있으므로 풍습비통(風濕痺痛), 요기로손(腰肌勞損)을 치료한다.

성분 hentriacontane, triacontane, palmitic acid, linoleic acid, ursolic acid, β−sitosterol, daucosterol, walichoside, beaumontoside, beauwaloside, oleandrin 등이 함유되어 있다.

사용법 포탄과 5g을 뜨거운 물로 우려내어 복용한다.

○ 청명화

[협죽도과]

가호자

황달형간염, 위통 | 급성결막염, 인후염, 치주염 | 풍습관절통 | 림프결핵

●학명 : *Carissa spinarum* L. ●한자명 : 假虎刺

| 1 | 2 | 3 | 4 | 5 | 6 | 7 | 8 | 9 | 10 | 11 | 12 |

❍ 가호자(열매)

관목. 높이 3m 정도. 줄기에 가시가 있다. 잎은 마주나고 타원형, 가죽질, 가장자리는 밋밋하다. 꽃은 백색, 가지 끝에 취산화서로 달린다. 삭과는 달걀 모양, 흑자색, 종자는 길이 5mm 정도이다.

분포·생육지 중국, 인도. 산지나 들의 모래땅에서 자란다.

약용 부위·수치 뿌리를 봄부터 가을까지 채취하여 물에 씻은 후 썰어서 말린다.

약물명 자랑과(刺郎果), 노호자(老虎刺), 수화침(銹花針)이라고도 한다.

약효 청열해독(淸熱解毒), 소염지통(消炎止痛)의 효능이 있으므로 황달형간염, 위통, 풍습관절통, 급성결막염, 인후염, 치주염, 림프결핵을 치료한다.

사용법 자랑과 10g에 물 3컵(600mL)을 넣고 달여서 복용한다.

❍ 가호자

[협죽도과]

일일화

고혈압, 다종암종 | 옹종창독, 탕상

●학명 : *Catharanthus roseus* G. Don. [*Vinca rosea* L.] ●별명 : 일일초, 장춘화

| 1 | 2 | 3 | 4 | 5 | 6 | 7 | 8 | 9 | 10 | 11 | 12 |

한해살이풀. 높이 30~50cm. 줄기는 곧게 선다. 잎은 마주나며 긴 타원형, 길이 4~7cm, 너비 2~3cm, 끝은 급히 뾰족해지고 가장자리는 밋밋하다. 꽃은 붉은색, 백색이며 잎겨드랑이에서 핀다. 꽃받침은 붉은색, 5갈래, 수술은 5개, 암술은 1개이다. 열매는 대과이다.

분포·생육지 서인도 원산. 우리나라 전역에서 재배하는 귀화 식물이다.

약용 부위·수치 전초를 여름이나 가을에 채취하여 물에 씻은 후 말린다.

약물명 장춘화(長春花), 안래홍(雁來紅), 일일신(日日新), 사시춘(四時春)이라고도 한다.

약효 해독항암(解毒抗癌), 청열평간(淸熱平肝)의 효능이 있으므로 다종암종(多種癌腫), 고혈압, 옹종창독(癰腫瘡毒), 탕상(燙傷)을 치료한다.

성분 vinblastine, vincaleukoblastine, vincamine, vincristine, leurocristine, lochneridine, perivine, vindoline 등의 항암성 알칼로이드가 함유되어 있다.

약리 vinblastine, vincristine, vincamine 등을 암세포를 이식시킨 실험 동물에게 주사하면 항암 작용이 나타난다. 메탄올추출물은 항산화 작용이 있고, *Aspergillus awamori, Cladosporium herbarum* 등의 세균에 항균 작용이 있다.

사용법 장춘화 7g에 물 3컵(600mL)을 넣고 달여서 복용한다. 외용에는 짓찧어 붙이거나 즙액을 바른다.

＊ vinblastine, vincristine은 현재 병원에서 항암제로 사용하고 있다.

❍ 일일화

❍ 일일화(흰 꽃)

❍ 일일화(분홍 꽃)

❍ 장춘화(長春花)

❍ 일일화(열매)

[협죽도과]

구아화

 고혈압　　 인후종통

● 학명 : *Ervatamia divaricata* (L.) Burck. [*Tabenaemontana divaricata*]
● 한자명 : 狗牙花

| 1 | 2 | 3 | 4 | 5 | 6 | 7 | 8 | 9 | 10 | 11 | 12 |

관목. 약간 덩굴지기도 한다. 잎은 마주나고 타원형, 길이 5~12cm, 너비 3.5~5.5cm, 가장자리가 밋밋하다. 꽃은 4~9월에 취산화서로 피며, 화관은 백색, 길이 2cm 정도이다. 골돌과는 약간 구부러지기도 하며 3~6개의 종자가 들어 있다.

분포 · 생육지 중국 윈난성(雲南省), 광둥성(廣東省), 타이완, 베트남. 산지에서 자란다.

약용 부위 · 수치 잎을 여름에 채취하여 씻은 후 말린다.

약물명 구아화(狗牙花). 백구아(白狗牙), 두부화(豆腐花), 사자화(獅子花)라고도 한다.

약효 청열강압(淸熱降壓), 해독소종(解毒消腫)의 효능이 있으므로 고혈압, 인후종통을 치료한다.

사용법 구아화 10g에 물 3컵(600mL)을 넣고 달여서 복용한다.

○ 구아화

[협죽도과]

지사목

 이질, 위장창기

● 학명 : *Holarrhena antidysenterica* (Roth.) A. DC. [*Nerium antidysentericum*]
● 한자명 : 止瀉木

| 1 | 2 | 3 | 4 | 5 | 6 | 7 | 8 | 9 | 10 | 11 | 12 |

소교목. 높이 10m 정도. 잎, 가지, 줄기 등에서 유액이 나온다. 잎은 마주나고 타원형, 가장자리가 밋밋하다. 꽃은 산방상 취산화서로 피며, 화관은 백색이다. 골돌과는 긴 원통형이며 약간 구부러진다.

분포 · 생육지 중국, 베트남, 인도. 산골짜기에서 자란다.

약용 부위 · 수치 줄기껍질을 여름에 채취하여 씻은 후 썰어서 말린다.

약물명 지사목피(止瀉木皮). 지사수(止瀉樹)라고도 한다.

약효 행기지리(行氣止痢)의 효능이 있으므로 이질, 위장창기(胃腸脹氣)를 치료한다.

성분 conessine, isoconessine, neoconessine, 7α-hydroxyconessine, 3-*epi*-heteroconessine, dehydroconessine, horarrhenine, holafrine, horarrhetine 등이 함유되어 있다.

약리 conessine은 국소 마취 작용이 있고, 심장 박동을 안정시킨다.

사용법 지사목피 10g에 물 3컵(600mL)을 넣고 달여서 복용한다.

※ 본 종의 종자는 유럽과 남아메리카에서 뜨거운 물에 우려내어 담낭염과 설사에 사용한다.

○ 지사목

○ 지사목(열매)

○ 지사목피(止瀉木皮)로 만든 지사약

[협죽도과]

운남예목

 인후종통　　🦵 풍습비통, 사지마목

●학명 : *Kopsia officinalis* Tsiang et P. T. Li　●한자명 : 雲南蕊木

1	2	3	4	5	6	7	8	9	10	11	12

❶ 운남예목

교목. 줄기껍질은 회갈색, 잎은 마주나고 타원형, 길이 12~17cm, 너비 3.5~5.5cm, 가장자리가 밋밋하다. 꽃은 4~9월에 취산화서로 피며, 화관은 백색이고 팽대해 있다. 암술대는 길이 2.5cm 정도, 암술머리는 비후하다. 핵과는 타원상 구형, 흑색으로 익는다.

분포·생육지 중국 윈난성(雲南省), 인도, 베트남. 산지에서 자란다.

약용 부위·수치 열매는 여름이나 가을에, 잎은 여름에 채취하여 씻은 후 말린다.

약물명 가포목(柯蒲木). 예목(蕊木), 매계(梅桂)라고도 한다.

약효 소염지통(消炎止痛), 거풍활락(祛風活絡)의 효능이 있으므로 인후종통(咽喉腫痛), 풍습비통(風濕痺痛), 사지마목(四肢麻木)을 치료한다.

성분 eburnamenine, vincadifformine, 5,18-dioxokopsane, kopsinilamine, kopsinine, pleiocarpine, kopsamine, kopsanone, kopsamine N-oxide 등이 함유되어 있다.

약리 kopsinine을 쥐에게 투여하면 간 보호 작용이 나타난다.

사용법 가포목 7g에 물 3컵(600mL)을 넣고 달여서 복용한다. 외용에는 짓찧어 붙이거나 즙액을 바른다.

[협죽도과]

협죽도

❤️ 심부전　　🫁 천식해수
📋 타박상　　♀ 무월경

●학명 : *Nerium indicum* Mill.　●한자명 : 夾竹桃

1	2	3	4	5	6	7	8	9	10	11	12

상록 관목. 높이 3m 정도. 잎은 3개씩 돌려난다. 꽃은 붉은색이지만 백색도 있으며, 7~8월에 피고 지름 4~5cm이다. 꽃받침은 5개로 깊게 갈라지며, 꽃잎이 윗부분이 5개로 갈라져서 수평으로 퍼지고, 속에는 실 같은 부속체가 있다. 골돌은 선형, 종자에 연한 갈색 털이 빽빽이 난다.

분포·생육지 인도 원산. 우리나라 전역에서 재식하는 귀화 식물이다.

약용 부위·수치 가지껍질과 잎을 수시로 채취하여 말린다.

약물명 협죽도(夾竹桃), 구나이(拘那夷), 유엽도(柳葉桃)라고도 한다.

기미·귀경 한(寒), 고(苦), 대독(大毒)·심(心)

약효 강심이뇨(強心利尿), 거담정천(祛痰定喘), 지통(止痛), 거담(祛痰)의 효능이 있으므로 심부전(心不全), 천식해수(喘息咳嗽), 타박상, 무월경을 치료한다.

성분 강심 성분으로 oleandrin, 그 외 nerianthin, adynerin, diacetyloleandrin이 함유되어 있다.

약리 강심 성분은 '디기탈리스'와 비슷한 강심 작용이 있고, 효능이 '디기탈리스'보다 높다. 잎의 에탄올추출물은 쥐의 Ehrlich 복수암에 가벼운 억제 작용이 있고, 적출 자궁에 흥분 작용이 있다.

사용법 협죽도 0.3~0.9g에 물을 넣고 달여서 복용하거나 0.05~0.1g을 분말로 하여 복용한다.

주의 약효가 강하므로 사용량에 특히 주의하여야 한다.

❶ 협죽도(夾竹桃)

❶ 협죽도(열매)

❶ 협죽도

[협죽도과]

계단화

 감모발열　 폐열해수　중서

습열황달, 설사이질　요로결석

●학명 : *Plumeria rubra* L.　●한자명 : 鷄蛋花

| 1 | 2 | 3 | 4 | 5 | 6 | 7 | 8 | 9 | 10 | 11 | 12 |

낙엽 관목. 높이 5m 정도. 가지는 비후하며 전체에 유액이 많다. 잎은 어긋나며 두껍고 가죽질이다. 꽃은 연한 붉은색, 7~8월에 피고 지름 4~5cm이다. 골돌은 원통형, 길이 10cm 정도이다.

분포 · 생육지 중국, 타이, 베트남, 필리핀, 인도. 산지에서 자란다.

약용 부위 · 수치 꽃을 봄과 여름에 채취하여 말린다.

약물명 계단화(鷄蛋花), 단황화(蛋黃花), 면치자(緬梔子), 대계화(大季花)라고도 한다.

약효 청열이습(淸熱利濕), 해서(解暑)의 효능이 있으므로 감모발열(感冒發熱), 폐열해수(肺熱咳嗽), 습열황달(濕熱黃疸), 설사이질(泄瀉痢疾), 요로결석(尿路結石), 중서(中暑)를 치료한다.

사용법 계단화 10g에 물 3컵(600mL)을 넣고 달여서 복용한다.

○ 계단화(鷄蛋花)

○ 계단화(鷄蛋花, 신선품)

○ 계단화

[협죽도과]

인도사목

 고혈압

●학명 : *Rauvolfia serpentina* (L.) Benth. ex Kurz.　●별명 : 인도뱀나무, 뱀나무

| 1 | 2 | 3 | 4 | 5 | 6 | 7 | 8 | 9 | 10 | 11 | 12 |

관목. 높이 50~60cm. 잎은 가지에 마주나거나 3~4개가 돌려나며 길이 7~17cm, 너비 3~5cm, 가장자리는 밋밋하고, 잎자루는 길이 1~1.5cm이다. 꽃은 붉은색 또는 백색, 산방상 취산화서를 이루며 2~5월에 한 번 피고 6~10월에 다시 핀다. 열매는 핵과로 붉은색으로 익으며 둥글다.

분포 · 생육지 인도 원산. 열대 지방에서 재식한다.

약용 부위 · 수치 뿌리를 봄부터 가을까지 채취하여 물에 씻은 후 썰어서 말린다.

약물명 사근목(蛇根木). 사초근(蛇草根), 사근(蛇根), 인도사목(印度蛇木)이라고도 한다. 대한민국약전외한약(생약)규격집(KHP)에 수재되어 있다.

성상 약간 구부러진 원통형으로 길이 5~15cm, 지름 1~2cm, 표면은 적갈색이고 세로 주름과 작은 원형의 작은 뿌리가 붙었던 자국이 있다. 피층은 쉽게 벗겨지고 횡단면은 피층이 얇고 목부는 회황색이며, 방사상으로 도관이 배열되고 섬유성이며 조직이 치밀하다. 특이한 냄새가 나고, 맛은 매우 쓰다.

약효 강혈압(降血壓)의 효능이 있으므로 고혈압을 치료한다.

성분 reserpine, ajmalicine, ajmaline, ajmalinine, serpentine, serpentinine, yohimbine, rescinnamine, deserpidine, methylreserpine, rauhimbine, isorauhimbine, reserpiline, tetraphyllicine, α−yohimbine, rauwolfinine, thebaine, chandrine, sarpagine, papaverine 등이 함유되어 있다.

약리 reserpine은 말초 조직으로부터 catecholamine을 유리시켜 고갈하므로 지속적인 혈압 강하와 심장 박동 수의 감소를 일으킨다. 중추 신경에는 세로토닌과 같은 신경 전달 물질의 고갈을 일으켜서 진정 작용이나 신경 이완 작용을 나타낸다. rescinnamine과 deserpidine에도 같은 작용이 있다. ajamalicine은 α 수용체 차단의 진경제로 고농도에서는 아드레날린의 효과를 반대로 바꾸며 특히 뇌의 혈관 중추의 작용을 완화시킨다. ajmaline은 유독하여 더 이상 판매되지 않는다.

사용법 사근목 10g에 물 3컵(600mL)을 넣고 달여서 복용한다. 가루는 1일 용량이 600mg이므로 1회 200mg씩 복용한다.

※ 코의 충혈, 우울, 피로, 성욕감퇴 등이 올 수 있고, 과량의 reserpine은 호흡 저하, 서맥, 저혈압, 혼돈, 동공축소, 경련, 위장관 장애 등을 일으킬 수 있다.

○ 사근목(蛇根木)으로 만든 혈압강하약

○ 인도사목(열매)

○ 사근목(蛇根木)

○ 인도사목(뿌리)

○ 인도사목

[협죽도과]

나부목

 감모발열, 두통신동 인후종통
 고혈압 타박상, 독사교상

● 학명 : *Rauvolfia verticillata* (Lour.) Ball. [*Dissolaena verticillata* Lour.]

| 1 | 2 | 3 | 4 | 5 | 6 | 7 | 8 | 9 | 10 | 11 | 12 |

관목. 높이 1~3m. 잎은 3~4개가 돌려나고 길이 5~14cm, 너비 2~4cm, 잎자루는 길이 0.5~1cm, 가장자리는 밋밋하다. 꽃은 백색, 5~7월에 산방상 취산화서로 핀다. 열매는 핵과로 타원상 구형이며 다음 해 4월에 흑자색으로 익는다.

분포·생육지 중국, 인도네시아. 산기슭 바위나 고목에 붙어서 자란다.

약용 부위·수치 뿌리를 수시로 채취하여 물에 씻은 후 썰어서 말리고, 가지와 잎은 여름에 채취하여 말린다.

약물명 뿌리를 나부목(蘿芙木), 산날초(山辣草), 산호초(山胡椒)라고 하고, 가지와 잎을 나부목경엽(蘿芙木莖葉)이라 한다.

약효 나부목은 청열(淸熱), 강혈압(降血壓), 영신(寧神)의 효능이 있으므로 감모발열(感冒發熱), 두통신동(頭痛身疼), 인후종통(咽喉腫痛), 고혈압을 치료한다. 나부목경엽은 청열해독(淸熱解毒), 활혈소종(活血消腫), 강압(降壓)의 효능이 있으므로 인후통, 타박상, 독사교상, 고혈압을 치료한다.

성분 reserpine, yohimbine, rescinnamine, deserpidine, raunescine, ajmalicine, serpentinine, ajmaline, rauwolfia A, samatine, vellosimine, peraksine 등이 함유되어 있다.

약리 reserpine은 말초 조직으로부터 catecholamine을 유리시켜 고갈하므로 지속적인 혈압 강하와 심장 박동 수의 감소를 일으킨다. 중추 신경에는 세로토닌과 같은 신경 전달 물질의 고갈을 일으켜서 진정 작용이나 신경 이완 작용을 나타낸다. rescin-namine과 deserpidine에도 같은 작용이 있다. ajamalicine은 α 수용체 차단의 진경제로 고농도에서는 아드레날린의 효과를 반대로 바꾸며 특히 뇌의 혈관 중추의 작용을 완화시킨다. ajmaline은 유독하여 더 이상 판매되지 않는다.

사용법 나부목 또는 나부목경엽 10g에 물 3컵(600mL)을 넣고 달여서 복용한다. 가루는 1일 용량이 600mg이므로 1회 200mg씩 복용한다.

＊ 잎이 4개씩인 '사엽나부목(四葉蘿芙木) *R. tetraphylla*', 꽃이 작고 잎이 큰 '최토나부목(催吐蘿芙木) *R. vomitoria*'도 약효가 같다.

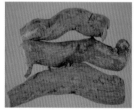
❶ 나부목(蘿芙木)

❶ 사엽나부목

❶ 최토나부목

❶ 나부목

[협죽도과]

양각요

 풍습비통
 타박상, 옹창, 개선, 외상출혈

● 학명 : *Strophanthus divaricatus* (Lour.) Hook. et Arn. [*Pergularis divaricatus* Lour.]
● 한자명 : 羊角拗

| 1 | 2 | 3 | 4 | 5 | 6 | 7 | 8 | 9 | 10 | 11 | 12 |

약간 덩굴지는 관목. 높이 2m 정도. 가지는 덩굴지며 상처를 내면 유액이 나온다. 잎은 마주나며 가장자리는 밋밋하다. 꽃은 크며 황백색, 취산화서로 피며, 꽃잎은 5개로 갈라지고 열편은 길이 10cm에 이른다. 핵과는 달걀 모양이다.

분포·생육지 중국 푸젠성(福建省), 광둥성(廣東省), 하이난성(海南省), 광시성(廣西省), 구이저우성(貴州省), 윈난성(雲南省). 산지에서 자란다.

약용 부위·수치 줄기와 잎, 꽃을 여름에 채취하여 썰어서 말리고, 종자는 가을에 채취하여 말린다.

약물명 줄기와 잎을 양각요(羊角拗)라 하며 양각뉴(羊角紐), 양각등(羊角藤)이라고도 한다. 종자를 양각요자(羊角拗子), 꽃을 양각뉴화(羊角紐花)라 한다.

약효 양각요(羊角拗)는 거풍습(祛風濕), 통경락(通經絡), 해창독(解瘡毒), 살충의 효능이 있으므로 풍습비통(風濕痺痛), 타박상, 옹창(癰瘡), 개선(疥癬)을 치료한다. 양각요자(羊角拗子)는 거풍통락(祛風通絡)의 효능이 있으므로 풍습비통(風濕痺痛)을 치료하고, 양각뉴화(羊角紐花)는 지혈산어(止血散瘀)의 효능이 있으므로 외상출혈, 타박상을 치료한다.

성분 decogenin-3-O-L-oleandroside, sarmentogenin-3-O-D-digitaloside, sarmentogenin-3-O-L-oleandroside, divaricoside, caudoside 등이 함유되어 있다.

약리 divaricoside, caudoside를 동물에 주사하면 강심 작용이 나타난다. 열수추출물을 쥐에게 주사하면 진정 작용이 나타난다.

사용법 양각요, 양각요자, 양각뉴화 모두 외용하며, 짓찧어 바르거나 붙이고 물에 달인 액을 상처에 바른다.

❶ 양각뉴화(羊角紐花)

❶ 양각요

[협죽도과]

스트로판투스

| | 심장기능부전증, 급성울혈증, 협심증 |
| 폐수종 |

● 학명 : *Strophanthus gratus* Franch. ● 영명 : Strophanthus

| 1 | 2 | 3 | 4 | 5 | 6 | 7 | 8 | 9 | 10 | 11 | 12 |

덩굴나무. 잎은 마주나고 깃꼴 맥을 가진다. 꽃은 분홍색, 줄기 끝에서 핀다. 화관은 5개로 갈라지고, 꼬리 같은 5개의 부속체가 있고, 수술은 화관 끝에 붙는다. 열매는 2개

○ 스트로판투스

[협죽도과]

마삭줄

| | 풍습비통, 요슬산통, 근맥구련 |
| 인후통 |
| 타박상, 외상출혈 |

● 학명 : *Trachelospermum asiaticum* (S. et Z.) Nakai
● 별명 : 마삭나무, 백화등, 겨우사리덩굴, 화화등

| 1 | 2 | 3 | 4 | 5 | 6 | 7 | 8 | 9 | 10 | 11 | 12 |

상록 덩굴식물. 길이 5m 정도. 줄기에서 뿌리가 내려 다른 물체에 잘 붙으며, 잎은 마주나고 타원형이다. 꽃은 백색에서 황색으로 변하고 5~6월에 핀다. 골돌은 2개가 서로 평행하거나 예각으로 벌어지며 9월에 익는다.

분포·생육지 우리나라 남부 지방 및 제주도. 중국, 일본. 산기슭 바위나 고목에 붙어서 자란다.

약용 부위·수치 줄기를 여름에 채취하여 썰어서 말린다.

약물명 낙석등(絡石藤). 명석(明石), 운주(雲珠)라고도 한다. 대한민국약전외한약(생약)규격집(KHP)에 수재되어 있다.

본초서 낙석등(絡石藤)은 「신농본초경(神農本草經)」의 상품(上品)에 낙석(絡石)이라는 이름으로 수재되어 오늘날까지 사용하여 온 약재이다. 「당본초(唐本草)」에는 "이 약

의 분과로 되고, 종자가 많이 들어 있다.

분포·생육지 아프리카. 늪지대에서 자란다.

약용 부위·수치 잘 익은 종자를 여름 또는 가을에 채취하여 모관(毛冠)을 제거하고 말린다.

약물명 Strophanthi Semen. 일반적으로는 Strophanthus라고 한다.

약효 심장기능부전증, 심장성 천식발작에 의한 급성울혈증, 폐수종, 협심증을 치료한다.

성분 종자에는 G-strophanthin(ouabain), strophanthidin, K-strophantidin-β, K-strophanthoside, strophanthidol 등이 함유되어 있다.

약리 G-strophanthin(ouabain)을 정맥주사하면 강심 작용이 나타난다. 이 물질은 심근 내에 거의 남아 있지 않아 디기탈리스 배당체와는 달리 축적에 의한 부작용은 거의 없다.

사용법 Strophanthi Semen으로부터 분리한 Ouabain(G-strophanthin) 0.2mg/mL를 심장기능부전증, 협심증 환자에게 정맥주사한다.

○ Strophanthi Semen

○ 스트로판투스로 만든 심장기능부전증 치료약

물은 음습(陰濕)한 곳에서 자라고, 춘하추동(春夏秋冬) 푸르며 열매는 검고 둥글며, 잎이 가늘고 둥글다. 나무에 감아 올라가며 집 주변에 기르기도 하고 겨울을 잎이 지지 않고 지나므로 내동(耐冬)이라고도 한다. 산남(山南)에서는 석혈(石血)이라고도 하며 산후(産後)의 혈결(血結)에 사용한다. 나무나 돌(石)을 감기 때문에 낙석(絡石)이라 한다."고 하였다. 「동의보감(東醫寶鑑)」에는 "종기가 잘 삭지 않는 것을 낫게 하고 목 안과 혀가 부은 것, 쇠붙이에 의한 상처 등에 쓴다. 뱀독으로 인해 가슴이 답답한 것을 풀어 주고 상처의 표면이 잘 낫지 않는 것과 외상, 입안이 마르고 혀가 타는 듯한 느낌을 낫게 한다."고 하였다.

神農本草經: 主風熱死肌, 癰傷, 口干舌焦, 癰腫不消, 喉舌腫, 久服輕身明目.

名醫別錄: 治大驚入腹, 除邪氣, 養腎, 主腰膝痛, 堅筋骨, 利關節, 通神.

本草拾遺: 主一切風, 變白宣老.

東醫寶鑑: 主癰腫不消喉舌腫 金瘡 去蛇毒心悶 療癰傷 口乾舌蕉.

성상 줄기 및 가지는 원추형이고, 표면은 적갈색에서 다갈색을 띠고 털이 있으며 지름 1.5~4mm, 분기(分岐)하고 꼬부라져 있다. 잔뿌리 또는 점상의 돌기가 있고, 뿌리의 자국이 산재하고 마디가 있으며 가죽질, 가로로 자른 면은 황백색이다. 냄새가 나고 맛은 약간 쓰다.

기미·귀경 미한(微寒), 고(苦)·심(心), 간(肝), 신(腎)

약효 통락지통(通絡止痛), 양혈청열(凉血清熱), 해독소종(解毒消腫)의 효능이 있으므로 풍습비통(風濕痺痛), 요슬산통(腰膝酸痛), 근맥구련(筋脈拘攣), 인후통, 타박상, 외상출혈을 치료한다.

성분 낙석등(絡石藤)에는 lignan: tracheloside, arctiin, matairesinoside, arctigenin-4'-*O*-β-D-gentiobioside, nortracheloside, α-conidendrin, marairesinol 4-*O*-gentiobioside, teikaside A, trachelosperoside, wiksromol 등, 잎에는 flavonoid: apigenin, luteolin, apigenin 7-glucoside, luteolin 7-glucoside, luteolin 7-*O*-glucoside 등, triterpenoid: β-amyrin acetate 등이 함유되어 있다.

약리 tracheloside에는 강심 작용이 서서히 나타나며, 소량에서는 호흡과 혈압, 심장 운동을 개선한다. arctigenin-4′-O-β-D-gentiobioside에는 HIV-1 integrase 억제 작용 및 뇌세포 보호 작용, 암세포의 사멸 작용이 있다. arctiin은 혈관 확장, 혈압 강하가 일어나 냉혈 및 온혈 동물에게

경련을 일으키고, 대량 투여하면 호흡 장애가 일어나며, 쥐의 피부를 발적시키거나 설사를 유발하고, 토끼의 적출 소장과 자궁을 수축한다.

사용법 낙석등 10g에 물 3컵(600mL)을 넣고 달여서 복용한다. 관절염에는 낙석등 10g, 오가피 10g, 우슬 5g에 물을 넣고 달여서 복용한다.

처방 낙석등주(絡石藤酒): 낙석등(絡石

藤)·구기자(枸杞子)·당귀(當歸)를 같은 양으로 술에 담근다. 관절염 또는 근육통을 치료하며, 소주잔으로 한 잔씩 복용한다.

* 우리나라 제주도 및 남쪽 섬에서 흔하게 자라고 꽃, 어린가지, 잎 뒷면에 털이 많은 '털마삭줄 *T. jasminoides* var. *asiatica*'도 약효가 같다.

❶ 마삭줄

❶ 낙석등(絡石藤)

❶ 마삭줄(열매)

[협죽도과]

황화협죽도

🖐 협심증   📁 사두정

●학명 : *Thevetia peruviana* (Pers.) K. Schum.   ●한자명 : 黃花夾竹桃

| 1 | 2 | 3 | 4 | 5 | 6 | 7 | 8 | 9 | 10 | 11 | 12 |

❶ 황화협죽도(열매)

상록 관목. 높이 2~5m. 전체에 털이 없고 유액이 있다. 잎은 어긋나고 가죽질, 피침형이다. 꽃은 황색, 가지 끝에 취산화서로 피고 깔때기 모양이다. 열매는 삼각상 구형으로 녹색이나 채취하여 말리면 흑색으로 변하고, 종자는 달걀 모양이다.

분포·생육지 인도, 타이, 브라질, 페루, 인도네시아, 중국 푸젠성(福建省), 윈난성(雲南省), 타이완. 산과 들에서 자란다.

약용 부위·수치 속씨는 가을에 채취하고, 잎은 신선한 것을 채취하여 짓찧어서 사용한다.

약물명 속씨를 황화협죽도(黃花夾竹桃)라 하며, 유목자(柳木子), 상등자(相等子), 조종화(弔鐘花)라고도 한다. 잎을 황화협죽도엽(黃花夾竹桃葉)이라 한다.

약효 황화협죽도(黃花夾竹桃)는 강심, 이뇨 소종(利尿消腫)의 효능이 있으므로 협심증을 치료하고, 황화협죽도엽(黃花夾竹桃葉)은 해독소종(解毒消腫)의 효능이 있으므로

사두정(蛇頭疔)을 치료한다.

성분 황화협죽도(黃花夾竹桃)에는 thevetin A~B, peruvoside, neriifolin, ruvoside, cerberin, monoacetylneriifolin, perucitin 등이 함유되어 있다. 황화협죽도엽(黃花夾竹桃葉)에는 thevetioside A~H, peruvoside, neriifrioside, lupeol acetate, oleanolic acid, ursolic acid, α-amyrin acetate 등이 함유되어 있다.

약리 황화협죽도(黃花夾竹桃)의 에탄올추출물을 동물에게 주사 또는 경구 투여하면 강심 작용, 진정 작용, 평활근 수축 작용, 이뇨 작용 등이 나타난다.

사용법 황화협죽도는 정맥주사나 알약으로 복용할 수 있으나 반드시 의사의 지시에 따라 복용하도록 한다. 황화협죽도엽은 짓찧어 환부에 붙이거나 즙액을 바른다.

주의 유독 식물이므로 사용에 주의하여야 한다.

❶ 황화협죽도

빈카

어혈성질환　옹종
암종

● 학명 : *Vinca major* L.

| 1 | 2 | 3 | 4 | 5 | 6 | 7 | 8 | 9 | 10 | 11 | 12 |

상록 여러해살이풀. 줄기는 가늘고 길이 3m 정도 벋어 나가며, 많은 가지를 치고 땅위에 닿는 마디에서는 뿌리가 나온다. 잎은 마주난다. 꽃은 담자색, 5~8월에 피고, 줄기 윗부분의 잎겨드랑이에 1개씩 달린다. 꽃잎의 밑부분은 가는 통으로 되고 윗부분은 5개로 갈라지고 편평하다.

분포·생육지 열대 지방 원산. 우리나라 전역에서 재배하는 귀화 식물이다.

약용 부위·수치 전초를 가을에 채취하여 말린다.

약물명 빈가(斌加)

약효 구어혈(驅瘀血), 소종(消腫)의 효능이 있으므로 어혈성질환(瘀血性疾患), 옹종(擁腫), 암종(癌腫)을 치료한다.

성분 vinblastine, vincristine, vincamine, vincamajine, vincamajoreine, akuammine, vinine, pervincine, reserpine, reserpinine 등의 알칼로이드가 함유되어 있다.

약리 vinblastine, vincristine, vincamine 등은 동물 실험 결과 항암 작용이 나타났다. vinblastine은 백혈구 수치를 떨어뜨리기 때문에 사용량에 주의하여야 하고 오심, 구토, 변비, 신장염, 우울증, 탈모 등의 부작용이 있다. vincamine은 뇌혈류를 증대시키고 뇌의 활동에 필요한 포도당, 산소, 인지질의 공급을 원활하게 하여 뇌의 기능을 돕는다.

사용법 빈가 7g에 물 3컵(600mL)을 넣고 달여서 복용하거나 짓찧어 즙을 복용한다.

＊ vinblastine, vincristine은 현재 병원에서 항암제로 사용하고 있다. 본 종에 비하여 잎과 꽃이 작은 '좀빈카 *V. minor*'도 약효가 같다.

❍ 좀빈카

❍ 빈가(斌加)

❍ 빈카

❍ 빈카(잎)

도조필

감모발열　황달형간염　만성기관지염
풍습비통, 요슬동통　인후염　급성신우염

● 학명 : *Wrightia pubescens* R. Br.　● 한자명 : 倒弔筆

| 1 | 2 | 3 | 4 | 5 | 6 | 7 | 8 | 9 | 10 | 11 | 12 |

상록 교목. 높이 20m 정도. 상처를 내면 유액이 흘러나온다. 줄기는 회갈색, 잎은 마주나며 타원형, 가장자리는 밋밋하다. 꽃은 백색, 5~8월에 줄기 윗부분의 잎겨드랑이에 취산화서로 핀다. 열매는 2개씩 붙어서 달린다.

분포·생육지 중국 광둥성(廣東省), 윈난성(雲南省), 하이난성(海南省). 우림 지역에서 자란다.

약용 부위·수치 가지를 사시사철, 잎은 여름에 채취하여 썰어서 말린다.

약물명 가지를 도조저충(倒弔蠟燭)이라 하며 묵주과(墨柱果), 장표(章表), 고상(苦常)이라고도 한다. 잎을 도조저충엽(倒弔蠟燭葉)이라 한다.

약효 도조저충은 거풍통락(祛風通絡), 화담산결(化痰散結), 이습(利濕)의 효능이 있으므로 풍습비통(風濕痺痛), 요슬동통(腰膝疼痛), 황달형간염, 만성기관지염을 치료한다. 도조저충엽은 거풍해표(祛風解表), 청열해독(淸熱解毒)의 효능이 있으므로 감모발열, 인후염, 기관지염, 급성신우염을 치료한다.

사용법 도조저충은 15g에 물 3컵(600mL)을 넣고 달여서 복용하고, 도조저충엽은 10g에 물 3컵(600mL)을 넣고 달여서 복용한다.

❍ 도조필

❍ 도조필(꽃)

부록

약용 식물 채취와 보관 방법

● 채취 시기

약재를 채취하는 시기는 약효를 나타내는 유효 성분의 함량과 밀접한 관계가 있으므로 중요하다.

●뿌리 또는 뿌리줄기 : 가장 많이 이용되고 있다. 잎과 줄기가 시드는 가을철에 채취하면 약효 성분이 가장 많이 함유되어 있어서 좋다.

●껍질 : 나무 껍질은 물이 오르는 봄에 채취하면 약효 성분도 많이 함유되어 있고 채취하기도 쉽다.

●꽃 : 꽃이 피기 직전에 채취하거나 꽃이 갓 피어났을 때 채취하는 것이 약효 성분의 함량이 높고 채취하기도 편하다.

●열매 : 완전하게 익으면 땅에 떨어지므로 덜 익은 것을 따는 것이 좋다.

●나무의 잎과 줄기 : 나무의 성장이 가장 왕성하고 약효 성분의 함유량이 높은 여름철이 좋다.

●종자 : 잘 익은 열매를 따야 약효 성분의 함량이 높으므로 열매의 껍질이 터지기 전에 채취하는 것이 바람직하다.

●지상부 : 풀들에 해당되며, 꽃이 피어 열매를 맺을 때는 약효 성분이 꽃이나 열매 부분으로 이동하기 때문에 꽃이 피기 전에 채취하여야 한다.

▲ 약용 식물 채취에 필요한 용구

▲ 잎이나 가지를 채취하는 시기는 여름철이 적당하고, 전정 가위를 사용하는 것이 좋다.

▲ 뿌리와 뿌리줄기를 채취할 때에는 소형 삽 등을 사용하며, 뿌리가 상하지 않도록 조심한다.

◀ 약초를 낫이나 칼을 사용하여 뿌리는 남겨 두고 지상부를 채취한다.

● 건조 및 보관 방법

약재의 품질을 일정하게 유지시키는 것은 약효를 안정적으로 발휘시키기 위한 기본이다. 곰팡이, 세균류, 효소의 작용, 화학적 또는 물리적인 변질에서 약재를 보호하며, 편리한 형태로 보관하기 위하여 건조가 필요하다. 뿌리 또는 뿌리줄기와 같이 썩기 쉬운 약재(당귀, 작약 등)는 바람이 잘 통하는 곳에서 햇볕에 건조하는 것이 좋다. 약효 성분이 변하기 쉬운 것들은 바람이 잘 통하는 그늘에서 서서히 건조하는 것이 좋다. 인공적으로 열을 가하여 건조하는 것은 약재 가운데 함유된 효소의 작용으로 약효 성분이 바뀌는 것을 방지할 수가 있다. 향기가 강한 약재(박하, 향유 등)는 공기 건조를 하는 것이 바람직하다.

향기가 강한 약재는 신선한 것일수록 약효 성분의 함량이 높고, 열매나 약효가 강렬한 성분이 함유된 약재는 1년 이상 경과된 것이 좋다. 약재가 오래 되거나 곰팡이가 생기면 약효가 떨어지므로 온도는 20℃ 전후, 바람이 통하고 습기가 낮은 곳이 보관 장소로 적당하다.

햇볕에 말리는 방법

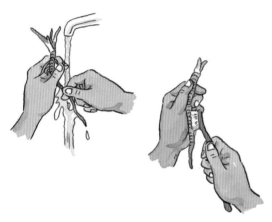

▲ 뿌리와 뿌리줄기는 흙과 먼지를 턴 후 물에 잘 씻은 다음 말린다.

▲ 햇볕이 잘 들고 바람이 잘 통하는 베란다 등에 펴서 말린다.

그늘에 말리는 방법

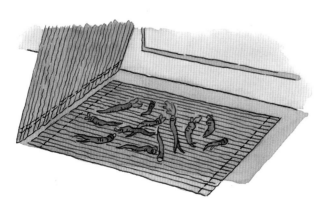

▲ 돗자리 위에서 말리면 수분 흡수가 잘 되어 썩지 않게 말릴 수 있다.

▲ 바람이 잘 통하는 곳에 매달거나 잘 펴서 말려 방향 성분이 휘발되는 것을 줄인다.

냉장고에 보관하는 방법

▲ 약재를 종이봉투에 담아 식물명, 채취 날짜, 약재를 만든 날짜 등을 기록해 둔다.

▲ 냉장고는 온도가 낮고 온도 변화가 적으므로 좋은 보관 장소이다.

▲ 금속 용기에 넣어 보관할 경우에는 종이 봉투에 담아서 약재가 직접 용기에 닿지 않도록 하는 것이 좋다.

▲ 약재를 공기가 통하지 않는 비닐봉지 등에 담아 보관할 경우, 습기 등으로 부패와 충해의 원인이 되므로 피한다.

천장에 매다는 방법

◀ 종이봉투에 담은 약재를 천장에 매달아 둠으로써, 통풍이 잘 되고 해충의 침입을 막는다.

약 달이기와 복용법

● 달이는 방법

한약이나 민간약을 물로 달일 때에는 쇠로 된 용기보다 질그릇으로 된 약탕기가 좋으나, 유리그릇이나 조리용 냄비를 사용해도 된다. 약을 달일 때에는 약한 불로 1시간 정도 천천히 달이는 것이 좋으며, 약을 달이기 전에 약재를 30분 정도 물에 담가 두는 것도 좋다.

곽향, 향유, 소엽, 형개, 사인, 박하 등 향이 많이 나는 약재는 오래 달이면 약효 성분이 날아가므로 30분을 넘지 않는 것이 좋다. 복령, 저령, 부자, 숙지황 등은 약한 불로 1시간 이상 달여야 약효 성분이 추출된다. 물의 양은 약재 무게의 3~4배가 적당하고, 오래 달여야 되는 약재는 물을 더 넣어 달이며, 달인 양은 달인 액을 짜서 200mL 정도 되는 것이 적당하다. 약재를 가루로 할 때에는 믹서를 이용하면 편리하고, 알약을 만들 때에는 꿀을 적당량 넣어서 손으로 비벼 콩알 크기로 한다. 피부병에 외용할 경우, 생것은 작은 절구에 짓찧어서 즙액을 바르거나 환부에 붙이면 된다.

▲ 약을 달일 때에는 약재의 종류에 따라 다르나 보통 1회용이 5~10g이며, 물의 양은 2~3컵이 적당하다. 크기가 큰 약재는 작게 잘라서 사용하며, 달이기 전에 30분 정도 물에 담가 두는 것이 좋다.

▲ 일반적으로 약을 달일 때에는 약한 불에 천천히 달여서 약효 성분이 잘 우러나도록 한다.

▲ 약이 달여지면 체로 찌꺼기를 걸러 낸 다음 달인 액만 복용한다.

● 복용법

약을 복용할 때에는 일반적으로 식사와 식사 사이에 복용하는 것이 흡수가 잘 되어 좋다. 약을 복용하는 동안에는 돼지고기, 쇠고기, 닭고기 등 기름진 음식을 삼가는 것이 약물 흡수에 도움이 된다. 뜨겁고 매운 음식은 혈압을 일시적으로 높이고 열을 내므로 평소에 혈압이 높은 사람이나 머리가 아프고 열이 많이 날 경우에는 피하는 것이 좋다. 약을 복용한 뒤 식욕이 감퇴되고 설사가 나며 혀에 흰 것이 끼고 구역질이 나는 것은 약이 몸에 맞지 않는 현상이므로 용량을 줄이거나 복용을 중지하여야 한다. 이와 같은 부작용이 있을 때에는 감초 또는 검은콩과 함께 달여서 복용하면 해독이 되기도 한다. 임산부는 가급적 복용을 금하고, 필요한 경우 한의사의 지시에 따라야 한다. 일반적으로 한약이나 민간약을 달인 탕제는 맛이 쓰므로 어린이나 비위가 약한 사람은 설탕이나 꿀을 조금 넣어 복용하는 것도 좋다.

▲ 1일 3회, 즉 식사와 식사 사이에 복용하는 것이 흡수가 잘 된다. 약을 먹는 동안에는 음식을 많이 먹지 않는 것이 좋다.

질환별 용어 해설

ㄱ

가개(痂疥) 헌데에 마른 딱지가 앉고 가려운 것

가수(假收) 두창(痘瘡) 때 얼굴에 빽빽하게 돋았던 구슬이 갑자기 까맣게 되는 것

가수증(加水症) 태양병이 나은 뒤 번갈증이 나면서 목이 몹시 말라 물이 먹고 싶어질 때 물을 조금씩 먹으면 낫는 증상. 가수형증(加水形症)이라고도 한다.

가열(假熱) 병의 본질은 한증(寒症)인데 겉으로는 열증 비슷한 거짓 증상이 나타나는 것

가온증(假溫症) 온법(溫法)을 쓰는 것이 좋은 병증. 부자(附子), 육계(肉桂), 건강(乾薑), 오수유(吳茱萸) 등의 성질이 더운 약을 써야 할 병증

가질(苛疾) 중한 병을 이르는 말

가취(瘕聚) 징가(癥瘕)와 적취(積聚)를 아우르는 말로 여성의 임맥(任脈)에 생긴 병증. 배꼽 아래에 종물(腫物)이 있으며 손으로 밀면 이동되고 아픈 곳이 고정되지 않는다.

가태(假胎) 임신이 아닌데 임신한 것처럼 월경이 없어지고 배가 커지는 증상

가피(痂皮) 헐어서 생긴 딱지

가한(假寒) 병의 본질은 열증(熱症)인데 겉으로는 한증(寒症) 비슷한 거짓 증상이 나타나는 것

가화증(可火症) 뜨겁게 해 주는 것이 좋은 병증. 뜸, 화침, 불돌 혹은 약을 덥혀서 자루에 넣어 뜨거운 것으로 찜질하는 법을 써야 할 병증

각궁반장(角弓反張) 경풍, 뇌막염, 뇌염, 파상풍 등에서 발작할 때, 등이 가슴 쪽으로 휘어들어 반듯이 누울 때 머리와 발뒤축만 바닥에 닿고 등이 들리는 증상

각기(脚氣) 다리 힘이 약해지고 저리거나 지각 이상이 생겨서 제대로 걷지 못하는 병증

각기상기(脚氣上氣) 각기 때 기운이 위로 치미는 것

각기완약(脚氣緩弱) 각기로 다리가 늘어지고 약해진 증상

각기종만(脚氣腫滿) 각기로 인해 몹시 붓는 것

각심통(脚心痛) 발바닥의 한가운데가 아픈 것

각아양란(脚丫癢爛) 발가락 사이가 가려우면서 짓무르는 것. 무좀, 습진 등이 있거나 물 혹은 진창에 오래 머물 때 생긴다.

각연(脚軟) 오연(五軟)의 하나로, 다리가 연약하고 무력한 증상. 간(肝)과 신(腎)이 허하여 생긴다.

각지흑사(脚指黑痧) 발가락이 꺼멓게 썩는 병증

간감(肝疳) 오감(五疳)의 하나. 젖이나 음식 조절을 잘못하여 간경(肝經)이 열을 받아 생긴 병증. 눈이 깔깔하고 가려워서 자주 비비며 머리를 흔들고, 얼굴이 푸르며 누렇게 되고 몸이 여위는 병증

간궐(肝厥) 간기(肝氣)가 치밀어서 생기는 궐증. 평소에 음이 허(虛)하고 간양(肝陽)이 왕성한 사람이 정신적 자극을 받아서 생긴다.

간기불서(肝氣不舒) 간의 기운이 정상적으로 펼쳐지지 않는 병증

간기상역(肝氣上逆) 간기(肝氣)가 위로 치밀어 오르는 것. 성을 지나치게 내거나 간기(肝氣)가 울결되면 생기는데, 머리가 어지럽고 아프며 가슴이 답답한 병증

간기울결(肝氣鬱結) 간기(肝氣)가 몰려서 생긴 병증. 양 옆구리가 뻐근하면서 아랫배가 아프며 답답하고 한숨을 자주 쉰다.

간기통(肝氣痛) 간기(肝氣)의 장애로 가슴과 옆구리가 아픈 병증

간담습열(肝膽濕熱) 습열(濕熱)이 간담(肝膽)에 몰려서 생긴 병증. 추웠다 열이 났다 하고, 입이 쓰면서 옆구리와 배가 아프고 메스꺼운 증상이 나타난다.

간비혈어(肝脾血瘀) 간기울결(肝氣鬱結)이 오래되어 간경(肝經)에 어혈이 생기고 그것이 비(脾)에 영향을 주어 나타나는 병증

간승폐(肝乘肺) 간기(肝氣)가 지나치게 성하여 폐의 기능에 장애를 준 것. 간화범폐(肝火犯肺)라고도 말한다.

간신음허(肝腎陰虛) 간음(肝陰)과 신음(腎陰)이 모두 허한 병증. 오랜 병이나 기타 원인으로 간신(肝腎)의 정혈이 소모되어 생기며, 어지럽고 두통이 나며 눈이 잘 보이지 않는 증세가 나타난다. 간신휴손(肝腎虧損)이라고도 한다.

간심통(肝心痛) 심통(心痛)의 하나. 간과 관련된 심통으로 얼굴빛이 파랗게 되고 가슴이 아파서 숨을 제대로 쉬지 못한다.

간양상승(肝陽上升) 간양(肝陽)이 성하여 위로 오르는 병증. 머리가 아프며 얼굴이 벌겋고 눈앞이 아찔하며 귀울음이 나고 입이 쓰며 허리가 시큰거리고 가슴이 두근거린다. 간양상역(肝陽上逆), 간양상항(肝陽上亢), 간양편왕(肝陽偏旺)이라고도 한다.

간열오조(肝熱惡阻) 오조(惡阻)의 하나. 간열이 위(胃)를 침범하여 생기는 병증. 음식을 먹으면 게우고 몸이 여위며 어지럼증이 생긴다.

간옹(肝癰) 옹(癰)의 하나로 간에 생긴 옹을 말한다. 초기에 오른쪽 옆구리에 아픔이 있으면서 오슬오슬 춥고 열이 나며 점차 옆구리 전체가 아프고 오른쪽으로 눕지 못한다.

간울협통(肝鬱脇痛) 협통의 하나. 칠정(七情, 喜怒憂思悲驚恐)으로 간기(肝氣)가 상하거나 몰려서 생긴다. 양 옆구리가 당기면서 아픈 것과 함께 가슴이 답답하고 입맛이 없으며 허리와 다리가 무겁다.

간음(肝陰) 간의 음혈과 음액 등을 통틀어 이르는 말로, 간양(肝陽)에 상대되는 말

간음허(肝陰虛) 간음이 부족한 증세로, 간혈이나 신음이 부족하여 간을 자양하지 못하여 생기는 병. 어지럽고 머리가 아프며 귀울음이 있고 성격이 조급해지며 성을 잘 낸다. 간음부족(肝陰不足)이라고도 한다.

간질(癎疾) 경련과 의식 장애를 일으키는 발작 증상이 되풀이하여 나타나는 병증. 전간(癲癎), 간풍(癎風)이라고도 한다.

간회(䵟黯) 얼굴에 잘고 검은 얼룩이 끼는 병증

갈루(蝎瘻) 항문에 여러 개의 누공(瘻孔)이 생긴 것

감갈(疳渴) 감질(疳疾)의 하나. 감질 때 갈증으로 물을 자주 마시는 병증

감기 외감병의 하나. 풍한사(風寒邪)나 풍열사(風熱邪)를 받아서 생긴다. 풍사(風邪)가 겨울에는 한사(寒邪), 여름에는 열사(熱邪)와 함께 몸에 침입하여 생긴다. 머리가 아프고 재채기가 나며 코가 막히거나 콧물이 나고 오슬오슬 추우며 열이 난다. 감모(感冒)라고도 한다.

감닉(疳䘌) 오감(五疳)의 하나로 어린아이가 단 음식을 좋아하여 오는 병. 비위가 허약해져 식욕이 부진하고 미열이 있거나 소화가 잘 되지 않으며 배가 자주 아프고 잠을 잘 자지 못하고 헛소리를 하는 병증

감닉창(疳䘌瘡) 비위가 허약하여 입, 잇몸, 항문이 허는 병증

감루(疳瘻) 감질(疳疾)로 생긴 누창(漏瘡)

감리(疳痢) 오감(五疳)의 하나로 어린아이가 단 음식을 좋아하여 오는 병. 비위가 허약해져 식욕이 부진하고 미열이 있거나 소화가 잘 되지 않으며 배가 자주 아프고 잠을 잘 자지 않고 헛소리를 하는 병증

감모두통(感冒頭痛) 두통의 하나로 주로 풍사(風邪)를 받아서 생긴다. 머리가 아프며 코가 막히고 목소리가 탁하며 땀이 나고 바람을 싫어하며 맥이 부완(浮緩)하다.

감습(疳濕) 감질(疳疾)의 하나. 비위허약으로 위장에 몰린 습열(濕熱)이 위로는 입과 코에, 아래로는 항문에 영향을 주어 생긴다. 입안 점막, 혀, 잇몸, 코가 헐고 딱지가 앉으며 항문이 가려우면서 헌다. 감습창(疳濕瘡)이라고도 한다.

감저(疳疽) 양쪽 가슴의 근육이 발달한 곳에 생긴 옹저(癰疽)를 말하며, 근육의 깊은 곳이 헐어서 잘 낫지 않는 병증이다.

감적(疳積) 감질(疳疾)의 가장 기본적인 증후로서, 음식을 조절하지 못하여 비위가 상하거나 습열이 몰려 생기는 어린아이의 만성소화기병이다. 비감(脾疳) 또는 식감(食疳)이라고도 한다.

감증(疳症) 비위(脾胃)의 운화(運化)가 제대로 이루어지지 않아 생기는 만성 영양장애성 병증. 대부분 5세 이하의 소아에게 발생한다.

감질(疳疾) 비위(脾胃)의 기능 장애로 몸이 여위는 병증으로 5세 미만 어린아이에 많이 발생한다. 주로 영양이 부족하거나 부적절한 음식으로 인해 비장과 위장이 손상되거나 각종 기생충에 의한 감염 및 열병, 오래된 병으로 인해 비장과 위장이 허약해져 발생하는 병증

감충(疳蟲) 감병(疳病)의 원인이 되는 기생충

갑상선기능항진증(甲狀腺機能亢進症) 갑상선에서 호르몬이 과잉 분비되어 일어나는 질병. 갑상선중독증이라고도 한다.

강경(剛痙) 몸과 팔다리가 뻣뻣해지면서 오그라드는 병증. 강치(剛瘈)라고도 한다.

강기화담(降氣化痰) 기(氣)가 치밀어 오르는 것을 가라앉혀 담(痰)을 삭이는 효능

강역생진(降逆生津) 기(氣)가 치밀어 오르는 것을 가라앉혀 진액의 생산을 돕는 효능

개규(開竅) 심규(心竅)가 막혀서 생긴 폐증을 치료하는 방법을 통틀어 이르는 말. 또는 정신을 들게 한다는 뜻으로도 쓰인다. 개규통신(開竅通神)이라고도 한다.

개선(疥癬) 옴과 버짐을 합해서 이르는 말

개선독창(疥癬禿瘡) 옴과 버짐이 심하여 머리털이 많이 빠지는 병증

개창(疥瘡) 피부병의 하나로 옴 또는 헌데가 겹친 진옴을 말한다. 옴독이 살갗에 침입하여 생기며 손가락 사이, 겨드랑이, 오금, 아랫배 등 살이 연약한 곳에 침이나 바늘 대가리만한 구진과 잔물집이 생기며 몹시 가렵다.

객오(客忤) 어린아이가 신기(腎氣)가 불안정하여 갑자기 이상한 사물을 보고 소리를 들으며 낯선 사람 때문에 놀라서 울며, 심하면 안색이 변하기도 하는 병증. 객오증(客忤症)이라고도 한다.

객혈(喀血) 기도를 통해 피가 나오는 병증. 각혈(咯血)이라고도 한다.

거어(祛瘀) 활혈약으로 어혈(瘀血)을 없애는 방법

거어소종(祛瘀消腫) 외상(外傷)으로 어혈이 생겨서 부은 것을 가라앉게 하는 방법

거어활혈(祛瘀活血) 어혈을 없애고 혈맥을 잘 통하게 하는 방법. 거어생신(祛瘀生新), 활혈생신(活血生新), 화어행혈(化瘀行血)이라고도 한다.

거풍삼습(祛風滲濕) 풍사(風邪)를 없애고 수습(水濕)을 소변으로 나가게 하는 효능

거풍정경(祛風定驚) 풍습(風濕)으로 인하여 놀라는 병증을 없애는 것

거풍제습(祛風除濕) 풍습(風濕)을 없애는 효능. 풍습사기가 경락, 기육(肌肉), 뼈마디에 침범하여 여기저기 아픈 데 적용하며, 거풍승습(祛風勝濕)이라고도 한다.

거풍활락(祛風活絡) 풍(風)을 없애고 맥이 잘 통하게 하여 관절염, 신경통 등을 치료하는 방법

거한화담(祛寒化痰) 한(寒)으로 생긴 담(痰)을 치료하는 방법. 비위의 양기가 허하여 한담이 생기면 묽은 가래침이 나오고 찬 것을 싫어하며 손발이 차고 혀가 희어지며 설태가 생기는 병증에 사용한다.

건개(乾疥) 개창(疥瘡)의 하나로 마른옴을 말한다. 물집, 진물 등이 없이 가려우면서 건조감을 느끼고 흰 비듬이 생긴다.

건망증(健忘症) 가끔 기억이 잘 나지 않거나 가벼운 기억 상실이 오는 병증. 기억 장애라고도 한다.

건비화위(健脾和胃) 비(脾)가 허한 것을 보하며 튼튼히 하고 위기(胃氣)를 조화시키는 효능

건선(乾癬) 피부가 건조하고 가려우며 긁으면 흰 비듬이 일어나는 것. 혈분(血分)에 열이 있고 살갗이 건조할 때 풍습독(風濕毒)이 침습하면 생긴다.

격(隔) 가슴에 기운이 막혀서 잘 통하지 않는 것. 음식이 잘 내려가지 않고 대변을 잘 보지 못하는 것을 말하며, 열격(熱膈)이라고도 한다.

견비통(肩臂痛) 어깨와 팔이 아픈 증상으로 풍한습사(風寒濕邪)나 외상으로 생긴다.

결괴(結塊) 몸속에 단단한 덩어리가 생기는 증상

결막염(結膜炎) 결막에 생기는 염증. 각막에만 염증이 생길 경우 각막염(角膜炎)이라 한다.

결자결(決刺結) 가시에 찔려서 굳어진 살을 풀어 준다.

결흉(結胸) 사기(邪氣)가 가슴 속에 몰려서 명치 밑이 그득하고 아프며 만지면 단단한 감이 있는 병증

경간(驚癇) 전간(癲癇)의 하나로 무섭고 놀라서 크게 울면서 발작을 일으키는 병증

경계정충(驚悸怔忡) 놀라서 가슴이 두근거리고 불안해하며 호흡 곤란이 오래 지속되는 병증

경기(驚氣) 갑자기 의식을 잃고 경련을 일으키는 병증. 경풍(驚風)이라고도 한다.

경락(經絡) 몸 안에서 기혈(氣血)이 순환하는 통로. 곧게 가는 줄기를 경맥(經脈), 경맥에서 갈라져 나와 온몸 각 부위가 그물처럼 얽힌 것을 낙맥(絡脈)이라 한다. 우리 몸에는 12경락과 독맥(督脈, 몸의 뒷면에 수직으로 분포)과 임맥(任脈, 몸의 앞면에 수직으로 분포)이 있다.

경련(痙攣) 의도하지 않게 근육이 격하게 수축되어 일어나는 발작을 말한다.

경분(輕粉) 염화제일수은의 한방 약재. 매독이나 매독성피부병 또는 외과용 살충제 등에 사용된다.

경오(驚忤) 경풍(驚風)과 객오증(客忤症)을 합해서 이르는 말

경척(驚惕) 몹시 놀라고 두려워함. 경포(驚怖)라고도 한다.

경폐복통(經閉腹痛)　생리가 고르지 못하여 오는 병증

경풍(驚風)　갑자기 의식을 잃고 경련이 나는 병증. 경질(驚疾)이라고도 한다.

경혈(經穴)　14경맥에 속하는 혈. 14경맥에 귀속시킨 혈로서 모두 361개가 있다. 「동의보감(東醫寶鑑)」에는 355개, 「침구대성(鍼灸大成)」에는 359개, 「갑을경(甲乙經)」에는 354개가 있다.

계안(鷄眼)　티눈을 말한다. 작은 신발을 신고 다니거나 발뼈의 기형 등으로 장기간 압박, 마찰되면서 기혈 순환의 장애로 비롯된다.

계협통(季脇痛)　협통(脇痛)의 하나로 간허(肝虛)나 신허(腎虛)로 생긴다.

고독(蠱毒)　기생충 감염으로 생기는 병. 복통, 가슴앓이 등의 병증이 나타난다.

고림(膏淋)　임증(淋症)의 하나로 오줌이 쌀 씻은 뜨물 같거나 기름 같으면서 시원하게 나오지 않는 병증

고삽(固澁)　수삽(收澁)이나 고섭(固攝)을 달리 부르는 말. 식은땀, 잦은 설사, 이질, 숨찬 증상, 대하, 유정 등을 멈추게 하는 것

고선(股癬)　사타구니나 허벅다리 안쪽에 생기는 무좀. 음선(陰癬)이라고도 한다.

고신삽정(固腎澁精)　수삽법(收澁法)의 하나로 신기(腎氣)를 든든하게 하여 유정(遺精)을 멎게 하는 방법이다.

고약(膏藥)　헐거나 곪은 데에 붙이는 끈끈한 약. 생약을 가루 내서 식물성 기름을 넣고 졸여서 만들거나 생약에 물을 가하여 나오는 추출액을 은근한 불로 달여서 농축한 약

고양(苦痒)　매우 심하게 가려운 병증으로 괴롭고 고통스럽다.

고주(蠱疰)　팔다리가 붓고 몸이 여위며, 기침을 하고 배가 커지는 병증

고지혈증(高脂血症)　필요 이상의 지방질이 혈액에 존재하여 염증을 일으키는 상태를 말한다.

고창(鼓脹)　창만(脹滿)이나 기창(氣脹)과 같은 뜻으로 쓰인다. 배가 불러 오면서 그득하고 뜬뜬하며 속이 비어 있어서 마치 북과 같다 하여 붙여진 이름이다.

고표(固表)　위기(衛氣)를 든든하게 하여 치료하는 방법. 표(表)가 허하여 땀이 지나치게 많이 날 때 주로 쓴다.

고풍작목(高風雀目)　어두운 곳에서 시력이 낮아지는 눈병. 고풍내장(高風內障)이라고도 한다.

고한청열(苦寒淸熱)　맛이 쓰고 성질이 찬 약으로 몸속의 사열(邪熱)을 없애는 방법

고혈압(高血壓)　혈압이 정상 범위보다 높은 만성질환. 고혈압이 되면 혈액이 혈관을 순환하는 데 심장의 부담이 크게 된다.

고환염(睾丸炎)　고환에 세균이나 바이러스 등 다양한 원인에 의해 염증이 생기는 것을 말한다.

고환편추(睾丸偏墜)　한쪽 고환이 붓고 아프면서 밑으로 늘어지는 병증

곡황(穀黃)　오달(五疸)의 하나로 기아와 포만이 지나쳐 속이 더부룩하며 곡기(穀氣)가 소화되지 못하는 데다 눈이 노래지면서 허열이 생기는 증상

골결핵(骨結核)　뼈나 관절에 결핵균이 침범하여 뼈 조직이 파괴된 상태를 말한다.

골관절염(骨關節炎)　흔히 퇴행성관절염이라고도 하며, 관절 질환 중에서 가장 많이 발생한다. 뼈의 관절 면을 감싸고 있는 연골이 마모되어 연골 밑의 뼈가 노출되고, 관절 주변의 활액막에 염증이 생겨서 통증과 변형이 발생하는 질환이다.

골류(骨瘤)　뼈에 생긴 종물(腫物)

골수염(骨髓炎)　골조직 자체와 그 주변 연부 조직의 감염을 말하며 외상을 받아 외부로부터 세균이 들어와 감염되거나 골조직 주변의 농양, 근염 등에서 2차적으로 파급되어 생길 수도 있다.

골열감로(骨熱疳癆)　감질(疳疾) 때 허열이 계속되는 병증

골옹류농(骨癰流膿)　뼈에 생긴 심한 염증으로 농이 흐르는 병증

골절(骨絶)　뼈가 부러지는 증상. 암이나 노화로 말미암은 병적 골절과 외상에 의거한 외상성 골절로 양분된다.

골절동통(骨節疼痛)　뼈마디가 아픈 것. 상한태양병이나 비증(痺症)에서 자주 볼 수 있다.

골증열(骨蒸熱)　허로병 때 뼛속이 후끈후끈 달아오르는 병증. 골증(骨蒸), 골증병(骨蒸病), 골증로열(骨蒸勞熱)이라고도 한다.

골증조열(骨蒸潮熱)　뼈마디가 아프며, 오후나 밤에는 열이 올랐다가 새벽에는 내렸다 하는 병증

과낭담음(窠囊痰飮)　몸 안의 진액이 여러 원인으로 제대로 순환하지 못하고 일정한 부위에 몰려 있는 것. 걸쭉하고 탁한 것을 담(痰)이라 하고, 묽은 것을 음(飮)이라 한다.

과혈(裹血)　피를 감싸고 있는 것

곽란(霍亂)　갑자기 게우고 설사하는 병증. 주로 무덥고 습한 여름철에 찬 것, 날 것이나 변질된 음식을 잘못 먹어서 생긴다.

관격(關格)　소변이 잘 나오지 않거나 계속하여 토하는 증상, 즉 상하불통하여 위급한 병증

관절염(關節炎)　뼈마디에 염증이 생긴 것으로, 관절의 손상을 수반하는 여러 질환이다. 관절에 통증이 있다고 모두 관절염이라 할 수는 없으며, 붓거나 열이 동반되어야 관절염이라고 할 수 있다.

괴저(壞疽)　몸의 일정한 부위가 손상되거나 기혈 순환이 장애되어 괴사된 것

괴혈병(壞血病)　비타민 C의 부족으로 결합 조직이 존재하는 신체 여러 부위에 손상을 일으키는 질병이다.

구갈(口渴)　입안과 목이 마르면서 물을 많이 찾게 되는 병증. 폐열이 있거나 음이 허하여 진액이 부족해 오는 병이다.

구감(口疳)　감질(疳疾) 때 입안이 허는 병증

구강염(口腔炎)　입안에 염증이 생겨 입안의 피부가 빨개지면서 중심부가 희거나 노랗게 되는 병증. 구내염, 구강궤양이라고도 한다.

구규(九竅)　몸에 있는 아홉 개의 구멍, 즉 귀(2), 눈(2), 코(2), 입(1), 생식기(1), 항문(1)을 말한다.

구규불통(九竅不通)　구규의 기능이 순조롭지 못하고 장애가 있는 병증

구달(九疸)　9가지로 분류한 황달을 합해서 부르는 말.「의방유취(醫方類聚)」에서는 간달(肝疸), 위달(胃疸), 심달(心疸), 신달(腎疸), 장달(腸疸), 고달(膏疸), 설달(舌疸), 체달(體疸), 육달(肉疸)로 수록되어 있다. 일부 책에서는 간달(肝疸), 위달(胃疸), 심달(心疸), 신달(腎疸), 비달(脾疸), 고달(膏疸), 설달(舌疸), 수달(髓疸), 육달(肉疸)을 말한다.

구련(拘攣)　몸의 저항력이 약할 때 추위와 더위, 바람과 습기 등 나쁜 기운이 침입하여 팔다리에 경련이 일어나 꼬이고 당겨서 자유롭게 활동할 수 없는 병증

구루(九漏)　9가지 누창(漏瘡)을 말하는 것으로 낭루(狼瘻), 서루(鼠瘻), 누고루(螻蛄瘻), 봉루(蜂瘻), 비부루(蚍蜉瘻), 제조루(蠐螬瘻), 부저루(浮疽瘻), 나력루(瘰癧瘻), 전근루(轉筋瘻)이다. 구루(九瘻)라고도 한다.

구문창(口吻瘡)　입 모서리에 생긴 부스럼. 비위의 습열이 위로 올라가거나 선천적인 독기에 의하여 생긴다. 구각창(口角瘡), 연구(燕口), 연구창(燕口瘡)이라고도 한다.

구불수구(久不收口)　오랫동안 상처가 아물지 않는 병증

구안와사(口眼喎斜)　입과 얼굴이 한쪽으로 비뚤어지는 병증. 풍담(風痰)이 경락에 침습해서 생긴다. 구면와사(口面喎斜), 구안편사(口眼偏斜), 구안와벽(口眼喎僻)이라고도 한다.

구애(嘔噯)　구토를 할 때 괴로워서 소리를 지르는 병증

구역(久逆)　장부경맥의 기가 오랫동안 몰려서 아래로 잘 내려가지 못하는 것. 황달, 전간, 갑자기 몹시 아픈 것 등은 구역으로 생긴다.

구완(拘緩)　경련과 이완을 합한 말로 구(拘)는 근육이 오그라들면서 뻣뻣해지는 것이고, 완(緩)은 근육이 마비되어 힘없이 늘어지는 것이다.

구증구포(九蒸九暴)　약재를 쪄서 햇볕에 말리기를 아홉 번 거듭하는 것. 지황, 둥굴레 등을 찔 때 사용한다. 구증구쇄(九蒸九曬)라고도 한다.

구토(嘔吐)　입을 통해 배 안의 내용물이 밖으로 나오는 것을 말한다.

구풍진경(驅風鎭驚)　풍(風)을 몰아내서 경련을 없애는 효능

군열창(皸裂瘡)　피부가 건조해지면서 트는 병증

궐음(厥陰)　삼음(三陰)의 하나. 음기(陰氣)가 끝나는 마지막 단계로 삼음 가운데 가장 안쪽에 있고 음이 끝나는 부위이므로 합(闔)에 해당된다.

궐음궐역(厥陰厥逆)　궐증(厥症)의 하나로 궐음경에서 생긴 궐역증을 말한다. 허리가 경련이 난 것처럼 아프며 헛배가 부르고 오줌이 잘 나오지 않으며 헛소리를 하는 병증

궐증(厥症)　갑자기 정신을 잃고 넘어지는 병증. 외감 육음, 내상 칠정, 심한 게우기와 설사, 출혈 등으로 기혈이 거슬러 올라오거나 음양이 고르지 못하여 생긴다.

궐훈(厥暈)　열이 몹시 성하여 갑자기 손발이 싸늘해지면서 정신이 흐려져서 이를 악물고 넘어지는 것으로 열훈(熱暈)이라고도 한다.

귀경(歸經)　약성 이론의 하나. 동의학에서는 사람에게 약물을 쓰면 그것이 온몸에 고루 작용하는 장부와 경맥이 있다고 보는데, 그것을 말한다.

귀독(鬼毒)　까닭 없이 생기는 종기의 독기(毒氣)

귀매(鬼魅)　정신이상을 말한다. 귀신에 씌어 침묵하다가 갑자기 헛소리를 하고 춥거나 더운 증상이 번갈아 일어나며 복부가 팽팽해지고 손발이 차며 숨이 차서 음식을 먹지 못하는 병증

귀주(鬼疰)　처음에는 특별한 통증이 없다가 돌연히 귀사(鬼邪)에게 공격당한 것처럼 아프다. 가슴이 답답하여 땅에 쓰러지는 것이 마치 중악증(中惡症)과 같다. 차도가 있은 후에도 나쁜 기운이 남아 흩어지지 않고 오래도록 쌓여서 때로는 발작하며 낫지 않는다. 오랫동안 지속되면 죽고, 죽은 후에는 옆 사람에게 전염되므로 귀주라고 한다.

귀태(鬼胎)　월경을 2~3달 또는 그 이상 하지 않고 배가 임신 때처럼 부풀어 오르다가 갑자기 다량의 하혈을 하면서 개구리알 같은 것이 많이 섞여 나오는 병증

귀학(鬼瘧)　학질의 하나. 놀라서 열이 많이 나고 오한이 생기거나 정신이 흐려지는 병증

근골동통(筋骨疼痛)　힘줄과 뼈가 아픈 병증. 근골비통(筋骨痺痛)이라고도 한다.

근맥구련(筋脈拘攣)　팔다리의 힘줄이 오그라들고 당기면서 뻣뻣해져 굽혔다 폈다 하는 것이 부자유스러운 병증

근무력증(筋無力症)　신경의 자극이 근육으로 제대로 전달되지 못하여 근육이 쉽게 피로해지는 질환

급황(急黃)　갑자기 황달이 나타나며 열이 많이 나고 갈증을 많이 느끼며 가슴이 답답하고 숨이 차며 배가 불러오고 물이 차며 심해지면 헛소리를 하고 정신을 잃는 병증

기궐(氣厥)　기의 순환장애로 오는 궐증으로 기허(氣虛)나 기실(氣實)로 생긴다. 기허로 오는 궐증은 어지러워하다가 정신을 잃고 넘어지며 얼굴이 창백하고, 기실로 오는 것은 정신을 잃고 넘어지며 가슴이 뻐근하고 숨이 차며 맥이 현활하다.

기림(氣淋)　원기가 허약하여 생긴 임질. 하복부가 뻐근하고 오줌이 잘 나오지 않는 병증

기애(氣呃)　애역(呃逆)의 하나로 기가 울체되거나 치밀거나 허해서 생긴다. 폐기가 몰렸을 때는 딸꾹질이 잦으며 얼굴이 창백하고 손발이 싸늘하며 목구멍이 막히는 감이 있다.

기역(氣逆)　기가 치밀어 오르는 것으로, 장부의 기가 병적으로 치밀어 오르는 것을 말한다. 일반적으로 가슴이 답답하며 숨이 차고 아랫배가 아프며 메스껍고 어지럼증이 생긴다. 위기상역(胃氣上逆), 간기상역(肝氣上逆), 폐기상역(肺氣上逆) 등 여러 가지가 있다.

기옹후비(氣癰喉痺)　후비(喉痺)의 하나로 기가 몰리고 막혀서 생긴 후비이다. 점조한 가래가 나오고 오슬오슬 춥고 열이 나는 것이 특징이다.

기육마목(肌肉麻木)　피부의 감각이 둔해진 병증. 아프고 가려우며 차고 더운 것을 잘 느끼지 못한다. 기육불인(肌肉不仁)이라고도 한다.

기주(蛟疰)　어린아이들의 만성 전염병의 총칭

기천(氣喘)　기울(氣鬱)로 생긴 병증으로, 숨이 차고 가래 끓는 소리는 없으며 심하면 코를 벌름거리면서 때로는 가슴이 두근거리고 답답한 증상

기체애역(氣滯呃逆)　간기울(肝氣鬱)로 생기며, 딸꾹질이 정서와 관련되어 생기면서 트림을 하고 가슴이 답답하며 입맛이 없고 명치와 옆구리가 불러오면서 그득하며 배가 끓는 증상

기체어혈(氣滯瘀血)　기가 몰린 지 오래되어 어혈이 생긴 것. 어혈이 있는 부위가 찌르는 듯한 아픔이 있으면서 만지지 못할 정도로 통증이 있을 때도 있다.

기허정충(氣虛怔忡)　기허로 가슴이 몹시 두근거리는 병증. 기가 부족해서 생긴다.

ㄴ

나력(瘰癧)　림프절에 멍울이 생긴 병증. 근심과 분노로 간화(肝火)가 막혀 담(痰)이 되어 경락에 머물렀다가 근육을 수축해 멍울이 되는 병증

나력경풍(瘰癧驚風)　나력을 앓는 과정에서 생기는 열에 의하여 혈(血)이 부족해지고 풍(風)이 동하여 생긴다. 목의 양쪽에 구슬을 꿴 것 같은 멍울이 있고 경련이 일며 두 팔을 뒤로 젖힌다.

나병(癩病)　나균(*Mycobacterium leprae*)과 나종균(*M. lepromatosis*)에 의해 발생하는 만성 감염병이다. 살갗에 특이한 헌데가 생기며, 문둥병, 한센병 또는 뇌풍(腦風)이라고도 한다.

난현벽(爛痃癖)　배꼽 주위나 옆구리의 한쪽이 붉어지고 당기면서 갑작스런 통증이 발생하고 문드러지는 병증

난현풍안(爛弦風眼)　눈꺼풀 기슭이 붉어지면서 헐고 가려움이 있는 병증. 풍현적란(風弦赤爛), 풍적안(風赤眼), 검현적란(瞼弦

赤爛)이라고도 한다.

납기평천(納氣平喘) 들이쉰 숨을 잘 받아들이게 하여 숨이 차는 것을 낮게 하는 효능

납매식소(納呆食少) 위가 음식을 잘 소화시키지 못하는 병증. 위매식소(胃呆食少)라고도 한다.

냉병(冷病) 하체를 차게 하여 생기는 병의 총칭

노권(勞倦) 내상병증(內傷病症)으로 늘 노곤해하는 병증. 피로로 비기(脾氣)가 상하거나 기혈이 허해서 생긴다. 노상(勞傷)이라고도 한다.

노상토혈(勞傷吐血) 허로(虛勞)로 몸이 약해져 토혈하는 병증

노상해천(勞傷咳喘) 허로(虛勞)로 몸이 약해져 기침이 나고 숨이 차는 병증

노열(勞熱) 기운이 쇠약해지고 과로로 인해 열이 나는 병증

노핍(勞乏) 몸과 마음이 피로하여 고달프고 지침.

노황(勞黃) 황달의 하나로, 뼈마디가 아프며 팔다리에 힘이 없고, 잘 먹지 못하면서 토하고 오한(惡寒)과 발열이 번갈아 오며 답답하고 코가 마르며 몸이 점차 야위고 이마는 검고 온몸이 누런 증상

녹내장(綠內障) 높아진 안압에 의해 시신경이 눌려서 손상을 받고 그 결과 시야가 좁아지는 병증. 시신경에 생기는 질환의 총칭이다.

농가진(膿痂疹) 진물과 고름이 섞인 것이 말라붙은 헌데의 딱지. 농과창, 황수창 등 감염창에서 볼 수 있다.

농와창(膿窩瘡) 다른 병에 속발성으로 생긴 여러 개의 고름집. 폐경의 열과 비경의 습이 피부에 몰려 생기거나 습진이나 피부염, 땀띠, 모기에게 물렸을 때 긁은 것이 동기가 되어 생긴다. 농포창(膿疱瘡)과 비슷한 말이다.

뇌역(腦逆) 궐역증(厥逆症)으로 머리가 아프고 이가 쑤시는 병증

뇌졸중(腦卒中) 중풍(中風)이라고도 하며, 뇌에 혈액을 공급하는 혈관이 터져 발생하는 뇌출혈과 혈관이 막혀 뇌로 혈액이 제대로 공급되지 못하여 발생하는 뇌경색이 있다.

누창(漏瘡) 피부에 생긴 부스럼에 구멍이 뚫어져서 고름이 흐르고 냄새가 나면서 오랫동안 낫지 않는 병증. 서루(鼠瘻), 연주창(連珠瘡), 나력(瘰癧), 누창(瘻瘡)이라고도 한다.

늑골통(肋骨痛) 갈비뼈 사이나 늑골에서 느껴지는 통증

ㄷ

다루(多淚) 풍열(風熱)로 인하여 눈물이 많이 흐르는 병증

단독(丹毒) 피부·점막의 헌데나 다친 곳으로 세균이 들어가 생기는 피부병. 붉은 반점이 생기고 열이 나며 아픈 병증

담궐(痰厥) 궐증(厥症)의 하나로 담이 성해서 생긴 궐증으로 팔다리가 싸늘하며 숨결이 거칠고 설태(舌苔)가 낀다.

담궐두통(痰厥頭痛) 두통의 하나. 습담(濕痰)으로 청양(淸陽)의 기가 위로 오르지 못하여 생긴 두통

담낭염(膽囊炎) 담낭관이 담석이나 종양 등에 의해 폐쇄되어 담낭에 염증을 일으키는 질환

담마진(蕁麻疹) 알레르기성 피부 반응으로 주위의 다른 피부보다 붉거나 창백한 빛을 띠고 매우 가려운 병증. 보통 두드러기라고 한다.

담석증(膽石症) 담낭이나 담관에 결석이 생겨 산통 발작을 비롯한 여러 가지 증상을 일으키는 병증

담수(痰嗽) 습담(濕痰)이 폐에 침범하여 생긴 기침

담수(痰水) 여러 가지 원인으로 몸 안의 진액이 제대로 순환하지 못하고 일정한 부위에 몰려서 담(痰)을 조성하는 것

담습해수(痰濕咳嗽) 담습이 정체되어 기침이 나오는 병증

담연(痰涎) 가래가 섞인 침

담연옹성(痰涎壅盛) 담연이 가슴 속에 몰린 것. 가슴이 답답하고 가래나 거품 침이 나온다. 담연천수(痰涎喘嗽)라고도 한다.

담열옹폐(痰熱壅肺) 담열(痰熱)이 폐에 몰린 병증. 열이 나고 입이 마르며 기침을 하고 숨이 차며 가래가 많고 설태가 낀다.

담옹천해(痰壅喘咳) 담이 뭉쳐 나오고 천식과 기침이 심한 병증

담음(痰飮) 넓은 의미에서 여러 가지 수음병(水飮病)을 통틀어 이르는 말. 몸 안에 진액이 여러 가지 원인으로 제대로 순환하지 못하고 일정한 부위에 몰려서 생기는 병증. 걸쭉하고 탁한 것을 담(痰)이라 하고 묽은 것을 음(飮)이라 한다.

담음해수(痰飮咳嗽) 진액이 정체되어 기침이 나오는 병증

담음현훈(痰飮眩暈) 비(脾)가 허해서 생긴 담음이 머리에 몰려서 생기는 병증. 어지러우면서 머리가 무겁고 가슴이 답답하며 게우고 숨이 차다.

담폐경궐(痰閉驚厥) 풍담(風痰)이 경락에 막혀서 생긴 경련증. 음식에 체했거나 폐, 위에 습담이 몰린 데다 다시 외사(外邪)를 받아서 생긴다.

담포(痰包) 혀 밑에 생긴 낭종. 담화(痰火)가 혀 밑에 몰려서 생긴다. 포설(包舌), 설하담포(舌下痰包)라고도 한다.

당뇨병(糖尿病) 오랜 기간 혈당 수치가 높게 지속되는 대사 질환군을 말한다. 혈당이 높을 때의 증상으로는 소변이 잦아지고 갈증이 생긴다. 한의학에서는 소갈(消渴)이라고 한다.

대상포진(帶狀疱疹) 바이러스에 의한 질병으로, 물집(수포)을 동반한 뾰루지(발진)가 몸의 한 쪽에, 주로 줄무늬 모양으로 나타난다.

대하증(帶下症) 여성의 질에서 흰색이나 누런색 또는 붉은색의 점액성 물질이 나오는 증상. 마치 허리띠처럼 끊임없이 나오므로 대하(帶下)라고 한다.

대하황조(帶下黃稠) 대하가 황색이고 뻑뻑한 병증

도한(盜汗) 잠잘 때에는 땀이 나다가 깨어나면 곧 땀이 멎는 병증. 침한(寢汗)이라고도 한다.

도현(掉眩) 현훈(眩暈)의 하나로 주로 간풍(肝風)이 동해서 생기는 병증. 어지럼증이 있으면서 머리를 흔들거나 몸을 떤다.

독발(禿髮) 대머리, 머리털이 많이 빠져서 벗어진 머리. 독두(禿頭), 독정(禿頂), 돌독(突禿), 울두(兀頭)라고도 한다.

독창(禿瘡) 머리가 헐면서 머리털이 많이 빠져서 없어지는 병증. 백독창(白禿瘡)이라고도 한다.

독풍(毒風) 풍독(風毒)으로 얼굴에 염증이 생기는 병증

돈해추축(頓咳抽搐) 역해(逆咳, 頓咳, 백날기침) 때에 경련이 나는 것

동공확대(瞳孔擴大) 교감 신경의 지배를 받는 동공확대근의 작용에 의하여 동공이 지름 4mm 이상으로 커지는 증상

동맥경화증(動脈硬化症) 동맥의 혈관벽에 지방이 가라앉아 혈관이 좁아지고 탄력성을 잃게 되는 현상. 동맥의 탄력이 떨어져 혈액 공급이 원활하지 못한 질병이다.

동상(凍傷) 피부와 다른 조직들이 극심한 추위로 인해 일부 부위에 상해를 입어서 혈액 공급이 원활하지 못하고 가렵고 아픈 증상

두라(頭癩) 머리와 얼굴 등에 흰 비늘이 생겨 겹겹이 일어나며 벗겨지는 백설풍(白屑風)과 같이 잘 낫지 않는 악성 피부염

두면풍(頭面風) 바람의 기운이 침입하여 땀이 나고 머리가 아프며 각종 피부병이 생기는 병증

두창(頭瘡) 급성 발진성 전염병의 하나로 천연두를 말한다. 발병하면 강력한 전염성이 있어서 천행(天行)이라고 하기도 한다.

두현(頭眩) 어지럼증. 외감이나 내상으로 간(肝), 비(脾), 신(腎)의 기능 장애로 생긴다. 현기(眩氣), 현훈(眩暈)이라고도 한다.

두훈목현(頭暈目眩) 어지럼증이 있고 눈앞이 캄캄하며 시야가 흐리고 별이 반짝이는 증상

둔시(蚻尸) 둔시(遁尸), 한시(寒尸), 상시(喪尸), 시주(尸疰)를 말하며, 모두 전시로(傳尸勞, 전염병과 같이 옆에 있으면 감염되는 허로질환)를 말한다.

ㄹ

류머티스관절염 만성 염증성 자가면역질환. 면역체에 의한 활막의 지속적인 염증 반응으로 인해 연골의 손상이 나타나게 되며, 결국은 관절이 파괴되고 관절염 등의 증상이 나타나게 되는 질환이다.

ㅁ

마도창(磨刀瘡) 나력의 하나. 나력의 멍울이 여러 개 연달아 생긴 것

마목(麻木) 감각이 둔해지거나 없어지는 증상. 마비(麻痺)라고도 한다.

마설(馬舌) 혀가 부으면서 감각이 둔해지는 병증. 설비(舌痺)라고도 한다.

마자복(磨刺腹) 수마자복(水磨刺腹)의 준말. 물에 갈아서 본액제(本液劑)에 타서 먹는 것

마진(麻疹) 어린아이의 급성발진성 전염병으로 홍역(紅疫)이라고도 한다. 홍역 바이러스의 감염에 의하여 공기를 통해 감염된다. 최근에는 백신을 접종하기 때문에 잘 나타나지 않는다.

마진천급(麻疹喘急) 마진 경과 중에 열독이 직접 폐에 들어가 고열, 숨가쁨, 심한 기침이 나오는 병증

마풍창(麻風瘡) 마진을 앓는 어린아이가 발진이 사라진 후 온몸에 헌데가 생기고 가려우며 답답해하는 병증. 마풍병(麻風病)

이라고도 한다.

만경협담(慢驚夾痰) 만경풍에 열담을 겸한 병증. 오후에 열이 나고 갈증이 나며 불안해하는 병증

만후풍(慢候風) 목안이 붓고 아프나 진행이 느린 인후병

말라리아 학질 모기로 인하여 매개되는 원충 감염으로 특이한 발작을 되풀이하는 열대병증. 학질(瘧疾)이라고도 한다.

망막증(網膜症) 망막병증(網膜病症)이라고도 하며, 눈의 망막에 지속적이거나 극심한 손상을 일으키는 병증

망음(亡陰) 음액(陰液)이 많이 소모된 상태. 열이 몹시 나거나 땀을 지나치게 흘리는 등 만성 질병을 앓을 때 생긴다.

매독(梅毒) 감염병의 하나로 생식기가 헐며 임파절이 붓는 병증. 양매결독(楊梅結毒)의 준말로 매창(梅瘡), 양매창(楊梅瘡)이라고도 한다.

맥(脈) 기혈(氣血)이 순환하는 통로, 즉 혈맥을 말한다.

멀미 몸이 버스, 배, 비행기 등의 흔들림을 받아 속이 메스껍고 머리가 어지러운 상태인 현기증을 말한다.

면간(面黚) 얼굴에 생긴 거무스름한 기미. 면간(面𪒬)이라고도 한다.

면간포(面黚皰) 주근깨, 좁쌀 크기의 흑색 또는 흑갈색 반점이 얼굴을 비롯한 손등, 피부 등에 생긴 병증

면사(面皶) 평소 폐열(肺熱)이 많거나 가슴이 답답하고 이를 악물며 눕기만 하고 앉지 못하며 다리가 당기는 증상(陽明症). 열로 인해 코끝이 붉어지는 증상으로 애주가에 다발한다. 주사비(酒皶鼻), 비적(鼻赤)이라고도 한다.

명목퇴예(明目退翳) 눈을 밝게 하고 각막이 흐릿한 증상을 없애는 것. 명목거예(明目去翳)라고도 한다.

명문(命門) 생명의 근본이라는 뜻으로, 오른쪽 신(腎)을 말한다.

목삽혼화(目澁昏花) 눈이 마르고 깔깔하며 물체가 뿌옇게 보이면서 눈앞에 꽃무늬 같은 것이 나타나는 병증. 목생운예(目生雲翳)라고도 한다.

목적예막(目赤翳膜) 눈이 충혈되고 각막이 흐려지는 병증. 목예(目翳)라고도 한다.

몽염(夢魘) 기괴한 꿈에 가위눌려 놀라면서 잠을 깨는 것. 귀염(鬼魘)이라고도 한다.

무좀 곰팡이균에 의해 발생하는 피부 질환으로 주로 발에 발생하며 백선(白癬)이라고도 한다. 피부가 벗겨지고 가려움증을 일으킨다.

미릉골통(眉稜骨痛) 눈썹 주변과 눈이 아프고 사물이 잘 보이지 않는 병증

미초(米炒) 약재를 쌀과 함께 쌀이 누렇게 될 때까지 볶는 것을 말한다. 독성이 약해지고 중기(中氣)를 보하는 작용이 커진다.

ㅂ

반묘독(斑猫毒) 몸길이는 1~3cm이고 길며 광택이 있는 흑색으로 날개가 퇴화하여 날지 못하고 농작물에 해를 끼치는 가뢰과 곤충의 독

반위(反胃) 음식을 먹은 다음 일정한 시간이 지나서 토하는 병증. 비위가 약하거나 명문의 화가 부족하여 소화력이 떨어지는 병증. 반위구토(反胃嘔吐)라고도 한다.

반자(瘢疵) 흉터나 주근깨

발기부전(勃起不全) 성기능 장애의 일종. 음경이 발기하지 않거나 성행위 중 발기한 상태를 유지할 수 없는 것. 음위(陰痿)라고도 한다.

발진(發疹) 열성병(熱性病)으로, 피부나 점막에 좁쌀 크기의 종기가 생기는 병증

방광기통(膀胱氣痛) 배꼽 주위가 비트는 것처럼 아픈 병증

배려(背膂) 등뼈, 즉 척추(脊椎)를 말한다.

백내장(白內障) 안구의 수정체가 혼탁해져서 시력 장애를 일으키는 질병이다.

백대하(白帶下) 여성의 질에서 흰색의 점액성 물질이 나오는 증상. 백대(白帶)라고도 한다.

백선(白癬) 풍사(風邪)로 인해 생기며, 피부가 가렵고 환부가 백색을 띠는 선증(癬症)의 일종. 사상균(絲狀菌)의 하나인 백선균(白癬菌)에 의하여 일어나는 전염성을 가진 피부병

백일해(百日咳) 백일해균(Bordetella pertussis)에 감염되는 호흡기 질환. 전파력이 강한 전염병이며 특히 소아에 위험하다. 백일 동안 지속되는 기침이라는 뜻에서 붙여진 이름이다. 대부분 만 8~15세에 백신을 접종하지 않은 아이에게서 발병된다.

백합병(百合病) 정신이 불안하고 혼자 중얼거리며 입 안이 쓰며 소변이 붉은 증상. 즉, 신경쇠약, 히스테리, 갱년기 증후군 등

정신병을 말한다.

백혈병(白血病) 백혈구가 이상 증식하는 혈액 종양의 일종이다. 백혈병에 걸리면 감기와 유사한 열, 코피, 창백, 빈혈, 오한, 고열, 체중 감소, 피로 등이 나타나고 쉽게 멍이 들거나 피부에 출혈이 일어난다.

번갈(煩渴) 열이 나며 목이 마르고 가슴이 답답한 증상

번조(煩燥) 몸과 마음이 답답하고 열이 나서 손과 발을 가만히 두지 못하는 병증. 조번(燥煩)이라고도 한다.

법제(法製) 약재의 질과 효능을 높이고 보관, 조제, 제제하는 데 편리하게 하기 위한 가공법. 포제, 포구, 수치, 수제라고도 한다.

벽(癖) 양 옆구리 아래에 덩이가 생겨 아팠다 멎었다 하며 아픔이 있을 때 만져지는 것을 말한다. 음식 조절을 잘못하거나 한담(寒痰)이나 기혈(氣血)이 몰려서 생긴다.

벽온역(辟溫疫) 유행성의 급성전염병을 물리치거나 방지할 수 있다는 것

변비(便秘) 배변이 쉽게 되지 않는 병증. 하루에 1회 배변이 보통이나 2~3일 만에 1회 정도도 이에 해당한다.

변혈(便血) 대변에 피가 섞여 나오는 병증

보신견골(補腎堅骨) 신(腎)이 허한 것을 보하여 뼈를 튼튼히 하는 효능. 보신강골(補腎强骨)이라고도 한다.

복량(伏梁) 심장과 관련되어 생긴 덩어리로 기혈이 몰려서 발생한다. 이는 병이 심장 아래에 있으며 위아래로 이동하고 때때로 침(唾液)에 피가 섞여 나온다. 심적(心積)이라고도 한다.

복중비괴(服中痞塊) 배 안에 음식물, 담(痰), 어혈 등으로 생긴 덩어리가 만져지는 병증

부예(膚翳) 눈동자 위에 파리의 날개처럼 얇은 것이 덮여 있는 것같이 느껴지는 증상. 부예(浮翳)라고도 한다.

분돈(奔豚) 오적신(五積腎)의 하나인 신적(腎積)을 말한다. 얼굴빛이 검고 아랫배에 통증이 발작하여 명치 밑까지 치밀어 오르는 증상. 마치 돼지새끼가 뛰어다니는 것처럼 통증이 오르내리므로 분돈이라 한다.

불면증(不眠症) 수면을 이루지 못하는 수면 장애 증상. 적어도 1개월 이상 잠들기가 어렵거나 깊은 잠이 들지 않는 병증

붕루(崩漏) 여성의 성기에서 비정상적으로 출혈이 있는 병증. 혈붕혈루(血崩血漏), 붕중루하(崩中漏下)라고도 한다.

비강염(鼻腔炎) 앞콧구멍에서부터 뒤콧구멍 사이를 비강(鼻腔)이라 하는데, 이 부위에 염증이 생긴 것을 말한다.

비뉵(鼻衄) 코피가 나는 병증으로 비뉵혈(鼻衄血)이라고도 한다.

비달(脾疸) 황달의 하나로 비장(脾腸)과 관련된 황달. 온몸이 노랗게 변하고 소변이 붉으며 양이 적고 가슴이 두근거리는 증상이 있다.

비연(鼻淵) 코 안에서 누렇고 냄새가 나는 분비물이 나오는 병증

비장염(脾臟炎) 비장에 생긴 염증. 대개 비장의 크기가 비대해져 좌측 옆구리 쪽에 통증과 불쾌감이 느껴진다.

비정(秘精) 정액을 소중하게 간직함.

비증(痺症) 뼈마디가 아프고 저린 감이 있으며 심하면 부으면서 팔다리의 운동 장애가 있는 병증. 골절동통(骨節疼痛)과 비슷한 말이다.

비허부종(脾虛浮腫) 비(脾)가 허한(虛寒)해서 수습이 정체되고 몸이 부으며 입맛이 없어지고 피곤해하며 팔다리가 차가워지는 병증

비허설사(脾虛泄瀉) 비(脾)가 허한(虛寒)해서 진액을 대장에 제대로 보내 주지 못하여 생기는 설사. 비허사(脾虛瀉)라고도 한다.

비홍(鼻洪) 코에서 다량의 피가 나오고 입과 귀에서 일제히 피가 나오는 것

빈뇨(頻尿) 적은 양의 소변을 자주 보는 병증

빈혈(貧血) 말초 혈액 중에 산소를 운반하는 헤모글로빈 농도가 감소한 상태를 말한다.

ㅅ

사림(沙淋) 임질의 일종. 배뇨가 순조롭지 못하며 소변에 모래알 같은 것이 섞여 나오는 증상

사망독(射罔毒) 약재인 사망(射罔), 즉 초오(草烏)의 독을 말한다.

사진(痧疹) 발진성전염병으로, 피부에 콩만한 구진(丘疹)등이 나타나는 병증

사화해독(瀉火解毒) 열독을 제거하여 온독(溫毒)이나 창양열독(瘡瘍熱毒)을 낮게 하는 효능

산가(疝瘕) 산증(疝症)의 하나. 아랫배가 화끈거리면서 아프고 요도로 흰 점액이 나오는 병증. 가산(瘕疝)이라고도 한다.

산람장기(山嵐瘴氣) 전염병을 일으키는 사기(邪氣)의 하나. 더운 지방의 산과 숲, 안개가 짙은 곳에서 습열(濕熱)이 위로 올라

갈 때에 생기는 나쁜 기운

산어지혈(散瘀止血) 어혈(瘀血)을 풀어서 출혈을 멈추게 하는 효능

산혈지통(散血止痛) 어혈(瘀血)을 풀어서 통증을 멈추게 하는 효능

산후오로불하(産後惡露不下) 산후에 오로(惡露, 출산 후 자궁에 남아 있던 찌꺼기)가 나오지 않는 병증

삼초(三焦) 육부(六腑)의 하나. 장부(臟腑)의 외부를 둘러싼 가장 큰 부(腑)이다. 모든 기(氣)를 주관하고 수도(水道)를 소통하는 작용이 있다. 또 하나는 인체를 상초(上焦), 중초(中焦), 하초(下焦)로 나눈 세 부분을 말한다.

삽장지사(澁腸止瀉) 대장을 튼튼히 하여 설사를 멎게 하는 효능. 삽장고탈(澁腸固脫)이라고도 한다.

상초(上焦) 삼초(三焦)의 일종. 목구멍에서 횡격막 또는 위장 부위까지를 말한다.

상피암(上皮癌) 상피 세포에 발생하는 악성 종양을 말한다.

상화(相火) 간(肝), 담(膽), 신(腎), 삼초(三焦)의 화(火)를 통틀어 이르는 말. 군화(君火)와 상대되는 말이다. 일반적으로 상화(相火)는 명문(命門)의 화(火)를 말하며, 군화와 함께 오장육부를 온양하고 그것의 활동을 도와준다.

생기렴창(生肌斂瘡) 부스럼이 생긴 부위에서 새살이 돋아나고 상처를 아물게 하는 효능

생한숙열(生寒熟熱) 약쑥(艾葉)의 약성에 관한 것으로, 생것은 몸을 차게 하고, 익히면 뜨거운 약이 된다는 것

서경활락(舒經活絡) 기혈(氣血)의 순환로인 경락(經絡)을 잘 통하게 하는 효능

서근지통(舒筋止痛) 근육을 풀어 주어 통증을 멎게 하는 효능

서근활혈(舒筋活血) 근육을 풀어 주고 혈액 순환을 도와 주는 효능

서루(鼠瘻) 나력(瘰癧)의 일종. 목과 겨드랑이의 림프샘에 결핵성 염증이 생기고 곪아 뚫린 구멍에서 고름이 나는 증상. 쥐가 구멍을 잘 뚫는 특성이 있어서 쥐구멍처럼 살과 근육 사이를 따라 발생하기 때문에 붙여진 이름이다.

서열곤민(暑熱困悶) 서사(暑邪, 여름철 더위로 인하여 생긴 병사)로 몸이 피곤하고 가슴이 답답한 병증

석림(石淋) 소변 볼 때 음부가 아프고 모래나 돌 같은 요석(尿石)이 섞여 나오는 병증

선폐평천(宣肺平喘) 폐기(肺氣)를 잘 퍼지게 하여 숨찬 것을 멎게 하는 효능

소갈(消渴) 물을 많이 마시고 음식을 많이 먹지만 몸이 여위면서 오줌의 양이 많아지는 병증. 소갈인음(消渴引飮)이라고도 한다.

소변임삽(小便淋澁) 소변이 탁하고 음부가 아프면서 붓는 병증. 소변임통(小便淋痛)이라고도 한다.

소변적삽(小便赤澁) 소변 색이 붉고 배출이 곤란한 병증. 소변적탁(小便赤濁), 소변임력(小便淋歷)이라고도 한다.

소양증(搔痒症) 피부가 심하게 가려운 병증

소장산기(小腸疝氣) 산증(疝症, 생식기와 고환이 붓고 아픈 병증)의 하나로 배꼽 아래가 몹시 아프면서 통증이 허리까지 미치고 음낭이 당기면서 아픈 통증. 고환통증이라고도 한다.

소풍명목(疎風明目) 풍사(風邪)를 없애서 눈을 밝게 하는 치료법

수고(水蠱) 수독기(水毒氣)가 내부에 몰려 복부가 점차 커지고 목소리가 떨리면서 물을 마시려 하고, 피부가 거칠어지며 검어지는 증상. 수고(水鼓), 팽창(膨脹)이라고도 한다.

수곡리(水穀痢) 먹은 음식이 소화되지 않고 그대로 배설되는 설사. 식설(殖泄)이라고도 한다.

수렴(收斂) 아물게 하고 줄어들게 하며 나가는 것을 거두어들이는 작용

수렴고삽(收斂固澁) 절로 땀이 나거나 식은땀이 흐르며, 오랜 설사, 이질, 기침, 숨찬 증상, 탈항, 유정 및 조설, 붕루, 대하, 요실금 등을 멈추게 하는 효능. 수삽(收澁)이라고도 한다.

수렴삽통(收斂澁痛) 눈병이 나서 눈알이 깔깔하면서 아프거나, 소변이 잘 나오지 않으면서 아픈 것을 낫게 하는 효능

수렴약(收斂藥) 혈관을 수축시켜 지혈하거나 설사를 그치게 하는 약

수발조백(鬚髮早白) 심혈(心血) 부족, 간신음(肝腎陰)의 휴손으로 수발(鬚髮)에 영양을 주지 못해서 생기는 병증

수습고창(水濕臌脹) 수습(水濕)이 정체되어 배가 불러 오면서 그득하고 불편한 증상

수음정폐(水飮停肺) 수습(水濕)이 정체되어 숨이 차고 기침이 나는 병증

수장불입(水漿不入) 인후나 식도 질환, 또는 위장의 질환으로 물이나 미음을 마시지 못하는 일

수족경련(手足痙攣) 근육이 수축되면서 생기는 통증으로 발가락과 손가락에서 발생하는 병증. 근육을 무리하게 이용하였을 때 근육에서 신경 증상이 나타나는 것이 많다.

수족마목(手足麻木) 풍한사(風寒邪)가 몸에 들어와 팔다리가 아프고 뻐근한 병증

수종창만(水腫脹滿)　체내에 수습(水濕)이 정체되어 얼굴과 목, 팔다리 및 가슴과 배가 붓고 심하면 온몸이 붓는 증상. 수종(水腫) 또는 부종(浮腫)이라고도 한다.

수징(水癥)　경락이 막혀 수기(水氣)가 복부에 싸여 발생하는 병증으로, 배 안에 딱딱한 덩어리가 생기고 온몸이 붓는 증상

순기(順氣)　기를 순조롭게 하는 효능. 강기(降氣)라고도 한다.

슬관절통(膝關節痛)　무릎의 관절에 염증이 생겨 아픈 병증

습사(濕邪)　외감(外感) 병인(病因) 중 육음(六淫)의 하나로, 습기의 나쁜 기운이 몸에 들어와 병을 일으키는 것

습열설사(濕熱泄瀉)　습사(濕邪)와 열사(熱邪)가 장에 침입하여 생긴 설사

습열유정(濕熱遺精)　비위의 습열이 아래로 내려가서 정액이 저절로 나오는 병증

습열융폐(濕熱癃閉)　습열(濕熱)로 인하여 오줌이 잘 나오지 않고 아랫배가 그득한 병증

습열황달(濕熱黃疸)　습사(濕邪)와 열사(熱邪)가 몸에 들어와 몸과 눈, 오줌이 누렇게 되는 병증

습진(濕疹)　피부 가려움증과 함께 붉은 반점이나 수포를 동반하는 피부 질환을 말한다.

승몽(蠅蠓)　파리와 진딧물이라고 하는데, 모기와 비슷하고 눈에 띄지 않을 정도로 작으며, 떼를 지어 사람이나 짐승의 몸에 붙어 피를 빨아 먹는 곤충. 멸몽(蠛蠓)이라고도 한다.

승양거함(升陽擧陷)　비위가 허약해져 숨결이 고르지 못하고 기운이 없으며 나른한 것을 낫게 하는 효능

시선염(腮腺炎)　뺨에 있는 땀샘의 염증

시주(尸疰)　죽은 사람의 넋으로 인하여 생기는 병. 사람이 죽으면 3년 뒤에 귀신이 되어 다른 사람의 품에 붙어 병을 일으킨다는 것. 기침을 하면서 피를 토하고 식은땀을 동반하며, 속이 더부룩하고 아프며 숨이 가빠 제대로 숨을 쉬지 못하며 온몸이 가라앉을 듯한 증상을 보인다.

시창(屎瘡)　집게벌레의 오줌독으로 생긴 부스럼

식육(瘜肉)　군더더기 살. 군살을 말한다.

식적복사(食積服瀉)　음식으로 비위가 상하여 배가 아프면서 설사하는 병증. 식상설사(食傷泄瀉)라고도 한다.

식적복창(食積腹脹)　음식으로 비위가 상하여 배가 불러오면서 그득한 병증. 식적창만(食積脹滿)이라고도 한다.

식중독(食中毒)　병원성 세균, 독소, 바이러스, 기생충, 화학 물질, 자연독 등에 오염된 음식물 섭취의 결과로 발생하는 모든 종류의 질병을 말한다.

신경쇠약(神經衰弱)　잘 흥분하고 쉽게 피로하며 힘이 없고, 두통과 수면 장애 등을 수반하는 병증

신경통(神經痛)　말초 신경의 특정한 경로에 따라 발작적으로 일어나는 통증을 말한다.

신양허쇠(腎陽虛衰)　명문의 화(火)가 쇠약해지는 병증. 명문화쇠(命門火衰)라고도 한다.

신우신염(腎盂腎炎)　신장의 한 부분인 신우(腎盂)에 염증이 생기는 질환으로, 신우염이라고도 한다.

신정허갈(腎精虛喝)　신기(腎氣)가 허약한데 절제하지 않아서 정수(精髓)가 모두 소진된 것

신허요통(腎虛腰痛)　신기(腎氣)가 허약하여 오는 요통. 허리가 시큰시큰 아프며 다리와 무릎에 힘이 없는 병증

신허유정(腎虛遺精)　하초(下焦)가 허약하거나 과로나 지나친 성생활, 만성병으로 인하여 정액이 저절로 흘러나오는 병증

심경(心經)　수소음심경(手少陰心經)의 준말로 십이경맥의 하나

심계항진(心悸亢進)　심장 박동이 크게 느껴지면서 불편하고, 현기증이나 호흡 곤란을 동반하는 병증. 심계(心悸)라고도 한다.

심규(心竅)　심장이 외부와 통하는 곳으로, 혀를 말한다.

심번구갈(心煩口渴)　가슴이 답답하고 갈증이 나는 병증. 심화(心火)가 지나치게 왕성해 진액이 소모되어 생긴다. 번갈(煩渴)이라고도 한다.

심번실면(心煩失眠)　가슴이 답답하고 갈증이 나는 병증으로, 수면 장애가 생긴다.

심복동통(心腹疼痛)　심복통이라고도 하며, 명치 아래와 배가 몹시 아픈 증상

심통(心痛)　심장 부위와 명치 부위의 통증을 통틀어 이르는 말

ㅇ

아구창(鵝口瘡)　입안과 혓바닥에 둥근 흰 반점이 군데군데 생기는 증상

악기(惡氣)　병을 일으키는 나쁜 기운

악창(惡瘡) 헌데가 벌겋게 부으면서 아프고 가려우며 곪아 터지는 병증. 뇌풍(腦風)이라고도 한다.

악창양종(惡瘡瘍腫) 악창이 심하여 피부 안이 붓고 아픈 병증

악풍(惡風) 한센병(나병)을 말한다.

암독전상(罯毒箭傷) 독화살에 입은 상처를 해독약으로 덮어 붙인다.

애역(呃逆) 딸꾹질. 위기(衛氣)가 위로 치밀어 목구멍에서 연속적으로 특수하게 나는 소리

야뇨증(夜尿症) 소변을 가릴 만한 나이가 된 사람이 밤에 소변을 가리지 못하고 지리는 병이다.

야맹증(夜盲症) 밝은 곳에서 어두운 곳에 들어갔을 때 사람의 눈이 어두워진 환경에 잘 적응하지 못하는 병증. 보통 비타민 A 결핍으로 생긴다.

야제(夜啼) 어린아이가 낮에는 조용하다가 밤이 되면 정신이 불안해져 생기는 병증. 밤에 울면서 얼굴색이 쉽게 변하며 자다가도 놀라고 거품을 게우며 경련이 일어나기도 한다.

양매창(楊梅瘡) 성병의 하나로 생식기가 헐고 임파절이 붓는 병증. 매독, 매창이라고도 한다.

양위증(陽痿症) 음위증(陰痿症)을 달리 부르는 말

양혈지리(凉血止痢) 혈분에 침입한 사열(邪熱)을 없애서 설사를 멈추게 하는 효능

양혈지혈(凉血止血) 혈분에 침입한 사열(邪熱)을 없애서 어혈을 풀어 주는 효능

어체복통(瘀滯腹痛) 어혈(瘀血)이 정체되어 생기는 복통

어혈(瘀血) 피가 몸 안의 일정한 곳에 머물러서 생긴 병증. 어혈증(瘀血症), 혈어(血瘀)라고도 한다.

어혈동통(瘀血疼痛) 어혈로 인하여 몸이 아픈 병증

엄약(閹弱) 생식기가 없는 남자(鼓子)처럼 생식 기능이 매우 약하다는 말

여력(餘瀝) 소변을 보고 난 후 시원하지 않고 방울방울 떨어지는 증상

역절풍(歷節風) 풍한습사가 경맥을 통하여 뼈마디에 침입하여 생기는 병증. 백호풍(白虎風), 백호병(白虎病), 통풍(痛風)이라고도 한다.

연오장재예(練五臟滓穢) 오장의 더러운 찌꺼기를 녹여 내는 것

연주창(連珠瘡) 림프샘의 결핵성 부종인 갑상샘종이 헐어서 터진 부스럼을 말하며, 임파절결핵이라고도 한다.

열격(噎膈) 음식이 목구멍으로 잘 넘어가지 못하거나 넘어갔다고 해도 위까지 내려가지 못하고 이내 토하는 병증. 목과 가슴에 막힌 감이 있고 목이 메어 음식을 넘기기 힘들며 심하면 가슴과 배 사이가 아프고 몸이 야위며 대변이 굳는 증세를 보인다. 격열(膈噎), 열격토식(噎膈吐食)이라고도 한다.

열실결흉(熱實結胸) 사열(邪熱)이 몸에 들어가 가슴에 있는 담음(痰飮)과 뭉쳐서 생긴다. 배가 불러오면서 그득하고 아프며 가슴이 답답한 병증. 열결흉비(熱結胸痞)라고도 한다.

열독창상(熱毒創傷) 열독으로 인하여 체표(體表) 조직이 물리적 손상을 입은 것을 말한다.

열독풍(熱毒風) 열독으로 인해 머리와 얼굴이 붓고 달아오르며, 가슴이 답답하고 불안하며 눈이 잘 보이지 않고 피부에 열감이 있는 병증

열독혈리(熱毒血痢) 양열(陽熱)이 몰려 독이 생긴 것을 열독이라 하는데, 이 열독으로 인하여 피가 수반되는 설사를 하는 병증

열림삽통(熱淋澁痛) 습열(濕熱)이 하초에 몰려서 오줌을 자주 누지만 시원하게 나오지 않고 아랫배가 아픈 병증

열병반진(熱病斑疹) 열사(熱邪)의 침입으로 열이 나고 피부에 두드러기가 생기는 병증

열병심번(熱病心煩) 열사(熱邪)의 침입으로 열이 나고 가슴이 답답한 병증

열황(熱黃) 전염성이 강한 유행성 병으로 열이 나고 황달이 오는 병증

염폐삽장(斂肺澁腸) 기침으로 폐가 허해진 것을 낫게 하고 장(腸)의 기능을 북돋우는 효능

염폐정천(斂肺定喘) 오랜 기침으로 폐가 허해진 것을 낫게 하여 숨찬 것을 멎게 하는 효능

영류(癭瘤) 혹(瘤) 또는 병적으로 불거져 나온 살덩이

영풍류루(迎風流淚) 바람을 맞으면 눈물이 더 흐르는 병증

예막(翳膜) 각막이 붉거나 희거나 또는 푸른 막이 눈자위를 덮는 눈병. 각막편운(角膜片雲)이라고도 한다.

예장(翳障) 각막에 염증이 생겨 시력이 흐려지는 병증

오감(五疳) 간감(肝疳), 신감(腎疳), 비감(脾疳), 폐감(肺疳), 심감(心疳) 등 다섯 가지 감증(疳症)을 합쳐서 부르는 말

오뇌(懊憹) 심흉부에 열이 나면서 답답하여 안절부절 못하는 증상

오로증(五勞症) 심로(心勞), 폐로(肺勞), 간로(肝勞), 비로(脾勞), 신로(腎勞) 등 과로로 인한 다섯 가지 발병 요인을 말한다.

오로칠상(五勞七傷) 몸과 마음이 허약하여 생기는 다섯 가지 증상과 남자의 신기(腎氣)가 허약하여 생기는 일곱 가지 증상. 오로(五勞)는 심로(心勞), 폐로(肺勞), 간로(肝勞), 비로(脾勞), 신로(腎勞)이며, 칠상(七傷)은 음부가 찬 것, 음경이 발기되지 않는 것, 뱃속이 당기는 것, 정액이 저절로 흘러나오는 것, 정액이 적은 것, 정액이 희박한 것, 오줌이 잦은 것이다.

오림(五淋) 다섯 가지 종류의 임질, 기림(氣淋, 방광염), 노림(勞淋), 고림(膏淋, 전립선염), 석림(石淋, 요관결석), 혈림(血淋, 만성신염)을 이르는 말

오시(五尸) 나쁜 기운이 몸에 덮쳐 한열(寒熱)이 번갈아 일어나고 정신이 몹시 어지러워서 마침내 죽게 되는 병

오심(惡心) 위(胃)가 허하거나 위에 한, 습, 열, 담, 식체 등으로 속이 불쾌하고 울렁거리며 구역질이 나면서도 토하지 못하고 신물이 올라오는 증상

오훈채(五葷菜) 자극성이 있는 다섯 가지의 채소. 불가(佛家)에서는 마늘, 달래, 무릇, 김장파, 실파이다.

온병(溫病) 여러 가지 외감성(外感性)의 급성 열병

온학(溫瘧) 학질의 일종으로 열이 난 뒤 오한이 드는데, 오한은 그리 심하지 않고 열증(熱症)이 주로 나타나는 병증. 말라리아를 말한다.

옹비(齆鼻) 군살이 자라서 콧구멍(鼻腔)이 막혀 냄새를 잘 맡지 못하는 병

옹저(癰疽) 헌데가 근육 깊은 곳에 있어 잘 낫지 않는 병

옹절(癰癤) 옹(癰)은 피부와 장부(臟腑)가 곪는 것이고, 절(癤)은 모낭과 그에 부속된 피지선이 감염된 것으로, 곪으면서 한가운데에 큰 근(根)이 생기는 종기

옹종정독(癰腫疔毒) 옹저 때 헌데가 생기고 부어오르는 곳이 작고 단단한 뿌리가 쇠못처럼 깊이 배겨 있는 병증

옹종창독(癰腫瘡毒) 옹저 때 헌데가 생기고 부어오르는 병증. 옹창종독(癰瘡腫毒)이라고도 한다.

옹창절종(癰瘡癤腫) 부스럼이 심하고 관절이 부어오르는 병증. 옹창정절(癰瘡疔癤)이라고도 한다.

와라(痾癩) 나병으로 피부가 헌 것

와루(痾瘻) 헌데가 곪아 뚫린 구멍에서 고름이 흘러내리는 병

와선(痾癬) 옴, 개선(疥癬)

완두창(豌豆瘡) 두창(痘瘡)의 다른 이름으로, 급성 발진성 전염병. 천두(天痘), 천행두(天行痘) 등 발병하면 전염성을 가지므로 천행이라 한다.

완복동통(脘腹疼痛) 위에 생긴 염증이 위 점막에 이르러 궤양을 일으킨 경우, 배가 뻣뻣하고 명치 끝에 통증이 오는 증상

완복비만(脘腹痞滿) 위에 생긴 염증으로, 명치 밑이 그득하고 불편한 병증

외감풍열(外感風熱) 밖에서 오는 풍사(風邪)와 열사(熱邪)

요로결석(尿路結石) 신장, 요관, 방광 등 요로에 결석이 형성되어 감염이나 요폐색 등의 합병증을 유발하는 질환

요슬산연(腰膝酸軟) 허리와 무릎이 시큰거리고 힘이 없어지는 증상

요슬산통(腰膝酸痛) 허리와 무릎이 쑤시고 저리며 걷거나 앉아 있을 때에도 심한 고통을 느끼는 증상

요퇴동통(腰腿疼痛) 허리와 허벅지가 몹시 쑤시고 저리며 심한 고통을 느끼는 증상. 줄여서 요퇴통(腰腿痛)이라 한다.

용화(龍火) 용뇌지화(龍雷之火)의 준말로, 간신화(肝腎火)나 명문화(命門火)를 가리키는 말

우피선(牛皮癬) 피부가 몹시 가렵고 소가죽처럼 두꺼워지는 병증. 완선(頑癬), 섭령창(攝領瘡)이라고도 한다.

울알(鬱遏) 울체(鬱滯), 즉 답답하게 막힘. 울알(鬱閼)이라고도 한다.

위경련(胃痙攣) 위장 부위의 명치 부위가 쥐어짜듯이 아픈 상태가 반복되는 증상

위궤양(胃潰瘍) 위벽의 손상이 점막근층(粘膜筋層)과 점막하층(粘膜下層)을 지나 근층(筋層)까지 이르는 위장병

위매식소(胃呆食少) 위가 음식을 잘 소화시키지 못하는 병증. 납매식소(納呆食少)라고도 한다.

위벽(痿躄) 팔다리와 몸이 위축되고 약하여 늘어지며 특히 다리를 쓰지 못하는 병증

위분(衛分) 밖으로부터 사기(邪氣)가 침범하지 못하도록 몸을 보호하는 피부의 기능

위산결핍증(胃酸缺乏症) 소화에 필요한 산(酸)의 생산이 적은 병증. 저산증(低酸症), 위산부족증(胃酸不足症)이라고도 한다.

위염(胃炎) 위 점막에 상처가 생겨 붓고 염증이 생긴 병증

위완동통(胃脘疼痛) 위 속이 아픈 병증. 위의 들문 부위를 상완(上脘), 가운데 부위를 중완(中脘), 날문 부위를 하완(下脘)이라고 한다.

위절(踒折) 헛디뎌 뼈가 부러지는 것

유력(遺瀝) 소변의 양이 적으면서 약간 끈적이고 귀두(龜頭)가 조금씩 아프며, 소변이 그쳤지만 간혹 한두 방울씩 떨어져 바지를 적시는 증상

유력(瘤癧) 영류(癭瘤)와 나력(瘰癧)을 아우르는 말

유아(乳蛾) 후핵(喉核, 구개편도)이 벌겋게 붓고 아픈 병증. 후아(喉蛾), 아풍(蛾風), 아자(蛾子), 잠아(蠶蛾)라고도 한다.

유옹(乳癰) 젖몸에 생긴 옹으로, 해산 후 간기울결과 위열이 옹체되어 생긴다. 젖몸이 단단해지면서 멍울이 지고 부어오르면서 아프며 젖이 잘 나오지 않는 병증

유정(遺精) 성교(性交)에 의하지 않고 정액이 저절로 흘러나오는 병증으로, 잠잘 때 꿈을 꾸면서 정액이 흘러나오는 경우가 이에 해당한다. 유설(遺泄)이라고도 한다.

유종(遊腫) 피부병의 하나로 단독(丹毒)이 이리저리 번져 나가며 붓는 증상. 다발성피하농양(多發性皮下膿瘍)을 말한다.

육부(六腑) 담(膽), 위(胃), 대장(大腸), 소장(小腸), 방광(膀胱), 삼초(三焦) 등 장기를 통틀어 이르는 말

육혈(衄血) 피가 많이 나오는 병증. 입과 코로 피가 나오는 것인데 심해지면 눈, 귀, 입, 코, 전음, 후음에서 동시에 피가 나온다. 혈열(血熱), 외상(外傷), 특히 비기(脾氣)가 몹시 허할 때 생긴다. 심한 것을 대뉵(大衄), 대뉵혈(大衄血)이라 한다.

은통(隱痛) 은은히 아픈 병증

음낭습양(陰囊濕痒) 음낭 또는 외음부 전체가 땀이 찬 듯 축축하고 냉하며 가려운 병증

음란퇴질(陰卵㿉疾) 고환이 붓는 병, 즉 고환이 붓고 아픈 산증(疝症)

음소증(陰消症) 진양(眞陽)이 부족하여 기(氣)가 액(液)으로 변화하지 못해 발생하며, 목이 말라 물을 많이 마시는 병. 소갈증(消渴症)이라고도 한다.

음식(陰蝕) 음부가 허는 병증. 외생식기가 헐어서 진물이 나오고 아프며 가렵기도 하여 소변이 방울방울 떨어지고 여자들에게는 벌겋거나 흰 이슬이 내린다. 음식창(陰蝕瘡)의 줄인 말이다.

음식침음(陰蝕浸淫) 음식창(陰蝕瘡)과 침음창(浸淫瘡)을 아우르는 말

음옹종독(陰癰腫毒) 생식기에 생긴 부스럼이 붓고 아픈 병증

음위증(陰痿症) 성욕은 있으나 음경이 제대로 발기되지 않는 병증. 양위증(陽痿症), 발기부전(勃起不全), 양사불거(陽事不擧)라고도 한다.

음저담핵(陰疽痰核) 생식기에 생긴 부스럼에 멍울이 생기는 병증. 음저담괴(陰疽痰塊)라고도 한다.

음저유주(陰疽流注) 생식기에 생긴 부스럼이 여기저기 옮다가 한곳에 머무는 병증

음퇴(陰㿉) 자궁이 정상 위치로부터 아래쪽으로 내려온 병. 음연(陰挺), 음탈(陰脫), 자궁탈(子宮脫), 음퇴(陰癀)라고도 한다.

음허폐로(陰虛肺勞) 음이 허하여 폐가 허손(虛損)되고 기침과 가래가 나오며 숨이 차는 병증

이격(泥膈) 가슴이 막히는 병증

이급후중(裏急後重) 대변을 보고 싶으나 시원하게 나오지도 않고 항문이 묵직하게 느껴지는 증상

이기개울(理氣開鬱) 기체(氣滯), 기역(氣逆, 기가 치밀어오르는 것), 기허증(氣虛症)을 개선하여 울체된 기(氣)를 잘 통하게 하는 효능

이담(利膽) 간장 및 담관에 작용하여 쓸개물의 생성에 기여하거나 배설을 촉진하는 작용

이명(耳鳴) 외부로부터 특별한 청각적 자극이 없는 상황에서 귀나 머릿속에서 울리는 소리가 들린다고 느끼는 병증

이수(羸瘦) 파리하고 수척한 병증

이수삽장(利水澁腸) 소변을 잘 보게 하여 설사를 멎게 하는 효능

이수통림(利水通淋) 하초에 습열이 몰려서 생긴 임증(淋症, 소변이 시원하지 않고 탁하게 나오는 병증)을 치료하는 것

이습지혈(利濕止血) 하초에 몰린 습(濕)을 제거하여 지혈시키는 것

이질(痢疾) 배가 아프고 속이 켕기면서 뒤가 묵직하고 피고름이 섞인 대변을 보는 증상

익창(嗌瘡) 목구멍에 생기는 창(瘡)

익창(䘌瘡) 벌레가 파먹은 것처럼 파이는 헌데를 말하며, 대개 항문이나 외음부에 생기는 병증

인후염(咽喉炎) 목구멍 뒤쪽에 위치한 인두에 발생하는 염증

임신구토(妊娠嘔吐) 임신 중에 극심하고 지속적인 메스꺼움과 구토가 일어나는 병증

임질(淋疾) 소변을 자주 보려고 하나 잘 나오지 않고 방울방울 떨어지면서 요도와 아랫배가 당기고 아픈 증상. 임병(淋病), 임증(淋症)이라고도 한다.

임탁(淋濁) 소변을 볼 때 음경 속이 아프고 멀건 고름 같은 것이 나오고 역한 냄새가 나는 병증

ㅈ

자궁염(子宮炎) 자궁경부를 제외한 자궁의 염증성 질환

자궁탈수(子宮脫垂) 자궁이 정상 위치로부터 아래쪽으로 내려온 병증으로, 자궁탈출(子宮脫出), 음탈(陰脫)이라고도 한다.

자복(刺服) 수마자복(水磨刺服)의 준말로, 물을 넣고 갈아서 본액제(本液劑)에 타서 먹는다는 말

자충독(蟅蟲毒) 바퀴벌레의 독

자풍(刺風) 풍한(風寒)이 맺히고 정체되어 열이 나므로 온몸이 바늘로 찌르는 듯이 아픈 병증

자한(自汗) 깨어 있을 때 저절로 나는 땀. 폐기(肺氣)가 허약하고 위양(衛陽, 피부에 분포된 양기)이 약할 때 일어나는 병증

자한기단(自汗氣短) 폐기와 위양이 허약하여 땀이 저절로 나고, 숨 쉬는 것이 힘이 없으면서 얕게 쉬고 숨이 차는 병증. 기소(氣少)라고도 한다.

자현(子懸) 임신 때 태기가 조화되지 못하고 위로 치밀어 가슴이 부어오르는 것처럼 아픈 병증. 태기상핍(胎氣上逼), 태상핍심(胎上逼心), 태기상역(胎氣上逆)이라고도 한다.

작맹(雀盲) 밤눈이 어두운 병. 작목(雀目), 야맹증(夜盲症)이라고도 한다.

장벽하리(腸澼下痢) 끈적끈적하면서 콧물이나 고름 같은 점액변(粘液便)을 배출하고, 배가 아프며 때때로 대변을 보고 싶으나 시원하게 나오지도 않고 항문이 묵직하게 느껴지는 증상이 있는 이질

장옹(腸癰) 종기가 장(腸)에 생기는 병증으로, 좁은 의미로 맹장염을 말한다.

장풍하혈(腸風下血) 치질로 인하여 피가 흘러나오는 병증. 장풍변혈(腸風便血)이라고도 한다.

장학(瘴瘧) 덥고 습한 지역에서 생기는 학질로 발작할 때 정신이 혼미해지고 헛소리를 하거나 말을 못하는 병증

저루(疽瘻) 옹저(癰疽)와 서루(鼠瘻)를 아우르는 말

저창(疽瘡) 등에 난 종기

저혈압(低血壓) 체순환의 동맥에서 혈압 수준이 정상 범위를 크게 밑도는 상태를 말한다.

적대하(赤帶下) 여성의 질에서 붉은색의 점액성 물질이 나오는 증상

전근(轉筋) 갑자기 토하고 설사하며 탈수 현상이 발생하거나, 경련이 일어나서 팔다리가 뒤틀리고 오그라지는 병증

전립선염(前立腺炎) 정액의 액체 성분 중 약 3분의 1을 만들어 내는 성 부속 기관인 전립선에 염증이 생긴 것을 말한다.

전시(傳尸) 상호 전염되는 소모성 질환

전시노채(傳尸勞瘵) 폐결핵(肺結核)

절종(癤腫) 부스럼으로 환부가 붓는 증상

점지(點痣) 사마귀를 없앰.

정맥류(靜脈瘤) 정맥벽 일부가 얇아지고 그곳이 팽창함으로써 발병하는 질환이다.

정맥염(靜脈炎) 정맥벽에 생기는 염증으로, 종종 혈전에 의한 것이 나타나므로 혈전성정맥염이라고도 한다.

정이(聤耳) 귀에서 황색의 고름이 나오는 병

정장(整腸) 장의 전반적인 기능을 좋게 해 주며, 유해 세균의 번식이 억제되는 것을 말한다.

정창(疔瘡) 부스럼의 하나로 작고 단단한 뿌리가 쇠못처럼 깊이 배겨 있는 병증. 비창(疕瘡), 자창(疵瘡)이라고도 한다.

정창옹종(疔瘡癰腫) 부스럼이 피부 깊이 있으며 붓고 아픈 병증

정혈(精血) 정(精)과 혈(血)을 합하여 이르는 말. 정과 혈은 모두 음식에서 생기는데, 정혈의 상태는 사람의 건강 상태를 가늠하는 지표가 된다.

제습통림(除濕通淋) 수습(水濕)을 제거하여 임증(淋症)을 낫게 하는 효능

조백(早白) 젊은 사람의 흰머리. 새치 또는 반백의 머리카락을 이르는 말. 산발(蒜髮), 산발(散髮), 선발(宣髮)이라고도 한다.

조열(潮熱) 오후나 밤에는 열이 올랐다가 새벽에는 내렸다 하는 병증. 실증(實症) 때는 번갈증이 있고 대변은 굳으며 배가 그득하고 아프며, 허증(虛症) 때는 손발바닥이 달아오르며 식은땀이 나고 가슴이 답답하며 불면증이 있다.

종기(腫氣) 피하 감염으로 인하여 고름이 생기는 피부 질환

종독(腫毒) 종기가 그 독성 때문에 점점 커지면서 고름집이 생기는 병증

종양(腫瘍) 창양(瘡瘍)이 곪기 전에 부어오르는 병증. 몸에 생긴 이상 조직이 증식된 것을 악성종양(惡性腫瘍) 또는 양성종양(陽性腫瘍)이라 한다.

좌골신경통(坐骨神經痛) 허리디스크나 척추관협착증 등 척추 질환이 있는 사람이 엉덩이와 다리까지 아프면서 앉아 있기조차 어려운 증상

주기(疰氣) 전염병. 귀주(鬼疰)의 기운

주사(酒齇) 면사(面䵟)와 같은 말

주색(駐色) 주안색(駐顔色)의 준말로 얼굴이 늙지 않고 그대로 있다는 말. 주안(駐顔)이라고도 한다.

주오(疰忤) 중풍(中風)의 하나로 몸에 나쁜 기운이 침입하여 손발이 차고 머리가 아프며 어지러운 증상. 심하면 강직성 경련이 일어나 입을 벌리지 못하고 먹지도 못하는 병증

주황(酒黃) 황달의 하나로 술을 지나치게 마셔 비위(脾胃)가 상하여 습열(濕熱)이 중초(中焦)에 몰려서 담즙 배설의 장애로 생기는 병증

중악(中惡) 중풍(中風)의 하나로 나쁜 기운에 감촉되어 생기는 병증

중초(中焦) 삼초(三焦)의 하나로 횡격막 아래에서 배꼽까지의 부위를 말한다.

지대축뇨(止帶縮尿) 정기(精氣)를 북돋아 대하(帶下)를 멈추게 하고 빈뇨(頻尿)를 낫게 하는 효능

지체마목(肢體麻木) 풍한사(風寒邪)가 몸에 들어와 몸과 팔다리가 아프고 뻣뻣한 병증

지체편고(肢體偏枯) 중풍으로 한쪽 팔다리를 쓰지 못하는 병증. 반신불수(半身不隨)라고도 한다.

지해평천(止咳平喘) 기침을 멈추게 하고 숨찬 증상을 치료하는 것

지혈생기(止血生肌) 출혈을 멎게 하고 새살을 돋아나게 하는 효능

징가(癥瘕) 주로 여자에게 빈발하는 배 안의 덩어리를 말한다. 덩어리가 고정되어 이동하지 않는 것을 징(癥)이라 하고, 덩어리가 있으나 밀면 이동하는 것을 가(瘕)라고 한다.

징가현벽(癥瘕痃癖) 배 안의 덩어리와 배꼽 부위의 한쪽이나 옆구리에 근육이 불거지고 당기면서 통증이 발생하는 증상. 징벽(癥癖)이라고도 한다.

징괴(癥塊) 사기(邪氣)가 몰린 병증으로, 징결(癥結)이라고도 한다.

ㅊ

착음(着陰) 외음부나 항문에 악성피부병이 발생하는 것

창선(瘡癬) 피부 겉면이 헤지지 않고 메마르는 피부병. 선창(癬瘡)이라고도 한다.

창양(瘡瘍) 몸 밖에 생기는 여러 가지 외과적 질병과 피부병

창양궤란(瘡瘍潰爛) 피부병으로 인하여 환부가 심하게 짓무르는 병증. 창독궤란(瘡毒潰爛)이라고도 한다.

창양종독(瘡瘍腫毒) 피부에 생기는 질환이 그 독성 때문에 점점 커지면서 고름집이 생기는 병증. 창독(瘡毒)이라고도 한다.

창양종통(瘡瘍腫痛) 피부에 생기는 질환으로 붓고 아픈 병증

창절(瘡癤) 피부에 얕게 생기는 부스럼. 창옹(瘡癰)이라고도 한다.

천식(喘息) 호흡 곤란을 일으키는 염증성 기도 폐쇄 질환이다.

천조풍(天弔風) 심폐(心肺)에 열이 쌓여서 생기는 소아경풍(小兒驚風)

청리습열(淸利濕熱) 소변을 잘 보게 하여 습열을 제거하는 효능

청맹(靑盲) 겉으로 보기에는 눈이 멀쩡하나 앞을 보지 못하는 눈. 청맹과니, 당달봉사라고도 한다.

청맹예장(靑盲翳障) 겉으로는 눈에 아무런 변화가 없어 보이나 수정체가 흐려지는 병증

청열이습(淸熱利濕) 하초(下焦)의 습열증을 치료하는 방법. 하초 습열증은 아랫배가 갑자기 불러 오고 오줌이 뿌옇거나 붉으면서 잘 나오지 않는 병증을 말한다.

청열지리(淸熱止痢)　혈분의 사열(邪熱)을 없애 이질을 멈추게 하는 효능

청열투표(淸熱透表)　혈분의 사열(邪熱)을 밖으로 내보내는 효능. 청열투사(淸熱透邪)라고도 한다.

청열해독(淸熱解毒)　열독이 몰려서 생긴 질병과 온역(溫疫)을 치료하는 것

청열해표(淸熱解表)　열이 몹시 나고 속이 달아오르며, 갈증이 심하고 한풍(寒風)을 싫어하며, 오줌이 누렇고 맥이 빨리 뛰는 등 열병과 표증을 치료하는 방법

청열화반(淸熱化斑)　열독을 없애서 출혈반(出血斑)을 낫게 하는 효능

초사각약(稍似脚弱)　다리가 약간 약해지는 병증

최창통(催瘡痛)　종기가 곪지 않아 아픔이 심할 때, 빨리 곪아 터지게 하는 일

추장도벽(推牆倒壁)　장벽을 밀어서 넘어뜨린다는 뜻으로, 약성이 강렬함을 말한다.

추진치신(推陳致新)　묵은 것은 밀어내고 새것을 만들어 내는 것으로, 신진대사를 뜻한다.

추철(推掣)　팔다리의 근육이 오그라들어 잡아당기는 증상

축농증(蓄膿症)　코가 막히고 골치가 아프며 머리가 무겁고 숨쉬기가 어려운 증상으로, 심하면 코에서 냄새가 나는 병증

충독(蟲毒)　벌레의 독이나 벌레에 물려서 생긴 독

췌자(贅子)　모든 혹이나 군살을 통틀어서 이르는 말

치닉(齒䘌)　치아가 썩고 고름이 나며 입에서 냄새가 나는 병증

치루(痔漏)　치핵(痔核)이 이미 터진 것을 말한다.

치매(癡呆)　인지 기능의 손상 및 인격의 변화가 일어나는 질환. 기억력과 사고력이 점차 감퇴하여 일상적인 생활에 영향을 줄 수 있는 뇌 손상을 의미한다.

치창하혈(痔瘡下血)　치질이 심하여 피가 흘러나오는 증상

칠상(七傷)　남자의 신기(腎氣)가 허약하여 생기는 일곱 가지 증상. 음부가 찬 것, 음경이 발기되지 않는 것, 뱃속이 당기는 것, 정액이 저절로 흐르는 것, 정액이 적은 것, 정액이 희박한 것, 오줌이 잦은 것을 말한다.

칠창(漆瘡)　옻독에 의하여 생기는 피부병

침음개소(浸淫疥瘙)　침음창(浸淫瘡)이나 옴으로 피부를 긁어서 헌 것

침음창(浸淫瘡)　급성 습진의 하나. 처음에는 조그맣게 헐어서 매우 가렵고 아프다가 점차 퍼지면서 살이 짓무르는 피부병

ㅌ

타애특(打呃忒)　애역(呃逆, 딸꾹질)과 같은 뜻으로 쓰인다.

타태(墮胎)　반산(半産). 임신 3개월 이후에 유산되는 것을 말한다.

타혈(唾血)　침에 피가 섞여 나오는 병증. 타뉵(唾衄)이라고도 한다.

탁음불강(濁陰不降)　음식물의 소화, 흡수, 배설이 순조롭지 못한 병증

탁저(濁疽)　무릎 옆의 양관혈(陽關穴) 부위가 아프고 붓는 증상

탄탄(癱瘓)　중풍으로 팔다리를 쓰지 못하는 병증

탈모증(脫毛症)　머리카락은 혈(血)의 끝부분이며 그것의 영양분으로 유지되는데, 혈이 제대로 공급되지 못하여 야기되는 병증

탈저(脫疽)　발가락이나 손가락이 헐어서 떨어지는 병증으로, 탈옹(脫癰), 탈골저(脫骨疽)라고도 한다.

탈항(脫肛)　내치핵(內痔核)이 심해서 밖으로 밀려나오는 병증

탕련(蕩鍊)　더러운 것을 없애고 깨끗하게 함.

탕포(燙炮)　약재를 끓는 물에 잠깐 담갔다가 건져내는 것으로 살구씨(행인), 복숭아씨(도인), 까치콩(백편두)의 속껍질을 벗길 때 사용한다.

탕화창(湯火瘡)　끓는 물에 덴 상처. 탕화상(燙火傷)이라고도 한다.

태구(胎垢)　설태(舌苔)라고도 하며, 혀이끼를 말한다.

태동불안(胎動不安)　임신 중에 자주 태(胎)가 움직여 아래로 떨어지는 듯하고 허리가 쑤시고 배가 아프며 음도에서 적은 양의 하혈(下血)을 하는 것

태루하혈(胎漏下血)　임신부가 아랫배에 통증은 없으나 자궁출혈이 있는 병증. 태루(胎漏), 누태(漏胎), 포루(胞漏), 누포(漏胞)

라고도 한다.

토롱설(吐弄舌) 병적으로 혀를 입 밖으로 내밀거나 좌우로 놀리는 것을 말한다.

토초(土炒) 진흙을 가마에 넣고 뜨겁게 달군 데다 약재를 넣고 잘 저어 주면서 볶는 것

통림지해(通淋止咳) 하초에 습열이 몰려서 오줌이 잘 나오지 않고 맑지 않으며 아랫배가 아픈 것을 없애고 기침을 그치게 하는 치료

통풍(痛風) 요산이 체내에 축적되어 생기는 병. 관절의 연골, 힘줄 주위 조직에 날카로운 형태의 요산 결정이 침착되어 조직들의 염증 반응을 일으키고 심한 통증을 유발한다.

퇴산(瘣疝) 고환이 붓는 병을 통틀어 이르는 말. 퇴산(癩疝)이라고도 한다.

투진(透疹) 발진을 잘 돋게 하는 방법

팅크제 약재를 에탄올로 우린 액 또는 약재의 추출물을 에탄올 용액에 풀어서 만든다.

ㅍ

파라풍(婆羅風) 뇌풍(腦風)이라고도 하며, 문둥병을 말한다.

파상풍(破傷風) 상처로 들어간 파상풍균이 증식하여 일으키는 급성 전염병

파어(破瘀) 파혈(破血)이라고도 하며, 어혈(瘀血)을 없앤다는 뜻이다.

파어소징(破瘀消癥) 뱃속에 어혈이 몰려서 생긴 징가(癥瘕)를 없애는 것

팔법(八法) 8가지 치료법. 보(補), 한(汗), 토(吐), 하(下), 화(和), 온(溫), 청(淸), 소(消) 법을 말한다.

패자(敗疵) 옆구리에 난 헌데를 말한다. 여자들에게서 볼 수 있는 옹저(癰疽)의 하나이다.

패저(敗疽) 악성의 종기가 헌 것

패혈충심(敗血冲心) 출산한 뒤 오로(惡露)가 시원하게 나오지 않아 심(心)에 영향을 주어 헛소리를 하는 병증

팽형(膨脝) 고창(鼓脹)과 같은 뜻으로, 배가 불러오면서 그득하고 단단하여 속이 비어 있는 듯한 병증

편고(偏枯) 중풍발작 후에 반신을 쓰지 못하며 점차 병난 쪽 살이 빠지며 여위고 눈과 입이 비뚤어지는 병증

편도선염(扁桃腺炎) 염증 때문에 편도가 아픈 병을 말한다. 일반적으로 편도염이라고 하면 구개편도염을 말한다.

편두통(偏頭痛) 머리 한쪽이 아픈 병증으로 변두풍(邊頭風), 변두통(邊頭痛)이라고도 한다. 통증 부위에 따라 전두통(前頭痛), 후두통(後頭痛), 편두통(偏頭痛), 두정통(頭頂痛)으로 구분할 수 있다.

평간식풍(平肝熄風) 간화(肝火)가 성하여 생긴 풍증(風症)을 없애는 효능. 사화식풍(瀉火熄風)이라고도 한다.

평간잠양(平肝潛陽) 간양(肝陽)이 성하여 머리가 아프고 어지러운 것을 없애는 효능

평간진경(平肝鎭驚) 간화(肝火)가 성하여 생긴 풍증(風症)을 제거하여, 의식을 잃고 경련이 나는 것을 잡아 주는 효능

폐결핵(肺結核) 결핵균에 의해 폐장이 감염되어 발생하는 병으로 기침과 가래가 심하다.

폐경(閉經) 경수단절(經水斷絕)이라고도 하며, 생리적으로 월경이 없어지는 것을 말한다.

폐괴(廢壞) 신체의 일부가 결손(缺損)되어 불구가 된 것

폐기상역(肺氣上逆) 폐기가 위로 치밀어 오르는 것, 숨이 차고 기침이 나며 가래가 많고 가슴이 그득한 병증

폐기종(肺氣腫) 폐를 이루고 있는 허파꽈리가 파괴되어 산소 접촉 표면적이 줄어들고 폐의 탄력성이 저하되어 기도 폐쇄를 일으키는 질환이다.

폐렴(肺炎) 폐에 염증이 일어나는 것을 말한다. 원인으로는 세균을 통한 감염이 가장 많으며, 바이러스, 균류 또는 기타 미생물도 원인이 될 수 있다.

폐로토혈(肺癆吐血) 폐가 허손되어 기침을 하면서 피를 토하는 병증. 폐로해혈(肺癆咳血)이라고도 한다.

폐열해수(肺熱咳嗽) 열사(熱邪)가 폐에 침범하여 기침을 하며 숨이 차고 피가래가 나오는 병증

폐옹(肺癰) 폐에 농양이 생기는 병증

폐음허(肺陰虛) 폐음부족이라고도 하며, 오후마다 열이 나고 뺨이 붉어지며 식은땀이 나고 입안과 목 안이 마른다.

폐조해수(肺燥咳嗽) 조사(燥邪)가 폐에 침범하여 마른기침을 하는 병증. 폐조간해(肺燥干咳)라고도 한다.

폐풍창(肺風瘡) 코끝이 붉게 되는 병증. 주사비(酒齄鼻)라고도 한다.

포설(胞舌) 혀가 부어오르는 병증

포의불하(胞衣不下) 태아가 나온 후 시간이 경과해도 태반이 나오지 않는 병증. 포의불출, 태의불출이라고도 한다.

풍진(風疹) 풍사(風邪)가 침입하여 발진을 일으키는 병증

풍진소양(風疹瘙痒) 풍사(風邪)가 침입하여 발진(發疹)을 일으키며 몹시 가려운 병증

표사(表邪) 몸의 겉부분에 있는 나쁜 기운

표저(瘭疽) 손가락이나 발가락이 허는 병증

풍경(風痙) 풍사(風邪)로 갑자기 넘어지며 온몸이 경직되고 이를 악무는 등의 발작이 반복적으로 나타나는 병증

풍담두통(風痰頭痛) 풍담이 머리에 몰려 생기는 병증. 두통이 나고 어지러우면서 가슴이 답답한 병증

풍독종(風毒腫) 풍독(風毒)으로 생기는 종기(腫氣)

풍라(風癩) 팔다리 관절의 마디마다 아프고 오래되면 관절이 붓고 피부가 마르며 마비가 오는 병증. 류머티스성관절염과 비슷한 증세이다.

풍로종통(風露腫痛) 종기(腫氣)에 바람이 들어가 붓고 아픈 것

풍사타예(風邪嚲曳) 바람으로 인해 갑자기 졸도하여 정신이 혼미하며 깨어나지 못하고 손발이 당기면서 경련을 일으키고 흰 거품을 토하는 증상. 타예풍(嚲曳風)이라고도 한다.

풍수종(風水腫) 풍사(風邪)로 인해 몸이 붓는 증상

풍습근골통(風濕筋骨痛) 풍습사(風濕邪)가 근육과 뼈에 침입하여 저리고 아픈 증상

풍습마목(風濕麻木) 풍습사(風濕邪)가 몸에 침입하여 팔다리가 나무처럼 뻣뻣하고 아픈 증상

풍습비통(風濕痺痛) 풍습사(風濕邪)가 몸에 침입하여 팔다리가 저리고 아프며 잘 쓰지 못하는 병. 풍습통(風濕痛), 풍습비(風濕痺), 풍비(風痺)라고도 한다.

풍습성관절염(風濕性關節炎) 풍습사(風濕邪)가 관절에 침입, 염증을 일으켜 아픈 증상

풍양(風痒) 풍사(風邪)가 몸에 침입하여 피부가 가려운 병증

풍열감모(風熱感冒) 풍사(風邪)와 열사(熱邪)가 겹친 것으로, 열이 심하고 오한은 약하며 기침과 갈증이 나고 혀가 붉어지며 혀에 누런 태가 끼고 맥이 부삭(浮數)한 증상

풍열두통(風熱頭痛) 풍사(風邪)와 열사(熱邪)가 위로 치밀어서 머리가 뻐근하고 아프며 콧물이 나오는 병증

풍진소양(風疹瘙瘍) 풍사(風邪)로 생기는 발진에 의하여 피부가 붓고 가려운 병증

풍진습양(風疹濕瘍) 풍사(風邪)로 생기는 발진으로, 홍역과 비슷한 급성 전염병

풍증(風症) 풍사(風邪)가 원인이 되어 발생하는 병증

풍창(風瘡) 피부병의 하나로 옴, 즉 개창(疥瘡)을 말한다.

풍한두통(風寒頭痛) 풍한사(風寒邪)가 경맥에 침입하는 병증. 오한이 나고 머리와 목덜미가 아프며 콧물이 난다.

풍한습비(風寒濕痺) 바람(風), 추위(寒), 습기(濕氣)의 3가지 나쁜 기운이 몸에 침입하여 팔다리가 아프거나 마비되는 병증

풍한현훈(風寒眩暈) 풍사(風邪)로 인하여 생기는 현기증으로 목덜미가 뻣뻣해지고 구역질을 하는 병증

풍화아통(風火牙痛) 열병으로 치주염이 생겨 몹시 아픈 병증

피부궤양(皮膚潰瘍) 염증으로 인해 상피가 탈락하여 조직 표면이 국소적으로 결손되거나 함몰되는 병증

피부마목(皮膚麻木) 풍한사(風寒邪)가 몸에 들어와 피부에 윤기가 없고 뻣뻣한 병증

ㅎ

하감(下疳) 매독으로 외생식기가 헐고 좁쌀 같은 구진이 생기는 병증. 입술, 젖가슴, 눈꺼풀, 항문 주위에도 생길 수 있다.

하돈중독(河豚中毒) 복어 중독을 말한다.

하부닉(下部䘌) 하부닉창(下部䘌瘡)의 준말로, 익창(䘌瘡)이라고도 한다.

하초(下焦) 삼초(三焦)의 하나로, 배꼽에서 전음(前陰)·후음(後陰)까지의 부위를 말한다.

하초열격(下焦噎膈) 하초 난문(蘭門, 배꼽 위) 부위가 말라 아침에 먹은 것을 저녁에 게우고 저녁에 먹은 것을 아침에 게우는 병증

하혈(下血) 변혈이나 자궁출혈을 말한다.

학모(瘧母) 학질에 걸린 어린아이의 비장(脾臟)이 커져서 뱃속에 덩어리가 생기는 병증

학슬풍담(鶴膝風痰) 무릎이 아프고 부으며 여위어 가는 병증. 학슬풍(鶴膝風)이라고도 한다.

한담(寒痰) 담병(痰病)의 하나로, 팔다리가 차고 마비되며 근육이 쑤시고 아픈 병증

한산복통(寒疝腹痛) 음낭이 차며 붓고 배가 아픈 병증

한습곤비(寒濕困脾) 한습이 비(脾)에 침입하여 생기는 병증. 음식 맛이 없어지며 메스꺼움과 구역질이 자주 난다.

한습비(寒濕痹) 차고 습한 기운으로 인하여 관절이 아프거나 손발에 마비가 오는 병증

한율고함(寒慄鼓頷) 학질에 걸렸을 때 온몸을 떨면서 이를 맞부딪치는 병증

한출오풍(汗出惡風) 땀이 나고 바람을 싫어하는 병증. 외사(外邪)를 받아 위분(衛分)을 상했을 때 생긴다.

항배강(項背强) 목덜미와 잔등이 당기면서 뻣뻣한 증상

해수객혈(咳嗽喀血) 기침이 심하여 피가 섞여 나오는 병증

해수기천(咳嗽氣喘) 기침이 심하고 숨찬 병증

해수담다(咳嗽痰多) 기침이 심하고 가래가 많은 병증

해수발휵(咳嗽發搐) 기침과 경련이 겹친 병증

해역단기(咳逆短氣) 기침을 하면서 숨이 찬 것을 말하며, 해역상기(咳逆上氣)와 비슷한 증상이다.

해주성비(解酒醒脾) 술을 지나치게 많이 마신 뒤 열이 나고 두통이 오며 번갈증이 오는 것에 비양(脾陽)을 보하는 효능

해표투진(解表透疹) 땀을 내게 하여 발진(發疹)이 잘 돋게 하는 효능

행혈활락(行血活絡) 혈(血)을 잘 돌게 하고 경락(經絡)을 잘 통하게 하는 치료법

향약(鄕藥) 과거에 중국에서 생산되는 약재를 당약(唐藥)이라 한 것에 대하여, 우리나라에서 나는 약재를 일컫는 용어

허란후풍(虛爛喉風) 목 안이 아프고 궤양이 생겨 목이 쉬는 병증

허로(虛勞) 몸의 정기와 기혈이 약해진 병증. 노손(勞損), 노겁(勞怯), 허손(虛損), 허손로상(虛損勞傷)이라고도 한다.

허로해혈(虛勞咳血) 입맛이 없고 살이 여위며, 팔다리에 힘이 없고 목구멍이 마르며, 가슴이 두근거리면서 기침을 하면 피와 가래가 나오는 병증

허열(虛熱) 몸이 허약하여 생긴 열

허천구해(虛喘久咳) 정기가 허해서 숨이 차고 기침을 오랜 기간 하는 병증

허풍내동(虛風內動) 음혈이 부족하여 풍(風)이 움직이는 병증

현기증(眩氣症) 어지러운 기운에 의하여 어질어질한 병증. 외감이나 내상으로 간(肝), 비(脾), 신(腎)의 기능 장애로 생긴다.

현벽(痃癖) 배꼽 부위와 갈비 아래에 덩어리 같은 것이 생긴 병증

현훈(眩暈) 외감이나 내상으로 간(肝), 비(脾), 신(腎)의 기능 장애로 오는 어지럼증. 현운(眩雲), 현기(眩氣), 두현(頭眩)이라고도 한다.

혈결흉(血結胸) 사열(邪熱)이 가슴 속으로 들어가 혈과 결합하여 생기는 결흉증으로, 가슴과 명치 밑이 그득하고 아프며 열이 나고 건망증이 생긴다.

혈괴(血塊) 몸 안에서 피가 혈관 밖으로 나와 응고된 덩어리

혈뇨(血尿) 소변에 비정상적인 양의 적혈구가 섞여 배설되는 것을 말한다.

혈림(血淋) 소변이 탁하고 피가 섞여 나오는 병증

혈수기함(血隨氣陷) 기가 허해서 아래로 피가 나오는 병증. 정신이 맑지 못하고 온몸이 노곤하며 출혈이 되기도 한다.

혈열(血熱) 사열(邪熱)이 피에 침입하여 열이 나는 증상

혈열망행(血熱妄行) 혈분에 열이 몹시 성하여 혈이 혈맥을 따라 제대로 순환하지 못하고 밖으로 나오는 것. 코피, 피오줌, 피똥을 누는 등 출혈 증상이 나타난다.

혈열발반(血熱發斑) 혈열로 살갗에 반점이 생기는 병증

혈전증(血栓症) 혈관 내에 혈전이 형성되어 순환계에 혈류가 폐색되는 병태를 말한다.

혈창(血瘡) 피부가 헐고 피가 흐르는 병증

혈허정충(血虛怔忡) 혈이 허하여 가슴이 몹시 두근거리는 병증

협륵창통(脇肋脹痛) 옆구리가 아프고 뻐근한 병증. 기담(氣痰)이 맥락을 막아서 생기거나 간음(肝陰)이 허하여 생긴다.

협심증(狹心症) 심근에 산소를 공급하는 관상동맥이 좁아져 갑작스럽게 통증을 느끼는 질환

홍국(紅麴) 멥쌀로 밥을 지어 누룩 가루를 섞고 뜬 다음에 볕에 말린 것. 약술을 담그는 데에 쓰는 일종의 누룩(神麴)

홍훈(紅暈) 붉은 반점이 마치 해 무리나 달무리처럼 둥근 테 모양을 나타낸 병증

화담개규(化痰開竅) 담(痰)이 성하여 정신이 혼미해진 것을 없애는 효능

화담소종(化痰消腫) 담(痰)을 삭이고 종기를 없애는 효능

화습지대(化濕止帶) 상초(上焦)나 표(表)에 있는 습(濕)을 없애서 대하를 멎게 하는 효능

화어지혈(化瘀止血) 어혈을 없애서 출혈을 멈추게 하는 효능

활혈소옹(活血消癰) 혈액 순환을 도와 부스럼을 낫게 하는 효능

활혈조경(活血調經) 혈액 순환을 도와 월경이 순조롭게 도와주는 효능

활혈지통(活血止痛) 피를 잘 돌게 하여 통증을 멎게 하는 효능. 활혈정통(活血定痛)이라고도 한다.

활혈통락(活血通絡) 혈액 순환을 도와 경락의 기능을 조화롭게 하는 효능

황달(黃疸) 몸과 눈, 오줌이 누렇게 되는 병증. 열사(熱邪)를 받거나 음식 섭취를 잘못했을 때 습열이나 한습이 중초에 몰려서 생긴다.

효천(哮喘) 목구멍에서 가래가 막혀 끓는 소리가 나며 숨이 차는 병증

효천담수(哮喘痰嗽) 목구멍에서 가래가 끓고 숨이 차며 가래와 기침이 나는 병증. 담수효천(痰嗽哮喘)이라고도 한다.

후비(喉痺) 갑자기 목이 쉬는 인후병의 통칭. 폐위(肺胃)에 열이 잠복해 있는 데에 사독(邪毒)이 침입하거나 풍담(風痰)이 위로 치밀어 올라 생기는 병증

휴식리(休息痢) 증상이 좋아졌다 나빠졌다 하면서 오래 끄는 이질

흉복창통(胸腹脹痛) 가슴과 배가 불러오르고 그득한 병증. 심하면 몸과 얼굴이 누렇게 되면서 붓기도 한다.

흉비심통(胸痺心痛) 가슴이 답답하고 아프고 마음이 괴로운 병증

흉협고만(胸脇苦滿) 가슴과 옆구리가 그득하고 괴로운 병증으로, 담화(痰火)가 가슴에 몰려서 생긴다. 흉협만민(胸脇滿悶)이라고도 한다.

흉협통(胸脇痛) 병사(病邪)가 몸에 침입하여 가슴과 옆구리가 아픈 증상

흑간(黑䵟) 피부에 생기는 기미

흑지(黑痣) 신경(腎經)의 탁한 기운이 피부에 울체되어 얼굴이 흑갈색으로 변하고 평평하게 융기하는데, 작은 것은 기장쌀만 하고 큰 것은 콩알만하며 때로 표면에 단단한 털이 난다. 면흑자(面黑子)라고도 한다.

흡흡(吸吸) 숨을 가쁘게 몰아쉬는 모양

식물 용어 도해

■ 꽃의 구조

● 쌍자엽식물

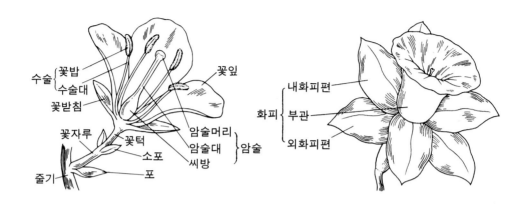

● 단자엽식물

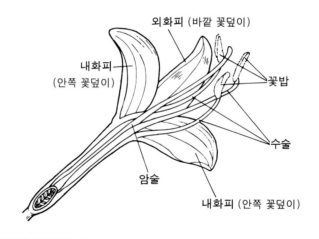

● 양성화   ● 단성화

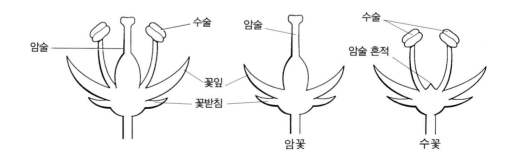

■ 수술의 종류

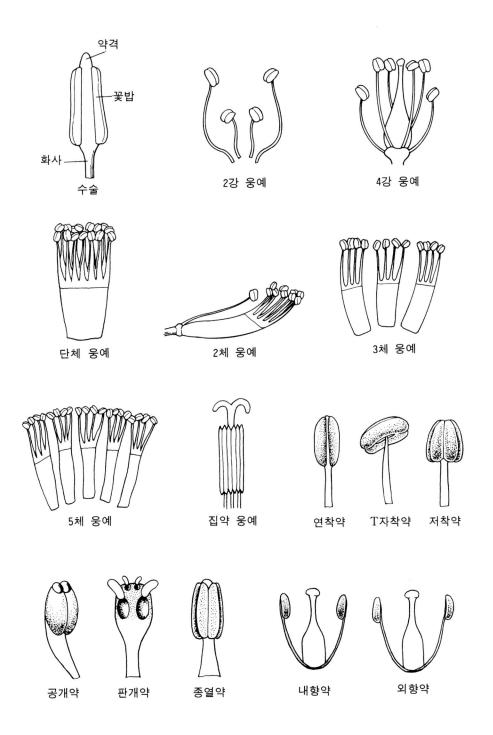

약격

꽃밥

화사

수술

2강 웅예

4강 웅예

단체 웅예

2체 웅예

3체 웅예

5체 웅예

집약 웅예

연착약

T자착약

저착약

공개약

판개약

종열약

내향약

외향약

■ 화서(꽃차례)의 종류

꽃자루

화축

총상화서(호생)
(섬까치수염)

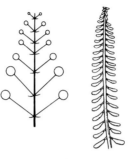

총상화서(대생)
(낭아)

이삭화서
(질경이)

원추화서
(붉나무)

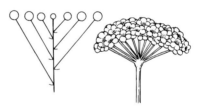

산방화서
(인가목조팝나무)

산형화서
(앵초)

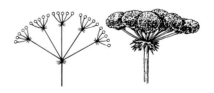

겹산형화서
(당근)

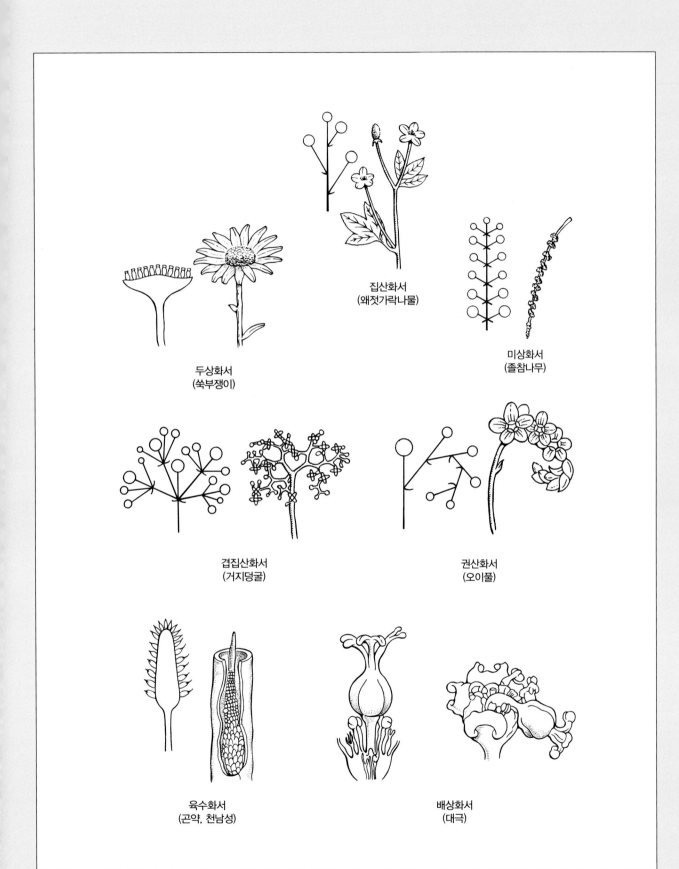

두상화서
(쑥부쟁이)

집산화서
(왜젓가락나물)

미상화서
(졸참나무)

겹집산화서
(거지덩굴)

권산화서
(오이풀)

육수화서
(곤약, 천남성)

배상화서
(대극)

■ 화관의 구조

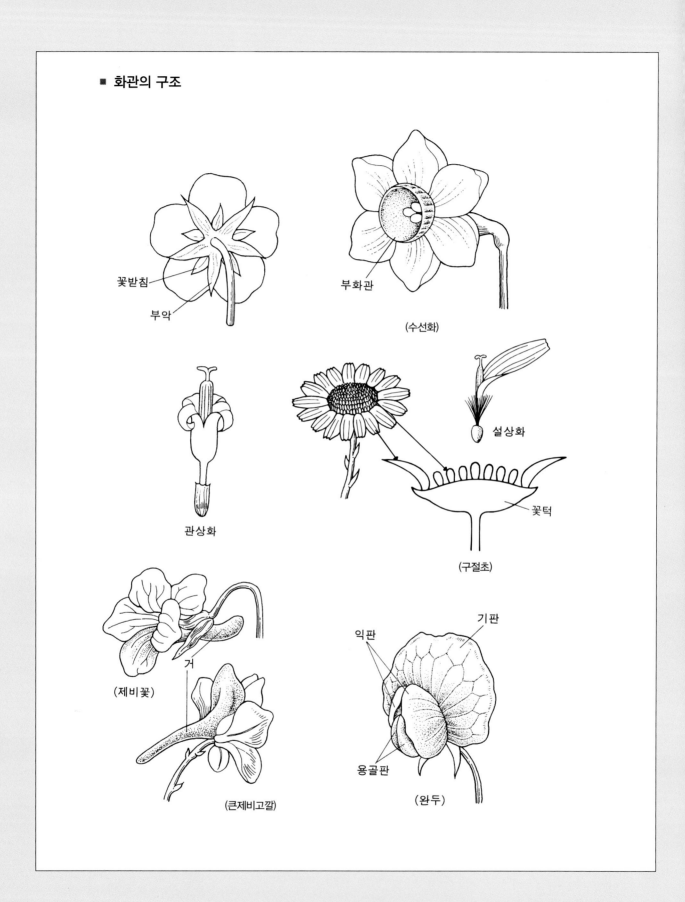

꽃받침

부악

부화관

(수선화)

관상화

설상화

꽃턱

(구절초)

거

(제비꽃)

(큰제비고깔)

기판

익판

용골판

(완두)

■ 잎의 구조

● 홑잎　　　　● 겹잎

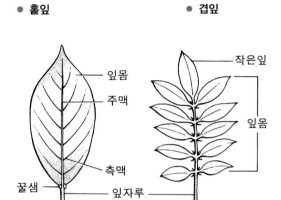

잎몸
주맥
측맥
꿀샘
잎자루
턱잎

작은잎
잎몸

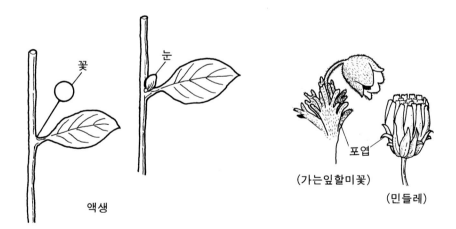

꽃
눈
액생

포엽
(가는잎할미꽃)
(민들레)

■ 잎의 모양

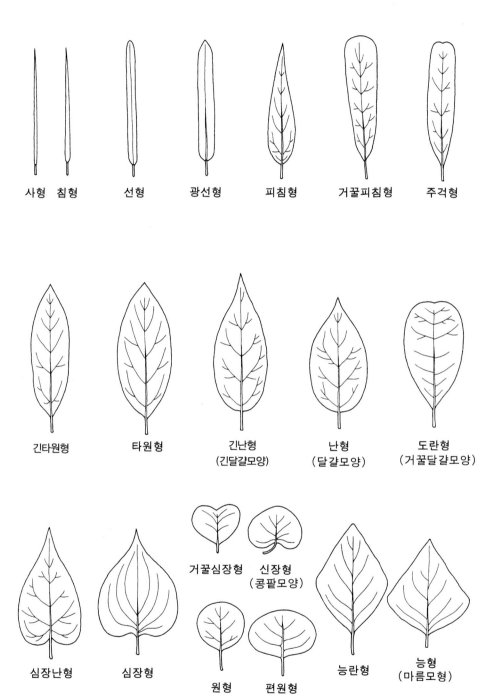

사형 침형　선형　광선형　피침형　거꿀피침형　주걱형

긴타원형　타원형　긴난형
(긴달걀모양)　난형
(달걀모양)　도란형
(거꿀달걀모양)

심장난형　심장형　거꿀심장형　신장형
(콩팥모양)　원형　편원형　능란형　능형
(마름모형)

■ 잎의 나기

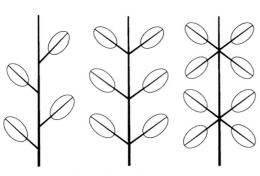

줄기잎

뿌리잎

어긋나기(호생)   마주나기(대생)   돌려나기(윤생)

■ 잎의 갈라지기

● 우상열

우상천열   우상중열   우상심열   우상전열   역우상분열 두대우상분열 빗치상열

● 장상열

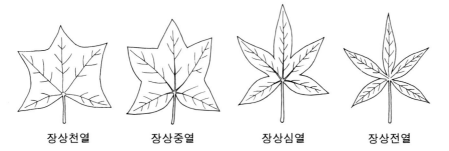

장상천열   장상중열   장상심열   장상전열

■ 가시와 털의 종류

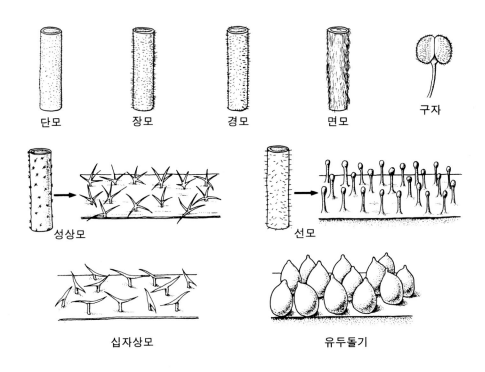

단모 장모 경모 면모 구자

성상모 선모

십자상모 유두돌기

■ 뿌리의 종류

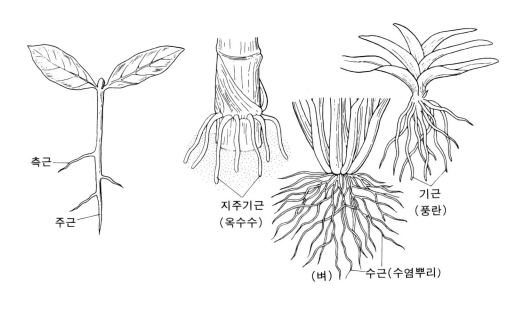

측근

주근

지주기근
(옥수수)

(벼)

수근(수염뿌리)

기근
(풍란)

■ 줄기의 구조

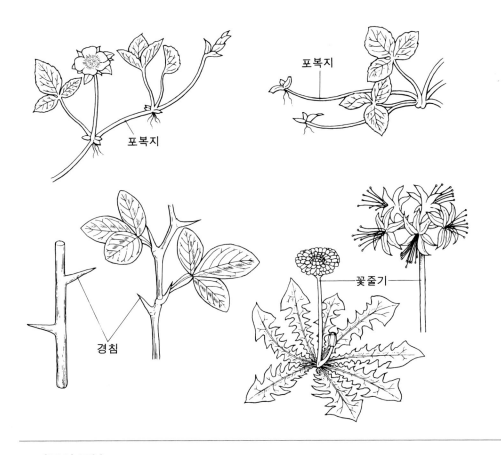

포복지

포복지

경침

꽃줄기

■ 나무의 구분

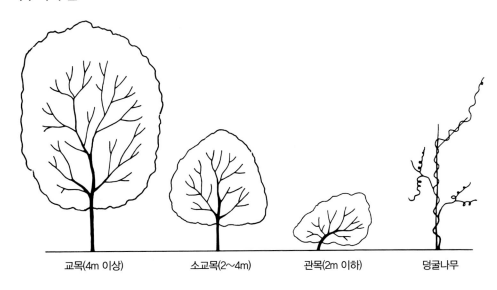

교목(4m 이상)   소교목(2~4m)   관목(2m 이하)   덩굴나무

■ 땅속줄기의 종류

● 뿌리줄기

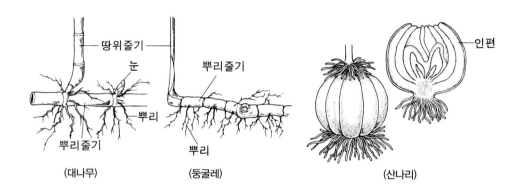

땅위줄기

눈

뿌리줄기

(대나무)

뿌리줄기

뿌리

뿌리

(둥굴레)

● 비늘줄기

인편

(산나리)

● 땅속줄기

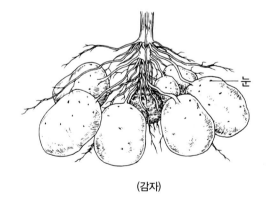

눈

(감자)

● 알줄기

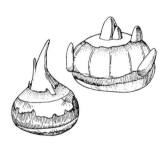

(글라디올러스)

■ **열매의 구조**

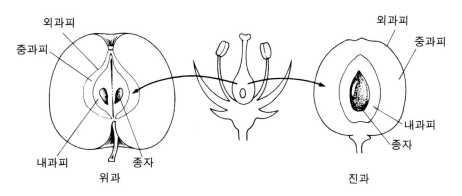

외과피
중과피
내과피
종자
위과

외과피
중과피
내과피
종자
진과

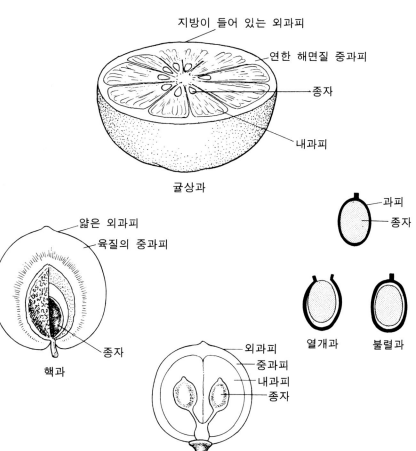

지방이 들어 있는 외과피
연한 해면질 중과피
종자
내과피
귤상과

얇은 외과피
육질의 중과피
종자
핵과

외과피
중과피
내과피
종자
익어도 벌어지지 않음

과피
종자

열개과   불렬과

■ 열매의 종류

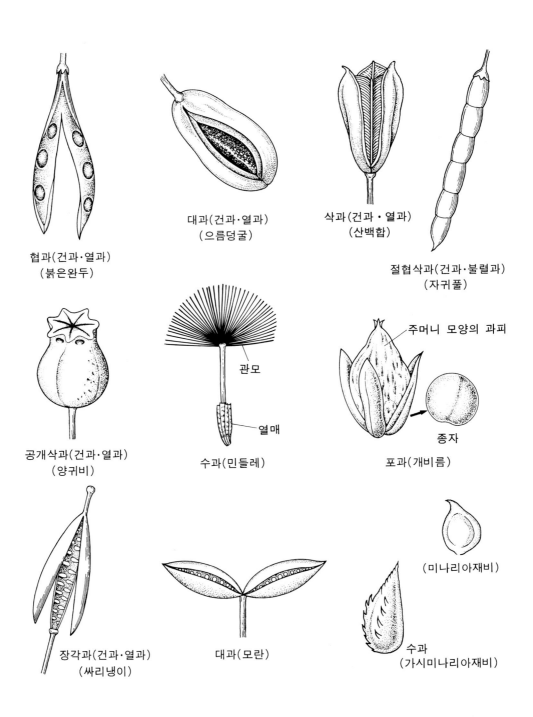

협과(건과·열과)
(붉은완두)

대과(건과·열과)
(으름덩굴)

삭과(건과·열과)
(산백합)

절협삭과(건과·불렬과)
(자귀풀)

공개삭과(건과·열과)
(양귀비)

관모

열매

수과(민들레)

주머니 모양의 과피

종자

포과(개비름)

장각과(건과·열과)
(싸리냉이)

대과(모란)

(미나리아재비)

수과
(가시미나리아재비)

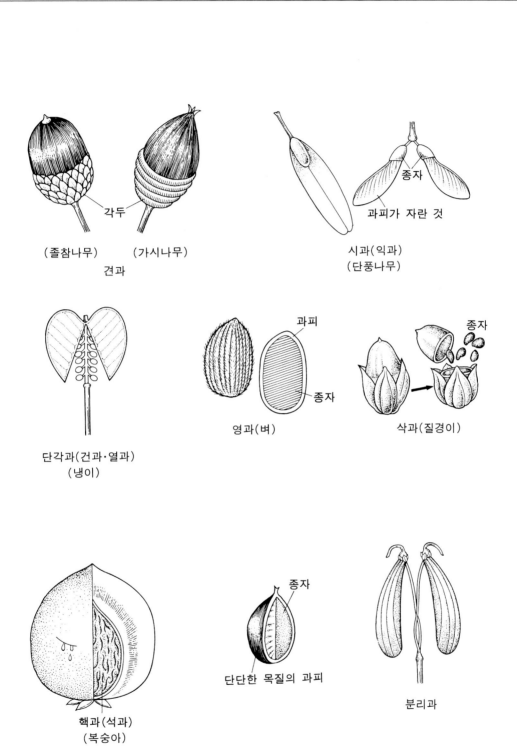

(졸참나무)　　　(가시나무)
견과

시과(익과)
(단풍나무)

종자
과피가 자란 것

단각과(건과·열과)
(냉이)

과피
종자
영과(벼)

종자
삭과(질경이)

핵과(석과)
(복숭아)

종자
단단한 목질의 과피

분리과

■ 양치식물의 구조

● 잎의 구조

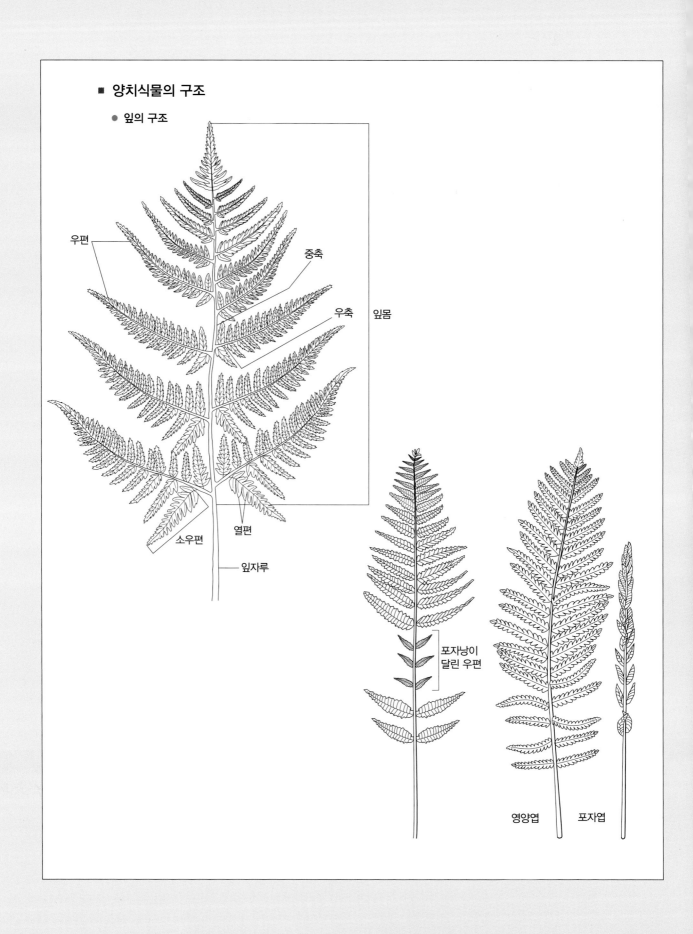

우편

중축

우축

잎몸

소우편

열편

잎자루

포자낭이
달린 우편

영양엽   포자엽

■ 해조류의 구조

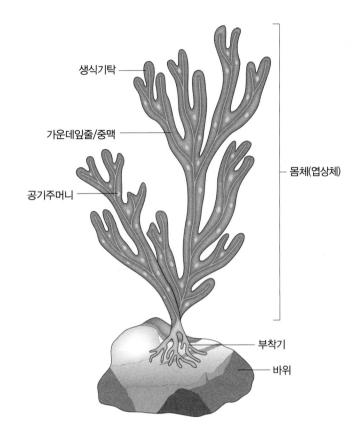

생식기탁

가운데잎줄/중맥

공기주머니

몸체(엽상체)

부착기

바위

■ 지의류의 구조

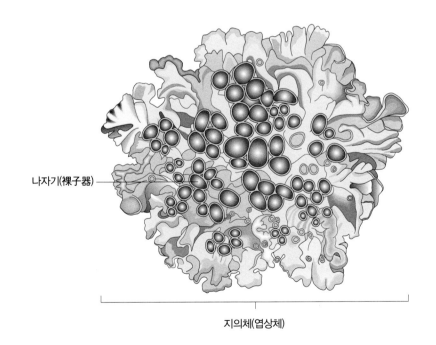

나자기(裸子器)

지의체(엽상체)

■ 선태식물의 구조

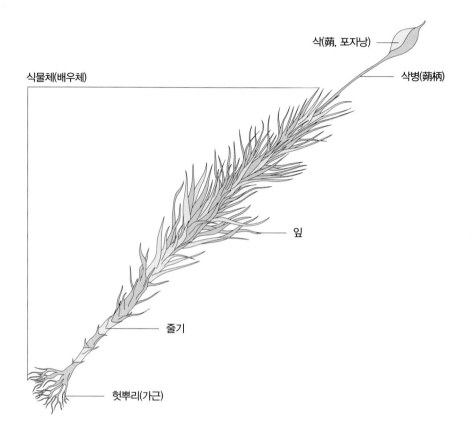

삭(蒴, 포자낭)

삭병(蒴柄)

식물체(배우체)

잎

줄기

헛뿌리(가근)

■ 버섯의 구조

● 담자균류

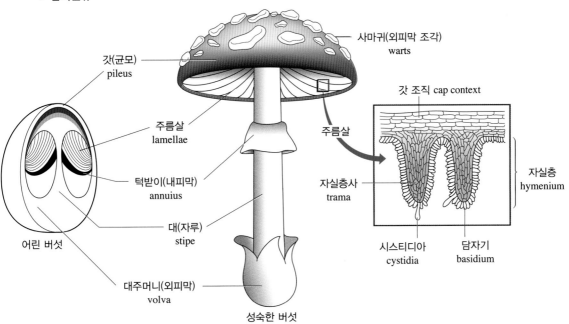

갓(균모)
pileus

사마귀(외피막 조각)
warts

갓 조직 cap context

주름살
lamellae

주름살

자실층
hymenium

턱받이(내피막)
annuius

자실층사
trama

대(자루)
stipe

시스티디아
cystidia

담자기
basidium

어린 버섯

대주머니(외피막)
volva

성숙한 버섯

● 자낭균류

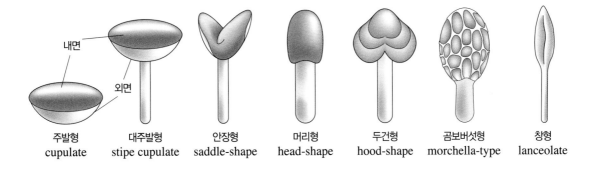

내면

외면

주발형
cupulate

대주발형
stipe cupulate

안장형
saddle-shape

머리형
head-shape

두건형
hood-shape

곰보버섯형
morchella-type

창형
lanceolate

천연약물명 찾아보기

학명 찾아보기

C

사진 자료

◉ I 권

128쪽 © Jason Hollinger [CC BY 2.0]

https://commons.wikimedia.org/wiki/File:Taxus_brevifolia_Blue_Mts_WA.jpg

131쪽 © El Grafo [CC BY-SA 4.0]

https://commons.wikimedia.org/wiki/File:Ephedra_equisetina_(Botanical_Gardens_Berlin).jpg

226쪽 © Yummifruitbat [CC BY-SA 2.5]

https://commons.wikimedia.org/wiki/File:Unk_desert_flower_2.jpg

366쪽 © Daderot [CC0]

https://commons.wikimedia.org/wiki/File:Chloranthus_elatior_(Chloranthus_officinalis)_-_Botanischer_Garten_-_Heidelberg,_Germany_-_DSC00940.jpg

387쪽 © Keisotyo [CC BY-SA 4.0]

https://commons.wikimedia.org/wiki/File:Schima_superba_ijyu01.jpg

468쪽 © Isidre blanc [CC BY-SA 4.0]

https://commons.wikimedia.org/wiki/File:CYDONIA_OBLONGA_-_AGUDA_-_IB-031_(Codonyer).JPG

488쪽 © Dr Russell Sharp, Lancaster Environment Centre, Lancaster University [CC BY-SA 3.0]

https://commons.wikimedia.org/wiki/File:Prunus_sapling.jpg

537쪽 © Vinayaraj [CC BY-SA 3.0]

https://commons.wikimedia.org/wiki/File:Bauhinia_corymbosa.jpg

557쪽 © Keisotyo [CC-BY-SA-3.0]

https://commons.wikimedia.org/wiki/File:Desmodium_podocarpum_oxyphyllum_nusubitohg01.jpg

622쪽 © Forest & Kim Starr [CC BY 3.0]

https://commons.wikimedia.org/wiki/File:Starr_001219-0089_Tribulus_cistoides.jpg

687쪽 © J. M. Garg [CC BY-SA 4.0]

https://commons.wikimedia.org/wiki/File:Lannea_coromandelica_(Wodier_Tree)_in_Hyderabad_W2_IMG_5634.jpg

734쪽 © Judgefloro [CC BY-SA 4.0]

https://commons.wikimedia.org/wiki/File:01827jfHappy_Meal_Toys_McDonalds_productsfvf_17.JPG

© Prenn [CC BY-SA 3.0]

https://commons.wikimedia.org/wiki/File:Corchorus_olitorius_(2).JPG

755쪽 © J. M. Garg [CC BY 3.0]

https://commons.wikimedia.org/wiki/File:Kanak_Champa_(Pterospermum_acerifolium)_in_Hyderabad_W_IMG_7126.jpg

816쪽 © Walter Siegmund [CC BY-SA 3.0]

https://commons.wikimedia.org/wiki/File:Circaea_alpina_6758.JPG

817쪽 © Qwert1234 [CC BY-SA 4.0]

https://commons.wikimedia.org/wiki/File:Circaea_mollis_6.JPG

846쪽 © Vinayaraj [CC BY-SA 3.0]

https://commons.wikimedia.org/wiki/File:Schefflera_venulosa_20a.JPG

957쪽 © Stan Shebs [CC BY-SA 3.0]

https://commons.wikimedia.org/wiki/File:Apocynum_cannabinum_5.jpg

참고 문헌

[본초학]

과학백과사전 종합출판사(1995). 동의학사전. 까치. 서울.

신용욱 등(2013). 약초 사진으로 보는 동의보감(탕액편). 도서출판 백초. 대구.

안덕균(2008). 한국본초도감. 교학사. 서울.

정보섭 등(1990). 향약(생약)대사전. 영림사. 서울.

주영승(2017). 운곡본초도감. 도서출판 우석. 전주.

한국생약교수협의회(1994). 본초학. 정담. 서울.

國家中醫藥管理局(1999). 中華本草(一卷~三十卷). 上海科學技術出版社. 上海.

難波恒雄(1980). 和漢藥圖鑑(I, II). 保育社. 大阪.

南京中醫藥大學(2015). 中藥大辭典(上, 下). 上海科學技術出版社. 上海.

蕭培根 等(1989). 中國本草圖錄. 人民衛生出版社. 北京.

[생약학]

생약학교재편찬위원회(2014). 생약학. 동명사. 서울.

생약학연구회(1998). 현대생약학. 학창사. 서울.

徐國均 等(2006). 中草藥彩色圖譜. 福建科學技術出版社. 福州.

Rudolf Hänsel et al(2007). Pharmakognosie Phytopharmazie. Springer. Heidelberg.

W. C. Evans(2015). Pharmacognosy. Saunders. Edinburgh.

[약용 식물 · 약재 도감]

김기현(2010). 원색세계약용식물도감. 한미허브연구소. 서울.

김창민(2015). 한약재감별도감. 아카데미서적. 서울.

박종철(2015). 약초한약대백과. 푸른행복. 서울.

Ben-Erik van Wyk 등 저, 한덕룡 등 역(2007). 세계의 약용식물. 신일북스. 서울.

배기환(2017). 한국의 약용식물. 교학사. 서울.

배기환(2018). 백세시대 건강보감. 교학사. 서울.

A. Chevallier(2001). Encyclopedia of Medicinal Plants. Dorling Kindersley. London.

[약전]

식품의약품안전처(2012). 대한민국약전외한약(생약)규격집(제11개정). 신일서적. 서울.

식품의약품안전처(2014). 대한민국약전(제11개정). 신일서적. 서울.

中華人民共和國 國家藥典委員會(2015). 中華人民共和國藥典(2010년판). 중국의약과기출판사. 北京.

[식물]

W. S. Judd 등 저, 이상태 등 역(2005). 식물분류학(2판). 신일서적. 서울.

박수현(1995). 한국귀화식물원색도감. 일조각. 서울.

윤주복(2004). 나무 쉽게 찾기. 진선출판사. 서울.

이상태(1997). 한국식물검색표. 아카데미서적. 서울.

이영노(2015). 새로운 한국식물도감. 교학사. 서울.

이우철(1998). 원색한국기준식물도감. 아카데미서적. 서울.

이창복 등(1986). 신편식물분류학. 향문사. 서울.

이창복(2003). 원색대한식물도감. 향문사. 서울.

한국양치식물연구회(2005). 한국양치식물도감. 지오북. 서울.

堀田滿 等(1989). 世界有用植物事典. 平凡社. 東京.

牧野太朗(2008). 新牧野日本植物圖鑑. 北隆館. 東京.

北村四朗 等(1961). 原色日本植物圖鑑(草本編 上, 中, 下). 保育社. 大阪.

北村四朗 等(1971). 原色日本植物圖鑑(木本編 I, II). 保育社. 大阪.

中國科學院植物研究所(1972). 中國高等植物圖鑑(一~七). 科學出版社. 北京.

[조류]

부성민 등(2012). 한국의 해양식물. 정행사. 서울.

新崎盛敏 등(2005). 원색신해조검색도감. 北隆館. 東京.

최창근 등(2007). 한국동해연안해조류생태도감. 다인커뮤니케이션즈. 부산.

田川基二(1981). 原色日本羊齒植物圖鑑. 保育社. 大阪.

[선태식물·지의류]

국립생물자원관(2014). 선태식물 관찰도감. 지오북. 서울.

柏谷博之 저, 文光喜 역(2012). 지의류는 무엇일까?. 지오북. 서울.

[버섯]

농촌진흥청 농업과학기술원(2004). 한국의 버섯. 동방미디어(주). 서울.

박완희 등(1999). 한국약용버섯도감. 교학사. 서울.

박완희 등(2007). 한국의 버섯. 교학사. 서울.

박완희 등(2011). 새로운 한국의 버섯. 교학사. 서울.

今關六也 等(2005). 日本のきのこ. 山と溪谷社. 東京.

图力古尔(2012). 多彩的蘑菇世界. 上海科學普及出版社. 上海.

吳興亮 等(2013). 中國藥用眞菌. 科學出版社. 北京.

[동물]

김익수 등(2005). 한국어류대도감. 교학사. 서울.

김정환(2005). 곤충 쉽게 찾기. 진선출판사. 서울.

손민호 등(2016). 이야기바다동물도감(무척추동물). 교학사. 서울.

최정 등(2002). 곤충류 약물도감. 신일상사. 서울.

한국동물학회(2003). 동물분류학. 집현사. 서울.

한상훈 등(2015). 이야기야생동물도감(포유류, 양서류, 파충류). 교학사. 서울.

劉凌雲 等(2008). 普通動物學. 高等教育出版社. 北京.

[광물]

김수진(2014). 광물과학. 우성. 서울.

무기약품제조학분과회편(2007). 무기의약품화학. 동명사. 서울.

상기남 등(1977). 한국의 광물. 자원개발연구소. 서울.

이현구 등(2007). 한국의 광상. 아카넷. 서울.

[학술 잡지]

한국생약학회. 생약학회지. 한국생약학회. Natural Product Sciences.

대한약학회. 약학회지. 대한약학회. Archives of Pharmacal Research.

배기환(裵基煥)

학력 및 주요 경력

1946. 2 경남 사천 출생
1973. 2 영남대학교 약학대학 졸업
1975. 2 영남대학교 대학원 졸업(약학석사)
1981. 3 일본 도야마대학 대학원 졸업(약학박사)
1981. 6~1984. 8 충남대학교 자연과학대학 조교수
1985. 9~1989. 8 충남대학교 약학대학 부교수
1989. 9~2012. 2 충남대학교 약학대학 교수
1993. 3~1995. 3 충남대학교 약학대학 학장
1997. 3~1999. 2 충남대학교 의약품개발연구소 소장
1997. 3~2006. 12 충남대학교 약초원 원장
2000. 1~2000. 12 충남대학교 기획예산심의위원회 위원장
2002. 1~2002. 12 한국생약학회 회장
2006. 10~2008. 9 한국생약학교수협의회 회장
2006. 1~2007. 12 대한약학회 부회장
2012. 3~현재 충남대학교 약학대학 명예교수

수상 경력

1973. 2 영남대학교 총장상
1984. 12 한국생약학회 우수 논문상
1992. 4 한국과학기술단체 1991년도 과학기술 우수 논문상
2000. 5 충남대학교 우수 교수상
2000. 10 대한약학회 약학연구상
2003. 12 한국생약학회 학술본상
2006. 11 보건복지부장관 표창
2008. 10 대한약학회 학술대상

저서 · 논문

「한국의 약용 식물」 교학사, 「한국의 독식물 · 독버섯」 교학사(공저), 「백세시대 건강보감」 교학사,
「생약학」 동명사(공저), 「천연물화학」 영림사(공저), 학술 논문 400편(국내외), 특허 35건(국내외)

백세시대 건강 지침서

천연약물도감 I

1판 1쇄 인쇄 | 2019년 7월 8일
1판 1쇄 발행 | 2019년 7월 30일

지은이 | 배기환
펴낸이 | 양진오
펴낸곳 | (주)교학사

책임편집 | 황정순
편집 · 교정 | 하유미 · 김천순 · 강옥자
디자인 | (주)교학사 디자인센터
조판 | (주)교학사 전산사식실
제작 | 이재환
인쇄 | (주)교학사
제본 | (주)대신문화사

출판 등록 | 1962년 6월 26일 (제18-7호)
주소 | 서울 마포구 마포대로 14길 4
전화 | 편집부 (02)707-5205, 영업부 (02)707-5161
팩스 | 편집부 (02)707-5250, 영업부 (02)707-5160
전자 우편 | kyohak17@hanmail.net
홈페이지 | http://www.kyohak.co.kr

값 125,000원
ISBN 978-89-09-20781-2 96510

이 도서의 국립중앙도서관 출판예정도서목록(CIP)은 서지정보유통지원시스템 홈페이지
(http://seoji.nl.go.kr)와 국가자료종합목록 구축시스템(http://kolis-net.nl.go.kr)에서
이용하실 수 있습니다. (CIP제어번호: CIP2019020860)